HANDBUCH DER EUROPÄISCHEN GESCHICHTE

HANDBUCH DER EUROPÄISCHEN GESCHICHTE

HERAUSGEGEBEN

VON

THEODOR SCHIEDER

BAND 7

KLETT·COTTA

BAND 1
EUROPA IM WANDEL VON DER ANTIKE ZUM MITTELALTER

BAND 2
EUROPA IM HOCH- UND SPÄTMITTELALTER

BAND 3
DIE ENTSTEHUNG DES NEUZEITLICHEN
EUROPA

BAND 4
EUROPA IM ZEITALTER DES ABSOLUTISMUS
UND DER AUFKLÄRUNG

BAND 5
EUROPA VON DER FRANZÖSISCHEN REVOLUTION
ZU DEN
NATIONALSTAATLICHEN BEWEGUNGEN
DES 19. JAHRHUNDERTS

BAND 6
EUROPA IM ZEITALTER DER NATIONALSTAATEN
UND EUROPÄISCHE WELTPOLITIK
BIS ZUM ERSTEN WELTKRIEG

BAND 7
EUROPA IM ZEITALTER DER
WELTMÄCHTE

BAND 7

EUROPA IM ZEITALTER
DER WELTMÄCHTE

Unter Mitarbeit von
Rudolf von Albertini,
Karl Erich Born, Gunnar Hering,
Gotthard Jäschke, Eino Jutikkala,
Hermann Kellenbenz, Paul Kluke,
Richard Konetzke, Ernst Nolte,
Kevin B. Nowlan, Franz Petri,
Georg von Rauch, Gotthold Rhode,
Denis Silagi, Peter Stadler,
Arved Frhr. von Taube †,
Adam Wandruszka, Maria Zenner

herausgegeben
von
THEODOR SCHIEDER

---

2. Teilband

CIP-Kurztitelaufnahme der Deutschen Bibliothek

Handbuch der europäischen Geschichte
Hrsg. von Theodor Schieder. – Stuttgart: Klett-Cotta.
NE: Schieder, Theodor [Hrsg.]

Bd. 7. Europa im Zeitalter der Weltmächte /
unter Mitarb. von Rudolf von Albertini ...
Hrsg. von Theodor Schieder.
Teilbd. 1. – 1979.
ISBN 3-12-907590-9 Lw.
ISBN 3-12-907890-8 Hldr.
NE: Albertini, Rudolf von [Mitarb.]

CIP-Kurztitelaufnahme der Deutschen Bibliothek

Handbuch der europäischen Geschichte
Hrsg. von Theodor Schieder. – Stuttgart: Klett-Cotta.
NE: Schieder, Theodor [Hrsg.]

Bd. 7. Europa im Zeitalter der Weltmächte /
unter Mitarb. von Rudolf von Albertini ...
Hrsg. von Theodor Schieder.
Teilbd. 2. – 1979.
ISBN 3-12-907590-9 Lw.
ISBN 3-12-907890-8 Hldr.
NE: Albertini, Rudolf von [Mitarb.]

Alle Rechte vorbehalten
Fotomechanische Wiedergabe nur mit Genehmigung des Verlages
Verlagsgemeinschaft Ernst Klett – J. G. Cotta'sche Buchhandlung
Nachf. GmbH. Stuttgart
© Ernst Klett, Stuttgart 1979 · Printed in Germany
Einband- und Umschlagentwurf: Prof. Eugen Funk
Satz: Ernst Klett, Stuttgart.
Druck: Zechner, Speyer

Inhaltsverzeichnis

Abkürzungen XVI
Hilfsmittel XXI

A. Europa im Zeitalter der Weltmächte
Von Theodor Schieder

§ 1 Bevölkerung und Bevölkerungsbewegungen in der Ära der Weltkriege	1
§ 2 Grundzüge der wirtschaftlichen und sozialen Entwicklung in Europa in der Ära der Weltkriege	18
a) Wirtschaftsentwicklung in der Zwischenkriegszeit	20
b) Veränderungen der Sozialstruktur	33
§ 3 Politische Bewegungen und Typen des Staats seit dem Ende des 1. Weltkriegs	66
§ 4 Die Neuordnung Europas auf der Pariser Friedenskonferenz	113
§ 5 Das internationale System Europas 1919–1929	138
§ 6 Der Weg in den II. Weltkrieg 1929–1939	171
§ 7 Der liberale Staat und seine Krise. Antiliberale Systeme: Nationaltotalitarismus, Faschismus, autoritäre Staaten, kommunistische Staaten	201
a) Der liberale Staat und seine Krise	201
b) Antiliberale Systeme: Nationaltotalitarismus, Faschismus, autoritäre Staaten, kommunistische Staaten	218
§ 8 Europa im II. Weltkrieg	240
§ 9 Das Ende des europäischen Kolonialismus	300
§ 10 Europäische Bewegung und europäische Institutionen	319
§ 11 Europa im Kalten Krieg	334

B. Die europäischen Mächte und Staaten

§ 12 Großbritannien und das Commonwealth in der Zwischenkriegs- und Nachkriegszeit ... 353
Von Paul Kluke

I. Großbritannien seit dem Ende des I. Weltkrieges 360
  a) Jahre des Suchens (1918–1922) 360
  b) Die Illusion der Rückkehr zur Normalität 371
  c) Von der Weltkrise in den Weltkrieg 376
  d) England im Krieg. Der Ausbau des sozialen Wohlfahrtsstaates 384

II. Vom Britischen Empire zum Commonwealth of Nations 401
  a) Die Dominions 406
  b) Indien 414

III. The Dependent Empire. Das Kolonialreich 419
  a) Mandate 421
  b) Das Kolonialreich 429

§ 13 Frankreich vom Frieden von Versailles bis zum Ende der Vierten Republik 1919–1958 ... 438
Von Rudolf von Albertini

  a) Die Nachkriegsjahre (1919–1928) 439
  b) Wirtschaftliche Erholung und Krise (1929–1934) 444
  c) Der 6. Februar 1934 und die Volksfront 451
  d) Der II. Weltkrieg, Vichy und die Résistance 457
  e) Die Etablierung der Vierten Republik 465
  f) Schwierigkeiten und Krise der Vierten Republik (1947–1958) 470

§ 14 Sowjetrußland von der Oktoberrevolution bis zum Sturz Chruschtschows 1917–1964 ... 481
Von Georg von Rauch

  a) Die Grundlegung der bolschewistischen Herrschaft 483
  b) Der Bürgerkrieg 487
  c) Die innere Lage nach dem Bürgerkrieg 490
  d) Die sowjetische Kulturpolitik 493
  e) Die Außenpolitik der frühen zwanziger Jahre 494
  f) Lenins Ende und Stalins Aufstieg 496
  g) Industrialisierung und Kollektivierung 498
  h) Ideologische und soziale Wandlungen 500
  i) Die große Säuberung 502
  k) Außenpolitische Wandlungen (1924–1934) 504
  l) Volksfront und kollektive Sicherheit 506
  m) Stalins Pakt mit Hitler und seine Folgen 508
  n) Der Große Vaterländische Krieg 511
  o) Die Sowjetunion nach dem Kriege 513
  p) Stalins Ende 516
  q) Die Sowjetunion bis zum Sturz Chruschtschows 518

§ 15 Deutschland vom Ende der Monarchie bis zur Teilung 522
Von Karl Erich Born

I. Die Weimarer Republik (1918–1933) 523
   a) Das Ringen um die politische und wirtschaftliche Konsolidierung der Weimarer Republik (1918–1924) 526
   b) Wirtschaft und Gesellschaft in der Weimarer Republik 534
   c) Probleme und Ziele der deutschen Außenpolitik (1919–1932) 539
   d) Wirtschaftskrise und Untergang der Demokratie (1929–1933) 542
II. Die nationalsozialistische Herrschaft (1933–1945) 549
   a) Die Errichtung der Diktatur (1933/34) 552
   b) Der nationalsozialistische Staat 557
   c) Deutschland im II. Weltkrieg 563
III. Das geteilte Deutschland 569
   a) Die Teilung Deutschlands 570
   b) Die Bundesrepublik Deutschland 577
   c) Die Deutsche Demokratische Republik (DDR) 582

§ 16 Deutsche Sonderentwicklungen im Zeitalter der Weltkriege 586

I. Das Saargebiet 1920–1935 und 1945–1957 586
Von Maria Zenner

   a) Das Saargebiet unter dem Völkerbundsregime (1920–1935) 589
   b) Das Saarproblem nach dem II. Weltkrieg (1945–1957) 596
II. Die Freie Stadt Danzig 1920–1939 605
Von Gotthold Rhode

   a) Die Entstehung der Freien Stadt Danzig (Völkerrechtliche Grundlagen u. Verfassung 1920–1922) 606
   b) Konflikte, wirtschaftliche Stabilisierung und Krise (1922–1930) ... 609
   c) Neue Konflikte und Wirtschaftskrise (1931–1933) 612
   d) Das nationalsozialistische Danzig (1933–1939) 614

§ 17 Italien vom Ende des I. Weltkriegs bis zum ersten Jahrzehnt der Republik 1918–1960 619
Von Ernst Nolte

   a) Die Legende vom »verstümmelten Sieg« und der Mythos der Leninschen Revolution 622
   b) Die Anfänge des Faschismus und der Marsch auf Rom 627
   c) Die Ausbildung des faschistischen Herrschaftssystems 630
   d) Gipfelpunkt und Niedergang des Faschismus 634
   e) Italien zwischen den Welten 641
   f) De Gasperi und die Entscheidung für den Westen 644
   g) Die »Öffnung nach links« und das Problem der italienischen Demokratie 647

§ 18 Die iberischen Staaten vom Ende des I. Weltkriegs bis zur Ära der autoritären Regime 1917–1960 — 651
Von Richard Konetzke

I. Spanien 651
   a) Die Krisen des Jahres 1917 und ihre Folgen (1917–1923).......... 653
   b) Die Diktatur Primo de Riveras (1923–1930)..................... 663
   c) Zweite Republik und Bürgerkrieg (1931–1939) 672
   d) Franco-Spanien 686

II. Portugal 693

§ 19 Belgien, Niederlande, Luxemburg vom Ende des I. Weltkriegs bis zur Politik der europäischen Integration 1918–1970 — 699
Von Franz Petri

a) Außenpolitische Probleme (1918–1940) 699
   Belgien 701
   Niederlande 703
   Luxemburg.. 704
b) Innere Geschichte (1918–1940)............................... 705
   Belgien 705
   Niederlande 708
   Luxemburg.. 711
c) Der II. Weltkrieg.. 711
   Belgien 711
   Niederlande 716
   Luxemburg.. 719
d) Benelux und europäische Integration 719
e) Innere Geschichte seit 1945 721
   Belgien 721
   Niederlande 724
   Luxemburg.. 727

§ 20 Die Schweiz seit 1919 — 729
Von Peter Stadler

a) Bis zum Ende des II. Weltkriegs............................. 730
b) Entwicklungstendenzen seit 1945 740

§ 21 Irland vom Osteraufstand bis zur nordirischen Krise 1916–1968 — 746
Von Kevin B. Nowlan

a) Die Revolutionszeit 746
b) Die Entwicklung der beiden irischen Staaten 758
c) Fianna Fail als Regierungspartei 763
d) Irland und der II. Weltkrieg 765
e) Die Republik Irland 767

§ 22 Die skandinavischen Staaten seit dem Ende des I. Weltkriegs 772
Von Hermann Kellenbenz

a) Der europäische Norden am Ende des I. Weltkriegs 773
b) Die innere Entwicklung bis zum II. Weltkrieg 774
    Dänemark 774
    Norwegen 778
    Schweden 781
c) Die skandinavische Außenpolitik bis zum II. Weltkrieg 787
    Dänemark 787
    Norwegen 789
    Schweden 790
d) Der II. Weltkrieg 791
e) Die innere Entwicklung nach dem II. Weltkrieg 799
    Dänemark 799
    Grönland 809
    Färöer 811
    Island 811
    Norwegen 813
    Schweden 815
f) Die Außenpolitik nach dem II. Weltkrieg 817
    Dänemark 817
    Island 819
    Norwegen 819
    Schweden 820
g) Nordische Zusammenarbeit 821

§ 23 Österreich von der Begründung der ersten Republik bis zur sozialistischen Alleinregierung 1918–1970 823
Von Adam Wandruszka

a) Die Gründung der Republik (1918–1920) 828
b) Vom Ende der Koalition zur Krise des Parlamentarismus (1920–1933) 835
c) Der »Christliche Ständestaat« unter Dollfuß und Schuschnigg (1933–1938) 852
d) Österreich im »Großdeutschen Reich« (1938–1945) 869
e) Von der Befreiung zur Freiheit (1945–1955) 874
f) Vom Staatsvertrag zur sozialistischen Alleinregierung (1955–1970) . 880

§ 24 Ungarn seit 1918: Vom Ende des I. Weltkriegs bis zur Ära Kádár 883
Von Denis Silagi

a) Von der Auflösung des Reichs der Stephanskrone bis zum Ende der Ära Bethlen 887
b) Ungarn im Einflußbereich des Dritten Reiches 895
c) Charakteristika der Horthy-Zeit 899
d) Die Lage bei Kriegsende 901
e) Von der Provisorischen Nationalversammlung zur Republik 903
f) Ungarn unter Matthias Rákosi 905

g) Charakteristika der Diktatur Rákosis 911
h) Vom »Neuen Kurs« zur Bildung der Regierung Kádár 912
i) Ungarn nach dem gescheiterten Aufstand 917

§ 25 Die Tschechoslowakei von der Unabhängigkeitserklärung bis zum »Prager Frühling« 1918–1968   920

Von Gotthold Rhode

I. Die Erste Republik (1918–1938) 925
   a) Die Tschechen und Slowaken im I. Weltkrieg. Die Staatsentstehung 1918 925
   b) Die slowakische und die deutsche Frage. Grenzprobleme (1918–1919) 928
   c) Die innere Entwicklung unter Masaryk als Präsidenten (1920–1935) 931
   d) Wirtschafts- und Sozialprobleme (1920–1935) 935
   e) Die Außenpolitik im Rahmen der Kleinen Entente (1920–1935) ... 937
   f) Die Tschechoslowakei als Opfer der »Neuordnung Europas« (1935–1938) 938

II. Die Zweite Republik (Oktober 1938–März 1939) 945

III. Die Tschechoslowakei im II. Weltkrieg 949
   a) Das Protektorat Böhmen und Mähren 949
   b) Die Slowakei 952
   c) Exil und Exilregierung 957

IV. Die Tschechoslowakische Republik auf dem »Mittelweg« (1945–1948) 961
   a) Wiederherstellung und Umgestaltung der Republik 961
   b) Das Scheitern des »Mittelwegs«. Der Umbruch vom Februar 1948 und seine Folgen 964

V. Von der Volksrepublik zur Sozialistischen Republik. Der »Prager Frühling« und sein Ende 1968 969
   a) Die Ära des Stalinismus. Säuberungen und Schauprozesse 969
   b) Liberalisierung und »Prager Frühling« 972

§ 26 Polen von der Wiederherstellung der Unabhängigkeit bis zur Ära der Volksrepublik 1918–1970   978

Von Gotthold Rhode

a) Die Vorbereitung der Wiedergeburt des polnischen Staates (1916–1918). »Aktivisten« und »Passivisten« 984
b) Die Erlangung der Unabhängigkeit und der Kampf um Grenzen und Staatsgestaltung (1918–1921/22) 990
c) Die Zeit der Herrschaft des Parlaments. Von der »Märzverfassung« bis zum Mai-Umsturz 1926 1000
d) Die Zeit der autoritären Staatsform unter Marschall Piłsudski und seinen Epigonen (1926–1939) 1007
e) Das geteilte Polen im II. Weltkrieg. Untergrund, westliches und östliches Exil (1939–1944) 1021

Inhaltsverzeichnis

f) Die Wiedererrichtung des Staates. Westverschiebung und »Mittelweg« (1944/45–1947) 1040
g) Polens Umgestaltung zur »Volksdemokratie«. »Eigener Weg.« Stalinismus und erste Wandlungen nach Stalins Tod (1947–1956) 1047
h) »Frühling im Oktober« und zweite »Ära Gomułka« (1956–1970) .. 1054

§ 27 Litauen vom Kampf um seine Unabhängigkeit bis zur Gründung der Sowjetrepublik 1917–1944   1062

Von Gotthold Rhode

a) Die Entstehung des litauischen Staates (1917–1920) 1065
b) Parlamentsherrschaft und Grenzprobleme in Ost und West (1920–1926) 1069
c) Autoritäres Regime (1926–1938)............................... 1073
d) Verlust der Unabhängigkeit (1938–1940) 1076
e) Die Sowjetrepublik Litauen................................... 1078

§ 28 Finnland von der Erringung der Selbständigkeit bis zur Neuorientierung nach dem II. Weltkrieg 1918–1966   1080

Von Eino Jutikkala

a) Der Weg zur Selbständigkeit................................... 1080
b) Die Außen- und Innenpolitik in der Zeit zwischen den Weltkriegen 1088
c) Finnland im II. Weltkrieg 1098
d) Ausblick auf die Nachkriegszeit 1104

§ 29 Estland und Lettland als selbständige Republiken und als Unionsrepubliken der UdSSR 1918–1970   1107

Von Arved Frhr. von Taube †

a) Die geschichtlichen Voraussetzungen der Staatsgründung......... 1107
b) Der Weg in die Eigenstaatlichkeit (1917–1920) 1110
c) Die staatliche Konsolidierung (1920–1929) 1116
d) Die Krise des Parlamentarismus und die »autoritäre Demokratie« der 30er Jahre (1934–1940) 1121
e) Die Neutralitätspolitik der baltischen Staaten und das Ende ihrer Unabhängigkeit (1939/40)..................................... 1124
f) Estland und Lettland als Unionsrepubliken der UdSSR 1129

§ 30 Die südosteuropäischen Staaten von der Neuordnung nach dem I. Weltkrieg bis zur Ära der Volksdemokratien   1134

Von Gotthold Rhode

I. Rumänien 1918–1968... 1134
    a) Großrumänien als konstitutionelle Monarchie und Glied der »Kleinen Entente« (1918–1938) 1136
    b) Rumänien unter der Königsdiktatur gegenüber dem Druck des Revisionismus (Februar 1938–September 1940) 1149

c) Das autoritäre Rumänien als Verbündeter des Dritten Reiches (September 1940-23. VIII. 1944) 1155
d) Die Umgestaltung zur Volksdemokratie (1944-1948) 1161
e) Der Weg in den Sozialismus (1948-1962) 1167
f) Die rumänisch-nationale Variante im Sozialismus seit 1963 1176

II. Jugoslawien 1918-1968 1183
a) Das Königreich SHS als konstitutionelle Monarchie (1918-1929) .. 1186
b) Das Königreich Jugoslawien als autoritär geführter Staat (1929-1941) 1201
c) Zusammenbruch, Widerstand und Umgestaltung zur Volksdemokratie (1941-1946) 1211
d) Jugoslawiens beschleunigter Übergang zum Sozialismus und der Kominformkonflikt (1946-1948) 1226
e) Jugoslawien im Zeichen des Kominformkonflikts und als Exponent einer »blockfreien Welt« (1948-1963) 1230
f) Experimente und Umgestaltungen zur Zeit der Abmilderung ideologischer Gegensätze (1963-1968) 1237

III. Bulgarien 1918-1968 1241
a) Die konstitutionelle Monarchie unter der Last der Kriegsfolgen und des Vertrags von Neuilly (1918-1934) 1243
b) Die autoritäre Monarchie Bulgarien nach dem Staatsstreich vom 19. V. 1934 (1934-1941) 1250
c) Bulgarien als Achsenpartner und Kriegsteilnehmer (1941-1944) ... 1254
d) Die Umgestaltung zur Volksrepublik bis zum Kominformkonflikt (1944-1948) 1257
e) Das sozialistische Bulgarien (1948-1968) 1262

IV. Albanien 1918-1968 1269
a) Wechselnde Besatzungen und Teilregierungen bis zur Wiedergewinnung der Unabhängigkeit (1914-1920) 1272
b) Das unabhängige Albanien auf der Suche nach einer Staats- und Regierungsform (1920-1924) 1275
c) Das autoritäre Regime des Präsidenten und Königs Ahmed Zogu (1925-1939) 1278
d) Okkupation und Union mit Italien (1939-1943) 1282
e) Übergang zum kommunistischen Herrschaftssystem unter dem Einfluß Jugoslawiens (1944-1948) 1284
f) Das kommunistische Albanien unter Enver Hodscha (1948-1968).. 1290

V. Südosteuropa nach 1944 1297
a) Die Phase des »Mittelwegs« (1944-1948) 1299
b) Die Phase der »Sowjetisierung« (1948-1955) 1305
c) Die Phase der »Entstalinisierung« und der Herausbildung von Abweichungen und Varianten seit 1955 1309

§ 31 Griechenland vom Lausanner Frieden bis zum Ende der Obersten-Diktatur 1923–1974   1313

Von Gunnar Hering

  a) Vom Lausanner Frieden bis zur Diktatur des Pangalos 1314
  b) Die Diktatur des Pangalos und ihr Erbe 1319
  c) Stabilisierung und Wirtschaftskrise 1321
  d) Die Krise der Republik und die Restauration des Königtums 1322
  e) Metaxas-Diktatur und Okkupation 1325
  f) Widerstand und Befreiung 1326
  g) Dezemberaufstand und Bürgerkrieg 1329
  h) Die Nachkriegsjahre 1334

§ 32 Die Türkei als Nationalstaat seit der Revolution Mustafa Kemal (Atatürk)s 1920–1974   1339

Von Gotthard Jäschke

Register 1353

Abkürzungen

Jahrbücher, Reihen, Zeitschriften (nach Dahlmann-Waitz)

AbhhAkadBerlin	Abhandlungen der Preußischen (Deutschen) Akademie der Wissenschaften zu Berlin. – Abhandlungen anderer Akademien werden in entsprechend gebildeter Kürzung zitiert. Es ist immer die philosophisch-historische Klasse (mit jeweils verschiedenen Benennungen) gemeint
ADAP	Akten zur Deutschen Auswärtigen Politik 1918–1945
AHR	The American Historical Review. New York
AllgSchweizMilitZ	Allgemeine Schweizerische Militärische Zeitschrift. Journal militaire suisse. Gazzetta militare svizzera. Frauenfeld
AmerPolScienceRev	The American Political Science Review. Baltimore
AmerSlavRev	The American Slavic and East European Review. New York. Fortges. u. d. T.: Slavic Review
AnnEconSocCiv	Annales. Economies, Sociétés, Civilisation. Paris. Forts. von: Annales d'histoire économique et sociale
AnnHistEconSociale	Annales d'histoire économique et sociale. Paris
AnzAkadWien	Anzeiger der österreichischen Akademie der Wissenschaften in Wien. Philosophisch-historische Klasse. Wien
ArchGegw	Archiv der Gegenwart. Forts. von: Keesings Archiv der Gegenwart
ArchGSozialismus	Archiv für Geschichte des Sozialismus (und der Arbeiterbewegung)
ArchPolG	Archiv für Politik und Geschichte. Forts. von: Die Hochschule. Blätter für akademische und studentische Arbeit. Fortg. u. d. T.: Vierteljahresschrift für Politik und Geschichte
ArchSozialg	Archiv für Sozialgeschichte
ArchVölkerrecht	Archiv des Völkerrechts
BaltBrr	Baltische Briefe
BaltHh	Baltische Hefte
BaltMhefte	Baltische Monatshefte. Reval. Forts. von: Baltische Monatsschriften
BaltRev	The Baltic Review. New York. Forts. von: Revue baltique und Baltic Review. Stockholm
BeitrrArabSemitIslamwiss	Beiträge zur Arabistik, Semitistik und Islamwissenschaft
BeitrrGDtArbeiterbew	Beiträge zur Geschichte der Deutschen Arbeiterbewegung
BeitrrMilitKriegsg	Beiträge zur Militär- und Kriegsgeschichte
BelgTijdsMilitG	Belgisch tijdschrift vor militaire geschiedenis. Revue belge d'histoire militaire. Bruxelles
BelgTijdsNG	Belgisch tijdschrift voor de nieuwste geschiedenis. Revue belgique d'histoire contemporaine. Gent
BijdrGNederl	Bijdragen voor de geschiedenis der Nederlanden. Contributions à l'histoire des Pays-Bas. s'Gravenhage. Forts. von: Bijdragen voor vaderlandsche geschiedenis en

	oudheidkunde. Fortges. u. d. T.: Bijdragen en mededeelingen betr. de geschiedenis der Nederlanden
BijdrGIIWereldoorlog	Bijdragen tot de geschiedenis van de Tweede Wereldoorlog. Bruxelles
BijdrMededGNederl	Bijdragen en mededeelingen betr. de geschiedenis der Nederlanden. s'Gravenhage. Forts. von: Bijdragen voor de geschiedenis der Nederlanden
BullAcadBelgClLettres	Bulletin de l'Académie Royale de Belgique. Classe des lettres et des sciences morales et politiques. Bruxelles
BullCritiqueHistBelg	Bulletin critique d'histoire de Belgique. Gand
CahHistGuerre	Cahiers d'histoire de la guerre. Paris. Fortges. u. d. T.: Revue d'histoire de la deuxième guerre mondiale
CanadJournEconSocialScience	Canadian Journal of Economics and Social Science. Toronto
CanadJournHist	Canadian Journal of History. Annales canadiennes d'histoire. Saskatoon/Sask.
CanadSlavPapers	Canadian Slavonic Papers. Revue canadienne des slavists. Ottawa
CentrEurHist	Central European History. Publ. by Emory University, Atlanta
ČeskyČasHist	Československo časopis historicky. Praha
ChurchHist	Church History. Publ. by the American Society of Church History, Chicago
CompStudSocHist	Comparative Studies in Society and History. An International Quarterly, Den Haag
ContempRev	The Contemporary Review. London
CurrentHist	Current History (The New York Times). A Monthly Magazine of World Affairs, New York
DALdVolksforsch	Deutsches Archiv für Landes- und Volksforschung
DtRdsch	Deutsche Rundschau
EconHistRev	Economic History Review. London
EconSoziaalT	Economisch en soziaal tijdschrift. Antwerpen
ElsLothrJb	Elsaß-lothringisches Jahrbuch, hg. vom Institut der Elsaß-Lothringer im Reich
EstudGeogr	Estudios Geograficos. Madrid
EtHistContempRoum	Etudes d'histoire contemporaine de la Roumanie. Bukarest
EurArch	Europa Archiv
ForAffairs	Foreign Affairs. An American Quarterly Review, New York
ForschBeitrrWienStadtg	Forschungen und Beiträge zur Wiener Stadtgeschichte. Wien
ForschOsteurG	Forschungen zur osteuropäischen Geschichte
GWU	Geschichte in Wissenschaft und Unterricht
HarvardHistMonogr	Harvard Historical Monographs. Cambridge/Mass.
HistJourn	Historical Journal. University of Birmingham, Birmingham
HistStudEbering	Historische Studien, hg. v. R. Fester. NF: Hallische Forschungen zur neueren Geschichte
HistTOslo	Historisk tidsskrift. Oslo
HistTStockholm	Historisk tidsskrift. Stockholm
HZ	Historische Zeitschrift
IntAffairs	International Affairs. London
IntRevSocHist	International Review of Social History. Leiden
IstArch	Istriceskij archiv. Akademija Nauk SSSR. Institut Istorii, Moskva
IstZapMoskva	Istoričeskie zapiski. Moskva
IzvAkadEst	Izvestija Akademija Nauka Estonskoj SSR. Tallinn

JbAmerStud	Jahrbuch für Amerikastudien. Im Auftrag der Deutschen Gesellschaft für Amerikastudien
JbbGOsteur	Jahrbücher für die Geschichte Osteuropas
JberrDtG	Jahresberichte für deutsche Geschichte
JbGMitteldtld	Jahrbuch für die Geschichte Mittel- und Ostdeutschlands. Forts. von: Jahrbuch für die Geschichte des deutschen Ostens
JbÖffR	Jahrbuch des öffentlichen Rechts der Gegenwart
JbVölkerr	Jahrbuch des Völkerrechts
JournCentrEurAff	Journal of Central European Affairs. Colorado
JournCommonwPolStud	Journal of Commonwealth Political Studies. University of Leicester, Leicester
JournContempHist	Journal of Contemporary History. London
JournInstIntAffairs	Journal of the Royal Institute of International Affairs. London
JournModHist	The Journal of Modern History. Chicago
JournPol	The Journal of Politics. Gainesville/Fla.
JournPolEcon	Journal of Political Economy. Chicago
KeesingsArch	Keesings Archiv der Gegenwart. Fortg. u. d. T.: Archiv der Gegenwart
KölnZSoziol	Kölner Zeitschrift für Soziologie
MilitGeschichtlMitt	Militärgeschichtliche Mitteilungen
MilitRev	Military Review. Fort Leavenworth/Kans.
MovLiberItal	Il movimento de liberazione in Italia. Rassegna bimestrale di studi e documenta edita a cura dell'Istituto Nazionale per la Storia del Movimenta di Liberazione in Italia. Milano
NachrrAkadGött	Nachrichten von der Akademie der Wissenschaften in Göttingen. Forts. von: Nachrichten von der Gesellschaft der Wissenschaften zu Göttingen. Fortg. u. d. T.: Jahrbuch der Akademie der Wissenschaften in Göttingen. Nachrichten anderer Akademien werden entsprechend zitiert
NNovIst	Novaja i novejšaja istorija, hg. v. d. Akademija Nauk SSSR. Institut Vseobščej Istorii, Moskva
NÖB	Neue Österreichische Biographie. Zürich, Wien, Leipzig
NouvClio	La nouvelle Clio. Revue mensuelle de la découverte historique, Bruxelles
NouvRevWallone	Nouvelle revue wallone. Paris
NPL	Neue politische Literatur
NStatesman	The New Statesman and Nation. London
PolEtrang	Politique étrangère. Paris
PolQuart	The Political Quarterly. London
PolScienceQuart	Political Science Quarterly. New York
PolStud	Politische Studien. Zweimonatsschrift für Zeitgeschehen und Politik
PolVjschr	Politische Vierteljahresschrift. Zeitschrift der Deutschen Vereinigung für politische Wissenschaft
ProcAmerPhilosSoc	Proceedings of the American Philosophical Society. Philadelphia/Penn.
QForschItalArchBibl	Quellen und Forschungen aus italienischen Archiven und Bibliotheken. Rom
RevBelgPhilolHist	Revue belge de philologie et d'histoire. Bruxelles
RevDroitInt	Revue de droit international et de législation comparée. Bruxelles
RevEconInt	Revue économique internationale. Bruxelles
RevEconPol	Revue d'économie politique. Paris

RevFrançSciencePol	Revue française de science politique. Paris
RevGénDroitIntPubl	Revue générale de droit international public. Paris
RevHistDipl	Revue d'histoire diplomatique. Paris
RevHistII^{me}GuerreMond	Revue d'histoire de la deuxième guerre mondiale. Paris. Forts. von: Cahiers d'histoire de la guerre
RevHistModContemp	Revue d'histoire moderne et contemporaine. Paris
RevOcc	Revista de Occidente. Madrid
RevPol	Review of Politics. Notre Dame/Ind.
RevPolParl	Revue politique et parlamentaire. Paris
RevRoumHist	Revue roumaine d'histoire. Bukarest
RH	Revue historique. Paris
RevUnivBruxelles	Revue de l'Université de Bruxelles. Bruxelles
RheinArch	Rheinisches Archiv
RheinVjbll	Rheinische Vierteljahrsblätter. Mitteilungen des Instituts für geschichtliche Landeskunde in Bonn
RivContemp	Rivista contemporanea. Turin
RivStorItal	Rivista storica italiana. Pubblicazione trimestrale, Turin
SchmollersJb	Schmollers Jahrbuch für Gesetzgebung, Verwaltung und Volkswirtschaft im Deutschen Reich
SchweizMonatshh	Schweizer Monatshefte. Zürich
SchweizZG	Schweizerische Zeitschrift für Geschichte. Revue suisse d'histoire. Revista storica svizzera. Zürich. Forts. von: Zeitschrift für Schweizerische Geschichte
SDG	Sowjetsystem und demokratische Gesellschaft. Eine vergleichende Enzyklopädie
SlavonicEastEurRev	The Slavonic and EastEuropean Review. London
SlavRev	Slavic Review. Forts. von: The American Slavic and East European Review. New York
SocialRes	Social Research. New School for Social Research, New York
StorContemp	Storia contemporanea. Firenze
StudDokGIIWeltkrieg	Studien und Dokumente zur Geschichte des II. Weltkriegs
SüddtMhefte	Süddeutsche Monatshefte
SüdostForsch	Südostdeutsche Forschungen. Seit 1940: Südostforschungen
TGGroningen	Tijdschrift voor geschiedenis. Groningen
TransactAmerPhilosSoc	Transactions of the American Philosophical Society. Philadelphia/Penn.
UngJb	Ungarn Jahrbuch
UngJbb	Ungarische Jahrbücher
VeröffInstIntRKiel	Veröffentlichungen des Instituts für internationales Recht an der Universität Kiel
VjhefteWirtschForsch	Vierteljahrshefte zur Wirtschaftsforschung. Fortges. u. d. T.: Schriften des Instituts für Konjunkturforschung
VjhefteZG	Vierteljahrshefte für Zeitgeschichte
VjschrSozialWirtschG	Vierteljahrsschrift für Sozial- und Wirtschaftsgeschichte. Forts. von: Zeitschrift für Sozial- und Wirtschaftsgeschichte
VoprIst	Voprosy istorii. Moskva
WaG	Die Welt als Geschichte. Zeitschrift für universalgeschichtliche Forschung
WehrwissRdsch	Wehrwissenschaftliche Rundschau
WeltwirtschArch	Weltwirtschaftliches Archiv
WienZKdeMorgenl	Wiener Zeitschrift für die Kunde des Morgenlandes. Wien
WissZUnivHalle-Wittenberg	Wissenschaftliche Zeitschrift der Martin-Luther-Universität in Halle-Wittenberg
ZAachenGV	Zeitschrift des Aachener Geschichtsvereins

ZAgrargAgrarsoziol	Zeitschrift für Agrargeschichte und Agrarsoziologie
ZAuslÖffR	Zeitschrift für ausländisches öffentliches Recht und Völkerrecht
ZBayerLdG	Zeitschrift für bayerische Landesgeschichte
ZGeopol	Zeitschrift für Geopolitik
ZGWiss	Zeitschrift für Geschichtswissenschaft
ZOsteurG	Zeitschrift für osteuropäische Geschichte
ZOsteurR	Zeitschrift für osteuropäisches Recht
ZOstforsch	Zeitschrift für Ostforschung
ZPol	Zeitschrift für Politik
ZSchweizG	Zeitschrift für Schweizerische Geschichte. Revue d'histoire suisse. Rivista storica svizzera. Forts. von: Jahrbuch für schweizerische Geschichte. Fortges. u. d. T.: Schweizerische Zeitschrift für Geschichte
ZSozialWirtschG	Zeitschrift für Sozial- und Wirtschaftsgeschichte. Fortges. u. d. T.: Vierteljahrsschrift für Sozial- und Wirtschaftsgeschichte
ZStaatswiss	Zeitschrift für die gesamte Staatswissenschaft
ZVölkerr	Zeitschrift für Völkerrecht
ZVölkVerfVerw	Zeitschrift für völkische Verfassung und Verwaltung
ZWirtschGeogr	Zeitschrift für Wirtschaftsgeographie

Hilfsmittel, Quellensammlungen und allgemeine Darstellungen

Bibliographien
L. J. Ragatz, A Bibliography for the Study of European History 1815–1939 (1942, suppl. 1943, 1945). *G. Franz*, Bücherkunde zur Weltgeschichte vom Untergang des Römischen Weltreiches bis zur Gegenwart (1956). *W. N. Medlicott*, Modern European History 1789–1945: Bibliography (1960). *J. Roach* (Hg.), A Bibliography of Modern History (1968). *Dahlmann-Waitz*, Quellenkunde d. Dt. Gesch. (^{9}1931), erscheint seit 1965 in 10. Aufl., hg. v. *H. Heimpel* u. *H. Geuss*. Bibliographische Vierteljahrshefte der Weltkriegsbücherei, Heft 1–19, fortges. u. d. Titel: Bibliographien der Weltkriegsbücherei, Heft 20–40 (1934–1943). Schriften der Bibliothek für Zeitgeschichte. Weltkriegsbücherei NF (1962 ff.). Bücherschau der Weltkriegsbücherei (1921 ff.), umbenannt in Jahresbibliographie der Bibliothek für Zeitgeschichte NF (1960 ff.). Bibliographie zur Zeitgeschichte, Beilage der Vierteljahrshefte für Zeitgeschichte (1953 ff.) Bibliographie zur Zeitgeschichte und zum II. Weltkrieg für die Jahre 1945–1950, zusammengest. von *F. Herre* u. *H. Auerbach* (Ndr. 1965). The American Historical Association's Guide to Historical Literature, hg. v. *G. F. Howe* u. a. (1961). International Bibliography of Historical Sciences, hg. v. *M. François* u. *N. Tolu*, Bd. 1: 1926 (1930 ff.). Foreign Affairs Bibliography, Bd. 1–5 (1935–1976). The Foreign Affairs 50-Years Bibliography, New Evaluations of Significant Books on International Relations 1920–1970 (1972), hg. v. *B. Dexter*. *E. Plischke*, American Foreign Relations, A Bibliography of Official Sources (Repr. 1966). Bibliografia storica nazionale 1–34 für die Jahre 1939–1972 (1942–1974). Bibliographie annuelle de l'histoire de France du cinquiéme siécle á 1945 (1954–1975). *G. R. Elton*, Modern Historians on British History 1485–1945 (1970). *J. Ziegler*, World War II: Books in English 1945–1965 (1971). *R. E. Kanet*, Soviet and East European Foreign Policy. A Bibliography of English and Russian Language Publications 1967–1971 (1974). *Th. T. Hammond*, Soviet Foreign Relations and World Communism (1965). *K. D. Bracher, H. A. Jacobsen, M. Funke* (Hg.), Bibliographie zur Politik in Theorie und Praxis (aktual. Neuaufl. 1976). *J. P. Halstead, S. Porcari*, Modern European Imperialism. A Bibliography of Books and Articles 1815–1972 (2 Bde. 1974). *H. U. Wehler*, Bibliographie zur modernen deutschen Sozialgeschichte (1976); ders., Bibliographie zur modernen deutschen Wirtschaftsgeschichte (1976), in: Arbeitsbücher zur modernen Geschichte, Bd. 1 u. 2. World List of Historical Periodicals and Bibliographies, hg. v. *P. Caron* u. *M. Jaryc* (1939). Historical Periodicals. An Annotated World List of Historical and Related Serial Publications, hg. v. *E. H. Boehm* u. *L. Adolphis* (1961).

Quellen
Jahrbücher: Keesings Archiv d. Gegenwart (1931 ff.). *H. Schulthess* (Hg.), Europäischer Geschichtskalender, für den Zeitraum von 1919–1941: NF Bd. 35–57 (1932–1942, Bd. 57: 1965, Teilnachdr. 1971). Survey of International Affairs, hg. v. *A. J. Toynbee*, 1920–1923 (1925); fortges. u. verschiedenen Herausgebern bis 1962 (1970).

Allgemeine Sammlungen, Aktenpublikationen
G. Schönbrunn, Weltkriege und Revolutionen 1914–1945 (1961), in: Geschichte in Quellen, Bd. 5. *W. Benz*, Quellen zur Zeitgeschichte, in: Deutsche Geschichte seit dem I. Weltkrieg, Bd. 3 (1973). Documents on British Foreign Policy 1919–1939, Serie I, IA, II, III (1946 ff.). Documents diplomatiques belges 1920–1940 (5 Bde. 1964–1966). Documents diplomatiques français, Serie I 1932–1935, Serie II 1936–1939 (1964–1974). Documenti diplomatici

italiani, für den Zeitraum 1922-1943: Serie 7 (1953-1975), Serie 8 (1952-1953), Serie 9 (1954-1965), noch nicht vollständig. Dokumenty vnešnej politik SSSR (Dokumente der Außenpolitik der UdSSR), bisher 20 Bde.: 7. XI. 1917-31. XII. 1937 (1957-1976). Papers Relating to the Foreign Relations of the United States (1861 ff.; teilweise Repr. 1965 ff.); fortges. u. d. T.: Foreign Relations of the United States Diplomatic Papers (seit 1932). *E. Anchieri,* La diplomazia contemporanea, Raccolta di documenti diplomatici 1815-1956 (1959). Akten der Reichskanzlei, Kabinette: Scheidemann (1971), Müller I (1971), Fehrenbach (1972), Wirt I u. II (1973), Cuno (1968), Marx I u. II (1973), Müller II (2 Bde. 1970), Luther I u. II (1977). Akten zur deutschen Auswärtigen Politik 1918-1945, Serie B-E (seit 1950, Serie A noch nicht begonnen). *J. Hohlfeld* (Hg.), Dokumente der deutschen Politik und Geschichte von 1848 bis zur Gegenwart, Bd. 3-8 für 1919-1954 (o. J. 1951-1956). *H. Michaelis, E. Schraepler* (Hgg.), Ursachen und Folgen. Vom deutschen Zusammenbruch 1918 und 1945 bis zur staatlichen Neuordnung Deutschlands in der Gegenwart, ab Bd. 3 ff. (1958 ff.), zuletzt Bd. 22 (1975). Dokumente zur Deutschlandpolitik, Reihe 1-5; bisher erschienen: Reihe 3 (4 Bde. 1961-1969); Reihe 4 (8 Bde. 1971-1977; Bd. 9-12 in Vorbereitung), hg. v. Bundesministerium f. Innerdeutsche Beziehungen, begründet v. *E. Deuerlein.* Dokumente zur Deutschlandpolitik der SU, hg. v. Deutschen Institut für Zeitgeschichte, Bd. 1-3 (1957-1968). *G. D. Kent,* A Catalog of Files and Microfilms of the German Ministry Archives 1920-1945 (4 Bde. 1962-1972). *H. v. Siegler,* Dokumentation zur Deutschlandfrage, bisher 9 Bde. (1961-1975). *I. v. Münch,* Dokumente des geteilten Deutschlands, Bd. 1 (1968), Bd. 2 (1974). *E. Deuerlein,* Die Einheit Deutschlands, Bd. I: Die Erörterungen und Entscheidungen der Kriegs- und Nachkriegskonferenzen 1941-1949, Darstellung und Dokumente (^{2}1961). Zur Deutschlandpolitik der Anti-Hitler-Koalition 1943-1949, hg. v. Deutschen Institut f. Zeitgeschichte (^{2}1968).

Vertragssammlungen: J. A. S. Grenville, The Major International Treaties 1914-1973 (1974). *H. Stoecker* u. *A. Rüger* (Hgg.), Handbuch der Verträge 1871-1964 (1968). *F. W. Engel* (Hg.), Handbuch der Noten, Pakte u. Verträge 1944-1967 (^{2}1968). Vertrags-Ploetz, Teil II, Bd. 4: Neueste Zeit 1914-1959, bearb. v. *H. K. G. Rönnefarth* u. *H. Euler* (^{2}1959), neubearb. u. demselben Haupttitel als Teil II, Bd. 4 A (1959); Teil II, Bd. 4 B: Neueste Zeit 1959-1963 (1963), Teil II, Bd. 5: 1963-1970, bearb. v. *H. Euler* (1975). *F. A. Hartmann* (Hg.), Basic Documents of International Relations from the Treaty of Chaumont to the North Atlantic Pact (1951). Hg. v. Auswärtigen Amt: Verträge der Bundesrepublik Deutschland, Serie A: Multilaterale Verträge, Bd. 1 ff. (1955 ff.); Serie B: Bilaterale Verträge (in Vorbereitung). League of Nations Treaty Series (LNTS): Publications of Treaties and International Engagements. Registered with the Secretariat of the League of Nations 1918-1943, Bd. 1-205 (1920-1946). United Nations, Nations Unies. Treaty Series (UNTS). Treaties and other International Agreements Registered or Filed and Recorded with the Secretariat of the United Nations 1 ff. (1946 ff.). *V. Mostecky* u. *F. R. Doyle* (Hgg.), Index to Multilateral Treaties: A Chronological List of Multiparty International Agreements from the 16th Century through 1963 with Citations to their Text (1965). *F. Berber* (Hg.), Völkerrechtliche Dokumentensammlung (2 Bde. 1967). *G. F. de Martens,* (Hg.), Nouveau recueil général de traités, 3. Serie, hg. v. *H. Triepel* (bisher 41 Bde. 1909 ff.), für den Zeitraum 1919-1944: Bd. 11-41.

Verfassungstexte: Corpus constitutionel, Bd. 1: Afghanistan á Brasil (1972). *F. R. Dareste* u. a., Les constitutions modernes (6 Bde. 1928-1932). *B. Dennewitz,* Die Verfassungen der modernen Staaten (4 Bde. 1947-1949). *G. Franz* (Hg.), Staatsverfassungen. Eine Sammlung wichtiger Verfassungen der Vergangenheit und Gegenwart im Urtext und Übersetzung (^{2}1964). *D. Geitner, P. Pulte* (Hgg.), Die Verfassungen der Staaten in der Europäischen Gemeinschaft (1976). *V. Heman,* Parliaments of the World (1976). *E. R. Huber,* Dokumente zur Deutschen Verfassungsgeschichte, Bd. 3: 1918-1933 (1966). *P. C. Mayer-Tasch* (Hg.), Die Verfassungen Europas (1966); ders., Die Verfassungen der nichtkommunistischen Staaten Europas (1975). *E. Menzel, F. Groh, H. Hecker* (Hgg.), Verfassungsregister, Teil I: Deutschland (1954), Teil II: Europa (1956). *B. Mirkine-Guetzevitch,* Les constitutions européennes (2 Bde. 1951). *A. J. Peaslee* (Hg.), Constitutions of Nations, Bd. III: Europe (^{3}1968). *R. Schlottmann,* Die Verfassungen Englands, Nordamerikas, Frankreichs, der Schweiz, Deutschlands (1931). *J. F. Triska* (Hg.), Constitutions of the Communist Party-States (^{2}1969).

Darstellungen
In Reihenwerken: Nouvelle Clio, hg. v. *R. Boutruche* u. *P. Lemerle,* Bd. 38: *J.-B. Duroselle,* L'Europe de 1815 à nos jours (^{3}1970). Peuples et civilisations, hg. v. *L. Halphen* u. *Ph. Sagnac,* Bd. 20, 1: *M. Baumont,* La faillite de la paix. I. De Rethondes à Stresa 1918–1935 (^{5}1967); Bd. 20, 2: *M. Baumont,* La faillite de la paix. II. De l'affaire éthipienne à la guerre 1936–1939 (^{5}1968); Bd. 21, 1–2: *H. Michel,* La Seconde Guerre mondiale. I. Les succes de l'axe (1968); II. La victoire des Alliés (1969). Histoire des relations internationales, hg. v. *P. Renouvin,* Bd. 7–8: *P. Renouvin,* Les crises du XXe siècle. I. De 1914 à 1929 (^{6}1972); II. De 1929 à 1945 (^{6}1972). Histoire générale des civilisations, hg. v. *M. Crouzet,* Bd. 7: *M. Crouzet,* L'Europe contemparaine (^{5}1969). Propyläen – Weltgeschichte, hg. v. *G. Mann, A. Heuss, A. Nitschke,* Bd. 9: *G. Mann, H. C. Meyer* u. a., Das zwanzigste Jahrhundert (1960); Bd. 10: *G. Mann, W. Franke* u. a., Die Welt von heute (1961). Historia Mundi, hg. v. *F. Valjavec,* Bd. 10: *E. Angermann, H. Beyer* u. a., Das 19. u. 20. Jh. (1961). Fischer Weltgeschichte, Bd. 34: Das zwanzigste Jahrhundert 1918–1945 (1967), hg. u. verfaßt v. *R. A. C. Parker.* dtv- Weltgeschichte des 20. Jahrhunderts, hg. v. *M. Broszat* u. *H. Heiber* (14 Bde. 1966 ff.). Geschichte der Neuzeit, hg. v. *G. Ritter,* Bd. 3, 1–2: *H. Herzfeld,* Die moderne Welt 1789–1945, Teil 2: Weltmächte u. Weltkriege (^{4}1970). Propyläen Geschichte Europas, Bd. 6: *K. D. Bracher,* Die Krise Europas 1917–1975 (1976). The New Cambridge Modern History, Bd. 12: The Era of Violence 1898–1945, hg. v. *D. Thomson* (1960), 2. Aufl. u. d. T.: The Shifting Balance of World Forces 1898–1945, hg. v. *C. L. Mowat* (1968). A General History of Europe, hg. v. *D. Hay: J. M. Roberts,* Europe 1880–1945 (1967). L'Europe du XIXe et XXe siécle. Problémes et interprétations historiques, hg. v. *M. Beloff, P. Renouvin, F. Schnabel, F. Valsecchi:* 1914 à aujourd'hui (2 Bde. 1964). *W. L. Langer* (Hg.), The Rise of Modern Europe, Bd. 19; 1919–1939: *R. J. Sontag,* A Broken World (1972); Bd. 20, 1939–1945: *G. Wright,* The Ordeal of Total War (1969). Weltgeschichte in Einzeldarstellungen: *W. Mommsen,* Geschichte des Abendlandes von der Französischen Revolution bis zur Gegenwart 1789–1945 (1951).
In Monographien: D. Artaud, La reconstruction de l'Europe 1919–1929 (1973). *A. Bullock,* Das zwanzigste Jahrhundert. Politik, Wirtschaft, Wissenschaft, Kunst (1973). *N. F. Cantor,* The Age of Protest: Dissent and Rebellion in the 20th Century (1971). *R. Cartier,* Histoire mondiale de l'aprés-guerre (2 Bde. 1969, 1970). *G. A. Craig,* Europe since 1914 (1961). *M. Crouzet* (Hg.), Le monde depuis 1945 (1973). *M. Crouzet,* De la deuxiéme guerre mondiale à nos jours. La renaissance de l'Europe (1970). *A. Dorpalen,* Europe in the 20th Century. A History (1968). *J.-B. Duroselle,* L'idée d'Europe dans l'histoire (1965). *J. M. Roberts,* Europe in the 20th Century (2 Bde. 1971). *S. Liebermann* (Hg.), Europe and the Industrial Revolution (1972). *H. Freyer,* Weltgeschichte Europas (2 Bde. ^{3}1969). *F. Gilbert,* The End of the European Era, 1890 to the Present (1970). *A. J. Grant, H. Temperley,* Europe in the 19th and 20th Centuries 1789–1950 (^{6}1971). *A. Toynbee, V. M. Toynbee* (Hgg.), Hitler's Europe (1954). *W. G. Langsam, O. C. Mitchell,* The World since 1919 (^{8}1971). *W. Laqueur,* Europa aus der Asche, Geschichte seit 1945 (engl., dt. 1970). *G. Lichtheim,* Europa im XX. Jahrhundert. Eine Geistesgeschichte der Gegenwart (1973). *N. Luxemburg,* Europe since World War II. The Big Chance (1973). *J. Joll,* Europe since 1870: An International History (1973). *A. Mirgeler,* Europa in der Weltgeschichte (1971). *J. Montgomery,* The Twenties (^{2}1970). *G. L. Mosse,* The Culture of Western Europe. The Nineteenth and Twentieth Centuries (^{2}1974). *W. Näf,* Die Epochen der neueren Geschichte (2 Bde. ^{2}1959/60). *D. C. North, R. P. Thomas,* The Rise of the Western World (1973). *H. T. Parker, M. L. Brown* jr., Major Themes in the Modern European History: Bd. 3, The Twentieth Century (1975). *S. Pollard, C. Holmes,* The End of the Old Europe 1914–1939 (1973). *J. Pirenne,* Les grands courants de l'histoire universelle, Bd. VI: De 1914 à 1939 (1955). *J. M. Roberts,* Europe 1880–1945. A General History of Europe (1967). *A. Rudhart,* Twentieth Century Europe (1975). *P. Thibault,* L'âge des dictatures 1918–1947 (1971). *M. Toscano,* Designs in Diplomacy. Pages from European Diplomatic History in the Twentieth Century (1970). *R. Villari,* Storia dell' Europa contemporanea (1971). *C. Ware, K. M. Pannikar* u. *J. M. Romein,* The Twentieth Century (1966). *S. H. Wood,* World Affairs 1900 to the Present Day (1970).
Weitere Titel s. Bd. VI, S. XVI f.

§ 19 Belgien, Niederlande, Luxemburg vom Ende des I. Weltkriegs bis zur Politik der europäischen Integration 1918–1970

Von Franz Petri

a) Außenpolitische Probleme (1918–1940)
Das Ringen um die Friedensordnung in Nordwesteuropa

Quellen:
Documents diplomatiques relatifs à la révision des traités de 1839 (1929). Documents diplomatiques relatifs aux Réparations (2 Bde. 1923/24).
H. Baron Baltia, Mémoires, Teil III. Unveröffentlichtes Manuskript, Photokopie im HStA, Düsseldorf.
Nederland, Buitenlandsche Zaken. Diplomatieke documenten betr. de herziening der verdragen van 1839 (1929) u. Bescheiden in zake de tussen Nederland en België hangende vraagstukken sedert de verwerping van het verdrag van 3. IV. 1925 (1929).
Auswärtiges Amt, Documents concernants la consultation populaire dans les cercles d'Eupen-Malmédy (o. J.).
Darstellungen:
H. T. Colenbrander, Nederland en België. Adviezen en opstellen uit de jaren 1919 en 1925–1927 (1927).
C. Gerretson, Nederland, Vlaandern, België (1927).
C. A. van der Klaauw, Politieke betrekkingen tussen Nederland en België 1919–1939 (Diss. 1953).
K. Pabst, Eupen-Malmedy in der belgischen Regierungs- und Parteienpolitik 1914–1940: ZAachenGV 76 (1964), S. 206–515, mit umfassenden Quellen- u. Lit.Verweisen.
H. Lademacher, Die Niederlande und Belgien in der Außenpolitik des Dritten Reiches, in: *M. Funke* (Hg.), Hitler, Deutschland und die Mächte. Materialien zur Außenpolitik des Dritten Reiches (1976), S. 654–674.

Nach dem alliierten Sieg wurden in der belgischen Politik für einige Jahre die sich zum »Comité de politique nationale« zusammenschließenden Kräfte vorherrschend, die Belgiens Interesse nicht in der Rückkehr zur früheren Neutralität, sondern in der aktiven Einreihung in die Front der Siegermächte gegen den Preis erheblicher belgischer Gebietserweiterungen erblickten. Ihre auch von König Albert gebilligten Wünsche gingen ebensosehr wie auf eine Ausbreitung Belgiens in der Richtung von Rhein und Mosel auf eine solche gegenüber dem niederländischen Nachbarn, der bereits in den letzten Kriegsjahren zum Objekt einer regen belgischen Kriegszielpropaganda geworden war[1]. In einem vom Comité nach Kriegsende veröffentlichten Manifest wurden gefordert: Belgiens Herrschaft über die Scheldemündungen und die limburgische Maas, eine direkte Verbindung Antwerpens mit dem Rhein, die Einbeziehung des Großherzogtums Luxemburg in die belgische Machtsphäre und die Zurückdrängung Deutschlands im Eifel- und Ardennengebiet. Der inzwischen zum Außenminister aufgestiegene P. Hymans, der seit 1916 engere Verbindungen zu den nationalistischen Kreisen angeknüpft hatte, machte sich auf der Versammlung des Obersten Rates der Versailler Friedenskonferenz zum Wortführer der vom Comité auch gegenüber Holland erhobenen Forderungen[2]. Auf Hymans' Antrag bildete der Oberste Rat am 26. II. 1919 eine Commission des Affaires belges unter dem Vorsitz des französischen Politikers Tardieu; dieser schlug eine Revision der Belgien 1839 auferlegten Verträge »dans l'ensemble de leurs clauses« vor. Jedoch setzten die Niederlande auf der am 19. V. 1919 in Paris beginnenden Konferenz, an der die Außenminister der fünf alliierten Großmächte sowie Hollands und Belgiens teilnahmen, durch, daß die geplante Revision »keinen Wechsel territorialer Souveränitäten oder die Begründung internationaler Beschränkungen« mit sich bringen dürfe[3]. Die Arbeit der daraufhin eingesetzten Konferenz geriet im Aug. 1919 in eine Krise durch die Enthüllung eines geheimen Dokuments, in dem das belgische Außenministerium dem belgischen Hauptquartier die Grundzüge einer annexionistischen Propaganda in Niederländisch-Limburg entwickelte[4]. Die Konferenz einigte sich über gewisse Wirtschaftsfragen, scheiterte aber an der Frage der Souveränität über die Wasserstraße der Wielingen. Ein nach Abschluß des Locarnopaktes zustande gekommener neuer Vertragsentwurf, in dem sich die Niederlande mit der Aufhebung der belgischen Neutralität und des Verbots, Antwerpen zum Kriegshafen zu machen, einverstanden erklärten, passierte 1925 mit knapper Mehrheit die Zweite Niederländische Kammer, wurde aber von der Ersten Kammer 1927 mit 33 gegen 17 Stimmen verworfen. Das Verhältnis zwischen Belgien und den Niederlanden blieb weiterhin gespannt[5].

Von den angestrebten belgischen Gebietserweiterungen im Osten blieb, da hier Belgien zum Teil mit französischen Wünschen kollidierte, außer der Angliederung von Neutral-Moresnet nur die Erwerbung der beiden bis dahin zur Rheinprovinz gehörenden Kreise Eupen und Malmedy übrig. Die Eingliederung wurde durch eine von Belgien durchzuführende und zu nichts verpflichtende Volksbefragung in Form der Auslegung von Einschreibungslisten notdürftig mit den Wilsonschen Prinzipien vom Selbstbestimmungsrecht der Völker in Einklang gebracht[6]. Nach dem Abschluß des Locarnovertrages war der Sozialist E. Vandervelde als belgischer Außenminister bereit, Eupen-Malmedy gegen entsprechende finanzielle Gegenleistung des Reiches zurückzugeben, traf damit aber auf den Einspruch Frankreichs, das aufgrund des französisch-belgischen Militärabkommens (darüber vgl. nachstehend S. 701 f.) befragt werden mußte[7].

Die belgischen Hoffnungen auf Luxemburg wurden genährt durch das Verhalten der im Block der Linken zusammengeschlossenen luxemburgischen Liberalen und Sozialisten, die ihren Kampf gegen die Großherzogin Maria Adelheid auch während des Krieges fortgesetzt hatten und schon 1916 so weit gegangen waren, dem belgischen König Albert die großherzogliche Krone anzubieten. Die dadurch in Belgien geweckten Erwartungen erfüllten sich nach Kriegsende jedoch ebensowenig wie diejenigen Frankreichs infolge der ablehnenden Haltung der Mehrheit der luxemburgischen Bevölkerung (vgl. nachstehend S. 704). Belgien mußte sich mit dem Zollanschluß des Landes begnügen, nachdem dieses sofort nach Kriegsende seine Mitgliedschaft im Deutschen Zollverein aufgekündigt hatte[8].

Belgiens anfängliche Hoffnungen auf einen Anfall Luxemburgs veranlaßten es zur Einbeziehung der ehemals zu Luxemburg gehörenden Gebiete von Schleiden, Kronenburg, Bitburg und Arzfeld in die erste, am 17. I. 1919 in Paris vorgelegte Liste belgischer Gebietswünsche gegenüber Deutschland. Hingegen wies Hymans die von belgischer militärischer Seite erhobene Forderung nach der gesamten Eifel ebenso zurück wie den Plan des belgisch-luxemburgischen Montanindustriellen G. Barbanson, der eine Grenze vorsah, die zwischen Trier und Roermond bis vor die Tore von Euskirchen ausgriff und Aachen, Jülich und Düren zu Belgien schlug. Vollends wandte er sich gegen alle Forderungen, die auf eine Annexion des linken Rheinufers abzielten. Ebenso widersprach er einer dauern-

a) Außenpolitische Probleme (1918–1940)

den militärischen Festsetzung Frankreichs am Rhein, von der er ein Wiederaufleben der auf eine Einkreisung Belgiens hinauslaufenden Pläne Napoleons III. befürchtete; der Abwendung vornehmlich dieser Gefahr galt die belgische Beteiligung an der Rheinlandbesetzung. Ein Ausfluß des belgischen Sicherheitsbedürfnisses gegenüber Deutschland war Hymans' Vorschlag der Errichtung einer neutralisierten und entmilitarisierten, aber beim Reich verbleibenden Pufferzone am Rhein[9].

[1] Hierzu vgl. Handbuch Bd. VI, S. 488 ff.
[2] *N. Japikse,* Stellung Hollands im Weltkriege (1921), S. 333.
[3] Ebd., S. 355.
[4] Ebd., S. 356 ff.
[5] Zahlreiche neue Details über die Einstellung auf holländischer Seite enthalten die unten unter b) Niederlande genannten Herinneringen von *E. Heldring.*
[6] Über die Modalitäten dieser »Volksbefragung« vgl. *H. Doepgen,* Die Abtretung des Gebiets von Eupen–Malmedy an Belgien im Jahre 1920: RheinArch 60 (1966).
[7] Hierzu: *Pabst,* Eupen-Malmedy, Exkurs S. 453–488.
[8] Von belgischer Seite vgl. *J. Crokaert,* L'accord belgo-luxembourgeois: RevEconInt (1921).
[9] Näheres vgl. in dem Beitrag von *H. Lademacher* über: Die nördlichen Rheinlande seit der Gründung der Rheinprovinz 1815–1953, in: Rheinische Geschichte, hg. v. *F. Petri* und *G. Droege,* Bd. II (1976), S. 649–652, 658–661.

Belgien

Documents diplomatiques belges 1920–1940, hg. v. *Ch. de Visscher* und *F. van Langenhove* (5 Bde. 1964–1966). Dazu *J. E. Helmreich:* RevBelgPhilolHist (1969), S. 775 f.
P. Hymans, Mémoires (2 Bde. 1958). Dazu: *P. van den Ven* und *F. van Langenhove:* BullAcadBelgClLettres, 5. série, 45 (1959), S. 322–369; 370–386.
F. van Kalken, Entre deux guerres. Esquisse de la vie politique en Belgique de 1918 à 1940 ([2]1945).
Baron P. van Zuylen, Les mains libres. Politique extérieure de la Belgique 1914–1940 (1950).
J. Wullus-Rudiger, La Belgique et la crise européenne 1914–1945 (2 Bde. 1945).
Ders., Les origines internationales du drame belge de 1940 (1950).
J. K. Miller, Belgian Foreign Policy between Two Wars 1919–1940 (1951); dazu die Korrekturen von *J. Willequet:* RevBelgPhilolHist 31 (1953), S. 340–342.
F. van Langenhove, La Belgique en quête de securité (1969).
D. O. Kieft, Belgium's Return to Neutrality (1972); dazu: BijdrMededGNederl 89 (1974), S. 417–421.
R. van Overstraeten, Albert Ier–Léopold III. Vingt ans de politique militaire belge 1920–1940 (1949). Vgl. ferner unter a) Das Ringen um die Friedensordnung.

Der Preis, den Belgien 1919/20 für die Zulassung der Belgisch-Luxemburgischen Zollunion durch Frankreich zu zahlen hatte, war eine französisch-belgische Militärallianz. Sie wurde abgeschlossen am 7. IX. 1920, obwohl Belgiens Versuche, auch England zum Beitritt zu bewegen, scheiterten und einflußreiche belgische Politiker von Anfang an gegen sie Stellung nahmen. Der Vertrag war geheim, doch ist sein Inhalt seit 1936 im wesentlichen bekannt. Es handelte sich um ein Defensivabkommen, das nur bei einem nichtprovozierten Angriff Deutschlands auf einen der beiden Partner wirksam werden sollte; allerdings wurde das unscharf formulierte Abkommen von französischer Seite in weitergehendem Sinne zu interpretieren versucht[1]. Der Militärvertrag eröffnete eine u. a. während der Rheinlandbesetzung und des Ruhrkonflikts[2] zu Tage tretende enge militärische Zusammenarbeit zwischen Frankreich und Belgien. Nach dem Abschluß des

Locarno-Vertrages zwischen Belgien, Deutschland, Frankreich, Großbritannien und Italien (16. X. 1925), der eine kollektive Bürgschaft der deutschen Westgrenze und eine friedliche Regelung aller Streitigkeiten vorsah, bereitete Belgien eine allmähliche, besonders von flämischer Seite geforderte Neuorientierung seiner Außenpolitik vor. Schon 1926 kam es zu inoffiziellen, durch Frankreichs Einspruch zum Scheitern gebrachten Verhandlungen zwischen deutschen und belgischen Finanzkreisen, durch ein deutsch-belgisches Zusammengehen auf wirtschaftlichem und finanziellem Gebiet einer Verständigung über Eupen-Malmedy den Weg zu ebnen. Brünings 1932 wegen einer Rückgliederung von Eupen und Malmedy unternommene Schritte wurden nicht von vornherein zurückgewiesen[3]. Aber erst die Wiederbesetzung des Rheinlandes durch Hitler im Frühjahr 1936 im Verein mit der Rücksichtnahme auf die Stimmung im eigenen Lande wurde für Belgien zum entscheidenden Anlaß, seine Politik wieder im Sinne einer reinen Unabhängigkeitspolitik zu revidieren. Die schwächliche Reaktion Englands und Frankreichs sowie des Völkerbundes auf die Wiederbesetzung des Rheinlandes durch Hitler öffnete der belgischen Regierung die Augen für die Gefahr jeder einseitigen politischen Bindung und machte sie bereit, der immer mehr wachsenden Kritik gegen den französisch-belgischen Militärvertrag in der eigenen Bevölkerung Rechnung zu tragen. Ein weiteres Motiv war die Abneigung gegen die französische Volksfrontregierung und ihr Bündnis mit der Sowjetunion. Überdies war durch das deutsche Vorgehen am Rhein ein Teil der Vertragsbestimmungen hinfällig geworden. Die neue Unabhängigkeitspolitik wurde im Juli 1936 zuerst der Öffentlichkeit verkündet durch den belgischen Außenminister P. H. Spaak und am 14. X. d. J. durch Leopold III. in einer damals als historisch empfundenen Rede bekräftigt: »Unsere militärische Rüstung soll allein dazu dienen«, erklärte darin der König, »uns vor dem Krieg zu bewahren, von wo er auch komme.« Jede einseitige Bindung schwäche Belgiens internationale Stellung. 14 Tage später wurde die Rückkehr zur Unabhängigkeitspolitik auch durch die Kammer mit ¾-Mehrheit gebilligt. Hitler erklärte darauf am 30. I. 1937, die belgische Unabhängigkeit garantieren zu wollen. Die Westmächte brachten am 24. IV. d. J. ihr Einverständnis mit der neuen belgischen Politik in einer gemeinsamen Erklärung zum Ausdruck und versprachen Belgien erneut militärische Unterstützung für den Fall eines Angriffs. Auch von Deutschland ließ sich Belgien am 13. X. 1937 seinen Besitzstand und die Unverletzlichkeit seiner Gebiete garantieren. Die Garantien wurden von Deutschland am 26. VIII., von England und Frankreich am 27. und 28. VIII. 1939 bekräftigt. Am 3. IX. erklärte sich Belgien daraufhin gegenüber dem inzwischen ausgebrochenen europäischen Konflikt in aller Form für neutral. Zwei Monate später reiste Leopold III. in Begleitung Spaaks nach Den Haag; am 7. XI. boten Königin Wilhelmina und Leopold in gemeinsamen Telegrammen England, Frankreich und Deutschland, allerdings vergeblich, ihre Vermittlung an[5]. Wenige Monate später erwies sich, daß auch die neue Neutralitätspolitik, da ohne genügenden Machtrückhalt, außerstande war, das Land davor zu bewahren, wieder in den Krieg der Großmächte hineingezogen zu werden.

[1] Zur Geschichte des Vertrages vgl. zuletzt *F. van Langenhove,* L'accord militaire franco-belge de 1920 à la lumière des documents diplomatiques: BullAcadBelgClLettres 53(1967), S. 520–535, den Text bei *van Overstraeten,* Albert Ier–Léopold III., S. 36 f., sowie bei *Wullus-Rudiger,* Origines, S. 399 ff. Verhandlungen über einen britischen Garantiepakt aus d. J. 1934: ebd., S. 71 ff.
[2] Hierzu: *H. Nijs,* De Deelneming van België aan de bezetting van de Ruhr von 1923 tot 1925: BelgTijdsMilitG 19 (1972), S. 526–547, sowie *H. E. Helmreich,* Belgium and the

a) Außenpolitische Probleme (1918–1940)

Decision to Occupy the Ruhr: Diplomacy from a Middle Position: RevBelgPhilolHist 51 (1973), S. 822–839.
[3] Näheres in: »Stresemann. Vermächtnis«, hg. v. *H. Bernhard* (3 Bde. 1932/33) u.: *H. Brüning,* Memoiren (1970), S. 500.
[4] Das betont *J. Dhondt:* BullCritiqueHistBelg (1970), S. 95–114.
[5] Hierzu: *J. Willequet,* Regards sur la politique belge d'indépendance (1936–1940): RevHistII^meGuerreMond 31 (1958), S. 3–11. Dazu: *J. Davignon,* Berlin 1936–1940. Souvenirs d'une mission (1951), und ausgesprochen kritisch: *Dhondt,* a. a. O.

Niederlande

Algemene Geschiedenis der Nederlanden, hg. v. *J. A. van Houtte, J. F. Niermeyer* u. a. (zitiert als AGdN), Bd. 9–12 (1950–1958).
Bescheiden betreffende de buitenlandse politiek van Nederland 1848–1919. Derde Periode 1899–1919, hg. v. *C. Smit,* Bd. 5: 1918/19: Rijks Geschiedkundige Publicatiën, Gr.Ser. 116 (1964).
H. A. van Karnebeek, De internationale positie van Nederland in de laatste veertig jaren 1898–1938 (1937).
C. Smit, Diplomatieke geschiedenis van Nederland (1950), Kap. XII, S. 352–398.
P. J. Oud, Het jongste verleden. Parlamentaire geschiedenis van Nederland 1918–1940 (6 Bde. 1948–1951).
H. T. Colenbrander, Koloniale geschiedenis, Bd. 3 (1926) in Verbindung mit AGdN, Bd. XII, Kap. 9 *(W. F. Wertheim* u. *J. Meijer);* ferner: AGdN, Bd. XII, Kap. 4 *(A. Blonk),* Kap. 8 *(L. W. G. Scholten)* sowie oben a) Das Ringen um die Friedensordnung und Belgien sowie b) Niederlande.

Von der allerdings heftigen und langdauernden Kontroverse mit Belgien über Niederländisch-Limburg und die Scheldemündung[1] abgesehen, verlief die niederländische Außenpolitik in den Jahrzehnten von 1918 bis 1939 erheblich weniger bewegt als die belgische. Innen- wie außenpolitisch war in den Niederlanden – nach dem Abklingen der in den Tagen des deutschen Zusammenbruchs sich zunächst auch in den Niederlanden verbreitenden revolutionären Gärung – das Gefühl der Kontinuität zu den Verhältnissen von vor 1914 erheblich größer als in Belgien. So wenig man nach 1918 einen Anlaß sah, sich vom Prinzip der erfolgreich behaupteten Neutralität grundsätzlich loszusagen, hatte man auch 1936 Neigung, sich ihm durch besondere Erklärungen wieder zuzukehren, da man es ja nie aufgegeben hatte. Anders als Belgien lehnten die Niederlande auch die damals sowohl von deutscher wie von englischer Seite gemachten Garantieangebote ab, da sich die Unantastbarkeit der niederländischen Grenzen von selbst verstehe. Das Äußerste, wozu sie sich damals verstanden, war die Bereitschaft, sich an gewissen Kollektivmaßnahmen im Rahmen des Völkerbundes zu beteiligen[2].

Gegenüber Deutschland hat sich die das beiderseitige Verhältnis seit dem 19. Jh. belastende geheime niederländische Besorgnis nach 1918 zunächst stark verringert. Der ehemalige Kaiser erhielt in Amerongen, der ehemalige Kronprinz auf Wieringen trotz der damit verbundenen außenpolitischen Belastung Asyl. Hof und Regierung bedauerten den Sturz der Hohenzollern-Monarchie aus grundsätzlichen verfassungspolitischen Erwägungen. Die Haltung, die die alliierten Siegermächte in Versailles gegenüber den Niederlanden an den Tag legten, war geeignet, bei diesen das Verständnis auch für die Härten der Deutschland zuteil werdenden Behandlung zu stärken. Hingegen stand man dem Völkerbund, ohne sich seine Unvollkommenheiten zu verbergen, grundsätzlich positiv gegenüber, und die mit dem Locarno-Vertrag einsetzenden europäischen Verständigungsbestrebungen fanden ein sehr zustimmendes Echo[3]. Um so tiefer war nach 1930 der Schock über das Anschwellen des deutschen Nationalismus. Vollends die Rassenideologie und der Antisemitismus des Dritten Reiches ließen das Land, wovon die hellsichtigen Warnrufe Joh. Huizingas beredtes Zeugnis ablegen[4], seiner Schicksalsgemeinschaft insbesondere mit dem englischen Volk in neuer Weise bewußt werden.

Diese zeigte sich, seit die »happy twenties« auch in der Kolonialwelt überall der Weltwirtschaftskrise und einer zunehmenden Radikalisierung der eingeborenen Bevölkerung gewichen waren, nicht zuletzt auch auf kolonialem Gebiet. Nur noch mit Mühe und ohne zureichende Einsicht in die gebieterische Notwendigkeit einer schnellen und durchgreifenden Gewährung der Mitregierung an die eingeborene Bevölkerung vermochte sich das niederländische Regiment in Indonesien in den 30er Jahren des doppelten Druckes zu erwehren[5].

In Europa selbst gewann zu der gleichen Zeit der Gedanke der Sprach- und Kulturverbundenheit mit Flandern, nicht so sehr in den breiten Schichten, wohl aber in den kulturbewußten und politisch aktiven Kreisen der Bevölkerung, allmählich weiter an Boden. Ihm sowohl in der Geschichtswissenschaft wie in der Kulturpolitik zur Anerkennung zu verhelfen, machte sich P. Geyl zur besonderen Lebensaufgabe[6].

[1] Vgl. oben S. 700.
[2] Die niederländische Außenpolitik vor dem II. Weltkrieg hat bisher noch keine abschließende Behandlung gefunden. Das Verhältnis zum nationalsozialistischen Deutschland behandelt eingehend *L. de Jong,* Het Koninkrijk der Nederlanden in de Tweede Wereldoorlog, Bd. 1 (1969).
[3] Vielfältige Beleuchtung finden alle diese Fragen in den unter b) Niederlande aufgeführten Tagebüchern *E. Heldrings.*
[4] Vgl. dazu unten die Nachweise zu b) Niederlande.
[5] Hierzu *Wertheim,* in: AGdN, Bd. XII, S. 274 ff. u. die bibliographischen Nachweise von *W. Ph. Coolhaas,* A Critical Survey of Studies on Dutch Colonial History (1960).
[6] Von *P. Geyls* Werken vgl. dafür bes.: Geschiedenis van de Nederlandse stam, 6 Teile, bis 1798 (Wereldbibliotheek 1961–62, bis 1751 auch in engl. Sprache) und die Aufsatzsammlungen: De Groot-Nederlandsche gedachte (2 Bde. 1925–1930). Noord en Zuid. Eenheid en tweeheid in de Lage Landen (1960); Studies en strijdschriften (1958); Pennestrijd over staat en historie (m. Autobiographie, 1971). Korrespondenz: Geyl en Vlaanderen. Uit het archief van Prof. dr. P. Geyl, Brieven en notities, hg. v. *P. van Hees* u. *A. W. Willemsen,* Bd. I: 1911–1927 (1973); Bd. II: 1928–1932 (1974); Bd. III: 1933–1966 (1975).

Luxemburg

Abweichend von Belgien und den Niederlanden wurde Luxemburg durch den deutschen Zusammenbruch vom Nov. 1918 in eine schwere Krise gestürzt. Für die revolutionären Linkskreise war der Einmarsch der Alliierten das Signal zum Versuch der Machtergreifung. Nach russischem und deutschem Beispiel bildeten sie am 10. XI. einen »Arbeiter- und Bauernrat«. Zugleich verlangten sie die Abdankung der Großherzogin und der Dynastie. Von den Sozialisten gebildete Arbeiterräte forderten die Verstaatlichung der Schwerindustrie und die Einführung des 8-Stunden-Tages. Die zahlenmäßig nicht sehr starke, aber sehr rührige Ligue Française warb für den Anschluß des Landes an Frankreich. Am 13. XI. beschloß die Kammermehrheit einen Volksentscheid über die künftige Staatsform, am 19. XII. die Einsetzung einer Parlamentarischen Kommission zur Untersuchung der Handhabung der luxemburgischen Neutralität während des Krieges durch Regierung und Krone, verband damit aber das Bekenntnis zum Großherzogtum als »selbständigem, freiem und unabhängigem Staat«. Frankreich weigerte sich jedoch, die durch die Kammermehrheit mit der Weiterführung der Geschäfte beauftragte luxemburgische Regierung anzuerkennen und unterstützte

b) Innere Geschichte (1918–1940)

die profranzösische »Action républicaine«. Ein von der Rechtspartei veranstaltetes Petitionnement für die Aufrechterhaltung der politischen Selbständigkeit erhielt 80 000 Unterschriften. Ein am 9./10. I. 1919 aus Anlaß des Wiederzusammentritts der Kammer mit Unterstützung Frankreichs unternommener Versuch, auf revolutionärem Wege eine provisorische republikanische Regierung zu bilden, kam über die Konstituierung von drei vorbereitenden »Wohlfahrtsausschüssen« nicht hinaus und vermochte die alte Regierung nicht zu verdrängen. Großherzogin Maria Adelheid verzichtete zugunsten ihrer Schwester Charlotte auf die Krone und ging ins Kloster.

Unter Berufung auf das von Wilson verkündete Selbstbestimmungsrecht errangen die Luxemburger von den Alliierten schließlich die Zustimmung zur Anberaumung einer allgemeinen Volksbefragung. In dieser sprachen sich am 28. IX. 1919 annähernd 80 % für ein Festhalten an Dynastie und Selbständigkeit aus[1]. Wirtschaftlich wünschte Luxemburg den Zollanschluß an Frankreich, doch verzichtete dieses im Interesse der belgisch-französischen Militärallianz (s. oben) zugunsten Belgiens. Der Vertrag über die belgisch-luxemburgische Zollunion kam am 25. VII. 1921 zustande und bildete einen ersten Schritt auf dem Wege zur Benelux[2]. Nur die luxemburgischen Bahnen blieben, wie in deutscher Zeit, mit der Elsaß-Lothringischen Eisenbahnverwaltung verbunden.

[1] Zum Ganzen bes. *J. Meyers,* Geschichte Luxemburgs (1939), S. 143–149, sowie *A. Calmes,* in: AGdN, Bd. XII, S. 432 ff., Bibliogr. S. 508 f. Für das seither erschienene Schrifttum vgl. die von der Luxemburger Nationalbibliothek alljährlich herausgegebene »Bibliographie zur Geschichte Luxemburgs«, z. B. für das Jahr 1972 (1973).
[2] Zollanschluß an Belgien: *P. Majerus,* Le Luxembourg indépendant (1946), S. 80 ff., sowie oben unter a).

b) Innere Geschichte (1918–1940)
Belgien

Pirenne, Histoire de Belgique, illustr. Ausg. Bd. IV (1952), Nachtragsteil. Von den darin enthaltenen Spezialbeiträgen vgl. insbes.: *J. Bartier,* La politique intérieure u. *F. Baudhuin,* L'évolution économique de la Belgique de 1918 à 1940. AGdN, Bd. XII, Beiträge von *F. van Kalken, M. Neirynck, E. u. M. van Grieken* u. *M. Rutten,* Quellen- u. Literaturverzeichnisse S. 488 ff. Geschiedenis van Vlaanderen, Bd. VI (o. J.; Sammelwerk), insbes. Buch II, Kap. 7 *(M. Lamberty)* u. Buch V, Kap. 4 *(R. F. Lissens).*
C. K. Höjer, Le régime parlementaire belge de 1918 à 1940 (1946). Atlas des élections belges 1919–1954, hg. v. *R. E. de Smet* u. a. (2 Bde. 1958). Dazu *J. Stengers* u. *R. Ewalenko:* RevUnivBruxelles 10 (1957/58), S. 122–174; 413–444. *M. Claeys* u. *M. van Haegendoren,* 25 jaar Belgisch socialisme 1914–1940 (1967). The European Right, hg. v. *H. Rogger* u. *E. Weber* (1965), S. 128–167; Beitrag v. *J. Stengers* über Belgien.
W. Houtman, Vlaamse en Waalse documenten over federalisme (1963).
B. S. Chlepner, Cent ans d'histoire sociale en Belgique, Teil 4: 1918–1955 ([1]1958; [4]1973 enthält einen Ausblick auf die Jahre 1955–1971 von *R. Ewalenko).*
H. L. Shepherd, The Monetary Experience of Belgium 1914–1936 (1936). Vgl. ferner die Lit. zu a).

Das belgische parlamentarische Leben wurde auf eine neue Grundlage gestellt durch die Einführung des allgemeinen gleichen Wahlrechts im Jahre 1919[1]. Die seit der Wahlrechtsreform von 1894 bestehende katholische Vorherrschaft wurde nunmehr abgelöst durch eine Periode der Koalitionsregierungen. Von den insgesamt 18 Regierungen zwischen beiden Weltkriegen beruhten 6 auf einer katholisch-liberalen, 2 auf einer katholisch-sozialistischen Koalition; nicht weniger als

§ 19 Belgien, Niederlande, Luxemburg 1918–1970

9 waren Regierungen der nationalen Union aller 3 Staatsparteien (Katholiken, Liberale, Sozialisten) – eine Folge der verschiedenen Krisen, die das Land zu durchstehen hatte (1919, 1930, 1939, 1940). Das Fehlen einer liberal-sozialistischen Koalition während dieser Jahrzehnte ist ein Zeichen für die starke Stellung, die die katholische Partei, insbesondere unter Kardinal Mercier (gestorben 1926), nach wie vor im öffentlichen Leben einnahm. Allgemein wuchs die Macht der Parteien; sie übten strenge Parteidisziplin und hatten die Tendenz, die von ihnen an die Macht gebrachten Regierungen zu bevormunden. Neu traten als Abspaltung von den Sozialisten 1925 die Kommunisten in das parlamentarische Leben ein, freilich ohne es zunächst zu größerer Bedeutung zu bringen. Eine parlamentarische Fortsetzung der sogen. Frontbewegung im belgischen Heer während des Krieges bildete seit 1919 die antimilitaristische flämische Frontpartei. Aufgrund ihrer Verbindung mit den ehemaligen Aktivisten wurde sie seit den 20er Jahren eine zeitlang zum Sammelbecken des flämischen Nationalismus. Dessen Aufschwung vollzog sich vorwiegend auf Kosten der katholischen Partei – eine Entwicklung, der diese in Flandern durch einen ausgeprägteren flämischen Kurs zu steuern suchte. Gleichzeitig sah sie sich durch den Ausbau der christlichen Arbeiterbewegung, die in den sozialpolitischen Fragen vielfach mit den Sozialisten zusammenging, auch zu einer Verstärkung ihrer sozialen Zielsetzungen veranlaßt. Die sozialistische Partei wurde durch die Wahlrechtsreform von 1919 zur zweitstärksten Partei, hatte aber in den 30er Jahren in den eigenen Reihen sowohl mit der sozialistischen Linken wie mit dem nationalen Sozialismus um H. de Man zu rechnen, dem sich auch P. H. Spaak anschloß. Die Liberalen wurden 1919 endgültig auf den dritten Platz zurückgeworfen, blieben aber als Partner einer der beiden führenden Parteien über ihre numerische Stärke hinaus von Einfluß. Sozialpolitisch vertraten sie das konservative Prinzip. Neben den Parteien gewannen auch die mit den Parteien mehr oder weniger eng liierten Verbände ständig an Einfluß. Vor allem galt das für die sozialistischen Gewerkschaften (1939: 546 224 Mitglieder) und die der katholischen Partei nahestehenden christlichen Gewerkschaften (1939: 339 769 Mitglieder)[2].

Zu den für die künftige sprachlich-kulturelle Entwicklung des belgischen Staates wichtigsten Maßnahmen gehören die erneute Verflamung der Universität Gent im Jahre 1930 und die in den Jahren 1932–1938 erlassenen Gesetze über den öffentlichen Sprachengebrauch in den verschiedenen Landesteilen. Ihnen lag das Prinzip der Einsprachigkeit in Flandern und Wallonien und einer Sonderregelung für Groß-Brüssel zugrunde. 1932 wurden die Unterrichtssprache an den Volks- und Höheren Schulen sowie der Sprachengebrauch in der Verwaltung, 1935 die Gerichtssprache und 1938 die Kommandosprache im Heer gesetzlich festgelegt[3]. Den jahrzehntelangen sprachlichen Forderungen der Flamen wurde damit in weitem Ausmaß Rechnung getragen. Dennoch kam das Land innenpolitisch nicht zur Ruhe. Vielmehr wurde es seit der Mitte des Jahrzehnts in verstärktem Maße in Bewegung versetzt durch die Diskussion über die Fragen der Staatsstruktur und das Übergreifen autoritärer Tendenzen auf Belgien. Zu deren Verfechter machte sich vor allem Léon Degrelle, seit 1930 Leiter des Rexverlags der Katholischen Aktion. Sein Ziel war die Neugestaltung des belgischen politischen Lebens auf korporativer Grundlage unter Ausschaltung der von ihm als korrupt bekämpften politischen Parteien. Mit 21 von 200 Kammersitzen vermochte die Rex-Bewegung 1935 vorübergehend die Liberalen zu überflügeln und etwa $\frac{1}{4}$ der Wähler der katholischen Partei an sich zu ziehen[4]. Zu der gleichen Zeit gelang in Flandern den nunmehr im Vlaamsch Nationaal Verbond (VNV) zusammengeschlossenen flämischen Nationalisten eine Verdoppelung ihrer Sitze

b) Innere Geschichte (1918–1940)

(von 8 auf 16) und damit ein weiterer Einbruch in die katholischen Reihen. Beide Bewegungen einigten sich anschließend auf ein föderalistisches Programm. Auch die katholische Partei trug den föderalistischen Bestrebungen in ihren Reihen Rechnung durch die Aufspaltung in die Katholiek Vlaamsche Volkspartij (KVV) und die französischsprachige Parti catholique social (PSC); beide besaßen im »Katholischen Block« eine gemeinsame Dachorganisation. Im Unterschied dazu setzte sich der Verbond van Dietsche Nationaal Solidaristen (Verdinaso) des Flamen J. van Severen, der eine Mischung von großbelgischen, burgundischen, flämisch-nationalen, korporativ-autoritären und katholischen Gedanken vertrat, mit Nachdruck für die Aufrechterhaltung des belgischen Einheitsstaates ein, was ihm Widerhall auch in belgisch-nationalen Kreisen verschaffte[5].

Wirtschaftlich war Belgien bei Kriegsende weitgehend ausgeblutet: Es war der Verkehrsmittel beraubt; an Grundstoffen und Lebensmitteln bestand akuter Mangel; hingegen betrug die Zahl der Arbeitslosen annähernd 1 Million. Bis 1925 vollzog sich der Wiederaufbau, vorwiegend aus eigenen Kräften und um den Preis einer Abwertung des belgischen Franken auf etwa $\frac{1}{8}$. Gleich wie in der übrigen Weltwirtschaft kam es in den darauffolgenden Jahren zu einer ersten wirtschaftlichen Nachkriegsblüte; Produktion und Export stiegen beträchtlich an. In den Strudel der Weltwirtschaftskrise geriet Belgien im Jahre 1930. Der Versuch einer Herabsetzung der Bergarbeiterlöhne löste große Streiks aus; die Arbeitslosigkeit wuchs erneut sprunghaft an. Sowohl die große landwirtschaftliche katholische Vereinigung des Boerenbond wie die den sozialistischen Kooperativen nahestehende Banque Belge de Travail gerieten 1934 in wirtschaftliche Schwierigkeiten. Um dem ständigen Kapitalabfluß Einhalt zu gebieten, mußte 1935 der Franken erneut um 28 % abgewertet werden. Einem »Kabinett der Persönlichkeiten« unter P. van Zeeland gelang eine gewisse Eindämmung der Wirtschaftskrise; doch wurde ihre völlige Überwindung durch die wachsenden politischen Schwierigkeiten im Inneren und Äußeren verhindert[6].

In Wissenschaft, Kunst und Kultur blieb die Kontinuität zu den vielfältigen und differenzierten Erscheinungsformen der Vorkriegszeit in vieler Hinsicht gewahrt, doch zeigte sich, entsprechend den allgemeinen Wandlungen im innerpolitischen Leben Belgiens, im ganzen eine Tendenz zu immer umfassenderer Ausprägung des sprachlich-volklichen Doppelcharakters des Landes. Diese Wirkung hatten insbesondere Maßnahmen wie die Errichtung eines Flämischen Kulturrates, einer eigenen Flämischen Akademie für Wissenschaft, Literatur und Kunst und die Aufspaltung des belgischen Rundfunks. In die gleiche Richtung wies das Wachstum der flämischen Presse und die Entstehung eines leistungsfähigen flämischen Verlagswesens. Mit der Verleihung des Nobel-Preises an den Genter Physiologen K. J. F. Heymans errang die flämische Wissenschaft eine erste, weithin sichtbare Anerkennung auf internationaler Ebene. Auch das Verhältnis zu den nördlichen Niederlanden wurde, durch das gleiche Interesse an der gemeinsamen Sprache beflügelt, allmählich enger. Entsprechend festigten sich beim französischsprachigen Teil der Bevölkerung die ebenfalls durch die Sprache vorgezeichneten und durch das gemeinsame Weltkriegserlebnis vertieften geistigen Verbindungen mit Frankreich. Soweit sie von Brüssel ausgingen, lag dabei der Nachdruck auf der Hervorhebung des gemeinsamen Westeuropäischen, in Wallonien hingegen mehr auf der Betonung der diesem Landesteil mit Frankreich gemeinsamen Latinität[7].

§ 19 Belgien, Niederlande, Luxemburg 1918-1970

[1] Für die Frauen ohne Einschränkung erst 1949.
[2] Zum Ganzen bes. *Höjer,* Le régime parlementaire. Zahlen nach *Th. Luykx,* Hedendaagse politieke geschiedenis van België, Bd. 2 (1963), S. 89.
[3] Im einzelnen vgl. *Luykx,* S. 124 f., 129 ff., 144 ff.
[4] *P. Daye,* Léon Degrelle et le rexisme (1937), parteiisch.
[5] Zusammenfassende Darstellungen: *A. W. Willemsen,* Het Vlaamse nationalisme 1914-1940 (Phil. Diss. 1958). Ders., De Vlaamse Beweging, Bd. 1-2: 1830-1940 (1974/75); Bd. 3 in Vorbereitung. *H. J. Elias,* Vijventwintig jaar Vlaamse Beweging 1914-1939 (1969). *H. J. Elias* u. *A. W. Willemsen,* Geschichtl. Einleitung zur Encyclopedie van de Vlaamse Beweging, Bd. 1 (1973). Stärker katholische Akzente als Willemsen setzen die Arbeiten von *L. Wils* über die Flämische Bewegung; vgl. zuletzt: Bormsverkiezing en Compromis des Belges. Het andeel van regerings- en oppositiepartijen in de taalwetgeving tussen de beide wereldoorlogen: BelgTijdsNG 4 (1973), S. 265-330. *M. de Vroede,* The Flemish Movement in Belgium (Veröffentlichung des »Kulturraad voor Vlaanderen« 1975). Beziehungen zu Deutschland seit 1914: *F. Petri,* in: Encyclopedie van de Vlaamse Beweging, Bd. I, S. 448-456.
[6] Zum Ganzen vgl. zuletzt: *F. Baudhuin,* Belgique 1900-1960 (1961), Abschnitte 3-6.
[7] Hierzu bes. *Bartier,* La politique intérieure u. *Lissens,* Geschiedenis van Vlaanderen, Bd. VI, Kap. 4.

Niederlande

Vijftig jaren. Officieel gedenkboek ter gelegenheid van het gouden regeringsjubileum van H. M. Konigin Wilhelmina, hg. v. *F. Beelaerts van Blokland* (1948).
P. J. Oud, Het jongste verleden (vgl. oben unter a) Niederlande).
H. Colijn, Voor het gemeenebest. Leur uit de redevoeringen (1938).
G. Puchinger, Colijn (1962). Herinneringen en dagboek van *Ernst Heldring,* 1871-1954, hg. v. *J. de Vries* (3 Bde. 1970).
De Nederlandse volkshuishouding tussen twee wereldoorlogen (3 Bde. 1952), Sammelwerk, sowohl die Wirtschaftspolitik als auch die einzelnen Wirtschaftszweige umfassend. Ferner: AGdN, Bd. XII, Kap. 4 *(A. Blonk),* Kap. 6 *(H. Klompmaker)* u. Kap. 8 *(L. W. G. Scholten).*
I. J. Brugmans, Paardenkracht en mensenmacht. Sociaal-economische geschiedenis van Nederland 1795-1940 (1960), Abschnitte V u. VI, S. 458-550, sowie *J. A. van Houtte,* Economische en sociale geschiedenis van de Lage Landen (1964), Buch V. Schon für diese Periode vgl. ferner *L. de Jong,* Het Koninkrijk der Nederlanden in de Tweede Wereldoorlog, Bd. 1 u. 2 (1969).

Die Einführung des allgemeinen gleichen Wahlrechts 1917 für die Männer und bis 1922 für die Frauen sowie der Übergang zur Verhältniswahl stellte für die Niederlande die zweite entscheidende Verfassungsänderung seit 1815 dar. Auch hier ging die Macht nunmehr zunehmend auf die Parteien über. Die konfessionell bestimmten Wähler verteilten sich auf protestantischer Seite, von kleineren Gruppen abgesehen, auf die Antirevolutionäre Partei (A. R. P.) und die Christlich-Historische Union (C. H. U.). Von beiden repräsentierte die C. H. U. mehr die sozial-konservative alte kalvinistische Oberschicht. Die A. R. P. war sozial fortschrittlicher und bildete, nach einem Wort ihres Begründers A. Kuyper, die »Partei der kleinen Leute«. Die lange Zeit größte und geschlossenste niederländische Partei, die katholische, entstand erst 1926 als Römisch-Katholische Staatspartei (R. K. S. P.) aus einem Bund verschiedener Wahlvereinigungen; ihr entscheidender Wegbereiter war der katholische Priester Dr. H. I. A. M. Schaepman. Von den nichtkonfessionellen Parteien wurde die Sozialdemokratische Arbeiterpartei (S. D. A. P.) nach der Einführung des allgemeinen Wahlrechts und Proporzsystems zur zweitstärksten Partei des Landes. Sie lehnte aber bis 1939 jede Beteiligung an der Regierung ab, so daß, wie bis dahin, konfessionelle und

b) Innere Geschichte (1918–1940)

außerparlamentarische Kabinette weiter die Regierung bildeten. Den liberalen Gruppen kam nicht mehr die gleiche Bedeutung zu wie während der Blütezeit des liberalen Gedankens im 19. Jh. Vollends nur eine untergeordnete Rolle spielte, obwohl schon 1909 als älteste kommunistische Partei der Welt entstanden, die Kommunistische Partei in den Niederlanden. Hingegen machte sich in den 30er Jahren auch im politischen Leben der Niederlande zeitweise der Einfluß der nationalsozialistischen Gedankenwelt von Deutschland her störend bemerkbar, vor allem in der Nationaal Socialistische Beweging (N. S. B.) des Ingenieur A. Mussert und der Nationaal Nederlandschen Arbeiders Partij (N. S. N. A. P.). Unter katholischen Intellektuellen und Künstlern regte sich eine gewisse Aufgeschlossenheit für die religiösen, ethischen und gesellschaftlichen Vorstellungen des italienischen Faschismus[1].

Der wirtschaftliche Wiederaufbau der Niederlande nach 1918 vollzog sich ohne Schwierigkeiten. Großer materieller Kriegsschaden war nicht eingetreten, wenn es auch gewisse Verluste in der Handelsflotte gegeben hatte. Eine Kriegsindustrie, die wieder auf Friedensproduktion hätte umgestellt werden müssen, war nicht vorhanden. Auch die Währungsstabilität war gesichert. Im Einklang mit der allgemein aufstrebenden weltwirtschaftlichen Entwicklung der zwanziger Jahre entfaltete sich auch die niederländische Wirtschaft weiterhin. Man empfand deshalb hier auch keine Nötigung, den bewährten Vorkriegsprinzipien der freien Wirtschaft abzuschwören, und strebte, soweit man sie im Kriege hatte aufgeben müssen, nach ihrer möglichst vollständigen Wiederherstellung. Ganz im Zeichen der freien Wirtschaft vollzog sich während dieser Zeit in der niederländischen Wirtschaft die zweite industrielle Revolution. Der Staat hat auf sie nicht viel mehr Einfluß genommen als ein halbes Jahrhundert zuvor auf die erste.

Ein sehr verändertes innenpolitisches Klima zeigten demgegenüber auch in den Niederlanden die dreißiger Jahre. Die Wandlung nahm ihren Ausgang von der Weltwirtschaftskrise, deren Auswirkungen natürlich auch ein so in die Weltwirtschaft verflochtenes Land wie die Niederlande nicht verschonten. Es kam hier zwar zu keinen akuten Börsenkrachs wie in den USA, doch sanken auch hier die Börsenkurse bis zum Jahre 1932 auf weniger als $\frac{1}{4}$, und die Großhandelspreise gingen auf die Hälfte zurück; selbst gegenüber 1913 lagen sie fast um $\frac{1}{3}$ niedriger. Der Güterverkehr stockte; die Arbeitslosigkeit nahm auch in den Niederlanden sprunghaft zu.

In dieser Situation war es auch hier nicht länger möglich, am überkommenen Prinzip der Freiheit der Wirtschaft festzuhalten. Es wurden zahlreiche Krisengesetze erlassen, die mehr und mehr auf einen gewissen staatlichen Dirigismus hinausliefen. So enthielt das Agrarkrisengesetz vom Jahre 1933 ein ganzes System von Produktions- und Absatzregelungen. Auch im Außenhandel wurden die traditionellen Freihandelsgrundsätze von Kontingentierungen und Einfuhrbeschränkungen aller Art abgelöst. Schließlich sahen sich, um den Staatsbankrott zu vermeiden, auch die Niederlande gezwungen, den bis dahin erfolgreich verteidigten Grundsatz der Währungsstabilität aufzugeben. Am 26. IX. 1936 wurde der Goldstandard für den Gulden aufgehoben; daraufhin sank der Goldwert des Guldens um etwa 20%. Was alle Deflationspolitik der vorangehenden Jahre nicht hatte erreichen können, wurde nun in wenigen Tagen erzielt: der Kurs des Guldens glich sich an das um 20% gestiegene innerniederländische Preisniveau an und machte die Niederlande wieder international konkurrenzfähig. Doch wurden die wirtschaftlich günstigen Rückwirkungen, die diese begrenzte Abwertung hatte, durch die seit 1936 sprunghaft sich steigernde außenpolitische Krisensituation in wenigen Jahren wieder zunichte gemacht. Seit sich die Niederlan-

§ 19 Belgien, Niederlande, Luxemburg 1918-1970

de am 28. VIII. 1939 die allgemeine Mobilmachung anzuordnen gezwungen sahen, befand sich das Land, wirtschaftlich gesehen, praktisch bereits im Kriegszustand. Die Basis für eine freie Wirtschaft war damit auf lange Zeit hinaus zerstört[2].

Im Gegensatz zur Politik und zur Wirtschaft kamen in der kulturellen Entwicklung der Niederlande schon gleich nach dem I. Weltkrieg die Kräfte zu maßgeblichem Einfluß, die grundsätzlich neue Wege einzuschlagen gewillt waren. Sie gruppierten sich um die Kunstzeitschrift »Stijl« und die Literaturzeitschrift »Het Getij«. In Architektur wie Literatur suchten sie nach Formen, die den Geist und die Impulse des technisch-industriellen Zeitalters in adäquater Form künstlerisch wiederzugeben vermöchten[3]. Das Ursprüngliche und Echte besaß für sie, auch wenn es chaotisch war, höhere Geltung als das Schöne. In den dreißiger Jahren hingegen rückte, angesichts des Heraufdrängens des politischen Extremismus[4], der in den Niederlanden früh in seiner ganzen Gefährlichkeit erkannt wurde, das Ziel der Verteidigung der menschlichen Freiheit und Kultur an die erste Stelle. In dem bedeutenden Leidener Gelehrten Joh. Huizinga erstand dem Land ein geistiger Warner und Mahner, der die westliche Welt weit über die niederländischen Grenzen hinaus auf die in den autoritären politischen Bewegungen für die gesamte christlich-humanistische Kultur Europas heraufziehenden Gefahren hinwies. Er fand damit in den Niederlanden die Gefolgschaft auch der jungen, geistig und künstlerisch vorwärtsdrängenden Kräfte[5]. Zögernder vollzog sich der entsprechende Prozeß im niederländischen Protestantismus. Ihm öffnete erst der Kirchenkampf in Deutschland den Blick für den wahren Charakter des Nationalsozialismus[6].

[1] Zum Vorhergehenden vgl. bes. *G. Geismann,* Politische Struktur und Regierungssystem in den Niederlanden (1964), insbes. S. 41-83, sowie die angeführte Literatur.
L. M. H. Joosten, Katholieken en Fascisme in Nederland 1920-1940 (Diss. 1964). Süd-Limburg: *S. Y. A. Vellenga,* Katholiek Zuid-Limburg en het Fascisme (Phil. Diss. 1975).
[2] Gute Synthese bei *Brugmans,* Paardenkracht, S. 458-513. Speziell für die staatliche Krisenbekämpfung vgl. *H. M. Hirschfeld,* Actieve economische politiek in Nederland in de jaren 1929-1934 (1946).
[3] Hierzu vgl. *Petri,* Kultur der Niederlande, S. 205 ff., in: Handbuch der Kulturgeschichte, hg. v. *E. Turner* (1964).
[4] Für die Rückwirkung, die die autoritären und nationalsozialistischen Gedankengänge im niederländischen politischen Leben fanden, zeugen die N. S. B. des Ingenieurs A. A. Mussert und die A. S. N. A. P. von A. Meyer. Die von ihnen vertretene Ideologie fand einen literarischen Niederschlag in den in: AGdN, Bd. XII, S. 496, verzeichneten Schriften. Eine besondere Seite der Auswirkung der NS-Ideologie auf das niederl. Geistesleben behandelt *I. Schöffer,* Het nationaal-socialistische beeld van de geschiedenis der Nederlanden (1956); vgl. dazu meine Rezension: RheinVjbll 22 (1957), S. 310-315, sowie *C. D. J. Brandt:* BijdrGNederl XII (1957), S. 252-256.
[5] *Huizingas* Untersuchungen zur politischen und geistigen Diagnose der Zeit sind heute vereinigt in seinen Verzamelde Werken, Bd. VII (1950). Deutsche Ausgaben: Im Schatten von morgen. Eine Diagnose des kulturellen Leidens unserer Zeit; übers. v. *W. Kaegi* (^{5}1937) und (posthum): Wenn die Waffen schweigen. Die Aussichten auf Genesung unserer Kultur: übers. v. *W. Hirsch* (1945).
Dazu die menschliche und wissenschaftliche Würdigung von Huizingas Persönlichkeit von *W. Kaegi,* Historische Meditationen (o. J.), S. 7-42 u. 243-286.
Ferner: *L. R. Wiersma,* Het Comité van Waakzaamheid van anti-nationaalsocialistische intellectuelen 1936-1940: BijdrMededGNederl 86 (1971), S. 124-150, sowie die Huizinga-Gedenknummer der gleichen Zs.: 88 (1973) mit Beiträgen international anerkannter Huizinga-Kenner. Johan Huizinga 1872-1972, hg. v. *W. R. H. Koops, E. H. Kossmann, Gees van der Praat* (1973).

c) Der II. Weltkrieg

[6] Hierzu vgl.: *G. van Roon,* Protestants Nederland en Duitsland 1933–1941 (1974) und allgemein: *H. Lademacher,* Niederlande – Zwischen wirtschaftlichem Zwang und politischer Entscheidungsfreiheit, in: *E. Forndlan, F. Golczewski* und *D. Riesenberger* (Hgg.), Innen- und Außenpolitik unter nationalsozialistischer Bedrohung (1977), S. 192–215.

Luxemburg

Der Volksentscheid vom 28. IX. 1919 (s. oben a) Luxemburg) gab dem Land den inneren Frieden zurück. Die noch im gleichen Jahr erfolgte Einführung des allgemeinen Wahlrechts brachte der katholischen Partei, in Übereinstimmung mit den Ergebnissen des Volksentscheids, zunächst die absolute Mehrheit. Seit 1925 wurde Luxemburg durch eine Koalition von Katholiken, Liberalen und Konservativen regiert. Der Aufschwung seiner Industrie nahm einen raschen Fortgang. Insbesondere gewann es durch seine Montanindustrie eine international bedeutsame Stellung. Dem führenden luxemburgischen Industriekonzern, der ARBED, gehören auch in Lothringen und Belgien, im Aachener Revier, an der Saar und in Brasilien große Werke. Schon 1930 besaß das Land mit 55 381 Fremden einen großen Stamm von Fremdarbeitern. Sie machten damals annähernd $^1/_5$ der Gesamtbevölkerung aus[1].

[1] Vgl. die oben unter a) Luxemburg angeführte Literatur; ferner: Le Luxembourg, Livre du Centenaire (^{2}1949).

c) Der II. Weltkrieg
Belgien

Quellen und zeitgenössische Zeugnisse:
Tätigkeitsbericht der Militärverwaltung in Belgien und Nordfrankreich (vgl. Guides to German Records Microfilmed at Alexandria (Virginia), Nr. 38).
Verordnungsblatt des Milit. Befehlshab. in Belgien und Nordfrankreich (1940–1944).
A. v. Falkenhausen, Mémoires d'Outre-Guerre (Extraits). Comment j'ai gouverné la Belgique de 1940 à 1944. Textes présentés par *J. Gerard* (1974, Teilveröffentlichung aus den v. Falkenhausenschen Memoiren). E. Reeder: *M. Rehm,* E. Reeder. Preußischer Regierungspräsident, Militärverwaltungschef, Staatsbürger (1976) – Würdigung durch seinen langjährigen engsten Mitarbeiter, Staatssekretär a. D. *F. Thedicik* (hektogr., Bonn 1969).
F. van Langenhove, La Belgique et ses garants. L'été 1940. Contribution à l'histoire de la politique extérieure de la Belgique pendant la seconde Guerre mondiale (1972).
E. Reeder u. *W. Hailer,* Die Militärverwaltung in Belgien und Nordfrankreich. Sonderdruck aus: Reich, Volksordnung, Lebensraum: ZVölkVerfassVerw 6 (1943), S. 1–46.
De Vlag. Zeitschr. d. Deutsch-Vlämischen Arbeitsgemeinschaft III–VII (1940–1944).
E. De Bens, De Belgische dagbladpers onder Duits censuur 1940–1944 (1973).
J. Dujardin, L. Rijmemens, J. Gotovich, Inventaris van de sluikpers (1940–1944) in België bewaard (1966).
Darstellungen:
P. Desneux, in AGdN, Bd. XII, S. 357–175, Bibliographie S. 502–504.
W. Wagner, Belgien in der deutschen Politik während des Zweiten Weltkrieges. Militärgeschichtl. Studien (1974).
J. Gérard-Libois, J. Gotovich, L'An 40. La Belgique occupée (1971).
A. de Jonghe, Hitler en het politieke lot van België, Bd. 1 (1972).
Bijdragen tot de Geschiedenis van de tweede Wereldoorlog, hg. v. *Navorsings- en studiecentrum voor de Geschiedenis van der tweede Wereldoorlog,* ab 1970; darin u. a.: *A. de Jonghe,* De vestiging van een burgerlijk bestuur in België en Noord-Frankrijk: BijdrIIWereldoorlog I (1970), S. 70–132 (m. weiterer Literatur über die deutsche Besatzungspolitik), und ders., Der Strijd Himmler-Reeder om de benoeming van een HSSPF te Brussel 1942–1944, Bd. III (1974), S. 9–82; Bd. IV (1976), S. 5–152 (wird fortgesetzt).

§ 19 Belgien, Niederlande, Luxemburg 1918–1970

E. E. Knoebel, Racial Illusion and Military Necessity. A study of SS political and manpower objectives in occupied Belgium (Dr.-These 1965).
Encyclopedie van de Vlaamse Beweging, Bd. I, Art.»H. J. Elias«.
A. de Jonghe, H. J. Elias als leider van het Vlaams Nationaal Verbond: BelgTijdsNG VI (1975), S. 197–238; VII (1976), S. 329–423.
G. Jacquemyns, La société belge sous l'occupation allemande 1940–1944 (3 Bde. 1950).
L. Lejeune, Tableau de la Résistance belge 1940–1945: RevHistII^{me}Guerre Mond 8 (1958), S. 31–43.
H. Bernard. La Résistance 1940–45 („Notre Passé", 1968) .
P. Struye, L'évolution du sentiment public sous l'occupation allemande (1946).
B. Garfinkels, Les Belges face à la persécution raciale 1940–1944 (1965).
Recueil de documents établi par le sécretariat du Roi concernant la période 1936–1947 (1950).
Graf J. Pirenne, L'attitude de Léopold III de 1936 à la libération (1949).
R. van Overstraeten, Albert Ier – Léopold III (vgl. a) Belgien).
K. Leclef, Le Cardinal van Roey et l'occupation allemande en Belgique (1945).
F. Baudhuin, L'économie belge sous l'occupation (1945).
J. Colard, L'alimentation de la Belgique sous l'occupation allemande 1940–1944 (1945).

Viel stärker als 1914 rechnete Belgien 1940 mit der Gefahr einer deutschen Invasion. Es suchte ihr zu begegnen durch die Aufstellung einer Armee von ca. 600 000 Mann und die rechtzeitige wirtschaftliche Mobilisierung des Landes, die schon im September 1939 angeordnet wurde. Jedoch nahm der »Feldzug der 18 Tage« (10. bis 28. V. 1940) einen sehr unerwarteten Verlauf. Da der deutsche Hauptangriff, anders als es früher der Schlieffenplan vorgesehen hatte, viel weiter südlich, in der Richtung auf Sedan angesetzt wurde, spielte die belgische Armee diesmal nur eine sekundäre Rolle. Um nicht vom Süden her aufgerollt zu werden, mußte sie ihre Verteidigungsstellungen am Albert-Kanal, an der Dyle und an der Schelde vorzeitig räumen. Erst an der Leie (frz. Lys) kam es zu erbitterten Kämpfen, die mit der Kapitulation der gesamten Armee endeten. Die belgische Regierung wich nach Frankreich und später England aus, König Leopold aber verblieb, in der trügerischen Hoffnung auf ein Arrangement mit Hitler (so De Jonghe), im Lande und kehrte als Gefangener nach Schloß Laeken zurück. Die Armee verlor 5367 Tote, die Zivilbevölkerung etwa 12 000[1]. Nach den der deutschen Militärverwaltung vorliegenden Unterlagen waren 2½ Millionen Einwohner geflohen, darunter viele Tausende bis nach Südfrankreich[2]. Die Zerstörungen waren fühlbar, jedoch geringer als die 1944/45 durch die alliierten Luftangriffe und die deutschen Fernwaffen angerichteten Verwüstungen[3].

Die Mitte Mai 1940 für die eroberten belgisch-niederländischen Gebiete unter General Alexander v. Falkenhausen als Militärbefehlshaber und Regierungspräsident Eggert Reeder als Militärverwaltungschef errichtete Militärverwaltung[4] nahm – nach alsbaldiger Abtrennung und Unterstellung der Niederlande unter eine deutsche Zivilverwaltung (s. unten) sowie Rückgliederung von Eupen-Malmedy zuzüglich einiger altbelgischer deutscher Gemeinden ins Reich – am 30. V. 1940 ihren Sitz in Brüssel und hat als Militärverwaltung Belgien-Nordfrankreich Belgien und die französischen Departements Nord und Pas-de-Calais über vier Jahre lang im Namen des Reiches regiert. Freilich wurde ihre Befugnis durch die von der militärischen Führung vergeblich bekämpfte Installierung einer wachsenden Zahl von SS- und Partei-Dienststellen und die Entsendung von Sonderbeauftragten aus dem Reich zunehmend durchlöchert und ausgehöhlt.

Als der energischste Vertreter einer einheitlichen und straff geordneten Verwaltung führte namentlich Reeder einen unablässigen Kampf gegen das »Hin-

c) Der II. Weltkrieg

einregieren« und »Gegenregieren«, doch glich dieser einem Kampf mit der Hydra, und die Bevölkerung des besetzten Gebiets zögerte verständlicherweise nicht, sich den administrativen »Kleinkrieg« und die endlosen Kompetenzkonflikte auf deutscher Seite zunutze zu machen und die eine Reichsstelle gegen die andere auszuspielen. Von grundsätzlicher Bedeutung für den Gesamtcharakter des Besatzungsregimes war insbesondere das zähe, sich über die ganze Dauer des Bestehens der Militärverwaltung hinziehende Ringen zwischen Reeder und Himmler um die Beherrschung des Polizeiapparats. Von allen durch die deutschen Truppen während des Krieges besetzten europäischen Ländern war das Gebiet des Militärbefehlshabers Belgien/Nordfrankreich das einzige, in dem es Himmler nicht gelang, einen Höheren SS- und Polizeiführer (HSSPF) ernennen zu lassen, der unmittelbar und ungehindert durch die Besatzungsverwaltung die polizeiliche und politische Macht der SS zur Geltung zu bringen vermocht hätte[5]. Erst als die Militärverwaltung unter v. Falkenhausen im Juli 1944 durch eine Zivilverwaltung unter dem Kölner Gauleiter Jos. Grohé ersetzt wurde, wurde der Weg dahin frei: vom 11. IX. 1944 ab vereinigte Himmlers Repräsentant Jungclaus die Funktionen eines Wehrmachtbefehlshabers und Höheren SS- und Polizeiführers in seiner Person. Auch dann noch stieß freilich die Aufrichtung einer SS-Herrschaft in Belgien auf Schwierigkeiten, da Grohé an Reeder festhielt und ihn zu seinem Stellvertreter machte[6]. Die Militärverwaltung war entsprechend den Intentionen des Heeres, dessen Oberbefehlshaber der Militärbefehlshaber unmittelbar unterstand, und im Einklang mit Hitlers Entschluß, das zukünftige Schicksal des Landes vorerst in der Schwebe zu lassen, eine reine Aufsichtsverwaltung mit dem betont vorläufigen Auftrag der Wiederherstellung und Aufrechterhaltung geordneter Zustände, der Ingangsetzung der Wirtschaft und der Weisung, in politischer Hinsicht keine zukünftige Lösung vorwegzunehmen. Natürlich hatten die leitenden Persönlichkeiten der Verwaltung und ihre Mitarbeiter über das für die Zukunft vom deutschen Standpunkt aus Erstrebenswerte und Erreichbare ihre eigenen, im einzelnen je nach persönlicher politischer Einstellung und den Kreisen der Bevölkerung, zu denen sie vorzugsweise Kontakt pflegten, zum Teil recht unterschiedlichen Vorstellungen; die Skala der politischen Meinungen reichte vom entschiedenen Nationalsozialisten bis zum Sympathisanten mit dem deutschen Widerstand. Der gesamten Verwaltung gemeinsam und für sie charakteristisch war aber im Unterschied zu den im Lande etablierten SS- und Parteidienststellen der aus der Begrenztheit des eigenen Auftrages sich ergebende Verzicht auf jede über die allgemeine Pflege und Verstärkung der Verbindungen zu Deutschland hinausgehende politische Zukunftsgestaltung; das gilt auch für E. Reeder. Ein Beispiel dafür ist die von ihm im offenen Gegensatz zu Himmler vorgenommene Bestätigung von H. J. Elias als neuem Leiter des VNV, der zur Zusammenarbeit bereit war, allen Verdeutschungsversuchen aber mit Entschiedenheit entgegentrat. Ob man dem belgischen Staat in der europäischen Nachkriegsordnung noch eine Chance gab, war weniger eine Frage einer mehr oder weniger imperialistischen Grundeinstellung als der Einschätzung der Gesamtkriegslage. Über mögliche Kriegsziele gegenüber Belgien gab es daher in der Besatzungsverwaltung – im Unterschied zum I. Weltkrieg – kaum eine Diskussion. Grundsätzlicher schieden sich in ihr die Geister in der Bewertung der vorgefundenen belgischen Staats- und Gesellschaftsordnung: hier stand die sie bejahende Richtung um General v. Falkenhausen gegen eine stärker volkstumsbezogene Politik, wie sie vor allem im Umkreis des Militärverwaltungschefs vertreten wurde. Wenn die großniederländischen Bestrebungen allgemein möglichst beschnitten wurden, so geschah das entgegen kürzlich vertretener Meinung nicht aus eigenem Antrieb, sondern auf zentrale, der Militärverwaltung wiederholt eingeschärfte Weisung.

Das Verhältnis zwischen der Militärverwaltung und der Bevölkerung war, wie auch von belgischer Seite anerkannt wird, trotz aller Härten weniger gespannt als im I. Weltkrieg. Während dieser von der Bevölkerung in erster Linie als ein nationaler empfunden worden war, reagierte sie im II. Weltkrieg viel stärker weltanschaulich[7] und wußte, daß in dieser Hinsicht der überwiegende Teil der Repräsentanten der Militärverwaltung, angefangen vom Militärbefehlshaber selber, entweder überhaupt nicht oder doch nur bedingt im Lager des Nationalsozialismus stand. Zugleich war das Gefühl dafür verbreitet, daß es irgendwann in Europa zu einer übernationalen Ordnung kommen müsse. Trotzdem war es unvermeidlich, daß die bemerkenswerte Euphorie, die nach dem unerwartet gnädigen Vorübergehen der Kriegsschrecken im Sommer 1940 zunächst einen großen Teil der Bevölkerung ergriffen hatte, zunehmend einer mehr oder weniger entschiedenen Ablehnung des Besatzungsregiments wich. Die wachsenden Lasten und Notstände; der allmähliche Umschwung der Kriegslage und der totale Krieg, in den auch Belgien immer mehr hineingezogen wurde; vor allem wieder die Zwangsverschickung[8] der arbeitsfähigen Bevölkerung ins Reich, die die Militärverwaltung – auch diesmal vergebens – abzuwenden versuchte; nationale und weltanschauliche Momente und nicht zuletzt die Erbitterung auf die Kollaborateure in den eigenen Reihen, von denen längst nicht alle aus wirklicher Überzeugung für die sogen. »neue Ordnung« eintraten – all das bewirkte mit Notwendigkeit eine fortschreitende Verschlechterung der Stimmung.

Für die Militärverwaltung war ein besonders kritischer Punkt, welche Stellung sie zu den vorgefundenen innerbelgischen Parteiungen einnehmen sollte. Sie suchte im ganzen einen Mittelkurs zu steuern zwischen der Zusammenarbeit mit den – schon infolge ihrer fachlichen Kompetenz unentbehrlichen – Repräsentanten des alten Regimes: den zum Teil in ihren Ämtern verbliebenen Generalsekretären, mit den Kreisen um die Person des Königs und des Kardinals van Roey sowie den sich auf ihre mehr oder weniger große Gesinnungsverwandtschaft mit dem Nationalsozialismus berufenden, untereinander aber großenteils verfeindeten »Neuordnungsparteien«, bei deren Anhängern es – neben krassem Opportunismus – vor allem in Flandern auch an Realismus und ehrlicher Bereitschaft nicht fehlte. Die Besatzungspolitik trug beim Militärbefehlshaber deutlich andere Akzente als beim Militärverwaltungschef, wurde aber, unabhängig von der persönlichen Einstellung, bis zu einem gewissen Grade diktiert durch die Notwendigkeit, sich zu Regierung und Partei im Reich und deren Abgesandten in Belgien nicht in zu scharfen äußeren Gegensatz zu setzen. Eine gerechte Abwägung, wieviel im praktischen Verhalten der Militärverwaltung, soweit es den in Deutschland herrschenden Kräften und Anschauungen Rechnung trug, freier Entschluß, wieviel von außen aufgezwungene Taktik war, gehört zu den schwierigsten Aufgaben einer geschichtlichen Würdigung dieser Zeit. Seit spätestens 1942 offen zutage lag der Gegensatz zwischen der Militärverwaltung und der SS in der Einstellung zu den entscheidenden innerpolitischen Grundfragen und insbesondere in der Volkstumspolitik. Während die Militärverwaltung für die Durchführung ihrer Aufgaben alle mitarbeitswilligen Kräfte und in Flandern vorzugsweise die im Vlaamsch Nationaal Verbond (VNV) zusammengeschlossenen nationalflämischen Kräfte heranzog, vertrat die SS, gestützt auf die Algemeene SS-Vlaanderen und die aus einer Kulturbewegung der Vorkriegszeit im großdeutsch-nationalsozialistischen Sinne umfunktionierte Deutsch-Vlämische Arbeitsgemeinschaft (DeVlag), die Eingliederung Belgiens in das von ihr erstreb-

c) Der II. Weltkrieg

te Großgermanische Reich der Zukunft unter gleichzeitiger Aufgliederung des Landes in Flandern und Wallonien als Reichsgaue. Noch nach der Aufgabe Belgiens durch die deutschen Truppen bildete sich in Deutschland im September 1944 unter dem Leiter der DeVlag, J. van de Wiele, eine Emigrantenregierung: De Vlaamse Landsleiding, die Pläne für die von ihr erwartete Wiederbesetzung Belgiens durch die deutschen Truppen ausarbeitete[9].

Trotz der viel größeren Härte, mit der er geführt wurde, überstand die belgische Bevölkerung den II. Weltkrieg besser als den I. Bei der Befreiung des Landes im September 1944 lag die Bevölkerungszahl, obwohl die alliierten Bombardements und die Befreiungskämpfe nochmals über 10 000 Tote forderten und etwa 12 000 Belgier in deutschen Lagern umkamen, nach belgischen Berechnungen nur wenig unter dem Stand von 1939; nicht mitgezählt sind dabei allerdings die 28 000 jüdischen Flüchtlinge, die dem nationalsozialistischen Vernichtungswillen anheimfielen. Die materiellen Verluste des Landes hat man, in auffälliger Übereinstimmung mit dem I. Weltkrieg, auf etwa 35 Milliarden bfr oder 8 % des belgischen Volksvermögens geschätzt. Sie hielten sich also angesichts des totalen Charakters des Krieges in Grenzen. Völlig darnieder lag das Verkehrswesen, und auch die Industrie war hart getroffen. Die Kohlenförderung sank auf 45 %, die Stahlproduktion sogar auf 5 % des Standes von 1939 ab[10]. Mit der Befreiung des Landes durch Amerikaner und Engländer im September 1944 waren die Leiden der Bevölkerung, auch abgesehen von den Wirkungen der deutschen Fernwaffen und der Rundstedt-Offensive vom Dezember 1944[11], noch nicht zu Ende. Die aus London zurückgekehrte Emigrantenregierung Pierlot zeigte sich unfähig, in Wirtschaft und Verwaltung wieder geordnete Verhältnisse zu schaffen. Die nicht weniger als 405 000 Ermittlungsverfahren und die 59 000 Anklageerhebungen, die von ihr wegen unpatriotischen Verhaltens in der Besatzungszeit angestrengt wurden, verbreiteten eine Atmosphäre allgemeiner Unsicherheit. Erst unter dem Ministerium van Acker, dessen Mitglieder mit einer Ausnahme während des Krieges in Belgien verblieben waren, begann im Februar 1945 eine schnelle Wiedererholung des Landes – allerdings ebensosehr dank seiner Eingliederung in das System des alliierten Nachschubs wie infolge des entschlossenen Verzichts auf die gesamte Kriegszwangswirtschaft[12].

---

[1] Feldzug 1940: *J. Willequet,* Le rôle de l'armée en 1940. Bibliographie critique: RevHistII^me GuerreMond 3 (1953), S. 192–197, u. ders., La Belgique et la Deuxième Guerre Mondiale: Bücherschau der Weltkriegsbücherei (1955, 4).

[2] *Reeder* u. *Hailer,* Militärverwaltung, S. 23 f. Dazu der Bericht des Rood Kruis van België, Mei-Dec. 1940 (1940).

[3] Angaben nach *Baudhuin,* Belgique 1900–1960 (s. b) Belgien, Anm. 6), S. 183 ff.

[4] Über den Aufbau und die Grundsätze der Tätigkeit der Militärverwaltung vgl. den Bericht von *Reeder* u. *Hailer.* Allerdings ist für die Erfassung der wirklichen Verhältnisse die Einsichtnahme in die o. g. Geheimen Tätigkeitsberichte der Militärverwaltung unerläßlich. In ihnen gehen insbesondere die allgemeinen Einleitungen auf den Militärverwaltungschef persönlich zurück; sie geben ein teilweise recht ungeschminktes Bild der komplizierten Zuständigkeiten und Machtkämpfe auf seiten der dt. Besatzungsmacht. Eupen-Malmedy: *M. R. Schärer,* Deutsche Annexionspolitik im Westen. Die Wiedereingliederung Eupen-Malmedys im zweiten Weltkrieg (1975).

[5] Für alle Einzelheiten vgl. die erschöpfende Auswertung der erhalten gebliebenen Quellen durch *De Jonghe,* Strijd Himmler-Reeder.

[6] Ders., Burgerlijk Bestuur, S. 118 f.

[7] Das betonte *J. Willequet* im Westdt. Rundfunk anläßlich der 25. Wiederkehr des dt. Einmarsches in Belgien.

§ 19 Belgien, Niederlande, Luxemburg 1918–1970

[8] Zwangsarbeitsverpflichtung: *M. G. Haupt,* Der Arbeitseinsatz der belgischen Bevölkerung während des II. Weltkrieges (Phil.Diss. 1970).
F. Selleslach, De tewerkstelling van Belgische arbeitskrachten tijdens de bezetting 1941, in: Documenten 2 (1972), hg. v. *Navorsings en studiecentrum.* Verschleppte: *J. Willequet,* L' univers concentrationnaire et la Belgique. Bibliographie sommaire: RevHistII^{me}GuerreMond (Juli–Sept. 1954).
[9] Im einzelnen vgl. *W. C. M. Meyers,* De Vlaamse Landsleiding: BijdrGIIWereldoorlog II (1972), S. 29–84.
[10] Zahlen nach *Baudhuin,* L'économie belge, S. 202 ff.
[11] Hierzu: *Major Schaufelberger,* Ardennen 1944–1945: AllgSchweizMilitZ (1972), S. 713 bis 743.
[12] *Baudhuin,* L'économie belge, S. 209 ff. u. 216 ff.

Niederlande
Quellensammlungen und Veröffentlichungen des »Rijksinstituut voor Oorlogsdocumentatie«, darunter das Standardwerk von *L. de Jong,* Het Koninkrijk der Nederlanden in de Tweede Wereldoorlog. Bisher deel I–VI in 9 Bdn. (1969–1975), bis Mai 1943. Für die noch ausstehende Zeit ab Juni 1943 vgl. De Jong, in: AGdN, Bd. XII, Kap. 13.
Staten-Generaal, Tweede Kamer. Enquêtecomissie Regeringsbeleid 1940–1945 (8 Bde. 1949–1956).
De Strijd op Nederlands grondgebied tijdens de wereldoorlog II, Serienwerk der Sektion für Kriegsgeschichte des niederländischen Heeres, seit 1952, vgl. besonders Reihe III, Bde. 3–6.
R. S. Gerbrandy, Eenige hoofdpunten van het regeringsbeleid te Londen gedurende de oorlogsjaren 1940–1945 (1946).
Verordnungsblatt des Reichskommissariats in den Niederlanden 1940–1944.
H. Kwiet, Vorbereitung und Auflösung der deutschen Militärverwaltung in den Niederlanden: MilitGeschichtlMitt (1969, 1), S. 121–153.
Ders., Reichskommissariat Niederlande. Versuch und Scheitern nationalsozialistischer Neuordnung (1968).
De SS en Nederland. Documenten uit SS-Archiven 1935–1945. Eingeleitet u. hg. v. *N.K.C.A. Int't Veld* (2 Bde. 1976).
A. E. Cohen, Het Proces Mussert (1948).
G. Hoffmann, NS-Propaganda in den Niederlanden. Organisation und Lenkung der Publizistik unter deutscher Besatzung 1940–1945 (1972).
L. E. Winkel, De ondergrondse pers 1940–1945 (1954). Onderdrukking en verzet, Nederland in oorlogstijd (4 Bde. 1948–1954).
W. Warmbrunn, The Dutch under German Occupation (1963; ndl. 1964). Dazu die Besprechung von *P. R. A. van Iddekinge:* BijdrGNederl XVIII (1963/64).
J. Presser, Ondergang. De vervolging en verdelging van het Nederlandse Jodendom 1940–1945 (2 Bde. 1965).
S. Stockman, Het verzet van de Nederlandse bischoppen tegen nationaal-socialisme en Duitse tyrannie. Herderlijke brieven, instrukties en andere documenten (1945).
H. C. Touw, Het verzet der Hervormde Kerk (2 Bde. 1946).
Th. Belleman, Opdat wij niet vergeten. De Bijdrage van de Gereformerde Kerken ... in het verzet (1950).
Centraal Bureau voor de Statistiek. Economisch-sociale kroniek der bezettingsjaren (1947).
B. A. Sijes, De arbeidinzet. De gedwongen arbeid van Nederlanders in Duitsland 1940–1945 (1966). Weitere Literatur vgl. bei *H. Lademacher,* Literaturbericht über die Geschichte der Niederlande, Veröffentlichungen 1945–1970: HZ, Sonderheft 5 (1973).

Während die durch Krieg und Besetzung hervorgerufene Belastung des deutschbelgischen Verhältnisses weniger tief ging und erheblich schneller überwunden werden konnte als beim I. Weltkrieg, führte der Krieg zwischen Deutschland und den Niederlanden zu einer tiefen Entfremdung, die noch heute fühlbar nachwirkt. Die Gründe dafür liegen teils im Kriegsgeschehen selber, teils in einer we-

c) Der II. Weltkrieg

senhaften Verschiedenheit der psychologischen, politischen und weltanschaulichen Umstände der Besatzungszeit in Belgien und den Niederlanden.

Rein militärisch wurde der nördlich der großen Ströme gelegene größere Teil der Niederlande, wenn man von Rotterdam absieht, zwar nicht durch die in vier Tagen erfolgende Überrennung des Landes im Mai 1940, wohl aber durch die vom September 1944 bis Anfang Mai 1945 erfolgende nochmalige Konzentrierung der Kämpfe auf die Niederlande ungleich schwerer in Mitleidenschaft gezogen als Belgien[1]. Psychologisch kam erschwerend hinzu zunächst, daß die Niederlande – im Unterschied zu dem »klassischen« europäischen Schlachtfeld Belgien – seit den Tagen Ludwigs XIV. mit Ausnahme der Französischen Revolution nicht mehr Objekt eines fremden Angriffs gewesen waren. Königshaus und Regierung haben das Land sogleich verlassen und in England Zuflucht gesucht. Schwer fiel ferner ins Gewicht, daß die Niederlande im Unterschied zu Belgien, das erst im Juli 1944, und nur noch für kurze Zeit, eine Zivilverwaltung erhielt (s. oben) –, bereits am 25. V. 1940 einem »Reichskommissariat für die besetzten niederländischen Gebiete« unter Reichsminister Dr. Seyß-Inquart als Reichskommissar unterstellt wurden, dessen Stab in ganz anderer Weise nach nationalsozialistischen Gesichtspunkten zusammengesetzt war und von der NSDAP beherrscht oder kontrolliert wurde, als das bei der Militärverwaltung in Belgien der Fall war[2]. Infolgedessen konnten sich in der Besatzungsverwaltung der Niederlande die nationalsozialistischen Grundsätze mit viel größerer Radikalität geltend machen als in Belgien, wo man die Militärverwaltung vielmehr als einen Schutz vor der uneingeschränkten Parteiherrschaft empfand. Darüber hinaus aber wurde, während in Belgien die Lösung der politischen Probleme nach einer Anordnung Hitlers erst später erfolgen sollte, hier ungleich entschiedener bereits jetzt versucht, die volkliche und nationale Selbständigkeit der Niederlande gegenüber Deutschland infrage zu stellen. Beides führte, nachdem der Versuch, in der »Nederlandsche Volkunie« eine von dem Großteil der Bevölkerung unterstützte und zur Zusammenarbeit mit Deutschland bereite Organisation zu schaffen, nach kurzer Zeit gescheitert war, mit Notwendigkeit zu immer schärferen, zugleich weltanschaulichen und nationalen Zusammenstößen mit der Besatzungsmacht. Dabei bewährten sich die Kirchen ebensosehr wie die Linksparteien als entschlossene Stützen eines Widerstandes, von dem man sagen darf, daß hinter ihm – mit Ausnahme der NSB und anderer kleiner Minderheitsgruppen[3] – die gesamte Bevölkerung ohne Unterschied der Partei und der Weltanschauung stand. Ihrem ganzen Wesen nach verfügte die niederländische Gesellschaft und Kultur gegenüber dem Nationalsozialismus, wie sich schon in den 30er Jahren gezeigt hatte, über besonders wirksame Abwehrkräfte.

Anders als in Belgien entzündete sich der Widerstandswille entscheidend nicht erst an der Wegführung der arbeitsfähigen Bevölkerung nach Deutschland[4], obwohl auch diese Maßnahme viele Niederländer in den aktiven Widerstand trieb, sondern an dem schon im Winter 1940/41 mit aller Schärfe einsetzenden Vorgehen gegen die jüdische Bevölkerung, die zum Teil schon seit langen Jahrhunderten im Lande eingebürgert war und insbesondere in Amsterdam seit den Tagen Rembrandts das Gesicht einzelner Stadtteile wesentlich mitbestimmte. Die brutale Gewalt, mit der die Polizei gegen die Bewohner des Amsterdamer Judenviertels vorging, rief am 25./26. II. 1941 einen fast allgemeinen, in seinen Anfängen durchaus spontanen Streik der Amsterdamer Bevölkerung hervor und wurde, weit über die Demonstration der Solidarität mit den Opfern[5] hinaus, zu einem Fanal für den gesamten niederländischen Widerstand.

Dieser fand ständig neue Nahrung in dem deutschen Bestreben, das NS-Modell auf immer weitere Bereiche des öffentlichen Lebens in den Niederlanden anzuwenden. Die Maßnahmen gegen die Freiheit der Presse und der Meinungsäußerung, die Schaffung von Zwangsorganisationen für einzelne Berufsgruppen, die Versuche zur Gleichschaltung der Studenten u. ä. m.[6] wurden zu ebenso vielen Anlässen der Opposition und versetzten das Land in einen Zustand ständiger innerer Hochspannung. Die illegale Presse umfaßte 1943 etwa 20 regelmäßig erscheinende Zeitungen mit einer Auflagenhöhe von ca. 50 000 Exemplaren; bis 1944 wuchs diese nochmals auf das Doppelte an[7]. Zu einem fast die gesamten Niederlande erfassenden Streik führte Ende April 1943 die Ankündigung des Wehrmachtbefehlshabers, General Christiansen, daß alle ehemaligen Soldaten nach Deutschland gebracht werden sollten[8]. In seinen Grundlagen wurde das deutsche Regiment zum ersten Mal erschüttert, als in den ersten Septembertagen 1944 ganz Belgien von den Alliierten zurückgewonnen wurde und auch die Befreiung der nördlichen Niederlande unmittelbar bevorzustehen schien. Der deutsche Verwaltungsapparat brach am 5. IX., dem »tollen Dienstag«, fast völlig zusammen; scharenweise flüchteten die als Kollaborateure kompromittierten Niederländer bereits nach Deutschland; schon schickte sich das von der niederländischen Exilregierung für den Fall der Befreiung vorgesehene »Kollegium der Vertrauensleute«[9] an, die Verwaltung zu übernehmen.

Indes kam die Front nach schweren Kämpfen, von denen besonders die mißglückte britische Luftlandung in Arnheim am 17. IX. und die Zerstörung der Deiche der Insel Walcheren durch die britische Luftwaffe am 3. X. in die Geschichte eingegangen sind, an der Deltalinie noch einmal zum Stehen. Nur in den Gebieten südlich davon konnte eine niederländische Militärverwaltung nach den Weisungen der niederländischen Regierung das Regiment übernehmen. Hingegen begann für das ganze Land nördlich der Stromlinie eine letzte, unsagbar schwere Leidenszeit, bei der einander Besatzungsdruck und Widerstandswille der Bevölkerung ständig steigerten: Der aktive niederländische Widerstand gipfelte in Maßnahmen wie der Stillegung des gesamten Bahnverkehrs (18. IX. 1944) und der Verhinderung einer erneuten Rekrutierung niederländischer Arbeitskräfte für den deutschen Kriegseinsatz; Sicherheitspolizei und SD antworteten mit Massenverhaftungen: Mehr als 50 000 Niederländer wurden in Konzentrationslager gebracht, alle Widerstandskämpfer für vogelfrei erklärt[10]. Im April 1945 drohte der Bevölkerung des dichtest besiedelten Teils der Niederlande, der sogen. Rand- oder Ringstadt Holland mit den drei großen niederländischen Städten Amsterdam, Den Haag und Rotterdam, die Vernichtung zu gleicher Zeit durch Verhungern und den sich auf ihre Gebiete konzentrierenden militärischen Endkampf. Der englische Angriff unterblieb jedoch schließlich, und die Hungerkatastrophe wurde, mit deutscher Zustimmung, durch den Abwurf von Lebensmitteln seitens der Alliierten gebannt. Die Kapitulation der deutschen Streitkräfte am 5. V. setzte der 8monatigen Schreckenszeit ein Ende.

[1] Kampfhandlungen vom Mai 1940 in den Niederlanden: Stand der Forschung bei *De Jong,* Tweede Wereldoorlog, Bd. III.
[2] Deutsche Besatzungsverwaltung: Außer *Kwiet,* Reichskommissariat, vgl. auch *De Jong,* Tweede Wereldoorlog, Bd. IV, 1, Kap. 2.
[3] Wenn in den Niederlanden die Parteigänger des Nationalsozialismus, anders als in Norwegen, zwar benutzt, aber nicht in die Regierung berufen wurden, so sprach dabei der Wunsch mit, keine Verhältnisse zu schaffen, die später eine freie Verfügung über das Land erschweren konnten. Auch paßte die großniederländische Einstellung der Mussert-Bewegung nicht in das NS-Konzept. Allgemein orientiert über die prodeutschen Gruppen und ihre Ziele: *De Jong,* Tweede Wereldoorlog, Bd. V, Kap. 2; Bd. VI, Kap. 5.

[4] Insgesamt wurden etwa eine halbe Million Niederländer zum Arbeitseinsatz in Deutschland zwangsverpflichtet.
[5] Hierzu: *B. A. Sijes,* De Februaristaking, 25.–26. februari 1941 (1954). – Von den insgesamt ca. 140 000 in den Niederlanden lebenden Juden haben nur etwa 10 000 die Jahre 1940–1945 überlebt, vgl. im einzelnen besonders *Presser,* Ondergang, sowie *De Jong,* Tweede Wereldoorlog, Bd. VI und folgende Bände.
[6] Widerstand der Ärzte: *P. H. De Vries,* Medisch contact 1941–1945 (1949).
[7] *Winkel,* De ondergrondse pers, verzeichnet insgesamt an 1200 illegale Zeitungen!
[8] Streik vom Frühjahr 1943: *P. J. Bouman,* De April-Meistakingen van 1943 (1950). Ergänzungen bei *De Jong,* Tweede Wereldoorlog, Bd. VI, 2, Kap. 10.
[9] Über dieses durch die niederländische Exilregierung im Sommer 1944 gebildete Gremium und seine Tätigkeit vgl.: Verslag van de werkzaamheden van vertrouwensmannen der regering, aangewezen bij besluit van H. M. Regering van 2. VIII. 1944 (1946).
[10] Über die damaligen Aktionen der niederländischen Widerstandsbewegung vgl.: *H. W. Sandberg,* De Grote Adviescommissie der Illegaliteit. Witboek over de geschiedenis van het georganiseerde verzet voor en na de bevrijding (1950).

Luxemburg

Verordnungsblatt der Zivilverwaltung. Livre d'or de la Résistance luxembourgeoise de 1940 à 1945 (1952).
E. Th. Melchers, Kriegsschauplatz Luxemburg, Aug. 1914–Mai 1940 (1963).

Luxemburgs militärisches Schicksal im II. Weltkrieg ähnelt dem der angrenzenden Teile Belgiens: Wie diese wurde es gleich am 10. V. 1940 von den deutschen Truppen überrannt, Anfang September 1944 von den Alliierten befreit und um die Jahreswende 1944/45 durch die Rundstedt-Offensive für kurze Zeit nochmals zum Kriegsschauplatz. Die luxemburgische Regierung suchte und fand 1940 in England Zuflucht. Seit der Ersetzung der Militärverwaltung in Belgien-Nordfrankreich durch eine Zivilverwaltung unter dem Gauleiter von Koblenz-Trier, Simon, am 1. VIII. 1940 glich die Entwicklung des Landes in vieler Hinsicht derjenigen Hollands. Nur waren hier die Gleichschaltung und das Bestreben nach tunlichster Einschmelzung in das Großdeutsche Reich noch radikaler. Einen besonders bezeichnenden Niederschlag fanden sie in dem Verbot der französischen Sprache und des französischen Unterrichts, der Verdeutschung der Gemeinde- und Straßennamen, der Aufschriften, der Namen und Vornamen der Einwohner, dem Abbruch der Denkmäler und der Auflassung der Klöster. Die Rolle der NSDAP im Reich übernahm hier die Volksdeutsche Bewegung (VDB). Im Zuge der weiteren Verdeutschung wurden auch die deutschen Gesetze im Lande eingeführt und schließlich die gesamte Jugend zum deutschen Heer eingezogen. Ein dagegen ausbrechender Streik blieb vergeblich. Zahlreiche junge Luxemburger mußten ihr Leben lassen für eine Sache, der sie und ihre Familien im Innersten durchaus feindlich gegenüberstanden. Eine Atmosphäre der Unfreiheit lastete auf dem äußerlich vollkommen gleichgeschalteten Land[1], bis es am 10. IX. 1944 seine Freiheit zurückerhielt.

[1] *A. Calmes,* in: AGdN, Bd. XII, S. 438 f.

d) Benelux und europäische Integration

Noch vor Beendigung der Kämpfe um ihre Länder zeitigte der überall aufkommende Wille zu einer übernationalen Integration bei den nach London emigrierten belgischen, niederländischen und luxemburgischen Regierungen erste praktische Ergebnisse: Sie trafen am 21. X. 1943 ein Abkommen über die Schaffung ei-

§ 19 Belgien, Niederlande, Luxemburg 1918–1970

ner Währungsunion zwischen den drei Ländern und schlossen am 5. IX. 1944 einen Zollvertrag, dessen Inhalt am 14. III. 1947 durch ein Zusatzprotokoll näher bestimmt wurde. Angestrebt wurde darin eine Wirtschaftsunion und, als erster Schritt auf diesem Wege, eine Zollunion, die verwirklicht werden sollte, sobald es die Umstände gestatteten. Ein im Frühjahr 1947 erarbeitetes gemeinsames Programm sah die Aufhebung der gegenseitigen Zölle und eine Vereinheitlichung aller Verbrauchs- und Umsatzsteuern vor. Jedoch erlaubten die Verhältnisse nur, sich diesen Zielen schrittweise zu nähern. Auch als nach dem 1. I. 1948 die Binnenzölle weggefallen und die Außenzölle vereinheitlicht waren, blieben die gegenseitigen Schranken, Importbeschränkungen, unterschiedliche Steuersysteme u. dgl. bestehen. Als Haupthindernis für die Verwirklichung der Vollunion und des gemeinsamen Marktes erwiesen sich die sehr unterschiedlichen Agrarpreise und die Ungleichheit der Löhne, Gehälter und Lebenshaltungskosten in den einzelnen Ländern. Noch unbewältigte Probleme bilden ferner die unterschiedlichen nationalen Verbrauchssteuern und ungleiche Mehrwertsteuersätze. 1960 kam es zu einer Paßunion; 1969 wurden die Schaffung eines Benelux-Gerichtshofes und eine enge Zusammenarbeit auf den Gebieten der Strafverfolgung und des Strafvollzugs vorgesehen. Auch gegenüber den anderen Staaten trat man zum Teil als Einheit auf[1].

Der übernationale Zusammenschluß in der Benelux fand zur gleichen Zeit sein Gegenstück auf der größeren europäischen und internationalen Ebene, wo in gleicher Weise politische wie wirtschaftliche Erwägungen ebenfalls in die Richtung einer stärkeren Integration wiesen. Im Zuge dieser Entwicklung vollzogen alle drei Staaten ihren Beitritt zur UNO und zum Nordatlantikpakt (1949), zur Europäischen Zahlungsunion (1950), zur Montanunion (1951), zur Europäischen Verteidigungsgemeinschaft (1952) sowie zur EWG und zum Euratom (1957). Luxemburg mußte, um dem Nordatlantikpakt beitreten zu können, zuvor eine Änderung seines Grundgesetzes vornehmen und die Neutralisierung aufgeben. Die Stadt wurde Sitz der Montanbehörden und des Gerichtshofes, Brüssel Sitz der Behörden der EWG. Das Verhältnis zur deutschen Bundesrepublik wurde durch besondere Ausgleichsverträge normalisiert (Deutsch-Belgischer Ausgleichsvertrag 1956, Deutsch-Niederländischer Ausgleichsvertrag 1959 – in Kraft gesetzt 1962 –, Deutsch-Luxemburgischer Ausgleichsvertrag 1959). Die drei Beneluxstaaten sind trotz aller inzwischen aufgetretenen Schwierigkeiten entschlossen, auf dem Wege zur europäischen Integration weiter voranzuschreiten und einen Teil der eigenen staatlichen Funktionen den europäischen Instanzen zu übertragen. Insbesondere die Niederlande drängten dabei auf die Einbeziehung Großbritanniens in die europäische Wirtschaftsgemeinschaft[2].

---

[1] Im Einzelnen vgl. für die Entwicklung bis 1960 *Baudhuin,* Belgique 1900–1960 (s. b) Belgien, Anm. 6), S. 250 ff., u. *F. van Langenhove,* La sécurité de la Belgique. Contribution à l' histoire de la période 1940–1950 (1971).

[2] Verslag van de Staten-Generaal betreffende de uitvoering en toepassing van het EEG-Verdrag (Jährlich).
  C. A. Klaasse, Monetaire en financiële aspekten van de toetreding van Groot-Britannië tot de EEG (1962).
  A. de Ruiter, Engeland – EEG – Gemeenebest (1962).
  R. Mayne, De gemeenschappelijke markt (1963).
  H. Hamblock, Die Beneluxstaaten. Eine geographische Länderkunde (1977).

e) Innere Geschichte seit 1945
Belgien

Das Problem der Gemeinschaftsbeziehungen in Belgien, hg. v. Belgischen Institut für Information und Dokumentation (1971).
Het einde van de Vlaamse beweging? Een enquête. SA aus: Ons Erfdeel 14 (1970/71). Vgl. ferner die oben unter b) Belgien, Niederlande Anm. 6 und unter c) angeführte Literatur!

Obwohl sich das seit den zwanziger Jahren entstandene Stärkeverhältnis der Parteien in Belgien zunächst nicht grundsätzlich verschob, verlief hier das innerpolitische Leben nach dem II. Weltkrieg ziemlich bewegt. Die schon während des Krieges entstehende und nach der Wiederbefreiung des Landes offen ausgebrochene Krise um die Person König Leopolds III., für den seit seiner Wegführung nach Deutschland im Jahre 1944 sein Bruder Karl die Regentschaft führte, gelangte auf ihren Höhepunkt, als ihn im Jahre 1950 die katholische Regierung Eyskens zurückrief. Die belgische Bevölkerung sprach sich mit 57,68 % für seine Wiedereinsetzung aus, doch zwangen ihn die Linksparteien durch Ausrufung des Generalstreiks, am 1. VII. zugunsten seines Sohnes Baudouin dem Thron zu entsagen[1].

In den 50er Jahren entzündete sich an der Frage des höheren und des technischen Unterrichts erneut der Schulstreit, konnte aber, obwohl die staatliche Subventionierung des »freien«, d. h. katholischen Schulwesens für viele ein Stein des Anstoßes bleibt, im November 1958 durch eine Übereinkunft der drei staatstragenden Parteien wieder beigelegt werden[2]. Von mehr oder weniger zweifelhaftem Erfolg blieben hingegen bisher trotz immer erneuter Anläufe die Bemühungen um einen allseitig hingenommenen modus vivendi in dem volkssoziologischen Grundproblem des belgischen Lebens: der sprachlich-kulturellen Dreigeteiltheit des Landes in das einsprachig-französische Wallonien, das einsprachig-niederländische Flandern und die zweisprachige Brüsseler Agglomeration[3]. Die Festlegung der Sprachgrenze durch Angleichung der Gemeinde- und Bezirksgrenzen an sie (Gesetz vom 8. XI. 1962), neue Gesetze über den Sprachgebrauch in der Zentralverwaltung und der Verwaltung der Brüsseler Agglomeration (v. 2. VIII. 1963) sowie im Schulwesen (v. 30. VII. 1963) erwiesen sich dafür als unzureichend. In Flandern forderten die »Flämische Volksbewegung« (VVB) und die »Volksunion« im Einklang mit dem »Mouvement populaire Wallon« die föderalistische Umbildung des belgischen Staates, während es in der Brüsseler Agglomeration als Reaktion auf die neuen Sprachgesetze zu Zusammenschlüssen der Französischsprachigen und zur Bildung der »Front des Francophones« (FDF) kam, die 1968 mit der wallonischen Sammlungsbewegung des »Rassemblement Wallon« ein gegen den »flämischen Imperialismus« gerichtetes Bündnis einging. Bei wiederholten Neuwahlen konnten die Sprachenparteien die Zahl ihrer Sitze sprunghaft erhöhen (so die »Volksunion« 1965 von 5 auf 12 und 1968 auf 20), während die Katholiken und Sozialisten entsprechend schwere Verluste hinnehmen mußten, sich aber trotzdem der Fortsetzung ihrer Regierungsverantwortung nicht entziehen konnten. Nachdem als erstes das Kultus- und Erziehungsministerium nach sprachlichen Rücksichten zweigeteilt worden war, machte 1968 der christlich-soziale Parteiführer G. Eyskens als Chef einer neuen katholisch-sozialistischen Koalitionsregierung eine weitergehende Dezentralisierung der Staatsgewalt unter Einbeziehung auch der Wirtschaft zu einem Kernpunkt seines Programms. Im Dezember 1970 wurden von Kammer und Senat teilweise verfassungsändernde Maßnahmen beschlossen, durch die der unitarische Charakter der früheren belgischen Verfassung in wichtigen Punkten abgeändert wurde:

§ 19 Belgien, Niederlande, Luxemburg 1918–1970

Flandern, Wallonien und die Brüsseler Agglomeration wurden als teilweise autonome Gebiete anerkannt und ihren gewählten Körperschaften das Recht verliehen, über zahlreiche Fragen selbständig zu entscheiden. Sämtliche Abgeordnete der beiden Kammern müssen sich einer der Sprachgruppen anschließen. In der Regierung, den Zentralbehörden und der Brüsseler Verwaltung müssen diese paritätisch vertreten sein; wirksame Garantien sollen zugleich jeden Machtmißbrauch einer Seite verhindern. Im Bereich der Kultur (in dem auch das Deutsche als eigene Kulturgemeinschaft anerkannt wurde[4]) wurde den Sprachgemeinschaften im Rahmen der Landesgesetze besonders weitgehende Autonomie zuerkannt; aus den Abgeordneten der beiden Kammern hervorgegangenen Kulturräten mit Weisungsbefugnis und eigenen Mitteln obliegt die Führung. Für die 19 Gemeinden der Hauptstadt Brüssel wurde ein besonderes Statut erlassen, das die Rechte der beiden Sprachgemeinschaften genau festzulegen und zu sichern sucht. Für das ganze Land wurden ferner – in weitgehender Anlehnung an seine Einteilung in die drei Großregionen – regionale Wirtschaftsräte gebildet; zu ihren Aufgaben gehört u. a. die Planung.

Die Dauerwirkung dieser tief in den Verfassungsaufbau des Landes eingreifenden Reformen bleibt abzuwarten. Das Ausscheiden der Sozialisten aus der Regierung zwang die Christlich-Sozialen unter Leo Tindemans im April 1974, mit den besonders in der Brüsseler Agglomeration als Vertreter des Prinzips der Sprachenfreiheit starken Rückhalt besitzenden Liberalen ein Minderheitenkabinett zu bilden und gleichzeitig – zum erstenmal in der belgischen Geschichte! – um die Unterstützung seiner Politik durch die flämischen und frankophonen Sprachenparteien zu werben, obwohl deren verbissenes Ringen um den sprachlichen Charakter der Brüsseler Region unvermindert seinen Fortgang nimmt. Die daraufhin zustande gekommene Erweiterung der christlichsozial-liberalen Koalition durch das Rassemblement Wallon brach im Frühjahr 1976 über grundsätzlichen Gegensätzen in den Fragen der Wirtschaftspolitik und der Staatsreform wieder auseinander und veranlaßte Tindemans zu vorzeitigen Neuwahlen, in denen sich seine Partei als die führende Partei Belgiens behauptete. In einer neuen großen Koalition von Christlich-Sozialen, Sozialisten und Liberalen einigte man sich auf die Weiterführung einer Staatsreform, in der die Aufgliederung Belgiens in Regionen und Sprachgemeinschaften mit direkt gewählten parlamentarischen Vertretungen und eigenen Exekutiven anerkannter Grundsatz ist, aber an der Fortexistenz einer handlungsfähigen Zentralgewalt seine Grenze findet. In seiner zentralistisch-unitarischen Form im Zeitalter des Nationalstaats ein Ärgernis für viele Flamen und Wallonen, erscheint Belgien heute dank der immer konsequenteren Reformierung seines Staatswesens nach föderativen Grundsätzen auf dem besten Wege, zum Modell für das Zusammenleben der europäischen Völker in einer multinationalen Gemeinschaft zu werden. Die größten Hemmnisse dafür liegen heute, vom Problem Brüssel abgesehen, nicht mehr in Flandern, sondern in Wallonien, das sich zu gleicher Zeit durch den überlegenen Geburtenzuwachs der Flamen und die tiefgreifende Strukturkrise der wallonischen Montanindustrie in seiner Gesamtstellung im belgischen Staat gefährdet fühlt[5].

In ihrer Gesamtheit genommen bewies die belgische Wirtschaft nach 1945 und auch nach dem Auslaufen des Marshallplanes, dem sie in den Jahren 1947–1952 nachhaltige Förderung zu danken hatte, weiter ihre ungebrochene Lebenskraft. So stieg der Index der industriellen Produktion in Belgien von 1953–1960 um 46 % auf mehr als das Doppelte der Vorkriegswerte. Die unbestreitbare Strukturkrise der Montanindustrie wird durch die Erschließung zahlreicher neuer Industriezweige sowie den wirtschaftlichen Aufstieg Flanderns[6], das in den letzten

e) Innere Geschichte seit 1945

Jahrzehnten nach einem Jahrhundert des Rückstandes Wallonien auch industriell zu überholen begonnen hat, mehr als wettgemacht. Von der Blüte des belgischen Außenhandels vermittelt einen Begriff, daß der Güterumschlag im Antwerpener Hafen zwischen 1950 und 1960 von 22½ auf 45,3 und bis 1970 nochmals auf 78,1 Millionen Tonnen anwuchs[7]. Hand in Hand damit entwickelte sich die Antwerpener Schelderegion, dem Rotterdamer Maasland vergleichbar, zum bevorzugten Standort international führender Chemie- und Erdölunternehmen in Europa. Auch in der Landwirtschaft konnte die Produktion beträchtlich gesteigert werden, obwohl die Zahl der landwirtschaftlichen Arbeiter in den letzten zwei Menschenaltern auf ein Bruchteil zurückgegangen ist. Gleichzeitig stieg auch der Lebensstandard der Bevölkerung stark an. Aus einem Land mit niedrigen Löhnen und niedriger Massenkaufkraft im Jahre 1913 wurde Belgien bis 1960 zu einem der europäischen Länder mit den höchsten Nominal- und Reallöhnen[8].

Der Versuch, eine Gesamtcharakteristik der belgischen Nachkriegsentwicklung im kulturellen Bereich zu geben, ist verfrüht. Nur so viel läßt sich mit Sicherheit bereits sagen, daß die geistigen und künstlerischen, weltanschaulichen und politischen Kräfte, die das belgische Leben in den vorangegangenen Menschenaltern bestimmt haben, ihre Wirksamkeit auch heute nicht verloren haben.

Im ganzen dürfte das Land auch in kultureller Beziehung auf dem Wege zur sprachlich-volklichen Differenzierung, den es seit etwa der Jahrhundertwende eingeschlagen hat, unaufhaltsam voranschreiten. Ein markantes Beispiel dafür bietet die 1969 vom Episkopat nach langem Sträuben verfügte sprachliche Aufteilung der Universität Löwen unter gleichzeitiger Verlagerung des französischsprachigen Teiles ins wallonische Ottignies. Ihr folgten noch im gleichen Jahre die Umwandlung der an der Université Libre de Bruxelles seit mehreren Jahrzehnten bestehenden flämischen Lehrgänge in die von ihr unabhängige Vrije Universiteit te Brussel[9].

---

[1] Hierzu: Contribution à l' étude de la Question Royale. Evénements-Documents (2 Bde. o. J.).

[2] *C. Lamalle,* De schoolstrijd vroeger en nu (1956), sowie *M. L. Dierickx,* Geschiedenis van België an van onze (1975), S. 287.

[3] Aus der meist sehr polemischen Lit. zu diesen Problemen vgl. *F. Scheurs,* La fixation de la frontière ethnique: NouvRevWallonne 13 (1961), S. 85–92. De Zuidernederlandse taalgrens in het Belgisch parlement (1964); *H. Welvoet,* 125 jaar verfransing in de agglomeratie en het arrondissement Brussel 1830–1955 (1957), sowie zusammenfassend *Willemsen,* Einleitung zur Encyclopedie van de Vlaamse Beweging Bd. I (1973), S. 42 ff. Für die allgemeine Unterrichtung nützlich: Das Problem der Gemeinschaftsbeziehungen in Belgien.

[4] Die deutsche Bevölkerung der ehemaligen Kreise Eupen und Malmedy–St. Vith, im Nordosten der Prov. Lüttich und im Südosten der Prov. Luxemburg repräsentiert in Belgien die dritte nationale Sprache, spielt aber bei den nationalen Auseinandersetzungen wegen ihrer vergleichsweise geringen Zahl keine ins Gewicht fallende Rolle. Über die noch heute nachwirkenden Spannungen zwischen dem belgischen Staat und der Bevölkerung der im II. Weltkrieg nach Deutschland umgegliederten beiden Kreise nach deren Wiederinbesitznahme durch Belgien unterrichtet das oben unter b) Belgien, Anm. 4 zitierte Buch von *M. R. Schärer,* S. 262–273.

[5] Die Forderung nach der föderalen Aufgliederung Belgiens wurde bereits 1912 durch den wallonischen Abgeordneten J. Destrée in seinem berühmten Lettre au Roi erhoben und besaß seitdem auch in Wallonien stets eine gewisse Zahl von Anhängern. Diese hat sich im letzten Jahrzehnt stark vergrößert, vgl. dazu außer *F. Scheurs* in: NouvRevWallonne 8 ff. (1956 ff.) das vieldiskutierte Buch von *L. Outers,* Le divorce belge (1968). Für Flandern vgl. *M. van Haegendoren,* Nationalisme en Federalisme (1971).

§ 19 Belgien, Niederlande, Luxemburg 1918–1970

[6] *L. Wauters,* De economische ontwikkeling in Vlaanderen sedert 25 jaar: EconSociaal T IX (1955), S. 42 ff. Für die Jahre 1970–1975 wird die Steigerung des Bruttosozialprodukts für die flämischen Provinzen auf 5,7 %, für die frankophonen aber nur auf 4,3 % veranschlagt.
[7] *E. Schoonhoven,* Anvers, son fleuve et son port (1958); *Hamblock* (s. d) Anm. 2), S. 236.
[8] Zum Vorstehenden vgl. bes. *F. Baudhuin,* Histoire économique de la Belgique 1945–1956 (1958), sowie ders., Belgique 1900–1960 (s. b) Belgien, Anm. 6), S. 258–277.
[9] Vgl. für 1. die Strukturwandlungen im akademischen Leben Flanderns: Gedenkboek van de Rijksuniversiteit te Gent na een Kwarteeuw vervlaamsing, 1930–1931 – 1955–1956 (1957), 2. sein wachsendes wirtschaftliches Selbstbewußtsein: *Th. Luykx,* Bijdrage tot de geschiedenis van de economische bewustwording in Vlaanderen. Veertig jaar Vlaams Economisch Verbond 1926–1966 (1967); 3. die Lage im kirchlichen Bereich: De Kerk in Vlaanderen. Pastoraal-sociologische studie van het leven en de structuur der Kerk, hg. v. *O. J. Kerkhofs* u. *J. van Houtte* (1962); 4. die Verstärkung der Kulturbeziehungen zu den Niederlanden: Tien jaar culturele samenwerking België-Nederland 1946–1956 (1956).

Niederlande

Ondernehmend Nederland. Zestig Jaar Ontplooing 1899–1959, hg. v. *M. Rooij* (1959), Sammelwerk.
G. Geismann, Politische Struktur und Regierungssystem in den Niederlanden (1964).
Das Königreich der Niederlande in der Gegenwart, 2. Bd.: Grundzüge der Volkswirtschaft, hg. v. *Ambassade d. Nederlanden* (1958).
Niederlande, hg. v. *Statist. Bundesamt* (1959).
Der Regierungsbericht über die Raumordnung in den Niederlanden, übers. v. *G. Isbary* (1961).
Zweiter Bericht über die Raumordnung in den Niederlanden (1966).

Das im Juni 1945 ohne vorherige Wahlen und ohne nähere Fühlungnahme mit den Parteien gebildete erste niederländische Nachkriegskabinett ging von der Erwartung aus, daß das niederländische Volk inzwischen mit den innerpolitischen Traditionen der Vorkriegszeit gebrochen habe und daß insonderheit die Konfessionsparteien als überlebt zu betrachten seien. Namentlich werde die Aufgabe des Wiederaufbaus des schwer darniederliegenden Landes Sache einer umfassenden Partei aller Werktätigen sein müssen. Die ersten Nachkriegswahlen vom Mai 1946 erwiesen diese Annahme freilich als eine Illusion: Während die Arbeiterpartei (SDAP) trotz Absorption der freien Demokraten nur 29 Sitze von insgesamt 100 erringen konnte, erhielten die Konfessionsparteien 55, darunter die Katholische Volkspartei allein 32. Jedoch führte dieses Ergebnis nicht zu einem Wiederaufleben der früheren katholisch-protestantischen Koalitionen. Vielmehr stand die niederländische Nachkriegspolitik bis 1958 durchaus im Zeichen einer gemeinsamen katholisch-sozialistischen Führerschaft, wenn man auch nach dem sozialistischen Rückschlag von 1948 zu Regierungskoalitionen auf breiter Basis überging.

Die Folge des sozialistischen Einflusses auf die niederländischen Nachkriegsregierungen war eine – in diesem Lande mit so langer bürgerlicher-liberaler Tradition – bemerkenswert weitgehende Beibehaltung dirigistischer Prinzipien im öffentlichen Leben. In einem Rahmengesetz über die Betriebsorganisation wurde die Schaffung eines ganzen Systems staatlich sanktionierter Produktions- und Betriebsvereinigungen (sogen. Productie- en bedrijfschappen) vorgesehen; auch die Finanz-, Steuer- und Eigentumspolitik der 50er Jahre trug einen stark sozialistischen Einschlag. Erst 1959 gelang es den bürgerlichen Gruppen, darunter der 1948 aus der erneuten Sammlung der liberalen Kräfte hervorgegangenen Volkspartij voor Vrijheid en Demokratie, die katholisch-sozialistische Koalition zeit-

e) Innere Geschichte seit 1945

weise durch eine bürgerliche zu verdrängen. Jedoch bleibt die Herbeiführung eines ausgewogenen Verhältnisses zwischen dem Kapitalismus und Sozialismus, Freiheit und Gebundenheit nach wie vor das zentrale Thema der niederländischen Innenpolitik seit 1945[1].

Unbestreitbar ist, daß es auch auf diesem Wege gelungen ist, die bei dem großen Ausmaß der Kriegszerstörungen, dem weitgehenden Verlust der wirtschaftlichen Ausrüstung und der Verselbständigung Indonesiens[2] besonders schwierige Aufgabe des Wiederaufbaus des niederländischen Erwerbslebens schnell, gründlich und erfolgreich zu bewältigen und zugleich eine sozialwirtschaftliche Ordnung der Verhältnisse zu erreichen, die den Erfordernissen des modernen Massenzeitalters im besonderen Maße gerecht wird. Charakteristika sind für sie u. a.: 1. eine weitgehende Versachlichung der Beziehung von Kapital und Arbeit, 2. der umfassende Ausbau der Sozialversicherung, 3. die Festlegung bestimmter Ordnungen für das öffentliche Leben ohne Anwendung autoritärer Methoden, 4. die Einrichtung von zentralen Sachverständigengremien, wie Wirtschaftsrat, Arbeitsrat und dergl.[3]. Allerdings traten, als 1973 die Sozialisten stärkste Partei wurden, und unter J. den Uyl die Führung in dem christdemokratisch-sozialistischen Regierungsbündnis übernahmen, dirigistische und kollektivistische Gedankengänge zunehmend in den Vordergrund. Als dazu noch weltanschauliche Gegensätze aufbrachen, kam es nach annähernd einem Jahr erfolgloser Koalitionsverhandlungen zu einem Bruch zwischen den bisherigen Koalitionspartnern und im Januar 1978 zur Bildung einer christdemokratisch-liberalen Regierung unter dem Christdemokraten van Agt. Ob sie die Kraft haben wird, sich längere Zeit zu behaupten und den Staatseinfluß in Wirtschaft und Gesellschaft wieder wirksam zugunsten der privaten Antriebe zurückzudrängen, bleibt abzuwarten.

Der wirtschaftliche Wiederaufbau wurde wie in Belgien durch den Marshallplan nachhaltig gefördert. Innerhalb von vier Jahren erhielten die Niederlande aus ERP-Mitteln Unterstützungen in Höhe von annähernd 1 Milliarde Dollar. Durch den nur sehr allmählichen Abbau der Kriegszwangswirtschaft wurde eine erste Stabilisierung des Lohn-Preisniveaus auf niedriger Ebene und für den internationalen Wettbewerb eine besonders günstige Ausgangslage erreicht. Die Folge war, seitdem 1951 zunächst einmal der Ausgleich zwischen Import und Export erzielt war, eine Steigerung des wirtschaftlichen Potentials, auf die man das viel strapazierte Wort vom Wirtschaftswunder anzuwenden versucht ist. Die bereits vor dem II. Weltkrieg angelaufene zweite technisch-industrielle Revolution nahm nunmehr in beschleunigtem Maße ihren Fortgang und ergriff immer neue Gebiete. Von der Vielseitigkeit und der Intensität, die der Industrialisierungsprozeß in den Niederlanden inzwischen erreicht hat, zeugen die Entstehung modernster Hochofen- und Überseestahlwerke an der Rheinmündung bei Ijmuiden; die eindrucksvolle Entwicklung der Erdölindustrie, durch die sich die Küstenstriche westlich Amsterdam und Rotterdam zu einem der größten petrochemischen Industriezentren der Welt entwickelten und die Kohle als Energieträger in den Niederlanden verdrängt wurde; der weitere Ausbau der Metallindustrie, Elektroindustrie, des Schiffbaus, der Textilindustrie, der auf der großen Ertragskraft der niederländischen Landwirtschaft basierenden Nahrungs- und Genußmittelindustrie und einer Vielzahl weiterer Industrien. Erst mit der sprunghaften Verteuerung und dem Einsatz des Erdöls als politischer Waffe durch die erdölproduzierenden arabischen Staaten seit 1973 offenbarte sich die ganze Tragweite der Entdeckung und Erschließung des niederländischen Erdgasvorkommens in der Provinz Groningen (ab 1959), das mit 500–1000 Billionen cbm Mächtigkeit eines der größten der Welt darstellt. Es erlaubte den Niederlanden schon in den

§ 19 Belgien, Niederlande, Luxemburg 1918–1970

60er Jahren nicht nur eine weitgehende Umstellung ihres heimischen Energieverbrauchs auf Erdgas, sondern darüberhinaus den Aufbau eines die niederländischen Grenzen überschreitenden Rohrleitungsnetzes, durch das das Gas nach Belgien, Frankreich und in die Bundesrepublik exportiert wird.

Hand in Hand mit der neuen industriellen Expansion ging eine abermalige starke Ausweitung des Handels. Ein- und Ausfuhr stiegen vom Ende der 40er bis zur zweiten Hälfte der 60er Jahre auf das Fünf- bis Sechsfache[4]. Gleichzeitig entwickelte sich Rotterdam dank seiner einzigartig günstigen Lage im Mündungsgebiet der großen Ströme und als Tor des rheinisch-westfälischen Industriegebietes nach Übersee zum führenden Welthafen. Von den mehr als 40 000 Seeschiffen mit einer Tonnage von 154 Millionen Tonnen, die 1965 die niederländischen Häfen anliefen, gingen mehr als 25 000 zum Europoort, dem nach dem Kriege in einzigartiger Weise ausgebauten Rotterdamer Seehafen. An 200 000 Rheinfrachter nehmen im Jahr Kurs auf Rotterdam; sie transportierten 1965 28 Millionen Tonnen Güter stromabwärts, 52 Millionen Tonnen stromaufwärts. Insgesamt belief sich der Güterumschlag des Hafens 1973 auf 299,3 Millionen Tonnen. Zu der Trockenlegung der Zuiderzee fügten die Niederländer nach der verheerenden Sturmflut vom 1. II. 1953, bei der in Seeland an 67 Stellen die Deiche brachen und mehr als 1800 Menschen ertranken, das kühne Projekt der Delta-Werke, durch die die gesamten Deltamündungen bis auf die Westerschelde durch ein System von Haupt- und Nebendämmen von der See abgeschlossen werden; der erste der Hauptdämme wurde 1961 vollendet; die Fertigstellung des letzten wird für 1980 angestrebt. Schließlich vermochte auch die niederländische Landwirtschaft, die seit dem Ende des 19. Jh. errungene Spitzenstellung mit ihren aufs höchste durchrationalisierten Betriebs- und Absatzmethoden weiter auszubauen[5]. Allgemein wurde dabei die wirtschaftliche Entfaltung in der Periode europäischer Hochkonjunktur und des Mangels an Arbeitskräften durch den starken Geburtenüberschuß, dessen sich die Niederlande noch allzeit erfreuen, nachhaltig begünstigt. Nächst den großen niederländisch-internationalen Konzerngesellschaften Royal Dutch, Philips, Unilever, AKZO und Hoogovens mit ihren ausländischen Tochtergesellschaften hat sich auch das Ausland an dem industriellen Ausbau lebhaft beteiligt. Von 1955 bis Anfang 1970 kam es zu 938 ausländischen Industriegründungen.

Im Zusammenwirken all dieser Faktoren wurden die Niederlande aus einem Gebiet, das den Übergang von den Traditionen seines »goldenen«, des 17. Jh., zum neuen Industriezeitalter zunächst nur langsam gefunden hatte, mit 1975 13 599 000 Einwohnern und 402 Menschen pro qkm zum dichtestbevölkerten und zugleich dem vielleicht am stärksten durchrationalisierten europäischen Industrieland der Gegenwart[6]. Von den damals rund 13 Millionen Einwohnern des Landes wohnten 1970 in den beiden holländischen Provinzen über 5 Millionen, d. h. auf nur einem Sechstel der Fläche der Niederlande ballten sich zwei Fünftel ihrer Bevölkerung zusammen. Aus dem einst vorwiegend landwirtschaftlich genutzten Polderland wurde die sogen. Randstadt oder Ringstadt Holland: eine sich vom Südrand der Zuidersee bis zur Maasmündung erstreckende zusammenhängende Stadtregion. Durch die Anlage von Entwicklungsschwerpunkten in den schwächer besiedelten Teilen des Landes die Ungleichgewichtigkeit in der Bevölkerungsverteilung zu mildern, betrachtet die nationale Planung seit langem als eine ihrer vordringlichsten Aufgaben. Auch in ihrer Gesellschaftsstruktur tragen die Niederlande heute die Züge des gegenwärtigen Industriezeitalters in besonders ausgeprägtem Maße. Als spezifisch niederländische Leistung darf gelten, daß darin Freiheit und Bindung, Tradition und Neuansatz in einem Grade mit-

e) Innere Geschichte seit 1945

einander vereinigt sind, wie er anderswo nur selten erreicht und nirgends übertroffen wird[7]. Nicht zuletzt darauf beruht der Reiz der von ihnen repräsentierten Kultur auch in der Gegenwart.

Von der tiefen Unruhe, die zur Zeit durch die geistige Jugend der Völker hindurchgeht, sind die Niederlande als das jüngste der großen europäischen Industrieländer und mit dem in Westeuropa stärksten Anteil der jüngeren Altersklassen an der Gesamtbevölkerung besonders nachhaltig erfaßt worden. Es geht auch hier um die weitere Gültigkeit der gesamten überkommenen Lebens- und Wertordnung. Progressive Kräfte in allen Lagern sind darum bemüht, den für die letzten Menschenalter charakteristischen Zustand der sogenannten Versäulung *(verzuiling)* mit seiner Aufspaltung der Bevölkerung auf verschiedene Weltanschauungsblöcke durch eine der Industriegesellschaft adäquatere geistige, gesellschaftliche und sittliche Ordnung zu ersetzen. Sichtbarer Ausdruck der Gärung sind: die Strukturwandlungen in den Kirchen, die den lange als besonders konservativ geltenden holländischen Katholizismus zum progressivsten innerhalb der gesamten katholischen Kirche gemacht haben; das Auftreten von Protestbewegungen wie den Provos, Klabouters u. dgl.; Ansätze zu ganz neuer politischer Gruppenbildung u. ä. m. Wohin all diese Entwicklungen führen werden, ist noch nicht zu übersehen, doch ist zu erwarten, daß die Integrationskräfte, die die niederländische Geschichte bestimmt haben, sich auch in Zukunft weiter behaupten werden[8].

[1] *P. J. Oud,* De binnenlandse politieke ontwikkeling, in: Ondernemend Nederland, S. 29–59. Für die Anfänge vgl. *W. Klaassen,* De Mijnwerkersbonden in bevrijd Zuid-Limburg sept. 44-midde 45 (Diss. 1974).

[2] Hierzu: *C. Smit,* De liquidatie van een Imperium. Nederland en Indonesië 1945–1962 (1962).

[3] *M. Rooij,* Schlußzusammenfassung in: Ondernemend Nederland, S. 334–373.

[4] Die genauen Zahlen: Niederlande in der Gegenwart, bes. S. 32 ff, 35 ff.

[5] *J. H. van Stuijvenberg,* De landbouw, in: Ondernemend Nederland, S. 267–302. *C. H. J. Maliepaard,* De Nederlandse landbouw na de tweede wereldoorlog: Geschiedenis van de Nederlandse landbouw, hg. v. *Z. W. Sneller* (1951), S. 499–511.

[6] Auch das den Niederlanden bis zum I. Weltkrieg bevölkerungsmäßig erheblich überlegene Belgien wurde entschieden überholt: Seine Einwohnerzahl betrug 1975 9 788 000, seine Bevölkerungsdichte 321 E/km² lt. *Hamblock* (s. d) Anm. 2), S. 3, 9, 107 ff.

[7] *S. J. Groenman,* Wijzigingen in het beeld van de Nederlandse sammenleving, in: Ondernemend Nederland, S. 303–333.

[8] Überblick über die sechziger Jahre: *E. van Raalte.* Entwicklungen in der niederländischen Politik während der letzten 25 Jahre: Niederländische Notizen, Informationen der Kgl. Niederländ. Botschaft in Bonn 4 (1970, 66). Im gleichen Organ erscheinen periodisch weitere Berichte über die sich gegenwärtig in den Niederlanden vollziehenden weltanschaulichen und politischen, wirtschaftlichen und sozialen Strukturwandlungen.

Luxemburg

P. Majerus, Le Luxembourg indépendant (1946); Jean, Grand-Duc de Luxembourg (1964).

Stärker als in Belgien und vor allem in den Niederlanden stehen bäuerliche Tradition und moderne Großindustrie in Luxemburg noch heute selbständig nebeneinander. In der Montanindustrie ist es durch seinen Anteil am Minettegebiet und dank seinem führenden Konzern, der ARBED, eine europäische Potenz[1], der die Montanunion dadurch Rechnung trug, daß es 1952 den Sitz ihrer Behörden in der luxemburgischen Landeshauptstadt festigte. Diese trägt heute die Züge eines modernen europäischen Verwaltungssitzes. Hingegen verkörpert das

§ 19 Belgien, Niederlande, Luxemburg 1918–1970

Land in den agrarischen Gebieten sowohl des Gutlandes wie des gebirgigen Öslings weiter das Wesen gediegener alter und zugleich sehr wohlhabender europäischer Bauernkultur[2].

[1] Nach der im Januar 1978 erfolgten Übernahme der saarländischen Werke Völklingen und Burbach steht heute die ARBED gleich hinter Thyssen an 10. Stelle in der Weltrangliste der Stahlproduzenten.
[2] Über die Struktur der luxemburgischen Landwirtschaft vgl. bes.: *J. Schmithuesen*, Das Luxemburger Land (1940); s. Bd. VI u. allg. Lit. Zum Ganzen ferner: *W. Röll*, Luxemburg – Grundzüge seiner Wirtschaftsstruktur: ZWirtschGeogr 7 (1963), S. 201–206.

Literaturnachtrag:
Seit kurzem erscheint die Algemene Geschiedenis der Nederlanden (vgl. über sie in diesem Handbuch Bd. VI, S. 465, vorstehend zitiert als AGdN) in einer völligen, von 12 auf 15 Bände erweiterten Neubearbeitung. Dem 19. und 20. Jh. werden darin die Bände 10 bis 15 gewidmet sein; es erschien davon bisher Band 12. – Neueste historiographische Gesamtwürdigung der Epoche durch: *E. H. Kossmann*, The Low Countries 1780–1940, in: Oxford History od Modern Europe (1978). Dort die neueste Literatur.

Erste wissenschaftliche Aufarbeitung der niederländischen Außenpolitik seit 1945: *J. H. Leurdijk* (Hg.), The Foreign Policy of the Netherlands (1978).

§ 20 Die Schweiz seit 1919

Von Peter Stadler

Allg. Literatur
Vgl. Hdb. Bd. VI, § 20. Bibliographie der Schweizergeschichte (1920 ff.); (auch Beilage zur ZSchweizG, bzw. zur SchweizZG).
F. Blaser, Bibliographie der Schweizer Presse (Quellen zur Schweizer Geschichte, NF VII (2 Bde. 1956–1958).
Dazu: *H. v. Greyerz*, Die Schweiz zwischen zwei Weltkriegen (Berner Rektoratsrede, 1962).
Ders., Die Schweiz: Weltgeschichte der Gegenwart, Bd. 1: Die Staaten (1962).
Ders., Der Bundesstaat seit 1848: Hdb. d. Schweizer Geschichte 2 (1977).
P. Béguin, La Suisse de 1928 à 1958, in: *W. Martin*, Hist. de la Suisse (1959).
R. Ruffieux, La Suisse de l'entre-deux-guerres (1974; moderne Gesamtdarstellung mit umfassender Bibliographie).
D. W. H. Schwarz, Die Kultur der Schweiz (Handbuch der Kulturgeschichte, Bd. I, 1967).
E. Bonjour, Geschichte der schweizerischen Neutralität, Bde. 3–6 (1967–1970; umfassende Darstellung der Außenpolitik bis 1945, im folgenden zit. *Bonjour* III–VI).
H. J. Siegenthaler, Switzerland 1920–1970, in: *C. M. Cipolla* (Hg.), The Fontana Economic History of Europe, Bd. 2 (1976), S. 530–576.
E. Gruner, Die Parteien in der Schweiz (²1977).
E. Gruner, Die schweizerische Bundesversammlung 1920–1968 (1970).
E. Gruner (Hg.), Die Schweiz seit 1945 (1971).

Zur allg. Orientierung
Die Schweiz. Ein nationales Jahrbuch, hg. v. der Neuen Helvetischen Gesellschaft (1930 ff.; enthält zahlreiche Aufsätze über politische und wirtschaftliche Fragen, sowie in den Jahrgängen 1930–1955 eine chronologische Aufstellung der politischen und kulturellen Begebenheiten des Landes). Wichtig vor allem Bd. 35: Der Weg der Schweiz 1914–1964 (1964). Die Schweiz vom Bau der Alpen bis zur Frage nach der Zukunft (1975: Beiträge über Geschichte, Gesellschaft, Wirtschaft, Staat etc. von Spezialisten).
W. Bickel, Die Volkswirtschaft der Schweiz. Entwicklung und Strukturen (1973).
H. Kleinewefers u. *R. Pfister*, Die schweizerische Volkswirtschaft (1977).
J. F. Aubert, Traité de droit constitutionnel suisse (2 Bde. 1967, auch verfassungsgeschichtlich). Schweizerisches Jahrbuch für politische Wissenschaft (1961 ff.). Schweizerische Politik (1965 ff., erscheint jährlich).
U. Frei und *R. Dubs*, Schweizerische Dokumentation für Politik und Wirtschaft (6 Bde. 1969 ff.; wird fortgesetzt).
C. A. Conrad, Die politischen Parteien im Verfassungssystem der Schweiz (1970).
D. Schumann, Das Regierungssystem der Schweiz (1971).
J. Steiner (Hg.), Das politische System der Schweiz (1971).
H. Tschäni, Profil der Schweiz (²1974; gute politisch-wirtschaftliche Gegenwartkunde).
H. Lüthy, Die Schweiz als internationale Institution: Festschrift Walther Hug (1968), S. 653 ff.
Finanzen: *M. Weber*, Geschichte der schweizerischen Bundesfinanzen (1969).
M. Iklé, Die Schweiz als internationaler Bank- und Finanzplatz (1970).
F. Ritzmann, Die Schweizerbanken. Geschichte – Theorie – Statistik (1973).
R. Ruffieux (Hg.), La démocratie référendaire en Suisse au 20e siècle (1972).
E. Gruner, Politische Führungsgruppen im Bundesstaat (1973).
J. F. Aubert, Petite histoire constitutionelle de la Suisse (1974; insbes. S. 52–74: De 1918 à 1974).
J. F. Bergier, Naissance et croissance de la Suisse industrielle (1974).

§ 20 Die Schweiz seit 1919

a) Bis zum Ende des II. Weltkrieges

Die Jahre 1919/20 standen im Zeichen der Friedensschlüsse und des Völkerbundes. Art. 435 des Versailler Vertrages brachte die erneute Anerkennung der schweizerischen Neutralität, beseitigte aber auch das Recht der Schweiz, Nordsavoyen im Falle eines Krieges zu besetzen. Der Bundesrat stimmte am 4. V. 1919 zu. Da Frankreich die Zollfreizone Hochsavoyens und der Landschaft Gex aufzuheben trachtete, entbrannte ein jahrelanger Zonenstreit[1].

Österreich schien nach der Niederlage ganz aus den Fugen zu geraten. Der Gedanke eines Anschlusses an Deutschland griff um sich. Das Vorarlberger Volk aber sprach sich in einer Abstimmung am 11. V. 1919 mit $^4/_5$-Mehrheit für den Anschluß an die Schweiz aus. Hier herrschte zunächst Überraschung; allmählich stiegen dann in den Diskussionen der Presse und der Bundesversammlung die Sympathien für den Anschluß. Der Bundesrat wog in einer Erklärung vom 21. XI. 1919 das Für und Wider sorgfältig ab. Der Oberste Rat der Alliierten aber entschied im Dezember 1919 für die Beibehaltung der im Vertrag von Saint-Germain festgelegten österreichischen Grenzen; er entzog damit die Schweiz den Chancen und der Problematik einer Vergrößerung[2].

Grundsätzlicher und umstrittener war die Entscheidung über Beitritt oder Nichtbeitritt der Schweiz zum Völkerbund. Der Bundesrat hatte im Februar 1919 den Mächten ein durch Max Huber (1874–1960) ausgearbeitetes Völkerbundsprojekt vorgelegt, drang damit allerdings nicht durch[3]. Gleichwohl befürwortete er den Beitritt der Schweiz zum Völkerbund (August 1919); die neugewählten Räte stimmten unter dem ausdrücklichen Vorbehalt der Neutralität im November 1919 zu, stellten die Entscheidung aber einer eidgenössischen Volksabstimmung anheim. Bereits war durch Wilsons Initiative Genf als Sitz der neuen Organisation ausersehen. Die »Londoner Deklaration« des Völkerbundes vom 13. II. 1920 respektierte die Einzigartigkeit der schweizerischen Neutralität und zog daraus Konsequenzen, die für andere Völkerbundsmitglieder nicht galten: lediglich auf Sanktionen nichtmilitärischer Art sollte sich in einem Konfliktsfall die Solidaritätspflicht der Schweiz erstrecken. Das bedeutete immerhin »differentielle« statt wie bisher »integrale« Neutralität[4]. Dennoch erhitzte die Abstimmungskampagne die Gemüter. Gegensätze der Kriegszeit lebten in ihr auf, neue kamen hinzu. Welschschweizer, aber auch weite Kreise der deutschen Schweiz waren für den Beitritt; deutschschweizerische Entente-Gegner, Sozialdemokraten, höchste Offiziere wie Wille und Sprecher von Bernegg, Konservative äußerten sich dagegen. Am 16. V. 1920 bekannten Volk und Stände (diese allerdings nur ganz knapp) ihr »Ja« zum Völkerbund[5].

Seit anfangs 1920 leitete der 1911 in den Bundesrat gewählte Tessiner Giuseppe Motta (1871–1940, Bundesrat 1911–1940) das Politische Departement, das bis dahin dem jeweiligen Bundespräsidenten übertragen gewesen war[6]. Er sollte es bis zu seinem Tode im Januar 1940 innehaben und die schweizerische Außenpolitik während der Zwischenkriegszeit entscheidend bestimmen. Motta war überzeugter Anhänger des Völkerbundsgedankens in seiner Universalität: schon 1920 wies er in Genf auf die Notwendigkeit eines deutschen Beitritts hin. Die Beziehungen zur Kurie wurden wiederhergestellt, diejenigen zu Sowjetrußland blieben abgebrochen[7]. Motta hat sich dann auch – allerdings vergeblich – darum bemüht, die Sowjetunion vom Völkerbund fernzuhalten. Das Fürstentum Liechtenstein lehnte sich eng an die Schweiz an[8]. Mit verschiedenen europäischen Staaten wurden Schiedsverträge geschlossen. Besondere Behutsamkeit erforderten die Beziehungen zu Italien, dessen Wünsche auf das Tessin nach Mussolinis

a) Bis zum Ende des II. Weltkrieges

Machtübernahme an Bedrohlichkeit zunahmen[9]. Motta gab sich die Mühe, solch gefährlichen Tendenzen durch ein bisweilen ostentativ bekundetes gutes Einvernehmen mit Rom entgegenzuwirken. Er hat sich durch diese Haltung, die als italien- und faschistenfreundlich galt, gelegentlicher Kritik ausgesetzt. Im übrigen kam die Konsolidierung der europäischen Verhältnisse, die sich unter der freundlichen Konstellation von Genf und Locarno vollzog, auch der Stellung der Schweiz zugute[10].

Im Innern wirkte die Verschiebung des politischen Schwergewichts, wie sie sich in den Wahlen von 1919 manifestiert hatte, auf ein Mehrparteiensystem hin. 1919 errangen die Katholisch-Konservativen ihren zweiten Bundesratssitz; 1929 erhielten auch die Bauern einen. Ausgeschlossen blieb die Sozialdemokratie, der man bürgerlicherseits noch lange den Landesstreik vorgerechnet hat[11]. Dabei war schon bald nach diesem Fehlschlag die Einkehr erfolgt. Eine bedeutsame Klärung bahnte sich an, als die Sozialdemokratische Partei der Schweiz 1920 ihren Beitritt zur III. Internationale ablehnte. Die Sezession blieb daraufhin nicht aus. Linksextreme Elemente bildeten im März 1921 die Kommunistische Partei der Schweiz, deren Einfluß jedoch gering blieb[12]. Freilich hielt auch die Sozialdemokratie an der revolutionären Klassenkampftheorie wenigstens theoretisch und an der Bekämpfung der Militärausgaben auch praktisch noch fest[13].

Kulturell hatten die Jahrzehnte vor 1914 der Schweiz (und der deutschen Schweiz im besonderen) ein Ansehen gebracht, das auf großen Namen beruhte (G. Keller, C. F. Meyer, A. Böcklin, F. Hodler, auch C. Spitteler). Damit war es nach 1920 vorbei: solche ›Klassiker‹ sind dem Lande nicht mehr beschieden worden. Zwar war ein Bahnbrecher der modernen Architektur Schweizer (Le Corbusier), aber seine Hauptwerke fanden im Ausland Platz und Ruhm. Eine Aufwärtsentwicklung zeichnete sich in der Musik ab, die um die Jahrhundertwende über geschmackvolles Epigonentum nicht hinausgelangt war und nun, z. T. im Zuge moderner Entwicklungen, zu internationaler Geltung kam (A. Honegger, O. Schoeck, F. Martin). Der schweizerische Roman als Zeitdokument hat seinen Rang zu behaupten vermocht (M. Inglins »Schweizerspiegel« oder A. Zollingers »Pfannenstiel«); nach 1945 erreichte die Literatur mit M. Frisch und F. Dürrenmatt noch einmal Wirkungen von weltweiter Repräsentanz bei typischem Lokalkolorit. In der Wissenschaft kann von einer schweizerischen Sonderentwicklung nur bedingt gesprochen werden. Bemerkenswert immerhin der Beitrag zur Kunstgeschichte. Der Ruhm Jacob Burckhardts, dessen Bücher schon zu seinen Lebzeiten ein Patrimonium der Gebildeten waren, erlebte nach 1918 eine Wandlung und neuerliche Steigerung: jetzt erst war es möglich, seine Größe als Zeitkritiker zu ermessen. Von denen, die zu seinen Füßen saßen, ist Heinrich Wölfflin ein Bahnbrecher der Kunstwissenschaft des 20. Jh. geworden. Eine andere geistige Bewegung der ersten Zwischenkriegsjahre ist wesentlich auch in der Schweiz ausgelöst worden: die sog. dialektische Theologie (K. Barth und E. Brunner), die – wie auch der »religiöse Sozialismus« eines Leonhard Ragaz – das Christentum zwang, zu den Herausforderungen der Zeit theologisch und politisch Stellung zu nehmen[14].

Die Gezeiten der Weltwirtschaft bestimmten während der Zwischenkriegszeit das ökonomische Auf und Ab auch in der Schweiz. Nach Kriegsende trat ein Preissturz ein. Die Landwirtschaft, aber auch die kriegsbegünstigten Industriezweige erlitten Rückschläge. Der Nachkriegsdepression der frühen 20er Jahre folgten von etwa 1924 an Erholung und Konjunktur, bis der große Kriseneinbruch des Spätherbsts 1929 im nächsten Jahre auch die Schweiz erreichte. Die schweizerische Wirtschaft erwies sich jetzt, da Export und Fremdenverkehr stagnierten, als besonders empfindlich. Die Arbeitslosenzahl stieg; ihren Höchststand erreichte sie mit 124 000 Arbeitslosen im Januar 1936. Die freie Wirtschaft schien sich überlebt zu haben. Bund, Kantone und Gemeinden griffen unterstützend und reglementierend ein, halfen den Arbeitslosen, den notleidenden Wirtschaftszweigen; dafür nahm ihre Schuldenlast ständig zu. Eine vom Gewerkschaftsbund vorgelegte Kriseninitiative, die Eingriffe in die Privatwirtschaft und die Kontrolle des Kapitalexports, der Kartelle und Trusts vorsah, wurde vom Volk am 2. VI. 1935 indessen knapp verworfen. Eine Wendung zum Besseren brachten erst die Aufrüstung und die im Herbst 1936 überraschend verkündete Abwertung des Schweizerfrankens, die den Export stimulierte[15]. Die notrechtliche Begleiterscheinung der Wirtschaftskrise wurde die Dringlichkeitspraxis, die Volksrechte beschnitt und dem Regime des Bundesrates patriarchalisch-autoritäre Züge verlieh.

Die Krise führte in der Schweiz wie anderswo zur Kritik an der demokratischen Staatsordnung und ihrem Parlamentarismus. Das »Führerprinzip«, das sich in Italien und Deutschland durchsetzte, fand seine schweizerische Nachahmung in der nationalsozialistisch orientierten Frontenbewegung und ihrer Forderung nach einem mit diktatorischen Vollmachten auszustattenden Landammann. Daneben gab es faschistische und antiliberal-korporativ ausgerichtete Gruppierungen verschiedener Stärkegrade[16]. Da die Neuerer nach deutschem Muster um Geld und Sympathien bei der bürgerlichen Mitte warben, verhärtete auch die Linke ihre Front. In größeren Städten fanden sporadisch Zusammenstöße statt. Der Staat traf verstärkte Maßnahmen zu seinem Schutz. Parteiuniformen wurden verboten, die Bundespolizei verstärkt. Ein Gesetz zum Schutz der öffentlichen Ordnung fand allerdings die Gnade des Souveräns nicht und unterlag in der Volksabstimmung (März 1934). Daß die Widersacher der bestehenden Staatsordnung aber nur eine – in ihren Zielen überdies auseinandergehende – Minderheit bildeten, zeigt der fehlgeschlagene Anlauf zu einer Totalrevision der Bundesverfassung im September 1935[17]. Damit hatten die Erneuerungsbewegungen ihren Höhepunkt auch schon überschritten; ihr Zerfall setzte alsbald ein. Als neue Partei machte der von dem Großkaufmann Gottlieb Duttweiler (1888–1962) ins Leben gerufene »Landesring der Unabhängigen« von sich reden, der eine eigentümliche Verbindung von Wirtschafts- und Persönlichkeitspartei darstellte[18]. Die Sozialdemokratie stieg in den Nationalratswahlen vom Herbst 1935 zur stärksten Partei des Landes auf; im gleichen Jahre bekannte sie sich unter dem Eindruck der internationalen Lage erstmals seit 1914 wieder zur Landesverteidigung. 1937 schloß die Gewerkschaft der Metall- und Uhrenarbeiter ein Friedensabkommen mit den Arbeitgebern. Da diese Regelung Schule machte, bedeutete sie eine wichtige Etappe auf dem Wege zum sozialen Frieden[19]. Die Klassenkampfgegensätze lockerten sich; in Gesamtarbeitsverträgen begegneten sich die Partner auf der Basis der Gleichberechtigung.

Die Gefahren der gewandelten weltpolitischen Situation und die ersten Anzeichen einer Bedrohung von außen stärkten das Bewußtsein gesamtschweizerischer Solidarität[20]. Abessinienkrieg und Rheinlandbesetzung wirkten alarmierend. Die nach der Ermordung des »Landesleiters« der NSDAP Wilhelm Gustloff vorgenommenen polizeilichen Untersuchungen ließen ein bereits dichtes Netz nationalsozialistischer Organisation in der Schweiz erkennbar werden. 1936 wurde die von Bundesrat Rudolf Minger (1881–1955, Bundesrat 1929–1940) energisch vorangetriebene Reorganisation des Heeres durchgeführt und eine eidgenössische Wehranleihe stark überzeichnet[21]. Als der Völkerbund durch das Scheitern seiner gegen Italien gerichteten Sanktionspolitik einer unheilbaren Krise verfiel, rea-

a) Bis zum Ende des II. Weltkrieges

gierte Motta kühl und opportunistisch. Daß die Schweiz in der Anerkennung des »Impero« anderen Staaten voranging, lag durchaus in der Linie seiner Außenpolitik, stieß aber weit herum auf Unbehagen und Kritik. Dafür fand eine nächste Entscheidung die Billigung des ganzen Landes. Im Mai 1938 verkündete Motta im Namen des Bundesrates die Rückkehr der Schweiz zur integralen Neutralität – übrigens nicht, ohne vorher die Zustimmung des Völkerbundsrates eingeholt zu haben[22]. Es war die hektische Zeit der Überraschungen. Die Vernichtung Österreichs als eines unabhängigen Staates verschlechterte jäh die wehrgeographische Lage des Landes[23]. Das Münchner Abkommen, das die Zerstörung der Tschechoslowakei einleitete, erweckte – anders als in England oder Frankreich – bei den maßgebenden Schweizer Zeitungen Mißtrauen.

Am 20. II. 1938 war das Rätoromanische auf Grund einer eidgenössischen Volksabstimmung zur vierten Landessprache erhoben worden. Diesem Entscheid kam gerade damals mehr als nur regionale Bedeutung zu: enthielt er doch ein Bekenntnis zum Recht auch der kleinsten Minoritäten. In die gleiche Richtung wiesen die Bemühungen, dem Tessin seinen Charakter als einer italienischen Sprach- und Kulturlandschaft zu erhalten. Als sich zu diesem Zeitpunkt extrem nationalistischer Erhitzung der internationale Historikerkongreß im September 1938 in Zürich versammelte, hat Karl Meyer seinen in- und ausländischen Fachkollegen »Die geschichtlichen Voraussetzungen des schweizerischen Sprachenfriedens« vor Augen geführt[24]. Und die schweizerische Landesausstellung des Sommers 1939 stellte eine bewußte Demonstration der Schweiz als eines übernationalen Nationalstaates dar.

Der Kriegsausbruch von 1939 überraschte weniger als der von 1914[25]. Noch vor der Generalmobilmachung war der Grenzschutz in Stellung gegangen, hatte die Bundesversammlung dem Bundesrat und einer Kommission umfassende Vollmachten übertragen. Zum General wurde am 30. VIII. 1939 der Waadtländer Henri Guisan (1874–1960) gewählt[26]. Die Volksstimmung war geschlossener als im I. Weltkrieg, die Abneigung gegen den Kriegsurheber weithin verbreitet. Man erkannte, daß es diesmal nicht einfach um die Auseinandersetzung rivalisierender Mächte, sondern um die Erhaltung einer politischen Lebensform ging, auf der letztlich auch die Existenz der Schweiz beruhte. Die Presse wurde freilich vom Armeekommando unter eine rigorose Überwachung gestellt. Trotzdem haben ihre Äußerungen den Machthabern des »Dritten Reiches« immer wieder zum Verdruß gereicht, so daß zeitweise die diplomatischen Beziehungen darunter zu leiden drohten[27]. Die Mobilmachung stellte wirtschaftliche und menschliche Probleme. Eine umfassende Lohn- und Verdienstausfallsordnung wirkte von Anfang jener sozialen Zerklüftung entgegen, die sich während der Jahre 1914–1918 so unheilvoll bemerkbar gemacht hatten. Der Ausbau der staatlichen Sozialhilfe gehört mit zu den positiven Ergebnissen der Kriegszeit. Der »geistigen Landesverteidigung« und der moralischen Betreuung der Soldaten wurde besondere Sorgfalt zugewandt (Sektion »Heer und Haus«). Zur Deckung der Kosten wurde (und wird bis heute) als direkte Bundessteuer die Wehrsteuer erhoben; dazu gesellten sich das 1940 und 1942 erhobene Wehropfer (eine Vermögensabgabe), die Luxus- und die Warenumsatzsteuer[28]. Gesamtarbeitsverträge wurden obligatorisch, eine straffe Preiskontrolle hielt während des Krieges die Lebenskosten in erträglichen Grenzen. Nach dem noch ruhigen ersten Kriegswinter überstürzten sich vom April 1940 an die Ereignisse. Die ohne Kriegserklärung, befristetes Ultimatum oder Warnung ausgelösten Überfälle auf Dänemark, Norwegen, Belgien und die Niederlande zeigten, wessen sich ein neutraler Staat zu versehen hatte. Der 10. V. 1940 gab unter der Zivilbevölkerung das Signal zu Masseneva-

§ 20 Die Schweiz seit 1919

kuationen, während die schon weitgehend demobilisierte Armee erneut unter die Fahnen gerufen wurde. Die Sorge vor der »Fünften Kolonne« – nicht unbegründet angesichts der starken und wohlorganisierten deutschen Kolonie und der durch die ganze Kriegszeit hindurch anhaltenden deutschen Spionage – befand sich damals auf ihrem Höhepunkt[29]. Im Juni kam es über dem Jura zu Luftkämpfen mit deutschen Maschinen; größere Verbände französischer und polnischer Truppen überschritten die Grenze und ließen sich internieren. Die Franzosen wurden (gegen Auslieferung ihres Kriegsmaterials an Deutschland!) später freigegeben; die Polen blieben bis zum Kriegsende in der Schweiz. Nach dem Kriegseintritt Italiens und dem Zusammenbruch Frankreichs drohte die Schweiz ganz in den Griff der Achsenmächte zu geraten. Anzeichen einer moralischen Krise machten sich bemerkbar. Bundespräsident Marcel Pilet-Golaz (1889–1958, Bundesrat 1928–1944), der nach Mottas Tod das Politische Departement übernommen hatte, war wie viele Zeitgenossen vom Schock der Umwälzungen beeindruckt; er empfing nationalsozialistisch orientierte Schweizer – darunter den Schriftsteller Jakob Schaffner – zu einer Unterredung[30]. Immer mehr wurde der General Guisan zur Verkörperung des Widerstandswillens. Am 25. VII. 1940 tat er vor allen Stabsoffizieren, die auf dem Rütli zusammenberufen waren, seinen Plan des ›Réduit‹ kund: einer allfälligen feindlichen Offensive war durch geschlossenen Widerstand aus der »Alpen- oder Zentralraumstellung« zu begegnen[31]. Das bedeutete im Ernstfall die Preisgabe größerer Teile des Mittellandes, die nach dem Zusammenbruch Frankreichs ohnehin nicht mehr zu halten gewesen wären. Es bedeutete aber auch, daß einem Angreifer ein mühsamer und unabsehbarer Gebirgskrieg bevorstand. Starke Befestigungen – mit den Werken von Sargans und Saint-Maurice als Eckpfeilern – wurden errichtet. Wenn diese Kraftprobe auch unterblieb, so war doch die Lage der Schweiz in den Jahren der deutschen Vorherrschaft auf dem Kontinent prekär. Ob und wann ein deutscher Angriff wirklich geplant war, steht nicht fest: daß entsprechende Absichten vorhanden gewesen sein müssen, bezeugt die intensive Spionage, die zu zahlreichen kriegsgerichtlichen Verurteilungen führte[32]. Jedenfalls hätte ein Sieg der Achsenmächte früher oder später das Ende der Schweiz bedeutet[33]. Vorderhand machte sich wirtschaftlicher Druck bemerkbar. Gegen die drohende Lebensmittelverknappung half man sich mit einschneidenden Rationierungsmaßnahmen und mit intensivierter Bodenausnützung. Nach den Plänen des Agronomen (und späteren Bundesrates) Friedrich Traugott Wahlen (geb. 1899, Bundesrat 1958–1965) wurde die »Anbauschlacht« geschlagen[34]. Trotzdem blieb das Land auf den Import lebenswichtiger Produkte – vor allem von Kohle – angewiesen. Zähe und mühsame Wirtschaftsverhandlungen mit Deutschland waren zu führen[35]. Jegliche Einfuhr mußte durch Konzessionen erkauft werden: die schweizerische Industrie arbeitete für die Achsenmächte; die schweizerischen Alpenbahnen dienten dem Materialtransport zwischen Deutschland und Italien. Als später der Kampf um das Mittelmeer in sein entscheidendes Stadium trat und die Brennerlinie alliierten Luftangriffen ausgesetzt war, nahm die Bedeutung der Gotthardlinie noch zu. In einer Rede, die der »Chef des Wehrmachtführungsstabes« Generaloberst Jodl am 7. XI. 1943 vor den »Reichs- und Gauleitern« hielt, bemerkte er über die Schweiz kurzerhand: »Sie lebt von uns, und wir profitieren von ihr«[36]. »Durchhalten« war von der Schweiz aus die Parole. Im November 1940 wurde die Verdunkelung angeordnet und damit den nach Italien einfliegenden englischen Flugzeugen die Orientierung erschwert. Überhaupt kam die schweizerische Neutralität den Alliierten während einiger Zeit nur mittelbar zugute: durch die Aufnahme von Internierten und Flüchtlingen[37], durch die weitgespannte Hilfstä-

a) Bis zum Ende des II. Weltkrieges

tigkeit der von der Schweiz aus wirkenden Hilfsorganisationen. Die schweizerischen Bühnen, vorab das Zürcher »Schauspielhaus«, haben in jener Zeit als Stätten eines freien deutschen Wortes eine wichtige kulturelle Mission erfüllt. Spezifisch schweizerische Formen der Selbstbehauptung fanden ihren Ausdruck auch im Kabarett (»Cornichon«) und in der Karikatur (»Nebelspalter«). Den Schicksalswinter 1942/43 haben viele Schweizer als Wende empfunden und begrüßt – obschon die Okkupation des bisher unbesetzt gebliebenen Teils von Frankreich die Umschließung vollendete. Im Lande selbst stärkte der herrschende Arbeitsfriede die staatserhaltende Mitte und erweiterte sie. Mit Ernst Nobs (1886–1957, Bundesrat 1943–1951) wurde im November 1943 erstmals ein Sozialdemokrat in den Bundesrat gewählt. Kommunistische und nationalsozialistische Parteiorganisationen waren schon bald nach Kriegsbeginn verboten worden. Während die Rechtsextremisten unbetrauert von der politischen Bildfläche des Landes verschwanden, feierte die Kommunistische Partei als »Partei der Arbeit« 1944 ihre Wiederkunft. Sie ist in der deutschen Schweiz – von einer kurzen Nachkriegskonjunktur abgesehen – eine kleine Partei geblieben, hat aber in der Arbeiterschaft der welschen Schweiz einen ziemlich großen Anhang zu gewinnen vermocht.

Als sich 1944 der Endsieg der Alliierten abzeichnete, stellte sich gebieterisch die Frage nach der Aufnahme diplomatischer Beziehungen zur Sowjetunion. Sie brachte – da Molotow im November 1944 sich zunächst weigerte und die Schweiz »profaschistischer« Haltung bezichtigte[38] – mehr Schwierigkeiten, als erwartet worden war: Pilet-Golaz ist darüber zu Fall gekommen und als Bundesrat zurückgetreten. Wie schon 1940, so gab es auch in der Endphase des Krieges zahlreiche Neutralitäts- und Grenzverletzungen. Am schwersten wog die einem Navigationsirrtum entspringende Bombardierung Schaffhausens durch amerikanische Flugzeuge am 1. IV. 1944. Der letzte Kriegswinter 1944/45 brachte nochmals erheblichen Druck – diesmal von alliierter Seite, der deutschen Guthaben wegen – und erschwerte Zufuhren[39]. Die Ende April erfolgte Kapitulation der deutschen Streitkräfte in Oberitalien ist durch geheime Verhandlungen auf Schweizerboden in die Wege geleitet worden. Im August 1945 ging der Aktivdienst zu Ende, und der General gab seine Befugnisse der Bundesversammlung zurück.

---

[1] *P. E. Martin,* Art. »Zonen«, in: Hist.-Biogr. Lexikon der Schweiz, Bd. 7 (1934), S. 679–682.
P. Stettler, Das außenpolitische Bewußtsein der Schweiz 1920–1930 (1969), S. 179 ff. (auch für das Folgende).
C. Schwarz, Die diplomatisch-politischen Beziehungen zwischen der Schweiz und Frankreich in der Zonenfrage 1919–1923 (Diss. Zürich 1974).

[2] *J. Ruchti,* Geschichte der Schweiz während des Weltkrieges 1914–1919, Bd. 1 (1928), S. 496 ff. *D. Witzig,* Die Vorarlberger Frage (1974).
W. Goldinger, in: Geschichte der Republik Österreich, hg. v. *H. Benedikt* (1954), S. 69 ff.; *E. Bonjour* II, S. 718 ff. (weist auch auf Besorgnisse hinsichtlich evtl. italienischer Kompensationsforderungen hin).

[3] Abgedruckt: *W. Burckhardt,* Drei Völkerbundsentwürfe (1919), S. 28 ff. Dazu auch *R. Soiron,* Der Beitrag der Schweizer Außenpolitik zum Problem der Friedensorganisation am Ende des Ersten Weltkrieges (1973).
M. Huber, Denkwürdigkeiten 1907–1924 (1974), S. 101 ff.

[4] Wortlaut der sog. Londoner Deklaration vom 13. II. 1920 bei *Bonjour* II, S. 763 f., Anm. 219. Darin wird auf die Erklärungen (»déclarations«) der Schweiz Bezug genommen, »d'après lesquelles la Suisse reconnaît et proclame les devoirs de solidarité qui résultent

§ 20 Die Schweiz seit 1919

pour elle du fait qu'elle sera Membre de la Société des Nations, y compris le devoir de participer aux mesures commerciales et financières demandées par la Société des Nations contre un Etat en rupture du Pacte etc.«

[5] *W. E. Rappard,* L'entrée de la Suisse dans la Société des Nations (1924), mit einem Vorwort Mottas.
St. Sergio, Comment la Suisse a adhéré au Pacte de la Société des Nations (1943).
H. Nabholz, Der Kampf um den Beitritt der Schweiz zum Völkerbund, in: Vom Krieg und vom Frieden, Festschrift der Universität Zürich zum 70. Geburtstag von Max Huber (1944), S. 219 ff.
V. Voegeli, Völkerbund und Neutralität. Grundzüge der schweizerischen Auseinandersetzung von 1919/20 (Diss. 1949).
R. Ruffieux, L'entrée de la Suisse dans la Société des Nations: SchweizZG 11 (1961), S. 157 ff.
Bonjour II, S. 741 ff.
P. Stettler, Das außenpolit. Bewußtsein, S. 51 ff., ferner *B. Stettler,* Die Stellung der Schweiz zum Sanktionssystem des Völkerbundes von 1919 bis zur Anwendung gegen Italien 1935/36 (1977).

[6] *G. Motta,* Testimonia Temporum (3 Bde. 1931–1941; Sammlung d. Reden und Aufrufe).
J. R. v. Salis, Giuseppe Motta. Dreißig Jahre eidgenössische Politik (1941).
Ein anderer prominenter Bundesrat der Kriegs- und Nachkriegszeit war der Aargauer Edmund Schulthess (1868–1944, Bundesrat 1912–1935); er betreute das Departement für Volkswirtschaft (so seit 1914 benannt, vorher Departement für Handel, Industrie und Landwirtschaft). Vgl. *H. Böschenstein,* Bundesrat Schulthess. Krieg und Krisen (1966). Ders. zusammenfassend in: Biographisches Lexikon des Aargaus 1803–1957 (1958), S. 696–703. Eine wichtige Quelle für die 1920er Jahre ist ferner: Bundesrat *Karl Scheurer.* Tagebücher 1914–1929, hg. v. *H. Böschenstein* (1971). Scheurer war Chef des Militärdepartementes; seine Aufzeichnungen orientierten über interne Aspekte schweizerischer Innen- und Außenpolitik.

[7] Eine abermalige Verschlechterung des Verhältnisses zur Sowjetunion trat ein, als am 10. V. 1923 der russische Delegierte an der Konferenz von Lausanne, Worowski, das Opfer eines Attentates durch den Rußlandschweizer Conradi wurde. Das waadtländische Geschworenengericht sprach den Täter frei, worauf die Sowjetunion den Boykott über schweizerische Waren verhängte. Erst 1927 wurde dieser Streitfall beigelegt.
P. Stettler, Das außenpolit. Bewußtsein, S. 315 ff.
A. Gattiker-Caratsch, L'affaire Conradi (Diss. 1975). *E. Bonjour,* Versuche zur Normalisierung des schweizerisch-russischen Verhältnisses 1925–1927, in: Die Schweiz und Europa, Bd. 4 (1976), S. 139–153.
K. Kistler, Die Wiedererrichtung der Nuntiatur in der Schweiz 1920 (1974).

[8] *E. Prinz von und zu Liechtenstein,* Liechtensteins Weg von Österreich zur Schweiz (o. J.).

[9] *K. Huber,* Drohte dem Tessin Gefahr? Der italienische Irredentismus gegen die Schweiz 1912–1943 (1954; weist S. 298 ff. auf die nur schwache Abwehr der irredentistischen Strömungen von seiten der Schweiz hin).
P. Stettler, S. 335 ff.
K. Spindler, Die Schweiz und der italienische Faschismus 1922–1930 (1976).
Th. Kunz, Die deutsch-schweizerische Presse und das faschistische Italien 1922–1943 (Diss. 1975).
P. Bernardi-Snozzi, Dalla difesa dell'italianità al filofascismo nel canton Ticino 1920–1924 (1976).

[10] *W. E. Rappard,* La politique de la Suisse dans la Société des Nations (1925; auch dt.).
P. Stettler, S. 243 ff.

[11] *E. Gruner,* Freiheit und Bindung in den Bundesratswahlen: Schweizerisches Jb. f. pol. Wissenschaft 7 (1967), S. 17 ff. Wichtig ferner *H. Böschenstein,* Der Bundesrat in der Zwischenkriegszeit: Neue Zürcher Zeitung 7./8./9. XII. 1966 (Nr. 5306, 5326, 5345).
P. Menz, Der »Königsmacher« Heinrich Walther. Zur Wahl von vierzehn Bundesräten 1917–1940 (1976; ausführlichstes Werk über die Bundesratswahlen).

[12] Einzelheiten bei: *H. Egger,* Die Entstehung der Kommunistischen Partei und des Kommunistischen Jugendverbandes der Schweiz (Diss. 1952). Ferner die Erinnerungen pro-

a) Bis zum Ende des II. Weltkrieges

minenter Ex-Kommunisten: *W. Bringolf,* Mein Leben (1965). *J. Humbert-Droz,* De Lénine à Staline. Mémoires (1971).
In Genf gelangte der spätere Kommunist Nicole vorübergehend an die Spitze der Regierung: *M. M. Grounauer,* La Genève rouge de Léon Nicole 1933–1936 (1975).

[13] *B. Hardmeier,* Geschichte der sozialdemokratischen Ideen in der Schweiz 1920–1945 (Diss. 1957).
Das Beispiel eines sozialdemokratischen Pragmatikers und Kommunalpolitikers von Rang war der Zürcher Stadtpräsident Klöti: *P. Schmid-Ammann,* Emil Klöti (1965).
K. Müller, Schicksale einer Klassenpartei (1955, insbes. S. 57 ff.; polemisch). Schweizerische Arbeiterbewegung, Dokumente von der Frühindustrialisierung bis zur Gegenwart (1975). Verschiedene Beiträge in: *M. Weber,* Im Kampf um soziale Gerechtigkeit. Beiträge von Freunden und Auswahl aus seinem Werk (1967). Zur Militärfrage nunmehr *J. F. Etter,* Armee und öffentliche Meinung in der Zwischenkriegszeit 1918–1939 (Diss. 1972).

[14] Zur *Literatur- und Geistesgeschichte* die in Bd. 6 genannten Werke, ferner *D. W. H. Schwarz,* Die Kultur der Schweiz.
Kunst: J. Gantner u. *A. Reinle,* Kunstgeschichte der Schweiz, Bd. 4 (1962; von *Reinle,* führt bis ca. 1920). *H. C. von Tavel,* Ein Jahrhundert Schweizer Kunst. Von Böcklin bis Alberto Giacometti (1969).
Musik: W. Schuh u. a. (Hgg.), Schweizer Musiker-Lexikon (1964).
Zeitkritische Aufsätze und Äußerungen von *K. Barth,* Eine Schweizer Stimme 1938–1945 (1945), von *L. Ragaz* in der von ihm redigierten Zeitschrift »Neue Wege«. Vgl. auch *M. Mattmüller,* Leonhard Ragaz und der religiöse Sozialismus, Bde. 1–2 (1957–1968; führt bis zum Jahre 1920). *S. Herkenrath,* Politik und Gottesreich. Kommentare zur Weltpolitik der Jahre 1918–1945 von *Leonhard Ragaz* (1977). Monographien über einzelne Dichter, Künstler, Gelehrte etc. können hier nicht angeführt werden.
Zur schweiz. Geschichtschreibung nach 1918: *P. Stadler,* Zwischen Klassenkampf, Ständestaat und Genossenschaft. Politische Ideologien im schweizerischen Geschichtsbild der Zwischenkriegszeit: HZ 219 (1974), S. 290 ff.

[15] Zur Wirtschaftskrise in der Schweiz: *W. A. Jöhr,* Schweizerische Kreditanstalt 1856–1956 (1956), S. 336 ff. Ferner: *H. Zimmermann,* Sozialpolitische Ideen im schweizerischen Freisinn 1914–1945 (Diss. 1948), S. 65 ff. *B. Hardmeier* (Anm. 13), S. 60 ff. *H. Böschenstein,* Bundesrat Schulthess, insbes. S. 124 ff. u. 172 ff. Depression und Erholung erfolgten in der Schweiz später als in anderen Ländern. *E. Hübscher,* Der Wirtschafts- und Konjunkturverlauf in den letzten 50 Jahren, in: Der Weg der Schweiz 1914–1964, S. 216 ff. Eine Verschärfung der Exportkrise brachten besonders auch die Zollverordnungen der USA: Vgl. *H. K. Meier,* Friendship under Stress: U.S.-Swiss Relations 1900–1950 (1970), S. 219 ff. Ausführlicher *F. Kneschaurek,* Der schweiz. Konjunkturverlauf und seine Bestimmungsfaktoren 1929–1939 (Diss. 1952). Zuletzt *W. Rutz,* Die schweiz. Volkswirtschaft zwischen Währungs- und Beschäftigungspolitik in der Weltwirtschaftskrise (Diss. 1970, mit weiterer Lit.).

[16] *H. Büchi,* Das Frontenproblem, in: Die Schweiz. Ein nationales Jahrbuch (1934), S. 15 ff.; Staat und Parteien. Liberalismus, Erneuerung, Demokratie in der schweizerischen Politik der Gegenwart (1935), S. 73 ff.; über die Erneuerungsbewegungen: *P. Gilg* u. *E. Gruner,* Nationale Erneuerungsbewegungen in der Schweiz: VjhefteZG 14 (1966), S. 1 ff.; *A. Meyer,* Anpassung oder Widerstand. Die Schweiz zur Zeit des deutschen Nationalsozialismus (1965, behandelt auch den II. Weltkrieg). *R. Joseph,* L'Union nationale 1932–1939. Un fascisme en suisse romande (1975). *B. Schneider,* Die Fonjallaz-Initiative. Freimaurer und Fronten in der Schweiz: SchweizZG 24 (1974), S. 666–710. Zur krisenbedingten Unzufriedenheit in Bauernkreisen: *R. Riesen,* Die Bauernheimatbewegung (1972). *F. Luchsinger,* Die Neue Zürcher Zeitung im Zeitalter des Zweiten Weltkrieges 1930–1955 (1955), insbes. S. 85 ff. (Auch für das Folgende:) Zeitgenössische Beurteilungen des Tagesgeschehens bieten die in Buchform gesammelten Artikel folgender führender Journalisten: *W. Bretscher* (Neue Zürcher Zeitung), Siebzig Leitartikel 1933–1944 (1945). *A. Oeri* (Basler Nachrichten), Tagesberichte (1946). *Th. Gut* (Zürichseezeitung), Reden und Schriften (1954). Ein deutscher Bericht über die schweizerischen

§ 20 Die Schweiz seit 1919

Erneuerungsbewegungen aus dem Jahre 1934, hg. v. *P. Stadler:* SchweizZG 19 (1969), S. 371–390. Gesamtdarstellungen: *W. Wolf,* Faschismus in der Schweiz (1969). *B. Glaus,* Die nationale Front (1969; mit interessanten sozialgeschichtlichen Gesichtspunkten). *K. D. Zöberlein,* Die Anfänge des deutsch-schweizerischen Frontismus (1970).
Zur politischen Geistesgeschichte: P. Stahlberger, Der Zürcher Verleger Emil Oprecht und die deutsche politische Emigration 1933–1945 (1970; Oprecht war der Gründer des Europa-Verlags und arbeitete eng mit Thomas Mann zusammen).

[17] *P. Stadler,* Die Diskussion um eine Totalrevision der schweiz. Bundesverfassung 1933–1935: SchweizZG 19 (1969), S. 75–169.

[18] *H. G. Ramseier,* Die Entstehung und die Entwicklung des Landesringes der Unabhängigen bis 1943 (Diss. 1973).

[19] *D. Lasserre,* Zum Arbeitsfrieden von 1937: Schicksalsstunden des Föderalismus (1963), S. 110 ff.
Das Friedensabkommen in der schweizerischen Maschinen- und Metallindustrie vom 19. Juli 1937 (Schweizer Pioniere der Wirtschaft und Technik 16) (1965).

[20] Für das Folgende: *D. Bourgeois,* Le Troisième Reich et la Suisse 1933–1941 (1974). *K. Humbel,* Nationalsozialistische Propaganda in der Schweiz 1931–1939 (1976). *G. H. Padel,* Die politische Presse der deutschen Schweiz und der Aufstieg des Dritten Reiches 1933–1939 (Diss. 1951). *K. Weber,* Die Schweiz im Nervenkrieg. Aufgaben und Haltung der Schweizer Presse in der Krisen- und Kriegszeit 1933–1945 (1955). Ferner *R. Maurer,* Markus Feldmann und das Deutsche Reich 1914–1945: SchweizZG 16 (1966), S. 378–403. Feldmann, später Bundesrat, war einflußreicher Journalist und Politiker der Bauernpartei. Vgl. auch *R. Maurer,* Markus Feldmann (1897–1958). Werden und Aufstieg bis zum Ausbruch des Zweiten Weltkrieges (Diss. 1965). Eine Analyse des Nationalsozialismus am Beispiel von vier repräsentativen deutschschweizerischen Zeitungen bietet *E. Dreifuss,* Die Schweiz und das Dritte Reich (1971). *Bonjour* III, S. 39 ff. Dieser Band stellt das für die Kenntnis der schweizerischen Außenpolitik in den 1930er Jahren grundlegende Werk dar. Alarmierend auf die Öffentlichkeit wirkte auch die Entführung des deutschen Emigranten Jacob durch Beamte der Gestapo. Vgl. *J. N. Willi,* Der Fall Jacob-Wesemann (Diss. 1972). Vgl. noch *M. U. Kaiser.* Deutscher Kirchenkampf und Schweizer Öffentlichkeit in den Jahren 1933 und 1934 (1972).

[21] *R. Minger,* Der Kampf um die Aufrüstung in den 30er Jahren: Festschrift für Eugen Bircher (1952), S. 56 ff.; *H. Wahlen,* Bundesrat Rudolf Minger 1881–1955 (1965). *R. Minger* spricht. 24 Reden, ausgewählt und eingeleitet von *H. Wahlen* (1967). *J. F. Etter* (Anm. 13), S. 145 ff., 168 ff.

[22] *C. Gorgé,* La neutralité helvétique (1947), S. 373 ff. (auch über die Abessinienkrise). Mottas Rede vom 11. V. 1938, in: Testimonia temporum (s. Anm. 6), Bd. 3, S. 226 ff. *E. Bonjour,* Die Rückkehr der Schweiz zur absoluten Neutralität 1938: HZ 202 (1966), S. 24 ff.

[23] *Bonjour* III, S. 230 ff.

[24] Wiederabgedruckt bei *K. Meyer,* Aufsätze und Reden (1952), S. 355 ff. Über die Schweiz als »Modell der Nationalitätenpolitik« im 19. und 20. Jh., vgl. *Th. Schieder,* in: Zur Geschichte und Problematik der Demokratie. Festgabe f. Hans Herzfeld (1958), S. 489 ff. Daß die Eidgenossenschaft aus einem zunächst bewußt deutschsprachigen zu einem ebenso bewußt mehrsprachigen Staatsgebilde erst im Laufe ihrer geschichtlichen Entwicklung geworden ist, hat *H. Weilenmann,* Die vielsprachige Schweiz (1925) gezeigt. Vgl. ferner *C. Hegnauer,* Das Sprachenrecht in der Schweiz (1947). *P. Schäppi,* Der Schatz sprachlicher und konfessioneller Minderheiten im Recht von Bund und Kantonen (1971).

[25] Zum Folgenden: Quellenwerk: *E. Bonjour,* Geschichte der schweizerischen Neutralität, Bde. VII–IX (1974–1976), enthält vor allem diplomatische Akten aus den Jahren 1938/39–1945/46). Zu den schweizerisch-englischen Beziehungen während des Krieges *E. Bonjour,* Die Schweiz und Europa, Bd. 3 (S. 101 ff.) und 4 (S. 173 ff.), s. Anm. 7. *P. Dürrenmatt,* Kleine Geschichte d. Schweiz während des Zweiten Weltkrieges (1949). *P. Béguin,* Le balcon sur l'Europe. Petite histoire de la Suisse pendant la guerre 1939–1945 (1945). *H. R. Kurz* (Hg.), Die Schweiz im Zweiten Weltkrieg (1959; enthält wichtige Beiträge verschiedener Mitarbeiter über die militärischen, politischen, wirt-

a) Bis zum Ende des II. Weltkrieges

schaftlichen und völkerrechtlichen Aspekte). Sodann die Berichte des Generals, des Generalstabschefs, des Kommandanten der Flieger- und Fliegerabwehrtruppen und weiterer hoher Offiziere über den Aktivdienst 1939–1945 (3 Bde. o. J.). Weitere amtliche Berichte angeführt bei *H. v. Greyerz:* Handbuch der Schweizer Geschichte, Bd. 2. Die umfassende Darstellung aufgrund der Akten des Bundesarchivs Bern bietet *Bonjour* IV–VI. *G. Kreis,* Die Schweiz und der Zweite Weltkrieg. Bilanz und bibliographischer Überblick nach dreißig Jahren, in: La seconda guerra mondiale nella prospettiva storica a trent'anni dall'epilogo (1977), S. 219–241.

[26] *E. Chapuisat,* Le Général Guisan (1949, auch dt.). *B. Barbey,* P. C. du Général. Journal du chef de l'état-major particulier du général Guisan 1940–1945; auch dt. unter dem Titel: Fünf Jahre auf dem Kommandoposten des Generals (1948). *G. Kreis,* Auf den Spuren von La Charité (1976), insbes. S. 155 ff. *H. R. Kurz,* General Henri Guisan (Persönlichkeit und Geschichte, 1965). *Bonjour* IV, S. 32–52 (Vollmachten und Generalswahl). *V. Hofer,* Die Bedeutung des Berichtes General Guisans über den Aktivdienst 1939–1945 für die Gestaltung des schweiz. Wehrwesens (1970).

[27] Bericht des Bundesrates an die Bundesversammlung über die schweizerische Pressepolitik im Zusammenhang mit dem Kriegsgeschehen 1939–1945: Bundesblatt 1947 (auch separat), unter Verwertung unveröffentlichter Akten. Ferner: außer *K. Weber,* auch *E. O. Maetzke,* Die deutsch-schweizerische Presse zu einigen Problemen des Zweiten Weltkrieges: Tübinger Studien zur Geschichte und Politik, Bd. 2 (1955). Ders., Grundzüge der schweizerischen Pressekontrolle im Zweiten Weltkrieg: VjhefteZG 3 (1955), S. 177 ff. *Bonjour* V, S. 161 ff. Zu erwähnen bleibt immerhin, daß Pilet-Golaz die vom General geforderte Vorzensur über die Presse ablehnte; vgl. *W. Bretscher* im Schweizerischen Jb. f. pol. Wissenschaft 6 (1966), S. 19. Zum Ganzen *Bonjour* V, S. 161–238. Deutsche Interventionsbemühungen: *G. Kreis,* Juli 1940. Die Aktion Trump (1973). *G. Kreis,* Zensur und Selbstzensur. Die schweizerische Pressepolitik im Zweiten Weltkrieg (1973).

[28] *U. Schwarz,* Die schweizerische Kriegsfinanzierung 1939–1945 und ihre Ausstrahlungen in der Nachkriegszeit (Diss. 1953). Ferner Beiträge bei *H. R. Kurz* (Anm. 25).

[29] Vgl. den als Stimmungsbild interessanten Bericht des deutschen Gesandten in Bern vom 22. IV. 1940, in: ADAP, Serie D, Bd. 9, Nr. 153. Ferner den Bericht des Bundesrates an die Bundesversammlung über die antidemokratische Tätigkeit von Schweizern und Ausländern 1939–1945, Bundesblatt 1946 (auch separat). *H. R. Kurz,* Nachrichtenzentrum Schweiz. Die Schweiz im Nachrichtendienst des Zweiten Weltkriegs (1972). Zum Mai-Alarm 1940: *C. Vetsch,* Aufmarsch gegen die Schweiz (1973).

[30] In diesen Zusammenhang gehört auch die im Sommer 1940 vorbereitete und im November überreichte »Eingabe der Zweihundert« (genauer: 173) an den Bundesrat; ein Manifest rechtsorientierter Deutschenfreunde. *G. Waeger,* Die Sündenböcke der Schweiz. Die Zweihundert im Urteil der geschichtlichen Dokumente 1940–1946 (1971; Wortlaut mit Namensliste der Unterzeichner auf S. 254–261).

[31] *Bonjour* IV, insbes. S. 151 ff.; sowie S. 323 ff.; *O. F. Fritschi,* Geistige Landesverteidigung während des Zweiten Weltkrieges (Diss. 1971). Zur Vorgeschichte des Réduitgedankens auch *A. Ernst,* Die Konzeption der schweiz. Landesverteidigung 1815–1966 (1971).

[32] *H. R. Kurz,* Die Schweiz in der Planung der kriegführenden Mächte während des Zweiten Weltkrieges, Nr. 5 der Schriftenreihe des Schweizerischen Unteroffiziersverbandes (1957). Daß dem vielerörterten »Frühjahrsalarm 1943« konkrete deutsche Angriffspläne zugrunde lagen, läßt sich auch aus den seither veröffentlichten deutschen Quellen (Hitlers Lagebesprechungen oder den Kriegstagebüchern des Wehrmachtführungsstabes) nicht belegen. Am gefährlichsten war die Lage sicherlich 1940/41: »Wenn die als ›Operation Tannenbaum‹ bezeichneten Studienarbeiten auch nicht durch einen unmittelbaren Auftrag von höchster Seite und mit der Absicht einer baldigen Verwirklichung veranlaßt worden sind, zeigen sie doch, wie sehr sich die deutsche Führung im Jahr 1940 – wenigstens gedanklich – mit dem Problem Schweiz auseinandergesetzt hat.« (*Kurz,* S. 39). Vgl. auch *E. R. Rosen,* Italien, Deutschland und die Schweiz im Sommer 1940: SchweizZG 19 (1969), S. 661 ff.

[33] So vermerkt Goebbels in seinem Tagebuch am 8. V. 1943, »der Führer« habe »die Konsequenz gezogen, daß das Kleinstaatengerümpel, das heute noch in Europa vorhanden ist, so schnell wie möglich liquidiert werden muß«. Und im gleichen Zusammenhang: es

§ 20 Die Schweiz seit 1919

sei falsch, Karl den Großen als »Sachsenschlächter« zu verunglimpfen. »Wer gibt dem Führer die Garantie, daß er später nicht etwa einmal als Schweizerschlächter angeprangert wird.« (Tagebücher, 1948, S. 325). Vgl. auch *L. Gruchmann,* Nationalsozialistische Großraumordnung: Schriftenreihe der VjhefteZG 4 (1962), S. 111 f. Über die feindselige Einstellung des faschistischen Italien und obendrein auch des Königs selbst: außer *K. Huber,* Drohte dem Tessin Gefahr? (Anm. 9), S. 289 ff., insbes. *E. R. Rosen,* Viktor Emanuel III. und die Schweiz während des Zweiten Weltkrieges: SchweizZG 10 (1960), S. 533 ff. mit zahlreichen Belegen.

[34] Die Schweizerische Kriegswirtschaft 1939–1948. Bericht des eidgenössischen Volkswirtschaftsdepartements (1950).

[35] *Bonjour* VI, S. 201 ff.; *H. Homberger,* Schweizerische Handelspolitik im Zweiten Weltkrieg (1970; weicht in der Beurteilung streckenweise von Bonjour ab). Neuerdings *E. Bonjour,* Wirtschaftliche Beziehungen zwischen England und der Schweiz im Zweiten Weltkrieg: SchweizZG 22 (1972), S. 591–627.

[36] Wortlaut bei *H. A. Jacobsen,* 1939–1945. Der Zweite Weltkrieg in Chronik und Dokumenten (1959), S. 328. Über die Bedeutung des Transitverkehrs durch die Schweiz für den deutschen Nachschub in Italien, vgl. den Dokumentenanhang zu *E. Collotti,* L'amministrazione tedesca dell'Italia occupata 1943–1945 (1963), insbes. S. 519 f. (tabellarische Aufstellung).

[37] Daß aber während einiger Zeit jüdische Flüchtlinge an den Grenzen zurückgewiesen wurden, darf allerdings nicht verschwiegen werden. Doch war es dank Vermittlung der schweizerischen Gesandtschaft in Budapest 1944/45 möglich, Tausende ungarischer Juden vor der Vernichtung zu bewahren. Vgl. *C. Ludwig,* Die Flüchtlingspolitik der Schweiz in den Jahren 1933–1955. Bericht an den Bundesrat zuhanden der eidgenössischen Räte (1957). Weitere Einzelheiten bei *A. A. Häsler,* Das Boot ist voll ... Die Schweiz und die Flüchtlinge 1933–1945 (1967). Ferner *P. Stahlberger* (Anm. 16), S. 263 ff. *K. H. Bergmann,* Die Bewegung »Freies Deutschland« in der Schweiz 1943–1945 (1974).

[38] Von dem dieser Beschuldigung zugrundeliegenden tiefen Ressentiment Stalins gegen die Schweiz erfuhr man hier erst nach dem Kriege: hat doch der sowjetrussische Machthaber den westlichen Alliierten im Oktober 1944 einen Angriff auf die Schweiz zwecks Umgehung der Siegfried-Linie angeraten. Vgl. *H. R. Kurz,* Die Schweiz in der Planung (Anm. 32), S. 57 ff. (mit Quellenhinweisen). *Bonjour* V, S. 373–435. *E. Bonjour,* Wiederaufnahme diplomatischer Beziehungen zur Sowjetunion 1946, in: Die Schweiz und Europa, Bd. 4 (Anm. 7), S. 155–170.

[39] Im Washingtoner Abkommen von 1946 mußte die Schweiz unter massivem Druck den Alliierten einen Teil der deutschen Guthaben überlassen. Vgl. *D. Frei,* Das Washingtoner Abkommen von 1946: SchweizZG 19 (1969), S. 567–619. *H. K. Meier* (Anm. 15), S. 347 ff.

W. Spahni, Der Ausbruch der Schweiz aus der Isolation nach dem Zweiten Weltkrieg (1977).

b) Entwicklungstendenzen seit 1945

Der II. Weltkrieg hinterließ in der Schweiz ein gestärktes Gemeinschaftsbewußtsein[1]. Gewachsen war auch das Gefühl sozialer Verantwortung. Das drückte sich aus in der gleichzeitigen Annahme der seit den 1920er Jahren vorbereiteten Alters- und Hinterbliebenenversicherung (AHV) und der Wirtschaftsartikel durch das Volk (Eidgenössische Abstimmung vom 6. VII. 1947). Die Schweiz näherte sich damit dem zeitgemäßen Ideal des Wohlfahrtsstaates, stellte es aber unter ein liberales Vorzeichen[2]. Bei grundsätzlicher Anerkennung der Handels- und Gewerbefreiheit erhielt der Bund die Möglichkeit, regulierend und schützend in die Wirtschaft einzugreifen. Auf dem Initiativweg unternommene Versuche, auch noch ein »Recht auf Arbeit« verfassungsrechtlich zu verankern, haben die

b) Entwicklungstendenzen seit 1945

Zustimmung des Souveräns nicht mehr gefunden. Statt der befürchteten Nachkriegsdepression erlebte man das Gegenteil.

Der Abbau der kriegsbedingten Vollmachten wurde durch ein erfolgreiches Volksbegehren nach »Rückkehr zur direkten Demokratie« beschleunigt (Eidgenössische Abstimmung vom 11. IX. 1949). Das Stimm- und Wahlrecht für Frauen ist in der Eidgenossenschaft jedoch erst 1971 eingeführt worden, nachdem in den vorangegangenen Jahren mehrere Kantone die Bahn gebrochen hatten. Die Stellung des Bauerntums ist auch nach dem Kriege stark geblieben. Ein 1952 erlassenes Landwirtschaftsgesetz schützt die Agrarfläche (die sich in Notzeiten noch immer als zu klein erwiesen hat), fördert die Erneuerung der Produktionsmittel und sichert vor allem Absatz und Preise der heimischen Erzeugnisse. Daß Bundessubventionen den Bauern in besonders reichlichem Maße zufließen, muß mit der Tatsache verrechnet werden, daß die wirtschaftliche Entwicklung der Gegenwart diesen Stand nicht begünstigt: viele Bergtäler erleben einen unaufhaltsamen Bevölkerungsschwund[3]. Der Neuenburger Max Petitpierre (geb. 1899, Bundesrat 1944–1961), der Ende 1944 das Politische Departement übernommen hatte, stellte die schweizerische Außenpolitik der zweiten Nachkriegszeit unter die beiden Pole »Neutralität und Solidarität«. Die Satzung der Vereinten Nationen schloß die Neutralen aus und ersparte damit der Schweiz das Dilemma von 1919/20[4]. Dafür ergab sich die Mitarbeit in internationalen Organisationen, die politisch weniger ausgeprägt waren – der FAO (Food and Agricultural Organization, Beitritt im September 1946), der OEEC (Organization for European Economic Cooperation, Beitritt unter ausdrücklichem Vorbehalt der Neutralität im April 1948) und der UNESCO (United Nations Educational, Scientific and Cultural Organization, Beitritt im Januar 1949). Der Europäischen Freihandelsassoziation (EFTA) gehört die Schweiz seit anfangs 1960 an und findet sich damit einbezogen in die Verhandlungen um die Schaffung einer umfassenderen Wirtschaftsgemeinschaft[5]. Das Freihandels-Abkommen mit der EWG hat das Volk am 3. XII. 1972 mit rund 72 % Ja-Stimmen gebilligt. 1958 ist die Schweiz assoziiertes Mitglied des GATT (General Agreement on Tariffs and Trade) geworden. 1963 erfolgte die Aufnahme in den Straßburger Europarat. Die Stiftung »Pro Helvetia« zur Kulturwahrung und -werbung wurde 1948 begründet. Ein »Schweizerisches Hilfswerk für außereuropäische Gebiete« (SHAG) mit Schwerpunktbildung in Tunesien und Nepal kann sich auch deshalb so gut entfalten, weil die Schweiz – mangels geschichtlicher Gelegenheit! – von jedem Odium des ›Kolonialismus‹ frei geblieben ist.

War die Außenpolitik in der Zwischenkriegszeit die fast ausschließliche Domäne des Bundesrates gewesen, so haben nach 1945 die außenpolitischen Kommissionen der Räte ein nicht unerhebliches Mitspracherecht gewonnen[6].

Von Zürich aus erließ Winston Churchill im September 1946 seinen Aufruf zu einem Zusammenschluß Europas. Wie in der Zwischenkriegszeit, so blieb auch nach 1945 die Schweiz ein bevorzugtes Forum internationaler Kontakte. Vor allem Genf, das als europäischer Sitz der UNO verschiedene Konferenzen sich abspielen sah. Die diplomatischen Beziehungen zur Sowjetunion wurden erst im März 1946 aufgenommen, diejenigen zur Volksrepublik China bereits im Januar 1950 – gerade noch einige Monate vor der Entfesselung des Koreakrieges.

Danach lebte die Welt unter den Konstellationen des Kalten Krieges, des Polyzentrismus und der Hochkonjunktur. Diese hat der schweizerischen Wirtschaft einen Auftrieb gegeben, der fast alle ihre Zweige erfaßte[7]. Zu den Industrien, die schon vor 1920 Weltruf erlangt hatten, war in der Zwischenkriegszeit noch die chemische Industrie gekommen, die wie die Maschinenindustrie eine stärkere

§ 20 Die Schweiz seit 1919

Krisenfestigkeit erwies; sie alle profitierten nach 1945 zunächst von der Unversehrtheit ihrer Betriebe und in der Folge von den rasch ansteigenden Bedürfnissen der Entwicklungsländer[8]. Die relative Stabilität des Schweizerfrankens und der schweizerischen Zustände überhaupt hat den Banken und Versicherungsgesellschaften einen gewaltigen internationalen Kapitalstrom zugleitet. Das Ansehen des Landes in der Welt beruht gleichermaßen auf seinen Traditionen und Einrichtungen wie auf seiner ökonomischen Kapazität: die Schweiz ist zwar – politisch – ein kleiner Staat geblieben, wirtschaftlich aber zu einem »heimlichen Imperium« (L. Stucki) aufgestiegen. Daß sich aus dieser Entwicklung auch die Gefahren einer materiellen Genußkultur ergaben, ist der schweizerischen Selbst- und Kulturkritik – von Gottfried Kellers »Martin Salander« über Carl Spitteler und Robert Walser bis zu den Äußerungen von Max Frisch und Friedrich Dürrenmatt – nicht entgangen[9]. Problematisch wurde die zur Aufrechterhaltung der Konjunktur notwendig gewordene hohe Zahl von Fremdarbeitern auch deshalb, weil sie Spannungsmomente in sich barg, die der Schweiz bisher erspart geblieben waren[10]. Eine separatistische Bewegung im Berner Jura hat mit dem Plebiszit vom 23. Juni 1974 einen ersten Durchbruchserfolg erzielt, sodaß die Bildung eines neuen Kantons (der vor allem die Kerngebiete des ehemaligen Fürstbistums Basel umfassen soll) sich vorbereitet[11].

Innenpolitisch sind die letzten Jahrzehnte durch eine auffallende Ausgeglichenheit der Parteien gekennzeichnet gewesen[12]. Die Sozialdemokratie, die seit 1943 einen Bundesrat stellte und damit untervertreten war, hat sich 1953 vorübergehend ganz aus der höchsten Exekutive zurückgezogen, um in den »Jungbrunnen der Opposition« einzutauchen. 1959 gelang es ihr, die Wahl zweier Vertreter in den Bundesrat durchzusetzen und damit ihren Anspruch zu befriedigen. Dank dieser aus dem Proporzgedanken hervorgegangenen Zusammensetzung 2 : 2 : 2 : 1 (je zwei Freisinnige, Katholisch-Konservative, Sozialdemokraten, ein Vertreter der Bauern-, Gewerbe- und Bürgerpartei) hat der Bundesrat als Kollegialbehörde eine gestärkte Stellung: oppositionelle Gruppierungen größeren Ausmaßes, die in der Exekutive nicht vertreten sind, kommen innerhalb der eidgenössischen Räte kaum noch zum Zuge. Ohnehin beugen Fraktionsdisziplin, sowie die Autorität der Kommissionen und der bundesrätlichen Sprecher eigentlichen Überraschungen von seiten des Parlaments vor. Die weitgehende Unabhängigkeit des Bundesrates gegenüber den Räten hat der Schweiz seit dem Bestehen ihres Bundesstaates bekanntlich Kabinettskrisen erspart. Lediglich zu Rücktritten einzelner Bundesräte aufgrund negativ verlaufener Volksentscheide ist es hin und wieder gekommen (so in den Jahren 1891, 1934, 1953). Da fast alle Gesetzesvorschläge vom Bundesrat ausgehen, war die herkömmliche Trennung zwischen Legislative und Exekutive während längerer Zeit mehr nur formaler Art[13].

Allerdings hat die 1964 entbrennende »Mirage-Affäre«, bei der es um massive Kostenüberschreitungen im Zusammenhang mit der Beschaffung eines neuen Kampfflugzeugtyps ging, eine Reaktion ausgelöst und eine verstärkte Beaufsichtigung der Exekutive durch das Parlament herbeigeführt[14].

Den an sich schon gewaltig angewachsenen Aufgaben des Bundes fügt jedes Jahrzehnt neue zu. Im vergangenen gehörten Bundesfinanzreform, Nationalstraßenbau, Entwicklungshilfe, Armeereform, Fragen der atomaren Kraftwerke, Konjunkturlenkung (neben vielem anderen) dazu. Die Rechte der Kantone werden dadurch nicht eigentlich geschmälert, da viele dieser Aufgaben der kantonalen Souveränität gar nicht erst entzogen zu werden brauchten: geschmälert wurde und wird ihr tatsächlicher Einfluß. Zudem sind die Kantone vor allem finanziell in wachsende Abhängigkeit vom Bund geraten, der infolgedessen ihre Aufgaben

b) Entwicklungstendenzen seit 1945

teils übernimmt, teils mitbestimmt[15]. Auch die Wissenschaft wird davon erfaßt. Der Geburtenanstieg, der während der Kriegsjahre einsetzte, wirkt sich nun aus und droht das Fassungsvermögen der kantonalen Mittel- und Hochschuleinrichtungen zu sprengen. Der Bund, der die immer gewaltiger anwachsende Eidgenössische Technische Hochschule in Zürich und Lausanne unterhält, hat einen »Nationalfonds zur Förderung der wissenschaftlichen Forschung« geschaffen; er hat sich auch mit der Unterstützung der kantonalen Universitäten zu befassen. Die naturwissenschaftlich-medizinische und die technische Forschung werden in großem Ausmaß auch durch die Industrie gefördert.

Die Tendenz der Schweizer, sich aus den sogenannten ›schmutzigen Berufen‹ zurückzuziehen und zu einem Herrenvolk mit einer importierten Unterschicht von Fremdarbeitern für körperliche Arbeit zu werden[16], mündet ein in den großen mittel- und westeuropäischen Nivellierungsprozeß, in welchem die Struktur eines Volkes wohlstandsgemäß eingeebnet wird. Hier und in den Begleiterscheinungen dieser Entwicklung liegen die eigentlichen Gegenwartsprobleme der Schweiz. Das zeitweilig überbordende Wirtschaftswachstum gefährdete die Umwelt und ließ die Bevölkerung im wörtlichen Sinne zu einem »Volk ohne Raum« werden: über weite Strecken des Mittellandes erstrecken sich heute vorstädtische Agglomerationen; der forcierte Straßenbau trägt das seine zur Minderung und Auflösung der landschaftlichen Restbestände bei. Die problematische Reputation der Schweiz als internationale Steueroase und Fluchthort aufgestörter Kapitalinteressen fördert den Geldzustrom. Zur Überfremdung »von unten« hat sich in letzter Zeit diejenige »von oben« gesellt: in Gestalt der vor allem in den Erholungsgebieten (Tessin, Wallis, Graubünden) alarmierenden Akkumulation fremden Grundeigentums. Durch die Ende 1972 erlassenen sog. Konjunkturdämpfungsbeschlüsse sind diese Auswüchse wenigstens teilweise unter Kontrolle gebracht worden. Die Überfremdung aber hat zu neuen Parteibildungen rechtsextrem-nationalkonservativer Ausrichtung geführt (Republikaner, Aktion für Volk und Heimat), denen zwar noch kein Einbruch in das herkömmliche Parteiengefüge gelungen ist, die in mittelständisch-kleinbürgerlichen Kreisen jedoch eine gewisse Resonanz gefunden haben. Ein aus diesen Kreisen lanciertes Volksbegehren scheiterte knapp in der Volksabstimmung, erzwang mittelbar aber doch eine Kontingentierung der Einwanderungsquote. Die politische Gleichberechtigung der Frauen ist auf Bundesebene erst 1971 verwirklicht worden[17].

Die lange Hochkonjunktur der zweiten Nachkriegszeit ist 1974/75 zu Ende gegangen. Die Rezession hat den Wirtschaftsfrieden zwar noch nicht grundsätzlich in Frage gestellt, aber doch ein Klima der Unsicherheit geschaffen, zumal manche Errungenschaften des Wohlfahrtsstaates keine Selbstverständlichkeiten mehr darstellen. In vermehrtem Maße wird auch die sozioökonomische und politische Struktur des Landes kritisch problematisiert, wobei eine zu lange aufrechterhaltene Selbstgefälligkeit in ein totales Gegenteil umzuschlagen droht. Daraus erwächst die Gefahr einer negativen Selbstüberschätzung der Schweiz und einer isolierenden Dämonisierung ihres sog. »sekundären Imperialismus«[18]. Die gegenwärtig vielerörterten Fragen nach dem inner- und außerparlamentarischen Einfluß von Großindustrie und Hochfinanz, nach der Manipulation parlamentarischer oder behördlicher Entscheidungen durch Pressionsgruppen und nach der Verflechtung wirtschaftlicher Interessen mit der Entwicklungshilfe sind als solche sicher legitim. Sie werden auch der künftigen Forschung gestellt bleiben, aber nur durch tatsachensichere, emotionsfreie Analysen und in stetem Vergleich mit anderen hochindustrialisierten Staaten und Systemen zu beantworten sein.

§ 20 Die Schweiz seit 1919

[1] *C. Gruber,* Die politischen Parteien der Schweiz im Zweiten Weltkrieg (1966).
[2] *M. Weber,* Die Sozialpolitik: Strukturwandlungen der schweizerischen Wirtschaft und Gesellschaft (s. Anm. 7), S. 409 ff., sowie *A. Furrer,* Entstehung und Entwicklung der schweizerischen Sozialversicherung (Diss. 1953), S. 105 ff.
[3] *E. Jaggi,* Die Entwicklung der schweizerischen Landwirtschaft vom Ende des 19. Jahrhunderts bis zur Gegenwart, in: *H. Wahlen* u. *E. Jaggi,* Der schweizerische Bauernkrieg 1653 und die seitherige Entwicklung des Bauernstandes (1952), S. 159 ff. *W. Gasser-Stäger,* Landflucht und Verstädterung, in: Strukturwandlungen der schweiz. Wirtschaft und Gesellschaft, S. 547 ff.
[4] *W. E. Rappard,* La Suisse et la charte de San Francisco, in: Die Schweiz. Ein nationales Jahrbuch (1946), S. 7 ff.; *J. Belin,* La Suisse et les Nations Unies (1956), insbes. S. 71 ff.; Vgl. auch *D. Frei,* Neutralität – Ideal oder Kalkül? Zweihundert Jahre außenpolitisches Denken in der Schweiz (1967), S. 81 ff.; *H. Haug,* Das Verhältnis der Schweiz zu den Vereinten Nationen (1970). In letzter Zeit ist die Frage eines UNO-Beitrittes der Schweiz aktuell geworden, eine Entscheidung jedoch noch nicht gefallen.
[5] *M. Pfister,* Die Sonderstellung der Schweiz in der internationalen Wirtschaftspolitik. Außenwirtschaftspolitik 1945–1959 (1961). EWG-Freihandelsabkommen der Schweiz: SchweizMonatshh 52 (1972), S. 403 ff. (versch. Beiträge).
[6] *W. Bretscher,* Das Verhältnis von Bundesversammlung und Bundesrat in der Führung der auswärtigen Politik: Schweizer. Jb. f. pol. Wissenschaft 6 (1966), S. 7 ff.
[7] Zur wirtschaftlichen Entwicklung der jüngsten Vergangenheit: Strukturwandlungen der schweizerischen Wirtschaft und Gesellschaft. Festschrift für Fritz Marbach zum 70. Geburtstag (1962). Ein Jahrhundert schweizerischer Wirtschaftsentwicklung. Festschrift zum hundertjährigen Bestehen der Schweizerischen Gesellschaft für Statistik und Volkswirtschaft 1864–1964 (1964). *W. Bickel,* Die Volkswirtschaft der Schweiz (1973), S. 51 ff. *H. Kleinewefers* u. *R. Pfister,* Die schweizerische Volkswirtschaft, S. 79.
[8] Das reale Sozialprodukt der Industrie nahm in der Zwischenkriegszeit um knapp 25 %, in der Zeitspanne 1946–1961 um über 100 % zu. *F. Kneschaurek,* Wandlungen der schweizerischen Industriestruktur seit 1800, in: Ein Jahrhundert schweizerischer Wirtschaftsentwicklung, S. 151. Vgl. auch die in diesem Aufsatz wiedergegebene Skala der Beschäftigung nach Industriezweigen (sukzessiver Rückgang der bis ca. 1880 noch ganz überwiegenden Textil- und Bekleidungsindustrie zugunsten der verschiedenen anderen Industriezweige).
[9] Diesen und noch andere Aspekte der schweizerischen Selbstkritik behandeln die subtilen Untersuchungen von *K. Schmid,* Unbehagen im Kleinstaat (1963). Vgl. auch *M. Imboden,* Helvetische Malaise (1964).
[10] *G. Winterberger,* Das Problem der Fremdarbeiter in der Schweiz: SchweizMonatshh 41 (1961), S. 120 ff. Neu ist das Problem zwar nicht; eine ausgesprochene Überfremdung bestand auch schon vor 1914. Doch konzentrierte sie sich damals auf einige Städte, war herkunftsmäßig und sozial anders gestuft (überwiegend Deutsche, auch Angehörige der Oberschichten; heute überwiegend Arbeiter aus mediterranen Gebieten). *R. Braun,* Sozio-kulturelle Probleme der Eingliederung fremder Arbeitskräfte in die Schweiz (1970). Die Zahl der Ausländer in der Schweiz betrug am 31. XII. 1970 982 887 oder 15,9 % der Gesamtbevölkerung. Zit. nach: Die Volkswirtschaft, hg. v. *Eidg. Volkswirtschaftsdepartement* 44 (1971), S. 136.
[11] *K. Müller,* Der Jura – ein unbewältigtes Minderheitenproblem (1969). *P. Forster* u. a., Schwierige Selbstbestimmung im Jura (1974).
[12] Bezeichnend dafür die Parteienstärke in einigen Nationalratswahlen nach Prozenten (Statistisches Jahrbuch der Schweiz 1976, S. 553, und Neue Zürcher Zeitung, 29. X. 1975, Nr. 251).

	1935	1947	1967	1971	1975
Katholisch-Konservative	20,3	21,2	22,1	21,0	21,1
Bauern-, Gewerbe und Bürgerpartei	11,0	12,1	11,0	10,0	9,9

b) Entwicklungstendenzen seit 1945

	1935	1947	1967	1971	1975
Freisinnig-Demokraten	23,7	23,0	23,2	21,5	22,2
Sozialdemokraten	28,0	26,2	23,5	22,8	24,9
Landesring der Unabhängigen	4,2	4,4	9,1	7,6	6,1
Kommunisten (Partei d. Arbeit)	1,4	5,1	2,9	2,5	2,4
Republikaner (u. Aktion f. Volk und Heimat)	–	–	–	7,2	5,5

(Kleinere Parteien bleiben unberücksichtigt).
Zu den politischen Gruppierungen der jungen Generation: *P. Gilg,* Jugendliches Drängen in der schweizerischen Politik (1974).

[13] *L. Schürmann,* Glossen zum Verhältnis zwischen Parlament, Bundesrat und Verwaltung: SchweizMonatshh 41 (1961), S. 229 ff. Vgl. auch *E. Fleiner* u. *Z. Giacometti,* Schweizerisches Bundesstaatsrecht (1946), S. 470 ff. (zur Gewaltentrennung).

[14] *P. Urio,* L'affaire des mirages (1972).

[15] Nach *D. Schindler,* Entwicklungstendenzen des schweizerischen Föderalismus: Schweiz-Monatshh 39 (1959), S. 229 ff. Dazu verschiedene Aufsätze zum Thema »Föderalismus« in der »Schweiz«: Vereinigung f. Polit. Wissenschaft, Jahrbuch 4 (1964), sowie in dem Jahrbuch »Die Schweiz« (1965); hier vor allem der Aufsatz von *H. Lüthy,* Vom Geist und Ungeist des Föderalismus, S. 29 ff. Zuletzt *P. Stadler,* Stufen des schweizerischen Förderalismus im 19. und 20. Jh.: Reformatio 26 (1977), S. 560 ff. (mit weiterer Lit.).

[16] *B. Wehrli,* Neue Zürcher Zeitung vom 19. VII. 1960, Nr. 2465. Über die Tendenzen der jüngsten Vergangenheit verschiedene (z. T. von leitenden Persönlichkeiten verfaßte) Beiträge bei *E. Gruner,* Die Schweiz seit 1945 (1971).

[17] *S. Woodtli,* Gleichberechtigung. Der Kampf um die politischen Rechte der Frau in der Schweiz (1975).

[18] Zu dem umstrittenen, oft unzuverlässigen Buch von *J. Ziegler,* Eine Schweiz – über jeden Verdacht erhaben (1976) vgl. die weiterführende Auseinandersetzung von *H. Kleinewefers:* SchweizMonatshh 56 (1976), S. 713–727.

§ 21 Irland vom Osteraufstand bis zur nordirischen Krise 1916–1968

Von Kevin B. Nowlan
Aus dem Englischen übersetzt von Peter Alter

Bibliographien
J. *Carty*, Bibliography of Irish History 1911–1921 (1936).
R. J. *Hayes* (Hg.), Sources for the History of Irish Civilization: Articles in Irish Periodicals (9 Bde. 1970).
E. M. *Johnston*, Irish History: a Select Bibliography (1969).
T. W. *Moody* (Hg.), Irish Historiography 1936–1970 (1971).
H. F. *Mulvey*, Ireland's Commonwealth Years 1922–1949, in: The Historiography of the British Empire-Commonwealth, hg. v. R. W. *Winks* (1966).
Writings in Irish History: Irish Historical Studies (jährliche Bibliographien seit 1938).

Gesamtdarstellungen
P. *Alter*, Die irische Nationalbewegung zwischen Parlament und Revolution. Der konstitutionelle Nationalismus in Irland 1880–1918 (1971).
J. C. *Beckett*, The Making of Modern Ireland 1603–1923 (1966).
J. *Bowyer Bell*, The Secret Army: a History of the IRA 1916–1970 (1970).
B. *Chubb*, The Government and Politics of Ireland (1970).
B. *Farrell* (Hg.), The Irish Parliamentary Tradition (1973).
F. S. L. *Lyons*, Ireland since the Famine (1971).
J. L. *McCracken*, Representative Government in Ireland: Dáil Éireann 1919–1948 (1958).
O. *MacDonagh*, Ireland (1968).
N. *Mansergh*, The Irish Question (^{2}1965).
T. W. *Moody* u. J. C. *Beckett* (Hgg.), Ulster since 1800: a Political and Economic Survey (1954) u. Ulster since 1800: a Social Survey (1957).
T. W. *Moody*, The Ulster Question 1603–1973 (1974), mit Bibliographie.
J. A. *Murphy*, Ireland in the Twentieth Century (1975).
E. *Strauss*, Irish Nationalism and British Democracy (1951).

Wirtschafts- und Sozialgeschichte
J. C. *Beckett* u. R. E. *Glasscock*, Belfast, Origin and Growth of an Industrial City (1967).
R. *Crotty*, Irish Agricultural Production: its Volume and Structure (1966).
J. *Meenan*, The Irish Economy since 1922 (1970).
Siehe auch T. W. *Moody* u. J. C. *Beckett* (Hgg.), Ulster since 1800.
D. *O'Mahony*, The Irish Economy (^{2}1967).

a) Die Revolutionszeit

Irland erlebte beim Kriegsausbruch im August 1914 nicht die gleiche eindrucksvolle Geschlossenheit, die die öffentliche Meinung in Großbritannien nach dem Beginn der Feindseligkeiten charakterisierte. Die politischen, religiösen, wirtschaftlichen und kulturellen Faktoren, die das irische Leben seit langem prägten, hatten die Integration der kleinen Insel in den größeren Rahmen des Vereinigten Königreichs verhindert. Obgleich sich im 19. Jh. die anglisierenden Tendenzen in Irland verstärkt hatten und der Gebrauch der irischen Sprache immer schneller zurückgegangen war, erlebte dieses Jahrhundert – und das mag überraschen – eine bemerkenswerte Konsolidierung des politischen Nationalismus in Irland. Dieses Wachsen eines nationalen Bewußtseins vollzog sich dabei meist in enger Verbindung mit Forderungen nach wirtschaftlichen Reformen, besonders auf dem Agrarsektor. In dem Bemühen, die Forderungen der irischen Landpächter

a) Die Revolutionszeit

zu erfüllen, wurde zwischen 1881 und 1903 vom britischen Parlament eine umfassende Agrargesetzgebung verabschiedet.

Die zweite Hälfte des 19. Jh. war auch eine Zeit ununterbrochener Auswanderung von Iren in die Vereinigten Staaten und andere englischsprechende Länder der Welt. Die Folgen für das kulturelle Leben Irlands waren augenfällig. Die Gründung der Gälischen Liga (1893) bezeichnete daher einen Wendepunkt in dem Bemühen, die alte gälische Sprache und Kultur vor dem völligen Niedergang zu bewahren. Die Liga trug dazu bei, in einer neuen Generation von Nationalisten das Interesse an einem kulturellen Nationalismus zu wecken. Obwohl die Irische Parlamentspartei (Irish Parliamentary Party), die für Irland eine weitgehende politische und wirtschaftliche Autonomie im Rahmen des Vereinigten Königreichs anstrebte (»Home Rule«), unter der Krise um ihren Vorsitzenden Parnell gelitten hatte (1891), vermochte sie zu Beginn des neuen Jahrhunderts ihre sich bekämpfenden Fraktionen wieder zu vereinen. Die neue Einigkeit blieb zerbrechlich, aber in John Redmond besaß die Partei einen gemäßigten und respektierten Führer. In den allgemeinen Wahlen von 1910 gewann die Irische Partei 71 von den 105 Unterhaussitzen, die Irland zustanden; damit nahm sie im britischen Parlament erneut eine Schlüsselstellung zwischen Liberalen und Konservativen ein. Da sich die Liberalen unter Asquith auf eine Regelung des Home-Rule-Problems festgelegt hatten, schien endlich der Weg für die notwendigen Gesetze im Parlament frei zu sein. Aber gerade diese Aussicht auf die schnelle Verwirklichung von Home Rule provozierte die irischen Protestanten, besonders in der nördlichen Provinz Ulster, zu scharfen Reaktionen. Das Schlagwort »Home Rule means Rome Rule« suggerierte die Vorstellung, der Sieg der Befürworter von Home Rule würde die politische und geistige Herrschaft der Katholiken über ganz Irland bedeuten[1].

In den Jahren 1911 bis 1914 organisierte sich der Widerstand der Protestanten in Ulster gegen Home Rule unter der Führung von Edward Carson, einem Dubliner Protestanten, und James Craig. Eine politische Krise in Irland begleitete die Behandlung des Home-Rule-Gesetzes im Parlament. Im Januar 1913 beschloß der Unionistische Rat von Ulster, die zentrale Organisation im Widerstand gegen Home Rule, die Aufstellung der Ulster Volunteers, eines paramilitärischen Verbandes, dessen Angehörige sich vornehmlich aus Mitgliedern und Anhängern des Oranienordens rekrutierten. Die Ulster Volunteers sollten gegen eine Einbeziehung der Provinz Ulster in eine Home-Rule-Regelung notfalls mit Gewalt Widerstand leisten. Obwohl sich die Unionisten anfangs gegen Home Rule für ganz oder irgendeinen Teil Irlands wandten, spitzte sich das Problem immer mehr auf Ulster bzw. einen Teil dieser Provinz zu. Der Gedanke einer Teilung Irlands gewann zunehmend an Boden. Die Bewaffnung der Ulster Volunteers, die Befürchtung, Carson und seine Anhänger würden eine provisorische Regierung für Ulster ausrufen, und die keineswegs unbegründeten Vermutungen, daß Teile des britischen Offizierskorps nicht gegen Ulster marschieren würden, lösten in Großbritannien und unter der nationalistischen Bevölkerungsmehrheit in Irland Unruhe aus. Die Aufstellung der Ulster Volunteers wurde auf nationalistischer Seite mit der Bildung der Irish Volunteers (Nov. 1913) und Anstrengungen um Waffenkäufe im Ausland beantwortet[2].

Auf der politischen Ebene gelangen der Regierung Asquith keine wirklichen Fortschritte in Richtung auf einen Kompromiß, den sowohl die Nationalisten als auch die Unionisten in Ulster akzeptieren konnten. Das Angebot, jede der neun Grafschaften Ulsters könne sich auf Verlangen sechs Jahre lang einer Home-Rule-Lösung für das ganze Land entziehen (Konferenz im Buckingham Palace,

21. VII. 1914), wurde in Irland abgelehnt. Die europäische Krise erzwang indessen einen vorübergehenden Stillstand in den inneririschen Auseinandersetzungen. Asquith brachte im Parlament ein Gesetz ein (September 1914), das für Irland eine sehr begrenzte Autonomie vorsah. Dieses Gesetz wurde jedoch von zwei bedeutenden Einschränkungen begleitet: es sollte erst nach Kriegsende wirksam werden, und vor seiner Inkraftsetzung sollte das Parlament die Gelegenheit haben, eine besondere Behandlung Ulsters zu beraten. Ungeachtet der langfristigen Bedeutung dieser Einschränkungen versicherten John Redmond und die von ihm geführten Nationalisten Großbritannien ihrer Unterstützung in dem soeben begonnenen Krieg. Auch die Unionisten in Ulster sprachen nicht länger von einer provisorischen Regierung, sondern verpflichteten sich zur Unterstützung der Krone angesichts der äußeren Bedrohung des Königreichs. Die irische Krise schien überstanden zu sein. Aber die Ereignisse sollten nur allzubald zeigen, daß dies eine voreilige Schlußfolgerung war[3].

Die Mehrheit der irischen Wähler hatte bis dahin die Irische Parlamentspartei unterstützt. Neben der Partei existierte aber eine kleine Zahl radikaler Bewegungen, deren politisches Ziel nicht Autonomie im Rahmen des Vereinigten Königreichs war, sondern die unabhängige irische Republik. Die moderne republikanische Bewegung in Irland läßt sich bis 1848 zurückverfolgen. Aber erst seit den späten 1850er Jahren gaben eine geheime, eidgebundene Organisation, die Irish Republican Brotherhood (I. R. B.), und ihre Schwesterorganisation in Nordamerika, die Fenian Brotherhood, dem irischen Republikanismus eine feste Struktur. Die Organisation (die Bezeichnung »Fenians« wurde für die irische wie für die amerikanische Bruderschaft benutzt) erreichte wahrscheinlich in den 1860er Jahren ihre größte Stärke. Nach dem mißglückten Aufstand von 1867 und wegen interner Auseinandersetzungen verlor sie unter der Bevölkerung schnell an Unterstützung. Die Stärke der I. R. B. in ganz Irland wurde 1911 auf nur 1 500 Mitglieder geschätzt. Aber vor dem Hintergrund eines erwachenden Interesses am kulturellen Nationalismus und der Unzufriedenheit mit den geringen Erfolgen der Parlamentarier strömten der I. R. B. in den Jahren nach der Jahrhundertwende neue Mitglieder zu. Um 1911/12 hatten die neuen Männer die alten Führer der I. R. B. bereits aus ihren Positionen verdrängt, und viele von denen, die jetzt die Kontrolle übernahmen, sollten im Osteraufstand von 1916 eine entscheidende Rolle spielen. Wenngleich die I. R. B. an der Mitgliederzahl gemessen nur eine kleine Organisation war, so besaß sie doch enge Verbindungen zu den amerikanischen Iren. Darüber hinaus gelang es Mitgliedern der Bruderschaft, in den gälischen Gesellschaften und bei den neugebildeten Irish Volunteers Schlüsselpositionen zu besetzen[4].

Eine andere bedeutende Entwicklung begann im November 1905 mit der Gründung von Sinn Fein (»Wir selbst«). Das Ziel dieser Organisation war die Wiederherstellung des alten Königreichs Irland und der einst bestehenden unabhängigen irischen Legislative mit politischen Mitteln. Der führende Kopf Sinn Feins war Arthur Griffith, ein Dubliner Journalist. Er erblickte im österreichisch-ungarischen Ausgleich von 1867 das Vorbild für die künftige Gestaltung der Beziehungen zwischen Großbritannien und Irland. Für die wirtschaftliche Entwicklung Irlands trat Sinn Fein ebenso ein wie für eine klar abgegrenzte kulturelle Identität. Unmittelbar nach der Gründung hatte Sinn Fein einigen Zulauf, aber als sich in den Jahren vor Ausbruch des Weltkriegs die Aussichten für eine irische Home Rule verbesserten, verlor Sinn Fein an Bedeutung. Aber die nicht nachlassende Propaganda Griffiths und sein Eintreten für die Irish Volunteers trugen dazu bei, daß Sinn Fein mit einem aggressiven Nationalismus identi-

a) Die Revolutionszeit

fiziert wurde, obwohl die Organisation in dieser Zeit noch keineswegs ein republikanisches Programm vertrat. Als 1916 der Aufstand ausbrach, wurde er häufig als Sinn-Fein-Aufstand bezeichnet, was im Grunde nicht zutreffend war[5].

Im Unterschied zu vielen anderen westeuropäischen Ländern, einschließlich Großbritanniens, hatte die sozialistische Arbeiterbewegung zu Beginn des 20. Jh. in Irland erst eine vergleichsweise geringe Bedeutung erlangt. Mehrere Faktoren sind dafür verantwortlich: ein niedriger Industrialisierungsgrad, die Stärke des agrarisch geprägten Konservativismus, die überragende Rolle der katholischen Kirche, die im allgemeinen Redmond und den konstitutionellen Nationalismus unterstützte, die konfessionellen Spaltungen innerhalb der Arbeiterklasse in Ulster und die Fixierung aller Nationalisten auf das Ziel der politischen Unabhängigkeit. Ein weiterer Faktor, der dazu beitrug, sozialen Radikalismus in der irischen Politik zu schwächen, war die erfolgreiche Forderung der Landpächter nach Agrarreformen. Dessen ungeachtet gab es in den irischen Städten und besonders in Dublin unübersehbare Zeichen von Armut und Arbeitslosigkeit. Die aus den Handwerkerzünften hervorgegangenen Gewerkschaften neigten zu Exklusivität und Konservativismus, aber mit dem Aufstieg James Connollys (1868 in Edinburgh als Sohn irischer Eltern geboren), der einen sozialistischen Republikanismus vertrat und die Bildung von Massengewerkschaften forderte, gelangte ein neues Element in die irische Politik. Die Radikalisierung der irischen Arbeiterbewegung wurde daneben von dem fähigen, wenngleich unberechenbaren James Larkin (1876 in Liverpool als Sohn irischer Eltern geboren) vorangetrieben, der in Belfast und Dublin die schlechtbezahlten Hafenarbeiter organisierte. Die Dubliner Streiks und Aussperrungen des Jahres 1913 bezeichnen im Vorkriegsirland den Höhepunkt in der Agitation der militanten Arbeiterbewegung. Das Stehvermögen des neuen Radikalismus war jedoch begrenzt; die Forderungen der Streikenden wurden letztenendes nicht erfüllt. Die auf Initiative James Connollys gegründete Irish Citizen Army, die die Arbeiter vor Übergriffen der Polizei schützen sollte, war hingegen ein wichtiges Ergebnis der Streikunruhen des Jahres 1913. Die Citizen Army sollte 1916 noch eine bedeutende Rolle spielen; ihre Gründung charakterisiert darüber hinaus eine wichtige Entwicklungsphase im politischen Denken Connollys, das sich aus marxistischen und nationalistischen Quellen speiste[6].

Bei Kriegsausbruch zählten die Irish Volunteers ungefähr 180 000 Mitglieder, von denen aber nur wenige ausreichend bewaffnet waren. Am 20. IX. 1914 hielt John Redmond eine Rede, die hinsichtlich seines Einflusses und dem seiner Partei weitreichende Folgen haben sollte. Er forderte die Volunteers nämlich nicht nur zur Verteidigung Irlands auf, sondern auch zum Einsatz »wherever the firing line extends«. Die radikaleren Nationalisten in der Führung der Volunteers antworteten umgehend mit einer Zurückweisung dieses Appells an die Volunteers, den sie als Aufforderung zum Eintritt in die britische Armee verstanden. Die Spaltung der Bewegung war die Folge. Die Mehrheit, die sich nun National Volunteers nannte, unterstützte weiterhin Redmond, während sich eine Minderheit unter Beibehaltung der Bezeichnung Irish Volunteers von Redmond und seinen Anhängern lossagte und eine eigene Organisation bildete. Die Irish Volunteers, die nach ihrer Gründung ungefähr 11 000 Mitglieder zählten, sollten in den militärischen Auseinandersetzungen des Jahres 1916 eine entscheidende Rolle spielen. Später wurden sie zum Kern der Irish Republican Army. Die Irish Republican Brotherhood besaß in der Führung der Irish Volunteers von Anfang an beträchtlichen Einfluß. Von Redmonds National Volunteers hörte man in der Folgezeit nur noch wenig. Viele von ihnen gehörten zu den 150 000 Iren, die im Weltkrieg in der britischen Armee kämpften[7].

§ 21 Irland 1916–1968

Selbst in den Reihen der Irish Volunteers gab es Männer, die eine militärische Aktion gegen die Briten ablehnten, sofern nicht eine schwerwiegende Provokation vorausgegangen war und begründete Aussichten auf einen Erfolg des Unternehmens bestanden[8]. Zu ihnen gehörte Eoin MacNeill, ein ausgezeichneter Kenner der irischen Sprache und Kultur, der bald Stabschef der Volunteers wurde. Dem Kriegsausbruch folgte jedoch beinahe umgehend die Entscheidung des Obersten Rats der I. R. B., mit den Vorbereitungen für einen Aufstand noch vor Ende des Krieges zu beginnen. Die Pläne hielt das Militärkomitee der I. R. B. streng geheim. Den Verbindungen zwischen der I. R. B. und der Führung der Volunteers fiel jedoch bei der Vorbereitung des Aufstands eine Schlüsselfunktion zu. Nur mit der Hilfe der I. R. B. vermochten die späteren Anführer des Aufstands P. H. Pearse, Tom Clarke, Joseph Plunkett, Sean MacDermott und bald auch James Connolly ihre Vorkehrungen zu treffen.

Das spärlich vorhandene Quellenmaterial scheint den Schluß zuzulassen, daß die Entscheidung, den Aufstand am Ostersonntag 1916 zu beginnen, von den Mitgliedern des Militärkomitees bereits Ende 1915 getroffen wurde. In Ergänzung zu den geheimen Vorbereitungen in Irland wurde der Versuch unternommen, deutsche Hilfe zu erlangen. Auf diesem Gebiet waren besonders amerikanische Sympathisanten der irischen Republikaner aktiv, die auch die Reise Sir Roger Casements nach Deutschland finanzierten (1914). Doch die Versuche, von den Mittelmächten Hilfe zu bekommen, brachten keine wirklich bedeutenden Ergebnisse. Die Entscheidungen fielen in Dublin und nicht in New York oder Berlin[9].

Der Oberste Rat der I. R. B. trat Mitte Januar 1916 wahrscheinlich zum letztenmal vor dem Aufstand zusammen. Danach beschleunigte sich die Entwicklung. Spätestens im Februar waren die amerikanischen Fenier über den Ostertermin für den geplanten Aufstand informiert; nach Deutschland ergingen dringende Ersuchen um Waffen. James Connolly, der die scheinbare Inaktivität der Republikaner mit Ungeduld verfolgt hatte, wurde in die geheimen Pläne eingeweiht (19. I.). Der britische militärische und zivile Geheimdienst bereitete den Revolutionären überraschenderweise kaum Schwierigkeiten. Die Geheimhaltung der Planungen gelang nahezu vollkommen. Das Hauptproblem der Revolutionäre war die Möglichkeit, daß die gemäßigten Elemente in der Führung der Volunteers und selbst in der I. R. B. die Teilnahme der Volunteers am Aufstand verhindern könnten. Die Revolutionäre versuchten daher, die Duldung bzw. die Unterstützung der vorsichtigeren Männer durch die Verbreitung von Berichten zu gewinnen, nach denen die Briten in Irland Massenverhaftungen von Nationalisten planten und die bevorstehende Ankunft deutscher Waffen einen irischen Aufstand endlich zu einem erfolgversprechenden Unterfangen werden ließ. Die Gerüchte über geplante Massenverhaftungen stellten sich schnell als haltlos heraus, und die Mobilisierung aller Volunteers für Ostersonntag (23. IV.) wurde von den Gemäßigten in der Tat verhindert. Das Militärkomitee der I. R. B. hielt jedoch dessen ungeachtet an seinem Beschluß zum Losschlagen fest; es verlegte den Termin für den Beginn des Aufstandes im ganzen Land lediglich auf Ostermontag. Einen zusätzlichen Schlag für seine Pläne stellte das Ausbleiben der deutschen Waffenhilfe dar: um der Beschlagnahme seiner Fracht durch die britische Marine zu entgehen, versenkte sich das von den Deutschen geschickte Hilfsschiff »Aud« in Höhe der Südwestküste Irlands selbst (21. IV.)[10].

Der Osteraufstand beschränkte sich im wesentlichen auf das Gebiet von Dublin; in den anderen Teilen des Landes kam es nur vereinzelt zu Unruhen. Die Zahl der Aufständischen war nicht groß: im Gebiet von Dublin waren es höch-

a) Die Revolutionszeit

stens 1 600 bis 1 800 Personen. In dieser Zahl sind die etwa 200 Männer der kleinen Citizen Army, die von dem Sozialisten James Connolly geführt wurde, bereits eingeschlossen. Die Kämpfe konzentrierten sich auf das Zentrum von Dublin. Sie waren bereits am 29. IV. nach der Kapitulation der eingeschlossenen Aufständischen beendet.

Die Zerstörungen in einigen wichtigen Straßen und an öffentlichen Gebäuden der Stadt waren allerdings beträchtlich und die Verluste an Menschenleben vergleichsweise schwer. Ungefähr 60 Aufständische und 150 britische Soldaten fanden den Tod. Die schwersten Verluste erlitt die Zivilbevölkerung mit ungefähr 300 Toten und 2 000 Verwundeten. Entsetzen und sogar Feindseligkeit waren daher die unmittelbare Reaktion der irischen Bevölkerung auf die Ereignisse. Der Aufstand selbst hatte kaum eine Erfolgschance, nachdem sich herausstellte, daß er im Grunde auf Dublin beschränkt blieb. Er war das Werk einer kleinen Gruppe von Revolutionären, die die Hoffnung hegten, durch ihre Selbstaufopferung und die Ausrufung einer irischen Republik die Aufmerksamkeit der Welt auf die irische Forderung nach Unabhängigkeit lenken zu können[11]. Darüber hinaus glaubten sie, ihre revolutionäre Herausforderung werde das Nationalbewußtsein des irischen Volkes aufrütteln. Die harten Maßnahmen der britischen Behörden nach der Niederschlagung des Aufstandes, die standrechtliche Erschießung von 15 seiner Anführer (3.–12. V.), Roger Casements Hinrichtung (3. VIII.) und die Inhaftierung vieler Beteiligter weckten im Sommer 1916 tatsächlich zunehmend Sympathien für die Aufständischen. Eine latente antibritische Stimmung war in der irischen Politik ein Faktor, dessen Mißachtung gefährlich werden konnte.

Erfolglos blieben verspätete Versuche Asquiths und Lloyd Georges, die Härte der militärischen Maßnahmen durch das Angebot einer vorgezogenen Home Rule zu mildern. Nur allzu schnell wurde deutlich, daß ein Kompromiß, den Nationalisten wie Ulster-Unionisten zu akzeptieren bereit gewesen wären, nicht gefunden werden konnte. Das Ausbleiben von Fortschritten in der Verfassungsfrage trug in einer so kritischen Situation jedoch dazu bei, das Ansehen der Irischen Parlamentspartei in nationalistischen Kreisen weiter zu untergraben.

In dem Jahr nach dem Aufstand reorganisierten die Republikaner überraschend schnell ihre Hilfsmittel. Politisch zogen sie Nutzen aus der wachsenden Kritik an den Methoden, mit denen die britische Regierung den Aufstand niedergeschlagen hatte. Die umgruppierte I. R. B. gewann neue Mitglieder. In den Unterhausnachwahlen des Jahres 1917 siegten Kandidaten Sinn Feins, die sich zur Nichtausübung ihres Mandats in Westminster verpflichtet hatten, über die gemäßigten Kandidaten Redmonds. Der Sieg Eamon de Valeras im Wahlkreis East Clare war das deutlichste Indiz für den Sympathiezuwachs der Radikalen. De Valera, im Oktober 1882 in New York als Sohn eines spanischen Vaters und einer irischen Mutter geboren (gest. 1975), unterhielt enge Verbindungen zur gälischen Kulturbewegung und zu den Irish Volunteers. Der Hinrichtung wegen seiner Beteiligung am Aufstand war er 1916 nur knapp entgangen. Vermutlich veranlaßten seine amerikanische Herkunft und Rücksichtnahme auf negative Folgen, die seine Hinrichtung auf die Öffentlichkeit in den damals noch neutralen Vereinigten Staaten haben würde, die britische Regierung, sein Leben zu schonen. Nach der Entlassung aus dem Gefängnis im Juni 1917 stieg er vor allem wegen seiner taktischen und politischen Fähigkeiten schnell zum führenden Mann der Republikaner auf[12].

In der Absicht, die Lage in Irland zu entspannen, rief die britische Regierung im Juli 1917 eine Versammlung (Irish Convention) ein, die eine politische Kompromißlösung erarbeiten sollte. Aber da sie von Sinn Fein boykottiert wurde und zudem auf die vehemente Ablehnung der Unionisten stieß, löste sich die Versammlung nach einem Jahr ohne konkrete Ergebnisse wieder auf. Wenige Monate zuvor war John Redmond gestorben (März 1918), der Vorsitzende der Irischen Parlamentspartei, die zu diesem Zeitpunkt ihre einstige politische Bedeutung längst eingebüßt hatte[13].

Eine neue Verhaftungswelle mahnte die Republikaner 1917 zur Vorsicht. In politischer Hinsicht brachte dieses Jahr zwei bedeutsame Entwicklungen. Die reorganisierte Sinn-Fein-Bewegung gab sich im Oktober ein Programm, das nun im wesentlichen republikanisch war. Einige ihrer Mitglieder, wie z. B. Arthur Griffith, der Gründer der Bewegung, traten allerdings nur mit Vorbehalt für ein republikanisches Programm ein. De Valera wurde zum Präsidenten von Sinn Fein gewählt. Darüber hinaus wurde er Chef der Volunteers, die sich nun ebenfalls straffer organisierten. De Valeras Wahl an die Spitze der Volunteers schuf eine personelle Klammer zwischen dem politischen und dem militärischen Flügel der radikaleren nationalistischen Bewegung. Aber Sinn Fein und die Volunteers blieben getrennte Organisationen. Dies schuf Raum für Konflikte zwischen Sinn Fein, den Volunteers und der I. R. B. Offiziere der Volunteers stellten insbesondere das Fortbestehen der I. R. B. in Frage, der sie wegen ihres Geheimbundcharakters mißtrauten. Gleichwohl nahmen die internen Meinungsverschiedenheiten keine größeren Dimensionen an. Sie wurden aber vor Abschluß des anglo-irischen Vertrages von 1921 nicht beigelegt und werden deshalb zum Entstehen persönlicher Spannungen in der Nationalbewegung während der ausgedehnten Kontroverse über den Vertrag ihren Teil beigetragen haben[14].

Die Reorganisation Sinn Feins und der Volunteers geschah zu einem günstigen Zeitpunkt. Politische Rücksichtnahme hatte die britische Regierung bis dahin davon abgehalten, die allgemeine Wehrpflicht auch in Irland einzuführen. Angesichts der neuen deutschen Offensive (März 1918), die eine Verstärkung der britischen Armee notwendig machte, und angesichts der in Großbritannien laut werdenden Kritik entschloß sich jedoch die Regierung im April, das Parlament um die Ermächtigung zur Einberufung junger Iren zu bitten. Die Entscheidung stieß bei allen irischen Nationalisten sofort auf heftigsten Widerstand. Die katholische Hierarchie verurteilte in scharfer Form die drohende Einführung der allgemeinen Wehrpflicht. Die Abgeordneten der Irischen Parlamentspartei verließen aus Protest gegen die Pläne der Regierung das Parlament und kehrten nach Dublin zurück, um sich gemeinsam mit Sinn Fein an der Agitation gegen die Wehrpflicht zu beteiligen. Diese Entwicklung und die gleichzeitige Verhaftung vieler prominenter Republikaner, denen Verschwörung mit den Deutschen vorgeworfen wurde (Mai 1918), hielten Irland in politischer Spannung. Nutznießer dieser Situation war Sinn Fein und nicht die Irische Parlamentspartei, die durch den Auszug aus dem Londoner Parlament im Grunde das völlige Scheitern ihrer Politik eingestand. Der Waffenstillstand vom November 1918 beendete die Krise über die Wehrpflicht, aber die allgemeinen Wahlen im gleichen Monat zeigten sehr deutlich den Wandel an, der sich seit 1916 in Irland vollzogen hatte. Die einst so einflußreiche Irische Parlamentspartei gewann nur noch 6, Sinn Fein hingegen 73 Mandate. Der Unionismus bewies seine ungebrochene Stärke dadurch, daß die Unionistische Partei ihre Stellung in Nordostulster durch den Gewinn von 26 Mandaten konsolidieren konnte. Wenn auch viele Wähler (fast ein Drittel der Wahlberechtigten) Wahlenthaltung übten und andere Wähler ihre Stimme nur unter Vorbehalt Sinn Fein gaben, so können doch das Ausmaß und die Bedeutung des republikanischen Sieges in Irland kaum hoch genug veranschlagt werden[15].

a) Die Revolutionszeit

Der Weg war nun frei, das Sinn-Fein-Programm weiter zu verwirklichen. Alle Abgeordneten, die in irischen Wahlkreisen gewählt worden waren, wurden für den 21. I. 1919 zur Konstituierung des Dáil, der Nationalversammlung der irischen Republik, nach Dublin eingeladen. Die Sinn-Fein-Abgeordneten, die zu dieser Zeit nicht im Gefängnis saßen, leisteten der Einladung Folge. Die Unionisten ignorierten die Versammlung, die im britischen Verfassungsrecht nicht vorgesehen war und auch schon bald verboten wurde. Die Republikaner hatten jedenfalls erkennen lassen, daß sie an verfassungsmäßigen Regierungsformen festhalten würden. Im Grunde waren sie nicht weniger als die gemäßigteren Nationalisten vom parlamentarischen Regierungssystem Großbritanniens tief beeinflußt. Britisches Recht und britische Verwaltungspraxis waren längst Bestandteile des politischen Lebens in Irland. Aber bei der Suche nach einer Formel, die ihre Forderung nach Unabhängigkeit für ganz Irland mit dem Verlangen der Unionisten nach ungeschmälertem Verbleib Ulsters im Vereinigten Königreich in Einklang zu bringen vermochte, waren die Republikaner nicht erfolgreicher als die alte Irische Parlamentspartei. Dem republikanischen Konzept eines geeinten und möglicherweise gälischen Irland stand nicht nur die politische Wirklichkeit entgegen, sondern die Republikaner unterschätzten auch in einem geradezu erstaunlichen Grade die Entschlossenheit und Stärke der Protestanten in Ulster[16].

Der Dáil stellte in erster Linie eine republikanische Herausforderung dar, da ihm die erforderliche Verwaltungsmaschinerie anfangs völlig fehlte. Sein Versuch, die irischen Anliegen auf der Pariser Friedenskonferenz vorzutragen, scheiterte. Mehr Erfolg hatte er auf anderen Gebieten. In Konkurrenz zu den Gerichten der Krone entstanden »Republican Courts«. Nach seiner Flucht aus dem Gefängnis (3. II. 1919) wurde de Valera zum Präsidenten des Dáil gewählt, und wenig später reiste er in die Vereinigten Staaten, um dort sehr erfolgreich für die finanzielle Unterstützung der republikanischen Iren zu werben. Bereits 1920 kontrollierte die Regierung des Dáil die irische Kommunalverwaltung durch neugewählte Grafschaftsräte. 1919 brach auch der »Anglo-irische Krieg« aus, der erst im Sommer 1921 beendet werden konnte[17].

Obwohl Dáil Éireann für die zu schaffende irische Republik einige soziale Ziele festlegte, blieb die Versammlung in sozialer Hinsicht recht konservativ. Die kleine Arbeiterbewegung akzeptierte zu diesem Zeitpunkt noch die politische Führung durch Sinn Fein. Die Radikalisierung der irischen Nationalbewegung vollzog sich denn auch zwischen 1916 und 1921 wesentlich stärker auf der politischen als auf der sozialen Ebene[18].

Die Zusammenstöße zwischen Einheiten der Irish Volunteers und den britischen Streitkräften, besonders der Royal Irish Constabulary, häuften und verschärften sich im Lauf des Jahres 1920. In der revolutionären Bewegung verstärkte sich in dieser Zeit der Einfluß des jungen Michael Collins, der, begabt und entschlossen, nicht nur Finanzminister der Dáil-Regierung wurde, sondern auch zu einer Schlüsselfigur der Volunteers und kurz darauf Präsident des Obersten Rats der I. R. B. Weitere Etappen in der Verschlechterung der britisch-irischen Beziehungen bildeten die Ermordung des republikanischen Oberbürgermeisters von Cork, Tomás MacCurtain (20. III. 1920), der Hungertod seines Nachfolgers Terence MacSweeney und die Aufstellung undisziplinierter britischer Hilfstruppen. Die neuen britischen Maßnahmen wurden mit verstärkter Guerillatätigkeit und Vergeltungsschlägen der Volunteers, die sich nun Irish Republican Army (I. R. A.) nannten, beantwortet[19].

Die Haltung der Zivilbevölkerung zu den fortdauernden Feindseligkeiten ist schwierig zu beurteilen, aber die anhaltende Guerillatätigkeit wäre ohne ein beträchtliches Maß von Sympathie oder zumindest stiller Zustimmung seitens der irischen Bevölkerung nicht möglich gewesen. Im Sommer 1920 mußte die Polizei bereits zahlreiche ihrer kleineren Dienststellen räumen, und der britische Einfluß auf die Kommunalverwaltung ließ schon merklich nach. Zur gleichen Zeit waren jedoch die militärischen Hilfsmittel der Irish Republican Army nur begrenzt, und ihre aktive Kampftruppe zählte kaum mehr als 3 000 Mann. Auch ihre finanziellen Reserven blieben trotz de Valeras Einsatz in Amerika unzureichend, so daß die öffentliche Meinung allmählich eines Konflikts überdrüssig wurde, der in absehbarer Zeit nicht mit einem klaren Sieg über die Briten enden konnte. Als Premierminister mußte Lloyd George seinerseits scharfe Kritik an der britischen Irlandpolitik, die in Großbritannien und Amerika laut wurde, in Rechnung stellen. Drastische Maßnahmen zur Beendigung der Unruhen in Irland hätten in liberalen Kreisen Großbritanniens und des Auslands nur noch stärkere Kritik ausgelöst. So schien im Sommer 1921 Realisten auf beiden Seiten die Zeit für eine Beilegung der Auseinandersetzungen gekommen zu sein. Strittig waren nur die Modalitäten[20].

In einem neuen Anlauf, das irische Problem zu lösen, brachte die Koalitionsregierung Lloyd Georges 1920 das Irland-Gesetz (Government of Ireland Bill) im Parlament ein. Es sah je ein Parlament für Nord- und Südirland vor. Beide Parlamente sollten eine begrenzte legislative Autonomie erhalten und in letzter Instanz dem Parlament von Westminster untergeordnet bleiben. Außerdem sollte sich ein Rat von Irland konstituieren, von dem man optimistisch hoffte, er werde die Vorstufe für ein gesamtirisches Parlament sein. Das Gesetz von 1920, das die lange Reihe der Home-Rule-Entwürfe abschloß, legte die Teilung Irlands verfassungsrechtlich fest. Auch die durch das Gesetz festgelegte Teilungslinie zwischen Nord- und Südirland änderte sich in der Folgezeit nicht mehr. Im Jahre 1920 wurde dieser eher zaghafte Versuch, die verfahrene Situation in Irland zu lösen, von den Republikanern ignoriert und von den Unionisten in Ulster nicht ohne Bedenken angenommen. Die Unionisten erkannten aber, daß sie in den sechs Grafschaften Nordirlands eine wirksame und dauerhafte Kontrolle würden ausüben können, ungeachtet der Tatsache, daß innerhalb dieses Gebietes eine starke katholisch-nationalistische Minderheit lebte. Bereits 1920/21 gaben heftige konfessionelle und politische Unruhen in Nordirland einen Vorgeschmack auf die Schwierigkeiten, die diese Provinz noch erleben sollte[21].

Im Süden forderten die Republikaner weiterhin Unabhängigkeit für ganz Irland. Als im Mai 1921 aufgrund der Bestimmungen des Irland-Gesetzes allgemeine Wahlen stattfanden, betrachtete Sinn Fein sie einfach als Wahlen für Dáil Éireann, der von den Republikanern als das für ganz Irland zuständige Parlament angesehen wurde. Hingegen wurde in Nordirland das Home-Rule-Parlament der Provinz ordnungsgemäß gewählt, wobei die Unionisten 40 der 52 Sitze des Unterhauses gewannen. Hinfort kontrollierte Sinn Fein den Dáil, während im nordirischen Parlament die Unionisten die absolute Mehrheit besaßen. Die Trennungslinien waren damit schärfer denn je gezogen.

Während das Irland-Gesetz keine Lösung gebracht hatte, schienen die Verhandlungen zwischen der britischen Regierung und den Vertretern des Dáils, die im Sommer 1921 endlich begannen, Aussichten auf eine Übereinkunft zu eröffnen. De Valeras Rückkehr aus Amerika Ende 1920 erleichterte wahrscheinlich die Schritte in Richtung auf eine solche Übereinkunft. Denn de Valera erkannte klarer als andere irische Politiker die militärische Schwäche der Republikaner und zugleich auch die schwierige politische Lage, in die Großbritannien durch die anhaltenden Auseinandersetzungen in Irland gebracht worden war. Einen

a) Die Revolutionszeit

wichtigen ersten Schritt zur Einleitung von Verhandlungen stellte der Waffenstillstand vom 11. VII. 1921 dar, der die Kämpfe zwischen Iren und Briten auch offiziell beendete[22].

Die langwierigen Verhandlungen zwischen de Valeras Regierung und den Briten zogen sich über die zweite Jahreshälfte 1921 hin. Irlands künftige Beziehungen zum Vereinigten Königreich und die Stellung Nordirlands waren dabei die entscheidenden Probleme. Lloyd George, der erfahrene britische Premierminister, plädierte für einen Dominionstatus Irlands und das Recht der Nordiren, im Vereinigten Königreich zu bleiben, falls sie es wünschten. Eine solche Regelung entsprach in keiner Weise den republikanischen Erwartungen. Aber de Valera und seine Kollegen griffen nun den Gedanken auf, ein unabhängiges Irland könne mit dem britischen Empire durch einen »treaty of free association« (so formulierte es de Valera) verbunden bleiben. Eine gewisse Bereitschaft, die bis dahin hartnäckig erhobene Forderung nach Konstituierung einer unabhängigen Republik zu modifizieren, war also vorhanden. Die Schwierigkeit lag in der Suche nach einer Formel, die Briten wie Iren zufriedenstellen würde[23].

Am 11. X. 1921 baten die Briten die republikanische Regierung um die Entsendung einer neuen Delegation nach London, die darüber verhandeln sollte, wie »the association of Ireland with the community of nations known as the British Empire may be reconciled with Irish national aspirations«. Diese sorgfältig formulierte Einladung wurde angenommen. Diesmal stand die irische Delegation jedoch nicht unter der Leitung de Valeras – eine Entscheidung, die später in den Mittelpunkt vieler politischer Kontroversen geriet. Anstelle von de Valera führten die fünfköpfige Delegation der gemäßigte Arthur Griffith und Michael Collins, die einflußreichste Persönlichkeit in der Zeit des bewaffneten Widerstands.

Obgleich Lloyd George und die britischen Unterhändler zu Konzessionen in untergeordneten Fragen durchaus bereit waren, hielten sie an den bereits bekanntgewordenen Grundpositionen fest. Griffith und Collins glaubten dennoch weiterhin an die Möglichkeit eines Kompromisses. Anfang Dezember kehrten sie nach London zurück, jedoch offenbar ohne ein klares Mandat zur Annahme eines Übereinkommens zu besitzen, das die ungeschmälerte Zugehörigkeit Irlands zum Empire und die Anerkennung des britischen Monarchen als König von Irland einschloß. Besonders die zweite Bedingung war ein Affront für die republikanischen Gefühle. Die Instruktionen der irischen Unterhändler waren jedoch nicht klar definiert, so daß sich die Iren in einer überaus schwierigen Situation befanden. Einerseits wiederholten die britischen Unterhändler ihre Zusicherung, Nordirland zum Eintritt in den neuen irischen Gesamtstaat bewegen zu wollen, und boten eine größere Selbständigkeit Irlands in finanziellen Angelegenheiten an. Andererseits drohten sie mit Wiederaufnahme der militärischen Operationen. In dieser Lage entschlossen sich die irischen Delegierten ohne vorherige Rücksprache mit Dublin zur Annahme eines Vertrages mit Großbritannien. In den frühen Morgenstunden des 6. XII. 1921 wurden die »Articles of Agreement for a treaty between Great Britain and Ireland« unterzeichnet[24].

Die irischen Delegierten rechtfertigten ihre Unterschrift mit dem Argument, ein besseres Abkommen habe nicht ausgehandelt werden können und wirtschaftlicher Druck sowie eine Revision der Grenze würden Nordirland schon bald in ein vereinigtes Irland zwingen. Für den Pragmatiker Collins brachte das Abkommen Irland der vollen Unabhängigkeit einen großen Schritt näher. Für die radikaleren Republikaner war es jedoch unannehmbar, insbesondere durch den Treueid auf die britische Krone, den es den Iren abverlangte. De Valeras Hal-

§ 21 Irland 1916–1968

tung war flexibler: eine außenpolitische Bindung an das Empire war für ihn denkbar, die volle Zugehörigkeit zum Empire jedoch nicht. Seine Ablehnung des Abkommens vom Dezember 1921 bewirkte in den Jahren 1922 und 1923 eine Annäherung zwischen ihm und den radikaleren Republikanern. Die Bereitschaft zu einer Lösung, die nicht von vornherein die völlige Trennung Irlands vom Commonwealth vorsah, charakterisierte aber noch bei späteren Gelegenheiten, besonders in den dreißiger Jahren, de Valeras Einstellung zu den britisch-irischen Beziehungen.

Der Eid auf die Krone und der Verzicht auf die äußeren Zeichen der Republik standen viel stärker als das Problem Ulster im Mittelpunkt der bitteren Debatten im Dáil über das anglo-irische Abkommen. Der Vertrag wurde am 7. I. 1922 vom Dáil mit der knappen Mehrheit von 64 gegen 57 Stimmen angenommen. Der unterlegene de Valera trat zurück; sein Nachfolger wurde Arthur Griffith. Der Vertrag selbst stieß in der irischen Öffentlichkeit auf breite Zustimmung. Die katholischen Bischöfe, die wichtigsten Zeitungen und die gemäßigten Nationalisten begrüßten ihn. Auch die große Mehrheit der I. R. B. unterstützte die Ansicht ihres Führers Michael Collins, der Vertrag öffne den Weg zu größerer Unabhängigkeit zu einem späteren Zeitpunkt[25].

Die Bildung einer provisorischen irischen Regierung, die nun mit britischer Zustimmung geschah, erlaubte es der Londoner Regierung, die Macht in Irland an ein von ihr anerkanntes Regime zu übergeben. Die Mitglieder der provisorischen Regierung, mit Collins an der Spitze, waren zum großen Teil bereits Mitglieder der sogenannten Dáil-Regierung gewesen. Doch der Friede in Irland blieb zerbrechlich. Die Spannungen zwischen bewaffneten Vertragsanhängern und -gegnern wuchsen. Im Mai 1922 wurde unter Zeitdruck versucht, die rivalisierenden Flügel Sinn Feins zum Abschluß eines Wahlpakts zu bewegen. Die Bemühungen scheiterten, und es wurde immer deutlicher, daß sich für den neuen irischen Staat keine Verfassung ausarbeiten ließ, die sowohl für die Briten als auch für die Republikaner annehmbar war. Die allgemeinen Wahlen (16. VI. 1922) brachten den Befürwortern des Vertrags eine klare Mehrheit. Von den 128 Sitzen des Dáil gewann der Flügel Sinn Feins, der für den Vertrag eintrat, 58 Sitze; andere Befürworter des Vertrags (einschließlich der irischen Arbeiterpartei) gewannen 35 Sitze. Der Flügel Sinn Feins, der den Vertrag ablehnte, kam auch auf 35 Sitze. Nach diesem Wahlausgang trieben die Gegensätze schnell auf den offenen Konflikt zu. Britischer Druck und die sich steigernde Herausforderung der Irish Republican Army, die den Vertrag ablehnte, führten seit Ende Juni zum Ausbruch schwerer Kämpfe[26].

Der irische Bürgerkrieg, dessen polarisierende Wirkungen noch lange zu spüren waren, wurde mit äußerster Härte geführt. Michael Collins, der Oberkommandierende der Regierungstruppen, wurde aus dem Hinterhalt erschossen (August 1922). Im selben Monat starb der seit langem leidende Griffith. Vergeltungsmaßnahmen und Exekutionen kennzeichneten den Krieg, der sich über zehn Monate hinzog. Erst nach schweren Niederlagen der republikanischen Kräfte befahl de Valera, der die republikanische Gegenregierung führte, die Feuereinstellung (24. V. 1923). Der Bürgerkrieg, der die irische Innenpolitik noch lange Zeit belasten sollte, war damit beendet. Der Irische Freistaat (Saorstát Éireann), dessen Verfassung am 6. XII. 1922 verabschiedet worden war, hatte sich bis Ende 1923 weitgehend konsolidiert. Er gehörte dem Commonwealth an. Die Briten besaßen aufgrund des Vertrags von 1921 in Irland Marinestützpunkte und einige andere militärische Einrichtungen, die sie in Friedens- und Kriegszeiten benutzen konnten. Die Republikaner verweigerten jedoch dem Freistaat und seinem

a) Die Revolutionszeit

Parlament die Anerkennung. Die Regierung des Freistaates mußte somit vor dem Hintergrund fortdauernder inneririscher Auseinandersetzungen mit dem Wiederaufbau beginnen. An ihrer Spitze als Präsident des Exekutivrats (Premierminister) stand nun William T. Cosgrave[27].

[1] *P. Alter,* Die irische Nationalbewegung.
F. S. L. Lyons, The Irish Parliamentary Party 1890–1910 (1951).
B. Ó Cuív, The Gaelic Cultural Movements and the New Nationalism, in: *K. B. Nowlan* (Hg.), The Making of 1916: Studies in the History of the Rising (1969), S. 1–27.
S. Ó Tuama (Hg.), The Gaelic League Idea (1972).
C. Cruise O'Brien (Hg.), The Shaping of Modern Ireland (1960).
A. P. Ryan, Mutiny at the Curragh (1956).
P. Buckland, Irish Unionism, Bd. 1 (1972).
[2] *A. T. Q. Stewart,* The Ulster Crisis (1967).
F. X. Martin, The Irish Volunteers 1913–1915 (1963).
E. Majoribanks u. *I. Colvin,* The Life of Lord Carson (3 Bde. 1932–1936).
[3] *J. C. Beckett,* Carson – Unionist and Rebel, in: *F. X. Martin* (Hg.), Leaders and Men of the Easter Rising: Dublin 1916 (1967).
N. Mansergh, The Irish Question.
D. Gwynn, The Life of John Redmond (1932).
[4] *T. W. Moody* (Hg.), The Fenian Movement (1968), mit ausführlicher Bibliographie.
E. R. R. Green, The Fenians Abroad, sowie *K. B. Nowlan,* The Fenians at Home, in: *T. D. Williams* (Hg.), Secret Societies in Ireland (1973), S. 79–89 u. S. 90–99.
M. Bourke, John O'Leary, a Study in Irish Separatism (1967).
B. MacGiolla Choille, Intelligence Notes 1913–1916 (1966).
[5] *A. Griffith,* The Resurrection of Hungary (^{3}1918).
D. McCartney, The Sinn Fein Movement, in: *K. B. Nowlan* (Hg.), S. 31–48.
S. Ó Luing, Arthur Griffith and Sinn Fein, in: *F. X. Martin* (Hg.), S. 55–66.
[6] *E. MacLysaght,* Larkin, Connolly and the Labour Movement, in: *F. X. Martin* (Hg.), Leaders, S. 123–34.
C. D. Greaves, The Life and Times of James Connolly (1961).
E. Larkin, James Larkin. Irish Labour Leader 1876–1947 (1965).
J. W. Boyle, Connolly, the Citizen Army and the Rising, in: *K. B. Nowlan* (Hg.), S. 51–68.
[7] *M. Wall,* The Background to the Rising; from 1914 until the Issue of the Countermanding Order on Easter Saturday 1916, in: *K. B. Nowlan* (Hg.), S. 157–97.
W. A. Phillips, The Revolution in Ireland 1906–1923 (^{2}1926).
[8] *F. X. Martin* u. *F. J. Byrne* (Hgg.), The Scholar Revolutionary: Eoin MacNeill 1867–1945 (1973).
[9] *M. Wall,* Background.
[10] *F. X. Martin,* Eoin MacNeill on the 1916 Rising: Irish Historical Studies 12 (1961), S. 226–71.
M. Wall, The Plans and the Countermand: the Country and Dublin, in: *K. B. Nowlan* (Hg.), S. 201–51.
[11] *G. A. Hayes-McCoy,* A Military History of the 1916 Rising, in: *K. B. Nowlan* (Hg.), S. 255–338.
F. X. Martin, 1916 – Myth, Fact and Mystery: Studia Hibernica 7 (1967), S. 7–126, u. ders., The 1916 Rising – coup d'état or a »bloody protest«? Ebd. 8 (1968), S. 106–37.
O. D. Edwards u. *F. Pyle* (Hgg.), 1916, the Easter Rising (1968).
[12] *Longford, Earl of* u. *T. P. O'Neill,* Eamon de Valera (1970).
D. Macardle, The Irish Republic (^{2}1951).
[13] *R. B. McDowell,* The Irish Convention 1917–1918 (1970).
[14] *K. B. Nowlan,* Dáil Éireann and the Army: Unity and Division (1919–1921), in: *D. Williams* (Hg.), The Irish Struggle 1916–1926 (1966), S. 67–77.
R. Kee, The Green Flag (1972).
[15] *B. Farrell,* The Founding of Dáil Éireann (1971).

[16] *M. Wall*, Partition: the Ulster Question (1916–1926), in: *D. Williams* (Hg.), Irish Struggle, S. 79–93.
 Dáil Éireann: Minutes of Proceedings of the First Parliament of the Republic of Ireland 1919–1921 (1921).
[17] *B. Farrell*, Founding.
[18] *P. Lynch*, The Social Revolution that Never Was, in: *D. Williams* (Hg.), S. 41–54.
[19] *R. Taylor*, Michael Collins (1958).
 P. Béaslai, Michael Collins and the Making of a New Ireland (2 Bde. 1926).
[20] *F. Pakenham (Lord Longford)*, Peace by Ordeal (1935).
 B. Farrell, The First Dáil and After, in: Ders. (Hg.), The Irish Parliamentary Tradition, S. 208–20.
[21] *T. W. Moody*, The Ulster Question.
 N. Mansergh, The Government of Northern Ireland (1936).
[22] *F. Pakenham*, Peace.
 G. A. Hayes-McCoy, The Conduct of the Anglo-Irish War, in: *D. Williams* (Hg.), S. 55–66.
[23] *W. K. Hancock* in: Survey of British Commonwealth Affairs, Bd. 1: Problems of Nationality 1918–1936 (1937), Kap. 3 u. 6.
[24] *F. Pakenham*, The Treaty Negotiations, in: *D. Williams* (Hg.), S. 107–116.
[25] *F. S. L. Lyons*, From War to Civil War in Ireland, in: *B. Farrell* (Hg.), Irish Parliamentary Tradition, S. 223–56.
[26] *C. Younger*, Ireland's Civil War (1968).
 R. Taylor, Michael Collins.
 D. Williams, From the Treaty to the Civil War, in: Ders. (Hg.), S. 117–28.
[27] *L. Kohn*, The Constitution of the Irish Free State (1932).
 A. B. Keith, Speeches and Documents of the British Dominions 1918–1931 (1932). Die Verfassung des Irischen Freistaats sah einen Dáil und einen Senat bzw. ein Oberhaus vor. Letztere Institution besaß nur ein suspensives Veto. Der Senat wurde 1936 durch eine Änderung der Verfassung abgeschafft.

b) Die Entwicklung der beiden irischen Staaten

Die Aufgabe des Wiederaufbaus wurde im Irischen Freistaat dadurch erleichtert, daß sich die Regierung auf eine weitgehend intakte Verwaltungsstruktur stützen konnte und viele Beamte der ehemaligen britischen Verwaltung zur Mitarbeit im neuen Staat bereit waren. Die 1923 gegründete Partei Cumann na nGaedheal gab W. T. Cosgrave, einem Mann von großer politischer Urteilsfähigkeit, die feste politische Basis. Da der Freistaat auch über eine gut organisierte Polizei verfügte und das Parlament seine gesetzgeberischen Funktionen erfüllte, schien die Konsolidierungsphase der neuen Regierung und Verwaltung praktisch abgeschlossen zu sein. Einige gefährliche Zeichen waren jedoch nicht zu übersehen. So verharrten die Republikaner der I. R. A. und der Flügel Sinn Feins, der den Vertrag ablehnte, in ihrer Gegnerschaft zum Freistaat. Die Kette der Gewalttätigkeiten riß nicht ab, und in den Wahlen vom August 1923 gewannen die Republikaner 44 Sitze gegenüber 63 Sitzen der Partei Cosgraves. Die Republikaner lehnten den Dáil auch weiterhin ab, so daß der kleinen Labour Party die Rolle der parlamentarischen Opposition zufiel[1]. Im März 1924 ließen sich überdies in der Armee des Freistaats Symptome ernster Unruhe feststellen. Demobilisierungen und der Eindruck, die Regierung Cosgrave habe die Republik als Ziel irischer Politik aufgegeben, führten an den Rand einer Meuterei. Die Gefahr ging vorüber, aber der Vorfall erhellte sowohl den latenten Republikanismus von Teilen der Armee als auch den wachsenden Konservativismus in der Regierung des Freistaats[2]. Die Regierung fand sich mit dem Dominionstatus in zunehmendem Maße ab. Sie warb darüber hinaus um die Loyalität von Minderheiten wie den anglo-irischen

b) Die Entwicklung der beiden irischen Staaten

Landadel und das protestantische Bürgertum, die traditionell Anhänger der engen Verbindung mit Großbritannien waren[3].

Eine andere Bewährungsprobe bildete für die Regierung Cosgrave die Grenzkommission, deren Einsetzung aufgrund des anglo-irischen Vertrages von 1921 erfolgte. Die irischen Unterhändler hatten damals geglaubt, Grenzrevisionen würden das wirtschaftliche und politische Überleben Nordirlands unmöglich machen. Als aber die Kommission schließlich 1924/25 zusammentrat, enttäuschte das Ergebnis ihrer Beratungen die Hoffnungen des Freistaats, doch den Interessen Nordirlands kam es weitgehend entgegen. Der südafrikanische Kommissionsvorsitzende legte von vornherein fest, daß nur kleinere Grenzrevisionen zulässig seien. So wurde sehr bald deutlich, daß eine Abtrennung größerer Gebiete Nordirlands, in denen die Bevölkerung nationalistisch war, d. h. für den Freistaat optierte, nicht in Frage kam. Lediglich kleinere Grenzregulierungen sollten zwischen dem Freistaat und Nordirland möglich sein. Bei der Bestimmung und Abgrenzung solcher Austauschgebiete sollte die Kommission von der Annahme ausgehen, daß Katholiken mit Nationalisten und Protestanten mit Unionisten gleichzusetzen seien. Die Regierung des Freistaats schreckte vor der Annahme einer so kontroversen Regelung zurück. Statt dessen schloß sie mit Großbritannien ziemlich überstürzt ein Abkommen (3. XII. 1925), das den Status quo an der Grenze wahrte, dem Freistaat gewisse finanzielle Verpflichtungen gegenüber Großbritannien erließ und einige vage, nie erfüllte Bestimmungen enthielt, die den Freistaat und Nordirland zu Konsultationen über beiderseitig interessierende Fragen verpflichteten[4]. Dieser Rückschlag in der Grenzfrage löste in republikanischen Kreisen scharfe Kritik an der irischen Regierung aus. Aber auch diese Kritiker waren nicht in der Lage zu sagen, wie Katholiken und Protestanten, nationalistische und unionistische Interessen im Norden in einem vereinigten Irland ihre Gegensätze ausgleichen konnten.

Ungeachtet mancher Schwierigkeiten vermochten der Irische Freistaat und seine Verwaltung ihre staatlichen Funktionen immer wirkungsvoller zu erfüllen. Angesichts dieser Entwicklung beschloß 1926 de Valera, der Führer der republikanischen Sinn-Fein-Bewegung, Sinn Fein aus der destruktiven Opposition herauszuführen und an den nächsten Wahlen zum Dáil teilzunehmen. Die republikanischen Wahlkandidaten sollten erklären, sie würden ihr Mandat im Falle der Wahl zwar ausüben, den verhaßten Treueid auf die Krone aber verweigern. Der Dáil war zwar, so argumentierte de Valera, nicht das legitime Parlament der Republik, aber er konnte zur Erringung der vollen Unabhängigkeit durchaus nützlich sein. Da de Valera für seine neue Politik die klare Unterstützung Sinn Feins nicht zu gewinnen vermochte, verließ er mit seinen Anhängern diese Organisation und gründete Fianna Fail (»Soldaten des Schicksals«). Dem kompromißlosen Republikanismus Sinn Feins hielt nur eine kleine Gruppe weiterhin die Treue. Die Entscheidung de Valeras, das Parlament des Freistaats anzuerkennen, sollte für das Überleben und die Entwicklung der parlamentarischen Demokratie in Irland von größter Bedeutung sein. Der Treueid auf die Krone blieb zwar auch nach den allgemeinen Wahlen vom Juni 1927, in denen Fianna Fail 44 Sitze gewann, weiterhin ein Problem, aber dadurch, daß de Valera und seine Anhänger den Eid schließlich als leere Formel abtaten, konnten sie ihre Sitze im Dáil einnehmen (11. VIII. 1927). Die Machtstruktur in Parlament und Regierung wurde mit diesem Schritt entscheidend verändert. Cosgraves Regierung konnte sich nun nicht länger auf eine klare Mehrheit stützen. Bei den Neuwahlen im September 1927 gewann Cosgraves Cumann na nGaedheal 62, Fianna Fail gewann 57 Sitze. Der Abstand zwischen beiden Parteien verringerte sich zusehends.

§ 21 Irland 1916–1968

Aber obwohl seine Partei im Dáil, der 153 Mitglieder zählte, nur über die relative Mehrheit verfügte, vermochte Cosgrave mit der Unterstützung von zwei kleineren Parteien und einigen Unabhängigen bis 1932 im Amt zu bleiben[5].

In der Wirtschafts- und Sozialpolitik verfolgte Cumann na nGaedheal zwischen 1923 und 1930 einen eher konservativen Kurs. Die Regierung Cosgrave trat für Freihandel ein und sprach sich gegen Protektionismus und wirtschaftliche Autarkiebestrebungen aus, obwohl sich die Neigungen zum industriellen Protektionismus seit 1929 als Folge der Weltwirtschaftskrise verstärkten. Man muß jedoch auch anerkennen, daß in diesen Jahren mit der weitsichtigen Entwicklung der heimischen Energieträger durch Ausnutzung der vorhandenen Wasserkräfte begonnen wurde. Außerdem förderte die Regierung mit Nachdruck die Aufteilung des noch verbliebenen Großgrundbesitzes an selbständige Bauern. Eine soziale Revolution fand jedoch nicht statt. Die Auswanderung nach Nordamerika und anderen englischsprechenden Ländern blieb hoch; ihre jährliche Rate betrug bei einer Gesamtbevölkerung des Freistaats von 2 971 992 (1926) durchschnittlich 5,6 Promille. Eines der wichtigsten Anliegen der Regierung war der ungehinderte Zugang irischer Agrarexporte zum britischen Markt[6].

Auf kulturellem Gebiet ergriff die Regierung Cosgrave Maßnahmen zur größeren Verbreitung der irischen Sprache, die in der Verfassung zur Nationalsprache erklärt worden war. In den Schulen wurde Irisch Pflichtfach, und Irischkenntnisse wurden eine Vorbedingung für die Beamtenlaufbahn. Spätere Regierungen führten diese Sprachpolitik fort. Letztlich konnte aber der irischen Sprache der Rang einer Umgangssprache außerhalb der kleinen irischsprechenden Gebiete in Westirland nicht zurückgegeben werden[7]. In der Bildungs- und Familienpolitik nahm die Regierung Cosgrave auf den starken, wenngleich indirekten Einfluß der katholischen Kirche Rücksicht. Es ist jedoch festzuhalten, daß der neue Staat gegenüber religiösen und politischen Minderheiten großzügige Toleranz übte. In der Verfassung war die Bevorzugung einer Kirche durch den Staat untersagt[8]. Auf der literarischen Szene leisteten junge Schriftsteller wie Frank O'Connor und Sean O'Faolain bedeutende Beiträge zur anglo-irischen Literatur, wenngleich auch in den zwanziger und dreißiger Jahren die literarische Blüte der Jahrhundertwende nicht wieder erreicht wurde[9].

Einige ihrer bedeutendsten Erfolge erzielte die Regierung Cosgrave in der Außenpolitik. Am Ausbau der völkerrechtlichen Stellung der Dominions hatte sie maßgeblichen Anteil. Bereits 1923 wurde der Freistaat Mitglied des Völkerbunds. Im Ausland errichtete er diplomatische Vertretungen. Vor allem in Zusammenarbeit mit Kanada und Südafrika drängte er auf die Gleichstellung der Dominions mit Großbritannien. Auf der Reichskonferenz von 1926 und in den Verhandlungen, die zum Westminsterstatut (1931) führten, setzten sich besonders die Iren für die völkerrechtliche Anerkennung der Tatsache ein, daß sich das britische Commonwealth im Grunde zu einer Vereinigung unabhängiger Staaten entwickelt hatte. Die Diplomatie der zwanziger Jahre bereitete so die vergleichsweise radikalen Verfassungsänderungen vor, die de Valera nach seiner Amtsübernahme (1932) im Verhältnis Irlands zu Großbritannien erreichte[10].

Die Weltwirtschaftskrise und das erneute Aufleben des revolutionären Republikanismus in den Jahren 1929–1931 vermehrten die Schwierigkeiten, denen sich die konservative Regierung in Irland gegenübersah. In dieser Situation schien Fianna Fail mit ihrem Programm der wirtschaftlichen Autarkiepolitik, mit ihren Versprechen einer fortschrittlichen Sozialpolitik und der allmählichen Verwirklichung der Republik auf konstitutionellem Wege eine attraktive Alternative zu einer Regierung zu bieten, die seit 1922 im Amt war. Man traute Fian-

b) Die Entwicklung der beiden irischen Staaten

na Fail wegen ihres republikanischen Programms auch eher zu, die Radikalen in der I. R. A. und in der neugegründeten republikanisch-sozialistischen Gruppe Saor Eire (»Freies Irland«) im Zaum halten zu können. Aus den allgemeinen Wahlen vom Februar 1932 ging Fianna Fail mit 72 Sitzen als stärkste Partei im neuen Dáil hervor; die absolute Mehrheit errang sie jedoch nicht. In einer Zeit, in der in anderen Teilen Europas die parlamentarische Demokratie zunehmend bedroht war, muß man es als Zeichen für die Stärke des parlamentarischen Systems in Irland werten, daß nur zehn Jahre nach dem Bürgerkrieg Cosgrave sein Amt einem Mann übergab, der den anglo-irischen Vertrag in den Jahren 1921–22 heftig bekämpft hatte: Eamon de Valera, der Vorsitzende der Fianna-Fail-Partei, wurde am 9. III. 1932 Regierungschef[11].

Nach der Inkraftsetzung des Irland-Gesetzes im Mai 1921 fanden in Süd- und Nordirland allgemeine Wahlen zu den vorgesehenen Regionalparlamenten statt. Praktisch trat aber nur das nordirische Parlament in der Form zusammen, die das Gesetz bestimmt hatte. Es wurde im Juni 1921 von König Georg V. in Belfast eröffnet. Die beherrschende Stellung, die die Unionisten fortan in ihm einnahmen, stand dabei von Anfang an fest. Von den 52 Sitzen des Unterhauses besetzten die Unionisten unter der entschlossenen Führung von Sir James Craig 40. Craig (seit 1927 Lord Craigavon) sollte bis zu seinem Tode im Jahre 1940 Nordirlands Premierminister bleiben. Die Unionisten beherrschten auch das Oberhaus (Senat), dessen Kompetenzen aber sehr begrenzt waren. Es mag als Indiz für den monolithischen Charakter des politischen Systems in Nordirland gelten, daß sich die Zahl der unionistischen Sitze im Unterhaus in späteren Wahlen kaum veränderte[12].

Wenn auch die Unionistische Partei bis zur politischen Krise seit Ende der 60er Jahre, die eine völlig neue Situation schuf, Nordirland unangefochten kontrollieren sollte, so waren doch die ersten Jahre der staatlichen Existenz Nordirlands von Unruhen und Unsicherheit erfüllt. Schwere konfessionelle Ausschreitungen (allein 1922 zählte man ungefähr 200 Tote und fast 1 000 Verwundete) und Zusammenstöße mit der I. R. A. an der Grenze zum Freistaat beherrschten 1921 und 1922 die politische Szene. Die Protestanten stellten bewaffnete paramilitärische Verbände auf. Das Gefühl allgemeiner Unsicherheit im Norden wurde noch dadurch verstärkt, daß die Grenzen des nordirischen Gebiets erst durch das 1925 geschlossene Grenzabkommen zwischen dem Freistaat und dem Vereinigten Königreich endgültig festgelegt wurden. Die Kompetenzen des nordirischen Parlaments erstreckten sich zudem nur auf die inneren Angelegenheiten der Provinz. Für Außen- und Verteidigungspolitik, Post, Außenhandel und Zölle war London weiterhin verantwortlich. Selbst die Finanzen wurden im wesentlichen von London kontrolliert, und das Parlament von Westminster konnte sich zumindest theoretisch mit seinen Beschlüssen über die Beschlüsse des untergeordneten Parlaments in Belfast hinwegsetzen[13]. In der Praxis kam es jedoch im allgemeinen nur selten vor, daß sich Westminster in die Angelegenheiten Nordirlands einmischte oder Entscheidungen der nordirischen Regierung außer Kraft setzte. Die irische Frage, so hoffte man, war 1921/22 endgültig gelöst worden. Nordirland blieb jedoch auch weiterhin im Parlament des Vereinigten Königreichs mit 12 Abgeordneten vertreten, von denen gewöhnlich 10 der Unionistischen Partei angehörten[14].

Der katholische, normalerweise nationalistische Bevölkerungsteil Nordirlands hatte die Teilung Irlands in den Jahren 1921/22 mit Bestürzung aufgenommen; anfangs zögerten daher selbst gemäßigte Nationalisten, in dem neuen System politisch mitzuarbeiten. Als Folge des anglo-irischen Grenzabkommens begannen

§ 21 Irland 1916–1968

aber seit 1925 nationalistische Abgeordnete ihre Mandate im nordirischen Parlament auszuüben. Gewöhnlich stellten die Nationalisten 10 Abgeordnete. Nur überzeugte Republikaner, die hin und wieder gewählt wurden, boykottierten auch weiterhin das nordirische Parlament. Die Entwicklung in Nordirland unterschied sich also von Anfang an erheblich von der in einem normalen parlamentarischen System. Die katholisch-nationalistische Minderheit, deren Anteil an der Gesamtbevölkerung Nordirlands (1926: 1 256 561 Einwohner) sich auf ungefähr ein Drittel belief, betrachtete Nordirland als eine Provinz, deren Charakter im wesentlichen von den Protestanten geprägt war und die von der Unionistischen Partei und dem einflußreichen Oranien-Orden beherrscht wurde. Ziel der Nationalisten blieb ein vereinigtes Irland; mit der untergeordneten Stellung in einem System, das sie ablehnten, wollten sie sich nicht abfinden. So beklagten sie sich über ihre Benachteiligung bei der Arbeits- und Wohnungssuche, der Ausbildung und der Mitarbeit in den Kommunalverwaltungen. Die Unionisten begegneten diesen Vorwürfen mit dem Argument, die katholische Minderheit könne am Leben der Provinz voll teilnehmen, wenn sie die Teilung anerkenne und sich gegenüber dem Vereinigten Königreich loyal verhalte[15].

Das Mißtrauen zwischen den beiden Bevölkerungsgruppen hatte tiefe historische und kulturelle Wurzeln. Seit dem späten 19. Jh. wurden Nationalisten mit Katholiken gleichgesetzt, Unionisten mit Protestanten und Monarchisten. Diese Trennungslinien überdeckten in Ulster alle Klassenunterschiede. Es ist bezeichnend, daß sich in den in wirtschaftlicher Hinsicht so schwierigen dreißiger Jahren, als die Arbeitslosenquote über 20 Prozent lag, die Unruhe der Bevölkerung nicht in sozialen, sondern in konfessionellen Auseinandersetzungen in den Belfaster Arbeitervierteln ausdrückte (1935). Belfast bildete mit seinen Werften und seiner Textilindustrie das industrielle Zentrum Irlands[16].

Die Grenzregelung von 1925 und die irische Bereitschaft zur Mitarbeit im Commonwealth, wie sie während der Regierungszeit Cosgraves bestand, hätten vielleicht auf lange Sicht die Spannungen zwischen Nord- und Südirland vermindern können, zumal wenn zur gleichen Zeit anerkannt worden wäre, daß die Einheit des Landes nur mit der Zustimmung aller Betroffenen und nicht durch Gewalt erreichbar war. Die I. R. A. und Sinn Fein forderten jedoch weiterhin eine Vereinigung unter nationalen Vorzeichen und eine gesamtirische Republik. Als de Valera mit seiner Partei Fianna Fail an die Macht kam (1932), erblickten die Ulster-Unionisten in seiner neuen Politik sofort eine Bedrohung ihrer Stellung. Das Ausnahmegesetz (Special Powers Act), das nach der Teilung Irlands der nordirischen Polizei für befristete Zeit weitgehende Sondervollmachten gegeben hatte, wurde 1933 auf unbegrenzte Zeit verlängert. Die dreißiger Jahre, die durch die Unversöhnlichkeit beider Seiten charakterisiert waren, erlebten somit eher eine Vertiefung als eine Abschwächung der Gegensätze innerhalb Nordirlands und im Verhältnis zwischen Nordirland und dem Süden.

---

[1] *M. Manning,* Irish Political Parties (1972).
   J. L. McCracken, Representative Government.
[2] Vor dem Hintergrund dieser ›Meuterei‹ verlor die I. R. B. ihre Bedeutung als Faktor in der irischen Politik. Siehe *T. D. Williams,* The Irish Republican Brotherhood, in: Ders. (Hg.), Secret Societies (s. a.) Anm. 4), S. 138–49.
[3] *N. Mansergh,* The Irish Free State: Its Government and Politics (1934).
   D. W. Harkness, The Restless Dominion. The Irish Free State and the British Commonwealth of Nations 1921–31 (1969).
[4] *G. J. Hand,* Report of the Irish Boundary Commission (1969), Einleitung.

c) Fianna Fail als Regierungspartei

⁵ *Longford, Earl of* u. *T. P. O'Neill* (s. a) Anm. 12).
  K. B. Nowlan, President Cosgrave's Last Administration, in: *F. MacManus* (Hg.), The Years of the Great Test 1926–1939 (1967), S. 7–18.
⁶ *J. Meenan,* The Irish Economy.
⁷ *B. Ó Cuív,* Irish in the Modern World, in: Ders. (Hg.), A View of the Irish Language (1969), S. 122–32.
⁸ *J. H. Whyte,* Church and State in Modern Ireland 1923–1970 (1971).
⁹ *F. MacManus,* The Literature of the Period, in: Ders. (Hg.), S. 115–26.
¹⁰ *D. W. Harkness,* Restless Dominion.
¹¹ *M. Manning,* Irish Political Parties.
  J. Meenan, Free Trade and Self-Sufficiency, in: *F. MacManus* (Hg.), S. 69–79.
  T. P. Coogan, The IRA (1970).
  J. L. McCracken, Representative Government.
¹² *M. Wall,* Partition: the Ulster Question (1916–1926), in: *D. Williams* (Hg.), (s. a) Anm. 14), S. 79–93.
  D. R. Gwynn, The History of Partition 1912–1925 (1950).
¹³ *N. Mansergh,* The Government of Northern Ireland (1936).
¹⁴ *J. L. MacCracken,* The Political Scene in Northern Ireland 1926–1937, in: *F. MacManus* (Hg.), S. 150–60.
¹⁵ *D. Kennedy,* Catholics in Northern Ireland 1929–1939, in: ebd., S. 138–49.
¹⁶ *D. P. Barritt* u. *C. F. Carter,* The Northern Ireland Problem (1962).
  K. S. Isles u. *N. Cuthbert,* An Economic Survey of Northern Ireland (1957).
  H. Shearman, Not an Inch: a Study of Northern Ireland and Lord Craigavon (1942).

c) Fianna Fail als Regierungspartei

Mit Hilfe der Labour Party bildete de Valeras Fianna-Fail-Partei nach den Wahlen vom Januar 1932 eine Regierung, die in vieler Hinsicht radikale Positionen vertrat und daher anfangs auch auf die stillschweigende Billigung der Irish Republican Army zählen konnte. Als ersten direkten Angriff auf den anglo-irischen Vertrag von 1921 brachte die neue Regierung ein Gesetz ein, das die Abschaffung des umstrittenen Treueids auf die britische Krone vorsah. Ein anderes Problem stellten die jährlichen irischen Zahlungen an das Vereinigte Königreich dar, mit denen die britische Regierung für ihre Zahlungen an die Großgrundbesitzer entschädigt wurde, deren Land unter den Agrarreformgesetzen der Zeit vor 1922 aufgekauft worden war. Nach Meinung der Republikaner hatte Irland in der Vergangenheit zu hohe Steuern gezahlt und war daher berechtigt, die Zahlung der sogenannten »land annuities« einzustellen. Der Schuldendienst wurde von den Iren tatsächlich eingestellt, und da Verhandlungen über dieses Problem an Formalitäten scheiterten, reagierte Großbritannien auf den irischen Schritt mit einer kräftigen Erhöhung der Einfuhrzölle für irische Agrarprodukte. Die irische Regierung ergriff ihrerseits Gegenmaßnahmen, indem sie Importe aus Großbritannien erschwerte. Die Erhöhung der Zölle auf Industrieprodukte brachte zugleich einen zentralen Programmpunkt Fianna Fails der Verwirklichung näher: die verstärkte Industrialisierung der irischen Wirtschaft, die bis dahin im wesentlichen agrarisch geprägt war. Irland verwandelte sich binnen kurzem aus einem Freihandelsland zu »one of the most heavily tarriffed countries that could be found«[1]. Auch andere Maßnahmen unterstrichen die Veränderungen in der irischen Politik. Das Amt des Generalgouverneurs, des Vertreters der britischen Krone, wurde aller politischen Bedeutung entkleidet; das Appellationsrecht an den britischen Privy Council wurde aufgehoben.

Ungeachtet der Schwierigkeiten, die der ›Handelskrieg‹ mit Großbritannien verursachte, konnte de Valera seine Stellung konsolidieren. In den Neuwahlen zum Dáil, die im Januar 1933 stattfanden, gewann er mit 77 Sitzen eine knappe absolute Mehrheit. Cosgraves Partei gewann nur 48 Sitze; die restlichen Sitze fielen an kleinere Parteien. Eine Folge der Unruhe auf dem Lande, die auf den ›Handelskrieg‹ und neue Gewalttaten der I. R. A. vor und während der Wahlen von 1933 zurückzuführen war, war die Gründung der Army Comrades Association (A. C. A.). Ihre Mitglieder trugen blaue Hemden und rekrutierten sich anfangs aus den Veteranen der Armee des Freistaats. Die Organisation trat für Recht und Ordnung ein und diente der Partei Cosgraves, Cumann na nGaedheal, bei ihren Versammlungen als Saalschutztruppe. Unter der Führung des Generals Eoin O'Duffy, den de Valera von seinem Posten als Polizeichef entbunden hatte, verwandelte sich die A. C. A. in die National Guard. O'Duffy wurde für kurze Zeit auch Vorsitzender der neuen Partei Fine Gael, die aus dem Zusammenschluß Cumann na nGaedheals mit einigen kleineren Gruppen entstand. Es wäre nun aber falsch, Fine Gael als faschistische Partei zu bezeichnen. Die National Guard übernahm zwar äußere Zeichen des Faschismus, aber Fine Gael blieb im wesentlichen eine konservative, parlamentarische Partei. Faschismus und Marxismus gewannen in Irland in den dreißiger Jahren nur geringen Einfluß[2]. Typisch irische Probleme wie der Bürgerkrieg und die Teilung des Landes beherrschten weiterhin die politische Szene. Schon um 1935 bewegte sich Fine Gael – nun unter der umsichtigen Führung Cosgraves – wieder auf der politischen Linie, der schon ihre Vorgängerin Cumann na nGaedheal gefolgt war.

Energische Maßnahmen der Regierung de Valera hatten die Aktivitäten der National Guard stark eingeschränkt. Eine ähnlich feste Haltung hatte die Regierung gegenüber der I. R. A. eingenommen, die in ihrer Einstellung zur Regierung zunehmend kritischer und aggressiver wurde, obwohl sie sich zeitweilig in einen rechten und einen linken Flügel spaltete. 1936 wurde die I. R. A. zur illegalen Organisation erklärt und verboten[3]. Einen weiteren Beweis für die Entschlossenheit und Zielstrebigkeit der Fianna-Fail-Regierung bot die neue Verfassung von 1937. Ihre Gültigkeit für die ganze Insel wurde ausdrücklich festgelegt. Bezüge auf die britische Krone fehlten in der Verfassung; statt dessen sah sie die Wahl eines Präsidenten von Irland vor. ›Irischer Freistaat‹ wurde als offizieller Staatsname ersetzt durch ›Irland‹ bzw. ›Eire‹. Die britische Regierung beeilte sich ihrerseits festzustellen, daß die neue Verfassung den Status Nordirlands oder die Gültigkeit des Anglo-irischen Vertrags von 1921 in keiner Weise berühre. Der Weg in Richtung einer ›External Association‹ mit dem Commonwealth, wie sie de Valera anstrebte, war jedoch deutlich eingeschlagen[4].

Maßnahmen zur Intensivierung des Getreideanbaus und eine vorsichtige Sozialgesetzgebung waren ebenso wie nachdrückliche Bemühungen um eine Wiederbelebung der irischen Sprache andere Aspekte des Fianna-Fail-Programms. Auf lange Sicht stellte aber wahrscheinlich die anglo-irische Übereinkunft von 1938 de Valeras bedeutendste Leistung als Premierminister dar.

Die Verhandlungen, die auf Initiative der irischen Regierung begannen, führten zu insgesamt drei Übereinkommen (25. IV. 1938). De Valera hatte ursprünglich gehofft, daß der ganze Bereich der noch offenen Fragen zwischen den beiden Ländern geregelt würde. Zum Problem Nordirland ergaben sich jedoch keine Änderungen in den bekannten Positionen; in allen anderen Fragen erbrachten die Verhandlungen für Irland aber beträchtliche Verbesserungen. Art. 6 und 7 des anglo-irischen Vertrages von 1921 wurden außer Kraft gesetzt. Dies bedeutete die Schließung aller noch verbliebenen militärischen Einrichtungen der Briten in Irland. Für die Wahrung der irischen Neutralität im Weltkrieg sollte diese Konzession Großbritanniens von enormer Bedeutung sein. Die strittigen Finanz-

d) Irland und der II. Weltkrieg

fragen wurden gelöst. Dadurch wurde der Abschluß eines anglo-irischen Handelsvertrages ermöglicht, der dem irischen Export die britischen Märkte nahezu ohne Einschränkungen öffnete[5]. Der Vertrag erlaubte andererseits den Briten, ihre Industrieexporte nach Irland allmählich zu steigern. Wegen des kurz darauf erfolgenden Ausbruchs des II. Weltkriegs ist es nicht möglich, die volle Tragweite des Handelsvertrages für die irische Autarkiepolitik zu ermessen, aber das schnelle Wachsen des Handels zwischen beiden Ländern in der Nachkriegszeit sollte als unmittelbare Folge des Vertrages von 1938 gesehen werden.

[1] *J. Meenan,* The Irish Economy, S. 142.
[2] *M. Manning,* The Blueshirts (1970).
    D. Thornley, The Blueshirts, in: *F. MacManus* (Hg.), (s. b) Anm. 5), S. 42–54.
[3] *J. Bowyer Bell,* The Secret Army.
[4] *N. Mansergh,* Ireland: External Relations 1926–1939, in: *F. MacManus* (Hg.), S. 127–137.
    N. Mansergh (Hg.), Documents and Speeches on British Commonwealth Affairs 1931–1952 (2 Bde. 1963). Die neue Verfassung schuf ein Zweikammersystem, ein Abgeordnetenhaus (Dáil Éireann) und einen Senat (Seanad Éireann). Der Senat besitzt ein suspensives Veto gegenüber allen Gesetzen, die vom Dáil gebilligt werden, ausgenommen sind Finanzvorlagen. Gesetze können in beiden Kammern eingebracht werden. Die Mitgliedschaft im Senat beruht auf Wahlen der Berufsstände, doch auch bei diesen Wahlen gibt die Parteizugehörigkeit letztlich den Ausschlag. Die praktische Bedeutung der Zweiten Kammer ist gering.
[5] *K. B. Nowlan,* On the Eve of the War, in: *K. B. Nowlan* u. *T. D. Williams* (Hgg.), Ireland in the War Years and after 1939–1951 (1969), S. 1–13.

d) Irland und der II. Weltkrieg

Die anglo-irische Übereinkunft von 1938 erleichterte es Irland, im Falle eines Krieges neutral zu bleiben. Aber konnte Irland angesichts seiner engen wirtschaftlichen Bindungen zu Großbritannien und seiner Mitgliedschaft im Commonwealth, die nominell immer noch bestand, eine wirkliche Neutralität wahren? Nach den Worten de Valeras würde es Irland niemals zulassen, zur Ausgangsbasis eines Angriffs auf Großbritannien zu werden. Als unmittelbar vor Ausbruch des Weltkriegs die I. R. A. mit einer kurzlebigen Serie von Bombenanschlägen britische Städte terrorisierte, leitete die Regierung de Valera energische Maßnahmen gegen die verbotene Organisation ein. An dieser entschlossenen Politik hielt sie während der gesamten Dauer des Krieges fest[1]. Dies war eine Geste des Wohlverhaltens gegenüber Großbritannien. Aber de Valeras Regierung ließ auch keinen Zweifel daran aufkommen, daß Irland seine Neutralität so lange nicht aufgeben würde, wie britische Streitkräfte einen Teil der Insel besetzt hielten.

Die unverminderte Aktualität des Teilungsproblems spiegelte sich auch in den heftigen öffentlichen Protesten gegen die geplante Ausdehnung der allgemeinen Wehrpflicht auf Nordirland. Obwohl die nordirische Regierung diese Maßnahme billigte, gab die britische Regierung dem südirischen Druck nach. Bei Ausbruch des Krieges wurden zwar im Dáil Zweifel an der praktischen Durchführbarkeit der Neutralitätspolitik laut, aber bezeichnenderweise fand sich auch Fine Gael sehr schnell mit der Neutralität als einer möglichen und wünschenswerten Politik ab. Darin stimmte Fine Gael mit Fianna Fail überein; denn ein Mißtrauen gegenüber britischen Forderungen und Absichten hegten alle irischen Parteien[2].

In den ersten neun Monaten des Krieges gestalteten sich die Beziehungen zu den kriegführenden Staaten für das neutrale Irland nahezu problemlos. Die Niederlage Frankreichs schuf jedoch eine neue Situation. Die britische Regierung fürchtete nun, die Deutschen könnten Irland als Basis für einen umfassenden Angriff auf Großbritannien benutzen. Einige Politiker, wie z. B. Winston Churchill, vertraten daher die Meinung, Großbritannien solle die Häfen und anderen militärischen Einrichtungen in Irland zurückfordern, die es aufgrund des Abkommens von 1938 aufgegeben hatte. Die begrenzte Verteidigungskraft Irlands und die feindliche Haltung der I. R. A. boten weitere Anlässe für Londoner Sorgen. De Valera lehnte jedoch eine Aufgabe der irischen Neutralität ab; denn jedes Abweichen von dieser Politik hätte nach seiner Meinung in Irland den Bürgerkrieg ausgelöst[3].

Obwohl die Gefahr einer deutschen Invasion seit dem Sommer 1941 nachließ, hielt der britische Druck auf die irische Regierung angesichts des U-Bootkrieges und der Gerüchte über Spionagetätigkeiten der Achsenmächte in Irland an. Tatsächlich operierten in Irland einige deutsche Spione, aber ihr Tätigkeitsfeld war sehr eingeschränkt. Zudem ermöglichte der bestehende Ausnahmezustand der Regierung eine wirkungsvolle Kontrolle der I. R. A. und die Internierung von Sympathisanten dieser Organisation. Der deutsche Gesandte in Dublin (E. Hempel) achtete seinerseits auf korrekte Beziehungen zur irischen Regierung und vermied alle kompromittierenden Verbindungen zu den Ultra-Republikanern[4].

Der Kriegseintritt der Vereinigten Staaten (Dezember 1941) stellte die irische Regierung vor neue Schwierigkeiten. Die hartnäckigen Bemühungen des amerikanischen Gesandten um die Bereitstellung von Stützpunkten für die amerikanischen Streitkräfte scheiterten. Auf die Stationierung amerikanischer Truppen in Nordirland antwortete de Valera mit einem scharfen Protest. Im Februar 1944 verstärkte sich die amerikanische und britische Forderung nach Schließung der diplomatischen Vertretungen der Achsenmächte in Irland, und damit stieg die Furcht vor einer alliierten Besetzung des Landes. Die Krise wurde überwunden. Je deutlicher sich nun das Ende des Krieges abzeichnete, desto entbehrlicher wurden für die Alliierten auch die irischen Häfen. Angesichts dieser Gefahren und Spannungen sowie der Unpopularität der irischen Haltung unter der britischen Bevölkerung muß man jedoch auch in Betracht ziehen, daß zwischen britischen und irischen Militärs während des Krieges enge Verbindungen bestanden. Überdies dienten viele irische Staatsangehörige in der britischen Armee und arbeiteten Iren in der britischen Kriegswirtschaft[5].

Die Neutralität setzte die irische Wirtschaft schweren Belastungen aus. Großbritannien verfügte gegen Irland im begrenzten Umfang wirtschaftliche Sanktionen. Schiffsraum war knapp. Der Mangel an industriellen Rohstoffen verursachte Arbeitslosigkeit und steigende Preise. Ungeachtet der im Kriege gestiegenen Agrarproduktion mußte Irland nach dessen Ende mit Rohstoffproblemen, hohen Preisen und einer insgesamt geschwächten Wirtschaft fertig werden[6]. Im Verhältnis zu den Alliierten ergaben sich nach dem Kriege wegen der irischen Neutralitätspolitik Spannungen. Die erfolgreiche Wahrung der Neutralität und die durch den Krieg bedingte Zusammenarbeit der großen politischen Gruppierungen in Irland hatte aber andererseits wesentlich zum Abbau des Mißtrauens beigetragen, das seit den Auseinandersetzungen der Jahre 1921–1923 die irische Politik beeinflußte. Die Nichtbeteiligung am Kriege hatte aber auch Irland noch stärker den anderen Ländern des Commonwealth entfremdet. Daneben hatte sie auch tiefgreifende Auswirkungen auf das Verhältnis zu Nordirland: die Teilung des Landes schien nun tiefer und unüberwindbarer zu sein als jemals zuvor.

Für Nordirland bedeutete der II. Weltkrieg eine Intensivierung der Bindungen zu Großbritannien; zugleich konsolidierte er den Einfluß der herrschenden Unionistischen Partei. Nordirland diente den amerikanischen und britischen Truppen als wichtige Etappe. Obwohl Belfast 1941 schwer unter Luftangriffen litt, profitierten die nordirische Landwirtschaft und Industrie, besonders die Werften, von der Kriegsnachfrage. Die Zahl der Werftarbeiter stieg in Belfast von ungefähr 7 000 (1938) auf 20 600 (1945); die allgemeine Arbeitslosigkeit ging beträchtlich zurück. Die Verflechtung der nordirischen mit der britischen Wirtschaft wurde nach 1945 dadurch weiter verstärkt, daß die Sozialleistungen in Nordirland sich von den britischen prinzipiell nicht unterscheiden sollten. Dies bedeutete in der Praxis die Bereitstellung großer finanzieller Mittel aus der britischen Staatskasse[7].

Der Tod Lord Craigavons (1940) verursachte in den politischen Strukturen Nordirlands keinen größeren Wandel. Seine Nachfolger im Amt, J. M. Andrews und Basil Brooke (der spätere Lord Brookeborough), hielten an der eingeschlagenen Politik fest. Die konfessionelle und politische Kluft zwischen den beiden Bevölkerungsgruppen Nordirlands blieb bestehen, auch wenn der Krieg sie zeitweilig überdeckte.

[1] *J. A. Murphy*, The New IRA 1925–1962, in: *T. D. Williams* (Hg.), Secret Societies (s. a) Anm. 4), S. 150–165.
[2] *J. T. Carroll*, Ireland in the War Years 1939–1945 (1975).
T. D. Williams, Ireland and the War, in: *K. B. Nowlan* u. *T. D. Williams* (Hgg.), (s. c) Anm. 5), S. 14–27.
[3] *G. A. Hayes-McCoy*, Irish Defence Policy 1938–1951, ebd., S. 39–51.
[4] *P. Keatinge*, The Formulation of Irish Foreign Policy (1973).
[5] *J. T. Carroll*, Ireland.
N. Mansergh, Survey of British Commonwealth Affairs: Problems of Wartime Cooperation and Post-War Change 1932–1952 (1958).
[6] *J. Meenan*, The Irish Economy u. ders., The Irish Economy during the War, in: *K. B. Nowlan* u. *T. D. Williams* (Hgg.) (s. c) Anm. 5), S. 28–38.
[7] *J. W. Blake*, Northern Ireland in the Second World War (1956).

e) Die Republik Irland

Fianna Fail zog als Regierungspartei den größten Nutzen aus dem Erfolg der Neutralitätspolitik. Nach Kriegsende verfügte sie im Dáil weiterhin über die absolute Mehrheit, während Fine Gael nur noch 30 Mandate besaß und die kleine Labour Party in zwei Flügel gespalten war. Mehrere Faktoren arbeiteten jedoch gegen Fianna Fail. Die Wirtschaft belebte sich nur vorübergehend, und die Auswanderung blieb ein Problem. Seit 1932 stellte Fianna Fail die Regierung. Die Gründung einer neuen politischen Partei Clann na Poblachta (»Die republikanische Familie«) im Juli 1946 schien gemäßigten Republikanern eine Alternative zur Fianna Fail zu bieten. Der Führer der neuen Partei, Seán MacBride, war ein ehemaliger Generalstabschef der I. R. A., dem nun parlamentarische Methoden bei der Suche nach nationaler Einheit vielversprechender zu sein schienen. In den allgemeinen Wahlen im Februar 1948 schnitt der Clann jedoch nicht so erfolgreich ab, wie man es erwartet hatte. Aber die 10 Sitze, die er errang, kosteten Fianna Fail die absolute Mehrheit im Dáil. Die Oppositionsparteien einigten sich überraschenderweise auf eine Koalition, die die lange Vorherrschaft Fianna Fails in der irischen Politik brechen konnte[1]. Neuer Taoiseach (Premierminister) wurde John A. Costello von der Fine-Gael-Partei. MacBride übernahm das Außenministerium. In den Bereichen der Wirtschaft und des Verfassungsrechts stellte die Koalition einige wichtige Weichen. Ein neuer anglo-irischer Handelsvertrag (1948) stärkte die wirtschaftlichen Beziehungen zwischen den beiden Ländern. Besondere Behörden sollten industrielle Investitionen fördern. Durch seine Einbeziehung in den Marshall-Plan und als Gründungsmitglied des Europarats überwand Irland allmählich auch seine außenpolitische Isolierung. Für die neutralistische Haltung und das Zögern, britische Ansprüche auf Nordirland anzuerkennen, war es aber charakteristisch, daß Irland den Brüsseler Vertrag nicht unterschrieb und auch der NATO nicht beitrat[2].

Den dramatischsten Schritt der ersten Koalitionsregierung stellte die Entscheidung dar, alle noch bestehenden verfassungsrechtlichen Bindungen zwischen dem irischen Staat und dem britischen Commonwealth endgültig zu lösen. Der Einfluß von Clann na Poblachta wird in dieser Entscheidung deutlich sichtbar, aber sie war auch Ausdruck für die Hoffnung des Premierministers Costello, ein klarer republikanischer Status würde die irische Politik entradikalisieren. Obwohl Fianna Fail die Befürchtung äußerte, ein formeller Rückzug aus dem Commonwealth würde die Vereinigung Irlands erschweren, unterstützte sie den »Republic of Ireland Act«, der am Ostersonntag 1949 in Kraft trat. Großbritannien akzeptierte die irische Entscheidung. Im Irland-Gesetz von 1949 erkannte die britische Labour-Regierung die Republik an, aber zugleich stellte das Gesetz fest, daß »in no event ... Northern Ireland or any part thereof« vom Vereinigten Königreich ohne die ausdrückliche Zustimmung des nordirischen Parlaments abgetrennt werden dürfe. Den Ulster-Unionisten schien damit der Teilung des Landes eine festere Grundlage gegeben worden zu sein als jemals zuvor. In Südirland blieb die Entscheidung, aus dem Commonwealth auszutreten, auch in der Folgezeit umstritten. Die Entradikalisierung der irischen Politik bewirkte sie nicht. Aber der Austritt aus dem Commonwealth gab der internationalen Position des irischen Staates eine logischere Basis, und er berücksichtigte die Tatsache, daß die Mitgliedschaft im Commonwealth für die irischen Nationalisten nur von geringer emotionaler Bedeutung war[3].

Die erste Koalitionsregierung, eine brüchige Verbindung von fünf Parteien, zerfiel 1951. Eine Vielzahl von Faktoren, unter ihnen vor allem die anhaltend schlechte Lage der irischen Wirtschaft, trug zu ihrem Scheitern bei. Den entscheidenden Faktor bildete jedoch ein Konflikt über bestimmte Sozialleistungen aufgrund des Health Act von 1947 (Gesundheitsfürsorge, Mutterschutz). Die katholische Hierarchie lehnte die Bestimmungen des Gesetzes als Übergriffe in die Rechte der Familie und des Individuums ab. Die Auseinandersetzung führte zum Rücktritt des Gesundheitsministers Noel Browne, der dem Clann na Poblachta angehörte. Sein Rücktritt und interne Streitigkeiten bewirkten den schnellen Niedergang und schließlich die Auflösung des Clann. Dieser Vorgang unterstrich somit auch, daß die katholische Kirche ihren Einfluß auf die irische Gesellschaft auch in der Nachkriegszeit nicht verloren hatte[4].

Dem Zerbrechen der ersten Koalition folgte in den Jahren 1951 bis 1954 ein Zwischenspiel, als de Valeras Fianna Fail erneut die Regierung stellte. Aber Fianna Fail war auch nicht erfolgreicher als die Koalition bei dem Versuch, die chronischen wirtschaftlichen Probleme zu lösen und die steigende Auswanderungswelle aufzuhalten. Aus den allgemeinen Wahlen des Jahres 1954 ging daher die zweite Koalitionsregierung der Republik hervor. Costello wurde wieder Premierminister. Aber die wirtschaftlichen Probleme, besonders die Inflation, untergruben auch diesmal wieder die Stellung der Koalition[5]. Das erneute Aufleben der I. R. A. und radikaler republikanischer Aktivitäten im Jahre 1956 erschwerte ihre Arbeit zusätzlich. Die I. R. A. war im Grunde nur eine Splittergruppe, aber ihre Terroraktionen spiegelten nach dem Zusammenbruch des Clann na Po-

e) Die Republik Irland

blachta wahrscheinlich eine verbreitete Unzufriedenheit in republikanischen Kreisen. Ihre Aktionen erinnerten auch an den hartnäckigen Glauben, die Einheit Irlands könne mit Gewalt und ohne Rücksicht auf die politischen Realitäten in Nordirland erreicht werden. Hauptangriffsziele der I. R. A. bildeten militärische Einrichtungen und Stützpunkte der Polizei in Nordirland. In der Republik wurden die Aktivitäten der I. R. A. seit 1957/58 von der Regierung de Valera wirkungsvoll kontrolliert. Um 1962 hatten die Aktionen der I. R. A. nahezu ganz aufgehört. Die Militanz der Republikaner war jedoch eine Warnung vor der stets drohenden Radikalisierung des Ulster-Problems[6].

Wirtschaftliche und politische Schwierigkeiten brachten die zweite Koalition zu Fall. Die Wahlen vom März 1957 brachten einen Sieg Fianna Fails, die nun einen bemerkenswerten Wiederaufstieg erlebte. Sie sollte bis zum März 1973 die Regierung der Republik stellen. Erst danach wurde sie von einer neuen Koalitionsregierung unter der Führung Liam Cosgraves, Sohn des früheren Premierministers des Freistaats, abgelöst. Die zweite Periode, in der Fianna Fail allein die Regierung trug, zeichnete sich durch eine Reihe bedeutsamer Entwicklungen aus, so z. B. im wirtschaftlichen Bereich, in dem sich seit Ende des II. Weltkriegs so wenig geändert hatte. Das erste und zweite Wirtschaftsförderungsprogramm schufen flexiblere Voraussetzungen für staatliche Investitionen in der Industrie und zur Entwicklung neuer Exporte. Diese Planungen gingen von der Annahme aus, daß Irland der Europäischen Gemeinschaft beitreten würde, was dann am 1. I. 1973 auch geschah. Abgesehen von der Landwirtschaft, in der sich der Aufschwung verhältnismäßig langsam vollzog, erlebte die Republik in den sechziger Jahren eine deutliche Verbesserung der wirtschaftlichen und sozialen Verhältnisse. Diese Verbesserung spiegelte sich auch in der leichten Zunahme der Bevölkerung in der Republik und im Rückgang der jährlichen Auswanderung[7].

De Valeras Entscheidung, sich aus der aktiven Politik zurückzuziehen, war ein anderes Zeichen des Wandels. Nahezu erblindet, gab er 1959 das Amt des Premierministers ab. Als Kandidat seiner Partei wurde er daraufhin zum Staatspräsidenten gewählt, dem durch die Verfassung nur repräsentative Aufgaben übertragen sind. De Valeras Traum von einem gälischen und unabhängigen Irland, das zu Großbritannien gute Beziehungen unterhält, war bis 1959 nicht verwirklicht worden. Man könnte in der Tat sogar behaupten, daß die Politik aller irischen Regierungen seit 1921/22 die Teilung der Insel eher vertieft als gemindert hat. Obgleich de Valera in den Jahren 1921–1923 eine höchst umstrittene Rolle spielte, hatten er und W. T. Cosgrave doch auf unterschiedliche Weise dazu beigetragen, daß sich das parlamentarische Regierungssystem in Irland in den entscheidenden Jahren zwischen 1927 und 1932 konsolidierte. Darüber hinaus muß man de Valeras beträchtliche diplomatische Fähigkeiten anerkennen, die er in den Verhandlungen mit Großbritannien vor und während des II. Weltkriegs unter Beweis stellte. Er war kein radikaler Sozialreformer, aber in seiner Amtszeit begann eine wegweisende Gesetzgebung in den Bereichen Wohnungsbau, Gesundheitswesen und Sozialversicherung. Sein Nachfolger wurde der pragmatische Sean Lemass, der zuvor lange Jahre das Wirtschaftsressort geleitet hatte. Sein vordringliches Interesse galt der wirtschaftlichen und industriellen Entwicklung Irlands und weniger einem gälischen Nationalismus. Er förderte in der Fianna-Fail-Partei den Aufstieg jüngerer Männer in Führungspositionen, eine Tendenz, die in ähnlicher Weise auch bei den anderen Parteien zu beobachten war.

In außenpolitischer Hinsicht eröffnete Irlands Beitritt zu den Vereinten Nationen (1955) die Möglichkeit, eine gemäßigte unabhängige Linie zu verfolgen. Auf-

§ 21 Irland 1916–1968

grund seiner Geschichte fand Irland zu den meisten neuen Staaten der Dritten Welt ein gutes Verhältnis. Irische Kontingente dienten unter der UNO-Flagge im Nahen Osten, im Kongo und auf Zypern[8]. An der Weigerung Irlands, einem militärischen Bündnis beizutreten, änderte sich auch in den sechziger Jahren nichts. Die bedeutendste neue Entwicklung auf der zwischenstaatlichen Ebene stellte die unverkennbare Verbesserung der Kontakte zwischen den Regierungen der Republik und Nordirlands dar. Diese Verbesserung wurde 1965 durch die Zusammenkünfte des irischen Premiers Sean Lemass mit seinem nordirischen Amtskollegen Terence O'Neill unterstrichen. Solche persönlichen Kontakte auf Regierungsebene hatten zwischen Dublin und Belfast bis dahin nicht stattgefunden[9].

O'Neill, der einer alten Grundbesitzerfamilie Ulsters entstammt, trat 1963 die Nachfolge Lord Brookeboroughs als Vorsitzender der Unionistischen Partei und nordirischer Premierminister an. Er war ein gemäßigter Politiker, der sein Amt zu einem Zeitpunkt übernahm, an dem sich Nordirland als Folge des Weltkrieges und der bescheidenen Prosperität in den Nachkriegsjahren in vieler Hinsicht verändert hatte. Die britische Sozialgesetzgebung und die umfangreiche finanzielle Hilfe des Vereinigten Königreiches brachten der nordirischen Bevölkerung einen Lebensstandard, wie ihn die Republik mit ihren begrenzten Möglichkeiten zu dieser Zeit nicht bieten konnte. Die Kontrolle der Verwaltung blieb jedoch fest in den Händen der protestantischen Unionisten, während die nordirischen Katholiken am politischen Leben Nordirlands im allgemeinen keinen oder nur einen begrenzten Anteil hatten[10]. Ihre Beschwerden über Benachteiligungen im öffentlichen und privaten Leben, sei es bei der Arbeits- und Wohnungssuche oder sei es hinsichtlich der Ausbildungsmöglichkeiten und der Besetzung der kommunalen Körperschaften, hörten nicht auf. O'Neill bemühte sich nun als Premierminister um eine Milderung der konfessionellen Gegensätze und um eine Verbesserung der inneririschen Beziehungen unter Wahrung der bestehenden verfassungsrechtlichen Bindungen zu Großbritannien.

So wurden die Treffen zwischen Lemass und O'Neill durchaus als Zeichen für den Wandel in den inneririschen Beziehungen begriffen, aber der Grad der Liberalisierung in Nordirland war noch zu gering, als daß sich die nordirischen Katholiken mit dem erreichten Stand zufriedengegeben hätten. Andererseits erblickten rechtsradikale Unionisten und Mitglieder des Oranien-Ordens in der Politik des Wandels eine Gefährdung protestantischer Interessen und der verfassungsrechtlichen Stellung Nordirlands im Rahmen des Vereinigten Königreichs. O'Neills Rücktritt (1969) war daher ein Erfolg des rechten Flügels in der Unionistischen Partei und seiner diversen Hilfsorganisationen.

Während die Republik Irland in der zweiten Hälfte der sechziger Jahre eine Zeit ungewöhnlicher politischer Stabilität erlebte, sollten sich in Nordirland seit 1968 die Verhältnisse sehr schnell verschlechtern. Der wachsenden Selbstsicherheit der radikalen Unionisten entsprach in katholischen und nationalistischen Kreisen eine zunehmende Bereitschaft zum Widerstand. Die im Februar 1967 gegründete Northern Ireland Civil Rights Association war noch eine gemäßigte, vom katholischen Bürgertum getragene Organisation. Aber die Bürgerrechtsagitation zog bald kleine, jedoch lautstarke radikale Gruppen an, Sozialisten ebenso wie Mitglieder der I. R. A. Die I. R. A., die sich bald in einen rechten und einen linken Flügel spaltete, erblickte in ihrer Beteiligung an der Protestbewegung ein Mittel, um ihren Einfluß, den sie in den späten fünfziger Jahren eingebüßt hatte, wiederzugewinnen. Die Bürgerrechtsbewegung forderte anfangs nur Reformen in Nordirland, aber in zunehmendem Maße wurde sie in die alten politischen und nationalen Probleme Irlands verwickelt. Diese Entwicklung wurde nach den

e) Die Republik Irland

schweren Zusammenstößen zwischen Polizei und Bürgerrechtlern in Londonderry (Oktober und November 1968) vollends deutlich. Man konnte jedoch auch noch nach diesen Ereignissen klar unterscheiden zwischen den Befürwortern eines stärkeren Wandels in Nordirland und den anhaltenden Versuchen der zahlenmäßig kleinen I. R. A., die nordirischen Unruhen in eine revolutionäre Konfrontation mit der britischen Armee einmünden zu lassen. Der gescheiterte Versuch O'Neills, in der Unionistischen Partei für seine Politik eine breite Unterstützung zu finden, und die schweren Ausschreitungen in Belfast und Londonderry im August 1969 führten so in Nordirland zur tragischen Eskalation der Gewalt und zu einer Vertiefung der Gräben zwischen den beiden Bevölkerungsgruppen.

[1] *B. Chubb*, Cabinet Government in Ireland (1974).
 M. Manning, Irish Political Parties (1972).
[2] *B. Chubb*, The Government and Politics of Ireland, bes. Kap. 13.
 N. Mansergh, Irish Foreign Policy 1945–1951, in: *K. B. Nowlan* u. *T. D. Williams* (Hgg.) (s. c) Anm. 5), S. 134–46.
[3] *F. S. L. Lyons*, The Years of Readjustment 1945–1951, in: ebd., S. 67–79.
[4] *J. H. Whyte* (s. b) Anm. 8).
 J. A. Murphy. The Irish Party System 1938–1951, in: *K. B. Nowlan* u. *T. D. Williams* (Hgg.) (s. c) Anm. 5), S. 147–66.
[5] *B. Chubb*, Government and Politics.
[6] *J. Bowyer Bell*, Secret Army.
[7] *J. Meenan*, The Irish Economy since 1922.
 P. R. Kaim-Caudle, Social Policy in the Irish Republic (1967).
[8] *C. Cruise O'Brien*, Ireland in International Affairs, in: *O. D. Edwards* (Hg.), Conor Cruise O'Brien Introduces Ireland (1969).
[9] *L. de Paor*, Divided Ulster (1970).
[10] *D. P. Barritt* u. *C. F. Carter* (s. b) Anm. 16).

§ 22 Die skandinavischen Staaten seit dem Ende des I. Weltkriegs

Von Hermann Kellenbenz

Gesamtskandinavien
J. Paul, Nordische Geschichte (1925).
A. E. Imhof, Grundzüge der nordischen Geschichte (1970).
P. Jeannin, Les peuples scandinaves (1956).
L. Andresen, Politische Geschichte der nordischen Staaten, in: Die nordische Welt, Geschichte, Wesen und Bedeutung der nordischen Völker, hg. v. H. F. Blunck (1937).
W. Hubatsch, Das deutsch-skandinavische Verhältnis im Rahmen der europäischen Großmachtpolitik (Diss. 1941).
M. Gerhardt u. W. Hubatsch, Deutschland und Skandinavien im Wandel der Jahrhunderte (1950; mit Lit.).
W. Hubatsch, Unruhe des Nordens (1956).
Norden under tusen år. En historisk skildring av Nordens kulturella och politiska utveckling från forntiden till våra dagar, hg. v. J. Buckdahl, N. Th. Mortensen u. R. Skovmand, Bd. 2 (1952).
Historia Mundi, Bd. 10; Propyläenweltgeschichte, Bd. 9.
H. Kellenbenz, Die skandinavischen Staaten vom Deutsch-Dänischen Krieg bis zum Ende des I. Weltkriegs, s. Bd. 6.

Dänemark
Dansk Historisk Bibliografi 1913–1942, hg. v. H. Bruhn, Bd. 2–5 (1967–1973).
P. Engelstoft u. F. W. Wendt, Haandbog i Danmarks politiske historie (Ndr. 1964).
Schultz, Danmarkhistorie, Bd. 6 (1943).
J. Danstrup, Det moderna Danmark (1946).
V. La Cour, Danmarks historie 1900–1945 (1950).
L. Krabbe, Histoire de Danemark des origines jusqu'à 1945 (1950; erwähnt nur Lit. in frz. Sprache).
Danmarks historie, hg. v. einer Historikergruppe (J. Hvidtfeld, I. Koch-Olsen, A. Steensberg), Bd. 2 (1951).
N. Krarup u. P. Stavnstrup, Dansk Historie siden Stavnsbaandets Løsning (1952; o. Lit.).
S. Thorsen, Folkets veje (1953).
P. Lauring, A History of the Kingdom of Denmark (1960; o. Lit.; auch die dt. Übers. v. O. Klose, Gesch. Dänemarks, 1964, bringt keine Lit.).
K. Winding, Danmarks historie (1961).
Danmarks Historie, hg. v. J. Danstrup u. H. Koch (14 Bde. 1963–1965, mit Lit.); davon Bd. 13: Velferdstaten på Vej 1913–1939 (1965).
Fr. Wendt, Besaettelse og Atomtid 1939–1965 (1966).
Dänemark, unser Nachbar im Norden, hg. v. G. Buchreitz, A. Fellberg Jørgensen, E. Hinrichs, A. Peters (1963), darin: T. Fink, Überblick über die dän. Geschichte von 1788–1953.
A. Kjerulf, Livet i Danmark 1937–1947 (2 Bde. 1947/48).
H. Hetsch, Livet i Danmark 1947–1957 (2 Bde. 1955–1957).
A. Dahlerup und S. Carstensen, Frederik den Niendes Danmark 1947–1957 (2 Bde. 1958).
J. Brøndsted (Hg.), Danmark for og nu (6 Bde. 1952–1957).
R. Skovmand, V. Dybdahl u. E. Rasmussen, Geschichte Dänemarks 1830–1939 (1973).

Nordschleswigfrage
O. Brandt, Gesch. Schleswig-Holsteins. Ein Grundriß, neu bearb. v. W. Klüver (1957).
A. Scharff, Schleswig-Holsteinische Geschichte. Ein Überblick (1960).
Sønderjyllands Historie, hg. v. V. Lacour, K. Fabritius, H. Hjelholt u. H. Lund (5 Bde. 1930–1942); davon Bd. 5: H. Lund, V. Ammundsen u. M. Iversen, Tidsrummet 1864–1920.

a) Der europäische Norden am Ende des I. Weltkriegs

T. Fink, Rids af Sønderjyllands Historie (²1955), dt. u. d. T.: Gesch. d. Schleswigschen Grenzlandes (1958).
Ders., Sønderjylland siden genforeningen i 1920 (1955).
A. Friis, Den danske Regering og Nordslesvigs Genforening med Danmark (3 Bde. 1921–1948).
F. Hähnsen, Ursprung u. Gesch. des Artikels V des Prager Friedens (2 Bde. 1929).
F. v. Jessen, Håndbog i det slesvigske spørgsmåls historie 1900–1937, Bd. 1 (1938).
H. Jørgensen, Det nordslesvigske spørmåls rejsning i 1918: Jyske Samlinger N. R. 4 (1958).
Die Schleswig-Frage seit 1945. Dokumente zur Rechtsstellung der Minderheiten beiderseits der deutsch-dänischen Grenze, hg. v. *E. Jäckel* (1959).

Norwegen
J. Fr. Ording, E. Östvedt, O. Hölaas, Norges historia från äldsta tid til våra dagar (1949).
K. Larsen, A History of Norway (²1950).
T. K. Derry, A Short History of Norway (1957).
Ders., A History of Modern Norway 1814–1972 (1973).
M. Gerhardt, Norweg. Gesch., neu bearb. v. *W. Hubatsch* (1963; m. ausgieb. Lit.).

Schweden
Svenska folkets historia, hg. v. *H. Schück, H. Almqvist, C. Hallendorf* (5 Bde. 1914–1957).
Sveriges historia indtill våra dagar, hg. v. *E. Hildebrand* u. *L. Stavenow* (14 Bde. 1919–1945), davon Bd. 14: *K. Hildebrand,* Gustav V (1926); Bd. 15: Quellen und Lit., Register (1945).
Sveriges historia genom tiderna, hg. v. *H. Mainander* (5 Bde. 1947/48).
Svenska Folket genom tiderna. Vårt lands kulturhistoria i skildringar och bilder, hg. v. *E. Wrangel* (13 Bde. 1938–1940).
I. Andersson, Sveriges historia (1943), dt. v. *A. v. Brandt* u. d. T.: Schwed. Gesch. von den Anfängen bis z. Gegenwart (1950, m. guter Lit.ausw.).
Kj. Kumlien, Sveriges historia för gymnasiet (1955).
Svensk Historisk Bibliografi 1936–1950, red. *H. Bohrn* u. *P. Elfstrand* (1964).
St. Carlsson u. *J. Rosen,* Svensk historia (2 Bde. 1961/62).
F. D. Scott, Sweden, The Nation's History (1977).

a) Der europäische Norden am Ende des I. Weltkriegs

Im politischen Spektrum Europas bot der Norden gegenüber der Vorkriegszeit ein verändertes Bild. Dänemark, Norwegen und Schweden war es während der Kriegsjahre gelungen, ihre Neutralität zu wahren. Sie blieben von den direkten Kriegsereignissen verschont, wurden allerdings stark durch den Wirtschaftskrieg in Mitleidenschaft gezogen. Keiner der drei Staaten erfuhr durch die Verträge, die das über 4 Jahre währende Kriegsgeschehen beendeten, territoriale Veränderungen. In Dänemark allerdings war der Wunsch immer stärker geworden, im Zusammenhang mit der allgemeinen Grenzregulierung, die die Friedensschlüsse mit sich brachten, die abgetrennten Gebiete von Schleswig wiederzugewinnen. Eine Änderung erfuhr das bisherige Verhältnis Dänemarks zu Island. Am 1. XII. 1918 wurde die Insel unter einem gemeinsamen König unabhängig. Eine noch wichtigere Veränderung trat im Osten Nordeuropas ein. Das finnische Volk stand seit 1917 im Kampf um seine Unabhängigkeit von dem durch die bolschewistische Revolution erschütterten Rußland. Das lange Ringen sollte erst 1920 durch die Anerkennung der Unabhängigkeit Finnlands beendet werden. Damit trat ein weiterer nordischer Staat ins Leben. Wir werden im folgenden also nicht nur die historischen relevanten Vorgänge in Dänemark, Norwegen und Schweden, sondern auch in Island seit dem Ende des I. Weltkriegs darstellen. Da Finnland in einem besonderen Abschnitt behandelt wird, wird darauf nur Bezug genommen werden, wenn sich für die anderen skandinavischen Staaten relevante Zusammenhänge ergeben.

§ 22 Die skandinavischen Staaten seit dem Ende des I. Weltkriegs

b) Die innere Entwicklung bis zum II. Weltkrieg
Dänemark

Literatur
R. *Skovmand*, De folkelige bevaegelser i Danmark (1951).
Den danske Riksdag 1849 til 1949 (4 Bde. 1949–1953).
A. *Bindslev*, Konservatismens Historie i Danmark fra 1848 til 1936 (3 Bde. 1936–1938).
K. *Winding*, Konservatismen in Danmark (1946).
Fr. *Nørgaard* u. H. *Jensen*, Venstres Historie i Danmark gennem hundrede år (2 Bde. 1937/38).
E. *Rasmussen* u. R. *Skovmand*, Det Radikale Venstre 1905–1955, 50 års folkeligt og politiskt virke (1955).
E. *Rasmussen*, Georgeismen som element i det socialradikale idékompleks indtil o. 1922: Jyske Samlinger N. R. 4 (1958).
Kr. *Kolding*, Danmarks Retsforbund (1958).
K. *Winding*, Den Danske arbejderbevaegelse (1943).
O. *Bertold*, E. *Christiansen* u. P. *Hansen*, En bygning vi rejser (3 Bde. 1954–1955, üb. d. dän. Sozialdemokratie).
A. *Olsen*, Den danske finanslov (1930).
E. *Rasmussen*, Statslånskrisen 1919: Jysk selskab for Historie, Sprog og Litteratur 3 (1957).
A. *Nielsen*, Dänische Wirtschaftsgesch. (1933).
O. B. *Henriksen* u. A. *Ølgaard*, Danmarks Udenrigshandel 1874–1958 (1960).
K. *Bjerke* u. N. *Ussing*, Studier over Danmarks Nationalprodukt 1870–1950 (1958).
E. *Olsen*, Danmarks økonomiske historie siden 1750 (1962).
K. *Glamann*, Industrialization as a Factor in Economic Growth in Denmark since 1700: Première Conférence Internat. d'Hist. Econ. (1960), S. 115–128.
E. *Cohen*, Privatbanken i Kjøbenhavn gennem hundrede år 1857–1957 (2 Bde. 1957/58).
H. *Jensen*, Dansk jordpolitik 1757–1919, Bd. 2 (1945).
Aa. A. *Drejer*, Den danske Andelsbevaegelse (1952).
F. *Skrubbeltrang*, Den danske bonde 1788–1938 (1938).
P. *Miltøj*, Lonendvikling i Danmark 1914–1950 (1954).

Dänemarks politisches Leben bot nach Beendigung des Weltkriegs kein grundsätzlich anderes Bild gegenüber den Vorkriegsverhältnissen, nur die Nuancen hatten sich verändert. Das Königreich blieb erhalten. König Christian X., der seit 1912 die dänische Krone trug, blieb auch nach dem Krieg als Repräsentant der Monarchie unangefochten. Mit Ausnahme des sozialdemokratischen Jugendverbands, der 1920 gesprengt wurde, hielt auch die Sozialdemokratie zur Monarchie in ihrer dem Verfassungsstaat angepaßten Gestalt. Im Reichstag und im Landsting, die im Königsschloß Christiansborg tagten, saßen die Parteien nicht mehr so, wie sie sich im Laufe des 19. Jh. und während der Jahre vor dem Krieg herausgebildet hatten. Eine Reihe von Krisen und Verschiebungen mußten dabei überwunden werden. Die Konservativen hatten Ende 1915 durch die Gründung der Konservativen Volkspartei neue Kräfte gesammelt, die Venstre und die Radikalen (Radikale Venstre) repräsentierten die liberalen Kräfte, während links von ihnen mit der Zeit die Sozialdemokraten immer stärker geworden waren. Die Wahlen, die nach Inkrafttreten des neuen Grundgesetzes im April 1918 stattfanden, gaben dem von den Sozialdemokraten und den Radikalen gestützten Ministerium Zahle eine knappe Mehrheit gegenüber den Oppositionsparteien der Konservativen und der Venstre. Daneben gab es auch einige Splitterparteien, eine Gewerbepartei aus unzufriedenen Detailhändlern und Handwerkern, eine »Neue Rechte«, die sich von der Konservativen Volkspartei abgespalten hatte, eine Christlich-Soziale Partei und einige kleine sozialistische Gruppen. Erst 1922 bildete sich aus den letzteren eine kommunistische Partei.

b) Die innere Entwicklung bis zum II. Weltkrieg

Zunächst stand das Nordschleswigproblem ganz im Vordergrund des allgemeinen Interesses. Hier ging es vor allem um die Art der Volksabstimmung und der Grenzziehung. Dabei kam es zu Auseinandersetzungen, namentlich zwischen der Apenrader und der Flensburger Gruppe. Die erstere, deren Ansichten mit denen von H. P. Hanssen und der Kopenhagener Regierung übereinstimmten, glaubte nur auf das Gebiet von Nordschleswig einen klaren nationalen Anspruch zu haben. Im Gegensatz dazu forderte die Flensburger Gruppe, daß auch die angrenzenden mittelschleswigschen Teile das Recht auf eine Sonderabstimmung haben sollten. Sie erreichte es, daß außerhalb der Clausenlinie, die nördlich von Flensburg und südlich von Tondern verlief und die im Süden die eigentliche Abstimmungszone begrenzte, noch eine weitere Zone in Mittelschleswig für die Abstimmung vorgesehen wurde. Im Juni 1919 trat Hansen der Regierung Zahle als Minister für »Sønderjylland« bei, um die Gesetzgebung und Verwaltung der demnächst wiedergewonnenen Gebiete vorzubereiten. Kurz darauf übernahm eine internationale Kommission die Verwaltung in den für die Abstimmung vorgesehenen Teilen Schleswigs, und gleich nach dem 10. I. 1920, als der Versailler Vertrag in Kraft trat, besetzten französisch-englische Militäreinheiten die in Frage kommenden Gebiete. Am 10. II. wurde in der ersten Zone abgestimmt, wobei für Dänemark 75 431 Stimmen, für Deutschland 25 329 Stimmen abgegeben wurden. Die meisten deutschen Stimmen wurden in den Städten und im Amt Tondern abgegeben; hier erreichte der deutsche Stimmenanteil 41 %. In der zweiten Zone, wo am 14. III. abgestimmt wurde, entschieden sich für Dänemark nur 12 800, für Deutschland aber 51 724 Stimmen, auch in Flensburg war die weitaus größere Zahl (27 081 gegen 8 944 Stimmen) für Deutschland. Nach diesem enttäuschenden Ergebnis versuchte die Flensburg-Gruppe, wenigstens die Internationalisierung in Flensburg und Mittelschleswig zu erreichen, und gewann dafür auch die »Venstre« und die Konservativen. Solche Pläne konnten aber nur verwirklicht werden, wenn eine andere Regierung kam, und so wurde der Regierungswechsel das Hauptziel der Flensburgbewegung wie der Oppositionsparteien. Hinzu kamen politische Spannungen über die Fragen der Neuwahlen, die solange aufgeschoben worden waren. Ende April fanden diese statt; sie brachten der »Venstre« mit 49 Mandaten einen Sieg ein. Auch die Sozialdemokraten gewannen, während die Radikalen Verluste erlitten. Das neue Ministerium bildete Neergaard am 5. V. Am selben Tag wurde die erste Abstimmungszone in Schleswig von dänischen Truppen besetzt. Die dänischen Bemühungen, die zweite Zone vorläufig zu internationalisieren, fanden bei der Pariser Friedenskonferenz keine Zustimmung. Mit großer Feierlichkeit wurde die Wiedervereinigung begangen. Am 10. VII. unternahm der König seinen Ritt über die alte Grenze bei Frederikshøj.

Zu Ende des Jahres wurden noch einmal Wahlen abgehalten, an denen nun auch die nordschleswigschen Landesteile teilnahmen. Hier war die »Venstre« am stärksten. Der deutschen Minderheit wurde ein Mandat gestattet. Die stärkste Partei im dänischen Parlament wurde die »Venstre« mit 52 Sitzen, ihr folgten aber gleich die Sozialdemokraten mit 48.

Die wirtschaftlichen Verhältnisse Dänemarks in den ersten Nachkriegsjahren wurden geprägt durch die Bemühungen, der Landwirtschaft neue Entfaltungsmöglichkeiten zu geben. Das geschah vor allem durch ein noch vom Ministerium Zahle 1919 erlassenes Gesetz, das den Übergang von Lehnsstammhäusern und Fideikommissen in freies Eigentum regelte. Dabei erhielt der Staat die Möglichkeit, etwa 22 000 ha Land zu erwerben, das aufgeteilt werden konnte. Außerdem wurden etwa 12 000 ha Land aufgeteilt, das bislang die Geistlichen genutzt hat-

§ 22 Die skandinavischen Staaten seit dem Ende des I. Weltkriegs

ten. Mit diesem Landvorrat konnte ein neues Gesetz durchgeführt werden, das den Häuslern Land ohne Barzahlung des Kaufpreises und Darlehen gegen billige Zinsen überließ.

Im März 1921 und am 1. VIII. 1921 wurden die Teuerungs- und Rationierungsanordnungen aufgehoben. Man hoffte, daß Rußland und die übrigen Ostseeländer einen aufnahmefähigen Markt für dänische Erzeugnisse bilden würden. Aber diese Hoffnung ging nicht in Erfüllung. Starke Wareneinkäufe, denen kein entsprechender Absatz gegenüberstand, führten zu einem Valutasturz.

Nachdem Stauning den Achtstundentag zuerst in den Staatsbetrieben und von 1920 ab auch in den Privatbetrieben durchgeführt hatte, wurden dank der Initiative des Ministers Neergaard jetzt verschiedene sozialpolitisch bedeutsame Maßnahmen ergriffen: die Invalidenversicherung wurde neu geordnet, eine außerordentliche Arbeitslosenunterstützung aus Beiträgen von Arbeitgebern und Staat wurde geschaffen und die Altersunterstützung durch eine Altersrente abgelöst. Im übrigen folgte die Regierung den namentlich von sozialdemokratischer Seite vorgetragenen Wünschen auf Importbeschränkungen, um die Konkurrenz einzudämmen. Im Jahre 1923 machte sich wieder ein Aufschwung bemerkbar. Die Unterstützung, die die Nationalbank der »Landmanbank« und anderen bedrohten Bankinstituten zugute kommen lassen mußte, zwang allerdings zu einem erhöhten Papiergeldumlauf, so daß der Kurs der Krone erneut fiel.

Mitten in dieser Inflation brachte die Wahl vom April 1924 einen entschiedenen Sieg der Sozialdemokraten. Sie erhielten 55 Sitze, während die »Venstre« auf 45 Mandate kam und die Konservativen auf 28 zurückfielen, die Radikalen aber nur 20 Sitze gewannen. Mit ihnen zusammen bildeten die Sozialdemokraten die Regierung. Die Leitung übernahm Stauning. Der Regierung gehörte als erster weiblicher Minister die Historikerin Nina Bang an. Sie war für das Unterrichtswesen zuständig.

Da die Radikalen unter der Führung von Ove Rode die Annäherung an die »Venstre« suchten, hatte die Regierung einen schweren Stand und namentlich große Mühe mit der Valutafrage. Eine Importregulierung oder entsprechende Zollmaßnahmen waren nicht möglich; deshalb suchte die Regierung die Krone durch eine Verminderung des Papiergeldumlaufs zu stützen. Außerdem sollte der Wert der Krone mittels eines Dollarkredits allmählich wieder ansteigen. Dieser Anstieg erfolgte aber so rasch, daß die verschiedenen Wirtschaftszweige sich der plötzlichen Umstellung nicht anzupassen vermochten, und so folgte eine neue Krise. Die Arbeitslosigkeit nahm weiter zu und erfaßte zu Neujahr 1926 etwa 30 % der organisierten Arbeiter. Im Herbst legte die Regierung einen langfristigen Plan zur Behebung der Krise vor, der aber von den Radikalen abgelehnt wurde. Nach zweimaligen Neuwahlen konnte Stauning erneut die Regierung bilden, wobei er sich auf die Mitarbeit der Radikalen stützte, deren bisheriger Führer, Ove Rode, 1927 aus dem Folketing ausgeschieden und Redakteur der Zeitung »Politiken« geworden war. Der neue Leiter der Partei neigte stark nach links, so daß die Zusammenarbeit mit den Sozialdemokraten gegeben war. Im Gegensatz zur Situation in Schweden gelang es den letzteren allerdings nicht, die Mehrheit im Parlament zu erlangen.

Die Regierung hatte eine schwere Aufgabe vor sich. Im Oktober 1929 erfolgte der Aktiensturz an der New Yorker Börse, der die Weltwirtschaftskrise auslöste. Die Arbeitslosigkeit erreichte auch in Dänemark ein bisher nicht gekanntes Ausmaß. Im Jahre 1932 war mehr als $\frac{1}{3}$ der organisierten Arbeiter arbeitslos. Daß die Staaten allgemein, um aus der Krise herauszukommen, eine Politik der Selbstversorgung betrieben, mußte für Dänemark ganz besonders unangenehme

b) Die innere Entwicklung bis zum II. Weltkrieg

Wirkungen haben, da es ja so sehr vom freien Welthandel abhängig war. Die Landwirtschaft geriet in Schwierigkeiten und verlangte Staatszuschüsse. Nachdem England von der bisherigen Sterlingswährung abgegangen war, blieb auch Dänemark nichts anderes übrig, als zu folgen. Doch konnte die Krise dadurch nicht behoben werden, und so waren weitere Maßnahmen erforderlich. Zunächst, im Oktober, kam es zwischen der Regierung und den Konservativen zu einem ersten »Krisenvergleich«, der für die Arbeitslosen eine außerordentliche Unterstützung und Hilfe für die am stärksten betroffenen Landwirte vorsah. Im Januar 1932 ergriff Deutschland Exporteinschränkungen, die Dänemark so hart trafen, daß man auf dänischer Seite unbedingt den englischen Markt zu halten bestrebt sein mußte. Mittels einer Valutazentrale wollte man das, was man bislang von Deutschland importiert hatte, nun von England beziehen. Aber bald sah man sich gezwungen, den Wirkungsbereich dieser Zentrale wesentlich zu erweitern und die Prinzipien des ökonomischen Liberalismus mehr und mehr auszuschalten. Indessen schränkte auch England seinen Import ein. Die Zahl der Arbeitslosen erreichte 200 000. Um sich Klarheit über seinen Rückhalt zu verschaffen, schrieb Stauning im November 1932 Neuwahlen aus, die die Position der Regierung bekräftigten. Mit zwei Mann zogen die ersten Kommunisten ins Parlament. Eine schwere Niederlage erlitt die »Venstre«. Der bisherige liberale Kurs mit dem Programm der »Anpassung« von Steuern und Ausgaben hatte sich nicht bewährt. Die Leitung übernahm deshalb O. Krag, der sich zur Notwendigkeit von Staatseingriffen bekannte. Das bot die Voraussetzung für Verhandlungen in Staunings Privatwohnung, die zum »Kanslergade«-Vergleich führten, einem Reformwerk von durchgreifenden Folgen. Die Krise, in der man sich befand, sollte durch eine vom Staat mittels der Valutazentrale gelenkten Planwirtschaft gemeistert werden. Die Bemühungen der »Venstre« wie auch der Konservativen, eine Verlängerung des Gesetzes für die Valutazentrale zu verhindern, beantwortete die Regierung mit Neuwahlen, die den Sozialdemokraten einen weiteren Stimmengewinn brachten. Mit 68 Mandaten zogen sie ins Folketing ein.

Die Wahlen für das Landsting im nächsten Jahr brachten den beiden Regierungsparteien, Sozialdemokraten und Radikalen, eine klare Mehrheit, so daß sie sich an weitere Maßnahmen machen konnten, die namentlich der Verminderung der Arbeitslosigkeit dienten. Der Versuch der beiden Regierungsparteien, das Einkammersystem einzuführen, scheiterte. Bei der entscheidenden Volksabstimmung im Mai 1939 erreichten sie die erforderlichen 45 % nicht.

Dänemark hat in den Jahren vom I. zum II. Weltkrieg bedeutende wirtschaftliche und gesellschaftliche Wandlungen durchgemacht, die aber alle in der Richtung der bereits vorhandenen Möglichkeiten lagen. Bis 1940 stieg die Einwohnerzahl des Landes auf 3 844 312; davon lebten in den Städten 2 456 303; »Groß-Kopenhagen« hatte jetzt über eine Million Einwohner. Am Export waren immer noch der Land- und Gartenbau mit 75–80 % beteiligt, hauptsächlich wurden Fleisch, Butter und Eier exportiert. Auch die wachsenden Industrien konnten sich einen beträchtlichen Anteil am Export sichern, namentlich seit den dreißiger Jahren, als Importeinschränkungen und die europäische Aufrüstung der Industrialisierung in Dänemark neue Impulse gaben. Die dänische Industrie mußte sich dabei begreiflicherweise auf die Veredlungsgüter konzentrieren, vom Ölkuchen, der Fleischkonserve und kondensierten Milch bis zum Motorschiff und den Maschinen. Bislang ein Staat von Kleinbauern, wurde Dänemark jetzt mehr und mehr verstädtert. Die politische Führung hatte die Arbeiterpartei. Von ihren marxistischen Grundsätzen war sie längst abgewichen und arbeitete nun an einem Staat, der in vielfältiger Weise in die Entwicklung eingriff, namentlich aber sich um die soziale Wohlfahrt bemühte.

§ 22 Die skandinavischen Staaten seit dem Ende des I. Weltkriegs

Norwegen

Literatur
O. *Gjerløv*, Norges politiske historie, høires innsats fra 1814 til idag (2 Bde. 1934/35).
J. S. *Worm-Müller*, A. *Bergsgard*, B. A. *Nissen*, Venstre i Norge (1933).
Det norske arbeiderparti 1887–1927, hg. v. E. *Bull* (1927).
Det norske arbeiderpartis historie 1887–1937, hg. v. H. *Koht* (2 Bde. 1937–1939).
E. *Bull*, Arbeider gjennom 60 år (1953).
T. *Bull*, Mot Dag og Erling Falk, Bidrag til norsk historie i mellomkrigstiden (1955).
E. *Bull*, Kriseforliket mellom bondepartiet og det norske arbeiderparti i 1935: HistTOslo 39 (1959).
E. *Petersen*, Norsk Arbeitsgiverforening gjennom 50 år (1950).
O. A. *Johnsen*, Norweg. Wirtschaftsgesch. (1936).
E. *Bull*, Industrialization as a Factor in Economic Growth: Première Conférence Intern. d'Histoire Econ. (1960), S. 261–270.
E. *Bull*, Arbeiderklassen i norske historie (1947).
K. *Mykland*, Trondheim bys historie III: Frå søgaden til strandgaten (1955).
E. *Østvedt*, De norske jernbaners historie (3 Bde. 1954).
N. *Rygg*, Norges Banks historie (2 Bde. 1918–1954).

Der politische Status Norwegens erfuhr durch den Weltkrieg keine Veränderung. Die Monarchie, die nach der Auflösung der Union eingeführt worden war, behauptete sich ohne Schwierigkeiten. Prinz Carl von Dänemark, jüngerer Bruder des dänischen Königs, verstand es in seiner zurückhaltenden Art, als Håkon VII. sich die Sympathien des Volkes zu verschaffen und zu behaupten, und sollte wie sein dänischer Bruder jahrelang repräsentieren, wo man ihn brauchte. Die entscheidenden politischen Vorgänge vollzogen sich im Storting, im Reichstag, wo die Parteien entsprechend den Stimmen, die ihnen nach der Mehrheitswahl zufielen, vertreten waren: auf der Rechten die Konservativen, in der Mitte die Liberalen, dann die Linke, die sich 1909 aufgespaltet hatte; getrennt von der »Konsolidierten Linken« ging die »Freisinnige Linke« ihren eigenen Weg. Weiter links kam die Arbeiterpartei. Dazu gab es noch die radikale Linksgruppe Johann Castbergs. Wie in den anderen skandinavischen Staaten, aber mit einer für Norwegen bezeichnenden gewissen Verschärfung, neigten die Linksgruppen gegen Kriegsende zu einer stärkeren Radikalisierung, wobei die Vorgänge in Rußland, die bolschewistische Revolution, ihren Einfluß geltend machte. Im Frühjahr 1918 übernahm in der Arbeiterpartei die radikale Gruppe die Führung. Sie war für den revolutionären Klassenkampf und strebte auf die Verbindung mit der Sowjetunion und anderen revolutionären Bewegungen hin. Der gemäßigte Flügel sammelte sich 1921 zu einer neuen sozialdemokratischen Partei, die aber der Arbeiterpartei zahlenmäßig wesentlich unterlegen war. In der kommunistischen Studentenvereinigung »Mot Dag« sollte Erling Falk eine führende Rolle spielen.

Gunnar Knudsen, der während des Krieges die Regierung geführt hatte, konnte sich auch in der ersten Nachkriegszeit behaupten.

Im Jahre 1919 wurde die bisherige Mehrheitswahl durch die Verhältniswahl ersetzt und 1920 das stimmberechtigte Alter auf 23 Jahre herabgesetzt. Auch wurde die Zahl der Abgeordneten auf 150 erhöht, von denen 50 die Städte, 100 die Landgebiete stellten. Entsprechend den Vorgängen in Schweden entstand in dieser Zeit eine neue Interessenpartei des Bauernstandes, Norsk Landmansforbund, der mit 17 Abgeordneten in das Storting einzog und sich 1922 »Norges Bondelag« nannte. Seine Anhänger rekrutierten sich hauptsächlich aus Großbauern des Ostlandes. In den allgemeinen politischen Fragen hielten sie meist zur Rechten. Die mittleren Bauern des Westlandes blieben wie bisher bei der Linken, während

b) Die innere Entwicklung bis zum II. Weltkrieg

die Kleinbauern in der Mehrzahl mit der Arbeiterpartei sympathisierten.

Bei der Struktur Norwegens mußte dieses Land besonders stark unter der 1921 einsetzenden wirtschaftlichen Krise leiden. Der Wert der Krone sank bis 1925 um die Hälfte. Die Zahl der Arbeitslosen stieg. Die sinkenden Löhne führten im Sommer 1921 zu einem großen Streik, aber dieser endete mit der vollen Niederlage der Arbeiterschaft. Als die norwegische Arbeiterpartei im November 1923 aus der Dritten Internationale ausgeschlossen wurde, spaltete sich der radikale Fügel ab und bildete unter der Leitung von Sverre Sjöstad eine kommunistische Partei, die sich bei den Wahlen zum Storting im nächsten Jahr 6 Sitze sichern konnte.

Gunnar Knudsen konnte die Regierung bis Juni 1920 behalten, kurz nachdem er die große Verteidigungskommission eingesetzt hatte. Dann wurde er von einer Rechtsregierung unter O. B. Halvorsen abgelöst. Schon ein Jahr später mußte dieser einer Linksregierung unter O. A. Blehr Platz machen.

Eine der am heftigsten diskutierten Fragen dieser Jahre betraf das Alkoholverbot, für das sich im Oktober 1919 eine Volksabstimmung aussprach. Von der Meisterung dieser Frage, die in hohem Maße mit der Außenhandelspolitik verknüpft war, hing das Schicksal der Regierungen in der Folgezeit mehr oder weniger ab. Norwegen mußte wegen seines Klippfischhandels von Frankreich, Spanien und Portugal Weine und Spirituosen einführen in einem Umfang, daß sich die Regierung 1922 zu einem Weinmonopol gezwungen sah, das von einer Aktiengesellschaft mit dem Staat als Hauptaktionär betrieben wurde. Das Ministerium Blehr scheiterte im Februar 1923 an der hohen Einfuhrquote, die die Portugiesen forderten. Die darauf folgende rechtsgerichtete Regierung Halvorsen konnte das bestehende Einfuhrverbot für stärkere Weinsorten aufheben und mit Spanien wie mit Portugal Vereinbarungen treffen. Halvorsen starb bald danach, und sein Nachfolger, der Führer der Freisinnigen, Abraham Berge, versuchte, auch das Branntweineinfuhrverbot zu beseitigen, wurde aber darüber im Sommer 1924 gestürzt. Die neue Linksregierung, die der Bergener Reeder Johan Ludvig Mowinckel bildete, veranlaßte eine neue Volksabstimmung. Doch wurde diese erst im Herbst 1926 vorgenommen, als bereits eine neue, vom Trondheimer Kaufmann Ivar Lykke geführte Regierung im Amt war. Die größere Mehrheit war jetzt für die Aufhebung des Branntweineinfuhrverbots. Doch sollten Verkaufszeit und Ausschank eingeschränkt werden.

Die Angriffe der seit 1921 bestehenden Bauernpartei und der Arbeiterpartei gegen die Valutapolitik trugen bei den Stortingswahlen 1927 ihre Früchte. Die Arbeiterpartei, die sich vor der Wahl mit den Sozialdemokraten zusammenschloß, wurde die größte Partei. Auch die Bauernpartei gewann, während die Rechte, in der man den Repräsentanten der Finanzinteressen sah, 23 Mandate verlor. Die Linke büßte 4 Mandate ein. Als der Versuch einer bürgerlichen Sammlungsregierung gescheitert war, beauftragte der König den Fraktionsführer der Arbeiterpartei Chr. Hornsrud, der im Januar 1928 die erste Arbeiterregierung bildete. Hornsrud selbst hatte ursprünglich dem radikalen Flügel der Linken angehört, war aber nun gemäßigter; das Außenministerium übernahm jedoch der Historiker Edvard Bull, ein radikaler Sozialist marxistischer Prägung. Auch der ehemalige Ziegeleiarbeiter Johan Nygaardsvold gehörte der Regierung an. Doch konnte sich diese nur 14 Tage halten. Ihr Programm zielte, wie es in der Regierungserklärung hieß, auf eine sozialistische Gesellschaft hin. Folgenschwerer für den Augenblick war die Kapitalflucht, die 1927 einen besorgniserregenden Umfang angenommen hatte und mit der Bildung der Arbeiterregierung noch verstärkt wurde. Nach ihrem Sturz bildete Mowinckel eine Linksregierung, die sich bis

1931 halten konnte. Unter ihm trat ein neues Wehrgesetz in Kraft, das die allgemeine Wehrpflicht noch erweiterte. Die Weltwirtschaftskrise erreichte Norwegen im Herbst 1930. Die Arbeitslosigkeit nahm weiter zu. Die Krise, die an der Jahreswende 1932/33 bis zu 42 % der organisierten Arbeiter beschäftigungslos machte, bewirkte einen Rechtsruck. Bei den Wahlen 1930 verlor die Arbeiterpartei 12 Mandate, während die Rechte 13 gewann. Jetzt konnte die Bauernpartei mit dem Landwirtschaftsschulrektor Kolstad die Regierung bilden. Nach seinem Tod im nächsten Jahr übernahm sein Kollege Hundseid die Regierung.

Hundseid ergriff Maßnahmen, die sozialpolitisch ungeschickt waren; auch entstanden ihm in der Grönlandfrage Schwierigkeiten. In seinem Ministerium war Vidkun Quisling Verteidigungsminister. Dieser ehemalige Generalstabsoffizier, der eine Zeitlang Mitarbeiter Nansens in Rußland gewesen war, gründete nun, als er sein Ministerium aufgeben mußte, eine neue Partei, die »Nasjonal Samling«, die faschistisch orientiert war, aber bei den nächsten Wahlen (1933 und 1936) keinen Abgeordneten ins Parlament brachte. Die Gewinnerin war vielmehr die Arbeiterpartei, die schon vor den Wahlen von 1933 ein neues Arbeits- und Krisenprogramm vorgelegt hatte, mit dem sie für eine »nationale Wohlfahrtspolitik« warb, allerdings um den Preis einer Kontrolle der Privatwirtschaft. Bei den Wahlen 1933 konnte sie sich mit 40 % der Stimmen 69 Mandate sichern, während Rechte und Linke am stärksten einbüßten. Mowinckel suchte 1935 ein Budget durchzubringen, das ohne Erhöhung auskommen sollte. Dagegen stand der Krisenplan der Arbeiterpartei, der dem Staat 140 Millionen Kr. kosten sollte. Hinsichtlich der »Krisenpolitik« näherten sich in dieser Zeit die Ansichten des Bauernbundes denen der Arbeiterpartei.

Das Zusammengehen der Arbeiterpartei mit der Bauernpartei zwang dann Mowinckel im Februar 1935 zum Rücktritt. Der Regierungsauftrag ging nun an Nygaardsvold, der nachdrücklich von Martin Tranmael, dem langjährigen Chefredakteur des »Arbeiterblattes«, unterstützt wurde. Außenminister wurde der Historiker Halvdan Koht, Justizminister der Jurist Trygve Lie. Die Regierung ging energisch an die Verwirklichung ihres sozialpolitischen Programms. Für den Gedanken der Volkspension gewann sie die Zustimmung aller Parteien. Die Unterstützung sollte allen Personen bezahlt werden, die das 70. Lebensjahr überschritten hatten; 1938 wurde die Arbeitslosenversicherung angenommen. Sie sollte die überwiegende Mehrzahl der Lohnempfänger, etwa 630 000 Personen, umfassen. Das weitere Ziel war eine allgemeine Volksversicherung. Um die Zahl der Arbeitslosen zu vermindern, wurden bedeutende öffentliche Arbeiten in Angriff genommen. Unternehmerische Initiative wurde durch Darlehen und staatliche Garantien gefördert. Bis 1939 sank die Arbeitslosigkeit auch auf 18 %. Der Aufschwung der Weltkonjunktur kam diesen Bestrebungen entgegen; norwegische Waren und Tonnage fanden einen sich weitenden Markt. Das sozialpolitische Programm der Regierung hatte allerdings eine Steigerung des Budgets um 200 Millionen Kr. auf zuletzt 650 Mill. Kr. zur Folge. Das erforderte eine starke Erhöhung der direkten und indirekten Steuern. Am heftigsten wurde die neue Umsatzsteuer diskutiert. Zur Erhöhung des Budgets trug auch die Rüstung bei. Angesichts der Erfolge der Nationalsozialisten in Deutschland und der Faschisten in Italien revidierte die Arbeiterpartei ihre bisherige Abrüstungspolitik und plädierte für höhere Verteidigungsausgaben, was auch die Zustimmung der anderen Parteien fand, mit Ausnahme der Rechten, die noch mehr ausgeben wollte.

Auch Norwegen erlebte in der Zwischenkriegszeit den großen Wandel vom Bauernland zum stark industrialisierten und verstädterten Staat. Seine Einwohnerzahl, die 1920 bei etwa 2 650 000 lag, stieg weiterhin. Während 1920 6,1 % der

b) Die innere Entwicklung bis zum II. Weltkrieg

Bevölkerung von der Fischerei lebten, ernährten die Landwirtschaft und die dazugehörigen Zweige 33,2 %; 28,8 % lebten von der Industrie und dem Handwerk. Nachdem die Schwierigkeiten der beginnenden zwanziger Jahre überwunden waren, konnte Norwegen bis zur Weltwirtschaftskrise sich noch einmal einer Hochkonjunktur erfreuen, wobei ihm seine Eigenschaft als Nation der Seefahrer besonders zustatten kam. Die Handelsflotte wurde wieder aufgebaut und modernisiert, indem man sich auf die Dampf- und Motorschiffahrt umstellte. Hinter England, Nordamerika und Japan nahm Norwegens Handelstonnage den vierten Platz ein. Neben der Linienschiffahrt, die nach den Nord- und Ostseestaaten und nach Nordamerika ging, verdienten viele Schiffer an der Frachtfahrt im Ausland. Aufgrund des zunehmenden internationalen Frischfischverbrauches erfuhren die auf Trockenfische und Konserven eingerichteten Absatzmöglichkeiten des norwegischen Fischfangs wohl eine Einschränkung; dafür weitete sich der Walfang in der Antarktis aus.

Die Wasserkraft und der Wald bildeten weiterhin die Hauptgrundlage für die zwei Hauptzweige norwegischer Industrie, die Holzmasse-, Zellulose- und Papierherstellung sowie die elektrochemische und elektrometallurgische Produktion.

Schweden

Literatur
K. *Hildebrand,* in: Sveriges historia till våre dagar, Bd. 14 (1926).
Ders., Gustav V som människa och regent, Bd. 2 (1948).
E. *Thermaenius,* in: Sveriges Riksdag, Bd. 17 (1935).
A. *Thulstrup,* Reformer och försvar, Konturerna av Sveriges historia 1920–1937 (1938).
W. *Tham,* in: Sveriges historia genom tiderna, Bd. 5 (1948).
G. *Gerdner,* Det svenska regeringsproblemet 1917–1920 (1946).
Ders., Parlamentarismens kris i Sverige vid 1920 – talets början (1954).
H. *Tingsten,* Den svenska socialdemokratiens idéutveckling, Bd. 1 (Den svenska arbetarklassens historia: 1941).
H. *Meijer,* Kommittépolitik och kommittearbete (1956).
H. K. *Rönblom,* Frisinnade landsföreningen 1902–1927 (1929).
L. *Freemann,* Med liberalismen i blodet (1958).
I. *Anderson,* Arvid Lindman och hans tid (1956).
A. *Thomson,* Arbetsmarknadens reglering (1940).
H. *Berg,* in: På liberlismens grund (1953).
O. *Nyman,* Krisuppgörelsen mellan socialdemokraterna och bondeförbundet 1933 (1944).
Ders., Svensk parlamentarism 1932–1936 (1947).
H. K. *Rönblom,* in: Påliberalismens grund (1953).
P. E. *Back,* En klass i uppbrott (1961, Landarbeiterfrage).
Ur Dagens Nyheters historia, Bd. 1: Bakom spalterna, 1889–1931, Minnesanteckningar (1951).
Ur Dagens Nyheters historia, Bd. 2: Kampen om läsarna 1894–1921; 1922–1946 (1953–1954).
Hugo Hamiltons dagböcker, hg. v. G. *Gerdner;* Bd. II: 1917–1919 (1956).
E. *Palmstjerna,* Oros tid II: 1917–1919 (1953).
Ders., Dagjämning 1920–1921 (1954).
E. *Wigforss,* Minnen, Bd. 1–2 (1950/51).
K. *Kilbom,* Ur mitt livs äventyr (1953).
T. *Nerman,* Trots allt. Minne och redovisning (1954).
T. *Nothin,* Från Branting till Erlander (1955).
G. *Andersson,* Från bondetåget till samlingsregeringen (1955).
W. *Kleen,* Ur skuggan av min dal (1954).

§ 22 Die skandinavischen Staaten seit dem Ende des I. Weltkriegs

W. Swahn, Per Albin Hansson (1942).
J. Lindgren, Per Albin Hansson i svensk demokrati, Bd. 1 (1950).
J. Westerståhl, Svensk fackföreningstotelse: Den svenskaarbeterklassens historia (1945).
L. Geijer u. F. Schmidt, Arbetsgivare och fackföreningsledare i dornarsäte (1958).
E. Tengberg, Ådalskravallerna i press och riksdagsdebatt (1957).
I. Strandh, in: Från Fugger till Kreuger (1958).
G. Heckscher, Staten och organisationerna (^{2}1951).
S. Hansson, Den svenska fackföreningsrörelsen (1938).
E. H. Thörnberg, Folkrörelser och samhällsliv i Sverige (1943).
G. Westin u. a., De frikyrkliga samfunden i Sverige (1943).
G. Westin u. a., De frikyrkliga samfunden i Sverige (1934).
H. Johansson, Folkrörelserna och det demokratiska statsskicket i Sverige (1952).
T. Karlbom, Den svenska fackföringsrorelsen (1955).
K. J. Höjer, Svensk socialpolitisk historia (1952).
A. Sörensen, N. O. Bruce, V. Fredriksson u. a., in: Svenska Folkskolans historia, Bd. 3–5 (1940–1950).
A. Montgomery, Fred krisen i Sverige 1919–1921 och den internationella bakgrund (1943).
Ders., Hur Sverige övervann depressionen 1930–1933 (1938).
Ders., Svensk och internationell ekonomi 1913–1939 (1954).
A. Östlind, Svensk samhälls-ekonomi 1914–1922 (1945).
E. Lundberg, Konjunkturer och ekonomisk politik. Utveckling och debatt i Sverige sedan första världskriget (1953).
T. Söderberg, Pappersmasseförbundets första halvsekel (1957).
H. Sellberg, Staten och arbetarskyddet (1950).
E. F. Söderlund, Swedish Timber Exports 1850–1950 (1952).
T. Gårdlund, Industrialismens samhälle (1942).
E. Lundberg, Konjunkturer och ekonomisk politik (1953).
C. A. Ohlsson, Swedish Agriculture During the Interwar Years, in: Economy and History, Bd. XI (1968).
Y. Åberg, Produktion och produktivitet i Sverige 1861–1965 (1969).
L. Jörberg, 100 Jahre schwedische Wirtschaft (1971).
E. Charlesworth, The Contribution of Rationalisation to Industrial Development in Sweden 1918–1939, in: Economy and History, Bd. XII (1969).
B. Helmfrid, Holmenöden under fyra sekler. Studier i Holmens bruks historia (1954).
Översums Bruk tre hundra år 1654–1954 (1955).
E. Bossens, Munksjö Bruk (1953).
A. Johannsson u. N. Eckerbom, Ett djärvt industriellt initiativ. Örebro pappersbruk och dess historia 1901–1951 (1951).
H. Wik, Norra Sveriges sågverksindustri från 1800 – talets mitt fram till 1937 (1950).
W. Bruno, Tegelindustrien i mälarprovinserna 1815–1950 (1954).
Uddeholm, Ein schwedisches Werk von Weltruf (1956).
A. Attman, Kockumverken vid Ronnebyån. En hundraårig industriell utveckling (1951).
E. Dahme, Svensk industriell företagarverksamhet. Kausalanalys av den industriella utvecklingen 1919–1939, Bd. I–II (1950).
K. Samuelsson, Nordiska Kanpaniet, Historien om ett varuhus (1952).
E. Lundmark, Rederi Svea. Ett svenskt storrederi och dess insats i handelssjöfarten (1951).

Wie in Dänemark und Norwegen stand an der Spitze des schwedischen Staates ein Monarch, der schon in der Vorkriegszeit die Krone getragen hatte. Er war der älteste unter den drei nordischen Königen und der aktivste. Allerdings konnte und wollte auch er die Bindungen, zu denen ihn der Verfassungsstaat zwang, nicht brechen. Noch galt auch in Schweden nicht das allgemeine Wahlrecht. Die im Reichstag vertretenen Parteien gruppierten sich ähnlich wie in den beiden Nachbarstaaten, aber mit einer für die schwedischen Verhältnisse bezeichnenden Differenzierung. Die Rechte mußte 1917 Stimmen an zwei neue kleinere Grup-

b) Die innere Entwicklung bis zum II. Weltkrieg

pen abgeben. Die eine war der aus Kleinbauern bestehende Bauernbund (Bondeförbundet), die andere der großbäuerliche Reichsverband der Landwirte. Nach dem Rücktritt der Rechtsregierung Hammarskjöld im Frühjahr 1917 festigte sich die Linksmehrheit, so daß im Herbst 1917 der liberale Historiker N. G. Edén die Regierungsgeschäfte übernehmen konnte, der sich außer seiner eigenen Partei auf die Sozialdemokraten stützte. Von diesen lösten sich allerdings die Linkssozialisten, von denen sich 1921 die kommunistische Mehrheit abspaltete und eine eigene Partei gründete. Edén gelang es, im Oktober mit Hilfe von Branting und anderen gemäßigten Sozialdemokraten eine Übereinkunft zwischen den beiden Parteien über die Fortführung der Koalition zu erzielen, und er konnte so die Regierung auch nach Beendigung des Krieges fortführen.

Junge Kräfte gewannen in der sozialdemokratischen Partei Einfluß, so der Redakteur Per Albin Hansson, der Parteisekretär Gustav Möller, der Staatssekretär Rickard Sandler. 1920 gab sich die Partei ein neues Programm, in dem sie sich grundsätzlich für die Sozialisierung aussprach, ebenso für die progressive Besteuerung, für eine verschärfte Erbschaftssteuer, Arbeitslosenversicherung, das Recht zur Enteignung, zur staatlichen Kontrolle privater Unternehmen und zum Zwangsverkauf großen Besitzes.

Die Regierung Edén trat, als ihr radikales Gemeindesteuerprogramm am Widerstand der Liberalen gescheitert war, im März 1920 zurück. Darauf beauftragte der König Hjalmar Branting, der die erste sozialdemokratische Regierung der Welt, die ohne Umsturz die Macht übernahm, bildete, mit Palmstierna als Außenminister; Thorsson, der bisherige Finanzminister, behielt sein Ressort; Kriegsminister wurde P. A. Hansson. Thorsson übernahm später das neue Handelsdepartement, während sein Nachfolger im Finanzministerium Rickard Sandler wurde.

Doch waren sie nicht stark genug, um das Thorssonsche Gemeindesteuerprogramm durchzuführen; vielmehr setzte sich der Alternativvorschlag der Liberalen durch, und im Oktober 1920 sah sich der König gezwungen, den Landshövding Freiherrn Louis De Geer zu berufen, der eine Regierung aus Fachministern bildete, die bald durch das Ministerium des konservativen, aber nicht parteigebundenen Landshövding Oscar von Sydow abgelöst wurde. Die Vorgänge auf dem Kontinent, insbesondere die deutsche Novemberrevolution von 1918, brachten die Frage der Demokratisierung der Verfassung in das entscheidende Fahrwasser. Die Abänderung im Sinne eines allgemeinen Wahlrechts wurde auf einer Neuwahl im Jahre 1921 bestätigt. Jetzt hatten über 54 % der Bevölkerung das Wahlrecht zur 2. Kammer. Die Verfassungsänderung hatte einen starken Aufstieg der Sozialdemokraten zur Folge. Sie waren jetzt mit 93 Abgeordneten die weitaus führende Partei, so daß Branting seine zweite Regierung bilden konnte. In ihr übernahm er neben der Leitung der Regierung auch das Außenressort; Hansson und Thorsson bekamen dieselben Ministerien wie ein Jahr zuvor. Unter Branting wurde durch Verfassungsänderung die »konsultative« Volksabstimmung eingeführt, und im August 1922 die Frage eines »totalen« Verbots alkoholischer Getränke erprobt. Doch behauptete sich der Restriktionsgedanke im Sinn des seit 1917 bestehenden, nach dem Stockholmer Arzt benannten »Brattsystems«.

In dieser Zeit machte Schweden, nachdem das Kriegsende eine kurze Konjunkturperiode gebracht hatte, eine Wirtschaftskrise durch, die durch Preisstürze und Arbeitslosigkeit gekennzeichnet war. Auf dem Tiefpunkt, Anfang 1922, gab es 163 000 Arbeitslose. Doch erholte sich die schwedische Wirtschaft unter dem Einfluß der internationalen Konjunktur verhältnismäßig rasch. In dieser Zeit be-

§ 22 Die skandinavischen Staaten seit dem Ende des I. Weltkriegs

mühte sich Branting, die Arbeitslosenunterstützung durchzusetzen, mußte aber eine Niederlage einstecken, worauf er im April 1923 zurücktrat. Der Nachfolger, Ernst Trygger, ein Vertreter der Rechten, bildete die erste der Minderheitsregierungen, die für die Folgezeit so bezeichnend sein sollten. Der Konjunkturaufschwung kam ihm zugute; 1924 konnte Schweden als erster europäischer Staat zum Goldmünzfuß zurückkehren. Tryggers Wehrvorlage, die wohl die Ausgaben etwas kürzte, sich aber im übrigen weitgehend an die Wehrordnung von 1914 halten wollte, stieß auf den Widerstand der Sozialdemokraten und Freisinnigen. Als die Wahlen des Herbstes 1924 keine wesentliche Änderung des Kräfteverhältnisses brachten, trat Trygger zurück. Seit 1923 war die liberale Partei in zwei Teile aufgespalten: in die von Carl Gustav Ekman geführte größere Gruppe der Volksfreisinnigen, die sich namentlich um ein Alkoholverbot bemühte, und in die kleinere Gruppe der Liberalen. Die Linkssozialisten hatten sich wieder den Sozialdemokraten angeschlossen, während sich die Kommunistische Partei weiter aufspaltete. Die Regierung übernahm nun wieder Branting, der aber im Februar 1925 starb, worauf der Handelsminister Sandler sein Nachfolger wurde, ein Vertreter der jüngeren Generation, der bezeichnenderweise zur Akademikergruppe der Sozialdemokraten gehörte. Wie bisher schon unter Branting gehörte der Regierung als Verteidigungsminister der aus der Arbeiterbewegung kommende Per Albin Hansson an. Er fand die Lösung der Verteidigungsfrage 1925 im Sinne einer Abrüstung, sah aber die Einrichtung einer Luftwaffe vor.

Der wirtschaftliche Aufschwung machte sich inzwischen bemerkbar. Im Herbst 1924 überschritt die Erzeugung den Vorkriegsstand. Trotzdem waren Arbeitslosigkeit und Lohnkämpfe die Fragen, an denen die Regierung im Sommer 1926 scheiterte. Die Zwischenstellung, die die Freisinnigen zwischen der Rechten und den Sozialdemokraten einnahmen, ermöglichte es dem Verfechter der Antialkoholbewegung, Carl Gustav Ekman, mit Unterstützung der Liberalen, die Regierung zu bilden. Mittels einer Politik des »Züngleins an der Waage« gelang es ihm 1927, eine vom Kirchenminister Johan Almkvist ausgearbeitete Schulreform durchzuführen und im nächsten Jahr ein Gesetz über kollektive Arbeitsverträge, das auf die Initiative des liberalen Arbeitsministers Jakob Petterson zurückging.

Die Wahlen zur 2. Kammer im Herbst 1928, die unter dem Einfluß der guten wirtschaftlichen Konjunktur standen, stärkten die Rechte und den Bauernbund, worauf Arvid Lindman, dem vornehmlich die Umformung der Rechten zu einer volkstümlich konservativen Partei zu verdanken war, die neue Regierung bildete. Der 71jährige Trygger übernahm das Außenministerium. Doch zeigten sich jetzt die ersten Auswirkungen der Weltwirtschaftskrise, und als keine Übereinstimmung zu erzielen war, wieweit die durch die Krise in Mitleidenschaft gezogene Landwirtschaft zu unterstützen sei, mußte Lindman gehen. Daraufhin konnte wieder der »Regierungsstürzer« Ekman eine Regierung bilden, allerdings auf einer sehr schwachen parlamentarischen Basis. Inzwischen wurde auch die schwedische Industrie von der Krise erfaßt. Es gab die blutigen Ådalskrawalle. Als Großbritannien 1931 den Goldstandard aufgab, mußte Schweden folgen. Im Herbst 1932 beging der Streichholzmagnat Ivar Kreuger, der 1930 60 % der Weltstreichholzproduktion kontrollierte und zuletzt über 200 Unternehmen beherrschte, in Paris Selbstmord. Nachdem bekannt wurde, daß Ekman von ihm finanziell unterstützt worden war, mußte die Regierung gehen. Die Nachfolge übernahm der Finanzminister Felix Hamrin. Die Neuwahlen im Herbst 1932 brachten den Konservativen und Freisinnigen Verluste, den Sozialdemokraten und dem Bauernbund aber einen starken Stimmengewinn, woraufhin Hansson

b) Die innere Entwicklung bis zum II. Weltkrieg

eine rein sozialdemokratische Regierung bildete. Sein Rivale Sandler übernahm das Außenministerium. »Per Albin« Hansson, die führende politische Persönlichkeit Schwedens bis zum Ende des II. Weltkriegs, Maurersohn aus der Malmöer Gegend, zeichnete sich durch seine ruhige, populäre, meist vermittelnde Art aus und war ein Meister der parlamentarischen Verhandlung. Hansson stand vor einer besonders schwierigen Amtszeit. Im März 1933 stieg die Zahl der Arbeitslosen auf 187 000 und erreichte damit einen Höhepunkt. Hanssons Partei und der Bauernbund fanden jedoch eine Kompromißlösung der Krisenbekämpfung mittels Notstandsarbeiten, einer Fortsetzung der bisherigen Maßnahmen für die Landwirtschaft und einer weitgehenden staatlichen Reglementierung des Außenhandels, was ja überhaupt der internationalen Entwicklung entsprach. Außerdem wurden durch eine Unterbewertung der Krone gegenüber dem Pfund um 7 % unter pari die Einfuhren erschwert, die Exportgüter aber konkurrenzfähig gemacht. Der starke Rückgang der Arbeitslosigkeit mit dem Schwinden der Krise kam dabei der Regierung zugute. Als Reaktion auf die Übernahme der Macht durch die Nationalsozialisten in Deutschland wurde der Anschluß an Westeuropa schon gefühlsmäßig stärker betrieben. In diesem Sinne wurde 1933 ein Handelsvertrag mit Großbritannien abgeschlossen; 1935 folgte ein solcher mit den USA. Die Verschärfung der internationalen Lage beeinflußte auch die Diskussion um die Verteidigung. Hansson suchte mit seinem Vorschlag von 135 Millionen Kronen 1936 einen mittleren Weg einzuschlagen, und als dies nicht ging, die Frage mit der Steuer- und Sozialpolitik zu koppeln, mußte sich aber schließlich den Forderungen der Mittelparteien im Sinne einer Aufrüstung vor allem der Luftwaffe anpassen. Nicht die Verteidigungs-, sondern die Pensionsfrage veranlaßte dann die Regierung im Juni 1936 zum Rücktritt. Eine Regierung unter Axel Pehrsson, der seit 1933 eine führende Rolle im Bauernbund spielte, hatte nur Übergangscharakter. Der Konjunkturaufschwung, der nach einem langwierigen Bauarbeiterstreik (1933/34) auch dem Wohnungsbau zugute kam, veranlaßte die Regierung, ihre Sozialpolitik zu aktivieren, was in Schlagwörtern wie »Volksheim« und »Wohlfahrtsstaat« zum Ausdruck kam. 1934 wurde eine vom Staat unterstützte freiwillige Arbeitslosenversicherung beschlossen und 1935 ein vom Sozialminister Möller ausgearbeitetes Volkspensionsgesetz angenommen.

Die Herbstwahlen bestätigten die starke Stellung der Sozialdemokraten. Bei insgesamt 230 Mandaten erreichten sie mit 112 nahezu die absolute Mehrheit, aber in der ersten Kammer behaupteten die Bürgerlichen ihr Übergewicht.

Deshalb bildete Hansson mit dem Bauernbund zusammen, der seine Stellung im wesentlichen zu behaupten vermochte, eine Koalitionsregierung, bei der der Bauernbund aber nur 3 Minister mit Pehrsson-Bramstorp als Landwirtschaftsminister stellen konnte. Große grundsätzliche Auseinandersetzungen gab es nicht mehr; vielmehr ging es in erster Linie darum, die sozialen Reformen weiter auszubauen und die Demokratisierung zu vervollständigen. Lediglich die Rüstungsfrage ließ die Gegensätze stärker hervortreten. Die Standpunkte näherten sich in dem Maße, wie die politische Entwicklung in Mitteleuropa auf eine allgemeine Krise hinführte. Seit 1938 rüstete Schweden wieder stärker und entfaltete in Verbindung mit den anderen skandinavischen Ländern im Sinne der alten Neutralitätspolitik eine erhöhte diplomatische Tätigkeit. Die Bemühungen, die Wirtschaft autark zu gestalten, bewirkten, daß das Land beim Ausbruch des II. Weltkrieges wirtschaftlich und militärisch besser gestellt war als 1914.

Schwedens Bevölkerungsentwicklung begann in der Zwischenkriegszeit bereits zu stagnieren. Die 5,5 Millionen, die es um 1910 hatte, wurden bis zum II. Welt-

§ 22 Die skandinavischen Staaten seit dem Ende des I. Weltkriegs

krieg nicht wesentlich überschritten. Das Schweden der »Zweiten Großmachtzeit«, wie man diese Jahre genannt hat, war ein Land mit einem sehr modernisierten Leben und hohem Lebensstandard. Der in der Landwirtschaft beschäftigte Bevölkerungsanteil, der 1930 noch 37 % der Gesamtbevölkerung betrug, sank bis 1940 auf 32 %, während der Anteil der Industriebevölkerung von 33 % auf 35,7 % stieg. Schon damals wohnten 37 % der Gesamtbevölkerung in den Städten.

Die wirtschaftliche Entwicklung Schwedens als führendes Industrieland Skandinaviens nahm einen Verlauf, der in vielem exemplarisch war und deshalb genauer nachgezeichnet zu werden verdient. Der I. Weltkrieg führte zu einer starken Expansion der neutralen schwedischen Wirtschaft, die ihren Höhepunkt im Jahr 1916 erreichte. Industrie und Landwirtschaft hatten ihren Anteil daran, und der Export hatte eine beachtliche Höhe. Der Exportüberschuß während des ganzen Krieges betrug etwa 1 Milliarde Kronen, was die Rückzahlung der ausländischen Anleihen, die vor dem Krieg aufgenommen worden waren, erleichterte. In den letzten Kriegsjahren sanken Export und Import allerdings beträchtlich, was zu Rohstoffmangel führte, so daß 1918 die industrielle Produktion 25 % niedriger war als 1913.

1919 begann die Erholung, die 1921 von einer Deflationskrise gehemmt wurde. Zwischen 1920 und 1922 sanken die Preise um mehr als die Hälfte. Die Arbeitslosigkeit stieg; mit dem 8-Stundentag, erhöhten Löhnen und Rationalisierungsmaßnahmen suchte man darauf zu reagieren. Die internationale Depression des Jahres 1929 erreichte Schweden verhältnismäßig spät, nämlich erst 1931/32, dabei waren die Wirkungen nicht besonders tiefgreifend. Der geringe Bevölkerungszuwachs übte nur einen sehr begrenzten Einfluß auf die Nachfrage landwirtschaftlicher Erzeugnisse aus, fallende Exportpreise und starke internationale Konkurrenz begrenzten von außen her die Absatzmöglichkeiten. In den dreißiger Jahren kam das verstärkte Autarkiestreben verschiedener Länder hinzu. In diesen dreißiger Jahren verlor die Landwirtschaft ihre Position als größter Wirtschaftszweig hinsichtlich der Beschäftigungszahl. Die Mechanisierung machte Arbeitskräfte frei, die allerdings nicht in hinreichendem Maße in anderen Sektoren Aufnahme fanden, weil diese, vor allem die Industrie, zu wenig expandierten. Im übrigen leitete der Staat im Jahre 1933 eine Zuschußpolitik ein, die den wenig lohnenden Familienbetrieb wahrte. Die Hälfte der landwirtschaftlichen Bevölkerung hatte Höfe mit weniger als 10 ha. Die Landwirtschaftspolitik opferte die ökonomischen Aspekte zugunsten der sozialpolitischen.

Das Produktionsvolumen der Industrie stieg in den Jahren vor 1939 im selben Maße wie in den Jahren vor 1929, nur daß jetzt der Binnenmarkt eine stärkere Aufnahmefähigkeit aufwies. Auch in den zwanziger Jahren führten die Industrien, die vor 1914 die stärkste Exportentwicklung gehabt hatten. Papier und Papierexporte erreichten mehr als eine Verdoppelung; auch die Werkstattproduktion stieg kräftig; die Sägewerksindustrie dagegen hatte Schwierigkeiten; dementsprechend ging die Zahl der Betriebe in den dreißiger Jahren zurück. Auch die eisenschaffende Industrie unterlag einem Konzentrationsprozeß. Der allgemeinen Entwicklung folgte der Bausektor, namentlich der Wohnungsbau belebte sich, als Folge der Zuwanderung in die Städte, erhöhter Heiratsfreudigkeit und steigender Realeinkommen. Neben dem Wohnungsbau wirkten auch die Zunahme der Kraftfahrzeuge und der Fortgang der Elektrifizierung stimulierend auf die Industrie. Der schwedische Export dehnte sich nun auch auf die außereuropäischen Länder aus. Schweden konnte jetzt selbst Kapital ausführen. Die schwedische Handelsflotte stieg von 1905 bis 1939 von etwa 940 000 BRT auf etwa 1,62 Millionen BRT an.

c) Die skandinavische Außenpolitik bis zum II. Weltkrieg
Dänemark

Literatur
Danmarks traktater og aftaler med fremmede magter efter 1814, Bd. 7: 1908–1920 (1951).

Die Ereignisse des I. Weltkrieges und die Auswirkungen der Friedensschlüsse hatten auch im Norden deutlich genug gezeigt, wie eng das Schicksal der skandinavischen Länder mit dem der übrigen Welt verflochten war. Dänen und Schweden waren der Sorge enthoben, daß ihnen von Süden oder Osten her eine Gefahr drohe. Deutschland hatte den Krieg verloren; seine Verteidigungskraft war eingeschränkt; Rußland hatte die bolschewistische Revolution hinter sich, mußte Bürgerkriege überstehen und sich auf innenpolitische Aufgaben konzentrieren; zwischen Schweden und Rußland lag jetzt das unabhängige Finnland, und am südlichen Ostseeufer waren Polen, Estland, Lettland und Litauen unabhängig geworden und bildeten ebenfalls eine Barriere gegen ein wiedererstarkendes Sowjetrußland.

Der Krieg hatte ganz besonders das nordische Zusammengehörigkeitsgefühl gestärkt. Im Jahre 1919 wurde Foreningen Norden gegründet, die sich auf private Zusammenschlüsse in jedem der einzelnen Staaten stützte. Ihre Aufgaben lagen auf wirtschaftlichem und kulturellem Gebiet und sollten insbesondere durch Schulungskurse und Studienreisen die gegenseitige Zusammenarbeit fördern. Hindsgavl bei Middelfart wurde in Dänemark eine Stätte der Begegnungen.

Am sichtbarsten fand die nordische Zusammenarbeit ihren Ausdruck im Völkerbund, in dessen Genfer Ratsversammlung jeder Mitgliedsstaat mit einer Stimme vertreten war. Unter den 13 neutralen Staaten, die noch vor Friedensschluß von den Siegermächten eingeladen wurden, befanden sich auch Dänemark, Norwegen und Schweden, und dänische Vertreter nahmen an der Pariser Konferenz im Frühjahr 1919 teil. Der Grundsatz des Völkerbundes, gemeinsame Hilfe gegen einen Angreifer zu leisten und das eigene Gebiet zum Durchmarsch von Truppen zu öffnen, stand allerdings im Widerspruch zum bisherigen Gedanken der strikten Neutralität, und die dänische Delegation (Verteidigungsminister P. Munch und Niels Neergaard) suchte möglichst viel von der nordischen Neutralität zu sichern. Dänemark trat dann auch als erste nordische Macht ein und bemühte sich mit den anderen skandinavischen Staaten die Mitgliedsverpflichtungen in einer Konfliktsituation einzuschränken. Neu war, daß zur Delegation nicht nur ein Beamter des Außenministeriums, sondern auch Vertreter der Reichstagsparteien hinzugezogen wurden. 1923 wurde überhaupt ein außenpolitischer Ausschluß gewählt, der mit der Regierung über außenpolitische Fragen beraten sollte. Vor 1927 war es üblich, daß der Außenminister selbst die Völkerbundsdelegation leitete.

Die Teilnahme am Völkerbund machte sich in der Verteidigungsdebatte bemerkbar. Die Befürworter einer Abrüstung waren der Ansicht, daß man sich im Schutz des Völkerbundes gewisse Verteidigungsausgaben ersparen könne. Die Befestigung Kopenhagens, über die vor dem Krieg so viel diskutiert worden war, wurde schon 1920, weil sie bei den modernen Waffen zwecklos geworden und deshalb ausgeschaltet war, niedergelegt. Bei der Verteidigungsordnung von 1922 wurde, gegen die Radikalen und die Venstre, das Heer eingeschränkt, die Ausbildungszeit verkürzt und das Hauptgewicht auf die Reserven gelegt. Als die Sozialdemokraten 1924 die Regierung übernahmen, suchte der Verteidigungsminister Rasmussen die Flotte durch eine Seepolizei und das Heer durch eine »Wachtwehr« zu ersetzen. Doch scheiterte der Plan, für den auch die Radikalen gewonnen werden konnten, im Landsting. Daß Adolf Hitler 1933 aus dem Völkerbund austrat und 1935 die allgemeine Wehrpflicht einführte, weckte im Norden wachsende Sorge. Der dänische Außenminister P. Munch, von Haus aus Historiker, und, nachdem Rode 1927 den Reichstag verlassen hatte, der führende Mann der Radikalen, dem Stauning in seinem Ressort freie Hand ließ, ging vorsichtig aber unbeirrt seinen Weg durch die bedrohlichen dreißiger Jahre und verstand in diesem Sinne auch die dänische Presse zu beeinflussen. Eine Folge des Austritts Deutschlands aus dem Völkerbund war es, daß Dänemark wieder zum früheren Standpunkt strikter Neutralität zurückkehrte. Als Italien 1935 Äthiopien angriff und der Völkerbund, auf Initiative Großbritanniens, Sanktionen ergriff, schlossen sich auch Dänemark und die anderen nordischen Staaten diesen Sanktionen an, die aber, da die wichtigsten Waren ausgenommen waren, keine durchschlagende Wirkung erzielten, zumal England und Frankreich die Sanktionen 1936 wieder aufgaben. Darauf einigten sich die 7 Staaten, die im I. Weltkrieg neutral gewesen waren, daß sie sich nicht länger an die Sanktionsbestimmungen gebunden fühlten. Doch gingen sie nicht so weit wie Norwegen und die Schweiz, die für die Löschung oder zeitweilige Aufhebung der Sanktionsbestimmungen im Völkerbund waren.

Noch bevor die deutschen Ereignisse von 1933 und danach die Dänen beunruhigten, errichtete das Ministerium Stauning 1932 eine neue Verteidigungsordnung, die den Umfang des Heeres und noch stärker den der Flotte einschränkte. Nach 1933 änderte die Regierung ihre Haltung, wobei die Radikalen allerdings nach wie vor der Ansicht waren, daß Dänemark zu schwach sei, um sich gegen den Angriff von seiten einer Großmacht zu verteidigen. Nachdem der Wahlsieg von 1935 den beiden Regierungsparteien die Mehrheit im Landsting gesichert hatte, setzten sie 1937 eine neue Verteidigungsordnung durch, wonach zwar die Zahl der jährlich Einberufenen gesenkt wurde, dafür wurde die Ausbildung und Ausrüstung verbessert. Da man von Großbritannien keine Hilfe erwarten konnte, erwog man den Gedanken eines nordischen Verteidigungsbündnisses. Seit 1932 kamen die Außenminister wieder zu Besprechungen zusammen, und diese Besprechungen wurden häufiger, je ernster die internationale Lage wurde. Allerdings mußte Stauning bald erkennen, daß Schwedens Neutralitätsstreben ein nordisches Verteidigungsbündnis unmöglich machte. Umsomehr lag Stauning wie auch dem Außenminister Munch an der moralischen Unterstützung von seiten der andern skandinavischen Staaten, um damit Deutschland zeigen zu können, welche Auswirkungen ein Angriff gegen Dänemark im ganzen Norden haben könnte. Dänische Bemühungen angesichts des expansiven Zugriffs Hitlers in Österreich und der Tschechoslowakei und dem Memelgebiet, doch noch die skandinavischen Länder zu Nichtangriffsvereinbarungen mit Deutschland zu gewinnen, scheiterten. Auf schwedischer Seite sah man in einem Nichtangriffsvertrag einen Bruch mit der Tradition voller Neutralität. So tat Dänemark diesen Schritt allein und unterzeichnete einen Nichtangriffsvertrag am 31. V. 1939 in Berlin. In einer Ergänzung zum Protokoll wurde festgesetzt, daß ein Warenaustausch mit einer dritten Macht nicht gegen den Vertrag streite; Dänemark wurde es also gestattet, während eines neuen Krieges seinen Handel mit Großbritannien fortzuführen. Der Vertrag wurde vom dänischen Reichstag mit Ausnahme der Stimmen der Kommunisten angenommen.

c) Die skandinavische Außenpolitik bis zum II. Weltkrieg

Norwegen

Literatur
K. *Fasting,* Nils Claus Ihlen 1888–1955 (1955).
T. *Mathisen,* Svalbard i internasjonal politik (1951).
Ders., Nøytralitetstanken i norsk politik: HistTOslo 36 (1952).
N. *Örvik,* The Decline of Neutrality 1914–1941. With Special Reference to the United States and the Northern Neutrals (1953).
O. *van Zweigberck,* Svensk politik 1905–1929 (1929).

Nicht so dicht wie Dänemark an den Brennpunkten des Weltgeschehens lag Norwegen, das sich nach Beendigung des I. Weltkriegs zunächst um die Sicherung des Besitzes der Inselgruppe von Spitzbergen bemühte. Dem norwegischen Gesandten in Paris, Wedel Jarlsberg, gelang es, eine Reihe von Ländern, darunter die Vereinigten Staaten, England, Frankreich und Dänemark 1920 zu einem Abkommen darüber zu veranlassen, in dem Norwegen der Besitz der Inselgruppe anerkannt wurde. Die Sowjetunion gab ihre Zustimmung 1924, nachdem Norwegen sie anerkannt hatte. Die Inseln wurden 1925 von Norwegen übernommen und erhielten zusammen mit der Bäreninsel (Björnön) den Namen Svalbard mit einem eigenen Gouverneur (Sysselman). Die Inseln waren wichtig wegen ihrer bedeutenden Kohlenlager, die es Norwegen in den folgenden Jahren gestatteten, einen beträchtlichen Teil seines Kohlenbedarfs von dort zu decken; später nahm Norwegen auch die Insel Jan Mayen und in der Antarktis die Bouvetinsel sowie die Peter I.-Insel in Besitz. Erfolglos blieb dagegen das Bestreben Norwegens, auf der Ostseite Grönlands Fuß zu fassen. Dahinter verbargen sich Walfanginteressen. Aber schon 1921 gab Dänemark zu erkennen, daß sein Hoheitsanspruch über Grönland sich auch auf dessen Ostküste beziehe. Verhandlungen zwischen den beiden Regierungen führten 1924 zu einem Vertrag. Danach sollte die Ostküste dem norwegischen Fangpersonal genau so offen stehen wie dem dänischen. In der Folgezeit kam es aber doch zu Spannungen zwischen Norwegern und Dänen. Eine Gruppe von Norwegern hißte in der Mygg-Bucht die norwegische Flagge; 1931 erkannte die damalige Bauernregierung in Norwegen die Besetzung an und nannte das Gebiet »Erik Raudes Land«. Im nächsten Jahr folgte eine weitere Besetzung. Dänemark wandte sich an den Internationalen Gerichtshof im Haag. Im April 1933 erklärte das Urteil die Besetzungen für rechtswidrig und ungültig. Das Storting erklärte sich mit großer Mehrheit gegen das Verhalten der Regierung, und die Nationalisten bekamen die Niederlage zu spüren.

Norwegen war ein besonders aktiver Befürworter des Völkerbundsgedankens, wobei die Initiative in erster Linie von Fridtjof Nansen ausging. Im Herbst 1918 wurde eine Nordische Vereinigung für den Völkerbund geschaffen, deren Vorsitzender Nansen wurde. Am 4. III. 1920 beschloß das Storting Norwegens Beitritt zum Völkerbund. Gegen den Beschluß stimmten die Vertreter der Arbeiterpartei und C. J. Hambro, die führende Persönlichkeit der Rechten, der aber später seine Haltung änderte und von 1926 an Norwegen in der Völkerbundsversammlung vertrat. Neben ihm setzte sich ebenfalls intensiv für eine Pflege der zwischenstaatlichen Beziehungen Johan Ludvig Mowinckel aus Bergen ein, der Führer der Linken nach Gunnar Knudsen. Auf Mowinckels Initiative ging die Oslokonvention zurück, die im Dezember 1930 von Belgien, Luxemburg, Dänemark, den Niederlanden, Norwegen und Schweden unterzeichnet wurde und deren Bestrebung es war, gegen die überhandnehmende staatliche Protektions- und Restriktionspolitik sich für den Freihandel einzusetzen. Im Rahmen der interparlamentarischen Zusammenarbeit wäre noch Chr. L. Lange zu erwähnen, der von 1909

§ 22 Die skandinavischen Staaten seit dem Ende des I. Weltkriegs

ab Generalsekretär der Interparlamentarischen Union war. Er vertrat Norwegen ständig von 1933 an bei den Versammlungen des Völkerbunds und erhielt zusammen mit Hjalmar Branting den Friedensnobelpreis. Norwegens Vertreter wirkten mit am eifrigsten im Büro des Völkerbunds wie auch in dessen Abteilungen. Norwegen war einer der Staaten, die sich loyal an den Sanktionen gegen Italien beteiligten, zog dann aber aus dem Fiasko der Sanktionspolitik die Konsequenzen und betonte künftig wieder stärker die Linie der Neutralitätspolitik.

Unter dem Einfluß der Politik des nationalsozialistischen Regimes erfuhr auch die Einstellung Norwegens gegenüber Deutschland einen bezeichnenden Wandel. Im Jahre 1919 organisierten Norweger umfassende Hilfsmaßnahmen für deutsche und österreichische Kinder. Der Wechsel der Stimmung wurde zum erstenmal eklatant sichtbar, als das Nobelkomitee des Stortings 1936 Carl von Ossietzky, der sich damals im Konzentrationslager in Oranienburg befand, den Friedenspreis verlieh und dadurch den Protest des deutschen Außenministers herausforderte.

Norwegen verdankte sein Ansehen unter den Nationen, obwohl es eine kleine Nation war, vor allem dem Einsatz von Fridtjof Nansen. Schon auf den Friedenskonferenzen in Paris setzte er sich aktiv für die kleinen Nationen ein. Im Frühjahr 1920 übernahm er es im Auftrag des Völkerbunds, mit der »Nansenhilfe« zugunsten der Millionen Kriegsgefangenen, die es überall in Europa noch gab, eine Organisation zu schaffen, die auch mit der Sowjetunion eine Übereinkunft treffen und in den nächsten 18 Monaten 380 000 Kriegsgefangene in ihre Heimat schicken konnte. Anschließend machte man ihn zum Hochkommissar für die russischen Flüchtlinge. Eine internationale Konferenz in Genf gab ihm das Recht, diesen Flüchtlingen, deren Zahl 1½ Millionen betrug, einen besonderen Paß (Nansen-Paß) auszustellen. Nach Nansens Tod übernahm das dem Völkerbund unterstellte Nansenkontor die weitere Betreuung. Nansen leitete auch 1922 die große Umsiedlung der in der Türkei lebenden Griechen nach Griechenland und der hier lebenden Türken in die Türkei. Eine ähnliche Arbeit führte er für die Bulgaren durch; auch den Armeniern suchte er zu helfen. Die größte Leistung vollbrachte die »Nansenmission« 1922/23, als es Nansen trotz des Widerstands der Regierung und des Völkerbunds gelang, Millionen von Kindern und Hunderttausenden von Erwachsenen im hungernden Südrußland zu helfen.

Schweden

Literatur
E. C. Bellquist, Some Aspects of the Recent Foreign Policy of Sweden (1929).
A. Brusewitz, Studies över riksdagen och utrikespolitiken, Bd. 2 u. 3 (1933 u. 1941).
H. Tingsten, Svensk utrikesdebatt mellan wärldskrigen (1944).
T. Gihl, Den svenska utrikespolitikens historia, Bd. 4: 1914–1919 (1951); vgl. K. G. Hildebrand: HistTStockholm 73 (1953).
E. Lönnroth, Den svenska utrikespolitikens historia, Bd. 5: 1919–1939 (1959).
G. von Dardel, Lyckliga hov, stormiga år (1953).
E. Modig, Diplomattjänst med mellanspel (1954).
A. Thulstrup, in: Svensk utrikespolitik under 1900 – talet (1958).
Ders., Med lock och pock. Tyska försök att påverka Svensk opinion 1933–1945 (1962).

Wie die anderen skandinavischen Staaten trat Schweden 1920 dem Völkerbund bei. 1923 erhielt es einen der nicht ständigen Sitze im Völkerbundsrat. Schweden wurde durch Branting vertreten, dem es vor allem darum ging, die Autorität des Bundes gegenüber den Großmächten zu stärken und die Interessen der kleinen

d) Der II. Weltkrieg

Staaten wahrzunehmen. Bei der Diskussion um das Genfer Protokoll, das dann nicht zustande kam, war er gegen Schwedens Beteiligung an militärischen Aktionen des Bundes, wohl aber für Sanktionen wirtschaftlicher und finanzieller Art.

In seiner Ostseepolitik war Schweden für den Status quo der kleinen Randstaaten, ohne sich weiter in eine aktive Politik einzulassen. 1924 erkannte es die Sowjetunion an und schloß mit ihr ein Handelsabkommen. Brantings Nachfolger im Völkerbundsrat, Östen Undén, war während der Ratskrise 1925/26, als Polen und anschließend auch Spanien und Brasilien einen permanenten Sitz anstrebten, gegen eine Vermehrung und trug dann dadurch zur Lösung der Frage bei, daß er auf Schwedens Sitz verzichtete, um Polen als »halbpermanentes« Mitglied nachfolgen zu lassen, ein Schritt, der in Schweden auf scharfe Kritik stieß.

In der Folgezeit hielt sich Schweden in außenpolitischen Fragen stärker zurück. 1930 schloß es sich der Oslo-Konvention an, wonach die drei skandinavischen Staaten (seit 1933 auch Finnland) sowie Belgien, die Niederlande und Luxemburg vor geplanten Zollerhöhungen gemeinsame Beratungen durchführen wollten. Ekmans Außenminister Fredrik Ramel, Verfechter einer betonten zwischenstaatlichen Zusammenarbeit, führte die schwedische Delegation, die 1932 an der mißglückten Genfer Abrüstungskonferenz teilnahm.

Auch die 30er Jahre sind durch Zurückhaltung gekennzeichnet. 1935 während der Saarabstimmung wirkte eine schwedische Truppe mit, um die Ordnung aufrecht zu erhalten. Während des italienischen Abessinienkriegs beteiligte sich Schweden an den vom Völkerbund beschlossenen wirtschaftlichen Sanktionen.

Die unkonsequente Haltung der Westmächte, namentlich nach der Remilitarisierung der Rheinzone durch Hitler, veranlaßte Schweden mit den übrigen nordischen Staaten, den Niederlanden, der Schweiz und Spanien, die Verpflichtungen zu kollektiven Sanktionen praktisch zu kündigen, und während des spanischen Bürgerkriegs verfolgte Schweden die Linie der Nichtintervention. Im Juli 1938 unterstrichen in Kopenhagen sämtliche 7 Oslostaaten, daß das Sanktionssystem des Völkerbunds keinen verpflichtenden Charakter haben könne. Doch blieb Schweden weiter Völkerbundsmitglied und saß, vertreten durch Sandler, 1936 bis 1939 zum zweiten Mal im Völkerbundsrat. Daß Schweden bei einem Konflikt der Großmächte neutral war, war allgemeine Ansicht. Ein deutsches Angebot eines Nichtangriffspaktes vom Mai 1939 wurde abgewiesen. Während Dänemarks ungünstige strategische Lage und der dänische Nichtangriffspakt mit Deutschland die nordische Zusammenarbeit störte, ermöglichten die guten Beziehungen zu Finnland im Juli 1938 den Stockholmer Plan, der Zugeständnisse hinsichtlich der Verteidigung der Ålandgruppe durch die Finnen enthielt, wogegen allerdings die Sowjetunion Schwierigkeiten machte, so daß er praktisch ins Wasser fiel.

d) Der II. Weltkrieg
Literatur
W. Hubatsch, Die deutsche Besetzung von Dänemark und Norwegen (1952; erweiterte Aufl.: Weserübung, Die deutsche Besetzung von Dänemark und Norwegen 1940 = StudDokGIIWeltkrieg 7, 1960).
C. A. Gemzell, Raeder, Hitler und Skandinavien (1965).
W. S. Churchill, The Second World War, Bd. 1 (1948).
T. K. Derry, The Campaign in Norway (1952).
J. R. M. Butler, Grand Strategy, Bd. 2 (1957).
Handelsfragen: W. N. Medlicott, The Economic Blockade. History of the Second World War: United Kingdom, Civil series 5: 1–2 (1952–1959).
W. N. Medlicott u. *H. Hicks,* in: The War and the Neutrals, hg. v. *A.* u. *M. Thoynbee* (1956).

§ 22 Die skandinavischen Staaten seit dem Ende des I. Weltkriegs

Dänemark

B. *Svensson*, Fuld besked om 9. April (1946).
Ders., Mytedannelser omkring 9. April 1940 (1957).
Ders., Derfor gik det sådan den 9. April (1965).
V. *la Cour*, På vej mod katastrofen, Bd. 3 (1949).
F. H. *Kjølsen*, Optakten til den 9. April (1945).
Ders., Mit livs logbog (1957).
S. *Hartmann*, Varslene til de nordiske legasjoner før den 9. April 1940: Jyske Samlinger (1964).
P. M. *Norup*, Haeren der ikke måtte kaempe (1945).

Die politischen Verhältnisse in Dänemark

O. *Pedersen*, Den politiske modstand under Besaettelsen (1946).
E. *Scavenius*, Forhandlingspolitiken under Besaettelsen (1948).
K. *Brix* und E. *Hansen*, Dansk nazisme under Besaettelsen (1948).
J. *Haestrup*, Hemmelig alliance Hovedtraek af den danske modstands organisations udvikling 1943–1945 (2 Bde. 1959).
Ders., Til landets bedste (2 Bde. 1966).
A. *Moller*, in: Frit Danmarks hvidbog, Bd. 1 (1945).
Th. *Thaulow*, Kongen og folk gennem braendingen 1937–1945 (1945, über Christian X.).
A. *Vigen*, Eric Scavenius (1958).
J. *Bomholt* (Hg.), Bogen om Stauning (1950).
B. *Schmidt* (Hg.), Th. Stauning (1964).
I. H. P. *Sørensen* (Hg.), Fra folket de kom (1962, Porträt von Vilhelm Buhl).
G. *Christmas Møller* (Hg.), Christmas Møller (1945).
H. C. *Hansen* und J. *Bomholt* (Hgg.), Hans Hedtoft, liv og virke (1945).
V. *Kampmann* und J. *Bomholt* (Hgg.), Bogen om H. C. Hansen (1960).
H. *Bølling* u. a. (Hgg.), Halfdan Hendriksen (1956).
J. *Kjaerbøl*, Modvind og medbør (1959, Autobiographie).
E. *Thune-Jacobsen*, På en uriaspost (1945).
P. Chr. *von Stemann*, En dansk embedsmands odyssé (2 Bde. 1961).

Die Besetzung im Besonderen

Quellen: H. *Bruun*, Dansk historik bibliografi 1943–1947 (1956).
Danmark under Besaettelsen, hg. v. Dansk Bibliografisk Kontor durch A. *Tiedje* (1961).
Besaettelsens Hvem Hvad Hvor, hg. v. J. *Haestrup*, H. *Poulsen*, H. *Petersen* (1965).
Kilder til Besaettelsens historie, in: Fortid og Nutid 22 (1963).
J. *Barfod*, und E. *Kruchow*, Nanmark under 2. Verdenskrig, 2 Tle. (1964).
Kilder til Modstandsbevaegelsens historie, hg. v. J. *Haestrup* u. a. (1962).
Besaettelsestidens fakta, hg. v. Sagførerrådet durch N. *Alkil*, 2 Tle. (1945/46).
Frit Danmarks Hvidbog, hg. v. P. P. *Rohde*, 2 Tle. (1945/46).
L. *Buschardt*, A. *Fabritius* und H. *Tønnesen*, Besaettelsestiden illegale blade og bøger: 1940–1945 (1954, Nachtrag 1960).
Darstellungen:
V. *la Cour* (Hg.), Danmark under Besaettelsen (3 Bde. 1945–1947).
J. *Brøndsted* und K. *Gedde*, De fem lange år (3 Bde. 1945–1947).
Danmark under krig og besaettelse, hg. v. A. *Friis* (5 Bde. 1946–1948).
Danmark besat og befriet, hg. v. H. *Frisch*, V. *Buhl*, H. *Hedtoft* und E. *Jensen* (3 Bde. 1945–1948).
H. *Kirchhoff*, H. S. *Nissen* und H. *Poulsen*, Besaettelsenstidens historie (1964).
V. *la Cour*, in: Danmarks historie 1900–1945 (2 Bde. 1950).
P. *Stavnstrup*, Rigsdagen 1940–1949: Den danske Rigsdag 1849–1949 (2 Bde. 1951).
B. *Outze*, Danmark under den anden Verdenskrig (1962 ff.).
E. *Thomsen*, Deutsche Besatzungspolitik in Dänemark 1940–1945 (1971).

d) Der II. Weltkrieg

Widerstandsbewegung
H. S. Nissen und *H. Poulsen*, På dansk friheds grund-Dansk Ungdomssamvirke og de Aeldres Råd (1963).
H. Koch, Dagen og vejen (1942).
H. Sandbaek und *N. J. Rald* (Hgg.), Den danske Kirke under Besaettelsen (1945).
L. Bindløv Frederiksen, Den danske presse under Besaettelsen (1960).
E. Christiansen und *P. Nørgaard*, Hvad skete med radioen under krigen (1945).
J. Boisen Schmidt, *F. E. Jensen* og Danmarks Radio under Besaettelsen (1965).
Danmarks Laererforening (Hg.), Mens vi ventede – folkeskolen under Besaettelsen (1946).
I. Merete Nordentoft u. *A. Svendstorp*, Og hverdagen skiftede – skolen i de onde år (1946).
J. Haestrup, Kontakt med England 1940–1945 (²1959).
Ders., Hemmelig alliance, 2 Tle. (1959).
E. Foss, Fra passiv til aktiv modstand (1946).
Ders., Knaefaldet efter 9. April (1947).
M. Fog, Danmark frit 1942–1946 (1947).
B. Muus, Ingen taender et lys (²1965).
V. la Cour, For dansk domstol under Besaettelsen (1945).
Ders., Front mod tilpasningen (1946).
Ders., Vejs ende (1959).
H. Lefevre, Maendene i Danmarks Frihedsråd (1945).
K. Berg Madsen, Danmarks Frihedsråd (1946).
A. Aggebo (Hg.), Danske Laegememoirer, Bd. 5 (1946).
A. Svendstorp, Den hvide brigade (1946).
P. Hansen, Kaj Munks sidste rejse fra Silkeborg til Vedersø (1944).
I. C. Lauritzen, Sabotagen i Danmarks modstandskamp (1945).
W. N. Medlicott, The Economic Blockade, Bd. 1 (1945).
H. Lefevre, Danmark sender en ambulance (1940, Hilfe für Finnland).
C. Refslund und *M. Schmidt*, Fem år, Indtryk og oplevelser (2 Bde. 1945/46).
A. Svendstorp (Hg.), Fem år i laenker (1945).
G. Sparring-Petersen, Beretninger fra modstandskampen 1943–1945 (1965).
N. Grunnet und *B. Demer* (Hgg.), Den danske brigade (1945).
P. Møller und *K. Secher*, De danske flygtninge i Sverige (1945).
J. Fosmark (Hg.), Danske i tyske koncentrationslejre (1945).
M. Nielsen, Rapport fra Stutthof (²1965).
Ders., Undervejs mod livet (1948).
G. Christmas Møller (Hg.), Bogen om Christmas Møller (1948).
J. Christmas Møller, Danmark under den Anden Verdenskrig (1945).
Ders., Når Danmark atter er fritt (1945).
E. Reventlow, I dansk tjeneste (1956).
H. C. Røder, De kaempede for Danmark. De danske søfolks indsats i frihedskampen (1949).

Färöer, Island, Grönland
E. Müller, Fem år under Union Jack, Färöerne 1940–1945 (1945).
Chr. Vibe, Ene ligger Grønland (1946).
Bj. M. Gislason, Island under Besaettelsen og unions – sagen (1946).
J. Krabbe, Erindringer fra en lang embeds – virksomhed (1959).

Nordschleswig, Flüchtlinge in Dänemark
T. Fink, Sonderjylland siden Genforeningen i 1920 (1955).
J. Hoffmeyer und *B. A. Koch* (Hgg.), Kilder til det Sydslevigske Spørgsmål 1945–1955 (1959).
K. Kretzschmer (Hg.), Sydslesvigsk dagbog (2 Bde. 1947–1948).
J. Christmas Møller, Af det sydslevigske Spørgsmåls historie (1947).
Flygtningeadministrationen (Hg.), Flygtninge i Danmark 1945–1949 (1950).
Udenrigsministeriet (Hg.), Aktstykker vedrørede de Tyske Flygtninge i Danmark 1945–1949 (1950).

§ 22 Die skandinavischen Staaten seit dem Ende des I. Weltkriegs

Norwegen
Norges Krig (3 Bde. 1947-1950).
Krigen i Norge 1940 (6 Bde. 1952-1956).
E. A. Steen, Noregs Sjøkrig 1940-1945 (2 Bde. 1945).
N. Ørvik, Norsk militaer i Sverige 1943-1945 (1951).
Ders., Norge i Brennpunktet. Fra forhistorien til 9. april 1940, Bd. 1: Handelskrigen (1953).
H. Koht, For fred og friden i krigstid 1939-1940 (1957).
S. Kjellstadli, Hjemmestyrkene, Hovedtraek av den militaere motstanden under okkupasjonen, Bd 1 (1959, vgl. dazu J. Haestrup u. M. Skodvin: HistTOslo 40, 1960).
Th. Chr. Wyller, Frå okkupasjonsårenes maktkamp. National samlings korporative nyordingsforsøk (1953).
Ders., Nyording og motstand. En framstilling og en analyse av organisasjonenes politisk funksion under den tyske okkupasjonen 25. 9. 1940-25. 9. 1942 (1958, vgl. M. Skodvin: HistTOslo 39, 1959).
M. Skodvin, Striden om okkupationsstryret i Norge fram til 25. September 1940 (1956, vgl. S. Steen u. S. Hartmann: HistTOslo 38, 1957).
S. Hartmann, Varslene til de Nordiske legasjoner for den 9. April 1940: Jyske Samlinger 4 (1958).

Schweden
W. Tham, in: Sveriges historia genom tiderna, Bd. 5 (1948).
Å. Thulstrup, Svensk utrikespolitik under andra världskriget (1950).
T. Tson Höyer, in: Svensk utrikespolitik under 1900 – talet (1958).
Svensk utrikespolitik under andra världskriges, hg. v. P. Lundström u. S. Dahl: Internationell politik 24 (1946).
Sveriges förhållande till Danmark och Norge under krigsåren. Redogörelse avgivina till utrikes nämnden av ministern for utrikes ärenden 1941-1945 (1945).
Kungl. Utrikesdepartementet, Handlingar rörande Sveriges politik unter andra värlskriget (4 Bde. 1947/48).
A. Thulstrup, Med lock och pock (1962).
Det Svenska Utrikesdepartementet (Hg.), Förspelet till det tyske angreppet på Danmark och Norge (1947).
Innstilling fra Undersøkelseskommisjonen af 1945 (1946).
H. Söderman, Skandinaviskt mellanspel. Norska och danska flygtninger i Sverige (1945).
F. Bernadotte, Siste akt (1945).
F. Kersten, The Kersten Memoirs (1956, mit Vorwort von H. R. Trevor-Roper).
Kungl. Utrikesdepartementet, 1945 års svenska hjälpexpeditionen till Tyskland. Förspel och förhandlingar (1956).
Kungl. Utrikesdepartementet, Förhandlingarna 1945 om Svensk intervention i Norge och Danmark (1957).
J. Scharffenberg, Folke Bernadotte och det svenske redningskorps 1945 (1958).
K. Gustmann, Die schwedische Tagespresse zur Neutralitätsfrage im Zweiten Weltkrieg (1958).
E. Anker, Torgny Segerstedt (1962).
G. Smedmark (Hg.), Interneringslager 1945 (1963).
G. Hägglöf, Svensk krigshandelspolitik under andra väldskriget (1958).
M. Fritz, German Steel and Swedish Iron Ore 1939-1945 (1974).
Verhältnis zu Finnland:
J. H. Wuorinen, Finland and World War II 1939-1944 (1948).
C. L. Lundin, Finland in the Second World War (1957).
A. Korhonen, barbarossaplanen och Finland (1963).

Als Hitler im September 1939 den Krieg mit Polen begann, war man in Dänemark entschlossen, sich neutral zu verhalten. Diesem Zweck sollte auch der Nichtangriffspakt dienen, den Dänemark am 31. V. 1939 mit Hitler abgeschlossen hatte. Doch leitete man, die Erfahrung des I. Weltkrieges verwertend, gleich

d) Der II. Weltkrieg

Rationierungsmaßnahmen ein. Der deutsche Einmarsch in Dänemark am 9. IV. 1940 schuf eine gänzlich neue Situation. Der anfängliche militärische Widerstand wurde sofort eingestellt. Die zwischen der dänischen und deutschen Regierung getroffene Übereinkunft enthielt die Versicherung, daß mit der Besetzung nicht beabsichtigt sei, Dänemarks territoriale Integrität und politische Unabhängigkeit anzutasten. Unter Hinzuziehung von Vertretern der »Venstre« und Konservativen wurde eine Sammlungsregierung gebildet, die weiterhin Stauning leitete. Auch Nicht-Politiker wurden jetzt hinzugezogen. So wurde Erik Scavenius Außenminister. Die Anpassung der Regierung an die neue Situation, die deutlich in der Regierungserklärung zum Ausdruck kam, veranlaßte in der Folgezeit verschiedene Persönlichkeiten, sich ostentativ zurückzuziehen. Im November unterschrieb Scavenius in Berlin den Beitritt Dänemarks zum Antikominternpakt. Inzwischen wurden Maßnahmen gegen die dänischen Kommunisten ergriffen und ein dänisches Freikorps zum Einsatz an der Ostfront geschaffen.

Die weitere Entwicklung der für Dänemark so schicksalsschweren Lage sollte Stauning nicht mehr erleben. Er starb am 3. V. 1942. Am Tage darauf wurde der bisherige Finanzminister Vilhelm Buhl zum Staatsminister ernannt. Auch Dänemark hatte jetzt eine nationalsozialistische Partei, aber ihre Mitgliederzahl blieb immer gering, und im Folketing war sie nur durch wenige Mitglieder vertreten. Zunächst richtete sich vereinzelter Widerstand namentlich gegen die Verkehrsverbindungen, aber im August 1943 kam es zu einer schweren Auseinandersetzung zwischen Regierung und deutscher Besatzungsmacht. Die Regierung wurde abgesetzt und das dänische Heer entlassen. Die Marine, die ihre Schiffe ausliefern sollte, vernichtete diese.

Die Verwaltung lag künftig in den Händen unpolitischer Staatssekretäre, wobei die auswärtigen Angelegenheiten Nils Svenningsen unter sich hatte. Inzwischen wurde die »heimliche Allianz« der Widerstandsbewegung mit den Alliierten ausgebaut. Gegen den Widerstand antwortete die Besatzungsmacht mit scharfen Gegenmaßnahmen. Unter den Opfern der Gestapo befand sich der Dichter Kai Munk. Die Juden entkamen durch eine groß angelegte Hilfsaktion nach Schweden. Am 19. IX. 1944 wurde schließlich die gesamte dänische Polizei gefangengesetzt und zumeist in deutsche Konzentrationslager gebracht.

Die norwegische Neutralitätspolitik wurde, als der Krieg 1939 ausbrach, um so fragwürdiger, als Deutschland über das norwegische Narvik 4,5 der 11 Millionen Tonnen schwedischen Eisens bezog. Diese Bezugsquelle aber versuchten die Alliierten zu verschließen. Ihren Plänen, die Küsten zu besetzen, kamen die Deutschen durch die Besetzung der wichtigsten Hafenplätze des Landes am 9. IV. 1940 im letzten Augenblick überraschend zuvor. Der Kreuzer »Blücher«, der den Stab für die Besatzung des Landes und Gestapoleute an Bord hatte, wurde allerdings im Oslofjord versenkt, so daß es der Königsfamilie, der Regierung, dem Storting und einer Reihe höherer Beamter gelang, aus Oslo zu entkommen. Auch der norwegische Goldvorrat wurde in Sicherheit gebracht.

Das deutsche Ultimatum, das zur Unterwerfung aufforderte, wurde von der norwegischen Regierung abgewiesen. Das in Elverum versammelte Storting erteilte der Regierung erweiterte Vollmachten, die die Grundlage für Norwegens Kriegsführung gegen Deutschland außerhalb der Landesgrenze bilden sollte. Verhandlungen mit dem deutschen Beauftragten Bräuer, der eine neue Regierung mit Quisling als Staatsminister forderte, wurden erfolglos abgebrochen. König Haakons Festhalten am norwegischen Grundgesetz vom Mai 1814 sollte die ungeschriebene Richtlinie für das künftige Verhalten der für das norwegische Staatswesen Verantwortlichen bilden. Das Oberste Gericht legte seine Vollmachten unter Protest nieder. Norwegen führte Krieg gegen die Besatzer. Die Truppen, allerdings nur etwa 30 000 Mann stark, führte Oberst Ruge als Oberbefehlshaber. Wenige Tage nach dem deutschen Angriff landeten britische Truppen bei Namsos, Andalsnes und Harstad; sie wurden aber durch den deutschen Vormarsch gezwungen, sich wieder einzuschiffen. Als auch Nordnorwegen nicht mehr zu halten war, beschlossen König und Parlament am 7. VI., Norwegen zu verlassen und auf Grund der Elverum-Vollmacht den Krieg von draußen fortzuführen. Die norwegische Regierung verließ mit König Haakon von Tromsø aus das Land, um von London aus den Kampf fortzusetzen. Die offenen Kampfhandlungen in Norwegen selbst, die namentlich für die deutsche Kriegsmarine verlustreich waren, wurden am 10. VII. eingestellt. Im Laufe des Sommers 1941 bildete sich eine Untergrundbewegung, die namentlich seit Februar 1943 ihre Aktivität entfaltete. Sie richtete sich sowohl gegen die Deutschen als auch gegen Quisling und seine Anhänger, die mit den Deutschen zusammenarbeiteten. Quisling hatte sich schon am 9. IV. zum Staatsminister proklamiert und aus seinen Leuten eine Regierung gebildet, doch mußte er, da er keinen größeren Anhang im Volk hatte, seine Vollmachten am 15. IV. einem Administrationsrat aus hohen vorgesetzten Beamten überlassen. Auf deutschen Druck hin forderte der Stortingpräsident den König am Tag der französischen Kapitulation auf, freiwillig abzudanken, was Haakon ablehnte, und eine weitere Abstimmung unter den Stortingleuten ergab, daß die Mehrheit gegen eine Absetzung des Königs war. Der Administrationsrat wurde am 25. IX. abgelöst. Die Regierungsgeschäfte führte künftig der Essener Gauleiter Josef Terboven, als »Reichskommissar für die besetzten norwegischen Gebiete«; ein aus 12 Mitgliedern bestehender kommissarischer Staatsrat ging ihm dabei zur Hand. Die Parteien wurden bis auf die »Nasjonal Samling« Quislings aufgelöst. Auf Veranlassung Terbovens erklärte sich Quisling am 1. II. 1942 zum Ministerpräsidenten der norwegischen Regierung. Der wachsende Widerstand gegen die Deutschen und gegen Quisling führte zu Verhaftungen und Hinrichtungen. Im Oktober 1943 wurde die Universität nach einer Massenverhaftung von Studenten geschlossen. In den Konzentrationslagern, die in Norwegen eingerichtet wurden, befanden sich zuletzt an die 40 000 Gefangene. Über 500 Personen wurden hingerichtet; 700 Studenten wurden ebenso nach Deutschland geschickt wie die 900 norwegischen Juden. Viele Norweger flohen ins Ausland, namentlich nach Schweden. Zur gleichen Zeit, da eine norwegische Legion gegen Rußland aufgestellt wurde, die man später in die sogenannten »Freiwilligenverbände der Schutzstaffeln« Himmlers überführte und in Nordrußland einsetzte, dienten junge Norweger auf seiten der Alliierten. Die norwegische Handelsflotte stellte sich den Alliierten zur Verfügung, wobei 714 Einheiten mit 3,8 Mill. Tonnen, die Hälfte des Bestands von 1939, verlorengingen. Von London aus baute die Exilregierung eine Kriegsflotte von 60 Einheiten sowie eine Luftwaffe mit 1200 Mann und eine Landtruppe von etwa 5000 Mann auf, während mit den nach Schweden geflohenen Norwegern (etwa 40 000 Mann) eine Truppe zu etwa 15 000 Mann aufgestellt wurde. Die Regierungsgeschäfte führte Nygaarsvold; Außenminister Koht wurde 1940 von Trygve Lie abgelöst. Zur norwegischen Widerstandsbewegung bestanden enge Kontakte, wobei der Britische Rundfunk seine Dienste leistete. Die schweren Niederlagen Deutschlands seit 1943 machten Quislings Position immer prekärer. Nach der kampflosen Übergabe aller deutschen, zuletzt 40 000 Mann betragenden Streitkräfte in Norwegen an einen britischen Armeestab am 8. V. 1945 beging Terboven auf Skaugum, der ehemaligen Residenz des Kronprinzen Olav, Selbstmord, während Quisling sich der norwegischen Heimwehr stellte. Am 31. V. kehrte die

d) Der II. Weltkrieg

Exilregierung nach Oslo zurück. Quisling wurde am 15. X. auf Akershus hingerichtet.

Im Gegensatz zur Situation während des I. Weltkrieges herrschte in Schweden ein vorwiegend negatives Verhältnis zum nationalsozialistischen Deutschland. Unmittelbar nach Kriegsausbruch erklärte Schweden seine Neutralität. Eine Reihe von Exportverboten wurde erlassen, um Schwedens Versorgung zu sichern; den bedeutenden Eisenexport nach Deutschland ließ man aber weitergehen, aus Sorge vor militärischen Repressalien. Außerdem war Schweden auf Kohle, Koks und andere Waren aus Deutschland angewiesen. In geschickten Verhandlungen gelang es, den Export nach England im Umfang des Jahres 1938 aufrechtzuerhalten. Der Außenminister Sandler bemühte sich außerdem, den nordischen Zusammenhalt zu betonen, aber die Neutralität der Oslostaaten ließ sich nicht einmal innerhalb des skandinavischen Raumes voll verwirklichen.

Im Oktober 1939 trafen sich die nordischen Staatsoberhäupter in Stockholm. Dem von Rußland bedrohten Finnland gegenüber hielten sich die Schweden aber militärisch zurück; zu einer Entsendung schwedischer Truppen auf die Ålandinseln kam es nicht. Der Versuch der skandinavischen Staaten, Finnland politisch zu unterstützen, hatte ebenfalls keinen Erfolg, und als es zum russischen Überfall auf Finnland kam, fehlten für ein nordisches Verteidigungsbündnis jegliche Vorbereitungen. Im Dezember wurde eine Sammlungsregierung unter Hansson gebildet, an der auch Vertreter der Rechten und der Volkspartei teilnahmen, und Sandler, der auf Åland eingreifen wollte, wurde durch den Diplomaten Christian Günther ersetzt, aber zu einem Eingreifen in den Krieg kam es nicht. Die Schweden unterstützten jedoch die Finnen auf jede erdenkliche Weise, namentlich auch mit Freiwilligen und mit Sachlieferungen. Als die Finnen Anfang 1940 die Schweden um die Hilfe eines Truppenverbandes ersuchten, lehnten diese ab. Auf den demütigenden russisch-finnischen Friedensschluß vom März 1940 folgten der deutsche Einmarsch nach Dänemark und die Besetzung Norwegens. Nach dem Moskauer Friedensschluß führte Schweden umfassende Demobilisierungsmaßnahmen durch und war deshalb nicht in der Lage, sich zu wehren; so erklärte die schwedische Regierung erneut ihre Neutralität. Als die deutschen Truppen den norwegischen Widerstand gebrochen hatten, gab sie jedoch in der Frage deutscher Material- und Truppentransporte über schwedisches Gebiet nach. Als im Sommer 1941 der deutsche Angriff gegen die Sowjetunion begann, gestattete Schweden einer deutschen Division zwar den Durchmarsch von Norwegen nach Finnland, das nun als deutscher Verbündeter gegen die Russen kämpfte, aber zu einem weiteren Zugeständnis war die Regierung Hansson nicht bereit.

Das Verteidigungswesen wurde weiter ausgebaut. Neben dem stehenden Heer wurde eine Heimwehr und nach finnischem Muster eine weibliche Lotta-Organisation geschaffen. Während der Kriegsjahre stieg der Verteidigungsetat von 1,3 auf 2 Mill. Kronen; das war 14mal mehr, als die Verteidigungsordnung von 1936 vorgesehen hatte. Durch Steuererhöhungen gelang es, die Mehrausgaben zu decken.

Die Besetzung Dänemarks und Norwegens durch die deutschen Truppen und der seit Sommer 1940 stärker werdende Druck Rußlands auf Finnland gefährdeten die schwedische Versorgungslage. Sie zu bewältigen war Aufgabe des 1939 geschaffenen »Volkshaushaltsdepartements«, dem auch eine staatliche Lebensmittelkommission unterstellt war. Schon im Oktober 1939 begann man mit Rationalisierungsmaßnahmen, die mit der Zeit verschärft wurden. Doch ließen sich die Schwierigkeiten lange nicht mit dem Hungerwinter 1917/18 vergleichen. In

§ 22 Die skandinavischen Staaten seit dem Ende des I. Weltkriegs

den wichtigen Lebensmitteln war Schweden dank des Aufschwungs, den Ackerbau und Viehzucht in der Zwischenzeit nahmen, weitgehend Selbstversorger.

Die schwedische Flotte, die zuvor schon unter dem deutschen U-Boot- und Minenkrieg gelitten hatte, befand sich zur Hälfte innerhalb und zur andern Hälfte außerhalb der deutschen Sperrzonen. Die letzteren Schiffe machten Charterfahrten für England und die Vereinigten Staaten. Die innerhalb der Sperrzone verbleibenden Schiffe hielten den Verkehr mit den nordischen Ländern und Deutschland aufrecht. Übereinkommen mit Großbritannien und Deutschland ermöglichten vom Jahreswechsel 1940/41 ab einigen schwedischen Schiffen, die keine Konterbandwaren führten, die Verbindung zwischen Göteborg und einigen nichtkriegführenden Ländern, vor allem in Lateinamerika, bis Dezember 1941 auch in die USA, aufrechtzuerhalten, allerdings mit Unterbrechungen 1941, erneut 1943 und Anfang 1944. Als sich nach den Rückschlägen Hitlers in Nordafrika und Stalingrad die Machtverhältnisse verschoben, verstärkte sich der Druck der Westmächte auf Schweden, das sich so veranlaßt sah, ab August 1943 den Waffen- und Personentransit einzustellen; auch die Exporte nach Deutschland wurden vermindert; doch konnten die Deutschen im Januar 1944 noch einmal ein Handelsabkommen mit Schweden schließen. Außer dem Erz ärgerte die Westmächte besonders der Kugellagerexport an die Deutschen. In der zweiten Hälfte des Jahres 1944 sahen sich die Schweden gezwungen, die Handelsbeziehungen zu Deutschland ganz einzustellen. Vom Februar 1945 an unterbanden die Deutschen endgültig den schwedischen *Lejdtrafik*.

Unter schwedischer Vermittlung kam es im September 1944 zu einem neuen Waffenstillstand der Sowjets mit den Finnen, dessen Bedingungen härter waren als diejenigen 1940. Flüchtlinge kamen aus Finnland, aus den von den Russen besetzten baltischen Gebieten, aus Norwegen und Dänemark.

Um eine Inflation zu verhindern, wurde gegen Ende 1942 ein Lohn- und Preisstopp vereinbart, wobei die großen Organisationen entscheidend mitwirkten.

Die Sammlungsregierung, die zu Beginn des Krieges gebildet worden war, veränderte sich während der folgenden Jahre nur wenig. Im großen und ganzen standen die Parteien hinter der Regierung. Bei den Wahlen zur 2. Kammer 1940 erhielten die Sozialdemokraten 54 % aller abgegebenen Stimmen und 58 % der Mandate, außerdem sicherten sie sich die Mehrheit in der 1. Kammer. Die Sozialistische Partei, die nazistische Tendenzen erkennen ließ, verschwand, und die Kommunisten behielten nur 3 Mandate. Entsprechend den veränderten Verhältnissen erhielten die Kommunisten bei den Parlamentswahlen 1944 15 Mandate, die größte Zahl, die sie je gehabt hatten; die Sozialdemokraten verloren die Mehrheit. Der Reichstag von 1945 beschloß, das Stimmrechtalter von 23 auf 21 Jahre herunterzusetzen, mit Rücksicht auf den Einsatz, den die Zwanzigjährigen für die Verteidigung leisteten.

Allerdings gab es oppositionelle Kreise, die auf ein bewaffnetes Eingreifen zugunsten der skandinavischen Nachbarn drängten. Einer der Sprecher dieser Opposition war Torgny Segerstedt von Göteborgs Handelstidning. In der Literatur fand diese Stimmung Ausdruck in Werken wie Vilhelm Mobergs »Rid i Natt« und Eyvind Johnsons Romanserie »Krilon«, während Stockholms Tidningen und Aftonbladet, die Torsten, Ivar Kreugers Bruder, besaß, Anpassung an Deutschland befürworteten.

Hermann Göring, der in erster Ehe mit einer Schwedin verheiratet gewesen war, hatte Beziehungen zum schwedischen Industriellen Birger Dahlerus, der u. a. Friedenskontakte vermittelte. Später gingen solche Kontakte von Graf Folke Bernadotte, dem Neffen Gustav V., zu Himmler, die es ermöglichten, Skandinavier, Juden und Franzosen aus dem zusammenbrechenden Deutschland herauszuholen.

e) Die Innere Entwicklung nach dem II. Weltkrieg
Dänemark

Literatur
J. Danstrup, A History of Denmark (1948).
V. Starck, Denmark in World History (1963).
H. Westergård Andersen, Dansk politik i går og i dag 1920–1966 (1966).
C. Bertolt, *E. Christiansen* und *P. Hansen*, En bygning vi rejser (3 Bde. 1955) (Geschichte der Sozialdemokratischen Partei).
E. Rasmussen und *R. Skovmand*, Det radikale Venstre 1905–1955 (1955).
Kr. Kolding, Danmarks Retsforbund (1958).
S. Thorsen, Folkets veje gennem dansk politik 1849–1949 (1953).
Ders., Den tredje Junigrundlov (1953).
Ders., Kuling over Christiansborg (1955).
Ders., Mennesker i politik (1962).
H. P. Sørensen (Hg.), Fra folket det kom (1962, mit Biographien von Hartvig Frisch, Hans Hedtoft und H. C. Hansen).
Th. Thaulow, Kong Christians sidste år 1945–1947 (1947).
B. Svensson, Knud Kristensen og hans politik (1949).
G. Hansen (Hg.), Knud Kristensen – fra plov til statsror (1949).
H. Hedtoft und *M. K. Nørgaard* (Hgg.), Hartvig Frisch (1950).
V. Kampmann und *J. Bomholt* (Hgg.), Bogen om H. C. Hansen (1960).
H. C. Hansen und *J. Bomholt*, Hans Hedtoft, liv og virke (1955).
H. Bølling u. a., Halfdan Hendriksen (1956).
B. Dahlgaard, Kamp og samarbejde (1964).
P. Tabor, Naerbilleder (1961).
Den danske Rigsdag 1849–1949, Bd. 3 (1950).
E. Vagn Jensen (Hg.), De politiske partier (^{2}1965).
T. Kaarsted, Regeringskrisen 1957 (1964).
A. Lassen, Folkevilje eller vaelgerlune (1961).
Wirtschaft:
E. I. Schmidt, Dansk Økonomisk politik (^{3}1966).
K. Bidstrup und *E. Kaufmann*, Danmark under forvandling (^{2}1966).
S. Pedersen, Landbruget i dag og i morgen (1963).
P. Meldgaard und *V. Hauch Fenger*, Landbrugets historie (^{4}1963).
M. Korst, Skatterne og erhvervene gennem 40 år (1961).

Als Admiral Friedeburg im Auftrag des Großadmirals Dönitz am 4. V. im britischen Hauptquartier in der Lüneburger Heide das Dokument unterschrieb, das die Waffenruhe gegenüber Montgomerys Truppen einleiten sollte, war auch Dänemark mit eingeschlossen. Am nächsten Morgen übernahmen die dänischen Widerstandstruppen, 43 000 Mann stark, die Sorge für Ruhe und Ordnung. Das Ministerium Scavenius trat zurück, und der König ernannte ein neues Ministerium mit Vilhelm Buhl an der Spitze. Die deutschen Truppen ergaben sich nicht den dänischen Truppen, sondern englischen, die unter dem Generalmajor Dewring inzwischen nach Dänemark gekommen waren.

Das »Befreiungsministerium« bestand aus Sozialdemokraten und Angehörigen der Linken, der Konservativen und der Radikalen Linken. Sozialdemokraten waren der Staatsminister Buhl, der Finanzminister H. C. Hansen, der Arbeits- und Sozialminister Hans Hedtoft-Hansen und der Minister für öffentliche Arbeiten Carl Petersen. Das Mitglied der Venstre Knud Kristensen wurde wieder

§ 22 Die skandinavischen Staaten seit dem Ende des I. Weltkriegs

Innenminister, und Erik Eriksen übernahm das Landwirtschaftsministerium. Der Konservative Ole Bjørn Kraft wurde Verteidigungsminister, und der bisherige Kriegsminister Vilhelm Fibinger übernahm das Handelsministerium, während A. M. Hansen von der Radikalen Linken das Unterrichtsministerium übernahm. Christmas Möller, eines der Häupter der Widerstandsbewegung, wurde Außenminister. Overretssagfører N. Busch-Jensen, der eine führende Rolle im juristischen Ausschuß des Freiheitsrats gespielt hatte, wurde Justizminister. Mogens Fog, ein dritter Repräsentant der Widerstandsgruppen, bekam ein Ministerium für besondere Angelegenheiten. Den Kommunisten, die wieder drei Mitglieder ins Folketing entsenden durften, gelang es, in der Regierung ein neugebildetes Verkehrsministerium unter Alfred Jensen zu übernehmen. Der Widerstandsmann Arne Sørensen wurde Kirchenminister. Damit das Gleichgewicht gegenüber den alten Politikern gewahrt blieb, wurden noch vier Widerstandskämpfer als Minister ohne Portefeuille aufgenommen. Am 9. V. wurde der Reichstag feierlich vom König eröffnet. In seiner Regierungserklärung unterstrich Buhl, daß die Regierung zwar nicht auf parlamentarischem Weg zustande gekommen sei, aber sich voll und ganz auf die parlamentarische Grundlage stelle. Seine Hauptaufgabe sah Buhl in der Sicherung des nationalen Zusammenhalts und in der Bewältigung der Aufgaben, die sich in der Übergangszeit, bis eine neue Wahl abgehalten werden konnte, stellten. Vor allem ging es um die Anerkennung Dänemarks als einer freien, unabhängigen Nation. Gegenüber den von Dansk Samling propagierten Bestrebungen einer Grenzrevision erklärte Buhl in bestimmter Weise, daß die Regierung auf dem Standpunkt der nationalen Selbstbestimmung stehe und die dänischen Grenzen festlägen.

Im Lauf des Sommers wurde ein neues Verteidigungssystem aufgebaut. Bis dahin hatten Widerstandskämpfer und Mitglieder der zivilen Luftwehr die Bewachung der Flüchtlings- und Internierungslager übernommen. Inzwischen wurde die Abrechnung mit denen, die zur Besatzungsmacht gehalten hatten, eingeleitet. Um die unruhige Stimmung in der Bevölkerung aufzufangen, legte der Justizminister Busch-Jensen am 25. V. der Regierung den Entwurf eines Landesverratsgesetzes vor, das rückwirkende Kraft bis zum 9. IV. 1940 hatte und u. a. die Todesstrafe vorsah. Es erhielt bereits am 1. VI. die Unterschrift des Königs. Ein weiteres Instrument der Säuberungsaktion war eine am 15. VI. eingesetzte, parlamentarische Kommission, die nach den drei nächsten Wahlen erneuert wurde und deren Arbeit 1953 zum Folketingsbeschluß führte, daß keinerlei reichsrechtliche Anklage gegen jemanden in bezug auf die Ereignisse vom 9. IV. und die folgende Besatzungszeit erhoben werden sollte. Über die Urteile, die aufgrund des Landesverratsgesetzes gefällt wurden, herrschte größte Uneinigkeit: die einen, namentlich die Widerstandskämpfer, fanden die Verfahren zu lässig, die Urteile zu mild; andere waren gegenteiliger Ansicht. Das Ergebnis dieser Unzufriedenheit war es, daß noch vor Ende 1945 eine Kommission eingesetzt wurde, um eine Revision des Landesverratsgesetzes vorzubereiten. Das Ergebnis war ein neues Gesetz, das im Juni 1946 unter dem Ministerium Knud Kristensen und A. L. H. Elmquist als Justizminister zustande kam und gewisse Milderungen einführte. Eine Reihe von Deutschen wurden nach einem besonderen Gesetz als Kriegsverbrecher bestraft, so Werner Best, der Gestapochef Otto Bovensiepen, die beide zum Tod verurteilt wurden; General von Hanneken und Polizeigeneral Pancke erhielten hohe Gefängnisstrafen, doch wurden die Todesstrafen nicht ausgeführt; sie und andere Verurteilte wurden später begnadigt oder ausgewiesen.

Mit besonderer Leidenschaft wurde die Säuberung in Nordschleswig durchgeführt, wo die Gegensätze zwischen Heimdeutschen und Dänen sich während der

e) Die Innere Entwicklung nach dem II. Weltkrieg

deutschen Besetzung verschärft hatten. Nach dem 5. V. wurden hier 3500 Personen interniert und davon die Mehrzahl verurteilt. Das Minderheitengesetz sollte revidiert und die bisherigen Sonderrechte der Heimdeutschen aufgehoben werden. Das »Deutsche Kontor« im Staatsministerium wurde aufgelöst. Die deutschen Kriegsgedenkstätten auf Düppel, auf dem Knivsberg und bei Arnkilsøre wurden zerstört; die Druckerei der »Nordschleswigschen Zeitung« in Apenrade wurde gesprengt. Im Juli 1946 wurde für die nordschleswigschen Landesteile ein neues Schulgesetz eingeführt; die bisherigen deutschen Gemeindeschulen wurden abgeschafft; die Minderheit sollte ihre Kinder in Privatschulen schicken, die einen Staatszuschuß erhielten, falls sie nicht vorzog, sie die dänische Schule besuchen zu lassen. Lehrer, Lehrbücher und Unterrichtspläne sollten der Kontrolle der dänischen Behörden unterstehen. Die Schulen mit deutscher Unterrichtssprache durften keine vom Staat kontrollierten Examina durchführen.

Ein weiteres Problem stellten die deutschen Flüchtlinge auf dänischem Boden dar. Ihre Zahl belief sich Ende des Krieges auf etwa 245 000. Viele von ihnen waren über die Ostsee auf der Flucht vor den Russen nach Dänemark gekommen. Um eine Vermischung mit der dänischen Bevölkerung zu unterbinden, wurden sie in bewachten Lagern untergebracht. Ursprünglich war vorgesehen, daß sie möglichst bald das Land verlassen sollten. Aber am 24. VII. 1945 erklärte die britische Militärkommission, daß es wegen der chaotischen Verhältnisse in Deutschland nicht möglich sei, weitere Flüchtlinge aufzunehmen, zumal 90 % in der russisch besetzten Zone zu Hause waren. Im September 1945 wurde unter der Oberaufsicht des Arbeits- und Sozialministeriums eine besondere Flüchtlingsverwaltung eingerichtet, die der frühere Minister Joh. Kjaerbøl leitete. Im Sommer 1946 betrug die Zahl der Flüchtlinge noch 196 500, davon 50 % Frauen und 34 % Kinder, die dann im Herbst in 9 großen Barackenlagern untergebracht wurden. Vom November 1946 ab kehrten laufend Flüchtlinge nach Deutschland zurück; die letzten verließen das Land im Februar 1949. Die ganze Fürsorge für die deutschen Flüchtlinge kostete den dänischen Staat etwa 450 Mill. Kronen.

Eine der wichtigsten wirtschaftlichen Aufgaben der »Samlings«regierung war es zu verhindern, daß der von Deutschen während der Besatzungszeit herbeigeführte Papiergeldüberhang zu ernsthaften Schwierigkeiten führte. Um den Papiergeldumlauf wieder unter Kontrolle zu bringen, wurde am 23. VII. 1945 ein Zettelumtausch und eine Bestandsaufnahme der Vermögensverhältnisse durchgeführt. Es wurde festgestellt, daß 4 Milliarden Kronen »ledige penge« im Umlauf waren, die durch ein Gesetz vom 12. VII. 1946 mittels einer einmaligen Abgabe der dänischen Volkswirtschaft entzogen werden sollten.

Dänemark litt in den Sommerwochen an Versorgungsschwierigkeiten, da die Lieferungen aus Deutschland fast gänzlich aufhörten und Zufuhren aus dem Westen nur langsam in Gang kamen; zum Kauf in den USA fehlte es an Dollars. Mit einigem half die alliierte Militärkommission, und Schweden lieferte für 110 Mill. Kronen auf Kredit.

Rohstoff- und Kohlenmangel ließen in den Städten die Arbeitslosigkeit anwachsen. Die Arbeiten für die deutsche Besatzung hörten auf; die zur Arbeit in Deutschland Verpflichteten kehrten heim. Großbritannien wollte für die dänischen Landwirtschaftserzeugnisse nicht die selben Preise zahlen, wie die Deutschen sie bezahlt hatten. Die Sammlungsregierung büßte wegen ihrer ungleichartigen Zusammensetzung mit der Zeit immer mehr ihre Handlungsfähigkeit ein. Angesichts der wachsenden Unzufriedenheit in der Bevölkerung wurde es als eine Erleichterung empfunden, daß auf den 30. X. eine Folketingswahl ausgeschrieben wurde.

§ 22 Die skandinavischen Staaten seit dem Ende des I. Weltkriegs

Diese Wahl stand im Zeichen der verschiedenartigen Gegensätze. Viele Widerstandskämpfer, vor allem jüngere, waren enttäuscht, daß ihre idealistischen Hoffnungen auf eine neue Gesellschaft nicht in Erfüllung gingen und man wieder zu den politischen Gepflogenheiten der Zeit vor 1940 zurückkehrte. Vor allem gegen die Verfechter der Verhandlungspolitik wandte sich der Unwille. Nach den Wünschen der Kommunisten und der Angehörigen von Dansk Samling sollte die Wahl das Volksurteil über die Verhandlungspolitik bilden. Die Widerstandsbewegung verlor andererseits viel von ihrer anfänglichen Popularität, weil es ihren Anführern nicht gelang, ein Programm zu entwickeln, das eine Lösung der augenblicklichen innenpolitischen Schwierigkeiten bringen konnte. Trotz der Bemühungen der Kommunisten und der Dansk Samling gelang es nicht, die Wahl zur großen Abrechnung mit dem »Verhandlungsvolk« zu machen. Einer der von den Widerstandskämpfern am stärksten Angegriffenen, Prof. Hartvig Frisch, erhielt eine besonders hohe Stimmenzahl.

Die Hauptprobleme des Wahlkampfes betrafen nicht die Besatzungszeit, sondern aktuelle wirtschaftliche und soziale Fragen. Die Sozialdemokraten unter der Führung von Hedtoft-Hansen hatten ihr Programm im August radikaler gestaltet. In »Fremtidens Danmark« sollten große Teile der Wirtschaft sozialisiert sein. Man hoffte dadurch den Kommunisten das Wasser abzugraben, geriet aber gleichzeitig in Gegensatz zu den Radikalen, mit denen die Sozialdemokraten seit 1905 fast ununterbrochen zusammengearbeitet hatten. Bertel Dahlgaard kritisierte diesen Bruch mit der sozialliberalen Reformlinie Staunings der dreißiger Jahre stark.

Bei den Wahlen verloren die Sozialdemokraten, die Radikalen und Konservativen, während Kommunisten und Venstre gewannen. Die Kommunisten konnten 18 Vertreter ins Folketing schicken, Ausdruck der Unzufriedenheit unter der Arbeiterbevölkerung. Dansk Samling, die für Südschleswig eintrat, erhielt 4 Abgeordnete. Bauernpartei und Nationalsozialisten wie auch die Schleswigsche Partei beteiligten sich nicht an der Wahl. Eine Folge der Angst vor einer drohenden Sozialisierung waren die Erfolge der Venstre. Zur Niederlage der Konservativen trug die Kritik an Christmas Möllers Verhalten, sein Wohlwollen gegenüber Sozialisten und Kommunisten bei. Venstres starker Mann war Knud Kristensen, der der Scaveniusregierung angehört hatte, aber im November 1942 sich demonstrativ lossagte und in der neuen Samlingsregierung sich nicht gescheut hatte, verschiedene Mißstände auf seiten der Widerstandsgruppen wie auch bei der Durchführung der Säuberung offen zu nennen. Die überwältigende Mehrzahl der neuen Folketingsmitglieder hatten dieser auch vor 1939 und in der Zeit der Verhandlungspolitik angehört. Das Heft lag wieder fest in den Händen der alten Parteien.

Allerdings war das solide Mehrheitsverhältnis, das in den Vorkriegsjahren die Basis für die Regierung Stauning-Munch gebildet hatte, verschwunden. Das Sozialisierungsprogramm der Sozialdemokraten machte es den Radikalen unmöglich, künftig mit den ersteren zusammenzuarbeiten. Andererseits war die Venstre, der wichtigste Sieger bei den Wahlen, zu schwach, um sich auf die Dauer in der Regierung zu halten, und die Zusammenarbeit mit den Konservativen war erschwert durch den harten Wahlkampf, der vorausgegangen war. Zum anderen war in den Wählermassen eine Unruhe vorhanden, die bei den Parteien häufige Verschiebungen in der Mandatzahl zur Folge hatte. Es kam eine Zeit der Minderheitsregierungen, was gleichzeitig eine starke Unstabilität zur Folge hatte.

Die erste dieser Minderheitsregierungen bildete der bisherige Innenminister Knud Kristensen mit Angehörigen seiner Partei der Venstre. Die Regierung

e) Die Innere Entwicklung nach dem II. Weltkrieg

konnte auf ein gewisses Wohlwollen von seiten der Radikalen rechnen. Aber auch die Konservativen ließen sich für die von Larsen angestrebten sozialen Reformen gewinnen, so für das Wohnbaugesetz von 1946, das durch umfangreiche staatliche Darlehen die Bautätigkeit anzuregen suchte. Die wichtigste Aufgabe der Regierung lag in der Überwindung der Nachwirkungen von Krieg und Besatzung. Mittels des *engangskatt* suchte die Regierung den Geldüberhang abzubauen; die deutschen Flüchtlinge mußten nach Deutschland geschickt werden. Die Beseitigung der Folgen der Besetzung verlangte große Staatsausgaben; dazu kam die Gestaltung der so wichtigen Handelsbeziehungen zu England. Die Freigabe des Imports von Großbritannien und die spätere Einschränkung wurde von seiten der Sozialdemokraten als Planlosigkeit kritisiert. Da eine Erhöhung der Exportpreise für landwirtschaftliche Erzeugnisse nur teilweise gelang, suchte die Regierung im Jahre 1946 durch eine Stützungsaktion gegenüber der Landwirtschaft nachzuhelfen, um die für den Export wichtige Produktion von Butter, Fleisch und Eiern anzuregen.

Besorgniserregend entwickelten sich die Dinge in Nordschleswig. Hier waren so viele Flüchtlinge aus Ostdeutschland hinzugekommen, daß ihre Zahl ebenso groß war wie die der einheimischen Bevölkerung. Außerdem begann eine wachsende Zahl von Nordschleswigern ihre Kinder in dänische Schulen zu schicken. Eine aktivistische Bewegung »Sydslesvigs Udvalg« sah darin einen tiefgreifenden Gesinnungswandel. Die südschleswigsche Bevölkerung war nur infolge der Ungunst der Zeiten und dank des dänischen Unverstands in Sprache und Denkungsart deutsch geworden und besann sich nun auf Grund der Erlebnisse des II. Weltkriegs auf ihre dänischen Ursprünge. Die Flüchtlinge sollten aus Südschleswig hinausgeschafft werden; überhaupt sollte das Land von Holstein getrennt und der deutschen Verwaltung entzogen werden, damit bei gegebener Gelegenheit eine Volksabstimmung durchgeführt werden konnte. Neben dieser radikalen Bewegung, die die Eidergrenze anstrebte, gab es eine gemäßigte Richtung, die die »dänische Welle« konjunkturbedingt sah: diejenigen, die sich jetzt ihrer dänischen Ursprünge besannen, wollten nur von den schwierigen Lebensverhältnissen im besiegten deutschen Gebiet und vom Flüchtlingsdruck freikommen und an der dänischen Butter und dem dänischen Speck teilhaben. Man besorgte, daß die Aufgabe des geschlossenen Nationalstaats nur neue Schwierigkeiten und Spannungen zum deutschen Nachbarvolk bringen würde, wie man sie ja aus dem 19. Jh. kannte. Doch sollte man den dänischgesinnten Südschleswigern helfen, damit sie demokratische Rechte genießen und ein eigenes politisches Leben führen konnten.

Die stärksten Befürworter hatten die südschleswigschen Aktivisten bei »Dansk Samling« und den Konservativen. Christmas Møller, »Vormann« der Konservativen, wandte sich jedoch scharf gegen diese Bestrebungen, was aber zur Folge hatte, daß Møller 1947 nach der Niederlage der Konservativen bei der Wahlmannswahl zum Landsting als Fraktionsführer der Reichstagsgruppe von Ole Bjørn Kraft abgelöst wurde. Der Regierungschef Knud Kristensen selbst setzte sich für die Südschleswigbewegung ein. Sozialdemokraten und Kommunisten waren für die bisherige Grenze. Die Mehrheit des Folketings war bei den Debatten, die in der Folgezeit sich ergaben, gegen den Südschleswigaktivismus. Die britische Regierung zwang dann Dänemark zu einer klaren Haltung, wobei sie drei Möglichkeiten offen ließ: die Minderheiten auf beiden Seiten der Grenze auszuwechseln; auf Grund einer Volksabstimmung eine Grenzregulierung vorzunehmen oder die Grenze ohne Abstimmung zu verschieben. Jedenfalls sollte Dänemark rasch handeln.

§ 22 Die skandinavischen Staaten seit dem Ende des I. Weltkriegs

Nach schwierigen Verhandlungen einigten sich die vier »alten« Parteien auf eine Note vom 19. X. 1946, mit der die Entscheidung fiel. Die dänische Regierung erklärte darin, keinen Vorschlag zur Änderung der staatsrechtlichen Verhältnisse in Südschleswig machen zu wollen. Nur die Zeit könne zeigen, ob der südschleswigsche Gesinnungswechsel von Dauer sei; es komme auf die südschleswigsche Bevölkerung selbst an, ob sie von ihrem »natürlichen Selbstbestimmungsrecht« Gebrauch machen wolle. Die Aktivisten gaben sich aber nicht damit zufrieden und fanden auch Unterstützung bei Knud Kristensen, der damit in Widerstreit zur Mehrheit des Folketings trat. Allerdings wünschten Konservative und Venstre bei einem kommenden Friedensvertrag mit Deutschland einen »Paragraphen 5«, um den Südschleswigern ihr Recht auf eine Volksabstimmung zu sichern. Gerade diese heikle Frage verärgerte die Radikalen schließlich so sehr, daß sie einen Mißtrauensantrag einreichten, der von den Sozialdemokraten, Kommunisten, dem »Retsforbund« und Christmas Møller unterstützt wurde. In der Nacht zum 4. X. 1947 wurde er mit 80 gegen 66 Stimmen angenommen. Kristensen schrieb darauf Folketingswahlen aus, die am 28. X stattfanden. Er ging als Sieger hervor; statt der bisherigen 38 Abgeordneten gewann die Venstre 49. Viele konservative Wähler gaben ihm die Stimme, so daß die Abgeordnetenzahl der Konservativen um ein Drittel von 26 auf 17 sank. Die Sozialdemokraten konnten ihre Stimmenzahl von 48 auf 57 erhöhen, stark auf Kosten der Kommunisten, die die Hälfte ihrer Sitze verloren. Die Radikalen verloren einen Mann; Dansk Samling verschwand ganz aus dem Reichstag. Retsforbundet, der gegen die Restriktionspolitik war, konnte zu den bisherigen 3 weitere 3 Abgeordnete gewinnen. Christmas Møller kandidierte als Einzelgänger in Nordschleswig, bekam aber so wenig Stimmen, daß er nicht gewählt wurde. Wenige Monate später, im April 1948, starb er.

Nachdem Kristensen bei seinen Bemühungen um eine Regierungsbildung am Widerstand der Radikalen gescheitert war, bildete der sozialdemokratische Parteiführer Hans Hedtoft am 13. XI. eine rein sozialdemokratische Regierung. H. C. Hansen wurde Finanzminister, der erst 33jährige Kontorchef im »Erhvervsråd« der Arbeiterbewegung Jens Otto Krag übernahm das Handelsministerium. Professor Hartvig Frisch bekam das Unterrichtsministerium; Rasmus Hansen wurde Verteidigungsminister, Johan Ström Sozialminister, Carl Petersen Minister für Öffentliche Arbeiten und Kristen Bording Landwirtschaftsminister. Chr. Christiansen bekam ein neu errichtetes Fischereiministerium. Der bisherige Außenminister Gustav Rasmussen blieb weiter im Amt.

Hedtoft war so vorsichtig, sich vom Sozialisierungsprogramm von 1945 zu distanzieren und sich zu einer »sachlichen Wiederaufbaupolitik« zu bekennen, und so fand er die Unterstützung der Radikalen; allerdings fanden sich deren Sprecher Jørgen Jørgensen und Bertel Dahlgaard nicht bereit, es zu einer ähnlichen Zusammenarbeit kommen zu lassen, wie sie zwischen Stauning und Munch bestanden hatte. Da auch mit den radikalen Stimmen keine Mehrheit bestand, bemühte sich Hedtoft um die Sympathien der Venstre und Konservativen, und eine Reihe von Gesetzen ging dank der Unterstützung durch die vier Parteien durch. Unter ihnen waren die Agrargesetze von 1948, die dem Staat das Vorkaufsrecht bei allen großen und mittelgroßen Gütern gaben, um sie aufzuteilen. Hedtoft nahm eine wichtige außenpolitische Kursänderung vor: Das dänische Volk sollte von der früheren Neutralitätspolitik und schwachen Verteidigungsbereitschaft Abschied nehmen, zumal die Erfahrung während der Besetzungszeit den dänischen Verteidigungswillen gestärkt hatten.

Schon 1948 kam ein Gesetz über die Heimatverteidigung zustande; im näch-

e) Die Innere Entwicklung nach dem II. Weltkrieg

sten Jahr folgte ein solches über die Zivilverteidigung; 1950 wurde der Posten des Chefs der Verteidigung geschaffen, und dann, 1951, wurden die Bestimmungen über Aufbau und Stärke der Verteidigung beschlossen. Die Dienstzeit wurde zunächst auf 12 Monate festgesetzt, 1953 aber auf Verlangen der NATO auf 18 Monate erhöht, später allerdings auf 16 reduziert. Beim Aufbau der dänischen Verteidigung leisteten die USA und Kanada wichtige Militärhilfen.

Hedtofts Regierung konnte sich in den ersten Jahren einer verhältnismäßig günstigen wirtschaftlichen Situation erfreuen. Unter dem Druck der Venstre erfolgte die Aufhebung der verschiedenen Einschränkungen, besonders der Importregulierung, rascher, als die Sozialdemokraten eigentlich wollten. Außerdem griff die OEEC Ende 1949 selbst in dieser Richtung ein. Eine neue Situation trat dann mit der englischen Pfundkrise und mit den Ausgaben für die Ausrüstung ein. Dem zu einer außerordentlichen Sitzung einberufenen Reichstag Anfang August 1950 schlug Hedtoft eine verschärfte Einfuhrregulierung, erhöhte Abgaben, eine besondere Mehrsteuer vor, fand aber nicht die Zustimmung des Folketings, weshalb er Neuwahlen ausschrieb, die am 5. IX. stattfanden.

Grundlegende Veränderungen brachte das Wahlergebnis nicht, so daß Hedtoft im Amt bleiben konnte; allerdings nahm er einige Umbesetzungen vor. Einen Monat später erlitt er jedoch über die Frage der Butterrationierung eine Abstimmungsniederlage, die ihn veranlaßte, den Regierungsauftrag zurückzugeben. Der König beauftragte darauf den Vormann der Venstre, Erik Eriksen, der in Kürze eine Koalitionsregierung aus Venstre und Konservativen zustande brachte. Thorkil Kristensen wurde Finanzminister; das Justizministerium übernahm Helga Pedersen; Außenminister wurde der Vormann der Konservativen Ole Bjørn Kraft; Aksel Møller, der Bürgermeister von Fredringsberg, übernahm das Innen- und Wohnungsministerium; Arbeits- und Sozialminister wurde der Generalsekretär der Konservativen Poul Sørensen. Der konservative Textilgroßhändler und Kommunalpolitiker Ove Weikop wurde Handelsminister. Die Venstre übernahm mit H. Hauch das Landwirtschaftsministerium und mit dem Esbjerger Redakteur Knud Ree das Fischereiministerium; Harald Petersen, ebenfalls Mann der Venstre, übernahm wie schon 1945 das Verteidigungsministerium.

Zu den wichtigsten Aufgaben der neuen Regierung gehörte die Beseitigung des Valutadefizits, der Kampf gegen die Inflation, andererseits die weitere Liberalisierung des Wirtschaftslebens und die Änderung des Grundgesetzes. Im März 1951 brachten auch die vier alten Parteien einen umfassenden »Krisenvergleich« zustande, aber Hauchs Eingriffe in die Lebensmittelpreise riefen starke Kritik hervor, so daß er im September 1951 zurücktrat. Sein Amt übernahm der bisherige Kirchenminister Jens Sønderup, der selbst Hofbesitzer war. An die Stelle Weikops trat der konservative Industrielle Aage L. Rytter als Handelsminister.

Seit Anfang 1946 arbeitete eine Verfassungskommission an der Änderung des Grundgesetzes, doch kamen die Arbeiten erst unter Eriksens Regierung richtig in Gang. Eriksen selbst war für ein Einkammersystem und für uneingeschränktes allgemeines Wahlrecht. Schwierigkeiten bereitete es, ob das Wahlrecht mit dem 21. oder dem 23. Lebensjahr eintreten sollte. Die Frage wurde auf dem Weg der Volksabstimmung geklärt. Sie sprach sich für das Wahlrecht von 23 Jahren aus. Am traditionellen Grundgesetztag, dem 5. VI., unterzeichnete König Friedrich das Gesetz.

Die wichtigste Neuerung des Gesetzes bezog sich auf die Abschaffung des Landstings. Den Minderheiten wurde das Recht eingeräumt, daß $\frac{1}{3}$ der Mitglieder des Folketings eine Volksabstimmung begehren konnte, doch verpaßte sie ihr Ziel, denn mindestens 30 % der Stimmberechtigten waren dagegen. Wenn das

§ 22 Die skandinavischen Staaten seit dem Ende des I. Weltkriegs

Folketing einem Minister das Mißtrauen aussprach, mußte dieser gehen. Bezog sich das Mißtrauen auf den Staatsminister, dann mußte er Wahlen ausschreiben oder zurücktreten.

Die Höchstzahl der Folketingsmitglieder wurde auf 179 festgesetzt. Seit 1948 entsandten die Färöer zwei Mitglieder in den Reichstag. Dieselbe Zahl wurde Grönland zugestanden, das künftig nicht mehr als Kolonie, sondern als Teil des Reichs betrachtet wurde. Jede Form der Freiheitsberaubung auf Grund besonderer Abstammung, politischer oder religiöser Überzeugung wurde verboten. Um die Staatsbürger gegen Übergriffe der Bürokratie zu schützen, wurde die Stellung eines »ombudsmands« des Folketings geschaffen.

Schließlich wurde im Hinblick auf die Tatsache, daß der König nur Töchter hatte, das Thronfolgegesetz abgeändert. Anstelle des Bruders des Königs, Erbprinz Knud, wurde die älteste Tochter Friedrich IX., die 1940 geborene Prinzessin Margrethe, Thronfolgerin.

Insgesamt schuf das Grundgesetz von 1953 wohl keine so tiefgreifenden Veränderungen wie dasjenige von 1915, vielmehr lag seine Hauptbedeutung darin, daß es das ganze Verfassungssystem modernisierte, den täglichen Erfordernissen der Nachkriegszeit anpaßte.

Bei den Aprilwahlen im Jahre 1953, die die Verfassungsänderung bestätigen sollten, gingen die Sozialdemokraten wohl etwas stärker hervor als die gesamte Regierungskoalition, doch gelang es ihnen nicht, deren Position zu erschüttern. Auch bei den Septemberwahlen zum neuen Folketing erzielten die Sozialdemokraten wieder etwas mehr Mandate als die Regierungskoalition. Diesmal waren die Radikalen nicht mehr bereit, eine Regierung der Liberalen mit den Konservativen zu unterstützen, und so sah sich Eriksen zum Rücktritt gezwungen. Hans Hedtoft bekam den Auftrag; er bildete, nachdem die Radikalen abgelehnt hatten, eine sozialdemokratische Minderheitsregierung mit H. C. Hansen als Außenminister, Lis Groes als Handelsminister und Hans Haekkerup als Justizminister; Jens Otto Krag wurde Wirtschafts- und Arbeitsminister, Kampmann, Bomholt, Strøm, Christiansen und Koch übernahmen wieder die Ressorts, die sie bis Herbst 1950 gehabt hatten. Wie damals schon bereitete die Valutaknappheit und der Versuch einer Krisenlösung der Regierung die Hauptschwierigkeiten. Darüber starb Hedtoft Ende Januar 1955. Seinem Nachfolger Hansen gelang im Frühjahr ein Krisenvergleich mit Hilfe der Radikalen, aber im nächsten Jahr begannen die Valutaschwierigkeiten erneut, und bei den Neuwahlen 1957 verloren Sozialdemokraten samt Kommunisten auf Kosten der Liberalen und des Retsforbund, doch gelang es Hansen, die Regierungskrise mittels der Bildung einer »Dreiecksregierung« mit den Liberalen und dem Retsforbund zu lösen. Vier Radikale und drei Angehörige des Retsforbund traten als Minister dazu, unter ihnen Bertel Dahlgaard als Minister für Wirtschaft und nordische Angelegenheiten. Prof. Kjeld Philip bekam das Handelsministerium; Krag übernahm im nächsten Jahr, um Hansen zu entlasten, das Außenministerium. Eine günstige konjunkturelle Entwicklung und eine expansive Wirtschaftspolitik gaben dem dänischen Wirtschaftsleben einen starken Auftrieb und kamen der Regierung zugute. In diesem Zusammenhang wurde die bisherige Industrieschutzpolitik aufgegeben. Zum erstenmal gelang es im März 1961 einer dänischen Regierung, alle vier alten Parteien und den Retsforbund zur Zustimmung zu einem neuen Verteidigungsgesetz zu veranlassen.

Im Februar 1960 starb Staatsminister H. C. Hansen, worauf Viggo Kampmann die Leitung der Regierungsgeschäfte übernahm. Doch schufen die Novemberwahlen eine neue Situation. Die Konservativen gewannen, während Venstre

e) Die Innere Entwicklung nach dem II. Weltkrieg

Verluste erlitt. Knud Kristensen, der 1953 die Partei der Unabhängigen gegründet hatte, um die bürgerlichen Traditionen gegenüber den Sozialdemokraten stärker zu betonen, gelang es, mit seiner Gruppe ins Parlament zu kommen, während Retsforbund und Kommunisten ihre Mandate verloren. An ihre Stelle rückte die noch junge sozialistische Volkspartei unter Aksel Larsen ins Parlament ein und war jetzt so stark wie die Radikalen.

Auch die Sozialdemokraten hatten Zulauf und konnten so erneut mit den Radikalen, von Landwirtschaftsminister Karl Skytte geführt, die Regierung bilden, während die Minister des Retsforbund zurücktreten mußten. Um die schwache Basis zu verstärken, machte man einen der zwei parteilosen Folketingsvertreter für Grönland zum Minister für diese Insel. Die beiden früheren Führer der Radikalen, Bertel Dahlgaard und Jørgen Jørgensen, die nicht mehr ins Folketing einzogen, blieben bis Herbst 1961 Mitglieder der Regierung, worauf Kjeld Philip, seit Frühjahr 1960 Finanzminister, Dahlgaard als Wirtschaftsminister und K. Helveg Petersen Jørgensen als Unterrichtsminister folgte. Bomholt, bisher Sozialminister, übernahm ein neuerrichtetes Ministerium für kulturelle Angelegenheiten, während Bundvad das Sozialministerium übernahm. Lars P. Jensen wurde Innenminister und überließ das Handelsministerium dem Radikalen Hilmar Baunsgaard.

Dänemark erlebte in diesen sechziger Jahren eine Hochkonjunktur, allerdings mit der Begleiterscheinung neuer Preissteigerungen und einem stark steigenden Negativum der Zahlungsbilanz, und wegen der Absperrungspolitik der bisherigen Abnehmer geriet die Landwirtschaft in zunehmende Schwierigkeiten. Im Frühjahr 1961 schlossen sich ihre Organisationen der Streikbewegung an, so daß die Regierung ihnen durch Stützungsmaßnahmen entgegenkommen mußte.

Dem zunehmenden Minus in der Zahlungsbilanz suchte die Regierung durch eine allgemeine Umsatzgabe entgegenzuwirken. Da zwei Regierungsmitglieder ihre Zustimmung versagten, bemühte man sich um die Unterstützung von Venstre und Konservativen, die den Krisenvergleich im Juni 1962 (*Oms-forliget*) ermöglichten. Während dieser Verhandlungen sah sich Kampmann aus gesundheitlichen Gründen gezwungen, die Regierungsgeschäfte niederzulegen. Anfang September übernahm J. O. Krag das Staatsministerium; das Außenministerium, das er bisher innegehabt hatte, erhielt der Sozialdemokrat Per Haekkerup. Wenige Monate später übernahmen Poul Hansen das Finanz-, Victor Gram das Verteidigungsministerium.

Die Preissteigerung ging weiter, aber trotz des harten Widerstands der VK-Opposition (Venstre + Konservativen) gelang es der Regierung im Frühjahr 1963, die *helhedsløsing* zu erzielen, die zum ersten Mal die Verwirklichung der »Einkommenspolitik« brachte, d. h. die Einkünfte in der dänischen Volkswirtschaft so zu bremsen, daß die Nachfrage nach Waren und Dienstleistungen die Erzeugung nicht überstieg. Auf diese Weise gelang es im Lauf des Jahres 1963, Preissteigerung und Valutaverlust etwas zurückzuhalten. Einige Monate später setzte die Regierung ein Bündel von Bodengesetzen durch, die u. a. ausländischen Grundstückskäufen bei einem etwaigen Beitritt Dänemarks in den Gemeinsamen Markt vorbauen und den dänischen Staatsbürgern das Verfügungsrecht über ihren Grundbesitz einschränken sollten. Die Opposition begehrte darauf eine Volksabstimmung, die am 25. VI. 1963 stattfand und zu ihren Gunsten ausging. Allerdings konnten sich die Sozialdemokraten bei den Folketingswahlen im September 1964 erneut ihre 76 Sitze und damit ihre zahlenmäßige Überlegenheit gegenüber den VK-Parteien behaupten. Die Radikalen verloren ein Mandat und traten, da sie in Verteidigungsangelegenheiten mit den Sozialdemokraten uneinig

§ 22 Die skandinavischen Staaten seit dem Ende des I. Weltkriegs

waren, aus der Regierung aus. Krag bildete darauf eine sozialdemokratische Minderheitsregierung, wobei einige Umbesetzungen vorkamen. Haekkerup übernahm das Innenministerium. Wirtschaftsminister wurde Henry Grünbaum, der dann im August 1965 Poul Hansen als Finanzminister ablöste. Die Regierungsarbeit war wegen der schwachen Basis schwierig; von Fall zu Fall mußte sich die Regierung um eine Mehrheit bemühen. Ihr kam allerdings zugute, daß Poul Hartling, der Nachfolger Erik Eriksens in der Führung der Venstre, sich den Radikalen näherte und beide im Januar 1966 ohne Hinzuziehung der Konservativen einen Krisenvergleich herbeiführten.

Bei den Wahlen im Januar erlitten die Sozialdemokraten eine schwere Niederlage. Sieger waren die Radikalen, deren parlamentarischer Sprecher Hilmar Baunsgaard nun ein bürgerliches Koalitionskabinett bildete.

Dänemarks Wirtschaftsleben erfuhr in den Nachkriegsjahren tiefgreifende Veränderungen. Die Hauptzüge waren die Krise des landwirtschaftlichen Bereichs und die Intensivierung der Industrialisierung. Die Landwirtschaft brauchte eine Wiederaufbauphase, die bis 1949 reichte; dann folgten einige gute Jahre aufgrund des starken ausländischen Nachholbedarfs. Ab Mitte der 50er Jahre änderte sich die Situation wegen der in Westeuropa einsetzenden Überproduktion. Importregulierungen, finanzielle Stützungsaktionen sollten einer Agrarkrise vorbauen. Dieser Agrarprotektionismus bereitete der dänischen Landwirtschaft nur größere Schwierigkeiten, die zu Beginn der 60er Jahre mit den Auswirkungen des Gemeinsamen Marktes noch zunahmen. Insgesamt konnte der Export wohl gesteigert werden; namentlich Geflügel, Milch- und Fleischkonserven und Käse fanden einen wachsenden Markt, während die Einnahmen aus Butter und Eiern zurückging. Diese Absatz- und Rationalisierungs- sowie Mechanisierungsmaßnahmen konnten allerdings die Spanne zum Binnenmarkt nicht ausgleichen. Die jungen Arbeitskräfte wurden von der Industrialisierung in den Städten angezogen, so daß der Mangel an Hilfskräften immer spürbarer wurde. Als weitere Notwendigkeit ergab sich aus diesem Arbeitskräftemangel und dem Erfordernis einer bestimmten Betriebsgröße für eine möglichst rationelle Anwendung der Maschinen die Zusammenlegung kleiner Anwesen zu größeren. Bis zuletzt hinderte sie die Gesetzgebung. Es war allerdings schon 1965 klar, daß bei dem damaligen Stand verfügbarer Arbeitskräfte von den bestehenden rund 190 000 Anwesen nur etwa 120 000 ausreichend versorgt werden könnten.

Demgegenüber erfolgte von den Städten aus seit Mitte der 50er Jahre eine Expansion der industriellen Produktion, die man als »zweite industrielle Revolution« bezeichnet hat. Zu Beginn der 50er Jahre kam es der Industrie in erster Linie auf die Versorgung des einheimischen Marktes an. Wegen der bestehenden Importregelung konnte sie diesen Markt ganz behaupten. Von 1953 ab stieg der Industrieexport kontinuierlich; 1963 überstieg er zum ersten Mal den landwirtschaftlichen Export. Die Liberalisierungsmaßnahmen innerhalb der OEEC und der EFTA begünstigten diese Entwicklung. Von 1960 ab konnte Dänemark seine Importregulierungen abbauen, ohne daß die Industrie als ganzes darunter litt. Besonders kräftig war der Abbau in der Eisen- und Metallindustrie, deren Arbeiterzahl um mehr als ein Drittel zunahm. Ein großer Teil des Exportes ging in Industrieländer wie Westdeutschland und Schweden. Spezialisierung auf bestimmte Erzeugnisse, fachliche Geschicklichkeit der Arbeitskräfte und gewandte Ausnützung der Marktlücken wirkten dabei zusammen. Die Industrieanlagen bevorzugten jetzt die Umgebung Kopenhagens, der Provinzstädte, ja Landgebiete, so im östlichen Jütland, wo Baugrund und Arbeitskräfte billiger waren. Im Zusammenhang mit dieser Entwicklung wuchs die Zahl der Beschäftigten im Dienstlei-

e) Die Innere Entwicklung nach dem II. Weltkrieg

stungsverkehr noch mehr als diejenige der industriellen Produktion.
Dänemarks Bevölkerung wuchs von 1953 bis 1965 von 4,3 auf 4,7 Millionen.
Praktisch verschwand die Arbeitslosigkeit; alle Kreise konnten sich einen hohen
Lebensstandard leisten. Die Zahl der Automobile erfuhr von 1955 bis 1964 eine
Verdreifachung. Billige Urlaubsreisen nach dem Süden kamen hinzu, während
Dänemark selbst, vor allem Kopenhagen, in die Reisefreudigkeit der internationalen Touristik einbezogen wurde. Das Unterrichtswesen wurde umgebaut. Neue
Universitäten wurden errichtet, so in Århus und in Odense. In der Umgebung
von Kopenhagen entstand eine neue große Technische Hochschule, und in Risø
am Roskilde-Fjord wurde eine Atomversuchsanstalt errichtet. Das Schulwesen
erhielt durch Gesetze von 1958 eine neue Grundlage.

Wichtig waren auch die Investitionen im Verkehrswesen. Der Flugplatz von
Kastrup bei Kopenhagen wurde zum zentralen Großflugplatz für Skandinavien
ausgebaut, während die Vogelfluglinie über Rødby und Fehmarn, die 1963 eingeweiht wurde, eine schnelle Landverbindung herstellte. Autobahnen wurden auf
Lolland-Falster und zwischen Kopenhagen und Nordseeland angelegt. Als besondere Leistung im sozialen Sektor seien die großen »Centralsygehuse« hervorgehoben, die überall im Land entstanden. Im Jahre 1956 wurde anstelle der bisherigen Altersrente eine »Volkspension« eingeführt, die allerdings in ihrem größeren Teil noch vom persönlichen Einkommen bestimmt wurde. 1964 wurde eine
volle Volkspension beschlossen, die ab 1970 ausbezahlt werden sollte. Ein Revalidierungsgesetz von 1960 sollte den leicht Erwerbsbehinderten die Rückkehr in
einen Beruf erleichtern. Ebenfalls 1960 wurde das Krankenkassenwesen vereinfacht, wobei die Krankenkassen allen ohne Rücksicht auf Alter und Gesundheitszustand zugänglich gemacht wurden. 1964 wurde die Alterspension für Arbeiter und Beamte mit einer Zulage versehen.

Grönland

Literatur
I. Steining, Fra amt til hjemmestyre (1948).
Ders., Den danske Rigsdag 1849–1949, Bd. 6 (1953).
Færøerne (2 Bde. 1958).
J. Pauli Heinesen (Hg.), Føroyar i dag (1966).
F. Gad, Grønlands Historie (1946).
K. Birket Smith (Hg.), Grønlandsbogen (2 Bde. 1950).
Grønlandskommissionens betaenkning (6 Bde. 1950).
G. Williamson, Changing Greenland (1953).
K. Bure, Greenland (1961).
M. Lidegaard, Grønlands historie (^{2}1962).
P. Barfod u. a. (Hgg.), Bogen om Grønland (^{2}1966).
M. Boserup, Økonomisk politik i Grønland (1963).
G. Chemnitz und *V. Goldschmidt* (Hgg.), Grønland i udvikling (1964).
J. Poulsen (Hg.), Grønland i braendpunkten (1965).
P. P. Sveistrup, The Economy of Greenland (1967).

Grönlands Verbindung zum Mutterland war während der ganzen Besatzungszeit
unterbrochen. Die Verwaltung lag in den Händen der lokalen Behörden, die in
Godthåb, dem Hauptort der Insel, zusammengefaßt wurde. An der Spitze stand
der Landvogt, dem die zwei Landesräte unterstellt waren, die jetzt eine einheitliche Versammlung darstellten. Diese Ordnung erwies sich als so sachgemäß, daß
sich die Grönlandkommission, deren Gutachten vom Jahre 1950 eine Neuordnung vorbereiten sollte, weitgehend zu ihr bekannte. Oberster Repräsentant der

§ 22 Die skandinavischen Staaten seit dem Ende des I. Weltkriegs

lokalen Verwaltung war der Landshøvding in Godthåb, der von den Landesvorstehern für Kirche, Schule und Gesundheitswesen unterstützt wurde. Grönland erhielt zudem ein eigenes Landesrecht und als eine Art Volksvertretung einen Landesrat. Mit dem Grundgesetz von 1953 wurde Grönlands Status als Kolonie aufgehoben; es konnte jetzt ähnlich wie die Färöer zwei Mitglieder ins Folketing wählen.

Die bisherige Isolationspolitik des Handelsmonopols wurde aufgegeben, doch hatte die Organisation »Grønlandske Handel« weiter die Pflicht, das Land zu versorgen. Dänische Unternehmer konnten investieren; das Land wurde den Touristen geöffnet. Der Übergang vom Seehundfang zur Dorschfischerei wurde beschleunigt. Auch der Rejefang wurde jetzt in großem Umfang betrieben. Von der Fischerei ausgehend, wurde in Westgrönland von 1956 ab eine Reihe moderner Industrieanlagen geschaffen, die die Existenzbasis der Bevölkerung erweiterte und sie veranlaßte, aus den vereinzelten Siedlungen in die größeren Niederlassungen zu ziehen. Die Sterblichkeit ging stark zurück; die Bevölkerung nahm viermal stärker zu als in Dänemark. 1960 zählte das Land 30 000 Einwohner. Dieser Prozeß hatte zur Folge, daß zahlreiche Dänen als Facharbeiter, Handwerker, Techniker und Betriebsführer ins Land kamen, was zu gewissen Spannungen mit der einheimischen Bevölkerung führte. Inzwischen arbeitete eine neue Grönlandkommission einen 1960 abgeschlossenen Entwicklungsplan aus, nach dem die dänische Regierung im Verlauf von 10 Jahren etwa 4 Milliarden Kronen in Grönland investieren wollte.

Mit dieser Entwicklung wurde Grönlands Bevölkerung aus ihrer bisherigen Isoliertheit und Geborgenheit herausgeführt und mit den Vorzügen wie auch mit den Gefahren der modernen Industriegesellschaft konfrontiert. Dazu kamen die Auswirkungen des Kalten Krieges zwischen den Vereinigten Staaten und der Sowjetunion. Aufgrund des Kauffmann-Vertrages von 1941 unterhielten die Amerikaner in Grönland Truppenstützpunkte. Die von der dänischen Regierung gewünschte Aufhebung des Vertrages wurde erschwert durch den Umstand, daß der Vertrag keine feste Gültigkeitsdauer hatte; er sollte gelten, bis die USA und Dänemark sich darüber einig waren, daß die Sicherheit des amerikanischen Kontinents außer Gefahr war. Trotz dänischem Druck räumten die Amerikaner deshalb nur langsam ihre Flugbasen und sonstigen militärischen Anlagen.

Eine neue Situation brachte Dänemarks Beitritt zur NATO im Jahr 1949. In den Rahmen dieses Verteidigungsbündnisses fügte sich der Vertrag vom 27. IV. 1951, in dem Dänemark die USA um Beistand bei der Verteidigung Grönlands ersuchte und den Amerikanern das Recht einräumte, in Friedenszeiten Militärbasen zu errichten. Der Vertrag von 1941 wurde aufgehoben; der neue Vertrag erhielt dieselbe Gültigkeit wie der Atlantikpakt. Hauptstützpunkt der Amerikaner wurde die Luft- und Radarbasis Thule.

Der dänisch-norwegische Vertrag von 1924 gab den Norwegern die Möglichkeit, in Ostgrönland Anlagen zum Fang und zur Jagd und zu meteorologischen Beobachtungen zu errichten. Dieser Vertrag wurde 1947 für weitere 20 Jahre verlängert, allerdings 1965 von Dänemark aufgekündigt mit dem Hinweis auf das Urteil des Haager Schiedsgerichts von 1933, das Dänemarks volle Souveränität über Grönland anerkannte, und mit dem Hinweis auf das neue Grundgesetz von 1953, das Grönland dem übrigen dänischen Reich gleichstellte. Die Norweger versuchten auf dem Weg der Verhandlungen noch einige Zugeständnisse zu erreichen.

e) Die Innere Entwicklung nach dem II. Weltkrieg

Färöer

Literatur
Th. *Veiter,* Die Autonomie der Färöer: ZAuslÖffR 20 (1963/64).

Die Entwicklung des II. Weltkrieges kam der weiteren Verselbständigung der Färöer entgegen. Offiziell waren sie nur ein Amt im Rahmen der dänischen Lokalverwaltung. In den Kriegsjahren erhielten sie eine eigene kleine Regierung, eine gesetzgebende Versammlung, eigene Flagge und eigene Münze. Nach Beendigung des Krieges beließ man zunächst den Zustand. Die Wahlen zum Lagting, der färöischen Volksvertretung, im November 1945 brachten der Sambandpartei und den Sozialdemokraten je 6 Sitze und damit die Mehrheit ein. Beide wollten die staatsrechtlichen Bindungen an Dänemark weiter aufrechterhalten, während die Volkspartei, die für volle Unabhängigkeit war, sich mit 11 Mandaten begnügen mußte. Aufgrund eines Lagtingbeschlusses erfolgte im September 1946 eine Volksabstimmung, bei der 33 % der Stimmberechtigten sich für die Loslösung von Dänemark, 32 % dagegen aussprachen, aber ein Drittel sich überhaupt nicht an der Abstimmung beteiligte. Im Lagting schloß sich jetzt ein Sozialdemokrat der Gruppe an, die für Unabhängigkeit war, worauf das Lagting mit 12 gegen 11 Stimmen die Errichtung eines Färöischen Reiches proklamierte. Doch protestierten dagegen die anderen Parteien, und in Kopenhagen erklärte man, daß eine Entscheidung über die künftige Stellung der Färöer nur durch Verhandlungen des Lagtings mit den dänischen Behörden herbeigeführt werden könnte. Das Lagting wurde für aufgelöst erklärt. Die Neuwahlen Anfang November erbrachten eine Mehrheit für die Parteien, die das Band mit Dänemark beibehalten wollten. Die weiteren Verhandlungen führten dann zum *Hjemmestyrelov* vom 23. III. 1948, das von der Mehrheit des Lagtings gebilligt wurde. Danach bildeten die Inseln künftig einen autonomen, sich selbst verwaltenden Teil im Dänischen Reich. Im Folketing wurden die Inselbewohner durch zwei Abgeordnete vertreten, wozu, solange das Landsting noch bestand, ein Vertreter in diesem Gremium kam. Das Lagting wählte eine eigene Landesregierung mit dem Lagmand an der Spitze. Die Inseln behielten ihre eigene Flagge, und Hauptsprache des Landes wurde das »Färöische«. Die Neuordnung trat am 1. IV. 1948 in Kraft. Vom Dezember dieses Jahres an galt auch anstelle der englischen Währung, die man im Krieg eingeführt hatte, wieder die dänische.

Island

Literatur
Ch. *Westergård-Nielsen* (Hg.), Forbundslovens ophaevelse i Danmark: Island Årbog 1950/51 (1952).
Die Handschriftenfrage: Bj. M. *Gislason,* Danmark-Island (1961).
P. *Møller,* De islandske handskrifter i dokumentarisk belysning (1965).
E. *Dal* (Hg.), De islandske handskrifter og dansk kultur (1965).
Haye W. *Hansen,* Island von der Wikingerzeit bis zur Gegenwart (1965).
K. *Gjerset,* History of Iceland (1924, dt. von *W. Baetke,* 1928).
B. *Thordarson,* Iceland Past and Present (^{3}1953).
V. *Gudmundson,* Island i frihetsiden (1924).
Th. *Thorsteinsson,* Island under og efter verdenskrigen (1918).
D. *Bruun,* Fortidsminner og Nutidshjem på Island (1928).

Island war seit 1918 selbständig, behielt aber die Personalunion mit Dänemark weiter bei. Seine Volksvertretung war das Alting. Während des Krieges und in

§ 22 Die skandinavischen Staaten seit dem Ende des I. Weltkriegs

den Nachkriegsjahren bildeten sich verschiedene Parteien heraus. Neben konservativen Gruppierungen gab es seit 1916 eine Fortschrittspartei, die sich hauptsächlich auf die bäuerliche Genossenschaftsbewegung stützte, und, ebenfalls seit 1916, eine sozialdemokratische Partei. Die Konservativen behaupteten sich bis 1927 in der Regierung und wurden dann von der Fortschrittspartei abgelöst, die zeitweilig von den Sozialdemokraten unterstützt wurde. Die Konservativen schlossen sich dann zu einer Partei zusammen, die sich ab 1929 Selbständigkeitspartei nannte. Dazu gab es eine eigene Bauernpartei und seit 1937 eine kommunistische Partei. Die Fortschrittspartei führte die Regierung 1927–1932 und 1934–1939. Sie wurde durch die Wahlordnung begünstigt, die die Stadtbevölkerung im Alting benachteiligte. Ihnen führenden Politikern Tryggvi Thorshallsson und Jónas Jónsson gelangen verschiedene wirtschaftliche und soziale Reformen, die der Landwirtschaft und Fischerei entgegenkamen.

Die Weltwirtschaftskrise traf Island schwer, da die Insel ihre Exportmärkte für Fischereiprodukte verlor. Diese Krise hielt während der ganzen dreißiger Jahre an und begünstigte den Aufstieg der Sozialdemokraten, die die Gelegenheit bekamen, das Zünglein an der Waage zu bilden. Als der II. Weltkrieg ausbrach, wurde (im Herbst 1939) von Hermann Jónasson eine Sammlungsregierung aus allen Parteien, mit Ausnahme der Kommunisten, gebildet, die bis 1942 im Amt blieb.

Als die deutschen Truppen Dänemark besetzten, übertrug das Alting die Exekutive der Regierung. Am 10. V. 1940 besetzten britische Truppen die Insel; vom Sommer 1941 ab wechselten mit ihnen Amerikaner ab. Ebenfalls im Mai 1940 beschloß das Alting, das Übereinkommen mit Dänemark nicht mehr zu erneuern. Der bisherige Minister in Kopenhagen Sveinn Björnsson wurde zum Reichsvorsteher gewählt. Im Frühjahr 1943 wurde eine republikanische Verfassung ausgearbeitet und am 25. II. 1944 die Union mit Dänemark aufgehoben. Am 17. VI. wurde die neue Verfassung verkündet. Sveinn Björnsson wurde zum ersten Präsidenten gewählt. Dänemark betrachtete Islands Vorgehen als einseitig und erkannte es nicht an. Über das gegenseitige Verhältnis wurde in den nächsten Jahren weiterverhandelt, aber erst 1950 hob Dänemark das Gesetz auf, das für Island als Teil Dänemarks galt. Schwierigkeiten bereitete auch der Wunsch der Isländer, die isländischen Handschriften, die sich in dänischen Bibliotheken befanden, nach Island zu überführen. Eine Kommission wurde eingesetzt, die darüber 1951 ein Gutachten abgab, aber erst 1965 wurde ein Gesetz angenommen, das die in der königlichen Bibliothek und der Arnamagnaeanischen Sammlung in Kopenhagen befindlichen Handschriften und Archivalien als isländischen Kulturbesitz zur Übergabe an die Universität Island freigab. Dagegen wurde allerdings von dänischer Seite Einspruch erhoben mit dem Hinweis auf die Tatsache, daß das Gesetz sich in Widerspruch zum Grundgesetz befinde.

Aus der amerikanischen Besetzung zog Island beträchtliche wirtschaftliche Vorteile; besonders die Landwirtschaft und die Fischerei hatten davon ihren Nutzen, allerdings wurde dadurch die Inflation begünstigt. Der Wunsch der Amerikaner nach einer ständigen Militärbasis wurde abgeschlagen; sie konnten bis Oktober 1946 bleiben, ihren Flugstützpunkt Keflavik konnten sie, solange die Besetzung Deutschlands anhielt, weiter behalten, aber höchstens $6\frac{1}{2}$ Jahre. Die Sozialdemokraten waren gegen diese Vereinbarung und kündigten darauf ihre Mitarbeit in der seit 1944 von Ólafur Thors, dem Sprecher der Selbständigkeitspartei, geführten Sammlungsregierung, worauf im Februar 1947 eine neue Sammlungsregierung unter dem Sozialdemokraten Jóhann Stefansson zustande kam.

e) Die Innere Entwicklung nach dem II. Weltkrieg

Präsident Björnsson starb 1952. Zu seinem Nachfolger wurde Asgeir Asgeirsson gewählt. Nach den Wahlen von 1953 übernahm Ólafur Thors wieder die Regierung, wobei er von der Selbständigkeitspartei und der Fortschrittspartei unterstützt wurde. Doch kam es über den 1951 den Amerikanern eingeräumten militärischen Stützpunkt zum Streit mit den beiden letzteren Parteien. Nach den Wahlen vom Juni 1956 führte Hermann Jonasson von der Fortschrittspartei eine Sammlungsregierung, die aber ebenso kurz dauerte wie die ihm folgende Minderheitsregierung des Sozialdemokraten Emil Jonasson. Das im Juni 1959 gewählte Alting führte eine Reform der Wahlordnung durch, die den Städten eine stärkere Vertretung ermöglichte. Im Oktober dieses Jahres wurde erneut gewählt, worauf Ólafur Thors von der Selbständigkeitspartei mit den Sozialdemokraten eine Regierung bilden konnte. Diese Regierungskoalition konnte sich auch nach den Wahlen vom Juni 1963 behaupten, doch trat Thors im November dieses Jahres aus Gesundheitsgründen zurück; die Regierung übernahm darauf sein Parteigenosse Bjarni Benediktsson. So gab es in diesen Jahren immer wieder Sammlungsregierungen mit wechselnden Zusammenstellungen, wobei zeitweilig auch die Kommunisten beteiligt waren, ein Zeichen dafür, daß die Parteigegensätze nicht allzu tief waren.

Island hatte 1968 200 000 Einwohner. 1950 waren 35,9 %, 1960 noch 19,8 % der Bevölkerung in der Landwirtschaft und Fischerei beschäftigt. Fischverarbeitung war wichtigster Industriezweig, der sich mit dem Ausbau der Energiewirtschaft in den letzten Jahren rasch entwickelte. Der Fischindustrie dienten auch andere Industriezweige wie Werften, Maschinenfabriken und Verpackungsbetriebe. Die negative Außenhandelsbilanz wurde zum Teil ausgeglichen durch Einnahmen aus dem amerikanischen Stützpunkt Keflavik.

Norwegen

Literatur
M. Jensen, Norges Historie (3 Bde. ³1962–1965).
O. Hoelaas, Norge under Haakon VII 1905–1957 (1957).
A. Bergsgaard, Fra 17 mai till 9 april... (1958).
N. R. Østgaard (Hg.), Olav Norges Konge (1957).
M. Jensen, Norges Historie, Bd. 3 (1965).
J. F. Ruud u. a. (Hgg.), Dette er Norge 1814–1964, Bd.3 (1963/64).
A. Kaartvedt, R. Danielsen, I. Greve, Det norske Storting gjennom 150 år, Bd. 4 (1964).
E. Bull, Sozialgeschichte der norwegischen Demokratie (1969).
H. D. Loock, Quisling, Rosenberg und Terboven (1970).
T. K. Derry, A History of Modern Norway 1814–1972 (1973).

Mit der Rückkehr des Kronprinzen Olav (13. V. 1945) und des Königs Haakon (7. VI.) sowie der Regierungsübernahme durch den Ministerpräsidenten Nygaardsvold (31. V.) war die durch den Krieg unterbrochene Kontinuität in der staatlichen Hoheit Norwegens wiederhergestellt.

Die Norweger hielten mit Quisling und seinen Anhängern harte Abrechnung; Quisling wurde wegen Hochverrats zum Tode verurteilt und am 24. X. 1945 hingerichtet. Insgesamt wurden von den Sondergerichtshöfen über 50 000 Norweger abgeurteilt; 30 von ihnen wurden zum Tode verurteilt; viele erhielten Freiheitsstrafen. Die Gegensätze zwischen denjenigen, die den Widerstand im Lande ausgefochten hatten, und denjenigen, die ins Ausland emigriert waren, führte dazu, daß Nygaardsvold bereits im Juni 1945 zurücktrat.

Dem Arbeiterführer Einar Gerhardsen gelang es, eine Koalitionsregierung zu-

§ 22 Die skandinavischen Staaten seit dem Ende des I. Weltkriegs

stande zu bringen. Bei den Wahlen vom Oktober erlangte dann die Arbeiterpartei mit 76 Mandaten die absolute Mehrheit, die unter Gerhardsen die Regierung bildete. Als neue Partei trat die »Christliche Volkspartei« unter Erling Wikborg in Erscheinung.

Der Wiederaufbau vollzog sich verhältnismäßig rasch; nur der Norden Norwegens hatte stärker durch Zerstörungen gelitten. Die Hilfsorganisationen zur Unterstützung der Flüchtlinge und Verschleppten halfen; Schweden stellte einen Aufbaukredit zur Verfügung. Ein Gesetz über Preis- und Wirtschaftsregulierung (Lex Thagaard) wurde im Juni 1947 verabschiedet. Die Regierung war bestrebt, ein umfangreiches Sozialprogramm zu verwirklichen, das den Ausbau der Fachorganisationen, Kinder- und Frauenschutz, Urlaubsfrage und Kinderzulage, Erwachsenenbildung und sozialen Wohnungsbau vorsah.

Im Jahre 1951 übernahm der Sozialdemokrat Oskar Torp die Regierungsbildung, mußte aber wegen der schwierigen wirtschaftlichen Verhältnisse im Januar 1955 die Leitung der Geschäfte wieder abtreten. Der Streit um die Zulassung deutscher Militärbasen auf norwegischem Boden und die Zustimmung zur Verwendung von Kernwaffen führte 1961 zur Bildung einer sozialistischen Volkspartei. Nach den Wahlen von September 1963 konnte die Arbeiterpartei mit Hilfe der sozialistischen Volkspartei John Lyngs kurze Koalitionsregierung stürzen, worauf Gerhardsen erneut Staatsminister wurde. In den nächsten Jahren hatte seine Partei mit wachsenden Schwierigkeiten innen- und außenpolitischer Art zu ringen, und so ging bei den Septemberwahlen 1965 die sozialistische Mehrheit verloren. Die Regierungsgeschäfte übernahm der aus dem Gaultal stammende Per Borten (*1913), der, seit 1955 Leiter der Zentrumspartei, die alte Bauernpartei modernisierte und nun eine bürgerliche Koalitionsregierung bilden konnte. Bei den Wahlen 1969 ging die Mehrheit der Koalition von 12 auf 2 Sitze zurück, trotzdem blieb die Regierung Bortens. Erst seine Verhandlungen über den Beitritt Norwegens zur EWG zwangen ihn im März 1971 zum Rücktritt, worauf Trygve Bratteli (*1910), seit 1965 Leiter der Arbeiterpartei, ein sozialistisches Minderheitskabinett bilden konnte.

1957 starb König Haakon VII. Der 1903 in England geborene und zunächst Alexander getaufte, 1905 umbenannte und seit 1929 mit Märtha von Schweden verheiratete Kronprinz Olav, der schon seit 1955 die Staatsgeschäfte geführt hatte, folgte nach als Olav V. Seine solide und vielseitige Erziehung, sein Einsatz für Norwegens Sache während des Krieges verschafften ihm eine solche Popularität, daß die Tradition der verfassungsmäßigen Monarchie sich ohne Schwierigkeiten behaupten konnte. Kronprinz wurde der 1937 geborene Sohn Olavs Harald.

Norwegens Wirtschaft befand sich nach dem II. Weltkrieg völlig in Unordnung, und es brauchte eine gewisse Zeit, bis die Arbeitslosigkeit überwunden und die Verhältnisse wieder normalisiert waren. Aber der nationale Reichtum des Landes mit seinen Erz- und Waldvorräten, Wasserfällen und seinem Fischfang erleichterte es der norwegischen Wirtschaft, verhältnismäßig rasch wieder zu gesunden. Bereits im Jahre 1950 hatte die norwegische Handelsflotte die Vorkriegstonnage wieder erreicht und sicherte sich in den nächsten Jahren den 3. Platz nach den Vereinigten Staaten und England. Im Jahre 1960 schloß sich Norwegen wie Dänemark und Schweden der »Europäischen Freihandelszone« (EFTA) an. 1972 sollte der Anschluß an die EWG unter Berücksichtigung norwegischer Seefahrt- und Fischereiprobleme erfolgen; er wurde aber durch eine Volksabstimmung am 25.–29. IX. 1972 verhindert. Trotz des fortschreitenden Prozesses der Industrialisierung blieb der Prozentsatz der in Landwirtschaft, Forstwirtschaft und Fischerei Beschäftigten größer als in Schweden und Dänemark (1950:

e) Die Innere Entwicklung nach dem II. Weltkrieg

27,3 %). Während sich in Süd- und Ostnorwegen die Industrie hauptsächlich in den Städten konzentrierte, entwickelten sich die neuen Exportindustrien in West- und Nordnorwegen mehr in ländlichen Orten.

Schweden

Literatur
I. Andersson, Sveriges historia (^{5}1953).
Y. Åberg, Produktion och produktivitet i Sverige 1861–1965 (1969).
R. F. Tomasson, Sweden, Prototype of Modern Society (1970).
L. Jörberg, 100 Jahre schwedische Wirtschaft (1971).
A. v. Gadolin, Die nordischen Staaten und die EWG: Volkswirtschaftliche Korrespondenz der Adolf-Weber-Stiftung 11 (Nr. 7/1972).
F. D. Scott, Sweden, the Nation's History (1977).

In Schweden äußerte sich die veränderte Situation seit Kriegsende im Regierungswechsel vom Sommer 1945. Der Gedanke der Sammlungsregierung hatte jetzt an werbender Kraft verloren. Per Albin Hansson bildete im Juli 1945 ein rein sozialdemokratisches Ministerium, in dem der Universitätskanzler Östen Undén das Außenministerium übernahm. Nach dem Tod Hanssons im Oktober 1946 übernahm der bisherige Kultusminister Tage Erlander die Leitung der Regierung. Der sozialdemokratische Kurs fand seinen Ausdruck in verschiedenen sozialreformerischen Maßnahmen. 1948 wurde die Altersversorgung in eine Volkspension umgewandelt. Das Krankenkassenwesen wurde neu organisiert. Die Landwirtschaft sollte vom Staat gelenkt und rationalisiert werden. In diesem Zusammenhang wurde die alte Gemeindeordnung aufgegeben zugunsten von leistungsfähigen Großgemeinden.

Anfang Oktober 1951 trat die Bauernpartei in eine Koalitionsregierung ein. Sowohl die Wahlen vom September 1952 als auch diejenigen vom September 1956 beließen die Sozialdemokraten in der Führung. Nach der Kabinettskrise vom Oktober 1957, die durch Fragen der Wirtschafts- und Wohlfahrtpolitik, namentlich der Volkspension, hervorgerufen wurde, bildete der Sozialdemokrat Erlander eine Minderheitsregierung. Sein Kurs wurde durch die Reichstagswahlen vom 1. VI. 1958 bestätigt. Bei den Reichstagswahlen 1960 machten die Sozialdemokraten erneut Fortschritte, während die Rechte Einbußen erlitt und die Volkspartei wieder stärkste Oppositionspartei wurde. Bei der Wahl zur 2. Kammer im September 1964 traten zwei neue Parteien auf, Medborgerlig Samling, ein Zusammenschluß nichtsozialistischer Gruppen, und eine christlich-demokratische »Sammlung«. Erlanders Regierungsbasis wurde etwas geschwächt, was jedoch ohne große politische Konsequenzen blieb. Die Kommunisten erhielten jetzt im Reichstag eine Schlüsselposition. Erlander trat 1969 als Ministerpräsident und Vorsitzender der Sozialdemokraten zurück, worauf der einer bekannten Familie der Stockholmer Oberschicht entstammende Sven Oluf Palme (*1927) sein Nachfolger wurde. In diesen sechziger Jahren ging die Diskussion vor allem um die Frage einer Verfassungsänderung, um die Verwaltung der Fonds, aus denen die Volkspension gespeist wurde, und um das Verhältnis zu den zwei großen westeuropäischen Wirtschaftsgemeinschaften EFTA und EWG.

Am 29. X. 1950 starb König Gustav V. im 92. Lebensjahr nach beinahe 43jähriger Regierung. Sein Nachfolger, der 68jährige Sohn Gustav VI. Adolf, zeigte im Gegensatz zum Vater stärkere Sympathien für die angelsächsische Welt. Nach seiner ersten Gattin, der Engländerin Prinzessin Margarethe, die 1920 starb, heiratete er Louise aus dem Hause Battenberg-Mountbatten. Aktiv in der Nüchtern-

§ 22 Die skandinavischen Staaten seit dem Ende des I. Weltkriegs

heitsbewegung tätig und leidenschaftlicher Archäologe, war es ihm gelungen, eine beträchtliche Popularität zu erlangen. Dies trug auch dazu bei, daß die Frage seines Nachfolgers trotz antiroyalistischer Strömungen im Lande keine ernste Krise bewirkte. Der ursprüngliche Nachfolger, Gustav Adolfs Sohn gleichen Namens, war 1947 bei einem Flugzeugunglück ums Leben gekommen. Der Thronanspruch ging nun auf dessen Sohn, den 1946 geborenen Carl Gustaf über.

Nach dem II. Weltkrieg stieg die internationale Nachfrage nach schwedischen Industrieprodukten beträchtlich; die Wirtschaft expandierte stärker als im Durchschnitt zu Ende der vierziger und zu Beginn der fünfziger Jahre, sowie erneut am Anfang und in der Mitte der sechziger Jahre.

Einheimische Nachfrage und verbesserte Exportmöglichkeiten führten zu einer starken Ausweitung zunächst der für den heimischen Markt arbeitenden Industrie. Das hatte auch einen bedeutenden Import zur Folge. Um den Einfluß der ausländischen Preissteigerungen auf die schwedische Wirtschaft zu dämpfen, sah sich die Regierung 1946 veranlaßt, die schwedische Währung aufzuwerten. Obwohl die Demobilisierung etwa 200 000 Mann freistellte, bestand eine starke Nachfrage an Arbeitskräften, was entsprechende Lohnsteigerungen zur Folge hatte. Vor allem Handel und Industrie trugen zur Steigerung des Bruttonationalprodukts bei, die zwischen 1946 und 1950 etwa 5 % pro Jahr betrug.

Die Abwertung des Jahres 1949 und die inflationistische Korea-Krise beeinflußten die Entwicklung zu Beginn der fünfziger Jahre. 1951 erreichte die Produktion einen Höhepunkt, um in den nächsten Jahren bis 1954 zu stagnieren. Auch in der Folgezeit blieb das Investitionsniveau niedrig. Man blieb dabei in den traditionellen Bahnen, ohne die Struktur wesentlich zu ändern, so daß sich zu Ende der fünfziger Jahre bei sich verschärfender internationaler Konkurrenz eine gewisse Überkapazität bemerkbar machte.

Die Zahl der Industriearbeiter, die bis 1960 nur langsam stieg, erreichte 1965 mit 743 000 einen Höhepunkt. Am aufnahmefähigsten waren Werkstattindustrie, Eisen- und Metallwerke, während die Textilindustrie ein Drittel ihrer Arbeiterschaft verlor. Beträchtlich war die Zahl der Fusionen, wobei die Anzahl multinationaler Unternehmen zunehmend ins Gewicht fiel.

Mangel an Arbeitskräften führte zu einer verstärkten Einwanderung von Ausländern, im Durchschnitt 15 000 pro Jahr, so daß ihre Gesamtzahl schließlich eine halbe Million ausmachte. Den stärksten Anteil daran hatten die Finnen, dann folgten Dänen, Deutsche und Jugoslawen. Die meisten suchten die Großstadtregionen von Stockholm, Göteborg und Malmö auf.

Die Struktur der Landwirtschaft wurde während des Krieges beibehalten, dann veränderte sich die Stellung der Landwirtschaft; sie verlor in den fünfziger und sechziger Jahren mehr Arbeitskräfte als früher. Im Jahrzehnt bis 1960 wurden 50 000 Höfe aufgegeben, danach wurden in jedem Jahr etwa 100 000 Höfe verlassen. Die Höfe, die übrig blieben, wurden größer und ertragreicher, freilich nicht alle. Von den etwa 190 000 Höfen, die 1963 bestanden, übten rund 40 000 Bauern noch zusätzlich einen Beruf aus. Die in der Landwirtschaft beschäftigten Personen machten jetzt noch 7 % der Gesamtbevölkerung aus.

Wenn man die jährlichen Zuwachsraten des Bruttonationalprodukts in den verschiedenen Industriebetrieben für die Jahre 1870 bis in die sechziger Jahre zusammenstellt, dann steht Schweden mit 2,1 % an zweiter Stelle. Nur von Japan wurde es übertroffen. Allerdings war der Zuwachs in den Nachkriegsjahren geringer als in verschiedenen anderen Industrieländern. Dies hing u. a. mit der bewußten Vollbeschäftigungspolitik zusammen, die eine stärkere Preissteigerung als in anderen Industrieländern in Kauf nahm. Hinzu kommt, daß die traditionellen Exportwaren Papiermasse und Stahl im Ausland nicht mehr so stark gefragt waren wie früher. Ein Ersatz durch andere Exportgüter war aber jetzt schwerer als früher. Schweden hatte nicht mehr so viele Erfindungen wie etwa um die Jahrhundertwende, auf denen sich neue Industrien aufbauen ließen. Zeigte die Rezession von 1966 bis 1968 auch gewisse Ähnlichkeiten mit der Krise der dreißiger Jahre, so waren doch die gesamtwirtschaftlichen Konsequenzen nicht so stark.

f) Die Außenpolitik nach dem II. Weltkrieg
Dänemark

Literatur
L. Hirschfeldt, Skandinavien och Atlantikpakten (1949).
N. J. Haagerup, De Forenede Nationer og Danmarks sikkerhed (1956).
E. Reske-Nielsen und *E. Kragh,* Atlantpagten og Danmark 1949–1962 (1963).
P. Haekkerup, Danmarks udenrigspolitik (1965).
Udenrigsministeriet (Hg.), Marshallplanen og dens betydning for Danmark (1957).
Udenrigsministeriet (Hg.), Danmark og det Europaeiske Økonomiske Faellesskab (1962).

Als Dänemark 1945 seine Verhältnisse wieder selbst ordnen konnte, sah es die damalige Regierung Buhl als eine der wichtigsten Aufgaben an, dem dänischen Volk die Anerkennung als einer freien unabhängigen Nation zu sichern. Die Regierungserklärung tat ihre Wirkung, und am 17. V. erklärte sich das bisher zögernde Moskau bereit, die diplomatischen Beziehungen zu Dänemark aufzunehmen und erkannte Dössing als dänischen Gesandten an. Am selben Tag brach Dänemark die diplomatischen Beziehungen zu Japan und zu dessen Satellitenstaat Mandschukuo ab. Den Vertrag, den der dänische Gesandte Kauffmann in Washington 1941 auf eigene Faust mit den USA wegen Grönland abgeschlossen hatte, billigte der dänische Reichstag am 16. V. einstimmig. Nachdem die Sowjetunion ihren anfänglichen Widerstand aufgegeben hatte, konnte Dänemark auf Norwegens Antrag am 5. VI., dem Tag des dänischen Grundgesetzes, als 50. Mitglied in den Kreis der in San Francisco versammelten Vereinten Nationen aufgenommen werden.

Einstimmig erklärten sich damals alle Parteien dafür, daß Dänemark die wirtschaftlichen und militärischen Lasten, die aus der Mitgliedschaft folgten, tragen müsse. Eine »dänische Brigade« nahm 1947 bis 1957 an der Besetzung Deutschlands teil, zunächst in Jever in Ostfriesland, dann in Itzehoe in Holstein. Allerdings wurde bald deutlich, daß die Vereinten Nationen nicht die Rolle eines Sicherheitsorgans spielen würden, die man erhofft hatte. Angesichts der Verschärfung des Gegensatzes zwischen Ost und West gewann der Neutralitätsgedanke wieder Auftrieb, um nicht in die Blockbildungen der Großen Mächte hineingezogen zu werden. Aber dann führte das Verhalten der Sowjetunion doch einen Gesinnungswechsel herbei, zunächst die Übernahme der Macht durch die Kommunisten in der Tschechoslowakei im Februar 1948, dann die Aufforderung der Sowjets an Finnland, einen Freundschafts- und Beistandsvertrag abzuschließen. Eine Erklärung des Außenministers Rasmussen vor dem Folketing im März 1948 bezüglich des entschiedenen Willens seiner Regierung, die Unabhängigkeit Dänemarks zu verteidigen, wurde von allen Parteien außer den Kommunisten unterstützt. Kurz darauf begann man in Schweden die Möglichkeiten einer nordischen Verteidigungsgemeinschaft zu erwägen; auch dafür waren die dänischen Parteien wiederum mit Ausnahme der Kommunisten. Der »Westpakt« und der

§ 22 Die skandinavischen Staaten seit dem Ende des I. Weltkriegs

Anschluß der USA zum Atlantikpakt wie die Berlinblockade durch die Sowjetunion taten das ihre dazu, daß seit September 1948 die nordischen Staaten die Möglichkeiten einer nordischen Zusammenarbeit in Verteidigungsfragen untersuchten. Ein von Dänemark, Norwegen und Schweden eingesetztes skandinavisches Militärkomitee ließ in seinem Gutachten vom Januar 1949 allerdings starke gegensätzliche Auffassungen zwischen Schweden und Norwegen erkennen. Die Schweden wollten, vor allem mit Rücksicht auf Finnland, daß der skandinavische Zusammenschluß in keinerlei Bündnisverhältnis zu den großen Blöcken treten dürfe, während die Norweger den Anschluß an Großbritannien und USA suchten. Außerdem ließen die USA wissen, daß ein freies skandinavisches Bündnis keinerlei amerikanische Waffenhilfe erwarten dürfe. Darauf beschloß Norwegen unter der Initiative des Außenministers Halvard Lange den Beitritt zur NATO. In Dänemark dachte man daraufhin wohl auch an die Möglichkeit einer Verteidigungsunion mit Schweden allein, aber daran war Schweden nicht interessiert. Nun entschied sich Hedtoft ebenfalls für den Anschluß an die NATO. Die Abstimmung im Folketing am 24. III. 1949 erbrachte eine Mehrheit von 119 Stimmen gegen 23. Am 4. IV. unterzeichnete Außenminister Rasmussen den Bündnisvertrag anläßlich eines Treffens in Washington. Mit diesem Schritt ergaben sich für Dänemark bedeutsame militärische und finanzielle Folgen. Trotz des Beitritts zur NATO war Dänemark in der Folgezeit vorsichtig bemüht, Maßnahmen zu vermeiden, die in Nordeuropa Spannungen hervorrufen konnten. So ließ es 1952/53 keine alliierten Luftstreitkräfte stationieren; auch wollte es in der folgenden Zeit keine Langstreckenraketen oder Atomwaffen haben. Allerdings stimmte das Folketing 1953 dem Beitritt Griechenlands und der Türkei und 1955 dem Anschluß der Bundesrepublik an die NATO zu.

Ein zweites außenpolitisches Problem hatte betont wirtschaftlichen Charakter. Als auf die Bildung der europäischen Wirtschaftsgemeinschaft England die westeuropäische Freihandelszone vorschlug, der noch die drei skandinavischen Staaten, die Schweiz, Österreich und Portugal angehören sollten, schloß sich Dänemark, wenn auch zögernd, der auf nordischer Seite von Schweden ausgegangenen Initiative an. Im März 1960 erklärte sich das Folketing für die EFTA-Konvention, die Anfang Juli 1960 in Kraft trat. Nach den Bestimmungen der Konvention sollten alle quantitativen Importbegrenzungen gegenüber den Mitgliederstaaten innerhalb kurzer Zeit aufgehoben werden und alle Zölle innerhalb der Gruppe in den nächsten 10 Jahren verschwinden. Gegenüber der seit Ende der vierziger Jahre aufgebauten Industriepolitik waren dies ganz einschneidende Maßnahmen.

Die einseitige Zugehörigkeit zur EFTA konnte für Dänemark keine dauernde Lösung sein, da neben den Britischen Inseln Westdeutschland, das zum Gemeinsamen Markt gehörte, ein Hauptkunde war. Ein engerer Zusammenschluß zwischen EFTA und EWG scheiterte zunächst am Widerstand de Gaulles. Da auch Schweden und Norwegen der EFTA beitraten, lag es nahe, in Skandinavien selbst als Ersatz für den nordischen gemeinsamen Markt, der nicht zustande kam, rascher die gegenseitigen Zollschranken abzubauen als gegenüber den übrigen EFTA-Ländern. Dieser Entwicklung suchten sich Großbritannien und die Schweiz wohl zu widersetzen, allerdings ohne Erfolg. Dänemarks wachsender Industrieexport nach dem Norden in diesen Jahren trug wesentlich zum Aufschwung der dänischen Wirtschaft zu Beginn der sechziger Jahre bei. Der Anschluß an die EWG erfolgte unter gewisser Berücksichtigung des dänischen Agrarexports im Herbst 1972 durch Volksabstimmung.

f) Die Außenpolitik nach dem II. Weltkrieg

Island

Literatur
B. *Gislason,* Danmark-Island. Historisk mellemvaerende og håndskriftsagen (1961).
M. *Davis,* Iceland Extends its Fisheries Limits (1963).
H. *Magerøy,* Norsk-isländske problem (1965).

In der Zeit der Personalunion Islands und Dänemarks, also von 1918 ab, konnte die Insel keine eigene Außenpolitik treiben. Nach der Besetzung Dänemarks durch die Deutschen übertrug das Alting die Außenpolitik der Regierung. Doch konnte sich diese Maßnahme erst nach der Aufhebung der Union, also von 1944 ab, voll auswirken. Im Jahre 1946 wurde Island Mitglied der Vereinten Nationen; von 1948 ab bezog es die Hilfe des Marshallplans, und im nächsten Jahr wurde es Mitglied der NATO. 1951 vereinbarte die Regierung mit den USA, daß diese die Verteidigung der Insel übernehmen und beim Militärstützpunkt Keflavik 1000 Mann unterhalten konnten, ein Zugeständnis, das zu parteipolitischen Streitigkeiten führte.

Streitigkeiten mit Großbritannien gab es wegen der Territorialgrenze, die Island von 3 auf 12 Meilen um die Insel ausweitete, wodurch vor allem britische Fischer in ihren Fanggebieten betroffen wurden. Die Briten setzten Kriegsschiffe ein, um ihre Trawler zu schützen. Es gab langwierige diplomatische Verwicklungen mit Großbritannien, aber Island gab nicht nach; ja zuletzt strebte es eine Ausweitung der Territorialgrenzen auf 50 Meilen an.

Norwegen

Literatur
E. *Alkjaer, Bo Björkmann, Arnljot S. Svendsen,* Skandinavisk fellesskap verden over (1971).

Norwegens Außenpolitik in den Nachkriegsjahren war gekennzeichnet durch die Zusammenarbeit mit den großen internationalen Organisationen, die jetzt entstanden. Im Januar 1946 wurde der Außenminister Trygve Lie zum 1. Generalsekretär der Vereinten Nationen gewählt. Wie andere europäische Staaten erhielt Norwegen Unterstützung durch den Europäischen Wirtschaftsrat (OEEC) und den Marshallplan. Verhandlungen mit den übrigen skandinavischen Staaten über einen Verteidigungspakt, der sie an den Westen anschließen sollte, scheiterten, worauf Norwegen, einen russischen Nichtangriffspakt ablehnend, seine bisherige Neutralitätspolitik aufgab und im April 1949 dem Atlantikpakt beitrat. Allerdings sollten keine ausländischen Truppen auf norwegischem Boden stationiert werden.

Die Beziehungen zu Rußland kühlten sich ab, zumal die Russen die Einräumung von Militärstützpunkten auf Spitzbergen verlangten. Der Wandel in der Außenpolitik äußerte sich in den nächsten Jahren in einer noch stärkeren Bindung an die internationalen Organisationen, so in der Vertretung Norwegens im Sicherheitsrat und den anderen Unterabteilungen der Vereinten Nationen sowie in der Beteiligung bei der Gründung des Europarates. Über die Frage der Zulassung deutscher Militärbasen im Rahmen der NATO auf norwegischem Boden und die Verwendung von Kernwaffen kam es 1961 zur Abspaltung einer sozialistischen Gruppe (Sozialistische Volkspartei) von der Regierungspartei Gerhardsens. Bemühungen um den Beitritt zur EWG führten 1971 zum Sturz Bortens; auch unter seinem Nachfolger Bratteli kam der Beitritt Norwegens zur EWG im

§ 22 Die skandinavischen Staaten seit dem Ende des I. Weltkriegs

Herbst wegen der mehrheitlichen Ablehnung (53,9 % gegen 46,1 %) durch eine Volksabstimmung nicht zustande. Auf der anderen Seite war man in Norwegen bemüht, die Zusammenarbeit mit den skandinavischen Staaten zu pflegen. Norwegen beteiligte sich so am Nordischen Rat für Fragen einer gemeinsamen Wirtschaft, der im Februar 1953 gebildet wurde.

Schweden

Literatur
L. *Hirschfeldt*, Skandinavien och Atlantikpakten: Världspolitikens dagsfrågor 4–5 (1949).
B. *Kärre*, Sverige och det internationella ekonomiska samarbetet: ebd. 9–10 (1954).
E. *Håsted*, Det svenska utrikesdebatten om FN och Alliansfriheten: Skrifter utg. av utrikespolit. Institut 10 (1955).
P. *Pålsson*, Världkris och väpnad neutralitet (1957).
L. *Hirschfeldt* u. S. *Åström*, Svensk utrikespolitik under 1900 – talet (1958).
G. *Landberg*, Kallt krig och väpnad fred (1958).
M. *Bergquist*, Sweden och EEC (1970).
M. *Lagerkvist* u. O. *Kleberg*, Ekonomi och politik i Europa. Fakta och bedömningar inför en nordisk anslutning til EEC (1972).
B. *Urquhart*, Hammarskjöld (1972).
B. *Swedenborg*, Swedish Direct Investment Abroad (1974).

Auch nach dem II. Weltkrieg verfolgte Schweden seine traditionelle Linie als neutraler Staat, wenn auch nicht in dem strikten Sinn wie die Schweiz. Von der internationalen politischen Zusammenarbeit wollte es sich nicht ausschließen. Es trat 1940 den Vereinten Nationen, dem Marshallplan und der Organisation für europäische wirtschaftliche Zusammenarbeit (OEEC) und 1949 dem Europarat bei. Besonders lag den Schweden daran, ihr Ansehen als Schiedsrichter in internationalen Krisenfragen zu pflegen. Zivil- und Militärpersonal wurde 1953 nach Korea, 1956 nach Ägypten und dem Orient, 1960 nach dem Kongo, 1964 nach Zypern entsandt. Einer der Vermittler, Folke Bernadotte, wurde 1948 in Jerusalem ermordet, Dag Hammarskjöld wurde 1953 zum Generalsekretär der Vereinten Nationen gewählt. 1961 kam er bei einem Flugzeugunglück in Nordrhodesien ums Leben.

Es gab eine Reihe von Spannungen im Verhältnis zu Sowjetrußland, so im Zusammenhang mit dem Verschwinden des schwedischen Legationssekretärs Raoul Wallenberg in Budapest 1945, in der Frage der Auslieferung der Balten, die gegen die Russen gekämpft hatten 1945/46, und der territorialen Wassergrenze in der Ostsee 1951/52. Auch die Kritik am Handelsminister Gunnar Myrdal hatte außenpolitischen Charakter. So wurde das 1945 von ihm mit Polen abgeschlossene Sonderabkommen, wonach Polen Steinkohle und Koks liefern sollte, von polnischer Seite nicht erfüllt. Ein umfangreiches Kredit- und Handelsabkommen mit der Sowjetunion von 1946 trug im nächsten Jahr zum Rücktritt Myrdals bei. 1963/64 führte ein Spionagefall des Obersten Wennerström zu Spannungen mit der Sowjetunion und zu einer starken Kritik an der Regierung.

Im Gegensatz zu Norwegen und Dänemark blieb Schweden dem Atlantikpakt fern. Dafür setzte sich u. a. die Zeitung Dagens Nyheter unter ihrem sozialdemokratischen Chefredakteur Professor Herbert Tingsten ein. Das Parlament entschied sich für den Neutralitätskurs, wobei Rücksichten auf das benachbarte Finnland mitsprachen. Dafür legte Schweden Wert auf eine Aktivierung der nordischen Zusammenarbeit im Rahmen des im Dezember 1951 in Stockholm gegründeten »Nordischen Rates« und durch seine Bemühungen um einen nordischen gemeinsamen Markt. Doch trat diese Frage dann zurück vor den Bemühungen um den Zusammenschluß der »Sieben« zur EFTA, der auch Finnland 1961 als assoziiertes Mitglied beitrat. Als Großbritannien und Dänemark im selben Jahr Verhandlungen über einen Beitritt der EFTA zur EWG einleiteten, wurde auch diese Frage in Schweden diskutiert. Vor allem setzte sich der Handelsminister, Gunnar Lange, dafür ein. Doch scheiterten die weiteren Bemühungen, wie wir sahen, 1963 an Frankreichs Haltung.

Die Bündnisfreiheit führte ab 1947 zu verstärkten Ausgaben für die Rüstung. 1958 verständigten sich die Parteien über einen neuen Verteidigungsplan, der gegenüber dem Budgetgesetz 1946/47 (729 Mill. Kr.) mit 2,7 Milliarden Kr. fast 4mal höher war, wobei besonders die Luftwaffe verstärkt werden sollte. 1963 wurde das Budget auf 3,5 Milliarden erhöht. Die Luftwaffe stellte jetzt den stärksten Kostenfaktor dar, während die Ausgaben für Marine stark reduziert wurden. In der Frage der Atomwaffen machte Undén 1961 den Vereinten Nationen den Vorschlag, einen »Kernwaffenfreien Klub« zu bilden. Als die USA, die Sowjetunion und Großbritannien 1963 ein »Probestoppabkommen« trafen, schloß sich Schweden ihm an, behielt sich aber die Freiheit, eigene Kernwaffen anzuschaffen, vor. 1957/58 saß Schweden im Sicherheitsrat der Vereinten Nationen.

g) Nordische Zusammenarbeit

Literatur
F. Wendt (Hg.), Nordisk samarbejde (1954).
Ders., The Nordic Council and Co-Operation in Scandinavia (1959).
G. Petrén, Nordiska Rådets verksamhet 1952–1961: Nordiske utredningsserie 8 (1962).
Ders., Nordisk Råd-Rigsdagens nordiske samarbejde (1964).
O. Wallmén, Nordiska rådet och nordiskt samarbete (1966).
E. Alkjaer, Bo Björkmann, Arnljot S. Svendsen, Skandinavisk fellesskap verden over (1971).

Die Zusammengehörigkeit der Menschen des europäischen Nordens wurde während des II. Weltkrieges auf schwere Proben gestellt, aber dadurch nur noch weiter befestigt. Nach Kriegsende wurden die alten Bestrebungen der nordischen Zusammenarbeit auf den verschiedensten Gebieten sofort wieder aufgegriffen, wobei die nordischen Vereinigungen in den einzelnen Ländern die Initiative ergriffen. Besonders bedeutsam wurde es, daß jetzt auch die staatlichen Behörden solche Bestrebungen aktiv unterstützten. Fachminister trafen sich zu Besprechungen. Zunächst wurde durch die Gründung der »Nordischen Kulturkommission« 1947 ein Planungs- und Forschungsorgan auf nordischer Ebene geschaffen. Zum wichtigsten Organ der nordischen Zusammenarbeit entwickelte sich der »Nordische Rat« aus Parlamentsvertretern der verschiedenen Staaten und nicht stimmberechtigten Delegationen der Regierungen. Er wurde 1952 gegründet; 1955 schloß sich ihm auch Finnland an. Zum Nordischen Rat wählen die Reichstage der vier großen Länder je 16 ihrer Mitglieder und das isländische Alting 5 Mitglieder. Außerdem können beliebig viele Minister, allerdings ohne Stimmrecht, teilnehmen. Gewöhnlich nehmen 35–40 Minister mit den Staatsministern an den jährlichen Sitzungen teil. Der Rat kann den Regierungen Vorschläge auf dem Gebiet der nordischen Zusammenarbeit machen, die auch in großem Umfang gutgeheißen wurden. Am besten ging es auf dem Gebiet der Rechtsprechung und der Sozialpolitik. Des weiteren wurden auf dem Gebiet des Verkehrswesens, des Unterrichts, der Forschung und des Kulturlebens Annäherungen erzielt. Der Nordische Kulturfonds, das Helsingforsabkommen von 1962 über die Normen des nordischen Zusammenwirkens sind Früchte dieser Bemühungen. Für den Bereich der Sozialpolitik wurde die Einführung eines gemeinsamen Arbeitsmarktes im Jahre 1954 wichtig, was u. a. zur Folge hatte, daß zahlreiche Arbeiter für längere oder kürzere Zeit nach Schweden gingen. Die nordische Paßunion verwirklichte die Paßfreiheit. Paßkontrollen gab es nur noch an den Grenzstationen des nordischen Paßgebietes. Die Rundfunkanstalten schufen mit »Nordvisionen« eine Basis der Zusammenarbeit. Die geringsten Fortschritte wurden auf dem Gebiet der wirtschaftlichen Zusammenarbeit erzielt. Die Frage der Zollunion mußte zunächst vor der Lösung zurücktreten, die die seit 1960 bestehende Organisation der Europäischen Freihandelszone (EFTA) bot. Ihr traten zunächst Dänemark, Norwegen und Schweden bei; später schloß sich auch Finnland an. Der allmähliche Abbau der Zollmauern kam namentlich der gegenseitigen Verflechtung der nordischen Industrien zugute. Erfolgreich war der Zusammenschluß der nationalen Luftfahrtgesellschaften von Dänemark, Norwegen und Schweden zum Scandinavian Airlines System (SAS) im Jahre 1946. Seit seiner Neuorganisation 1951 entfaltete sich SAS rasch zu einer der führenden Fluggesellschaften der Welt. Auf dem Gebiet der Verteidigung gab es größere Schwierigkeiten; während Schweden und Finnland den Gedanken der Neutralität vertraten, schlossen sich Dänemark und Norwegen sowie Island der Atlantischen Verteidigungsgemeinschaft (NATO) an.

§ 23 Österreich von der Begründung der ersten Republik bis zur sozialistischen Alleinregierung 1918–1970

Von Adam Wandruszka

Allgemeines Schrifttum
E. Zöllner, Geschichte Österreichs von den Anfängen bis zur Gegenwart (^{5}1974).
H. Benedikt (Hg.), Geschichte der Republik Österreich (1954; Ndr. 1977).
W. Goldinger, Geschichte der Republik Österreich (1962).
Ders., Von der Ersten zur Zweiten Republik, in: Spectrum Austriae (1957).
Ch. A. Gulick, Österreich von Habsburg zu Hitler (5 Bde. 1948); Kurzausgabe in einem Band (1976).
L. Jedlicka, Vom alten zum neuen Österreich (1975).
Beiträge zur Zeitgeschichte, Festschrift f. L. Jedlicka zum 60. Geburtstag, hg. v. R. Neck u. A. Wandruszka (1976).
W. M. Johnston, Österreichische Kultur- und Geistesgeschichte. Gesellschaft und Ideen im Donauraum 1848–1938 (1974).
F. Kreissler, Von der Revolution zur Annexion. Österreich 1918–1938 (1970).
M. Macdonald, The Republic of Austria 1918–1934 (1946).
H. L. Mikoletzky, Österreichische Zeitgeschichte vom Ende des Ersten Weltkrieges bis zum Staatsvertrag (1962).
1918–1968. Österreich – 50 Jahre Republik, hg. v. Inst. f. Österreichkunde (1968).
Österreich von 1918–1938, hg. v. Inst. f. Österreichkunde (1968).
G. Shepherd, The Austrian Odyssey (1957); dt.: Die Österreichische Odyssee (1958).
O. Schulmeister (Hg.), Spectrum Austriae (1957).
Wissenschaftliche Kommission des Theodor-Körner-Stiftungsfonds und des Leopold Kunschak-Preises zur Erforschung der Österreichischen Geschichte der Jahre 1927–1938. Veröffentlichungen:
Bd. 1: Österreich 1927–1938 (1973);
Bd. 2: Das Jahr 1934: 12. Februar (1975);
Bd. 3: Das Jahr 1934: 25. Juli (1975);
Bd. 4: Das Juliabkommen von 1936 (1977).
Vom Justizpalast zum Heldenplatz. Studien und Dokumentationen 1927 bis 1938 (1975).
Österreichische Historische Bibliographie 1965 ff. 5-Jahresregister 1965–1969 (1974).
H. Steiner, Bibliographie zur Geschichte der österreichischen Arbeiterbewegung, Bd. 2, 3 (1967–70).
E. Weinzierl u. P. Hofrichter, Österreichische Zeitgeschichte in Bildern 1918–1975 (^{2}1975).
K. Berchtold (Hg.), Österreichische Parteiprogramme 1868–1966 (1967).
H. Slapnicka, Von Hauser bis Eigruber (1974).
Ders., Oberösterreich zwischen Bürgerkrieg und Anschluß 1927–1938 (1975).
Ders., Oberösterreich. Die politische Führungsschicht 1918–1938 (1976).
H. Siegler, Das Problem Südtirol. Eine Chronik des Geschehens 1915–1959 (1960).
A. Massiczek u. H. Sagl, Zeit an der Wand. Österreichs Vergangenheit 1848–1965 in den wichtigsten Anschlägen und Plakaten (1967).
Österreich in der Zwischenkriegszeit. Historische Sonderausstellung, Pottenbrunn 1977, bearb. v. S. Nasko (1977).
1918–1968, Die Streitkräfte der Republik Österreich. Katalog zur Sonderausstellung im Heeresgeschichtlichen Museum Wien (1968).

Überblicksdarstellungen
G. Botz, Gewalt in der Politik. Attentate, Zusammenstöße, Putschversuche, Unruhen in Österreich 1918–1934 (1976).

§ 23 Österreich 1918–1970

A. Diamant, Die österreichischen Katholiken und die Erste Republik. Demokratie, Kapitalismus und soziale Ordnung 1918–1934 (1960).
S. Furlani u. *A. Wandruszka,* Österreich und Italien (1973).
C. Gatterer, Im Kampf gegen Rom. Bürger, Minderheiten und Autonomien in Italien (1968).
H. Haas u. *K. Stuhlpfarrer,* Österreich und seine Slowenen (1977).
E. Hanisch, Die Ideologie des politischen Katholizismus in Österreich 1918–1933 (1977).
F. L. Carsten, Faschismus in Österreich (1977).
H. Hautmann, R. Kropf, Die österreichische Arbeiterbewegung vom Vormärz bis 1945 (^{2}1977).
E. K. Hellbling, Österreichische Verfassungs- und Verwaltungsgeschichte (^{2}1974).
F. Huter (Hg.), Südtirol. Eine Frage des europäischen Gewissens (1965).
Innsbruck – Venedig. Österreichisch-italienisches Historikertreffen 1971–1972 (1975).
L. Jedlicka, Ein Heer im Schatten der Parteien. Die militärisch-politische Lage Österreichs 1918–1938 (1955).
I. Katsoulis, Sozialismus und Staat. Demokratie, Revolution und Diktatur des Proletariats im Austromarxismus (1975).
H. R. Klecatsky (Hg.), Die Republik Österreich. Gestalt und Funktion ihrer Verfassung (1968).
F. Klenner, Die österreichischen Gewerkschaften. Vergangenheit und Gegenwartsprobleme (2 Bde. 1951).
N. Leser, Zwischen Reformismus und Bolschewismus. Der Austromarxismus als Theorie und Praxis (1968).
K. H. Naßmacher, Das österreichische Regierungssystem. Große Koalition oder alternierende Regierung? (1968).
W. Neugebauer, Bauvolk der kommenden Welt. Geschichte der sozialistischen Jugendbewegung in Österreich (1975).
N. Vielmetti u. a., Das österreichische Judentum (1974).
B. F. Pauley, Hahnenschwanz und Hakenkreuz. Der Steirische Heimatschutz und der österreichische Nationalsozialismus 1918–1934 (1972).
A. Pelinka, M. Welan, Demokratie und Verfassung in Österreich (1971).
B. Pittermann (Hg.), Handbuch der österreichischen Politik (2 Bde. 1960).
G. Silberbauer, Österreichs Katholiken und die Arbeiterfrage (1966).
B. Skottsberg, Der Österreichische Parlamentarismus (1940).
Th. Veiter, Das Recht der Volksgruppen und Sprachminderheiten in Österreich (1970).
H. Zimmermann, Die Schweiz und Österreich während der Zwischenkriegszeit (1973).
E. Zöllner (Hg.), Diplomatie und Außenpolitik Österreichs (1977).

Einzeldarstellungen 1918–1920
N. Almond u. *R. Haswell Lutz,* The Treaty of Saint Germain (1935).
O. Bauer, Die Revolution in Österreich (1923).
J. D. Berlin, Akten und Dokumente des Außenamtes (State Department) zur Burgenland-Anschlußfrage 1919–1920 (1977).
H. Hautmann, Die verlorene Räterepublik. Am Beispiel der KPÖ (^{2}1971).
E. Hochenbichler, Republik im Schatten der Monarchie (1971).
L. Jedlicka u. *A. Staudinger,* Ende und Anfang. Österreich 1918/19. Wien und die Bundesländer (1969).
A. D. Low, Die Anschlußbewegung in Österreich und Deutschland 1918–1919 und die Pariser Friedenskonferenz (1975).
R. Neck, Österreich im Jahre 1918. Berichte und Dokumente (1968).
R. G. Plaschka u. *H. Mack* (Hgg), Die Auflösung der Habsburgermonarchie. Zusammenbruch und Neuorientierung im Donauraum (1970).
R. Plaschka, H. Haselsteiner u. *A. Suppan,* Innere Front. Militärassistenz, Widerstand und Umsturz in der Donaumonarchie 1918 (2 Bde. 1974).
W. Pollak, Dokumentation einer Ratlosigkeit. Österreich im Oktober/November 1918 (1968).

§ 23 Österreich 1918–1970

K. R. Stadler, Hypothek auf die Zukunft. Die Entstehung der österr. Republik 1918–21 (1968).
E. Steinböck, Die Volkswehr in Kärnten (1963).
E. Weissel, Die Ohnmacht des Sieges. Arbeiterschaft und Sozialisierung nach dem Ersten Weltkrieg in Österreich (1976).

Einzeldarstellungen 1920–1933

R. Ardelt, Zwischen Demokratie und Faschismus. Deutschnationales Gedankengut in Österreich 1919–1930 (1972).
K. Ausch, Als die Banken fielen. Zur Soziologie der politischen Korruption (1968).
F. Czeike, Wirtschafts- und Sozialpolitik der Gemeinde Wien in der ersten Republik 1919–1934 (1958).
H. Dachs, Österreichische Geschichtswissenschaft und Anschluß 1918–30 (1974).
G. D. Hasiba, Die Zweite Bundesverfassungsnovelle von 1929. Ihr Werdegang und wesentliche verfassungspolitische Ereignisse seit 1918 (1976).
J. Hofmann, Der Pfrimer-Putsch (1965).
L. Kerekes, Abenddämmerung einer Demokratie. Mussolini, Gömbös und die Heimwehr (1966).
G. Klingenstein, Die Anleihe von Lausanne (1937).
G. Ladner, Seipel als Überwinder der Staatskrise vom Sommer 1922. Zur Geschichte der Entstehung der Genfer Protokolle 1922 (1964).
W. T. Layton, C. H. Rist, Die Wirtschaftslage Österreichs (1925).
L. Rape, Die österreichischen Heimwehren und die bayerische Rechte 1920–1923 (1977).
M.-L. Recker, England und der Donauraum 1919–1929. Probleme einer europäischen Nachkriegsordnung (1976).
D. Witzig, Die Vorarlberger Frage (1974).

Einzeldarstellungen 1933–1938

I. Bärnthaler, Die Vaterländische Front. Geschichte und Organisation (1971).
H. Busshoff, Das Dollfuß-Regime in Österreich in geistesgeschichtlicher Perspektive unter besonderer Berücksichtigung der »Schöneren Zukunft« und »Reichspost« (1968).
R. Ebneth, Die österreichische Wochenschrift »Der christliche Ständestaat«. Deutsche Emigration in Österreich 1933–38 (1976).
U. Eichstädt, Von Dollfuß zu Hitler. Geschichte des Anschlusses Österreichs 1933–38 (1955).
Die Erhebung der Österreichischen Nationalsozialisten im Juli 1934. Akten der Historischen Kommission des Reichsführers der SS (1965).
G. E. R. Gedye, Die Bastionen fielen (1947).
Geheimer Briefwechsel Mussolini–Dollfuß. Mit einem Vorwort v. *A. Schärf* (^{2}1949).
J. Buttinger, Am Beispiel Österreichs. Ein geschichtlicher Beitrag zur Krise der sozialistischen Bewegung (1972).
W. Wisshaupt, Wir kommen wieder! Eine Geschichte der Revolutionären Sozialisten Österreichs 1934–38 (1967).
K. R. Stadler, Opfer verlorener Zeiten. Geschichte der Schutzbund-Emigration 1934 (1974).
P. Huemer, Sektionschef Hecht und die Zerstörung der Demokratie in Österreich (1975).
G. Jagschitz, Der Putsch. Die Nationalsozialisten 1934 in Österreich (1975).
R. W. Litschel, 1934 – das Jahr der Irrungen (1974).
S. Maderegger, Die Juden im österreichischen Ständestaat 1934–38 (1973).
K. Peball, Die Kämpfe in Wien im Februar 1934 (1974).
A. Pelinka, Stand oder Klasse? Die christliche Arbeiterbewegung Österreichs 1933–1938 (1972).
A. Reisberg, Februar 1934 (1974).
W. Rosar, Deutsche Gemeinschaft – Seyß-Inquart und der Anschluß (1971).
N. Schausberger, Der Griff nach Österreich. Der Anschluß (1978).
L. Reichhold, Opposition gegen den autoritären Staat. Christlicher Antifaschismus 1934–38 (1964).

§ 23 Österreich 1918–1970

K.-J. Siegfried, Universalismus und Faschismus. Das Gesellschaftsbild Othmar Spanns. Zur politischen Funktion seiner Gesellschaftslehre und Ständekonzeption (1974).
M. A. Wathen, The Policy of England and France towards the Anschluß of 1938 (1954).

Einzeldarstellungen 1938–1945
G. Botz, Die Eingliederung Österreichs in das Deutsche Reich (^{2}1977).
Ders., Wohnungspolitik und Judendeportation in Wien 1938–1945. Zur Funktion des Antisemitismus als Ersatz nationalsozialistischer Sozialpolitik (1975).
F. Danimann, Finis Austriae. Österreich, März 1938 (1978).
F. Engel-Janosi, Remarks on the Austrian Resistence Movement: JournCentrEurAff (1953).
E. Fein, Die Steine reden. Gedenkstätten des österreichischen Freiheitskampfes. Mahnmale für die Opfer des Faschismus. Eine Dokumentation (1975).
K. Flanner, Widerstand im Gebiet von Wiener Neustadt 1938–45 (1973).
Der gelbe Stern in Österreich. Katalog und Einführung zu einer Dokumentation (1977).
J. Hindels, Österreichs Gewerkschaften im Widerstand 1934–45 (1976).
L. Jedlicka, Der 20. Juli 1944 in Österreich (1965).
Ch. Klusacek, H. Steiner u. *K. Stimmer*, Dokumentation zur österreichischen Zeitgeschichte 1938–45 (1971).
H. Langbein, Menschen in Auschwitz (1972).
R. Luza, Österreich und die großdeutsche Idee in der NS-Zeit (1977).
H. Marsalek, Die Geschichte des Konzentrationslagers Mauthausen. Dokumentation (1974).
O. Molden, Der Ruf des Gewissens. Der österreichische Freiheitskampf 1938–45. Beiträge zur Geschichte der österreichischen Widerstandsbewegung (^{3}1970).
Österreicher im Exil 1934 bis 1945 (1977).
H. Pfeifer, Die Ostmark (1941).
R. Schwarz, Sozialismus der Propaganda. Das Werben des »Völkischen Beobachters« um die österreichische Arbeiterschaft 1938/39 (1975).
L. Reichhold, Arbeiterbewegung jenseits des totalen Staates. Die Gewerkschaften und der 20. Juli 1944 (1965).
M. Rauchensteiner, 1945 – Entscheidung für Österreich. Eine Bilddokumentation (1975).
Ders., Krieg in Österreich 1945 (1970).
K. Stadler, Österreich 1938–45 im Spiegel der NS-Akten (1966).
H. Steiner, Gestorben für Österreich. Widerstand gegen Hitler (1968).
Studien zur Geschichte der Konzentrationslager (1970).
M. Szecsi u. *K. Stadler*, Die NS-Justiz in Österreich und ihre Opfer (1962).
F. Vogl, Österreichs Eisenbahner im Widerstand (1968).
Ders., Widerstand im Waffenrock (1977).
G. Wanner, Kirche und Nationalsozialismus in Vorarlberg (1972).
E. Weinzierl u. *Fischer*, Österreichs Katholiken und der Nationalsozialismus: Wort und Wahrheit 10 (1963); 12 (1965).
E. Weinzierl, Zu wenig Gerechte. Österreicher und Judenverfolgung 1938–45 (1969).
Widerstand und Verfolgung in Wien 1934–1945 (3 Bde. 1975), hg. v. Dokumentationsarchiv d. österr. Widerstandes.
W. Aichinger, Sowjetische Österreichpolitik 1943–45 (1977).
F. Goldner, Die österreichische Emigration 1938–1945 (^{2}1977).
H. Maimann, Politik im Wartesaal. Österreichische Exilpolitik in Großbritannien 1938–1945 (1975).
A. K. Breycha-Vauthier, Die Zeitschriften der österreichischen Emigration 1934–46 (1960).

Einzeldarstellungen ab 1945
E. Weinzierl u. *K. Skalnik* (Hgg.), Österreich. Die Zweite Republik (2 Bde. 1972).
K. Gutkas, A. Brusatti u. *E. Weinzierl*, Österreich 1945–1970 (1970).
Zwei Jahrzehnte Zweite Republik, hg. v. Institut für Österreichkunde (1963).
L. Reichhold (Hg.), Zwanzig Jahre Zweite Republik (1965).
H. Siegler, Österreich. Chronik 1945–1972 (1973).

§ 23 Österreich 1918-1970

L.-R. Behrmann, P. Proché u. *W. Strasser,* Bibliographie zur Außenpolitik Österreichs seit 1945 (1974).
W. B. Bader, Austria between East and West 1945-1955 (1966).
O. R. Croy, Wien 1945. Ein Tagebuch in Wort und Bild (1975).
F. Ermacora, Österreichs Staatsvertrag und Neutralität (1957).
F. Fellner, Österreich in der Nachkriegsplanung der Alliierten 1943-45, in: Österreich und Europa (1965).
J. Kocensky (Hg.), Dokumentation zur Österreichischen Zeitgeschichte 1945-1955 (1970).
D. Löffler-Bolka, Das Kriegsende und der Wiederaufbau demokratischer Verhältnisse in Vorarlberg im Jahr 1945 (1975).
G. Hindinger, Das Kriegsende und der Wiederaufbau demokratischer Verhältnisse in Oberösterreich im Jahre 1945 (1968).
K. Ginther, Österreichs immerwährende Neutralität (1975).
R. Knoll u. *A. Mayer,* Österreichische Konsensdemokratie in Theorie und Praxis. Staat, Interessenverbände, Parteien und die politische Wirklichkeit (1976).
H. Mayrzedt u. *W. Hummer,* 20 Jahre österreichische Neutralitäts- u. Europapolitik 1955-1975 (1976).
M. Mommsen u. *Reindl,* Die österreichische Proporzdemokratie und der Fall Habsburg (1976).
A. B. J. Moser, Die Stellung der Kommunistischen Partei Österreichs zur österreichischen Neutralitätspolitik von 1955-72 (1974).
L. Reichhold, Geschichte der ÖVP (1975).
W. L. Stearman, Die Sowjetunion und Österreich 1945-1955 (1962).
G. Stourzh, Kleine Geschichte des österreichischen Staatsvertrages (1975).
W. Strasser, Österreichs Aufnahme in die Vereinten Nationen. Eine Bestandsaufnahme von 10 Jahren Mitgliedschaft (1967).
A. Verdross, Die immerwährende Neutralität Österreichs (1977).
S. Verosta, Die internationale Stellung Österreichs (1947).
D. Walch, Die jüdischen Bemühungen um die materielle Wiedergutmachung durch die Republik Österreich (1972).
10 Jahre österreichische Integrationspolitik (1966).

Ausgewählte neuere Biographien und Memoiren
J. Braunthal, Victor und Friedrich Adler. Zwei Generationen Arbeiterbewegung (1965).
I. Duczynska, Der demokratische Bolschewik (1975).
J. Hannak, Karl Renner und seine Zeit. Versuch einer Biographie (1965).
J. Honeder, Johann Nepomuk Hauser. Landeshauptmann von Oberösterreich (1973).
K. Klemperer, Ignaz Seipel. Staatsmann einer Krisenzeit (1976).
E. C. Kollmann, Theodor Körner (1973).
I. Kykal u. *K. R. Stadler,* Richard Bernaschek (1976).
O. Leichter, Otto Bauer, Tragödie oder Triumph (1970).
N. Leser (Hg.), Werk und Widerhall. Große Gestalten des österreichischen Sozialismus (1964).
H. Pfarrhofer, Friedrich Funder. Ein Mann zwischen gestern und morgen (1978).
K. Ritschel, Julius Raab, der Staatsvertragskanzler (1975).
G. Shepherd, Engelbert Dollfuß (1961).
H. Steiner, Käthe Leichter. Leben und Werk (1973).
E. Trost, Figl von Österreich (1972).
G. C. Zahn, Er folgte seinem Gewissen. Das eiserne Zeugnis des Franz Jägerstetter (1967).

§ 23 Österreich 1918–1970

a) Die Gründung der Republik (1918–1920)

Die Konstituierung »Deutschösterreichs«

Das Völkermanifest des letzten Kaisers, Karls I., vom 16. X. 1918[1], das dem Schlagwort Wilsons vom »Selbstbestimmungsrecht der Völker« den Wind aus den Segeln nehmen sollte und daher den Umbau der Österreichisch-Ungarischen Monarchie zu einem Bundesstaate proklamierte, »in dem jeder Volksstamm auf seinem Siedlungsgebiete sein eigenes staatliches Gemeinwesen bildet«, ist der unmittelbare Anlaß für die Gründung der Republik Österreich geworden. Denn schon fünf Tage später, am 21. X. 1918, traten, entsprechend der Aufforderung des kaiserlichen Manifests an die Völker, durch Nationalräte »gebildet aus den Reichsratsabgeordneten jeder Nation«, an dem »großen Werke« des Umbaues mitzuwirken, die Reichsratsabgeordneten der deutschsprachigen Siedlungsgebiete der »cisleithanischen« oder »österreichischen« Reichshälfte im Sitzungssaal des Niederösterreichischen Landtages in der Herrengasse in Wien zusammen und konstituierten sich als »Provisorische Nationalversammlung des selbständigen deutschösterreichischen Staates«. Der bekannte Historiker und Politiker Josef Redlich, der dann in der letzten, nur mehr zwei Wochen amtierenden kaiserlichen Regierung Lammasch mit dem Finanzressort betraut war, schreibt darüber in seinem Tagebuch: »Montag, 21. Oktober. Nachmittag von 5–6 Uhr wurde im Landhause der deutschösterreichische Staat konstituiert. Adler verlangt die Republik, die Christlichsozialen die Monarchie, die Deutschnationalen den Anschluß an das Deutsche Reich. Der sofort gewählte 20gliedrige Nationalausschuß soll die Regierung und Verwaltung übernehmen und die konstituierende Nationalversammlung vorbereiten. Also: trotz des recht ›gemütlichen‹ Tones der erste Akt einer Revolution. Aber: obgleich alle den ›historischen‹ Charakter des Landhauses anrufen, ging das Ganze ohne rechte Stimmung und salopp vor sich: auch klangen die verlesenen Deklarationen, selbst die Victor Adlers, matt und leidenschaftslos!«[2]

Von den bei den letzten Reichsratswahlen im Jahre 1911[3] gewählten Abgeordneten gehörten 102 den in dem losen »Deutschen Nationalverband« zusammengeschlossenen deutsch-nationalen und deutsch-liberalen Parteien an, 72 der Christlichsozialen Partei und 42 der Sozialdemokratischen Partei. Das zahlenmäßige Übergewicht der Deutschnationalen erklärt sich einerseits aus dem in der Monarchie geltenden Mehrheitswahlrecht, das die noch viele Züge der früheren »Honoratiorenparteien« bewahrenden Gruppierungen gegenüber den neuen Massenparteien der Christlichsozialen und Sozialdemokraten begünstigte, andererseits aus dem Anteil der Abgeordneten aus den deutschsprachigen Gebieten der »Länder der Wenzelskrone« Böhmen, Mähren und Österreichisch-Schlesien. Zu Präsidenten der Provisorischen Nationalversammlung, die auch dem 20 Mitglieder zählenden, später »Staatsrat« genannten Vollzugsausschuß angehörten, wurden der Deutschnationale Franz Dinghofer, der Christlichsoziale Jodok Fink (später Johann Hauser) und der Sozialdemokrat Karl Seitz gewählt.

Durch die sich überstürzenden Ereignisse der folgenden Tage und Wochen mit der Bildung der neuen Nachfolgestaaten[4] erlangten auch in der Provisorischen Nationalversammlung die republikanischen Strömungen die Oberhand, zumal es deutlich wurde, daß die neuen Nationalstaaten auch von einer lockeren föderativen Verbindung mit Wien und den deutschsprachigen Kronländern nichts wissen wollten. Die endgültige Entscheidung gegen die Monarchie brachten dann

a) Die Gründung der Republik (1918–1920)

die Ereignisse im Zusammenhang mit dem Abschluß des Waffenstillstands mit Italien (3. XI.), durch die rund 400 000 österreichische Soldaten noch am 3.–4. XI. in italienische Kriegsgefangenschaft gerieten[5], sowie endgültig der Sturz der Monarchie im Deutschen Reich am 8. bzw. 9. XI. Am 11. XI. gab der in Wien gebliebene Kaiser Karl, auf Drängen seiner Berater und der Vertreter der Provisorischen Nationalversammlung, die Erklärung ab, auf »jeden Anteil an den Staatsgeschäften« zu verzichten und im voraus die Entscheidung anzuerkennen, »die Deutschösterreich über seine künftige Staatsform trifft«. Es war keine formale Abdankung, wurde aber im Augenblick allgemein durchaus in diesem Sinne interpretiert. Von monarchistischer Seite wurde später argumentiert, daß niemals eine Volksabstimmung über die Staatsform stattgefunden habe, doch kann kein Zweifel daran bestehen, daß angesichts des Zerfalls der Donaumonarchie und des Sturzes der Monarchie im Deutschen Reich auch für die überwiegende Mehrheit der deutschösterreichischen Bevölkerung nur mehr eine republikanische Lösung in Frage kam.

Schon am folgenden Tag (12. XI.) erklärte die Provisorische Nationalversammlung mit den Stimmen aller Parteien Deutschösterreich zur demokratischen Republik und zum »Bestandteil der Deutschen Republik«[6]. Ein Versuch linksradikaler Elemente, bei der feierlichen Proklamation der Republik eine »sozialistische Republik« auszurufen, blieb ebenso unwirksam wie die am selben Tag von den gleichen Elementen unternommene vorübergehende Besetzung der Redaktion der »Neuen Freien Presse«[7].

Dr. Victor Adler, der Einiger und anerkannte Führer der österreichischen Sozialdemokratie[8], war am 11. XI., am Vorabend der Ausrufung der Republik, einem Herzleiden erlegen. Sein Sohn Friedrich, der am 1. XI. auf Grund der letzten kaiserlichen Amnestie aus der Haft entlassen worden war und der seit der von ihm 1916 durchgeführten Ermordung des Ministerpräsidenten Graf Stürgkh und seiner Verteidigungsrede vor dem Ausnahmegericht als das Idol der »Linken« galt[9], lehnte das Angebot ab, die Führung der am 3. XI. von Studenten und Rußlandheimkehrern gegründeten »Kommunistischen Partei Deutschösterreichs« zu übernehmen, die daher keinen Anhang in den Massen finden konnte und während der ganzen Zwischenkriegszeit in Österreich eine bedeutungslose Splitterpartei blieb[10]. Der brillanteste Kopf in der sozialdemokratischen Parteiführung, der »Kronprinz« Adlers, Dr. Otto Bauer[11], wurde der entschiedenste Verfechter des Gedankens des Anschlusses an die Deutsche Republik, wofür er schon im Oktober in einer Artikelserie in der »Arbeiter-Zeitung« aus nationalen, wirtschaftlichen und ideologischen Gründen (der Anschluß an das Deutsche Reich als »Anschluß an den Sozialismus«, an die Partei von Marx, Engels und Lassalle und an das stärkere Industrieproletariat) eingetreten war. Eine führende Rolle bei der Einrichtung der Republik aber fiel dem »Realpolitiker« und »Staatsfanatiker« Dr. Karl Renner zu, der bereits vor der Ausrufung der Republik ein Organisationsstatut für das neue Staatsgebilde ausarbeitete, das er zunächst »Südostdeutschland« nennen wollte.

Für die Christlichsoziale Partei, bisher eine verläßliche Stütze der Monarchie und dem 1914 ermordeten Thronfolger Franz Ferdinand wie dann dem letzten Kaiser Karl auch gesinnungsmäßig eng verbunden, bedeutete der jähe Übergang von der Monarchie zur Republik eine schwere Belastungsprobe, die für kurze Zeit selbst die Einheit der Partei in Frage zu stellen schien. Da war es der Professor für katholische Moraltheologie an der Universität Wien Dr. Ignaz Seipel, Sozialminister in der letzten kaiserlichen Regierung, der, nachdem er schon einen entscheidenden Anteil an jener elastischen Formulierung der kaiserlichen Ver-

§ 23 Österreich 1918–1970

zichterklärung gehabt hatte, nun auf Veranlassung des Herausgebers der »Reichspost«, Dr. Friedrich Funder, in dieser führenden katholischen Tageszeitung im November 1918 eine Artikelserie veröffentlichte, welche die Einheit der Partei rettete, überzeugten Monarchisten wie Republikanern das Verbleiben in der Partei ermöglichte und jene Anerkennung der »vollzogenen Tatsachen« erläuterte, zu der sich auch Episkopat und Klerus der katholischen Kirche in Österreich in den ersten Novembertagen 1918 durchgerungen hatten.

Schon bei der Konstituierung der Provisorischen Nationalversammlung war betont worden, daß die im Jahre 1911 unter ganz anderen Verhältnissen gewählten Reichsratsabgeordneten zwar in der Not der Stunde als einzige gewählte Volksvertreter zum Handeln berufen seien, für die neue Situation aber eigentlich kein Mandat besäßen und daher so bald wie möglich Wahlen in eine Konstituierende Nationalversammlung ausschreiben würden[12]. Die drängenden Aufgaben des Tages in dem Not- und Hungerwinter 1918/19, die sich aus der Auflösung der Donaumonarchie, der Demobilisierung der zurückflutenden Armee, der Bedrohung vor allem der Bevölkerung der Zweimillionenstadt Wien durch Hunger und Kälte infolge des Aufhörens der Lebensmittel- und Kohlelieferungen aus Böhmen, Mähren und Ungarn und der Absperrmaßnahmen auch der anderen bisherigen Kronländer gegenüber der notleidenden früheren Reichs-, Haupt- und Residenzstadt ergaben, erforderten aber zunächst die ganze Energie der Provisorischen Staatsregierung, deren Führung die stärkste politische Persönlichkeit der Provisorischen Nationalversammlung, der Sozialdemokrat Dr. Karl Renner, übernahm und die aus Vertretern der drei politischen Gruppen der Provisorischen Nationalversammlung gebildet wurde. In bewußter Anlehnung an die seinerzeitige Annahme der »Pragmatischen Sanktion« von 1713 durch die Landtage der österreichischen Länder ließ Renner von den einzelnen Ländern Beitrittserklärungen zur Republik Deutschösterreich abgeben. Schon gegen Ende des Jahres 1918 begann der Wahlkampf für die Wahlen in die Konstituierende Nationalversammlung, die dann am 16. II. 1919 stattfanden. Im Gegensatz zu dem seinerzeit in der Monarchie geltenden Mehrheitswahlrecht wurde nunmehr nach dem Verhältniswahlrecht gewählt; auch die Frauen waren nun zum erstenmal wahlberechtigt.

Die Wahlen vom 16. II. brachten die Umkehr der bisherigen Kräfteverhältnisse. Die Sozialdemokraten wurden mit 72 Abgeordneten die stärkste Partei, die Christlichsozialen errangen 69 Mandate, die verschiedenen deutsch-nationalen und deutsch-liberalen Gruppen (die sich dann 1920, mit Ausnahme der 6 Vertreter des später »Landbund« genannten Deutschen Bauernpartei, zur »Großdeutschen Volkspartei« zusammenschlossen) 26 Mandate, wozu noch je ein bürgerlicher Demokrat, ein Zionist und ein Vertreter der tschechischen Minderheit in Wien kamen. Die Deutschen der Sudetenländer, deren Gebiete gegen ihren Willen in die Tschechoslowakische Republik eingegliedert wurden, konnten sich an den Wahlen nicht beteiligen. Solidaritätskundgebungen in deutschböhmischen Städten am 4. III., dem Tag des Zusammentritts der Konstituierenden Nationalversammlung in Wien, wurden von tschechischem Militär mit Waffengewalt unterdrückt. Das dabei angerichtete Blutbad bedeutete eine schwere Hypothek auf die Zukunft des jungen Staatswesens und eine Belastung für die Beziehungen zwischen den beiden benachbarten Republiken.

Auf der Grundlage des Wahlergebnisses wurde eine sozialdemokratisch-christlichsoziale Koalitionsregierung mit Karl Renner als Staatskanzler, dem christlichsozialen Vorarlberger Bauern Jodok Fink als Vizekanzler, Otto Bauer als Staatssekretär für Äußeres, seinem Parteifreund Julius Deutsch als Staatssekretär

a) Die Gründung der Republik (1918–1920)

für Heerwesen sowie dem bürgerlichen Nationalökonomen Universitätsprofessor Dr. Josef Schumpeter als Staatssekretär für Finanzen und dem Sozialdemokraten Ferdinand Hanusch als Staatssekretär für Soziale Verwaltung gebildet und am 15. III. durch die Konstituierende Nationalversammlung gewählt. Zu den wirtschaftlichen Schwierigkeiten, den immer wieder auch in blutige Zusammenstöße mündenden innerpolitischen Gegensätzen und der Gefährdung des Staatsgebietes durch Ansprüche der Nachbarn – so vor allem Südkärntens durch den Einmarsch jugoslawischer Verbände – kam dann noch die besonders prekäre Situation nach der Ausrufung der Räterepubliken in Ungarn (21. III.) und Bayern (7. IV.). Da das Schicksal des Kaisers Karl und seiner Familie in dem kleinen Schlößchen Eckartsau nahe der ungarischen Grenze besonders nach der Ausrufung der ungarischen Räterepublik gefährdet schien, drängte der vom englischen König der kaiserlichen Familie zur Sicherung ihres Lebens beigegebene schottische Oberstleutnant Edward Lisle Strutt zur Abreise der kaiserlichen Familie in die Schweiz, an die er bereits ohne Wissen Karls ein Exilansuchen gerichtet hatte. In Verhandlungen zwischen Strutt und Renner wurden die Modalitäten der Ausreise geklärt, die am 23./24. III. stattfand[13].

Die Konstituierende Nationalversammlung, die bereits bei ihrem Zusammentreten die Entschlüsse der Provisorischen Nationalversammlung vom 12. XI. 1918 hinsichtlich der republikanischen und demokratischen Staatsform gebilligt hatte, beschloß nach der Abreise des Kaisers am 3. IV. die sogenannten »Habsburgergesetze« über die Ausweisung der früheren Dynastie und die Konfiskation des Vermögens der Habsburg-Lothringer, die Gesetze über die Abschaffung der Adelstitel und die Aufhebung der Todesstrafe. Gegenüber der Nationalversammlung, in der die Sozialdemokraten zwar als stärkste Partei die Initiative, die »bürgerlichen Parteien« aber doch die Mehrheit hatten, machte sich in dieser Zeit sehr stark der Einfluß der Arbeiter- und Soldatenräte geltend, die es nicht an verbalen Sympathiekundgebungen und demonstrativen Gesten zugunsten der Räterepubliken in Ungarn und Bayern fehlen ließen, die aber von den sozialdemokratischen Führern und hier vor allem wieder von Friedrich Adler unter Hinweis auf die Abhängigkeit des hungernden Landes von den Lebensmittellieferungen der Entente von unbedachten Schritten zurückgehalten wurden. Die in dieser Zeit beschlossenen Sozialgesetze, die mit dem Namen des Staatssekretärs Ferdinand Hanusch verknüpft sind (Achtstundentag, Arbeiterurlaub, Kollektivverträge, Regelung der Frauen-, Kinder- und Nachtarbeit, Ausbau der Krankenversicherung und der Invalidenfürsorge, Arbeiterkammergesetz usw.), bedeuteten die Verwirklichung alter sozialdemokratischer Forderungen, wirkten zugleich jedoch auch beruhigend und mäßigend auf die Arbeiterschaft und bekräftigten die Warnungen der Parteiführung, die seit dem Zusammenbruch der Monarchie erzielten Errungenschaften nicht aufs Spiel zu setzen. Zwei von radikaler Seite und mit Unterstützung durch Emissäre des ungarischen Räteregimes unternommene Versuche, die katastrophale Ernährungslage zu einem gewaltsamen Umsturz auszunützen (am Gründonnerstag, den 17. IV., und wieder am 15. VI. 1919), forderten zwar insgesamt 23 Tote und eine größere Anzahl von Verletzten, konnten aber durch die Besonnenheit der sozialdemokratischen Führerschaft und ihre gute Zusammenarbeit mit dem Wiener Polizeipräsidenten Johann Schober abgewehrt werden. Der Zusammenbruch der Räteregime in München und in Ungarn und der dortige Sieg der »Reaktion« bestätigten die warnenden Prognosen der sozialdemokratischen Führer und stärkten ihr Ansehen in der Arbeiterschaft. Die nichtsozialistischen bürgerlichen und bäuerlichen Bevölkerungsgruppen sahen allerdings im verbalen Radikalismus sozialdemokratischer Führer und besonders der Arbeiter- und Soldatenräte eine Bestätigung ihrer Sorge vor einer »bolschewistischen« Entwicklung auch in Österreich, während die Sozialdemokraten ihrerseits die republikanische und demokratische Zuverlässigkeit der bürgerlichen Politiker anzweifelten. So standen wechselseitiges Mißtrauen und Verdächtigungen schon am Beginn des Weges der Republik.

Der Friedensvertrag von Saint-Germain

Die Not der Stunde erzwang jedoch die Zusammenarbeit in einem Staat, dessen Gebiet und Grenzen noch unbestimmt waren und dessen Anschlußverlangen an das Deutsche Reich in Berlin und Weimar, wo man andere Sorgen hatte, zunächst nur eine eher platonische Gegenliebe fand. Am 2. V. 1919 erging durch die französische Regierung namens des Obersten Rates der Alliierten die Einladung an die österreichische Regierung, am 12. V. bevollmächtigte Vertreter nach Saint-Germain-en-Laye zu entsenden. Die Friedensdelegation stand unter der Führung von Staatskanzler Dr. Renner; als »politische Berater« waren ihm der Christlichsoziale Dr. Alfred Gürtler und der der Deutschen Bauernpartei angehörende Universitätsprofessor Dr. Ernst Schönbauer beigegeben. Aus dem Stab der Beamten, Diplomaten und Experten seien der letzte kaiserliche Ministerpräsident, der Völkerrechtler Heinrich Lammasch[14], und der gebürtige Österreicher, einstige Gouverneur des Sudan und britische General Rudolf Slatin-Pascha[15] genannt, der seine Beziehungen für die Rückführung der Kriegsgefangenen einzusetzen suchte.

Die Ziele der Delegation waren die Erlangung der Autonomie für das Gebiet Tirols südlich des Brenners (eventuell durch Neutralisierung, mit italienischen Garnisonen, aber Zoll- und Wirtschaftsgemeinschaft mit Österreich), für Kärnten die Bewahrung der durch die jugoslawischen Ansprüche gefährdeten Einheit des Landes, für die deutschen Sudetengebiete das Selbstbestimmungsrecht oder zumindest ebenfalls eine Autonomie innerhalb der Tschechoslowakei, für das deutsch besiedelte Westungarn (das später »Burgenland« genannte Gebiet) das Selbstbestimmungsrecht. Die gleichfalls unter Berufung auf das Selbstbestimmungsrecht der Völker geforderte Durchführung des Anschlusses an Deutschland war das zentrale Anliegen vor allem für den das Außenressort leitenden Otto Bauer, der durch seinen Gesandten, den Historiker Ludo Moriz Hartmann – Sohn des deutsch-böhmischen Dichters und Paulskirchen-Abgeordneten Moriz Hartmann –, die führenden Politiker in Berlin und in der Weimarer Nationalversammlung im Sinne einer entschiedenen Anschlußpolitik zu beeinflussen suchte, der mit dem Außenminister Graf Brockdorff-Rantzau bereits die Modalitäten des Anschlusses – so etwa einen turnusmäßigen Wechsel der Hauptstadtfunktion zwischen Berlin und Wien – ausgearbeitet hatte, der bereits im Januar 1919 den französischen Sozialisten und Marx-Enkel Jean Longuet für die Unterstützung des Anschlußgedankens durch die französischen Sozialisten zu gewinnen suchte[16] und jetzt am 6. V. 1919 an Karl Kautsky schrieb: »Kommt der Anschluß nicht zustande, so wird Österreich ein armseliger Bauernstaat, in dem Politik zu machen nicht der Mühe wert sein wird.«[17] Der Realpolitiker Renner allerdings wußte, daß diese Ziele und vor allem der Anschluß an das Deutsche Reich sich kaum würden verwirklichen lassen. In Anspielung an die am Vortag in Versailles erfolgte Überreichung der harten Friedensbedingungen an die deutsche Delegation erklärte er, als er sich am 8. V. in der Sitzung der Konstituierenden Nationalversammlung verabschiedete: »Nach der Unglücksbotschaft von gestern wird der Gang, den die Friedensdelegation jetzt unternimmt, nicht so sehr einem Gang an den Beratungstisch als einem Bußgang gleichen.«[18]

a) Die Gründung der Republik (1918–1920)

Tatsächlich wurde die österreichische Delegation in Saint-Germain ebenso interniert wie die deutsche in Versailles und mußte fast drei Wochen, bis zum 2. VI., auf die Übergabe des ersten Teils der Friedensbedingungen warten. Dies gab der Delegation allerdings die Möglichkeit, sich gründlich auf die bevorstehende Auseinandersetzung vorzubereiten. Eine gewisse Verbesserung der österreichischen Position ergab sich zunächst aus den durch die überraschenden militärischen Anfangserfolge der ungarischen Räterepublik gegenüber der Tschechoslowakei erweckten Besorgnissen der Politiker und Militärs der Entente[19], da es nicht ratsam schien, ein verstümmeltes, ausgehungertes und wirtschaftlich kaum lebensfähiges Land durch allzu harte Friedensbedingungen geradezu in eine revolutionäre Entwicklung zu treiben. Schließlich wirkte es sich auch vorteilhaft aus, daß der Staatskanzler und Leiter der Friedensdelegation Renner, nachdem Bauer wegen des Scheiterns seiner Anschlußpolitik zurückgetreten war, Mitte Juli auch formell selbst das Außenressort übernahm und mit realpolitischer Wendigkeit unter dem Schlagwort einer »westlichen Orientierung« das Einvernehmen mit den Siegermächten zur Erlangung günstigerer Bedingungen suchte.

Dennoch waren die Bedingungen, welche der von Renner am 10. IX. 1919 unterzeichnete Vertrag von Saint-Germain dem, dem Anschlußverbot entsprechend, nunmehr »Republik Österreich« genannten Staatswesen auferlegte, schwer genug. Zu der ja schon lange vorher gefallenen Entscheidung über die Eingliederung der deutschsprachigen Gebiete Böhmens, Mährens und Österreichisch-Schlesiens in die Tschechoslowakei kamen die Abtretung des deutschsprachigen Südtirol und des bisher zu Kärnten gehörenden Kanaltals an Italien und die Abtretung der slowenisch besiedelten Untersteiermark mit den noch vorwiegend deutschsprachigen Städten Marburg (Maribor), Pettau (Ptuj) und Cilli (Celje) an Jugoslawien. In Grenzkorrekturen der historischen Nordgrenze Niederösterreichs mußten aus »eisenbahntechnischen« Gründen an die Tschechoslowakei Gebiet um den Bahnhof von Gmünd (České Velenice) und um die niederösterreichische Stadt Feldsberg (Valtice) abgetreten werden. Die jugoslawischen Ansprüche auf das südliche Kärnten konnten durch die Kärtner Abwehrkämpfe und eine daraufhin angeordnete, international kontrollierte Volksabstimmung (10. X. 1920) abgewiesen werden; wobei das amerikanische Bestreben, die wirtschaftliche Einheit des Klagenfurter Beckens nicht zu zerreißen und wenigstens an einer Stelle bei der Neuordnung in Mitteleuropa dem proklamierten Prinzip des »Selbstbestimmungsrechts der Völker« Rechnung zu tragen, ebenso eine Rolle spielte wie strategische Erwägungen der italienischen Militärs im Hinblick auf künftige mögliche Konflikte mit Jugoslawien. Ähnliche Überlegungen hinsichtlich der Möglichkeit eines das verkleinerte Ungarn von Österreich trennenden, auf die kroatischen Streusiedlungen im westungarischen Raum[20] gestützten »slawischen Korridors« zwischen der Tschechoslowakei und Jugoslawien führten zu der von Italien befürworteten Entscheidung, die überwiegend deutschsprachig besiedelten Gebiete der vier westungarischen Komitate Preßburg (Pozsony, Bratislava), Wieselburg (Mosony), Ödenburg (Sopron) und Eisenburg (Vasvár), von denen dann der neue Name »Burgenland« abgeleitet wurde, Österreich zu überantworten. Die natürliche Hauptstadt dieses Gebietes, Ödenburg (Sopron), verblieb allerdings entsprechend dem auf italienische Initiative zustandegekommenen »Protokoll von Venedig« (13. X. 1921) und nach einer Volksabstimmung (14. XI. 1921), deren Ergebnis von vornherein feststand, bei Ungarn[21]. Nachdem das »Burgenland« als selbständiges Bundesland der Republik Österreich konstituiert worden war, wählten die burgenländischen Bürgermeister das bis dahin relativ kleine Eisenstadt zur Landeshauptstadt.

§ 23 Österreich 1918–1970

Das Beharren der Entente-Politiker auf dem Namen »Republik Österreich« war nicht nur durch die Ablehnung der Anschluß-Tendenzen bedingt, sondern auch durch die grundsätzliche Frage nach Entstehung und Charakter des neuen Staates. Während nämlich die führenden österreichischen Rechtsgelehrten wie Edmund Bernatzik, Franz Klein, Rudolf von Laun, Hans Kelsen u. a. die Auffassung vertraten, die Donaumonarchie sei durch »Dismembration« (Zerstückelung) untergegangen und die Republik sei daher ebenso wie die anderen »Nachfolgestaaten« ein völlig neues Gebilde, betonten die Vertreter der Entente die Kontinuität zwischen der »cisleithanischen« oder »österreichischen« Hälfte von Österreich-Ungarn[22] und der Republik und damit auch den Anteil des neuen Staates an der von den Siegern einseitig proklamierten »Kriegsschuld« der Mittelmächte. Da sich allerdings bald herausstellte, daß der nach einer weitverbreiteten Ansicht wirtschaftlich kaum »lebensfähige« Staat zur Zahlung von Reparationen nicht in der Lage war, sondern im Gegenteil der wirtschaftlichen Unterstützung aus dem Ausland bedurfte, behielt die Frage von Kontinuität oder Diskontinuität einen vorwiegend akademischen Charakter.

Der im Gefolge einer Niederlage entstandene Staat, der seinen Namen und seine Grenzen von den Siegern und bisherigen Gegnern zugesprochen erhalten hatte und von diesen gleichsam »zum Leben verurteilt« worden war, konnte zunächst von seinen Bürgern kaum eine auch gefühlsmäßig fundierte Zuneigung erwarten. Das kam sowohl in dem starken und in allen politischen Lagern verbreiteten Verlangen nach dem Anschluß an das Deutsche Reich zum Ausdruck, wie etwa in dem Bestreben der Vorarlberger, sich nach dem Zusammenbruch der Monarchie an die stammverwandte alemannische Schweiz anzuschließen; eine Bewegung, die nicht zuletzt auch an schweizerischen Besorgnissen über eine Störung des bestehenden sprachlichen und konfessionellen Kräfteverhältnisses in der Eidgenossenschaft durch den Anschluß des deutschsprachigen und katholischen Landes Vorarlberg scheiterte.

Den durch den Zerfall des jahrhundertealten Vielvölkerreiches freigesetzten und durch die bittere Not der ersten Nachkriegsjahre noch verstärkten zentrifugalen Tendenzen standen allerdings auch Elemente der Verbindung und Kontinuität gegenüber, deren Bedeutung sich wohl erst ganz im historischen Rückblick offenbarte. Das gilt etwa für die politischen Parteien in ihrer aus der Zeit der Donaumonarchie stammenden Gliederung der »drei Lager« – der beiden Massenparteien der Christlichsozialen und Sozialdemokraten und der verschiedenen deutsch-nationalen bis national-liberalen Gruppierungen – die ja schon bei der Gründung der Republik eine entscheidende Rolle spielten. Ein weiteres wichtiges Erbstück der Donaumonarchie war die Bürokratie, die auf Grund ihrer reichen Erfahrung für den neuen Staat einen unschätzbaren Wert, im Augenblick allerdings auch wegen der durch die Ausdehnung der Habsburgermonarchie bedingten großen Zahl ihrer Angehörigen eine schwere finanzielle Belastung darstellte, da ein verhältnismäßig großer Teil der Beamtenschaft aus Wien und den deutschsprachigen Ländern stammte und nun in die engere Heimat zurückkehrte, wozu noch eine ebenfalls beträchtliche Zahl von aus den übrigen Ländern der Monarchie stammenden aber in der Hauptstadt heimisch gewordenen Beamten kam. Die durch die Schlagworte »Beamtenabbau«, »Verwaltungsreform« und – dann in der nächsten Generation in den dreißiger Jahren – »akademisches Proletariat« gekennzeichneten Probleme, die den politischen Alltag der Republik noch auf lange Zeit hinaus belasteten, wurden durch diese Gegebenheiten zumindest verschärft. Wichtigste Elemente der Kontinuität für den neuen Staat aber waren vor allem die bisherigen Kronländer, die in der Republik Bundesländer

b) Vom Ende der Koalition zur Krise des Parlamentarismus (1920–1933)

genannt wurden: Nieder- und Oberösterreich, Steiermark, Kärnten, Salzburg, Tirol und Vorarlberg, wozu dann noch das Burgenland und die als selbständiges neuntes Bundesland von dem umgebenden Niederösterreich getrennte Bundeshauptstadt Wien kamen.

[1] s. Bd. 6, S. 399 u. Anm. 10.
[2] Das politische Tagebuch *J. Redlichs*, hg. v. *F. Fellner*, 2. Bd. (1954), S. 305. Der Hof des Niederösterreichischen Landhauses in der Herrengasse war am 13. III. 1848 Schauplatz des Ausbruchs der Wiener Märzrevolution gewesen.
[3] s. Bd. 6, S. 388 f. Der Unterschied zu den dort angegebenen Mandatszahlen erklärt sich daraus, daß für die während des Krieges verstorbenen Reichsratsabgeordneten keine Nachwahlen stattgefunden hatten.
[4] *R. Plaschka*, Cattaro-Prag, Revolte und Revolution (1963); *R. Plaschka* u. *K. Mack* (Hgg.), Die Auflösung der Habsburgermonarchie; *R. Neck*, Österreich im Jahre 1918; *W. Pollak*, Dokumentation einer Ratlosigkeit; *L. Jedlicka* u. *A. Staudinger*, Ende und Anfang; *A. Wandruszka*, Die Erbschaft von Krieg und Nachkrieg, in: Österreich 1927 bis 1938, u. in: Vom Justizpalast zum Heldenplatz.
[5] *L. Jedlicka*, Der Waffenstillstand von Villa Giusti in der österreichischen Geschichtsschreibung; *L. Mondini*, Der Waffenstillstand von Villa Giusti und seine Folgen, beide in: Innsbruck-Venedig.
[6] Dazu Zeitdokumente bei *R. Neck*, S. 132 ff.
[7] *A. Wandruszka*, Geschichte einer Zeitung (1958), S. 121 u. Abb. S. 137.
[8] s. Bd. 6, S. 372 ff.
[9] s. Bd. 6, S. 397 f.
[10] *H. Hautmann*, Die verlorene Räterepublik, S. 78.
[11] S. Bd. 6, S. 387, 389, 397 f.
[12] *R. Neck*, S. 74 ff.; *W. Goldinger*, Geschichte der Republik Österreich, S. 10, 19 ff.
[13] *G. Brook-Shepherd*, Um Krone und Reich (1968), S. 267 ff.
[14] *H. Sperl*, Heinrich Lammasch: NÖB, Bd. I (1923); *S. Verosta*, Der Bund der Neutralen, H. Lammasch zum Gedächtnis: AnzAkadWien 106 (1969); ders., Theorie und Realität von Bündnissen; H. Lammasch, K. Renner u. d. Zweibund (1971).
[15] *G. Brook-Shepherd*, Slatin-Pascha (1972). Zur Situation u. Stimmung der Mitglieder der Friedensdelegation jetzt: Saint Germain im Sommer 1919. Die Briefe Franz Kleins aus der Zeit seiner Mitwirkung in der österr. Friedensdelegation, Mai bis August 1919, hg. v. *F. Fellner* u. *H. Maschl* (1977).
[16] *S. Verosta*, Bemerkungen zum Brief Otto Bauers an Jean Longuet vom 9. Januar 1919, in: Geschichte u. Gesellschaft (Festschrift für K. R. Stadler, 1974).
[17] *H. Steiner*, Otto Bauer und die »Anschlußfrage« 1918/19, in: *R. Plaschka* u. *K. Mack*, Auflösung, S. 477.
[18] *W. Goldinger*, Geschichte der Republik, S. 36.
[19] *F. Jedlicka*, Saint Germain 1919: AnzAkadWien 113 (1976), S. 149–181.
[20] *J. Breu*, Die Kroatensiedlung im Burgenland und den anschließenden Gebieten (1970).
[21] *E. Hochenbichler*, Republik im Schatten der Monarchie. *I. Lindeck-Pozza*, Vom Vertrag von Saint Germain bis zur Machtergreifung des Faschismus; *R. Mosca*, Österreich und die italienische Außenpolitik vom Vertrag von Saint Germain bis zur faschistischen Machtergreifung 1919–1922, beide in: Innsbruck-Venedig.
[22] s. Bd. 6, S. 354 ff.

b) Vom Ende der Koalition zur Krise des Parlamentarismus (1920–1933)

Das Zerbrechen der Koalition

Die sozialdemokratisch-christlichsoziale Koalitionsregierung Renner-Fink war von Anbeginn belastet durch die weltanschaulichen Gegensätze und das gegen-

§ 23 Österreich 1918–1970

seitige Mißtrauen der Koalitionspartner, von denen jeder die demokratische Zuverlässigkeit des anderen bezweifelte, sowie der beide Parteien tragenden gesellschaftlichen Kräfte, die im neuen Staatswappen durch die Attribute des nunmehr einköpfigen Adlers, Hammer (Arbeiter), Sichel (Bauern) und Mauerkrone (Bürger) symbolisiert werden sollten. War schon das Wahlergebnis vom Februar 1919 für die sozialdemokratische Arbeiterschaft eine Enttäuschung gewesen, da es ihrer Partei zwar die relative, nicht aber die absolute Mehrheit gegenüber den »bürgerlichen« Parteien gebracht hatte, so knüpfte man andererseits auf konservativer bürgerlicher und bäuerlicher Seite an das Verebben der revolutionären Welle in Mitteleuropa die Hoffnung auf ein baldiges »Wegräumen des Revolutionsschutts«. Als entscheidender Machtfaktor erschien dem durch die lange Kriegsdauer und die militärischen »Nachbeben« des Weltkriegs in Mitteleuropa bestimmten Denken vieler Zeitgenossen die Verfügung über die aus der Auflösung der k. u. k. Armee hervorgegangene »Volkswehr«, die nunmehr nach den Bestimmungen des Vertrags von Saint-Germain in ein Berufsheer von höchstens 30 000 Mann mit einschneidender Beschränkung der Bewaffnung umgewandelt werden sollte. Wohl waren revolutionäre Entwicklungen innerhalb der Volkswehr 1918/19 in einer durch die Notsituation bedingten Zusammenarbeit zwischen den sozialdemokratischen Führern und konservativen Kräften (ehemalige Offiziere, der Wiener Polizeipräsident Schober) abgefangen worden. Aber die Gegensätze und das gegenseitige Mißtrauen blieben und wurden durch die Ereignisse rund um Österreich noch weiter verschärft; zumal sich auch bei der Ausarbeitung einer endgültigen Verfassung, einer wesentlichen Aufgabe der Koalitionsregierung und der »Konstituierenden Nationalversammlung«, immer wieder Gegensätze ergaben zwischen den föderalistischen Auffassungen der sich auf ihre solide Mehrheit in den »Bundesländern« stützenden Christlichsozialen und den zentralistischen Tendenzen der Sozialdemokraten, deren Stärke vor allem auf ihrer beherrschenden Machtposition in Wien beruhte. Die in einer Koalitionsregierung stets unvermeidlichen Zugeständnisse und Kompromisse waren dabei auf beiden Seiten vor allem bei den breiten Massen der Anhängerschaft und der unteren, lokalen Funktionäre unpopulär.

Wohl wurde nach der Ratifizierung des Friedensvertrages durch die Konstituierende Nationalversammlung die Zusammenarbeit der beiden großen Parteien in einer unter geringfügigen personellen Veränderungen neugebildeten Regierung Renner-Fink fortgesetzt (17. X. 1919) und der in mühsamen Verhandlungen der Parteiführer ausgearbeitete Koalitionspakt am Tag nach der Regierungsbildung in der »Arbeiter-Zeitung« und in der »Reichspost« veröffentlicht. Aber in dem neuerlichen Hungerwinter 1919/20 und im folgenden Frühjahr, in dem es, vor dem Anschluß an die neue Ernte, in Wien und Graz zu Hungerdemonstrationen und Plünderungen mit Toten und Verletzten kam, wuchs in beiden Lagern das Unbehagen an der Koalition. Auch die Ereignisse im Deutschen Reich (Kapp-Putsch und kommunistische Aufstandsversuche im Ruhrgebiet) wirkten verschärfend auf die inneren Gegensätze in Österreich ein.

Den an sich eher geringfügigen Anlaß für das verhängnisvolle Zerbrechen der Koalition am 10. VI. 1920 bot bezeichnenderweise die Frage der Volkswehr. Eine dringliche Anfrage der oppositionellen »Großdeutschen« betraf einen umstrittenen Erlaß des sozialdemokratischen Staatssekretärs für Heerwesen Deutsch über den Wirkungsbereich der Soldatenräte. Die Sozialdemokraten vermuteten zu Unrecht ein abgekartetes Spiel zwischen Großdeutschen und Christlichsozialen und damit eine Illoyalität des Koalitionspartners, während die Christlichsozialen über das eigenmächtige Vorgehen von Deutsch erbost waren. Eine heftige Rede

b) Vom Ende der Koalition zur Krise des Parlamentarismus (1920–1933)

des sozialdemokratischen Abgeordneten Karl Leuthner wurde von dem christlichsozialen Arbeiterführer Leopold Kunschak nicht minder heftig beantwortet. Seine rhetorische Drohung: »Wenn Sie aber wirklich und ernstlich glauben, daß wir als zweite Koalitionspartei unsere Entscheidungen nur nach Ihrem Kommando zu treffen haben, dann sprechen Sie das offen aus, denn dann hat mit dieser Stunde die Koalition aufgehört« wurde auf beiden Seiten mit dröhnendem Applaus aufgenommen. Das seit langem auf beiden Seiten aufgestaute Unbehagen hatte sich in einem Gewitter der Emotionen entladen und allzufrüh die für die Festigung des jungen Staatswesens so wichtige Koalition der beiden großen Massenparteien beendet.

Da eine Erneuerung der Koalition bei der vorherrschenden Stimmung auf beiden Seiten nicht mehr in Frage kam, andererseits aber auch keine Partei allein das Wagnis einer Minderheitsregierung unternehmen wollte, entschloß man sich nach langwierigen Verhandlungen zum Kuriosum einer »Proporzregierung«, die fast die gleiche Zusammensetzung aufwies wie die zurückgetretene Koalitionsregierung, wobei aber nun jede Partei nur ihre eigenen Vertreter in der Regierung wählte und nur für sie die Verantwortung übernahm. Die parteilosen, aus der Beamtenschaft stammenden Regierungsmitglieder wurden mit Stimmeneinhelligkeit gewählt. Renner behielt nur das Staatsamt des Äußeren; den Vorsitz im Kabinett übernahm der Staatssekretär für Verfassungs- und Verwaltungsreform, der christlichsoziale Historiker, Archivar und Universitätsprofessor Dr. Michael Mayr, der in den vergangenen Monaten die von dem Staatsrechtler Hans Kelsen entworfene bundesstaatliche Verfassung in zähen Verhandlungen mit den Parteiführern und Ländervertretern beschlußreif gemacht hatte. Denn die wichtigste Aufgabe der »Proporzregierung« war neben der Ausschreibung und Durchführung von Neuwahlen eben die Vorlage des Gesetzes über die Bundesverfassung, das am 29. IX. im Plenum der Konstituierenden Nationalversammlung verhandelt, am 1. X. angenommen wurde und am 10. XI. 1920 in Kraft trat.

Die Regierungen Mayr und Schober

Die Wahlen vom 17. X. 1920 brachten einen Sieg der Christlichsozialen, die mit 79 Mandaten zur stärksten Partei wurden, während die Sozialdemokraten mit 62 Mandaten auf den zweiten Platz zurückfielen. Die Abgeordneten der verschiedenen deutschnationalen und nationalliberalen Gruppen hatten sich unter der Führung Dinghofers schon in der Konstituierenden Nationalversammlung als »Großdeutsche Vereinigung« zu einem Klub zusammengeschlossen, von dem aus nach langen Verhandlungen aus 17 Partei- und Ländergruppen noch kurz vor dem Wahltermin bei einer Tagung in Salzburg (5.–7. IX.) die »Großdeutsche Volkspartei« gegründet worden war, die bei den Oktoberwahlen 18 Mandate (2 weniger als bisher) errang. Die weiterhin außerhalb des Einigungsprozesses des »nationalen Lagers« verbleibende »Deutsche Bauernpartei« (später »Landbund für Österreich«) konnte ihren Stand von 6 Mandaten wahren; die »Nationalsozialistische Deutsche Arbeiterpartei«, die als »Deutsche Arbeiterpartei« im 1911 gewählten Reichsrat noch mit 3 in sudetendeutschen Wahlkreisen errungenen Mandaten (und daher auch noch in der »Provisorischen Nationalversammlung«) vertreten war, ging wiederum, wie schon bei den Februar-Wahlen 1919, leer aus. Ein Kuriosum war die Wahl eines »bürgerlichen Demokraten« in der Person des früheren kaiserlichen Außenministers Graf Ottokar Czernin.

Da die Christlichsozialen nunmehr die stärkste Partei waren, eine Erneuerung der großen Koalition aber nach dem Bruch im Juni von keiner der beiden großen Parteien gewünscht wurde und sich auch die Großdeutschen freie Hand vorbehielten, trat Michael Mayr nunmehr als Bundeskanzler an die Spitze eines aus vier Christlichsozialen und acht parteilosen Beamten gebildeten Kabinetts (20. XI. 1920). Der eben angenommenen Verfassung entsprechend mußte von der Bundesversammlung (Nationalrat und der als Länderkammer das föderalistische Prinzip verkörpernde Bundesrat gemeinsam) ein Bundespräsident als Staatsoberhaupt gewählt werden. Da keine Partei in der Bundesversammlung über die Mehrheit verfügte und auch keine einen überzeugenden Kandidaten präsentieren konnte, einigte man sich nach mehreren ergebnislosen Wahlgängen auf den angesehenen parteilosen Nationalökonomen und Gutsbesitzer Dr. Michael Hainisch (9. XII. 1920). Er entstammte der für soziale Reformen aufgeschlossenen Richtung des österreichischen Liberalismus (seine Mutter Marianne war eine Pionierin der österreichischen Frauenbewegung) und übte durch acht Jahre sein Amt mit Würde und Zurückhaltung aus[1].

Die auch im dritten Nachkriegswinter 1920/21 katastrophale Ernährungs- und Wirtschaftslage, die im Laufe des Jahres 1921 noch durch die galoppierende Inflation verschlechtert wurde, verstärkte das Verlangen nach Anschluß an das Deutsche Reich. Inoffizielle Volksabstimmungen, die im Frühjahr 1921 veranstaltet wurden, ergaben in Tirol 98,8 Prozent, in Salzburg 99,2 Prozent für den Anschluß. Eine in der Steiermark geplante weitere Volksabstimmung wurde auf Druck der mit der Einstellung der Lebensmittellieferungen drohenden Alliierten verboten. Darüber stürzte die Regierung Mayr, da ihr die Großdeutschen ihre Unterstützung entzogen (1. VI. 1921).

In dieser hoffnungslosen Situation scheuten die Parteipolitiker vor der undankbaren Aufgabe der Übernahme der Regierungsverantwortung zurück, und so verfiel man nach langen Verhandlungen auf den als Garant der Ruhe und Ordnung allseits geachteten parteilosen Wiener Polizeipräsidenten Johann Schober[2], der schon vor Mayr als möglicher Regierungschef im Gespräch gewesen war. Er bildete ein Kabinett parteiloser Beamter, in das die Christlichsozialen als ihren Vertreter Carl Vaugoin als Heeresminister, die Großdeutschen Leopold Waber als Innenminister entsandten (21. VI. 1921). Aber die Zusammenarbeit der Großdeutschen mit dem ihnen gesinnungsmäßig nahestehenden Schober dauerte zunächst nicht lange; nachdem ihm schon der Verlust von Ödenburg durch das »Protokoll von Venedig« und die Ödenburger Abstimmung[3] angelastet worden war, empörte man sich im »nationalen Lager« über den von Schober unmittelbar nachher in Fortsetzung der schon von Renner im Januar 1920 eingeleiteten Annäherung an die Tschechoslowakei abgeschlossenen Vertrag von Lana bei Prag (16. XII. 1921), der Österreich zwar einen Kredit von 500 Millionen Tschechenkronen zum dringend benötigten Ankauf von Kohle und Zucker brachte, als Preisgabe des Selbstbestimmungsrechts der Sudetendeutschen aber von den Großdeutschen verurteilt wurde. Da sie ihren Vertreter aus der Regierung zurückzogen, mußte Schober diese umbilden, wobei er selbst das Innenministerium und bald darauf, nach dem Rücktritt des Finanzministers Dr. Gürtler, auch dessen Ressort übernahm. Während Schober bei der Weltwirtschaftskonferenz in Genua vielversprechende Anfangserfolge im Sinne einer künftigen wirtschaftlichen Sanierung Österreichs erzielte, vollzog sich in Wien der Sturz seiner Regierung, die, von Sozialdemokraten und Großdeutschen bekämpft, nun auch von den Christlichsozialen fallengelassen wurde (24. V. 1922)[4].

Das »Sanierungswerk« Ignaz Seipels

Das Schicksal der kurzlebigen Regierungen Mayr und Schober einerseits, der gerade im Frühjahr 1922 immer beängstigendere Formen annehmende »Sturz ins

b) Vom Ende der Koalition zur Krise des Parlamentarismus (1920–1933)

Bodenlose« der österreichischen Währung andererseits bewogen die stärkste politische Persönlichkeit auf der bürgerlichen Seite, den christlichsozialen Parteiführer Prälat Dr. Ignaz Seipel, nun selbst die Führung einer neuen Regierung auf der Grundlage einer festen Koalitionsvereinbarung zwischen Christlichsozialen und Großdeutschen zu übernehmen; zumal auch von der sozialdemokratischen Opposition immer lauter die Forderung erhoben wurde, Seipel solle aus den Kulissen, hinter denen er schon bisher die Fäden gezogen habe, hervortreten. Nachdem die Großdeutschen auf einem Parteitag in Graz mit 307 gegen 58 Stimmen den Entschluß zur Koalition gefaßt hatten, kam auf der Grundlage des Koalitionsvertrags die erste Regierung Seipel zustande, die am 31. V. 1922 vom Parlament gewählt wurde.

Während sich der Währungsverfall mit weiterhin zunehmender Beschleunigung vollzog[5], scheiterte der zunächst von Seipel zur Währungssanierung vorgelegte Finanzplan am Widerstand von zwei in ausländischem Besitz befindlichen Großbanken[6]. Als dann auch die in die Londoner Reparationskonferenz gesetzten Hoffnungen enttäuscht wurden, da die Konferenz die österreichische Frage an den Völkerbund zurückverwies, schienen Mitte August der Staatsbankrott, der völlige Zusammenbruch des Staates und seine Aufteilung unter die Nachbarn fast unvermeidlich. Seipel unternahm nun seine vieldiskutierte »große Reise« nach Prag, Berlin und Verona, wobei er seine Gesprächspartner, die tschechoslowakischen Staatsmänner Masaryk und Beneš, den deutschen Reichskanzler Wirth und den italienischen Außenminister Carlo Schanzer auf die für ganz Mitteleuropa drohenden Gefahren eines »Vakuums« im Donauraum aufmerksam machte und ihre wechselseitigen Rivalitäten geschickt auszuspielen verstand. Der Zweck der Reise, die europäische Öffentlichkeit in dramatischer Weise von der Dringlichkeit und Gefährlichkeit des »österreichischen Problems« zu überzeugen, wurde erreicht. Das zeigte sich dann bei Seipels erster Rede vor dem Völkerbund in Genf (6. IX. 1922) und in den anschließenden Verhandlungen, die zu der Vereinbarung der drei »Genfer Protokolle« zwischen der österreichischen Regierung und den Regierungen Großbritanniens, Frankreichs, Italiens und der Tschechoslowakei führten (4. X. 1922). In diesen Protokollen erklärten sich die vier Regierungen zur Wahrung und Sicherung der territorialen und politischen Unabhängigkeit Österreichs bereit und versprachen die Übernahme der Garantie für eine österreichische Anleihe in der Höhe von 650 Millionen Goldkronen, deren Erträgnis nur unter der Verantwortung eines vom Völkerbundsrat eingesetzten Generalkommissärs verwendet werden sollte. Österreich verpflichtete sich seinerseits, für zwanzig Jahre seine Unabhängigkeit nicht aufzugeben, innerhalb von zwei Jahren das Gleichgewicht im Staatshaushalt herzustellen und mit außerordentlichen, vom Parlament zu bewilligenden Regierungsvollmachten die öffentliche Ruhe, Ordnung und Sicherheit zu wahren. Die sozialdemokratische Opposition, die weder imstande noch im Grunde willens war, das Sanierungswerk zu verhindern[7], entfesselte eine leidenschaftliche Propagandakampagne, in der deutschnationale, ja sogar antisemitische Töne aufklangen, gegen die angebliche »Entmündigung« Österreichs durch den Völkerbund und gegen Seipel, der »Deutschösterreich an Genf verschenkt« habe. Berechtigter als diese demagogischen Vorwürfe erscheint aus späterer Sicht der Einwand, daß die entschiedene Spar- und Deflationspolitik der »Seipel-Sanierung« zwar die Inflation beendete und die Währung stabilisierte, durch Drosselung der Staatsausgaben und Beamtenabbau eine nachhaltige wirtschaftliche Gesundung aber eher verzögerte und mit der schweren Hypothek einer hohen Arbeitslosenziffer belastete[8].

Bei den Nationalratswahlen vom 21. X. 1923 errangen die Christlichsozialen

§ 23 Österreich 1918–1970

82 Mandate, die Sozialdemokraten 68, die Großdeutschen 10 und der Landbund 5 Mandate, wobei das schlechte Abschneiden der Großdeutschen vor allem dadurch bedingt war, daß sie als »Beamtenpartei« doch den drastischen Beamtenabbau von Seipels Sanierungsprogramm mitgemacht hatten. Auch wirkten das eindrucksvolle staatsmännische Verhalten Seipels in der Krise von 1922 und sein persönlicher Erfolg in Genf über den Kreis der traditionellen Anhängerschaft der Christlichsozialen Partei hinaus. Andererseits führte die auf die Person Seipels konzentrierte sozialdemokratische Haßpropaganda – zu deren ungewollten Folgen auch das Pistolenattentat eines psychopathischen Einzelgängers gehörte, bei dem der Bundeskanzler am 1. VI. 1924 schwer verletzt wurde – zu einer schließlich unüberbrückbaren Entfremdung zwischen dem bedeutendsten Staatsmann der Republik und der sozialdemokratischen Opposition.

Die »Länderregierung« Ramek

Es waren dann allerdings, nachdem ein Eisenbahnerstreik den Anlaß zum Rücktritt der Regierung gegeben hatte, Widerstände der Christlichsozialen in den Bundesländern gegen die auch vom Finanzkomitee in Genf geforderte Anwendung der rigorosen Sparpolitik auf die Länder und Gemeinden, die Seipel zum Verzicht auf die Wiederwahl zum Bundeskanzler veranlaßten (7. XI. 1924), zumal seine Gesundheit nach dem Attentat nicht vollständig wiederhergestellt war. So wurde der von Seipel selbst zum Nachfolger bestimmte christlichsoziale Abgeordnete aus Salzburg Dr. Rudolf Ramek Chef einer sich vor allem auf die Politiker aus den Bundesländern stützenden christlichsozial-großdeutschen Koalitionsregierung. Kurz nach dem Amtsantritt des neuen Kabinetts wurde in Fortführung der Stabilisierungspolitik noch im Dezember 1924 die neue Schillingwährung eingeführt, wobei das Umtauschverhältnis zur Krone 1 : 10 000 betrug. Am 30. VI. 1926 stellte dann der Generalkommissär des Völkerbundes, der Niederländer Dr. Alfred Zimmermann, seine Tätigkeit ein. Das an sich erfreuliche Bild einer langsamen Erholung und Normalisierung wurde allerdings überschattet durch die weiterhin hohe Arbeitslosenziffer und durch die Zusammenbrüche mehrerer Banken, darunter nicht nur unseriöser Gründungen der Inflationszeit, sondern auch älterer angesehener Institute. Dabei wurden auch christlichsoziale Politiker belastet, so der Finanzminister Dr. Jakob Ahrer, der nach seiner Demission nach Kuba auswanderte. Auch Außenminister Dr. Heinrich Mataja, der Seipels Außenpolitik in allzu sprunghaft-hastigem Stil fortzusetzen suchte und dem Beziehungen zu einer der zusammengebrochenen Banken vorgeworfen wurden, schied aus dem Kabinett. Insgesamt galt die Regierung Ramek als schwach – die Opposition sprach in Anspielung auf Seipels weiterhin dominierenden Einfluß von einer »Telefonregierung« – und trat anläßlich eines Konflikts um die Gehaltsforderungen der Bundesangestellten am 15. X. 1926 zurück.

Die Wehrverbände und der 15. Juli 1927

Kurz nachdem Seipel wieder mit einem christlichsozial-großdeutschen Koalitionskabinett die Regierung übernommen hatte, traten die Sozialdemokraten in Linz zu einem Parteitag (30. X.–3. XI. 1926) zusammen, um ein den veränderten Verhältnissen in der Republik angepaßtes neues Parteiprogramm zu beschließen. Obwohl die Partei seit 1920 in der Opposition war, hatte sie durch den mit großer Energie begonnenen Aufbau des »roten Wien«, durch die Stimmengewinne bei den Nationalratswahlen 1923 und durch die ständige Zunahme der Mitgliederzahlen ihr Selbstgefühl und Siegesbewußtsein bewahrt, ja gesteigert, und hoffte, bald jene 51 Prozent der Stimmen zu erlangen, die ihr auch auf Bundes-

b) Vom Ende der Koalition zur Krise des Parlamentarismus (1920–1933)

ebene den Aufbau eines »sozialistischen Österreich« mit demokratischen Mitteln ermöglichen sollten. Otto Bauer, der getreu dem »großen Vermächtnis« Victor Adlers die Bewahrung bzw. Wiederherstellung der Einheit der sozialistischen Arbeiterbewegung auch auf internationaler Ebene anstrebte, trug entschieden dazu bei, daß die radikalen Thesen des »linken« Theoretikers Max Adler, die eine völlige Ausrichtung auf das Ziel einer »Diktatur des Proletariats« forderten, vom Parteitag abgelehnt wurden. Aber das ominöse Wort fand doch, wenngleich in verklausulierter Form, Eingang in das Parteiprogramm: »Wenn sich aber die Bourgeoisie gegen die gesellschaftliche Umwälzung, die die Aufgabe der Staatsmacht der Arbeiterklasse sein wird, durch planmäßige Unterbindung des Wirtschaftslebens, durch gewaltsame Auflehnung, durch Verschwörung mit ausländischen gegenrevolutionären Mächten widersetzen sollte, dann wäre die Arbeiterklasse gezwungen, den Widerstand der Bourgeoisie mit den Mitteln der Diktatur zu brechen.« Dieses bedingte Bekenntnis zu einer, wie Bauer sagte, »rein defensiven Rolle der Gewalt« ist von den Gegnern als verräterisches Eingeständnis »bolschewistischer« Anschauungen interpretiert und propagandistisch ausgeschlachtet worden, und es half wenig, daß Bauer rückblickend mit dem ihm eigenen, von den Gegnern als geistiger Hochmut ausgelegten, Sarkasmus versicherte, er habe während seiner beiden großen Reden in Linz an deutschen Sozialismus, englischen Labourismus, russischen Bolschewismus, an den Kampf zwischen Sozialisten und Kommunisten in der Welt, an Victor Adler und Lenin gedacht, »aber merkwürdigerweise ist mir während beider Reden nicht einen Augenblick irgendein Mitglied der österreichischen Bundesregierung eingefallen. Wir sprachen über ein Weltproblem des Sozialismus. Und sie glaubten, wir hätten darüber gesprochen, um ihnen zu drohen.«[9]

Auf der anderen Seite war Bundeskanzler Seipel bemüht, für die bevorstehenden Nationalratswahlen eine »Einheitsliste« aller »bürgerlichen«, d. h. nichtmarxistischen Parteien zustandezubringen. War die christlichsozial-großdeutsche Koalition, die seit 1922 die feste Basis für alle »bürgerlichen« Regierungen abgab, zunächst keineswegs als »Bürgerblock« gedacht gewesen, da beide Koalitionsparteien sich als »Volksparteien« verstanden wissen wollten, so führte die zunehmende ideologische Polarisierung doch immer mehr in diese Richtung, zumal es der sehr wirksamen sozialdemokratischen Wahlpropaganda immer wieder gelang, die Frage der Bewahrung des noch aus der Zeit des Weltkrieges stammenden »Mieterschutzes« und damit ein auch die Randschichten des verarmten großstädtischen Mittelstands ansprechendes sozialpolitisches Problem in den Mittelpunkt aller Wahlkämpfe dieser Jahre, besonders in Wien, zu stellen. Der Landbund, wie sich die national-liberale Deutsche Bauernpartei jetzt nannte, lehnte, da sein übermächtiger Rivale ja der christlichsoziale Reichsbauernbund war, die Beteiligung an der »Einheitsliste« ab, und die Teilnahme der kleinen autonomen, von dem Rechtsanwalt Dr. Walter Riehl geführten nationalsozialistischen Splittergruppe war im Hinblick auf bürgerlich-liberale Wirtschaftskreise eher eine Belastung. Die Wahlen vom 24. IV. 1927 brachten Seipel und seiner »Einheitsliste« auch einen ausgesprochenen Mißerfolg. Die Christlichsozialen verloren gegenüber 1923 9 Mandate und hatten mit 73 Mandaten nur um 2 Mandate mehr als die Sozialdemokraten, die ihrerseits drei Mandate (71 statt bisher 68) gewannen. Die Großdeutschen, denen Seipel relativ gute Plätze auf der »Einheitsliste« hatte einräumen müssen, gewannen 2 Mandate (12 statt 10), und der selbständig kandidierende Landbund konnte seine Mandatszahl sogar von 5 auf 9 erhöhen. Hier setzte denn auch Seipel ein, um die Wahlniederlage in einen Erfolg bei der Regierungsbildung zu verwandeln. Durch weitgehende Zugeständnisse, darunter die Überlassung des mit der Vizekanzlerwürde gekoppelten Postens des Innenministers, gewann er den Landbund für den Eintritt in die Regierung, die so nun wirklich eine »Bürgerblockregierung« wurde.

Es war verhängnisvoll, daß die fortschreitende parteipolitische und ideologische Polarisierung von »Austromarxisten« und »Antimarxisten« begleitet und verhärtet wurde durch das Aufwachsen parteipolitischer »Wehrverbände«, d. h. paramilitärischer politischer Privatarmeen der einander immer feindlicher gegenüberstehenden politischen Lager. Aus verschiedenen lokalen Wurzeln waren schon in den ersten Jahren der Republik in den Bundesländern Heimat- und Einwohnerwehren entstanden, zunächst zur Aufrechterhaltung der Ruhe und Ordnung in den stellenweise chaotischen Verhältnissen von Zusammenbruch und Demobilisierung, in Kärnten im Abwehrkampf gegen die in das Land eingedrungenen südslawischen Verbände. Nach dem Zusammenbruch der Räteherrschaft in Bayern ergaben sich Verbindungen der dortigen rechtsgerichteten Organisationen (»Organisation Escherich« und »Organisation Kanzler«) zu den Heimwehren in Tirol, Salzburg und Steiermark. Noch ohne spezifische politische Zielsetzung, aber mit allgemein konservativer Tendenz entwickelte sich schließlich in ganz Österreich aus einem wirtschaftlichen Interessenverband ehemaliger Militär-Angehöriger die »Frontkämpfervereinigung«. Auf der anderen Seite baute die Sozialdemokratie, nachdem sie 1920 die Verfügung über die »Volkswehr« verloren hatte, die nunmehr als Bundesheer von dem christlichsozialen Heeresminister Carl Vaugoin im christlichsozial-konservativen Sinn parteipolitisch »umorientiert« wurde, ihre Ordnerschaften zur Arbeiterwehr und diese schließlich zum paramilitärisch organisierten »Republikanischen Schutzbund« (1923) aus, der, wie schon seine Name zeigte, auch zur Abwehr legitimistischer Restaurationsversuche dienen sollte.

Im Zuge der Demobilisierung der österreichisch-ungarischen Truppen war eine große Anzahl von Waffen (vor allem Gewehre, Handgranaten, Maschinengewehre usw.) im Lande geblieben und vor der alliierten Militärkommission verborgen worden. Diese Waffen spielten während der ganzen Zwischenkriegszeit in der österreichischen Innenpolitik eine verhängnisvolle Rolle, sie wurden ein Hauptobjekt der vielberedeten und doch nie verwirklichten inneren Abrüstung, sie waren, oft nicht sehr sachgemäß, in Kellern, Schrebergartenhütten und Parteiheimen gelagert, sie wurden gelegentlich von zwielichtigen Gestalten in abenteuerlichen, in Kaffeehäusern abgeschlossenen Geschäften von einer politischen Seite zur anderen verkauft und verschoben, sie wurden in den Februar- und Julikämpfen des Jahres 1934 verwendet – ja einige dieser geheimen Waffenlager spielten sogar noch in verzweifelten Überlegungen österreichischer Widerstandsgruppen kurz vor dem Ende des II. Weltkriegs eine Rolle, obwohl diese Waffen damals vermutlich schon längst unbrauchbar geworden waren.

Da nach 1920 die verschiedenen rechtsgerichteten Wehrverbände – von der kleinen monarchistischen Kampftruppe »Ostara« über Heimatschutz, Frontkämpfervereinigung, verschiedene »Freikorps« bis zum nationalsozialistischen »Vaterländischen Schutzbund« (später SA und SS) – das »Recht auf die Straße«, ein bisheriges Monopol der Linken, beanspruchten und Versammlungen und Aufmärsche in »roten Hochburgen« (in den Wiener Arbeiterbezirken, im niederösterreichischen und obersteirischen Industriegebiet) veranstalteten, die von der sozialdemokratischen Arbeiterschaft als »Provokation« empfunden wurden, kam es in diesen Jahren immer wieder zu bewaffneten Zusammenstößen, mit Toten und Verwundeten, wobei die Opfer nicht nur Angehörige der einander bekämpfenden Gruppen, sondern oft auch gänzlich Unbeteiligte wurden[10].

b) Vom Ende der Koalition zur Krise des Parlamentarismus (1920–1933)

Der folgenschwerste dieser Zusammenstöße ereignete sich am 30. I. 1927 in der kleinen burgenländischen Ortschaft Schattendorf, als sich durch gegnerische Übermacht bedroht fühlende »Frontkämpfer« durch Schüsse aus den Fenstern eines Gasthauses einen achtjährigen Knaben und einen Kriegsinvaliden töteten. Als am 14. VII. ein Geschworenengericht in Wien die drei Angeklagten freisprach, kam es am folgenden Tag zu einer großen spontanen Massendemonstration, die von der sozialdemokratischen Führung nicht organisiert oder angeordnet, aber doch geduldet wurde, da man einerseits der Empörung über das offenkundige Fehlurteil der Geschworenen freien Lauf lassen, andererseits aber nicht die Handhabe zu einem Angriff auf die seit jeher von der Sozialdemokratie geforderte Institution der Geschworenengerichte bieten wollte. Nach blutigen Zusammenstößen mit der Polizei richtete sich die Wut der führerlosen Masse gegen das Gebäude des Justizpalastes an der Ringstraße, der gestürmt und in Brand gesteckt wurde, sowie gegen die Redaktionen bürgerlicher Zeitungen. Während der sozialdemokratische Parteiführer und Bürgermeister von Wien, Karl Seitz, und der Schutzbundführer Julius Deutsch vergeblich die Massen zu beruhigen suchten, gab Seipel durch seinen Vizekanzler und Innenminister, den Landbündler Hartleb, an Polizeipräsident Schober die Weisung, Mannschaften der Polizei mit Karabinern aus Heeresbeständen auszurüsten, um den Platz vor dem Justizpalast zu räumen. Als auch diese Einheiten von der Masse mit Steinwürfen angegriffen wurden, eröffneten sie das Feuer. Das blutige Ergebnis waren 89 Tote, darunter 4 Angehörige der Polizei. Außerdem wurden 120 Polizisten schwer, fast 480 leicht verletzt, während sich die Schätzungen über die Zahl der verletzten Demonstranten zwischen 548 und 1057 bewegten[11].

Die sozialdemokratische Führung proklamierte, auch um die Massen wieder in die Hand zu bekommen, einen eintägigen Generalstreik und einen unbefristeten Verkehrsstreik und forderte den Rücktritt der Regierung, was Seipel ablehnte. Auch der Verkehrsstreik wurde nach drei Tagen abgebrochen, da vor allem in den westlichen Bundesländern die Heimwehren den Eisenbahnverkehr aufrechterhielten. Die sozialdemokratische Propaganda richtete leidenschaftliche Angriffe gegen den »Arbeitermörder« Schober und den »Prälaten ohne Milde« Seipel, der eine allgemeine Amnestie abgelehnt hatte und den die Sozialdemokraten auch als Priester durch eine organisierte Kirchenaustrittsbewegung (allein zwischen dem 1. und 10. VIII. traten 2734 Wiener aus der katholischen Kirche aus) zu treffen suchten. Vor allem aber brachten die Ereignisse des 15. VII. ein Anwachsen der Heimwehrbewegung, die im Inland finanziell von der Industrie, aus dem Ausland von Italien und Ungarn unterstützt wurde. Ihren lokalen und regionalen Ursprüngen entsprechend gelangte die Heimwehr allerdings, trotz ihres theoretischen Bekenntnisses zum »Führerprinzip«, nie zu straffer, einheitlicher Ausrichtung, da es fast in jedem Bundesland einen nach der Führung der gesamten Bewegung strebenden regionalen »Führer« gab, so Dr. Richard Steidle in Tirol, Dr. Walter Pfrimer in der Steiermark, Ernst Rüdiger (Fürst) Starhemberg in Oberösterreich, Major a. D. Emil Fey in Wien usw. Auch in der politischen Ideologie war die Bewegung keineswegs einheitlich, sondern vereinte die verschiedensten, nur durch den gemeinsamen »Antimarxismus« verbundenen Richtungen von monarchistisch-konservativer, christlichsozialer und deutschnationaler bis zu einer den Nationalsozialisten nahestehenden extrem nationalistischen Färbung. So war sie eine Art von militantem Gegenstück zu der von Seipel erstrebten »Einheitsfront« aller »bürgerlichen« und »antimarxistischen« Parteien und politischen Gruppen und hatte im politischen Denken des Prälaten gleichsam die Funktion eines »weltlichen Arms«, um dem Vordringen des »Austromarxismus«

Einhalt zu gebieten; wobei sich Seipel schon infolge seiner geistigen Überlegenheit zutraute, die »unwiderstehliche Volksbewegung« der Heimwehren, aber etwa auch die von ihm in ihrer Dynamik und Gefährlichkeit unterschätzten Nationalsozialisten für die eigenen Ziele zu verwenden und zu beherrschen.

Seipels Absicht, in Angleichung an die Weimarer Verfassung den Bundespräsidenten durch Volkswahl vom Parlament unabhängig zu machen und seine Stellung zu stärken, wobei er wohl für sich selbst an diese Funktion dachte, scheiterte am Widerstand der Sozialdemokraten, deren Zustimmung für die Verfassungsänderung notwendig gewesen wäre. Als Ende 1928 die Funktionsperiode von Bundespräsident Hainisch ablief, wurde in der Bundesversammlung der christlichsoziale Abgeordnete Wilhelm Miklas, Gymnasialdirektor in der niederösterreichischen Kleinstadt Horn, nur mit den Stimmen der Christlichsozialen zum Bundespräsidenten gewählt, wobei die Sozialdemokraten im dritten Wahlgang weiße Stimmzettel abgaben, da sie nicht für den von den Großdeutschen vorgeschlagenen Polizeipräsidenten Schober stimmen und auch eine eventuelle Kandidatur Seipels verhindern wollten (5. XII. 1928).

Die Regierungen Streeruwitz und Schober

Die bei der Bundespräsidentenwahl zutage getretenen Spannungen innerhalb der Regierungskoalition, die bald darauf in parlamentarischen Abstimmungen noch deutlicher zum Ausdruck kamen (so etwa in der Frage der Angleichung des Eherechts an das des Deutschen Reiches, wobei die Großdeutschen mit den Sozialdemokraten stimmten). Unzufriedenheit über außenpolitische Mißerfolge, wie in einer Kontroverse mit Mussolini über Südtirol, und allgemein über die Blockierung der parlamentarischen Arbeit, schließlich wohl auch die Verschlechterung seines Gesundheitszustands und das drückende Bewußtsein, als Priester-Politiker eine Belastung für die katholische Kirche darzustellen, veranlaßten Seipel nach den Osterfeiertagen 1929 zu seinem unerwarteten, auch seine engsten Mitarbeiter überraschenden und durch keinen aktuellen Anlaß ausgelösten Rücktritt (3. IV. 1929), um, wie er seinen Ministerkollegen erklärte, »den politischen Parteien die Möglichkeit zu geben, in anderer Weise, als es unter meiner Führung geschehen konnte, die Zukunft sicherzustellen«[12].

Erst nach einem Monat schwieriger Verhandlungen wurde als Verlegenheitskandidat der Industrielle und frühere k. u. k. Generalstabsoffizier Ernst (von) Streeruwitz, in der eigenen christlichsozialen Partei eher ein Außenseiter, als Nachfolger für Seipel gefunden. Trotz einiger Erfolge mit einer Mietengesetznovelle und der Regelung der Abgabenteilung zwischen dem Bund und den Ländern mußte er schon nach wenigen Monaten zurücktreten, wobei die entschiedene Gegnerschaft der Heimwehren, aber hinter den Kulissen auch der Einfluß Seipels und anderer christlichsozialer Führer zu seinem Sturz beitrugen (25. IX. 1929)[13].

Als neuer »starker Mann« übernahm nun Schober die Bildung einer Regierung, die ein volles Jahr (26. IX. 1929–25. IX. 1930) im Amt blieb und Österreich eine Atempause relativer innerer Entspannung brachte. Schober selbst gehörte keiner Partei an; sein Kabinett wurde von der bisherigen Koalition unterstützt, wobei die Christlichsozialen durch den auch als Vizekanzler fungierenden Heeresminister Vaugoin und den Landwirtschaftsminister Florian Födermayr, die Großdeutschen durch den Justizminister Franz Slama und der Landbund durch den Innenminister Vinzenz Schumy vertreten waren. Die übrigen Ressorts übernahmen angesehene nicht parteigebundene Persönlichkeiten, so das Handelsministerium der frühere Bundespräsident Hainisch, das Unterrichtsministerium der

b) Vom Ende der Koalition zur Krise des Parlamentarismus (1920–1933)

bedeutende Historiker Professor Dr. Heinrich (Ritter von) Srbik, das Sozialministerium ein anderer Wiener Universitätsprofessor, der Theologe und spätere Kardinal von Wien Dr. Theodor Innitzer.

In Verhandlungen mit der sozialdemokratischen Opposition brachte Schober auf parlamentarischem Wege die von vielen Seiten geforderte Verfassungsreform zustande, die mit der Stärkung der Stellung des nunmehr durch das Volk zu wählenden Bundespräsidenten der damals in ganz Europa vordringenden autoritären und antiparlamentarischen Tendenz sowie der Angleichung an die Weimarer Verfassung Rechnung trug (7. XII. 1929). Auch gegenüber der Heimwehr, die sich im »Korneuburger Gelöbnis« (18. V. 1930) offen zu den Grundsätzen des Faschismus bekannte, brachte Schober die Staatsautorität zur Geltung, indem er den Stabschef der Heimwehren, den reichsdeutschen Major a. D. Waldemar Pabst, kurzerhand verhaften und ausweisen ließ. Andererseits entsprach das »Antiterrorgesetz« zum Schutz der Arbeits- und Versammlungsfreiheit einer von den christlichen Gewerkschaften seit Jahren erhobenen und von den Heimwehren energisch aufgegriffenen Forderung nach Schutz der nicht sozialdemokratisch bzw. freigewerkschaftlich organisierten Arbeiter.

Den innerpolitischen entsprachen beachtliche außenpolitische Erfolge Schobers. Ein Handelsvertrag mit dem Deutschen Reich, ein Freundschafts- und Schiedsgerichtsvertrag mit Italien, vor allem aber die Aufhebung aller Reparationsleistungen und des mit der Völkerbundanleihe verbundenen »Generalpfandrechts«, schließlich die Gewährung der dringend benötigten Investitionsanleihe dokumentierten und stärkten das Vertrauen des In- und Auslands. Eine von Schober gleich zu Beginn seiner Amtszeit unternommene wirtschaftspolitische Aktion, als er die Creditanstalt und das Wiener Haus Rothschild zur Übernahme der Verpflichtungen der zusammengebrochenen Bodencreditanstalt zwang, trug, was man damals noch nicht ahnen konnte, wesentlich zu dem dann noch viel folgenschwereren Zusammenbruch der Creditanstalt im Jahre 1931 bei.

Schobers von den großen parteiunabhängigen liberalen Zeitungen (»Neue Freie Presse«, »Neues Wiener Tagblatt« usw.) stark herausgestellte Erfolge verstärkten allerdings das Unbehagen bei den Christlichsozialen, die es schwer ertrugen, daß kein Angehöriger ihrer Partei an der Spitze der Regierung stand. Auch beunruhigte es sie, daß Schober angeblich in der Personalpolitik Angehörige der »schlagenden« (deutschnationalen) Studentenverbindungen, aus deren Reihen er selbst hervorgegangen war, jenen aus den im Cartell-Verband (»CV«) vereinigten katholischen Verbindungen vorzog. Andererseits war der empfindliche Schober über ihm zugetragene Äußerungen Seipels verstimmt, die ihm, Schober, nur die Rolle eines »Werkzeugs« zubilligten[14].

Der offene Konflikt wurde dann aus geringfügigem Anlaß durch den christlichsozialen Vizekanzler und Heeresminister Vaugoin herbeigeführt, der die Ernennung des scharf »antimarxistischen« bisherigen Generaldirektors der Grazer Straßenbahnen Dr. Franz Strafella zum Generaldirektor der Österreichischen Bundesbahnen forderte, obwohl ihn ein allerdings umstrittenes Gerichtsurteil in einem Ehrenbeleidigungs-Prozeß wegen früherer Spekulationsgeschäfte als »unsauber und unkorrekt« bezeichnete. Da der korrekte Beamte Schober die Ernennung Strafellas ablehnte, erzwang Vaugoin den Rücktritt der Regierung und bildete, nach der neuen Verfassung vom Bundespräsidenten beauftragt, eine Regierung aus Christlichsozialen (mit Seipel als Außenminister), dem nunmehrigen Bundesführer der Heimwehren Starhemberg als Innenminister und dem Salzburger Heimwehrführer Dr. Franz Hueber (einem Schwager von Hermann Göring) als Justizminister. Der junge christlichsoziale Politiker Dr. Engelbert Dollfuß wurde zum Präsidenten der Bundesbahnen bestellt und ernannte Strafella zum Generaldirektor.

Da Vaugoin, der sich von seinen Anhängern als »starker Mann« feiern ließ, mit seiner Regierung im Parlament nicht die nötige Mehrheit gefunden hätte, löste Bundespräsident Miklas den Nationalrat auf und schrieb Neuwahlen aus. Es war für Vaugoin und Seipel eine erste Enttäuschung, daß die Mehrheit der Heimwehren unter Führung Starhembergs mit einer eigenen Liste als »Heimatblock« in den Wahlkampf zog und nur ein kleinerer Teil mit dem Wiener Heimwehrführer Major a. D. Emil Fey und dem Niederösterreicher Ing. Julius Raab die Christlichsozialen unterstützte. Die Großdeutschen, der Landbund und liberale Wirtschaftskreise bewogen den tiefgekränkten Schober, sich an die Spitze einer von ihnen gebildeten Wahlgemeinschaft »Nationaler Wirtschaftsblock und Landbund«, kurz »Schober-Block« genannt, zu stellen. Bei den letzten Nationalratswahlen in der »Ersten Republik« (9. XI. 1930) wurden, vor allem wegen der Zersplitterung des »bürgerlichen Lagers« die Sozialdemokraten mit 72 Mandaten (bisher 71) wieder stärkste Partei und stellten daher den Ersten Nationalratspräsidenten (Dr. Karl Renner). Die eigentlichen Verlierer waren die Christlichsozialen (66 statt 73 Mandaten), der „Schober-Block" errang 19 Mandate (Großdeutsche und Landbund zusammen bisher 21 Mandate), der »Heimatblock« 8 Mandate. Die Nationalsozialisten, die nach dem großen Erfolg ihrer Partei bei den deutschen Reichstagswahlen am 14. IX. 1930 nun auch in Österreich an Boden gewannen, erhielten zwar mehr als hunderttausend Stimmen (etwas mehr als ein Viertel der für den »Schober-Block« abgegebenen), die sich aber so über das ganze Bundesgebiet verteilten, daß sie nirgends das für den Einzug in den Nationalrat nötige »Grundmandat« erlangten.

Das Scheitern des »Zollunions«-Projekts

Da keine der »nicht-marxistischen« Gruppen zu einer Koalition mit der mandatsstärksten Sozialdemokratischen Arbeiterpartei bereit war, kam wieder nur eine Koalition von Christlichsozialen, Großdeutschen und Landbund in Frage, wobei die Versöhnung der Koalitionspartner nur einem Vertreter der gemäßigten Bundesländerrichtung der Christlichsozialen gelingen konnte. Bundespräsident Miklas betraute daher den Landeshauptmann von Vorarlberg Dr. Otto Ender mit der Regierungsbildung. Schober trat als Vizekanzler und Außenminister in das Kabinett ein; Innenminister wurde der Landbündler Franz Winkler; Vaugoin behielt das Heeresministerium. Nach einem Erfolg in der Frage der Abgabenteilung zwischen Bund, Ländern und Gemeinden erlitt die Regierung Ender-Schober eine entscheidende außen- und wirtschaftspolitische Niederlage durch das Scheitern des von Schober und seinem reichsdeutschen Kollegen Curtius im März 1931 vereinbarten Projekts einer deutsch-österreichischen Zollunion, das dem entschiedenen Widerstand Frankreichs und der Kleinen Entente begegnete. Noch ehe der Haager Gerichtshof mit einer Stimme (8 : 7) Mehrheit entschieden hatte, daß das Projekt zwar nicht gegen den Vertrag von Saint-Germain, wohl aber gegen die Genfer Protokolle von 1922 verstoße, sahen sich die beiden Regierungen gezwungen, auf den Zollunionsplan zu verzichten (3. IX. 1931). Inzwischen hatte die Kündigung kurzfristiger französischer Kredite bereits den Zusammenbruch der Österreichischen Creditanstalt ausgelöst, von der ein großer Teil der Industrie des Landes abhing, und im Zusammenhang mit den Sanierungsbemühungen war die Regierung Ender zurückgetreten (16. VI. 1931).

Während die Auswirkungen der Weltwirtschaftskrise so die geschwächte österreichische Wirtschaft besonders schwer trafen, unternahm Seipel im Auftrag des

b) Vom Ende der Koalition zur Krise des Parlamentarismus (1920–1933)

Bundespräsidenten den Versuch der Bildung einer Konzentrationsregierung aller Parteien, wobei er seinem Gegenspieler Otto Bauer den Posten des Vizekanzlers, den Sozialdemokraten vier Ressorts gegenüber drei für die Christlichsozialen und je einem für Großdeutsche und Landbund anbot. Aber das Mißtrauen der Sozialdemokraten, wie übrigens auch der Großdeutschen, gegenüber Seipel war zu groß; selbst Renner, sonst immer eifriger Befürworter einer großen Koalition, war jetzt dagegen, da er fürchtete, daß die Sozialdemokraten nur zur Mitverantwortung unpopulärer Maßnahmen mißbraucht und dann bald wieder ausgebootet werden würden. So kam es wieder zur Bildung einer »bürgerlichen« Koalitionsregierung, diesmal unter der Führung des bisherigen christlichsozialen Landeshauptmanns von Niederösterreich Dr. Karl Buresch. Schober wurde wieder Vizekanzler und Außenminister; das Finanzressort übernahm der letzte kaiserliche Finanzminister Josef Redlich[15]. Das Witzwort von der »Regierung der schwachen Hand«[16] war auch im Hinblick auf die unbereinigten Spannungen zwischen den Koalitionspartnern berechtigt.

Am 13. IX. 1931 unternahm der Führer des steirischen Heimatschutzes, der Rechtsanwalt Dr. Walter Pfrimer, der nun auch Bundesführer war, da Starhemberg sich zeitweilig zur Regelung seiner Vermögensverhältnisse zurückgezogen hatte, einen dilettantischen Putschversuch, der sich jedoch nur für wenige Stunden auf einen Teil der Obersteiermark erstreckte und ohne Blutvergießen rasch zusammenbrach.

Die schwierige politische und wirtschaftliche Situation diente dann auch zur Begründung dafür, daß die Neuwahl des Bundespräsidenten nicht entsprechend der Verfassung von 1929 durch das Volk, sondern wieder wie bisher durch die Bundesversammlung erfolgte, wobei Miklas mit nur 16 Stimmen (109 : 93) Vorsprung vor dem sozialdemokratischen Kandidaten Renner wiedergewählt wurde (8. X. 1931). Auch bei diesen Vorgängen spielte das Mißtrauen der Großdeutschen gegenüber Seipel als möglichem Präsidentschaftskandidaten eine wesentliche Rolle.

Während die Großdeutschen von rechts in allen »nationalen Belangen« von der anwachsenden nationalsozialistischen Bewegung unter Druck gesetzt wurden, verstärkten sich bei den Christlichsozialen jene Stimmen, die der gescheiterten Zollunionspolitik Schobers und der Großdeutschen die Schuld an der katastrophalen Verschlechterung der Wirtschaftslage zuschrieben. So kam es, als die Großdeutschen zu Beginn des Jahres 1932 angesichts der französischen Pläne einer »Donaukonföderation« von Buresch Zusicherungen über die Beibehaltung des »deutschen Kurses« forderten, zum endgültigen Bruch der 1922 begründeten Zusammenarbeit zwischen Christlichsozialen und Großdeutschen. Buresch trat zurück und bildete eine neue Regierung ohne die Großdeutschen und ohne Schober, der seit dem Zollunionsprojekt für Frankreich und die Kleine Entente »persona non grata« geworden war (27.–29. I. 1932).

Die am 24. IV. 1932 in Wien, Niederösterreich und Salzburg abgehaltenen Landtagswahlen sowie Gemeindewahlen in Kärnten und der Steiermark brachten zum erstenmal eine größere Anzahl von Nationalsozialisten in die regionalen und lokalen Vertretungskörper. Die nationalsozialistischen Gewinne gingen dabei vorwiegend auf Kosten der anderen Gruppierungen des »nationalen Lagers«, der Großdeutschen, des Landbundes und des Heimatblocks, doch erlitten auch die Sozialdemokraten vor allem in den Bundesländern und die Christlichsozialen besonders in Wien Stimmenverluste, während die beiden Blöcke der »Stammwähler«, die »rote« Arbeiterschaft in Wien und die »schwarze« Bauernschaft in den Bundesländern, im wesentlichen ihren beiden traditionellen Großparteien treu blieben. Bei den Christlichsozialen aber, die den Schock der Wahlniederlage von 1930 noch nicht überwunden hatten und denen die Entwicklung im Deutschen Reich als warnendes Beispiel erschien, setzte sich nach den Aprilwahlen 1932 die Überzeugung fest, daß Neuwahlen mit allen Mitteln verhindert oder zumindest so lange wie möglich hinausgeschoben werden müßten.

Die Regierung Dollfuß und die Lausanner Anleihe

Am 6. V. 1932 trat die Regierung Buresch, die seit dem Ausscheiden der Großdeutschen über keine Mehrheit im Parlament verfügte, zurück, nachdem alle Parteien außer den Christlichsozialen Neuwahlen gefordert hatten. Mit der Neubildung der Regierung betraut, suchte Buresch eine Koalitionsregierung aller »bürgerlichen« Parteien mit Einschluß des Heimatblocks zustande zu bringen, scheiterte aber an dem Widerstand der Großdeutschen, die ihm den Sturz Schobers nicht verziehen und ihn als Vertreter einer »französischen Orientierung« bekämpften. So betraute der Bundespräsident den jungen energischen Dr. Engelbert Dollfuß, der in den Kabinetten Ender und Buresch Landwirtschaftsminister gewesen war, mit der schwierigen Aufgabe. Da sich auch seine Verhandlungen mit den Großdeutschen zerschlugen, bildete Dollfuß aus Christlichsozialen, dem Landbund (Ing. Franz Winkler als Vizekanzler) und dem Heimatblock (Dr. Guido Jakoncig als Handelsminister) eine Regierung, die im Nationalrat nur über eine Mehrheit von einer Stimme (83 : 82) gegenüber der Opposition von Sozialdemokraten und Großdeutschen verfügte.

Mit Dollfuß, der sich im I. Weltkrieg als Kaiserschützen-Offizier ausgezeichnet hatte, trat die »Frontgeneration« in die erste Reihe der Politik, jene Generation, die von der Schulbank weg in den Krieg geschickt worden war und an der Front die entscheidende Persönlichkeitsbildung erlebt hatte. Auch der junge christlichsoziale Abgeordnete aus Tirol, Rechtsanwalt Dr. Kurt (von) Schuschnigg, der nach dem Ausscheiden des großdeutschen Justizministers Dr. Hans Schürff im Januar als Justizminister in die Regierung Buresch eingetreten war und jetzt unter Dollfuß dieses Ressort behielt, gehörte der »Frontgeneration« an. Der Generationswechsel kam bald auch darin sinnfällig zum Ausdruck, daß im August dieses Jahres in kurzem Abstand die alten Rivalen Seipel und Schober, nachdem sie sich noch mit Genesungswünschen »von Krankenbett zu Krankenbett« versöhnt hatten, verstarben (Seipel am 2. VIII., Schober am 20. VIII.).

Als diese beiden führenden Politiker der Zwischenkriegszeit, die noch in der Donaumonarchie ihre entscheidende Persönlichkeitsbildung erfahren hatten, durch Tod ausschieden, tobte im Nationalrat die parlamentarische »Sommerschlacht« um die »Lausanner Anleihe«[17], und die Tatsache, daß nach Seipels Tod noch rasch ein christlichsozialer Abgeordneter nachrücken konnte, während der todkranke Schober an der Stimmabgabe verhindert war, trug mit dazu bei, die Regierung vor einer drohenden Niederlage zu bewahren, zumal zwei Heimatblock-Abgeordnete, die der steirischen (stärker deutschnationalen) Richtung des Heimatschutzes angehörten[18], gegen die Anleihe stimmten. Im Grunde ging es um eine Wiederholung bzw. Verlängerung der Genfer Völkerbundaktion von 1922 mit den gleichen politischen Auflagen. Aber nach dem Haager Urteil über die Unvereinbarkeit des Zollunions-Plans mit den Genfer Protokollen bedeutete nun die Annahme der Anleihe auch den eindeutigen Verzicht auf jede Art wirtschaftlicher Gemeinschaft mit dem Deutschen Reich und wurde daher von den Großdeutschen und den beiden steirischen Heimatblock-Abgeordneten als »nationaler Verrat« abgelehnt. Die Sozialdemokraten aber bekämpften ebenso entschieden die Lausanner Anleihe wie zehn Jahre zuvor die Genfer Anleihe.

b) Vom Ende der Koalition zur Krise des Parlamentarismus (1920–1933)

Die Ausschaltung des Parlaments

Der Kampf um die Lausanner Anleihe, der von der Regierung nur knapp mit sehr viel Glück, nicht vorhersehbaren Zufällen wie dem Datum des Ablebens von Seipel und Schober und schließlich sogar unter Einsatz eher problematischer Pressionsmittel gewonnen wurde, verstärkte begreiflicherweise die wachsende Abneigung von Dollfuß und seinen Parteifreunden gegenüber dem Parlamentarismus und der Parteien-Demokratie, wobei man sich ideologisch auf die Demokratie-Kritik Seipels in seinen letzten Lebensjahren[19] und auf die päpstliche Enzyklika »Quadragesimo anno« von 1931 mit ihrem Lob berufsständischer Gliederung berief. Auch schien das Beispiel im Deutschen Reich mit Präsidialregierung, extensiver Anwendung des Notverordnungsrechts und Papens Staatsstreich gegen Preußen zur Nachahmung einzuladen. Der Leiter der Rechtsabteilung im Heeresministerium, Sektionschef Dr. Robert Hecht, der nun vom langjährigen Rechtsberater Vaugoins auch zum Rechtsberater des Bundeskanzlers wurde[20], machte Dollfuß auf das »Kriegswirtschaftliche Ermächtigungsgesetz« vom 24. VII. 1917 aufmerksam, das für die Zeit außergewöhnlicher, durch den Krieg hervorgerufener Verhältnisse der Regierung weitgehende Vollmachten gab und das man, da es in der Republik nicht aufgehoben worden war, bei weitherziger Auslegung – war die Wirtschaftskrise nicht letztlich eine Folge des Krieges? – zum Regieren ohne Parlament und ohne Inanspruchnahme des eng umschriebenen Notverordnungsrechts des Bundespräsidenten verwenden konnte. Bei einer Verordnung über die Haftung von Funktionären der Creditanstalt für die durch ihre Geschäftsführung eingetretenen Verluste, die am 1. X. 1932 mit rückwirkender Kraft erlassen wurde, stützte sich Dollfuß zum erstenmal auf das Kriegswirtschaftliche Ermächtigungsgesetz.

Zu Beginn des Jahres 1933 erregte die »Hirtenberger Waffenaffäre« die Öffentlichkeit, als die sozialdemokratische »Arbeiter-Zeitung« die Tatsache aufdeckte, daß aus Italien für Ungarn bestimmte Waffen über die einem Förderer der Heimwehren gehörende Munitionsfabrik im niederösterreichischen Hirtenberg geleitet werden sollten. Daß nach Protesten der Gesandten Frankreichs und der Kleinen Entente gegen einen derartigen, dem Vertrag von Saint-Germain widersprechenden Waffenschmuggel der vergebliche Versuch unternommen wurde, durch Bestechung der Funktionäre der Eisenbahnergewerkschaft statt des von Dollfuß den ausländischen Gesandten versprochenen Rücktransports der Waffen nach Italien diese durch »irrtümliche Fehlleitung« doch noch nach Ungarn gelangen zu lassen, machte zudem einen denkbar schlechten Eindruck.

Die Verärgerung im Regierungslager über die »roten Eisenbahner«, die erst den versuchten Waffenschmuggel und dann den plumpen Bestechungsversuch aufgedeckt hatten, entlud sich, als die Eisenbahner am 1. III. wegen der von der Regierung angeordneten Zahlung der Gehälter in drei Raten sowie drohender Gehaltskürzungen und Entlassungen in einen zweistündigen Warnstreik traten. Bundesheer und Gendarmerie besetzten die Bahnhöfe; die Streikführer wurden verhaftet.

In der Nationalratssitzung am 4. III. 1933 – am Vorabend der entscheidenden Reichstagswahlen im Deutschen Reich – ergab sich bei der Abstimmung über eine Amnestie im Zusammenhang mit dem Eisenbahnerstreik, bei der die Regierung mit 80 : 81 Stimmen in die Minderheit geriet, eine Verwechslung der Stimmzettel, da ein sozialdemokratischer Abgeordneter keinen, ein anderer zwei Stimmzettel abgab. Die Opposition verlangte eine Wiederholung der Abstimmung, was von den Regierungsparteien abgelehnt wurde. Die Sozialdemokratische Führung veranlaßte daraufhin den ersten Nationalratspräsidenten Renner zum Rücktritt, damit er bei folgenden Abstimmungen mit seinen Parteifreunden stimmen könne. Nachdem daraufhin der zweite Präsident, der ehemalige christlichsoziale Bundeskanzler Ramek, seinerseits zurückgetreten war, erklärte in einer an sich unlogischen Kurzschlußhandlung auch der dritte Präsident, der großdeutsche Abgeordnete Dr. Sepp Straffner, seinen Rücktritt. Da nun kein Präsident mehr vorhanden war, der die Sitzung hätte schließen oder weiterführen können, gingen die Abgeordneten in der Stimmung allgemeiner Verwirrung und Verbitterung auseinander[21].

Die Führung der Christlichsozialen beschloß nun, die unerwartete Gelegenheit zu ergreifen, um mindestens eine Zeit lang ohne Parlament zu regieren und sich so auch zunächst die gefürchteten Neuwahlen zu ersparen. Gegen den Versuch Straffners, den Nationalrat wieder einzuberufen und durch die Wahl neuer Präsidenten flottzumachen, wurde von der Regierung Dollfuß Polizei eingesetzt; der Verfassungsgerichtshof wurde auf Rat des Sektionschefs Hecht durch den von Dollfuß veranlaßten Rücktritt der den Christlichsozialen nahestehenden Mitglieder dieses Gerichtshofs lahmgelegt, und auch über die Bedenken des Bundespräsidenten Miklas setzte sich Dollfuß hinweg[22]. Am 31. III. erklärte die Regierung den »Republikanischen Schutzbund« für aufgelöst und drängte dadurch diese sozialdemokratische Wehrformation in die Illegalität, während die von Starhemberg und Fey geführten und vom faschistischen Italien mit Geld und Waffen unterstützten Gruppen der Heimwehr als Notpolizei die Rolle einer Miliz des sich rasch entwickelnden autoritären Regimes übernahmen. Der seit dem Kampf um die Lausanner Anleihe zu Starhemberg und Fey in offenem Gegensatz stehende »Steirische Heimatschutz« hingegen schloß ebenso wie die Großdeutsche Volkspartei unter dem Eindruck der nationalsozialistischen »Machtergreifung« im Deutschen Reich wie der politischen Entwicklung in und um Österreich mit der NSDAP ein »Kampfbündnis«. Die Gemeinderatswahlen in Innsbruck am 23. IV., bei denen die NSDAP mit 40 % der Stimmen zur stärksten Partei wurde, zeigten, daß die nationalsozialistische Welle bereits die traditionellen Grenzen des »nationalen Lagers« überschritten und tiefe Einbrüche auch in den Besitzstand der beiden Großparteien erzielt hatte – eine Situation, die bei der Beurteilung des Handelns der Politiker aller Gruppierungen in diesen Monaten nicht übersehen werden darf.

Die Sozialdemokraten, die den Anschlußparagraphen aus ihrem Parteiprogramm strichen, verhielten sich Dollfuß gegenüber zunächst defensiv. Da sie aus verschiedenen Motiven – Verantwortungsbewußtsein gegenüber den »Müttern des Landes« (Otto Bauer), Sorge vor der mit Recht als gefährlicher angesehenen nationalsozialistischen Bedrohung usw. – sowohl die Ausschaltung des Parlaments wie das Schutzbund-Verbot hinnahmen, auch in den folgenden Monaten gegenüber der geschickten »Salamitaktik«[23] der Regierung immer wieder zurückwichen und sich erst im Oktober 1933 auf dem (letzten) außerordentlichen Parteitag auf bewaffneten Widerstand nur für die vier Fälle einer Auflösung der Sozialdemokratischen Partei, des Verbots der Freien Gewerkschaften, eines Angriffs auf das »rote Wien« oder der Einführung einer faschistischen Verfassung festlegten, hatte Dollfuß lange Zeit eine gewisse Bewegungsfreiheit gegenüber den Nationalsozialisten, die nun, nach ihrem Erfolg im Deutschen Reich, mit einer raschen »Machtergreifung« auch in Österreich rechneten. Neben der offenen Konfrontation liefen dabei ständige, vor der Öffentlichkeit geheimgehaltene Verhandlungen zwischen der Regierung und der nationalsozialistischen Führung in Österreich und im Deutschen Reich, die immer wieder am nationalsozialistischen Totalitätsanspruch scheiterten, der Regierung Dollfuß aber zumindest ge-

b) Vom Ende der Koalition zur Krise des Parlamentarismus (1920–1933)

legentlich wertvolle Atempausen in der sich ständig verschärfenden Auseinandersetzung brachten.

Am 13. V. 1933 reiste der bayrische Justizminister Hans Frank, der bereits im März im Münchner Rundfunk die österreichische Regierung scharf angegriffen hatte, begleitet vom preußischen Justizminister Hans Kerrl und dem Staatssekretär Roland Freisler, nach Österreich zu nationalsozialistischen Veranstaltungen, eine Reise, die von der Regierung Dollfuß wegen der unerledigten Proteste über jene Rundfunkrede als »unerwünscht« bezeichnet wurde. Da Frank in Kundgebungen in Wien und Graz wieder heftige Angriffe gegen Dollfuß richtete, wurde er trotz offizieller deutscher Proteste aus Österreich ausgewiesen, worauf die Deutsche Reichsregierung eine »Tausend-Mark-Sperre« für Reisen nach Österreich verhängte[24], was die Bundesregierung mit der Wiedereinführung des Visumszwangs bei Reisen ins Reich beantwortete. Die unfreundlichen Akte und Schikanen, mit denen Hitler die österreichische Regierung durch wirtschaftlichen und diplomatischen Druck zur Kapitulation zwingen wollte, wurden in Österreich durch Anschläge und Terrorakte nationalsozialistischer Parteigänger begleitet, von denen der schwerste, ein Handgranatenüberfall bei Krems auf eine Abteilung »Christlich-deutscher« Turner, zum Verbot jeder Betätigung für die Nationalsozialistische Partei und ihre Gliederungen führte (19. VI.). Viele jugendliche Nationalsozialisten, unter ihnen zahlreiche Arbeitslose, gingen über die Grenze ins Deutsche Reich, wo sie in einer »Österreichischen Legion« zusammengefaßt und militärisch ausgebildet wurden.

---

[1] *M. Hainisch,* 75 Jahre aus bewegter Zeit. Lebenserinnerungen eines österr. Staatsmannes, bearb. v. *F. Weissensteiner* (1978).

[2] *J. Hannak,* Johannes Schober (1966); *R. Hubert,* Johannes Schober – Eine Figur des Überganges, in: Vom Justizpalast zum Heldenplatz.

[3] s. a, Anm. 21.

[4] *W. Goldinger,* Geschichte der Republik, S. 93; *E. Hochenbichler,* Republik, S. 117; *K. v. Klemperer,* Ignaz Seipel, Staatsmann einer Krisenzeit (1976), S. 145 ff.

[5] *W. Goldinger,* S. 97 f.; *K. v. Klemperer,* S. 150 f.; *G. Ladner,* Seipel als Überwinder der Staatskrise, S. 41 ff.; *K. Ausch,* Als die Banken fielen; ders., Genfer Sanierung und der 12. Februar 1934, in: Österreich 1927 bis 1938, u. in: Vom Justizpalast zum Heldenplatz.

[6] Es handelte sich um die Anglo- und die Länderbank, die sich in englischer bzw. französischer Hand befanden; *W. Goldinger,* S. 98.

[7] *K. v. Klemperer,* S. 69 ff.

[8] *K. v. Klemperer,* S. 174; *K. Ausch,* Genfer Sanierung, S. 101 (S. 34).

[9] *A. Wandruszka,* Österreichs politische Struktur, in: Geschichte der Republik Österreich, hg. v. *H. Benedikt,* S. 449.

[10] *G. Botz,* Gewalt in der Politik.

[11] *G. Botz,* S. 154.

[12] *K. v. Klemperer,* S. 277.

[13] *K. v. Klemperer,* S. 295; *W. Goldinger,* S. 145.

[14] *E. Ludwig,* Österreichs Sendung im Donauraum (1954), S. 73.

[15] Der frühere kaiserliche Finanzminister Alexander von Spitzmüller, der nach dem Zusammenbruch der Creditanstalt die Funktion eines Regierungsvertreters im Rekonstruktionsausschuß der Bank übernommen hatte, berichtet in seinen nachgelassenen Erinnerungen über Redlichs »mangelndes Interesse« an seinem Ressort: der Finanzminister und bedeutende Gelehrte, der im Ministerrat den Budgetentwurf hätte erläutern sollen, ließ sich entschuldigen, »er sei in Aussee durch einen amerikanischen Gelehrten, der bei ihm zu Gaste sei, zurückgehalten«, so daß Bundeskanzler Buresch selbst das Budgetreferat halten mußte. *A. Spitzmüller,* ». . . und hat auch Ursach, es zu lieben« (1955), S. 361.

[16] *K. v. Klemperer,* S. 322.

[17] *G. Klingenstein,* Die Anleihe von Lausanne.

[18] Es waren die steirischen Heimatblockabgeordneten Franz Ebner und Josef Hainzl: *G. Klingenstein*, S. 91.
[19] *K. v. Klemperer*, S. 227 ff.
[20] *P. Huemer*, Sektionschef Robert Hecht.
[21] Eine Diskussion über die Beurteilung dieser schicksalhaften Sitzung in: Das Jahr 1934: 12. Februar, Protokoll des Symposiums vom 5. 2. 1974 (1975), S. 101–104.
[22] *V. Lang*, Die Haltung des Bundespräsidenten Miklas gegenüber der Sozialdemokratischen Partei 1933/34, in: Das Jahr 1934: 12. Februar, S. 9–14; *E. Weinzierl*, Aus den Notizen von Richard Schmitz zur österr. Innenpolitik im Frühjahr 1933, in: Geschichte u. Gesellschaft (Festschrift Stadler, s. a, Anm. 16), S. 113–141.
[23] *R. Neck*, Thesen zum Februar. Ursprünge, Verlauf, Folgen, in: Das Jahr 1934: 12. Februar, S. 17 f.; *A. Wandruszka*, Die Krisen des Parlamentarismus 1897 und 1933. Gedanken zum Demokratieverständnis in Österreich, in: Beiträge zur Zeitgeschichte, S. 61–80.
[24] *G. Otruba*, Hitlers »Tausend-Mark-Sperre« und Österreichs Fremdenverkehr, in: Beiträge zur Zeitgeschichte, S. 113–162.

c) Der »Christliche Ständestaat« unter Dollfuß und Schuschnigg (1933–1938)
Die »Vaterländische Front«

Im Abwehrkampf gegen das benachbarte übermächtige »Dritte Reich« Hitlers, das in Österreich selbst zudem über eine ständig wachsende fanatische Anhängerschaft, namentlich unter der jüngeren Generation, verfügte, suchte und fand Dollfuß Anlehnung am faschistischen Italien, wobei ein sich rasch einstellendes gutes persönliches Verhältnis zu Mussolini diese Entwicklung begünstigte. Geschickt verstand es der Kanzler auch, die rivalisierenden Gruppen innerhalb seiner Regierung – die »alte Garde« der Christlichsozialen, den ehrgeizigen Landbundführer und Vizekanzler Ing. Franz Winkler und dessen erbittertste Gegner, die Heimwehrführer Fey und Starhemberg – gegeneinander auszuspielen. Durch die Gründung einer umfassenden, die alten Parteien überwölbenden und schließlich verdrängenden Organisation, die »Vaterländische Front«, die manche Züge der faschistischen und nationalsozialistischen Einheitsparteien übernahm und nachahmte, sowie durch die Pflege und Aufwertung altösterreichischer Traditionen suchte er sowohl die Gefahr nationalsozialistischer Gleichschaltung und die bisherige in allen politischen Lagern dominierende »großdeutsche« Ideologie und zugleich den parlamentarisch-pluralistischen Parteienstaat zu überwinden und einen betont katholisch gefärbten österreichischen Staatspatriotismus zur Grundlage für einen autoritären Neubau des Staatswesens zu machen.

In einer programmatischen Rede auf dem Wiener Trabrennplatz zum Abschluß des Katholikentags und der 250. Jubiläumsfeier der Befreiung Wiens von der Zweiten Türkenbelagerung hat Dollfuß unter dem fälschlich dem Prinzen Eugen zugeschriebenen Motto »Österreich über alles, wenn es nur will!« sich zum »sozialen, christlichen, deutschen Staat Österreich auf ständischer Grundlage und starker autoritärer Führung« gegen Marxismus, kapitalistische Wirtschaftsordnung, Nationalsozialismus und Parteienherrschaft bekannt (11. IX. 1933). Die wenige Tage später auf dem Grazer Trabrennplatz veranstaltete Kundgebung der im Juli vom Landbundführer und Vizekanzler Winkler gegründeten »Nationalständischen Front«, die unter der nach dem Ende der Weimarer Republik »freigewordenen« und in Österreich seit 1848 sehr populären schwarz-rot-goldenen Fahne die Anhänger des »national-freiheitlichen« Lagers um den »Führer« Winkler sammeln sollte[1], erwies sich als mißglücktes Konkurrenzunternehmen zur »Vaterländischen Front« und bot Dollfuß den Anlaß zu einer Regierungsumbildung, bei der Winkler, aber auch der alte christlichsoziale

c) Der »Christliche Ständestaat« unter Dollfuß und Schuschnigg (1933–1938)

Parteiobmann und »ewige« Heeresminister Carl Vaugoin, ausgebootet wurden, Fey zum Vizekanzler aufrückte und Dollfuß selbst das Heeresministerium übernahm, in das er, zu seiner fachlichen Beratung und Unterstützung, den einstigen k.u.k. Generaloberst Fürst Aloys Schönburg-Hartenstein als Staatssekretär berief. Denn obwohl er im Juli die Gründung der »Nationalständischen Front« Winklers gebilligt hatte, war er im August bei einer neuerlichen Begegnung mit Mussolini, diesmal im Adria-Badeort Riccione, vom »Duce« endgültig auf einen entschieden autoritären, antiparlamentarischen und »antimarxistischen« Kurs festgelegt worden.

Es konnte unter diesen Umständen im Winter 1933/34, in dem die Auswirkungen der Weltwirtschaftskrise in Österreich ihren Höhepunkt erreichten, der sozialdemokratischen Führung nichts nützen, daß sie, um den offenen Bürgerkrieg zu vermeiden und die auf vollen Touren laufende Terror- und Propagandakampagne der »illegalen« Nationalsozialisten gegen Dollfuß nicht indirekt zu unterstützen, zu weitestgehenden Zugeständnissen bereit war – bis hin zur Billigung »berufsständischer«, korporativistischer Prinzipien in einer künftigen neuen Verfassung. Ebensowenig half der sozialdemokratischen Führung, die wegen ihres ständigen Zurückweichens und Zauderns in wachsendem Ausmaß von den radikaleren Elementen und besonders von der jungen Generation in der eigenen Partei kritisiert wurde, die Tatsache, daß die zahlreichen geheimen Kontakte, die Dollfuß über mehrere Kanäle (teils über seinen Justizminister Dr. Kurt von Schuschnigg, den er im Herbst 1933 in geheimer Mission zu Rudolf Heß nach München sandte, teils über alte großdeutsche Politiker), unabhängig von ihm und im geheimen Wettlauf mit ihm aber auch der Heimwehrführer Starhemberg (über den niederösterreichischen Heimwehrführer Graf Albrecht Alberti)[2] mit nationalsozialistischen Führern anknüpfte, im Januar 1934 scheiterten; Graf Alberti wurde auf Weisung von Starhembergs Rivalen Fey verhaftet und von Starhemberg desavouiert; der nationalsozialistische »Landesinspekteur« für Österreich Theo Habicht, der sich bereits auf dem Flug nach Wien zu Dollfuß befand, wurde von diesem wegen der Zunahme der nationalsozialistischen Terroraktionen und weil die Heimwehrführer von der geplanten Begegnung erfahren hatten und heftig protestierten, wieder »ausgeladen« und auf dem Funkwege wieder nach München zurückgerufen.

Insgesamt waren die letzten Monate vor der Katastrophe des Februar 1934 bestimmt durch eine beklemmende Atmosphäre der Instabilität und der Vorausahnung kommenden Unheils, eines weitverbreiteten Gefühls der Bedrohung und Unsicherheit, das weder der demonstrativ zur Schau getragene Optimismus des stets lächelnden Dollfuß noch die zukunftsfrohen Erklärungen der Regierungspropaganda über den bevorstehenden Aufbau eines den Parteienstreit überwindenden glücklichen Österreich im Zeichen der »Vaterländischen Front« zu bannen vermochte. Ja selbst die von einem Teil der älteren Generation mit Rührung begrüßte Wiedereinführung der altösterreichischen Uniformen hatte in dieser Situation fast etwas Gespenstisches.

Am 23. IX. 1933 erließ die drei Tage vorher neugebildete Regierung Dollfuß–Fey eine Verordnung über die Errichtung von Anhaltelagern zur Internierung politischer Häftlinge; am 3. X. wurde Dollfuß im Parlamentsgebäude durch ein Revolverattentat eines den Nationalsozialisten zumindest nahestehenden jugendlichen Wirrkopfs verletzt[3]; am 10. XI. verkündete die Regierung die Wiedereinführung der Todesstrafe im Verfahren vor Standgerichten. Am 6. XII. erschien eine Verordnung der österreichischen Bischöfe, daß alle Priester ihre Mandate in öffentlichen Körperschaften zurücklegen müßten. In ihrem Weihnachtshirtenbrief vom 22. XII. begrüßten die Bischöfe den neuen Regierungskurs und forderten die Gläubigen zur Unterstützung der Regierung auf.

Die Kämpfe im Februar 1934

Am 18. I. 1934 kam der Unterstaatssekretär im italienischen Außenministerium Fulvio Suvich nach Wien. In den Gesprächen mit Dollfuß und den anderen Regierungsmitgliedern bestand er, wie aus seinem Brief an Dollfuß vom 26. I. nach der Rückkehr nach Rom eindeutig hervorgeht, im Auftrag Mussolinis in ultimativer Form auf der baldigen Durchführung der im August in Riccione vereinbarten völligen Umgestaltung Österreichs im faschistischen, antiparlamentarischen und vor allem antimarxistischen Sinne[4]. Im Einklang damit drängten die Heimwehren in den letzten Januar- und ersten Februartagen den Bundeskanzler zu entschiedenem Vorgehen gegen das »rote Wien«, wobei Fey, der als Vizekanzler und Innenminister den gesamten Sicherheitsapparat in der Hand hatte, durch systematische Waffensuche in sozialdemokratischen Parteiheimen und durch die Verhaftung einzelner politischer und militärischer sozialdemokratischer Führer günstige Vorbedingungen für die erwartete Auseinandersetzung zu schaffen suchte. Ein weiteres Angriffsziel der Heimwehren waren die noch mit Angehörigen der alten Parteien besetzten Landesregierungen der Bundesländer, deren Umgestaltung im faschistischen Sinne die Heimwehren forderten und in Innsbruck am 4. II. auch erzwangen. Verzweifelte Kontakte sozialdemokratischer Führer in Wien und Niederösterreich mit christlichsozialen Politikern bis hinauf zum Bundespräsidenten Miklas blieben erfolglos, ebenso wie eine versöhnliche und warnende Rede des alten christlichsozialen Arbeiterführers Leopold Kunschak im Wiener Gemeinderat am 9. II. – Am 11. II., einem Sonntag, versicherte Fey in Großenzersdorf bei Wien seinen Gefolgsleuten, die Besprechungen der letzten Tage hätten ergeben, »daß Kanzler Dr. Dollfuß der Unsrige ist« und »Wir werden morgen an die Arbeit gehen und wir werden ganze Arbeit leisten für unser Vaterland . . .«.

Am selben Sonntag hatte der oberösterreichische Schutzbundführer Richard Bernaschek erfahren, daß die Polizei für den nächsten Tag eine große Waffensuche im Linzer Arbeiterheim plane. Er sandte einen Kurier an Otto Bauer nach Wien, der den »unabänderlichen Entschluß« der Linzer Schutzbündler überbrachte, sich einer Beschlagnahme von Waffen und Verhaftung von Funktionären mit Waffengewalt zu widersetzen. Otto Bauer suchte vergeblich durch ein verschlüsseltes Telegramm Bernaschek vom Losschlagen zurückzuhalten. Als am Morgen des 12. II. Polizei das Linzer Arbeiterheim umzingelte und mit Gewehrkolben das versperrte Tor einschlug, eröffneten die im Gebäude verschanzten Schutzbündler das Feuer.

Auf die Nachricht von den Kämpfen in Linz alarmierte der Schutzbundführer Julius Deutsch auch in Wien den Schutzbund, und der Parteivorstand proklamierte nach einigem Zögern den Generalstreik. Damit begann auch in Wien der Kampf, der drei Tage dauerte, obwohl schon am ersten Tag die Entscheidung für die Exekutive (Polizei, Wehrverbände, Bundesheer) fiel. Zu dem geplanten Vorgehen des Schutzbundes gegen das Regierungszentrum kam es überhaupt nicht, da die Exekutive rechtzeitig die Innenstadt abriegelte. Die einzelnen Schutzbundabteilungen verschanzten sich in den großen Wohnblocks der Gemeindebauten und in Parteiheimen, wobei die Verbindung untereinander bald abriß, zumal einzelne strategisch wichtige Wohnblocks und Bezirke von vornherein ausfielen, weil die für die versteckten Waffen verantwortlichen Funktionäre schon vorher verhaftet oder sonst unauffindbar waren. So konnte die Exekutive, wenn-

c) Der »Christliche Ständestaat« unter Dollfuß und Schuschnigg (1933–1938)

gleich meist erst nach erbitterten Kämpfen und unter Artillerie-Einsatz, ein Widerstandszentrum nach dem anderen niederkämpfen; auch in den Bundesländern, wo es vor allem in Oberösterreich und im obersteirischen Industriegebiet zu heftigen Kämpfen kam, war die Exekutive den Schutzbündlern gegenüber von Anfang an hinsichtlich Zahl und Bewaffnung weit überlegen[4]. Die Opfer der Exekutive betrugen 118 Tote und 486 Verwundete; für die Opfer auf seiten des Schutzbunds und der Zivilbevölkerung wurden 196 Tote und 319 Verwundete angegeben, doch dürfte die Zahl der Verwundeten wesentlich höher gewesen sein, da zumindest viele Leichtverwundete heimlich gepflegt wurden[5]. Neun standgerichtliche Todesurteile wurden vollstreckt, wovon vor allem die Hinrichtung des schwerverletzten Karl Münichreiter, des jungen tapferen Wiener Feuerwehroffiziers Ing. Georg Weissel und des obersteirischen Führers Koloman Wallisch weit über den Kreis der sozialdemokratischen Anhängerschaft Empörung und Anteilnahme wachriefen. Fast alle prominenteren Führer und politischen Mandatare der Sozialdemokratischen Partei waren schon zu Beginn der Kämpfe verhaftet worden. Otto Bauer und dem Schutzbundführer Julius Deutsch sowie mehreren hundert Schutzbundangehörigen gelang die Flucht in die nahe Tschechoslowakei, von wo ein großer Teil in die Sowjetunion weiterreiste und dort vielfach in das Räderwerk der großen stalinistischen Säuberungswelle geriet[6].

Die Sozialdemokratische Partei und alle ihre vielfältigen Organisationen, die ihre Anhängerschaft »von der Wiege bis zur Feuerbestattung«[7] erfaßt und betreut hatten, wurden aufgelöst und ihr Vermögen beschlagnahmt, zum Bürgermeister von Wien der schon früher von Dollfuß für diese Funktion ausersehene christlichsoziale frühere Unterrichtsminister und Vizekanzler Richard Schmitz ernannt. Für das Ringen um den Donauraum bedeutete der Ausgang der Kämpfe einen Sieg des faschistischen Italien und des mit ihm verbündeten Ungarn des Horthy-Regimes über die von Frankreich unterstützte Kleine Entente[8]. Daß gerade der von der sozialdemokratischen Gemeindeverwaltung »Matteotti-Hof« benannte Wiener Gemeindebau nun nach einem in Österreich nahezu unbekannten »faschistischen Märtyrer« in »Giulio Giordani-Hof« umgetauft wurde, war ein bezeichnendes Detail.

Die »Römischen Protokolle« und die Maiverfassung

Als Folge des Ausgangs der Februar-Kämpfe kam der von Mussolini und Suvich seit längerer Zeit vorbereitete Dreierpakt zwischen Italien, Österreich und Ungarn mit der Unterzeichnung der »Römischen Protokolle« durch die drei Regierungschefs am 17. III. 1934 zustande, wobei die relativ geringe wirtschaftliche Kraft aller drei durch die Weltwirtschaftskrise geschwächten Partner und das Streben der Ungarn wie der Italiener nach Verständigung und Zusammenarbeit mit dem erstarkenden Deutschen Reich den Wert der in diesen Verträgen festgelegten engen politischen und wirtschaftlichen Zusammenarbeit für Österreich von Anfang an einschränkte. Auch war Dollfuß weiterhin bestrebt, nicht völlig und auf Dauer zum »Gefangenen« Mussolinis und der Heimwehrführer zu werden, wobei er sich in der österreichischen Innenpolitik der persönlichen Rivalität zwischen Starhemberg und dem sich als »Sieger« in den Februar-Kämpfen fühlenden Fey bediente und durch die »Aktion Winter« (benannt nach dem neuernannten Wiener Vizebürgermeister Dr. Ernst Karl Winter, einem monarchistisch und zugleich »linkskatholisch« eingestellten Intellektuellen) die ihrer bisherigen Führung beraubte und von ihr auch teilweise enttäuschte sozialdemokratische Arbeiterschaft zu gewinnen suchte.

Dem italienischen Drängen auf Vollendung und Ausbau des autoritären Regimes nach faschistischem Vorbild suchte Dollfuß zu entsprechen und sich zugleich teilweise zu entziehen durch die Stabilisierung und Legalisierung der improvisierten Diktatur zum »Christlichen Bundesstaat auf berufsständischer Grundlage«, wobei aber wieder das ominöse »Kriegswirtschaftliche Ermächtigungsgesetz« die gesetzliche Basis abgeben mußte. Die neue Verfassung vom 1. V. 1934 (»Maiverfassung«), die mit der Anrufung des Namens Gottes begann und es unausgesprochen ließ, von wem das österreichische Volk diese Verfassung »erhielt«, wurde durch Regierungsverordnung publiziert und von dem Rumpfparlament des durch Notverordnung nun doch flottgemachten Nationalrats – auch die Mandate der stärksten, der sozialdemokratischen Fraktion waren ja im Februar aberkannt worden – bestätigt. Auch die 471 seit dem 4. III. 1933 von der Regierung erlassenen Verordnungen wurden von den 74 regierungstreuen Abgeordneten gegen den Protest von zwei großdeutschen Abgeordneten gebilligt, ebenso das von Dollfuß bereits am 5. VI. 1933 in Rom unterzeichnete Konkordat mit dem Heiligen Stuhl, das daraufhin sogleich vom Bundespräsidenten ratifiziert wurde[9]. Vor allem die Bestimmungen auf dem Gebiet des Eherechts, die einmal katholisch verheirateten aber dann getrennten Ehepartnern eine Wiederverheiratung nur über eine kirchliche Ungültigkeitserklärung der ersten Ehe ermöglichten, haben in den folgenden Jahren viel böses Blut gemacht und die Opposition gegen das Regime verstärkt.

Zugleich mit der Verkündung der neuen Verfassung und der Ratifizierung des Konkordats erfolgte eine neuerliche Regierungsumbildung, wobei Fey zwar Sicherheitsminister blieb, die Funktion des Vizekanzlers aber an Starhemberg abgeben mußte, der auch Stellvertreter von Dollfuß in der Führung der »Vaterländischen Front« wurde.

Der nationalsozialistische Putsch vom 25. VII. 1934[10]

Während der Februarkämpfe hatten die österreichischen Nationalsozialisten auf Weisung der in München etablierten »Landesleitung Österreich« und des »Landesinspekteurs« Habicht eine Haltung »Gewehr bei Fuß« bewahrt und sich aller Aktionen enthalten. Die Erbitterung der sozialdemokratischen Anhängerschaft, besonders unter den jugendlichen Aktivisten, brachten den Nationalsozialisten weiteren Zulauf namentlich in den Bundesländern, wogegen die sich rasch formierende »illegale« sozialistische Organisation, die sich in Distanz zu dem von ihr kritisierten alten sozialdemokratischen Parteivorstand »Revolutionäre Sozialisten Österreichs« (RS) nannte[11], mit zunehmendem Erfolg bemüht war, ein Abwandern zu den Nationalsozialisten wie zu den Kommunisten zu verhindern, die Verbindung zur Emigration in der Tschechoslowakei (Otto Bauers Auslandsbüro in Brünn) aufrechtzuerhalten und eine Untergrundorganisation in kleinen konspirativen Zellen (»Fünfergruppen« nach dem Schneeball-System) aufzubauen. Dabei sowie in der Haft und in den Anhaltelagern ergaben sich zwangsläufig Kontakte zu den »illegalen« Nationalsozialisten, die etwa in der Übergabe restlicher versteckter Waffen und in einigen wenigen gemeinsamen Aktionen, wie etwa dem gemeinsamen Ausbruch von Nationalsozialisten und Sozialdemokraten mit dem Schutzbundführer Bernaschek aus dem Linzer Gefangenenhaus, zum Ausdruck kamen.

Ab Mai 1934 setzte eine neue Welle verschärfter nationalsozialistischer Propaganda- und Störaktionen ein, wobei man von den im vergangenen Herbst und Winter praktizierten Methoden (Papierböller, Streuen von Hakenkreuzen, Störung »vaterländischer« Veranstaltungen durch Stinkbomben, Anbringen von Hakenkreuzen und Hissen von Hakenkreuzfahnen an schwer zugänglichen Stel-

c) Der »Christliche Ständestaat« unter Dollfuß und Schuschnigg (1933–1938)

len wie Felswänden, Kirch- und Rathaustürmen oft mit komplizierten Apparaturen und Uhrwerken, Abbrennen von Hakenkreuz-Feuern auf den Bergen) nun zu massiveren Sprengstoffanschlägen überging, mit dem in den »illegalen« Flugblättern und »Verbotszeitungen« offen bekannten Ziel der wirtschaftlichen Schädigung, dem auch ein »Raucherstreik« gegen das Tabakmonopol des Staates dienen sollte.

Die Regierung antwortete mit der Androhung der Todesstrafe für alle Sprengstoffverbrechen, schließlich sogar für den unangemeldeten Besitz von Sprengstoff, forderte die regierungstreuen Wehrverbände zu aktivem Gegenterror auf und griff sogar zum Mittel der »Geiselaushebung« bekannter Persönlichkeiten aus dem »nationalen Lager«. Zugleich versuchte Dollfuß wieder über verschiedene Kanäle Verhandlungen über »gemäßigte Elemente« dieses Lagers anzuknüpfen und angesehene Persönlichkeiten aus den Reihen der einstigen »Großdeutschen« und des »Landbunds« zu gewinnen; wieder nur mit geringem Erfolg, zumal die Heimwehrführer gegen alle derartigen Versuche, sobald sie davon erfuhren, heftig protestierten.

Dem gegenseitigen Mißtrauen und den Rivalitäten im Regierungslager entsprachen die durch die »Illegalität« und den durch Verhaftungen oder Flucht herbeigeführten ständigen Führungswechsel noch verschärften Rivalitäten der verschiedenen Gruppen und Führungsgarnituren bei den »illegalen« Nationalsozialisten, wozu noch die Gegensätze innerhalb der Münchner Stellen und die Einwirkungen verschiedener reichsdeutscher Parteistellen kamen. Insbesondere wirkte sich vor und nach den blutigen Ereignissen des 30. VI. 1934 (»Röhm-Putsch«) die Rivalität von SA und SS auch nach Österreich aus, so daß es fast zu einer Art Wettlauf kam, wer den entscheidenden Schlag gegen die Regierung Dollfuß führen dürfe. Dabei hatte man aus den Februarkämpfen die Lehre gezogen, daß man zuerst die Regierung und den Rundfunk in die Hand bekommen müsse.

Am 25. VII. fuhren 154 als Soldaten verkleidete Angehörige der SS-Standarte 89 – die zum Großteil aus ehemaligen Angehörigen des Bundesheeres bestand – mit Lastautos in das Bundeskanzleramt ein, um die Regierung Dollfuß gefangenzunehmen. Da diese aber vorher gewarnt worden war, hatte Dollfuß den Ministerrat unterbrochen, so daß die Putschisten nur Dollfuß, den Minister Fey und den Staatssekretär Carl Karwinsky in dem Gebäude antrafen. Dollfuß, der zu flüchten suchte, wurde von den Putschisten eingeholt und, als er sich wehren wollte, unter nicht ganz geklärten Umständen durch zwei Pistolenschüsse tödlich verwundet. Ein gleichzeitiger Überfall auf den Senderaum der RAVAG (Rundfunk) ermöglichte die Durchsage der falschen Nachricht vom Rücktritt der Regierung und der Regierungsübernahme durch den bisherigen österreichischen Gesandten in Rom Dr. Anton Rintelen – langjährigen christlichsozialen Landeshauptmann der Steiermark und dann Unterrichtsminister, den Dollfuß auf den Gesandtenposten abgeschoben hatte und der sich nun, im Einvernehmen mit den Verschwörern, in einem Wiener Hotel bereithielt. Bald nach dieser Durchsage wurde das Sendegebäude nach einem kurzen heftigen Feuergefecht, das Tote und Verwundete auf beiden Seiten und unter Unbeteiligten forderte, von der Polizei gestürmt. Der Plan der Putschisten, den in Kärnten auf Urlaub weilenden Bundespräsidenten in ihre Gewalt zu bekommen, war schon vorher wegen der Verhaftung der damit Beauftragten gescheitert. Die außerhalb des von den Putschisten besetzten Bundeskanzleramts befindlichen Minister unter Führung des Justizministers Schuschnigg – Vizekanzler Starhemberg befand sich gerade in Venedig – nahmen Kontakt zu den Putschisten auf und gingen auf deren Forderung nach freiem Abzug ins Deutsche Reich ein, beschlossen aber dann aus Gründen der Staatsräson, diese Zusage mit der (unrichtigen) Begründung nicht zu halten, man habe damals noch keine Kenntnis vom Tod des Bundeskanzlers gehabt[12]. Die »illegale« SA von Wien wurde zwar, als das Scheitern des Putsches in Wirklichkeit schon entschieden war, alarmiert, dann aber in Befolgung der auf dem Funkwege aus München übermittelten Weisungen wieder nach Hause geschickt. Nachdem der Putsch in Wien schon mißglückt war, kam es noch, teils infolge jener falschen Radiomeldung über den Rücktritt der Regierung, teils in der Illusion, dem gescheiterten Unternehmen doch noch eine andere Wendung geben zu können, zu lokalen Erhebungen und teilweise schweren Kämpfen in der Steiermark, in Kärnten, Oberösterreich und Salzburg. Mehr als 2000 Aufständische aus der Steiermark und aus Kärnten zogen sich über die jugoslawische Grenze zurück, von wo sie, nach längerem Aufenthalt in einem Auffanglager in Varazdin, auf zwei Schiffen des »Norddeutschen Lloyd« ins Deutsche Reich gebracht wurden. Insgesamt forderte der Putsch 269 Tote und 430 bis 660 Verletzte, wobei die Regierungsseite 107 Tote, die Aufständischen 153 Tote (einschließlich der 13 Hingerichteten, wozu noch 4 Selbstmorde kamen), die unbeteiligte Zivilbevölkerung 9 Tote zählten[13].

Wesentlich trug zum endgültigen Scheitern des Putsches die rasche negative Reaktion von Mussolini wie von Hitler bei, die erst kurz vorher (14. VI.) zum erstenmal persönlich in Stra bei Venedig zusammengetroffen waren, wobei sich zwar noch keine enge Bindung und kein Abkommen über Österreich, aber doch eine Art von stillschweigender Übereinkunft ergeben hatte, die Österreich-Frage nicht zum Konfliktsfall für ihre beiden Staaten werden zu lassen. Mussolini, der sich von Hitler hintergangen fühlte, beorderte sogleich Truppen in der Stärke von drei Divisionen an die Brennergrenze und gab der italienischen Presse und der faschistischen politischen Publizistik grünes Licht für eine überaus heftige Kampagne gegen das nationalsozialistische Deutschland[14]. Hitler, der sich aus außenpolitischen Erwägungen schon seit einiger Zeit auf eine längerfristige »evolutionäre« Lösung des Österreich-Problems eingestellt hatte, der einen vollen Erfolg des Putsches aber gewiß akzeptiert hätte, verfügte seinerseits, als sich das Scheitern des Unternehmens abzuzeichnen begann, sofort eine Grenzsperre gegenüber Österreich, um einen Einmarsch der »Österreichischen Legion« zur Unterstützung der Aufständischen zu verhindern. Der deutsche Gesandte in Wien Kurt Rieth, der sich auf Verlangen der Putschisten im Bundeskanzleramt in die Verhandlungen über einen freien Abzug eingeschaltet hatte, wurde abberufen, der bisherige Vizekanzler und frühere Reichskanzler Franz von Papen schon am 26. VII., noch vor dem Ersuchen an die österreichische Regierung um Erteilung des Agréments, als unmittelbarer Beauftragter Hitlers und neuer Gesandter in Wien mit der Sondermission der Normalisierung der Beziehungen zwischen beiden Staaten betraut. Die »Landesleitung Österreich« in München wurde aufgelöst und allen ihren bisherigen Mitgliedern unter Androhung schwerer Strafen verboten, Verbindungen nach Österreich zu unterhalten; die »Österreichische Legion« wurde entwaffnet und schließlich aus Bayern nach Nordwestdeutschland verlegt[15].

Die Regierung Schuschnigg

Bundespräsident Miklas, der schon am 25. VII. von seinem Kärntner Urlaubsort Velden aus telephonisch Schuschnigg mit der Führung der Regierungsgeschäfte und der Liquidierung des Putsches betraut hatte, ernannte diesen, der einst schon als »Kronprinz Seipels« gegolten hatte, als prominentesten jüngeren Vertreter

c) Der »Christliche Ständestaat« unter Dollfuß und Schuschnigg (1933–1938)

des politischen Katholizismus und der christlichsozialen Tradition innerhalb des Regierungslagers am 30. VII. zum Bundeskanzler. Starhemberg blieb Vizekanzler, wurde aber nun Bundesführer der »Vaterländischen Front«, in welcher Funktion wiederum Schuschnigg sein Stellvertreter wurde; eine Konstruktion, deren Problematik und Labilität von Anfang an offenkundig war. Während Fey wegen seines schwankenden und zweideutigen Verhaltens am 25. VII. nun völlig kaltgestellt wurde, obwohl man ihn zunächst noch, um den Schein zu wahren, in der Regierung beließ, konnte sich Starhemberg als Vertrauensmann Mussolinis, des energischen Beschützers der österreichischen Unabhängigkeit, fühlen. Schuschnigg hingegen, der bei der ersten Zusammenkunft mit Mussolini in Florenz (21. VIII. 1934) zu diesem nicht den gleichen guten persönlichen Kontakt fand wie einst Dollfuß, wollte die durch das scharfe Vorgehen Hitlers gegen die bisherige Führung der österreichischen Nationalsozialisten sich bietende Gelegenheit zu einer Verständigung mit den »gemäßigten«, die Putsch- und Terrorpraktiken ablehnenden Elementen des »nationalen Lagers« benützen, doch wandte sich Starhemberg entschieden dagegen und verhinderte so zunächst die Fortführung der Gespräche.

Die Ereignisse im Juli hatten gezeigt, daß allein das faschistische Italien eine verläßliche Stütze für die österreichische Unabhängigkeit bot. Die jugoslawische Regierung hatte sich in den Putsch-Tagen und nachher schon wegen ihres Gegensatzes zu Italien gegenüber den nationalsozialistischen Aufständischen ausgesprochen wohlwollend verhalten, auch war es schon vor dem Putsch zu Kontakten zwischen österreichischen Nationalsozialisten und jugoslawischen Stellen gekommen, wobei man sogar über territoriale Abtretungen im gemischtsprachigen Gebiet Südkärntens an Jugoslawien gesprochen hatte[16]. Die Ermordung des Königs Alexander in Marseille (9. X. 1934) brachte eine weitere Verschlechterung der Beziehungen zwischen Belgrad und Wien, da die jugoslawische Regierung nicht nur Österreichs Protektor Mussolini, sondern auch in Österreich lebende, aus Kroatien stammende, ehemalige hohe k. u. k. Offiziere und indirekt auch österreichische Stellen der Begünstigung der Verschwörer und Attentäter aus der Ustascha-Bewegung beschuldigte[17]. Ebenso wie die jugoslawische strebte auch die ungarische Regierung, trotz ihrer Bindung durch die »Römischen Protokolle« an Österreich und Italien, gute politische und wirtschaftliche Beziehungen zum erstarkenden Deutschen Reich an und hatte auch die Hoffnung auf die Rückgewinnung des Burgenlandes bei günstiger Gelegenheit noch nicht völlig aufgegeben. Die durch die starke sudetendeutsche wie durch die slowakische Opposition in ihrer Bewegungsfreiheit eingeschränkte tschechoslowakische Regierung betrachtete schon mit Rücksicht auf den jugoslawischen Partner in der sowohl gegen den ungarischen »Revisionismus« wie gegen alle Pläne einer Habsburger-Restauration im Donauraum gerichteten »Kleinen Entente« den Einfluß Mussolinis wie das Anwachsen traditionalistisch-legitimistischer Tendenzen in Österreich mit Mißtrauen. Die englische und die französische Regierung waren wohl am 27. IX. 1934 wie dann auf der Drei-Mächte-Konferenz in Stresa am 14. IV. 1935 wie schon nach den Februar-Kämpfen am 17. II. 1934 zu einer gemeinsamen Deklaration mit Italien zugunsten der österreichischen Unabhängigkeit bereit, und Schuschnigg fand bei seinen Besuchen in Paris und London im Februar 1935 eine freundliche Aufnahme, doch zeigte sich deutlich, daß die Westmächte in der Österreich-Frage Italien den Vortritt und eine Art Mandat zur Aufrechterhaltung der österreichischen Unabhängigkeit überließen.

Während sich die wirtschaftliche Situation im Zeichen des Abklingens der Weltwirtschaftskrise allmählich zu bessern begann und die Arbeitslosenzahlen,

§ 23 Österreich 1918–1970

wenn auch langsam, sanken, schien sich nun, nach den blutigen Konflikten des Februar und Juli 1934, eine Phase der zumindest äußerlichen Beruhigung und Stabilisierung abzuzeichnen. Am 31. X. 1934 wurden entsprechend der Mai-Verfassung die gesetzgebenden Körperschaften (Staatsrat, Bundeswirtschaftsrat, Bundeskulturrat und Länderrat) konstituiert, doch blieb der vorgesehene »ständische Aufbau«, nicht zuletzt wegen des unauflöslichen Gegensatzes zwischen den Prinzipien des faschistischen Korporativismus und den Ideen der Enzyklika »Quadragesimo anno«, dann stecken. Die »illegalen« Nationalsozialisten stellten sich nun ebenso wie die »illegalen« Revolutionären Sozialisten und Kommunisten auf eine »lange Perspektive« ein, wobei ihnen der deutsche Abstimmungserfolg an der Saar am 13. I. 1935, die Aufkündigung der militärischen Bestimmungen des Versailler Vertrags im März und das deutsch-englische Flottenabkommen im Juni 1935 neue Hoffnung gaben. Im übrigen suchten sie sich durch Eintritt in die verschiedenen, miteinander vielfach verfeindeten Organisationen und Wehrverbände des Regierungslagers zu tarnen und den – wie ja gerade der Juliputsch gezeigt hatte – ohnedies von ihren Anhängern stark durchsetzten Regierungsapparat noch weiter zu unterwandern. Statt der bisherigen militärischen Appelle und Übungen, die der Vorbereitung von Aufstand, Putsch und Bürgerkrieg hatten dienen sollen, konzentrierte sich die »illegale Arbeit« nunmehr einerseits auf die Verbreitung illegalen Schrifttums (Flugzettel, Verbotszeitungen), andererseits auf die Unterstützung der Opfer der Kämpfe, Maßregelungen und Verhaftungen und von deren Angehörigen – eine Gewichtsverlagerung, die sich ganz ähnlich auch im »sozialistischen Lager« vollzog. Die Unterstützung der Regierung durch das faschistische Italien bot dabei der illegalen regierungsfeindlichen Propaganda die Gelegenheit, die in der Bevölkerung vorhandenen sehr starken anti-italienischen Ressentiments, die teils auf die Entnationalisierungspolitik in Südtirol, teils auf Italiens Eintritt in den I. Weltkrieg, teils noch weiter zurückgingen, auszunützen.

Als daher Mussolini im Oktober 1935 sein Abessinien-Abenteuer begann, erhofften nicht nur die Anhänger der Linken, sondern mindestens ebensosehr die österreichischen Nationalsozialisten seine Niederlage. Tatsächlich hat dann der Abessinien-Krieg, wenngleich in anderer Weise, dem Schicksal Österreichs eine entscheidende Wendung gegeben. Infolge der engen Bindung an Italien nahm Österreich zwar nicht an den Sanktionen teil, doch war Schuschnigg aus politischen wie aus wirtschaftlichen Gründen bemüht, auch die Westmächte und die Staaten der »Kleinen Entente« nicht unnötig zu verärgern. Da die außenpolitische Sicherung der österreichischen Unabhängigkeit durch den Bestand der »Stresa-Front«, der Übereinstimmung zwischen den Westmächten und Italien wie auch den Staaten der »Kleinen Entente« in dieser Frage gewährleistet und damit an den Fortbestand eines Systems der »kollektiven Sicherheit« geknüpft war, mußte ein Zerbrechen der »Stresa-Front« und des Systems der »kollektiven Sicherheit« der österreichischen Unabhängigkeit diese ihre außenpolitische Absicherung entziehen[18].

Ein großsprecherisches, von Beleidigungen der »demokratischen« Staaten strotzendes Glückwunschtelegramm Starhembergs an Mussolini anläßlich der Einnahme von Addis Abeba[19], von dem zwar der Außenminister, der Heimwehrführer Egon (Freiherr von) Berger-Waldenegg, nicht aber der Bundeskanzler wußte, bot Schuschnigg den Anlaß, am 14. V. 1936 bei einer Regierungsumbildung Starhemberg und Berger-Waldenegg, der als Gesandter nach Rom geschickt wurde, aus der Regierung zu entfernen und selbst das Außenministerium und die Führung der »Vaterländischen Front" zu übernehmen. Die ständigen

860

c) Der »Christliche Ständestaat« unter Dollfuß und Schuschnigg (1933–1938)

Reibereien und Konflikte zwischen den Heimwehren und den Schuschnigg ideologisch nahestehenden Wehrverbänden (»Ostmärkische Sturmscharen« und »Freiheitsbund«), die bei einem großen Aufmarsch des »Freiheitsbundes«, der Wehrformation der christlichen Arbeiterbewegung, an dem auch Schuschnigg teilnahm, ihren Höhepunkt erreichten (10. V. 1936), die immer wieder aufbrechenden Zwistigkeiten unter den Heimwehrführern, schließlich die unbedachten, bramarbasierenden Reden und der ungestüme Landsknechts-Charakter Starhembergs, dem jede Neigung und Veranlagung zu sachlicher und systematischer Regierungstätigkeit fehlte, haben Schuschnigg die schrittweise Entmachtung der Heimwehren erleichtert. Auch Mussolini konnte nicht umhin, unter Hinweis auf die Zweckmäßigkeit einer straffen, einheitlichen Führung in einem autoritären Staat, diese Entmachtung seines bisherigen Vertrauensmannes in Österreich nachträglich zu billigen[20]. Für den Rückgang des italienischen Interesses und politischen Gewichts im Donauraum, der durch den Abessinienkrieg und die expansionistische Mittelmeer- und Kolonialpolitik des faschistischen Italien bedingt war, konnte diese innerösterreichische Entwicklung bereits als erstes Anzeichen gelten.

Das »Juliabkommen« vom 11. VII. 1936 und der »deutsche Weg«[21]

Die Entmachtung Starhembergs und die Ausschaltung und schließliche Auflösung der Heimwehren und aller Wehrverbände – beide Prozesse erfolgten parallel und in einer für Schuschniggs behutsamen, den Eklat scheuenden Stil bezeichnenden Form in Etappen[22] – verringerte zwar noch weiter die ohnedies schon recht schmale Basis des Vertrauens und der Zustimmung in der Bevölkerung. Doch schien dies im Augenblick angesichts des sich schon seit Jahren schrittweise vollziehenden Niedergangs der ideologisch so heterogenen Heimwehrbewegung keine allzu schwere Einbuße. Auf der anderen Seite wurde Schuschnigg dadurch endlich von den Hemmnissen des »Dualismus« innerhalb der Regierung wie innerhalb der »Vaterländischen Front« und von dem zermürbenden Kleinkrieg innerhalb des eigenen Lagers entlastet. Auch schien jetzt erst die Möglichkeit gegeben, zu einem Ausgleich mit dem »nationalen Lager« und mit der Führung des Deutschen Reiches – wie sie Dollfuß und Schuschnigg selbst seit 1933 immer wieder in geheimen Verhandlungen angestrebt hatten – zu gelangen; ungestört von Querschüssen der Heimwehrführer, die nur einen von ihnen selbst zustandegebrachten derartigen Ausgleich dulden wollten.

Auf einen solchen Ausgleich wies zudem gebieterisch die veränderte außenpolitische Lage in Europa mit dem Erstarken und der offenen Aufrüstung des Deutschen Reiches und dem erwähnten Zurücktreten des italienischen Einflusses im Donauraum; verwiesen schließlich Mussolini und seine Mitarbeiter selbst die österreichische Regierung, besonders seit mit dem Sturz des für die Erhaltung der österreichischen Unabhängigkeit eintretenden Suvich und seiner Ersetzung durch Mussolinis jungen Schwiegersohn Graf Galeazzo Ciano in Rom ein außenpolitischer Kurswechsel eingetreten war, der die schon vorher vorhandenen Ansätze zur Bildung der »Achse Berlin–Rom« entscheidend förderte[23]. Definierte doch der Volkswitz in Österreich, als jenes Schlagwort auftauchte, die »Achse Berlin–Rom« als den »Bratspieß, an dem Österreich braun gebraten werden wird«.

Schon bei der Regierungsumbildung im Mai 1936 hatte Schuschnigg dem einstigen Unterrichtsminister im Kabinett Schober, dem führenden österreichischen Historiker Heinrich (Ritter von) Srbik, der im Winter 1935/1936 an der Universität Berlin drei Vorträge über »Österreich in der deutschen Geschichte«[24] gehal-

§ 23 Österreich 1918–1970

ten, einen Ruf nach Berlin und die ihm angebotene Leitung des neugegründeten »Reichsinstituts für Geschichte des neuen Deutschland« aber abgelehnt hatte, einen Ministerposten angeboten[25]. Srbik, der damals, nach dem Erscheinen der ersten beiden Bände seines monumentalen Werkes »Deutsche Einheit. Idee und Wirklichkeit vom Heiligen Reich bis Königgrätz«[26] als Vertreter einer den alten Gegensatz von »großdeutsch« und »kleindeutsch« überwölbenden »gesamtdeutschen Geschichtsauffassung« von den Regierungen in Berlin und Wien umworben wurde, lehnte das Angebot ab und wies Schuschnigg an den angesehenen Juristen Senatspräsident Dr. Egbert Mannlicher. Dessen Forderung nach Aufhebung der Ausnahmeverordnungen erschien Schuschnigg nicht annehmbar, und so fiel die Wahl auf den Direktor des Kriegsarchivs und Honorarprofessor für neuere Kriegs- und Heeresgeschichte an der Universität Wien Edmund (von) Glaise-Horstenau, der durch seine Tätigkeit als Generalstabsoffizier im I. Weltkrieg die »Schulter-an-Schulter«-Tradition verkörperte, als einstiger Gefolgsmann Seipels und führendes Mitglied des »Deutschen Klubs« über beste persönliche Beziehungen zu katholischen wie zu »nationalen« Kreisen, besonders aber auch zu Papen und dem deutschen Militärattaché in Wien, Generalleutnant Wolfgang Muff, verfügte und der bereits im November 1934 von Schuschnigg in den »Staatsrat« berufen worden war[27].

Das von Papen seit seinem Eintreffen in Wien, trotz des kühlen Empfangs und des ursprünglichen Mißtrauens der österreichischen Regierungsstellen gegenüber dem »Steigbügelhalter Hitlers«, mit Beharrlichkeit und Geschick verfolgte Bestreben, die »respektable« Seite des »Dritten Reiches« hervorzukehren, begann im Frühjahr 1936 seine Früchte zu tragen. Das Jahr 1934 mit »Röhm-Putsch« und Dollfuß-Mord lag nun schon fast zwei Jahre zurück; die Remilitarisierung des Rheinlands wurde als Schlag gegen das System von Versailles auch von Bevölkerungskreisen, die den Nationalsozialismus ablehnten, bis hinein in die Regierung begrüßt, und die nationalsozialistische Propagandamaschine verstand es gerade damals, etwa auch in geschickter Ausnützung der Winter-Olympiade in Garmisch-Partenkirchen und dann erst recht der Olympischen Spiele in Berlin im Sommer 1936, den Eindruck zu erwecken, der Nationalsozialismus habe seine revolutionären Eierschalen abgestreift, er füge sich in das europäische System und sei mit Frieden und Völkerversöhnung durchaus vereinbar[28]. Entscheidend aber war, daß, nachdem sich Großbritannien schon im Vorjahr zum deutsch-englischen Flottenabkommen bereitgefunden hatte, nun auch die Unterstützung der österreichischen Unabhängigkeit durch Italien problematisch zu werden begann. Bei einer Begegnung mit Schuschnigg in Rocca delle Caminate am 5. und 6. VI. billigte Mussolini die Grundzüge der zwischen Papen und Schuschnigg unter entscheidender Mitwirkung von Schuschniggs Mitarbeitern Dr. Theodor (von) Hornbostel und Dr. Guido Schmidt bereits abgesprochenen Vereinbarungen, betonte, daß Österreich doch in erster Linie ein deutscher Staat sei und sich auf die Dauer keine antideutsche Politik leisten könne[29].

So kam es am 11. VII. 1936 zur Unterzeichnung eines deutsch-österreichischen Abkommens, in dem beide Regierungen erklärten, die innerpolitische Entwicklung des Vertragspartners »einschließlich der Frage des österreichischen Nationalsozialismus« als innere Angelegenheit zu betrachten und sich jeder Einmischung enthalten zu wollen. Österreich verpflichtete sich zu einer Außenpolitik als »deutscher Staat«, versprach die Einstellung der Propaganda gegen den Nationalsozialismus und eine Amnestie für die in Haft befindlichen Nationalsozialisten. Die Deutsche Reichsregierung anerkannte ihrerseits die volle Souveränität Österreichs und hob die Tausend-Mark-Sperre für Reisen nach Österreich auf.

c) Der »Christliche Ständestaat« unter Dollfuß und Schuschnigg (1933–1938)

Zwei Zeitungen, die Wiener »Neue Freie Presse« und die Essener »National-Zeitung«, wurden jeweils für das Gebiet des anderen Staates zugelassen, Glaise-Horstenau als Minister ohne Portefeuille und Exponent der »betont-nationalen« Kreise in die Regierung Schuschnigg aufgenommen, wobei seine Kompetenzen im wesentlichen auf das Interventionsrecht zugunsten benachteiligter Nationalsozialisten beschränkt waren. Zusammen mit Guido Schmidt, der nun als Staatssekretär für die Auswärtigen Angelegenheiten in die Regierung eintrat, galt er als Garant für Durchführung und Einhaltung des »Juliabkommens«. Schon sehr bald erwies er sich mehr und mehr als dekorative Repräsentationsfigur, während der dann im Juni 1937 in den Staatsrat berufene Rechtsanwalt Dr. Arthur Seyß-Inquart sowohl von Schuschnigg einerseits wie von den Berliner Stellen und Papen andererseits als der seriösere und härtere Politiker vorgezogen wurde und in die Schlüsselposition des Verbindungsmannes zwischen Schuschnigg und der »nationalen Opposition« einrückte[30].

Da der »deutsche Weg«, den Schuschnigg mit dem Juliabkommen betrat, schon in weniger als zwei Jahren zum Untergang der österreichischen Eigenstaatlichkeit führte, ist das Abkommen, das von entschieden den Nationalsozialismus ablehnenden konservativen und legitimistischen Kreisen innerhalb der »Vaterländischen Front« sogleich mit begründeten Bedenken und Mißtrauen aufgenommen wurde und in dem auch die »illegalen« Sozialisten und Kommunisten den ersten Schritt zur Kapitulation vor Hitler sahen, besonders nach 1945 scharf kritisiert worden[31]. Die außenpolitische Situation in Europa im Jahre 1936 mit der Bildung und Festigung der »Achse Berlin–Rom«, mit dem Zurückweichen der Westmächte gegenüber Hitler und Mussolini und schließlich den tiefgreifenden Meinungsverschiedenheiten innerhalb der »Kleinen Entente« gerade hinsichtlich Österreichs ließ aber tatsächlich keine Alternative offen. Das zeigte sich gerade in den anderthalb Jahren nach dem Juliabkommen bei den vorsichtigen Versuchen Schuschniggs, als Ersatz für die versagende italienische Unterstützung eine solche bei den Westmächten oder bei der Tschechoslowakei zu finden und sich zugleich für später die Möglichkeit einer legitimistischen Restauration in Österreich offenzuhalten. Dazu kam der ständig zunehmende wirtschaftliche Einfluß der deutschen Interessen in Österreich, begünstigt durch Wirtschaftsaufschwung und Rüstungskonjunktur im Deutschen Reich, bei gleichzeitigem Rückgang der ohnedies stets nur begrenzten italienischen Wirtschaftsinteressen im Donauraum[32].

Das Abkommen von Berchtesgaden und der »Anschluß«

Wenngleich das Juliabkommen von der offiziellen Propaganda der »Vaterländischen Front« als voller Erfolg Schuschniggs interpretiert wurde[33] und es beim radikalen Flügel der nationalsozialistischen Anhängerschaft zunächst wegen der ausdrücklichen Anerkennung der österreichischen Eigenstaatlichkeit teilweise Verwirrung und Enttäuschung auslöste, erwies sich bald, daß dadurch der »nationalen Opposition« viele Möglichkeiten intensiverer Agitation und Betätigung eröffnet wurden, die von der Exekutive nun nicht mehr so entschieden wie bisher unterdrückt und verfolgt werden konnten. Die große Kundgebung auf dem Wiener Heldenplatz und auf der Ringstraße beim Eintreffen des »Olympischen Feuers« kurz nach dem Abschluß des Juliabkommens, die anschließenden Veranstaltungen der Olympischen Spiele in Berlin, die nun von vielen Österreichern besucht werden konnten, die Demonstrationen anläßlich des Besuchs des Reichsaußenministers von Neurath im Februar 1937, wobei die Polizei zahlreiche Verhaftungen vornahm, die Festgenommenen dann aber auf höhere Weisung

§ 23 Österreich 1918–1970

wieder freilassen mußte, waren nur einige der spektakulärsten Symptome für die veränderte Situation.

Auf der anderen Seite brachte Schuschnigg nun die von ihm zielstrebig verfolgte Entmachtung und Ausschaltung der Heimwehren zum Abschluß. Wieder boten ihm dazu interne Streitigkeiten und Rivalitäten der Heimwehrführer sowie eine unkluge Rede Starhembergs bei einem Appell seiner Getreuen in Wiener-Neustadt die Gelegenheit, die bereits im Mai angekündigte Auflösung aller Wehrverbände und die Eingliederung ihrer Angehörigen in eine einheitliche »Frontmiliz« durchzuführen (9. X. 1936). An ihre Spitze wurde der einstige militärische Führer des Kärntner Abwehrkampfes, Feldmarschalleutnant Ludwig Hülgerth, berufen, der bei einer neuerlichen Regierungsumbildung, bei der die restlichen Heimwehrminister aus dem Kabinett ausschieden, die Funktion des Vizekanzlers übernahm (3. XI. 1936). Das von dem neuen Generalsekretär der »Vaterländischen Front«, dem Kärntner Dichter Guido Zernatto, aufgestellte »Schutzkorps« in schwarzen, jenen der SS ähnlichen Uniformen, das sich teilweise aus ehemaligen Heimwehrleuten rekrutierte, erlangte keine politische Bedeutung mehr. Die Zeit der politischen Privatarmeen sollte für Österreich vorüber sein, zumal ja schon am 1. IV. 1936 mit der Einführung der »Allgemeinen Bundesdienstpflicht« auch die militärischen Beschränkungen des Vertrags von Saint-Germain außer Kraft gesetzt worden waren.

Bei der noch offenen Frage, in welcher Form als Folge des Juliabkommens die Angehörigen der bisherigen »nationalen Opposition« in die »Vaterländische Front« und den Staatsaufbau eingegliedert werden sollten, dachte Schuschnigg offenbar an eine ähnliche Taktik, wie er sie eben mit Erfolg den Heimwehren gegenüber angewandt hatte. Die Voraussetzungen dafür schienen günstig, da auch hier, schon als unvermeidliche Folge der »Illegalität« mit ihrem häufigen Wechsel der Führungsgarnituren durch Verhaftung, Einlieferung in Anhaltelager oder Flucht ins Deutsche Reich sowie des Schwankens zwischen dem »revolutionären« und dem »evolutionären« Weg und infolge der heterogenen Herkunft der verschiedenen Gruppen des »nationalen Lagers« ständig starke Spannungen und persönliche Rivalitäten zwischen den einzelnen Führern bestanden. So gestattete die Regierung einem »Siebenerkomitee« um den früheren nationalsozialistischen Gauleiter von Niederösterreich und späteren »illegalen« Landesleiter Josef Leopold, einen ehemaligen Hauptmann des Bundesheeres[34], zunächst eine halblegale Existenz und Betätigung, während andererseits einem geplanten »Deutsch-Sozialen Volksbund«, in dessen Proponentenkomitee sich nahezu alle Persönlichkeiten zusammenfanden, die damals im »nationalen Lager« Rang und Namen hatten, die Genehmigung zu seiner Konstituierung verweigert wurde. Die bei diesem Anlaß schon am 14. II. 1937 angekündigten, aber erst am 17. VI. des gleichen Jahres tatsächlich geschaffenen »Volkspolitischen Referate« im Rahmen der »Vaterländischen Front« konnten angesichts des beiderseitigen Mißtrauens kaum eine erfolgreiche Tätigkeit entfalten; ähnlich wie die »Soziale Arbeitsgemeinschaft« (SAG), die 1935 mit dem analogen Ziel nach links zur Gewinnung der »unterstandslos« gewordenen sozialdemokratischen Arbeiterschaft gegründet worden war, deren Entwicklung in den fast drei Jahren ihres Bestandes »nichts als ein permanenter Anfang, ständige Deklamation über die politische Mitwirkung der Arbeiterschaft ohne realen Inhalt« war[35]. Auch eine dritte derartige Organisation innerhalb der »Vaterländischen Front«, das von Schuschnigg gegründete »Traditionsreferat« zur Befriedigung und Kontrolle der in dieser letzten Phase des »Christlichen Ständestaats« eine stärkere Aktivität entfaltenden legitimistischen Bewegung, blieb politisch bedeutungslos. Denn obwohl

c) Der »Christliche Ständestaat« unter Dollfuß und Schuschnigg (1933–1938)

Schuschnigg persönlich schon auf Grund seiner Herkunft aus altösterreichischer Offiziersfamilie den traditionalistisch-legitimistischen Kreisen nahestand und mit dem Thronprätendenten Dr. Otto von Habsburg-Lothringen brieflichen Kontakt hielt, ja während seiner Kanzlerschaft sogar zweimal heimlich mit ihm zusammentraf, war an eine Restauration der Habsburger in Österreich angesichts der entschiedenen Gegnerschaft der Staaten der Kleinen Entente und des Deutschen Reiches, aber auch der italienischen wie der ungarischen Regierung nicht zu denken. Hatten doch schon die Aufhebung der Landesverweisung des Hauses Habsburg-Lothringen im Juli 1935 und die Verordnung über die Rückgabe des habsburgischen Familienvermögens im April 1936 bei den Regierungen der Staaten der Kleinen Entente heftige Reaktionen und Nervosität ausgelöst. Da vor allem die jugoslawische Regierung und der tschechoslowakische Staatspräsident Beneš auch jeder an die einstige Habsburgermonarchie erinnernden Konstruktion mit stärkstem Mißtrauen gegenüberstanden, die österreichische Regierung andererseits im Juliabkommen die Verpflichtung zu einer Außenpolitik als »zweiter deutscher Staat« übernommen hatte, konnten auch die Mitteleuropa-Pläne des tschechoslowakischen Ministerpräsidenten Dr. Milan Hodža, der einst als slowakischer Politiker zum »Belvedere-Kreis« des Thronfolgers Franz Ferdinand gehört hatte[36] und mit dem Schuschnigg noch im September 1937 in Baden bei Wien zusammentraf, keine politische Bedeutung erlangen[37].

Während sich so der innen- und außenpolitische Bewegungsspielraum der Regierung Schuschnigg ständig verengte, nahm bei der Deutschen Reichsregierung und, als Folge davon, auch bei den österreichischen Nationalsozialisten, die Entschlossenheit zu, das österreichische Problem durch wachsenden Druck »so oder so« zu lösen. Als treibende Kraft erwies sich hier vor allem Hermann Göring, dessen Mitarbeiter bei der Durchführung des Vierjahresplans SS-Gruppenführer Wilhelm Keppler im Juli 1937 von Hitler »mit der zusammenfassenden Bearbeitung der österreichischen Frage innerhalb der NSDAP im Reich« betraut wurde. Kepplers wichtigste Gesprächspartner in Österreich wurden der kurz vorher von Schuschnigg mit der Gewinnung der »nationalen Opposition« beauftragte und in den Staatsrat berufene Seyß-Inquart und dessen Mitarbeiter, die jungen Kärntner nationalsozialistischen Führer Dr. Friedrich Rainer und Odilo Globocnik, die auch ihrerseits die Verbindung zu Himmler und zur SS garantierten. In schärfstem Gegensatz zu dieser Gruppe stand jene um den Hauptmann Leopold und dessen Stellvertreter Dr. Leopold Tavs, die zu Beginn des Jahres 1938 die Entwicklung auf dem »revolutionären Weg« durch die Wiederaufnahme der terroristischen Tätigkeit forcieren wollte, durch eine Polizei-Aktion und die dabei erfolgte Auffindung des sogenannten »Tavs-Plans« aber kompromittiert und, da sie sich auch mit Papen und der deutschen Gesandtschaft in Wien völlig überworfen hatte, auch von Hitler fallengelassen wurde.

Die am 4. II. 1938 in der Deutschen Reichsregierung und in der Wehrmachtsführung vollzogenen Veränderungen schufen dann die Voraussetzungen für jenes Vorgehen gegen Österreich, das Hitler schon am 5. XI. 1937 seinen engsten Mitarbeitern in den uns durch das »Hoßbach-Protokoll« überlieferten Ausführungen in der Reichskanzlei angekündigt hatte. Am 12. II. 1938 kam es auf dem Obersalzberg bei Berchtesgaden zu der von Papen vermittelten Begegnung zwischen Hitler und dem von Guido Schmidt begleiteten Schuschnigg[38]. Den ultimativen Drohungen Hitlers, die durch die geschickt arrangierte Anwesenheit höchster Wehrmachtskommandeure unterstrichen wurden[39], konnte der österreichische Bundeskanzler nur durch die Zustimmung zu einem Abkommen begegnen, das formell die vollständige Durchführung der seinerzeitigen Vereinbarungen vom Juli 1936 garantieren sollte, tatsächlich aber den Weg zu einer »legalen« Machtergreifung durch die Nationalsozialisten eröffnen mußte. Neben einer vollständigen Amnestie und Wiedergutmachung für alle in Österreich gebliebenen Nationalsozialisten enthielt die Vereinbarung das Versprechen Schuschniggs, Seyß-Inquart in die Regierung zu berufen und ihm das Sicherheitswesen zu übergeben, den Einbau von Mitarbeitern Seyß-Inquarts in den staatlichen Bundespressedienst und »in maßgebender Position« zur Intensivierung des gegenseitigen Wirtschaftsverkehrs, die Auswechslung des Generalstabschefs des österreichischen Bundesheeres, einen planmäßigen Offiziersaustausch und regelmäßige Besprechungen der Generalstäbe, die Eröffnung der Möglichkeit der legalen Betätigung für österreichische Nationalsozialisten »im Rahmen der Vaterländischen Front« und »auf dem Boden der Verfassung in Gleichstellung mit allen anderen Gruppen«. Daß die Reichsregierung dabei ihrerseits Seyß-Inquart als die »alleinzuständige Persönlichkeit« für die Durchführung der Vereinbarungen anerkannte und Maßnahmen versprach, um »eine Einmischung reichsdeutscher Parteistellen in innerösterreichische Verhältnisse« auszuschließen, war, da Seyß-Inquart und seine Mitarbeiter dadurch zunächst vor Rivalitäten und Querschüssen aus den eigenen Reihen gesichert waren, wie die Dinge nun lagen, eher im Interesse Hitlers als in dem Schuschniggs. Eine aus verfassungsrechtlichen Gründen von dem verzweifelt um Zeitgewinn kämpfenden Schuschnigg verlangte Frist von drei Tagen, um die Zustimmung des Bundespräsidenten Miklas einzuholen, wurde von Hitler zugestanden. Durch das ganz allgemein gehaltene, nichtssagende Communiqué über die Begegnung wurde die Öffentlichkeit innerhalb und außerhalb Österreichs eher verunsichert als beruhigt[40].

Ermutigt durch die Berchtesgadener Vereinbarungen traten die österreichischen Nationalsozialisten in den folgenden Tagen und Wochen vor allem in den Bundesländern und hier besonders in der Steiermark, in Oberösterreich und in Kärnten offen in Erscheinung, was von der Exekutive unter ihrem neuen Chef Seyß-Inquart stillschweigend, ja stellenweise mit offenem Wohlwollen, geduldet wurde. Hitlers große Reichstagsrede vom 20. II. mit ihrem unmißverständlich gegen Österreich und die Tschechoslowakei gerichteten Passus, daß das deutsche Volk nicht mehr gewillt sei, die Unterdrückung von zehn Millionen Deutschen an seinen Grenzen zu dulden, beseitigte die Befürchtungen in Kreisen der österreichischen Nationalsozialisten, daß Hitler sie durch die Anerkennung der Unabhängigkeit Österreichs geopfert habe. Vergeblich versuchte Schuschnigg am 24. II. in einer Rede vor der österreichischen Bundesversammlung unter der Devise »Bis hierher und nicht weiter!« seinen Anhängern neuen Mut zu geben und das In- und Ausland von der Festigkeit seiner Position zu überzeugen.

Nachdem ihm Keppler bei einem Besuch in Wien am 4. und 5. III. neue, weitergehende Forderungen überbracht hatte, beschloß Schuschnigg, sich durch eine überraschend angekündigte Volksbefragung mit einer Formulierung, die nach dem Juliabkommen 1936 und den Berchtesgadener Vereinbarungen auch die österreichischen Nationalsozialisten verpflichtet hätte, mit »Ja« zu stimmen, sich die Bestätigung durch einen breiten Konsens der Bevölkerung zu verschaffen. Auch bestand begründete Hoffnung, daß sich die »illegalen« Sozialisten und Kommunisten, wenngleich in Erinnerung an den Februar 1934 »mit zusammengebissenen Zähnen«, vor die Wahl zwischen Hitler und Schuschnigg gestellt, gegen Hitler entscheiden würden. Allerdings war sich Schuschnigg des Ausmaßes der Unterwanderung seines Regimes durch alte und neue Anhänger Hitlers nicht bewußt, das etwa auch darin zum Ausdruck kam, daß der von ihm nur seinen engsten Mitarbeitern bekanntgegebene Plan einer Volksbefragung durch eine Se-

c) Der »Christliche Ständestaat« unter Dollfuß und Schuschnigg (1933–1938)

kretärin sogleich nach Berlin gemeldet wurde. Auch war die außenpolitische Situation denkbar ungünstig. Der von Hitler scharf angegriffene britische Außenminister Eden war zurückgetreten; in Frankreich bahnte sich eine Regierungskrise an, und der von Schuschnigg von seinem Plan informierte Mussolini riet dringend von einer Volksbefragung ab und gab nur das vage Versprechen einer baldigen eindrucksvollen Stellungnahme zugunsten der österreichischen Unabhängigkeit. Auch waren die geplante überfallartige Ankündigung, die nur drei Tage zur Vorbereitung ließ, das Fehlen von Wählerlisten usw. arge Schönheitsfehler. Die Verhandlungen mit der Linken wurden zudem von Schuschnigg erst im letzten Augenblick und zögernd aufgenommen, schon um Hitler nicht zu reizen und Mussolini nicht zu verärgern; was doch nicht den dann von der nationalsozialistischen Propaganda erhobenen Vorwurf verhindern konnte, Schuschnigg habe im letzten Augenblick die Karte der »Volksfront« und des Bündnisses mit dem »Bolschewismus« ausspielen wollen.

Am Mittwoch, dem 9. III. 1938, gab Schuschnigg dann von seiner Heimatstadt Innsbruck aus in einer vom Rundfunk übertragenen Rede den Entschluß bekannt, am Sonntag, dem 13. III., eine Volksbefragung abzuhalten mit der Parole: »Für ein freies und deutsches, unabhängiges und soziales, für ein christliches und einiges Österreich! Für Friede und Arbeit und die Gleichberechtigung aller, die sich zu Volk und Vaterland bekennen.« Hitler, der von dem Plan, wie erwähnt, schon früher erfahren hatte, betrachtete die Ansetzung der Volksbefragung als einen Bruch des Berchtesgadener Abkommens und ordnete die militärischen Vorbereitungen für einen Einmarsch in Österreich an. Die österreichischen Nationalsozialisten, die seit fünf Jahren in ihrer Propaganda immer wieder Wahlen oder eine Volksabstimmung gefordert hatten, betrachteten eine Volksbefragung mit einer derartigen Parole als Taschenspielertrick und wandten sich in den Äußerungen ihrer Wortführer entschieden dagegen.

Am Freitag, dem 11. III., spitzte sich die Krise zu. Während Schuschnigg die »Frontmiliz« alarmieren ließ und die »Vaterländische Front« sich auf Zusammenstöße mit den Gegnern vorbereitete, stellte die Deutsche Reichsregierung in ultimativer Form das Verlangen nach Absetzung der Volksbefragung und, nachdem dies zugestanden worden war, nach Rücktritt Schuschniggs und Betrauung von Seyß-Inquart mit der Regierungsbildung. Während Bundespräsident Miklas noch zögerte, diesen Forderungen nachzukommen, vollzog sich in Teilen Österreichs bereits auf die Nachricht von der Absetzung der Volksbefragung die »Machtergreifung« durch die Nationalsozialisten. Da auch aus dem Ausland keine Hilfe zu erwarten war und die Militärs einen Widerstand gegen den Einmarsch der Deutschen Wehrmacht für aussichtslos erklärten, gab Schuschnigg im Auftrag des Bundespräsidenten über den Rundfunk bekannt, daß man der Gewalt weiche und daß eventuell einmarschierenden deutschen Truppen kein Widerstand entgegengesetzt werden solle. Noch weigerte sich Miklas, Seyß-Inquart mit der Regierungsbildung zu betrauen, während Seyß-Inquart seinerseits nicht bereit war, das von Göring geforderte Telegramm mit der Bitte um Hilfeleistung durch die Deutsche Wehrmacht abzusenden, da sich ja die nationalsozialistische »Machtergreifung« bereits vollzog, ohne auf Widerstand zu stoßen. Als sich schließlich Miklas auf Schuschniggs Rat doch entschloß, Seyß-Inquart mit der Regierungsbildung zu betrauen, hatte Hitler in Berlin bereits den Befehl zum Einmarsch gegeben, der in den Morgenstunden des 12. III. begann. Entscheidend für diesen Entschluß Hitlers war die Meldung des von ihm mit einer Botschaft zu Mussolini entsandten Prinzen Philipp von Hessen, des Schwiegersohnes des Königs von Italien, daß Mussolini diesmal nichts unternehmen werde[41].

§ 23 Österreich 1918–1970

Hatte Hitler zunächst noch nicht an einen vollständigen »Anschluß«, sondern an eine Art »Danziger Lösung« oder eine Personalunion in der Führung der »beiden deutschen Staaten« gedacht, so bewogen ihn, der den Einmarsch der deutschen Truppen bis Linz mitmachte, der laute Jubel, mit dem er in seiner Heimat empfangen wurde, das Drängen Görings und das passive Verhalten der übrigen Mächte, sofort den vollständigen Anschluß durchzuführen. Seyß-Inquart veranlaßte Miklas zum Rücktritt, wodurch die Befugnisse des Staatsoberhaupts auf den neuen Bundeskanzler übergingen. Das Kabinett beschloß darauf noch am 13. III. das »Bundesverfassungsgesetz über die Wiedervereinigung Österreichs mit dem Deutschen Reich«, durch das Österreich »ein Land des Deutschen Reiches« und für Sonntag, den 10. IV., eine Volksabstimmung über den bereits vollzogenen Anschluß anberaumt wurde. Ein noch am gleichen 13. III. in Linz von Hitler unterzeichnetes »Deutsches Reichsgesetz« übernahm dieses österreichische Bundesverfassungsgesetz als Artikel 1.

---

[1] *A. Wandruszka*, Der »Landbund für Österreich«, in: *H. Gollwitzer* (Hg.), Europäische Bauernparteien im 20. Jahrhundert (1977), S. 599.
[2] *W. Goldinger*, Geschichte der Republik, S. 188; Vom Justizpalast zum Heldenplatz, S. 468 ff. (Erklärung des Ehrenrats der Österr. Offiziers-Vereinigung).
[3] *G. Botz*, Gewalt, S. 219 ff.
[4] *L. Jedlicka*, Österreich u. Italien, S. 213 f.; Das Jahr 1934: 12. Februar, S. 87 f.; *L. Jedlicka*, Neue Forschungsergebnisse zum 12. Februar 1934, in: Vom alten zum neuen Österreich (1975), S. 240, 244 f. (Text des Suvich-Briefes an Dollfuß, Rom, 26. I. 1934).
[5] *G. Botz*, Gewalt, S. 227.
[6] *K. R. Stadler*, Opfer verlorener Zeiten.
[7] *J. Buttinger*, Am Beispiel Österreichs, S. 75 ff., 128 ff.
[8] *W. Hummelberger*, Österreich und die Kleine Entente, in: Das Jahr 1934: 12. Februar; ders., Österreich u. d. Kleine Entente um die Jahresmitte 1934, in: Das Jahr 1934: 25. Juli.
[9] *E. Weinzierl* u. *Fischer*, Die österr. Konkordate von 1855 u. 1933 (1960), S. 220 ff., 234 ff.
[10] *G. Jagschitz*, Der Putsch.
[11] *J. Buttinger*, Beispiel; *W. Wisshaupt*, Wir kommen wieder! *O. Leichter*, Zwischen zwei Diktaturen. Österreichs Revolutionäre Sozialisten 1934–1938 (1968); *W. Neugebauer*, Bauvolk der kommenden Welt. Geschichte der sozialistischen Jugendbewegung in Österreich (1975); ders., Die illegale Arbeiterbewegung in Österreich 1934 bis 1936, in: Das Juliabkommen von 1936, Protokoll des Symposiums am 10. u. 11. Juni 1976, mit kritischer Bibliographie.
[12] *W. Goldinger*, S. 206; *G. Jagschitz*, S. 133 f.
[13] *G. Jagschitz*, S. 167.
[14] *E. di Nolfo*, Die österr.-ital. Beziehungen von der fasch. Machtergreifung b. z. Anschluß (1922–1938), in: Innsbruck-Venedig, S. 261 f. u. Anm. 112 (mit ausführl. Literaturangaben); *J. Petersen*, Hitler–Mussolini. Die Entstehung der Achse Berlin–Rom 1933–1936 (1973), S. 363 f.
[15] *G. Jagschitz*, S. 182 f.
[16] *E. Steinböck*, Die Verhandlungen zwischen den Nationalsozialisten und jugoslawischen Stellen vor dem Juli-Putsch 1934, in: Österreich in Geschichte und Literatur 12 (1968/10), S. 533–538.
[17] *L. Jedlicka*, Österreich u. Italien, S. 216; ders., Der außenpolitische Hintergrund der Ereignisse vom Frühsommer 1934 bis Oktober 1934, in: Das Jahr 1934: 25. Juli, S. 55 f.
[18] *H. Haas*, Österreich und das Ende der kollektiven Sicherheit, in: Das Juliabkommen von 1936 (s. Anm. 11).
[19] Neue Freie Presse v. 13. V. 1936 (Morgenblatt). Abgedruckt zuletzt in: *K. Schuschnigg*, Im Kampf gegen Hitler (1969), S. 176.

d) Österreich im »Großdeutschen Reich« (1938–1945)

[20] K. Schuschnigg, Kampf, S. 177 u. Anm. 46, u. Gedächtnisprotokoll, Rom, 15. V. 1936, S. 403 ff.
[21] Das Juliabkommen von 1936.
[22] Auszüge aus den Ministerratsprotokollen über die Auflösung der Wehrverbände (7.–10. X. 1936), in: Vom Justizpalast zum Heldenplatz, S. 454–468.
[23] L. Jedlicka, Die Auflösung der Wehrverbände und Italien im Jahre 1936, in: Das Juliabkommen, S. 108 u. 387 ff.
[24] H. v. Srbik, Österreich in der deutschen Geschichte ([4]1943).
[25] K. Schuschnigg, Im Kampf, S. 199; P. Broucek, Edmund Glaise-Horstenau und das Juliabkommen 1936, in: Das Juliabkommen, S. 126.
[26] H. v. Srbik, Deutsche Einheit. Idee u. Wirklichkeit vom Heiligen Reich bis Königgrätz, Bd. I u. II (1935).
[27] P. Broucek, Glaise-Horstenau.
[28] Juliabkommen, S. 353.
[29] J. Petersen, Hitler–Mussolini, S. 483.
[30] P. Broucek, Glaise–Horstenau, S. 135, 395; W. Rosar, Deutsche Gemeinschaft.
[31] Juliabkommen.
[32] K. Stuhlpfarrer u. L. Steurer, Die Ossa in Österreich, in: Vom Justizpalast zum Heldenplatz, S. 35–64; K. Stuhlpfarrer, Zum Problem der deutschen Penetration Österreichs, in: Juliabkommen, S. 315–327.
[33] Kommuniqué des Bundeskommissärs für Heimatdienst Walter Adam zum Abkommen vom 11. VII., sowie polizeiliche Stimmungsberichte, in: Vom Justizpalast, S. 446–453.
[34] L. Jedlicka, Gauleiter Josef Leopold (1889–1941), in: Geschichte u. Gesellschaft (Festschrift Stadler, s. a, Anm. 16).
[35] A. Pelinka, Stand oder Klasse?, S. 122; dazu auch L. Reichhold, Opposition gegen den autoritären Staat.
[36] s. Bd. 6, S. 387.
[37] W. Goldinger, Geschichte der Republik, S. 230, 235; Justizpalast, S. 268.
[38] K. Schuschnigg, Im Kampf, S. 216 ff.
[39] K. Schuschnigg, S. 233, 237.
[40] K. Schuschnigg, S. 241 f.
[41] Hitlers Schreiben an Mussolini bei Schuschnigg, S. 350 ff. Das von Hitler am 13. III. von Linz aus an Mussolini gesandte und durch den Rundfunk verbreitete Danktelegramm »Mussolini, ich werde Ihnen dieses nie vergessen!« löste in Österreich das mit großem Jubel verbreitete Gerücht aus, Mussolini habe die Rückgabe Südtirols angeboten. A. Wandruszka, in: H. Benedikt, Geschichte, S. 390, Anm. 1; E. Zöllner, Geschichte Österreichs, S. 524.

d) Österreich im »Großdeutschen Reich« (1938–1945)

Die »Gleichschaltung« der »Ostmark«

Der weithin sichtbare und hörbare Jubel eines großen Teils der österreichischen Bevölkerung in den Anschlußtagen – neben und gegenüber dem der unsichtbare und unhörbare Schrecken, die Verzweiflung und Erbitterung eines anderen Bevölkerungsteiles, die Massenverhaftungen und die vielen Selbstmorde nicht vergessen werden dürfen – erreichte den Höhepunkt bei Hitlers triumphalem Einzug in Wien unter dem Geläute der Kirchenglocken (14. III.) sowie bei der großen Kundgebung auf dem Heldenplatz und der anschließenden Militärparade auf der Ringstraße (15. III.)[1]. Während der Parade überredete Papen Hitler, noch am gleichen Abend den Kardinal-Erzbischof von Wien Dr. Theodor Innitzer zu einer Unterredung zu empfangen, in deren Verlauf Hitler versprach, daß die Kir-

§ 23 Österreich 1918–1970

che, wenn sie sich loyal zum Staate stelle, dies nicht zu bereuen haben würde; wenn sich in Österreich eine gute Zusammenarbeit ergebe, könne sich dieser »religiöse Frühling« auch auf das »Altreich« auswirken[2]. Die von Innitzer für den 18. III. einberufene außerordentliche Bischofskonferenz beschloß eine Erklärung (»Aus innerster Überzeugung und mit freiem Willen ...«), in der die nationalsozialistische Sozialpolitik und die Verdienste um die Abwehr der »Gefahr des alles zerstörenden gottlosen Bolschewismus« anerkannt wurden und die mit den Worten schloß: »Am Tag der Volksabstimmung ist es für uns Bischöfe selbstverständlich nationale Pflicht, uns als Deutsche zum Deutschen Reich zu bekennen und wir erwarten auch von allen gläubigen Christen, daß sie wissen, was sie ihrem Volke schuldig sind.«[3]

Für die auf den 10. IV. festgesetzte Volksabstimmung, deren Durchführung von Hitler dem Gauleiter von Saarpfalz Josef Bürckel als »Reichskommissar für die Wiedervereinigung Österreichs mit dem Deutschen Reich« übertragen wurde, erlangte die nationalsozialistische Propaganda, die sogleich auf vollen Touren lief, auch eine Erklärung des früheren Staatskanzlers Renner, der unter Hinweis auf sein Bemühen um den Anschluß 1918/19 als erster Staatskanzler und Leiter der Friedensdelegation zu Saint Germain den vollzogenen Anschluß »obschon nicht mit jenen Methoden errungen, zu denen ich mich bekenne«, als geschichtliche Tatsache mit »wahrhafter Genugtuung für die Demütigungen von 1918 und 1919« als Vorkämpfer des Selbstbestimmungsrechtes der Nationen wie als deutsch-österreichischer Staatsmann »freudigen Herzens« begrüßte[4]. Zu diesen Erklärungen von katholischer wie von sozialdemokratischer Seite gesellten sich zahlreiche Aufrufe der anderen christlichen Glaubensgemeinschaften sowie »prominenter« Persönlichkeiten von Wissenschaft und Kunst, während zugleich die ersten Transporte »Prominenter« des gestürzten autoritären Regimes und der monarchistischen Bewegung zusammen mit jüdischen Wirtschaftstreibenden und sozialistischen Führern in das Konzentrationslager Dachau abgingen[5].

Unter diesen Umständen brachte die »Volksabstimmung« vom 10. IV. das erwartete Ergebnis (99,6 % »Ja«-Stimmen bei einer Wahlbeteiligung von 99,7 %) der nahezu einmütigen Zustimmung zu der bereits längst vollzogenen und sogleich als »unlösbar« erklärten Vereinigung[6]. Um die Gewinnung der Arbeiterschaft bemühte sich dabei neben Bürckel vor allem der neuernannte nationalsozialistische Bürgermeister von Wien, Dr. Ing. Hermann Neubacher, der als früherer langjähriger Generaldirektor der »Gemeinschaftlichen Siedlungs- und Baustoffanstalt« (GESIBA) gute persönliche Beziehungen zur sozialdemokratischen Wiener Gemeindeverwaltung wie als Gründer und Vorsitzender des »Österreichisch-Deutschen Volksbundes« zum sozialdemokratischen Präsidenten des Deutschen Reichstags Paul Löbe und dessen »Deutsch-Österreichischen Volksbund« gepflegt hatte und der nun mit entsprechendem Propaganda-Aufwand ehemalige Schutzbündler und andere Sozialdemokraten, die nach dem Februar 1934 entlassen worden waren, wieder in den Gemeindedienst einstellte[7]. Auch verfehlte die durch den Arbeitskräftemangel im »Altreich« begünstigte rasche Beseitigung der Arbeitslosigkeit nicht ihre Wirkung, wenngleich die damit verbundene Verschickung an Arbeitsplätze im »Altreich» auch Reibungen und Mißstimmung erzeugte.

Neben der Durchführung der »Volksabstimmung« war dem Reichskommissar Bürckel auch die Reorganisation bzw. Organisation der Nationalsozialistischen Partei mit allen ihren Gliederungen und Einrichtungen von Hitler übertragen worden, während der vom Bundeskanzler zum »Reichsstatthalter« umbenannte Seyß-Inquart und seine kurzlebige letzte österreichische Regierung sich mit

d) Österreich im »Großdeutschen Reich« (1938–1945)

einem Schattendasein bzw. rein repräsentativen Funktionen begnügen mußten[8]. Zu den aus der Zeit der »Illegalität« fortlebenden Gegensätzen und Cliquenkämpfen kamen nun noch die Spannungen zwischen Bürckel und Seyß-Inquart und den beiderseitigen Gefolgsleuten, zwischen »alten Illegalen« aus Österreich und den in die »Ostmark« abgestellten Funktionären der verschiedenen Staats- und Partei-Institutionen aus dem »Altreich«, die in ihrem Bemühen um Ausweitung ihres Einflusses vielfach untereinander in Streit gerieten; so daß die »autoritäre Anarchie«[9] des nationalsozialistischen Regimes gerade in Österreich in der Zeit nach dem »Umbruch« die ärgsten Blüten trieb. Eine besonders unerfreuliche Erscheinung in diesem Zusammenhang war das Unwesen der »wilden« wie der autorisierten »Ariseure« und »kommissarischen Leiter« von bisher in jüdischem Besitz befindlichen Geschäften, Betrieben, Liegenschaften und Vermögenswerten; wobei der Besitzwechsel vielfach noch dadurch gefördert wurde und eine gewisse Schein-Legalität erhielt, daß die bisherigen Besitzer, um auswandern zu können, selbst auf einen möglichst raschen Abschluß drängten.

Die nach der »Volksabstimmung« einsetzende Ernüchterung, Enttäuschung und Unzufriedenheit bis in die Reihen der früheren »Illegalen« wurde noch verstärkt durch die Auslöschung des Namens Österreich im Zuge der neuen Gaueinteilung in sieben Gaue (das durch die Einbeziehung von Randgemeinden vergrößerte Wien, der aus dem bisherigen Niederösterreich und dem nördlichen Burgenland gebildete Gau »Niederdonau«, während das nun »Oberdonau« genannte Oberösterreich das Gebiet von Aussee erhielt, Steiermark das südliche Burgenland, Kärnten das bisherige Osttirol und Tirol als Ersatz für den Verlust von Osttirol das bisherige Land Vorarlberg, so daß von allen bisherigen neun Bundesländern nur Salzburg seine bisherigen Grenzen behielt). Besonders die auch geographisch unsinnigen Bezeichnungen »Oberdonau« und »Niederdonau«, die an die Departements-Namen der Französischen Revolution erinnerten, wurden stark kritisiert.

Auch die kirchliche Hierarchie, deren Entgegenkommen gegenüber den neuen Machthabern vom Vatikan, den deutschen Bischöfen und von deutschen Emigranten scharf kritisiert wurde, entdeckte nun, daß ihre Gutgläubigkeit in der Zeit vor der »Volksabstimmung« mißbraucht worden war und daß die neuen Machthaber keine wirkliche Versöhnung mit der Kirche wollten, die Kirchenaustrittsbewegung unter ihren Anhängern förderten und den Totalitätsanspruch des Regimes auch gegenüber der Kirche durchzusetzen entschlossen waren. Nach einer spontanen Kundgebung der katholischen Jugend für Kardinal Innitzer im Anschluß an eine Jugendandacht kam es am 8. X. 1938 zum Sturm einer Horde der Hitlerjugend auf das Erzbischöfliche Palais mit schweren Sachbeschädigungen und tätlichen Angriffen auf dort angetroffene Priester[10]. Drei Tage später hielt Bürckel auf dem Wiener Heldenplatz bei einer nationalsozialistischen antiklerikalen Kundgebung eine Rede mit scharfen persönlichen Angriffen auf den Kardinal.

Die wüsten antisemitischen Ausschreitungen der »Reichskristallnacht« (9./10. XI. 1938) erregten vor allem in Wien mit seiner relativ großen Zahl jüdischer Einwohner starkes Aufsehen und lösten auch bei bisher überzeugten Nationalsozialisten Zweifel aus an der offiziellen Version von der »spontanen Reaktion« der »kochenden Volksseele« auf die Ermordung des deutschen Legationsrats Ernst vom Rath[11].

Inzwischen hatte die Abtretung der sudetendeutschen Gebiete auf Grund des Abkommens von München den Anschluß der deutschsprachigen Siedlungsgebiete von Südböhmen an Oberdonau, den von Südmähren sowie von Theben und

§ 23 Österreich 1918–1970

Engerau bei Preßburg an Niederdonau gebracht. Das »Ostmarkgesetz« vom 14. IV. 1939 übertrug die neue Gaueinteilung auch auf die staatliche Verwaltung, eine Regelung, die als Vorbild für eine spätere Neugliederung des gesamten Reiches dienen sollte.

Der II. Weltkrieg

Bei Kriegsausbruch befand sich eine besonders große Zahl von Österreichern, nicht in geschlossenen Verbänden, sondern auf verschiedene Einheiten verteilt, im Wehrdienst, da in Österreich die allgemeine Wehrpflicht ein Jahr später eingeführt worden war als im Deutschen Reich und so im Herbst 1938 die Angehörigen mehrerer Jahrgänge zugleich zum Wehrdienst einberufen worden waren. Die Verluste waren daher vom Anfang an prozentual besonders hoch, während die »Alpen- und Donaureichsgaue« (wie das frühere österreichische Staatsgebiet auf Grund eines Führer-Erlasses seit Frühjahr 1942 genannt wurde) zunächst infolge ihrer geographischen Lage vom Bombenkrieg verschont blieben. Die zunehmende Verschlechterung der Stimmung und die wachsende Abneigung gegen die im Volksmund »Piefkes« genannten Reichsdeutschen, besonders in Wien, veranlaßten Hitler, im Sommer 1940 als Nachfolger von Bürckel den früheren Reichsjugendführer Baldur von Schirach zum Gauleiter von Wien zu machen; doch waren Schirachs Ambitionen, Wien zu einem erfolgreich mit Berlin konkurrierenden Kunst- und Kulturzentrum nationalsozialistischer Politik zu machen, durch die Rivalität der Berliner Zentralstellen wie durch die sich verschlechternde Kriegslage enge Grenzen gezogen[12].

Nachdem schon 1938 und 1939 verschiedene Widerstandsgruppen teils monarchistischer, teils sozialistischer, teils kommunistischer Tendenz durch die Verhaftung der meisten ihrer Mitglieder zerschlagen worden waren[13], nahmen im Laufe des Krieges die Kontakte unter den entschiedenen Gegnern des Regimes immer mehr zu. In den Konzentrationslagern war es zur Verständigung zwischen den einstigen Gegnern, Sozialisten und Kommunisten einerseits, Monarchisten und ehemaligen Christlichsozialen andererseits gekommen. Im Laufe des Jahres 1943, nach den Rückschlägen für die Achsenmächte in Afrika und Rußland – wobei vor allem bei Stalingrad die Österreicher besonders schwere Verluste erlitten –, nahmen auch die führenden Persönlichkeiten des deutschen Widerstands wie Carl Goerdeler, Wilhelm Leuschner und Jakob Kaiser die Verbindung zu österreichischen Gruppen auf. Dabei erfuhren sie, daß die Österreicher zwar bereit waren, beim Sturz des Hitlerregimes mitzuwirken, daß sie aber die Wiedererrichtung eines unabhängigen Österreich anstrebten; und das galt nun auch für die sozialdemokratischen Führer, die einst den Anschluß an das Deutsche Reich angestrebt hatten[14].

Bei der Moskauer Konferenz der Außenminister Großbritanniens, der Sowjetunion und der Vereinigten Staaten kam es dann zu der als »Moskauer Deklaration« bekanntgewordenen »Erklärung über Österreich«, wobei die Initiative von britischer Seite ausging[15]. Darin bekundeten die drei Regierungen ihre Absicht, Österreich, »das erste freie Land, das der typischen Angriffspolitik Hitlers zum Opfer fallen sollte«, von der deutschen Herrschaft zu befreien, erklärten den Anschluß vom März 1938 als »null und nichtig«, erinnerten aber Österreich auch daran, »daß es für die Teilnahme am Kriege an der Seite Hitler-Deutschlands eine Verantwortung trägt, der es nicht entrinnen kann, und daß anläßlich der endgültigen Abrechnung Bedachtnahme darauf, wieviel es selbst zu seiner Befreiung beigetragen haben wird, unvermeidlich sein wird«[16].

Die Widerstandsaktion »Walküre« am 20. VII. 1944, die im Wehrkreiskom-

d) Österreich im »Großdeutschen Reich« (1938–1945)

mando Wien zunächst erfolgreich durchgeführt worden war, gab nach dem Scheitern des Unternehmens Anlaß zur Verhaftung zahlreicher führender früherer »vaterländischer« und sozialdemokratischer Funktionäre, besonders jener, die mit Goerdeler, Leuschner und Kaiser Kontakt gehabt hatten, sowie jener, deren Namen nur im Zusammenhang dieser Gespräche genannt worden waren[17]. Das Näherrücken der Ost-, Südost- und Südfront und der mit voller Wucht nun auch gegen die österreichischen Städte einsetzende Bombenkrieg brachten besonders in Wien eine radikale Verschlechterung der Stimmung, der die Führung vergeblich dadurch zu begegnen suchte, daß nunmehr wieder stärker ehemalige österreichische »Illegale« auf verantwortungsvolle Posten gestellt wurden. Die verschiedenen Widerstandsgruppen nahmen, ermutigt durch die »Moskauer Deklaration«, untereinander sowie vereinzelt auch schon mit alliierten Stellen und den Gruppen der österreichischen Emigration Verbindung auf, wobei es sich allerdings nachteilig auswirkte, daß es wegen der in der Emigration anhaltenden politischen Gegensätze nicht zur Bildung einer österreichischen Exilregierung gekommen war[18]. Als im Frühjahr 1945 Österreich selbst Kriegsgebiet wurde, da von Osten, Süden und Westen alliierte Truppen vorrückten, suchten selbst hohe SS-Führer österreichischer Herkunft, wie der Chef des Reichssicherheitshauptamtes, der Sicherheitspolizei und des Sicherheitsdienstes Dr. Ernst Kaltenbrunner, Kontakte zur Widerstandsbewegung anzuknüpfen, um die Zerstörung ihrer Heimat abzuwenden. Kam es auch nur vereinzelt zu Kampfhandlungen, besonders im Gebirge und teilweise unter Führung von ehemaligen österreichischen Kriegsgefangenen oder Emigranten, die von den Alliierten mit Fallschirmen hinter den Linien abgesetzt worden waren, so war es dann doch ein unleugbares Verdienst der Widerstandsbewegung, daß sie letzte Verzweiflungskämpfe und weitere Zerstörungen im Sinne des »Alpenfestungs-« oder »Götterdämmerungs«-Mythos verhinderte oder zu verhindern suchte und an vielen Stellen einen einigermaßen geordneten und gewaltlosen Machtwechsel herbeiführte. An anderen Stellen, wie etwa bei dem Versuch, eine Zerstörung Wiens durch Kontaktaufnahme mit der heranrückenden Roten Armee zu verhindern, oder bei dem Kampf um das Innsbrucker Landhaus, brachte die Widerstandsbewegung noch kurz vor dem Zusammenbruch des Hitlerregimes letzte Blutopfer[19], an die sich der Freitod jener zahlreichen Menschen reihte, die, teilweise mit ihren Familien, kurz vor oder nach dem Einmarsch der alliierten Truppen aus dem Leben schieden.

[1] *R. Luža,* Österreich und die großdeutsche Idee; *G. Botz,* Die Eingliederung Österreichs; ders., Wohnungspolitik und Judendeportation; *N. Schausberger,* Der Griff nach Österreich; *F. Czeike* (Hg.), Wien 1938: ForschBeitrrWienStadtg 2 (1978).

[2] *E. Weinzierl* u. *Fischer,* Österreichs Katholiken, S. 509; dies., Kirche u. Nationalsozialismus in Wien im März 1938, in: *F. Czeike,* Wien 1938, S. 169, *J. Fried,* Nationalsozialismus u. kath. Kirche in Österreich (1947), S. 23; *F. v. Papen,* Der Wahrheit eine Gasse (1952), S. 491.

[3] Die Erklärung erschien am 28. III. in allen Zeitungen und wurde auch zusammen mit dem von Innitzer eigenhändig mit »Heil Hitler!« unterschriebenen Begleitbrief an Bürckel in Faksimile plakatiert.

[4] Neues Wiener Tagblatt v. 3. IV. 1938; *J. Hannak,* Karl Renner, S. 650 ff.

[5] Liste des 1. Österreichertransports nach Dachau (Prominente) am 1. April 1938, in: *F. Czeike,* Wien 1938, S. 16 f.; vgl. allgemein: Widerstand u. Verfolgung in Wien.

[6] *G. Botz,* Das Ergebnis der »Volksabstimmung« vom 10. April 1938, in: *F. Czeike,* Wien 1938.

[7] *H. R. Ritter,* Hermann Neubacher and the Austrian Anschluss Movement 1918–1940: CentrEurHist VIII (1975/4); *W. Rosar,* Deutsche Gemeinschaft.

8 *R. Luža,* S. 98 ff.
9 *W. Petwaidic,* Die autoritäre Anarchie (1946).
10 *E. Weinzierl* u. *Fischer,* Österreichs Katholiken (II), S. 516 f.; *O. Molden,* Der Ruf des Gewissens, S. 65 f.; *K. Rudolf,* Aufbau im Widerstand (1947), S. 230 ff.
11 *E. Weinzierl,* Zu wenig Gerechte, S. 56 ff.
12 *R. Luža,* S. 200 ff.; *W. Thomas,* Bis der Vorhang fiel (1947).
13 *O. Molden,* S. 53 ff.
14 Das oft zitierte Gespräch des späteren sozialistischen Parteivorsitzenden, Vizekanzlers und schließlich Bundespräsidenten Dr. Adolf Schärf mit dem zum Vizekanzler in der Regierung Goerdeler bestimmten Wilhelm Leuschner im Frühsommer 1943, zuerst bei: *A. Schärf,* Österreichs Erneuerung 1945–1955 (1955), S. 19 ff. Über die Gespräche der späteren ÖVP-Minister Dr. Felix Hurdes und Lois Weinberger mit Carl Goerdeler und Jakob Kaiser: *L. Weinberger,* Tatsachen, Begegnungen, Gespräche (1948), S. 131 ff.; *L. Jedlicka,* Der 20. Juli 1944 in Österreich, S. 27 ff.
15 *G. Stourzh,* Kleine Geschichte des Österreichischen Staatsvertrages, S. 11 ff. An der vorbereitenden Planung in England hat, nach seiner vor kurzem veröffentlichten Aussage, der zweitälteste Sohn des letzten Kaisers Karl, Robert Habsburg-Lothringen, auf persönlichen Wunsch Churchills mitgearbeitet und den Gedanken, daß Österreich als das erste von Hitler überfallene Land seine Unabhängigkeit zurückerhalten müsse, in die Deklaration hineingetragen. *E. Feigl,* Kaiserin Zita, Legende u. Wahrheit (1977), S. 206 f.
16 *G. Stourzh,* Kleine Geschichte, S. 152.
17 *L. Jedlicka,* Der 20. Juli 1944, S. 32 f.; 76 ff.; *A. Schärf,* S. 21 ff.; *L. Weinberger,* S. 141 ff., 171 ff.
18 *F. Goldner,* Die österreichische Emigration 1938 bis 1945 (1972); *H. Maimann,* Politik im Wartesaal.
19 Zu Widerstand und Verfolgung allgemein: *E. Weinzierl,* Der österreichische Widerstand, in: *E. Weinzierl* u. *K. Skalnik* (Hgg.), Die Zweite Republik; *K. Stadler,* Österreich 1938–1945.

e) Von der Befreiung zur Freiheit (1945–1955)

Die Wiedererrichtung der Republik Österreich

In dem kleinen Ort Gloggnitz in Niederösterreich hielt sich zur Zeit des russischen Einmarsches im April 1945 der frühere erste Staatskanzler der Republik und letzte Präsident des 1933 ausgeschalteten Nationalrats, Dr. Karl Renner, auf. Als er, der bereits im 75. Lebensjahr stand, zu einer russischen Befehlsstelle ging, um gegen Ausschreitungen der Soldaten gegenüber der Zivilbevölkerung zu protestieren, wurde er, da sein Name sowjetischen Offizieren bekannt war, über verschiedene Dienststellen zum Befehlshaber dieses Abschnitts, Generaloberst Alexej Scheltow, gebracht, der ihm vorschlug, die Bildung einer österreichischen Regierung zu übernehmen[1]. Renner willigte nach einer kurzen Bedenkzeit ein, schrieb einen sehr geschickt abgefaßten Brief an Marschall Stalin[2] und wurde nach der Einnahme Wiens durch die Sowjettruppen in die österreichische Hauptstadt gebracht (20. IV. 1945), wo sich inzwischen, im Zusammenwirken mit der Widerstandsbewegung, bereits die drei wiedererstandenen Parteien etabliert hatten: die am 14. IV. aus dem sofort erfolgten Zusammenschluß alter sozialdemokratischer Führer und jüngerer Vertreter der »Revolutionären Sozialisten« gebildete »Sozialistische Partei Österreichs (Sozialdemokraten und Revolutionäre Sozialisten)«[3], die am 17. IV. in Wien als Nachfolgerin der einstigen Christlichsozialen Partei gegründete »Österreichische Volkspartei«[4] und die unter dem besonderen Schutz der Sowjetarmee zunächst sehr selbstbewußt auftre-

e) Von der Befreiung zur Freiheit (1945-1955)

tende »Kommunistische Partei Österreichs«. Die SPÖ, die den Posten des Wiener Bürgermeisters beanspruchte und dafür den einstigen kaiserlichen Stabsoffizier und späteren Schutzbundkommandanten General Theodor Körner nominierte, stand unter der Führung des geschickten Taktikers Dr. Adolf Schärf, der in der Zwischenkriegszeit Klubsekretär der sozialdemokratischen Nationalratsfraktion und Bundesrat gewesen war und dann als Rechtsanwalt trotz wiederholter Verhaftung den Kontakt zu den alten Gesinnungsgenossen aufrechterhalten hatte. Die ÖVP gliederte sich, entsprechend der Anhängerschaft der Christlichsozialen und von in den Konzentrationslagern und im Widerstand geführten Gesprächen, in drei Bünde, den Bauernbund, den Wirtschaftsbund und den Arbeiter- und Angestelltenbund (ÖAAB), wobei als Vorsitzender der Gesamtpartei der alte christliche Arbeiterführer Leopold Kunschak, als Generalsekretär der aus der katholischen Jugendbewegung stammende Rechtsanwalt Dr. Felix Hurdes fungierte. Bei den Kommunisten verdrängte die aus der Moskauer Emigration eingeflogene Führungsgarnitur bald die aus dem Widerstand aufgetauchten Männer und Frauen der ersten Stunde[5]. Renner rechnete zunächst auch mit der Wiederbegründung des national-liberalen »Landbunds«, doch hatte sich der prominenteste Landbund-Politiker der Zwischenkriegszeit, der einstige Vizekanzler und Innenminister, Ing. Vinzenz Schumy, bereits im Sinne der von ihm schon früher angestrebten »Bauerneinheit« für die Mitarbeit im ÖVP-Bauernbund entschieden; was ihm um so leichter fiel, als im Bauernbund wie in der ÖVP-Gesamtpartei, dem erneuerten kirchlichen Verbot parteipolitischer Betätigung des Klerus entsprechend, die einst vorherrschende klerikal-konfessionelle Note nunmehr zurücktrat[6].

Die »drei demokratischen Parteien« (SPÖ, ÖVP, KPÖ) bildeten am 27. IV. unter dem Vorsitz Renners eine »Provisorische Staatsregierung« und veröffentlichten am folgenden Tag eine »Unabhängigkeitserklärung« über die Wiederherstellung der demokratischen Republik Österreich, die »im Geiste der Verfassung von 1920« einzurichten sei[7]. Um eine längere Verfassungsdiskussion zu vermeiden, in die sich vielleicht die Besatzungsmacht eingeschaltet hätte, entschloß man sich dann, in einem »Verfassungs-Überleitungsgesetz« (1. V. 1945), zur Rückkehr zu den verfassungsmäßigen Zuständen vom März 1933 – vor der Ausschaltung des Nationalrats – und damit zur Bundesverfassung von 1929[8].

Während Marschall F. I. Tolbuchin namens der Roten Armee der »Provisorischen Staatsregierung« am Tage ihrer Bildung sogleich die de-facto-Anerkennung aussprach und ihr seine Unterstützung zusagte, blieben die westlichen Alliierten zunächst mißtrauisch. Erst nachdem im Sommer 1945, entsprechend der noch während des Krieges getroffenen Vereinbarungen, auch die Amerikaner, Briten und Franzosen nach Wien kamen, gelang es Renner und seiner Regierung, dieses Mißtrauen zu überwinden, wobei die Beziehungen zur Labour Party, die inzwischen in England an die Regierung gekommen war, eine wichtige Rolle spielten. Nach den gleichfalls schon in der letzten Kriegsphase getroffenen alliierten Vereinbarungen nahm man folgende Aufteilung in Besatzungszonen vor: die sowjetische Besatzungszone umfaßte das Burgenland, Niederösterreich sowie das oberösterreichische Gebiet nördlich der Donau, die amerikanische Oberösterreich südlich der Donau und Salzburg, die britische Steiermark, Kärnten und Osttirol, die französische Nordtirol und Vorarlberg. Die Bundeshauptstadt Wien wurde gleichfalls in vier Zonen geteilt, die »Innere Stadt« – der 1. Wiener Gemeindebezirk, die historische Altstadt, wo die meisten Regierungsämter lagen – wurde zum internationalen Sektor erklärt, dessen Verwaltung jeden Monat im Turnus zwischen den vier Besatzungsmächten wechselte. Zusam-

§ 23 Österreich 1918–1970

men mit den berühmt gewordenen »Vier im Jeep«, der alliierten Militärpolizei, hat gerade diese Zoneneinteilung mit dem »Internationalen Sektor« dazu beigetragen, daß selbst auf dem Höhepunkt des »Kalten Krieges« eine gewisse Zusammenarbeit zwischen den im »Alliierten Rat« die oberste Instanz des vierfach besetzten Landes bildenden Besatzungsmächten gewahrt blieb und die österreichische Regierung zwischen ihnen sich einen Freiraum zu behaupten und geschickt zu erweitern vermochte[9].

Mindestens ebenso wichtig wie die Anerkennung durch die westlichen Besatzungsmächte war für die »Provisorische Staatsregierung« die Zusammenarbeit mit den regionalen Gewalten in den anderen Zonen und Bundesländern, die sich nach der Beseitigung des nationalsozialistischen Regimes überall gebildet hatten. Waren die Besatzungszonen mit ihren Verkehrsbehinderungen und Kontrollen hier ein lästiges, äußerliches Hindernis, so stand dem doch ein weit stärkerer Wille zur Zusammenarbeit und ein entschiedeneres Zusammengehörigkeitsgefühl gegenüber, als dies nach dem I. Weltkrieg der Fall gewesen war. In »Länderkonferenzen« vereinbarte man den Eintritt von Vertretern auch der westlichen Bundesländer in die Regierung Renner, die daher am 25. IX. umgebildet wurde und nunmehr aus 13 Angehörigen der ÖVP, 12 der SPÖ, 10 der KPÖ und 4 parteilosen Fachleuten bestand. Die große Zahl der Regierungsmitglieder (Staatssekretäre und Unterstaatssekretäre) spiegelt die Schwierigkeiten eines doppelten, parteipolitischen und regionalen »Proporzes«[10].

Wie die Regierung Renner bereits bei ihrem Amtsantritt versprochen hatte, wurden so bald wie möglich Nationalratswahlen abgehalten. Sie fanden am 25. XI. 1945 statt, wobei Mitglieder der NSDAP und ihrer Wehrformationen SA und SS vom Wahlrecht ausgeschlossen waren; auch befanden sich noch viele Männer der mittleren Jahrgänge in Kriegsgefangenschaft. Die ÖVP errang mit 85 Mandaten die absolute Mehrheit; die SPÖ erhielt 76, die Kommunisten nur 4 Mandate. Auf der Grundlage dieses Wahlergebnisses wurde der niederösterreichische Bauernbundführer Ing. Leopold Figl Bundeskanzler, der Sozialist Dr. Adolf Schärf Vizekanzler. Die Kommunisten, die in der »Provisorischen Staatsregierung« das Innen- und das Unterrichtsressort besetzt hatten, mußten sich nun mit dem neugebildeten Ministerium für Energiewirtschaft begnügen. Am 20. XII. wählte die Bundesversammlung den bisherigen Staatskanzler Renner zum Bundespräsidenten nach dem Wahlmodus der Verfassung von 1920, da man die Kosten einer Volkswahl so kurz nach der Nationalratswahl nicht verantworten wollte und sich die Parteien auf die Person Renners geeinigt hatten.

Für die Tätigkeit des österreichischen Parlaments entscheidend wurde dann das Zweite Kontrollabkommen vom 28. VI. 1946, in dem das Einspruchsrecht der Besatzungsmächte eingeschränkt wurde. Nur mehr Verfassungsgesetze bedurften demnach der Zustimmung des Alliierten Rates; alle anderen Gesetze traten in Kraft, wenn nicht innerhalb von 31 Tagen ein einstimmiger Einspruch des Rates erfolgte, was in der Periode des »Kalten Krieges« nur mehr selten vorkam. Andererseits verzögerte die Uneinigkeit der Alliierten den Abschluß des Staatsvertrags und damit das Ende der Besatzungszeit[11].

Die nach Kriegsende vor allem in Tirol aufgeflammte Hoffnung auf eine Rückkehr Südtirols erfüllte sich nicht. So mußte als Erfolg gewertet werden, daß der Außenminister der Regierung Figl, Dr. Karl Gruber (ÖVP) – der 1945 Führer der Tiroler Widerstandsbewegung und dann Landeshauptmann von Tirol gewesen war – auf der für den Abschluß des Friedensvertrags mit Italien einberufenen Pariser Friedenskonferenz mit dem damaligen italienischen Außenminister Alcide De Gasperi ein zweiseitiges Abkommen schloß, das Bestimmungen über

e) Von der Befreiung zur Freiheit (1945–1955)

die Gewährung einer weitgehenden Autonomie und die Erhaltung des »ethnischen Charakters« von Südtirol enthielt (5. IX. 1946). Aus der Interpretation dieses in einigen Punkten verschieden auslegbaren Abkommens sind dann in der Folgezeit immer wieder Konflikte zwischen der italienischen Staatsführung einerseits, den Südtirolern und der österreichischen Regierung andererseits erwachsen, bis nach langwierigen Verhandlungen und zahlreichen Rückschlägen 1969 mit der Annahme von »Paket« und »Operationskalender« ein Weg zur Entspannung gefunden wurde[12].

Große Sorgen bereiteten der österreichischen Regierung zunächst die sehr weitgehenden Ansprüche Jugoslawiens auf das südliche Kärnten, zumal diese Ansprüche aus ideologischer Solidarität auch von der Sowjetunion unterstützt wurden. Der Konflikt zwischen Stalin und Tito brachte Österreich hier eine Entlastung, da die Sowjetführung nun die jugoslawischen Ansprüche nicht mehr vertrat und auch Jugoslawien die Grenzen der Zwischenkriegszeit schließlich anerkannte.

Im November 1947 schieden die Kommunisten wegen ihrer Ablehnung des vom Kabinett zur Bekämpfung der Inflation beschlossenen Währungsschutzgesetzes und wegen ihrer Gegnerschaft gegen die Marshall-Plan-Hilfe aus der Regierung aus. Von da an wurde Österreich durch fast zwei Jahrzehnte von der Koalition der beiden Großparteien regiert, wobei die Volkspartei den Bundeskanzler, die Sozialistische Partei den Vizekanzler stellte. Die Nationalratswahlen vom 9. X. 1949 konnten als die ersten Wahlen unter einigermaßen normalen Bedingungen gelten, da der größte Teil der Kriegsgefangenen inzwischen in die Heimat zurückgekehrt war und auch die »minderbelasteten« ehemaligen Nationalsozialisten nun auf Grund einer inzwischen erlassenen Amnestie wahlberechtigt waren. Gerade um ihre Stimmen warb besonders der neugegründete »Verband der Unabhängigen« (VdU), der vom sozialistischen Innenminister Oskar Helmer in dem Bestreben gefördert wurde, das Monopol der ÖVP auf die »bürgerlichen« nicht-sozialistischen Stimmen zu brechen. Der Gegenzug des Führers des ÖVP-Wirtschaftsbundes, Ing. Julius Raab, der stärksten politischen Persönlichkeit in der Volkspartei, durch Kontakte mit ehemaligen nationalsozialistischen Führern dieses Stimmenreservoir für die ÖVP zu aktivieren, blieben zwar eher wirkungslos, doch zeigte das Wahlergebnis, daß die »Unabhängigen« den beiden Großparteien etwa den gleichen Anteil an Stimmen und Mandaten weggenommen hatten. Die ÖVP erhielt 77, die SPÖ 67, die »Unabhängigen« 16 und der »Linksblock« (Kommunisten und die unter Erwin Scharf aus der SPÖ ausgetretenen Linkssozialisten) 5 Mandate.

Ein im Oktober 1950 von kommunistischer Seite unternommener Versuch, die wirtschaftlichen Schwierigkeiten im Zusammenhang mit dem »Vierten Lohn- und Preisabkommen« zu einer umfassenden Streikbewegung und zu Unruhen mit dem Ziel eines Umsturzes des Regierungssystems auszunützen, scheiterte an der festen Haltung des größten Teils der österreichischen Arbeiterschaft. Als Bundespräsident Renner am 31. X. 1950, kurz nach seinem 80. Geburtstag, starb, dachte man in den Parteiführungen zunächst daran, den Nachfolger wieder durch die Bundesversammlung wählen zu lassen, gab dann aber den Stimmen in der Öffentlichkeit nach, die forderten, entweder die Verfassung zu ändern oder endlich, der Verfassung von 1929 entsprechend, den Bundespräsidenten durch das Volk wählen zu lassen. Im ersten Wahlgang erhielt der ÖVP-Kandidat Dr. Heinrich Gleißner die meisten Stimmen, gefolgt von dem von der SPÖ aufgestellten Bürgermeister von Wien Theodor Körner und von dem parteilosen, vom VdU unterstützten Innsbrucker Professor der Chirurgie Burkhard Breitner, der

§ 23 Österreich 1918–1970

die erhebliche Zahl von 662 000 Stimmen erreichte. Da keiner der Kandidaten die absolute Mehrheit erzielt hatte, wurde eine Stichwahl notwendig, in der Körner über Gleißner den Sieg davontrug.

Bei den nächsten Nationalratswahlen am 22. II. 1953 verringerte sich der Abstand zwischen ÖVP (74 Mandate) und SPÖ (73 Mandate) auf ein Mandat; die Unabhängigen, bei denen sich interne Zwistigkeiten anbahnten, fielen auf 14 Mandate zurück, die »Volksopposition« (unter welchem Namen Kommunisten und Linkssozialisten diesmal kandidierten) auf 4 Mandate. Bei den schwierigen Regierungsverhandlungen brachte der nun statt Figl als Bundeskanzler designierte Raab den Vorschlag ins Spiel, die »Unabhängigen« als dritten Koalitionspartner in die Regierung zu nehmen, was der Bundespräsident Körner und die SPÖ ablehnten. So kam es wieder zur Erneuerung der großen Koalition, jetzt mit Raab als Bundeskanzler, Schärf als Vizekanzler, acht ÖVP-Ministern, 6 SPÖ-Ministern und dem parteilosen Justizminister Dr. Joseph Gerö. Als Kompensation diente auch die Schaffung des Postens eines Staatssekretärs in dem bisher von der ÖVP allein geleiteten Außenministerium, wofür die SPÖ den jungen, aus der schwedischen Emigration zurückgekehrten Dr. Bruno Kreisky nominierte. Er blieb auch an dieser Stelle, als Außenminister Dr. Gruber im Zusammenhang mit der Veröffentlichung seiner politischen Erinnerungen[13], in denen er über weit zurückliegende Kontaktgespräche zwischen Figl und dem kommunistischen Politiker Ernst Fischer berichtete, zurücktreten mußte und als Botschafter nach Washington ging. Raab, der die Außenpolitik als Regierungschef weitgehend selbst bestimmen wollte, berief nun Figl als Außenminister in sein Kabinett, da er sich von ihm eine bessere Zusammenarbeit erwartete und auch dessen bekannt gute persönliche Beziehungen zur Sowjetdiplomatie auszunützen gedachte.

Der Abschluß des Staatsvertrags

Während sich die wirtschaftliche Situation vor allem dank der Marshall-Plan-Hilfe und des sachkundigen marktwirtschaftlichen Kurses des von Raab als Finanzminister in sein Kabinett geholten Nationalökonomen Prof. Dr. Reinhard Kamitz – propagandistisch ausgewertet als »Raab-Kamitz-Kurs« – zusehends besserte, machten die seit Jahren zwischen den Vertretern der Großmächte geführten Verhandlungen über den Abschluß eines österreichischen Staatsvertrags zunächst keine sichtbaren Fortschritte. Nachdem die Sowjetunion 1949 die Unterstützung der jugoslawischen Gebietsansprüche aufgegeben hatte, war es vor allem die dornige Frage des »Deutschen Eigentums« in der sowjetischen Besatzungszone und des aus diesen Werten errichteten russischen Wirtschaftskonzerns der USIA-Betriebe, daneben der weltpolitische Fragenkomplex von NATO und deutscher Wiederaufrüstung, die eine Einigung weiterhin verhinderten. Nach Stalins Tod begannen sich aber die Zeichen einer elastischeren sowjetischen Haltung gegenüber Österreich zu mehren, und der neue Bundeskanzler Raab war entschlossen, jede sich bietende Gelegenheit für die Erlangung der österreichischen Unabhängigkeit zu ergreifen, – selbst auf die Gefahr hin, vom sozialistischen Koalitionspartner der Sowjetfreundlichkeit und demokratischen Unzuverlässigkeit verdächtigt zu werden[14]. Es war dann das Verdienst des jungen sozialistischen Staatssekretärs Kreisky, seine eigene Partei, die zunächst auf eine starr antisowjetische Politik festgelegte SPÖ, zum Einschwenken auf den elastischeren Kurs Raabs veranlaßt zu haben.

Nachdem die Sowjetunion zuletzt die Frage des Staatsvertrags mit der Triester Frage verknüpft hatte, stellte Außenminister Molotow auf der Berliner Außen-

e) Von der Befreiung zur Freiheit (1945–1955)

ministerkonferenz im Januar 1954 wieder einen Zusammenhang mit der deutschen Frage her, indem er Figl erklärte, Moskau sei zum Abschluß des Staatsvertrags bereit, falls Österreich der Stationierung sowjetischer Truppen auf seinem Gebiet bis zum Abschluß eines deutschen Friedensvertrages zustimme – ein für die österreichische Regierung unannehmbares Junktim. Nach den vielversprechenden Gesten des Jahres 1953 – Aufhebung der Zensur und der Kontrolle an der Zonengrenze, Verzicht auf die Erstattung der Besatzungskosten durch Österreich – war die Enttäuschung um so größer und machte sich in heftigen antisowjetischen Demonstrationen Luft.

Am 8. II. 1955 hielt Molotow vor dem Obersten Sowjet eine außenpolitische Rede, in der er zwar wieder die österreichische Frage mit jener der deutschen Wiederaufrüstung verband, aber nicht mehr die Forderung nach dauernder Stationierung von Sowjettruppen, sondern nur die nach genügend abgesicherter österreichischer Neutralität erhob[15]. Ob diese Wendung mit den Machtverschiebungen im Kreml und dem Machtzuwachs Chruschtschows zusammenhing oder mit der Erkenntnis, daß die deutsche Wiederaufrüstung und die Eingliederung der Bundesrepublik in die NATO ohnedies nicht mehr rückgängig gemacht werden konnten und ein aus Österreich und der Schweiz gebildeter neutraler Keil die NATO-Truppen in Süddeutschland und Italien trennen werde, entzog sich der Kenntnis und Beurteilung durch die österreichische Regierung. Aber man erkannte die Chance und reagierte rasch; Raab gab seinerseits sogleich eine Erklärung ab, in der er die russische Bereitschaft zur Sicherung der österreichischen Unabhängigkeit begrüßte. Nach Kontakten mit Molotow über den österreichischen Botschafter in Moskau, Dr. Norbert Bischoff, arbeitete die Bundesregierung eine offizielle Stellungnahme zu Molotows in seiner Rede skizzierten Schlußfolgerungen aus. Das Echo aus Moskau war positiv, und am 11. IV. flog eine österreichische Regierungsdelegation, der Raab, Schärf, Figl und Kreisky angehörten, mit einem kleinen Stab von Spitzendiplomaten und Dolmetschern nach Moskau, wo in dreitägigen Verhandlungen mit der Kreml-Führung (12.–15. III.) eine Einigung über alle wichtigen Punkte, vor allem über die künftige immerwährende Neutralität Österreichs nach dem Vorbild der Schweizer Neutralität erzielt und im »Moskauer Memorandum« festgelegt wurde. In einer Botschafterkonferenz in Wien (2.–12. V.) wurde dann zwischen der österreichischen Regierung und den Delegationen der vier Großmächte der endgültige Text des Staatsvertrags ausgearbeitet und am 15. V. 1955 im Schloß Belvedere durch die Außenminister Molotow, MacMillan, Dulles, Pinay und Figl unterzeichnet. Im September und Oktober verließen die Besatzungstruppen Österreich. Als das Land von fremden Truppen frei war, nahm der Nationalrat einstimmig die von der Regierung vorgelegte Entschließung über die immerwährende Neutralität Österreichs an (26. X.). Daß im gleichen Herbst 1955 die beiden großen, in der letzten Phase des Bombenkrieges schwer beschädigten Häuser der beiden Staatstheater an der Wiener Ringstraße wiedereröffnet wurden, das Burgtheater am 15. X. und die Staatsoper am 9. XI., ist allgemein als glückhaftes Omen gedeutet worden.

---

[1] *R. Neck,* Innenpolitische Entwicklung, in: *E. Weinzierl* u. *K. Skalnik,* Die Zweite Republik, Bd. 1, S. 150 f.

[2] Der Brief vom 15. IV. und Stalins Antwort, die Renner am 12. V. übergeben wurde bei: *J. Hannak,* Karl Renner und seine Zeit, S. 672 f.

[3] Der Zusatz in Klammer wurde bald weggelassen, weil die völlige Integration rasch erfolgte und das Wort »Revolutionäre Sozialisten« die russischen Kommunisten an ihre einstigen Todfeinde, die »Sozialrevolutionäre« hätte erinnern können.

§ 23 Österreich 1918–1970

[4] *G. Heindl*, ÖVP: Unter dem Gebot der Stunde, in: *L. Reichhold* (Hg.), Zwanzig Jahre Zweite Republik; *K. Skalnik*, Parteien, in: *E. Weinzierl* u. *K. Skalnik*, Bd. 2.
[5] *A. Schärf*, April 1945 in Wien (1948), S. 62.
[6] *A. Wandruszka*, Landbund (s. c, Anm. 1), S. 600 f.
[7] Staatsgesetzblatt Nr. 1/1945: *A. Schärf*, April 1945, S. 10; ders., Österreichs Erneuerung (s. d, Anm. 14), S. 47 f.
[8] *A. Schärf*, Erneuerung, S. 51.
[9] *G. Stourzh*, Kleine Geschichte, S. 17 f.
[10] *K. Gruber*, Ein politisches Leben (1975), S. 71 ff.
[11] *G. Stourzh*, Kleine Geschichte.
[12] *F. Huter* (Hg.), Südtirol, Eine Frage des europäischen Gewissens (1965).
[13] *K. Gruber*, Zwischen Befreiung und Freiheit (1953), Vorabdruck in der Wiener Tageszeitung »Die Presse« vom 3. XI. 1953; *A. Schärf*, Erneuerung, S. 338 f.
[14] Diese Haltung, die besonders im sozialistischen Zentralorgan »Arbeiter-Zeitung« von deren Chefredakteur Dr. Pollak vertreten wurde, hat noch in Schärfs Buch, Österreichs Erneuerung, ihren Niederschlag gefunden.
[15] *G. Stourz*, Kleine Geschichte, S. 103.

f) Vom Staatsvertrag zur sozialistischen Alleinregierung (1955–1970)

Obwohl die Schweizer Neutralität in den Staatsvertragsverhandlungen immer wieder als Modell bezeichnet worden war, nahm die österreichische Politik doch sogleich durchaus eigenständige Züge an, deren Wurzeln gewiß in der österreichischen Geschichte und Tradition zu suchen sind. Schon am 14. XII. 1955 wurde Österreich in die Vereinten Nationen aufgenommen, am 1. III. 1956 trat es in Straßburg dem Europarat bei; in beiden Institutionen war es schon lange durch Beobachter präsent gewesen. Eine vorübergehende Verstimmung im Verhältnis zur Regierung der Bundesrepublik Deutschland im Zusammenhang mit der Staatsvertrags-Regelung des »Deutschen Eigentums« und der innerdeutschen Kritik an Adenauer unter Hinweis auf das österreichische Beispiel wurde durch die beiderseitigen Außenminister Heinrich von Brentano und Leopold Figl und dann endgültig durch den Besuch des Bundeskanzlers Adenauer in Wien im Juni 1957 bereinigt.

Die am 13. V. 1956 abgehaltenen Nationalratswahlen brachten der von dem »Staatsvertragskanzler« Raab geführten ÖVP 82 Mandate, der SPÖ 74 Mandate, während sich die an die Stelle des »Verbands der Unabhängigen« getretene »Freiheitliche Partei Österreichs« (FPÖ) mit 6, die Kommunisten und Linkssozialisten mit 3 Mandaten begnügen mußten. Der ungarische Volksaufstand im Oktober/November 1956 brachte die erste Belastungsprobe für die junge österreichische Neutralität. Eine Woge von Flüchtlingen (insgesamt 152218) kam über die östliche Grenze ins Land, während das eben erst aus der sogenannten B-Gendarmerie gebildete Bundesheer das österreichische Hoheitsgebiet sicherte. Am 4. I. 1957 starb kurz vor dem Ablaufen seiner Amtszeit Bundespräsident Körner. Gegenüber dem von ÖVP und FPÖ gemeinsam aufgestellten Kandidaten, dem politisch farblosen Chirurgen Prof. Dr. Wolfgang Denk, siegte der sozialistische Kandidat, der bisherige Vizekanzler Dr. Schärf schon im ersten Wahlgang (5. V. 1957). Bei den Nationalratswahlen am 10. V. 1959 ergab sich zwischen den beiden großen Koalitionsparteien ein ähnliches Verhältnis wie 1953: die ÖVP errang 79, die SPÖ, obwohl an Stimmen die stärkste Partei, 78 Mandate; die FPÖ zeigte mit 8 Mandaten Anzeichen einer allmählichen Konsolidierung; die Kommunisten waren nicht mehr im Nationalrat vertreten, was wohl mit Recht auch auf das Erlebnis der ungarischen Ereignisse zurückgeführt wurde, an denen die

f) Vom Staatsvertrag zur sozialistischen Alleinregierung (1955–1970)

österreichische Bevölkerung einen sehr starken Anteil nahm. Bei der Neubildung der Regierung wurde der bisherige Staatssekretär im Außenministerium Dr. Kreisky Außenminister; Dr. Bruno Pittermann, seit Schärfs Wahl zum Bundespräsidenten Parteivorsitzender der SPÖ und Vizekanzler, erhielt in dieser Funktion die Leitung der verstaatlichten Industrie.

In den schweren Jahren von Wiederaufbau und Viermächtebesatzung bis zum Abschluß des Staatsvertrags war die Koalition der beiden Großparteien, die zugleich die maßgeblichen sozialen Gruppierungen und wirtschaftlichen Kräfte des Landes, Arbeiter und Angestellte, Bauern und Wirtschaftstreibende, repräsentierten, als eine Notwendigkeit erschienen, auch in Erinnerung an die verhängnisvolle Konfrontation der politischen Lager und den Bürgerkrieg in der Zwischenkriegszeit. Jetzt, nach dem Ende der Besetzung, nachdem die Kommunisten überhaupt nicht mehr im Parlament vertreten waren und die »Freiheitlichen« auch nur eine sehr bescheidene Rolle spielten, griff das Unbehagen an der großen Koalition immer mehr um sich, da die Koalitionspartner füreinander ja gleichzeitig die einzigen ernst zu nehmenden Gegner darstellten. Man begann sich zu fragen, ob das sich immer mehr verhärtende System der großen Koalition wirklich der politischen Weisheit letzten Schluß darstelle und Österreich auf ewig dem in parlamentarischen Demokratien üblichen Wechselspiel von Regierung und Opposition entsagen müsse.

Gewiß gab es auch für das kleine neutrale Land noch wichtige politische Probleme, in der Außenpolitik vor allem das sich zu Beginn der sechziger Jahre immer mehr zuspitzende Südtirolproblem, dann die Frage der Stellung Österreichs zu den europäischen Integrationsbestrebungen, zur Europäischen Wirtschaftsgemeinschaft (EWG) und Europäischen Freihandelszone (EFTA). Auch die Frage nach der Einreiseerlaubnis für Dr. Otto Habsburg, den ältesten Sohn des letzten Kaisers, entzweite die Parteien und erregte die Gemüter[1]. Dennoch war nicht anzunehmen, daß es wegen einer dieser Fragen zum Bruch der Koalition oder gar, wie in der Ersten Republik, zu einer bürgerkriegsartigen Situation kommen würde. In beiden Parteien ergaben sich die ernsteren Probleme vielmehr dadurch, daß sich der längst fällige Generationenwechsel, die Ablösung der Generation der Wiederbegründung der Republik und des Ringens um den Staatsvertrag, vollzog. Vor allem in den Bundesländern machte sich, stärker in der ÖVP, in geringerem Ausmaß auch in der SPÖ, eine Strömung gegen die bisher in der Bundespolitik führenden Personen bemerkbar, die zu personellen Umbesetzungen in der Regierung führten. Der durch Krankheit geschwächte »große alte Mann« der ÖVP, Julius Raab, wurde zuerst als Parteiobmann und dann auch als Kanzler durch die »Reformer« aus den Bundesländern verdrängt, die den aus Tirol stammenden, aber seit Jahrzehnten in der Steiermark lebenden Dr. Alfons Gorbach auf den Schild erhoben, der sich aber keineswegs als der »starke Mann« und »Reformer« erwies und der daher nach kurzer, unspektakulärer Regierungszeit (1961–1964) durch den eigentlichen Führer der »Reformer«, den aus Kärnten stammenden langjährigen Landeshauptmann von Salzburg, Dr. Josef Klaus, auch wieder zuerst als Parteiobmann und dann als Bundeskanzler ersetzt wurde. Die am 2. IV. 1964 gebildete Regierung Klaus-Pittermann wurde dann die letzte Regierung der großen Koalition.

Am 28. IV. 1963 war Dr. Schärf gegen den bereits todkranken Julius Raab mit großer Mehrheit zum Bundespräsidenten wiedergewählt worden. Am 28. II. 1965 starb Bundespräsident Schärf selbst nach kurzer Krankheit. Die ÖVP stellte wieder, wie zwei Jahre vorher gegen Schärf den ehemaligen Bundeskanzler Raab, nun gegen den sozialistischen bisherigen Wiener Bürgermeister Franz Jonas, einen ehemaligen Bundeskanzler, Alfons Gorbach, als Kandidaten auf – und unterlag wiederum (23. V. 1965).

Bei den Nationalratswahlen am 6. III. 1966 errang dann die ÖVP unter Klaus die absolute Mehrheit: 85 Mandate, während die SPÖ 74, die FPÖ 6 Mandate erhielt. Zu der spektakulären Niederlage der Sozialisten hatten dabei eine Reihe von Faktoren beigetragen, als wohl wichtigste ein parteiinterner Konflikt um den bisherigen sozialistischen Innenminister Franz Olah, der aus der Partei ausgeschlossen wurde und eine eigene Splitterpartei gründete, die »Demokratische Fortschrittspartei«, die zwar selbst kein Grundmandat gewann, aber die Sozialisten Stimmen und Mandate kostete.

So erlebte Österreich im Frühjahr 1966, mehr als zwei Jahrzehnte nach der Wiedererrichtung der Republik, die erste Einparteienregierung, die ÖVP-Alleinregierung Klaus. Die nach 1945 so oft geäußerte Befürchtung, die Alleinregierung einer Partei – und besonders die einer »bürgerlichen« Partei – müsse wieder zur Störung des sozialen Friedens, ja zu bürgerkriegsähnlicher Konfrontation, führen, bewahrheitete sich nicht. Allerdings kam Klaus in einem relativ ungünstigen Augenblick zur Regierung, als eine wirtschaftliche Rezession von der Bundesrepublik Deutschland auch auf Österreich übergriff[2], und schon nach einem Jahr der Alleinregierung zeigten die Ergebnisse regionaler Wahlen eine Trendumkehr zugunsten der Sozialistischen Partei, deren Führung nach der Niederlage der bisherige Außenminister Dr. Bruno Kreisky, zweifellos das überragende politische Talent seiner Partei, übernahm.

Es half der Regierung Klaus nicht viel, daß in ihrer Zeit die seit langem von beiden Seiten mit großer Geduld geführten Südtirol-Gespräche mit den italienischen Partnern – um die sich auch Kreisky in seiner Funktion als Außenminister verdient gemacht hatte – endlich mit der Annahme von »Paket« und »Operationskalender« einen positiven Abschluß fanden und daß mit der Genehmigung der Einreise für Dr. Otto Habsburg und seine Familie auch die »Causa Habsburg« bereinigt wurde. Die Nationalratswahlen vom 1. III. brachten den Sozialisten mit 81 Mandaten die relative Mehrheit gegenüber 78 Mandaten der ÖVP und unveränderten 6 Mandaten der FPÖ. Vom Bundespräsidenten Jonas als Führer der stärksten Partei mit der Regierungsbildung betraut, entschloß sich Kreisky zum Wagnis einer Minderheitsregierung, in der richtigen Erkenntnis, daß die geschlagene ÖVP, deren Führung Klaus sogleich abgab, sich nicht entschließen werde, durch einen Mißtrauensantrag Neuwahlen herbeizuführen. Nachdem bei der Bundespräsidentenwahl 1971 der amtierende Bundespräsident und sozialistische Präsidentschaftskandidat Jonas gegen den Außenminister der Regierung Klaus, Dr. Kurt Waldheim (den späteren Generalsekretär der Vereinten Nationen), gesiegt hatte, entschloß sich Kreisky zu Nationalratswahlen auf Grund eines von SPÖ und FPÖ beschlossenen neuen Wahlverfahrens, bei dem die Zahl der Mandate von 165 auf 183 erhöht wurde. Bei den Nationalratswahlen vom 10. X. 1971 erlangte die SPÖ zum erstenmal in ihrer Geschichte die absolute Mehrheit mit mehr als 50% der Stimmen und 93 Mandate gegenüber 80 Mandaten der ÖVP und 10 Mandaten der FPÖ; ein Ergebnis, das sich vier Jahre später bei den Nationalratswahlen im Oktober 1975 wiederholen sollte.

[1] *M. Mommsen* u. *Reindl,* Die Österreichische Proporzdemokratie.
[2] *J. Klaus,* Macht und Ohnmacht in Österreich (1971).

§ 24 Ungarn seit 1918: Vom Ende des I. Weltkriegs bis zur Ära Kádár

Von Denis Silagi

Vorbemerkung
Im Schrifttum über die hier behandelte Periode der ungarischen Geschichte finden sich in extrem hoher Zahl untereinander nicht vereinbare Deutungen, Wertungen und Tatsachenbehauptungen. Am schroffsten widersprechen einander Befürworter und Verächter der seit 1948 ausgebauten Staats- und Gesellschaftsordnung. Aber auch unter den Autoren, die die heutigen Einrichtungen Ungarns negativ beurteilen, bestehen – nicht selten unversöhnliche – Gegensätze, je nachdem, ob bzw. inwieweit der eine oder andere etwa das Regime des Reichsverwesers Horthy, das parlamentarisch-demokratische Zwischenspiel von 1945–1948, die von Imre Nagy zuletzt vertretene Sozialismusvariante oder den Aufstand von 1956 bejaht oder ablehnt. All dies verhindert das Zustandekommen eines Konsensus in der Geschichtsschreibung über die Jahre seit 1918. Angesichts dieser historiographischen Ausnahmesituation wäre es wünschenswert, wenn wir dem um Vertiefung bemühten Interessenten mittels einer kritischen Bibliographie umfassende Orientierungshilfe leisten könnten, doch würde dies den hier verfügbaren Rahmen sprengen. In der folgenden, auf Weiterführung abgestellten Auswahlbibliographie müssen wir uns darauf beschränken, bei der Erwähnung neuerer ungarländischer Arbeiten mit der Sigle »M« anzuzeigen, daß es sich um eine Publikation handelt, die der marxistisch-leninistischen Forderung nach Parteilichkeit genügt. Sonst können Quellenkritik und Kritik an Sekundärliteratur nur mittelbar, implizite in unserer Darstellung, geboten werden. – Da bei den Benutzern dieses Handbuchs im allgemeinen keine Beherrschung des Madjarischen vorausgesetzt werden kann, verweisen wir Leser mit ungarischen Sprachkenntnissen auf die Budapester bibliographischen Veröffentlichungen, die zwar nur die im volksdemokratischen Bereich erschienenen Arbeiten, diese jedoch weitgehend, erfassen:
A magyar történettudomány válogatott bibliográfiája 1945–1968 [Bibliographie der ungarischen Geschichtswissenschaft in Auswahl] (1971).
E. Pamlényi (Hg.), Études historiques hongroises 1975 (2 Bde. 1975).
Sparte »Bibliográfia«, seit 1954 halbjährlich in »Századok« [Jahrhunderte], der Zeitschrift der (Budapester) Ungarischen Historischen Gesellschaft.
Im weiteren führen wir Literatur in deutscher, englischer, französischer und italienischer Sprache an.

Periodika
Von hohem Quellenwert für die Horthy-Zeit ist die (1944 eingestellte) deutschsprachige Budapester Tageszeitung »Pester Lloyd«. – Auf Teilbereiche begrenzte gegenwartskundliche Unterrichtung bieten die auf Ungarn bezüglichen Berichte der Münchner Monatsschrift »Wissenschaftlicher Dienst Südosteuropa« (seit 1952).

Bibliographie
Südosteuropa-Bibliographie, begründet von *F. Valjavec,* seit 1960 redigiert von *G. Krallert-Sattler* (1958 ff.).

Nachschlagwerke, Handbücher, allgemeine Darstellungen
M. Bernath u. *F. v. Schröder* (Hgg.), Biographisches Lexikon zur Geschichte Südosteuropas (1972 ff.).
E. Pamlényi, Die Geschichte Ungarns (M 1971), S. 499 ff.
D. Silagi, Ungarn. Geschichte und Gegenwart (^{2}1972), S. 47 ff.
P. Ignotus, Hungary (1972), S. 142 ff.
Ungheria, Sondernummer 4–5/1960 der florentinischen Zeitschrift »Il Ponte«.
F. Fejtö, Die Geschichte der Volksdemokratien (2 Bde. 1972).
M. Molnár, A Short History of the Hungarian Communist Party (1978).
T. Berend u. *Gy. Ránki,* Hundert Jahre ungarische Wirtschaft (M 1972).

§ 24 Ungarn seit 1918: Vom Ende des I. Weltkriegs bis zur Ära Kádár

T. *Klaniczay* u. a., Geschichte der ungarischen Literatur (M 1963), S. 216 ff.
T. *Hanák,* Die marxistische Philosophie und Soziologie in Ungarn (1976).
Pauschal sei auf die zahlreichen fremdsprachlichen, auch deutschen, Veröffentlichungen des Budapester Verlags für Statistik hingewiesen.

Aktenpublikationen
M. *Szinai* u. L. *Szűcs* (Hgg.), The Confidential Papers of Admiral Horthy (M 1965).
M. *Ádám* u. a. (Hgg.), Allianz Hitler-Horthy-Mussolini. Dokumente zur ungarischen Außenpolitik 1933–1944 (M 1966); der Band enthält eine Auswahl von 180 Schriftstücken, die folgendem sechsbändigen Quellenwerk entnommen wurden: Diplomáciai iratok Magyarország külpolitikajához 1936–1945 [Diplomatische Akten zur Außenpolitik Ungarns 1936–1945, mit deutschsprachigen Regesten und Inhaltsverzeichnissen] (M 1962 ff.). Die Aktenwiedergaben sind, soweit überprüfbar, zuverlässig; Einleitungen und Erläuterungen entsprechen den Leitsätzen der Parteilichkeit.

Memoiren (zur Epoche insgesamt)
M. *Károlyi,* Faith Without Illusion (1957).
C. *Károlyi* [Graf Michaels Witwe], A Life Together (M 1966).
L. *Windisch-Graetz,* Helden und Halunken (^{2}1967).
N. *v. Horthy,* Ein Leben für Ungarn (1953).
J. *Hay,* Geboren 1900 (1971).
G. *Aranyossy,* Ils ont tué ma foi (1971).
J. *Mindszenty,* Erinnerungen (1974).

Zusammenbruch und Wirren nach dem I. Weltkrieg
O. *Jászi,* Magyariens Schuld, Ungarns Sühne. Revolution und Gegenrevolution in Ungarn (1923).
Ders., The Dissolution of the Habsburg Monarchy (1929).
L. *Valiani,* The End of Austria-Hungary (1973).
B. *Kun,* La République Hongroise des Conseils. Discours et articles choisis (M 1962).
A. D. *Low,* The Soviet Hungarian Republic and the Paris Peace Conference (1963).
A. C. *Janos* u. W. B. *Slottman* (Hgg.), Revolution in Perspective: Essays on the Hungarian Soviet Republic of 1919 (1971).
Report of the British Joint Labour Delegation. The White Terror in Hungary (1920).
S. *Szilassy,* Revolutionary Hungary 1918–1921 (1971).
F. L. *Carsten,* Revolution in Mitteleuropa 1918–1919 (1973).
F. *Deák,* Hungary at the Paris Peace Conference (1942).
Memoiren:
W. *Böhm,* Im Kreuzfeuer zweier Revolutionen (1924).
G. *Romanelli,* Nell'Ungheria di Bela Kun e durante l'occupazione militare romena (1964).

Die Horthy-Zeit
C. A. *Macartney,* October Fifteenth. The History of Modern Hungary 1929–1945 (2 Bde. ^{2}1961).
J. *Kósa,* Hungarian Society in the Time of the Regency: JournCentrEurAff (1956).
L. *Tilkovszky,* Pál Teleki (M 1974).
König Karls Rückkehrversuche:
K. *Werkmann,* Der Tote auf Madeira (1923).
A. v. *Boroviczény,* Der König und sein Reichsverweser (1924).
A. *Lehár,* Erinnerungen. Gegenrevolution und Restaurationsversuche in Ungarn 1918–1921 (1973).
Die Person des Reichsverwesers:
E. v. *Schmidt-Pauly,* Nikolaus von Horthy (1942).
P. *Gosztony,* Miklós von Horthy (1973).
E. *Vasari,* Ein Königsdrama im Schatten Hitlers. Die Versuche des Reichsverwesers zur Gründung einer Dynastie (1968).

§ 24 Ungarn seit 1918: Vom Ende des I. Weltkriegs bis zur Ära Kádár

H. G. Lehmann, Der Reichsverweser-Stellvertreter. Horthys gescheiterte Planung einer Dynastie (1975).
Geistesleben:
P. Ignotus, Die intellektuelle Linke im Ungarn der »Horthy-Zeit«: SüdostForsch (1968).
Gy. Borbándi, Der ungarische Populismus (1976).
Eine äußerst subjektive, doch hervorragend evokative Schilderung in der Autobiographie von *A. Koestler*, Die Geheimschrift (1955), S. 172–193.
Lage und Verfolgung der Juden:
D. Silagi, Die Juden in Ungarn in der Zwischenkriegszeit 1919–1939: UngJb (1973).
Report Presented to the Board of Deputies of British Jews: The Jewish Minority in Hungary (1926).
N. Katzburg (Hg.), Paul Teleki and the Jewish Question in Hungary. Count Teleki's Letter of February 13, 1939 to John A. Keyser: Soviet Jewish Affairs (1971).
E. Lévai, Black Book on the Martyrdom of Hungarian Jewry (1948).
R. L. Braham, The Hungarian Jewish Catastrophe [Bibliographie] (1962).
Ders., The Destruction of the Hungarian Jewry (2 Bde. 1963).
Die ungarischen Nationalsozialisten:
M. Lackó, Arrow-Cross Men, National Socialists 1935–1944 (M 1969).
N. M. Nagy-Talavera, The Green Shirts and the Others (1970).
Ungarn im II. Weltkrieg:
J. K. Hoensch, Der ungarische Revisionismus und die Zerschlagung der Tschechoslowakei (1967).
J. Pelényi, The Secret Plan for a Hungarian Government in the West at the Outbreak of World War II: JournModHist (1964).
M. D. Fenyo, Hitler, Horthy, and Hungary. German-Hungarian Relations 1941–1944 (1972).
S. D. Kertesz, Diplomacy in a Whirlpool (1953).
N. F. Dreißiger, New Twist to an Old Riddle: The Bombing of Kassa (Košice): JournModHist (1972).
D. Csatári, Dans la tourmente. Les relations hungaro-roumaines de 1945 (M 1974).
J. Hajdú u. *B. C. Tóth*, Der Volksbund in Ungarn (M 1962).
F. Adonyi, Ungarns Armee im Zweiten Weltkrieg (1971).
Memoiren:
J. F. Montgomery, Hungary the Unwilling Satellite (1947).
N. Kállay, Hungarian Premier (1954).
G. Hennyey, Ungarns Schicksal zwischen Ost und West (1976).

Übergangszeit nach dem II. Weltkrieg
A Magyar Nemzeti Függetlenségi Front Programja [Programm der Ungarischen Nationalen Unabhängigkeitsfront vom 3. XII. 1944, mit englischer Übersetzung] (M 1975).
J. Kővágó, Budapest on the Threshold of the Winter 1945–1946 (1946).
White Book Concerning the Status of Hungarian Prisoners of War Illegally Detained by the Soviet Union and of Hungarian Civilians Forcefully Deported by Soviet Authorities (1951).
Th. Schieder u. a., Das Schicksal der Deutschen in Ungarn (Dokumentation der Vertreibung der Deutschen aus Ost-Mitteleuropa, Bd. II (1956).
Memoiren:
S. D. Kertesz, Diplomacy, s. o.
A. Ullein-Reviczky, Guerre allemande, paix russe (1947).
I. Kovács, Im Schatten der Sowjets (1948).
D. Sulyok, Zwei Nächte ohne Tag. Ungarn unter dem Sowjetstern (1948).
F. Nagy, The Struggle behind the Iron Curtain (1948).
M. Nyárádi, My Ringside Seat in Moscow (1952).

Die Herrschaft Rákosis
Die regimeeigene Dokumentation der Schauprozesse: Documents on the Mindszenty Case

§ 24 Ungarn seit 1918: Vom Ende des I. Weltkriegs bis zur Ära Kádár

(M 1949). *József Mindszenty vor dem Volksgericht* (M 1949); *László Rajk und Komplicen vor dem Volksgericht* (M 1949); *R. Vogeler, E. Sanders and their Accomplices before the Criminal Court* (M 1950); *The Trial of József Grősz and his Accomplices* (M 1951).
Zeittypische Hetzschrift:
I. *Boldizsár,* Gegen das ungarische Volk (M 1952).
Darstellung und Analyse:
F. *Fejtö,* La tragédie hongroise (1956).
F. A. *Váli,* Rift and Revolt in Hungary (1961).
T. *Aczél* u. T. *Méray,* Die Revolte des Intellekts (1959).
A. *Szlovák,* Kollektivierung der ungarischen Landwirtschaft 1949–1959 (1964).
Memoiren:
G. *Széchenyi,* Ungarn zwischen Rot und Rot (1963).
P. *Ignotus,* Political Prisoner (²1964).
A. *Hegedűs,* Mon chemin: Quotidien de Paris (27., 28. X. 1976).
S. *Kopácsi,* Au nom de la classe ouvrière (1979).

Der Aufstand von 1956
I. *Nagy,* Politisches Testament (1959).
Die konterrevolutionären Kräfte bei den Oktoberereignissen in Ungarn I.–V. [Weißbücher des Kádár-Regimes] (M o. J. [1957–1958]).
W. *Leonow,* Die Ereignisse in Ungarn (M 1957).
Der Volksaufstand in Ungarn. Bericht der Sonderkommission der Vereinten Nationen (1957).
M. J. *Lasky* (Hg.), Die ungarische Revolution. Ein Weißbuch (1957).
G. *Mikes,* Revolution in Ungarn (1957).
P. E. *Zinner,* Revolution in Hungary (1962).
E. *Király,* Die Arbeiterselbstverwaltung in Ungarn. Aufstieg und Niedergang (1961).
J. *Radványi,* Hungary and the Superpowers. The 1956 Revolution and Realpolitik (1972).
T. *Aczél* (Hg.), Ten Years After (1966).
M. *Molnár,* Victoire d'une défaite (1968).
B. *Lomax,* Hungary 1956 (1976).
Auch: *Hay,* Geboren 1900, *Váli,* Rift, *Aczél* u. *Méray,* Revolte, *Kopácsi,* Au nom; s. o.
Eine umfangreiche, auch westliche, nichtmadjarische Publikationen aufzählende Liste der über den Aufstand von 1956 im ersten Jahrzehnt nach dem Ereignis erschienenen Arbeiten bei J. *Molnár,* Ellenforradalom Magyarországon 1956-ban [Konterrevolution in Ungarn im Jahr 1956] (M 1967), S. 260 ff.

Nach dem Aufstand
J. *Kádár,* Reden und Artikel 1957–1959 (M 1960).
W. *Shawcross,* Crime and Compromise. János Kádár and the Politics of Hungary since the Revolution (1974).
La vérité sur l'affaire [Imre] Nagy (1958).
W. F. *Robinson,* The Pattern of Reform in Hungary (1973).
L. *Zsoldos,* The Economic Integration of Hungary into the Soviet Bloc (1963).
Váli, Rift, *Szlovák,* Kollektivierung, *Kopácsi,* Au nom; s. o.
Erwähnt sei noch:
B. *Balla* (Hg.), Gesellschaft und Soziologie in Ungarn [In vier Themenkreise gruppierte Aufsätze der meist in der Nachfolge G. Lukács' stehenden, zum Teil der regimekritischen innerungarischen Neuen Linken zugerechneten ungarischen Soziologen in deutscher Übersetzung: I. Historische Entwicklung und sozialer Wandel. II. Marxistische Soziologie, Politik und Planung. III. Familie, Jugend und Bildungssystem. IV. Vom Agrarland zur Industriegesellschaft. Mit Bibliographien von Arbeiten der ungarischen marxistischen Soziologen in westlichen Sprachen] (4 Bde. 1974).
G. *Lukács* u. a., Individuum und Praxis. Positionen der »Budapester Schule« (1975).

a) Von der Auflösung des Reichs der Stephanskrone bis zum Ende der Ära Bethlen

Nach dem Zusammenbruch der Balkanfront der Zentralmächte wurde in Ungarn angesichts der Gewißheit der Niederlage der Ruf nach Beendigung des Krieges übermächtig. Weite Kreise erhofften vom oppositionellen Politiker Grafen Michael [Mihály] Károly, dem zum radikalen Reformer gewordenen Latifundienbesitzer, den ehrenhaften Friedensschluß. Kaiser Karl (als König von Ungarn Karl IV.) berief Károlyi nach langem Zögern, unter dem Druck der Budapester Straße, am 31. X. 1918 zum königlich ungarischen Ministerpräsidenten. Das Volk von Budapest feierte die Ernennung als Sieg einer Revolution. Am Spätnachmittag des Tages wurde der konservative Staatsmann Graf Stephan [István] Tisza, in den Augen der Opposition Verkörperung der Kriegspolitik, von einem Soldatentrupp ermordet.

Seit den ersten Novembertagen rückten französisches Militär und unter französischem Kommando stehende rumänische, serbische und tschechische Einheiten auf ungarisches Gebiet vor. Die Regierung Károlyi verzichtete auf bewaffneten Widerstand. Sie war sich sicher, mit den Entente-Politikern einen gerechten Frieden aushandeln zu können, dem ohnehin der Abzug der fremden Truppen folgen würde.

Am 16. XI. 1918 wurde in Budapest das Erlöschen aller staatsrechtlichen Bindungen zwischen Ungarn und Österreich, der Thronverlust des Hauses Habsburg und die Errichtung der Ungarischen Volksrepublik verkündet. Acht Tage danach erschien eine neue politische Gruppe auf dem Plan: Aus Rußland heimgekehrte Kriegsgefangene gründeten am 24. XI. in Budapest unter Führung des Journalisten Béla Kun die Kommunistische Partei Ungarns. Am 11. I. 1919 wurde Károlyi zum provisorischen Präsidenten der Republik erhoben.

Die Illusion, der bewährte Kriegsgegner Károlyi würde von der Entente als Freund behandelt werden, wurde zunichte, als Budapest am 20. III. Kenntnis von der Entscheidung der Pariser Vorfriedenskonferenz erhielt, Ungarn werde ganze Landesteile, das gesamte Siebenbürgen, abtreten müssen. Károlyi wies das Ansinnen zurück. Am 21. III. beschlossen die Führer der Sozialdemokraten und der Kommunisten die Vereinigung ihrer Parteien zur Sozialistischen Partei Ungarns; diese nahm »für die Proletarierklasse« die Macht von Károlyi entgegen. Der Graf mußte abdanken, und Anfang Juli 1919 verließ er Ungarn. (Als im Horthy-Staat Verfemter konnte er erst nach dem II. Weltkrieg in die Heimat zurückkehren.)

Das neue Regime rief am Tag seiner Machtübernahme die Ungarische Räterepublik und die Diktatur des Proletariates aus. Béla Kun wurde Volkskommissar des Auswärtigen und erhielt diktatorische Vollmachten: In der neuen Partei gaben die Kommunisten den Ton an, obschon ihr Anhang in der Bevölkerung gering war. Doch die bolschewistische Revolution hatte viele Sozialdemokraten und auch viele bürgerliche Reformfreunde fasziniert. Zudem stellte Kun die Hilfe der Roten Armee Trotzkis bei der (als Kampf gegen die kapitalistischen Mächte interpretierten) Verteidigung des ungarischen Staatsgebietes in Aussicht.

Die Räteregierung versuchte, die Ideen der Bolschewiki in Ungarn in die Tat umzusetzen. Nur eine kleine Minderheit der Bevölkerung bejahte das doktrinärutopistische Experiment, doch fügte sich anfangs die große Mehrheit dem Willen der Kommunisten, die für Ungarns Gebietsstand kämpfen wollten. Die Öffentlichkeit nahm an den ideologischen Motiven des Kampfes keinen Anstoß, solange er erfolgreich schien, und in den ersten Maitagen errang die neue ungarische

§ 24 Ungarn seit 1918: Vom Ende des I. Weltkriegs bis zur Ära Kádár

Rote Armee eindrucksvolle Siege. Aber die russische Waffenhilfe blieb aus, und am Ende erlitten die Truppen Kuns vernichtende Niederlagen.

Währenddessen versteifte sich der Widerstand der Bevölkerung gegen die kommunistischen Neuerungen und den revolutionären Terror des Regimes; das verschreckte Landvolk begann, Budapest auszuhungern. Auch die Emigranten steigerten ihre Aktivitäten. Besonders die Grafen Stephan [István] Bethlen und Paul [Pál] Teleki, konservative Politiker der jüngeren Generation, betrieben die Bildung einer »weißen« Gegenregierung. Am 3. VI. 1919 etablierte sich in dem unter französischer Militärverwaltung stehenden südungarischen Gebietsstreifen, in Szeged, ein konterrevolutionäres Kabinett unter der Ministerpräsidentschaft des Grafen Julius [Gyula] Károlyi, eines nahen Verwandten des revolutionären Grafen Michael. Graf Teleki wurde Außenminister; das Kriegsministerium wurde auf Empfehlung des Grafen Bethlen dem letzten Oberbefehlshaber der österreichisch-ungarischen Kriegsmarine und früheren Flügeladjutanten des Kaisers und Königs Franz Joseph, Konteradmiral Nikolaus [Miklós] Horthy v. Nagybánya, anvertraut; Horthy wurde auch mit dem Oberbefehl der aufzustellenden Nationalen Armee beauftragt. Die Gegenregierung wurde von den Entente-Stellen geduldet und auch unterstützt, aber nicht anerkannt.

Unter dem zweifachen Druck der gegnerischen Militärmacht und des inneren Widerstandes brach das Räteregime 133 Tage nach seiner Geburt, am 1. VIII. 1919, zusammen. Seine Führer flohen nach Österreich; die Sozialistische Partei Ungarns hörte zu bestehen auf (die Sozialdemokratische Partei wurde erst am 24. VIII. wiedergegründet); Gewerkschaftler versuchten sich mit der Bildung einer neuen Regierung. Nun drangen tschechoslowakische Truppen in das bisherige Nordungarn ein, weite Gebiete Südungarns gelangten unter serbische Militärverwaltung, die Rumänen stießen westwärts vor und besetzten am 3. VIII. die ungarische Hauptstadt.

Am 5. VIII. nahm in Budapest eine Mission der Entente-Mächte ihre Tätigkeit auf, und am folgenden Tag wurde das Kabinett der Gewerkschaftler von einer bürgerlichen Gruppe im Handstreich abgesetzt. Obwohl daraufhin das Kabinett in Szeged zu ihren Gunsten zurücktrat, wurde auch die in Budapest gebildete Regierung von den Mächten der Entente nicht anerkannt. Die Entente-Mission akzeptierte aber Horthy als politischen Verhandlungspartner; der Admiral konnte die Missionsmitglieder nicht zuletzt dank seinen Sprachkenntnissen und seinen noch bei Hof in Wien erworbenen Umgangsformen für sich einnehmen und errang die Stellung der höchsten Autorität der Konterrevolution. Er allein besaß auch Macht, da er die in Szeged aufgestellte Nationale Armee befehligte. Offizierstrupps seiner Armee zogen plündernd und mordend durch die von fremder militärischer Besetzung freigebliebenen Gebiete Ungarns westlich der Donau; ihre Opfer waren wirkliche wie angebliche Kommunisten und, ohne Rücksicht auf ihre politische Haltung, Juden.

Die Entente-Mächte ordneten nach einigen chaotischen Wochen den Abzug der Rumänen aus Budapest für den 14. XI. 1919 an und ließen zwei Tage später Horthys Nationale Armee nachrücken. Danach überzog der »weiße« Terror der Offizierstrupps und Freikorps das ganze den Madjaren verbliebene Land.

Die tatsächliche Souveränität lag vorerst in Händen der Entente-Mission, die von Horthy als dem einzigen wirklichen Machtfaktor die Einsetzung eines Allparteienkabinetts und die Veranstaltung demokratischer Parlamentswahlen verlangte, damit der freie Wille des Volkes zur Geltung komme. An der nun aufgestellten Regierung beteiligte sich auch die (neue) Sozialdemokratische Partei, und für den 25. I. 1920 wurden – zum erstenmal in der Geschichte Ungarns allgemei-

a) Von der Auflösung des Reichs der Stephanskrone bis zum Ende der Ära Bethlen

ne und geheime – Wahlen zu einer Nationalversammlung, einer Einkammerlegislative mit zweijährigem Mandat, ausgeschrieben.

Angesichts des um sich greifenden weißen Terrors traten die Sozialdemokraten am 15. I. 1920 aus der Regierung aus. Sie beschlossen, die Wahlen zu boykottieren. In der neuen Nationalversammlung war daher die Partei der Industriearbeiter ohne Vertretung.

Für die Mitglieder der Nationalversammlung standen die »Königsfrage« und die von der mit der stärksten Fraktion vertretenen »Kleinlandwirtepartei« erhobene Forderung nach einer Bodenbesitzreform im Sinne einer Verminderung des in Ungarn vorherrschenden Großgrundbesitzes im Vordergrund.

Das erste von dieser Legislative verabschiedete Gesetz besiegelte einen Kompromiß zwischen den »Legitimisten«, den Anhängern König Karls (der auf die Krone Ungarns niemals verzichtet hatte), und den »freien Königswählern«, die den Thronanspruch Karls für erloschen erklärten und forderten, die Nation möge in freier Wahl ihren neuen König bestimmen. (Republikaner kamen nicht zum Zug.) Das Gesetz bestätigte den Fortbestand der Monarchie, schob aber die Beantwortung der Fragen, ob der mit der Stephanskrone gekrönte Karl noch Ungarns König sei, bzw. wie andernfalls die Nachfolge geregelt werden sollte, für unbestimmte Zeit auf und sah für die Dauer der Thronvakanz (im Rückgriff auf eine spätmittelalterliche, 1849 für Ludwig [Lajos] Kossuth wiederbelebte Einrichtung) die Wahl eines Reichsverwesers vor.

Der als Berufssoldat alter Schule im Grunde unpolitische Horthy legte seit seiner Betrauung mit dem Oberbefehl der Nationalen Armee einen gewaltigen Geltungshunger an den Tag. Er bediente sich der Unterstützung der Entente-Mission; die ihn auf den Schild hebenden Offiziersgruppen (in ihrer Mehrheit »freie Königswähler«) ließ er im Glauben, er sei ihr Werkzeug; und den Legitimisten gegenüber trat er als treuer Diener und bloßer Platzhalter König Karls auf.

Horthy wurde von der Nationalversammlung am 1. III. 1920 in dem von schwerbewaffneten Einheiten der Nationalen Armee besetzten Parlamentsgebäude zum Reichsverweser Ungarns gewählt. Danach ging er seinen eigenen Weg; er enttäuschte die Legitimisten, löste sich aber allmählich auch aus der politischen Abhängigkeit der Offiziersgruppen, obschon er vielen ihrer Mitglieder die persönliche Anhänglichkeit bewahrte.

Anfang 1920 hatten die Alliierten Ungarn von den Friedensbedingungen informiert; Friedens-Verhandlungen gab es nicht, am 15. I. wurden in Paris den Budapester Beauftragten die Einzelheiten mitgeteilt, wonach Ungarn über 71 Prozent seines Vorkriegsgebietes, über 63 Prozent seiner Vorkriegsbevölkerung und den größten Teil seiner Bodenschätze verlieren sollte. Am 4. VI. mußten die Bevollmächtigten des Budapester Kabinetts den Friedensvertrag in Schloß Trianon bei Paris unterzeichnen.

1914 hatte die Fläche des Stephansreiches 325 411 qkm betragen, jetzt schrumpfte sie auf 93 073; die Volkszahl ging von fast 20,9 auf 7,6 Millionen zurück, und Ungarn wurde nur ein 35 000 Mann starkes Berufsheer zugestanden. Das klein und arm gewordene »Rumpfungarn« erbte bis auf eines alle drückenden Probleme, die schon auf dem großen und machtvollen alten Stephansreich gelastet hatten.

An dem einen Problem, das nach Trianon nicht mehr der Lösung bedurfte, war das Reich der Stephanskrone letztlich zugrunde gegangen: an der Nationalitätenfrage. Im alten Ungarn wurden – zuletzt 1910 – nahezu 11 Millionen Angehörige von Minderheiten gezählt (an großen Volksgruppen 3 Millionen Rumänen, 2 Millionen Deutsche, fast ebenso viele Slowaken, 1,8 Millionen Kroaten,

1,1 Millionen Serben und eine halbe Million Ruthenen, Karpaten-Ukrainer). Alle Völkerschaften mit Ausnahme der Deutschen fühlten sich von den Madjaren zurückgesetzt, unterdrückt. – Da die Bewohner Rumpfungarns sich bei der ersten Nachkriegs-Volkszählung zu 89,5 Prozent zur madjarischen und zu 6,9 Prozent zur deutschen Muttersprache bekannten, gab es für das Land nach Trianon keine drängende Nationalitätenfrage mehr.

Um so schwerer war das Erbe an ungelöster sozialer Problematik, drückend besonders die anomale Lage der Bauernschaft und der Bürgerschaft, die sich im öffentlichen Bewußtsein der ungarischen Gesellschaft als »Bodenfrage« und als »Judenfrage« spiegelte.

Es handelte sich um Spätfolgen der endmittelalterlichen Entwicklung des Königreiches, der Türkenkriege und der langandauernden Dreiteilung des Stephansreiches im 16. und 17. Jh.: Ungarn war bis 1848 ein Ständestaat geblieben; in den Schranken einer beengenden Rechtsordnung, die nur den Adel, nicht viel mehr als fünf Prozent der Bevölkerung, als »die Nation« gelten ließ, konnten kein eigenständiges Bauerntum und kein kraftvoller Dritter Stand aufkommen.

Die Aufhebung der Steuerfreiheit und des ausschließlichen Landbesitzrechts des Adels nach 1848, die gesamte, verspätete »Modernisierung« des Wirtschaftslebens im 19. Jh. führten zunächst nicht zum Abbau, sondern eher zur Verkrustung der ständischen Strukturen. Die weltweiten Agrarkrisen der zweiten Hälfte des 19. Jh. hatten nicht nur den Verderb vieler im Zuge der Bauernbefreiung zu Eigentümern gewordener nichtadeliger Landwirte zur Folge, sondern auch den Ruin zahlreicher kleiner und selbst mittelgroßer Adelsgüter; der Boden wurde von Großgrundbesitzern aufgekauft. 1895, im Jahr der ersten umfassenden statistischen Bestandsaufnahme der Agrarbetriebe im Stephansreich, besaßen weniger als 1 Prozent der Grundeigentümer (etwa 17 000 Personen) fast die Hälfte alles Wirtschaftslandes, und über 99 Prozent (mehr als 1,8 Millionen mit weit über 2 Millionen Familienangehörigen) teilten sich in die andere Hälfte; die Zahl der besitzlosen Landarbeiter belief sich auf etwa 2 Millionen. Das krasse Mißverhältnis zwischen Großgrundbesitzern auf der einen, Eigentümern unergiebiger Zwerggüter und landlosen Bauernmassen auf der anderen Seite blieb auch in Rumpfungarn erhalten, ja es verschlimmerte sich noch, und nach dem Sieg der Konterrevolution artikulierte sich der Landhunger besonders der auf unrentablen Parzellen wirtschaftenden Kleinbauern sehr vernehmlich, manchenorts sogar drohend. Die revolutionäre Agitation von 1918–1919 hatte aufklärend gewirkt; indessen konnten die bäuerlichen Politiker darauf pochen, daß die überwiegende Mehrheit des Landvolks dieser Agitation nicht erlegen war, sondern, im Gegenteil, entscheidenden Anteil am Sturz des Räteregimes gehabt hatte.

Was das Bürgertum betrifft, so waren in Ungarn in der ersten Hälfte des 19. Jh. zu wenig alteingesessene Städter vorhanden, als daß sie die neuen Aufgaben der modernen Wirtschaft hätten übernehmen, ja auch nur erkennen können. Die meisten Adeligen und ihre Söhne sahen außer dem des Gutsherrn nur ein Tätigkeitsfeld für standesgemäß an: das Beamtentum; bürgerliche Berufe kamen für sie nicht in Frage. Die Lücke, die auszufüllen die (in der Mehrzahl deutschstämmigen) Bürger Ungarns mangels an Masse nicht in der Lage, die verarmten und auf Erwerbstätigkeit angewiesenen Adeligen noch nicht willens waren, füllten Juden aus. Sie wanderten in Scharen aus den österreichischen Erbstaaten, aus Mähren, aus Galizien nach Ungarn ein und ließen sich schließlich besonders zahlreich in den (1872 zu »Budapest« vereinigten) Nachbarstädten Ofen [Buda] und Pest nieder. Die Zahl der jüdischen Einwohner im Stephansreich insgesamt wuchs zwischen den Volkszählungen von 1787 und 1910 von 83 000 auf 938 000;

a) Von der Auflösung des Reichs der Stephanskrone bis zum Ende der Ära Bethlen

in Ofen und Pest bzw. Budapest stieg sie im selben Zeitraum von nur einhundertzwölf auf 204 000.

Als im späteren Verlauf des 19. Jh. auch im ungarischen Adel und in den sich madjarisierenden Randschichten der nationalen Minderheiten das Interesse der jungen Generation für bürgerliche Berufe erwachte, hatte diese Jugend das Gefühl, die Juden verstellten ihr den Weg. Die Juden hatten zwar niemanden verdrängt; die Positionen, die sie einnahmen, hatten sie größtenteils selbst geschaffen, sie waren eben Ungarns Ersatz-Bürgertum. Die aufstrebende nichtjüdische Jugend berauschte sich aber an der aus Wien vordringenden antisemitischen Ideologie, und in den achtziger Jahren des 19. Jh. kam es zu den ersten rassistischen Judenverfolgungen im Stephansreich. Doch das alte Ungarn des Ausgleichs von 1867 war ein liberaler Rechtsstaat, und in einem liberalen Rechtsstaat war kein Raum für brutale Ausdrucksformen der Judenfeindschaft. So verebbte die Haßwelle nach kurzer Zeit.

Das neue Ungarn von 1920 hingegen sah sich dem Ansturm der in den Kriegsjahren herangewachsenen und aus dem Krieg heimgekehrten mittelständischen nichtjüdischen Generationen gegenüber, denen sich etwa 350 000 ebenfalls meist mittelständische nichtjüdische Flüchtlinge aus den in Trianon abgetretenen Gebieten zugesellten. Diese »neue Klasse« hätte im großen Stephansreich möglicherweise günstige Erwerbsaussichten gehabt; es war ein sehr eng und sehr arm gewordenes Land, das sie jetzt aufnahm.

Die Angehörigen dieses neuen Mittelstandes waren von der Überzeugung durchdrungen, sie seien zur Führung des Staates berufen. Der Anspruch war übermächtig; die wirtschaftlichen Bedingungen standen seiner Befriedigung entgegen. Die sich stauende Unzufriedenheit fand ihren Sündenbock in den Juden, wobei zu den älteren Motiven der Haßbegründung ein neues, schwerwiegendes hinzutrat: Béla Kun und viele Anführer des Räteregimes waren Juden gewesen; der neue Antisemitismus versuchte, Judentum und Bolschewismus gleichzusetzen.

Die Juden bildeten eine nur 6prozentige Minderheit im Land, aber nicht bloß an Handel und Finanzwirtschaft hatten sie einen weit größeren Anteil; in der Hauptstadt waren auch 48 Prozent der Ärzte und 57 Prozent der Rechtsanwälte Juden. In der Sichtweise der »neuen Klasse« waren sie Fremde, die den Aufstieg der Ungarn in Ungarn verhinderten und daher aus ihren Positionen entfernt werden sollten. Dergleichen war mit liberaler Rechtsstaatlichkeit unvereinbar; darin vor allem wurzelte die antiliberale Neigung des neuen ungarischen Mittelstandes; deshalb stand dieser Mittelstand politisch um so viel weiter rechts als die zwar auf Wahrung oder Zurückgewinnung auch überlebter Vorrechte bedacht, jedoch westeuropäischen Rechtsvorstellungen verpflichtete alte Herrenschicht.

Die »Arbeiterfrage« spielte für die führenden Kreise der Horthy-Zeit anfangs keine vordringliche Rolle. Gewiß hatte die Industrialisierung des Stephansreiches im 19. Jh. besonders nach dem österreichisch-ungarischen Ausgleich von 1867 beträchtliche Fortschritte gemacht. Im halben Jahrhundert vor dem I. Weltkrieg verfünffachte sich das Volkseinkommen; der Beitrag der Industrie zum Volkseinkommen stieg von 15 auf 28 Prozent, während der Beitrag der Landwirtschaft von 80 auf 62 zurückging. Vom Bergbau abgesehen, entstanden die größten und wichtigsten Industriebetriebe in und um Budapest; die Hauptstadt und die Kohlenreviere waren auch die vornehmlichen Tätigkeitsräume der 1890 aus der Vereinigung verschiedener Arbeiterorganisationen hervorgegangenen, marxistisch orientierten Sozialdemokratischen Partei Ungarns und der von ihr beherrschten Gewerkschaften. Mitgliederzahl und Einfluß der SPU und der Ge-

§ 24 Ungarn seit 1918: Vom Ende des I. Weltkriegs bis zur Ära Kádár

werkschaften waren während des Krieges sprunghaft gewachsen, fielen aber 1919 weit zurück. Die neue Staatsführung machte die Industriearbeiterschaft und ihre Organisationen für die Räteherrschaft mitverantwortlich; wer für die Arbeiter Rechte und Forderungen geltend zu machen versuchte, wurde sehr schnell als Kommunist gebrandmarkt, und dies war unter einem Regime, das jeden Rest des Kommunismus auszurotten versprach, äußerst gefährlich.

Ein neuer bestimmender Faktor der Innen- wie der Außenpolitik Ungarns war der Vertrag von Trianon. Im Friedensvertrag hätte sich das Selbstbestimmungsrecht der Völker verwirklichen sollen, aber das Prinzip wurde nicht ehrlich angewandt. Ungarn sollte auf die laut Volkstumskarte fast rein madjarisch bewohnte Mitte des Stephansreichs beschränkt werden, um der Herrschaft von rund 10 Millionen Madjaren über 11 Millionen Angehörige anderer Nationen ein Ende zu setzen. (Unter Berufung auf das Volkstumsprinzip mußte Ungarn 1921 auch die überwiegend deutsch besiedelten Bezirke an seiner Westgrenze, das heutige Burgenland, an den Mitverlierer des Krieges Österreich abtreten.) In Wirklichkeit wurden aber bei der neuen Grenzziehung auch Randgebiete des rein madjarischen Siedlungsraumes vom Staat Ungarn abgetrennt. Die eigenen Statistiken der Nachfolgestaaten der österreichisch-ungarischen Monarchie wiesen (1921 bzw. 1922) 3 217 000 Madjaren auf ihren Territorien auf.

In dem Madjarentum des Stammlandes kam ein leidenschaftlicher Irredentismus auf; die mittelständische Gesellschaft Rumpfungarns begegnete den Nachbarn im Norden, Osten und Süden mit Verachtung und Haß.

Nach den Wahlen vom Januar 1920 bildete Graf Paul Teleki die erste nicht von vornherein als Provisorium gedachte Regierung Trianon-Ungarns. Auf Drängen der Partei der Kleinlandwirte ließ die Regierung ein Bodenreformgesetz verabschieden. Die Zugeständnisse an die Bauernschaft waren bescheiden. Ein Fünftel der bis dahin Landlosen erhielt durchschnittlich ein Katastraljoch (0,57 Hektar) je Familie als Eigentum; bisherige Kleinstparzellen wurden ein wenig vergrößert. Zumeist wurden nur unrentable Zwerggüter geschaffen. Die Not der armen Dorfbewohner wurde nicht gelindert; das erdrückende Übergewicht der Latifundien blieb unangetastet, aber die Frage der Bodenreform war vorläufig »vom Tisch«.

Auf dem Gebiet judenfeindlicher Maßnahmen ging Teleki bis an die Grenze dessen, was in einem Land mit starken rechtsstaatlichen Traditionen möglich war. So wurde die vollständige Verdrängung der Juden aus der Staatsverwaltung eingeleitet, und es wurde ein Numerus clausus für Juden an Universitäten und Hochschulen eingeführt, um den jüdischen Akademikernachwuchs radikal einzudämmen.

Der Bestand des Reichsverweser-Regimes schien bedroht, als König Karl 1921 zweimal versuchte, seinen ungarischen Thron wiederzugewinnen. Beim erstenmal, am 26. III., rechnete er mit Horthys Königstreue, mußte aber erkennen, daß der Reichsverweser keine Restauration wünschte; Karl kehrte daraufhin in sein Schweizer Exil zurück. Graf Teleki, der den karltreuen »Legitimisten« nahestand, legte sein Amt nieder, und Graf Stephan Bethlen übernahm die Führung des Kabinetts. Danach entstand, mit dem Ziel der Abwehr einer Habsburger-Restauration, die Kleine Entente, das Militärbündnis Prags, Belgrads und Bukarests.

Am 20. X. erschien der König neuerlich in Ungarn. Er stützte sich jetzt auf Teile der Armee, aber Horthy setzte – wie er beteuerte, wegen der sonst unabwendbaren Besetzung Ungarns durch Streitkräfte der Kleinen Entente – ihm ergebenes Militär gegen die königlichen Bataillone ein und wehrte den Restaura-

a) Von der Auflösung des Reichs der Stephanskrone bis zum Ende der Ära Bethlen

tionsversuch in der Schlacht beim Dorf Budaörs vor Budapest ab. Der Reichsverweser ließ den König gefangensetzen und zwang ihn zur Rückkehr in die Verbannung, nunmehr nach Funchal auf Madeira. Dort starb Karl am 1. IV. 1922.

Die Truppen, die Horthys Regime retteten, folgten dem Ruf des ehemaligen Hauptmanns Julius Gömbös von Jákfa, der Staatssekretär in Horthys Kriegsministerium in der Gegenregierung zu Szeged gewesen war. Mit diesem Truppeneinsatz verpflichtete sich Gömbös den Reichsverweser; er schuf damit die Grundlage für seinen künftigen politischen Aufstieg.

Graf Bethlen hatte sich in den kritischen Tagen von den Legitimisten getrennt und hinter Horthy gestellt. Nun brachte er in der Nationalversammlung die Gesetzesvorlage ein, mit der – unter Hinweis auf eine durch den Druck auswärtiger Mächte entstandene Zwangslage – der Thronverlust Karls und die Beendigung der Thronrechte des Hauses Österreich in Ungarn verkündet wurden. Das Gesetz trat am 6. XI. 1921 in Kraft.

Die wirtschaftliche Lage Ungarns war trostlos, nicht zuletzt wegen der Aufblähung des Staatsapparates. Schon am Vorabend des I. Weltkrieges war auf 377 Bewohner des Stephansreiches ein öffentlich Bediensteter entfallen; 1921 kam ein Beamter auf 135 Landesbewohner. Der Versuch, die Krise aus eigener Kraft zu überwinden, scheiterte. Das Ausland mußte um Hilfe angegangen werden. Die Politik Bethlens verfolgte vor allem das Ziel, Ungarn in den Augen der siegreichen Großmächte wieder kreditwürdig zu machen. Diesem Ziel diente die Dethronisierung Habsburgs; diesem Ziel zuliebe mußte die Rechtssicherheit im Land wiederhergestellt werden. Und Bethlen setzte in relativ kurzer Zeit den blutigen Ausschreitungen der Offizierstrupps und rechtsradikaler Organisationen ein Ende.

Während kommunistische Betätigung mit Zuchthaus bedroht war, wollte Bethlen die durch zeitweilige Verbindung mit den Kommunisten belastete Sozialdemokratie aus ihrer Isolierung lösen, damit sie als loyale Opposition auftreten könne. Es gelang ihm im Dezember 1921, mit dem kommunistenfeindlichen Arbeiterführer Karl [Károly] Peyer eine geheime Vereinbarung zu treffen. Die Partei erhielt darin freie Hand für die politische Arbeit unter der Arbeiterschaft, verpflichtete sich dafür zum Verzicht auf jede Werbung unter Eisenbahnern, Postlern und sonstigen öffentlich Bediensteten sowie unter der bäuerlichen Bevölkerung.

1922 schuf sich Bethlen festen parlamentarischen Rückhalt durch die Verschmelzung der größten Fraktionen zur »Einheitspartei«. Nach Ablauf des Mandats der Nationalversammlung erließ er ein neues Wahlrechtsdekret, das weit weniger liberal war als die Wahlordnung von 1920. Das aktive Wahlrecht wurde an so schwer erfüllbare Bedingungen geknüpft, daß etwa die Hälfte der erwachsenen Bevölkerung ohne Stimmrecht blieb. Überdies wurde die geheime Stimmabgabe auf die Hauptstadt und die größeren Städte beschränkt; sonst wurde im ganzen Land offen gewählt, was ein den Wünschen der Obrigkeit entsprechendes Ergebnis sicherte. Bei den Wahlen zur zweiten Nationalversammlung fiel den Kandidaten der Einheitspartei plangemäß die große Mehrheit der Abgeordnetenmandate zu. Es wurden aber auch – vor allem in Budapest und in Szeged – oppositionelle Abgeordnete gewählt, die im Parlament die Regierung schonungslos angreifen konnten; es gab auch eine einflußreiche oppositionelle Presse, die über diese Angriffe frei und ausführlich berichtete.

Gestützt auf seine »Einheitspartei« und das Einverständnis Horthys ging Bethlen daran, den Einfluß der Rechtsradikalen auch in der politischen Arena und in der Armee zu beschneiden. Auch dies gelang, und die Bethlensche »Konsolidierung« hatte im Ausland den erhofften Widerhall. Im September 1922 konnte Ungarn die Aufnahme in den Völkerbund beantragen, Anfang 1924 erhielt Budapest eine ansehnliche Völkerbundanleihe, und im Verlauf des Jahres konnte der Inflation Einhalt geboten werden. (Am 1. I. 1927 trat die neue Währungseinheit »Pengő« an die Stelle der »Krone«; ein Pengő entsprach 12 500 Papierkronen.)

Nach Neuwahlen trat am 29. I. 1927 eine nunmehr aus Abgeordneten- und Oberhaus bestehende Zweikammer-Legislative zusammen. Die Regierungspartei erweiterte ihre Mehrheit beträchtlich; die Opposition erlitt schwere Einbußen.

Während des Jahres 1926 hatte sich die außenpolitische Aktivität der Regierung Bethlen verstärkt. Offiziell strebte sie eine maßvolle Revision des Friedensvertrages an; sie forderte nur die Rückgabe jener entlang der Grenzen von Trianon gelegenen Landstriche, die von geschlossenen madjarischen Volksgruppen besiedelt waren. Zugleich hielten aber – wie auch später während des ganzen Vierteljahrhunderts der Reichsverweserschaft Horthys – alle Wortführer des Regierungslagers und auch der meisten Oppositionsgruppen, die Vertreter der Kirchen und des geistigen Lebens an dem für unverjährbar erklärten historischen Anspruch der Madjaren auf das ganze Gebiet des alten Stephansreiches fest. Das Beharren auf diesem Anspruch, die pausenlose heftige irredentistische Propaganda machte den gemäßigten Revisionismus unglaubwürdig und verewigte die Spannungen zwischen Rumpfungarn und der Kleinen Entente.

Revisionismus war das A und das O der Budapester Außenpolitik. Daher, nicht aus Gründen ideologischer Wahlverwandtschaft, knüpften sich Fäden zwischen Ungarn und besonders dem faschistischen Italien; Benito Mussolinis Regierung hatte ja seit 1921 Kritik an den Pariser Friedensverträgen geübt. So kam, als erster Pakt Trianon-Ungarns mit einer Siegermacht des Weltkrieges, am 5. IV. 1927 der italienisch-ungarische Freundschaftsvertrag zustande. Bethlen bemühte sich zugleich, freilich weniger erfolgreich, auch um die Freundschaft Englands.

Die Bethlensche Konsolidierung kam der Industrialisierung zugute. Die Erzeugung, die nach den Revolutionen unter den Stand des letzten Vorkriegsjahres gefallen war, erholte sich nicht nur, sondern übertraf 1929 die Leistungen von 1913 bereits um mehr als 12 Prozent. Dies war ein Fortschritt, so bescheiden er sich gegenüber den industriellen Wachstumsraten anderer Länder (Frankreich 40, Vereinigte Staaten von Amerika sogar 70 Prozent in derselben Zeitspanne) ausnahm.

Den langsamen, aber stetigen Aufstieg unterbrach die Weltwirtschaftskrise. Ungarns Regierung war gegenüber dem Sturm machtlos, und als im Sommer 1931 das Finanzwesen des Landes vom Zusammenbruch bedroht schien, trat Bethlen am 19. VIII. nach über zehnjähriger Ministerpräsidentschaft zurück. An seine Stelle trat Graf Julius Károlyi. Die von seinem Kabinett angeordneten einschneidenden Sparmaßnahmen lösten aber in den von den Einsparungen betroffenen mittelständischen Gruppen des Regierungslagers erbitterten Widerstand aus, und Graf Károlyi wurde am 21. IX. 1932 gestürzt.

Damit war die Stunde der »neuen Klasse« gekommen: Nach den »drei Grafen« (Teleki, Bethlen, Károlyi) ernannte Horthy seinen alten Vertrauten Gömbös, den Exponenten des jungen Mittelstandes, zum Ministerpräsidenten. Der neue Mann übernahm den Vorsitz der Regierungspartei und taufte sie in »Partei der Nationalen Einheit« um.

Gömbös legte in seinem Programm einen Katalog sozialer Reformen vor und nahm als erster ungarischer Ministerpräsident die Forderung nach Revision der in Trianon gezogenen Staatsgrenze in aller Form in seine Regierungserklärung auf. Er bekundete laut seine Sympathien für den italienischen Faschismus und nach dem Januar 1933 auch für den deutschen Nationalsozialismus.

b) Ungarn im Einflußbereich des Dritten Reiches

Die innere Entwicklung Ungarns wurde nach 1933 weitgehend von zwei Faktoren bestimmt: von dem Umstand, daß der plebejisch-neumittelständische Nachwuchs immer mehr Schlüsselstellungen in Politik, Verwaltung und Armee bezog, und von der Ausstrahlung des Dritten Reiches, für die der neue Mittelstand überaus empfänglich war. Bethlen und seine konservativ-liberale Gefolgschaft stemmten sich gegen diese Entwicklung. Die Spannungen innerhalb des Regierungslagers steigerten sich. Am 5. III. 1935 ließ Gömbös überraschend das Abgeordnetenhaus auflösen, um einer auf seinen Sturz gerichteten gemeinsamen Aktion seiner Widersacher aus seiner eigenen Regierungspartei und aus der parlamentarischen Opposition zuvorzukommen. Da wandte sich Bethlen offen gegen ihn; das bisherige Regierungslager fiel auseinander, Gömbös entledigte sich bei der Aufstellung der Kandidaten für das Abgeordnetenhaus der Anhänger des Grafen, und in den folgenden Wahlen, die an Unsauberkeit alle ihre Vorläufer überflügelten, erreichte der Ministerpräsident den von ihm angestrebten Rechtsruck der Regierungspartei.

Auch zwei »nationalsozialistische« Abgeordnete zogen ins neue Parlament ein, doch blieben die zahlreichen kleinen ungarischen Gruppen, die sich nationalsozialistisch nannten und im »Pfeilkreuz« das madjarische Gegenstück des Hakenkreuzes gefunden hatten, noch ohne Gewicht. Auch später konnte nur eine dieser Gruppen, die Pfeilkreuzpartei des ehemaligen Majors im Generalstab Franz [Ferenc] Szálasi, sich zur Massenbewegung entwickeln.

Julius Gömbös starb am 6. X. 1936. Zu seinem Nachfolger ernannte Horthy den bisherigen Landwirtschaftsminister Koloman [Kálmán] Darányi. In der auswärtigen Politik blieb Darányi auf dem Kurs Gömbös'; in der Innenpolitik kehrte er anfangs auf die Linie Bethlens zurück. Im November 1937 wurde aber der Ministerpräsident bei einem Besuch in Berlin über den Entschluß Hitlers unterrichtet, Österreich zu annektieren und die Tschechoslowakei zu zerschlagen. Die Aussicht, bei einer Teilung der Tschechoslowakei dem revisionistischen Ziel näherzukommen, bewog Darányi zur Änderung seiner gesamten Politik. Er kam der – seit langem rechtsradikalen Ideen verpflichteten und neuerdings hitlerbegeisterten – Budapester Armeeführung entgegen und ließ auf deren Anregung Gesetzentwürfe über die Aufrüstung, über eine Wahlrechtsreform (zwecks Ausschaltung potentieller Wähler der Opposition) und über die Einführung eines Numerus clausus für Juden in allen Bereichen der Privatwirtschaft vorbereiten.

Nach dem Anschluß Österreichs steigerten die Berliner Stellen ihre Propaganda unter den Volksdeutschen in Ungarn, und die »Pfeilkreuzler«, deren materielle Unterstützung durch Organe des Dritten Reiches ebenfalls verstärkt wurde, erhielten Zulauf. Horthy sah seine eigene Stellung bedroht; Darányi konnte noch seine drei Vorlagen im Parlament einbringen, die auch angenommen wurden, dann ließ ihn der Reichsverweser fallen. Zu seinem Nachfolger wurde am 14. V. 1938 der Finanzexperte Béla Imrédy ernannt. Man hielt ihn für einen Englandfreund, aber er hatte eine ähnliche Wandlung durchgemacht wie Darányi und entpuppte sich als Bewunderer Hitlers.

Unter Imrédys Ministerpräsidentschaft wurde – im Gefolge des Münchener Abkommens – der Wiener Schiedsspruch vom 2. XI. 1938 gefällt. Das Großdeutsche Reich und Italien gaben darin 11 927 qkm der von Budapest beanspruchten, seit 1920 tschechoslowakischen Gebiete an die Ungarn zurück. Am 4. XII. verkündete die Regierung die Wiedereinführung der allgemeinen Wehrpflicht in Ungarn, und zu Weihnachten legte Imrédy den Entwurf eines der deutschen Rassenlehre angepaßten verschärften neuen Judengesetzes vor.

Am 15. II. 1939 nahm der durch Imrédys Entwicklung beunruhigte Horthy die Enthüllung, eine Urgroßmutter des Ministerpräsidenten sei Jüdin gewesen, zum Vorwand, ihn zum Rücktritt aufzufordern. Neuer Regierungschef wurde Graf Paul Teleki. Unter seiner Ministerpräsidentschaft besetzten die Ungarn nach Hitlers Einmarsch in Prag die 12 061 qkm der Karpaten-Ukraine (das Ruthenenland des Stephansreiches, das als Teil der Tschechoslowakei Podkarpatska Rus geheißen hat). Am 11. IV. 1939 erklärte Ungarn seinen Austritt aus dem Völkerbund. Im Mai 1939 wurde vom Parlament das noch von Imrédy konzipierte Zweite Judengesetz verabschiedet.

Seit 1937 war eine Polarisierung der politischen Kräfte Ungarns in Gang. Wie schon so oft in der Geschichte des Landes, trat ein Teil der politisch Aktiven für eine Annäherung an den übermächtigen Nachbarn ein, der die Unabhängigkeit der Nation bedrohte, damit man um den Preis einer begrenzten freiwilligen Unterwerfung einige Selbständigkeit bewahren könne. Andere suchten das Heil der Nation im Widerstand und in der Verbindung mit den Gegnern des Gegners. Es handelte sich nicht um den Gegensatz zwischen Regierung und Opposition; beide Lager waren gespalten. Der »deutschen Partei« gehörten ein Teil der Regierungsmitglieder, ein großer Teil der Staatsbeamten und der »neuen Klasse«, viele jüngere Arbeiter, die Mehrheit der Generalität und des Offizierskorps an. Zur Gegenseite zählten der Reichsverweser selbst, einige Regierungsmitglieder, die Mehrheit des Hochadels (allen voran Graf Bethlen), die meisten Schriftsteller und Wissenschaftler und verständlicherweise die politische Linke und die ältere Generation der organisierten Arbeiterschaft.

Die »deutsche Partei« berauschte sich am Hitlerschen Neodarwinismus und an den Erfolgen der Reichsregierung und war vom Endsieg des Dritten Reiches überzeugt. Die – sehr heterogene – Schar der Parteigänger des Widerstandes fand den Nationalsozialismus abstoßend (die einen mehr aus madjarisch-nationalen, die anderen mehr aus ethisch-religiös-humanitären Gründen) und rechnete mit der unvermeidlichen Niederlage des Dritten Reiches im Krieg. Doch die Haltung der ungarischen Verächter des Nationalsozialismus war in sich widerspruchsvoll, denn auch diese Gruppe beugte sich dem Primat des Revisionismus; und es waren die Achsenmächte, die die Erfüllung revisionistischer Forderungen versprachen und auch ermöglichten.

Graf Paul Teleki gehörte der »Partei des Widerstandes« an. Nach dem Ausbruch des II. Weltkriegs am 1. IX. 1939 verlangte und erhielt er vom Parlament außerordentliche Vollmachten, die er nicht zuletzt zur Niederhaltung der einheimischen Nationalsozialisten benutzte. Er versuchte sich mit einer zweigleisigen Politik. Er war bereit, die weitere Revision der Grenzen von Trianon auch mit Berliner Hilfe zu betreiben; anderseits stand er in geheimer Verbindung mit Großbritannien und war bemüht, sein Land aus dem Ringen der Großmächte herauszuhalten. Er erklärte Ungarn zur nichtkriegführenden Nation und versagte Hitler die Zustimmung zum Durchmarsch von Wehrmachtstruppen nach Polen. Zugleich bereitete er einen eigenen militärischen Feldzug zwecks Wiedergewinnung des 1919 verlorenen Siebenbürgen gegen das damals noch dem Westen zuneigende Rumänien vor. Auf Vorhalte der Reichsregierung unterblieb die Aktion Ungarns; doch erreichte Teleki einen neuen Wiener Schiedsspruch der Deut-

b) Ungarn im Einflußbereich des Dritten Reiches

schen und Italiener, durch den Budapest am 30. VIII. 1940 die nördliche Hälfte, insgesamt 43 104 qkm, des 1919 an Rumänien gefallenen zuvor ungarischen Gebietes zurückerhielt.

Im Zuge seiner Selbständigkeitsbestrebungen schloß Teleki im Dezember 1940 einen »Vertrag ewiger Freundschaft« mit Jugoslawien. Als Berlin Ende März 1941 die Besetzung Jugoslawiens vorbereitete, trat der Graf nach Fühlungnahme mit der britischen Regierung dafür ein, Ungarns Staatsgebiet der Wehrmacht zu sperren, obwohl Berlin als Gegenleistung für das Durchmarschrecht die Rückgliederung madjarisch bewohnter Teile Jugoslawiens zusagte. Als Horthy, den Wünschen der ungarischen Armeeführung folgend, sich gegen den Ministerpräsidenten entschied und beschloß, dem deutschen Durchmarsch zuzustimmen, erschoß sich Teleki am 3. IV. In seinem Abschiedsbrief an den Reichsverweser geißelte er den Wortbruch gegenüber dem jugoslawischen Vertragspartner; er schrieb u. a.: »Wir stellen uns an die Seite der Schufte.«

Zum Nachfolger bestimmte Horthy den Außenminister des letzten Kabinetts Teleki, den Berufsdiplomaten Ladislaus [László] v. Bárdossy, der von Haus aus wenig Sympathien für den Nationalsozialismus hatte, jedoch den Endsieg Hitlers für unabwendbar hielt und im Sinne dieser Überzeugung regierte. Hinter den in Jugoslawien eingefallenen Wehrmachtstruppen ließ Bárdossy ungarisches Militär nachrücken, um 11 013 qkm des alten Stephansreiches dem Staat Ungarn wieder einzugliedern.

Damit erreichte Ungarn 1941 einen Gebietsstand von 172 204 qkm; dies entsprach 52,9 Prozent des Territoriums des einstigen Reichs der Stephanskrone.

Als die Wehrmacht auch in die Sowjetunion eingefallen war, setzte Bárdossy – unter Verletzung verfassungsrechtlicher Regeln und gegen den Widerstand der konservativ-liberalen Kreise – am 27. VI. 1941, fünf Tage nach dem deutschen Angriff, bei Horthy die Kriegserklärung gegen die Sowjetunion durch. Nun war Ungarn kriegführender Staat. Am 7. XII. erklärte Großbritannien Ungarn, am 13. XII., zwei Tage nach dem gleichen Schritt der Achsenmächte, Ungarn den Vereinigten Staaten den Krieg.

Für Horthy und seine Vertrauten ging Bárdossys Gefügigkeit Berlin gegenüber viel zu weit; sie nahmen zwar an, daß der kriegführende Westen Ungarns Kampf gegen die Sowjetunion nicht mißbilligen würde; aber sonst hätten sie eine stärkere Distanzierung von Berlin gewünscht. Horthy entließ daher Bárdossy am 9. III. 1942 und ernannte einen entschiedenen Feind des deutschen wie des einheimischen Nationalsozialismus, den Grundbesitzer Nikolaus [Miklós] v. Kállay, einen Angehörigen eines der ältesten ungarischen Adelsgeschlechter, zum Ministerpräsidenten. Der Reichsverweser und sein Kreis nahmen an, dies würde ausreichen, um das Überleben des Horthy-Staates nach der schließlichen Niederlage Hitlers zu sichern.

Kállay versuchte sich mit der Erneuerung der von Paul Teleki angebahnten zweigleisigen Politik. Unter seiner Regierung begann der bis dahin bloß verbale (in Zeitungen, Zeitschriften, Büchern, doch auch da meist nur zwischen den Zeilen aufscheinende) ungeformte Widerstand gegen das Dritte Reich und seine ungarischen Anhänger organisierte Gestalt anzunehmen.

Die Kommunistische Partei war in Ungarn während der ganzen Horthy-Zeit verboten, eine kleine illegale KPU fast nur in der Hauptstadt tätig. Es gehörten ihr vorwiegend junge Schwärmer aus meist bürgerlichen Familien an. Die Arbeiterschaft blickte wohl allgemein mit Sympathien nach der Sowjetunion als »Staat der Werktätigen«, aber nur wenige Arbeiter waren bereit, sich der illegalen Partei anzuschließen, obschon kommunistische Agitation unter unzufriedenen Gewerk-

§ 24 Ungarn seit 1918: Vom Ende des I. Weltkriegs bis zur Ära Kádár

schaftlern gelegentlich Anklang finden und auch Streikbewegungen fördern mochte. Nicht wenige Agenten der politischen Polizei waren in der illegalen Partei. Zu Zeiten hatte es den Anschein, als sei es die Polizei, die die KP am Leben erhalte, um hin und wieder eine kommunistische Verschwörung zu entlarven und so die eigene Unentbehrlichkeit zu erweisen.

Nach Hitlers Überfall auf die UdSSR erhielt die kleine KPU einigen Auftrieb. Die politische Polizei mag darin ein Risiko gesehen haben; jedenfalls zerschlug sie die illegale Bewegung. Die dem polizeilichen Zugriff entgangenen Führungsmitglieder beschlossen dann nach der Auflösung der III. Internationale auch die formale Selbstauflösung ihres Vereins.

1941 hatte Ungarn vorerst mehr symbolisch am Feldzug gegen die Sowjetunion teilgenommen, 1942 setzte aber die Berlin noch vorbehaltlos ergebene Budapester Heeresleitung die 2. ungarische Armee an der Ostfront ein. Im Januar 1943 wurde diese Armee bei Woronjesch aufgerieben. In Budapest herrschte – selbst in Kreisen der Generalität – die Überzeugung, das Oberkommando der Wehrmacht habe die Ungarn geopfert, um einen deutschen Rückzug zu decken.

Kállays Regierung nahm in der Folge einen kräftigen Anlauf zur Unterdrückung der aus Berlin unterstützten ungarischen nationalsozialistischen Bewegung, und Horthy begann mit Vorbereitungen zu einem »Absprung«, der Aufkündigung des Bündnisses mit dem Dritten Reich bei der ersten sich bietenden Gelegenheit. Nach dem Sturz Mussolinis am 25. VII. 1943 unternahm Budapest über verschiedene Kanäle vermehrte Anstrengungen um Kontakte zu den westlichen Alliierten, doch kam Hitler dem zu lange zögernden Horthy zuvor: Am 19. III. 1944 besetzten Wehrmachtstruppen Ungarn; SS und Gestapo richteten sich in Budapest ein und nahmen exponierte Gegner des Nationalsozialismus, die nicht rechtzeitig untertauchen konnten, in Haft.

Aus Gründen der Propaganda wünschte aber Berlin zu verschleiern, daß Horthy-Ungarn mit dem Reich hatte brechen wollen, und es wurde der Schein des Einvernehmens mit dem Reichsverweser gewahrt. Horthy blieb Staatsoberhaupt, nur mußte er einen auch der Reichsregierung genehmen Ministerpräsidenten einsetzen; er entschied sich für den bisherigen ungarischen Gesandten in Berlin, den Generalleutnant Dominikus [Döme] v. Sztójay. Horthy konnte aber nicht verhindern, daß eine Reihe seiner engen Mitarbeiter verhaftet und in deutsche Konzentrationslager verbracht wurde.

Nach dem 19. III. 1944 wurden Ungarns Hilfsquellen in den Dienst der deutschen Kriegsführung gestellt. Die Besatzungsmacht leitete auch die Ausrottung des bis dahin verschonten Teils der ungarischen Judenschaft in die Wege. Horthy selbst versuchte, von kirchlichen Würdenträgern und den immer noch zahlreich in Freiheit befindlichen Parteigängern des Widerstandes unterstützt, den Massenmord zu vereiteln, doch konnte die Dienststelle Adolf Eichmann – unter bereitwilliger Mitwirkung der meisten ungarischen Behörden und eines Teiles der Bevölkerung – über eine halbe Million Juden besonders aus der Provinz in die Todeslager verschicken. In einem in Budapest errichteten »Ghetto« konnten aber etwa 70 000 Personen, über ein Drittel der früheren jüdischen Bevölkerung der Hauptstadt, den Krieg überleben.

Im August wagte es Horthy, der den Plan des »Absprungs« nicht aufgegeben hatte, Sztójay zu entlassen, einen Mann seines Vertrauens, Generaloberst Géza v. Lakatos, zum Ministerpräsidenten zu ernennen und insgeheim Unterhändler nach Moskau zu entsenden. Die ungarischen Bevollmächtigten schlossen mit der Sowjetregierung einen Waffenstillstand ab, und am 15. X. verlautbarte Horthy im Rundfunk, daß er seinen Truppen den Befehl zur Einstellung der Kampfhandlungen erteilt habe. Aber die Aktion mißlang. Die Pfeilkreuzler und ihre Gesinnungsfreunde am rechten Flügel des Regierungslagers hatten schon vor Kriegsausbruch und erst recht während der Kriegsjahre so viele Schlüsselstellungen im Staat besetzen können, ein so großer Teil des Offizierskorps vertraute – noch im Oktober 1944 – auf die deutschen Wunderwaffen und auf Hitlers Endsieg, daß der Aufruf Horthys ohne Wirkung blieb. SS-Einheiten überrannten das Budapester Königsschloß, den Sitz des Reichsverwesers, nahmen Horthy und seine Begleitung gefangen und nötigten ihn mit der Drohung, sonst würde sein Sohn hingerichtet werden, den Führer der Pfeilkreuzler-Partei, Franz Szálasi, zum Ministerpräsidenten zu ernennen und abzudanken.

Szálasi nahm den Titel des »Führers der Nation« an, und sein Regime begann sich im Land einzurichten. Aber das Tätigkeitsfeld, das ihm die deutsche Besatzungsmacht übrigließ, war schmal. Die Aktivität der Pfeilkreuzler konzentrierte sich, von Dienstleistungen für die Deutschen abgesehen, auf die Beraubung und Ermordung von politischen Gegnern und Juden. Bis auf wenige Ausnahmen begegneten das geistige Ungarn und die große Mehrheit der organisierten Arbeiterschaft den neuen Herren des Landes mit Abscheu; auch die Kirchen legten der Regierung Szálasi gegenüber Zurückhaltung an den Tag. Allerdings verfügte Szálasi über zahlreiche Anhängerschaft im sogenannten Lumpenproletariat und einer zahlenmäßig gleichfalls beträchtlichen Schicht, die man »Lumpenbourgeoisie« nennen könnte, der Schar der Enttäuschten, die sich (oft aus Mangel an ausreichenden Fähigkeiten) während der Horthy-Zeit vergeblich um den Aufstieg in den Mittelstand bemüht hatten.

Die Herrschaft der Pfeilkreuzler war von ähnlich kurzer Dauer wie die Ungarische Räterepublik von 1919. Als Szálasi von Hitler an die ungarische Staatsspitze gestellt wurde, war die damals zweitgrößte Stadt Ungarns, Szeged, schon von der Roten Armee besetzt. Bis zum Ende des Jahres 1944 hatten die Sowjettruppen über die Hälfte des Landes erobert und Budapest umzingelt. Am 13. II. 1945 fiel die Hauptstadt, nach erbitterten Straßenkämpfen zu großen Teilen zerstört, in sowjetische Hand. Im März flüchtete die Pfeilkreuzregierung über die österreichische Grenze, und am 4. IV. zogen die letzten deutschen Einheiten aus Ungarn ab. Damit hatte die Rote Armee das ganze Königreich unter ihrer Kontrolle.

Die Führer der Pfeilkreuzler fielen in Österreich in alliierte Gefangenschaft. Sie wurden an die ungarische Nachkriegsregierung ausgeliefert und in Budapest vor Volksgerichte gestellt. Viele, unter ihnen Szálasi selber, wurden gehenkt. Hingerichtet wurden auch die früheren Ministerpräsidenten Imrédy, Bárdossy und Sztójay. Die Anklage lautete immer auch auf »Kriegsverbrechen« und »Verbrechen gegen die Menschlichkeit«, im nachhinein konstruierte strafbare Handlungen; viele der Angeklagten wären aber gewiß auch dann zum Tode verurteilt worden, wenn man nur die schon zur Zeit ihrer Taten geltenden Strafgesetze angewandt hätte.

Horthy verbrachte die letzten Monate des Krieges in nationalsozialistischer »Ehrenhaft« im Reichsgebiet und wurde von den Alliierten befreit. Er begab sich nach Portugal und starb im selbstgewählten Exil 1956 im 88. Lebensjahr.

c) Charakteristika der Horthy-Zeit

Es ist sachlich falsch, wenn die Herrschaft Horthys als halbfaschistisch oder gar faschistisch bezeichnet wird. Nicht nur hatte sie mit dem eigentlichen, dem italienischen Fascismo nichts gemein; auch der Faschismus-Begriff der kommunistischen Theorie ist hier fehl am Platz. Für das Regime Horthys war die Vielfalt politischer Parteien eine Selbstverständlichkeit, und es kann auch nicht mit den Verbrechen gleichgesetzt werden, die es in seinen ersten Anfängen geduldet und auch gefördert hat. Außergesetzliche Gewaltanwendung gehörte nicht zu seinem Wesen, und unter der Ministerpräsidentschaft des Grafen Bethlen überwand es den politischen Terrorismus aus eigener Kraft.

Der Horthy-Staat war weniger mit den nach 1919 aufgekommenen »autoritären« Systemen verwandt als mit der antiliberalen Spielart der parlamentarischkonstitutionellen Monarchie des 19. Jh. Diese ließ zwar Wahlen zu gesetzgebenden Versammlungen zu, in denen auch oppositionelle Volksvertreter ihre Ansichten vernehmlich äußern konnten; Wahlrecht und Wahlpraxis sorgten aber für die Kontrolle der Parlamentsmehrheit durch eine mehr oder weniger dünne Oberschicht. Ein solches System mochte im 19. Jh. mancherorts sogar als vergleichsweise progressiv gelten; nach dem I. Weltkrieg war es, gemessen an den Verhältnissen West- und Nordeuropas, gewiß rückschrittlich. Aber es kann nicht übersehen werden, daß die politische und soziale Ordnung im Staat Horthys nicht das einzige Überbleibsel abgelebter Zeiten in Südosteuropa war. Auch die benachbarten Königreiche Rumänien und Jugoslawien waren nicht viel freiheitlich-demokratischer als Ungarn.

Die Budapester Führung näherte sich, wie schon erwähnt, aus Gründen des Revisionismus in den 20er Jahren dem faschistischen Rom und 1933 dem nationalsozialistischen Berlin, aber in der Innenpolitik hielt der Horthy-Staat Abstand von den totalitären Diktaturen; er bewahrte bis an sein Ende seinen »Halbliberalismus«. Während von 1934 an in ausnahmslos allen näheren wie ferneren Nachbarstaaten nach und nach Diktaturregime errichtet wurden, blieben in Ungarn bis zum 19. III. 1944, dem Tag, da Hitlers Wehrmacht das Land besetzte, das Mehrparteiensystem, auch eine Sozialdemokratische Partei mit Abgeordneten im Parlament, sozialdemokratisch gelenkte Gewerkschaften, ein sich verengernder, aber bis zuletzt realer Freiheitsraum der Presse (auch einer sozialdemokratischen Tageszeitung) und ein bedeutender Rest der Rechtsstaatlichkeit erhalten.

Antisemitisch war das Regime Horthys von Anfang an, und es blieb es bis zuletzt; nach dem Anschluß Österreichs an das Dritte Reich wurden offen gegen die Juden gerichtete Gesetze verkündet; von 1940 an wurden dienstpflichtige jüdische Männer – Reservisten wie Ungediente – nicht zu den Waffen, sondern zur Zwangsarbeit in »Arbeiterkompanien« genannten mobilen Konzentrationslagern eingezogen. Eine »Endlösung« im Sinne Hitlers lehnte aber das Regime Horthy ab. Trotz erheblichem Druck aus Berlin gab es in diesem Punkt bis zur deutschen Besetzung des Landes nicht nach. Bis zum 19. III. 1944 lebten die jüdischen Frauen, Kinder und älteren Männer in Ungarn, insbesondere in der Hauptstadt, zumindest nicht in Gefahr für Leib und Leben; gemessen an den Schrecken, die im Reich, in der Slowakei, in Kroatien längst zum Alltag aller dortigen Juden gehörten, blieben sie fast unbehelligt.

Die Industrie entwickelte sich während des Vierteljahrhunderts Horthys nicht unerheblich. Als Ungarn um 1933 die große Wirtschaftskrise einigermaßen überwunden hatte, ging der Ausbau der Industrie weiter, und 1938 übertraf ihr Beitrag zum Volkseinkommen ein erstesmal den der Landwirtschaft. Auch die Lage der Industriearbeiterschaft besserte sich, zwar nur langsam und bescheiden, doch stetig und spürbar, bis ins letzte Kriegsjahr. Eine Arbeitslosenhilfe kannte der Staat Horthys nicht, aber in der Zeit zwischen den Weltkriegen wurden in Ungarn die obligatorische Kranken- und Altersversicherung aller Arbeiter und Angestellten (1927, 1928), die 48-Stunden-Woche für Arbeiter und die 44-Stunden-Wochen für Angestellte (1935, 1937) sowie der bezahlte Jahresurlaub (1938) eingeführt.

In der Horthy-Zeit erlebte Ungarn und besonders Budapest eine Hochblüte der Literatur, der Wissenschaften, der bildenden Künste, der Musik, des Theaters. Fast alle schöpferischen Ungarn von europäischem Rang wirkten im Widerspruch zur herrschenden konservativen Strömung, aber diese wurde mit zum Ansporn und zur Kraftquelle für ihr Schaffen. So gehört ihre Leistung der Geschichte des Vierteljahrhunderts Horthys an, und dies gilt, um drei beispielhafte Fälle zu nennen, für den Inhaber des Nobelpreises 1937 für Physiologie und Medizin, den Biochemiker Albert v. Szent-Györgyi, ebenso wie für den genialen Komponisten Béla Bartók und den größten madjarischen Lyriker des 20. Jh., Attila József (den der Protest gegen das Herrschende sogar zu einem Gastspiel in der illegalen KP bewog).

Etwa seit 1930 belebte der Streit der »Populisten« und der »Urbanen« die kulturelle Szene Horthy-Ungarns. Die »Populisten«, sich zu den in den bäuerlichen Volksschichten schlummernden Kräften und Werten bekennende Dichter und Denker, liefen Sturm gegen die ihrer Ansicht nach überfremdete, dekadente Budapester Schriftstellerei; die »Urbanen«, weltstadtbegeisterte – gebürtige wie zugewanderte – Budapester, fochten für eine westeuropäisch orientierte, weltoffene Geistigkeit. Die zumeist leidenschaftliche, oft auch erbitterte Auseinandersetzung der zwei Denkschulen trug wesentlich zur Ergiebigkeit der Epoche bei. Im übrigen standen die meisten Vertreter beider Richtungen dem Regime Horthys kritisch oder ablehnend gegenüber.

Die amtliche Kulturpolitik war auf die Mehrung des internationalen Ansehens des Ungartumes und auf die Förderung der eigenen Anhängerschaft bedacht. Man warf ihr einen Hang zu substanzlos-äußerlicher nationaler Repräsentation und die Bevorzugung politisch gefügiger Mittelmäßigkeiten gegenüber echten, aber unbequemen Begabungen vor. Das höhere Unterrichtswesen wurde hervorragend gefördert, blieb freilich elitär. Aber auch auf dem Gebiet des Grundschulwesens leistete das Regime Ansehnliches: In der über 10 Jahre alten Bevölkerung waren 1920 noch 14,5 Prozent, 1941 nur mehr 5,9 Prozent Analphabeten.

d) Die Lage bei Kriegsende

Noch waren in Budapest die Pfeilkreuzler an der Regierung, als im Herbst 1944 mit der Nachhut der Roten Armee Altkommunisten des Jahres 1919 aus der Moskauer Emigration nach Ungarn zurückkehrten. Diese »Moskowiten« hatten den Auftrag, eine ungarische KP aufzubauen und die Entwicklung im Land im Sinne der jeweiligen Wünsche der Sowjetstellen zu beeinflussen. Sie begannen mit ihrer Arbeit in Szeged.

Oberhaupt der »Moskowiten« war der 1892 geborene Matthias [Mátyás] Rákosi, der allerdings erst später, Anfang Februar 1945, aus Moskau kommend in Ungarn eintraf. Er gehörte 1919 der zweiten kommunistischen Führergarnitur an, flüchtete nach dem Sturz des Räteregimes nach Rußland, kehrte Ende 1924 illegal nach Budapest zurück, wurde nach nicht ganz einem Jahr verhaftet und abgeurteilt, und bis 1940 saß er in Zuchthäusern des Horthy-Staates ein. Dann wurde er mit einigen seiner Haftgenossen in die UdSSR abgeschoben. Dort bestimmte man ihn zum Anführer der ungarischen Kommunisten.

§ 24 Ungarn seit 1918: Vom Ende des I. Weltkriegs bis zur Ära Kádár

Rákosis Mannschaft paßte sich bei Kriegsende dem »volksdemokratisch« benannten System an, das von der Sowjetmacht in allen von ihr neu besetzten Ländern eingeführt wurde; es war ein eingeschränktes Mehrparteiensystem; einige Parteien wurden von der Besatzungsmacht als demokratisch anerkannt und zugelassen. Selbstverständlich gehörte eine KP dazu, doch in Ungarn mußte sie erst aufgebaut werden, da die Reste der unbedeutenden illegalen Gruppe der Horthy-Zeit nicht einmal einen brauchbaren Kern hergaben.

Das Menschenreservoir, an das die Moskauer Heimkehrer zuerst gedacht haben mochten, die Industriearbeiterschaft, war in ihrer Mehrheit sozialdemokratisch und lehnte den stalinistischen Kommunismus ab. Die gläubig marxistische Einstellung der Sozialdemokraten machte sie dennoch wehrlos gegenüber der Macht des Dogmas vom absoluten Vorrang der Einheit der Arbeiterklasse. In richtiger Einschätzung seiner Zauberkraft wurde dieses Dogma von den Kommunisten unablässig angerufen, und es erwies sich als Wunderwaffe. Anführer wie Massen der Sozialdemokratie ließen sich durch die Beschwörung der Klasseneinheit paralysieren und davon abhalten, der »anderen Arbeiterpartei«, der KP, jemals wirksam entgegenzutreten, gar die Machtanmaßung der kommunistischen Minderheit im Parlament auch nur einmal durch gemeinsames Auftreten mit bürgerlichen Parteien in die Schranken zu weisen. Aber die Sozialdemokraten waren nach Kriegsende noch lange nicht bereit, ihre Eigenständigkeit zugunsten der KP aufzugeben. Die neue KP mußte daher ihre Massen weitgehend im Lager der Opportunisten und – wie zuvor Szálasi – im Lumpenproletariat suchen; tatsächlich wurde auch, mit dem Versprechen der Freilassung der zum Kommunismus Bekehrten, unter den in Lagern internierten Pfeilkreuzlern für die KP geworben. Nützlichen Zuwachs erhielt die neue KP aus der Budapester Intelligentsia und auch aus den Kreisen der »Populisten«.

Nachhaltigen Einfluß übten auf die Einstellung der Bevölkerung zu den als Handlanger der Sowjetunion angesehenen Kommunisten die Ausschreitungen der – zuvor von vielen als Befreier erwarteten – Sowjetsoldaten, vor allem die Unzahl von Vergewaltigungen. Die wahren Gefühle der Volksmassen gegenüber der UdSSR und der KP kamen nur ausnahmsweise zum Ausdruck, dann aber mit großer Deutlichkeit: bei den geheimen Wahlen im Herbst 1945 und Sommer 1947 und wiederum während der Ereignisse vom Herbst 1956. In der Niederlage bei Kriegsende zeigte sich aber praktisch jedermann bereit, sich der Besatzungsmacht zu unterwerfen und auch mit den Kommunisten zusammenzuarbeiten.

Zunächst bemühte sich die Voraustruppe der Kommunisten in Szeged darum, eine neue Institution als Grundlage für die Machtausbreitung der KP zu schaffen. Man gründete eine »Nationale Unabhängigkeitsfront« benannte Dachorganisation der durch die Militärverwaltung zugelassenen politischen Parteien der (von der Roten Armee bereits am 11. X. 1944 eingenommenen) Stadt. Die in den ersten Dezembertagen konstituierte »Front« bestand aus den Kleinlandwirten, den Sozialdemokraten, den Bürgerlichen Demokraten, den Nationalen Bauern und der KP, die sich jetzt nicht mehr wie früher, »internationalistisch«, KP Ungarns, sondern, »national«, Ungarische KP nannte. Gestützt auf die Anwesenheit der Roten Armee, machte sich die hinter der Fassade der Nationalen Unabhängigkeitsfront tätige KP-Führung zur Rechtsquelle. Die Kommunisten formulierten das Programm der Front; es sah u. a. die Schaffung einer Legislative vor. Die Front entsandte aus je einem Beauftragten der in Szeged zugelassenen Parteien bestehende fliegende Kommissionen in die von der vorrückenden Roten Armee besetzten Landesteile, um Parlamentarierkandidaten ausfindig zu machen. Die Kommissionen suchten nach ihnen geeignet scheinenden Personen, stellten

e) Von der Provisorischen Nationalversammlung zur Republik

Die neue Legislative trat am 21. XII. 1944 als Provisorische Nationalversammlung zusammen. Die im Lande kaum existente KP verfügte in ihr über die stärkste Fraktion. Die Versammlung wählte anderntags den von den Kommunisten vorgeschlagenen ehemaligen Generaloberst Béla Miklós v. Dálnok, der am 15. X. 1944 dem Aufruf Horthys zur Einstellung der Kampfhandlungen gefolgt und zur Roten Armee übergelaufen war, einstimmig zum Ministerpräsidenten. Der General unterbreitete dem Haus eine Regierungsliste, die ebenfalls einstimmig gutgeheißen wurde. Die Liste war einige Zeit zuvor in Moskau zusammengestellt worden. Die Kommunisten legten vorerst noch Gewicht auf die propagandistische Wirkung einer alle als demokratisch anerkannten Parteien umfassenden Regierungsmannschaft und besetzten selbst nur vier Ressorts. Freilich hatten sie sich alle Ministerien gesichert, die in dieser Zeit noch oder schon wieder machtpolitische Bedeutung hatten.

Nichtkommunisten wurden Ressorts zugestanden, die an sich keine größere politische Bedeutung hatten, oder solche, für deren Gewichtslosigkeit die Besatzungsmacht und die KP sorgten. So wurde z. B. das Verteidigungsministerium einem Nichtkommunisten überlassen; nun dienten im ungarischen Heer – noch im Herbst 1945 – keine 10 000 Mann, und selbst diese standen größtenteils fern den hauptstädtischen Schalthebeln der Macht in der Provinz und an den Grenzen. Die vom kommunistischen Innenminister befehligte Polizei war schon damals über 50 000 Mann stark und kontrollierte Budapest.

Die von der Versammlung in Debrecen gewählte provisorische Regierung unterschrieb im Januar 1945 in Moskau ein Waffenstillstandsabkommen; dabei trat die Sowjetregierung federführend für alle alliierten Mächte auf. Das Abkommen sollte bis zum Abschluß eines Friedensvertrages in Kraft bleiben. Es erlegte der ungarischen Regierung die Pflicht auf, für die demokratische Entwicklung zu sorgen und demokratiefeindliche Kräfte auszumerzen, sodann alles deutsche Eigentum in Ungarn in sowjetischen Besitz überzuführen und Wiedergutmachung in Form von Warenlieferungen im Wert von 300 Millionen US-Dollar zu leisten. Eine Alliierte Kontroll-Kommission sollte die Erfüllung des Abkommens überwachen und notfalls erzwingen. Tatsächlich war die Kommission ein Organ der Roten Armee; die Machtfülle des Sowjetvertreters war unbegrenzt; den von den westlichen Alliierten gestellten Kommissionsmitgliedern wurde kein Mitsprache-, geschweige denn ein Vetorecht, eingeräumt.

Die UKP, die keine Chance hatte, auf demokratisch-parlamentarischem Weg an die Macht zu gelangen, konnte dank der Rückendeckung und Unterstützung durch die als Alliierte Kontroll-Kommission auftretende Besatzungsmacht ihren Einfluß stetig steigern. Im Schutz der Roten Armee eroberte die KP nicht nur Stützpunkte in den alten staatlichen und politischen Institutionen; sie baute auch ihr dienstbare neue Institutionen auf.

So entstanden in allen Ortschaften die Nationalen Komitees, Ableger der Nationalen Unabhängigkeitsfront. Sie setzten sich aus Vertretern der zugelassenen Parteien und des Gewerkschaftsbundes zusammen und nahmen, obwohl staatsrechtlich auf nichts gestellt und niemandem verantwortlich, alle Macht für sich in Anspruch. Sie erließen Verordnungen mit Gesetzeskraft, kassierten rechtskräftige Gerichtsurteile, ordneten Verhaftungen an und stellten sich den wiederauflebenden Staatsorganen alten Schlages entgegen. Ihre Beschlüsse faßten sie nach dem Willen der kommunistischen Komiteemitglieder, die, wenn in Bedrängnis, den Widerstand ihrer Kollegen mit der Anrufung der Besatzungsmacht brechen konnten.

Zu Instrumenten der KP wurden die neue Wirtschaftspolizei, die neue politische Polizei, die Spruchkammern, die neugeschaffenen Volksgerichte.

Die KP machte auch die Bodenreform zu einem Vehikel ihrer Machtentfaltung. Noch bei Kriegsende lebte fast die Hälfte der ungarischen Bevölkerung von der Landwirtschaft, und immer noch waren rund 3 von den beinahe 4,5 Millionen Bauern und Landarbeitern ohne Bodeneigentum oder im Besitz von Hungerparzellen von weniger als 3 Hektar. Hingegen verfügte 1,4 Prozent der Landeigentümer – rund 10 000 Familien – über die Hälfte des Wirtschaftsbodens, und etwa 1 000 dieser Familien nannten ein rundes Viertel des gesamten bestellbaren Landes ihr eigen. Die römisch-katholische Kirche hatte über eine halbe Million Hektar Grundbesitz.

Alle Politiker Nachkriegsungarns traten für eine Bodenbesitzreform ein, für gesetzgeberische Maßnahmen, mittels deren den wenigen Reichen ein großer Teil ihres Eigentums genommen werden sollte, um ihn an die zahlreichen Armen zu verteilen. Nur propagierte die Kleinlandwirtepartei eine Reform, als deren Ergebnis lebensfähige agrarische Kleinbetriebe entstanden wären; sie wollte den bisherigen Landeigentümern ihr »Zuviel« nehmen, doch auch ihnen so viel belassen, wie die Neusiedler erhalten hätten. Die Kommunisten hingegen wollten zusammen mit der von ihnen gelenkten und vorgeschobenen kleinen Nationalen Bauernpartei im Sinne des Klassenkampfes allen Besitz der bisherigen Grundherren konfiszieren; zudem – dies konnte damals nur vermutet werden, erwies sich aber nach 1948 als die tatsächliche Absicht der KP – wollten sie im Zuge der Reform nur zu kleine, nicht lebensfähige Bauerngüter schaffen, deren Besitzer später vor dem Ruin selbst ins Kollektiv flüchten würden.

Mitte März zwang die Kommunistische Partei der provisorischen Regierung unter Berufung auf dringende Wünsche der Besatzungsmacht ihren als Werk der Nationalen Bauern vorgestellten eigenen Entwurf auf. Das nun verkündete Bodenreformdekret versprach den Enteigneten eine Entschädigung, doch wurde diese Zusage – von wenigen Ausnahmefällen abgesehen – nicht eingehalten.

In Durchführung des Dekretes wechselte über ein Drittel des gesamten Staatsgebietes den Besitzer. An rund 650 000 Bauernfamilien wurden 1,9 Millionen Hektar Land verteilt. Damit waren nicht nur die Latifundien, sondern auch die Mittelgüter, die bisher rentabelsten und ertragreichsten Landwirtschaftsbetriebe Ungarns, beseitigt; die Agrarbevölkerung setzte sich danach zu 95 Prozent aus Eigentümern kleiner Parzellen von weniger – größtenteils weit weniger – als 12 Hektar zusammen. Der katholischen Kirche wurden etwas über 11 000 Hektar Grundbesitz belassen.

Von da an trat die KP auf dem Land als Wohltäterin der Bauern auf. Auch sonst gab sie sich in ihrer Propaganda menschenfreundlich, kirchenfreundlich, den Kleinkapitalisten wohlgesonnen und madjarisch-national. 25 Jahre nach der gescheiterten Räterepublik waren Matthias Rákosi und seine Mitarbeiter augenscheinlich bemüht, die Fehler, die ihrem Verständnis zufolge zum Zusammenbruch von 1919 geführt hatten, zu vermeiden, und richteten sich nach dem als »kleinbürgerlich-nationalistisch« erkannten Bewußtseinsstand der Massen.

Die zunehmende Verschüchterung aller nichtkommunistischen politischen

Faktoren und der starke Zustrom opportunistischer neuer Mitglieder scheint die KP-Führung zu einer falschen Einschätzung der öffentlichen Meinung verleitet zu haben. Die Kommunisten ließen in der Provisorischen Nationalversammlung die Verabschiedung einer freiheitlich-demokratischen Wahlrechtsvorlage zu. Als im November 1945 auf dieser Grundlage Wahlen zum Parlament – die freiesten, die Ungarn je erlebte – stattgefunden hatten, ergab die Auszählung der Stimmen, daß 57 Prozent auf die Kleinlandwirte, 17,4 Prozent auf die Sozialdemokraten und nur 17 Prozent auf die KP entfallen waren; die von den Kommunisten gegen die Kleinlandwirte eingesetzte Nationale Bauernpartei brachte es auf nicht ganz 7, die – vor dem Krieg in Budapest und der zweitgrößten Stadt Ungarns, Szeged, einflußreiche, vor allem von der jüdischen Wählerschaft getragene – Bürgerlich-Demokratische Partei auf nur 1,6 Prozent.

Zunächst glaubte die Bevölkerung, nun würde in Ungarn eine liberal-parlamentarische Ordnung – nur vorübergehend infolge der sowjetischen Besetzung getrübt – einkehren; nach dem Friedensschluß würde die Rote Armee das Land verlassen, und Demokratie im westlichen Sinn würde sich entfalten können. Schon wenige Tage nach den Wahlen war aber die Kleinlandwirtepartei um die Früchte ihres Sieges gebracht. Sie stellte zwar mit ihrem Vorsitzenden, dem kalvinisch-reformierten Pfarrer Zoltán Tildy, den Ministerpräsidenten, aber unter dem Druck der Sowjetstellen mußte sie auf eine Regierungskoalition aller Parteien (mit Ausnahme der gewichtslos gewordenen Bürgerlichen Demokraten) eingehen, sich mit der Hälfte der Ministerposten begnügen und in Erfüllung einer direkten sowjetischen Forderung das Innenministerium den Kommunisten überlassen (die dann Imre Nagy als Innenminister nominierten). Das neue Parlament trat am 29. XI. 1945 zusammen. Noch vor Ende des Jahres beschloß es die Verstaatlichung der Kohlengruben und der Kraftwerke des Landes; die Kommunisten und die sie hierbei unterstützenden Sozialdemokraten erklärten, dies sei alles, was nationalisiert werden sollte.

Im Frühjahr und Frühsommer 1946 erlebte Ungarn die wohl schwerste Inflation der Weltgeschichte. Die Katastrophe der Pengő-Währung übertraf noch den rasenden Wertverfall der deutschen Mark nach dem I. Weltkrieg um ein Vielfaches.

Die Volksvertretung wurde auch als Konstituante tätig. Am 31. I. 1946 hörte das Königreich Ungarn formell zu bestehen auf. Es wurde die Republik ausgerufen und Tildy zu ihrem ersten Präsidenten gewählt. Nachfolger Tildys als Regierungschef wurde sein Parteifreund Ferenc Nagy, ein ehemaliger Bauernbund-Funktionär.

f) Ungarn unter Matthias Rákosi

Nach den Wahlen vom November 1945 machte sich die KP unter Führung Matthias Rákosis daran, die für sie nachteiligen Folgen des Abstimmungsergebnisses schrittweise zu beseitigen. Die KP suchte einen Gegner nach dem anderen auszuschalten, zu unterwerfen oder zu vernichten, ohne sich von den Mehrheitsverhältnissen im Parlament beeindrucken zu lassen. Angriffsziele wurden, nacheinander, die Bürgerlichen, die Sozialdemokratie, die Institution des Parlaments selbst, die Kirchen, die Bauern und schließlich die Industriearbeiterschaft.

Der Feldzug gegen die Bürgerschaft fand vorerst im Parlament statt und hatte die Entmachtung der Kleinlandwirtepartei zum Ziel. Dabei wurde ein Verfahren angewandt, für das Rákosi später die zum weltweit geflügelten Wort gewordene Bezeichnung »Salamitaktik« prägte. Kurze Zeit nach der Ausrufung der Republik wurde eine erste, dünn erscheinende »Scheibe« von der absoluten Mehrheit der Kleinlandwirtepartei abgeschnitten: Nachdem ein führendes Mitglied der Kleinlandwirte-Fraktion, der Jurist Desider [Dezső] Sulyok versucht hatte, die parlamentarische Mehrheit zur Verteidigung des Rechtsstaates zu mobilisieren, drohte die KP, die Regierungskoalition zu verlassen, wenn die Mehrheitspartei nicht sich selbst von den, wie es hieß, »Reaktionären« und »Faschisten« säubere. Die von den Kommunisten gestützte Nationale Bauernpartei und die auf die Arbeitereinheit eingeschworene Sozialdemokratie schlossen sich der kommunistischen Forderung an, und die Führung der Kleinlandwirtepartei stieß in der Befürchtung, das Auseinanderbrechen der Koalitionsgrundlage würde die Intervention der Besatzungsmacht zur Folge haben, Sulyok und einige seiner Gesinnungsfreunde aus der Partei aus.

In Anwendung der »Salamitaktik« kam es noch zu weiteren erzwungenen Selbstsäuberungen der Kleinlandwirtepartei. Im Herbst 1945 war sie mit 245 Abgeordneten in die Nationalversammlung eingezogen; bei Auflösung des Hauses im Sommer 1947 verfügte sie nur noch über 197 Sitze.

Im Januar 1946 begann in Anwendung der Vereinbarungen von Potsdam die Aussiedlung der Ungarndeutschen. Die Maßnahme war in Ungarn unpopulär, Kleinlandwirte und Sozialdemokraten erhoben Einwände; die Kommunisten setzten aber die teilweise Ausführung der Aktion durch. Anfang 1948 wurde die Aussiedlung abgebrochen, und 1950 wurden auch die bei Kriegsende gegen die deutsche Minderheit erlassenen diskriminierenden Rechtsvorschriften außer Kraft gesetzt. 1946–1948 wurden ungefähr 240 000 Deutsche aus Ungarn vertrieben; etwa ebenso viele blieben im Land zurück.

Im Frühjahr 1946 wurde Imre Nagy, der zur Gruppe der »Moskowiten« gehörte, als Innenminister durch László Rajk ersetzt. Rajk, berufsmäßiger Kominternagent seit Abbruch seiner Hochschulstudien, war nicht in Moskau gewesen; er hatte der Partei außer in der ungarischen Illegalität u. a. auch als Spanienkämpfer gedient.

Im März 1946 schritten die Kommunisten zur Anwendung offener Gewalt. Fachleute des Staatsapparates, Lehrer, Richter, Verwaltungsbeamte, die die »alten Institutionen« nach Kriegsende wieder aufleben ließen, wurden zu Hunderten aus ihren Ämtern und oft auch aus ihren Wohnungen gejagt. Rákosi sprach in diesem Zusammenhang von der »Mobilisierung der Massen« und von »Volksjustiz«. Im Herbst setzte die KP auch gegen das (noch keineswegs vollkommen gefügige) Parlament Demonstranten ein, deren – so Rákosi – »drohendes Auftreten« nichtkommunistische Regierungsmitglieder und Abgeordnete zum Zurückweichen vor den Forderungen der kommunistischen Minderheit nötigte.

Im Juli 1946 hielt die KP-Führung die Zeit für gekommen, der Inflation ein Ziel zu setzen, nachdem die Geldentwertung eine Art Expropriation des kleineren und mittleren Bürgertums bewirkt hatte (Ersparnisse wurden zunichte, und Sachwerte mußten verschleudert werden). Mit dem 1. VIII. wurde eine neue Währung, der »Forint« (soviel wie »Florin« oder »Gulden«) eingeführt. Die Kommunisten, die das Verdienst der Beendigung des Geldwertverfalls propagandistisch für sich allein in Anspruch nahmen, wandten das klassische Mittel der Deflation an: Sie zügelten die Notenpresse und paßten die in Umlauf gebrachte Forint-Menge zunächst an das bescheidene Warenangebot an.

Im Dezember 1946 erzwangen die Kommunisten die Verabschiedung eines Gesetzes über die Verstaatlichung der Ölfelder, der Bauxitgruben und der drei größten Industriebetriebe des Landes; im übrigen betrieb aber die KP noch eine Wirtschaftspolitik der Duldung der privaten Initiative und des privaten Gewinn-

f) Ungarn unter Matthias Rákosi

strebens. Dem war es zu verdanken, wenn die Versorgung des Marktes mit Waren und die Lebenshaltung der Massen, die im ersten Winter nach der Stabilisierung der Währung noch viel zu wünschen übrig ließ, sich seit Anfang 1947 mit einiger Stetigkeit besserte.

Im Dezember 1946 veranstaltete das kommunistische Innenministerium seinen ersten Schauprozeß, der die Kompromittierung, Einschüchterung und Schwächung der Partei des Regierungschefs, der Kleinlandwirte, zum Ziel hatte. Die politische Polizei entlarvte eine Verschwörung, die die Regierung stürzen und das Horthy-Regime wiederherstellen wollte. Das belastende Material hatte ein Lockspitzel der politischen Polizei fabriziert. Eine Reihe namhafter Mitglieder der Kleinlandwirtepartei, unter ihnen ein Minister, wurden angeklagt und abgeurteilt.

Am 10. II. 1947 wurde in Paris der Friedensvertrag der Alliierten mit Ungarn unterzeichnet. Er sollte am 15. IX. in Kraft treten. Die ungarische Regierung leistete darin nicht bloß den unter den Umständen selbstverständlichen Verzicht auf die Gebiete, die der Horthy-Staat im Bunde mit den Achsenmächten zurückgewonnen hatte, sondern trat noch vom Gebietsstand von Trianon den etwa 40 Quadratkilometer großen »Preßburger Brückenkopf«, ein Gebietsstück mit drei Dörfern auf dem bis dahin ungarischen Donauufer gegenüber der slowakischen Hauptstadt, an die Tschechoslowakei ab. Die Sowjettruppen sollten auch nach Inkrafttreten des Friedensvertrages in Ungarn bleiben, mit der Begründung, dies sei zur Sicherung der Verbindungswege der sowjetischen Besatzung in Österreich erforderlich.

Der Verschwörerprozeß vom Dezember 1946 hatte den Selbstbehauptungswillen der Kleinlandwirtepartei vollends gebrochen. Als Ministerpräsident Ferenc Nagy im Mai 1947 eine Reise in die Schweiz unternahm, ließ ihn Rákosi aus Budapest wissen, es würde nun im Zusammenhang mit der Verschwörung auch gegen ihn selbst ermittelt. Der offen bedrohte Politiker legte sein Amt nieder und kehrte nicht mehr nach Ungarn zurück. Ende Juli 1947 wurde die im November 1945 gewählte Nationalversammlung vorzeitig aufgelöst. Zuvor, im Juni, verabschiedete sie noch das Gesetz über Ungarns ersten Staatswirtschaftsplan, der nur auf drei Jahre bemessen war, damit die folgenden mit den sowjetischen Fünfjahresplänen synchronisiert würden.

Bei den Neuwahlen Ende August 1947 gab es noch eine Vielzahl von Parteien; westliche Journalisten bereisten das Land, besuchten die Wahllokale. So konnte die KP, die sich um ein für sie günstiges Ergebnis bemühte, trotz umfangreicher betrügerischer Manipulationen nicht mehr als etwas über 22 Prozent der Stimmen für sich ausweisen. In Wirklichkeit hatte der Anteil der KP kaum mehr als die Hälfte betragen. In dem vom Innenministerium gefälschten Wahlbericht erschien selbst die von ihren Massen verlassene Kleinlandwirtepartei noch mit 15 Prozent der Stimmen, und zwei erst Ende Juli 1947 gegründete Oppositionsparteien erlangten der gleichen Quelle zufolge zusammen über 30 Prozent. Sie waren die wirklichen Sieger dieser Wahlen; tatsächlich dürften ihnen mehr als 40 Prozent der Bürger ihre Stimme gegeben haben.

Danach sah es die KP als ihre erste Aufgabe an, sich der beiden neuen Parteien zu entledigen. Ihren Gründern und Führern wurde mit Schauprozessen gedroht. Rákosi, der in dieser Zeit noch keine Märtyrer schaffen wollte, hinderte sie nicht daran, vor der Verhaftung ins Ausland zu fliehen. Daraufhin mußten sich ihre Parteien auflösen, deren Abgeordnete auf ihre Mandate verzichten.

Mit dem Verschwinden der wirklichen bürgerlichen Opposition – die Kleinlandwirtepartei war nur noch ein gefügiges Werkzeug der KP – versteifte sich die

§ 24 Ungarn seit 1918: Vom Ende des I. Weltkriegs bis zur Ära Kádár

die kommunistischen Willkür- und Gewaltmaßnahmen ablehnende Haltung der Sozialdemokratie. Die KP trat dem mit verstärkter Agitation für die Einheit der Arbeiterklasse entgegen und verlangte als unausweichliche logische Folgerung die Vereinigung der beiden marxistischen Parteien. Die Führung der Sozialdemokratie war gespalten; einige Vorstandsmitglieder leisteten Widerstand, andere betrieben die Sache der KP.

Im November 1947 wurde von dem nunmehr der KP gehorchenden Parlament die Verstaatlichung der Großbanken und der von ihnen kontrollierten großen Industrie- und Handelsunternehmen beschlossen. Damit war die Industrie zu 83,5 Prozent nationalisiert; im Handel waren noch viele private Firmen tätig.

Im Frühjahr 1948, unmittelbar nach der kommunistischen Machtergreifung in der Tschechoslowakei, beseitigte die KP die ungarische Sozialdemokratie. Nach der erzwungenen Vereinigung im Juni 1948 nannte sich die KP »Partei der Ungarischen Werktätigen« (PUW).

Im März 1948 wurden alle im inländischen Besitz befindlichen Betriebe mit mehr als hundert Beschäftigten verstaatlicht.

Nachdem die Bürgerschaft und die Industriearbeiterschaft ohne parlamentarische politische Vertretung geblieben waren, wandten sich die Kommunisten drei Gegenspielern zu, die sie bisher, offensichtlich, um nicht in einen Mehrfrontenkrieg verwickelt zu werden, weitgehend geschont hatten: der Bauernschaft, den Kirchen und den Gewerkschaften.

Im Sommer 1948 begann ein Propagandafeldzug gegen die Kulaken, die für alle Schwierigkeiten auf dem Dorf, ja im ganzen Staat verantwortlich gemacht wurden. Der amtlichen Definition zufolge wäre nur ein Dörfler mit über 14 Hektar Landbesitz als »Kulake« einzustufen gewesen, aber es gab keinen wirklichen oder potentiellen Kommunistengegner, der nicht ohne Rücksicht auf die Größe seines Besitzes zum Kulaken gestempelt werden konnte. Die Kulaken wurden schikaniert, in Internierungslager verbracht, und am Ende verfiel ihr Besitz dem Staat. Nach dieser klassenkämpferischen Vorbereitung eröffnete Rákosi im August 1948 einen Werbefeldzug für die – wie es hieß, auf freiwilliger Grundlage zu errichtenden – »landwirtschaftlichen Produktionsgenossenschaften«.

Anfang 1948 wurde auch die Propaganda gegen die »kirchliche Reaktion« verschärft. Dann kündigte die Regierung die Verstaatlichung der konfessionellen Schulen an, und ein wenig später wurde der Religionsunterricht – nicht nur in den Schulen, sondern auch außerhalb der Lehranstalten – erst erschwert und im weiteren Verlauf so gut wie unterbunden. Der Druck lastete anfangs gleichermaßen auf den Lutheranern, den Kalvinisten und den Katholiken. Die hierarchisch weniger straff geführten protestantischen Kirchen hielten dem nicht lange stand. Nach einiger Zeit stimmten sie der Verstaatlichung ihrer rund 2 000 Schulen zu.

Die römisch-katholische Kirche, die fast 3 000 Schulen unterhielt, leistete Widerstand. Ihr Oberhaupt, Joseph Kardinal Mindszenty, Erzbischof von Gran [Esztergom], Primas von Ungarn, scheute sich nicht, die Regierung in Eingaben, Predigten und Hirtenbriefen offen und scharf zu kritisieren. Nun richtete sich der kirchenfeindliche Feldzug allein gegen die Katholiken und besonders gegen den Kardinal. Die Kampagne erreichte nach gründlicher agitatorischer Vorbereitung Ende Dezember 1948 ihren Höhepunkt: Mindszenty wurde vor dem Weihnachtstag verhaftet, und Anfang 1949 wurde ihm der Prozeß gemacht. Er gestand auch nach unmenschlicher Behandlung in der Haft nichts, was in einem Rechtsstaat einen Schuldspruch begründet hätte, doch bauschte die Anklage Nichtigkeiten zu staatsgefährdenden Verbrechen auf; das Urteil folgte der Rhetorik des Anklagevertreters und lautete auf lebenslänglich Zuchthaus.

f) Ungarn unter Matthias Rákosi

Im Juni 1948 kam es zum vollständigen Bruch zwischen Stalin und Tito. Wenige Wochen später mußte Rajk die Leitung des Innenministeriums an einen jüngeren Parteifunktionär, János Kádár, abgeben; auch Kádár war kein »Moskowit« gewesen, er stand aber in der Gunst Rákosis. Rajk wurde Außenminister – eine empfindliche Rangminderung, da sein neues Amt politisch ohne Gewicht war; die auswärtigen Angelegenheiten Ungarns wurden in Moskau erledigt.

Im Januar 1949 nahm Ungarn an der Gründung des (im Westen meist als COMECON bezeichneten) »Rates für gegenseitige Wirtschaftshilfe«, des Instruments wirtschaftlicher Koordination im Block der Verbündeten der Sowjetunion, teil.

Um dieselbe Zeit wurde das Mehrparteiensystem in aller Form beseitigt. Im März 1949 schlossen sich PUW, Nationale Bauernpartei und Kleinlandwirtepartei zur »Volksfront der Unabhängigkeit« zusammen. Der selbständige Fortbestand der PUW blieb davon unberührt; die beiden anderen Partner verschwanden wie spurlos in der neuen Organisation, die allein noch einen Rahmen für die politische Betätigung von Nichtkommunisten, allerdings nur in Form der Unterstützung der KP von außen, bot.

Im Mai 1949 wurde das Parlament, wiederum vor der Zeit, aufgelöst. Jetzt wurde den Stimmbürgern nur noch eine einzige Kandidatenliste – namens der »Volksfront der Unabhängigkeit« – vorgelegt, wobei die Zahl der Kandidaten der der zu vergebenden Sitze entsprach. Eine Wahl im wörtlichen Sinn war nicht mehr vorgesehen, doch die Bürger wurden unter Druck gesetzt, die Wahllokale aufzusuchen, dort wie freiwillig auf das Recht der geheimen Stimmabgabe zu verzichten und die Stimmzettel offen abzugeben. Nach dem Wahltag verlautbarte das Innenministerium, 96,5 Prozent der Stimmen seien auf die Volksfrontliste gefallen. – Das neue Einparteienparlament verabschiedete eine neue Verfassung; sie war der Stalinschen Sowjetverfassung nachgebildet und trat am 20. VIII. 1949 in Kraft. Der 20. VIII. war als Tag des Heiligen Stephan, des Gründers des Königreiches Ungarn, seit je Nationalfeiertag gewesen, er blieb es weiterhin als Festtag der Verfassung der Ungarischen Volksrepublik. Das neue Grundgesetz schaffte das alte Staatswappen ab und gab dem Land ein anderes heraldisches Symbol: »Hammer und Weizenähre auf hellblauem runden Feld, das beiderseits von Weizenkränzen umrahmt ist; im oberen Teil des Feldes ein fünfzackiger roter Stern, der Strahlen auf das Feld aussendet; unten ein gefaltetes rotweißgrünes Band«. Die Nationalfarben blieben Rot-Weiß-Grün.

Im Juni 1949 wurde Außenminister Rajk verhaftet; im September stand er vor einem Volksgericht. Er wurde beschuldigt, für Tito und die westlichen Imperialisten Spionage getrieben und eine Verschwörung zur Ermordung Rákosis und zur Wiederherstellung der kapitalistischen Ordnung angezettelt zu haben. Mit ihm angeklagt war eine Reihe von Altkommunisten, die vor Kriegsende nicht in der Sowjetunion, sondern im westlichen Europa oder in Ungarn selbst gelebt hatten. Obwohl auch Innenminister János Kádár an der Veranstaltung mitwirkte, handelte es sich um eine sowjetische Aktion, die gegen Jugoslawien gerichtet war. Sowjetische Experten sorgten für die reibungslose Abwicklung nach Art der Moskauer Schauprozesse, die Angeklagten überboten sich in wahnhaften Geständnissen und Selbstbezichtigungen, es wurden mehrere Todesurteile gefällt und vollstreckt; auch Rajk wurde gehenkt.

Michael Károlyi, der 1946 in die Heimat zurückgekehrt und wenig später als Botschafter des neuen Ungarns nach Paris entsandt worden war, nahm den Fall Rajk zum Anlaß, um mit dem Budapester Regime zu brechen. Er starb 1955, 80jährig, in seinem zweiten Exil in Frankreich.

Während des Jahres 1949 änderte sich die Behandlung der Industriearbeiter-

§ 24 Ungarn seit 1918: Vom Ende des I. Weltkriegs bis zur Ära Kádár

schaft durch das Regime. Die Leistungsnormen wurden erhöht; die seit 1947 anhaltende Besserung der Lebensbedingungen kam zum Stillstand, und bald setzte eine rückläufige Entwicklung ein. Als die alten, meist sozialdemokratischen Aktiven der Gewerkschaften den staatlichen Ausbeutungsmaßnahmen entgegentraten, verhaftete die politische Polizei etwa 5 000 Gewerkschaftsfunktionäre und Vertrauensleute. Die Gewerkschaftsorganisation wurde von Grund auf umgestaltet; sie erhielt die einzige Aufgabe, für die Planerfüllung, die Steigerung der Produktion und die Veranstaltung von Arbeitswettbewerben in den Betrieben zu sorgen.

1949 zog sich der ehemalige Landwirtschafts- und Innenminister Imre Nagy gänzlich von der Parteiarbeit zurück; wegen seiner geschwächten Gesundheit wollte er sich nur noch seiner agrarwissenschaftlichen Tätigkeit widmen.

Ende Dezember 1949 wurden alle Handels-, Handwerks- und Industriebetriebe mit über 10 Beschäftigten verstaatlicht. Die Anordnung galt nunmehr auch für alle bis dahin verschonten Unternehmen ausländischer Eigentümer.

Am 1. I. 1950 trat der erste ungarische Fünfjahresplan in Kraft. Er beherrschte Ungarns Wirtschaftsleben allerdings nur während dreieinhalb Jahre. Gleichzeitig war der Kampf um die sozialistische Umgestaltung des Dorfes, um die Abschaffung des bäuerlichen Privatbesitzes und um die Bildung der Agrarkollektive in vollem Gang.

Untaugliche Planwirtschaft und erzwungene Kollektivierung beschworen dann eine Krise herauf. Nicht nur versagte das System staatlich geplanter Warenerzeugung und Warenverteilung; die Lage wurde noch zusätzlich erschwert, weil die Produktion von Gebrauchsgütern zugunsten der Schwerindustrie gedrosselt wurde, überdies ging ein großer Teil aller Produkte in die Sowjetunion. Gleichzeitig benutzte der Staat sein Handelsmonopol zur indirekten Besteuerung der Bevölkerung durch Verteuerung der Waren. Auch der Ertrag der Landwirtschaft fiel zurück, vor allem in den durch Zwang geschaffenen Landwirtschaftlichen Produktionsgenossenschaften, aber auch auf den Parzellen der bedrängten Einzelbauern, die sich an ihren – oft erst 1945–1947 erworbenen – Besitz klammerten. Am Ende verschlechterte sich die Lebensmittelversorgung im ganzen Land.

1950 wurden zahlreiche frühere Sozialdemokraten eingekerkert. Das Regime machte offensichtlich keinen Unterschied zwischen den einstigen Kommunistengegnern vom rechten Flügel der Sozialdemokratie und denen, die die Wegbereiter des Zusammenschlusses der SP und KP gewesen waren.

Im Herbst 1950 wurde in Ungarn das Räte-System eingeführt. Alle früheren politischen Selbstverwaltungskörperschaften wurden in Räte verwandelt, nur das Parlament wurde nicht in Obersten Rat umbenannt, sondern behielt seinen altehrwürdigen traditionellen madjarischen Namen (*országgyűlés,* dem Sinne nach »Reichstag«).

Anfang 1951 wurde der Fünfjahresplan »während der Fahrt« verändert, die Planziele wurden trotz der bereits schweren Krisensymptome beträchtlich erhöht. Damit steigerte sich die Belastung der Arbeiterschaft.

Im Juni 1951 verschleppte die politische Polizei mehrere tausend Angehörige des einstigen Mittelstandes aus Budapest in hauptstadtferne Dörfer und Kleinstädte, die die »Deportierten« nicht verlassen durften. Es wurde dadurch in Budapest Wohnraum frei; zugleich sollte die Verschärfung des Klassenkampfes gegen die Überreste der Bourgeoisie demonstriert werden.

1951 verhaftete die politische Polizei – erstmals seit dem Prozeß Rajk – zahlreiche aus der KPU stammende PUW-Mitglieder. Auch János Kádár geriet jetzt unter die Leidtragenden; er wurde mißhandelt wie zuvor seine Opfer und für mehrere Jahre eingekerkert. Zum Teil richtete sich die Aktion wohl gegen mutmaßliche Rivalen der Parteiführer und solche Funktionäre, die aus gegebenem Anlaß zu Sündenböcken für Mißstände ausersehen waren. Möglicherweise handelte es sich auch um eine Einschüchterungsmaßnahme im Hinblick auf die allgemeine Unzufriedenheit. Im ganzen war aber hinter der Verhaftungswelle keine vernünftige Absicht mehr erkennbar; der Terror schien Selbstzweck geworden zu sein.

Im Juni 1951 wurder der nach Mindszenty ranghöchste Kirchenfürst Ungarns, der Erzbischof Joseph Grősz, in einem Schauprozeß zu 15 Jahren Zuchthaus verurteilt. Im folgenden Monat unterwarf sich die römisch-katholische Bischofskonferenz des Landes dem Regime: die Bischöfe leisteten den bis dahin verweigerten Eid auf die kommunistische Verfassung.

Im Februar 1952 schritt der Staat zur Nationalisierung des Hausbesitzes; nur kleine Einfamilienhäuser entgingen der Verstaatlichung.

Die Anhebung der Planziele vertiefte die Wirtschaftskrise beträchtlich. Der Bevölkerung wurde immer noch gesagt, sie müsse Entbehrungen auf sich nehmen, um in möglichst kurzer Zeit die Schwerindustrie als Grundlage des Wohlstands von morgen aufzubauen. Aber 1952 – im Jahr, da Parteichef Rákosi dem Vorbild Stalins folgend auch das Amt des Ministerpräsidenten übernahm – wurde die heikle Lage auch der Schwerindustrie offenbar; auch die schwerindustrielle Erzeugung blieb weit hinter dem Plansoll zurück. Da alles von Moskau Verlangte nach wie vor in die UdSSR geliefert wurde, so als wären die Pläne restlos erfüllt worden, verringerte sich der Anteil der ungarischen Bevölkerung am Nationalprodukt, das ja nicht planmäßig gestiegen war, noch weiter. Anfang 1953 betrugen die durchschnittlichen Reallöhne der Industriearbeiter etwa die Hälfte der Reallöhne von Anfang 1949.

g) Charakteristika der Diktatur Rákosis

Die Verfassung von 1949 nannte zwar das Parlament »höchstes Organ der staatlichen Gewalt«, aber weder Parlament noch Präsidialrat, noch Regierung, noch PUW-Zentralkomitee, ja nicht einmal PUW-Politbüro besaßen letztlich Macht in Ungarn. Inhaber aller Macht war der Generalsekretär der Partei, Matthias Rákosi, allein. In diesen Jahren war sein persönliches Sekretariat das wirkliche Kabinett der Volksrepublik. Rákosi war allerdings bei aller Machtfülle kein oberster Führer, sondern nur Statthalter.

Unter Rákosi wurde Ungarn faktisch zur Kolonie der Sowjetunion. Während die Planwirtschaft dieser Zeitspanne im ganzen verlustreich war und Fortschritte auf Teilgebieten meist viel zu teuer bezahlt wurden, erreichte die Wirtschaftspolitik Rákosis auf dem Feld der Nutzung der Hilfsquellen Ungarns im Dienste der Sowjetunion durchaus ihr Ziel. Die Ausbeutung Ungarns fand formal als zwischenstaatlicher Warenaustausch statt, die beiderseitigen Lieferungen wurden gegeneinander aufgerechnet. Nur wurden die Werte, auf die sich die Verrechnung gründete, von den Sowjetstellen festgelegt, und zwar für die ungarischen Güter unter, für die sowjetischen Lieferungen über den Weltmarktpreisen. Nebenher nahm die Sowjetunion die einzigen beiden wertvollen Bodenschätze Ungarns, den Bauxit und das Uran, in Besitz; das Uran sogar ohne Gegenleistung, denn die Uranerzgruben bei Pécs (Fünfkirchen) waren praktisch eine sowjetische Enklave auf ungarischem Staatsgebiet. Die Uranvorkommen waren am Anfang der 50er Jahre entdeckt und als Staatsgeheimnis behandelt worden. Die Öffentlichkeit erfuhr von ihnen auch gerüchtweise erst vor dem Aufstand von 1956.

Mit der kolonialen Ausbeutung Ungarns ging der im späteren kommunistischen Schrifttum euphemistisch so benannte »Personenkult« einher, eine Schreckensherrschaft, deren ausführendes Organ die »Staatsschutzbehörde«, die politische Polizei, war. Deren Agentennetz überzog das ganze Land; ihrer Willkür waren keine Grenzen gesetzt, die Allgegenwart ihrer Lauscher impfte jedermann ein gereiztes Mißtrauen gegen alle ein.

Mit allem Sowjetischen, besonders mit Stalin, aber auch mit Rákosi wurde in der Tat ein Kult getrieben. Zugleich wurde die Kluft immer tiefer zwischen dem, was von Amts wegen über die Großartigkeit der sowjetischen Errungenschaften, über die Unfehlbarkeit der kommunistischen Führung, über das Glück des ungarischen Volkes und über die einheimischen Erfolge des Regimes verkündet und von jedermann lautstark nachgesprochen werden mußte – und dem, was jeder wußte, sah, fühlte und erlebte. Das Regime begnügte sich nicht mit Unterwerfung und Gehorsam, sondern forderte auch Begeisterung. Der Zwang, sich pausenlos zu verstellen, das Bewußtsein, niemandem mehr vertrauen zu können, vergiftete die Atmosphäre; Erbitterung staute sich an.

Bürokratie und Zwangsapparat wuchsen ins Maßlose. Am Ende der Herrschaft Rákosis zählte Ungarn insgesamt rund 9,5 Millionen Einwohner; in der Verwaltung waren – Wirtschaftsfunktionäre nicht gerechnet – etwa 320 000 Personen beschäftigt, 40 000 hiervon in der Parteibürokratie. Die Zahl der Angehörigen der Staatsschutzbehörde erreichte 1955 schätzungsweise die 100 000, die der unter sowjetischem Kommando stehenden ungarischen Streitkräfte überstieg die Viertelmillion.

Unter solchen Umständen war es nicht verwunderlich, wenn die kommunistische Propaganda unwirksam wurde, wenn das Volk schließlich in seiner Gänze dem Regime ablehnend gegenüberstand. Zu Regimefeinden wurden selbst Hunderttausende ehemalige besitzlose Landarbeiter, Tagelöhner und Hilfsarbeiter, die vor 1945 im Elend gelebt und es seither immerhin zu einem bescheidenen Existenzminimum gebracht hatten. Sie verglichen die eigene Lage nicht mit dem längst Vergangenen – das war vergessen –, sondern mit den Verhältnissen der relativ gut gestellten kommunistischen Funktionärsschicht, der sie den privilegierten höheren Lebensstandard weit weniger zu gönnen schienen als seinerzeit dem Gutsbesitzer oder dem Fabrikherrn. Regimefeindlich wurden aus begreiflicheren Gründen die Millionen Bauern und Facharbeiter, Angestellten und ehemals Selbständigen, denen es unter Rákosi schlechter, zum Teil viel schlechter erging als vor 1944. Aber auch viele Mitglieder der Partei waren nur noch getarnte Feinde des Systems. Laut Aussage nach dem Aufstand von 1956 in den Westen geflüchteter Parteifunktionäre wären 90–95 Prozent der rund 850 000 PUW-Mitglieder des Jahres 1953 zu Gegnern des Kommunismus geworden; die Zahl der Überzeugten, der Idealisten sei einige Jahre zuvor noch hoch gewesen, doch die Erfahrungen der Rákosi-Zeit hätten selbst die überwiegende Mehrheit der einst gläubigen Kommunisten desillusioniert.

h) Vom »Neuen Kurs« zur Bildung der Regierung Kádár

Auf Stalins Tod folgte das Ende der Alleinherrschaft Matthias Rákosis. An der Abhängigkeit Ungarns von der Sowjetmacht änderte sich nichts, da aber in Mos-

h) Vom »Neuen Kurs« zur Bildung der Regierung Kádár

kau der »Personenkult« und das Terrorregime vom »Tauwetter« abgelöst wurden, geschah das Gleiche in Budapest. Wie in Moskau, wurden in Budapest die Ämter von Parteichef und Regierungsoberhaupt wieder getrennt. Rákosi blieb Erster Sekretär der PUW, gab aber das Amt des Ministerpräsidenten an Imre Nagy ab, dem die Rolle des ungarischen Malenkow zugedacht war, da er allein unter den führenden »Moskowiten« als an der Schreckensherrschaft Rákosis unbeteiligt galt. Obwohl das Budapester Parlament kurz zuvor noch mit einem Programm abstrichlosen Stalinismus' neu gewählt worden war, berief es am 4. VII. 1953 einstimmig den Antistalinisten Nagy zum Vorsitzenden des Ministerrates.

Imre Nagy kündigte einen »Neuen Kurs« an. Er versprach die Hebung der Gebrauchsgütererzeugung auf Kosten der Schwerindustrie und allgemein die Besserung des Lebensstandards, sagte die Überprüfung der »unter Mißachtung der sozialistischen Gesetzlichkeit« durchgeführten Strafverfahren zu, kündigte die Abschaffung der Internierungslager und der Polizeigerichtsbarkeit an und gestand den Kollektivbauern das Recht zu, aus den Produktionsgenossenschaften unter Mitnahme des von ihnen eingebrachten Besitzes auszutreten.

Tatsächlich wurden die Internierungslager aufgelöst, die unter Rákosi der Regierung neben-, ja übergeordnete Staatsschutzbehörde wurde in eine Abteilung des Innenministeriums zurückgestuft, und die Mehrheit der Kollektivbauern konnte die unter Zwang gegründeten Produktionsgenossenschaften verlassen.

Hatte Nagy die Rolle des ungarischen Malenkow zu spielen, so sollte er auch nach Malenkows Absetzung dessen Schicksal teilen. Im Sinne des Moskauer Beispiels forderte Rákosi von Nagy öffentliche Selbstkritik und den Rücktritt. Aber da geschah Unerwartetes, Unerhörtes. Nagy verweigerte die Selbstbezichtigung und den freiwilligen Abgang. Rákosi durfte nun den Ministerpräsidenten aller seiner Parteiämter entkleiden, ihn »wegen Unfähigkeit« vom Parlament absetzen lassen; aber sonst blieb der Rebell unbehelligt. Daß er sich auflehnen konnte und es Rákosi nicht gestattet wurde, ihn physisch zu vernichten, enthüllte der ungarischen Öffentlichkeit, daß es mit der unbeschränkten Macht des Ersten Sekretärs vorbei war. Diese Erkenntnis stand am Anfang der Entwicklung, die zur Erhebung vom Oktober 1956 führen sollte.

Das Parlament wählte einen jüngeren Mitarbeiter Rákosis, den 1922 geborenen Andreas [András] Hegedűs, zum neuen Ministerpräsidenten.

Am 15. V. 1955 wurde der österreichische Staatsvertrag unterzeichnet. Da die Besatzungstruppen nunmehr Österreich verlassen mußten und das in Ungarn stationierte sowjetische Militär formell nur deren Verbindungswege sichern sollte, hätte es bald abgezogen werden müssen. Am 15. V. 1955 kam aber auch der Warschauer Militärpakt zustande; damit erhielt das weitere Verbleiben der Sowjettruppen in Ungarn eine neue Rechtsgrundlage.

Durch die Aussöhnung zwischen Moskau und Belgrad wurde die Stellung Rákosis weiter geschwächt. Wenn Tito kein Verräter am Kommunismus war, war auch der als sein Komplice hingerichtete László Rajk unschuldig und sein Prozeß ein Verbrechen gewesen – Urheber des Prozesses aber war Matthias Rákosi. Diese Folgerung lag, noch unausgesprochen, in der Luft. Auch die ungarische Parteibürokratie, bisher Rákosis unerschütterliche Stütze, konnte sich ihr nicht entziehen, und die Funktionäre distanzierten sich allmählich von ihrem Chef.

In der zweiten Hälfte des Jahres zeigte sich zunehmende Aufsässigkeit in tonangebenden Kreisen, unter früher streng linientreuen Hochschullehrern, Schriftstellern, Journalisten. Man sprach sich von der Mitverantwortung für die Untaten des »Personenkults« frei, indem man andere und sich selbst glauben machte,

§ 24 Ungarn seit 1918: Vom Ende des I. Weltkriegs bis zur Ära Kádár

von Rákosi irregeführt worden zu sein. Ein Ferment des Gärungsprozesses waren von Imre Nagy verfaßte Studien – kritische Analysen der Lage und programmatische Darlegungen –, deren maschinengeschriebene Kopien im ganzen Land Verbreitung fanden.

Indessen erwirkte die Sowjetunion im Dezember 1955 die Aufnahme Ungarns in die Organisation der Vereinten Nationen.

Nach der Enthüllungsrede über die Stalin-Zeit, die Nikita Chruschtschow im Februar 1956 auf dem 20. Kongreß der KPdSU gehalten hatte, wurde Rákosis Parteiführerschaft untragbar. Die Kritik an seiner Person und seinem System wurde immer rückhaltloser. Er versuchte mehrmals, die kritischen Stimmen mit disziplinären Parteimaßnahmen und Drohungen zu unterdrücken, aber der Terror hatte seine Zauberkraft eingebüßt.

Die Informationen, die Moskau im Frühsommer 1956 aus Budapest erreichten, überzeugten die Kreml-Führer, daß sie Rákosi im Interesse der Sowjetherrschaft über Ungarn nicht länger halten durften. Auf der für den 18. VII. einberufenen Sitzung des ungarischen Politbüros erschien aus Moskau Anastas Mikojan, und danach erklärte Rákosi unter Berufung auf seine angegriffene Gesundheit seinen Rücktritt. (Er setzte sich in die Sowjetunion ab, wo er 1970, 78jährig, vereinsamt und vergessen starb, ohne Ungarn wiedergesehen zu haben.) Bei dieser Gelegenheit wurde das Budapester Politbüro durch neue Mitglieder, u. a. das im Verlauf der Überprüfung der Schauprozeß-Urteile freigelassene Rákosi-Opfer János Kádár, ergänzt. Zu Rákosis Nachfolger wurde jedoch ein Altstalinist, Ernst [Ernő] Gerő, bis zuletzt enger Mitarbeiter des gestürzten Diktators, bestellt.

Auch nach dem Abgang Rákosis hielt die Gärung, mächtig genährt durch die Nachrichten aus Polen, an. Geschürt wurde die Unruhe vor allem durch parteitreue, jedoch leidenschaftlich antistalinistisch auftretende Kommunisten; sie waren es, die bei der neuen Parteispitze die Überführung der Särge Rajks und der mit ihm Hingerichteten in Ehrengräber durchsetzten. Mit Zustimmung und Beteiligung der neuen Parteiführung fand am 6. X. eine öffentliche Trauerfeier statt, die dann in eine von der Behörde nicht vorgesehene Straßendemonstration von gewaltigen Ausmaßen ausuferte. Wurde in den Gedenkreden an den Gräbern nur die stalinistische Entartung des Kommunismus angeprangert, so richteten sich Sprechchöre der Demonstranten teilweise schon gegen den Kommunismus überhaupt.

Die nächsten Tage brachten – nicht zuletzt unter dem Eindruck der Ereignisse in Polen – eine starke Belebung der öffentlichen Diskussion, an der sich nicht mehr bloß – wie bisher – die Mitglieder des Schriftstellerverbandes, antistalinistische kommunistische Funktionäre und Studenten intensiv beteiligten, sondern auch bis dahin zum Schweigen genötigte religiöse Kreise. An den Universitäten und Hochschulen formierten sich tatendurstige Gruppen, die erst auf die Neuwahl der Vorstände ihrer Organisationen drängten und dann – den Anfang machten am 20. X. die Hörer der Universität Szeged – in ihren Versammlungen politische Programme zur Vorlage bei der Regierung verabschiedeten. Man richtete sich nach dem großen Vorbild der 12 Punkte der Jugend vom 15. III. 1848. Die »Punkte« der verschiedenen Universitäten waren 1956 unterschiedlich, aber allgemein war der Ruf nach dem Abzug der sowjetischen Besatzungstruppen aus Ungarn und nach der Bestrafung der für die Schreckensherrschaft Verantwortlichen; vielfach wurde Rechenschaft über die ungarischen Uranerzfunde verlangt.

Einhellig wurde gefordert, Imre Nagy möge mit dem Amt des Ministerpräsidenten betraut werden. Für die innere Opposition der PUW erschien kein anderer Kandidat denkbar, und auch die Nichtkommunisten setzten sich für Nagy

h) Vom »Neuen Kurs« zur Bildung der Regierung Kádár

ein, obwohl er bis jetzt stets seine Treue zur PUW beteuert hatte, denn sie sahen in ihm den standhaften Gegner Rákosis und den Politiker, der die Macht der Staatsschutzbehörde gebrochen hatte. Auch fand sich in den Reihen der Nichtkommunisten einstweilen keine Führerpersönlichkeit, deren Betrauung man mit Aussicht auf ein allgemein positives Echo hätte vorschlagen können.

Der offene Aufruhr brach nach einer von Budapester Studenten für den Nachmittag des 23. X. 1956 einberufenen Solidaritätskundgebung für die polnische Nation aus. Die Kundgebung verlief friedlich, aber anschließend marschierten ihre Teilnehmer durch die Straßen, Zehntausende schlossen sich ihnen an, eine Gruppe zog zum Kolossalstandbild Stalins am Stadtpark und stürzte es vom Sockel, andere erschienen vor dem Rundfunkhaus und wollten die Forderungen der Studenten im Radio verlesen lassen. Die Staatsschutzwache versuchte, die Demonstranten zu zerstreuen; es wurde geschossen, und dies löste den Aufstand aus.

Nach dem Zeugnis der ins Ausland geflüchteten Teilnehmer der bewaffneten Auseinandersetzungen handelte es sich um den klassischen Fall einer spontanen Volkserhebung. Die Budapester Historiographie hingegen spricht vom Erfolg einer von langer Hand und mit auswärtiger Hilfe vorbereiteten Verschwörung. Die gesicherten Fakten sprechen für eine von der großen Mehrheit der Bevölkerung mitgetragene, im einzelnen aber ungeplante, wesentlich durch das Vorgehen der Stalinisten provozierte Kette von Improvisationen – und gegen eine weitverzweigte Konspiration in dem von der Sowjetarmee besetzten, vom sowjetischen Geheimdienst und einer allgegenwärtigen einheimischen Geheimpolizei kontrollierten Land. Doch selbst wenn man das Walten einer aus dem Westen mitgelenkten, generalstabsmäßig fundierten Verschwörung unterstellt, wäre der schnelle Sieg der Rebellion unmöglich gewesen, wenn nicht die überwiegende Mehrheit die Sowjetherrschaft über Ungarn und die kommunistische Ordnung eindeutig abgelehnt hätte. Nur so läßt es sich erklären, daß die rund 850 000 Mitglieder umfassende alleinherrschende PUW mitsamt ihrem Frauen- und ihrem Jugendverband, mitsamt ihren vielfältigen Untergliederungen und bewaffneten Hilfsorganisationen sich in wenigen Tagen in nichts auflöste, daß die Aufstandsbewegung so schnell im ganzen Land um sich griff, daß zwei Drittel der landwirtschaftlichen Produktionsgenossenschaften sogleich ihre Selbstauflösung beschlossen.

Nach den Zusammenstößen vor dem Rundfunkhaus beschafften sich größtenteils aus Jugendlichen bestehende Gruppen Waffen aus Kasernen und aus Rüstungsbetrieben; kommunistische Institutionen wurden gestürmt, rote Sterne von öffentlichen Gebäuden und Fabriken entfernt, und das pausenlos tagende Politbüro rang sich – nach Einholung der telefonischen Zustimmung Moskaus – zum Entschluß durch, Imre Nagy das Amt des Ministerpräsidenten anzutragen. Zugleich bat es aber um sowjetische Militärhilfe zur Wiederherstellung der Ordnung.

Das Erscheinen von Sowjetpanzern in der Hauptstadt löste heftigen Widerstand aus. Junge Aufständische, die sich in der Tradition von 1848–1849 Freiheitskämpfer nannten, warfen sich, unterstützt auch von der städtischen Polizei, von Offiziersanwärtern aus den Militärakademien und von einigen Einheiten der Armee, den Sowjettruppen entgegen. Nun eilten Anastas Mikojan und Michail Suslow nach Budapest, rieten der ungarischen Parteiführung zu Zugeständnissen an die Volksstimmung und veranlaßten am 25. X. den Ersten Sekretär Gerö zum Rücktritt. An seine Stelle trat János Kádár. Mikojan und Suslow kündigten an, die Sowjettruppen würden den Befehl zum Abzug aus der Hauptstadt erhalten.

§ 24 Ungarn seit 1918: Vom Ende des I. Weltkriegs bis zur Ära Kádár

Vorläufig dauerten die Kämpfe noch an. Vereinzelte Ansätze kommunistischer Parteileute zu Gegenaktionen scheiterten, Freiheitskämpfer machten Jagd auf Angehörige der Staatsschutzbehörde und Funktionäre der PUW, mancherorts wurde Lynchjustiz geübt.

Am 28. X. zogen sich die Sowjetsoldaten tatsächlich aus Budapest zurück, und die Bevölkerung gab sich der Illusion hin, die Besatzungsarmee würde das Land verlassen, eine neue Ära der Unabhängigkeit stehe bevor. In der Provinz zogen »Revolutionsausschüsse«, in denen sich Repräsentanten aller politischen Parteien von 1945 zusammenfanden, die örtliche Verwaltung an sich. In den Fabriken wurden Arbeiterräte gewählt, die die Leitung der Betriebe übernahmen.

Imre Nagy, der moralisch integre Verkünder eines humanen Kommunismus, war keine kraftvolle Führerpersönlichkeit. Der 60jährige Theoretiker wurde von der Entwicklung überrollt. Seine Bemühungen galten der Wiederherstellung des inneren Friedens im Lande. Nach dem 24. X. hatte er seine ursprünglich nur aus Kommunisten bestehende Regierung mehrmals umgebildet. Am 30. X. gab er dem Verlangen nach Wiederherstellung des Mehrparteiensystems nach, und am 3. XI. (an diesem Tag wurde Kardinal Mindszenty von Soldaten der ungarischen Armee aus der Haft befreit und nach Budapest geleitet) stand Nagy an der Spitze eines aus Vertretern aller großen Parteien von 1945 zusammengesetzten Koalitionskabinetts.

Nun hätte auch ein noch so starker Politiker den Verlauf der Dinge seit den letzten Oktobertagen schwerlich beeinflussen können. Am 25. X. mochte ein Ausweg nach polnischem Vorbild, mit Imre Nagy in einer der Gomulkas ähnlichen Rolle, noch gangbar gewesen sein; möglicherweise hätte der Kreml einem moskautreuen Antistalinisten in Budapest eine Chance gegeben, zumal da in Moskau Ungewißheit über die Haltung der Westmächte und Pekings herrschte. (Einer im Dezember 1959 in Budapest gefallenen Äußerung Chruschtschows zufolge sei man sich im Kreml nach Ausbruch des Aufstandes nicht sogleich über den zu beschreitenden Weg einig gewesen.) Peking hatte Gomulka Rückendeckung gewährt und begrüßte Imre Nagys Regierungsantritt. Ende Oktober war es aber unverkennbar, daß Imre Nagy die Grenzen des für Moskau Erträglichen überschritten habe, und auch die Chinesen ließen ihn fallen, da sie in der Wiedereinführung des Mehrparteiensystems eine Wendung zur Konterrevolution erblickten. Es war auch klar geworden, daß die UdSSR von den Westmächten nichts zu befürchten hatte: Auf die Vereinigten Staaten, wo die Präsidentschaftswahlen unmittelbar bevorstanden, und auf Großbritannien und Frankreich, die in ihre glücklose Suez-Unternehmung verstrickt waren, brauchte keine Rücksicht genommen zu werden.

Am 31. X. stockte der vermeintliche Abzug der Besatzungstruppen, und aus der UdSSR wurden neue Einheiten nach Ungarn verlegt. Nagy antwortete auf den Aufmarsch mit der Kündigung der ungarischen Mitgliedschaft im Warschauer Militärpakt und der Ausrufung der Neutralität der Ungarischen Volksrepublik.

An der Kündigung der Paktmitgliedschaft war auch der Erste Sekretär der PUW, János Kádár, beteiligt. Angesichts des Verfalls der PUW meldete er am 1. XI. die Gründung einer Ungarischen Sozialistischen Arbeiterpartei (USAP), die den von stalinistischer Entartung gesäuberten leninschen Kommunismus vertreten sollte. Nach dem 1. XI. wurde aber Kádár in Budapest nicht mehr gesehen. Seine Wege hatten sich von denen des Imre Nagy getrennt.

Die Sowjetstellen beließen Nagy vorerst im Glauben, sie verhandelten mit ihm ernsthaft über die Lösung der Krise und den schließlichen Abzug der Besatzungsarmee. Als sich aber in den frühen Morgenstunden des 4. XI. der Ring der sowjetischen Militärmacht um die Hauptstadt geschlossen hatte, eröffneten drei Armeekorps den Angriff auf Budapest. Gleichzeitig meldete sich – über eine nordostungarische Rundfunkstation – eine »revolutionäre Arbeiter-Bauern-Regierung« und forderte zum Kampf im Bunde mit der Sowjetmacht gegen die faschistische Reaktion, für die Verteidigung der sozialistischen Errungenschaften auf. Als Haupt dieser Gegenregierung (sie war illegal; die verfassungsmäßige Regierung Ungarns war noch die des Imre Nagy) stellte sich János Kádár vor.

Nach einem dramatischen Rundfunkappell an die Welt suchte Imre Nagy mit einigen Mitarbeitern Asyl in der Budapester Botschaft Jugoslawiens; Kardinal Mindszenty fand in der diplomatischen Vertretung der Vereinigten Staaten von Amerika Zuflucht.

i) Ungarn nach dem gescheiterten Aufstand

Erst am 7. XI. verebbten in Budapest die Straßenkämpfe zwischen den Sowjetsoldaten und den aus Studenten, Schülern und Arbeitern bestehenden letzten Widerstandsgruppen. Da traf János Kádár mit Mitgliedern seiner neuen Regierung in der Hauptstadt ein; die verfassungsrechtliche Legitimierung des Kabinetts wurde jetzt nachgeholt. Auf dem Land waren etwa weitere acht Tage lang Gefechte größeren Ausmaßes im Gang, und mehrere Wochen hindurch kam es noch vielfach zu Unternehmungen kleinerer Gruppen gegen die Besatzungsarmee. Auch hier waren meist Studenten und Arbeiter die Träger des Widerstandes; die Bauernschaft hielt sich im allgemeinen aus den Kämpfen heraus.

Die Zahl der Gefallenen ging in die Tausende. Zuverlässige Daten besonders über die umgekommenen Sowjetsoldaten liegen nicht vor; die Zahl der ungarischen Todesopfer wurde von Budapester Quellen mit rund 2 000 angegeben, von westlichen Autoren erheblich höher geschätzt. Auch über die in die UdSSR deportierten Ungarn fehlen genauere Angaben. Nach der Niederwerfung der Erhebung flüchteten etwa 180 000 Ungarn überwiegend – über Österreich – ins westliche Ausland, einige auch nach Jugoslawien. Später kehrte auf Grund von Amnestieerlässen ein Bruchteil der Emigranten in die Heimat zurück.

Das Programm des Ministerpräsidenten und Ersten Sekretärs der USAP János Kádár unterschied sich von dem Imre Nagys einstweilen nur darin, daß der neue Regierungschef Verhandlungen mit Moskau über den Abzug der Sowjettruppen aus Ungarn erst für einen späteren Zeitpunkt, nach Einkehr von Ruhe und Ordnung, ankündigte und das Mehrparteiensystem nicht erwähnte. Einige Tage später ließ aber auch er wissen, daß das Einparteiensystem in Ungarn abgeschafft sei. Kádár gab auch sonst versöhnliche Erklärungen ab, sprach vom guten Willen Imre Nagys und bedauerte nur seine Schwäche, nahm Fühlung auf mit den als geistige Anführer des Aufstandes geltenden Schriftstellern, sagte die Erhaltung der während der Erhebung entstandenen Institutionen zu und erkannte die Arbeiterräte an, die als einzige ungarische Gegenmacht noch übriggeblieben waren und durch passiven Widerstand und Streiks die kommunistische Restauration behinderten. Auch ließ Kádár das von den Aufständischen überall beseitigte, aus allen Fahnen herausgeschnittene Wappen von 1949 (vgl. S. 909) abändern: In der Mitte des von einem Ährenkranz umrahmten, vom fünfzackigen roten Stern gekrönten blauen Rundes wurde das kommunistische Emblem »Weizenhalm und Hammer« durch einen altertümlichen Wappenschild mit drei Querbalken in den Nationalfarben Rot-Weiß-Grün ersetzt.

§ 24 Ungarn seit 1918: Vom Ende des I. Weltkriegs bis zur Ära Kádár

Zunächst mußte sich die Regierung Kádár auf die Führung dieses Beschwichtigungsfeldzugs beschränken. Alle Regierungsaufgaben behielt sich die von dem aus seinen Verstecken wieder aufgetauchten ungarischen Staatsschutzpersonal beratene sowjetische Militärverwaltung vor.

Am 22. XI. wurden Imre Nagy und seine Mitarbeiter in eine Falle gelockt. Die Regierung Kádár sicherte der Belgrader Regierung schriftlich zu, die Geflüchteten würden frei und unbehelligt bleiben, wenn sie ihr Asyl in der jugoslawischen Botschaft aufgäben. Doch als sie das Gebäude verließen, wurden sie von sowjetischen Sicherheitskräften festgenommen, nach Rumänien verbracht und dort in Gewahrsam gehalten.

Die Kampagne der – nie eingelösten – Versprechungen endete abrupt am 9. XII. mit der Ausschaltung der Arbeiterräte und der Verkündung des Standrechts. Es wurden Massenverhaftungen vorgenommen und die 1953 aufgelassenen Internierungslager wieder eröffnet. Der Terror nahm stalinistische Ausmaße an.

Anfang Januar 1957 besuchte Chruschtschow Budapest, und danach stempelte Kádár Imre Nagy zum Verräter, schwor dem Mehrparteiensystem ab und erklärte, die USAP stehe auf der Grundlage der Diktatur des Proletariats. Nun bekam die Budapester Deutung der Ereignisse vom Herbst 1956 endgültige offizielle Gestalt: Infolge der schweren Verfehlungen des Regimes Rákosi habe sich im Volk berechtigte Unzufriedenheit aufgestaut; inländische Reaktionäre und auswärtige Agenten hätten dies ausgenützt und die Massen zur Konterrevolution verleitet, das Proletariat habe aber schließlich erkannt, daß die ursprünglich gerechte Bewegung eine konterrevolutionäre Wendung genommen habe; es habe die Sowjetmacht zu Hilfe gerufen und im Bunde mit ihr die Konterrevolution überwunden.

Kádár und seine Mitarbeiter wurden nicht müde zu betonen, daß sie selbst die Revolutionäre seien und die Erhebung eine Konterrevolution gewesen sei; allerdings hoben sie immer wieder die letztliche Verantwortung des Regimes Rákosi für die tragische Entwicklung hervor, und schon Anfang 1957 klang das spätere Leitmotiv der Kádárschen Innenpolitik an: Nichtkommunisten könnten, sofern sie die Führungsrolle der Staatspartei nicht in Frage stellten, sich gleichberechtigt im Leben der Gesellschaft betätigen.

Bis zum Juli 1957 hatte die ungarische Presse über mehr als hundert vollstreckte Todesurteile berichtet; ausländische Beobachter schätzten die Zahl der Hingerichteten auf etwa 2 000, die der wegen ihrer Beteiligung am Aufstand zu Freiheitsstrafen Verurteilten auf über 20 000.

Ende 1957 begannen die Sowjettruppen, sich aus den Städten zurückzuziehen. Sie blieben im Land, sollten aber nicht augenfällig sein. Um diese Zeit erstarb der passive Widerstand, der noch von einem Teil der Bevölkerung und fast allen bedeutenden Schriftstellern getragen worden war. Gegenüber den Vertretern von Literatur und Kunst legte das Regime Zurückhaltung an den Tag. Selbst Autoren, die zu den Anführern des Aufstandes gehört und noch in der letzten Sitzung des alten, danach aufgelösten Schriftstellerverbandes, Ende Dezember 1956 den Sowjeteinmarsch als historischen Fehler bezeichnet hatten, blieben unbehelligt, wenn sie sich nicht (wie, neben anderen, der Erzähler Tibor Déry und der Dramatiker Julius [Gyula] Hay) immer wieder demonstrativ zu den Zielen der Erhebung und zu Imre Nagy bekannt hatten. (Déry und Hay wurden zu langjährigen Freiheitsstrafen verurteilt.) Auch von den Massen verlangte das neue Regime keine überschwenglichen Bekundungen; der Ton der an die parteilose Mehrheit der Bevölkerung gerichteten Propaganda war gedämpft.

i) Ungarn nach dem gescheiterten Aufstand

Die grausame Unterdrückung oppositioneller Regungen hielt jedoch weiter an. Und wie seinerzeit Rajk, wurde jetzt Imre Nagy zum Opfer des – um diese Zeit wiederauflebenden – Konflikts zwischen Moskau und Belgrad. Ende 1957 wurde Nagy, der Freund der Jugoslawen, an dessen Schicksal Tito seit dem Wortbruch vom 22. XI. 1956 lebhaften Anteil genommen hatte, nach Ungarn zurückgebracht, im Juni 1958 in geheimer Gerichtsverhandlung mit drei seiner einstigen Mitarbeiter zum Tode verurteilt und am 16. VI. hingerichtet; aus dem amtlichen Prozeßbericht geht hervor, daß Nagy jede Schuld bestritten hat.

Im Zeichen der Unterdrückung wurde die Neugründung der Agrarkollektive erzwungen. Ende November 1956 hatte die Regierung Kádár die während des Aufstandes erfolgte Selbstauflösung der Landwirtschaftlichen Produktionsgenossenschaften noch nachträglich gebilligt. Keine 16 Prozent des Wirtschaftslandes waren danach in kollektivem Besitz; unter den kommunistischen Staaten zählte, nächst Polen, Ungarn die meisten Einzelbauern. Bis Ende 1958 lebte das Budapester Regime in Frieden mit den Landwirten; dann kündigte es die Sozialisierung der Landwirtschaft an. Die Aktion wurde unter ungehemmter Gewaltanwendung wie zu Stalins Zeiten durchgeführt und war 1961 abgeschlossen. Seither umfaßt der kollektivierte Agrarsektor rund 96 Prozent der bebaubaren Fläche Ungarns.

Sobald die gnadenlosen Verfolgungen das Ziel, jeden Willen zur Auflehnung auszulöschen, erreicht zu haben schienen, begann jedoch das Regime Kádár, politische Häftlinge freizulassen. Nach vorsichtigen Anfängen im April 1959 wurde Ende 1960 eine etwas umfangreichere Amnestie erlassen, und auch die Schriftsteller Déry und Hay erhielten Strafverschonung.

Um diese Zeit nahm die eigentümliche Herrschaftsweise Gestalt an, die als Kádárs System bezeichnet zu werden pflegt. Unter diesem Regime wurden die polizeistaatlichen Zügel gelockert; künstlerische, schriftstellerische Selbstbestimmung, öffentliche Kritik an Mißständen, Streben nach persönlichem Wirtschaftsgewinn wurden erlaubt, ja ermutigt. Nur der Kommunismus selbst durfte nicht in Zweifel gezogen, die Tabus der Sowjetwelt durften nicht angetastet werden.

Auch Kádárs Herrschaft blieb Diktatur, doch hatte es die despotische Unberechenbarkeit des Regimes des Matthias Rákosi weitgehend abgelegt. Es schwor – anders als Imre Nagy – dem Terror nicht ab, doch Terror sollte nurmehr Mittel, nicht Selbstzweck, sein und so selten wie möglich angewendet werden.

An der unbedingten Abhängigkeit von der Sowjetunion änderte sich nichts. Vertrauensvolle Duldung durch Moskau dank unerschütterlicher, vollständiger Gefolgschaftstreue: Das war die außenpolitische Vorbedingung für das Entstehen eines im Vergleich zu anderen kommunistischen Staaten weiten ungarischen Freiheitsraumes. Zum Stützpfeiler im Inneren wurde eine Art stillschweigendes Einvernehmen zwischen dem Regime und der Nation; das Volk hatte sich mit dem Unabänderlichen abgefunden und hielt sich, um die vorhandenen Freiheiten nicht zu gefährden, nunmehr beinahe ohne äußeren Zwang an die ihm ursprünglich gewaltsam auferlegten Beschränkungen.

§ 25 Die Tschechoslowakei von der Unabhängigkeitserklärung bis zum »Prager Frühling« 1918–1968

Von Gotthold Rhode

Allgemeines Schrifttum

Das vielfältige Interesse, das die Tschechoslowakei in ihren drei großen Krisen 1938, 1948 und 1968 in ganz Europa und in den Vereinigten Staaten erweckte, hat die Entstehung eines außerordentlich umfangreichen Schrifttums in westlichen Sprachen bewirkt. Es ist aber häufig durch die starke Konzentration auf diese drei Epochenjahre und ihre unmittelbare Vorgeschichte sowie durch die Betrachtung der vorausgegangenen Jahre ex post, vom Standpunkt des Krisenjahres aus, gekennzeichnet. Dementsprechend überwiegt weitgehend die Thematik Tschechen-Sudetendeutsche und die Rolle der Tschechoslowakei in dem um 1938 und danach entstandenen Schrifttum. Das Jahr 1948 löste eingehende Betrachtungen des demokratischen Systems in der Tschechoslowakei vor 1938 und in den ersten Nachkriegsjahren sowie seiner Unterhöhlung und schließlich Beseitigung durch den »coup de Prague« aus. Der »Prager Frühling« und die Einfrierung seiner Blütenträume 1968 schließlich ließen insbesondere Arbeiten zur Opposition innerhalb und außerhalb der herrschenden Partei und zur ideologischen Auseinandersetzung entstehen. Bei den jeweiligen Epochenjahren kann nur ein Bruchteil dieser Literatur genannt werden. Demgegenüber ist die Zahl übergreifender, informativer Gesamtdarstellungen verhältnismäßig klein. Ein vollständiger Gesamtüberblick über die Geschichte der 50 Jahre 1918 bis 1968 liegt nicht vor.
Am nächsten kommen ihm: Band IV des Handbuches der Geschichte der Böhmischen Länder: Der tschechoslowakische Staat im Zeitalter der modernen Massendemokratie und Diktatur, hg. v. *K. Bosl* (1970; reicht bis 1965, behandelt die Jahre 1948–1965 aber nur ganz knapp, ausblicksweise, auf S. 335–348).
J. K. Hoensch, Geschichte der Tschechoslowakischen Republik 1918 bis 1965 (2. erg. Aufl. 1978); A History of the Czechoslovak Republic 1918–1948, hg. v. *V. S. Mamatey* and *R. Luža* (1973; dt. Ausg. in Vorbereitung); Das deutsch-tschechische Verhältnis seit 1918, hg. v. *E. Lemberg* u. *G. Rhode* (1969); *Fr. Kavka,* Die Tschechoslowakei. Abriß ihrer Geschichte (1960; sehr arm an Informationen, stark dogmatisch); Přehled Československých dějin, Bd. III: 1918–1945 (1960; offizielle Darstellung der Akademie der Wissenschaften); *S. H. Thomson,* Czechoslovakia in European History (²1953; reicht bis 1948); *H. Wanklyn,* Czechoslovakia (1954); Czechoslovakia, hg. v. *V. Busek* u. *N. Spulber* (1956; Schwerpunkt bei der Zeit nach 1945); *K. Glaser,* Die Tschecho-Slowakei. Politische Geschichte eines neuzeitlichen Nationalitätenstaates (1964).
Alle anderen Darstellungen beschränken sich auf einen Teilzeitraum oder auf Teilprobleme.
Für die Slowakei liegen nur slowakisch-national betonte Übersichtsdarstellungen vor: *G. L. Oddo,* Slovakia and its People (1960; dt.: Die Slowakei als mitteleuropäisches Problem in Geschichte und Gegenwart (1965); *J. M. Kirschbaum,* Slovakia; Nation at the Crossroads of Central Europe (1960; vom Standpunkt der Slowakischen Volkspartei); *J. Lettrich,* History of Modern Slovakia (1955; vom Standpunkt der Demokratischen Partei); *J. A. Mikus,* La Slovaquie dans le drame de l'Europe. Histoire politique de 1918 à 1950 (1955; engl. 1963).
Bibliographien im Handbuch, Bd. IV, passim und im Přehled, Bd. III, S. 614–637; *H. Slapnicka,* Die Geschichte der Tschechoslowakei in neuer Sicht. Tschech. und slow. Schrifttum zur Zeitgeschichte: VjhefteZG 4 (1956), S. 316–331; *F. Seibt,* Bohemica. Probleme und Literatur seit 1945: Sonderheft 4 der HZ (1970; behandelt das Schrifttum über die Zeit nach 1939 nicht mehr, auch nicht das über die Slowakei). Zur Slowakei: Bibliografia prispevkov

§ 25 Tschechoslowakei 1918–1968

k slovenským dejinám uverejnych v rokoch 1918–1930 (1963);
R. *Sturm,* Czechoslovakia; a Bibliographic Guide (1967, 1968); S. 36–49 überwiegend englisch-sprach. Schrifttum. Außerdem die für die Jahre 1955 bis 1965 jahrweise erstellte Bibliografie československé historie za rok 1955 etc. (der 1968 fertiggestellte Band für 1965 erschien 1972, seither keine Bände mehr.)
Biographien in: Biographisches Lexikon zur Geschichte der böhmischen Länder, hg. v. *H. Sturm* (1974 ff.; 1978 lag Lieferung 8 bis Buchstabe Ho vor).
Quellenwerke liegen nur für Einzelfragen, nicht in Reihen z. B. für die Außenpolitik vor.
An *Zeitschriften* bringen außer Zeitschrift für Ostforschung, Jahrbücher für Geschichte Osteuropas, Osteuropa, Ost-Probleme (bis 1969, danach als Osteuropa-Archiv in »Osteuropa«), Hinter dem Eisernen Vorhang bzw. Osteuropäische Rundschau (bis 1972), Beiträge, bibliogr. Hinweise und Material zur Zeitgeschichte, vor allem der Wissenschaftliche Dienst Ostmitteleuropa (seit 1952), seit 1975 Dokumentation OME, und das vom Collegium Carolinum hg. Jahrbuch »Bohemia« (seit 1960). S. auch die unregelmäßig erscheinenden Berichte des Collegium Carolinum über seine der Geschichte der Tschechoslowakei gewidmeten Tagungen.

Die besondere Stellung der Tschechoslowakei unter den Staaten Europas kommt schon in ihrem Namen zur Geltung. Sie ist das einzige Land, dessen offizielle Bezeichnung die Namen zweier Völker enthält. Ihre Sprachen sind zwar so nahe miteinander verwandt, daß eine mühelose Verständigung möglich ist, aber Geschichte, frühere staatliche Zugehörigkeit und soziale Struktur waren und sind doch so verschieden, daß von einem Zusammenwachsen zu *einer* Sprache und einem die Unterschiede überdeckenden gemeinsamen Nationalbewußtsein entgegen manchen Wunschvorstellungen zu keinem Zeitpunkt gesprochen werden konnte. Zu diesen nationalen Unterschieden treten solche der Geographie und der Struktur. Böhmen, historischer Kern des 1918 entstandenen Staates, ist eine in geradezu idealer Weise geschlossene mitteleuropäische Großlandschaft, deren natürliche Grenzen auf weite Strecken hin durch Gebirgskämme gegeben sind, stets auf das gleiche natürliche Zentrum Prag hin ausgerichtet, in Bevölkerungsstruktur und Siedlungsweise weitgehend den westlich, südlich und nordwestlich gelegenen Großlandschaften des alten Deutschen Reiches ähnlich, bis zur Auflösung des Reiches selbst dessen Teil und danach wichtiger und konstitutiver Bestandteil der Erbländer des Hauses Habsburg.

In etwas anderer Weise gilt das auch für die alte Markgrafschaft Mähren, die freilich nicht die gleiche geographische Geschlossenheit hatte, so daß mit Brünn und Olmütz stets zwei Zentren miteinander, jedoch nie mit Prag konkurrieren konnten.

Dagegen war die Slowakei, nach Norden zwar durch Beskiden und Karpaten klar abgegrenzt, nach Süden aber ohne jede natürliche Grenze, vor 1918 weder eine geographische noch eine politische oder administrative Einheit. Auch die Bistumsgrenzen, im allgemeinen alte Zusammenhänge länger bewahrend als politische Verwaltungsgrenzen, schufen keine besonderen slowakischen Einheiten oder gar eine eigene Kirchenprovinz, wie das bei dem Erzbistum Prag seit 1344 der Fall war. Während einige Teile, wie Preßburg und die Zips am Fuß der Hohen Tatra, deutlich mitteleuropäische Züge in Wirtschafts- und Bauweise zeigten, war der größte Teil doch ähnlich geprägt wie Ungarn, zu dem die Slowakei als »Oberungarn« ein Jahrtausend lang gehört hatte. Ungarische Rechts- und Kultureinflüsse, das weitgehende Fehlen eines eigenen slowakisch-sprachigen Bürgertums, der Übergang vieler Slowaken zur ungarischen Sprache und Bildung, das Fehlen weitreichender Ost-West-Verbindungen gaben der slowakischen nationalen Bewußtseinsbildung einen stark emanzipatorischen und bäuerlich-sozialen Charakter, verbunden mit der Betonung der eigenen »Jugendlichkeit«.

Die Zusammenfügung zweier so unterschiedlicher Teile in ein einheitliches Ganzes bildete seit Beginn der Existenz der Tschechoslowakischen Republik ein Hauptproblem der Entwicklung, das auch dann bestehen blieb, als das Hauptproblem des tschechischen Westteils, die Frage des Zusammenlebens von Tschechen und Deutschen in *einem* Staat, zweimal gewaltsam gelöst wurde: im Oktober 1938 durch die Abtrennung der ganz oder überwiegend von Deutschen bewohnten Randgebiete, vom Mai 1945 bis 1947 durch die tschechisch *odsun* (= Abschiebung) genannte Vertreibung fast der gesamten deutschen Bevölkerung.

Daß die Slowakei für mehr als fünf Jahre ein eigenes, wenn auch nicht souveränes Staatswesen wurde, war nicht nur ein Zufallsergebnis nationalsozialistischer Macht- und Großraumpolitik. Es war auch die Verwirklichung eines starken slowakischen Selbständigkeitsstrebens und der Ausdruck eines Selbstbewußtseins, das auch die Jahre seit 1945 stark beeinflußt hat und das sich in der zunehmenden Bedeutung der Slowaken für den Gesamtstaat ebenso ausgeprägt hat wie in der Umgestaltung der Tschechoslowakischen Sozialistischen Republik in eine Föderation der »tschechischen Länder« und der Slowakei zum 1. I. 1969.

Für den Westen dieser beiden ungleichen Staatsteile schienen die geographische Lage und die deutsche Besiedlung der Randzonen den Konflikt mit dem Deutschen Reich, wie er 1938 in der »Sudetenkrise« ausbrach, geradezu zwingend vorzuzeichnen, und das Verhältnis Tschechoslowakei–Deutsches Reich hätte nach der Logik geopolitischer Vorstellungen seit 1918 ständig gespannt sein müssen, vergleichbar dem Verhältnis zwischen dem Deutschen Reich und Polen. Tatsächlich war das aber durchaus nicht der Fall. Es gab, von dem winzig kleinen Hultschiner Ländchen (330 km^2) abgesehen, keine Grenzprobleme, und die Stellung der Sudetendeutschen in dem neuen Staat erregte bei Reichsregierung und Öffentlichkeit der Weimarer Republik bei weitem nicht das gleiche Interesse wie die Behandlung der deutschen Volksgruppe in Polen. Grenzprobleme, die 1919 bewaffnet ausgetragen wurden, bestanden dagegen mit Polen in der Teschenfrage und mit Ungarn bezüglich der südlichen Abgrenzung der Slowakei und wegen der Karpatho-Ukraine im Osten, die mit Prag und Brünn weder geographisch noch wirtschaftlich, noch ethnisch-kulturell verbunden war. Daß alle diese Probleme ungelöst waren, als Hitler 1938 die gewaltsame Regelung der vorher eher im Hintergrund nationalsozialistischer Außenpolitik stehenden »Sudetenfrage« anstrebte, ermöglichte zusammen mit dem Slowakeiproblem erst die Zuspitzung der Krise und die Auflösung des Staates. Da bei der Behandlung der Geschichte der Tschechoslowakei aus deutscher Sicht und aus der Perspektive der Jahre 1938 bis 1945 meist das sudetendeutsche Problem und das deutsch-tschechische Verhältnis als beherrschend und die Entwicklung allein bestimmend erscheinen, ist es notwendig, hier auch die anderen Problemkreise ihrer Bedeutung entsprechend zu berücksichtigen. Dazu gehört auch das Verhältnis zur Sowjetunion, das für die ersten anderthalb Jahrzehnte der Existenz des neuen Staates durch völlige Beziehungslosigkeit gekennzeichnet ist und das erst im Zusammenhang mit der gesamten sowjetischen Ostmitteleuropa-Politik eine überragende Bedeutung gewinnen sollte, bis hin zum gewaltsamen Eingriff in die inneren Verhältnisse der Tschechoslowakei im August 1968.

In den ersten zwanzig Jahren ihrer Existenz war die außenpolitische Situation der Tschechoslowakei dadurch gekennzeichnet, daß sie nur einen einzigen Nachbarn, nämlich Rumänien, hatte, dem gegenüber keine Grenzprobleme bestanden und mit dem sie außerdem durch ein Bündnis verbunden war. Trotzdem war ihre

Existenz durchaus nicht gefährdet, denn nur das machtlose Ungarn betonte die Notwendigkeit der Grenzrevision, während das Deutsche Reich und Österreich teils wegen mangelnden Interesses, teils wegen Machtlosigkeit die Grenzen nicht in Frage stellten und Polens Revisionsforderungen sich auf ein zwar wichtiges, aber kleines Gebiet beschränkten. Somit bestand durch über anderthalb Jahrzehnte der Eindruck außenpolitischer Stabilität, und der Staat konnte, nach außen durch den alle Regierungswechsel überdauernden Außenminister Edvard Beneš vertreten, sowohl in der Kleinen Entente wie überhaupt in Ostmitteleuropa eine Führungsrolle übernehmen. Niemand sprach trotz der merkwürdigen, für die Integration höchst ungünstigen Grenzfiguration und der im Vergleich zu der Gesamtfläche überaus langen Grenzen (140 000 km^2 und 4 125 km Grenzen)[1] von einem »Saisonstaat«, wie das bei Polen der Fall war.

Zum Prestige der Tschechoslowakei trug außerdem die Tatsache bei, daß die parlamentarische Demokratie hier zwei Jahrzehnte hindurch intakt blieb, während sie überall in Ostmitteleuropa durch autoritäre Regime verschiedener Art ersetzt wurde, und daß sie in Staatspräsident Masaryk und Außenminister Beneš zwei Männer an ihrer Spitze hatte, die international hohes Ansehen genossen und allein durch ihre Person eine Garantie für Solidität, Stabilität und kluges Maßhalten in der Staatsführung und in der Außenpolitik zu bedeuten schienen.

Wenn das Land auch nicht, wie Beneš in Paris versprochen hatte, zu einer Art Schweiz gestaltet wurde, so erschien doch hier das Recht der anderen Nationalitäten wesentlich besser gesichert zu sein als andernorts in Ostmitteleuropa, das kleine Estland ausgenommen, und Meinungs- und Pressefreiheit waren niemals ernstlich bedroht. In keinem anderen Land waren auch, wie hier seit 1926, Vertreter nationaler Minderheiten Regierungsmitglieder, so daß auch in diesem Bereich besonderer Schwierigkeiten die parlamentarische Demokratie besonders gut zu funktionieren schien. Es ist müßig, Überlegungen darüber anzustellen, ob dieser Staat sich hätte retten lassen, wenn Slowaken und Sudetendeutsche schon 1934/35 die Rechte erhalten hätten, wie sie den Slowaken nach »München« tatsächlich gewährt und den Sudetendeutschen während der Sudetenkrise im Jahre 1938 angeboten wurden. Wahrscheinlich wäre die vom »Dritten Reich« auf alle Deutschen im Ausland wirkende Faszination auch unter anderen Umständen überaus stark gewesen, und die slowakische Frage wäre von Polen und Ungarn auf jeden Fall ins Spiel gebracht worden, nur hätten weder die Henlein-Bewegung noch Pater Hlinkas Slowakische Volkspartei so rasch so viele Anhänger gewonnen, die Radikalisierung wäre unvergleichlich viel schwieriger gewesen, hätten Beneš und andere führende tschechische Politiker weniger Starrsinn gezeigt und weniger auf Bündnisse und Verträge gebaut, deren Wert ja immer von den Eigeninteressen der Vertragspartner abhängt.

So verständlich es auch ist, daß die tschechischen Politiker sich 1938 von den Westmächten verraten fühlten und daß in Geschichtsschreibung und Publizistik der Tschechoslowakei die Vorgeschichte des Münchener Abkommens mit dem Stichwort »Verrat« gekennzeichnet wird, so wenig kann eine derartige grob vereinfachende Darstellung, die letzten Endes die Gewaltlösung der Vertreibung rechtfertigen soll, doch vom Historiker akzeptiert oder gar wiederholt werden. Der schwere Schock von »München«, der noch fast vier Jahrzehnte später nicht ganz überwunden ist, war weder durch ein unentrinnbares Schicksal vorbestimmt noch durch die Bosheit des deutschen Nachbarn und die verräterische Feigheit der westlichen Verbündeten verursacht, sondern er war das Ergebnis einer Entwicklung, die durch falsche Entscheidungen auch innerhalb der Tschechoslowakei beschleunigt worden war.

§ 25 Tschechoslowakei 1918–1968

Dem Einschnitt von München folgte die kurze Phase der Zweiten Republik, deren Existenz (Oktober 1938 bis März 1939) nun freilich nicht mehr durch eine andere Politik Hitler gegenüber hätte verlängert werden können, da wirklich alles versucht wurde, um ihm entgegenzukommen. Mit der Bildung der Slowakei und der Schaffung des Protektorats Böhmen und Mähren im März 1939 zerfällt die Geschichte der Tschechoslowakei in drei unterschiedliche Bereiche, denn neben die beiden Staatsgebilde tritt nun als eigentlicher Repräsentant des früheren und künftigen Gesamtstaates die Exilregierung, deren Bildung und internationale Anerkennung durch den Verlauf des II. Weltkrieges beschleunigt wurde. Dessen künftige Gestaltung konnte zwar von dem 1938 zurückgetretenen Präsidenten Beneš vorbereitet werden, aber erst das Bündnis mit Moskau im Dezember 1943 mit der Einbeziehung der Kommunisten gab die konkrete Möglichkeit für die Wiederherstellung des Staates, der nunmehr als Staat der Tschechen und Slowaken die Illusion eines tschechoslowakischen Staatsvolkes aufgeben, zugleich aber die Deutschen nicht mehr dulden wollte.

Der slowakische Aufstand vom August bis Oktober 1944, der zwar niedergeschlagen wurde, aber doch eigener Initiative entsprang, gab dabei den Slowaken ein starkes Selbstgefühl, dem die Tschechen nur den erst im letzten Augenblick ausgebrochenen Prager Aufstand und das von außen vorbereitete Attentat auf Heydrich mit dem grausamen Strafgericht von Lidice gegenüberstellen konnten. Es ist verständlich, daß sich die tschechische Geschichtsschreibung auf diese herausragenden Ereignisse konzentriert, die Entwicklung des Protektorats, dessen Industrie während des ganzen Kriegsverlaufs weitgehend reibungslos arbeitete, aber mit Zurückhaltung behandelt.

Die wiederhergestellte Tschechoslowakische Republik der Jahre 1945–1948 schien die Verwirklichung der Vorstellungen eines »Mittelwegs« zwischen parlamentarischer Demokratie und »Volksrepublik« zu bringen. Entrechtung und Vertreibung der Sudetendeutschen und zum Teil auch der Ungarn schufen aber schon 1945 eine Atmosphäre, die von der angestrebten Rechtsstaatlichkeit weit entfernt war und Beneš' Hoffnungen auf Domestizierung der tschechischen Kommunisten durch das geschickte Ausspielen der anderen Parteien erwiesen sich als Illusion. Es war eine makabre Ironie der Geschichte, daß wiederum ein Prager Fenstersturz Epoche machte, nämlich der Tod des Außenministers Jan Masaryk am 10. III. 1948, der den Prager Februar-Umsturz spektakulär abschloß.

Mit ihm begann eine zwanzigjährige Periode der Umgestaltung zur Sozialistischen Republik, die nicht, wie in Polen und Ungarn, im Jahre 1956 unterbrochen und dann in anderer Weise weitergeführt wurde, jedoch mehrere innere Krisen, meist solche reiner Machtkämpfe im Parteiapparat, zu bestehen hatte. Ausschaltung und Hinrichtung des einstigen Ersten Parteisekretärs Rudolf Slánský im Jahre 1952 waren das spektakulärste Beispiel derartiger Machtkämpfe, deren Beendigung aber keinen grundsätzlichen Wandel der Entwicklung und der inneren Verhältnisse bedeutete.

Diese brachte erst der sogenannte »Prager Frühling«, der Versuch, sich von erstarrten Dogmen zu lösen und einen eigenen Weg zum Sozialismus zu gehen, der vor allem durch mehr Menschlichkeit (»Kommunismus mit menschlichem Antlitz«) und durch Wahrhaftigkeit im öffentlichen Leben gekennzeichnet sein sollte. Der Beginn liegt noch in der Mitte der sechziger Jahre, das deutliche Signal für eine radikale Änderung war jedoch erst der Rücktritt von Novotný als Erster Sekretär und seine Ersetzung durch den Slowaken Aleksander Dubček im Januar 1968. Der Einmarsch der Mächte des Warschauer Paktes am 23. VIII. 1968 beendete diesen Versuch, die Tschechoslowakei aus einem der treuesten Parteigänger Moskaus in einen neuen Staatstyp umzuformen, in dem der Führungsanspruch der Kommunistischen Partei nicht mehr unbedingte Geltung haben sollte.

Die folgende Darstellung orientiert sich an den epochemachenden Einschnitten der Jahre 1918, 1938, 1939, 1945, 1948, 1967 und 1968 und muß in Kauf nehmen, daß die einzelnen Abschnitte zeitlich sehr ungleich sind. Die Entwicklung nach dem 23. VIII. 1968 wird nicht mehr betrachtet.

[1] Die Tschechoslowakei hatte in dieser Hinsicht ein sehr ungünstiges Verhältnis, denn auf 1 km Grenze kamen nur 34 km^2 Fläche, bei dem besonders günstig gestalteten Rumänien dagegen 103, bei Polen 70. Selbst das weit kleinere Litauen hatte 38 km^2 Fläche auf 1 km Grenze.

I. Die Erste Republik (1918–1938)

a) Die Tschechen und Slowaken im I. Weltkrieg. Die Staatsentstehung 1918[1]

Die Herauslösung einer selbständigen Tschechoslowakei aus den Territorien Österreichs und Ungarns gehörte nicht zu den Kriegszielen der Alliierten, und die tschechische Frage war in den westlichen Hauptstädten bei weitem nicht so bekannt wie die polnische Frage. Während aber diese in St. Petersburg ganz anders betrachtet wurde als in Paris und London, so daß es bis 1917 keine Möglichkeit der Verständigung gab, war es bei der tschechischen Frage viel leichter, Übereinstimmung zu erzielen, sobald sie erst als bedeutsam erkannt worden war. Das Verdienst, sie international bekannt gemacht und die Staatsbildung im Ausland vorbereitet zu haben, kommt einigen wenigen Personen zu, die in der tschechischen Politik der Vorkriegsjahre eher eine Außenseiterrolle gespielt und keine größere Anhängerschaft in der Bevölkerung und bei den politischen Parteien gewonnen hatten: Thomas G. Masaryk[2] (1850–1936) und Edvard Beneš[3] (1884–1948). Masaryk, als Sohn eines slowakischen Kutschers und einer Köchin in Göding (Hodonin) in Mähren geboren, konnte die Nachteile dieser Herkunft aus sehr kleinen Verhältnissen dank hoher Begabung und bemerkenswert intensiver Förderung überwinden und genoß eine überwiegend deutsche Ausbildung, so daß er seine philosophischen Schriften durchweg auf Deutsch veröffentlichte und bei seiner Berufung an die neue tschechische Karls-Universität in Prag 1882 noch unzureichend Tschechisch sprach. In den folgenden Jahrzehnten machte er sich durch den rücksichtslosen Einsatz für die historische Wahrheit in der Auseinandersetzung um die Echtheit der »Königinhofer Handschrift« und durch sein Auftreten gegen Antisemitismus und Panslawismus[4] durchaus nicht populär und hatte auch mit der von ihm gegründeten und von 1907 bis 1912 im Reichsrat vertretenen »Realistischen Partei« wenig Erfolg. Er verfügte aber über gute Verbindungen zu englischen und französischen Historikern und Publizisten wie R. W. Seton-Watson, H. Wickham Steed und E. Denis, die er während des Krieges hervorragend einzusetzen wußte. Sein Schüler und Mitarbeiter Edvard Beneš (1884–1948), Privatdozent für Soziologie in Prag, in Frankreich ausgebildet und bei Kriegsbeginn völlig unbekannt, war durch besondere propagandistische Begabung und Energie ausgezeichnet. Beide waren ausgesprochene »Westler«, im Gegensatz zu ihrem Gegenspieler Karel Kramář (1860–1937), der dem Bürgertum entstammte, Rußland verehrte, auf russische Hilfe rechnete und sich ein slawisches Großreich unter dem Zaren vorstellte.

§ 25 Tschechoslowakei 1918–1968

Im Dezember 1914 ging Masaryk in die Schweiz und baute von Genf aus eine Propagandazentrale auf, die Filialen in den westlichen Hauptstädten einrichtete und mit Hilfe einer konspirativen Organisation in Böhmen, der sogenannten »Mafia«, einerseits Nachrichten ins Ausland übermittelte, andererseits antiösterreichische Geheimpropaganda im Lande trieb. Jedoch gelang es vorläufig nicht, eine nennenswerte Streitkraft auf seiten der Alliierten zu schaffen und für den im Februar 1916 gebildeten Tschechoslowakischen Nationalrat (Conseil National des Pays Tchèques), dem als prominenter Slowake der französische Fliegeroffizier und Astronom Milan Štefanik (1880–1919) angehörte, die Anerkennung als bevollmächtigter Sprecher der Tschechen zu erreichen. Den entscheidenden Umschwung brachte erst das Jahr 1917, als erstmals in der alliierten Antwortnote an Wilson vom 10. I. 1917 die »Befreiung der Tschechoslowaken« als Kriegsziel auftauchte und als die russische Februarrevolution die bisherigen Bedenken gegen die Bildung einer tschechoslowakischen Armee in Rußland zurücktreten ließ. Masaryk weilte von Mai 1917 bis März 1918 in Rußland und konnte den Aufbau der Armee vorantreiben, deren erste Brigade am 3. VII. 1917 bei Zborów in Galizien einen militärisch bedeutungslosen, propagandistisch aber außerordentlich wirkungsvollen Sieg erringen konnte. Diese Armee, deren Gesamtbestand bis auf 50 000 Mann anwuchs und die unter dem Namen Tschechische Legion[5] Weltberühmtheit erlangte, konnte nach dem Waffenstillstand vom Dezember 1917 nicht mehr in Rußland eingesetzt werden, sondern sollte nach Frankreich transportiert werden, wo ihr Kampfeinsatz von Clémenceau honoriert werden sollte. Nur kleine Teile kamen über Murmansk tatsächlich dorthin, während der Großteil die abenteuerliche »Anabasis« nach dem Fernen Osten antrat und im russischen Bürgerkrieg des Jahres 1918 eine bedeutende Rolle spielte. Obwohl die Legionäre somit nicht gegen die Mittelmächte kämpften und an der Staatsbildung unmittelbar gar nicht beteiligt waren, waren sie doch von hervorragender Bedeutung, denn einmal wurde durch sie die tschechische Frage weltweit bekannt und populär; außerdem lieferte ihr Kampf die gerade für einen jungen Staat besonders wichtige patriotische Legende und sorgte für Helden und Veteranen, mit denen sich eine patriotisch zu erziehende Jugend identifizieren konnte. Die Geschichtsschreibung der sozialistischen Tschechoslowakei hat später über die glorifizierten Helden der Ersten Republik, die ja gegen die Rote Armee gekämpft hatten, das Verdammungsurteil[6] gesprochen. Tatsächlich sind aus der Legion wichtige Politiker ganz verschiedener Prägung hervorgegangen, z. B. der Begründer der KPČ Muna, der rechtsradikale General Gajda, General Syrový, Ministerpräsident und »starker Mann« während der Sudetenkrise, und der Sozialdemokrat Zdeněk Fierlinger, erster Ministerpräsident nach 1945.

Die Hoffnung auf die tschechischen Legionäre aus Rußland bewog Poincaré dazu, den kleinen in Frankreich am 19. XII. 1917 aufgestellten tschechischen Verbänden den Status einer selbständigen Armee zu verleihen, so daß das Nationalkomitee als kriegführende Macht angesehen werden konnte. Enttäuschend war dagegen, daß in den am 8. I. 1918 verkündeten 14 Punkten des amerikanischen Präsidenten Wilson von einer Tschechoslowakei keine Rede war. Hier konnte Masaryk, der auf der Überfahrt nach Amerika im Frühjahr 1918 die Programmschrift »The New Europe« verfaßte, durch sein Wirken (ab Mai 1918) erreichen, daß Wilson am 28. VI. 1918 erklärte, daß »alle Völker slawischer Rasse vom österreichischen Joch vollkommen befreit werden« müßten.

Am 3. IX. 1918 wurde der Nationalrat von den Vereinigten Staaten als De-facto-Regierung anerkannt, nachdem Frankreich ihn am 29. VI. als »ersten Grundstein der künftigen tschechoslowakischen Regierung« anerkannt hatte. Damit

I. Die Erste Republik (1918–1938)

war sichergestellt, daß die Vorstellungen Masaryks, nämlich die völlige Einbeziehung der Kronländer Böhmen, Mähren und Schlesien und einer nicht genau abgegrenzten Slowakei in den zu schaffenden neuen Staat, bei der Friedenskonferenz berücksichtigt würden.

Unmittelbar vor dem Manifest Kaiser Karls vom 16. X. 1918, das die Umgestaltung der Monarchie ankündigte und zur Bildung von Nationalräten anregte, verkündete Beneš am 14. X. in Paris die Bildung einer Provisorischen Regierung mit Masaryk als Ministerpräsidenten, ihm selbst als Außen- und Štefánik als Kriegsminister, und er hatte die Genugtuung, daß diese in der folgenden Woche von allen Alliierten anerkannt wurde.

Unabhängig davon wurde am gleichen Tage, einem Sonntag, in Böhmen selbst durch die beiden sozialistischen Parteien (tschechische Sozialdemokraten und Nationalsozialisten) der Versuch gemacht, eine »freie tschechoslowakische Republik« auszurufen, der jedoch unter Mitwirkung bürgerlicher tschechischer Politiker (A. Rašín) im Keim erstickt wurde. Dieser Sympathien für den Bolschewismus zeigende Fehlschlag hat die späteren Beziehungen zwischen sozialistischen und bürgerlichen Parteien nachhaltig beeinflußt.

Die sich auflösende Monarchie hatte zwar den Putschversuch leicht niederschlagen können, gestattete aber unter dem Eindruck der Wilsonschen Antwortnote vom 18. X. acht führenden tschechischen Politikern, darunter dem 1916 wegen Hochverrats verurteilten und inzwischen amnestierten Karel Kramář die Reise nach Genf, damit sie mit Beneš über Regierungsbildung und Machtübernahme verhandeln könnten (25. X.). Bevor diese Verhandlungen jedoch zum Ziel führten, bewirkte der rasche Zerfall von Heer und Verwaltung in der Monarchie, daß die in Prag verbliebenen Mitglieder des im Sommer 1918 von Vertretern aller Parteien gebildeten »Nationalausschusses« *(Národní výbor)* am 28. X. 1918, einem Sonntag, die Initiative ergriffen und mit dem Gesetzestext: »Der selbständige tschechoslowakische Staat ist ins Leben getreten« die Staatsbildung und die Herauslösung aus der Monarchie proklamierten. Wichtigste Persönlichkeiten der ersten Stunde waren damit nicht Masaryk, Beneš und Kramář, sondern die »Männer des 28. Oktober«, vor allem der Agrarier Švehla (1873–1933) und der Nationaldemokrat Rašín (1867–1923). Der sich selbst als Exekutive und Legislative betrachtende Nationalausschuß erließ gleich in den folgenden Tagen eine Reihe wichtiger Gesetze, u. a. über die Bildung einer »Revolutionären Nationalversammlung«, die nach dem Parteienschlüssel der letzten Wahl zum österreichischen Reichsrat gebildet wurde und einige Slowaken kooptierte, die in den gewünschten neuen Staatsgrenzen lebenden Deutschen, Ungarn und Polen aber nicht berücksichtigte.

Diese am 14. XI. zusammengetretene, nur von Tschechen und wenigen Slowaken gebildete Versammlung, die nicht aus allgemeinen Neuwahlen hervorgegangen war (256, ab März 1919 270 Mitglieder) proklamierte die Republik, wählte einstimmig Masaryk zum ersten Präsidenten und bildete entgegen den vorherigen Absprachen in Genf eine Regierung Kramář mit Švehla als Innenminister, Beneš als Außen- und dem Slowaken Štefánik als Kriegsminister. In weiteren Gesetzen wurde aller Grundbesitz über 250 ha beschlagnahmt, der Adel abgeschafft und der Achtstundentag eingeführt. Die am 29. II. 1920 angenommene Verfassung[7] sah eine Legislative aus zwei Kammern, nämlich Abgeordnetenhaus und Senat vor, gab dem von beiden Kammern gemeinsam auf sieben Jahre zu wählenden Staatspräsidenten bei der Regierungsbildung weitgehende Rechte, kannte aber keinen Notstandsparagraphen und begünstigte durch das proportionale Wahlsystem die Bildung zahlreicher Parteien.

Das am gleichen Tag beschlossene Sprachengesetz erhob die – gar nicht existierende – »tschechoslowakische Sprache« zur Staatssprache, wobei die Formulierung so definiert wurde, daß es sich in den alten Kronländern um das Tschechische, in der Slowakei um das Slowakische handelte. Zweisprachigkeit war nur dort zugelassen, wo die sprachlichen Minderheiten mindestens 20 % der Einwohner bildeten, womit in den ganz überwiegend deutschen Gebieten das von weniger als 20 % gesprochene Tschechische bevorzugt wurde. Mit diesen für die weitere Staatsentwicklung ohne Mitwirkung der anderen Nationalitäten gefaßten Beschlüssen wurden in den ersten anderthalb Jahren des neuen Staates wesentliche Grundlagen geschaffen, eine Tatsache, die Gegenstand schwerwiegender weiterer Auseinandersetzungen zwischen den Tschechen, den Slowaken und den Sudetendeutschen werden sollte.

b) Die slowakische[8] und die deutsche Frage[9]. Grenzprobleme (1918–1919)

Während die tschechischen Politiker, auf breite, politisch sehr bewußte Bevölkerungsgruppen verschiedener Parteirichtungen gestützt, im Ausland wie im Inland zielbewußt und schließlich trotz aller Unterschiede solidarisch handelten, hatten die wenigen führenden Köpfe der slowakischen nationalen Bewegung nur mit sehr geringfügiger Unterstützung der überwiegend bäuerlichen, politisch kaum bewußt gewordenen und teilweise analphabetischen Bevölkerung slowakischer Muttersprache zu rechnen. Hier war die Emigration in den Vereinigten Staaten Amerikas als politisch bewußte Schicht besonders bedeutsam, vertreten durch die Slowakische Liga, die schon am 23. X. 1915 in Cleveland (Ohio) mit dem Tschechischen Nationalverband in den USA ein – staatsrechtlich natürlich bedeutungsloses – Abkommen über die autonome Stellung der Slowakei im künftigen eigenen Staat schloß. Es wurde am 30. V. 1918 durch ein neues Abkommen in Pittsburg, dem später viel besprochenen »Pittsburger Vertrag« erweitert, unter dessen feierliche Ausfertigung auch Masaryk einen Monat später seine Unterschrift setzte. Hier hieß es ausdrücklich: »Die Slowakei wird ihre eigene Verwaltung, ihr Parlament und ihre Gerichte haben. Das Slowakische wird die amtliche Sprache in der Schule, den Ämtern und überhaupt im öffentlichen Leben sein.«

Etwa gleichzeitig, unter dem Eindruck der 14 Punkte Wilsons, wurde am 1. V. 1918 in St. Niklas im Komitat Liptau (Lipt. Sv. Mikulas) auf einer Volksversammlung eine Resolution verabschiedet, in der Selbstbestimmung »auch des ungarischen Zweigs des tschechoslowakischen Stammes« gefordert wurde, wobei die eigenartige Formulierung die Unklarheit der Zukunftsvorstellungen deutlich zeigt. Am 16. X. 1918 bildete sich unter dem Vorsitzenden der Slowakischen Nationalpartei Matuš Dula zwar ein Slowakischer Nationalrat; dieser faßte aber keine klaren Entschlüsse und verabschiedete erst am 30. X., sich zu einer Volksversammlung erweiternd, in St. Martin am Turz (Turč. Sv. Martin) eine Deklaration, die sich gegen die madjarische Ablehnung des Selbstbestimmungsrechtes aussprach und, noch ohne Kenntnis der Vorgänge in Prag, nichts über den künftigen Staat aussagte, sich aber für ein »einheitliches tschechoslowakisches Volk« erklärte. Spätere redaktionelle Veränderungen durch Milan Hodža und Behauptungen über Klauseln einer zehnjährigen Befristung des Anschlusses an die Tschechen haben die Versammlung zu einem vielumstrittenen Diskussionsobjekt gemacht, als die euphorische Stimmung allgemeiner Verbrüderung wieder verflogen war.

Da es keine geeigneten Verwaltungsorgane in der Slowakei gab, wurde sie von Anfang November an von tschechischen Polizeieinheiten und Truppen besetzt.

I. Die Erste Republik (1918–1938)

Eine von Prag delegierte Regierung mit dem Minister Vávro Šrobár, einem Slowaken, nahm ihren Sitz in Tyrnau (Trnava), konnte aber angesichts ungarischer Gegenaktionen zunächst nur in Teilgebieten aktiv werden und hatte erst ab Januar 1919 das Gesamtgebiet in der Hand. Es wurde noch einmal durch den Vormarsch der ungarischen Roten Armee im Mai/Juni 1919 größtenteils besetzt und konnte erst nach dem Ultimatum Clémenceaus im Juli endgültig gewonnen werden. Während einzelne slowakische Politiker noch mit Ungarn sympathisierten, war die autonomistische Bewegung unter dem Pfarrer von Rosenberg (Ružomberok), A. Hlinka (1864–1938), der im Dezember 1918 die betont katholische Slowakische Volkspartei wiedergegründet hatte, wesentlich stärker. Hlinka hatte allerdings mit seinen Bemühungen, die Slowakei auf der Pariser Friedenskonferenz zu vertreten, keinen Erfolg, wurde aber nach mehrmonatiger Haft und Internierung, ohne wegen Hochverrats angeklagt zu werden, Anfang 1920 wieder entlassen und als Protagonist slowakischen Autonomiedenkens gefeiert. Daß die Verfassung keine Autonomie, ja nicht einmal Sonderbestimmungen für die Slowakei vorsah, wurde von den slowakischen Autonomisten als Bruch früherer Versprechungen angesehen und belastete das Verhältnis der beiden Völker.

Noch stärker war das bei den Deutschen der Fall, deren Wohngebiete selbstverständlich in die Grenzen der historischen Kronländer und damit des neuen Staates einbezogen wurden, obwohl führende Politiker in Wien die Errichtung einer Provinz Deutsch-Böhmen im Rahmen von Deutsch-Österreich und einer entsprechenden Provinz Sudetenland versuchten, während die unmittelbar an Österreich angrenzenden Gebiete ihren Anschluß an dieses als »Böhmerwaldgau« und »Deutschsüdmähren« proklamierten. In Reichenberg und in Troppau entstanden Landesregierungen für die beiden Provinzen, die ja keine territoriale Verbindung mit Österreich hatten und versorgungsmäßig von Prag abhängig waren. Der deutsche Sozialdemokrat Josef Seliger, stellvertretender Landeshauptmann von »Deutschböhmen«, stieß bei seinen Versuchen, mit den tschechischen Politikern über das künftige Verhältnis der beiden Landesteile mit Prag zu verhandeln, Anfang November auf Ablehnung, die sich bei Rašín bis zu der Formulierung »Mit Rebellen verhandelt man nicht« steigerte. Das eben erst proklamierte Selbstbestimmungsrecht und das böhmische Staatsrecht der Einheit des alten Staates standen einander hier unversöhnlich gegenüber; Verhandlungen erwiesen sich als sinnlos, und die Regierung Kramář begann mit verhältnismäßig schwachen Truppenverbänden die Besetzung der sudetendeutschen Gebiete, die ohne großen Widerstand in der zweiten Hälfte des Dezember 1918 beendet war. Österreichische und sudetendeutsche Proteste verhallten ungehört, und als am 4. III. 1919 in allen sudetendeutschen Städten anläßlich des Zusammentritts der österreichischen Nationalversammlung Demonstrationen stattfanden, wurde von tschechischer Polizei in mehreren Fällen, vor allem in Kaaden, auf die Demonstranten geschossen, so daß 52 Tote zu beklagen waren. Da sogar der als gemäßigt geltende Präsident Masaryk in seiner ersten Botschaft vom 22. XII. 1918 von den Deutschen als »Immigranten und Kolonisten« gesprochen hatte, war verständlich, daß sich der somit in den Staat hineingezwungenen, aber an seiner Gestaltung bewußt nicht beteiligten Deutschen tiefe Resignation bemächtigte, zumal sie, anders als die Deutschen in Polen, im Reich keine Unterstützung und wenig Interesse fanden.

War das Verhältnis zu Österreich gespannt, zu Ungarn feindlich, zu dem an den Sudetendeutschen damals nicht interessierten Deutschen Reich trotz der im Versailler Vertrag festgelegten Abtretung des Hultschiner Ländchens im Umfang von 330 km^2 korrekt, so hätte zu dem ebenfalls wiedererstandenen Polen ein

§ 25 Tschechoslowakei 1918–1968

freundschaftliches Verhältnis erwartet werden können. Gerade mit diesem entstand aber im Winter 1918–1919 ein bewaffnet ausgetragener Streit um das Teschener Schlesien[10], wo am 5. XI. 1918 ein Kompromiß zwischen einem polnischen Nationalrat in Teschen und einem tschechischen in Schlesisch-Ostrau über die Teilung des strittigen Gebietes geschlossen worden war, das schon 1848 ein Streitobjekt für beide Nationen gebildet hatte. Als die polnische Regierung im Januar 1919 in den nur vorläufig den Polen überlassenen Gebietsteilen Aushebungen vornahm und Wahlen ausschrieb, marschierten tschechische Verbände am 23. I. über die vorläufige Teilungslinie, wurden aber am 30. I. bei Skotschau geschlagen. Nach einem Waffenstillstand kam es am 3. II. 1919 zu einer vorläufigen Vereinbarung, die die strategisch und verkehrspolitisch wichtige Bahnlinie Oderberg-Kaschau auf tschechischer Seite beließ. Die vom Obersten Rat am 22. IX. 1919 beschlossene Volksabstimmung unter internationaler Kontrolle wurde nie durchgeführt, und erst am 28. VII. 1920 fiel die Entscheidung der Botschafterkonferenz über die Teilung des Gebiets entlang des Flüßchens Olsa, wodurch die Stadt Teschen geteilt wurde und der Tschechoslowakei die wertvollen Kohlevorkommen von Karwin und etwa 140 000 Polen und – zwischen den Nationen stehende – Schlonsaken zugesprochen wurden. Die Teschener Frage bildete seitdem ein Streitobjekt beider Länder, das eine engere Zusammenarbeit verhinderte, während polnische Ansprüche auf kleine Teile der alten ungarischen Komitate Zips und Arwa durch die Abtretung von insgesamt 27 Dörfern mit etwa 30 000 überwiegend polnischen Bewohnern einigermaßen, endgültig freilich erst im Jahre 1924, befriedigt wurden.

Handelte es sich hier um verhältnismäßig kleine Gebiete mit Einwohnern, deren Volkszugehörigkeit und politisches Bekenntnis nicht leicht zu bestimmen waren, so fiel dem neuen Staat durch den Friedensvertrag von Trianon ein recht großes Gebiet von über 12 000 km^2 aus der ungarischen Erbmasse zu, Karpatho-Ruthenien oder die Karpatho-Ukraine[11], deren Bewohner in ihrer großen Mehrheit politisch wenig aufgeklärt waren, aber als orthodoxe bzw. griechisch-unierte Ukrainer den Tschechen und Slowaken sprachlich wie kulturell recht fern standen. Auch hier waren die nach den USA Ausgewanderten politisch aktiv. Ein in Homestead (Pennsylvania) tagender Nationalrat hatte noch im Sommer 1918 den Anschluß an die galizischen Ukrainer oder Autonomie als Ziel angesehen; am 19. XI. 1918 beschloß er aufgrund Masarykscher Zusagen in Scranton (Pennsylvania) den Anschluß Karpatho-Rutheniens an die Tschechoslowakei »mit dem weitestgehenden autonomen Rechte als Staat auf föderativer Grundlage«.

In der Heimat beschloß indessen ein im überwiegend slowakischen Prešov (Eperjes) tagender Nationalrat ebenfalls den Anschluß an die Tschechoslowakei, ein in Užhorod (Ungvar) tagendes Gegenstück aber das Verbleiben bei Ungarn, dessen Regierung am 25. XII. 1918 auch ein autonomes Territorium »Russka Kraina« aus den Komitaten Bereg, Marmaros, Ugocsa und Ung schuf. Nach teilweiser Besetzung durch tschechische, rumänische und zeitweise auch ukrainische Truppen gelang dem Amerika-Ruthenen Dr. Žatkovič die weitgehende Einigung der verschiedenen Gruppen, so daß ein neu zusammentretender Nationalrat in Užhorod am 15. V. 1919 unter Vorsitz des Priesters Vološyn den Anschluß an die Tschechoslowakei beschloß, in der Hoffnung auf Autonomie. Deren Gewährung wurde der Tschechoslowakei im Minderheitenschutzvertrag vom 10. IX. 1919 (gleichzeitig mit dem Frieden von St. Germain) ausdrücklich auferlegt. Tatsächlich erhielt das Gebiet aber lediglich ein vom Kabinett beschlossenes »Generalstatut« vom 7. XI. 1919, das praktisch keine Selbstverwaltung gewährte,

I. Die Erste Republik (1918–1938)

sondern nur einen Gouverneur – der erste war Dr. Žatkovič – vorsah.

Neben der Zuerkennung Karpatho-Rutheniens brachte der Friede von Trianon (4. VI. 1920) dem neuen Staat zwar nicht die von Beneš auf der Pariser Friedenskonferenz geforderten Grenzen gegenüber Ungarn, aber als Landesteil Slowakei doch rund 49 000 km² mit knapp 3 Millionen Einwohnern, unter denen sich etwa 640 000 Madjaren in zum Teil rein madjarischen Siedlungsgebieten (Große Schütt-Insel) befanden. Diese Grenzziehung forderte den immer neuen Protest Ungarns heraus und bedingte eine scharfe Frontstellung zu diesem.

Im Ergebnis der Grenzregelungen war die Tschechoslowakei zu einem Nationalitätenstaat[12] geworden, dem drei nationale Minderheitengruppen, nämlich die Madjaren, Deutschen und Polen, ablehnend bis feindlich gegenüberstanden, während Ukrainer und Slowaken mit ihrer sehr schmalen Führungsschicht überwiegend gleichgültig waren und den Staat jedenfalls nicht mittrugen. War ein Teil dieser Probleme unvermeidlich, sobald man sich an historische Grenzen und Zusammenhänge halten wollte, so wäre doch ihre Verschärfung durch eine dem Selbstbestimmungsrecht widersprechende Grenzregelung – im Teschener Schlesien, in Südböhmen, Südmähren, in der südlichen Slowakei – bei Verzicht auf allzu weitgehende Gebietsansprüche durchaus vermeidbar gewesen. Die Belastung durch Grenz- und Minderheitenprobleme gegenüber nahezu allen Nachbarn der Tschechoslowakei war in dieser Schwere jedenfalls nicht unvermeidbar und naturgegeben.

c) Die innere Entwicklung unter Masaryk als Präsidenten (1920–1935)

Die anderthalb Jahrzehnte zwischen den ersten Parlamentswahlen im April 1920 und dem Rücktritt des 85jährigen Präsidenten Masaryk im Dezember 1935 – außenpolitisch durch den Frieden von Trianon zu Beginn und den tschechoslowakisch-sowjetischen Beistandpakt (16. V. 1935) gegen Ende gekennzeichnet – waren keine Periode ruhiger Entwicklung im Innern[13]. Verglichen mit den unter Inflation, versuchten und geglückten Umstürzen und vielfachen Gewaltmaßnahmen leidenden Nachbarländern in Ostmitteleuropa war die Tschechoslowakei in diesem Zeitraum aber eine Insel politischer Stabilität und verhältnismäßiger Prosperität, bis die Weltwirtschaftskrise auch sie in Mitleidenschaft zog.

Undramatisch und trotz aller heftigen Gegensätze ohne blutige Kämpfe verliefen die vier Parlamentswahlen (April 1920, November 1925, Oktober 1929 und Mai 1935), bei denen die verfassungsmäßige Wahlperiode von sechs Jahren weitgehend eingehalten wurde. Obwohl das Proportionalwahlrecht einer Vielzahl von Parteien die Vertretung im Parlament ermöglichte, blieb das Parteigefüge ziemlich stabil, und zwar bei den Tschechen mit zwei rechts von der Mitte stehenden Parteien, den Nationaldemokraten und den Agrariern, zwei sozialistischen Parteien, den Sozialdemokraten und den Nationalsozialisten, die kleinbürgerlich bestimmt waren und sich selbst zur »Linken« zählten, und der katholischen, dem deutschen Zentrum vergleichbaren Volkspartei. Diese fünf tschechischen Parteien, häufig miteinander kooperierend und als *pětka,* Fünfergruppe oder »Quintett«, an der Staatsbildung beteiligt, waren alle auch in der Slowakei vertreten, wo ihnen zwei betont slowakische Parteien, die katholische Slowakische Volkspartei und die kleine, rechtsgerichtete Slowakische Nationalpartei, gegenüberstanden. Die deutschen Parteien entsprachen mit den Sozialdemokraten, dem Bund der Landwirte und der Christlich-Sozialen Partei in Zielsetzung und Mitgliederstruktur etwa den tschechischen Sozialdemokraten, den Agrariern und der Volkspartei, doch kam es nie zu Wahlbündnissen oder Fraktionsgemeinschaften. Dagegen gab es kein kontinuierliches deutsches Gegenstück zu den

§ 25 Tschechoslowakei 1918–1968

tschechischen Nationaldemokraten, sondern wechselnde kleinere Gruppierungen und Wählergemeinschaften, und die deutschen Nationalsozialisten (DNSAP) entsprachen allenfalls ihrer kleinbürgerlichen Struktur nach, aber nicht in Programm und Zielsetzung ihrem tschechischen Gegenstück, sondern, obwohl älter als diese, eher, wenn auch nicht vollständig, der NSDAP.

Die Ungarn, meist mit den Deutschen in der Slowakei zusammengehend, hatten ihrerseits eine Sozialdemokratische und eine Christlich-Soziale Partei, so daß es drei Sozialdemokratische und vier Christliche bzw. Christlich-Soziale Parteien mit etwas unterschiedlichen Namen, nach Nationen getrennt, gab.

Die einzige nicht national gebundene Partei war die Kommunistische[14], schon 1918 von A. Muna in Rußland gegründet und in erster Linie von Tschechen und Deutschen getragen, bei den ersten Parlamentswahlen 1920 zwar noch nicht kandidierend, aber durch Übertritte von Abgeordneten im ersten Parlament doch vertreten.

Kennzeichnend für Wahlergebnisse und Regierungsbildungen der anderthalb Jahrzehnte war, daß es zwar erhebliche Veränderungen, aber, vom durchschlagenden Erfolg der Sudetendeutschen Partei im Mai 1935 bei den deutschen Wählern abgesehen, keinen »Erdrutsch« und keine überzeugenden Mehrheiten einiger großer Parteien gab. Es mußten regelmäßig Mehrparteienkoalitionen gebildet werden, falls nicht der Präsident durch Berufung von Beamtenkabinetten (September 1920 und März 1926, beide Male Černý) die Koalitionskrisen überbrückte.

Das brachte eine gewisse Unstabilität der Regierungen mit sich, deren Zahl aber mit 15 in den 17 Jahren von 1918 bis 1935 wesentlich geringer war als in Jugoslawien und Polen vor der jeweiligen autoritären Umwandlung und die auch dadurch ein Element der Dauerhaftigkeit aufwiesen, daß Beneš in sämtlichen Regierungen das Außenministerium innehatte und andere, wie der Finanzminister Karel Engliš (parteilos), der Landwirtschaftsminister Milan Hodža (slowakischer Agrarier) und der Fürsorgeminister Jan Šrámek (Volkspartei), in mehreren Regierungen saßen. Insofern gab es nur selten völlige Richtungsänderungen, niemals eine rein sozialistische Regierung und ebensowenig eine rein »bürgerliche« Koalition.

Den beiden ersten Regierungen Kramář (Oktober 1918–Juli 1919) war nach dem Erfolg der Sozialdemokraten bei den Gemeinderatswahlen im Sommer 1919 eine Koalition der Sozialdemokraten, Nationalsozialisten und Agrarier unter dem Sozialdemokraten Vlastimil Tusar gefolgt, doch reichte der Wahlerfolg der verschiedenen sozialistischen Parteien bei den ersten Parlamentswahlen im April 1920 nicht zu einer Mehrheit, ganz abgesehen von den Schwierigkeiten, deutsche und ungarische Sozialisten für eine Regierungsbeteiligung zu gewinnen.

Auch die erste parlamentarische Regierung Tusar (April–September 1920) mußte sich deshalb wieder auf eine Koalition der beiden tschechischen sozialistischen Parteien mit den Agrariern stützen, ohne eine Mehrheit zu haben. Dem ersten Beamtenkabinett Černý (September 1920–September 1921) folgte eine zweimalige Koalition aller tschechischen Parteien unter Beneš (September 1921–Oktober 1922) und dem Agrarier Švehla (Oktober 1922–November 1925), die vielbesprochene *pětka,* das »Quintett«, was vielfache Kompromisse und manche Ämterpatronage mit sich brachte. Die zweiten Parlamentswahlen im November 1925 ergaben jedoch bei erheblichen Stimmenverlusten der Sozialdemokraten für die Koalition nur noch 146 von 300 Mandaten, so daß der zunächst erneut ein »Fünfer«-Kabinett bildende Švehla nach wenigen Monaten scheiterte.

Der Übergangslösung eines zweiten Beamtenkabinetts Černý (März–Oktober

I. Die Erste Republik (1918–1938)

1926) folgte eine entscheidende Wendung im Oktober 1926, als es Švehla gelang, für sein drittes Kabinett (Oktober 1926–Februar 1929) die Mitarbeit der deutschen Christlich-Sozialen (Justizminister Mayr-Harting), des Bundes der Landwirte (Arbeitsminister Franz Spira) und später auch der Slowakischen Volkspartei (Gesundheitsminister Josef Tiso) zu gewinnen.

Mit der Bildung dieser ersten »gesamtnationalen Koalition«, an der freilich die Ungarn nicht beteiligt waren, war dem Agrarier Švehla ein entscheidender Durchbruch in der deutschen Frage[15] gelungen, da sich nunmehr ständig Vertreter der »aktivistischen« deutschen Parteien bereit fanden, Regierungsverantwortung mitzutragen, bis zur dritten Regierung Hodža, die in den Münchner Krisentagen Ende September 1938 zurücktrat. Im ersten Parlament, in das nach den April-Wahlen 72 deutsche Abgeordnete von fünf deutschen Parteien einzogen (gegenüber 151 Tschechen und 48 Slowaken), hatten diese noch durchweg in Opposition gestanden, bedingt durch die ohne sie geschaffenen Gesetze der Revolutionären Nationalversammlung, insbesondere das Sprachengesetz. Allerdings zeichnete sich ein erheblicher Unterschied zwischen den bürgerlichen deutschen Parteien, deren Sprecher Dr. Lodgman v. Auen am 1. VI. 1920 eine scharfe Protesterklärung verlas, und den Sozialdemokraten ab. Deren Sprecher, der noch im gleichen Jahr verstorbene Josef Seliger, erklärte trotz aller Proteste die Bereitschaft zur Mitarbeit »auf dem Boden dieses Staates und dieses Parlaments«, um dem »Wohl der deutschen Arbeiterklasse« dienen zu können. Zwischen den deutschen bürgerlichen Parteien und den Sozialdemokraten gab es auch in der Folgezeit erhebliche Differenzen, so daß es selten zu einem geschlossenen Auftreten kam, das noch schwieriger wurde, als sich 1922 von dem deutschen bürgerlichen parlamentarischen Verband eine rechtsstehende »Deutsche Kampfgemeinschaft« abspaltete. Ohne Beteiligung der deutschen Parlamentarier wurde so die Bodenreform durchgeführt, die freilich bei der andersartigen Strukturierung des deutschen Großbesitzes als in Posen-Pommerellen nicht so sehr wie dort als Schlag gegen das Deutschtum empfunden werden konnte, ebenso die Durchführungsverordnung zum Sprachengesetz erlassen (Februar 1926) und die weitgehende Tschechisierung der Beamtenschaft erreicht – alles Fakten, die sich gar nicht oder nur mit großen Schwierigkeiten rückgängig machen ließen.

Der Regierungseintritt der beiden gemäßigten deutschen Parteien wurde an keine Koalitionsabsprache oder an Zusagen bezüglich der Auslegung und Anwendung der Gesetze gebunden, brachte aber doch eine Klimaverbesserung und die Möglichkeit, Deutsche in Staatsstellungen unterzubringen, die freilich, der Sprachenverordnung entsprechend, Sprachprüfungen abzulegen hatten.

Eine Enttäuschung für die Deutschen bedeutete die Verwaltungsreform von 1927–1928, durch welche die Länder als Verwaltungs- und Selbstverwaltungseinheiten wiederhergestellt bzw. im Fall der Slowakei neu geschaffen wurden. Gleichzeitig mit der Verfassung waren 1920/21 »Gaue« gebildet worden, die allerdings nur in der Slowakei auch faktisch eingerichtet wurden, während sie in den Kronländern, wo Karlsbad und Böhmisch Leipa fast rein deutsche Gaue geworden wären, auf dem Papier blieben. Da die »Länder« auch Landesvertretungen und von diesen gewählte Landesausschüsse als Selbstverwaltungsorgane erhalten sollten, hätte im »Land« Schlesien für die Deutschen gute Aussicht bestanden, gemeinsam mit den Polen die Mehrheit zu erreichen, da sie nach der Volkszählung von 1921 40,5 %, die Polen 11,3 % der Bevölkerung bildeten, bei großzügiger Inanspruchnahme aller zwischen den Volkstümern stehenden Schlonsaken für die tschechische Nationalität. Das Land Schlesien hätte somit eine deutsch bestimmte Selbstverwaltung erhalten können, doch wurde das dadurch vereitelt, daß es mit Mähren zu einem »Land« vereinigt wurde, in dem die Tschechen eine sichere Mehrheit hatten. Das überwiegend deutsche Troppau verlor mit dem Inkrafttreten der Verordnung am 1. XII. 1928 seinen Charakter als Landeshauptstadt.

Der »Aktivismus« (im Dezember 1929 traten statt der Christlich-Sozialen die deutschen Sozialdemokraten mit ihrem Vorsitzenden Dr. Ludwig Czech als Minister für Sozialfürsorge in die zweite Regierung Udržal [Dezember 1929 bis Oktober 1932] ein, an der die Slowakische Volkspartei sich nicht mehr beteiligte) verlor dadurch an Popularität bei den Deutschen und erschien noch fragwürdiger, als 1931 die Weltwirtschaftskrise auch die Tschechoslowakei in Mitleidenschaft zog und vorzugsweise die exportabhängigen Bereiche sudetendeutscher Klein- und Mittelindustrie traf. Mehr als die Hälfte der 800 000 Arbeitslosen des Landes im Jahre 1932 stellten die Deutschen, während ihr Anteil an der Bevölkerung bei der Zählung von 1930 22,3 % betrug. Erst jetzt begann, mit dem Beispiel der NSDAP vor Augen, der Aufstieg der DNSAP, die 1925 nur sieben der 75 auf deutsche Parteien entfallenden Mandate errungen hatte, bei den Parlamentswahlen vom Oktober 1929 nur acht von 66. Sie konnte die Unzufriedenheit mit den »alten« Parteien und den geringen Erfolgen des »Aktivismus« ausnutzen, hatte aber nach einem kompromittierenden Prozeß gegen den von ihr getragenen »Volkssport« (ein Gegenstück zur SA) die Auflösung als staatsfeindliche Organisation zu befürchten. Dieser kam sie im Herbst 1933 durch Selbstauflösung zuvor, nachdem der Verbandsturnwart der Sudetendeutschen Turnerschaft Konrad Henlein am 1. X. 1933 zum Zusammenschluß in einer »Sudetendeutschen Heimatfront« aufgerufen hatte, die alsbald zum Sammelbecken aller von den »alten« Parteien Enttäuschten wurde und in der Anfangsphase neben nationalsozialistischen auch christlich-konservative und bündisch-nationale Ideen vertrat. Dank dieses Sammelcharakters errang sie bei den Wahlen vom Mai 1935, den letzten freien Wahlen in der Tschechoslowakei, 44 Mandate, doppelt so viel wie die drei anderen deutschen Parteien zusammen und fast ebensoviel wie die stärkste tschechische Partei, die Agrarier (45). Die aktivistischen Parteien erhielten in den folgenden Koalitionsregierungen, ihrer geringer gewordenen Bedeutung entsprechend, nur noch ein Fachministerium – das Gesundheitsministerium mit Ludwig Czech – und waren sonst durch einen bzw. seit Juli 1936 zwei Minister ohne Geschäftsbereich (für den Landbund und seit 1936 auch die Christlich-Sozialen) in der Regierung vertreten. (Bezeichnend für die Besonderheit der nationalen Verhältnisse war, daß diese deutschen Minister die tschechischen Namen Spina und Zajiček hatten, während drei tschechische Minister die deutschen Namen Franke, Meißner und Trapl trugen.)

Die SdP war zu dieser Zeit noch bestrebt, weitgehende Autonomie innerhalb des tschechoslowakischen Staates zu erringen und insbesondere das Interesse des angelsächsischen Auslandes zu gewinnen; die spätere enge Bindung an Direktiven aus Berlin war noch nicht gegeben; auch wurde kaum Verbindung zur slowakischen Frage[16] und mit den slowakischen Autonomisten gesucht. Diese, vor allem in der Slowakischen Volkspartei Hlinkas aktiv, erlitten bei den ersten Parlamentswahlen im April 1920 einen klaren Mißerfolg, da sie nur 12 Mandate errangen, die slowakischen Sozialdemokraten dagegen 24 und die Agrarier ebenfalls 12. Die folgenden fünf Jahre brachten aber trotz großzügigen Ausbaus des slowakischen höheren Schulwesens, der Gründung der ersten slowakischen Universität in Preßburg und der Beteiligung slowakischer Minister an den Regierungen Enttäuschungen und Mißklänge. Da Milan Štefánik, Kriegsminister der Regierung Kramář und Repräsentant des Ausgleichs, bereits am 4. V. 1919 tödlich abgestürzt war, fehlte den Slowaken die überragende, auch im Ausland bekannte Persönlichkeit, und die überwiegend katholischen Slowaken stellten fest, daß sie in Prag in erster Linie durch Vertreter der aktiven protestantischen Minderheit repräsentiert wurden. Die Wahlen vom November 1925 brachten der Slowakischen Volkspartei eine Verdoppelung ihrer Mandate und machte sie zur stärksten slowakischen Partei, die sich seit Januar 1927 auch an der Regierung Švehla beteiligte, da sie Zusagen bezüglich der Autonomie erhielt. Diese wurden in der Verwaltungsreform von 1927/28 nach tschechischer Auffassung verwirklicht; nach slowakischer Einstellung waren Landesvertretung und Landesausschuß aber nur ein Anfang. Der beginnende Ausgleich wurde durch den Prozeß gegen den Vertreter der Slowakischen Volkspartei Dr. Tuka erschüttert, der wegen Aufstellung einer »Heimwehr« *(Rodobrana)* und wegen seiner These, der Anschlußbeschluß von Turč. Sv. Martin sei auf zehn Jahre befristet gewesen, verhaftet und im Oktober 1929 wegen Hochverrats zu 15 Jahren Zuchthaus verurteilt wurde. Die Slowakische Volkspartei, die bei den Wahlen vom Oktober 1929 zwar vier Mandate verlor, aber weiterhin stärkste Partei der Slowaken blieb, beteiligte sich daraufhin nicht mehr an der gemischt-nationalen Koalition, sondern verschärfte ihre Opposition. Diese entzündete sich nicht so sehr an wirtschaftlichen und sozialen Problemen, da die Weltwirtschaftskrise die überwiegend agrarische Slowakei weniger hart traf, als vielmehr an kulturellen Fragen wie den 1931 vom Kultusminister Ivan Dérer, einem slowakischen Sozialdemokraten, genehmigten Rechtschreiberegeln, durch die nach Meinung der Autonomisten sprachliche Unterschiede verwischt wurden, so daß die slowakische Kulturorganisation, die Matica Slovenská, sie ablehnte. Der oft beklagten Bevormundung durch tschechische Behörden und Beamte setzten die slowakischen Katholiken das stolze Bewußtsein entgegen, daß die Annahme des Christentums in der Slowakei rund hundert Jahre früher erfolgt war als in Böhmen, woran bei den Elfhunderjahrfeiern der Christianisierung im August 1933 nachdrücklich hingewiesen und gleichzeitig die Autonomie gefordert wurde.

Die Feier wurde zu einer Demonstration, da der als Redner gar nicht vorgesehene Pater Hlinka energisch für die Autonomie eintrat, stürmisch gefeiert wurde und die ausdrückliche Unterstützung des Nuntius Ciriaci erhielt, der in einem Brief an Hlinka von der »edlen slowakischen Nation« sprach, welche es doch nach offizieller Prager Auffassung gar nicht gab. Proteste und Abberufung des Nuntius ohne Ernennung eines Nachfolgers waren die Konsequenzen. Weitere Unzufriedenheit entstand, weil in den Prager Zentralbehörden kaum Slowaken beschäftigt wurden, dafür aber zahlreiche Tschechen (slowakische Berechnungen nannten 120 000) als Beamte und Funktionäre in der Slowakei tätig waren, obwohl der anfänglich vorhandene Ausbildungsrückstand inzwischen teilweise aufgeholt worden war. Die Autonomiebewegung, von der Prager Regierung durch Prozesse bekämpft, war 1935 noch nicht so stark wie die SdP unter den Deutschen, konnte aber bei den Maiwahlen 1935 ihre 1929 erlittenen Verluste wieder ausgleichen. Diese ergaben, daß von den 300 gewählten Abgeordneten über ein Drittel, nämlich 111, dem Staat ablehnend oder sehr reserviert gegenüberstanden, außer den 66 deutschen und slowakischen Autonomisten 30 Kommunisten, 9 Ungarn und 6 Vertreter des tschechischen Faschismus.

d) Wirtschafts- und Sozialprobleme (1920–1935)[17]

Die günstige Wirtschaftsentwicklung des Landes in den Jahren der Inflation in den Nachbarländern war u. a. eine Folge der radikalen Abschließungs- und Deflationspolititk des wegen seiner Maßnahmen höchst unpopulären Finanzministers Dr. Alois Rašin. Er trennte durch ein Gesetz vom 25. II. 1919 die neugeschaffene tschechoslowakische Krone von der österreichischen und ließ bei hermetischer Grenzabschließung die umlaufenden Noten in ganz kurzer Frist abstempeln, die nichtgestempelten aber nicht einlösen, so daß die Bevölkerung etwa 55 % des Bargeldbestandes verlor. In seiner zweiten Amtszeit (September 1922–Januar 1923) erreichte er trotz beginnender Arbeitslosigkeit bei rigoroser Spar- und Deflationspolitik die Stabilität der Währung. Diese unpopuläre Politik wurde mit dem Attentat eines Anarchisten quittiert, der Rašin am 5. I. 1923 tödlich verletzte. Dieser politische Mord blieb aber der einzige in diesem Zeitraum.

Bis in die Weltwirtschaftskrise hinein blieb die Tschechoslowakei eine Insel relativen Wohlstandes ohne tiefgreifende soziale Kämpfe. Schon im dritten Winter ihrer Existenz, 1920/21, versuchten aber die Führer des linken Flügels der Sozialdemokratie, unter ihnen der spätere Ministerpräsident (1948–1953) und Staatspräsident (1953–1957) Antonín Zapotocký, durch einen siebentägigen Generalstreik im Dezember 1920 die Führung der Sozialdemokratie zu übernehmen und ihre Druckereien in die Hand zu bekommen, was freilich mißlang. Im Februar 1921 schlossen die deutschen Sozialdemokraten ihren eigenen linken Flügel aus, der den Streik unterstützt hatte. Erst am 14. V. 1921 wurde aber die schon im russischen Exil gegründete Kommunistische Partei der Tschechoslowakei (KPČ)[18] mit Bohumil Šmeral als Vorsitzendem endgültig gegründet, und im Oktober des gleichen Jahres erfolgte die Vereinigung mit der deutschen Linken unter Karl Kreibich. Bei allen Wahlen, an denen sie sich beteiligte, errang die im Unterschied zu allen anderen kommunistischen Parteien Ostmitteleuropas stets legal bleibende KPČ beachtliche Erfolge. Sie konnte freilich den Wahlsieg von 1925, der ihr 42 der 300 Mandate brachte und sie damit zur zweitstärksten Fraktion machte, 1929 und 1935 nicht wiederholen, blieb aber mit jeweils 30 Mandaten eine bedeutende Kraft und war zugleich die einzige alle Nationalitäten umfassende Partei. (Der Fraktion von 1925 bis 1929 gehörten auch acht Deutsche, drei Ungarn, zwei Ukrainer und ein Pole an.)

Seit 1929 begann unter dem neuen Generalsekretär Klement Gottwald, dem späteren Ministerpräsidenten (1946–1948) und Staatspräsidenten (1948–1963), die Radikalisierung der unter Šmeral eher gemäßigten KPČ. Als Masaryk im Mai 1934 zum drittenmal für die Präsidentschaft kandidierte, war Gottwald der einzige Gegenkandidat, entzog sich aber im folgenden Jahr 1935 einer Verhaftung und lebte seither in Moskau.

Neben der radikalen Linken, in der frühere Legionäre eine Rolle spielten, war die radikale Rechte[19] zahlenmäßig weit weniger bedeutend, erregte aber zeitweilig viel Aufsehen. Bei dem nationalen Pathos der Nationaldemokraten und häufig auch der Nationalsozialisten war das Reservoir für eine noch weiter rechts stehende Partei nicht groß, doch konnte sich die Ende 1925 entstandene »Faschisten-Gemeinde« der Unterstützung des 1919 grollend zurückgetretenen Karel Kramář und des aus der Legion kommenden Generalstabschefs Radola Gajda erfreuen, der sogar Umsturzpläne verfolgte. Deren Aufdeckung führte im Dezember 1926 zu seiner Entlassung und zum Ausschluß des nationalsozialistischen Verteidigungsministers Stříbrný aus seiner Partei. Gajda wurde Vorsitzender der Faschistischen Partei, die 1929 als »Liga gegen gebundene Listen« und 1935 unter ihrem wahren Namen zur Wahl antrat, mit drei bzw. sechs Mandaten zwar wenig Erfolg hatte, aber doch mit Demonstrationen gegen alles Deutsche, einschließlich deutscher Tonfilme, und mit scharfen Angriffen gegen Masaryk und Beneš zur Klimaverschlechterung beitrug.

I. Die Erste Republik (1918–1938)

e) Die Außenpolitik im Rahmen der Kleinen Entente (1920–1935)

Über mehr als anderthalb Jahrzehnte wurde die Außenpolitik[20] des Landes von Edvard Beneš bestimmt, der in 16 Regierungen kontinuierlich das Außenministerium innehatte, auch als er selbst vom September 1921 bis Oktober 1922 Ministerpräsident war. Die lange Dauer seiner Amtszeit und die klare Umgrenzung seines Konzepts verschafften ihm und damit der Tschechoslowakei eine gewisse Führungsrolle in Ostmitteleuropa, die nur von dem wichtigsten potentiellen Partner, von Polen, nicht anerkannt wurde. Staatsentstehung und Grenzprobleme bewirkten, daß das Land mit allen Nachbarn außer Rumänien Differenzen hatte und daß nur mit diesem gleichgerichtete Interessen gegen eine habsburgische Revision und gegen ein Wiedererstarken Ungarns bestanden.

Da der Staat durch die günstige Grenzziehung der Friedensverträge absolut saturiert war und es kaum Tschechen und Slowaken außerhalb seiner Grenzen in Europa gab, konnte sich die Außenpolitik nur auf die Erhaltung des erreichten Zustandes richten und mußte jeden bewaffneten Konflikt vermeiden, da die ungünstige Grenzgestaltung und die gemischt-nationale Zusammensetzung des Heeres jeden Kampf zu einem schwer kalkulierbaren Risiko machten. Ein gut funktionierendes, jeden potentiellen Gegner abschreckendes Bündnissystem erschien daher als vornehmstes Gebot. Dabei erschien nach Beneš' Konzept und nach den Grundgedanken, die Masaryk in seiner Schrift »Das neue Europa« entwickelt hatte, die Aufrechterhaltung des 1919 bis 1921 geschaffenen Status quo als lebenswichtig sowohl für die Tschechoslowakei selbst wie für ganz Europa, wenn es demokratisch bestimmt bleiben wollte. Jede Revision, auch kleineren Umfangs, mußte daher als beginnender Abbau eines kunstreichen Gebäudes betrachtet und vermieden werden, auch dort, wo eine gütliche Verzichtlösung zur Gewinnung eines wesentlichen Partners geführt hätte wie in der Teschener Frage gegenüber Polen. Das bedingte wiederum multilaterales, geschicktes Ausbalancieren, insbesondere am Sitz des Völkerbundes, und die Schaffung eines Paktsystems. Das war weniger dringlich gegenüber dem Deutschen Reich, das sein Desinteresse an den Sudetendeutschen 1918/19 deutlich gezeigt hatte, und gegenüber dem kleinen waffenlosen Österreich, wohl aber gegen Ungarn, dessen Räteregierung 1919 Kampfkraft und Kampfstimmung demonstriert hatte und wo die Restauration der Habsburger nicht nur ein Schreckgespenst war, sondern zweimal, im April und Oktober 1921, versucht wurde, wenn auch mit geringen Erfolgsaussichten. Schon am 14. VIII. 1920 wurde ein Defensivbündnis mit klarer antiungarischer Spitze mit dem Königreich SHS, dem späteren Jugoslawien, geschlossen, und nach Kaiser Karls erstem Rückkehrversuch folgte am 23. IV. 1921 ein entsprechendes Bündnis mit Rumänien.

Der Name »Kleine Entente«[21] für diese Bündnisse (am 5. VI. 1921 folgte ein jugoslawisch-rumänisches Bündnis), von einer ungarischen Zeitung zunächst ironisch gebraucht, wurde von Beneš aufgegriffen und zum Symbol der Politik des Status quo gemacht. Alljährliche Konferenzen in einem der drei Mitgliedsländer und seit 1929 auch regelmäßige militärische Besprechungen verwandelten die drei zweiseitigen Verbindungen in ein System, als dessen Spiritus rector und berufener Sprecher Beneš auftrat (z. B. auf der Konferenz von Genua im April 1922). Dieser Regionalpakt, dessen Partner allerdings kaum gemeinsame Wirtschaftsinteressen hatten, wurde durch das Bündnis mit Frankreich vom 25. I. 1924 ergänzt, in dem u. a. das gemeinsame Interesse an der Verhinderung des »Anschlusses« betont wurde.

Dagegen gelang der Ausgleich mit Polen nicht, obwohl am 6. XI. 1921 ein polnisch-tschechischer Vertrag mit der Verpflichtung zu gegenseitiger Unterstützung geschlossen wurde. Er wurde in Polen nicht ratifiziert, so daß das Verhältnis kühl bis gespannt blieb, besonders, als der Mai-Umsturz 1926 in Polen eine mehr auf Selbständigkeit als auf multilaterale Sicherheit gerichtete Außenpolitik zum Durchbruch brachte.

Gänzlich außerhalb des außenpolitischen Aktionsfeldes von Beneš stand die Sowjetunion, mit der keine offiziellen Beziehungen aufgenommen wurden, teilweise bedingt durch die wegen der Legionen entstandenen Spannungen, teilweise durch den strikten Widerspruch Kramářs und der Nationaldemokraten gegen jede Anerkennung de iure. De facto bestanden allerdings Beziehungen durch einen am 5. VI. 1922 geschlossenen Handelsvertrag, doch hielt sich der Austausch bis 1928 in sehr bescheidenen Grenzen. Erst am Ende der Epoche, unter dem Eindruck der französischen Schwenkung vom *cordon-sanitaire*-Denken zum Pakt mit der Sowjetunion (November 1932), nahm auch die Tschechoslowakei am 9. VI. 1934 offizielle Beziehungen zur Sowjetunion auf, schloß allerdings bereits 11 Monate danach, am 16. V. 1935, einen gegenseitigen Beistandspakt, der die Hilfeleistung der Sowjetunion für die Tschechoslowakei freilich an eine gleichzeitige Hilfe Frankreichs für diese band.

Die Beziehungen zum Deutschen Reich waren in den zwanziger Jahren korrekt und undramatisch, nachdem ein schon am 29. VII. 1920 geschlossenes Handelsabkommen mit Meistbegünstigungsklausel den natürlichen Warenaustausch beschleunigt hatte. Österreich, gegen dessen Anschluß an das Deutsche Reich das Interesse der Tschechoslowakei logischerweise gerichtet sein mußte, wurde deshalb gestützt, indem im Oktober 1922 seine Integrität garantiert und durch zwei Anleihen die wirtschaftliche Krise gemildert wurde.

Die Machtübernahme Hitlers, der Anfang 1933 die Aufdeckung italienischer Waffentransporte nach Ungarn vorangegangen war, steigerte mit dem Sicherheitsbedürfnis der Tschechoslowakei auch den zeitweilig gelockerten Zusammenhalt der Kleinen Entente, die am 16. II. 1933 in Genf zu einer engeren Gemeinschaft mit Ständigem Rat der Außenminister, Ständigem Sekretariat und Wirtschaftsrat umgeformt wurde, was Beneš' bedeutende internationale Stellung erneut hervortreten ließ.

Automatisch, wenn auch nicht offiziell, verschlechterten sich die Beziehungen zum Deutschen Reich, nicht zuletzt durch die Aufnahme deutscher Emigranten und durch die Ermordung des Leiters eines Senders von Otto Strassers Schwarzer Front, Ingenieur Formis, durch deutsche Agenten auf tschechischem Boden (Januar 1935).

Als Masaryk im Dezember 1935 zurücktrat, war die außenpolitische Situation nicht weniger angespannt als die innere, denn die latenten Spannungen mit dem Deutschen Reich und Polen zeigten eher eine Tendenz zur Zu- als zur Abnahme; in Ungarn waren die Revisionsforderungen unbefriedigt; das Bündnis mit der Sowjetunion war nicht populär, und die Partner in der Kleinen Entente, von Deutschland nicht bedroht, aber wirtschaftlich an guten Beziehungen zu ihm interessiert, hatten bei weitem nicht das gleiche vitale Interesse an der Aufrechterhaltung des Status quo wie die Tschechoslowakei.

f) Die Tschechoslowakei als Opfer der »Neuordnung Europas« (1935–1938)

Nach der ersten der Verfassung entsprechenden Wahl zum Staatspräsidenten (27. V. 1920) war Masaryk[22] noch zweimal wiedergewählt worden, nämlich 1927 und, bereits vierundachtzigjährig, am 25. V. 1934, bei dieser letzten Wahl mit fast 78 % der Stimmen beider Häuser. Anderthalb Jahre später, am 14. XII. 1935, legte er sein Amt nieder, in einer Periode beginnender innen- wie außenpolitischer

I. Die Erste Republik (1918–1938)

Unsicherheit, während seine auch von politischen Gegnern gewürdigte Persönlichkeit eine Garantie für Stabilität und Ruhe dargestellt hatte. In seiner Abdankungserklärung betonte er, daß »wir zu Hause der Gerechtigkeit gegenüber allen Bürgern bedürfen, seien sie welcher Nationalität auch immer«, und schlug Beneš als seinen Nachfolger vor. Da ein möglicherweise aussichtsreicher Gegenkandidat, der konservative Historiker Josef Pekař[23], eine Kandidatur schließlich ablehnte, konnte Beneš am 18. XII. 1935 eine überzeugende Mehrheit (340 von 440 Stimmen) erringen, einschließlich der Stimmen der Slowakischen Volkspartei, der Ungarn und der deutschen »Aktivisten«, während die SdP sich der Stimme enthielt. Der slowakische Agrarier Milan Hodža (1878–1944) bildete wiederum eine Regierung der gemischt-nationalen Koaliton, in der zwar nicht die Slowakische Volkspartei, wohl aber die deutschen aktivistischen Parteien vertreten waren. Das Außenministerium übernahm nach kurzer Übergangszeit Beneš' Vertrauter, der Historiker Kamil Krofta (1876–1945), der die Kontinuität der bisherigen Politik repräsentierte, während Hodža mit dem Plan einer Donauföderation den Ausgleich mit Ungarn suchte. Dieser hätte freilich Grenzkorrekturen zugunsten Ungarns gefordert, womit Beneš keinesfalls einverstanden war. Auch sonst ging dieser den Weg des Ausgleichs mit den nichttschechischen Volksgruppen nur zögernd, sprach sich zwar in einer Programmrede vom 19. VIII. 1936 für eine »vernünftige, mit zweckmäßigem wirtschaftlichem und administrativem Regionalismus verbundene Dezentralisation« aus, wandte sich aber gegen eine Autonomie und tat nichts für die Verwirklichung der Dezentralisation. Auch Ministerpräsident Hodža versprach im Februar 1937 den sogenannten »Jungaktivisten«[24] der deutschen Parteien (G. Hacker vom Bund der Landwirte, W. Jaksch von den Sozialdemokraten, H. Schütz von den Christlich-Sozialen), daß in Zukunft die Deutschen mehr Beamtenstellen und höhere staatliche Zuschüsse für die Notstandsgebiete erhalten sollten, um so den Klagen der SdP den Wind aus den Segeln zu nehmen; die Verwirklichung erfolgte aber in ganz unzureichender Weise.

Die deutschen Aktivisten verloren somit gegenüber der SdP weiter an Boden, zumal deren Führer Konrad Henlein in geschickter Weise das Interesse britischer Politiker an den Sudetendeutschen zu erwecken wußte und bei einem Besuch in London im Mai 1936 über das Problem ihrer Autonomie im Chatham House sprechen konnte. Ein Empfang bei Hodža im September 1937, der kein Ergebnis brachte, verstärkte noch seine Stellung; in die gleiche Zeit fiel aber der Beginn der weitgehenden Abhängigkeit von Direktiven aus Berlin, so daß vom Herbst 1937 an auch weitgehende Autonomiezusagen die SdP nicht mehr zu einer loyalen Haltung gebracht hätten, was 1935–1936 noch denkbar und aussichtsreich gewesen wäre. Die Alternative, nämlich eine Stärkung der demokratischen Kräfte im Sudetendeutschtum, wurde von Beneš jedoch auch nicht konsequent verfolgt.

Bei den großen Unterschieden zwischen der betont katholischen und stark klerikalen Slowakischen Volkspartei und der völkischen, antirömische Affekte pflegenden SdP war ein Zusammengehen beider gegen den Staat nicht selbstverständlich und wäre bei geschickterer Politik von Beneš wahrscheinlich vermeidbar gewesen. Die Verbindung wurde erst im Februar 1938 aufgenommen, auch da von seiten Hlinkas mit Zurückhaltung. Daß das sudetendeutsche Problem nicht mehr als rein innerstaatliche Angelegenheit behandelt werden konnte, machte Henlein noch im gleichen Monat durch Besuche bei dem ungarischen Ministerpräsidenten Kanya deutlich, wenn diese auch ohne greifbare Ergebnisse blieben.

§ 25 Tschechoslowakei 1918–1968

Mit dem 13. III. 1938, dem »Anschluß« Österreichs, war die Tschechoslowakei endgültig Objekt Hitlerscher Expansionspolitik geworden, rascher, als nach dessen geheimen Äußerungen Anfang November 1937 zu erwarten gewesen war. Die nun ausbrechende und mit dem Münchener Abkommen beendete »Sudetenkrise«[25] wird als Teil der internationalen Politik an anderer Stelle behandelt. Hier braucht nur festgehalten zu werden, daß beide Bündnispartner der Kleinen Entente, Rumänien und Jugoslawien, dem Dritten Reich und seiner Südostpolitik eher Wohlwollen als Abneigung entgegenbrachten, so daß dieses Instrument bisheriger Außenpolitik also kaum einzusetzen war, obwohl noch 1937 die Kleine Entente als »feste Grundlage unserer Außenpolitik und gleichzeitig als ein wesentliches Element unserer nationalen Sicherheit« bezeichnet worden war.

Hier wie bei der Hoffnung auf die Verläßlichkeit des französischen Bündnispartners gab sich die tschechische Öffentlichkeit Illusionen hin, die durch die erfolgreiche Teilmobilisierung vom 21. V. 1938 mit der Besetzung der grenznahen Befestigungslinien noch bestärkt wurden, während gerade dieser Scheintriumph Hitler zu energischerem Vorgehen veranlaßte. Immerhin hatte sich gezeigt, daß die Armee trotz ihrer multinationalen Zusammensetzung keine Zerfallserscheinungen zeigte.

Festzuhalten ist auch, daß die slowakische Autonomiebewegung, in Berlin noch kaum beachtet, im Frühsommer 1938 die lebhafte Unterstützung der polnischen Außenpolitik erfuhr, als die Slowakische Volkspartei in einer Kundgebung am 5. VI. 1938 die Zwanzigjahrfeier des »Pittsburger Vertrages« beging und die amerika-slowakische Delegation mit dem Original des Vertrages ostentativ über Warschau nach Preßburg reiste. Hier wurde deutlich eine engere Bindung der Slowakei an Polen in Erwägung gezogen, allerdings nicht mit Einverständnis Hlinkas, dessen Tod am 16. VIII. 1938 die slowakische Aktivität bremste.

Daß die Verhandlungen im September 1938 den Bestand der Tschechoslowakei unangetastet lassen könnten, war nach dem berühmten Artikel in der »Times« vom 7. IX. 1938 mit dem Vorschlag »der Abtrennung des Saumes der fremden Bevölkerungsgruppen, die an die Nation grenzen, mit der sie stammlich verbunden sind«, ernsthaft nicht mehr zu erwarten. Der an sich gute Befriedungsvorschlag des Planes IV, den Hodža Anfang September der britischen Runciman-Mission vorlegte, hätte mit seinen Föderalisierungsideen sicher das Verhältnis zu den Deutschen und Slowaken entspannen können, wäre er ein oder zwei Jahre früher vorgelegt worden. Jetzt wurde er von dem völlig auf Berliner Weisungen hörenden Henlein abgelehnt, wobei die Mehrheit der SdP-Anhänger auch hinter ihm stand, während die »Aktivisten« allein nicht stark genug waren. Ihre Verbindung mit den Gemäßigten in der SdP kam aber nicht zustande. Andererseits kam es auch nach Hitlers Parteitagsrede vom 12. IX. nicht zu den erwarteten schweren Zwischenfällen oder gar zu Aufstandsversuchen im sudetendeutschen Gebiet, die ein rasches Eingreifen rechtfertigen sollten.

Es war allerdings durchaus fraglich, ob ein militärischer Widerstand der Tschechoslowakei angesichts der noch nicht vollendeten deutschen Rüstung und angesichts der Stellung eines Teils der deutschen Generalität gegen Hitlers riskante Politik aussichtslos gewesen wäre, zumindest so lange, bis die Hilfe der Verbündeten wirksam geworden wäre. In Paris und London war man jedenfalls dieser negativen Meinung, und ihr entsprach der anglo-französische Vorschlag der Abtretung der mehrheitlich sudetendeutschen Gebiete vom 19. IX., der von Hodža zunächst abgelehnt, nach einer weiteren, wahrscheinlich als Alibi bestellten Demarche der Verbündeten am 21. IX. aber angenommen wurde[26].

Am folgenden Tag trat die Regierung Hodža zurück, gefolgt von einer Art

I. Die Erste Republik (1918–1938)

Krisenregierung des einstigen Legionärsführers General Syrový, die sich nunmehr auch energischen polnischen Gebietsforderungen auf das Olsaland und vorsichtigeren ungarischen Revisionsforderungen gegenübersah und am 23. IX. die allgemeine Mobilmachung anordnete, hinter der trotz verbaler Hilfsversprechen der Sowjetunion nach der praktischen Kapitulation vom 21. freilich kein Widerstandswille mehr stehen konnte, obwohl Beneš in der Öffentlichkeit noch Zuversicht zur Schau trug.

Das am 30. IX. ohne Mitwirkung der Tschechoslowakei unterzeichnete Münchener Abkommen[27] überließ die endgültige Begrenzung der Gebiete, über deren Zukunft durch Volksabstimmung entschieden werden sollte, einem Internationalen Ausschuß und sah deren Besetzung durch internationale Formationen vor. Diese letzteren Bestimmungen sind nie verwirklicht worden.

Zu den polnischen und ungarischen Forderungen wurde nur insofern Stellung genommen, als eine weitere Zusammenkunft zur Klärung des »Problems der polnischen und ungarischen Minderheiten in der Tschechoslowakei« vorgesehen wurde, falls innerhalb von drei Monaten nicht entsprechende Vereinbarungen geschlossen würden.

Die polnische Regierung wartete Verhandlungen jedoch nicht ab, sondern forderte am 30. IX. ultimativ die Abtretung des Olsagebietes, die von der Tschechoslowakei nach vergeblicher Anrufung der Westmächte unter Stillschweigen der zunächst zu Gegenmaßnahmen entschlossen scheinenden Sowjetunion zugestanden wurde.

Fast gleichzeitig mit den deutschen Truppen überschritten vom 1. X. an auch polnische Verbände die Grenzen der Tschechoslowakischen Republik. Damit und mit dem Rücktritt von Präsident Beneš am 5. X. 1938 war das Ende der Ersten Republik besiegelt. Die im Lande verbleibenden Politiker, vor allem der Agrarpartei, mußten versuchen, aus dem Zusammenbruch in die Zweite Republik soviel wie möglich an Substanz hinüberzuretten.

---

[1] Das Schrifttum über die Erste Republik ist umfangreich, wenn es auch oft nicht die ganzen zwei Jahrzehnte umfaßt. Vgl. u. a. *R. W. Seton-Watson,* A History of the Czechs and Slovaks (Ndr. 1965), Kap. 16–18, S. 313–388; Czechoslovakia. Twenty Years of Independence, hg. v. *R. J. Kerner* (³1949).
O. Forst de Battaglia, Zwischeneuropa. Von der Ostsee bis zur Adria, Bd. 1 (mehr nicht ersch.; 1954), die Tschechoslowakei auf S. 187–322; *G. Rhode,* Die Tschechoslowakei 1918–1939: Aus Politik und Zeitgeschichte, Nr. 48 u. 49 (1962), S. 605–639.
Aus der Zeit: *H. Klepetař,* Seit 1918 . . . Eine Geschichte der Tschechosl. Republik (1937; unentbehrlich f. Innen- und Parlamentspolitik); *H. Singule,* Der Staat Masaryks (1937); *P. Zenkl,* Masarykova Československá republika 1918–1939 (1953).
Zum deutsch-tschechischen Problem: *K. Krofta,* Das Deutschtum in der tschechoslowakischen Geschichte (1934); ders., Die Deutschen im Tschechosl. Staate (1937); *W. Schneefuss,* Deutsch-Böhmen. Schicksal und Weg der Sudetendeutschen (1938); *E. Franzel,* Die Politik der Sudetendeutschen in der Tschechoslowakei 1918–1939, in: Die Deutschen in Böhmen und Mähren, hg. v. *H. Preidel* (1950), S. 333–372; *J. W. Brügel,* Tschechen und Deutsche 1918–1938 (1967); *H. Raschhofer,* Die Sudetenfrage. Ihre völkerrechtl. Entwicklung v. Ersten Weltkrieg bis zur Gegenwart (1953).
Zur Staatsentstehung: *Z. A. Zeman,* Der Zusammenbruch des Habsburgerreiches 1914–1918 (1963), und *D. Perman,* The Shaping of the Czechoslov. State. Diplomatic History of the Boundaries of Cz. 1914–1920 (1962). Die eigenen Darstellungen von Masaryk und Beneš s. Anm. 2 u. 3. Zum Verhalten im Weltkrieg s. d. Broschüre: Das Verhalten der Tschechen im Weltkrieg (²1918).

§ 25 Tschechoslowakei 1918–1968

Sehr eingehend *F. Peroutka,* Budováni státu (4 Bde. f. d. Jahre 1918 bis 1921; 1933–1936).
[2] Eine kritische Biographie des Staatsgründers fehlt. Teilweise autobiogr.: *K. Čapek,* Masaryk erzählt sein Leben (1936); stark panegyrisch: Masaryk, Staatsmann und Denker (1930); *W. Hofbauer,* Der große alte Mann (1938; mit Redetexten). Tschechische Biographien von *J. Herben* (3 Bde. 1926/27) und *Z. Nejedlý* (5 Bde. 1930–1937). Sein Wirken im Kriege schildert er in: Světová Revoluce za války a ve válce (1925), dt.: Die Weltrevolution (1925), engl.: The Making of a State (1927). S. dazu aber: *R. W. Seton-Watson,* Masaryk in England (1943). Wichtig seine Kampfschrift: The New Europe. The Slav Standpoint (1918, tschech. 1920; dt. u. d. Titel: Das neue Europa; Der Slawische Standpunkt (1922).
Als Beispiel für die Abwertung nach 1948: *V. Král,* O Masarykové und Benešové Kontrarevoluční protisovetské politice (Über M.'s und B.'s konterrevolutionäre antisowjetische Politik; 1953). Zusammenfassend *K. Hulicka,* The Communist Anti-M. Propaganda in Cz.: AmerSlavRev 16 (1957), S. 160–174.
[3] Auch über ihn fehlt eine krit. Biographie. Von frühen, meist panegyrischen Biographien sind zu nennen: *J. Papousek,* Dr. E. B., sein Leben (1937); *E. B. Hitchcock,* B., the Man and Statesman (1940); *C. MacKenzie,* Dr. B. (1946); *G. H. Roberts,* Dr. E. B. (o. J.); *E. Schieche,* E. Beneš und d. slaw. Ideen: ZOstforsch 4 (1955), S. 194–220.
Sein Wirken beschreibt er sehr breit in: Světová válka a naše revoluce (3 Bde. 1927–1931), m. Dokumenten. Die beiden ersten Bände auch fr.: Souvenirs de guerre et de revolution (1928); knapper die einbändige dt. Ausgabe: Der Aufstand der Nationen (1928); noch knapper d. engl.: My War Memoirs (1928). Seine Kampfschrift: Détruisez l'Autriche-Hongrie! Le martyre des Tchéco-Slovaques à travers l'histoire, erschien 1916 in Paris.
[4] Vgl. sein nur in Deutsch erschienenes Hauptwerk: Rußland und Europa. Zur russischen Geistesgeschichte (2 Bde. 1913); über seine Stellung zum Panslawismus s. u. a. *J. Matl,* T. G. Masaryk und die Panslawismusfrage, in: Blick nach Osten 1 (1948), S. 25–37.
[5] Über sie in den zwanziger und dreißiger Jahren ein fast unübersehbares, meist panegyrisches Schrifttum. Das Wichtigste bibliographisch erfaßt bei *G. Thunig-Nittner,* Die tschechoslowakische Legion in Rußland. Ihre Geschichte und Bedeutung als polit.-geistiger Faktor bei der Entstehung der Tschechoslowakischen Republik (Diss. 1968, 1969). Ganz ablehnend: *J. Kvasnička,* Československé legie v Rusku 1917–1920 (1963). Die ältere Diss. von *M. Klante* (1931) ist damit überholt.
[6] Außer durch *Kvasnička* besonders scharf *Vl. Vávra,* Klamná cesta; o přípravě a vzniku protisovětského vystoupení čsl. legii (Der trügerische Weg; Vorbereitung und Beginn des antisowjet. Auftretens d. tschsl. Legion; 1958). Weitere negative Wertungen bei *Thunig-Nittner* zitiert.
[7] Der Text am besten zugänglich bei *L. Epstein,* Studien-Ausgabe der Verfassungsgesetze d. Tschechoslowakischen Republik (²1932). S. auch *L. Adamovich,* Grundriß d. tschechosl. Staatsrechts (1929), u. *F. Adler,* Grundriß d. tschechosl. Verfassungsrechtes (1930). *L. Lipscher,* Verfassung u. politische Verwaltung in der Tschechoslowakei 1918–1938 (1979).
[8] Vgl. dazu *F. Hrušovský,* Geschichte der Slowakei (o. J.), S. 142–156; *A. Szana,* Geschichte der Slowakei (1930), S. 207–209; d. Text d. Deklaration v. St. Martin: *V. Chaloupecký,* Zápas o Slovensko 1918 (1930), Kap. 2, sowie die in d. allg. Bibliographie genannten Werke, insbesondere *Mikus.* Zum Pittsburger Vertrag s. *K. Čulen,* Pittsburghska-dohoda (1937), und ders., Slováci v. Amerike. Črty z kultúrnych dějin (1938) sowie: ders., Dejiny Slovákov v Amerike (2 Bde. 1942).
S. auch *L. v. Gogolák,* T. G. Masaryks slowakische u. ungarländ. Politik: Bohemia-Jahrbuch 4 (1963), S. 174–227, u. *Z. Urban,* Der Weg zur Deklaration v. Martin: Acta Univ. Carolin., Bd. 213 (1968), S. 37–72.
[9] Außer den in Anm. 1 genannten Titeln s. *P. Molisch,* Die sudetendeutsche Freiheitsbewegung in den Jahren 1918/19 (1932); *K. Rabl,* Das Ringen um das sudetendeutsche Selbstbestimmungsrecht 1918/19. Materialien u. Dokumente (1958); *E. Franzel,* Sudetendeutsche Geschichte (1958); Dokumente zur sudetendeutschen Frage, hg. v. *E. Nittner*

I. Die Erste Republik (1918-1938)

(^{2}1967); *J. Chmelař,* The German Problem in Cz. (1936); *E. Wiskemann,* Czechs and Germans. A Study of the Struggle in the Historic Provinces of Bohemia and Moravia (1938); *E. Radl,* Der Kampf zwischen Tschechen und Deutschen (1928; tschechische, sehr sachliche Darstellung).
H. Neuwirth, Der Weg der Sudetendeutschen von der Entstehung des tschechoslow. Staates bis zum Vertrag von München, in: Die Sudetenfrage in europ. Sicht (1962), S. 122-179.

[10] Am eingehendsten noch immer *K. Witt,* Die Teschener Frage (1935). Der poln. Standpunkt im Sammelwerk: Polacy w Czechosłowacji w świetle faktów i liczb (Die Polen in der Tschechoslowakei im Lichte von Fakten und Zahlen; 1935). Dagegen *J. Chmelař,* Polska menšina v Československu (1935).
Quelledition für die Regelung der Grenzfragen 1918/19: Boj o směr vývoje československého státu. 1. říjen 1918 - červen 1919, hg. v. *A. Kocman, V. Pletka, J. Radimský, M. Frantisek, L. Urbánková* (1965).

[11] Über diese: *E. Flachbarth:* Die völker- und staatsrechtl. Lage Karpathorußlands: Nation und Staat 2 (1928/29), S. 228-245; *H. Ballreich:* Karpathenrußland. Ein Kapitel tschech. Nationalitätenrechts u. tschech. Nationalitätenpolitik (1938); *R. Martel,* La Ruthénie subcarpathique (1935); Podkarpatská Rus., hg. v. *J. Nečas* u. a. (1923). Offizielle tschechische Darstellung: *K. Krofta,* Karpatho-Ruthenien und die Tschechoslowakei (1934).

[12] Zahlen u. a. bei *E. Hassinger,* Die Tschechoslowakei. Ein geogr., polit. und wirtschaftl. Handbuch (1925); vgl. auch d. Zusatzband I, 2: Československá republika, z. Konversationslexikon Ottův Slovnik Naučný (1931), sowie *A. Bohmann,* Das Sudetendeutschtum in Zahlen (1959); ders., Bevölkerung und Nationalitäten in der Tschechoslowakei, in: »Menschen und Grenzen«, Bd. 4 (1975).
Zum Problem des Nationalitätenstaates s. *H. Münch,* Böhmische Tragödie. Das Schicksal Mitteleuropas im Lichte der tschechosl. Frage (1949); *W. Jaksch,* Europas Weg nach Potsdam. Schuld und Schicksal im Donauraum (^{2}1967), und *Chr. Willars* (Pseud. für *O. Kostrba-Skalický*), Die böhmische Zitadelle. ČSR-Schicksal einer Staatsidee (1965).

[13] Eingehend die Darstellung von *Klepetař;* über die ersten 4 Jahre: *Peroutka* (tschech.; beide Anm. 1). Offiziöse Darstellung: Die Tschechoslow. Republik. Ihre Staatsidee in der Vergangenheit und Gegenwart, hg. v. *J. Malypetr, F. Soukoup, J. Kapras* (2 Bde. 1937); s. auch *F. Borovička,* Ten Years of Czechoslovak Politics (1929), u. *B. Černý,* Wirtschaftl. Voraussetzungen d. tschsl. Politik zwischen den Weltkriegen: Historica 11 (1965), S. 177-215. Zu den Parteien *K. Hoch,* Les partis politiques de la Tchéchoslovaquie (1936). Über die Anfänge der sudetendeutschen Sozialdemokratie vgl. *K. Zessner,* Josef Seliger und die nationale Frage in Böhmen (1976).
Die demokratisch-parlamentarische Struktur der Ersten Tschechoslowakischen Republik, hg. v. *K. Bosl* (1975). Die Erste Tschechoslowakische Republik als multinationaler Parteienstaat, hg. v. *K. Bosl* (1979). Für die ersten 10 Jahre von Bedeutung das von den Präsidenten der Abgeordnetenkammer und des Senats herausgegebene Werk: Národní shromáždění republiky českoslov. v prvém desétiletí (1928).

[14] Über die KPČ s. *P. Reimann,* Geschichte der KP d. Tschsl. (1931); *V. Kopecký,* Třicet let KSČ (1951); Dějiny Komunistické strany Československa (1961); *P. E. Zinner,* Communist Strategy and Tactics in Czechoslovakia 1918-1948 (1963); *H. Kuhn,* Der Kommunismus in der Tschechoslowakei, Bd. I: Organisationsstatuten und Satzungen (1965); ders., Zeittafel zur Geschichte der KPdTsch von den Anfängen der Arbeiterbewegung bis zur Gegenwart (1973). Dokumente: Založení komunistické strany Československa. Sbornik dokumentu 1917-1924 (1954).

[15] Über Švehla (1873-1933) s. *J. Prokeš,* A. Sv. (1936: tsch.); *A. Palecek,* A. S., Czech Peasant Statesman: SlavRev 21 (1962), S. 699-708. Über die sudetendeutschen Aktivisten vgl. *J. W. Brügel,* Ludwig Czech, Arbeiterführer u. Staatsmann (1960); *F. Spina,* Sudetendeutscher Aktivismus: SüddtMhefte 26 (1928/29), S. 86-89; sowie die Erinnerungen v. *E. Paul,* Was nicht in den Geschichtsbüchern steht. Ruhm und Tragik d. sudetendeutschen Arbeiterbewegung, Bd. II: 1914-1938 (1966), und die ihm gewidmete Festschrift: Weg, Leistung, Schicksal. Geschichte der sudetendeutschen Arbeiterbewegung in Wort und Bild (1972).

§ 25 Tschechoslowakei 1918–1968

Allgemeine Darstellung: *J. Křen,* Ceskoslovensko v. obdobé dočasne a relativní stabilisace kapitalismu 1924–1929 (1957).

[16] S. dazu die in Anm. 1 genannten Gesamtdarstellungen sowie in tschechoslow. Sicht d. Sammelband: Slovakia Then and Now. A Political Survey, hg. v. *R. W. Seton-Watson* (1931). Über Hlinka s. *K. Sidor,* A. Hlinka 1864–1926 (1934). *J. Kramer,* Die slowak. autonomist. Bewegung in den Jahren 1918–1929: Historica 7 (1963), S. 115–143; *J. K. Hoensch,* Die Grundlagen des Programms d. Slovakischen Volkspartei: Bohemia 7 (1966), S. 320–356, und die Autobiographie von *V. Šrobár,* Z mojho života (1946).

[17] Die Literatur entstammt meist der Zeit, so *B. v. d. Decken,* Die Wirtschaft d. Tschechoslowakei (1928); *F. Weil, F. Bacher,* Die Wirtschaft der Tschechoslowakei 1918–1928 (1928); *K. Witt,* Wirtschaftskräfte und Wirtschaftspolitik in der Tschechoslowakei (1938).
Zur Finanzpolitik *A. Rašin,* Die Finanz- und Wirtschaftspolitik der Tschechoslowakei (1923).
Zur Agrarreform: *C. Worliczek,* Grundlagen, Grundgedanken und Kritik der tschechoslowakischen Bodenreform (1929); sowie *W. Flöter,* Die Bodenreform in der Tschechoslowakischen Republik: Sammelwerk von *M. Sering* (1930), S. 205–239. Vgl. auch allg.: *F. Seibt,* Zur Sozialstruktur der Ersten ČSR, in: Beiträge z. deutsch-tschechischen Verhältnis im 19. und 20. Jh. (1967), S. 111–125.
Gesamtüberblick: *R. Olšovsky, A. Dobry,* Přehled hospodařskeho vývoje Československa v letech 1918–1945 (1961).

[18] Zur Gründung der KPČ s. *J. Veselý,* O vzniku a založení KSČ (1953). Vgl. auch die offizielle sowjetische Darstellung: Istorija KPČ (1962); *R. Hilf,* Die Stellungnahme der Komintern und der KPČ zur Frage der Deutschen in den Sudetenländern: Bohemia 5 (1964), S. 334–407; *H. Kuhn,* Die Stellung der KPČ zur sudetendeutschen Frage, in: Beiträge z. deutsch-tschechischen Verhältnis (s. Anm. 17), S. 157–175.

[19] Zur Rolle der Legionäre s. d. Anm. 5 genannte Werk v. *G. Thunig-Nittner;* über Gajda: *Fr. Kurfürst,* Radola Gajda–Rudolf Geidl. Legenda a skutečnost (1926). Zu Kramář vgl. *K. Krofta,* Dr. K. Kr.: Prager Rundschau 1 (1931); sowie *H. Lemberg:* K. Kr. und die tschech. Konservativen (in Vorbereitung).

[20] Beste Übersicht von *F. Vondrácek:* The Foreign Policy of Czechoslovakia 1918–1935 (1937); *P. E. Zinner,* The Diplomacy of Ed. Beneš, in: The Diplomats, hg. v. *G. A. Craig* u. *F. Gilbert* (1953), S. 100–123. Über das Verhältnis zu Frankreich: *P. A. Wandycz,* France and her Eastern Allies 1919–1925 (1962).
S. auch *B. Wierer,* Die Voraussetzungen für die Außenpolitik der ersten Tschechoslowakischen Republik: Bohemia 5 (1964), S. 313–333.
A. Gajanová, Entstehung und Entwicklung der internationalen Beziehungen der ČSR: Acta Univ. Carol. Phil et Hist. 2/3 (1968), S. 135–161. *V. Olivová.* Die russische Linie der tschechoslowakischen Außenpolitik (1918–1938), ebd. S. 163–182. Allseitige Beleuchtung in: Gleichgewicht – Revision – Restauration. Die Außenpolitik der Ersten Tschechoslowakischen Republik im Europasystem der Pariser Vorortverträge, hg. v. *K. Bosl* (1976).

[21] Zu Beneš' Rolle in der Kleinen Entente s. vor allem *P. E. Zinner* (s. Anm. 20) und die Biographie von *Papousek* (s. Anm. 3). Kritisch *E. Táborský:* The Triumph and Disaster of E. Beneš: ForAffairs 36 (1958), S. 669–684.

[22] Zu Masaryks politischer Linie s. *E. Czuczka,* Masaryk und die Deutschen (1932), und: Die »Burg«. Einflußreiche politische Kräfte um Masaryk und Beneš, hg. v. *K. Bosl* (2 Bde. 1973 u. 1974).
Ansehen und Autorität des »Präsident Befreiers« hat sich in den fast zwei Jahrzehnten seiner Amtsführung auch auf die von ihm gegründete und repräsentierte Republik übertragen, für deren Stabilität und demokratische Ordnung er eine Garantie zu bieten schien. Trotz seiner toleranten und menschlichen Grundhaltung blieb er aber tschechischer Patriot, zwar mit Verständnis für die Deutschen und Magyaren in seinem Staat, aber ohne sie als voll gleichberechtigt zu werten, wie die Klassifizierung als »Immigranten und Kolonisten« durch ihn zeigte. Innerhalb des Landes war er lange Zeit weniger angesehen als außerhalb, wie die Gegenstimmen bei den Wahlen von 1920 und 1927

zeigten. Erst bei der letzten Wahl im Mai 1934 erhielt er mit fast 78 % der Stimmen einen klaren Vertrauensbeweis. Er starb knapp zwei Jahre nach seinem Rücktritt am 14. IX. 1937 auf seinem Ruhesitz Lana.
Nach der Verdammung durch die tschech. Geschichtsschreibung der Jahre nach 1948 setzte etwa 1965 eine Phase der sachlicheren Beurteilung ein, die aber schon 1968/69 wieder beendet wurde.

[23] Geb. 1870, gest. 1937. Professor an der tschech. Karls-Universität. Wie sein Lehrer Jaroslav Goll vertrat er die historisch-kritische Methode und lehnte die Sinngebung der tschech. Geschichte durch Berufung auf den Hussitismus strikt ab. Sein Wallenstein gewidmetes Hauptwerk (1. Aufl. 1895) erschien erst 1937 in deutscher Übersetzung.
Seine Schrift: Der Sinn der tschech. Geschichte (tschech. 1928; in deutscher Neuauflage 1961; mit Kurzbiographie v. G. *Stadtmüller*); vgl. O. *Pustejovsky*, J. P. (1870–1937). Persönlichkeit und wissenschaftliches Werk: JbbGOsteur 9 (1961), S. 367–398.

[24] Zu den Jungaktivisten außer W. *Jaksch*, Europas Weg (s. Anm. 12), die ihm nach seinem Tode gewidmete Gedenkschrift: W. J., Sucher und Künder, hg. v. K. *Kern* (1967).
W. *Schütz:* Gedanken eines Aktivisten zur Frage der Chancen und Grenzen des Aktivismus, in: Aktuelle Forschungsprobleme um die Erste Tschechoslowakische Republik, hg. v. K. *Bosl* (1969). Zum Problem des »Aktivismus« s. auch J. K. *Hoensch* u. B. *Černý* in dem Sammelwerk: »Das deutsch-tschechische Verhältnis seit 1918« (1969), S. 21–58.

[25] Von der sehr umfangreichen Literatur sei hier außer den Standardwerken von B. *Čelovsky*, Das Münchner Abkommen (1958), H. *Rönnefarth*, Die Sudetenkrise in der internationalen Politik (2 Bde. 1961), und R. G. D. *Laffan*, Survey of International Affairs. The Crisis over Czechoslovakia January to September 1938 (1951), verwiesen auf die Memoiren v. F. v. *Luschka*, Im Parlament der ersten tschechoslowakischen Republik. Erinnerungen eines sudetendeutschen Abgeordneten 1920–1938: Bohemia 4 (1963), S. 228–274, und auf A. *Hencke*, Augenzeuge einer Tragödie. Diplomatenjahre in Prag 1936–1939 (1977); vgl. a. G. *Rhode*, Das Jahr 1938 in der europäischen und deutschen Geschichte, in: Probleme der böhmischen Geschichte (1964), S. 128–145.
S. auch: F. W. *Eßler*, Zwanzig Jahre sudetendt. Verlustbilanz. Dokumente der Entnationalisierung (1938).

[26] Zur Haltung der Sowjetunion in der Sudetenkrise ist eine umfangreiche Untersuchung von I. *Pfaff* in Vorbereitung.

[27] Tschechische Dokumentensammlung: Das Abkommen von München 1938, hg. v. V. *Král* (1968).
Zur Frage der Grenzregelung: E. *Spengler*, Zur Frage des völkerrechtlich gültigen Zustandekommens der deutsch-tschechoslowakischen Grenzneuregelung von 1938 (1967); tschech.: Mnichov v dokumentech (2 Bde. 1958). *Beneš'* Erinnerungen: Mnichovské dny (1968).
Im übrigen wird auf § 6 und die dort in Anm. 75 genannte Literatur verwiesen.

II. Die Zweite Republik (Oktober 1938–März 1939)[1]

Nach dem Münchener Abkommen, das die Gebietsabtretungen nur grundsätzlich, aber nicht dem Umfang nach festgelegt hatte, standen vor der »Regierung der nationalen Konzentration« Syrový folgende Aufgaben: Das Ausmaß der Abtretungen möglichst klein zu gestalten; Slowaken und Karpatho-Ukrainer im gemeinsamen Staat zu halten; dem nationalsozialistischen Deutschland möglichst wenig Angriffsflächen und Eingriffsmöglichkeiten zu bieten. Eine konstruktive Planungspolitik war unter diesen Bedingungen naturgemäß nicht möglich, sondern die Außenpolitik mußte, wie der bisherige Botschafter in Rom und nunmehrige (seit 4. X. 1938) Außenminister František Chvalkovský am 13. X. in Berlin erklärte, um 180 Grad gedreht werden, wollte man nicht die Auflösung riskieren.

§ 25 Tschechoslowakei 1918–1968

Die Beschränkung der Abtretungen gegenüber Deutschland gelang angesichts harter deutscher Verhandlungstaktik nicht. Die Abtretungen wurden am 21. XI. 1938 auf rund 29 000 km² mit rund 3 400 000 Einwohnern festgelegt, unter ihnen etwa 700 000 Tschechen; auf die vorgesehenen, zunächst auch für die Sprachinsel Iglau geforderten Abstimmungen wurde verzichtet².

Polen, das neben dem Olsagebiet³ auch Grenzkorrekturen in den Bezirken Zips und Arwa verlangt hatte, setzte am 1. XI. die Abtretung von knapp 1000 km² mit etwa 200 000 Einwohnern durch, von denen nach tschechischer Darstellung über 120 000, nach polnischer 70 000 Tschechen waren. Wirtschaftlich besonders spürbar war hier der Verlust der Kohlevorkommen von Karwin.

Mit Ungarn führten die am 9. X. in Komorn a. d. Donau geführten Verhandlungen zu keinem Ergebnis, doch wurde nicht, wie in München vorgesehen, der Internationale Ausschuß herangezogen, sondern ein am 2. XI. in Wien zusammentretendes deutsch-italienisches Schiedsgericht, das das an Ungarn abzutretende Gebiet im »Ersten Wiener Schiedsspruch«⁴ auf 12 400 km² mit über einer Million Einwohner festlegte, wobei Kaschau und die karpatho-ukrainischen Städte Užhorod-Ungvár und Mukačevo-Munkács an Ungarn fielen. 200–300 000 Slowaken kamen damit unter ungarische Herrschaft. Insgesamt hatte der Staat über 42 000 km² und fast 5 Millionen Einwohner verloren und umfaßte nur noch rund 100 000 km² mit knapp 10 Millionen, also eine respektable Mittelgröße, aber die schon vorher ungünstige Grenzfiguration war nun katastrophal, und wichtige Verbindungslinien von West nach Ost lagen nicht mehr innerhalb der Grenzen.

Gleichzeitig erfolgte die föderative Umgestaltung de facto durch die Bildung einer eigenen slowakischen Landesregierung unter Hlinkas Nachfolger Josef Tiso (1887–1947), der gleichzeitig als Minister für die Slowakei in die Regierung Syrový eintrat. Nur Außenpolitik, Verteidigung und Finanzen sollten der Zentralregierung in Prag vorbehalten bleiben. Slowakische Volkspartei, Slowakische Nationalpartei und slowakischer Flügel der Agrarpartei vereinigten sich am 6. X. zur »Slowakischen Front«, die den Charakter einer Staatspartei annahm.

In der Karpatho-Ukraine⁵ wurde ebenfalls eine Landesregierung unter Brody gebildet, der aber wegen des Verdachts hochverräterischer Beziehungen zu Ungarn am 26. X. verhaftet wurde. Die am 6. XI. neugebildete Landesregierung unter Msgr. Augustin Vološyn mußte ihren Sitz in Chust nehmen, da Užhorod-Ungvár durch den Wiener Schiedsspruch an Ungarn gefallen war. Diese faktische Umgestaltung der Tschechoslowakischen Republik in eine föderative Tschecho-Slowakische Republik wurde am 19. XI. 1938 durch zwei Autonomiegesetze (für die Slowakei und die Karpatho-Ukraine, wie sie nunmehr auch offiziell hieß) auch rechtlich festgelegt. Das Ukrainische wurde in der Karpatho-Ukraine als Amts- und Unterrichtssprache eingeführt, und für die Slowakei wurde die Fiktion einer einheitlichen tschechoslowakischen Sprache mit zwei Zweigen aufgegeben.

Nach Beneš' Rücktritt hatte die Regierung Syrový die Funktionen des Staatsoberhaupts ausgeübt. Am 30. XI. wurde zum neuen Präsidenten ein der Politik bisher fernstehender Jurist, der 66jährige Präsident des Obersten Verwaltungsgerichtshofs Emil Hácha (1872–1945) gewählt, welcher den Agrarier Rudolf Berán mit der Neubildung der Regierung betraute, in der Syrový wieder das Verteidigungs- und Chvalkovský das Außenministerium übernahm.

Damit war der Umbau vollzogen, den Zentrifugaltendenzen der Slowaken und Ukrainer zunächst ein Riegel vorgeschoben, hier unterstützt von der Reichspolitik, die zu diesem Zeitpunkt für den Zusammenhalt der drei Teile war, bis sich

II. Die Zweite Republik (Oktober 1938–März 1939)

die Gelegenheit für die von Hitler geplante »Erledigung der Rest-Tschechei«[6] ergeben würde.

Das »Wohlverhalten« gegenüber Berlin wurde von den Regierungen Syrový und Berán durch vorsichtige Übernahme deutscher Vorbilder praktiziert, so durch die Einstellung der Tätigkeit der KPČ am 21. X., ihre Auflösung am 23. XII. und durch ein am 14. XII. beschlossenes Ermächtigungsgesetz für die Regierung Berán sowie durch die Entlassung von Juden aus dem öffentlichen Dienst und aus Industrie- und Bankunternehmungen. Die am 18. XII. in der Slowakei und am 12. II. 1939 in der Karpatho-Ukraine mit jeweils nur einer Partei (der »Slowakischen Front« und der »Ukrainischen Nationalen Vereinigung«) durchgeführten Wahlen ergaben nach reichsdeutschem Vorbild uniforme Landesparlamente, während in Böhmen-Mähren zwei Parteien gebildet wurden: die sich im wesentlichen aus Agrariern, Volkspartei und Nationaldemokraten rekrutierende »Partei der Nationalen Einheit« als Regierungspartei und die als Opposition fungierende, überwiegend sozialistisch orientierte »Nationale Partei der Arbeit« unter dem Sozialdemokraten Antonín Hampl, nachdem die bisherigen Parteien am 11. XI. aufgelöst worden waren.

Trotzdem und trotz weitgehender wirtschaftlicher Bindungen an das Deutsche Reich wurde Chvalkovský am 21. I. 1939 in Berlin mit schweren Vorwürfen und neuen Forderungen Hitlers wie Ribbentrops konfrontiert, die praktisch auf eine völlige Unterwerfung abzielten und den im Restgebiet lebenden Deutschen die Stellung eines Staates im Staate gesichert hätten[7]. Die in München vorgesehene Grenzgarantie wurde nicht gegeben.

Die Gelegenheit zum gewaltsamen Eingreifen Hitlers wurde nicht durch tschechischen Widerstand gegen dessen Wünsche (durch Dekret vom 2. II. 1939 waren vielmehr die deutschen Emigranten praktisch unter Sonderrecht gestellt worden), sondern durch einen Konflikt zwischen Prag und Preßburg geboten, wo auch innerhalb der Slowakischen Front Auffassungsunterschiede zwischen Separatisten und Vertretern des föderativen Systems bestanden. Um erstere auszuschalten und letztere zu stärken, verfügte Hácha am 9. III. die Absetzung der Regierung Tiso, die Entwaffnung der Hlinkagarde und die Einsetzung einer Interimsregierung unter Karol Sidor, zweifellos in übereilter Schärfe, ohne die möglichen Rückwirkungen in Berlin und Preßburg zu sondieren. Das gab Hitler, der vorher den Slowaken nur wenig Interesse entgegengebracht hatte, die Möglichkeit, Tiso zum 13. III. nach Berlin zu rufen und ihn zur Ausrufung einer unabhängigen Slowakei aufzufordern[8], was am folgenden Tage geschah. Gleichzeitig erklärte Vološyn die Unabhängigkeit der Karpatho-Ukraine und erbat den Schutz des Deutschen Reiches, das jedoch schon am 12. III. der ungarischen Regierung freie Hand für die Besetzung und Einverleibung des Landes gegeben hatte, die ab 15. III. auch erfolgte[9].

Hácha wurde am 14. III. nach Berlin gerufen, wo der herzkranke Mann in einer Nachtsitzung zu der Erklärung gezwungen wurde, er lege »das Schicksal des tschechischen Landes und Volkes vertrauensvoll in die Hände des Führers«[10]. Schon vorher hatten deutsche Truppen, um polnischen Ambitionen zuvorzukommen, das Industriegebiet von Ostrau besetzt; am 15. III. marschierten sie, ohne daß es zu Zwischenfällen kam, in das gesamte übrige Staatsgebiet ein. Hitler traf am 16. III. noch vor Hácha in Prag ein und unterzeichnete dort den »Erlaß über das Protektorat Böhmen und Mähren«[11], der ihn zur alleinigen Rechtsquelle und Autorität machte, dem Quasi-Staatsgebilde aber einen Präsidenten und eine Regierung unter einem »Reichsprotektor« beließ.

Für die folgenden sechs Jahre gibt es keine zusammenhängende Entwicklung der Tschechoslowakei, sondern eine dreifache: die des Protektorats, die des selbständigen Schutzstaates Slowakei und die der Emigration und der Exilregierung, während die der nicht mehr in den 1945 wiedererstandenen Staatsverband zurückkehrende Karpatho-Ukraine außerhalb der Betrachtung gelassen werden kann.

[1] Die Literatur über diesen kurzen Zeitraum bezieht zum Teil auch die Zeit des Protektorats ein.
Einen Überblick bieten: *H. Schiefer*, Deutschland und die Tschechoslowakei vom September 1938 bis März 1939: ZOstforsch 4 (1955), S. 48–66 (aufgrund einer Göttinger Dissertation von 1953); *M. Hájek*, Od Mnichova k 15. březnu (1959).
H. Bodensieck, Die Politik des Prager Kabinetts Berán der Zweiten Tschecho-Slowakischen Republik (Diss. 1956); s. a. die Beiträge des Vfs. in: ZOstforsch 6 (1957), S. 54–71; ZOstforsch 10 (1961), S. 462–476; ZOstforsch 16 (1967), S. 79–101.
Besonders bemerkenswert die Erinnerungen des Ministers *L. Feierabend*, In den Regierungen der Zweiten Republik. Deutsche Fassung im Sammelband 1 seiner Erinnerungen: Prag – London vice-versa (2 Bde. 1971–1973), hier: Bd. 1, S. 19–102, Vorwort und Einleitung v. *G. Rhode* u. *H. Kuhn*.
S. auch die Berichte von *G. F. Kennan:* From Prague after Munich. Diplomatic Papers 1938–1940 (1968). Sehr einseitig *V. Král:* Otázky hospodářského a sociálního vývoje v českých zemiech v letech 1938–1945 (3 Bde. 1957–1959). S. auch *Th. Procházka*, in: Hist. of the Czechosl. Republic, S. 255–270.
[2] Vgl. *J. Janák*, Die deutsche Bevölkerung der »Iglauer Sprachinsel« zwischen München u.d. 15. März 1939, in: Sborn. pracé filos. fak. Brněnské Univ. 14 (1965), S. 123–162.
Zur Grenzziehung s. *T. Procházka*, The Delimitation of Czechoslovak-German Frontiers after Munich: JournCentrEurAff 21 (1961), S. 200–218.
Zur Emigration: *E. de Witte*, Die sudetendeutsche Emigration 1938, in: Die Deutschen in Böhmen und Mähren (s. I, Anm. 1), S. 373–379.
[3] Zur polnischen Haltung u. a.: *S. Stanisławska*, Polska i Monachium (1967); *K. Piwarski*, Polsko a Mnichov: Slovanské historické studie 5 (1963), S. 207–219; s. auch *H. Roos*, Polen und Europa (1957), S. 324 ff. – Das olsa-schlesische Gebiet wurde 1938/39 als »ziemie odzyskane« (= wiedergewonnene Gebiete) bezeichnet, so wie nach 1945 die Ostgebiete des Deutschen Reiches.
[4] Zu d. ungar. Revisionsansprüchen u. ihrem Erfolg s. *J. K. Hoensch*, Der ungar. Revisionismus u. d. Zerschlagung der Tschechoslowakei (1967); Slowak.: *F. Vávra*, *J. Eibel*, Viedenská arbitráž-dosledok Mnichova (1963).
[5] Nur ganz kurzfristig, im Herbst 1938, wurden deutscherseits die Selbständigkeitsbestrebungen der Karpatho-Ukraine unterstützt, da diese ein Piemont für einen aus Polen und der Sowjetunion herauszulösenden ukrain. Staat hätte bilden können, doch fiel diese Konzeption sowohl den ungar. Bestrebungen als auch d. Tatsache zum Opfer, daß die Karpatho-Ukraine nur eine ganz dünne Intelligenzschicht hatte. S. dazu nunmehr *P. R. Magocsi*, The Shaping of a National Identity. Subcarpathian Rus' 1848–1948 (1978), S. 237–249, mit umfangr. Bibliographie.
[6] S. dazu die in Anm. 1 genannten Arbeiten von *Schiefer* u. *Bodensieck;* vom letzteren außerdem: Zur Vorgeschichte des »Protektorats Böhmen und Mähren«: GWU 19 (1968), S. 713–732.
S. auch *A. Fichelle*, La crise interne de la Tchécoslovaquie... vue de Prague par des observateurs étrangers: RevHistII^{me} Guerre Mond 52 (1963), S. 21–38.
[7] Im Prager Parlament verblieben noch neun deutsche Abgeordnete, von denen fünf den nationalsozialistischen, vier den sozialdemokratischen »Klub« bildeten. Die Gesamtzahl der Deutschen in dem Gebiet d. »Zweiten Republik« betrug rd. 480 000. Bericht über die Unterredung am 21. I. 39 in: ADAP, Ser. D, Bd. IV, Nr. 158 und 159, S. 167–177.
[8] Eingehend dazu *J. K. Hoensch*, Die Slowakei und Hitlers Ostpolitik. Hlinkas Slowakische Volkspartei zwischen Autonomie u. Separation (1965). Auch *M. St. D'urica*, La Slovacchia e le sue relazioni politiche con la Germania 1938–1945 (1964).
[9] *S. Hoensch*, Revisionismus (Anm. 4), *Magocsi* (Anm. 5), S. 246–249. S. auch *C. A. Ma-*

cartney, October Fifteenth, a History of Modern Hungary, Bd. I (1956), S. 329–342.
[10] S. d. Aufzeichnungen in: ADAP, Ser. D, Bd. IV, S. 229–235.
[11] Veröffentlicht im Reichsgesetzblatt 1939, Teil I, Nr. 47, S. 485–488.
Im Verordnungsblatt des Reichsprotektors Nr. 2, 1939 (dt. und tschech.) und in: Sbirka zákonů i nařízení 1939, Nr. 28 (tschech.).

III. Die Tschechoslowakei im II. Weltkrieg

a) Das Protektorat Böhmen und Mähren[1]

Von den drei Bereichen, in denen sich die Geschichte der Tschechoslowakei in den Jahren von 1939 bis 1945 abspielte, verdient das Protektorat vorrangige Behandlung, weil es das Kerngebiet des alten wie des neuen Staates bildete und weil mit ihm das Schicksal der weit überwiegenden Mehrheit des tschechischen Volkes verbunden war. Schon in den ersten Monaten nach dem 15. III. 1939 gab es hier auch eine politische Willensbildung, die sich in der Emigration erst wesentlich später vollzog. Hier wurde auch, bevor sich die Emigration unter Beneš formierte, die Tradition des untergegangenen Staates fortgesetzt, während die Slowakei bewußt und betont etwas Neues darstellen wollte.

Der für die Eigenständigkeit des »Reichsprotektorats« gegebene Rahmen war durch den Führererlaß vom 16. III. 1939 sehr eng gezogen, da der Reichsprotektor, seit dem 18. III. der frühere Reichsaußenminister Konstantin Freiherr v. Neurath, praktisch unbegrenzte Eingriffsmöglichkeiten hatte (Art. 5) und der Staatspräsident Hácha des Vertrauens des Reichskanzlers bedurfte (Art. 4), von diesem also auch abgesetzt werden konnte. Die Praxis der deutschen Herrschaftsausübung schränkte die ohnehin geringen Möglichkeiten der Autonomie noch weiter ein. Die rechtliche Trennung der tschechischen Einwohner des Protektorats von den Deutschen, die allein Reichsbürger werden konnten, machte aus den ersteren Personen minderen Rechtes. Sie hatten freilich den Vorzug, daß sie, anders als die Slowaken oder die Staatsbürger mit dem Reich verbündeter Staaten, nicht zum Heeresdienst eingezogen wurden und daß die Alliierten bis unmittelbar vor Kriegsende das Protektoratsgebiet nicht in vollem Umfang als feindliches Territorium betrachteten, so daß es nahezu völlig von Bombenangriffen verschont blieb.

Das vorsichtige Sichanpassen an die Forderungen und Bedingungen des Dritten Reiches, das die Protektoratsregierung wie die Mehrheit der Bevölkerung praktizierten, bewirkte jedenfalls, daß sich auch die Verluste der tschechischen Bevölkerung in Grenzen hielten und weit niedriger waren als in den vom Krieg und Widerstandsaktionen betroffenen Gebieten anderer im Verlauf des Krieges besetzter Länder, einschließlich der Slowakei. (Das gilt natürlich nicht für den jüdischen Bevölkerungsteil.)

Das weltweites Aufsehen erregende Attentat gegen den Stellvertretenden Reichsprotektor Reinhard Heydrich vom 27. V. 1942 und die ihm folgenden Vergeltungsmassaker in Lidice und Ležaky, die vor allem dem Namen Lidice Symbolcharakter gaben, können nicht vergessen machen, daß Attentate, Sabotage und bewaffneter Widerstand im Protektorat zu den Ausnahmen gehörten und das tägliche Leben nicht ebenso prägten wie zeitweilig im Generalgouvernement Polen.

Die Geschichte des Protektorats läßt sich in vier Abschnitte gliedern: Die Periode der vorsichtigen Angleichung vom März bis November 1939; die Zeit der harten Maßnahmen gegen die Intelligenz, aber relativer Ruhe im allgemeinen, vom November 1939 bis September 1941; die Herrschaft von Reinhard Heydrich mit den Versuchen der Aufspaltung, September 1941 bis 27. V. 1942; die sowohl von Terrormaßnahmen wie von den Notwendigkeiten der Kriegswirtschaft beeinflußte Endphase.

In der ersten Periode setzten Präsident Hácha und die Regierung, an deren Spitze am 27. IV. General Alois Eliáš trat und in die mehrere Mitglieder der Regierung Berán eintraten, ihre Politik des Wohlverhaltens bei gleichzeitiger vorsichtiger Verbindung zu den Westmächten und zur Emigration fort. Die Umgestaltung des öffentlichen Lebens wurde durch die Auflösung des Parlaments (21. III.), durch die Einstellung der Tätigkeit der beiden Sammelparteien (Anfang April) und die Gründung einer Sammlungsbewegung, der »nationalen Volksgemeinschaft« weitergeführt. An ihre Spitze trat ein in Umfang und Zusammensetzung mehrfach veränderter Nationalausschuß *(Národní výbor);* die örtlichen und überlokalen Gremien wurden nach dem Führerprinzip geleitet, wobei besonders die Agrarier, aber auch Sozialdemokraten, Berücksichtigung fanden. Die »Volksgemeinschaft«, die neben einem scharfen Antisemitismus ein verschwommenes Programm nationaler Solidarität und eines organischen Aufbaus vertrat, erfuhr kaum Förderung durch die NSDAP, die zunächst die faschistische Gruppe des Generals Gajda, dann eine kleinere rechtsradikale Gruppe, die »Flagge« *(vlajka)* unterstützte. Beide erlangten aber keinen größeren Einfluß, und Gajda zog sich völlig zurück.

Von der so organisierten tschechischen Bevölkerung wurde die nur etwa 3,5 % (262 000) der rund 7,5 Millionen Einwohner des Protektorats ausmachende deutsche Bevölkerung nicht nur durch die Zuerkennung der Reichsbürgerschaft, sondern auch durch besondere Gerichtsbarkeit und durch eine in zehn »Oberlandratsämter« gegliederte eigene Verwaltung abgehoben, während die jüdische Bevölkerung unter Ausnahmerecht gestellt wurde, das ihr die Verfügung über Vermögen und Betriebe entzog. Hier verweigerte die Regierung ihre Mitwirkung, so daß die entsprechende Verordnung am 21. VI. 1939 vom Reichsprotektor unmittelbar erlassen wurde. Schon am 7. VI. hatte Hitler ihm das Recht verliehen, auf dem Verordnungswege »das autonome Recht zu ändern«.

Wirtschaftlich machte sich die Angliederung an das Reich vor allem im raschen Absinken der in der Ära der Zweiten Republik angestiegenen Arbeitslosigkeit bemerkbar. Schon im Juli 1939 gab es keine Arbeitslosen mehr, und zahlreiche tschechische Arbeiter gingen ins Reich, zu dieser Zeit noch ohne Zwangsverpflichtung. Die Einrichtung einer Arbeitsdienstpflicht von einem Jahr nach reichsdeutschem Vorbild (25. VII. 1939) gab zusätzliche Möglichkeiten sowohl der Arbeitsbeschaffung wie der Disziplinierung.

Die tschechische Bevölkerung bemühte sich, ihrer Abneigung gegen die deutsche Besatzung durch gewaltlose Demonstrationen, wie durch Boykott der Straßenbahnen am ersten Jahrestag des Münchner Abkommens (30. IX.), Ausdruck zu verleihen. Bei ähnlichen Demonstrationen am Tag der Unabhängigkeitserklärung von 1918, am 28. X., kam es zu Zwischenfällen, in deren Verlauf ein tschechischer Student in Prag tödlich verwundet wurde. Sein einige Tage später eingetretener Tod und seine Beisetzung am 15. XI. gaben Veranlassung zu neuen, wiederum gewaltlosen, aber betont tschechisch-nationalen Demonstrationen. Diese nahm der Staatssekretär beim Reichsprotektor, der frühere SdP-Abgeordnete K. H. Frank, in Neuraths Abwesenheit zum Anlaß für ein überaus hartes Vorgehen gegen die Studenten, von denen am 17. XI. über 1 800 verhaftet und neun erschossen wurden, unter ihnen auch der Vorsitzende der studentischen Gruppe innerhalb der »Volksgemeinschaft«[2]. Gleichzeitig ließ Hitler alle tschechischen

III. Die Tschechoslowakei im II. Weltkrieg

Universitäten und Hochschulen für drei Jahre, praktisch bis 1945, schließen, die Professoren mit Ausnahme der Mediziner in den Wartestand versetzen, die Studenten zum Arbeitseinsatz schicken. Dieser der deutschen Öffentlichkeit unbekannt bleibende Schlag gegen die tschechische Intelligenz vernichtete die in den ersten Monaten des Protektorats noch von manchen tschechischen Politikern gehegte und verbreitete Hoffnung auf eine in bescheidenen Grenzen günstige Entwicklung und vermehrte den Widerstandswillen. Die deutsche Politik, nach dem Sieg über Polen nicht mehr auf eine Gewinnung von Verständnis ausgerichtet, betrieb nun eine Differenzierung in mehrere Klassen: Während die tschechischen Bauern bei Einhaltung der Ablieferungspflichten verhältnismäßig gut, die Arbeiter und kleinen Beamten bei hohen Arbeitsanforderungen erträglich leben konnten, wurde die Intelligenz deklassiert und durch Verhaftungswellen verängstigt.

In den folgenden zwei Jahren relativer Ruhe verdichteten sich die Verbindungen zwischen Emigration und Protektoratsregierung, von der Minister Ladislav Feierabend im Januar 1940 über die Slowakei und Ungarn nach London flüchten konnte, wo er im Juli in die dort neugebildete Exilregierung Šrámek eintrat. Beiderseits war man aber bemüht, einen Bruch zu vermeiden, obwohl im Winter 1939/40 mehrere Mitglieder der Widerstandsorganisation *Obrana Národa* verhaftet worden waren. Auch als nach der Niederlage Frankreichs Unterlagen über die Verbindungen des Ministerpräsidenten Eliáš zum Widerstand im Ausland gefunden wurden und Frank einen Befehl Hitlers zur Verhaftung von Eliáš erwirkte, konnte der auf Ausgleich bedachte Neurath die Zurücknahme erwirken.

Im allgemeinen wurde die Linie verfolgt, daß die administrativen Handhaben für Maßnahmen gegen die tschechische Bevölkerung vermehrt und verstärkt wurden, daß aber nur geringer Gebrauch von ihnen gemacht wurde, mit dem Neurathschen Grundgedanken, daß eine »weiche« Politik gegenüber den Tschechen der Kriegführung und den Reichsinteressen mehr diene als ein hartes Vorgehen.

Im Herbst 1941 entschloß sich Hitler, der tschechischen Politikern auch schon mit schärfsten Maßnahmen gedroht hatte, zu einer radikalen Kursänderung, die dem nach Berlin zitierten Neurath am 23. IX. kategorisch mitgeteilt wurde. Auf seinen Widerspruch hin erhielt er nicht die erbetene Entlassung, sondern am 27. IX. eine Beurlaubung »krankheitshalber«, ohne die Funktion jemals wieder auszuüben. Zum Stellvertretenden Reichsprotektor wurde Reinhard Heydrich ernannt, der für mehrere Oberlandratsbezirke sofort den Ausnahmezustand verkünden und Eliáš verhaften ließ. Obwohl das vorhandene Material gegen ihn dürftig war, wurde er am 1. X. 1941 in einer Sondersitzung des Volksgerichtshofs, also unter Ausschaltung geltenden Rechts, zum Tode verurteilt. Von Standgerichten wurden bis Ende November über 400 Personen zum Tode verurteilt, die in irgendeiner Weise mit dem Widerstand in Verbindung gebracht werden konnten. Erst die Aufhebung des Ausnahmezustandes am 1. XII. brachte eine gewisse Beruhigung; die Regierung wurde aber erst am 19. I. 1942 mit dem Ministerpräsidenten Jaroslav Krejčí neu gebildet, wobei drei Ministerien zusammengelegt und einem Deutschen übertragen wurden. Sie war nunmehr lediglich ausführendes Organ des Stellvertretenden Reichsprotektors, ohne die Möglichkeit, tschechische Interessen zu wahren. Auch der Versuch der Umerziehung durch die »Volksgemeinschaft« wurde mit der Auflösung des Leitungsorgans, des *Národní Výbor,* im Frühjahr 1942 aufgegeben; die »Volksgemeinschaft« selbst bestand nur noch theoretisch weiter.

Die harte Herrschaft Heydrichs, die gleichzeitig materielle Verbesserungen für die Arbeiterschaft brachte, erregte Besorgnisse in der Emigration, die auch be-

§ 25 Tschechoslowakei 1918–1968

fürchten mußte, daß die Tschechen in der Weltöffentlichkeit als Kollaborateure angesehen wurden. Seit Dezember 1941 wurden deshalb Einzelkämpfer der Exilarmee als Fallschirmspringer abgesetzt, die ein Attentat gegen Heydrich[3] vorbereiteten und am 27. V. 1942 trotz der vom Untergrund wegen der zu erwartenden Folgen geäußerten Bedenken auch ausführten. Heydrich, auf eigenen Wunsch nur ungenügend gesichert, wurde tödlich verletzt und starb am 4. VI. Auf unmittelbare Weisung Hitlers wurden unter Heydrichs Nachfolger, dem Polizeigeneral Kurt Daluege, schärfste Terrormaßnahmen ergriffen, von denen die Zerstörung der Dörfer Lidice und Ležáky, in denen die Attentäter angeblich Unterstützung gefunden hatten, die härteste und spektakulärste war. Die Attentäter und ihre Helfer, in einer Prager Kirche versteckt, wurden erst am 18. VI. entdeckt und fielen im Kampf, so daß ein Strafprozeß mit weiteren Folgeerscheinungen ausblieb. Insgesamt wurden über tausend Personen ohne Gerichtsverfahren erschossen.

Weitere Attentate oder Sabotageakte größeren Umfangs unterblieben angesichts der zu erwartenden Repressalien. Die folgenden Jahre bis zum Kriegsende waren durch die immer intensivere deutsche Einflußnahme und Kontrolle einerseits und durch Attentismus der tschechischen Bevölkerung andererseits gekennzeichnet. An der Spitze wurde das im Herbst 1941 geschaffene Provisorium erst am 25. VIII. 1943 beendet, als an die Stelle des beurlaubten v. Neurath der bisherige Innenminister Wilhelm Frick zum Reichsprotektor und K. H. Frank zum Staatsminister ernannt wurde, was seinen bisherigen großen Einfluß noch verstärkte.

Der Druck der sich verschlechternden Kriegslage und die Notwendigkeit, die deutschen Dienststellen personell zu verkleinern, ließen aber in den unteren und mittleren Bereichen die tschechische Verwaltung bestehen. Nach den massiven Unterdrückungsmaßnahmen und der Verschickung von zwangsweise rekrutierten Arbeitskräften ins Reichsgebiet im Herbst 1943 konnten Versuche Franks, die tschechische Bevölkerung durch Stiftung eines »Ehrenschildes« für das Reich zu gewinnen (Juni 1944), keinerlei Erfolg mehr haben. Im August 1944 wurde auch im Protektorat die Einführung des »totalen Kriegseinsatzes«, durch die alle nicht unmittelbar kriegswichtigen Tätigkeiten eingeschränkt wurden, verfügt. Der Aufstand in der Slowakei fand jedoch keinen spürbaren Widerhall, ebensowenig wie die im Dezember 1943 in Beantwortung des von der Exilregierung mit der Sowjetunion geschlossenen Bündnisses gegründete »tschechische Liga gegen den Bolschewismus«.

Im Winter 1944/45, als sich der Zusammenbruch der deutschen Front abzeichnete, bildete das Protektorat trotz einiger Luftangriffe auf Prag noch ein Residuum der Kriegswirtschaft und verhältnismäßig ungestörten Lebens. Die tschechische Bevölkerung war sich darüber im klaren, daß ein frühzeitiger Aufstand nur vermeidbare Verluste mit sich bringen könnte, und Frank wie der letzte Ministerpräsident der Protektoratsregierung Bienert gaben sich der Illusion hin, sie könnten ein verhältnismäßig unversehrtes Gebiet direkt der amerikanischen Armee übergeben. Die ersten Maitage 1945 zerstörten diese Illusionen.

b) Die Slowakei[4]

Während das Protektorat Böhmen und Mähren schon in den ersten Monaten seines Bestehens völlig unter deutscher Vorherrschaft stand, die sich seit dem November 1939 ständig verschärfte, genoß die am 14. III. 1939 als neuer Staat ausgerufene Slowakei trotz überragenden deutschen Einflusses eine erhebliche Selbständigkeit, die den einzelnen Bürger die Abhängigkeit vom Dritten Reich kaum spüren ließ. Eine geschickte Politik der durchaus nicht generell als »faschistisch«

einzuordnenden neuen Führung mit dem Präsidenten Tiso an der Spitze sowie eine gewisse Zurückhaltung deutscherseits machten das kleine, weltpolitisch unbedeutende Land zeitweilig zu einem Refugium für Verfolgte und bis 1944 zu einem Bereich materiellen Wohlergehens, das nicht einmal durch den Aufstand im Spätsommer 1944 wesentlich reduziert wurde. Diese Erfahrungen bewirken, daß die Kriegsjahre in der Slowakei neben negativen auch vielfach positive Assoziationen erwecken, denn die Erinnerung an die Selbständigkeit, den spürbaren Wohlstand inmitten einer vom Kriegsgeschehen immer stärker nachteilig beeinflußten Umwelt und an relative politische Stabilität überlagern oft die negativen Erfahrungen mit der deutschen Schutz- und schließlich Besatzungsmacht.

Schon bei der Regierungsbildung am 14. März war Tiso geschickt genug, auch Männer zu berufen, die nicht zur Unabhängigkeit gedrängt hatten, wie den unmittelbar vorher von Hácha eingesetzten Karol Sidor[5] und den Kriegsminister Čatloš, und somit möglichst alle Gruppen mit Ausnahme der Kommunisten zu berücksichtigen.

Der junge Staat hatte außenpolitisch vor allem sein Verhältnis zum Deutschen Reich, der »Schutzmacht«, und zu Ungarn zu regeln, das bestrebt war, seine Erwerbung der Karpatho-Ukraine durch slowakisches Gebiet zu vergrößern und von dem befürchtet wurde, es habe Aspirationen auf die ganze Slowakei. Da Hitler am 12. II. Tuka gegenüber selbst erklärt hatte, er habe bis zum September 1938 die Rückkehr der Slowakei zu Ungarn für richtig gehalten, waren derartige, derzeit freilich unberechtigte Befürchtungen verständlich, zumal ja ein erneuter Sinneswandel Hitlers möglich war. Die Slowakei mußte also durch vorsichtiges Lavieren zwar die Wünsche des Dritten Reiches soweit erfüllen, daß diesem die Erhaltung des Staates günstiger erschien als die Überantwortung an Ungarn, gleichzeitig aber ein möglichst hohes Maß an Selbständigkeit vor allem in der inneren Gestaltung bewahren, die dem betonten Katholizismus Tisos und von 80 % der Bevölkerung Rechnung trug. Dieses Lavieren wurde dadurch erleichtert, daß die Reichspolitik zumindest in der Anfangsphase in der Slowakei eine »Visitenkarte« für die kleinen Staaten und Völker Südosteuropas sah, die als Muster für die »neue Ordnung« und als Beispiel für die Großzügigkeit des Großdeutschen Reiches im Umgang mit kleinen Völkern gelten konnte.

Mit dem Deutschen Reich wurde am 18. III. ein Schutzvertrag[6] geschlossen, durch den das Reich sich zu einer Garantie der Integrität des Staatsgebietes verpflichtete, dessen Grenzen im Osten aber nur ungenau angeführt wurden. Die Slowakei verpflichtete sich dagegen, die Außenpolitik und den Heeresaufbau nur »in engem Einvernehmen« mit dem Reich zu betreiben, und gestand der Wehrmacht die Besetzung einer »Schutzzone«[7] im Westen des Staatsgebietes zu. Gleichzeitig wurde enge finanzielle und wirtschaftliche Zusammenarbeit, jedoch keine Zollunion vereinbart.

Mit Ungarn kam es sofort zu einem Konflikt, da dessen Truppen über die Ostgrenze der Slowakei, den Ung-Fluß, nach Westen vordrangen, so daß auch Kampfhandlungen stattfanden. Unter dem Druck des Reiches, das den gerade übernommenen »Schutz« somit in eigenartiger Weise praktizierte, wurde Ende März in Budapest über Gebietsabtretungen an Ungarn verhandelt, die am 31. III. auf etwa 1 000 km^2 mit 30–40 000 meist ukrainischen Einwohnern festgelegt wurden, einschließlich der wichtigen, am Ung-Fluß verlaufenden Bahnlinie[8]. Die dadurch getrübten Beziehungen zu Ungarn blieben gespannt, insbesondere wegen der ungleichmäßigen Behandlung der beiderseitigen nationalen Minderheiten und wegen der Nichtberücksichtigung slowakischer Forderungen auf Grenzrevision. Erst das Kriegsende gab der nunmehr erneut in die Tschechoslo-

wakei integrierten Slowakei die Verluste von 1938 und 1939 wieder zurück.
Trotz der eingeschränkten Souveränität erlangte der slowakische Staat die formelle Anerkennung zahlreicher Staaten, auch solcher, die nicht mit den »Achsenmächten« verbündet waren, wie der Schweiz (19. IV.), Spaniens (25. IV.), Schwedens (26. VII.), allen voran Polens (16. III.). Die Westmächte fanden sich durch Ernennung konsularischer Vertreter zu einer Anerkennung de facto bereit, und die Sowjetunion entsandte am Tage ihres Einmarsches in Ostpolen, am 17. IX. 1939, einen Gesandten, während sie gleichzeitig dem bisherigen tschechoslowakischen Gesandten Zdeněk Fierlinger das Agrément entzog. Die sowjetische Gesandtschaft wurde in den anderthalb Jahren bis zum 22. VI. 1941 ungewöhnlich stark besetzt.

Einen ersten Nutzen aus dem Schutzverhältnis zog die Slowakei aus dem bei der Bevölkerung unpopulären Krieg gegen Polen. Für die deutschen Operationen war es von großem strategischem Vorteil, daß die Slowakei unter dem Vorwand, es müsse mit polnischen Unternehmungen gegen die slowakische Grenze gerechnet werden, als Aufmarschgebiet für die 14. Armee genutzt werden konnte. Die gleichzeitige Befehlsübernahme über das noch im Aufbau befindliche slowakische Heer, das eigentlich nicht außerhalb der Landesgrenzen eingesetzt werden sollte, führte angesichts des raschen deutschen Vormarsches nicht zur Verwicklung in Kampfhandlungen, sondern lediglich zur Besetzung der von der Slowakei beanspruchten Gebiete. In einem Vertrag mit dem Deutschen Reich[9] vom 21. XI. 1939 wurden dann nur die 1920, 1924 und 1938 an Polen im Bereich der Bezirke Arwa (Orawa) und Zips abgetretenen Gebiete zurückgegeben, insgesamt 722 km^2 mit rund 35 000 Einwohnern, wodurch der Verlust an Ungarn vom Frühjahr etwa ausgeglichen war.

Gleichzeitig gewährte die Slowakei aber geflüchteten polnischen Soldaten Zuflucht und ermöglichte ihnen die Weiterreise über Ungarn und Rumänien nach Frankreich. Gegenüber den etwa 90 000 Juden wurde zwar auf Betreiben des Propagandaleiters Sano Mach bereits am 18. IV. 1939 ein restriktives Gesetz beschlossen, doch bezog es sich nicht auf zum Christentum übergetretene Juden, und das Datum des Übertritts wurde nicht allzu genau beachtet, so daß nach Einsetzen der Judenverfolgungen im besetzten Polen von dort in die Slowakei geflüchtete Juden bis zu dem am 10. XI. 1941 erlassenen »Judenstatut« verhältnismäßig unbehelligt blieben.

Noch vor dem Kriegsausbruch hatte das im Dezember 1938 unter anderen Umständen gewählte Parlament am 31. VII. 1939 eine Verfassung verabschiedet, die religiös-katholische Elemente, demokratische Prinzipien und Grundsätze des Präsidialstaates zu vereinen suchte und in der Präambel die Verbundenheit des slowakischen Volkes und Staates mit der göttlichen Vorsehung betonte. Zum entscheidenden Faktor im Staat machte die Verfassung den auf 7 Jahre vom Parlament zu wählenden Präsidenten. Dieser ernannte nicht nur die Regierung, sondern auch sechs Mitglieder eines 18köpfigen Staatsrates, in den auch die deutsche und die ungarische Minderheit je ein Mitglied entsandten. Regierung und Präsident waren aber dem Parlament verantwortlich. Insofern war die Verfassung »demokratischer« als die polnische Aprilverfassung von 1935, die den Präsidenten nur »vor Gott und der Geschichte« verantwortlich sein ließ. Tiso wurde erst Monate später, am 26. X. 1939, zum Staatspräsidenten gewählt, nachdem er sich der Zustimmung seines geistlichen Vorgesetzten, Erzbischof Karol Kmetko, versichert hatte und auch gewiß sein konnte, daß Papst Pius XII. keine Einwände erheben würde[10].

Ministerpräsident wurde Vojtěch Tuka, dessen radikale, vom Haß gegen die

III. Die Tschechoslowakei im II. Weltkrieg

Tschechen geprägte Einstellung dadurch neutralisiert wurde, daß der gemäßigte Ferdinand Ďurčanský zum bisher innegehabten Außenministerium auch noch das Innenministerium übernahm und Stellvertretender Ministerpräsident wurde. Diese Ambivalenz wurde Ende Juli 1940 durch einen Eingriff der Reichspolitik beendet, die offenbar nach dem großen Erfolg in Frankreich die Verwirklichung der weitgehenden Pläne Hitlers in Südosteuropa vorbereitete und dazu eine weitergehende Gleichschaltung der Slowakei anstrebte. Tiso, der am 27. und 28. VII. Ribbentrop in Salzburg und Hitler auf dem Berghof aufsuchte, wurde aufgefordert, die Regierung umzubilden und Ďurčanský zu entlassen. An dessen Stelle übernahmen Tuka das Außen- und Mach das Innenministerium; außerdem wurde die Zahl der deutschen Berater erheblich vermehrt, die neben dem Gesandten von Killinger die slowakische Politik zu beeinflussen hatten[11]. Nur mit der Forderung, auch den mißliebigen Karol Sidor als Gesandten beim Vatikan abzuberufen, hatte Ribbentrop keinen Erfolg, sonst aber war die nationalistische, den Nationalsozialismus kopierende Richtung gestärkt worden, ohne die klerikal-nationale Gruppe entfernen zu können.

Aspirationen Tukas, aus Ungarns Gebietsgewinnen gegenüber Rumänien und Jugoslawien Nutzen zu ziehen und ihm gegenüber Grenzkorrekturen zu erreichen, hatten keinen Erfolg. Mit der Hoffnung, durch Teilnahme am Krieg gegen die Sowjetunion Ansprüche gegen Ungarn durchsetzen zu können, war auch die vom Deutschen Reich verlangte Beteiligung der slowakischen Armee am Krieg verbunden[12], der bei der für panslawische Gefühle zugänglichen slowakischen Bevölkerung absolut unpopulär war. Unmittelbar nach dem 22. VI. 1941 brach die Regierung die Beziehungen zur Sowjetunion ab und stellte für den Krieg drei Divisionen mit etwa 50 000 Mann zur Verfügung.

Wegen ihrer geringen Beweglichkeit und ungenügenden Ausstattung mit modernen Waffen, vor allem mit Panzern, war die Armee aber kaum an Kampfhandlungen beteiligt und erfüllte nur Besatzungsaufgaben. Schon Ende August wurde der Großteil in die Slowakei zurückverlegt. Im Einsatz blieb nur eine vollmotorisierte »Schnelle Division«, die 1942 am Vormarsch bis in den Kaukasus beteiligt war, und eine kleine »Sicherheitsdivision«, die zur Partisanenbekämpfung eingesetzt wurde, insgesamt nur 16 000 Mann der aktiven Jahrgänge. Die Beteiligung war also, gemessen an der Bevölkerungszahl von rund 3 Millionen, geringfügig; auch die Verluste waren kaum spürbar, die Belastung durch den Krieg nicht sehr drückend.

Mit der deutschen Niederlage bei Stalingrad änderte sich die Einstellung der slowakischen Bevölkerung wie der Truppe rapide. Die »Schnelle Division«, nach Verlust ihres Geräts auf dem Luftweg auf die Krim verlegt und dort zur 1. Inf. Div. umgestaltet, wurde Ende Oktober 1943 gegen den Wunsch von Kriegsminister Čatloš bei Cherson eingesetzt, doch lief ein ganzes Regiment am 30. X. geschlossen über, und der Rest war durch massenweise Desertion nicht kampffähig. Die Überläufer bildeten einen wesentlichen Bestandteil des von Ludvik Svoboda in der Sowjetunion aufgestellten I. Tschechoslowakischen Armeekorps[13] (s. u. S. 959).

Ende 1943 waren somit keine slowakischen Verbände mehr an der deutschen Front eingesetzt; die slowakische Armee, bei der deutschen Führung als unzuverlässig geltend und tatsächlich weitgehend gegen das Bündnis mit Deutschland eingestellt, hatte nur noch die Aufgabe der Landesverteidigung. Es entwickelte sich das Bestreben, rechtzeitig auf die Seite des Siegers überzuwechseln. Dementsprechend verhielt sich die slowakische Armee bei Ausbruch des slowakischen Nationalaufstandes uneinheitlich und zögernd und unterstützte die Aufständischen teils mittelbar, teils unmittelbar.

Der slowakische Nationalaufstand (28. VIII.–28. X. 1944) hat als bedeutendstes Ereignis in der sechsjährigen Geschichte der Slowakei eine außerordentlich umfangreiche Literatur[14] hervorgerufen. Die Bedeutung liegt weniger in den Kampfhandlungen und in der Stärke der aufständischen Kräfte, die verhältnismäßig schnell aufgerieben wurden, als deutsche Truppen intensiv eingesetzt wurden, als in den politischen Konsequenzen. – Während die Armeeführung offenbar plante, den Übergang auf die Seite der Siegermächte möglichst ohne Risiko, etwa in dem Moment zu vollziehen, wenn die Rote Armee Krakau im Norden oder Miskolc im Süden erreichte, und den slowakischen Staat als selbständiges Gebilde erhalten wollte, mit Zustimmung oder stillschweigender Duldung der Staatsführung, waren bürgerliche Kräfte der früheren Agrarier, Teile der Armee und die slowakischen Kommunisten an einem spektakulären Abfall und der Rückkehr der Slowakei in die Tschechoslowakei interessiert. Darin wurden sie von der Exilregierung in London unterstützt, die am 12. XII. 1943 ein Bündnis mit der Sowjetunion (s. unten S. 958) geschlossen hatte. Die Sowjetunion wollte wiederum den Aufstand vor allem durch von ihr gelenkte Partisanen erst kurz vor dem Vorstoß der Roten Armee auslösen, so daß diese dann als »Befreier« begrüßt werden konnte. Das hätte auch den Boden für die Ausrufung einer Sowjet-Slowakei und deren Integrierung in die Sowjetunion schaffen können. Diese sehr unterschiedlichen Kräfte und Absichten, zuzüglich der Differenzen bei den Kommunisten wie innerhalb der bürgerlichen Opposition, erschweren die Darstellung und sachliche Beurteilung des Aufstandes.

Zur Vorbereitung des Abfalls und der Rückkehr in die Tschechoslowakei schlossen Vertreter bürgerlicher Parteien (Lettrich, Ursiný u. a.), zu denen später auch solche der Sozialdemokraten traten, mit der Führung der KP (Husák, Novomeský u. a.) im Dezember 1943 das »Weihnachtsabkommen«[15], mit dem ein Slowakischer Nationalrat als Keimzelle der künftigen Regierung gebildet wurde. Die enge Zusammenarbeit mit der Sowjetunion und mit »allen slawischen Staaten und Völkern« war ebenso ein Programmpunkt wie die Aufgabe der Fiktion einer tschechoslowakischen Nation zu Gunsten eines »gemeinsamen Staates der Tschechen und Slowaken«.

Für den Aufstand konnten Teile der Armee in der Mittelslowakei um Neusohl (Banská Bystrica) mit Oberstleutnant Golian gewonnen werden, jedoch nicht das in der Ostslowakei zur Landesverteidigung stationierte Gros und ebensowenig die Führung in Preßburg. Da die erwartete Besetzung durch deutsche Truppen ausblieb, gegen die sich die Bevölkerung leichter mobilisieren ließ, wurden im Sommer 1944 von aus der Sowjetunion eingeschleusten oder abgesprungenen Partisanen Sabotageakte und Überfälle ausgeführt, um damit eine deutsche Besetzung zu provozieren. Da diese aber angesichts des Abfalls von Rumänien und der dadurch bedingten Verknappung verfügbarer Kräfte nicht, wie erwartet, in der zweiten Augusthälfte 1944 erfolgte, wurde die Durchfahrt der aus Bukarest abgezogenen deutschen Militärmission durch slowakisches Gebiet zur Auslösung des Aufstands benutzt. Die deutschen Offiziere wurden angehalten, entwaffnet und am 28. VIII. unter dem Kommando eines sowjetischen Partisanenführers in St. Martin am Turc ermordet. Der Aufstand brach nunmehr in der Mittelslowakei mit dem Zentrum Neusohl aus, wo auch der Nationalrat seinen Sitz nahm, von vornherein mit zu schwachen Kräften, da die in der Ostslowakei stehenden Divisionen zu weit entfernt waren und alsbald entwaffnet wurden und da ein Übergreifen nach Preßburg, nach dem Süden und Westen nicht erfolgte, weil nunmehr die Besetzung durch deutsche Truppen Tatsache wurde und Kriegsminister Čatloš zur vorläufigen Stellungnahme gegen den Aufstand zwang.

III. Die Tschechoslowakei im II. Weltkrieg

Am Aufstand nahmen etwa 20 000 reguläre Soldaten und etwa 2 500 Partisanen teil, ungenügend mit schweren Waffen und kaum mit Panzern ausgestattet, jedoch durch sowjetische Luftversorgung gestärkt. Die Bevölkerung des Aufstandsgebiets wurde mobilisiert, und bevor stärkere deutsche Verbände eintrafen, konnte das Aufstandsgebiet gehalten und organisiert werden, wobei Ausschreitungen gegen die deutsche Bevölkerung im Bergbaugebiet nicht vermieden wurden. Im Laufe des Oktober konnten aber rasch gebildete deutsche Verbände trotz gelegentlicher Erfolge der Aufständischen das Aufstandsgebiet immer mehr zusammendrängen und die aufständischen Einheiten zerschlagen oder zur Selbstauflösung zwingen.

Am 30. X. konnte Tiso, der am 4. IX. Tuka als Ministerpräsidenten abberufen und den (nicht mit ihm verwandten) Dr. Stefan Tiso ernannt hatte, nachdem der Kriegsminister Čatloš am Vortag zu den Aufständischen übergegangen war, in der Hauptstadt der Aufständischen, in Neusohl, an einer Dankmesse und Siegesparade teilnehmen. Die militärischen Führer, die Generale Golian und Viest, wurden gefangengenommen und sind verschollen (offenbar in Berlin erschossen); die politischen Führer konnten sich retten und hatten erst später, soweit sie Kommunisten waren, Gefängnisstrafen wegen ihrer »bürgerlich-nationalen Abweichung« zu verbüßen.

Nach dem Aufstand, der in der Mittelslowakei nach Berechnungen von 1947 Schäden in Höhe von 2½ Millionen Dollar[16] verursacht hatte, konnte von einer Selbständigkeit des Tiso-Regimes kaum noch die Rede sein, zumal das Land um die Jahreswende 1944/45 im Osten Kampfgebiet wurde. Eine Deklaration des Parlaments vom 23. I. 1945, die das Recht auf Selbstbestimmung der slowakischen Nation betonte, konnte das Ende des Staates ebensowenig abwenden wie der Versuch der vor der Roten Armee nach Kremsmünster in Österreich ausgewichenen Regierung Tiso, am 8. V. eine eigene Kapitulation zu unterzeichnen und sich unter den Schutz der Vereinigten Staaten[17] zu stellen.

c) Exil und Exilregierung[18]

Daß sich eine tschechoslowakische Regierung im Exil bilden konnte und daß sie von den alliierten Mächten als legitimierter Sprecher eines aufgeteilten Staates akzeptiert wurde, hatte vor allem zwei Gründe: Hitlers maßlose Machtpolitik, die die Reaktion auf »München« und auf die Schaffung des Protektorats unumgänglich machte, und die Aktivität des zurückgetretenen Präsidenten Edvard Beneš[19], der all seine diplomatische Erfahrung einsetzte, um die Ergebnisse von »München« rückgängig zu machen und wieder auf dem Hradschin zu residieren. Als einzigem Repräsentanten eines Exils im II. Weltkrieg ist ihm diese triumphale Rückkehr auch gelungen, freilich nur für die kurze Frist von drei Jahren.

Nach seinem Rücktritt wirkte sich Beneš' Popularitätsverlust im Lande auch im Exil aus. Er konnte in Großbritannien nur als Privatmann tätig sein und hatte auch nach den Kriegserklärungen vom 3. IX. 1939 keine Chance, von Frankreich als legitimer Sprecher anerkannt zu werden, zumal andere ins Exil gegangene Politiker, wie der frühere Ministerpräsident Hodža, ihn nicht unterstützten und auch die nach dem 15. III. nicht aufgelösten Botschaften ihm nicht durchweg zur Verfügung standen. Der Botschafter in Moskau, Zdeněk Fierlinger, verlor sogar erst nach Kriegsausbruch, am 17. IX. 1939, in Konsequenz des Hitler-Stalin-Paktes sein Agrément.

Erst der Zusammenbruch Frankreichs, wo der bis März 1940 amtierende Ministerpräsident Daladier zu den Gegnern Beneš' gehörte, veranlaßte die auf Bundesgenossen aller Art angewiesene britische Regierung, am 21. VII. 1940 ihre Zu-

§ 25 Tschechoslowakei 1918–1968

stimmung zur Bildung einer Provisorischen Tschechoslowakischen Regierung[20] zu geben und ihr die nötigen Geldmittel zur Verfügung zu stellen. Beneš, der sich nunmehr trotz seines Rücktritts als legitimer Präsident im Exil betrachtete, ernannte den Vertreter der Volkspartei Msgr. Jan Šrámek zum Ministerpräsidenten und den Londoner Botschafter Jan Masaryk, den Sohn des früheren Präsidenten, zum Außenminister.

Über die Brücke einer künftigen polnisch-tschechoslowakischen Konföderation[21], die mit der polnischen Exilregierung Sikorski am 11. XI. 1940 und 9. I. 1942 vereinbart wurde, erreichte Beneš am 5. VIII. 1942 von Großbritannien die Ungültigkeitserklärung des Münchner Abkommens, der sich auch die französische Exilregierung de Gaulle am 29. IX. 1942 anschloß. Anders als die polnische Exilregierung verfügte Beneš über keinerlei nennenswerte Exilstreitkräfte, für die es bei der geringen Anzahl von Emigranten kaum Rekrutierungsmöglichkeiten gab. Die Truppe bestand im wesentlichen nur aus einer selbständigen Panzerbrigade, einem im mittleren Osten eingesetzten Bataillon und einer kleinen Luftwaffe mit dem entsprechenden Bodenpersonal sowie aus geschulten Fallschirmspringern und Kommandotrupps, die auch das Attentat auf Heydrich durchführten. Die Gesamtstärke lag unter 10 000 Mann.

Mit den Erfolgen der Alliierten, vor allem aber der Sowjetunion, änderte sich auch Beneš' Haltung gegenüber den Sudetendeutschen im Exil, vor allem den zahlenmäßig stark vertretenen Sozialdemokraten, mit deren Partnerschaft er zunächst gerechnet hatte, ohne aber einen ihrer prominenten Vertreter wie Wenzel Jaksch[22] auch in die Exilregierung zu berufen. Seine Pläne zielten mehr und mehr auf eine weitgehende Vertreibung der Sudetendeutschen, anfänglich bei Abtretung überwiegend deutscher Gebiete wie des Egerlands und der Bezirke Reichenberg und Jägerndorf an Deutschland, dann ohne diese Konzessionen. Im Frühjahr 1943, unter dem Eindruck der deutschen Katastrophe von Stalingrad und des Machtanstiegs der Sowjetunion, verließ Beneš die bisherige Linie einer ostmitteleuropäischen Konföderation mit Polen, dessen Exilregierung nach der Auffindung der Leichen von Katyn' den Bruch mit Moskau hinnehmen mußte, und der immer mehr abgekühlten Zusammenarbeit mit den sudetendeutschen Sozialdemokraten.

In einem raffinierten Doppelspiel zwischen Washington und Moskau erreichte Beneš während seines Amerika-Aufenthaltes im Juni 1943 die grundsätzliche Zustimmung Stalins wie Roosevelts zu seinen Plänen einer Vertreibung der »faschistischen Deutschen« aus dem Staatsgebiet der Tschechoslowakei, die aber praktisch auf eine Vertreibung aller Deutschen hinauslief. Es bestand dann auch keine Notwendigkeit mehr, mit den sudetendeutschen Sozialdemokraten, deren Position durch die Abspaltung der sogenannten Zinner-Gruppe geschwächt war, weiter zu verhandeln[23].

Trotz der Warnungen der britischen Regierung und entgegen Widerständen in der eigenen Regierung (Finanzminister Feierabend) reiste Beneš im Dezember 1943 nach Moskau und unterzeichnete dort am 12. XII. einen Bündnisvertrag[24], in dem Moskau die volle Unterstützung für die Wiederherstellung der Tschechoslowakei, die völlige Integrität des Staatsgebiets und Nichteinmischung in die inneren Angelegenheiten zusicherte. Gleichzeitig hatte Stalin Beneš aber auch geraten, mit den im Moskauer Exil lebenden Führern der KPČ zu verhandeln und ihre künftige Regierungsbeteiligung vorzusehen. Das fand seinen Niederschlag in entsprechenden Vereinbarungen zwischen Beneš und seinem einstigen scharfen Gegner Klement Gottwald, die eine wesentliche Beteiligung der Kommunisten an der Staatsmacht vorsahen. Damit hatte Beneš den sich in den Fällen Polens und Jugoslawiens im Lande wie im Exil abspielenden heftigen Kampf zwischen bürgerlich-demokratischen und sozialdemokratischen Parteien einerseits und den Kommunisten andererseits vermieden und die Kontinuität der Exilregierung gewahrt. Die wiederhergestellte Tschechoslowakei sollte unter Aufgabe der Fiktion einer einheitlichen tschechoslowakischen Sprache und Nation ein »Staat der Tschechen, Slowaken und Ukrainer« sein. Gleichzeitig machte Beneš aber das Zugeständnis, daß die Zahl der Parteien künftig beschränkt und die Slowakische Volkspartei überhaupt nicht mehr zugelassen werden sollte. Ebenso erklärte er sich mit der Umgestaltung der Lokalverwaltung in eine Verwaltung durch Nationalräte einverstanden, was die spätere Beherrschung der Lokalbehörden durch die Kommunisten erheblich erleichterte. Das Angebot zweier Sitze in der Exilregierung wurde aber von Gottwald nicht akzeptiert, der auf diese Weise das Odium der Exilregierung und der Kooperation mit den Westmächten geschickt vermied.

Seitens der KPČ und der Sowjetunion wurde dagegen Wert auf den Aufbau einer auf seiten der Roten Armee kämpfenden tschechoslowakischen Truppe gelegt. Die Ausgangsposition für diese bildete eine kleine im Sommer 1939 in Polen in der Aufstellung begriffene »tschechoslowakische Brigade« unter Oberst Ludvík Svoboda, die am 18. IX. 1939 auf die sowjetische Seite überging, aber größtenteils in den Westen abtransportiert wurde. Erst im Februar 1942 begann in Buzuluk nordwestlich von Orenburg (damals Čkalov) mit Zustimmung der Exilregierung der Aufbau einer neuen Brigade[25], die im März 1943 erstmals zum Kampfeinsatz kam, aber erst im Herbst 1943 durch die slowakischen Überläufer zu einer nennenswerten Stärke anwuchs. Erst im Laufe des Jahres 1944 konnte ein Armeekorps mit etwa 15 000 Mann gebildet werden, von dem eine Luftlandetruppe im slowakischen Aufstand eingesetzt wurde. Diese Truppe unterstand formell der Exilregierung und war nicht Teil der Roten Armee. Für den Machtanspruch der tschechischen Kommunisten war es aber doch bedeutungsvoll, daß weitaus die Mehrheit der kleinen tschechoslowakischen Armee auf sowjetischer Seite und ohne direkten Einfluß der Exilbehörden eingesetzt war.

[1] Eingehendste, aus den Akten gearbeitete Darstellung von *K. Brandes,* Die Tschechen unter deutschem Protektorat, 2 Bde., Teil I: 1939–1942 (1969), Teil II: 1942–1945 (1975); außerdem *V. Mastny,* The Czechs under Nazi Rule. The Failure of National Resistance 1939–1942 (1971), und *G. Rhode,* Das Protektorat Böhmen und Mähren 1939–1945, in: Das deutsch-tschechische Verhältnis, S. 59–91. Das gleiche engl. in: A History of the Czechoslovak Republic, S. 296–321. Aus der Sicht deutscher Beamter: *W. Dennler,* Die Böhmische Passion (1953), und *H. Naudé,* Erlebnisse und Erkenntnisse. Als politischer Beamter im Protektorat Böhmen und Mähren 1939–1945 (1975). Aus der Sicht eines tschechischen Ministers: *L. Feierabend,* In der Protektoratsregierung, in: Prag – London (s. II, Anm. 1), S. 105–186.
[2] Vgl. *Feierabend,* S. 162–167, mit dem niederschmetternden Eindruck, den die Erschießungen auf die weiteren Maßnahmen machten.
[3] Vgl. *A. Burgess,* Sieben Mann im Morgengrauen. Das Attentat auf Heydrich (1962; aus d. Engl.); *Č. Amort,* Heydrichiada (1964); *D. Hamšík* u. *J. Pražák,* Bomba pro Heydricha (1963); *R. Ströbinger,* Das Heydrich-Attentat. Was wußte Heydrich? (1974).
[4] Übersicht von *J. K. Hoensch,* in: A History of the Czechoslovak Republic, S. 271–295; *J. M. Kirschbaum,* Slovakia; *J. A. Mikus,* La Slovaquie; *G. Oddo,* Slovakia; *V. Jelinek,* The Parish Republic, Hlinka's Slovak People's Party 1939–1945 (1976).
[5] Sidor trat allerdings schon am folgenden Tage zurück, wurde aber später zum Botschafter beim Vatikan ernannt, wurde also nicht ausgeschaltet und gegen Einsprüche Ribbentrops vom Juli 1940 auf seinem Posten belassen.
[6] Wortlaut: ADAP, Serie D, Bd. VI, Nr. 40, S. 35/36. Ribbentrop unterzeichnete den Ver-

§ 25 Tschechoslowakei 1918–1968

trag erst am 23. III. nach Streichung der Passage »um die Verteidigung des Slowakischen Staates gegen etwaige äußere Angriffe zu erleichtern«.
[7] Deren Begrenzung wurde erst in einem »Schutzzonenvertrag« vom 12./13. VIII. 1939 festgelegt.
[8] Aufzeichnung vom 31. III. 1939 in: ADAP, Serie D, Bd. VI, Nr. 120, S. 124. Schilderung der Vorgänge ohne geographische Angaben bei *C. A. Macartney,* October Fifteenth, Bd. I (s. II, Anm. 9), S. 341–343.
[9] Text in: ADAP, Serie D, Bd. VIII, Nr. 381, S. 342/343.
[10] Wiedergabe der späteren Aussagen Kmetko's bei *Oddo,* Slovakia, S. 268. Dort S. 269/270 auch englische Übersetzung eines Briefes von Papst Pius XII. an Tiso vom 5. XII. 1939, in dem der Papst ihm und dem slowakischen Volk seinen Segen erteilt.
[11] Aufzeichnungen über den Besuch Tisos und der beiden Minister bei Hitler auf dem Berghof am 28. VII. 1940 in: ADAP, Ser. D, Bd. X, Nr. 248, S. 283–285. Über die vorherige Unterredung in Salzburg mit Ribbentrop liegt keine Aufzeichnung vor; ihr Inhalt geht aber zum Teil aus den Umbesetzungen, zum Teil aus Ribbentrops Anweisung an von Killinger vom 29. VII. hervor. ADAP, Ser. D, Bd. X, Nr. 283, S. 307/308.
Zum Gesamtproblem s. *M. St. D'urica,* La Slovacchia, Bd.1 (s. II, Anm. 8), mit Dokumenten. Außerdem: ders., Die Slowakische Politik 1938/39 im Lichte der Staatslehre Tisos (1967).
[12] Erst unmittelbar vor dem 22. VI. 1941 hatten der Chef der deutschen Heeresmission in der Slowakei, General Otto, und der seit Anfang 1941 in Preßburg tätige Gesandte Hanns Ludin der slowakischen militärischen und politischen Führung die Forderung nach Teilnahme am Krieg übermittelt. S. ADAP, Ser. D, Bd. XII, 2, Nr. 656, S. 883, und Nr. 672, S. 902.
[13] Eine zusammenfassende Darstellung des Einsatzes slowakischer Truppen auf deutscher Seite fehlt bisher. In den im Westen erschienenen slowakischen Darstellungen von *Mikus, Oddo, Kirschbaum* wird sie gar nicht erwähnt. In der Slowakei wird vor allem die zur Partisanenbekämpfung eingesetzte »Sicherheitsdivision« verschwiegen. Auch die sehr einseitige Darstellung von *H. Dress,* Slowakei und faschistische Neuordnung Europas (1972) erwähnt den Einsatz der slowakischen Armee nur ganz allgemein in wenigen Sätzen auf S. 154/155, während sie dem Aufstand viel Raum widmet.
[14] Grundlegend ist die zweibändige Quellenedition von *V. Prečan* (Bd. II ohne Nennung seines Namens!), Slovenské Národne Povstanie; Dokumenty (1965), 1220 S. und Beilagen; Bd. II mit dem Untertitel: Nemci a Slovensko 1944 (1970), 701 S. und Beilagen. Die eigene Darstellung *G. Husáks,* Svedectvo o Slovenskom národnom povstaní (1964), liegt auch in deutscher Übersetzung vor: Der Slowakische Nationalaufstand (1972). Eingehende deutsche Darstellung, noch ohne Heranziehung des Dokumentenbandes II, aber zum Teil aufgrund eigener Befragung von Beteiligten, von *W. Venohr,* Aufstand für die Tschechoslowakei. Der slowakische Freiheitskampf 1944 (1969).
Eine von *M. Schwartz* zusammengestellte Bibliographie zur Geschichte des slowakischen Aufstandes in: Bücherschau der Weltkriegsbücherei (1956), erfaßte schon damals 15 Seiten (458–472).
[15] Text deutsch bei *Husák,* Seite 81–83, englisch bei *I. Lettrich,* History of Modern Slovakia, S. 303.
[16] Angaben bei *Kirschbaum,* S. 188, Anm. 23, nach dem Statistischen Handbuch für die Slowakei von 1947.
[17] Text bei *Kirschbaum,* Dokumentenanhang, Nr. 38, S. 295/296.
[18] Eine Gesamtdarstellung der tschechischen Exilpolitik steht noch aus, doch liegen außer den ins Deutsche übersetzten ursprünglich vierbändigen Memoiren von *L. Feierabend* (s. II, Anm. 1) die Memoiren von *Beneš* selbst: Paměti (1947), gekürzte engl. Ausgabe von *G. Lies* (1954), von *B. Laštovička,* tschech. (1960), von *R. B. Lockhart,* Comes the Reckoning (1947), und *Zd. Fierlinger,* tschech. (1951) u. a. vor. Reden und Erklärungen von *Beneš* in: Šest lat exilu, von *Šrámek* in: Poselstvi víry a naděje (Botschaften des Glaubens und der Hoffnung; 1945).
[19] Zusammenfassend *F. Seibt,* Beneš im Exil 1939–1945, in: Beiträge zum deutsch-tschechischen Verhältnis (s. I, Anm. 17), S. 133–156. Auch *R. B. Lockhart,* The Second Exile of E. B.: SlavonicEastEurRev 27 (1949), S. 39–59.

[20] Ein Tschechoslowakischer Nationalausschuß war schon am 14. XI. 1939 von der französischen und am 20. XII. 1939 von der britischen Regierung als Sprecher der Tschechoslowakei anerkannt worden.
[21] Dazu P. Wandycz, Czechoslovak-Polish Confederation and the Great Powers 1940–1943 (1956), und E. Táborský, A Polish-Czechoslovak Confederation: JournCentrEurAff 10 (1949/50), S. 379–395.
[22] Außer dem eigenen Buch von W. Jaksch, Europas Weg nach Potsdam (s. I, Anm. 12), Wenzel Jaksch u. Edvard Beneš, Briefe und Dokumente aus dem Londoner Exil 1939–1943, hg. u. eingel. v. Fr. Prinz (1973). Dazu die Polemik zwischen H. Bodensieck und Fr. Prinz: ZOstforsch 25 (1976), mit weiterer Literatur.
[23] Dazu M. K. Bachstein, Die Politik der Treuegemeinschaft sudetendeutscher Sozialdemokraten als Hauptrepräsentanz des deutschen Exils aus der Tschechoslowakischen Republik, in: Das Jahr 1945 in der Tschechoslowakei, hg. v. K. H. Bosl (1971), S. 65–100, und J. W. Brügel, Tschechen und Deutsche 1939–1946 (1974).
[24] Vgl. E. Táborský, Beneš and Stalin, Moscow 1943 and 1945: JournCentrEurAff 13 (1953/54), S. 154–181, sowie Feierabend, dt., Bd. II, S. 201–238.
[25] Sehr breit: M. Šáda, K. Krátký, J. Beránek, Za svobodu Československa (Für die Freiheit der Tschechoslowakei; 3 Bde. 1959–1961), und Svobodas Memoiren, Z Buzuluku do Prahy (von B. nach Prag; 1960).

IV. Die Tschechoslowakische Republik auf dem »Mittelweg« (1945–1948)[1]

a) Wiederherstellung und Umgestaltung der Republik

Der sowjetisch-tschechoslowakische Vertrag vom 12. XII. 1943 ermöglichte der Exilregierung Beneš-Šrámek die Rückkehr in das Land, dessen Besetzung durch Verbände der Westmächte kaum erwartet werden konnte, von Osten her, gleichzeitig mit dem Vordringen der Roten Armee. Im Oktober 1944 hatte diese die seit dem März 1939 zu Ungarn gehörende Karpatho-Ukraine besetzt, und somit konnte aufgrund eines am 8. V. 1944 geschlossenen Abkommens eine Delegation der Exilregierung die Verwaltung in denjenigen Gebieten übernehmen, die nicht mehr zum rückwärtigen Heeresgebiet gehörten. Zum Chef der Delegation wurde František Němec[2] ernannt, der zunächst ins slowakische Aufstandsgebiet nach Neusohl flog, das aber bei seiner Landung am 7. X. bereits bedroht war. Er begab sich deshalb in die Karpatho-Ukraine, wo er Ende Oktober seinen Sitz in Chust (Hust) nehmen konnte. Sein tatsächlicher Verwaltungsbereich wurde aber eng begrenzt; insbesondere wurden Einberufungen für die tschechoslowakische Armee behindert. Gleichzeitig wurden im November unter intensiver Mitwirkung des kommunistischen Mitglieds der Delegation, Turjanica, Versammlungen organisiert, die sich für den Anschluß der Karpatho-Ukraine an die Sowjet-Ukraine aussprachen. Sie gipfelten in einem am 26. XI. in Mukačevo (Munkács) tagenden Kongreß mit 660 Delegierten, die einstimmig die Überführung in die Sowjet-Ukraine und die Bildung eines Nationalrats beschlossen. Dieser übernahm faktisch ab 5. XII. die vollziehende Gewalt. Verhandlungen des Regierungsdelegierten in Moskau blieben erfolglos; nach einer zeitweiligen Rückkehr nach Chust verließ er im Februar 1945 endgültig das praktisch bereits an die Sowjet-Ukraine angegliederte Gebiet, das am 29. VI. durch Zessionsvertrag auch formell abgetreten wurde. Damit hatte die Tschechoslowakei 9 % ihres Vorkriegsgebietes verloren, und die bisher als drittes Staatsvolk genannten Ukrainer

§ 25 Tschechoslowakei 1918–1968

waren ausgeschieden, bevor sie überhaupt wieder in den Staat eingetreten waren.

Trotz dieser Erfahrung mit der Einhaltung von Verträgen durch die Sowjetunion war Beneš bezüglich der Zukunft optimistisch, da er der Meinung war, »die tschechischen Kommunisten seien nicht wie andere Kommunisten«. Er reiste im März 1945 nach Moskau und legte dort die Zusammensetzung der zu bildenden Koalitionsregierung fest, in die je drei Minister der allein zugelassenen beiden bürgerlichen Parteien (Volkspartei und Slowakische Demokratische Partei), der beiden sozialistischen Parteien (Sozialdemokraten und »Tschechische Sozialisten«, die früheren Nationalsozialisten) und der Kommunisten eintreten sollten. Da letztere aber seit 1941 in zwei Parteien – für die böhmischen Länder und für die Slowakei – gegliedert waren, die beide je drei Ministerien beanspruchten, besetzten sie nicht ein Fünftel, sondern ein Drittel der Kabinettssitze.

Ministerpräsident wurde der bisherige Botschafter in Moskau, der Sozialdemokrat Zdeněk Fierlinger, dem die Sowjetunion zur Zeit des Hitler-Stalin-Paktes das Agrément entzogen hatte; jede der fünf anderen Parteien stellte einen Stellvertretenden Ministerpräsidenten, die Kommunisten Klement Gottwald und den Slowaken Viliam Široký. Die Kommunisten besetzten auch die Ministerien des Inneren, der Information und des Unterrichts (Zdeněk Nejedlý); auf das Außenministerium, das Jan Masaryk behielt, konnten sie über den Staatssekretär Vlado Clementis, auf das Verteidigungsministerium durch den offiziell der Partei nicht angehörenden, aber mit ihr sympathisierenden General Ludvík Svoboda entscheidenden Einfluß ausüben.

Diese in Moskau gebildete Regierung Fierlinger konnte sich am 5. IV. 1945 in der östlichsten größeren Stadt des verkleinerten Staatsgebiets, in Kaschau (Košice) etablieren und dort ihr umfangreiches Programm[3] formell beschließen und verkünden. Es sah außenpolitisch die engste Zusammenarbeit mit der Sowjetunion und eine »slawische Linie« der Politik mit besonderer Betonung der guten Beziehungen zu Polen, Jugoslawien und Bulgarien vor. Innenpolitisch sollte der »bürokratische, volksfremde Verwaltungsapparat« gewählten Nationalausschüssen auf Gemeinde-, Bezirks- und Landesebene weichen. Diese sollten alsbald die Vorläufige Nationalversammlung wählen, die die Regierung in ihrem Amte bestätigen und allgemeine direkte Wahlen ausschreiben sollte. Da die Zahl der Parteien aber nach vorheriger Absprache auf die sechs Parteien der die Regierung tragenden »Nationalen Front« beschränkt war, und somit Agrarier, Nationaldemokraten und Slowakische Volkspartei ausgeschaltet wurden, war die zugesicherte Freiheit der Wahl von vornherein bedeutend begrenzt. Die Slowakei sollte eine weitgehende Autonomie mit eigenem Nationalrat und eigener Exekutive (Rat der Beauftragten) erhalten (Art. VI). Dagegen wurde den Deutschen und Madjaren, soweit sie nicht einen »aktiven Kampf gegen Henlein und gegen die madjarischen irredentistischen Parteien« geführt hatten bzw. verfolgt worden waren, die Staatsbürgerschaft generell entzogen (Art. VIII).

Im Wirtschaftsleben wurden die Nationalisierung von Schwerindustrie, Bergbau, Bankwesen und eine weitgehende Agrarreform vorgesehen. Von einer Rückkehr zu den Vorkriegsverhältnissen konnte somit keine Rede sein, und die alsbald einsetzende Enteignung der Deutschen, Madjaren und der als »Verräter« unter Anklage gestellten Tschechen und Slowaken untergruben die grundsätzlich zugestandene Achtung vor dem Privateigentum.

Die Machtübernahme im Staatsgebiet erfolgte außerhalb der Slowakei erst im Mai 1945, erst am 5. V. brach in Prag der vorgesehene Aufstand aus, der jedoch die mögliche sofortige Hilfe amerikanischer Verbände unter General Patton nicht erhielt, da diese sich an die für die Besetzung vorgesehene Demarkationsli-

IV. Die Tschechoslowakische Republik auf dem »Mittelweg« (1945–1948)

nie Karlsbad-Pilsen-Budweis hielten. Die Chance, Prag vom Westen her zu gewinnen[4], wurde somit nicht wahrgenommen.

Erst am 9. V., nach der Kapitulation, erreichte die Rote Armee Prag und besetzte in Kürze das ganze Land mit Ausnahme des von amerikanischen Verbänden okkupierten Weststreifens. Der Wunsch, die amerikanischen Truppen bald zu entfernen, bewirkte auch einen frühen Abzug der Roten Armee. Ihre Verbände verließen ebenso wie die der Amerikaner im Dezember 1945 das Land, das bis zum August 1968 unbesetzt blieb.

Am 16. V. 1945 zog Präsident Beneš wieder in Prag ein und verkündete sowohl die Durchführung des Kaschauer Programms wie die offiziell *odsun* (= Abschiebung[5]) genannte Vertreibung der sudetendeutschen und der ungarischen Bevölkerung, entsprechend einem schon 1944 in London festgelegten 10-Punkte-Plan[6] und den Kaschauer Grundsätzen; beides konnte so ausgelegt werden, daß praktisch alle Deutschen ausgewiesen werden konnten, denn die Bestimmung: »die aus der Besetzung der Tschechoslowakei wirtschaftlich und finanziell für sich einen Nutzen gezogen haben«, war auf jeden anwendbar.

Obwohl die Tschechoslowakei einen »Mittelweg« zwischen parlamentarischer Demokratie und sozialistischem Einparteienstaat gehen sollte und obwohl auch Gottwald noch in Kaschau erklärt hatte, die nächsten Ziele seien nicht Sowjets und Sozialisierung, wurde doch der gesellschaftliche Umbau durch eine Reihe von Regierungsdekreten noch im Jahre 1945 in Gang gesetzt. So wurde durch Dekret vom 19. V. das Vermögen aller »unzuverlässigen Personen« unter nationale Verwaltung gestellt; am 21. VI. wurde ihr landwirtschaftliches Vermögen konfisziert und in Parzellen bis zu 8 ha Acker- oder 12 ha allgemeiner Nutzfläche an »Personen slawischer Nationalität« verteilt. Am 2. VIII. folgte die Aberkennung der tschechoslowakischen Staatsangehörigkeit für nahezu alle Deutschen und Ungarn, und am 25. X. wurde ihr gesamtes Vermögen für einen »Fonds der nationalen Erneuerung« konfisziert. Gleichzeitig wurden alle Bergwerke, industriellen Großbetriebe, Banken und Versicherungsgesellschaften verstaatlicht, so daß auf einen Schlag rund 60 % der Industrie in Staatsbesitz übergingen und mehr als 30 % der Staatsbevölkerung – neben Deutschen und Ungarn die »Kollaborateure« – eigentums- und rechtlos wurden. Die Regierung und die inzwischen gewählten, stark kommunistisch bestimmten Nationalausschüsse gewannen damit eine kaum noch begrenzte Verfügungsgewalt.

Erst nach diesen entscheidenden, ohne jede parlamentarische Stütze erlassenen Dekreten (die Daten für die Slowakei differieren jeweils um einige Tage) trat am 28. X. 1945 die Provisorische Nationalversammlung zusammen, deren 300 Deputierte zwei Wochen vorher von den Kreis-Nationalräten nach einem vorher festgelegten Parteienschlüssel gewählt worden waren: in Böhmen/Mähren je 40 für die 4 zugelassenen Parteien und die Massenorganisationen, in der Slowakei je 50 für die beiden Parteien der Kommunisten und der Demokraten. Somit hatten die Kommunisten 90 Sitze plus etwa 30 Sympathisanten aus den Massenorganisationen.

In die Jahre 1945/46 fiel durch die bis zum November 1945 ungeregelte, seither in etwas geregelteren Bahnen verlaufende Vertreibung der sudetendeutschen Bevölkerung und durch die zunächst »wilde«, ab 1946 mehr programmierte Besiedlung der bisher rein oder überwiegend deutschen Grenzgebiete eine völlige Umstrukturierung der Bevölkerung. Da aus der Karpatho-Ukraine nur etwa 30 000 Tschechen und aus der Sowjetunion aufgrund eines Umsiedlungsvertrages vom 10. VII. 1946 nur 33 000 Tschechen aus Wolhynien kamen, aus dem übrigen Ausland aber kaum mehr als 60 000, standen für die Besiedlung der sude-

§ 25 Tschechoslowakei 1918–1968

tendeutschen Gebiete nur etwa 120 000 Siedler zur Verfügung, ein viel zu geringes Potential, so daß die Neusiedler aus dem Inneren Böhmens oder aus der Slowakei kommen mußten. Das bewirkte dort ein erhebliches Absinken der Bevölkerungsdichte.

Gegenüber den Ungarn[7] kam die weitgehende Vertreibung aufgrund des hartnäckigen Widerstandes der ungarischen Regierung und wegen des fühlbaren Mangels an Arbeitskräften nicht zustande. Mit der ungarischen Regierung wurde am 27. II. 1946 ein Umsiedlungsvertrag geschlossen, in dem der Austausch von 100 000 Slowaken aus Ungarn gegen die gleiche Zahl von Ungarn aus der Slowakei vereinbart wurde. Tatsächlich wurden lediglich 68 000 Ungarn gegen 77 000 Slowaken ausgetauscht, und nach dem Friedensvertrag mit Ungarn vom 10. II. 1947, der den Madjaren in der Slowakei die Menschen- und Bürgerrechte ausdrücklich zusicherte, wurden weitere Umsiedlungsmaßnahmen kaum noch durchgeführt.

Während sich bei der Volkszählung von 1950 nur noch 165 000 Personen als Deutsche bezeichneten (die wirkliche Zahl dürfte etwa 200 000 betragen haben), waren es gleichzeitig 368 000 Madjaren (gegenüber 597 000 im Jahre 1930). Bei der Volkszählung von 1961 betrug die Zahl der Madjaren aber bereits wieder 534 000 oder 3,9 %, wobei das Anwachsen nicht nur auf natürliche Vermehrung, sondern auch auf die Rückkehr von Opportunisten oder Verängstigten zur madjarischen Nationalität zurückzuführen ist. Die im September 1945 einsetzende Zwangsverpflanzung madjarischer Familien in die sudetendeutschen Gebiete dauerte nur drei Jahre.

Neben den tiefgreifenden sozialen, politischen und wirtschaftlichen Umgestaltungen der Jahre 1945/46 stand ein ernsthafter Grenzkonflikt mit Polen, da auch die Volksrepublik auf das 1938 von den Piłsudski-Epigonen gewonnene Olsa-Schlesien nicht verzichten wollte, während die Tschechoslowakische Republik von Polen die Grafschaft Glatz und Grenzverbesserungen bei Ratibor und Leobschütz forderte. Der polnische Oberbefehlshaber Rola-Żymierski ließ im Frühjahr 1945 ganz Teschen besetzen, und ein bewaffneter Konflikt schien bevorzustehen. Auf sowjetischen Druck fanden im Juni 1945 in Moskau Verhandlungen statt, die den Rückzug auf die Grenzen von 1937 auch in der Slowakei zur Folge hatten, die beiderseitigen Ansprüche aber nicht regelten, was auch durch einen am 10. III. 1947 geschlossenen polnisch-tschechoslowakischen Beistandspakt nicht geschah.

b) Das Scheitern des »Mittelwegs«[8]. Der Umbruch vom Februar 1948 und seine Folgen

Die von der Provisorischen Nationalversammlung angesetzten ersten Parlamentswahlen, zugleich die letzten freien Wahlen, brachten der Kommunistischen Partei in Böhmen/Mähren mit 43,3 % der Stimmen einen großen Erfolg, den größten, den eine Kommunistische Partei bei freien Wahlen in Osteuropa je erzielt hat, freilich bei Aberkennung des Wahlrechts für breite Bevölkerungsteile. Sie errang jedoch nicht die absolute Mehrheit, und da sie in der Slowakei mit 30,4 % weit hinter der Slowakischen Demokratischen Partei zurückblieb, betrug ihr Anteil im ganzen Land nur 36,7 %. Sie errang 114 von 300 Mandaten und hätte in einer Koalition mit den 39 Sozialdemokraten eine knappe Mehrheit von 153 zu 147 gehabt. Trotzdem wurde nicht eine Koalitionsregierung mit einer starken Opposition gebildet, in der die Tschechischen Sozialisten als Auffanglager für die auf andere Weise nicht vertretenen nichtkatholischen Bürgerlichen fungieren konnten.

IV. Die Tschechoslowakische Republik auf dem »Mittelweg« (1945–1948)

Es wurde vielmehr am 3. VII. 1946 wieder eine Allparteienregierung der Nationalen Front gebildet, nun aber mit Gottwald als Ministerpräsidenten und mit acht Fachministerien in der Hand der Kommunisten, während die vier anderen Parteien vier Stellvertretende Ministerpräsidenten und zehn Minister stellten. Beneš, der am 19. VI. 1946 einstimmig zum Staatspräsidenten gewählt wurde, stand also eine Regierung gegenüber, die fast paritätisch von Nichtkommunisten und Kommunisten gebildet wurde, in der letztere aber die für die Machtübernahme wichtigsten Ministerien, vor allem das des Inneren und der Propaganda, besetzt hielten. In der Slowakei wurde dagegen der Rat der Beauftragten, die Landesregierung, dem Wahlergebnis entsprechend zugunsten der Demokratischen Partei umgebildet. Dort erregte es große Mißstimmung, daß Präsident Beneš nicht von seinem Begnadigungsrecht Gebrauch machte, als Tiso, der von den USA an die Tschechoslowakei ausgeliefert worden war, in einem anfechtbaren Gerichtsverfahren (Dezember 1946 bis April 1947) am 15. IV. 1947 zum Tode verurteilt worden war. Trotz zahlreicher Demonstrationen zu seinen Gunsten wurde Tiso am 18. IV. durch den Strang hingerichtet[9]. Infolge dieser und anderer Enttäuschungen, die die Slowaken wie die Ungarn von seiten Beneš' und seiner Vertrauten erlebten, gab es kein einheitliches Lager, das sich den kommunistischen Aspirationen entgegenstellen konnte. Das sollte im Februar 1948 besonders deutlich werden.

Außenpolitisch verfolgte die Tschechoslowakei die durch das Bündnis vom 12. XII. 1943 vorgegebene enge Anlehnung an die Sowjetunion, die schon am 9. V. 1946 durch einen ähnlichen Bündnisvertrag mit Jugoslawien im Sinne einer »slawischen Politik« ergänzt wurde. Ein entsprechendes Bündnis mit Frankreich, das im Juni 1946 im Entwurf vorgelegt wurde und die beanspruchte »Brückenstellung« zwischen Ost und West unterstrichen hätte, scheiterte im Sommer 1947 während der Verhandlungen um die Teilnahme an der Marshallplankonferenz am entschiedenen Widerspruch Stalins. Stalins Veto machte auch die Beteiligung an der Konferenz, die vom Kabinett am 4. VII. 1947 einstimmig, also einschließlich der kommunistischen Kabinettsmitglieder, beschlossen wurde, schon 6 Tage später unmöglich. Als eine nach Moskau gereiste Regierungsdelegation mit diesem Veto konfrontiert wurde, beschloß das Kabinett am 10. VII. wiederum einstimmig die Nichtteilnahme, was mit einem gleichzeitig geschlossenen fünfjährigen Handelsvertrag zwischen der UdSSR und der ČSR honoriert wurde[10].

Mit diesem Veto Stalins war deutlich, daß der »Mittelweg« außenpolitisch nicht mehr begehbar war, doch schien er innenpolitisch noch möglich, obwohl er ringsum, vor allem in Polen und Ungarn, schon verlassen worden war. Von den vier nichtkommunistischen Parteien waren die Tschechischen Sozialisten und die Slowakischen Demokraten die entschiedensten Verfechter der parlamentarischen Demokratie. Gegen sie setzte im Herbst 1947 durch Bombenattentate auf zwei Minister der Tschechischen Sozialisten (Zenkl und Drtina) und durch Verhaftungen wegen angeblich staatsfeindlicher Betätigung eine Einschüchterungs- und Diffamierungskampagne ein, als deren Ergebnis der die Slowakischen Demokraten repräsentierende Stellvertretende Ministerpräsident Jan Uršiný zurücktrat (30. X.) und die slowakische Landesregierung zugunsten der Kommunisten umgebildet wurde (18. XI.). Trotzdem mußten die Kommunisten fürchten, daß die für Mai 1948 angesetzten Neuwahlen für die Nationalversammlung keine Wiederholung ihres Wahlerfolgs von 1946 und gewiß keine absolute Mehrheit bringen würden, zumal die Hoffnungen auf eine Fusion mit den Sozialdemokraten enttäuscht wurden.

Im Februar 1948[11] kam es zum offenen Konflikt, als die nichtkommunistischen Kabinettsmitglieder von Innenminister Nosek (KPČ) verlangten, er solle Neuernennungen höherer Polizeibeamter einstellen und schon erfolgte Ernennungen rückgängig machen. Als dieser sich weigerte, reichten die Minister der Tschechischen Sozialisten, der Slowakischen Demokraten und der Volkspartei bei Beneš am 20. II. Rücktrittsgesuche ein, in der durch vorherige Rücksprache begründeten Hoffnung, Beneš würde durch Nichtannahme entweder die ganze Regierung zur Demission oder die Kommunisten zum Nachgeben zwingen. In den folgenden Tagen wandten der Propagandaminister Kopecký, der Innenminister Nosek und der Gewerkschaftsführer Zápotocký alle Mittel des Drucks, der Massenbeeinflussung und des Streiks an, um die drei Parteien und ihre Repräsentanten zu diffamieren und zu terrorisieren. Am 25. II. nahm Beneš, u. a. durch Warnstreiks und eine Schwenkung der Sozialdemokraten beeinflußt, den Rücktritt an und beauftragte Gottwald mit der Neubildung eines Kabinetts der »erneuerten Nationalen Front«, in dem außer den Kommunisten und linken Sozialdemokraten noch je ein Vertreter der Volkspartei und der Tschechischen Sozialisten saßen, die aber nicht das Vertrauen ihrer Partei hatten. Damit war die kommunistische Machtübernahme praktisch erfolgt, begleitet von dem Selbstmordversuch des bisherigen Justizministers Drtina (am 26. II.) und durch den Tod des Außenministers Jan Masaryk[12] durch Sturz aus dem Fenster des Czernin-Palais am 10. III., dessen Umstände nicht voll geklärt werden konnten.

Der Umbau vollzog sich in den folgenden drei Monaten sehr rasch und nahezu reibungslos, wobei die strenge Zurückhaltung der Armee unter Verteidigungsminister Svoboda von Bedeutung war, ebenso die Bereitschaft mehrerer Parteipolitiker, sich der »Nationalen Front« weiter zur Verfügung zu stellen, darunter des Priesters Josef Plojhar von der Volkspartei, der zwei Jahrzehnte lang Gesundheitsminister blieb. Die am 30. V. durchgeführten Parlamentswahlen hatten nur noch Abstimmungscharakter, da laut Wahlgesetz vom 16. IV. 1948 nur die Einheitsliste der »Nationalen Front« gewählt werden konnte. Diese hatte die Sitzverteilung schon vorher mit 211 Sitzen für die beiden Kommunistischen Parteien festgelegt.

Die abtretende Versammlung, durch Flucht und Verhaftungen dezimiert und eingeschüchtert, hatte noch am 9. V. eine weitgehend der »Stalinverfassung« der UdSSR nachgebildete Verfassung[13] angenommen, durch die die Republik offiziell zur »Volksdemokratischen Republik« erklärt wurde. Beneš weigerte sich zwar, dieser Verfassung durch seine Unterschrift Gesetzeskraft zu verleihen, und trat am 7. VI. zurück, bewirkte aber damit keine Erschütterung mehr, da nach Verfassungsrecht Gottwald nunmehr als Stellvertreter des Präsidenten die Unterschrift leisten konnte. Schon am 14. VI. wurde Gottwald reibungslos zum Präsidenten gewählt; der Gewerkschaftsführer Antonín Zápotocký wurde Ministerpräsident. Beneš überlebte seinen Sturz und den Zusammenbruch aller Hoffnungen auf die Möglichkeit eines »Mittelwegs« nur um wenige Wochen. Er starb vereinsamt am 3. IX. 1948.

[1] Da die Tschechoslowakische Republik den »Mittelweg« länger als alle anderen Länder Ostmitteleuropas ging und da sich der Umbruch im Februar 1948 besonders spektakulär vollzog, ist das Schrifttum für diesen Zeitraum sehr reichhaltig, insbesondere auch an Memoiren. Die 1965 einsetzende und im Sommer 1968 ihren Höhepunkt erreichende Welle wahrheitsgemäßer Darstellung der kommunistischen Machtübernahme im Februar 1948 brachte eine große Fülle von Zeitungs- und Zeitschriftenaufsätzen u. a. zum Fenstersturz von Jan Masaryk hervor, doch reichte die Zeit bis zum 21. VIII. 1968 nicht zu einem zusammenfassenden Werk. Von den beim allg. Schrifttum genannten Sammelwerken behandelt die History of the Czechoslovak Republic 1918–1948 die Jahre

IV. Die Tschechoslowakische Republik auf dem »Mittelweg« (1945-1948)

1945-1948 in Teil III (S. 387-471) unter eingehender Berücksichtigung der Wirtschaft (durch *J. M. Michal*). Bei *J. K. Hoensch* und *S. H. Thomson* werden die Jahre 1945-1948 verhältnismäßig knapp behandelt. Breiter, vor allem mit zahlreichen bibliograph. Angaben, ist *H. Slapnicka* in Bd. IV d. Handbuchs d. Gesch. d. Böhmischen Länder (S. 303-328). Sehr eingehend informiert über diesen und den Anfang des folgenden Zeitraums das Sammelwerk Czechoslovakia (1956). Von den Monographien sind fünf englischsprachige wichtig: *J. Duchaček*, The Strategy of Communist Infiltration. The Case of Czechoslovakia (1949); *D. A. Schmidt*, Anatomy of a Satellite (1953); *V. Chalupa*, Rise and Development of a Totalitarian State, Bd. 2: The Case of Czechoslovakia (1959); *J. Korbel*, The Communist Subversion of Cz. The Failure of Coexistence (1959); *P. E. Zinner*, Communist Strategy (s. I, Anm. 14).
An Memoiren sind vor allem zu nennen: Der letzte Teil der Erinnerungen des ehem. Ministers *L. Feierabend*, Unter der Regierung d. Nationalen Front (s. II, Anm. 1), Bd. 2, S. 367-526. (Das tschech. Original: Pod Vládou Národní Fronty erschien 1968 in Wash. D.C.) Die sehr bald nach 1948 erschienenen, z. T. einseitigen Memoiren d. früheren Ministers *H. Ripka*, Le coup de Prague. Une révolution préfabriquée (1949, engl.: Czechoslovakia Enslaved, 1950), und die eher atmosphärisch bedeutende des Abgeordneten d. Tschech. Nationalsoz. Partei *J. Stransky*, East Wind over Prague (1950). Die Memoiren d. Min. Präsid. von 1945/46 *Zd. Fierlinger*, Ve službach ČSR (2 Bde. 1947-1948), reichen nur bis 1945.
Nachschlagewerke für diesen und den folgenden Zeitraum: Handbuch d. Tschechoslowakei, hg. v. *H. Kuhn* (1967); Biograph. Handbuch d. Tsch., hg. v. *H. Kuhn* u. *O. Böss* (²1969) und *H. Kuhn*, Der Kommunismus in der Tsch., Bd. I: Organisationsstatuten und Satzungen (1965), sowie *H. Kuhn*, Zeittafel zur Geschichte: Die KPTsch (1973). S. auch den von *N. Lobkowicz* u. *F. Prinz* hg. Sammelband: Die Tschechoslowakei 1945-1970 (1978).
Knappe Übersicht in Gesamtwerken, Ostmitteleuropa betreffend: *J. Duchaček*, in: The Fate of East Central Europe. Hopes and Failures of American Foreign Policy, hg. v. *S. D. Kertesz* (1956), S. 179-219 (mit einem Schwerpunkt bei der Situation Anfang Mai 1945); *R. Urban*, in: Die Sowjetisierung Ost-Mitteleuropas, hg. v. *E. Birke* u. *R. Neumann*, Bd. I (1959), S. 177-251; *G. Rhode*, Die Entwicklung in d. Tschechoslowakei seit 1945: Informationen zur polit. Bildung Nr. 89 (1960), und ders., für die Zeit 1945 bis 1967, in: Vorträge d. Hessischen Hochschulwoche f. staatswissensch. Fortbildung 15.-21. X. 1967, Bd. 60 (1968), S. 59-92; *O. Forst de Battaglia*, Zwischeneuropa (s. I, Anm. 1), behandelt neben Polen die Tschechoslowakei sehr ausführlich.
Zur Wirtschaftsgeschichte s. *B. Kiesewetter*, Die Wirtschaft d. Tschechoslowakei seit 1945 (1954).
Zur geistigen Entwicklung s. *N. Lobkowicz*, Marxismus-Leninismus in d. ČSR. Die tschechoslowak. Philosophie seit 1945 (1961).
Zur Kirche: *L. Němec*, Church and State in Czechoslov. (1955).

[2] S. seine gemeinsam mit *Vl. Moudry* veröffentlichte reich dokumentierte Schilderung: Soviet Seizure of Carpathian Ruthenia (1955). S. auch *J. W. Brügel*, Der Fall Karpathorußland: EurArch 8 (1955), S. 6021 ff., und *V. Markus*, L'incorporation de l'Ukraine subcarpatique à l'Ukraine soviétique (1956).

[3] Voller Wortlaut in Deutsch, in: Dokumentation d. Vertreibung (s. unten Anm. 5), Bd. IV, 1, S. 184-203.
S. dazu *B. Laštovička*, Vznik a význam Košického vládního programu (Entsthg. u. Bedeutung d. Kaschauer Regierungsprogramms): ČeskýČasHist 8 (1960), S. 449-471, m. franz. Résumé. S. auch *O. Pustejovsky*, Parlamentar. Demokratie und die Politik der KP d. Tsch. in d. Jahren 1945-1948: Bohemia 3 (1962), S. 468-497.

[4] Die Schilderung d. Prager Aufstands von *K. Bartošek*, Pražské povstaní 1945 (1960), gekürzte dt. Ausgabe (1965), ist zwar faktenreich, verschweigt aber die Rolle d. Vorsitzenden d. Nationalrats, d. Parlamentspräsidenten von 1968, *J. Smrkovský*, fast völlig und stellt falsche Behauptungen über das Nichteingreifen d. Amerikaner auf, während in Wirklichkeit der sowj. Oberkommandierende General Antonov Eisenhower am 5. V. 1945 dringend aufgefordert hatte, die Demarkationslinie keinesfalls zu überschreiten (Text d. Briefwechsels in: The Fate of ECE, hg. v. *S. D. Kertesz*, S. 202, Anm. 9).

§ 25 Tschechoslowakei 1918–1968

Zum Schicksal d. Deutschen in Prag Anfang Mai 1945 s. Dokumentation d. Vertreibung Bd. IV, 1, S. 51–64. Dokumente u. Erinnerungen, in: Květen 1945 ve středních Čechách. Sbornik dokumentů a vzpominek na revoluční dny 1945 (1965). S. a. d. Aufsatzsammlung: Československá revoluce v letech 1944–1948 (1966).
Der von *K. Bosl* herausgegebene Sammelband: Das Jahr 1945 in der Tschechoslowakei (1971), enthält nur drei Beiträge, die sich tatsächlich mit d. Jahr 1945 beschäftigen, von *J. K. Hoensch,* Die Slowakei i. Jahre 1945, von *H. Kuhn,* Der Neuaufbau der KP im J. 1945, u. von *H. Slapnicka,* Verfassungsprobleme d. Tsch. im J. 1945.

[5] Eine eingehende Schilderung aus tschechisch-bürgerlicher Sicht gibt *R. Luža,* The Transfer of the Sudeten Germans. A Study of Czech-German Relations 1933–1962 (1964). Wichtig vor allem zwei Dokumentationen: Dokumente z. Austreibung d. Sudetendeutschen, hg. v. *W. Turnwald* (1951), und Dokumentation d. Vertreibung d. Deutschen aus Ost-Mitteleuropa: Bd. IV, 1 u. 2: Die Vertreibung der deutschen Bevölkerung aus d. Tschechoslowakei (Hg. d. Gesamtwerks: *Th. Schieder,* 1957) sowie das Beiheft 2: *M. Schell,* Ein Tagebuch aus Prag 1945–1946 (1957).
Zu den Verlustzahlen: Die deutschen Vertreibungsverluste, hg. v. Statist. Bundesamt (1958), S. 315–369 (v. *A. Bohmann*).
Zur Bevölkerungsentwicklung s. *A. Bohmann,* Bevölkerung u. Nationalitäten (s. I, Anm. 12), S. 347–512. Die Nachkriegsverluste der Sudetendeutschen und Karpathendeutschen wurden 1958 auf 238 000, 1975 auf 257 000 beziffert (gegenüber 229 000 Toten durch Kriegshandlungen und die Aufstände in d. Slowakei und in Prag).
Zum Schicksal d. sudetendt. Gebiete und ihrer Besiedlung s. *R. Urban,* Die sudetendeutschen Gebiete nach 1945 (1964).
Für die Auswirkungen der Vertreibung innerhalb der ČSR s. *J. Sláma,* Aussiedlung d. Dten., Sozialisierung des Privateigentums etc. und d. sozio-ökonomischen Folgen für die Tschechoslowakei (1975; vervielfältigt). Erweitert in *J. Sláma,* Die sozioökonomische Umgestaltung der Nachkriegs-Tschechoslowakei. Zur Politik des kommun. Machtmonopols (1977).

[6] Wortlaut b. *J. Smutný,* Němci v Československu a jich odsun z republiky, in: Doklady a rozpravy 26 (1956), S. 64–68; dt. in: Dokumentation d. Vertreibg., Bd. IV, 1, S. 181–183. S. auch *E. Wiskemann,* Germany's Eastern Neighbours (1956), S. 62–67. S. dazu auch *J. W. Brügel,* Tschechen und Deutsche (s. III, Anm. 23).

[7] Zur ung. Bevölkerung s. *V. v. Zsolnay,* Die Lage d. Madjaren in der Slowakei: ZOstforsch 16 (1967), S. 326–342, und d. Abschnitt: Die magyarische Minderheit bei *Bohmann,* (s. I, Anm. 12), S. 404–420.

[8] Die Darstellung dieses Vorgangs ist weitgehend vom Standpunkt der Vf. abhängig. Während *Ripka* (s. Anm. 1), *Smutný* (s. Anm. 11) und andere Beneš nahestehende Persönlichkeiten den guten Willen der nichtkommunistischen Parteien hervorhoben, wird in den kommunist. Darstellungen die angeblich subversive Tätigkeit dieser Parteien und ihrer führenden Vertreter hervorgehoben, während Analysen wie die von *Korbel* und *Zinner* (s. Anm. 1) die langfristige Strategie der Kommunisten betont, die Beneš und seine Mitarbeiter hätten durchschauen müssen.
Beneš' eigene Reden und Erklärungen im Bd.: Z projevů presidenta republiky Dr. E. Benešc v letech 1945–1946 (o. J. [1947]). Zur Kritik an ihm u. a. d. Schrift: Benesch war gewarnt (1949).
S. dagegen die kommunistischen Darstellungen: Vláda obrozené národné fronty (Die Regierung der erneuerten Nationalen Front; amtl. Darstellung d. Informationsministeriums 1948); *J. S. Hájek,* Zhoubná úloha pravicových socialistů (Die verderbliche Rolle der rechten Sozialisten; 1954); *V. Král,* Cestou k' Únoru; Dokumenty (Auf dem Weg zum Februar; 1963).
Dagegen die Verteidigung des führenden Sozialdemokraten *B. Laušman,* Kdo byl vinen? (Wer war schuld?; 1953). L. kehrte unter nie voll geklärten Umständen in die Tschechoslowakei zurück, wurde verhaftet und starb 1963 in Haft.

[9] Über die Prozesse gegen die führenden Angehörigen der Slowak. Volkspartei s. d. Buch des präsidierenden Richters *J. Daxner,* L'udáctvo pred národným súdom 1945–1947 (Die Volksparteiler vor dem Volksgericht; 1961). Über Tiso, der in der Slowakei durchaus nicht verhaßt war, s. *F. Vnuk,* Dr. Josef Tiso, President of the Slovak Republic

(1967). Die Abschiedsbotschaft Tisos vom 18. IV. 1947 in engl. Übersetzung bei *G. L. Oddo,* Slovakia, S. 315; vgl. auch die Biographie Tisos von *J. Pauco* (slowakisch). S. auch *J. Pauco,* Slováci a komunizmus (1957).

[10] S. dazu außer dem Augenzeugen *H. Ripka,* Le coup de Prague (Anm. 1), S. 43-73, die von *J. Belda, M. Bouček, Z. Deyl* und *M. Klimeš* ausgewerteten Protokolle der Kabinettssitzungen: K otázce učastí Československa na Marshallove plánu: Revue dějin socialismu 4 (1968), 4. I., S. 81-100.

[11] Hier stehen die Schilderungen einander besonders kraß gegenüber. Kommunistisch: Die Februarereignisse in der Tschechoslowakei. Die Geschichte der Regierungskrise (1948; amtl. Darstellung). *A. Svoboda, A. Tučková, V. Svobodová,* Jak to bylo v únoru. Reportaž o osmi dnech vítězného února (Wie es im Februar war. Reportage über die 8 Tage d. siegreichen Februar; [4]1958).

Vítězný únor 1948. Vzpóminky (Erinnerungen; 1959). Vertreter der prokommun. Parteien: *Zd. Fierlinger,* Zrada československé buržoasie a jejich spojenců (Der Verrat der tschechoslow. Bourgeoisie und ihrer Verbündeten; 1951); *J. Plojhár,* Vítězný únor 1948 a čsl. strana lidová (Der siegr. Februar und d. tschechoslov. Volkspartei; 1958). Dagegen außer *Ripka,* Le coup (Anm. 1), und *Laušman* (Anm. 8) der Kabinettschef v. Beneš *J. Smutný,* Únorový převrat 1948 (1953; 5 Bde., vervielfältigt), und *L. Sychrava,* Svědectví a úvahy o Pražském převratu 1948 (Berichte und Bemerkungen zum Prager Umsturz; 1952).

Sachl. Schilderung v. *H. G. Skilling,* The Break-up of the Czechoslovak Coalition 1947-1948: CanadJournEconSocialScience 26 (1960), S. 396-412, u. The Prague Overturn in 1948: CanadSlavPapers 4 (1959), S. 88-114.

Zusammenfassend *P. Tigrid,* The Prague Coup of 1948. The Elegant Takeover, in: The Anatomy of Communist Takeovers (1971 u. 1975), S. 399-432, sowie *F. Fejtö,* Le coup de Prague 1948 (1976; mit weiterführ. Bibliographie). 1968 konnte im »Frühling« in Preßburg eine um Sachlichkeit bemühte slowak. Darstellung erscheinen: *M. Vartiková,* Od Košíc po Február. Politika slovenského Národného frontu od košického obdobia do februárových udalosti 1945-1948 (Von Kaschau zum Februar. Die Politik der Slowak. Nationalen Front von der Kaschauer Zeit bis zu den Februarereignissen).

[12] Über die sehr widersprüchliche Persönlichkeit von Jan Masaryk s. d. Erinnerungen von *R. B. Lockhart,* J. M., A Personal Memoir ([2]1956) und die bewußt den Titel der Biographie des Vaters von K. Čapek nachahmenden Erinnerungen von *V. Fischl,* Hovory s Janem Masarykem (Gespräche mit J. M.; [3]1973). Die Frage, ob es sich bei dem Fenstersturz um Mord oder Selbstmord handelte, ist auch durch die lebhafte Pressediskussion des Jahres 1968 nicht geklärt worden. Für die offizielle Version vom Selbstmord sprechen das unausgeglichene, zu Depressionen neigende Naturell des Präsidentensohnes und vor allem die Tatsache, daß der Tod der prominenten Persönlichkeit der neuen Regierung denkbar ungelegen kam. Für Mord sprechen die eigenartigen Umstände des Todes (Fenstersturz, obwohl M. sowohl über eine Pistole wie über Gift verfügte), das Fehlen eines Abschiedsbriefes und die Hinweise des Philosophen *Iv. Sviták* in der Zeitschrift »Student« vom 2. IV. 1968, s. d. engl. Wiedergabe in: *Iv. Sviták,* The Czechoslovak Experiment (1971), S. 19-23.

[13] Engl. Text bei *J. F. Triska,* Constitutions of the Communist Party-States (1968), S. 396-429.

V. Von der Volksrepublik zur Sozialistischen Republik. Der »Prager Frühling« und sein Ende 1968[1]

a) Die Ära des Stalinismus. Säuberungen und Schauprozesse

Nach der Annahme der Verfassung und der Wahl Gottwalds zum vierten Staatspräsidenten der ČSR galten die folgenden Jahre vor allem dem Umbau des Staates und der Umgestaltung der KPČ sowie der Ausschaltung verschiedener, als

»feindlich« oder »verräterisch« bezeichneter Elemente in der Partei selbst. Dabei handelte es sich nur zu einem kleinen Teil um wirkliche Auffassungsunterschiede; meist waren es reine Machtkämpfe, denen wirkliche oder vermeintliche Rivalen Gottwalds zum Opfer fielen. Die Parteienlandschaft wurde noch in der Umbruchperiode dadurch verändert, daß die Sozialdemokratische Partei, deren Sekretariat am Krisentag, dem 25. II. 1948, von Mitgliedern eines »Aktionsausschusses« besetzt worden war, ihre Vereinigung mit der KPČ beschloß. Diese wurde am 27. VI. 1948 vollzogen, ohne daß die KP ihren Namen änderte, lediglich bei Aufnahme einiger führender Sozialdemokraten wie Zdeněk Fierlingers in das Präsidium der KPČ. Diese zählte schon im Herbst über 2 400 000 Mitglieder und war damit stärkste KP außerhalb der UdSSR. Im Verhältnis zur Bevölkerungszahl übertraf sie alle anderen Kommunistischen Parteien, da ihr fast 20 % der Gesamtbevölkerung angehörten. Die für die Bildung der »Nationalen Front« und der Regierung so nützliche Existenz zweier Kommunistischer Parteien wurde auf Vorschlag des Vorsitzenden des Präsidiums der KPS, V. Široký, am 18. XI. 1948 aufgehoben. Die KPS war fortan nur noch eine »Gebietsorganisation der KPČ in der Slowakei«, freilich mit eigenem Sekretär[2].

Die vier noch vorhandenen übrigen Parteien, die Volkspartei, die Tschechischen Sozialisten, die Slowakischen Demokraten und die slowakische »Freiheitspartei«, deren führende Vertreter nach dem Februarumbruch ohne besondere Behinderung ins Ausland gelangten, verloren völlig den Charakter echter Parteien und traten nur noch vor den Wahlen als Mitglieder der »Nationalen Front« in Erscheinung. Sie behielten bei sehr kleiner Mitgliederzahl (10 000–20 000) aber einen gut ausgebauten Funktionärsapparat und eigene Tageszeitungen, von denen freilich nur die der Volkspartei, die »Lidová Demokracie«, einige Bedeutung hatte. Der Disziplinierung dieser Parteien diente ein Anfang Juni 1950 durchgeführter Hochverratsprozeß gegen 13 Funktionäre der Tschechischen Sozialistischen Partei, von denen vier zum Tode und vier zu lebenslänglicher Freiheitsstrafe verurteilt wurden. Mit zusammen 64 Sitzen im Parlament gegenüber 236 der mit den Sozialdemokraten vereinten KP waren diese Parteien zu völliger Bedeutungslosigkeit verurteilt, stellten aber immer je einen der zahlreichen Minister.

Die Vereinheitlichung und strikte Ausrichtung auf die Parteiführung unter Gottwald stand in engem Zusammenhang mit dem Kominform-Konflikt, in dem die KPČ bedingungslos der Linie der KPdSU folgte. Dem entsprach die Ausschaltung von Kommunisten, die als »links« oder »rechts«, als zu selbständig oder als für nationale Vorurteile anfällig gelten konnten. Zur ersten Gruppe gehörte der langjährige Generalsekretär der KPČ Rudolf Slánský und weitere, wie Slánský selbst meist jüdische hohe Parteifunktionäre und Regierungsmitglieder wie der Stellvertretende Außenminister Artur London[3]. Slánský, noch im Juli 1951 anläßlich seines 50. Geburtstages als einer der treuesten Freunde Gottwalds gefeiert, wurde im September von seinem Posten als Generalsekretär entfernt, zwar zum Stellvertretenden Ministerpräsidenten ernannt, aber schon am 26. XI. 1951 verhaftet. In dem Ende November 1952 durchgeführten Prozeß gegen die »staatsfeindliche verschwörerische Slánský-Bande« wurden 11 der 14 Angeklagten zum Tode, drei weitere zu lebenslänglicher Haft verurteilt. 11 Jahre später wurden die Angeklagten rehabilitiert, die Haltlosigkeit der Beschuldigungen festgestellt. Mit der »Slánský-Bande« wurde auch der eher als »rechts« einzustufende slowakische Kommunist Vladimir Clementis[4] verurteilt und hingerichtet, seit dem Tod Jan Masaryks Außenminister. Er gehörte zu einer Gruppe slowakischer Kommunisten, wie Gustav Husák, Ladislav Novomeský und Karol

V. Von der Volksrepublik zur Sozialistischen Republik

Šmidke, die im Februar 1951 wegen ihres »bourgeoisen Nationalismus« aus der KPČ ausgeschlossen worden waren. Alle anderen, die schon vorher ihrer Ämter enthoben worden waren, wurden aber in einem besonderen Prozeß im April 1954 verurteilt. Dabei wurden zwar keine Todesstrafen, wohl aber langjährige Freiheitsstrafen ausgesprochen, im Fall von Gustav Husák sogar lebenslänglich.

Andere führende Persönlichkeiten der Kriegs- und ersten Nachkriegsjahre wurden zwar nicht vor Gericht gestellt, aber doch für Jahre verhaftet oder zumindest völlig ausgeschaltet, wie einer der Führer des Prager Mai-Aufstandes, Josef Smrkovský, bis zum Herbst 1951 Stellvertretender Landwirtschaftsminister, dann 4 Jahre ohne Urteil in Haft, und Verteidigungsminister Ludvík Svoboda, im Herbst 1951 verhaftet, nach einem Jahr freigelassen und in untergeordneter Stellung beschäftigt, 1955 rehabilitiert und zum Leiter der Kriegsakademie ernannt.

Im wirtschaftlichen Bereich[5] wurde, dem Vorbild der Sowjetunion folgend, die Industrialisierung forciert vorangetrieben, wobei dem Land im Gesamtplan der im Rat für gegenseitige Wirtschaftshilfe (RGW, nach der englischen Abkürzung Comecon) vor allem die Aufgabe zufiel, Maschinen, Traktoren und Kraftfahrzeuge zu produzieren, während die vorwiegend in den bisher sudetendeutschen Gebieten beheimatete Leicht- und Textilindustrie zurücktrat. Die schon 1945 eingeleitete Umstrukturierung der Besitzverhältnisse wurde systematisch fortgeführt. Sechs Verstaatlichungsgesetze vom 28. IV. 1948 sozialisierten alle Betriebe mit mehr als 50 Beschäftigten, und im Laufe des ersten, im Herbst 1948 verkündeten und 1949 beginnenden Fünfjahrplanes erfolgte die Verstaatlichung der gesamten Industrie und die Verstaatlichung des Handels bzw. dessen Überführung in genossenschaftliche Formen, so daß 1954 der private Handel ausgeschaltet war. Im Februar 1949 begann mit einem Gesetz über die Bildung von landwirtschaftlichen Einheitsgenossenschaften auch die Kollektivierung der bis dahin von Eingriffen weniger berührten Landwirtschaft.

Als symbolisch für die weitgehende Angleichung an die Sowjetunion konnte die Synchronisierung der Fünfjahrespläne gelten. Nach Ablauf des ersten Fünfjahresplanes 1953 wurden zwei Einjahrespläne eingeschaltet, so daß der zweite Plan 1956–1960 mit dem sechsten Plan der Sowjetunion synchron war.

In die Jahre 1949 bis 1953 fiel auch der heftige Kampf gegen die Katholische Kirche[6], die bis zum Februar 1948 ganz unbehelligt geblieben war. Nach zahlreichen, durch die päpstlichen Dekrete der Exkommunizierung von Kommunisten ausgelösten Kundgebungen im Sommer 1949, die sich vor allem gegen den Vatikan und den Episkopat richteten, wurde durch das Gesetz vom 14. X. 1949 über die wirtschaftliche Sicherstellung der Kirchen diesen das gesamte Vermögen entzogen und die Geistlichen zu besoldeten Staatsbediensteten gemacht, die der Regierung einen Treueid zu leisten hatten. Die gleichzeitige Schaffung eines Staatsamtes für kirchliche Angelegenheiten, an dessen Spitze zunächst Gottwalds Schwiegersohn Alexej Čepička, seit April 1950 der Exministerpräsident Zdeněk Fierlinger trat, gab die Möglichkeit zu strenger Kontrolle des gesamten kirchlichen Lebens, die durch den Strafkodex vom 1. VIII. 1950 mit den Bestimmungen über den »Mißbrauch religiöser Funktionen« noch verstärkt wurde. Verhaftungen und Internierungen aller Bischöfe, die sich weigerten, den geforderten Treueid zu leisten, führten dazu, daß in den beiden Erzdiözesen Prag und Olmütz Anfang 1952 kein Bischofsstuhl mehr regulär besetzt war. – Die Griechisch-Katholische Kirche wurde 1950 überhaupt aufgelöst, ihre Glieder zum Übertritt in die viel kleinere Orthodoxe Kirche gezwungen. Diese erfreute sich ebenso wie die Tschechisch-Brüderische (evangelische) Kirche und die romfreie Tschechoslowakische Kirche[7] einer wohlwollenden Duldung.

§ 25 Tschechoslowakei 1918–1968

Im Unterschied zu den Nachbarländern bewirkte der Tod Stalins (5. III. 1953) in der Tschechoslowakei kaum Änderungen, obwohl Staatspräsident und Parteichef Gottwald unmittelbar danach, am 14. III. 1953, starb. Der um Gottwald aufgebaute Persönlichkeitskult wurde auch nach seinem Tode zunächst fortgesetzt, jedoch nicht auf seine beiden Nachfolger übertragen, durch deren Einsetzung die 1948 geschaffene Personaleinheit von Staat und Partei wieder aufgegeben wurde. Staatspräsident wurde der bisherige Ministerpräsident Antonin Zápotocký (1884–1957), Parteiführer mit der wiederhergestellten Amtsbezeichnung »Erster Sekretär« der bisherige Prager Parteisekretär Antonin Novotný (geb. 1904), Ministerpräsident der bisherige Außenminister und slowakische Parteisekretär Viliam Široký (1902–1971). Diese Regierung, die neben einer kaum noch überschaubaren Zahl von Fachministerien ein inneres Kabinett von zehn Stellvertretenden Ministerpräsidenten bildete, blieb über 10 Jahre, bis September 1963, im Amt, ohne daß der 17. VI. 1953, der XX. Parteikongreß der KPdSU und die Ereignisse des Sommers und Herbstes 1956 in Polen und Ungarn tiefgreifende Erschütterungen hervorriefen. Die Periode des Stalinismus war hier auch zehn Jahre nach Stalins Tod noch nicht ganz beendet. Symbol dafür war das gigantische, am 1. V. 1955 eingeweihte Stalindenkmal auf dem Letná-Hügel, das Prag immer noch überragte, als es in anderen Ländern des Ostblocks längst keine Stalinstatuen mehr gab. Es wurde erst im November 1962 nicht etwa gestürzt, sondern vorsichtig abgetragen.

Die 1954 und 1960 durchgeführten Wahlen brachten – bei Herabsetzung des Wahlalters auf 18 Jahre – den Einheitslisten der Nationalen Front keinerlei Überraschungen, lediglich Veränderungen in der Zahl der Abgeordneten (1954: 368, 1960 wieder 300) und im Prozentsatz der Gegenstimmen (1954: 2 %, 1960: 0,2 %). Das am 12. VI. 1960 gewählte Parlament nahm am 11. VII. 1960 eine neue Verfassung[7a] an, die den Übergang vom Sozialismus zum Kommunismus als nahe bevorstehend bezeichnete, die führende Rolle der KPČ in Artikel 4 verankerte und den Staat nunmehr Tschecho-Slowakische Sozialistische Republik (ČSSR) nannte. Im Unterschied zu anderen, dem sowjetischen Vorbild nachgebildeten Verfassungen wurde als Relikt aus den Zeiten der Republik lediglich das Amt des Staatspräsidenten beibehalten, das nach dem Tode von Zápotocký (13. XI. 1957) an den Ersten Parteisekretär Novotný übergegangen war, so daß die Personaleinheit von Staat und Partei wiederhergestellt war.

Im Zuge der Abkehr vom Personenkult und orthodoxen Dogmatismus wurden lediglich einzelne Personen geopfert, so Gottwalds Schwiegersohn Alexej Čepička, seit April 1950 Verteidigungsminister, der 1956 mit dem Amt für Erfindungen und Normen abgefunden, 1959 auch aus diesem entfernt wurde, oder der langjährige Innenminister (1953–1961) Rudolf Barák, der im April 1963 wegen Unterschlagungen zu 15 Jahren Gefängnis verurteilt wurde. Auf dem XII. Parteikongreß im Dezember 1962 schien die KPČ, mit über 1 650 000 Mitgliedern 17,5 % der über achtzehn Jahre alten Bevölkerung umfassend, so geschlossen, daß sie auch der zweiten Welle der Entstalinisierung gefaßt entgegensehen konnte.

b) Liberalisierung und »Prager Frühling«[8]

Die Vorgänge des Frühjahrs und Sommers 1968, die, als »Prager Frühling« etikettiert, den »Kommunismus mit menschlichem Gesicht« verwirklichen sollten, haben ihre Wurzel in den Fragen nach einer »Bewältigung der Vergangenheit«, vor allem des Personenkults und der großen Prozesse, die insbesondere von Schriftstellern in der Slowakei seit Anfang 1963 immer häufiger gestellt wurden.

V. Von der Volksrepublik zur Sozialistischen Republik

Da nach sowjetischem Vorbild die Rechtswidrigkeit der Prozesse gegen Slánský, Clementis usw. zugegeben werden mußte, ergab sich von selbst die Frage, ob dafür nicht nur die inzwischen verstorbenen Parteiführer wie Gottwald und Zápotocký, sondern auch die noch in Staats- und Parteiämtern wirkenden Persönlichkeiten, wie der slowakische Parteiführer K. Bacílek, Ministerpräsident Široký und Novotný selbst verantwortlich zu machen seien. Sie wurde u. a. auch von den 1954 zu langen Haftstrafen verurteilten und nun wieder in Freiheit befindlichen slowakischen »Nationalisten« wie L. Novomeský im Frühjahr 1963 in die Öffentlichkeit getragen. Zunächst wurde nur eine Person, der slowakische Parteisekretär K. Bacílek, geopfert, an dessen Stelle im April 1963 der erst 41jährige und deshalb in der Zeit des Stalinismus nicht hervorgetretene und belastete Alexander Dubček (geb. 1921) trat. Gleichzeitig wurden einige weitere personelle Veränderungen in der Parteiführung vorgenommen, ohne daß aber prominente Personen betroffen waren. Novotný setzte sich vielmehr in einer Rede in Kaschau energisch zur Wehr und beschuldigte die wieder in Freiheit befindlichen slowakischen Kommunisten, u. a. Husák und Novomeský, sie verletzten die Einheit der Partei, da alle ohne Ausnahme »von der Stalinzeit gebrandmarkt« seien.

Dieses Herabspielen früherer Verantwortung war nicht mehr möglich, als der Oberste Gerichtshof im April 1963 das Ergebnis der Revision von sechs Prozessen, darunter des Slánský- und des Husák-Prozesses bekanntgab, das von 82 Angeklagten 79 völlig freisprach. Die meisten Verurteilten wurden voll rehabilitiert und wieder in die Partei aufgenommen, Clementis und andere sogar posthum, Slánský jedoch nicht[9].

Die Schuld an den Justizmorden wurde dem früheren Sicherheitsminister L. Kopřiva und dem längst entmachteten Čepička gegeben, die wohl aus der Partei ausgeschlossen und verhaftet, aber nicht verurteilt wurden. Da zur Zeit der Säuberung mindestens 3 350 Angeklagte unschuldig verurteilt worden waren und 1952 gerade diejenigen Personen für besondere Verdienste um die Aufdeckung und Verfolgung der angeblichen Verbrechen gelobt worden waren, die nun an der Spitze von Staat und Partei standen, wurde die Frage nach den Konsequenzen immer wieder gestellt.

Am 22. IX. 1963 wurden diese Konsequenzen durch die Abberufung Širokýs und weiterer Minister wiederum nur teilweise gezogen. Der neue Ministerpräsident Josef Lenárt, Slowake und seit Oktober 1962 Vorsitzender des Slowakischen Nationalrats, hatte als Vierzigjähriger auch keine Belastung aus der Zeit des Stalinismus zu tragen, hatte aber, abgesehen vom größeren Verständnis für eine freiere Wirtschaftspolitik, kein eigentliches Programm. Eine freiere Entfaltung des geistigen Lebens bedeutete aber die Berufung des als Reformer bekannten Čestmir Císař in das Erziehungsministerium. In freierer Handhabung der Regelungen des wirtschaftlichen und geistigen Lebens wurde unter der Regierung Lenárt praktisch der Weg einer Liberalisierung und Öffnung nach dem Westen hin beschritten, wobei Wirtschaftswissenschaftler wie Ota Šik und Radoslav Selucký Thesen zur Verbesserung der Wirtschaftslage verkünden konnten (November 1964), die bei offizieller Beibehaltung der Planwirtschaft praktisch ihren allmählichen Abbau bedeuteten, da den Fachkenntnissen und der Befriedigung der legitimen Bedürfnisse der Bevölkerung der Vorrang vor der Gesamtstaatsplanung eingeräumt wurde. Kritik an der Vergangenheit und lebhafte literarische, ästhetische und philosophisch-ethische Diskussionen in Zeitschriften und bei Tagungen ließen oft fast vergessen, daß der Führungsanspruch der KPČ nach wie vor bestand und daß Staatspräsident Novotný und einige seiner Mitarbeiter im Parteisekretariat wie Jiří Hendrych und Vladimír Koucký der Entwicklung zu größerer geistiger und wirtschaftlicher Freiheit feindlich gegenüberstanden.

Der Konflikt begann im Juni 1967, als die offizielle Verdammung Israels im sogenannten Sechstagekrieg im absoluten Gegensatz zur Volksmeinung stand und als die Gegensätze zwischen staatlicher Zensur und Bevormundung und der Aufgabe des Schriftstellers und Dichters auf dem IV. Kongreß des Schriftstellerverbandes zum Ausbruch kamen[10]. Als die Zeitschrift des Verbandes, die »Literární Noviny«, Anfang Oktober 1967 diesem genommen und mehrere prominente Schriftsteller wie Ludvík Vaculík und J. A. Liehm[11] aus der Partei ausgeschlossen wurden, verschärfte sich die Kritik am starren Dogmatismus Novotnýs und seiner Umgebung auch im Zentralkomitee. Am 5. I. 1968 trat Novotný, der während eines Besuchs von Breschnew Anfang Dezember 1967 offenbar dessen Unterstützung verloren hatte, als Erster Parteisekretär – jedoch nicht als Staatspräsident – zurück. An seine Stelle trat Alexander Dubček, der alsbald von zahlreichen Altkommunisten aufgefordert wurde, »eine Atmosphäre des Vertrauens zu schaffen, in der jeder Kommunist seine Meinung frei äußern kann«.

Am 22. III. wich Novotný aber dem unaufhörlichen Druck der öffentlichen Meinung und trat auch als Präsident zurück. Unmittelbar danach, Ende März bis Anfang April, schieden er und eine Reihe von »Dogmatikern« wie Hendrych, Koucký und Strougal auch aus dem Präsidium und dem Sekretariat des ZK der KPČ aus. Weitere Umbesetzungen brachten den reformerischen, auf restlose Aufklärung der Unrechtstaten der Ära des Stalinismus drängenden Flügel der Parteiführung endgültig an die Spitze, ohne daß aber die zurückgetretenen oder entmachteten »Dogmatiker« vor Gericht gestellt oder mit Ausschlußverfahren bedroht worden wären.

Zum Staatspräsidenten wählte die Nationalversammlung am 30. III. Ludvík Svoboda[12], der am 8. IV. den bisherigen Stellvertretenden Ministerpräsidenten Oldřich Černik mit der Regierungsbildung beauftragte. In die Regierung traten auch Gustav Husák und Ota Šik als Stellvertretende Ministerpräsidenten ein, während der bisherige Unterrichtsminister Jiří Hájek das Außenministerium übernahm. Neben Parteiführern hatten nunmehr bewährte Fachleute zahlreiche Ministerien inne.

In den folgenden Monaten entspann sich bei fast völliger Pressefreiheit eine intensive Diskussion zur Bewältigung der stalinistischen Vergangenheit mit dem Streben nach Aufklärung aller bisher ungeklärter Vorgänge wie des Todes von Jan Masaryk und zur Gestaltung einer Zukunft, die absolute Meinungsfreiheit, Aufrichtigkeit und Menschlichkeit ermöglichen sollte. Ihren Höhepunkt bildeten die am 27. VI. 1968 in mehreren Zeitschriften veröffentlichten »Zweitausend Worte«[13] des rehabilitierten Schriftstellers Ludvik Vaculík, dem sich zahlreiche Prominente anschlossen. In ihnen wurde der Verfall der politischen Moral angeprangert und zu einer Erneuerung des politischen Lebens aufgerufen, zwar ausdrücklich nicht ohne die Kommunisten oder gegen sie, aber doch selbständig neben ihnen sowohl in den Gewerkschaften wie in unabhängigen spontanen Bürgerausschüssen. Von diesem Manifest, das sofort die Distanzierung des Parteipräsidiums und schärfste Reaktionen in der Sowjetunion hervorrief, konnte man bei konsequentem Weiterdenken logischerweise nur zu einem System gelangen, in dem die KP zwar eine wichtige und führende, aber durchaus nicht mehr die einzige und allein tonangebende politische Kraft gewesen wäre. Die nunmehr einsetzende, z. T. sehr gereizt und scharf geführte Diskussion des Präsidiums der KPČ mit den »Bruderparteien« machte die tief reichenden Gegensätze zwischen der Idee eines auf Überzeugung und Argumente bauenden Kommunismus, der bereit war, sich freien Wahlen zu stellen und die Konsequenzen aus einer Wahlniederlage zu ziehen, und dem von der KPdSU und den »Bruderparteien« verfochtenen »Leninismus« deutlich.

In zwei Konferenzen der Parteispitzen in Schwarzau a. d. Theiss (Cierna nad Tisou) Ende Juli/Anfang August und in Preßburg am 3. VIII., an denen die rumänische Partei nicht beteiligt war, wurde eine Überbrückung dieser Gegensätze nur scheinbar erreicht.

Nachdem schon im Juli/August durch Manöver der Warschauer Pakt-Mächte die Polemik gegen die Entwicklung in der ČSSR eine drohende Begleitmusik erhalten hatte, wurde in Moskau am 19. VIII. der endgültige Beschluß für die schon vorher vorbereitete militärische Intervention von fünf Mitgliedern des Warschauer Paktes gefaßt (UdSSR, Volksrepublik Bulgarien, Volksrepublik Ungarn, Volksrepublik Polen, DDR), die in der Nacht vom 20. zum 21. VIII. mit der Absetzung sowjetischer Luftlandeverbände auf dem Flughafen von Prag begann und in wenigen Tagen, ohne militärischen Widerstand, wohl aber zivilen Widerstand zu finden, beendet wurde.

Diese mit der sogenannten Breschnew-Doktrin begründete Intervention[14], die angeblich von einer Gruppe von Mitgliedern der KPČ erbeten worden war, setzte noch nicht den Schlußpunkt für die mit der Wahl Dubčeks zum Ersten Parteisekretär endgültig eingeleitete Entwicklung, den sogenannten »Prager Frühling«, war aber der Beginn einer Rückentwicklung, in der nur Präsident Svoboda sein Amt behielt, während Dubček am 17. IV. 1969 als Erster Sekretär zurücktrat und danach schrittweise in die völlige Bedeutungslosigkeit zurückgedrängt wurde. An seine Stelle trat Gustav Husák. Der »zeitweilige Aufenthalt von Truppen des Warschauer Paktes auf dem Territorium der ČSSR« wurde durch einen Vertrag geregelt, den die Nationalversammlung am 28. X. 1968 ratifizierte, genau 50 Jahre nach der Unabhängigkeitserklärung der Tschechoslowakischen Republik.

[1] Die zwei Jahrzehnte des Stalinismus, der vorsichtigen Reformen und des »Frühlings« sind am besten zusammengefaßt dargestellt von *H. G. Skilling,* Czechoslovakia's Interrupted Revolution (1976), allerdings m. d. Schwerpunkt des 924 S. umfassenden Monumentalwerks beim Jahr 1968. S. auch *F. Beer,* Die Zukunft funktioniert noch nicht. Ein Portrait der Tschechoslowakei 1948–1968 (1968). Für die Anfangsjahre vor allem das Hdb. »Czechoslovakia« von *V. Busek, N. Spulber* u. *E. Taborsky,* Communism in Czechoslovakia 1948–1960 (1961). Der 1977 vom Collegium Carolinum herausgegebene Länderbericht: Tschechoslowakei (Frankf.) gibt eine Analyse der 70er Jahre, greift aber in d. Zeit 1948–1968 zurück. Vgl. im übrigen die IV, Anm. 1 genannten, einen Teil des Zeitraums behandelnden Werke.
Für die wirtschaftl. Entwicklung *K. P. Hensel* u. a., Die sozialistische Marktwirtschaft in d. Tschechoslowakei (1968), das IV, Anm. 5 genannte Werk von *Sláma* und d. Erlebnisbericht des Zwangsarbeiters und Wirtschaftsexperten *W. Wannenmacher,* Das Land der Schreibtischpyramiden (1956).
Von 1951 an wurde über die Entwicklung in der Tschechoslowakei regelmäßig in »Osteuropa« von *H. Slapnicka* bzw. *R. Urban* berichtet. Außerdem die regelmäßigen Berichte und Übersetzungen in »Wissenschaftlicher Dienst Ostmitteleuropa« (seit 1952). Texte und zusammenfassende Berichte in: Ost-Probleme (seit 1949). Lageberichte und einzelne Übersichten über d. Parteiführung u. d. Regierungswechsel in der Monatsschrift »Hinter dem Eisernen Vorhang« (seit 1955; 1966–1973 mit dem Titel »Osteuropäische Rundschau«).
S. auch die im Allgemeinen Schrifttum zu »Südosteuropa« angeführten Übersichtsdarstellungen, die durchweg auch die Tschechoslowakei einbeziehen, von *Brzezinski, Fejtö, Hoensch,* und für die 60er Jahre *Fischer-Galati, Kertész, Staar, R. Löwenthal.*
[2] Zur Parteientwicklung s. d. Übersichten von *H. Kuhn* (IV, Anm. 1) und *E. Taborsky,* sowie die offizielle Istorija Kommunističeskoj Partii Čechoslovakii (1962).
Die Mitgliederzahlen für 1949 bis 1968 bei *R. Staar,* Die kommun. Regierungssysteme

§ 25 Tschechoslowakei 1918–1968

in Osteuropa (1977), S. 241. Sie waren seit 1949 infolge der »Säuberungen« rückläufig und betrugen 1951 nur noch 1 677 000, 1960 nur 1 560 000, im Januar 1968 wieder etwa 1 700 000. Die Säuberungen nach 1968 brachten einen erneuten erheblichen Rückgang auf 1 173 000 im Dezember 1970.

[3] S. d. Bericht von *A. London,* L'aveu (1968; dt.: Ich gestehe. Der Prozeß von Rudolf Slansky, 1970). Außerdem *E. Löbl, D. Pokorný,* Die Revolution rehabilitiert ihre Kinder. Hinter den Kulissen des Slánský-Prozesses (1968). Noch kurz vor Slánskýs Verhaftung (26. XI. 1951) erschienen seine Aufsätze unter d. Titel: Za vítězství socialismu (Für d. Sieg des Sozialismus; 2 Bde.: 1925–1945 und 1945–1951; 1951) und wurden im Rudé Pravo vom 16. XI. angezeigt, 10 Tage vor seiner Verhaftung. Aufschlußreich: *J. Slánská,* Bericht über meinen Mann. Die Affäre Slánský (1969).

[4] Seine Biographie von *Š. Drug,* V. Clementis, kulturný publicista (1967). *L. Novomeský* gab schon 1964 in Preßburg eine Schrift von *Vl. Clementis,* Nedokončená kronika (Eine unvollendete Chronik), illustr. v. *L. Jesenská,* heraus. Seine frühen Schriften bis 1938 wurden nach der Rehabilitierung in Preßburg 1967 unter dem Titel Vzduch našich čias (Geist unserer Zeit) in zwei Bänden, mit Vorwort von *L. Novomeský* herausgegeben.

[5] Dazu außer *Kiesewetter,* Wirtschaft d. Tschechoslowakei (IV, Anm. 1), *Sláma* und *Hensel* (s. o. Anm. 1) und d. Berichten in »Osteuropa« den Sammelband: Bevölkerungs- und Wirtschaftsprobleme der Tschechoslowakei (Wissensch. Übersetzungen d. Herder-Instituts, Nr. 42, 1966, mit 5 Beiträgen). Zu den demographischen Auswirkungen der Industrialisierung die Schriften der Reformer *R. Selucký,* Reform-Modell ČSSR. Entwurf einer sozialistischen Marktwirtschaft oder Gefahr f. d. Volksdemokratie? (1969), u. *O. Šik,* Fakten der tschechoslowakischen Wirtschaft (1969).

[6] S. außer *L. Němec,* Church and State (IV, Anm. 1) u. *J. Hopfner,* Kirche in d. ČSSR (²1970), den von *F. Seibt* zur Tausendjahrfeier des Bistums Prag herausgegebenen Sammelband Bohemia Sacra. Das Christentum in Böhmen 973–1973 (1974), und die alljährl. Lageberichte in d. von *R. Stupperich* herausgegebenen Jahrbuch »Kirche im Osten«. Zu den protestantischen Kirchen s. d. Halbjahresschrift: Erbe und Auftrag der Reformation in d. böhmischen Ländern, hg. v. *E. Turnwald,* seit 1961.

[7] Über die Tschechoslowakische Kirche berichtet eingehend und umfassend *R. Urban,* Die Tschechoslowakische Hussitische Kirche (1973).

[7a.] Text in Englisch b. *J. F. Triska* (IV, Anm. 13), S. 430–452.

[8] Aus dem umfangreichen, z. T. sehr zeitbedingten Schrifttum über den »Prager Frühling« ist außer dem Standardwerk von *H. G. Skilling,* Interrupted Revolution (Anm. 1), hervorzuheben: ČSSR im Umbruch, mit Beitr. v. *G. Husák* u. *E. Goldstücker,* hg. v. *L. Grünwald* (1968); *E. Löbl* und *L. Grünwald,* Die intellektuelle Revolution. Hintergründe und Auswirkungen d. »Prager Frühlings« (1969), und die Dokumentationen: Die Ereignisse in d. Tschechoslowakei vom 27. VI. 1967 bis 18. X. 1968. Ein dokument. Bericht v. *H. Haefs* (1969).
Prag 1968 – Dokumente, hg. v. *M. Czizmas* (1968); *O. Pustejovsky:* In Prag kein Fenstersturz. Dogmatismus und Entdogmatisierung – Demokratisierung – Intervention (1968); *A. Kusák* u. *F. P. Künzel,* Der Sozialismus m. menschlichem Gesicht. Experiment u. Beispiel der sozialist. Reformation in der Tschechoslowakei (1969), und *J. Sviták,* The Czechoslovak Experiment 1968–1969 (1971).

[9] Während die Schriften von Clementis wieder veröffentlicht wurden (s. o. Anm. 4) geschah das mit denen Slánskýs nicht, dem auch keine posthume Biographie gewidmet wurde. Seine Gattin J. Slánská erhielt aber Gelegenheit, die ihr auferlegte Sippenhaft und Diskriminierung zu schildern.
S. die in Anm. 3 genannten Werke v. *London* u. *Löbl, Pokorný.*

[10] S. d. Berichte und Wiedergaben bei *Haefs,* S. 4–12, bei *Czizmas,* S. 13–18, bei *Pustejovsky* (s. o. Anm. 8), S. 37–41. Der volle Wortlaut der Reden in: Reden z. IV. Kongreß des Tschechoslowak. Schriftstellerverbandes, Prag, Juni 1967 (1968).

[11] S. sein Buch: Gespräch a. d. Moldau. Das Ringen um die Freiheit d. Tsch. (1968).

[12] S. seine etwas hagiographisch gehaltene Biographie von *T. Fiš,* Mein Kommandeur, General Sv. Vom Ural zum Hradschin (1969).

[13] Wortlaut in Deutsch bei *Pustejovsky,* S. 128–134, bei *Czizmas,* S. 146–153, nach der »Prager Volkszeitung« v. 19. VII. 1968.

V. Von der Volksrepublik zur Sozialistischen Republik

[14] Außer dem in Anm. 8 genannten Schrifttum die z. T. unmittelbar 1968/69 entstandenen Dokumentationen und Analysen das sogenannte »Schwarzbuch« des Historischen Instituts der Tschechoslowak. Akademie d. Wissenschaften: Sedm pražských dnů 21. bis 27. srpen 1968 (Sieben Prager Tage), vervielfältigt; dt.: »Prager Schwarzbuch« (1969) u. Das tschechische Schwarzbuch, hg. v. *W. Marx* u. *G. Wagenlehner* (1969); engl.: The Czech Black Book, hg. v. *R. Littell* (1969). Prag – 21. August 1968. Eine Sammlung v. Dokumenten, hg. v. *A. Domes* (^{2}1969). Die sowjetische Gegenschrift: K sobytijam v Čechoslovakii (Zu den Ereignissen i. d. Tsch.; 1968); *F. Goëss, M. Beer*, Prager Anschläge; Bilddokumente des gewaltlosen Widerstandes (1968); *E. Bertleff*, Mit bloßen Händen. Der einsame Kampf der Tschechen und Slowaken 1968 (1968); *C. Chapman*, August 21st. The Rape of Czechoslovakia (1969); Tschechoslowakei. August 1968. Die Tragödie eines tapferen Volkes, hg. v. *H. K. Studer* (1968); *P. Windsor, A. Roberts*, Chechoslovakia 1968. Reform, Repression and Resistance (1969); *H. Brahm*, Der Kreml und die ČSSR 1968–1969 (1970); The Soviet Invasion of Czechoslovakia. Its Effects on Eastern Europe, hg. v. *E. J. Czerwinski* u. *J. Piekalkiewicz* (1972); *Vl. Horský*, Prag 1968. Systemveränderung und Systemverteidigung (1975).

§ 26 Polen von der Wiederherstellung der Unabhängigkeit bis zur Ära der Volksrepublik 1918–1970

Von Gotthold Rhode

Allgemeines Schrifttum
Infolge des besonderen politischen Interesses, das der polnische Staat sowohl bei seiner Wiederentstehung in den Jahren 1916 bis 1920 wie auch in den Jahren zwischen den Kriegen und insbesondere nach dem II. Weltkrieg in Deutschland und darüber hinaus in Großbritannien und Frankreich gefunden hat, ist die Literatur zur polnischen Zeitgeschichte auch außerhalb Polens außerordentlich umfangreich und kaum noch übersehbar. Allerdings bewirkte das Interesse, das mehrfach besondere Höhepunkte erreichte, und das mit wechselnden politischen Vorzeichen – z. B. 1916–18, 1920–22, 1930–32, 1934–36, 1939, 1947–50, 1956–58, 1970–72 – auch das Erscheinen einer großen Menge von Einzelschriften von nur geringem Informationswert. Sie haben deutliche, von der politischen Wetterlage bestimmte, propolnische oder antipolnische Akzente, einschließlich der sehr subjektiv bestimmten Reisebeschreibungen, die in den zwanziger Jahren, in der Mitte der dreißiger, nach 1956 und nach 1970 – immer mit politischen Anlässen verbunden – in großer Zahl erschienen. Diese werden im folgenden nur in Ausnahmefällen genannt.
Die Übersicht und die Anmerkungen nennen in erster Linie Schrifttum in deutscher, englischer und französischer Sprache, polnischsprachiges Schrifttum vor allem bei den Standard- und Quellenwerken.
Übersichtsdarstellungen:
Die meisten *Gesamtdarstellungen* der polnischen Geschichte erfassen je nach Aufbau und Erscheinungsjahr den ganzen hier behandelten Zeitraum oder größere Teile davon.
Bis 1935 reicht Bd. II der Cambridge History of Poland, hg. v. *W. F. Reddaway, J. H. Penson, O. Halecki* u. *R. Dyboski* (1951); bis 1939 *G. Rhode,* Geschichte Polens. Ein Überblick (³1979), ebenfalls bis 1939 die von *A. Gieysztor, S. Kieniewicz, E. Rostworowski, J. Tazbir* u. *H. Wereszycki* verfaßte History of Poland (1969). Das Jahr 1957 erreicht die sehr knappe, stark national betonte Geschichte Polens von *O. Halecki* (1963).
Die groß angelegte Historia Polski der Polnischen Akademie der Wissenschaften ist mit Teil IV (1918–1939) bislang nur bis 1921 gelangt (Teilband IV, 1,1; 1969); ein weiterer Teil, bis 1926 reichend, ist in Vorbereitung.
Dagegen gelangt die einbändige, von *J.* Topolski herausgegebene Geschichte Polens (Dzieje Polski; 1975) bis in die siebziger Jahre, die fast ein Drittel des Gesamtumfangs ausmachende Darstellung der Jahre 1918 bis 1975 ist von *A. Czubiński.*
In der vierbändigen, von den Krakauer Historikern *J. Wyrozumski, J. A. Gierowski* und *J. Buszko* herausgegebene Historia Polski (1978) reicht Bd. IV von *J. Buszko* von 1864 bis 1948.
Die offizielle sowjetische Istorija Pol'ši (1958) widmete den ganzen Bd. III den Jahren 1917 bis 1944 und einen 1965 erschienenen Zusatzband den Jahren 1944–1964, in Bd. III sehr einseitig, im Zusatzband sachlicher.
Von den *Einzeldarstellungen* erfassen *M. K. Dziewanowski,* Poland in the Twentieth Century (1977), und *H. Roos,* Geschichte der polnischen Nation 1918–1978 (1979; in der 1. und 2. Auflage 1961: Geschichte der polnischen Nation 1916–1960) bei etwa dem gleichen Umfang fast den gleichen Zeitraum.
Besonders viel Information aus allen Bereichen bietet der Band »Polen« des Osteuropa-Handbuches, hg. v. *W. Markert* (1959; mit Tabellen, Regierungslisten, Karten usw.; die Abschnitte zur politischen Geschichte v. *H. Roos* u. *G. Rhode,* zur kirchl. Entwicklung v. *B. Stasiewski,* zur Wirtschaftsentwicklg. v. *Krannhals, Günzel, Thalheim* u. a.).
Eine gewisse Fortsetzung mit einer Überschneidung für die Jahre 1944 bis 1957 bietet *J. K.*

§ 26 Polen von der Unabhängigkeit bis zur Volksrepublik 1918-1970

Hoensch u. *G. Nasarski,* Polen, 30 Jahre Volksdemokratie (1975), allerdings mit wesentlich weniger genauen Daten.
Stark politisch betont, aber reich an Hintergrundinformationen: *W. Pobóg-Malinowski,* Najnowsza Historia Polityczna Polski 1864-1945, Bd. II: 1914-1939 (2. verb. Auflage 1967), Bd. III: 1939-1945 (1960).
Lediglich die zwei Jahrzehnte zwischen den Kriegen erfassen: Pologne 1919-1939 (3 Bde., Bd. I: Vie politique et sociale; Bd. II: Vie économique; Bd. III: Vie intellectuelle et artistique; 1947); *A. Polonsky,* Politics in Independent Poland; the Crisis of Constitutional Government (1972), u. *R. Debicki,* Foreign Policy of Poland 1919-1939 (1962) u. *St. Mackiewicz,* Geschichte Polens vom 11. Nov. 1918 bis zum 17. Sept. 1939 (1956).
Aktenpublikationen größeren Umfangs und für einen längeren Zeitraum liegen nicht vor. Die einzige Ausnahme: Dokumenty i materiały do Historii Stosunków Polsko-Radzieckich (Dokumente u. Materialien zur Geschichte der polnisch-sowjet. Beziehungen; 9 Bde. 1957 bzw. 1962 bis 1976) reicht von 1917 bis 1949; sie enthält neben Akten zahlreiche Aufrufe, Zeitungsartikel und sonstiges gedrucktes Material. Die Dokumentation erscheint zugleich in Warschau und in Moskau. Von Bd. I gibt es zwei verschiedene Fassungen, eine von 1957, eine von 1962.
Bibliographien (zusammenfassende): Bis 1958: Osteuropa-Handbuch Polen, S. 743-781.
Für die Zwischenkriegsjahre: Bibliographie zur Außenpolitik d. Republik Polen 1919-1939 und zum Feldzug in Polen (²1943). Bibliographie zur Nationalitätenfrage d. Republik Polen 1919-1939 (²1943). Bibliographie zur Staats- und Wirtschaftsgeschichte d. Rep. Polen 1919-1939 (1941; alle v. *M. Gunzenhäuser,* im Rahmen der Bibliographien d. Weltkriegsbücherei, überwiegend dt. Schrifttum).
Ganz allgemein: Bibliographie sur la Pologne, Pays, Histoire, Civilisation (1963), hg. v. *J. Pelcova* u. *M. Lenartowicz* (Die Geschichte bis 1945 auf S. 73-117; Bibliographie raisonnée).
Über d. Besatzungszeit: Materiały do bibliografii okupacji hitlerowskiej w Polsce 1939-1945, hg. v. *W. Chojnacki, K. M. Pospieszalski, E. Serwański* (1957).
Über den Widerstand: Bibliographie de la lutte pour la libération menée par le peuple polonais contre l'occupant hitlérien 1939-1945. Matériaux pour les années 1945-1960 (1961).
Zur Kirchengeschichte: Das Katholische Buch in Polen 1945-1965. Bibliogr. Verzeichnis (1966). S. auch *G. Rhode,* Literaturbericht über poln. Geschichte I. 1945-1958: HZ, Sonderheft 1 (1962), S. 158-211, u. *K. Zernack,* Schwerpunkte und Entwicklungslinien d. poln. Geschichtswissenschaft nach 1945: HZ, Sonderheft 5 (1973), S. 202-323.
Laufende Bibliographie: Schrifttum über Polen, bearb. v. *H. Rister,* ab 1961 von *J. Stiller,* zeitweilig unter Mitarbeit von *H. M. Meyer* (8 Bde. f. d. Jahre 1943-1965, 1953-1974); Bd. 9: 1966-1970 (1979).
Bibliografia Historii Polskiej, hg. v. *Instytut Historii d. PAN,* Jahresbibliographie ab 1944, die Jahre 1944-1947 in einem Bd. (1962-1976).
Laufende Berichterstattung außerdem in: Wissenschaftlicher Dienst f. Ostmitteleuropa (Monatsschrift), Bd. 1-24 (1951-77), ab 1975 vierteljährl. als Dokumentation Ostmitteleuropa, und in »Osteuropa« Zeitschr. f. Gegenwartsfragen des gesamten Ostens, 1-14 (1925-1939) u. erneuert, 1-28 (1951-1978).
Nachschlagewerke: Encyklopedia Powszechna Ultima Thule, Bd. 1-10 (bis Sz; 1927-1939). Wielka Encyklopedia Powszechna, Bd. 1-13 (1962-1970).
Polski Słownik Biograficzny (enthält nur Verstorbene), Bd. 1-23 (bis No; 1935-1978).
S. a. Polska-Zarys encyklopedyczny (1974).
Wichtigste *zeitgeschichtl. Zeitschriften:* Zeszyty Historyczne (sehr viel Dokumentation), Bd. 1-44 (1962-1978).
Niepodległość (Unabhängigkeit), Bd. 1-11 (1948-1978); Najnowsze Dzieje Polski (Neueste Geschichte Polens; beschränkt auf 1914-1939, dann auf den II. Weltkrieg), Bd. 1-12 (1958-1968), fortgesetzt als »Dzieje Najnowsze«, Bd. 1-10 (1969-1978; ohne Beschränkung auf Polen, für das ganze 20. Jh.).

Die Geschichte Polens im 20. Jh. von der Proklamation des polnischen Staates durch die Herrscher der Mittelmächte am 5. XI. 1916 bis zum plötzlichen Ab-

§ 26 Polen von der Unabhängigkeit bis zur Volksrepublik 1918–1970

schluß der Ära Gomułka infolge der Arbeiterunruhen in den Küstenstädten im Dezember 1970 unterscheidet sich durch drei Umstände von der Geschichte vergleichbarer europäischer Länder im gleichen Zeitraum:

1) Sie ist einem mehrfachen radikalen Wandel unterworfen, der die Kontinuität der Entwicklung jäh zerreißt.

2) Der Staat verfügt während der fünf Kriegsjahre 1939 bis 1944 über kein Staatsgebiet, existiert gleichwohl durch Exilregierung und bewaffnete Macht als kriegführendes Land und Bündnispartner weiter, erlebt aber durch die Beschlüsse von Teheran, Jalta und Potsdam 1945 eine weitgehende Westverschiebung des von ihm praktisch beherrschten Territoriums.

3) In besonderer Weise ist die polnische Geschichte dieses halben Jahrhunderts eng mit der deutschen Geschichte verflochten, weil a) der deutsche Sieg über das kaiserliche Rußland den Anfang der Wiederentstehung des polnischen Staates ermöglichte, b) die deutsche Niederlage 1918 wiederum diesem Staat zur Unabhängigkeit verhalf und die Ausdehnung nach West und Ost erleichterte, c) polnische Geschichte sich seit 1918 zu einem kleinen, aber wesentlichen Teil, seit 1945 jedoch in erheblichem Umfang auf bisher deutschem Staatsgebiet abspielt, d) deutsche Besetzung des gesamten polnischen Staats- und Siedlungsgebietes zusammen mit den mit ihr verbundenen Unterdrückungs- und Exterminierungsmaßnahmen und polnische Okkupation deutschen Gebietes, verbunden mit Diskriminierung und Vertreibung der deutschen Bevölkerung, zu tiefem gegenseitigen Mißtrauen geführt haben, zunehmend aber auch den Wunsch entstehen ließen, Haß und Abneigung zu überwinden.

Eine vollständig wertfreie, die Leser auf beiden Seiten völlig befriedigende Darstellung einer teilweise noch als Gegenwart empfundenen Geschichte Polens auf knappem Raum kann daher nicht geboten werden. Erschwerend kommt hinzu, was für die Nachbarländer Polens allerdings genauso gilt, daß fast genau die Hälfte der hier behandelten 54 Jahre unter dem Leitstern sowjetrussischer Vorherrschaft und des Aufbaus des Sozialismus steht. Die Tendenz, die Entwicklung vor dem Jahre 1944 nur als Vorgeschichte einer mit diesem Epochenjahr beginnenden »Erfüllung der Geschichte« zu betrachten und in ihr nur die Erscheinungen positiv herauszuheben, die den späteren Umgestaltungen dienlich waren, ist in der polnischen Geschichtsschreibung der neuesten Zeit nicht immer gleichmäßig stark spürbar, aber doch unverkennbar. Sie manifestiert sich auch dadurch, daß dieses Jahr 1944 in der offiziellen Periodisierung der Gesamtgeschichte Polens den höchsten Rang einnimmt, da es die Epoche des »Kapitalismus« von der des Sozialismus trennt.

Der folgende Überblick kann sich einer so starren, dogmatisch festgelegten Einteilung nicht anschließen, kann aber auch nicht einem einzigen Prinzip bei der Chronologisierung folgen. Diese ergibt sich vielmehr aus einem Zusammenspiel innenpolitischer, außenpolitischer, sozialer und ideologischer Faktoren. Wesentliche einschneidende Wandlungen hängen dabei häufig mit der Machtübernahme von Einzelpersonen, ihrem Tod oder ihrem Sturz zusammen, so daß man trotz aller Bedenken versucht ist, von einer »Ära Piłsudski« oder einer »Ära Gomułka« zu sprechen. Derartige Personalisierungen sehr vielfältiger Wandlungsvorgänge bedingen zwar vereinfachte Vorstellungen vom Geschichtsablauf, sind aber doch hilfreich, will man einzelne Abschnitte prägnant und eindringlich kennzeichnen.

Die wesentlichen Epochen polnischer Entwicklung seit 1916 sind von sehr ungleicher Länge, was auch durch den vielfachen raschen Wandel bedingt ist. Insgesamt lassen sich acht wesentliche Perioden unterscheiden:

§ 26 Polen von der Unabhängigkeit bis zur Volksrepublik 1918–1970

a) Die Vorbereitung der Wiedergeburt des polnischen Staates (1916–1918). »Aktivisten« und »Passivisten«
b) Die Erringung der Unabhängigkeit und der Kampf um Grenzen und Staatsgestaltung (1918–1921/22)
c) Die Zeit der Herrschaft des Parlaments. Von der »Märzverfassung« 1921 bis zum Mai-Umsturz 1926
d) Die Zeit der autoritären Staatsform unter Marschall Piłsudski (gest. 1935) und seinen Epigonen (1926–1939)
e) Das geteilte Polen im II. Weltkrieg. Untergrund, westliches und östliches Exil (1939–1944)
f) Wiedererrichtung des Staates. »Westverschiebung« und »Mittelweg« (1944/45 –1947)
g) Polens Umgestaltung zur »Volksdemokratie«. »Eigener Weg«, Stalinismus und erste Wandlungen nach Stalins Tod (1947–1956)
h) »Frühling im Oktober« und zweite »Ära Gomułka« (1956–1970)

In diesem Zeitraum vollziehen sich, stärker noch als in den Nachbarländern, wesentliche soziale Wandlungen[1], die im folgenden nicht mit der ihnen gebührenden Vollständigkeit behandelt werden können. Die in den I. Weltkrieg eintretende dreigeteilte polnische Nation war noch sehr stark den Traditionen adeligen Lebensstils und bäuerlich-agrarischer Wirtschaftsweise und Anschauungswelt verhaftet. Das zahlenmäßig schwache Bürgertum, nur in den wenigen großen Städten wie Warschau, Krakau, Lemberg, Posen konzentriert und in den Kleinstädten nur im preußischen Anteil von größerer Bedeutung, war noch weitgehend am Vorbild des Adels – dem es teilweise entstammte – ausgerichtet, stellte neben dem Adel den Nachwuchs der Intelligenzberufe, hatte aber kaum Unternehmerpersönlichkeiten und Großkaufleute hervorgebracht. Große Firmen und Kapital in den beiden einzigen großen Industriezentren, in der Lodzer Textilindustrie und im Kohlen- und Hüttenrevier in Oberschlesien und im Dąbrowaer Gebiet waren fast durchweg deutsch oder jüdisch.

Dementsprechend fehlte im Spektrum der politischen Parteien eine vom Großbürgertum und der Finanzwelt getragene Richtung, es fehlten auch in polnischer Hand die großen Vermögen, vom Großgrundbesitz abgesehen. Das politische und wirtschaftliche Leben des neuen Staates mußte daher im wesentlichen von einer verhältnismäßig schmalen Schicht von Angehörigen bürgerlicher Intelligenzberufe – Professoren, Journalisten, Anwälten – von einem fast nur in Galizien entwickelten Berufsbeamtentum österreichischer Schulung, von Militärs und wenigen, kaum geschulten Bauernpolitikern getragen werden. In der Arbeiterschaft klaffte eine erhebliche Lücke zwischen den wirtschaftlich schlecht gestellten Arbeitermassen und ihren meist aus der Intelligenz kommenden Führern – es fehlte der selbstbewußte, gebildete und bildungsbeflissene Gewerkschaftsführer als ausgleichendes Element, wie überhaupt Gewerkschaften weder politisch noch wirtschaftlich eine Rolle spielten.

Das zu gering entwickelte Besitzbürgertum und das handwerklich orientierte Kleinbürgertum wurde teilweise von nichtpolnischen Bevölkerungsgruppen gestellt, zum Teil von Deutschen, aber vorzugsweise von Juden. Von diesen hatten sich nur kleine Gruppen emanzipiert und fühlten sich nun als Polen jüdischen Glaubens bzw. im preußischen Anteil als Deutsche jüdischer Konfession. Zu den Hauptproblemen der polnischen Gesellschaft im neuen eigenen Staat gehörte nun die Frage, wie man diese andersprachigen und andersnationalen Schichten, die doch für das Gesamtgefüge unentbehrlich waren, allmählich verdrängen und durch neu zu bildende eigene Schichten ersetzen oder wie man sie möglichst

§ 26 Polen von der Unabhängigkeit bis zur Volksrepublik 1918–1970

rasch und nachhaltig assimilieren könne. Hier, und nicht nur in dem hohen Anteil von offiziell 31,1 % an der Gesamtbevölkerung (nach Minderheitsberechnungen bis zu 40 %), lag auch ein Grund für die Brisanz des Problems der nationalen Minderheiten in den Jahren 1919 bis 1939. Dabei machten die beiden ostslawischen Gruppen der Ukrainer und Weißruthenen nach den angefochtenen Volkszählungsergebnissen von 1931 zwar 13,9 bzw. 5,3 % der Gesamtbevölkerung aus[2], zusammen also 19,2 % (tatsächlich wohl 25 %), bildeten trotzdem aber wegen ihrer weitgehend geschlossenen Siedlungsweise und wegen ihres im allgemeinen niedrigen Bildungsstandes[3] kein so entscheidendes Problem für die Struktur der Gesellschaft und des wirtschaftlichen Lebens wie die auf das ganze Staatsgebiet verteilte jüdische Bevölkerung mit einem Anteil von 11,9 % Bekennern der »mosaischen« Konfession und 7,9 % Jiddisch-Sprechenden und wie die nicht nur im preußischen Anteil weniger zahlenmäßig als wirtschaftlich-organisatorisch starken deutschen Volkstumsgruppen, deren Anteil 1931 mit 2,3 % zweifellos zu niedrig angegeben wurde, der aber auch nach eigenen Berechnungen mit 3,2 % nicht als hoch angesehen werden konnte.

Der tief verwurzelte, von der politischen Rechten immer wieder angestachelte Antisemitismus und die aus Achtung, Mißtrauen und Abneigung gemischte antideutsche Einstellung breiter Kreise des polnischen Volkes vor allem der zwanziger und dreißiger Jahre lassen sich aus diesem Phänomen eines in der Wandlung begriffenen unvollständigen Gesellschaftsgefüges erklären. Charakteristischerweise entsprach diesen beiden Erscheinungen keine Abneigung gegenüber Ukrainern und Weißruthenen, im Verhältnis zu denen eher ein patriarchalisches Überlegenheitsgefühl des Adels oder der Beamten gegenüber den bäuerlichen, ungebildeten Massen festzustellen war.

Die zwei Jahrzehnte der Republik Polen sind durch das – kaum je bewußt formulierte – Bestreben gekennzeichnet, eine noch überwiegend agrarisch bestimmte Gesellschaft, deren Stil und deren Lebensführung sich auch in Intelligenz und Bürgertum am Vorbild des Adels orientierte, in eine agrarisch-industrielle Staatsnation mit lebhaften Appellen an Patriotismus und Staatsgefühl umzuwandeln. Es gelingt aber in der kurzen Zeit nicht, die fehlenden sozialen Schichten nachzubilden und somit die andenssprachigen Gruppen völlig entbehrlich zu machen. Noch weniger können die ostslawischen nationalen Minderheiten integriert werden, während die Masse der bäuerlichen Bevölkerung[4] wenigstens in Teilen mit Staat und Nation verbunden werden kann – am wenigsten in den agrarisch übervölkerten Gebieten Galiziens.

Eine gewisse Realitätsferne, eine romantische Überschätzung der eigenen Kräfte und Möglichkeiten wurde in den späten dreißiger Jahren zu einem von der Staatsspitze geförderten Grundgefühl einer an den Idealen von Kampfbereitschaft und Heldentum erzogenen patriotischen Gesellschaft, die den kommenden Krieg nicht als Schrecknis, sondern eher als große Bewährungsprobe betrachtete.

Der Schock des verlorenen Krieges, der nationalsozialistischen Diskriminierungs- und Dezimierungspolitik, der sowjetischen Enteignungs- und Verschleppungsmaßnahmen traf somit eine zwar nicht voll durchgegliederte und intakte, aber in ihren Führungsschichten doch zum Widerstand entschlossene Nation, die sich unter Druck und Gefahr stärker zusammenschloß[5] als im Frieden und ein noch stärkeres Nationalgefühl als vorher entwickelte, unter erheblicher Mitwirkung der von beiden Okkupanten in gleicher Weise bekämpften katholischen Kirche. Auch das Zusammenwirken der politischen und militärischen Emigration im Westen und des Widerstands im Untergrund trug zu diesem Zusam-

§ 26 Polen von der Unabhängigkeit bis zur Volksrepublik 1918–1970

menschluß aus Selbstbehauptungswillen bei, bis die seit 1943 aktive kommunistische, sich »patriotisch« nennende Emigration in Moskau und der von ihr gesteuerte kommunistische und linkssozialistische Untergrund neue, auch gesellschaftspolitische Fronten aufriß, die ihr Symbol im heroisch-verzweifelten Warschauer Aufstand (August bis Oktober 1944) fanden. Durch ihn wollte sich letztlich die bisherige militärisch-adelig-intelligenzlerische Führungsschicht neu legitimieren und damit behaupten, so daß das faktische Ausbleiben der Hilfe von seiten der Roten Armee zwar bitterste Enttäuschung für die nach Aufstandstraditionen des 19. Jh. in aussichtsloser Lage Kämpfenden bedeutete, aber doch seine harte innere Logik hatte.

Die schweren Kriegsverluste der Intelligenz, die zum Teil in der Emigration verblieb, die Ausrottung der jüdischen Bevölkerung durch die nationalsozialistische Exterminierungspolitik und die Enteignung und Vertreibung der deutschen Bevölkerung aus den altpolnischen wie aus den sog. »wiedergewonnenen« Gebieten Ostdeutschlands erleichterten und beschleunigten die 1944/45 beginnende weitgehende soziale Umstrukturierung. Die Enteignung von Grundbesitz, Industrieunternehmungen und Banken traf nur zu einem kleinen Teil polnische Kreise, denn entweder war sie von der deutschen Besatzung schon vorweggenommen, oder sie bezog sich auf Nichtpolen, deren Besitz als »verlassen« deklariert und enteignet wurde. Die Schaffung einer egalitären, klassenlosen, theoretisch aus Arbeitern, Bauern und Intelligenz zusammengesetzten neuen Gesellschaft ohne nationale Minderheiten und adelige Tradition mußte deshalb prinzipiell auch ohne physische Vernichtungsaktionen einfacher erscheinen als z. B. in der Tschechoslowakei. Mit dem Umbau ging außerdem eine Industrialisierung Hand in Hand, die durch den Verlust der rein agrarischen und obendrein auch agrarisch unterentwickelten Ostgebiete jenseits des Bug und durch die Übernahme teilweise industrialisierter Regionen aus dem Reichsgebiet eine erhebliche Beschleunigung erfuhr.

Die neuen Führungsschichten konnten aber nicht allein aus der nicht sehr zahlreichen Industriearbeiterschaft und aus der ebenfalls nicht umfangreichen »linken« Intelligenz rekrutiert werden. Es mußte auf das bäuerliche Element und auf die mehr traditionsgebundene, am alten Nationsbegriff orientierte Intelligenz zurückgegriffen werden, besonders, als der Tod Stalins und die posthume Abkehr von ihm die Hervorhebung nationaler Vorstellungen und Traditionen ermöglichten. Während so Krieg und erste Nachkriegszeit das ohnehin kaum entwickelte Besitzbürgertum ebenso wie das Kleinbürgertum weiter reduzierten und den schon in den Zeiten der Republik zurückgedrängten Landadel völlig depossedierten, blieb das Bauerntum weitgehend unangefochten, zumal es seit 1956 wieder zum privaten Kleinbetrieb zurückkehren konnte. Die neue Intelligenz, in der die technischen Berufe zunehmend an Bedeutung gewannen, rekrutierte sich aber zum Teil aus der Arbeiterschaft und aus dem in die Stadt und die Industrie drängenden Teil des Bauerntums. Im Bereich des geistigen Lebens, der Kunst und der nichttechnischen Wissenschaften konnten sich dagegen personell wie ideell die Vertreter der alten Intelligenzschichten mit bürgerlichen und adeligen Traditionen halten oder erneut durchsetzen. Traditionspflege, Geschichtsbewußtsein und nationales Bewußtsein, deren Stärke in einer »neuen« Gesellschaft befremdend anmuten konnte, waren deshalb nicht nur Ausdruck bestimmter parteipolitischer Schwankungen, sondern der trotz tiefgreifender sozialer Wandlungen stark gebliebenen Bedeutung der die Kontinuität der Nation wahrenden und hervorhebenden geistigen Führungsschichten einschließlich der durch die Verfolgungen der Jahre 1950 bis 1956 nicht gebrochenen katholischen Geistlich-

§ 26 Polen von der Unabhängigkeit bis zur Volksrepublik 1918–1970

keit. Deren tatsächlicher Einfluß wurde im Laufe der fünf Jahrzehnte seit 1918 eher stärker als schwächer. Obwohl nach der Verfassung vom 17. III. 1921 »das römisch-katholische Bekenntnis die Hauptstellung unter den gleichberechtigten Bekenntnissen« (Art. 114) einnahm, genoß keiner der Erzbischöfe der *Rzeczpospolita* ein ähnliches Ansehen in der polnischen Öffentlichkeit wie Kardinal Stefan Wyszyński in der Volksrepublik Polen, deren Verfassung Kirchen und Konfessionen gar nicht nennt.

Trotz aller weitgehenden Veränderungen im sozialen Gefüge und der Ausschaltung der zwischen den Kriegen und während des Krieges noch führenden Schichten zeigte sich so im Bauerntum, im großen Einfluß der Katholischen Kirche und in immer noch an adeligen Lebensformen ausgerichteten Verhaltensnormen der Intelligenz ein starkes Beharrungsvermögen. Es wurde u. a. auch durch die nach wie vor große Bedeutung der Großfamilie gefördert, die ja sowohl in der bäuerlichen wie in der adeligen Lebensführung eine große Rolle spielt und in allen sozialistischen Gesellschaften entgegen der Theorie eine wesentliche Funktion hat. Die auch in sozialer Hinsicht scheinbar stürmische Entwicklung dieser fünf Jahrzehnte ist somit in Polen in besonderer Weise auch durch retardierende Momente gekennzeichnet, die sich weder rein sozio-ökonomisch, noch rein ideologisch-politisch begründen und erklären lassen.

[1] Zur Frage der sozialen Gliederung und des Lebensstils immer noch sehr instruktiv *H. Laeuen*, Polnische Tragödie (^{3}1958). Dazu der führende polnische Soziologe *J. Chałasiński*, Przeszłość i przyszłość inteligencji polskiej (1958); dt.: Vergangenheit und Zukunft der polnischen Intelligenz (1965).
[2] Die polnische Volkszählung unterschied »Ukrainer« und »Ruthenen« sowie »Weißruthenen« (Białorusini) und »Hiesige« (»Tutejsi«). Da dies aber lediglich Kunstgriffe waren, um den Anteil der einzelnen Minderheitsgruppen kleiner erscheinen zu lassen, werden hier und im folgenden die Zahlen für Ukrainer und Ruthenen sowie für Weißruthenen und »Hiesige« addiert.
[3] Bei einem Landesdurchschnitt von 33,1 % Analphabeten unter der über 10 Jahre alten Bevölkerung im Jahre 1921 hatten die vier überwiegend von Weißruthenen und Ukrainern bewohnten Ostwojewodschaften Wilna, Nowogródek, Polesien, Wolhynien 64 %, die überwiegend ukrainische Wojewodschaft Stanisławów 46 %, die früher preußischen Westwojewodschaften aber nur 4,2 %. 1931 war der Gesamtdurchschnitt in Polen auf 23,1 % abgesunken, lag in den Ostwojewodschaften aber immer noch bei 41 %, in der Wojewodschaft Stanisławów bei 36,6 %. Die dort starke jüdische Bevölkerung war in der Zahl der Analphabeten kaum vertreten.
[4] Noch 1931 betrug der Anteil der von landwirtschaftlicher Arbeit lebenden Bevölkerung 60,6 % der Gesamtbevölkerung, und nur in den Wojewodschaften Schlesien (Oberschlesien und Bielitz-Teschen; 12,2 %), Posen (47,1 %) und Lodz (48,6 %) lag er unter 50 %.
[5] Dazu die nur einen Teilbereich behandelnde Arbeit von *Chr. Klessmann*, Die Selbstbehauptung einer Nation. Nationalsozialistische Kulturpolitik und polnische Widerstandsbewegung im Generalgouvernement 1939–1941 (1971).

a) Die Vorbereitung der Wiedergeburt des polnischen Staates (1916–1918). »Aktivisten« und »Passivisten«

Beim Ausbruch des Weltkrieges, der den größten Teil des späteren polnischen Staatsgebietes für die ersten Kriegsjahre zum Kriegsschauplatz machen sollte – nur das preußische Teilgebiet und Westgalizien blieben ganz verschont – hatte keine der kriegführenden Mächte ein klar umrissenes Programm für die Lösung der »polnischen Frage«[1]. Rußland, dessen Oberkommandierender, Großfürst Nikolaj Nikolaevič, in einem Aufruf vom 1./14. VIII. 1914 nur sehr vage Versprechungen machte, konnte faktisch nur eine Autonomie im Rahmen eines weit

a) Die Vorbereitung der Wiedergeburt des polnischen Staates (1916–1918)

nach Westen – bis an die Oder! – vorgeschobenen Imperiums anbieten, war ja aber seit dem Frühsommer 1915 in der Defensive. Das Deutsche Reich konnte unmöglich an einem wiedererstehenden polnischen Staat interessiert sein, der ihm einen Teil seiner Ostprovinzen abfordern würde. Frankreich[2], bis in die neunziger Jahre des 19. Jh. am Schicksal Polens lebhaft interessiert, hatte Rücksicht auf den russischen Verbündeten zu nehmen, und Großbritannien war überhaupt am Osten Europas desinteressiert. So verblieb als einzige Macht, die an einer »austro-polnischen Lösung«, an einem österreichisch-ungarisch-polnischen Trialismus interessiert sein konnte, nur die schwächste Macht der europäischen Pentarchie, Österreich-Ungarn, das aber auf Grund seiner inneren Probleme keine bewußte Kriegszielpolitik treiben konnte und überdies Rücksicht auf das Deutsche Reich zu nehmen hatte. Ein Konzept lag darum auch hier bei Kriegsbeginn nicht vor, und die Mißerfolge in Ostgalizien waren keine günstige Voraussetzung für die Entwicklung eines »polnischen Programms« in Österreich-Ungarn.

Die polnischen Politiker konnten ihrerseits in ihrer großen Mehrzahl keine eigene Initiative entfalten, sondern neigten eher einer Politik des Abwartens und des Nichtengagements zu, während die Soldaten polnischer Nationalität durchweg den Einberufungsbefehlen der drei Teilungsmächte Folge leisteten. Nirgends kam es zu Kriegsdienstverweigerungen oder Massendesertionen polnischer Soldaten, auch im weiteren Verlauf des Krieges nicht.

Der weitgehenden Passivität, an der auch Sympathieerklärungen für Rußland[3] nach dem Manifest des Oberkommandierenden wenig änderten, stand die Aktivität des einstigen Sozialisten Józef Piłsudski[4] gegenüber, der schon im Januar 1914 den Verlauf des Krieges einschließlich des Eintritts der USA auf seiten der Westmächte richtig vorausgesagt[5] und daraus den Schluß gezogen hatte, daß die Polen, wollten sie bei Kriegsende gehört werden, eine eigene, unabhängige Streitmacht bilden und mit dieser zunächst auf Seiten der Mittelmächte kämpfen müßten. Diese allein könnten die russische Vorherrschaft brechen. Sei das geschehen, dann müßten die Polen ihre Selbständigkeit wahren und sich notfalls auch gegen die Mittelmächte wenden. Dieses Konzept der »bewaffneten Tat« knüpfte an die Tradition der polnischen Legionen der Zeit Napoleons und der großen Aufstände des 19. Jh. an und hatte, wie übrigens auch Piłsudskis Geschichtsbild, ausgesprochen romantische Züge. Gerade diese sprachen aber bestimmte Schichten der polnischen Nation mehr an als der nüchterne Realismus der »Passivisten«.

Deren Wortführer Roman Dmowski[6] vertrat in Fortführung der Ideen seines Lehrers Jan Ludwik Popławski[7] seit der Jahrhundertwende die Auffassung, daß Deutschland, vor allem aber das von Preußen bestimmte Deutsche Reich, der natürliche und eigentliche Gegner der Existenz Polens sei. Gegen diesen Feind, dessen Organisationsfähigkeiten und Energien er im übrigen bewunderte, müßten sich daher alle Anstrengungen polnischer Politik richten, auch im Bündnis mit Rußland, das mangels entsprechender geistiger Kräfte und mangels einer entsprechenden Affinität zu Polen nicht in der Lage sei, Polen zu assimilieren und zu absorbieren. Im russisch-polnischen Bündnis würden die Polen mithin stets eine wichtige, wenn nicht gar führende Rolle spielen, während sie bei einem deutsch-polnischen Zusammengehen zur Rolle der Heloten oder gar zum reinen Objekt deutschen Machtstrebens verurteilt seien.

Trotz der Enttäuschungen, die ihm seitens der russischen Regierung und der russischen bürgerlichen Parteien bereitet wurden, als er 1907 bis 1912 Abgeordneter in der Zweiten und Dritten *Duma* war, hielt Dmowski auch bei Kriegsbeginn am Konzept des Kampfes gegen Deutschland an der Seite Rußlands fest, weil nur dann eine vollständige Wiedervereinigung aller polnischen Gebiete möglich sei, wenn auch nicht in völliger Unabhängigkeit. Beide Konzeptionen waren zwar für den Kriegsbeginn diametral entgegengesetzt, waren für die Haltung bei Kriegsende aber miteinander vereinbar. Daher war das Zusammenwirken beider Richtungen in den ersten Monaten der wieder erstandenen Republik trotz aller Gegensätze, die sich nicht überbrücken ließen, wohl überraschend, aber nicht unlogisch.

Naturgemäß traten die »Aktivisten«, die sich in Galizien konzentrierten und sozial gesehen meist dem verarmten Kleinadel entstammten, zunächst in den Vordergrund, ohne aber den von Piłsudski erhofften breiten Rückhalt in der Bevölkerung, vor allem bei den Bauern zu finden. Zwar vereinigten sich unter dem Eindruck des Kriegsausbruchs die beiden in Galizien entstandenen, von der österreichischen Regierung geduldeten und inoffiziell geförderten Kampfverbände, der »Schützenverband« *(Związek Strzelecki)* und die »Schützengefolgschaften« *(Druzyny Strzeleckie),* und machten den militärischen Autodidakten Piłsudski zum »Kommandanten«, aber als am Morgen des 6. VIII. 1914, kurz vor Beginn des Kriegszustandes zwischen Rußland und Österreich-Ungarn, die erste »Kaderkompanie«[8] dieses halblegalen »polnischen Heeres« die Grenze überschritt, blieb der erwartete Aufstand aus. Von Piłsudski fingierte Aufrufe einer angeblich in Warschau insgeheim gebildeten Nationalregierung fanden ebenfalls kein wesentliches Echo. Erst am 16. VIII. 1914 entstand, da die österreichischen Behörden die Legalisierung der polnischen Truppen und ihre Unterstellung unter k. u. k. Offiziere forderten, in Krakau ein Oberstes Nationalkomitee *(Naczelny Komitet Narodowy),* dem Vertreter fast aller Parteien angehörten, unter dem Vorsitz des Krakauer Oberbürgermeisters Juliusz Leo. Dieses beschloß die Bildung von zwei, der k. u. k. Armee anzugliedernden Legionen – in Krakau und Lemberg – und ernannte zum Leiter des Militärdepartements den österreichischen Oberleutnant Władysław Sikorski[9]. Piłsudski wurde dadurch lediglich Kommandeur des Ersten Regiments (später in Erste Brigade[10] umbenannt) der Westlichen (Krakauer) Legion und nicht, wie er es wünschte, Oberbefehlshaber einer selbständigen, mit Österreich-Ungarn lediglich verbündeten polnischen Armee. Da die Östliche (Lemberger) Legion gleich nach ihrer Bildung wieder aufgelöst wurde, spielte die Erste Brigade der nach und nach auf drei Brigaden anwachsenden Westlichen Legion doch eine erhebliche politische Rolle, wenn sie auch rein militärisch wenig bedeutete.

Das rigorose russische Vorgehen in dem vorübergehend besetzten Ostgalizien, das zum »ewigen Bestandteil Großrußlands« erklärt wurde, schadete den »Passivisten«, die in Puławy auch eine polnische Freiwilligenlegion auf russischer Seite gebildet hatten, und gab, zusammen mit der Eroberung ganz Kongreßpolens durch die Mittelmächte im Sommer 1915, den »Aktivisten« einigen Auftrieb. Dieser wurde allerdings durch die Einrichtung des Generalgouvernements Warschau mit deutscher Zivilverwaltung unter General v. Beseler und eines österreichischen Gegenstücks im Militärgouvernement Lublin (August 1915) wieder gebremst, wenn auch die im November 1915 erfolgte Wiedereröffnung der polnischen Universität in Warschau und die Wiedereinführung der polnischen Sprache in den Schulen des Generalgouvernements Hoffnungen erweckte.

Die unklare Haltung der deutschen Politik, die im »Land Oberost« nach vorübergehender Begünstigung der Polen bei der Einnahme Wilnas die Litauer favorisierte und in der Kriegszieldebatte auch die Errichtung eines Ostpreußen vorgelagerten »Grenzstreifens«[11] erwog, erzeugte aber Zurückhaltung auch bei

a) Die Vorbereitung der Wiedergeburt des polnischen Staates (1916–1918)

den »Aktivisten« – Piłsudski sprach von dem notwendigen »Sphinx-Charakter« Kongreßpolens –; und besonders enttäuschend war, daß deutscherseits auf die polnische Forderung nach einer selbständigen polnischen Armee und nach einer provisorischen Regierung (August/September 1916) nicht eingegangen wurde. Piłsudski trat daraufhin als Kommandeur der 1. Brigade zurück.

Der Durchbruch zur Proklamation eines polnischen Staates als konstitutionelle Erbmonarchie[12] durch die beiden Generalgouverneure namens des Deutschen und Österreichischen Kaisers am 5. XI. 1916 wurde vor allem durch die Hoffnungen auch der OHL auf eine starke polnische Armee auf seiten der Mittelmächte möglich, durch die die schweren Verluste vor Verdun und durch die russische Brussilov-Offensive ausgeglichen werden sollten. Da die Proklamation aber die Fragen nach den Grenzen des neuen Staates offen ließ und nur die Schaffung einer eigenen Armee, jedoch nicht die Bildung einer eigenen Regierung oder anderer staatlicher Organe vorsah, hatte der am 9. XI. 1916 ergangene Aufruf zum Eintritt in die neue polnische Armee nur sehr geringe Erfolge. Das Losungswort »Ohne polnische Regierung keine polnische Armee« war nicht nur bei den »Passivisten« wirksam.

Nur zögernd und schrittweise wurden durch Verordnungen der Generalgouverneure staatliche Organe gebildet, als erstes am 14. I. 1917 ein 25köpfiger Staatsrat, in den auch Piłsudski und der notorisch deutschfreundliche Publizist Władysław Studnicki[13] berufen wurden. So wenig das befriedigen konnte, so war doch durch die Akte vom 5. XI. 1916 und 14. I. 1917 die polnische Frage wieder zu einem internationalen Thema geworden, und schon am 22. I. 1917 zog der von dem polnischen Pianisten und nationaldemokratischen Politiker Ignacy Paderewski beeinflußte amerikanische Präsident Wilson nach und erklärte, es müsse bei einem »Frieden ohne Sieg« »ein vereinigtes, unabhängiges und autonomes Polen« entstehen.

Noch bedeutsamer war die Proklamation der Provisorischen russischen Regierung[14] des Fürsten L'vov an die Polen vom 17./30. III. 1917, weil in ihr konkreter die »Schaffung eines unabhängigen polnischen Staates, gebildet aus allen den Gebieten, deren Bevölkerung in der Mehrheit aus Polen besteht« und damit die Herauslösung aus Rußland zugesichert wurde, allerdings unter dem Vorbehalt der Bindung an dieses durch »eine freie Militärunion«.

Aufgrund dieser Erklärungen konnten die polnischen aktivistischen Politiker ihre Forderungen an die deutsche Regierung höher schrauben; sie wurden insofern erfüllt, als der Staatsrat durch die Bildung von Departementen die Keimzellen von Ministerien entstehen ließ, wobei Piłsudski das Heerwesen übertragen wurde, aber dadurch enttäuscht, als der Stamm der polnischen Armee, das »polnische Hilfskorps«, nicht dem Staatsrat, sondern am 1. IV. dem Generalgouverneur v. Beseler unterstellt wurde. Mitte Mai stellte der Staatsrat seine Tätigkeit für zwei Monate ganz ein, und der Konflikt erreichte seinen Höhepunkt, als am 9. VII. die große Mehrheit der Legionäre wie der neu eingetretenen Soldaten den verlangten Eid auf treue Waffenbrüderschaft mit den Mittelmächten verweigerte, nachdem Piłsudski sein Mandat niedergelegt und zur Eidverweigerung aufgefordert hatte. Die Folge war die Internierung der aus Kongreßpolen stammenden Legionäre im Kriegsgefangenenlager Szczypiorno bei Kalisch, das 1919 zu einem Konzentrationslager für Deutsche werden sollte, und die Verhaftung Piłsudskis und seines Stabschefs Kazimierz Sosnkowski[15] mit anschließender Festungshaft in Magdeburg. Diese konsequente Haltung Piłsudskis, der inzwischen größeren Wert auf den Aufbau einer geheimen Militärorganisation *(Polska Organizacja Wojskowa, POW)* als auf die legale Armee gelegt hatte, verstärkte sein

§ 26 Polen von der Unabhängigkeit bis zur Volksrepublik 1918–1970

Prestige bei der Bevölkerung und ließ ihn gegenüber den farblosen »aktivistischen« Politikern und den im Ausland oder in Rußland wirkenden »Passivisten« als die gegebene Führerpersönlichkeit erscheinen. Die weiter links stehenden »Aktivisten« zogen sich nunmehr ganz zurück, so daß der weitere Ausbau von staatlichen Organen mit konservativ-klerikalen Kräften erfolgen mußte. Ein solcher mit Skepsis betrachteter Schritt war die Bildung eines dreiköpfigen Regentschaftsrats, der am 27. X. 1917 in sein Amt eingeführt wurde, mit dem Warschauer Erzbischof Aleksander Kakowski an der Spitze. Dieses provisorische Staatsoberhaupt setzte seit dem 22. XI. 1917 auch Regierungen ein, die allmählich die Verwaltung im ehemaligen Königreich Polen – aber nicht im »Land Oberost« übernehmen konnten, allerdings in den knapp 12 Monaten bis November 1918 viermal wechselten, wobei in der Schlußphase auch bisher »passivistische« Nationaldemokraten in sie eintraten, u. a. der prominente Professor der Wirtschaftswissenschaften Władysław Grabski.

Die Friedensverhandlungen in Brest-Litowsk brachten erneut eine schwere Krise, weil die polnische Regierung dazu nicht eingeladen wurde und weil der am 9. II. 1918 geschlossene Friedensvertrag mit der Ukraine die Abtretung des teilweise ukrainisch besiedelten, aber zum Königreich Polen gehörenden Gebiets von Cholm *(Chełm)* vorsah, um das es schon 1912 einen heftigen Konflikt mit den russischen Parteien in der *Duma* gegeben hatte. Zum Zeichen des Protestes trat die Regierung Kucharzewski zurück, und die einigermaßen intakt gebliebene Zweite Brigade der Legionen unter Oberst Józef Haller[16] ging am 15./16. II. 1918 auf die russische Seite über. Haller und Teile seiner Truppen konnten trotz späterer Kapitulation vor deutschen Verbänden über Murmansk nach Frankreich gelangen und dort mit polnischen Freiwilligen die Haller-Armee (auch »Blaue Armee«) bilden.

Der weitere Verlauf des Jahres 1918 war für die deutsche und polnische Politik durch Mißtrauen und abwartende Haltung auf beiden Seiten gekennzeichnet, und die Initiative für die Schaffung eines gänzlich unabhängigen Staates konnte nach dem 30. III. 1917, nach dem Wegfall der Rücksichten auf den russischen Verbündeten, an die Westalliierten und die im Westen tätigen bisherigen »Passivisten« übergehen. Treibende Kraft war hier R. Dmowski, der seit dem November 1915 in Paris und London mit Demarchen und Memoranden für die Schaffung eines unabhängigen Polen und gegen die Idee eines »Friedens ohne Annexionen« tätig war. Erster konkreter Erfolg war das Dekret des französischen Präsidenten Poincaré vom 4. VI. 1917 über die Bildung einer selbständigen polnischen Armee unter französischem Kommando[17]. Deren Aufbau beschleunigte sich freilich erst im Jahre 1918, als in größerer Zahl Freiwillige aus den USA zur Verfügung standen; sie verfügte aber im Herbst, als Haller, von Murmansk kommend und zum General ernannt, das Kommando übernahm, über zwei gut ausgerüstete Divisionen. Dieser Einreihung Polens in die kämpfenden Mächte auf alliierter Seite folgte die Gründung eines Polnischen Nationalkomitees *(Polski Komitet Narodowy)* in Lausanne unter Dmowskis Vorsitz am 15. VIII. 1917. Dieses wurde von Frankreich am 20. IX., von den anderen Mächten in den folgenden Wochen als offizielle Vertretung der polnischen Nation anerkannt[18] und verlegte seinen Sitz nach Paris. Über Oberst House erreichte das Komiteemitglied J. Paderewski, daß Präsident Wilson im dreizehnten Punkt seiner Vierzehn-Punkte-Deklaration vom 8. I. 1918 die Errichtung eines polnischen Staates »aus allen Gebieten mit unzweifelhaft polnischer Bevölkerung« verlangte, dem »a free and secure access to the sea« zugesichert sein sollte[19]. Wenn auch beide Formulierungen wenig präzise waren, so bedeutete dieses Eintreten des mächtigsten westli-

a) Die Vorbereitung der Wiedergeburt des polnischen Staates (1916–1918)

chen Alliierten für ein Wiedererstehen des polnischen Staates doch eine entscheidende Trumpfkarte, die naturgemäß auch die Position des Regentschaftsrats in Warschau wesentlich verbesserte. Das Nationalkomitee erklärte sich freilich auch angesichts der sich abzeichnenden Niederlage des Deutschen Reiches nicht zur Regierung, konnte aber durch Vertrag vom 28. IX. 1918 mit der französischen Regierung die uneingeschränkte Verfügung über die »Blaue Armee« erhalten.

Bei Kriegsende konnte somit das Wiedererstehen eines unabhängigen polnischen Staates für niemanden mehr zweifelhaft sein, und die Bedingungen waren dank des Vorhandenseins einer Staatsspitze und einer Regierung in Warschau und zweier Armeen günstiger als in den sich von Rußland lösenden baltischen Staaten. Unklar war jedoch, welche Staatskonzeption sich durchsetzen würde: die eines betont nationalen Groß-Polen mit Frontstellung nach Westen oder die einer übernationalen, von Polen freilich geführten und bestimmten Föderation in Anknüpfung an das jagiellonische Reich. Verhängnis und Tragik der ersten Nachkriegsjahre war es, daß ein Kompromiß beider Konzeptionen zustandekam, bei dem aber die erste Konzeption überwog.

[1] Dazu als Überblick *W. Recke,* Die polnische Frage als Problem der europäischen Politik (1927), naturgemäß noch ohne Kenntnis wichtiger Akten. Für die deutsche Polenpolitik maßgebend: *W. Conze,* Polnische Nation und deutsche Politik im Ersten Weltkrieg (1958). Beste Übersicht eines polnischen Autors: *T. Komarnicki,* Rebirth of the Polish Republic. A Study in the Diplomatic History of Europe 1914–1920 (1957). Die wichtigsten Dokumente bei *St. Filasiewicz,* La question polonaise pendant la guerre mondiale. Recueil des actes diplomatiques, traités et documents concernant la Pologne, Bd. 2 (1920), sowie bei *K. Kumaniecki,* Odbudowa państwowości polskiej. Najważniejsze dokumenty 1912–styczeń 1924 (Der Aufbau der polnischen Staatlichkeit. Die wichtigsten Dokumente; 1924, nur in polnisch). Einiges bei *P. Roth,* Die Entstehung des polnischen Staates. Eine völkerrechtlich-politische Untersuchung (1926). Zur Situation in den drei Teilgebieten jetzt *P. Wandycz,* The Lands of Partitioned Poland 1795–1918 (1974).
[2] Für die Polen-Politik Frankreichs im 19. Jh.: *E. Birke,* Frankreich und Ostmitteleuropa im 19. Jh. (1960). Eine zusammenfassende Darstellung von Frankreichs Polenpolitik im I. Weltkrieg steht noch aus.
[3] U. a. zwei Danktelegramme an Nikolaj Nikolaevič von Vertretern vier »passivistischer« Parteien und Repräsentanten des öffentlichen Lebens vom 16. VIII. 1914 und die Erklärung des polnischen Abgeordneten Wiktor Jaronski in der Duma am 8. VIII. 1914. Wiedergabe bei *Kumaniecki* unter L 18, 19 und 21. Dort unter L 17 das Manifest des Oberkommandierenden.
[4] Geb. 5. XII. 1867 in Żułów (Litauen), gest. 12. V. 1935 in Warschau. Eine voll befriedigende Biographie liegt noch nicht vor. Am besten verwendbar *W. F. Reddaway,* Marshal P. (1939), und *A. Loessner,* J. P. (1935). In zwei historischen Instituten, die Piłsudskis Namen tragen, in London und New York, wird von früheren Mitarbeitern und Anhängern Material gesammelt und publiziert. Eine minutiöse kalendarische Biographie von *W. Jędrzejewicz* liegt in seinem zweibändigen Werk: Kronika życia Józefa Piłsudskiego 1867–1935 (Chronik des Lebens v. J. P.; 1977) vor.
P.'s eigene Schriften in 2 Ausgaben: Pisma, mowy, rozkazy (Schriften, Reden, Befehle; 8 Bde. 1930–1933) und Pisma zbiorowe (Gesammelte Schriften; 10 Bde. 1937/38); Deutsche Auswahl: Erinnerungen und Dokumente (4 Bde. 1935/36).
[5] Unverdächtiger Zeuge für diese Prognose ist der russische Sozialrevolutionär *V. Černov;* er schildert in seinen Memoiren Pered Burej (Vor dem Sturm; 1953), S. 296–304 den Vortrag und die anschließenden Verhandlungen über die Taktik mit P.'s Beauftragtem Jodko.
[6] Geb. 9. VIII. 1864 in Kamionek b. Warschau, gest. 2. I. 1939 in Drozdowo Kr. Łomża. Eine wissenschaftlich befriedigende Biographie liegt nicht vor, s. aber *A. Micewski,* R. D. (1971), und den Aufsatz von *K. G. Hausmann,* D.'s Stellung zu Deutschland vor dem

§ 26 Polen von der Unabhängigkeit bis zur Volksrepublik 1918–1970

I. Weltkrieg: ZOstforsch 13 (1964), S. 56–91. D. vertrat 1903 in den Myśli nowoczesnego Polaka (Gedanken eines modernen Polen) einen biologisch gefärbten Nationalismus und legte sein politisches Programm 1908 in »Niemcy, Rosya i kwestja Polska« (Deutschland, Rußland und die polnische Frage; 1909 fr.: La question polonaise) vor. Seine Tätigkeit beschrieb er 1925 in »Polityka polska i odbudowanie państwa« (Die polnische Politik und der Aufbau des Staates). Seine Schriften erschienen 1938/39 in 10 Bänden (ohne Bd. 1).

[7] Geb. 17. I. 1854 in Bystrzejowice b. Lublin, gest. 12. III. 1908 in Warschau, Mitbegründer der Nationalen Liga, der Vorläuferin der Nationaldemokratischen Partei, Schriftleiter der nationalpolitischen Lemberger Zeitschrift Przegląd Wszechpolski (Allpolnische Rundschau), nach Dmowski der »geistige Vater der modernen polnischen Politik«.

[8] Über sie entstand 1919–1929 eine kaum übersehbare, stark mit Legenden durchsetzte Literatur. Der Kompaniechef T. Kasprzycki war 1935–39 Kriegsminister; die Zugführer waren in dem von den Legionären bestimmten Polen der Ära Piłsudski durchweg Generäle.

[9] Geb. 20. V. 1881 in Tuszów Narodowy b. Mielec, gest. 4. VII. 1943 b. Gibraltar (Flugzeugunglück). Biographie von *M. Kukiel* (poln. 1970).

[10] Nach zahlreichen panegyrischen Werken in der Piłsudski-Ära kritische Darstellung in *St. Arski,* My, pierwsza Brygada (Wir, die 1. Brigade = Titel eines bekannten Legionärsliedes; 1962). Piłsudski hat die Kämpfe der 1. Brigade in »Meine ersten Kämpfe« (1926), dt. in Bd. I der in Anm. 4 genannten Ausgabe eingehend geschildert.

[11] Die diese Pläne behandelnde Dissertation von *I. Geiss,* Der polnische Grenzstreifen 1914–1918 (1960), mißt ihnen eine viel zu große Bedeutung bei.

[12] Text bei *P. Roth,* Die Entstehung (Anm. 1), Anlage 3. Die Entwicklung nach dem 5. XII. 1916 außer bei Conze, Polnische Nation (Anm. 1), instruktiv bei *P. Roth,* Die politische Entwicklung in Kongreßpolen während der deutschen Okkupation (1919). Hinzuweisen ist hier auf das starke deutsche Interesse der Kriegsjahre an Polen, das sich in einer großen Fülle von Flugschriften, aber auch in der »Polnischen Bibliothek« des Georg Müller-Verlags niederschlug.

[13] Geb. 1865 in Dünaburg, gest. 10. I. 1953 in London, ursprünglich Sozialist, begabter Publizist, trat stets für deutsch-polnische Annäherung ein, blieb aber mit seinem Klub polnischer Staatlichkeit im I. Weltkrieg ebenso isoliert wie in den dreißiger Jahren, in denen sein Buch »Polen im politischen System Europas« (1936) Aufsehen erregte.

[14] Deutsche Übersetzung bei *Roth,* Entstehung, Anlage 2. Der Proklamation war ein kurzer Aufruf des Petrograder Sowjets am 14./27. III. vorausgegangen. Russischer Text u. a. in Dokumenty i materiały (Bd. 1, 1962, Nr. 13). Der Vorgängerband, Materiały archiwalne etc. (1957), enthält dieses Dokument nicht.

[15] Geb. 19. XI. 1885 in Warschau, gest. 11. X. 1969 in Arundel (Kanada), 1920–24 Kriegsminister, 1927–39 Armee-Inspekteur, 1943/44 Oberbefehlshaber der polnischen Exilarmee.

[16] Eigentlich Haller de Hallenburg, geb. 13. VIII. 1873 in Jurczyce (Galizien), gest. 4. VI. 1960 in London. Gehörte seit 1926 zu den Gegnern Piłsudskis. Begründete 1937 mit anderen die »Partei der Arbeit«. Seine Memoiren erschienen posthum 1964 in London (polnisch).

[17] Text bei *Kumaniecki* (Anm. 1), L. 59, Textauszug bei *Dmowski,* Polityka (Anm. 6), S. 287. Bei *Roos,* Geschichte, S. 31, irrtümlich 4. VII.

[18] Texte u. a. bei *Kumaniecki,* L. 54–L. 58, bei *Roth,* Entstehung, Anlage 5–8.

[19] Zur Vorgeschichte die etwas einseitige Arbeit von *L. L. Gerson,* Woodrow Wilson and the Rebirth of Poland 1914–1920 (1953; dt. 1956).

b) Die Erringung der Unabhängigkeit und der Kampf um Grenzen und Staatsgestaltung (1918–1921/22)

Noch vor der endgültigen Niederlage Deutschlands und noch vor dem Manifest Kaiser Karls vom 16. X. 1918 proklamierte der Regentschaftsrat am 7. X. das »vereinigte unabhängige Polen« und ließ – ohne Rücksicht auf die deutsche Be-

b) Die Erringung der Unabhängigkeit (1918–1921/22)

satzungsmacht – das polnische Heer ab 12. X. auf »das Vaterland, den polnischen Staat und den Regentschaftsrat« vereidigen. Trotzdem vollzog sich der Übergang in die Unabhängigkeit nicht reibungslos, weil die Gegensätze zwischen dem konservativen Regentschaftsrat, der von ihm berufenen, nationaldemokratisch betonten Regierung Świerzyński und den Sozialisten und Volksparteilern (= Bauernparteilern) im Süden des Landes zu groß waren. Die nach dem Manifest Kaiser Karls in Krakau am 27. X. gebildete allparteiliche Liquidationskommission verhielt sich zwar loyal und beschränkte ihre Kompetenz auf Galizien, aber am 7. XI. bildete sich in Lublin unter dem Führer der polnischen Sozialisten in Österreich Ignacy Daszyński[1] eine »Vorläufige Volksregierung«, die in ihrer Proklamation u. a. die Enteignung des Großgrundbesitzes, die Verstaatlichung der Bergwerke und wichtiger Industriebetriebe und die Mitbestimmung der Arbeiter in den Privatbetrieben verkündete. Sie ernannte Piłsudskis Stellvertreter, Oberst Edward Rydz-Śmigły[2], zum Oberkommandierenden. Der als ihr Mitglied vorgesehene prominente Bauernführer Wincenty Witos[3] distanzierte sich sofort von ihr. Es bestanden somit in Paris, Warschau und Lublin drei Organe sehr unterschiedlicher parteipolitischer Provenienz und mit diametral entgegengesetzten Konzeptionen und Programmen. In dieser Situation der Unklarheiten und der raschen Auflösung der Organe der deutschen Besatzungsmacht traf Józef Piłsudski, den die letzte kaiserliche Regierung Max von Badens aus der Festungshaft entlassen und mit einem Sonderzug nach Warschau geschickt hatte, am 10. XI. dort ein. Schon am folgenden Tag übertrug ihm der Regentschaftsrat den Oberbefehl und am 14. bei gleichzeitiger Selbstauflösung auch die politische Gewalt. In Anlehnung an den Titel Kościuszkos beim Aufstand von 1794 übernahm Piłsudski diese als »Vorläufiger Staatschef« *(Tymczasowy Naczelnik Państwa)* bis zum Zusammentritt eines alsbald zu wählenden Parlaments.

Um den Gegensatz zu der Lubliner Regierung auszugleichen, ernannte er noch am 14. XI. Daszyński zum Ministerpräsidenten, löste ihn aber nach wenigen Tagen durch einen anderen, gemäßigteren Sozialisten, Jędrzej Moraczewski, ab. Dessen Regierung, die erste völlig unabhängige und wirklich amtierende Regierung der neuen Republik – der monarchische Gedanke hatte kaum Anhänger gefunden –, setzte sich ausschließlich aus Sozialisten und Bauernführern zusammen. Durch ein gemeinsames Dekret von Staatschef und Ministerpräsident vom 22. XI. 1918 wurden die Kompetenzen vorläufig festgelegt, so daß mit diesem Tag die Staatsbildung abgeschlossen war. Zum Staatsgründungstag wurde später der 11. XI., der Tag von Piłsudskis Betrauung mit dem Oberbefehl, erklärt.

Staatschef und Regierung übten die vollziehende Gewalt im alten Königreich Polen (Kongreßpolen), das die deutschen Truppen rasch und reibungslos räumten, in Westgalizien und in Teilen der alten russischen Westgouvernements aus. Konflikte gab es dagegen in Ostgalizien mit den Ukrainern, im Teschener Schlesien mit den Tschechen, im Wilnagebiet mit den Litauern und in Posen/Westpreußen mit dem Deutschen Reich. Dessen neue Regierung, der Rat der Volksbeauftragten, erkannte den neuen Staat als erste an und schickte mit Harry Graf Kessler[4] einen Gesandten nach Warschau, ließ auch, den Wilsonschen Punkten entsprechend, Bereitschaft zur Abtretung des größten Teils der Provinz Posen erkennen.

Heftiger Druck der Nationaldemokraten und Vorstellungen des Pariser Nationalkomitees zwangen die Regierung Moraczewski aber Mitte Dezember zum Abbruch der Beziehungen zum Deutschen Reich. In Ostgalizien, dessen Hauptstadt Lemberg seit dem 1. XI. von Polen und Ukrainern hart umkämpft war, hatten sich die Verbände der POW zwar am 22. XI. Lembergs bemächtigen können; zur

§ 26 Polen von der Unabhängigkeit bis zur Volksrepublik 1918–1970

endgültigen Durchsetzung der Grenzforderungen, die grundsätzlich bis zu den Grenzen von 1772 und darüber hinaus gingen, war aber die Zustimmung der westlichen Alliierten unbedingt nötig. Diese betrachteten aber das Pariser Nationalkomitee als legitimen Repräsentanten Polens und standen dem früheren Verbündeten der Mittelmächte Piłsudski mit kühler Reserve gegenüber. Dieser war mithin genötigt, mit Dmowski und dem Nationalkomitee zusammenzuarbeiten und sich von dem Vorwurf der Deutschfreundlichkeit und sozialrevolutionärer Tendenzen zu reinigen. Mit einem Brief an Dmowski vom 21. XII. 1918 suchte Piłsudski den Kompromiß, der aber erst nach dramatischen Verhandlungen mit dem zweiten prominenten Vertreter der Nationaldemokratie, mit Paderewski[5], zustandekam.

Dieser war am 26. XII. 1918 in dem noch deutsch verwalteten Posen eingetroffen, wo schon seit dem 14. XI. ein Oberster Polnischer Volksrat mit dem Prälaten Adamski und dem oberschlesischen Reichstagsabgeordneten Wojciech Korfanty[6] bestand und wo Einheiten der POW den Aufstand[7] und die Abtrennung vom Reichsgebiet noch vor dem Friedensvertrag vorbereiteten. Eine deutsche Demonstration am 27. XII. wurde der Anlaß zum Aufstand, durch den die Stadt und der größte, zentrale Teil der Provinz in wenigen Tagen mit minimalen Verlusten in die Hand der Aufständischen kam. Nur in den mehrheitlich deutsch besiedelten Randbereichen der Provinz und im Nordteil südlich der Netzelinie konnten deutsche Grenzschutzeinheiten die irregulären Aufständischentrupps aufhalten und stellenweise zurückwerfen. Verbindung nach Warschau und militärische Hilfe von dort erwiesen sich als nötig. Zum Befehlshaber der polnischen Truppen im zunächst noch seine Sonderstellung bewahrenden Großpolen ernannte Piłsudski den General Józef Dowbór-Muśnicki[8], der im russischen Heer Karriere gemacht und im Winter 1917/18 ein eigenes Korps aus russischen Soldaten polnischer Volkszugehörigkeit aufgestellt hatte.

Die Erfahrung, daß die nationaldemokratischen Kräfte allein sich gegen energischen deutschen Widerstand nicht voll durchsetzen konnten, mochten Paderewski für einen Kompromiß mit dem politischen Gegner Piłsudski beeinflußt haben. Ein dilettantischer, alsbald zusammengebrochener Putsch der Rechten, die am 4./5. I. 1919 die Regierung Moraczewski zu stürzen gesucht hatte und den der Staatschef wahrscheinlich bewußt geduldet hatte, ermöglichte zusätzlich eine Absage an rechte wie linke Extremisten. Am 16. I. 1919 bildete Paderewski eine neue, im wesentlichen bürgerliche Regierung, in der er selbst das Außenministerium übernahm. Dmowski wurde gleichzeitig Chef der polnischen Delegation bei der am 18. I. beginnenden Pariser Friedenskonferenz. Damit war auch die bisher noch fehlende formelle Anerkennung des neuen Staates durch die Alliierten erreicht.

Die am 26. I. 1919 stattfindenden Wahlen zum Parlament *(Sejm)*, die in Großpolen und Pommerellen nachgeholt werden mußten, ergaben keine klare Mehrheit für eine Parteigruppierung, da ziemlich genau jeweils ein Drittel der Abgeordneten der Rechten, der Linken und den Mittelparteien zuzurechnen war. Piłsudski übertrug diesem im Februar 1919 zusammentreffenden Verfassunggebenden *Sejm,* in dem die nationalen Minderheiten noch kaum vertreten waren, die gesamte Staatsgewalt, doch ernannte dieser ihn am 20. II. bis zum Inkrafttreten einer Verfassung erneut zum Staatschef. Ein gleichzeitig beschlossenes knappes Grundgesetz, die »Kleine Verfassung«, legte aber die Gesetzgebung allein in die Hand des Parlaments und verlangte vom Staatschef »Verständigung« mit diesem für die Regierungsbildung.

Entscheidend für den nunmehr innerlich trotz parteipolitischer Gegensätze ei-

992

b) Die Erringung der Unabhängigkeit (1918–1921/22)

nigermaßen konsolidierten Staat war die Frage der Festlegung der Grenzen. Über sie hatte grundsätzlich die Pariser Friedenskonferenz zu entscheiden, von der Dmowski im Osten die Grenzen von 1772, im Westen aber ihre Überschreitung aufgrund ethnischer Prinzipien und zur machtpolitischen Stärkung des neuen Staates gegenüber Deutschland verlangte. Da Rußland und seine zeitweiligen Nachfolgestaaten aber auf der Konferenz nicht vertreten waren, ein Friedensvertrag mit ihm also nicht wie mit Deutschland erzwungen werden konnte, kam es im Osten weniger auf Verhandlungen und Memoranden als auf militärisches Vorgehen und die Schaffung von vollendeten Tatsachen an. Dabei wollte Piłsudski, ohne ein klares Programm zu formulieren und ohne die tatsächliche Meinung der betroffenen Nachbarvölker realistisch einzukalkulieren, weit über die Grenzen von 1772 hinausgehen und eine polnisch-litauisch-weißruthenisch-ukrainische Föderation unter polnischer Führung schaffen[9]. Derartige weitreichende Pläne bedeuteten aber, daß für Piłsudski ein nationales »weißes« Rußland, ob monarchisch oder republikanisch, bedrohlicher erscheinen mußte als ein bolschewistisches Rußland, so daß ihm an einem Sieg Denikins oder anderer bürgerlich-nationaler Kräfte im Bürgerkrieg keinesfalls gelegen sein konnte.

Der erste *fait accompli* war die Einnahme Wilnas in der zweiten Hälfte des April 1919 und die folgende Besetzung weißruthenischer Gebiete bis nach Minsk und Bobrujsk hin, ohne daß die ephemere Räterepublik Litauens und Weißrutheniens *(Litbel)* viel Widerstand leisten konnte. Gegenüber dem militärisch schwachen Litauen, das seinerseits Wilna verlangte, wurde im Juli eine Demarkationslinie westlich der Eisenbahn Grodno–Wilna–Dünaburg (Foch-Linie) gezogen. Der zweite *fait accompli* war die im Juni 1919 unter Piłsudskis persönlicher Führung mit Zustimmung des Obersten Rates der Alliierten begonnene Offensive gegen die nichtbolschewistische »West-Ukraine«[10], durch die noch im Juli das ganze bisher österreichische Ostgalizien bis zum Fluß Zbrucz in polnische Hand kam. An diesem Erfolg hatte die im Bahntransport aus Frankreich nach Polen gebrachte Haller-Armee einen erheblichen Anteil, obwohl sie auf alliierten Befehl nicht auf einst österreichischem Gebiet eingesetzt werden durfte. Die an die Genehmigung der Offensive gebundene Auflage des Obersten Rates, den Ukrainern bis zur Durchführung einer Volksabstimmung Autonomie zu gewähren, blieb auf dem Papier.

Weniger glücklich verlief eine weitere bewaffnete Auseinandersetzung um das Teschener Gebiet mit der Tschechoslowakei, mit der Ende Januar 1919 ein regelrechter Krieg geführt wurde. In einem von Dmowski und dem tschechischen Außenminister E. Beneš am 3. II. 1919 geschlossenen Abkommen wurde das Gebiet vorbehaltlich einer endgültigen Entscheidung entlang des Flusses Olsa geteilt, wodurch über 70 000 Polen unter tschechischer Herrschaft blieben – ein Keim für spätere Konflikte[11].

Während im Osten der polnische Machtbereich durch militärische Aktionen weit über die mehrheitlich von Polen bewohnten Gebiete hinaus ausgedehnt wurde, lag die Grenzziehung im Westen gegenüber dem Deutschen Reich in der Hand der Pariser Friedenskonferenz, nachdem die Kämpfe zwischen Aufständischen und deutschem Grenzschutz durch einen von den Alliierten angeordneten Waffenstillstand vom 16. II. 1919 ein Ende gefunden hatten. Der Versailler Friede vom 28. VI. 1919 gab Polen bei weitem nicht alles, was Dmowski in seinen Denkschriften verlangt hatte – u. a. die Abtretung Oberschlesiens und die Umwandlung Ostpreußens in eine selbständige Republik –, brachte ihm aber doch mit Abweichungen vor allem in Westpreußen im wesentlichen die Grenzen von 1772 ohne Volksabstimmung und die Aussicht, durch Abstimmungen in Oberschlesien und im südlichen Ostpreußen diese Grenzen erheblich zu überschreiten. Schon mit der Grenzziehung von Versailles wurde aber auch die Grenze von 1772 in Ostpreußen (Soldau) und in Niederschlesien (Reichtaler Ländchen) überschritten. Insgesamt wurden Polen in Versailles mit dem größten Teil der Provinz Posen, dem überwiegenden Teil der Provinz Westpreußen und kleinen Gebieten von Pommern, Ostpreußen und Niederschlesien knapp 43 000 km^2 mit knapp 3 Millionen Bevölkerung (nach der Zählung von 1910) zugesprochen, darunter 1 130 000 Personen, die im Jahre 1910 Deutsch allein oder zusammen mit einer anderen Sprache als ihre Muttersprache angegeben hatten. Die Inbesitznahme der in deutscher Verwaltung befindlichen Gebiete erfolgte unmittelbar nach dem Inkrafttreten des Versailler Vertrages am 10. I. 1920[12].

Trotz dieser bedeutenden Verhandlungserfolge wurde der Versailler Vertrag – in Deutschland Symbol der Niederlage und der Erniedrigung – in Polen, insbesondere von der Rechten, als halbe Niederlage und als Benachteiligung gewertet. Die Ratifizierung im *Sejm* am 31. VII. 1919 erfolgte mit nur 265 von 416 Stimmen. Als besonders drückend und diskriminierend wurde der gleichzeitig mit Polen geschlossene Minderheitenschutzvertrag[13], der »Kleine Vertrag von Versailles«, empfunden, weil weder die Großmächte noch das Deutsche Reich ähnliche Verpflichtungen auf sich nehmen mußten. Er gab den nationalen Minderheiten aber wiederum bei weitem nicht die Rechte, die sie erhofft hatten, wenn auch die Bestimmungen über staatliche Schulen mit deutscher Unterrichtssprache in den von Preußen abgetrennten Gebieten, sobald Minderheitsangehörige in »beträchtlichem Verhältnis« im betreffenden Schulbezirk wohnten, ein Mindestmaß an Unterricht in der Muttersprache gewährleisteten, was von den Nationaldemokraten als »Privilegierung« angesehen wurde. Ein besonderes Manko dieses Vertrages – wie auch der etwa gleichlautenden Verträge, die mit den sog. »Nachfolgestaaten« geschlossen wurden – war es, daß die Minderheitengruppen und Einzelpersonen zwar Beschwerden beim Sekretariat des Völkerbundes einreichen, dort aber als Rechtsperson nicht auftreten konnten. Die Klage mußte vielmehr, falls sie überhaupt behandelt wurde, von einem Mitgliedsstaat vertreten werden. Da es weder einen unabhängigen ukrainischen noch einen weißruthenischen oder jüdischen Staat gab und Deutschland zunächst nicht Mitglied war, hatten die vier größten in Polen lebenden nationalen Minderheiten im Völkerbund keinen Protektor, und die überwiegende Mehrheit der Beschwerden blieb unbehandelt[14].

Nach gut einjähriger Existenz des wiedererstandenen Staates konnte die außenpolitische Situation als günstig angesehen werden, denn an keiner der z. T. weit über das mehrheitlich von Polen bewohnte Gebiet hinaus vorgeschobenen tatsächlichen Grenzen, die im Osten freilich noch keine völkerrechtliche Anerkennung gefunden hatten, drohte eine akute Gefährdung, so sehr auch alle Parteien des machtlos gewordenen Deutschen Reiches die in Versailles gezogene Grenze als ungerecht verurteilten.

Eine Beendigung des im Osten ohne größere Kampfhandlungen praktisch vorhandenen Kriegszustandes zu sehr günstigen Bedingungen schien zu Jahresanfang 1920 möglich, als nach einem ersten Angebot von Friedensverhandlungen des sowjet-russischen Außenkommissars Čičerin vom 22. XII. 1919 Lenin selbst am 28. I. 1920 die Aufnahme baldiger Verhandlungen vorschlug und als Demarkationslinie die Linie Drissa-Polock-Borissov-Paryčy-Ptič-Čudnov-Bar nannte, d. h. eine Linie, die 30 bis 150 km weiter östlich verlief als die 14 Monate später im Frieden von Riga gezogene Grenze[15]. Dies zweifellos günstige, wenn auch nur aus der Notsituation geborene Angebot wurde von der seit Dezember 1919 am-

b) Die Erringung der Unabhängigkeit (1918–1921/22)

tierenden Regierung Skulski vorsichtig-dilatorisch behandelt, da die westlichen Alliierten zu baldigem Frieden rieten. Gleichzeitig bereitete aber Piłsudski trotz der klar negativen Haltung Litauens, der Passivität der Weißruthenen und der Ablehnung bei der Mehrheit der Ukrainer die Verwirklichung seiner weitgesteckten, aber unklar formulierten Föderationspläne vor. Während der Beginn der Verhandlungen für den 10. IV. in Borissov vorgeschlagen wurde, liefen die Vorbereitungen für eine großangelegte Offensive im Süden gegen Kiew. Am 21. IV. schloß Piłsudski ein politisches Bündnis mit dem ukrainischen Ataman Šymon Petljura, der zwar die Regierung der antibolschewistischen Ukrainischen Volksrepublik nominell führte, praktisch aber lediglich über eine im Herbst 1919 in polnisches Hoheitsgebiet übergetretene geschlagene Armee verfügte, die inzwischen reorganisiert worden war. Drei Tage darauf folgte eine Militärkonvention, und am 26. IV. begann die Offensive, begleitet von Aufrufen Piłsudskis und Petljuras an die ukrainische Bevölkerung[16]. Da die Truppen der Roten Armee in Weißrußland konzentriert waren, stieß die von Piłsudski persönlich geführte Offensive auf wenig Widerstand und erreichte schon am 8. V. Kiew, doch blieb die erhoffte Erhebung der Ukrainer gegen die Bolschewiki aus, und im westlichen Ausland erregte das »Kiewer Abenteuer« Skepsis und Abneigung gegen Polen.

Bereits im Juni 1920 wendete sich das Blatt[17], da die Mitte Mai begonnene sowjetische Gegenoffensive im Norden aus dem Raum Lepel' nur mit Mühe aufgehalten werden konnte und der Vorstoß der Reiterarmee Budënnyj (mit J. Stalin als Politkommissar) die polnischen Linien durchbrach. Kiew mußte am 10. VI. geräumt werden, und die vier Wochen später begonnene Offensive der sowjetischen Nordwestfront unter Tuchačevskij brachte in wenigen Tagen die polnische Nordfront zum Einsturz, so daß sich eine Katastrophe anzubahnen schien. Am 14. VII. fiel Wilna, das einige Wochen später an Litauen übergeben wurde, am 28. bereits Białystok. Dort entstand sofort ein Vorläufiges Revolutionskomitee mit den polnischen Kommunisten J. Marchlewski, F. Dzierżyński, F. Kon, das Regierungsfunktionen im polnischsprachigen Gebiet übernahm und die Keimzelle einer späteren polnischen Räteregierung darstellte. Während Budënnyj im Süden langsamer Boden gewann, erschien Warschau, das vom Norden her umgangen wurde, äußerst bedroht. Die neue Regierung Grabski, die auf der alliierten Konferenz in Spa dringend um Hilfe bat, mußte sich am 10. VII. dort verpflichten, sich den Entscheidungen des Obersten Rates zu unterwerfen und die polnischen Truppen auf die am 8. XII. 1919 von der Friedenskonferenz vorgeschlagenen Demarkationslinie zurückzunehmen, die im wesentlichen der Grenze des »Königreichs Polen« (Kongreßpolen) entsprach, im Norden aber für Polen günstiger war. Diese Linie, im Süden, in Galizien, durch die gleichfalls auf der Friedenskonferenz für die Abgrenzung eines autonomen ukrainischen Gebiets vorgeschlagene »Linie A« verlängert, wurde am 11. VII. als Demarkationslinie mit einem Waffenstillstandsvorschlag nach Moskau telegraphiert. Weil das Telegramm die Unterschrift des britischen Außenministers Lord Curzon trug, wurde sie später, zuerst von sowjetischer Seite, »Curzon-Linie« genannt[18]. Für den Fall des Überschreitens dieser Demarkations-Linie, der unmittelbar darauf eintrat, wurde militärische Unterstützung Polens zugesagt, die aber nur in der Entsendung einer französisch-britischen Militärmission und in der – durch Streiks behinderten – Lieferung von Kriegsmaterial bestand. In der äußerst bedrohlich erscheinenden Situation wurde am 15. VII. ein den Großgrundbesitz rigoros beschneidendes Agrarreform-Gesetz verabschiedet, und an die Stelle der »rechten« Regierung Grabski trat am 24. VII. ein Allparteienkabinett unter dem Bauernführer Witos. Während in Deutschland der Vormarsch der Roten Armee mit deutlicher Genugtuung beobachtet wurde – was einen negativen Einfluß auf die deutsch-polnischen Beziehungen hatte –, blieb die polnische Bevölkerung dem neu erstandenen Staate treu, und das Białystoker Komitee fand wenig Echo. Auch die im Dezember 1918 aus der Sozialdemokratischen Partei des Königreichs Polen und Litauens (SDKPiL) hervorgegangene schwache Kommunistische Partei Polens (KPP) konnte an dieser negativen Haltung der überwältigenden Mehrheit der polnischen Bevölkerung gegenüber dem Bolschewismus nichts ändern[19]. Die überdehnten Nachschublinien der Roten Armee und das Zurückbleiben der Südgruppen gegenüber den nördlichen Kräften ermöglichten Piłsudski und dem Generalstabschef T. Rozwadowski[20] den Ansatz eines erfolgreichen Gegenangriffs einer rasch gebildeten polnischen Stoßgruppe in die tiefe Flanke der Roten Armee im Raum zwischen Weichsel und Bug. Der am 16. VIII. beginnende Vorstoß aus dem Flußgebiet des Wieprz nach Norden veränderte die militärische Situation in wenigen Tagen grundlegend. Die Schlacht bei Warschau, von dem britischen Sonderbotschafter Viscount d'Abernon emphatisch »18. Entscheidungsschlacht der Weltgeschichte«, von anderen noch emphatischer »Wunder an der Weichsel« genannt, brachte jedenfalls den Umschwung, zwang die Rote Armee zu raschem Rückzug oder zum Übertritt auf ostpreußisches Gebiet und gab der jungen polnischen Armee ein starkes Selbstbewußtsein. Diese war freilich nicht stark genug, um den Kampf um die Ukraine, ganz Weißruthenien und damit um die föderative Lösung Piłsudskis erneut aufzunehmen, zumal sich Litauen, das am 12. VII. einen Friedensvertrag mit Sowjetrußland[21] geschlossen hatte, ausgesprochen feindlich verhielt.

Gleichzeitig mit dem polnischen Vorstoß hatten in Minsk die von den Alliierten vermittelten Friedensverhandlungen begonnen, bei denen die sowjetische Seite zunächst sehr weitgehende Forderungen vorlegte, u. a. nach der »Curzon-Linie« als endgültiger Grenze und Abrüstung der polnischen Armee bis auf 50 000 Mann. Seit dem 21. IX. wurde im neutralen Riga weiterverhandelt, polnischerseits von einer gemischten Delegation mit dem Nationaldemokraten St. Grabski an der Spitze. Entgegen Piłsudskis Vorstellungen und sogar sowjetischen Zugeständnissen wurden dabei große Teile Weißrutheniens einschließlich der Hauptstadt Minsk aufgegeben. Petljura wurde trotz des mit ihm geschlossenen Bündnissen fallengelassen. Der am 12. X. geschlossene Vorfriede gab Polen damit eine zwar 200 bis 300 km östlich der Curzon-Linie verlaufende Grenze, aber wiederum nicht so viel Gebiet, daß ein Föderationskonzept hätte verwirklicht werden können. Andererseits gab diese weder historisch noch ethnographisch oder ökonomisch begründete Grenze soviel ostslawische Bevölkerung orthodoxer oder griechisch-unierter Konfession unter polnische Oberhoheit, daß ihre Assimilation und Integration in einen Nationalstaat unmöglich war. Die Rigaer Grenze, die dann durch den am 18. III. 1921 am gleichen Ort geschlossenen Friedensvertrag[22] zur endgültigen Staatsgrenze wurde, schuf deshalb kaum lösbare Probleme, da nun keines der beiden Konzepte, das föderative oder das nationalstaatliche, verwirklicht werden konnte.

Im Sommer und Herbst 1920 fanden drei andere Grenzprobleme eine Lösung. Am 11. VII. brachte die unter alliierter Kontrolle durchgeführte Volksabstimmung im südlichen Ostpreußen und in Westpreußen rechts der Weichsel dem polnischen Staat eine schwere Niederlage, da sich in Masuren nur 2 %, in Westpreußen nur 7,5 % der Abstimmungsberechtigten für den Übergang an Polen aussprachen.

Eine Niederlage für Polen bedeutete auch der Spruch der Botschafterkonferenz bezüglich des Teschener Gebiets vom 28. VII. 1920. Dieses wurde entlang

b) Die Erringung der Unabhängigkeit (1918–1921/22)

des Olsa-Flusses nun endgültig geteilt, die Stadt Teschen in zwei Teile zerschnitten, was wegen des Verbleibens von über 70 000 Polen und etwa ebensoviel zwischen den Nationen stehenden Schlonsaken unter tschechischer Herrschaft in Polen als Unrecht empfunden wurde, dessen Hinnahme nur durch die Notsituation von Spa gerechtfertigt werden konnte.

Diese negativen Erfahrungen mit Abstimmungen und Schiedssprüchen mögen dazu beigetragen haben, daß in der Wilnafrage[23], die Piłsudski persönlich besonders berührte, wieder vollendete Tatsachen geschaffen wurden: Nach der Übergabe Wilnas an Litauen durch Sowjetrußland und nach dem raschen polnischen Vormarsch wurde zwischen Litauen und Polen am 7. X. 1920 unter Mitwirkung einer Völkerbundskommission in Suwałki ein Abkommen geschlossen, in dem eine Demarkationslinie festgelegt wurde, die Wilna bei Litauen beließ.

Schon am Tage danach überschritt aber General Lucjan Żeligowski, sich angeblich gegen die polnische Regierung empörend, tatsächlich aber im Einverständnis mit dem Staatschef, mit Soldaten, die überwiegend aus den umstrittenen Gebieten stammten, die Demarkationslinie und besetzte am 9. X. kampflos Wilna. Aus den Litauen im Frieden mit Sowjetrußland vom 12. VII. zugestandenen Gebieten bildete er anschließend einen Staat »Mittel-Litauen« *(Litwa Środkowa)* mit einer polnischen »Vorläufigen Regierungskommission« als vollziehender Gewalt, mit polnischer Amtssprache und polnischen Beamten.

Es war klar, daß dieses ephemere Staatsgebilde nur vorübergehend existieren und binnen kurzem an Polen übergehen werde, zumal es auch im Osten an einen schmalen Streifen polnischen Gebiets grenzte. Tatsächlich wurde die Vereinigung mit Polen nach anderthalb Jahren, am 20. IV. 1922, vollzogen, nachdem ein von der nichtpolnischen Bevölkerung größtenteils boykottierter Landtag am 20. II. den Anschluß beschlossen hatte. Wilna, eine überwiegend polnisch-jüdische Stadt in einem weißruthenisch-litauisch-polnischen Umland, wurde aber von Litauen als legitime Hauptstadt beansprucht. Trotz aller Vermittlungsversuche des Völkerbundes weigerte es sich, die Zugehörigkeit zu Polen anzuerkennen. Beide Staaten unterhielten deshalb keinerlei Beziehungen und bezeichneten den zwischen ihnen bestehenden Zustand als »weder Krieg noch Frieden« (s. S. 1075).

Als der Friedensschluß von Riga am 18. III. 1921 den Zeitraum der Staatsbildung und der Grenzkämpfe abschloß, war neben dem Wilnaproblem nur noch die Oberschlesienfrage offen, an der Piłsudski persönlich weit weniger interessiert war als an dem seinem Herzen nahestehenden Wilna, die aber für die Wirtschaft des sonst kaum über Schwerindustrie und wenig Bodenschätze verfügenden Staates große Bedeutung hatte.

Gleichzeitig mit der Konsolidierung des Staates nach außen hatte sich auch eine Vereinheitlichung im Inneren vollzogen. Zwar blieben die Teilgebietsgrenzen als Wojewodschaftsgrenzen erhalten, auch gab es viererlei Rechtsgebiete, vor allem bezüglich des Zivilrechts, und die Zivilisationsunterschiede zwischen einer großpolnischen Kleinstadt mit Gas- und Elektrizitätswerk und Wasserleitung und einer wolhynischen Mittelstadt, wie Równe oder Łuck, die nicht einmal Kanalisation hatten, waren enorm, aber die regionalen Unterschiede machten sich im politischen Leben kaum bemerkbar, es gab weder ein Gegenstück zur Bayernpartei noch eine Neigung zum Separatismus[24], wenn auch einzelne Parteien in bestimmten Gebieten ihre »Hochburgen« hatten, so die Nationaldemokraten in Posen-Pommerellen, die Bauernpartei »Piast« im westlichen Galizien.

Der Verfassunggebende *Sejm,* an der Regierungsbildung dieser Jahre nur im Einvernehmen mit dem Staatschef beteiligt, hatte in zwei Jahren die Verfassung vorbereitet, die einen Tag vor dem Rigaer Friedensschluß verabschiedet wurde.

§ 26 Polen von der Unabhängigkeit bis zur Volksrepublik 1918–1970

Sie sah, dem Vorbild der alten »Republik« folgend, zwei Kammern, *Sejm* und Senat, vor, deren Mitglieder aber beide vom Volke gewählt wurden, nur war das aktive und das passive Wahlalter mit 30 bzw. 40 Jahren beim Senat wesentlich höher als beim *Sejm,* der praktisch allein die Regierungsbildung in der Hand hatte und die Regierung durch ein Mißtrauensvotum jederzeit stürzen konnte. Der Senat wirkte zwar bei der Gesetzgebung mit, hatte aber lediglich ein aufschiebendes Veto. Ganz schwach und rein repräsentativ war die Stellung des von *Sejm* und Senat gemeinsam zu wählenden Staatspräsidenten, der nicht einmal das Recht der Parlamentsauflösung hatte.

Diese »Märzverfassung[25]« war deutlich gegen die Autorität des Staatschefs Piłsudski gerichtet, der im Parlament, das er wenig schätzte, kaum echte Anhänger hatte. Ihre Verabschiedung machte deutlich, daß nun der Zeitraum der Konsolidierung, in der Polen eine starke Persönlichkeit an der Spitze brauchte, als abgeschlossen angesehen wurde und daß nun die Herrschaft des Parlaments beginnen könne. Die Vielzahl der Parteien und ihre in vielen Fällen geringe innere Geschlossenheit schufen aber von vornherein ein Element der Instabilität, das die folgenden fünf Jahre kennzeichnen sollte.

[1] Geb. 26. X. 1866 in Zbaraż, Ostgalizien, gest. 31. X. 1936 in Bystra, Oberschlesien. Seit 1892 Führer der Polnischen Sozialdemokratischen Partei in Galizien (PPSD), 1897–1918 Abgeordneter im österreichischen Reichsrat. Vertrat während des Krieges die »austropolnische« Lösung. Veröffentlichte 1925 seine zweibändigen Erinnerungen (Pamiętniki).

[2] Geb. 11. III. 1886 in Brzeżany (Podolien), gest. 2. XII. 1941 in Warschau, ursprüngl. Maler, seit 1912 im Schützenverband. Den dortigen Decknamen Śmigły fügte er seinem eigentlichen Namen Rydz später an. 1917 in Piłsudskis Auftrag Kommandant der geheimen Militärorganisation POW. Biographie oder Erinnerungen liegen nicht vor.

[3] Geb. 21. I. 1874 in Wierzchosławice, Kr. Tarnów, gest. 31. X. 1945 in Krakau. Kleinbauernsohn, Autodidakt. Bedeutender polnischer Bauernpolitiker, 1911–18 Abgeordneter im österreichischen Reichsrat für die Polnische Volkspartei-Bauernpartei (PSL), bei der Spaltung 1913 Führer der rechtsgerichteten Partei PSL Piast. 1918 Vorsitzender der Krakauer Liquidationskommission. Erinnerungen (Moje wspomnienia; 3 Bde. 1964/65).

[4] K. hat in seinen Erinnerungen 1935 (Ndr. 1962 als »Gesichter und Zeiten«) sowohl die Freilassung Piłsudskis wie seine kurze Tätigkeit als Gesandter in Warschau eingehend geschildert.

[5] Geb. 18. XI. 1860 in Kuryłówka in Podolien, gest. 29. VI. 1941 in New York, seit 1887 als Pianist weltberühmt, zog sich 1921 wieder aus der Politik zurück, war 1940/41 Präsident des Parlaments im Exil. Seine bis 1914 reichenden Memoiren in Englisch (erschienen 1939) sind historisch unergiebig. Biographie von *H. Opieński* (fr.; 1948).

[6] Geb. 20. IV. 1873 in Sadzawka Kr. Kattowitz, gest. 17. VIII. 1939 in Warschau, seit 1903 Reichstagsabgeordneter, seit 1904 gleichzeitig Abgeordneter im Preußischen Landtag, 1919–21 Abstimmungskommissar in Oberschlesien. Biographien von *E. Sontag* (1954), *S. Sopicki* (poln.; 1935), *M. Orzechowski* (poln.; 1975).

[7] Über diesen existiert eine überaus reiche polnische Kontroversliteratur. Überblick über die ältere: *A. Loeßner,* Der Abfall Posens 1918/19 im polnischen Schrifttum (1933). Neueres Sammelwerk: Powstanie wielkopolskie 1918/19 (Der Aufstand in Großpolen), hg. v. *Z. Grot* (1968). *D. Vogt,* Der großpoln. Aufstand, Berichte, Erinnerungen, Dokumente (1979).

[8] Geb. 25. X. 1867 in Garbów b. Sandomir, gest. 28. X. 1937 in Batorowo, Großpolen. Ging als Gegner Piłsudskis 1920 in den Ruhestand. S. Moje wspomnienia (Erinnerungen; 1935).

[9] Dazu *M. K. Dziewanowski,* J. Piłsudski, an European Federalist 1918–1922 (1969; sehr positiv). Kritisch: *J. Lewandowski,* Federalizm. Litwa i Białoruś w polityce obozu belwederskiego 1918–1920 (Föderalismus. Litauen und Weißruthenien in der Politik des Belvedere-Lagers – Belvedere, ein Schloß im Süden Warschaus, war der Sitz Piłsudskis –

b) Die Erringung der Unabhängigkeit (1918–1921/22)

1962), sowie *A. Deruga,* Polityka wschodnia Polski wobec ziem Litwy, Białorusi i Ukrainy 1918–1919 (Die Ostpolitik Polens gegenüber Litauen, Weißruthenien und der Ukraine; 1919).

[10] Eingehende Darstellung vom ukrainischen Standpunkt aus: *V. Kutschabsky,* Der Kampf um die Westukraine im Kampf mit Polen und dem Bolschewismus in den Jahren 1918–1923 (1934).

[11] Dazu eingehend mit Bibliographie *K. Witt,* Die Teschener Frage (1935), und *F. Szymiczek,* Walka o Śląsk Cieszyński 1914–1918 (Der Kampf um das Teschener Schlesien; 1938). Zu der polnischen Besetzung des sog. Olsalandes 1938 s. S. 1016.

[12] Dazu *E. Viefhaus,* Die Minderheitenfrage und die Entstehung der Minderheitenschutzverträge auf der Pariser Friedenskonferenz 1919 (1960). Texte aller Verträge zum Minderheitenschutz in: Materialien der Deutschen Gesellschaft für Nationalitätenrecht, hg. v. *M. H. Boehm* und *R. Schmidt* (9 Hefte, 1927 ff.).

[13] Artikel 9 des Minderheitenschutzvertrages sah ganz allgemein nur »angemessene Erleichterungen« für den Schulunterricht bzw. einen »gerechten Anteil« an den für Erziehung und Wohlfahrt ausgeworfenen Summen vor und bezog sich auf alle Minderheiten; seine Geltung wurde aber für die Deutschen auf das früher preußische Gebiet eingeschränkt. Als Mindestzahl der schulpflichtigen Kinder, damit eine Minderheitenschule oder Klasse eingerichtet werden konnte, wurde wie in der Genfer Konvention über Oberschlesien 40 angesetzt.

[14] In den 10 Jahren 1920 bis April 1929 gelangten von 345 Eingaben, die 208 Fälle erfaßten (davon 76 gegen Polen gerichtet) nur 18 zur Verhandlung vor den Rat, nur 8 wurden wirklich verhandelt, nur in zwei Fällen wurde der Beschwerdegrund abgestellt. Dazu *H. v. Truhart,* Die Völkerbundpetition der Minderheiten und ihre Behandlung (1929). Umfassend zum Gesamtkomplex: *G. H. J. Erler,* Das Recht der nationalen Minderheiten (1931).

[15] Die Texte der Noten jetzt am einfachsten in: Dokumenty i materiały, Bd. II, Nr. 279 und 308, sowie in Dokumenty vnešnej politiki SSSR (Dokumente der Außenpolitik der UdSSR, Bd. II, 1958, Nr. 207 u. 226).
Zum Ablauf s. knapp *G. Rhode,* Die Entstehung der Curzon-Linie: Osteuropa 5 (1955), S. 81–92 m. Skizze, und ausführlich *P. Wandycz,* Soviet-Polish Relations (1969). Den diplomatischen Vorstößen waren ganz geheime Verhandlungen zwischen dem poln. Kommunisten Marchlewski und poln. Regierungsvertretern (Oberst Boerner) in Mikaszewicze von Oktober bis Dezember 1919 vorausgegangen, in denen vergeblich versucht wurde, ein Stillhalteabkommen zu erreichen, wonach die Polen Denikin nicht unterstützen, die Bolschewiki aber Petljura nicht verfolgen sollten. Diese für beide Seiten später peinlichen Verhandlungen wurden lange Zeit mit dem Schleier des Geheimnisvollen umgeben. S. dazu *J. Sieradzki,* Białowieża i Mikaszewicze (1959). Knapp *Wandycz,* S. 136–145. In Dokumenty i materiały, Bd. II sind nur wenige Schriftstücke wiedergegeben.

[16] Die Aufrufe bei *Kumaniecki* (a, Anm. 1), L. 121 und L. 122. Inhalt der beiden Verträge bei *Pobóg-Malinowski* (s. einl. Bibliographie), Bd. II, 1, S. 262–264. Über die Offensive eingehend *T. Kutrzeba,* Wyprawa Kijowska 1920 (Der Feldzug n. Kiew; 1927). Zum Vertrag v. 21. IV. 1920: *S. P. Šeluchin,* Varšavskyj dohovor miž Poliakamy i S. Petliuroiu (ukr.; 1926).

[17] Die Literatur über den polnisch-sowjetischen Krieg ist kaum noch übersehbar. Am eingehendsten immer noch das deutsche Generalstabswerk: Der Polnisch-sowjetische Krieg 1918–1920, Bd. I (1940), dazu *J. Piłsudski,* Das Jahr 1920, Bd. II der »Erinnerungen und Dokumente« (s. a, Anm. 4). Dort auch die Darstellung seines Gegenspielers M. Tuchačevskij.

[18] In der älteren Literatur über die Curzon-Linie (z. B. *Alius,* 1945, und *E. v. Puttkamer* in: Die Wandlung, II, 1947, S. 175–183) und in Übersichtswerken wird Lord Curzon zu Unrecht irgendein Einfluß auf die Entstehung der Linie schon 1919 zugesprochen. Tatsächlich leistete er lediglich die Unterschrift unter das Telegramm, während Lloyd George die Verhandlungen führte. Die Verbindung des Namens Curzon mit der Linie des 8. Dezember bzw. der »Linie A« war ein geschickter Propagandazug der sowjetischen Seite, der sich auch 1939 und 1943/44 bei geschichtsunkundigen britischen Staatsmännern als

wirksam erwies. Über die Konferenz in Spa nun: Documents on British Foreign Policy 1919–1939, First Series, Bd. VIII. Der englische Text des Telegramms dort S. 557. Siehe Dazu J. W. Brügel: Osteuropa 10 (1960), S. 181–185. Der Text von Curzons Note nicht in Dokumenty vnešnej politiki SSSR, Bd. III oder in Dokumenty i materiały, Bd. III, aber in der alten sowjetischen Dokumentensammlung von J. V. Ključnikov und A. W. Sabanin, Bd. 3 (1928), Nr. 23, S. 34/35 (russisch).

[19] Zur Vorgeschichte der KPP: G. W. Strobel, Die Partei Rosa Luxemburgs, Lenin und die SPD (1974), sowie die Quellensammlung: Quellen zur Geschichte des Kommunismus in Polen 1878–1918, hg. v. W. Strobel (1968).

[20] Die von Gegnern Piłsudskis ausgestreute Behauptung, in Wirklichkeit habe General Weygand den Operationsplan ausgearbeitet, ist nachweislich falsch; sie wird auch von Weygand selbst in Band II seiner Mémoires (1957) nicht aufgestellt. Tatsächlich riet er zu Operationen nördlich von Warschau. Der im Befehl Nr. 10 000 nach Ideen Piłsudskis ausgearbeitete Angriffsplan stammte von General Rozwadowski und wurde schon 1929 in seiner Biographie von Adam Rozwadowski veröffentlicht. Originalunterlage im J. Piłsudski-Institut in New York. Dazu P. Wandycz, General Weygand and the Battle of Warsaw: JournCentrEurAff 19 (1960), S. 357–365.

[21] Russ. Text in Dokumenty vnešnej politiki SSSR, Bd. III, Nr. 131, S. 245–256, poln. Text in Dokumenty i materiały, Bd. III, Nr. 236, S. 465–475.

[22] Russ. Text in Dokumenty vnešnej politiki SSSR, Bd. III, Nr. 350, S. 618–658, poln. Text in Dokumenty i materiały, Bd. III, Nr. 275, S. 572–609, jeweils mit Karten und Anlagen.

[23] Eine befriedigende Gesamtdarstellung des bis 1938 andauernden Wilna-Konflikts liegt noch nicht vor. Die wichtigsten Schriftstücke französisch in einer litauischen Quellenedition: Conflit polono-lithuanien, question de Vilna 1918–1924 (1924), sowie in einer polnischen: Documents diplomatiques concernant les relations Polono-Lithuaniennes Décembre 1918–Septembre 1920 (1920). Die internationale Behandlung bei A. E. Senn, The Great Powers, Lithuania and the Wilna Question (1966).

[24] S. dazu die Beiträge von G. Rhode und R. Breyer in »Teilung und Wiedervereinigung«. Eine weltgeschichtliche Übersicht, hg. v. G. Franz (1963).

[25] Polnischer Text bei Kumaniecki (s. a, Anm. 1), L. 244, S. 507–521. Französisch bei C. Crozat, Les constitutions de la Pologne et de Dantzig (1923). Alle wesentlichen polnischen Gesetze deutsch in der Serie: Polnische Gesetze und Verordnungen in deutscher Übersetzung (1920–1939).

c) Die Zeit der Herrschaft des Parlaments. Von der »Märzverfassung« bis zum Mai-Umsturz 1926

Hatte bis zum Rigaer Frieden die Außenpolitik im Vordergrund gestanden, so kam danach, trotz des Offenbleibens verschiedener Grenzprobleme, der inneren Entwicklung des Landes größere Bedeutung zu. Hier lassen sich deutlich zwei Phasen unterscheiden: Bis zur Präsidentenwahl im Dezember 1922 und danach. In der ersten Phase war Piłsudski noch Staatschef und suchte die Regierungsbildung zu beeinflussen – mit Erfolg – und bei den ersten Wahlen aufgrund der Märzverfassung, die im November 1922 durchgeführt wurden, Parteien seiner Sympathie zu fördern – ohne jeden Erfolg. In der zweiten war er zwar zunächst noch Chef des Generalstabs und Vorsitzender des Verteidigungsrats, hatte aber, nachdem er beide Ämter niedergelegt hatte (am 30. V. und 2. VII.), keinen Posten mehr inne und beobachtete die Entwicklung grollend von seinem Landsitz Sulejówek unweit von Warschau aus.

Die erste Periode des Übergangs veranlaßte der Sejm selbst, da er sich nach Verabschiedung der Verfassung nicht wie vorgesehen auflöste, sondern durch Beschluß vom 18. V. 1921 seine Kadenz und die Geltung der Kleinen Verfassung auf unbestimmte Zeit verlängerte. Im Hintergrund stand der Wunsch aller größeren Parteien, eine sie zuungunsten der kleinen Parteien und der Minderheiten möglichst begünstigende Wahlordnung durchzusetzen und durch Beteiligung an

c) Die Zeit der Herrschaft des Parlaments

der Regierung den Wahlkampf zu beeinflussen. Dabei kam es zu ständig neuen Kombinationen und Intrigen, so daß in den 15 Monaten von September 1921 bis Dezember 1922 vier Regierungen im Amt waren, nachdem Witos vom März bis September versucht hatte, seinem Allparteienkabinett der nationalen Konzentration durch immer neue Umstellungen das Vertrauen des Parlaments zu erhalten. Ein besonderer Schlag für den populären Bauernführer war dabei die Sezession von 26 Abgeordneten aus seiner Bauernpartei, die eine eigene Fraktion bildeten. Die Witos folgenden vier Regierungen waren Beamtenkabinette mit einzelnen Parteirepräsentanten, die wohl von Piłsudski gestützt wurden, sonst aber von den wechselnden Kombinationen im *Sejm* abhängig waren[1].

Die Wahlordnung[2], lange umkämpft, wurde am 28. VII. 1922 im wesentlichen nach den Vorstellungen der Rechten verabschiedet. Obwohl grundsätzlich das allgemeine und gleiche Wahlrecht nach dem d'Hondtschen Proportionalverfahren galt, wurden die Wahlkreise so zugeschnitten, daß in den Gebieten mit polnischer Volkstumsmehrheit wesentlich weniger Stimmen für ein Mandat nötig waren als in den Gebieten mit nichtpolnischen Mehrheiten und daß verstreute nationale Minderheiten wie die Juden und die Deutschen keine Chance hatten, ein Mandat zu erringen. Parteien, die in mindestens sechs Wahlkreisen Mandate errungen hatten, erhielten außerdem zusätzliche Mandate über die Staatsliste, die 72 der 444 Sitze verteilte. Angesichts dieser die nationalen Minderheiten und die Parteien ohne regionale Schwerpunkte klar benachteiligenden Wahlordnung schlossen die meisten Minderheitsgruppen unter jüdischer und deutscher Führung ein Wahlbündnis, den Block der Nationalen Minderheiten[3]. Die Sejmwahl vom 5. XI. 1922 brachte bei geringer Wahlbeteiligung zwar Verluste für die Linksparteien (*PPS* und Bauernpartei *Wyzwolenie*), die nur noch 21% der Mandate erhielten, und einen Erfolg der Rechten (Nationaldemokraten, Christlich-Nationale und Nationale Arbeiterpartei), die ihr Drittel der Mandate halten konnte, zwang aber wieder zu Koalitionen, wobei eine Mitte-Links-Koalition die Unterstützung der nationalen Minderheiten brauchte, die mit knapp 20 % zwar unterrepräsentiert, aber doch so vertreten waren, daß man mit ihnen ernsthaft rechnen mußte.

Die durch das Wahlergebnis vergrößerte Instabilität zeigte sich bei der Wahl des Staatspräsidenten durch beide Häuser am 9. XII. 1922. Erst im fünften Wahlgang wurde mit knapper, aber unanfechtbarer Mehrheit der Kandidat der linken Bauernpartei, Professor Gabryel Narutowicz, gewählt. Da das nur mit den Stimmen der Minderheiten, insbesondere der Juden, möglich gewesen war, wurde eine wüste Hetzkampagne der Rechten gegen den »jüdischen Kandidaten« entfacht, und schon am 16. XII. wurde der Präsident von einem nationalistischen Fanatiker ermordet.

Auf diese schockierende Bluttat folgte eine gewisse Ernüchterung; zum neuen Präsidenten wurde wenige Tage später der Kandidat der rechten Bauernpartei *Piast* Stanisław Wjociechowski, ein früherer Sozialist und eine farblose Persönlichkeit, gewählt. Für Piłsudski brachten die Wahlen durch das gute Abschneiden der ihm feindlichen Rechtsparteien und durch den völligen Mißerfolg zweier von ihm favorisierter neuer Parteien eine doppelte Enttäuschung. Er lehnte daher die Kandidatur für das höchste Staatsamt brüsk ab.

Infolge der Parteiauseinandersetzungen nach der Präsidentenwahl und dem Mord konnte keine von einer parlamentarischen Mehrheit getragene Regierung gebildet werden. Als Zwischenlösung übernahm General W. Sikorski, vom Parlamentspräsidenten damit betraut, die Leitung einer überparteilichen Beamtenregierung, die zunächst toleriert wurde. Als diese Tolerierung im Mai 1923 ein Ende fand, begann die dreijährige Phase der von der Mitte und der Rechten getragenen Regierungen, zunächst unter dem Bauernführer Witos, dann für fast zwei Jahre (Dezember 1923 bis November 1925) unter dem ehemaligen Nationaldemokraten W. Grabski, mit zunehmend nationalistischen Tendenzen, obwohl Grabski über keine klare Parteibasis verfügte und deshalb mit Hilfe ständiger Wechsel im Kabinett lavieren mußte.

In die Zeit der Parlamentsherrschaft, der noch durch den Staatschef begrenzten wie der unumschränkten, fiel die Lösung zweier außenpolitischer Probleme – der Oberschlesienfrage und der Regelung des Verhältnisses zum Vatikan – und der Versuch, mit vier innenpolitischen Fragen fertig zu werden: mit der Inflation, der Agrarreform, den nationalen Minderheiten und dem Bau eines eigenen Hafens – alles Angelegenheiten, die natürlicherweise auch außenpolitische Implikationen hatten.

In Oberschlesien[4] fiel die Volksabstimmung am 20. III. 1921 fast genau mit der Unterzeichnung des Friedens von Riga zusammen. Nachdem im August 1919 und im August 1920 polnische Aufstandsversuche fehlgeschlagen waren, wurde eine äußerst harte Propagandakampagne geführt, da es in zahlreichen Fällen keine objektiven nationalen Unterscheidungsmerkmale, sondern nur das subjektive Bekenntnis der Zugehörigkeit zu der einen oder der anderen Nation gab. Von den abgegebenen gültigen Stimmen entfielen 59,6 % auf den Verbleib bei Deutschland und 40,4 % auf den Übergang an Polen[5], wobei alle Städte mit einer Ausnahme deutsche Mehrheiten hatten.

In die Auseinandersetzungen, ob dieses Ergebnis ein geschlossenes Verbleiben bei Deutschland oder eine Teilung rechtfertige, fiel am 3. V., dem 130. Jahrestag der polnischen Verfassung von 1791, der dritte polnische Aufstand, diesmal unter Führung des polnischen Abstimmungskommissars Wojciech Korfanty, der gegen die beiden ersten Aufstände gewesen war. Die Vorbereitungen hatte der Leiter der Organisationsabteilung der POW, Michał Grażyński, geleitet, später erbitterter Gegner von Korfanty und 1926–1939 Wojewode der Wojewodschaft »Schlesien«. Der Aufstand, dem die französischen Besatzungstruppen nur geringfügigen Widerstand leisteten, konnte große Teile des Abstimmungsgebietes erfassen und wurde erst am 21. V. durch deutschen Selbstschutz am Annaberg gebremst. Erst die Entsendung weiterer britischer Truppen ins Abstimmungsgebiet schuf wieder Ruhe, doch beeinflußte der Aufstand den Beschluß der Botschafterkonferenz vom 20. X. 1921, durch den das Abstimmungsgebiet so geteilt wurde, daß rund 25 % der Fläche mit 42,5 % der Bevölkerung und 85 % der Kohlevorräte Polen zugesprochen wurden. Ein am 15. V. 1922 in Genf unterzeichnetes deutsch-polnisches Abkommen regelte für die Dauer von 15 Jahren den Verkehr über die mitten durch Stadtgebiete und Industriezonen gezogene neue Grenze und die Rechte der auf beiden Seiten verbleibenden nationalen Minderheiten. Zwischen dem 15. VI. und dem 15. VII. wurde der Hoheitswechsel vollzogen. Das bisher preußische Gebiet wurde mit den an Polen gekommenen Teilen Österreichisch-Schlesiens zu einer Wojewodschaft »Schlesien« (Śląsk) mit Autonomiestatut und eigenem Landtag zusammengeschlossen.

Die Zuteilung des Großteils des wertvollen Industriegebiets war zwar ein großer Erfolg für Polen, der Aufstand mit seinen auf beiden Seiten begangenen Übergriffen hinterließ aber eine Atmosphäre nationaler Feindseligkeit, auch wurden die »Aufständischen« mit einer nationalen Gloriole umgeben.

Korfanty wurde im Juli 1922 nach dem Rücktritt der Beamtenregierung Śliwiński vom *Sejm* zum Ministerpräsidenten vorgeschlagen, doch weigerte sich Piłsudski, ihn zu nominieren, was eine mehrwöchige Krise[6] verursachte, bis eine

c) Die Zeit der Herrschaft des Parlaments

neue Beamtenregierung eingesetzt wurde. Korfanty, ein geschickter Taktiker und gläubiger Katholik, und Piłsudski blieben scharfe politische Gegner.

Das Konkordat mit dem Vatikan[7] war nötig, weil durch die neuen Grenzen alte Diözesangrenzen zerschnitten wurden und die Ausübung bischöflicher und erzbischöflicher Rechte über die Staatsgrenzen hinaus, wenn auch grundsätzlich nicht ungewöhnlich, erhebliche Schwierigkeiten machte. Mit dem am 10. II. 1925 geschlossenen Konkordat, das erst 1945 von »Volkspolen« gekündigt wurde, wurden die Diözesangrenzen an die Staatsgrenzen angepaßt. Zu den bisherigen drei Erzbistümern Gnesen-Posen, Lemberg und Warschau kamen mit Wilna und Krakau zwei neue. Der polnische Staat, der in Artikel 114 der Märzverfassung dem römisch-katholischen Bekenntnis ausdrücklich den ersten Platz im Staate unter den gleichberechtigten Bekenntnissen zugestanden hatte, erklärte sich in § 11 mit der Ernennung der Bischöfe ohne vorherige Kapitelwahl einverstanden und verpflichtete sich in § 13 zur Einrichtung obligatorischen Religionsunterrichts an allen öffentlichen Schulen.

Die Inflation, der rasche Kaufkraftschwund der an die Währung der Besatzungszeit angelehnten Polnischen Mark, war im Winter 1922/23 zwar vorübergehend gebremst worden und nahm nicht das Ausmaß der Inflation in Deutschland an, doch mußten Ende November 1923 bereits 5 Millionen Mark für den Dollar gezahlt werden, während es im Oktober noch eine Million war. Grabski, selbst ein bekannter Finanzexperte, gründete zunächst in der Bank Polski eine vom Staat weitgehend unabhängige, auf Subskription gestützte Emissionsbank und konnte am 28. April 1924 als neue Währung den *złoty* (Gulden) einführen, dessen Parität mit dem Schweizer Franken zwar festgelegt, aber auf die Dauer nicht gehalten werden konnte[8]. Andererseits gelang es Grabski, den Haushalt zu stabilisieren, doch schuf der im Juni 1925 mit Deutschland beginnende »Zollkrieg« – nach Auslaufen der Bestimmungen der Genfer Konvention über Oberschlesien über die Abnahme von oberschlesischer Kohle durch das Deutsche Reich – ungünstige Bedingungen für die Handelsbilanz, da der bisherige Export von sechs Millionen Tonnen Kohle nach Deutschland, was 40 % des polnischen Exports ausgemacht hatte, nun nicht mehr garantiert war. Kursverluste des *złoty* waren die Folge, doch gab der englische Bergarbeiterstreik des Jahres 1926 der polnischen Kohle die Gelegenheit, sich in Skandinavien neue Absatzmärkte zu erschließen.

Die Agrarreform[9] war in einem Land, in dem nach der Volkszählung von 1921 72,3 % aller Erwerbstätigen in der Landwirtschaft arbeiteten, und bei den enormen Unterschieden zwischen durch ständige Realteilung entstandenem Kleinst- und Zwergbesitz im westlichen Galizien, florierendem mittlerem Bauerntum in Großpolen und in Teilen Zentralpolens und riesigem, oft sehr extensiv wirtschaftendem Großgrundbesitz in den Ostgebieten eine Notwendigkeit und ein Zentralproblem, vor allem auch, weil der zersplitterte Kleinstbesitz eine versteckte Arbeitslosigkeit in den ländlichen Übervölkerungsgebieten möglich machte und keinerlei nennenswerte Nahrungsmittelproduktion für die Stadtbevölkerung oder den Export leistete. Eine radikale Reform mit drastischer Reduzierung des Großgrundbesitzes war aber politisch nicht durchführbar, weil die starke Rechte dagegen war und weil der Großgrundbesitz in den Ostgebieten eine Stütze des Polentums bildete, und wirtschaftlich ohne gleichzeitige Kommassation und Modernisierung bäuerlicher Wirtschaften bedenklich, vor allem auch für den im wesentlichen vom Großbesitz getragenen Agrarexport.

Einen grundsätzlichen Beschluß über die Agrarreform hatten die Bauernparteien schon am 10. VII. 1919 im Parlament durchgesetzt; am 15. VII. 1920, während der Bedrohung durch die Rote Armee, wurde dann ein Gesetz beschlossen, das die Schaffung bäuerlichen Mittelbesitzes von 15–20 ha, Flurbereinigungen und Umsiedlungen sowie wechselnde Mindestgrößen für den zu parzellierenden Großbesitz vorsah, aber nicht verwirklicht wurde. Erst das zweite Reformgesetz vom 28. XII. 1925 brachte die Durchführungsbestimmungen, die die Radikalität des ersten Gesetzes dadurch abmilderten, daß alljährlich nur 200 000 ha parzelliert werden sollten und daß die nicht der Abgabe unterliegende Fläche generell auf 180 ha – mit Ausnahme der Industriegebiete – und in den Ostwojewodschaften sogar auf 300 ha festgelegt wurde. Weitere Erleichterungen gab es für Güter mit Brennereien, Zuckerrübenanbau und dergleichen. Praktisch wurde die Agrarreform, deren sich ein eigenes Ministerium anzunehmen hatte, zu einer Waffe gegen den deutschen, wirtschaftlich hochstehenden Großgrundbesitz in Westpolen, der in manchen Jahren über 90 % der Parzellierungsfläche abgeben mußte (z. B. gleich 1926: 92 %, 1929: 93 %), während der polnische Großgrundbesitz in den Ostwojewodschaften, der rund 4 Mill. ha betrug, wenig herangezogen wurde. Da in den Jahren von 1920 bis 1938 nur rund 735 000 bäuerliche Familien Landzuteilungen aus dem Agrarfonds erhielten, davon aber nur 154 000 Neusiedlerstellen mit durchschnittlich 9 ha je Stelle, konnte das Agrarproblem auf diese Weise nicht gelöst werden, betrug doch die Zahl der bäuerlichen Wirtschaften unter 10 ha im Jahre 1931 rund 2 612 000, davon allein 750 000 nicht lebensfähige Zwergbetriebe mit weniger als 2 ha. Bäuerliche Radikalisierung war die Folge, vor allem in den dreißiger Jahren, da auch die Flurbereinigung nur langsam vorankam und Meliorationen nur rund 550 000 ha erfaßten, eine absolut beachtliche, bei dem Landhunger der bäuerlichen Bevölkerung aber nicht ausreichende Leistung.

In der Minderheitenpolitik[10] versuchten die nationalbetonten Regierungen der Jahre 1921 bis 1926 nicht, die nach Artikel 95 und 96 der Märzverfassung absolute Gleichberechtigung, auch bei der Vergabe der Ämter, genießenden Nichtpolen an den Staat heranzuziehen und sie an Regierung und Selbstverwaltung zu beteiligen. Obwohl der Block der Nationalen Minderheiten bei den Novemberwahlen 1922 beachtliche Erfolge erzielt und in der Wojewodschaft Wolhynien fast 80 %, in den Wojewodschaften Polesien, Wilna, Nowogródek über 75 % der Stimmen erhalten hatte, erschien jede Heranziehung der Minderheitenvertreter zu einer Regierungskoalition als nationaler Verrat, ja, die Vertreter der Rechtsparteien sprachen sich sogar dafür aus, daß die Stimmen der Minderheitenvertreter bei Regierungsbildung, Mißtrauensvotum, Budgetfragen überhaupt nicht gezählt werden sollten. Selbst im Parlamentshandbuch wurden die Nichtpolen generell als »Fremde« bezeichnet, einschließlich der von der Rechten besonders heftig bekämpften Juden, denen aber auch die der Mitte zuzurechnende Bauernpartei *Piast* ablehnend gegenüberstand. Ohne daß ein klares Konzept erarbeitet oder verkündet wurde, wurde die Minderheitenpolitik entschieden restriktiv gestaltet, gegenüber den Deutschen in Posen-Pommerellen mit dem Ziel der Verdrängung, gegenüber den Ukrainern und Weißruthenen mit dem der wenigstens teilweisen Assimilierung, gegenüber den Juden ohne ein erkennbares Ziel.

Die Verdrängungspolitik gegenüber den Deutschen hatte den Erfolg, daß in den Jahren 1919 bis 1926 etwa 600 000 Deutsche aus Posen-Pommerellen abwanderten[11], ein erheblicher Teil davon sehr früh, weil es sich um Beamte handelte, die vom polnischen Staat nicht übernommen wurden, weitere mehr oder weniger freiwillig, weil ihnen, z. B. durch Konzessionsentzug, die wirtschaftliche Basis genommen wurde, ein erheblicher Teil aber gezwungen, weil sie sich seit 1908 nicht kontinuierlich im Land aufgehalten hatten und daher nicht die Staatsbür-

c) Die Zeit der Herrschaft des Parlaments

gerschaft erhielten oder weil Ansiedlerpachtverträge durch Gesetz vom 14. VII. 1920 annulliert wurden. Infolgedessen bekamen zahlreiche Posener und pommerellische Städte, die 1919/20 noch überwiegend deutsch gewesen waren, in wenigen Jahren polnische Mehrheiten. Diese Verdrängungs- und Benachteiligungspolitik führte zu dauernden Spannungen mit dem Deutschen Reich.

Bei den Ukrainern, der nach der Volkszählung von 1931 mit rund 4,5 Mill. weitaus stärksten nationalen Minderheit, deren Führer ihre Zahl auf 6 bis 7 Mill. bezifferten, wurde immerhin eine differenzierte Politik gegenüber dem weniger nationalbewußten orthodoxen Teil in Wolhynien und Polesien (rd. 1,5 Mill.) und dem stärker ukrainisch-national eingestellten griechisch-katholischen Teil im östlichen Kleinpolen versucht und auch bei diesem durch Abgrenzung einiger Sondergruppen im Karpatenbereich weiter differenziert. Dem östlichen Galizien wurde aber die territoriale Autonomie, zu deren Gewährung ein Völkerbundsratsbeschluß vom 25. VI. 1919 Polen verpflichtet hatte und die die Botschafterkonferenz bei der Anerkennung der Ostgrenzen Polens am 15. III. 1923 nochmals für notwendig erklärt hatte, niemals gegeben. Allerdings stellte sich ein Teil der ostgalizischen Ukrainer auch radikal gegen den polnischen Staat, boykottierte die Wahlen von 1922 (die Beteiligung betrug oft nur 31–34 %) und verübte Attentate, am 25. IX. 1921 auch auf den in Lemberg weilenden Piłsudski – ohne Erfolg. Da die bürgerlich-nationalen Ukrainer aber betont antikommunistisch waren, konnten sie von der Sowjet-Ukraine keine Unterstützung erwarten. Anders war es bei den national noch weitgehend indifferenten Weißruthenen, deren sehr dünne Führungsschicht dem Kommunismus zuneigte, ohne daß das aber eine Gefährdung für den polnischen Staat ergeben hätte.

Der Versuch, wenigstens einen Teil der nationalen Minderheiten, insbesondere die weniger nationalbewußten Gruppen der Weißruthenen und Ukrainer, an den polnischen Staat heranzuziehen, diesen von ihnen mittragen zu lassen, wurde von keiner im Parlament vertretenen Partei ernsthaft in Angriff genommen, und auch in der folgenden Ära Piłsudski gab es nur schwache Ansätze. In keinem der 31 Kabinette vom 14. XI. 1918 bis zum 1. IX. 1939 mit etwa 350 Ministern gab es auch nur einen Vertreter der nationalen Minderheiten, die auch in den mehrheitlich von ihnen bewohnten Gebieten niemals einen Wojewoden (=Oberpräsident) oder auch nur einen Starosten (=Landrat) stellen konnten.

Der polnische Staat wurde von den Vertretern aller politischer Richtungen, abgesehen von den praktisch bedeutungslosen Kommunisten, als das ausschließliche Besitztum des polnischen Volkes aufgefaßt, in dem allein dieses einen Führungsanspruch hatte, während sich alle anderen mit der Duldung ihrer Besonderheiten zu begnügen hatten.

Ähnlich stark national betont war auch das größte wirtschaftliche Aufbau-Unternehmen der zwanziger Jahre, der Ausbau des Hafens in Gdingen[12] unweit von Danzig, der noch unter der Regierung Sikorski (April 1923) begonnen und mit erheblichen französischen Krediten insbesondere nach der Währungsreform vom Frühjahr 1924 energisch vorangetrieben wurde. Gdingen, 1922 noch ein unbedeutendes Fischerdorf unmittelbar an der Grenze des Freistaates Danzig, wurde bewußt als Konkurrenz zum Danziger Hafen konzipiert, mit der Begründung, daß dessen Kapazitäten für den polnischen Überseehandel nicht ausreichten und daß Polen sich in Krisenzeiten nicht eine Lahmlegung lebensnotwendiger Einfuhren gegenübersehen dürfe. Der Danziger Hafenarbeiterstreik vom August 1920, auf dem Höhepunkt des polnisch-sowjetischen Krieges, schien da ein Warnzeichen zu bilden.

Der Bau des Hafens Gdingen trotz ungünstiger natürlicher Bedingungen er-

§ 26 Polen von der Unabhängigkeit bis zur Volksrepublik 1918–1970

schien gleichzeitig als ein nationales Anliegen und eine Betonung künftiger polnischer Seegeltung wie auch als Druckmittel gegen die Freie Stadt Danzig, die die Entziehung ihres Seehandelsmonopols vor Augen hatte und betonte, daß mit der Schaffung eines eigenen polnischen Großhafens auch die Basis für die Polen im Freistaat und im Danziger Hafen eingeräumten Rechte entfalle. Der deutschpolnische »Handelskrieg«, im Juni 1925 von deutscher Seite begonnen, wurde so von dauernden Spannungen zwischen Polen und Danzig begleitet. Der Ausschaltung Danzigs, dessen Bahnnetz zur polnischen Staatsbahn gehörte, diente auch der beginnende Bau einer direkten Bahnverbindung von Oberschlesien nach Gdingen, der »Kohlenmagistrale«, deren Fertigstellung allerdings erst 1933 erfolgte.

Außenpolitisch war die Basis für die Stellung Polens als wichtiges Glied im System des *cordon sanitaire* zwischen Deutschland und Sowjetrußland noch in der Zeit vor dem Rigaer Frieden gelegt worden. Dem Bündnis mit Frankreich vom 19. II. 1921[13], das zwei Tage danach durch eine geheime Militärkonvention ergänzt wurde, folgte am 3. III. eines mit Rumänien, das sich wegen des Besitzes von Bessarabien noch mehr als Polen durch Sowjetrußland bedroht fühlen mußte. Beide Bündnisse paßten ganz zur vorwiegend nationalen Tendenz der Regierungen Witos und Grabski. Ihre logische Weiterentwicklung, nämlich die Verbindung Polens mit der sog. Kleinen Entente, und der Ausbau einer Baltischen Liga, in der Polen eine führende Rolle zugefallen wäre, gelang aber nicht. Zwar wurde am 6. XI. 1921 von den Außenministern Beneš und Skirmunt eine polnisch-tschechoslowakische Konvention geschlossen, in der sich beide Seiten zu begrenzter Zusammenarbeit verpflichteten, aber sie wurde vom *Sejm* nicht ratifiziert, und die Beziehungen blieben gespannt. Ein erneuter Versuch wurde im Frühjahr 1925 gemacht, als Beneš am 23. IV. 1925 in Warschau ein sog. Liquidationsabkommen zur Regelung der mit dem Teschener Schlesien zusammenhängenden Fragen unterzeichnete. Dieses wurde auch ratifiziert, hatte aber nicht die Reichweite des ersten Abkommens und führte nicht zu einem Bündnis, das Verhältnis beider Länder blieb ausgesprochen kühl.

Der Verwirklichung einer Baltischen Liga stand der polnisch-litauische Konflikt um Wilna im Wege. Der Ersatz, ein zwischen Polen und den drei anderen baltischen Staaten am 17. III. 1922 geschlossenes Abkommen, wurde nur von Estland und Lettland, nicht jedoch von Finnland ratifiziert, so daß es ein torsohaftes Gebilde blieb. Die verlockende Möglichkeit, Polen zum starken Bindeglied zwischen einem südlichen und einem nördlichen Paktsystem und zugleich zu einer Führungskraft in Ostmitteleuropa zu machen, blieb also im wesentlichen wegen territorialer Konflikte ungenutzt.

---

[1] Für die Innenpolitik jetzt übersichtlich, nicht ganz fehlerfrei: *A. Polonsky,* Politics in Independent Poland. The Crisis of Constitutional Government (1972). Über die Parteien: *R. Styra,* Das polnische Parteiwesen und seine Presse (1926). *J. Holzer,* Mozaika polityczna drugiej Rzeczypospolitej (1974), mit knapper Bibliographie für die einzelnen Parteien.

[2] Text bei *Kumaniecki* (s. a, Anm. 1), L. 280 (Sejm), S. 631–657, L. 281 (Senat), S. 658–662. Auch in dem Handbuch Sejm i Senat 1922–1927, v. *T.* und *W. Rzepecki* (1923), S. 22–80.

[3] Dazu *P. Korzec,* Der Block der Nationalen Minderheiten im Parlamentarismus Polens: ZOstforsch 24 (1975), S. 193–220.

[4] Vgl. *O. Ulitz,* Oberschlesien – Aus seiner Geschichte (^{3}1971).

[5] Die absoluten Zahlen differieren in vielen Darstellungen etwas, da am 21. III. 1921 offiziell 707 554 Stimmen für Deutschland und 478 820 für Polen bekanntgegeben wurden; am 24. IV. wurden sie in 706 993 und 479 349 sowie 3874 ungültige Stimmen korrigiert.

d) Die Zeit der autoritären Staatsform (1926–1939)

[6] Die in diesem Zusammenhang entstandenen Schriftstücke bei *Kumaniecki*, S. 621–627.
[7] Französischer Text bei *N. Hilling*, Die drei letzten Konkordate des Hl. Stuhles etc. (1927), S. 27–46. Umfassende Darstellung bei *A. Süsterhenn*, Das polnische Konkordat vom 10. Februar 1925 (1928), und bei *E. Grübel*, Die Rechtslage der r. k. Kirche in Polen nach dem Konkordat vom 10. II. 1925 (1930).
[8] Zur Währungspolitik s. *J. G. Triebe*, Zehn Jahre poln. Währung 1918 bis 1928 (1929). S. auch den Rechenschaftsbericht von *W. Grabski*, Dwa lata pracy u podstaw państwowości polskiej (Zwei Jahre Arbeit an den Grundlagen poln. Staatlichkeit; 1927).
[9] Die Agrarreform am übersichtlichsten bei *M. Sering*, Agrarrevolution und Agrarreform in Ost- und Mitteleuropa (1929), und von demselben herausgegeben: Die agrarischen Umwälzungen im außerrussischen Osteuropa (1930). Zur agrarischen Überbevölkerung: *Th. Oberländer*, Die agrarische Überbevölkerung Polens (1935).
[10] Eine abschließende Gesamtdarstellung der Minderheitenpolitik liegt noch nicht vor. Die vorhandene reichliche Literatur ist stark zeitbedingt. Zusammenfassend u. a. *St. Mornik* (Pseud. = *Erich Jänsch*), Polens Kampf gegen seine nichtpolnischen Volksgruppen (1931). Amtl. poln. Darstellung: Polen und d. Minderheitenproblem. Informationen in Umrissen, hg. v. *St. J. Paprocki* (1935; auch engl. u. fr.). Vom ukrain. Standpunkt: *St. Horák*, Poland and her National Minorities 1919–1939. A Case Study (1961). Bemerkenswert ein amerikanischer Kommissionsbericht von 1920: *A. L. Goodhart*, Poland and the Minority Races (Ndr. 1971).
[11] Vgl. *G. Rhode*, Das Deutschtum in Posen-Pommerellen zur Zeit der Weimarer Republik, in: Die dt. Ostgebiete zur Zeit d. Weimarer Republik (1966), S. 88–132, hier S. 99. *H. Rauschning*, Die Entdeutschung Posens und Westpreußens. 10 Jahre poln. Politik (1930), hat durch Vergleiche eine Zahl von 800 000 errechnet, die aber den Vergleichen mit der dt. Volkszählung von 1925 nicht standhält. Zum Abwanderungsverlust trat ein Assimilationsverlust von etwa 200 000. Über die Lage des Deutschtums in Polen allgemein: *O. Heike*, Das Dtt. in Polen 1918–1939 [o. J. (1955)], sowie *W. Kuhn*, im Osteuropa-Hdb. Polen (1959).
[12] Zur Frage Danzig u. Polen s. d. Erinnerungen der Senatspräsidenten *E. Ziehm*, Aus meinen Danziger Jahren 1914–1939 (1957), und *H. Sahm*, Erinnerungen aus meinen Danziger Jahren, bearb. v. *H. Sahm* (1958), sowie die Biogr. v. *H. Sprenger*, Heinrich Sahm; Kommunalpolitiker u. Staatsmann (1969), u. *H. Jablonowski*, Die Danziger Frage, in: Die dt. Ostgebiete z. Zeit d. Weimar. Republik, S. 65–87.
[13] Vgl. u. a. *R. Debicki*, Foreign Policy of Poland sowie *P. S. Wandycz*, France and her Eastern Allies 1919–1925 (1962). Wortlaut der Militärkonvention und d. Vertrages dort, S. 393–395. Der Text d. poln.-franz. Vertrages auch bei *Kumaniecki* (s. a, Anm. 1), L. 277, S. 618–621. Text d. Vertrages m. Rumänien ebd. L. 263, S. 564–567.

d) Die Zeit der autoritären Staatsform unter Marschall Piłsudski und seinen Epigonen (1926–1939)

Die Umgestaltung Polens zu einem Staat autoritärer Prägung wurde zwar durch eine gewaltsame Veränderung, den Staatsstreich Piłsudskis vom 12. V. 1926, eingeleitet, hatte aber im übrigen keinen revolutionären Charakter im Sinne einer raschen und grundlegenden Umwälzung des Staats- und Gesellschaftsgefüges. Sie vollzog sich vielmehr sehr langsam, unter weitgehender Beibehaltung bisheriger Formen und Gepflogenheiten und führte weder zu einer Einparteienherrschaft noch zu einer die ganze Bevölkerung erfassenden und verpflichtenden Ideologisierung. Trotz mancher dem Faschismus ähnlicher Züge kann diese Staats- und Regierungsform nicht als »faschistisch« bezeichnet werden, zumal Piłsudski selbst den Faschismus entschieden ablehnte.

In den 13 Jahren autoritärer Herrschaft lassen sich deutlich drei Phasen unterscheiden: Die erste, als Phase des Übergangs und eines Scheinparlamentarismus, reicht bis zu den vom Terror überschatteten Sejmwahlen im November 1930; die zweite, die der weitgehenden Willkür und des Kampfes gegen die Parteien bis

§ 26 Polen von der Unabhängigkeit bis zur Volksrepublik 1918–1970

zum Tode Piłsudskis, der mit der Legitimierung des Systems durch die »Aprilverfassung« zusammenfällt; die dritte der Epigonen und der Versuche, Polen zu einer Macht hinaufzustilisieren, endet mit dem Kriegsausbruch.

Piłsudski und die ihm ergebenen, zum Teil blind gehorsamen Militärs und Politiker traten mit dem Anspruch auf, daß durch sie die Zeit der Korruption, der Mißwirtschaft und des ständigen Streites um Ministerien und Ämter ein Ende finden würde, daß sie den Staat »sanieren« und soldatische Prinzipien von Pflicht und Gehorsam, Patriotismus und Uneigennützigkeit zur Geltung bringen würden. Damit gewannen sie weite Kreise der Bevölkerung, die den vom Parlament getragenen Kabinetten mit dem raschen Wechsel in den Ministerien und der offensichtlichen Parteilichkeit ablehnend gegenüberstand. Die oft beschworene Korruption der parlamentarischen Ära hatte indessen keine besonders bedrohlichen Ausmaße angenommen, so daß sich die neue Ära nicht etwa durch aufsehenerregende Prozesse von der alten abheben konnte.

Der Umsturz[1] wurde vor allem durch zwei auslösende Momente herbeigeführt: durch die Wirtschaftskrise, die die Zahl der Arbeitslosen im April 1926 auf 400 000 steigen ließ und die von der parlamentarischen Regierung Skrzyński (seit 20. XI. 1925) nicht gemeistert werden konnte, und durch die unerquicklichen Auseinandersetzungen über die Führung der Armee im Frieden, vor allem aber im Kriegsfall, in die Piłsudski durch Stellungnahmen und Reden aktiv eingriff. Das offensichtliche Bestreben, ihn, der als Marschall von Polen den höchsten Rang der Armee bekleidete, vom Oberkommando fernzuhalten, veranlaßte ihn zu mehreren zornigen Ausbrüchen, u. a. bei einem in Warschau am 21. III. 1926 gehaltenen Vortrag, die wiederum die Politiker der Rechten erst recht gegen ihn aufbrachten, so daß zeitweilig diskutierte Kompromißlösungen ausfielen. Die Krise wurde akut, als die PPS-Minister das Kabinett Skrzyński am 20. IV. wegen Differenzen in Wirtschaftsfragen verließen.

Skrzyński trat am 5. V. zurück, und eine parlamentarische Basis schien nur für ein Mitte-Rechts-Kabinett gegeben, an dessen Spitze wiederum der Bauernführer Witos trat. Gerade diese Lösung, die am 10. V. gefunden wurde, schien Piłsudski aber unakzeptabel, und ebenso sagten die vier Linksparteien ihr den Kampf an. Diese betonten, daß dies »Kabinett der Reaktion« zwar eine Mehrheit im Parlament, aber keine im Volke habe, und machten deutlich, daß Piłsudski ihre Unterstützung finden würde. Dieser, für den General Żeligowski als Kriegsminister im Kabinett Skrzyński entsprechende Vorarbeiten durch Umbesetzungen und Konzentrationen in der Armee geleistet hatte, marschierte am 12. V. mit zunächst nur 15 Regimentern nach Warschau, um dessen Besitz mit regierungstreu gebliebenen Truppen zwei Tage lang heftig gekämpft wurde. Die Entscheidung brachte am 14. V. der von der PPS ausgerufene Generalstreik, durch den der Antransport weiterer regierungstreuer Truppen vor allem aus dem Westen des Landes verhindert wurde.

Präsident Wojciechowski und die Regierung Witos traten am Abend des 14. V. zurück, wodurch der Verfassung entsprechend die oberste Gewalt im Staat auf den Sejmmarschall (= Parlamentspräsidenten) Maciej Rataj[2], einen Bauernparteiler, überging, während die faktische Gewalt in Warschau und in weiten Teilen des Landes schon in der Hand Piłsudskis war. Auf Wunsch von Piłsudski betraute Rataj nicht diesen selbst, sondern den Lemberger Professor Kazimierz Bartel[3] mit der Bildung eines überparteilichen Kabinetts von Fachleuten, in dem er lediglich das Kriegsministerium übernahm. (Für diese noch mehrfach geübte Form der Regierung Piłsudskis aus dem Kriegsministerium über einen ihm ergebenen Premierminister wurde der Terminus *bartlowanie* geprägt.) In einem wegen sei-

1008

d) Die Zeit der autoritären Staatsform (1926–1939)

ner Versöhnlichkeit und seines politischen Stils berühmt gewordenen Tagesbefehl vom 22. V.[4] suchte Piłsudski die Einheit der Armee wiederherzustellen, was ihm weitgehend gelang, sobald die Kommandeure aus der »Wiener Kriegsschule« durch die »Legionäre« ersetzt waren. Das Offizierskorps wurde und blieb die Hauptstütze des neuen Regimes, von dem sich die linken Parteien einschließlich der – offiziell nicht als Partei firmierenden – Kommunisten nach anfänglicher Zustimmung bald enttäuscht abwandten.

Auch die am 31. V. erfolgte Wahl zum Staatspräsidenten lehnte Piłsudski ab, er schlug den politisch überhaupt nicht hervorgetretenen Chemieprofessor Ignacy Mościcki[5] vor, der am folgenden Tag gegen die Stimmen der Rechten gewählt wurde und bis zu seinem Rücktritt am 28. IX. 1939 im Amt blieb. Eine Verfassungsänderung vom 2. VIII. 1926 gab dem Präsidenten das Recht der Parlamentsauflösung, das bisher nur dem Parlament selbst zustand; darüberhinaus wurde die Verfassung weder geändert noch außer Kraft gesetzt, doch erhielt die Regierung das Recht zu Ausgaben im Rahmen des Vorjahresbudgets, wenn der *Sejm* kein Budget verabschiedete.

Das Regime Piłsudski, das sich selbst als »moralische Diktatur« verstand, basierte außer auf dem Heer auf dem großen Ansehen, das der Marschall vor allem in Zentral- und Ostpolen genoß, auf der nahezu blinden Ergebenheit seiner Anhänger und auf der Tatsache, daß ihm weder in dem Theoretiker Dmowski noch in dem geschickten Taktiker Witos, der sich in der Krise unentschlossen gezeigt hatte, Gegenspieler von ähnlicher Popularität und Entschlossenheit gegenüberstanden. Hinzu kam, daß die scharf gegen Piłsudski eingestellten nationalen Rechten und die sich erst nach und nach und in unterschiedlichem Grad von ihm abwendenden Linken sich gegenseitig bekämpften und daß es Piłsudski gelang, die im *Sejm* nicht vertretenen, aber im Lande einflußreichen Konservativen für sich zu gewinnen. Das Bündnis wurde durch einen Besuch des einstigen Sozialisten Piłsudski, der seine adelige Herkunft aber nie verleugnet hatte, bei Fürst Radziwiłł auf Nieśwież im Oktober 1926 demonstriert.

Für die erst im März 1928 stattfindenden Neuwahlen bildete Oberst Walery Sławek[6], ein enger Vertrauter Piłsudskis, einen »Parteilosen Block der Zusammenarbeit mit der Regierung« (BBWR), der außer allgemeinen Appellen an moralische und staatsbürgerliche Pflichten kein Programm hatte, aber bei der bäuerlichen Bevölkerung und weiten Kreisen des Bürgertums Anklang fand.

Er konnte zwar nicht die erhoffte Mehrheit gewinnen, wurde mit 122 von 444 Sitzen aber die weitaus stärkste der 20 Fraktionen. Eine schwere Niederlage erlitten die Nationaldemokraten, die von ihren zuletzt 100 Mandaten nur 37 behielten, und die Bauernpartei *Piast,* die von zuletzt 53 (nach Abspaltungen) Sitzen auf 21 zurückfiel. Erhebliche Erfolge hatten die Linksparteien zu verzeichnen, von denen die PPS mit 63 statt bisher 41 Mandaten zweitstärkste Fraktion wurde und die insgesamt über 136 bis 141 Abgeordnete (bei einigen war die Zuordnung schwankend) verfügten. Gut gehalten hatten sich die wieder in einem Wahlbündnis zusammengeschlossenen nationalen Minderheiten, die über 88 Mandate verfügten, wobei die Ukrainer und die Deutschen einige hinzugewonnen, die Juden einige verloren hatten.

Piłsudski hatte im Herbst 1926 selbst das Ministerpräsidium übernommen, nachdem die zweite Regierung Bartel aufgrund eines Mißtrauensvotums gegen zwei Minister zurückgetreten war. Er sah sich trotz des Erfolges des BBWR und trotz erheblicher Regierungsmittel für den Wahlkampf nun einem *Sejm* gegenüber, der durchaus kein gefügiges Werkzeug sein wollte, aber infolge seiner Zusammensetzung auch keine Regierungsmehrheit gegen ihn bilden konnte. So erschöpften sich die Auseinandersetzungen in Kämpfen um das Budget, aus dem der *Sejm* vor allem die Verfügungsfonds kürzte oder strich, und in Attacken gegen einzelne Minister der Regierung Piłsudski oder der folgenden meist wenig veränderten Regierungen, an deren Spitze wiederum Bartel oder andere Vertraute des Marschalls standen, so seit Ende März 1930 Oberst Sławek.

Überragender Gegenspieler Piłsudskis wurde der Sozialist Ignacy Daszyński, den der neue *Sejm* gegen Piłsudskis Kandidaten Bartel zum Parlamentspräsidenten wählte und der das Amt mit Würde und Selbstbewußtsein zu versehen wußte, während Piłsudski seiner Abneigung gegen das Parlament häufig in wüsten Beschimpfungen Ausdruck gab. Der Konflikt wurde besonders heftig, als der *Sejm* den Finanzminister Czechowicz im April 1929 vor ein Staatstribunal stellte, worauf Piłsudski mit einer der üblichen Regierungsneubildungen antwortete, die er als »Wachewechsel« verstand, und sich vor den Finanzminister stellte.

Die Parteien der Linken und der Mitte schlossen sich im Oktober 1929 zu einem festen Bündnis, dem *Centrolew*[7], zusammen, das ungefähr 180 Abgeordnete und damit die relative Mehrheit umfaßte.

Ein Versuch Piłsudskis, das Parlament mit seinem Präsidenten durch die Anwesenheit zahlreicher uniformierter Offiziere in den Wandelgängen bei der Wiedereröffnung am 31. X. 1929 einzuschüchtern, mißlang angesichts der Haltung Daszyńskis, und nach einer Vertagung brachte die Parlamentsmehrheit die Regierung Świtalski am 5. XII. durch ein Mißtrauensvotum zu Fall.

Der nunmehr offene Kampf zwischen der Exekutive und der sich enger zusammenschließenden Mitte-Links-Opposition wurde nur teilweise im immer wieder vertagten *Sejm,* dafür mehr in der noch weitgehend freien Presse und durch Demonstrationen in der Öffentlichkeit geführt, wobei ein Kongreß in Krakau im Juni 1930 unter dem Motto: »Kampf um Recht, Freiheit und Beseitigung der Diktatur« einen Höhepunkt bildete. Für Mitte September waren ähnliche Manifestationen in über 20 Städten vorgesehen. Nun griff Piłsudski zu rechtswidrigen, brutalen Gewaltmaßnahmen und leitete damit die zweite, nur noch als Diktatur zu bezeichnende Periode seiner Herrschaft ein. Nachdem er selbst wieder Regierungschef geworden war und der Präsident mitten in den Ferien am 29. VIII. das Parlament aufgelöst hatte, ließ er am 10. IX. 13 polnische und 5 ukrainische Abgeordnete, die nun ihre Immunität verloren hatten, verhaften und in das Militärgefängnis Brest-Litowsk[8] bringen, wo sie zumindest schikanös behandelt, z. T. aber Grausamkeiten, z. B. Scheinhinrichtungen, unterworfen wurden. Unter den Brester Gefangenen befanden sich hervorragende Sozialisten wie Ciołkosz, Lieberman, Pragier, die Bauernführer Kiernik und Witos, später auch Korfanty. In der Folgezeit wurden 50 weitere Abgeordnete, zur Hälfte Ukrainer, verhaftet und die ukrainische Landbevölkerung durch überraschende Einquartierungen im Stil von Dragonaden[9] terrorisiert. Die in dieser Atmosphäre der Einschüchterung und militärischen Willkür im November durchgeführten Wahlen konnten nicht mehr als »frei« bezeichnet werden und gaben das gewünschte Ergebnis, da auf den Regierungs-»Block« nun 243 der 444 Mandate im *Sejm* entfielen. *Centrolew* war mit 102 Mandaten weit zurückgefallen, und die besonders hart betroffenen nationalen Minderheiten hatten nur 33 von ihren 88 Mandaten gerettet.

Mit dem nunmehr gefügigen Parlament – im Senat hatte der Block sogar 75 von 111 Sitzen – gab es kaum noch Schwierigkeiten, nur hatte der Block nicht die für die von Piłsudski schon längst in Auftrag gegebene neue Verfassung nötige Zweidrittelmehrheit, so daß die Diskussion über sie mehr als vier Jahre in Anspruch nahm. Am 23. III. 1933 ermächtigte der *Sejm* aber den Präsidenten, nicht nur Verordnungen, sondern Dekrete mit Gesetzeskraft zu erlassen, und nahm

d) Die Zeit der autoritären Staatsform (1926–1939)

sich so selbst die wesentlichste verfassungsmäßige Aufgabe. Reibungslos, wenn auch unter demonstrativem Fernbleiben der Opposition, wurde Mościcki im Mai 1933 ein zweites Mal zum Präsidenten gewählt. Die Brester Rechtswidrigkeiten – ein Teil der Verhafteten wurde nach der Entlassung im Dezember 1930 unter Anklage gestellt[10], ohne daß ihnen wesentliche Vergehen nachgewiesen werden konnten – hatten die Abkehr vieler Intellektueller von Piłsudski zur Folge[11]. Da aber Pressefreiheit und geistiges Leben auch nach Brest nicht entscheidend behindert wurden, gab es weder eine äußere noch eine innere Emigration, von einigen Politikern wie Korfanty und Witos abgesehen.

Auch in den Jahren seiner Überlegenheit war der »Block« nicht imstande, ein eigentliches Programm zu entwickeln. Sławek und andere Gefolgsleute des »Kommandanten« begnügten sich mit einem Piłsudski- und Legionärskult, mit Verherrlichung des Soldatischen und der Staatsautorität. Demgegenüber suchten die Nationaldemokraten, die zeitweilig den Namen »Lager des Großen Polen« annahmen, aber auch unter Abspaltungen radikaler Kreise zu leiden hatten, eine völkisch-christlich-antisemitische Ideologie zu entwickeln, konnten aber bei ihrer betonten Deutschfeindlichkeit kaum Anleihen bei dem ihnen grundsätzlich nicht unsympathischen Nationalsozialismus machen.

Die neue Verfassung[12], im Januar 1935 auch vom Senat akzeptiert und am 23. IV. 1935 in Kraft tretend, hatte dementsprechend kaum Anleihen bei Faschismus oder Nationalsozialismus gemacht, sondern spiegelte neben allgemeinen antiliberalen und antiparlamentarischen Anschauungen spezifische Gedanken Piłsudskis und des zeitweiligen Justizministers und Stellvertretenden Parlamentspräsidenten Stanisław Car wider: statt der drei Gewalten Montesquieus deren sechs: Präsident, Regierung, Oberbefehl, Unterhaus, Oberhaus und Judikative. Zur entscheidenden Figur wurde der von einer Elektorenversammlung zu wählende, nur »vor Gott und der Geschichte« verantwortliche Präsident, der allein die Regierung berufen, ein Drittel der Senatoren ernennen und im Kriegsfall seinen Nachfolger bestimmen durfte, ein Recht, auf das sich schon $4\frac{1}{2}$ Jahre später die Legitimität der Exilregierung stützen sollte.

Piłsudski, auf dessen Person die »Aprilverfassung« zugeschnitten war, starb knapp drei Wochen nach ihrer Verkündigung, am 12. V. 1935, dem Jahrestag seines Staatsstreichs. Damit gingen die für ihn gedachten Prärogativen auf den im Amt bleibenden Präsidenten Mościcki über, dessen Mittelmäßigkeit nicht einmal den Zusammenhalt des eigenen Lagers garantierte, so daß alsbald Diadochenkämpfe und Gruppenbildungen einsetzten. Ohne Zweifel gehört der »Kommandant«, der in der Königsgruft auf dem Krakauer Wawel beigesetzt wurde, zu den bedeutendsten Persönlichkeiten der neueren polnischen Geschichte. In seiner Person vereinigten sich romantischer Glaube an die Größe Polens mit realistischer Einschätzung der polnischen Gegebenheiten, Selbstlosigkeit mit rücksichtsloser, oft brutaler Härte gegenüber seinen politischen Gegnern, zynische Menschenverachtung mit Fürsorge für seine ihn ebenso verehrenden wie fürchtenden Mitarbeiter. Während er innenpolitisch trotz vieler Vertrauter keinen eigentlichen Nachfolger hatte, hatte er außenpolitisch den noch jungen Oberst Józef Beck[13] zum Vollstrecker seiner Pläne herangezogen und ihm 1932 das Außenministerium anvertraut.

Leitlinie der Außenpolitik Piłsudskis war der Grundgedanke, daß Polen sich zwischen den beiden Nachbarn im Westen und Osten nur behaupten könne, wenn es nicht allein auf das französische Bündnis baue, sondern selbst zu einer möglichst starken Macht werde, die anzugreifen für jeden der beiden potentiellen Gegner ein großes Risiko sein müsse. Auf jeden Fall war ein Zusammenwirken der beiden und ein in die Katastrophe führender Zweifrontenkrieg zu vermeiden. Das bedeutete kein Ausscheren aus dem französischen Bündnissystem, das seit Locarno und vor allem seit dem Ausbleiben eines »Ostlocarno«[14] freilich an Wert verloren hatte, aber eine größere Selbständigkeit der Außenpolitik Polens. Trotz des Berliner Vertrages und der dahinter vermuteten engeren Zusammenarbeit zwischen der Sowjetunion und Deutschland konnte Polen sich angesichts der Schwäche beider Partner sicher fühlen, so daß zunächst keine Neuorientierung nötig schien. Außenminister August Zaleski[15], der sein Ressort in elf Regierungen von Mai 1926 bis November 1932 behielt, setzte deshalb die bisherige Politik, mit etwas weniger aggressiver Haltung Deutschland gegenüber, fort und hatte mit dem Moskauer Kriegsächtungsprotokoll vom 9. II. 1929, das auch Estland, Lettland und Rumänien unterzeichneten, einen erheblichen Erfolg zu verzeichnen.

Knapp zwei Jahre vorher hatte es einen Tiefpunkt der sowjetisch-polnischen Beziehungen gegeben, als der sowjetische Gesandte P. L. Vojkov in Warschau durch einen russischen Emigranten am 7. VI. 1927 ermordet wurde. Der vorausgegangene Abschluß des Freundschafts- und Neutralitätsvertrages vom 28. IX. 1926 zwischen der Sowjetunion und Litauen, in dem sich die erstere im Wilna-Konflikt eindeutig auf die Seite Litauens stellte, trug ebenfalls zur Abkühlung der Beziehungen bei. Nun, nach dem Moskauer Protokoll und insbesondere seit der Ablösung Čičerins durch Litvinov im Moskauer Außenkommissariat, nutzte Zaleski die Möglichkeit weiterer Annäherung und hatte mit dem am 25. VII. 1932 für drei Jahre geschlossenen Nichtangriffsvertrag mit der Sowjetunion[16] einen weiteren Schritt zur erhofften Ruhe an der Ostgrenze Polens getan, obwohl Piłsudski selbst in der Sowjetunion den gefährlichsten unter Polens potentiellen Gegnern sah, auch als die Stimmengewinne der Nationalsozialisten im September 1930 und im Juli 1932 Besorgnisse vor der Dynamik eines neuen deutschen Nationalismus nahelegten.

Hier glaubte Piłsudski, offenbar in der Überzeugung, daß ein nationalsozialistisches Deutschland und die Sowjetunion stets Gegner bleiben mußten, nun einen wesentlichen Ansatz für eine neue, selbständige und eigenständige Politik sehen zu können. Grundsätzlich erschienen zwar der Österreicher Hitler und die Nationalsozialisten für Polen weniger gefährlich zu sein als Deutschnationale oder andere gemäßigte Rechte wie der Reichsminister Treviranus[17], aber es schien trotzdem geraten, ihnen frühzeitig energisch entgegenzutreten und dabei sogar einen Präventivkrieg[18] mit französischer Hilfe oder auch ohne sie nicht zu scheuen.

Zweimal ließ es Piłsudski auf einen Zwischenfall ankommen, der zum militärischen Konflikt mit dem Deutschen Reich führen konnte, beide Male in Danzig: Am 15. VI. 1932 gab er dem Kommandanten des in den Danziger Hafen einfahrenden Zerstörers »Wicher« Befehl, das nächste öffentliche Gebäude zu beschießen, falls die polnische Flagge beleidigt würde; am 6. II. 1933, einen Tag nach den Reichstagswahlen, ließ er die Besatzung des Munitionsdepots auf der Westerplatte im Danziger Hafen vertragswidrig verstärken. Damit sollten die Regierungen Papen und Hitler von allen Grenzrevisionsabsichten abgeschreckt und im Konfliktsfalle durch eine Okkupation ostdeutscher Gebiete zum Verzicht auf Aufrüstung und Revisionsforderungen gezwungen werden. Beide Male blieb die harte Reaktion aus, im zweiten Fall auch die wahrscheinlich von Frankreich erbetene Zusage einer Beteiligung an einer Präventivaktion. Piłsudski mußte die zusätzliche Besatzung nach zehn Tagen auf Druck des Völkerbundes zurückziehen, ließ aber am 2. V. 1933 in Berlin wegen deutscher Revisionsabsichten in

d) Die Zeit der autoritären Staatsform (1926–1939)

scharfer Form rückfragen, worauf Hitler unmittelbar und in seiner Friedensrede vom 17. V. beruhigend antwortete.

Obwohl über den neuen Danziger Staatspräsidenten Hermann Rauschning, damals einen Vertrauten Hitlers, der, lange Zeit in Posen tätig, die polnische Politik gut kannte, die Konflikte um Danzig durch Abkommen vom August und September geglättet wurden, kam es zunächst noch zu keiner deutsch-polnischen Annäherung. Der Austritt Deutschlands aus dem Völkerbund ließ vielmehr Präventivkriegsgedanken nochmals aufleben. Als auch diese ohne Echo blieben, wurden die auch für Hitler wichtigen direkten Verhandlungen beschleunigt.

Sie führten zu dem überraschend für zehn Jahre geschlossenen Nichtangriffsabkommen vom 26. I. 1934[19], in dem beide Länder sich Gewaltverzicht, unmittelbare Verständigung und »Begründung eines gutnachbarlichen Verhältnisses« zusicherten.

Ein am 7. III. 1934 geschlossenes Wirtschaftsabkommen beendete den fast neunjährigen Zollkrieg[20], und weitere Abkommen und Staatsbesuche leiteten eine Ära der Verständigung ein, die allerdings von der Opposition wie von breiten Kreisen der Bevölkerung mißtrauisch betrachtet und publizistisch nur in geringem Maße gestützt wurde. Andererseits wurde das Polen Piłsudskis von der nationalsozialistischen Führung wie von der gleichgeschalteten deutschen Presse sehr positiv bewertet; ein besonderes Interesse an der Entwicklung und Literatur Polens wurde durch entsprechende Veröffentlichungen und Übersetzungen dokumentiert, und scharf polemische Bücher, wie das zeitweilig sehr populäre »Das ist Polen« von F. W. v. Oertzen verschwanden aus dem Buchhandel.

Mit dem Tod Piłsudskis, dem ein Staatsbegräbnis zuteil wurde, verlor das höchst heterogene Regierungslager die integrierende Persönlichkeit. Zugleich verlor die Außenpolitik auch die bisher auch nach der Neuorientierung bewahrte Rücksicht auf die grundsätzlich schwierige Lage des Landes, das in seiner unmittelbaren Nachbarschaft nur in Rumänien einen Bündnispartner von Bedeutung hatte.

Die vier »Jahre nach Piłsudski«[21] sind innenpolitisch durch Auseinandersetzungen im Regierungslager, eine stärkere Tendenz zum autoritären Führungsstaat bei gleichzeitig wachsender Opposition und einen gedämpften wirtschaftlichen Aufschwung gekennzeichnet. Präsident Mościcki, durch die Verfassung mit fast unumschränkter Gewalt ausgestattet, wußte diese geschickt einzusetzen, hatte aber weder eine »Hausmacht« noch eine dem Amt entsprechende Integrationsfähigkeit. Gegenspieler und Piłsudskis Nachfolger als Generalinspekteur der Armee war General Edward Rydz-Śmigły, der aber, da er nicht zugleich Kriegsminister war, eine weit schwächere Position in der Armee hatte als Piłsudski und weit mehr als dieser der politischen Rechten zuneigte. Oberst Beck, bei allen Regierungswechseln stets Außenminister, konnte zwar seine zeitweilig unpopuläre Außenpolitik weitgehend selbständig betreiben, war aber auf das Vertrauen des Präsidenten angewiesen und genoß als »Piłsudskis junger Mann« zunächst kein allzu großes Ansehen.

Oberst Sławek, seit März 1935 Ministerpräsident, der wegen seiner Integrität vielleicht einen Zusammenhalt des Regierungslagers hätte erreichen können, konnte sich nicht durchsetzen. Zwar wurden unter seiner Ministerpräsidentschaft noch am 8. IX. 1935 die ersten Wahlen nach der Aprilverfassung durchgeführt, aus denen bei geringer Beteiligung (46,5 %) ein gefügiger *Sejm* von nur noch 208 Abgeordneten, praktisch ohne Opposition und Minderheitenvertreter, hervorging. Er trat aber, enttäuscht von den Machtkämpfen, im Oktober zurück und löste seine Schöpfung, den »Parteilosen Block der Zusammenarbeit mit der Regierung« auf. Ministerpräsident wurde nach einem halbjährigen Zwischenspiel im Mai 1936 General Felicjan Sławoj-Składkowski[22], der frühere Chef des Sanitätswesens und mehrfache Innenminister.

Er wußte sich der Unterstützung von Rydz-Śmigły zu versichern, den Mościcki im Mai 1936 bereits im Frieden zum Oberbefehlshaber ernannt hatte. Sławoj-Składkowski verfügte in einem Erlaß vom 16. VII. 1936, daß Rydz-Śmigły als »zweite Person im Staate« zu betrachten sei und daß ihm – entgegen der Verfassung – auch die zivilen Beamten Gehorsam schuldig seien. Der Marschall – die Ernennung zu diesem höchsten, bisher nur Piłsudski allein zukommenden Rang erfolgte im November 1936 – wurde so zu einer überragenden Führerpersönlichkeit hochstilisiert und zum Gegenstand eines Führer- und Militärkults gemacht, der seiner eher nüchternen Persönlichkeit gar nicht entsprach.

Im übrigen vertrat Sławoj-Składkowski eine Politik der harten Hand, wofür das noch zu Piłsudskis Lebzeiten erfolgte Attentat auf den Innenminister Bronisław Pieracki (15. VI. 1934) eine willkommene Handhabe bot. Obwohl ukrainische Nationalisten die Täter waren, wurde die Schuld auch bei dem neu entstandenen Nationalradikalen Lager (ONR) gesucht. Dessen führende – extrem rechtsgerichtete und antisemitische – Personen wurden ebenso wie andere tatsächliche oder vermeintliche Regierungsgegner in dem schon 1934 errichteten Konzentrationslager Bereza Kartuska in Polesien ohne Gerichtsurteil festgehalten. Durch Strenge gegenüber der Beamtenschaft, häufige überraschende Kontrollen der Dienststellen und Erlaß von oft als lächerlich empfundenen hygienischen Vorschriften suchte Sławoj-Składkowski die Zustimmung der Bevölkerung zu gewinnen.

Alle Versuche, eine staatsbejahende, nationalbetonte Bewegung zu schaffen, die keine Partei sein, aber den aufgelösten »Block« irgendwie ersetzen sollte, hatten keinen rechten Erfolg. Weder fand der Militärkult breiten Anhang, noch gewann ein von Oberst Adam Koc begründetes »Lager der Nationalen Einigung« (OZN) rechtes Leben[23]. Seine im Februar 1937 erschienene »ideologisch-politische Erklärung« vermochte niemanden zu begeistern, und ebenso wenig gelang das dem im Januar 1938 an die Stelle von Koc getretenen neuen »Führer« des Lagers, General Skwarczyński. Deutlich war allerdings die immer stärkere Hinneigung zu einem betonten Nationalismus, der sich auch in antisemitischen Maßnahmen wie dem numerus clausus für jüdische Studenten an den Universitäten zeigte. Ihr Anteil an der Studentenschaft, der 1928/29 noch 20,4 % betragen hatte, wurde im Jahre 1937/38 auf 10 % herabgedrückt, d. h. auf einen Prozentsatz, der – ohne Rücksicht auf ihre besondere Struktur – dem Anteil der Juden an der Gesamtbevölkerung entsprach[24].

Der ideologischen und politischen Richtungslosigkeit des Regierungslagers entsprach eine intensive Tätigkeit oppositioneller Gruppen und Richtungen, so die Bildung einer christlich-demokratischen »Partei der Arbeit« *(Stronnictwo Pracy)* im Oktober 1937 mit prominenten Politikern wie Józef Haller und dem im tschechoslowakischen Exil lebenden W. Korfanty, die Aktivität der seit 1931 vereinigten Bauernpartei *(Stronnictwo Ludowe),* die unter ihrem Stellvertretenden Vorsitzenden, dem Posener Stanisław Mikołajczyk, im August 1937 einen umfassenden Bauernstreik organisierte, und die Streikaktion der PPS im April 1936. Zu einer Volksfrontbildung der PPS mit der illegalen, aber Mitte der dreißiger Jahre in Lodz und Warschau sehr aktiven KPP kam es allerdings nicht.

Auch ein anderer Versuch, dem Regierungslager eine geschlossene Front der Opposition gegenüberzustellen, sich dabei des Prestiges von Paderewski zu bedienen und eine nach dessen Wohnsitz in der Schweiz »Front Morges«[25] genannt-

d) Die Zeit der autoritären Staatsform (1926–1939)

te enge Zusammenarbeit der Nationaldemokraten *(Stronnictwo Narodowe, SN)*, Sozialisten, Bauernparteiler und Christlichen Demokraten einzuleiten (Februar 1936) scheiterte am Widerspruch der Nationalen und der Sozialisten.

So standen dem in sich uneinigen, in mehrere Richtungen zerfallenden, aber insgesamt doch mehr nach rechts tendierenden Regierungslager zwar vier starke politische Gruppen gegenüber, die wie zu Beginn der zwanziger Jahre regionale »Hochburgen« hatten – die Nationalen in Posen-Pommerellen, die Bauernpartei in Galizien, die Partei der Arbeit in Oberschlesien –, sich aber zu keiner umfassenden Gemeinsamkeit zusammenfanden. Diese sollte erst nach der Katastrophe des Regierungslagers im Herbst 1939 möglich werden.

Im wirtschaftlichen Bereich war Finanzminister Eugeniusz Kwiatkowski[26], seit Oktober 1935 in diesem Amt, zugleich Stellvertretender Ministerpräsident und als früherer Mitarbeiter des Staatspräsidenten Mościcki von diesem gestützt, die überragende dynamische Persönlichkeit.

Seiner Initiative entsprang in erster Linie der forcierte Ausbau des Zentralen Industrieviers (COP)[27] in dem im Gegensatz zur oberschlesischen Schwerindustrie grenzfernen und deshalb als relativ sicher angesehenen »Sicherheitsdreieck« mit dem Zentrum Sandomir an der Mündung des San in die Weichsel. In diesem bisher vernachlässigten Gebiet, das weder über Rohstoffe noch über Energien verfügte und das als »Polen C« dem industrialisierten und gut organisierten »Polen A« im Westen des Landes und dem rein agrarischen, verkehrsmäßig und zivilisatorisch zurückgebliebenen »Polen B« im Osten und im Zentrum gegenübergestellt wurde, sollten insgesamt 17 rüstungswirtschaftlich orientierte neue Industriewerke entstehen.

Ermöglicht wurde dieser 1936 mit viel Elan und erheblicher propagandistischer Begleitung einsetzende Aufbau, der sich zumindest teilweise am »Vierjahresplan« des Dritten Reiches orientierte, in dem nach wie vor kapitalarmen Lande, dessen Gesamtbudget den gleichen Umfang hatte wie das von Groß-Berlin, durch eine französische Anleihe, die Rydz-Śmigły bei einem Besuch im September 1936 erwirkt hatte, und durch staatliche Investitionen, die anfänglich als Kredite zur Bekämpfung der Arbeitslosigkeit bezeichnet wurden, noch im Jahre 1936 aber nach einem Vierjahresplan der Investitionen gezahlt wurden.

Dabei lagen die überwiegend militärisch-rüstungsindustriell orientierten Wünsche von Rydz-Śmigły und der »Obersten«-Gruppe im ständigen Widerstreit mit den mehr auf industrielle Entwicklung und Planung abgestellten Absichten Kwiatkowskis und seiner Technokraten, die freilich nicht verhindern konnten, daß rund die Hälfte der laufenden jährlichen Staatsausgaben dem Militär galten. Dennoch erwies dieses sich bei Kriegsausbruch als zwar numerisch stark und in den kleineren Einheiten gut geschult und kampfkräftig, aber als ungenügend ausgerüstet und insbesondere in schwerer Artillerie und Panzerfahrzeugen den Armeen der Nachbarn hoffnungslos unterlegen.

Das auf dem scheinbar unüberbrückbaren Gegensatz dieser Nachbarn und den unbestreitbaren Aufbauleistungen in Gdingen wie im Zentralen Industrierevier basierende Bewußtsein eigener Stärke wurde durch einige Erfolge der Beckschen Außenpolitik potenziert. Im Frühjahr 1936 bewährte sich die vorsichtige Politik der Balance, als der Rheinlandeinmarsch zwar verbal getadelt, praktisch aber gebilligt wurde, so daß einerseits die guten Beziehungen zum Deutschen Reich keine Trübung erlitten, andererseits doch die französische Rüstungsanleihe eingeworben werden konnte.

Der von Polen ebenfalls gebilligte und sogar als willkommene Ablenkung der Kräfte des Reichs angesehene Anschluß Österreichs wurde zu einem Erfolg gegenüber Litauen ausgenutzt. Ein unbedeutender Grenzzwischenfall ergab den Anlaß zu einem Ultimatum an Litauen vom 17. III. 1938 mit der Forderung alsbaldiger Aufnahme diplomatischer Beziehungen, die Litauens Anerkennung des Status quo und zugleich die Verbesserung der Chancen zum Aufbau eines von Polen geführten »Dritten Europa« bedeuteten. Litauen, einem militärischen Druck nicht gewachsen und von Deutschland wie von der Sowjetunion nicht gestützt, mußte nachgeben, und der seit 1920 andauernde anomale Zustand wurde durch Gesandtenaustausch beendet[28].

Während hier auf Gebietsforderungen verzichtet wurde, rechnete Beck bei dem erwarteten Zusammenbruch der Tschechoslowakei mit der Möglichkeit, die Slowaken für eine engere Zusammenarbeit mit Polen zu gewinnen und außerdem das umstrittene Teschener Schlesien zu erhalten[29]. Nachdem der Führer der Slowakischen Volkspartei, Pater Hlinka, nach einem Aufenthalt in Polen im Herbst 1937 mit einem hohen polnischen Orden ausgezeichnet worden war, wurde Ende Mai 1938 eine Delegation von Amerika-Slowaken, die für die Autonomie eintraten, in Polen ostentativ wohlwollend empfangen. Der Tod Hlinkas am 14. VIII. 1938 und ungarische Ambitionen auf die Slowakei ließen die slowakischen Pläne aber gegenüber den Ansprüchen auf das Teschener Gebiet zurücktreten. Dies wurde in einer Note vom 21. IX. 1938 bei gleichzeitigen Truppenkonzentrationen an der Grenze gefordert, und die tschechische Bereitschaft zu Verhandlungen wurde mit lebhaftem Drängen auf äußerste Beschleunigung beantwortet, so daß gleichzeitig mit der Ausführung des Münchener Abkommens am 1. X. die Abtretung des geforderten Gebiets erfolgte, das zwar nur etwa 1000 km^2 umfaßte, aber mit der zahlreichen Bevölkerung von 200 000 Köpfen, den wertvollen Kohlevorkommen von Karwin und dem Bahnknotenpunkt Oderberg erhebliche Bedeutung hatte. Unmittelbar nach diesem Triumph und der Inbesitznahme der »Wiedergewonnenen Gebiete« erfolgten im November 1938 die Wahlen zu *Sejm* und Senat, die bei einer Beteiligung von über 67 % trotz der Boykottaufrufe der Opposition dem Lager der Nationalen Einigung fast 80 % der 208 Mandate im *Sejm* brachte.

Die mit den deutschen Forderungen und Vorschlägen an Polen am 24. X. 1938 einsetzenden deutsch-polnischen Verhandlungen und Spannungen sind so sehr Bestandteil der allgemeinen europäischen Geschichte, ja der Weltgeschichte, daß sie hier nicht nachgezeichnet zu werden brauchen. Festzuhalten bleibt nur, daß man sich im Warschauer Außenministerium wie im Kriegsministerium des Ernstes der Lage nicht voll bewußt war und die eigene Stärke wie das sichere Funktionieren des deutsch-sowjetischen Antagonismus weit überschätzte[30].

Während Piłsudski selbst die Gesamtlage Polens stets weit skeptischer beurteilt und einige Jahre vor seinem Tode erklärt hatte, daß er die militärische Vorbereitung auf einen Zweifrontenkrieg gar nicht erst ins Auge fasse, weil die Politik jede Möglichkeit eines solchen Krieges unbedingt vermeiden müsse, hatten Beck und Rydz-Śmigły angenommen, daß die vorübergehende günstige Situation der Mitte der dreißiger Jahre, in der Polen sowohl von Deutschland wie von den Westmächten als wichtiger Partner betrachtet und dementsprechend behandelt wurde, dauerhaft wäre und daß man im Windschatten der *faits accomplis* des Dritten Reiches seinerseits vollendete Tatsachen schaffen könne, ohne von einem stärker gewordenen Hitler zum Bündnis oder zum Nachgeben aufgefordert zu werden. Tatsächlich war die auf diesen Prämissen aufbauende Politik Becks, aus dem begrenzten Zusammenwirken mit dem Dritten Reich möglichst viel Vorteile zu ziehen, um eine starke eigene Stellung in einem »Dritten Europa« aufzubauen, eigentlich schon am 24. X. 1938 gescheitert. Schon hier oder spätestens

d) Die Zeit der autoritären Staatsform (1926–1939)

bei Hitlers Aufkündigung des Nichtangriffsabkommens vom 28. IV. 1939 hätten ein Rücktritt Becks und eine Regierungsänderung nahegelegen. Beides erfolgte jedoch nicht, und im falschen Vertrauen auf eigene Stärke wurden sowohl die britische Garantie-Erklärung – der erst am 25. VIII. ein Beistandspakt folgte – wie die Möglichkeiten eigener begrenzter Offensiven bis zum Eintreffen der britisch-französischen Hilfe überschätzt[31].

Als die im Winter 1938/39 noch latente deutsch-polnische Krise mit Hitlers nahezu ultimativ wiederholten Forderungen nach der Eingliederung Danzigs und der exterritorialen Autobahn vom 21. III. 1939 offenkundig wurde, ging eine Welle von Patriotismus durch das Land, die nicht nur in Loyalitätserklärungen der vier großen Oppositionsparteien ihren Ausdruck fand, sondern auch zu Ausbrüchen von Chauvinismus, scharfen Maßnahmen gegen Organisationen und Einrichtungen der deutschen Volksgruppe[32] und zu einer von der Regierungspropaganda geförderten Siegeszuversicht in dem seit April für wahrscheinlich gehaltenen Krieg führte. Das Schlagwort »Stark – geschlossen – bereit« auf Plakaten mit dem Bild des Marschalls Rydz-Śmigły sollte das Vertrauen in eine ausreichende militärische Rüstung und eine entsprechende politische Absicherung verstärken, die in Wirklichkeit nicht vorhanden waren. Dieses Vertrauen in Tüchtigkeit und Umsichtigkeit der eigenen politischen und militärischen Führung schlug angesichts der raschen Niederlage und des besonderen Schocks durch die völlig überraschend kommende Besetzung der Ostgebiete Polens durch die Rote Armee zunächst in Resignation und in Mißtrauen gegen das Regierungslager um. Die brutale und diskriminierende deutsche Besatzungspolitik ließ diese Resignation allerdings sehr bald einem verstärkten Widerstandswillen und einem starken Solidaritätsgefühl weichen.

Während das Frühjahr und der Sommer 1939 in Polen von patriotischen Hochgefühlen, aber auch von Opferbereitschaft gekennzeichnet waren – beides unter dem Eindruck der Niederlage und der deutschen Diskriminierungs- und Exterminierungspolitik in späteren Jahren oft vergessen und in einschlägigen Darstellungen kaum erwähnt –, starben zwei Persönlichkeiten, die für die »zwanzig Jahre Unabhängigkeit« von besonderer Bedeutung gewesen waren. Oberst Sławek, seit seiner Auflösung des BBWR ohne politische Funktion und in Opposition zu Rydz-Śmigły, beging am 3. IV. 1939 Selbstmord – für viele Polen ein Symbol des kämpferischen, vom Sozialismus herkommenden uneigennützigen und Gewaltmaßnahmen verabscheuenden Patrioten. Am 17. VIII. 1939 starb in Warschau der christliche Demokrat Wojciech Korfanty, der nach seiner Heimkehr aus dem tschechischen Exil noch verhaftet und erst kurz vor seinem Tode freigelassen worden war.

In den zwei Jahrzehnten der »zweiten Republik« war eine große Anzahl von inneren Problemen gar nicht oder nur unvollkommen gelöst worden. So war die landwirtschaftliche Überbevölkerung nicht etwa beseitigt, sondern hatte sich trotz der halbherzigen Agrarreform verstärkt; die Industrialisierung und Modernisierung, an einigen Schwerpunkten mit erheblicher staatlicher Initiative und mit Investitionen begonnen, hatte weite Bereiche kaum erfaßt, nicht nur die traditionell unterentwickelten Ostwojewodschaften. Es war – mit wenigen Ausnahmen – auch nicht gelungen, die nationalen und konfessionellen Minderheiten für den Staat zu gewinnen, am wenigsten die große Gruppe der Ukrainer, bei der es am wichtigsten gewesen wäre. Daß ein großer Teil der polnischen Juden sich während des Krieges dem polnischen Staat verbunden fühlte, lag nicht an der polnischen Politik ihnen gegenüber, sondern daran, daß im Vergleich mit der Vernichtungspolitik des Dritten Reiches der polnische, lediglich restriktive Antisemitismus in der Rückschau harmlos, ja fast idyllisch erschien. Auch das Problem der Arbeitslosigkeit in den industriellen Zentren war durch öffentliche Arbeiten und staatliche Investitionen unzureichend gelöst worden, so daß nicht nur das landarme oder landlose Bauerntum, das sich aber nicht als »Landproletariat« verstand, sondern auch das städtische Proletariat am Rande des Existenzminimums stand.

Diesen Passiva standen aber mehrere unbestreitbare Aktiva gegenüber. So war es gelungen, die Teilgebietsgrenzen, die im Landschaftsbild weiter deutlich hervortraten, im Bewußtsein der Bevölkerung weitgehend verschwinden zu lassen. Trotz der scharfen Antagonismen zwischen Regierungslager und Opposition, trotz Brest und Bereza Kartuska waren Presse- und Meinungsfreiheit weit weniger eingeschränkt als in anderen autoritären Staaten; trotz der Vernachlässigung weiter Kreise der ländlichen Bevölkerung und trotz häufiger behördlicher Willkür hatte es keine großen Korruptionsskandale gegeben, und das Vertrauen der polnischen Bevölkerung in die eigene politische und militärische Führung war bis zur Septemberkatastrophe nicht ernstlich erschüttert, Einsatz und Opferbereitschaft sogar erheblich.

All das bewirkte, daß die zwei Jahrzehnte der Unabhängigkeit trotz aller Unzulänglichkeiten im Bewußtsein des polnischen Volkes als eine positive Periode zwar nicht des allgemeinen Wohlstands, aber doch des relativen Glücks erschienen.

---

[1] Die sehr umfangreiche Literatur nun verarbeitet bei *J. Rothschild,* Piłsudski's coup d'état (1966). Die letzten Jahre d. 2. Parlaments eingehend in: Parlament Rzeczypospolitej Polskiej, hg. v. *H. Mościcki* und *W. Dzwonkowski* (1928), mit umfangreichen Biographien aller Abgeordneten.

[2] Geb. 19. II. 1884 in Galizien, Bauernsohn, Gymnasiallehrer, 1919 Abg. der Bauernpartei »Wyzwolenie«, dann bei »Piast«, 1922 Abg. v. »Piast«, seit 1. XII. 1922 Parlamentspräsident. Nach 1928 weiter Abg. f. »Piast«. Gest. Mai 1940 in dt. Haft (erschossen).

[3] Geb. 3. III. 1882 in Lemberg, dort Professor f. darstellende Geometrie, 1922 Abg. der linken Bauernpartei »Wyzwolenie« bzw. d. Abspaltung »Partei d. Arbeit«. Zwischen 1926 u. 1930 viermal Ministerpräsident, danach wieder TH-Professor. Gest. 26. VII. 1941 in dt. Haft in Lemberg (erschossen).

[4] Wiedergabe u. a. *Piłsudski:* Erinnerungen u. Dokumente (s. a, Anm. 4), Bd. 4, S. 183–185 (mit Übersetzungsfehlern), und bei *St. Mackiewicz,* Geschichte Polens, S. 231–233.

[5] Geb. 1. XII. 1867 Mierzanów b. Płock, seit 1892 in Großbritannien, 1897–1912 Professor für Elektrotechnik in Freiburg i. Ü. (Schweiz), 1912–22 in Lemberg, danach Direktor der Stickstoffwerke in Königshütte. M. war durch einige Erfindungen auf dem Gebiet der Stickstoffgewinnung bekannt geworden und Inhaber zahlreicher Patente. Seine Bekanntschaft mit Piłsudski datierte aus seiner Lemberger Zeit. Da er auch als Staatspräsident seine Schweizer Bürgerschaft behalten hatte, konnte er nach seinem Rücktritt während des Krieges in der Schweiz leben, wo er am 2. IX. 1946 in Versoix starb. Eine kritische Biographie liegt noch nicht vor.

[6] Geb. 2. XI. 1879 in der Ukraine, früh in der PPS, organisierte 1902–05 deren Kampfgruppen, mehrfach verhaftet, 1914 Offizier in Piłsudskis I. Brigade, 1915 Organisator der Militärorganisation POW unter dt. Besatzung, beging 3. IV. 1939 Selbstmord.

[7] Über Entstehung und erste Kundgebungen s. *A. Czubiński,* Centrolew (1963) mit 13 Quellentexten. Außerdem *St. Lato,* Ruch Ludowy a Centrolew (Die Bauernbewegung u. C.; 1965).

[8] Schon 1931 erschien dazu in Zürich die von der Intern. Ouvrière hg. viersprachige Broschüre: Sur l'ordre du Maréchal Piłsudski. L'enfer de Br. L. devant le Sejm polonais. Mit Vorrede von *E. Vandervelde.*
Über den Prozeß: Sprawa brzeska 1930–32 (1932) u. *St. Glaser,* Urywki wspomnień (Erinnerungsfragmente; 1974). Ihre Erlebnisse in Brest schildern *Witos* in Bd. 3 seiner Erin-

d) Die Zeit der autoritären Staatsform (1926–1939)

nerungen und der katholische Arbeiterführer *K. Popiel* in: Od Brześcia do Polonii (Von Brest in das Auslandspolentum; 1965).

[9] S. d. von ukr. Seite zusammengestellte Dokumentation v. *E. Revyuk,* Polish Atrocities in the Ukraine (1931). Dazu aber auch: *M. Feliński,* Les Ukrainiens dans la Pologne restaureé (1931; engl. 1931).

[10] Von 11 Angeklagten wurden am 13. I. 1932 10 zu Gefängnis von 1½ bis 3 Jahren wegen »Verschwörung, Aufhetzung der Bevölkerung« u. ähnlicher Delikte verurteilt, und zwar noch aufgrund d. russischen Strafrechts. Vollständiges Protokoll in: Proces Brzeski 26. X. 1931–13. I. 1932 [o. J. (1932/33)].

[11] Ein Beispiel dafür war der Protestbrief von 45 Krakauer Universitätsprofessoren vom 10. XII. 1930, dem sich auch zahlreiche Wilnaer Professoren anschlossen. Zu den Unterzeichnern gehörten berühmte Linguisten wie Nitsch und Lehr-Spławiński und bekannte Historiker wie Dąbrowski, Grodecki, Sobieski, auch der Wilnaer Rektor und Kulturhistoriker M. Zdziechowski, zeitweilig Kandidat Piłsudskis für das Amt des Staatspräsidenten. Text b. *Czubiński,* Anlage 13.

[12] Über die Entstehung und Besonderheiten der Aprilverfassung: *H. Roos,* Piłsudski und de Gaulle: VjhefteZG 8 (1960), S. 257–267.

[13] Geb. 4. X. 1894 in Warschau, entstammte einer ursprünglich deutschen bürgerlichen Familie. Legionsoffizier, seit 1919 mit verschiedenen militärisch-diplom. Funktionen betraut, u. a. in Paris, 1926–1930 Kabinettschef im Kriegsministerium, 1930–32 Staatssekretär im Ministerpräsidium. Beck starb, ohne sich an der Exilpolitik zu beteiligen, am 5. VI. 1944 in rumänischer Internierung. Seine Politik schilderte er in: Dernier rapport, La politique polonaise 1926–1939 [o. J. (1951)]. Wichtigste Quelle für seine Außenpolitik die Tagebücher seines Staatssekretärs *Graf Szembek,* Diariusz i teki Jana Szembeka 1935–1945, hg. v. *T. Komarnicki* u. a. (4 Bde. 1964–1972). Eine sehr stark gekürzte fr. Übersetzung: *J. Szembek,* Journal 1933–1939 (1952). Das eigentliche Tagebuch setzt erst 1935 ein. Zur Außenpolitik Polens seit 1932: *H. Roos,* Polen und Europa. Studien zur poln. Außenpolitik 1931–1939 (1957), u. *M. Wojciechowski,* Die polnisch-deutschen Beziehungen 1933–1938 (1931).

[14] Dazu *Ch. Höltje,* Die Weimarer Republik und das Ostlocarno-Problem 1919–1934 (1958).

[15] Geb. 13. IX. 1883 in Warschau, während des I. Weltkrieges in London Leiter des Polish Information Committee, seit 1920 im diplom. Dienst, 1939–1941 Außenminister der Exilregierung, seit 1947 als Nachfolger von Raczkiewicz Staatspräsident im Exil, starb in London 7. IV. 1972.

[16] Poln. Text in: Dokumenty i materiały, Bd. 5, Nr. 322, S. 582–595. Russischer Text in Dokumenty vnešnej politiki SSSR, Bd. 15, Nr. 300,5, S. 436–439. Deutsch in: Weißbuch d. Polnischen Regierung über die poln.-deutschen und poln.-sowjetruss. Beziehungen 1933–1939 (1940), Nr. 151, S. 220–222. Engl. bei *St. Horak,* Polands International Affairs, a Calendar of Treaties etc. (1964), S. 162–164.
Der Vertrag wurde am 5. V. 1934 durch beiderseitiges Protokoll bis zum 31. XII. 1945 verlängert, aber von der Sowjetunion am 17. IX. 1939 einseitig aufgekündigt.

[17] Seine am 10. VIII. 1930 vor den heimattreuen Ostverbänden gehaltene Rede, in der er von den »verlorenen, aber einst wiederzugewinnenden deutschen Gebieten im Osten« sprach, löste in Polen einen langandauernden Entrüstungssturm aus. Eine für die Flotte bestimmte Geldsammlung erhielt den Namen: »Antwort an Treviranus«.

[18] Daß Piłsudski wechselnde Präventivkriegspläne erwog und dazu auch entsprechende Generalstabsstudien ausarbeiten ließ, dürfte keinem Zweifel unterliegen. S. dazu *H. Roos,* Die »Präventivkriegspläne« Piłsudskis von 1933: VjhefteZG 3 (1955), S. 344–365. Für die Jahre 1931/32 s. insbes. *R. Breyer,* Das Deutsche Reich und Polen. Außenpolitik u. Volksgruppenfragen (1955), S. 30–37. Umstritten ist, inwieweit er in Frankreich wegen einer solchen »Polizeiaktion« sondiert hat, was jedenfalls nicht auf dem normalen diplom. Wege geschehen ist. Dokumente, die *P. Wandycz* in: Zeszyty Historyczne 3 (1963), S. 7–14 veröffentlicht hat, machen derartige Sondierungsgespräche im März/April 1933 entgegen *B. Čelovský,* Piłsudskis Präventivkrieg gegen das nationalsozial. Deutschland (Entstehung, Verbreitung u. Widerlegung einer Legende): WaG 1 (1954), S. 55–70, zumindest wahrscheinlich.

§ 26 Polen von der Unabhängigkeit bis zur Volksrepublik 1918–1970

[19] Genau genommen handelte es sich nur um eine gemeinsame Erklärung, von A. M. v. Neurath und d. poln. Gesandten in Berlin Józef Lipski unterzeichnet. Durch die Ratifizierung und die Laufzeit von 10 Jahren erhielt die Erklärung jedoch Vertragscharakter. Deutsche Texte u. a. im poln. Weißbuch (s. Anm. 16), Nr. 10, S. 25/26. Weitere Nachweise bei *Horak* (s. Anm. 16), S. 38 (dort S. 166/67 auch engl. Text) und Handbuch »Polen«, S. 698.

[20] Ein erster Versuch, den seit Juni 1925 andauernden »Handelskrieg« zu beenden, war durch einen deutsch-polnischen Handelsvertrag vom 27. III. 1930 gemacht worden. Er wurde vom Reichstag aber nicht ratifiziert. S. *G. Scherfke,* Die Entwicklung der deutsch-polnischen Wirtschaftsbeziehungen (Diss. 1936).

[21] Der Zeitraum ist innenpolitisch noch unbefriedigend erforscht. Die ideologisch-politischen Versuche bei *A. Micewski,* W cieniu marszałka Piłsudskiego (²1969). Der Einfluß des Militärs bei *P. Stawecki,* Następcy komendanta (Die Nachfolger des »Kommandanten«; 1969). Gesamtüberblick: *L. Jędruszczak,* Ostatnie lata drugiej Rzeczypospolitej 1935–1939 (Die letzten Jahre der zweiten Republik; 1970).

[22] Geb. 9. VI. 1885 in Gąbin b. Płock, Mediziner, Militärarzt in der Legion, 1924–1926 Chef des Sanitätswesens, 1926–1929, 1930–1931 Innenminister, 1931–1936 Stellv. Kriegsminister, übernahm auch 1936 selbst das Innenministerium. Kompromißloser Anhänger Piłsudskis. Lebte nach dem Krieg in London, dort gest. 31. VIII. 1962. Seine Erinnerungen: Nie ostatnie słowo oskarżonego (Das noch nicht letzte Wort des Angeklagten; 1964).

[23] Über das OZN: *T. Jędruszczak,* Piłsudczycy bez Piłsudskiego (Pilsudskisten ohne P.; 1963). Dazu auch *E. D. Wynot,* Polish Politics in Transition. The Camp of National Unity and Struggle of Power 1935–1939 (1974).

[24] Zahlen bei *K. Hartmann,* Hochschulen und Wissenschaft in Polen (1962), S. 10–13.

[25] Hauptträger der »Front« waren der in Prag lebende Witos, der sich meist in Paris aufhaltende General Sikorski und Paderewski selbst.

[26] Geb. 30. XII. 1888 in Krakau, Chemiker, Legionsoffizier, seit 1923 in verschiedenen Funktionen in der Staatl. Stickstoff-Fabrik in Chorzów/O. S., 1926–30 Industrie- und Handelsminister und Promotor des Ausbaus von Gdingen.

[27] Dazu jetzt *G. W. Strobel,* Die Industrialisierung Polens am Vorabend des Zweiten Weltkriegs zwischen Innen- und Wehrpolitik: ZOstforsch 24 (1975), S. 221–271.

[28] Über die dem Ultimatum vorausgegangenen Verhandlungen berichtet *V. Sliogeris:* Zeszyty Historyczne 31 (1975), S. 46–50. Die Vorgänge ausführlich bei *Roos,* Polen und Europa (Anm. 13), S. 305–317.

[29] Ausführliche Schilderung bei *Roos,* S. 318 ff., bei *Wojciechowski* (Anm. 13), S. 401–513. Spezialdarstellung: *J. Kozenski,* Czechosłowacja w polskiej polityce zagranicznej 1932–1938 (Die Tschechoslowakei in der polnischen Außenpolitik; 1964).

[30] Daß die polnische militärische Führung über die deutschen Kriegsvorbereitungen und die Truppenkonzentrationen weitgehend unterrichtet war, zeigt die Quellenveröffentlichung: Przygotowania niemieckie do agresji na Polskę w 1939 r. w świetle sprawozdań oddziału II sztabu głównego W. P. (Die deutschen Vorbereitungen zum Angriff auf Polen im Lichte der Berichte der II. Abteilung des Hauptstabs der poln. Armee), hg. v. *M. Cieplewicz* u. *M. Zgórniak* (1969). Über die poln. Vorbereitungen eingehend das vom Sikorski-Institut in London herausgegebene Sammelwerk: Polskie Siły Zbrojne w drugiej wojnie światowej (Die poln. Streitkräfte im Zweiten Weltkrieg; im folgenden abgek. PSZ, Bd I, 1, 1951).

[31] Zusammenfassend über Polen und die Westmächte vor dem Kriegsausbruch: *A. Cienciala,* Poland and the Western Powers 1938–1939 (1968). S. auch *J. Korbel,* Poland between East and West. Soviet and German Diplomacy toward Poland 1919–1939 (1963). *Roos* und *Breyer* behandeln das Jahr 1939 nicht mehr.

[32] Auch in der am 26. I. 1934 begonnenen Ära polnisch-deutscher Verständigung hatte es, von gewissen Erleichterungen abgesehen, keine befriedigende Lösung der Minderheiten- und Volksgruppenfragen beiderseits der Grenze gegeben. Die einseitige Aufkündigung der Minderheitenschutzverträge durch Polen am 13. IX. 1934 und der Ablauf der Genfer Konvention für Oberschlesien am 15. VII. 1937 hatten die internationale Situation des Deutschtums in Polen sogar verschlechtert; der oberschlesische Wojewode Grażynski

e) Das geteilte Polen im II. Weltkrieg (1939–1944)

bemühte sich nach Wegfall der bisherigen Schutzbestimmungen um eine rasche Polonisierung seiner Wojewodschaft. Die Bemühungen um eine bilaterale Regelung waren vor allem dadurch erschwert, daß die deutsche Volksgruppe in Polen mit etwa 1,1 Mill. Köpfen völlig anders strukturiert war als die polnische Volksgruppe in Deutschland, deren Kopfzahl polnischerseits weit übertreibend auf 1,5 Mill. beziffert wurde, während sie nach der nicht nationalsozialistisch beeinflußten Volkszählung von 1925 unter Einrechnung aller Zweisprachigen allenfalls 700 000 betrug (s. *K. Keller,* Die fremdsprachige Bevölkerung im Freistaate Preußen: Z. d. Pr. Stat. Landesamtes 66, 1926; die Addition aller Personen, die Polnisch oder Zweisprachigkeit als Muttersprache angegeben hatten, ergibt 722 000, davon 508 000 Zweisprachige). Bei keiner Reichstags- oder Landtagswahl bis 1932 hatte es genügend Stimmen für einen polnischen Abgeordneten gegeben. Die postulierte Gegenseitigkeit war deshalb nicht möglich, ganz abgesehen davon, daß auch die deutschen Lokalbehörden keinen guten Willen zeigten. Die nach langen Verhandlungen zustandegekommene beiderseitige Minderheitenerklärung vom 5. XI. 1937 blieb unverbindlich und für beide Seiten unbefriedigend. Vom Frühjahr 1939 an wurden die deutschen wirtschaftlichen und kulturellen Einrichtungen in Polen zunehmendem Druck ausgesetzt und die Tätigkeit durch Beschlagnahmen und Schließungen stark reduziert. Dazu *Th. Bierschenk,* Die deutsche Volksgruppe in Polen 1934–1939 (1954).

Zu den von der nationalsozialistischen Propaganda behaupteten Gewaltmaßnahmen und Morden kam es vor Kriegsausbruch jedoch nicht. Diese setzten mit Verhaftungen, Verschleppungen und willkürlichen Erschießungen erst am 1. IX. 1939 ein. Die objektiv feststellbare Zahl der Todesopfer liegt zwischen 4000 und 5000. Auf Hitlers persönliche Anordnung wurde die im Herbst 1939 errechnete vorläufige Zahl von 5800 von der deutschen Propaganda auf 58 000 verzehnfacht, um damit einen Vorwand für die brutale Vernichtungspolitik gegenüber den Polen im besetzten Gebiet zu haben. Vgl. *P. Aurich,* Der deutsch-poln. September. Eine Volksgruppe zwischen den Fronten (1969). Die oft behauptete Tätigkeit der deutschen Volksgruppe in Polen als »Fünfte Kolonne« ist – von einigen Sabotagefällen abgesehen – nie bewiesen und auch nicht durch entsprechende Prozesse nach 1945 belegt worden. S. dazu *L. de Jong,* Die deutsche Fünfte Kolonne im Zweiten Weltkrieg (1959).

e) Das geteilte Polen im II. Weltkrieg. Untergrund, westliches und östliches Exil (1939–1944)[1]

Die fünfeinhalb Kriegsjahre sind für die neueste Entwicklung Polens eine Zeit des Umbruchs und der Umgestaltung ohne Beispiel in der Geschichte des Landes. Das gilt insbesondere für den mit dem Frühjahr 1943 anbrechenden letzten Zeitabschnitt, in dem sich alles das vorbereitet und abzeichnet, was im letzten Kriegsjahr und im ersten Nachkriegsjahr Wirklichkeit wird und sich – für die Umwelt erstaunlich – in Geleisen bewegt, für welche die Weichen eben im Jahre 1943/44 gestellt wurden.

Weder die erste, längere und sozusagen »westliche« Phase vom September 1939 bis zum 25. IV. 1943 noch die zweite, kürzere, sozusagen »östliche«, sowjetische Phase vom Abbruch der diplomatischen Beziehungen der Sowjetunion mit der Exilregierung Sikorski bis zur angeblich in Cholm (Chełm), tatsächlich aber in Moskau erfolgenden Konstituierung des Polnischen Komitees der Nationalen Befreiung (PKWN) am 22. VII. 1944 können hier mit der notwendigen Breite und in adäquater Form geschildert werden. Auch wenn das Kampfgeschehen, an dem polnische Verbände nach der Kapitulation der letzten kämpfenden Teile des polnischen Heeres (5. X. 1939) außerhalb des eigenen Landes beteiligt waren, nur erwähnt, jedoch nicht dargestellt wird und auch wenn die polnische Frage als ein Hauptproblem der großen Kriegskonferenzen im Gesamtzusammenhang interalliierter Kriegsdiplomatie an anderer Stelle behandelt wird (s. S. 1041 f.), so verbleibt doch im besetzten Land selbst und im Exil eine äußerst vielschichtige und nuancenreiche Entwicklung zu schildern. Das kann hier nur überblicksartig und notwendigerweise schematisierend, unter Verzicht auf Sonderentwicklungen und vor allem auf zahlreiche Personalia, geschehen. Dabei wird in beiden Phasen jeweils zunächst die Entwicklung des Staates und seiner ins westliche Exil geretteten Rudimente, sodann das östliche Exil und die Moskauer Politik diesem gegenüber und schließlich die des Landes und seiner verschiedenen Besatzungsbereiche sowie der dortigen Untergrundbewegungen beider politischer Hauptrichtungen dargestellt. Das führt zu gewissen Sprüngen und Brüchen, läßt aber das sehr facettenreiche Gesamtbild der Entwicklung auf ganz verschiedenen Ebenen auf knappem Raum noch am ehesten hervortreten.

Militärische Niederlage und staatliche Kontinuität (September/Oktober 1939)[2]

Der Angriff der deutschen Armeen in den frühen Morgenstunden des 1. IX. traf das polnische Heer trotz des Fehlens einer Kriegserklärung nicht unvorbereitet, zumal der Generalstab durch seinen Nachrichtendienst über den deutschen Aufmarsch bis in die Einzelheiten hinein unterrichtet war[3]. Am 25. VIII. hatte die Teilmobilisierung begonnen, aber erst am 30. VIII. wurde – mit Verzögerung wegen der auf die Verhandlungen des Schweden Birger Dahlerus gesetzten Hoffnungen – vom Obersten Befehlshaber Marschall Edward Rydz-Śmigły[4] die allgemeine Mobilmachung befohlen, so daß der Antransport der einberufenen Reservisten und die für den Aufmarsch der polnischen Verbände nötigen Verlegungstransporte am 1. IX. noch nicht abgeschlossen waren. Da der Angriff jedoch schon für die Morgenstunden des 31. VIII. erwartet wurde, befanden sich alle grenznahen Verbände in ihren vorgesehenen Stellungen und hatten volle Alarmbereitschaft.

Der schon 1935 ausgearbeitete, im Sommer 1938 und im Mai 1939 aufgrund der neuen gesamtstrategischen Lage abgeänderte polnische Operationsplan rechnete richtig mit den Hauptvorstößen deutscher Verbände aus Ostpommern und Ostpreußen zur Abschnürung Pommerellens und aus dem nördlichen Schlesien mit Richtung Lodz–Warschau, hatte allerdings den Vorstoß von Süden her, aus der Slowakei (14. Armee) nicht entsprechend einkalkuliert.

In der Hoffnung auf eine nach einigen Wochen eintretende Entlastung durch die Operationen der französischen Armee im Westen, und ohne die Möglichkeit eines Zweifrontenkrieges in Rechnung zu stellen – dessen unbedingte Vermeidung zu den Grundsätzen Piłsudskis gehört hatte –, wies der Operationsplan den polnischen Streitkräften die Aufgabe zu, den deutschen Angriffsarmeen möglichst große Verluste beizubringen, sich nach den Grenzschlachten unter Preisgabe Pommerellens und Posens auf die befestigte Linie Warthe-Widawka zurückzuziehen und dann mit möglichst intakt zu haltenden Angriffsarmeen nach Berlin und nach Ostpreußen vorzustoßen. Die Durchführung war allerdings nur möglich, wenn es gelang, jeder Umklammerung auszuweichen, sich mit zwar dezimierten, aber kampffähigen Verbänden vom Feind zu lösen und den Transport von Nachschub und Reserven ohne schwere Störungen zu organisieren.

Das Risiko wurde dadurch erhöht, daß in den alsbald zu räumenden Gebieten der industrielle Schwerpunkt des Landes lag, da die Verlagerung wichtiger Produktionsstätten in das »Zentrale Industrierevier« zwischen Weichsel und San noch bei weitem nicht abgeschlossen war. Eine längerfristige Preisgabe machte also eine erfolgreiche Kriegführung unmöglich, deshalb war die Verwirklichung der Verpflichtung der französischen Armee, am 15. Tage nach Kriegsbeginn eine entlastende Großoffensive in Gang zu setzen, eine unbedingte Notwendigkeit für

e) Das geteilte Polen im II. Weltkrieg (1939–1944)

ein auch nur teilweises Gelingen der polnischen Pläne. Rein numerisch war das Verhältnis der beiderseits eingesetzten Verbände[5] für den polnischen Verteidiger nicht ungünstig: Den deutschen 58 (61) größeren Einheiten (42 aktive Divisionen und Brigaden und 16 der Reserve) standen polnischerseits 48 (51) gegenüber (davon 7 der Reserve), zuzüglich des Grenzschutzkorps in Stärke von 3 Divisionen und von 50 Bataillonen der »Nationalen Verteidigung« *(Obrona Narodowa)* von allerdings geringem Kampfwert. Der Mannschaftsstand betrug Anfang September rund 1,8 zu 1,5 Mill., so daß die polnische Führung, wenn es nur um die Stärke und um die Ausbildung ging, durchaus mit begrenzten Erfolgen rechnen konnte. Sehr stark war jedoch die deutsche Überlegenheit an Artillerie (5800 gegen 2100 Geschütze und Minenwerfer), Panzern (rd. 2700 [3200] gegen 400 [600]) und Flugzeugen (rd. 2900 gegen 850 [1200]), von denen aber über die Hälfte veraltet war.

Am schwersten wog die polnische Unterlegenheit an Panzern und panzerbrechenden Waffen, so daß der auf Erzielung tiefer Einbrüche mit Panzerkeilen und anschließende Einschließung der frontnahen Verbände abgestellte deutsche Operationsplan trotz heftigen Widerstandes der den Angriff in vorbereiteten Stellungen erwartenden polnischen Truppen im wesentlichen ohne entscheidende Verzögerungen und ohne hohe Verluste verwirklicht werden konnte, z. T. wesentlich schneller, als die polnische Führung erwartet hatte, so daß die weit nach Norden vorgeschobenen Teile der Armee »Pommerellen« (General Bortnowski) schon am 3. IX. eingeschlossen waren und aufgerieben wurden. Die einzige größere, nicht vom Feind diktierte Operation war die von der in Großpolen bereitstehenden und eilig nach Osten marschierenden Armee »Posen« (General Kutrzeba) und Teilen der Armee »Pommerellen« zeitweilig mit Erfolgen und Geländegewinn geschlagene »Schlacht an der Bzura«[6] (9.–15. IX. 1939). Sie konnte die Gesamtlage im Raum westlich Warschau nur vorübergehend ändern, hatte aber für das polnische Nationalbewußtsein erhebliche Bedeutung. Da Marschall Rydz-Śmigły am 7. IX. nach Brest am Bug (Brest-Litowsk) ausgewichen war, war schon in der zweiten Kriegswoche die Verbindung zwischen der obersten Führung und den Armeen häufig unterbrochen, eine einheitliche Befehlsgebung nicht mehr vorhanden. Die Regierung Sławoj-Składkowski, in die bei Kriegsbeginn noch der bisherige Wojewode von Oberschlesien Michał Grażynski als Propagandaminister eingetreten war, verließ Warschau ebenfalls am 7. IX., blieb zunächst einige Tage in Łuck (Wolhynien) und Kołomyja (Ostgalizien) und überschritt am 17. IX. zusammen mit dem Staatspräsidenten die rumänische Grenze bei Kuty, als die Rote Armee in breiter Front über die sowjetisch-polnische Grenze vordrang und mit der Besetzung der der Sowjetunion im Geheimen Zusatzprotokoll zugesprochenen Gebiete begann. Die Sowjetregierung stellte in der dem polnischen Botschafter am 17. IX. übergebenen Note entgegen der Wahrheit fest, daß die polnische Regierung und der polnische Staat nicht mehr existierten und daß sie sich genötigt sehe, den Schutz der Ukrainer und Weißruthenen zu übernehmen. Mit dieser Version konnte sie sich auf den Standpunkt stellen, daß sie den 1932 geschlossenen Nichtangriffspakt nicht gebrochen habe. Dagegen hatte sie Aufforderungen Hitlers, schon früher in den Kampf einzugreifen, hinhaltend beantwortet. Nach ihrem Selbstverständnis befand sie sich auch jetzt nicht im Kriegszustand mit Polen, so daß sie sich auch berechtigt fühlte, die in ihre Hand gefallenen polnischen Soldaten (etwa 220 000–300 000) nicht als Kriegsgefangene, sondern als Strafgefangene zu behandeln[7].

Mit dem Grenzübertritt der Regierung und der fast gleichzeitigen Kapitulation der Armeen »Posen« und »Pommerellen« an der Bzura am 19. IX. war der Feld-

§ 26 Polen von der Unabhängigkeit bis zur Volksrepublik 1918–1970

zug praktisch beendet, wenn sich auch Warschau noch bis zum 27. IX., die Festung Modlin bis zum 30. IX. verteidigten und einige Verbände unter General Kleeberg erst am 5. X. bei Kock (nördlich von Lublin) kapitulierten. Die Verluste der polnischen Armee[8] betrugen 66 300 Tote und 133 700 Verwundete; die Zahl der Gefangenen in deutscher Hand belief sich auf etwa 400 000. Eine große Anzahl von polnischen Soldaten konnte sich jedoch der Gefangennahme durch Untertauchen entziehen und so den Kern der späteren Untergrundarmee bilden. Etwa 90 000 gelangten nach Litauen, Lettland, Rumänien und Ungarn. Aus den beiden letzteren Ländern gelang im allgemeinen die baldige Weiterreise nach Frankreich, wo sich der Kern der Exilarmee bildete, und nach Großbritannien.

Während der Feldzug von beiden Seiten nach den Regeln der Haager Landkriegsordnung geführt wurde, mit entsprechender Behandlung der polnischen Kriegsgefangenen in deutscher Hand (und der wenigen, insbesondere an der Bzura, in polnische Hand gefallenen deutschen Kriegsgefangenen), hatte die Zivilbevölkerung schwerste Opfer zu bringen. Zunächst wurden zahlreiche Angehörige der deutschen Volksgruppe in Polen betroffen, da man die Deutschen generell als »Spione und Diversanten« und als getarnte Angehörige einer »Fünften Kolonne«[9] verdächtigte. Die Stimmung war durch die Propaganda der letzten Vorkriegswochen entsprechend vorbereitet und in den ersten Kriegstagen durch die deutschen Luftangriffe und vielfältige Gerüchte noch weiter zum Haß gesteigert worden.

In dieser Atmosphäre von Haß, Angst und Enttäuschung über die unerklärlich rasche Niederlage kam es, insbesondere in Posen-Pommerellen, zu zahlreichen Gewalttaten gegenüber den ansässigen Deutschen, insbesondere aber gegenüber denjenigen unter ihnen, die aufgrund eines Sondergesetzes vom 30. VI. 1939 als »verdächtige Personen« sofort bei Kriegsausbruch festgenommen und – wegen fehlender Transportmittel meist im Fußmarsch – nach Osten transportiert wurden, wo sie im Konzentrationslager von Bereza Kartuska auf Kriegsdauer interniert werden sollten. Nur ein kleiner Bruchteil der etwa 50 000 Internierten erreichte dieses Ziel, die Mehrzahl der Züge gelangte nur – stark dezimiert – in den Bereich Kutno-Łowicz, wo sie während der Schlacht an der Bzura von deutschen Truppen befreit wurden.

Den Gewalttaten auf diesen Verschleppungszügen und bei einem durch eine allgemeine Panik am 3. IX. in Bromberg ausgelösten regelrechten Pogrom[10] fielen rund 5000 Angehörige der deutschen Zivilbevölkerung zum Opfer. Die Berichte von den Ausschreitungen, die noch im September/Oktober 1939 verbreitet wurden, wurden zum Anlaß von zahlreichen Vergeltungsaktionen genommen, denen bei öffentlichen Erschießungen, u. a. auf dem Bromberger Marktplatz am 10. IX., vor allem in Großpolen, Tausende polnischer Zivilisten zum Opfer fielen. Zur besseren Stütze dieser auch durch Kriegsrecht nicht zu rechtfertigenden Vergeltungsaktionen an Unschuldigen ordnete Hitler persönlich an, daß die Zahl der getöteten Deutschen mit 58 000 anzugeben sei, in Verzehnfachung der bis zum Spätherbst 1939 in einer Gräberzentrale festgestellten Zahl von 5437 Opfern[11].

Die durch die Haßpropaganda und eine allgemeine Panik bei Kriegsbeginn hervorgerufenen Verschleppungen und Mordtaten an den »Volksdeutschen« dienten in der Folgezeit zur Begründung der Einstufung der polnischen Bevölkerung als »Untermenschen« und ihrer in weiten Bereichen überaus harten, z. T. unmenschlichen Behandlung, was wieder auf die Einstellung der polnischen Bevölkerung gegenüber den bisherigen deutschen Nachbarn negativ zurückwirken mußte, so daß in den Untergrundorganisationen schon 1940 die Forderung nach

e) Das geteilte Polen im II. Weltkrieg (1939–1944)

vollständiger Aussiedlung der deutschen Bevölkerung nach dem Siege Polens auftauchte.

Noch am Tage der Kapitulation Warschaus, am 27. IX. 1939, wurde der Kern einer Untergrundarmee gegründet, und zwar auf Anordnung des Obersten Befehlshabers Rydz-Śmigły, der mit der Regierung nach Rumänien geflüchtet war, durch den General Michał Karaszewicz-Tokarzewski[12].

Diese strikt militärische Organisation erhielt den Namen »Dienst am Siege Polens« *(Służba Zwycięstwu Polski, ZSP)* und wurde von Offizieren aufgebaut und geleitet, die sich der Gefangennahme entzogen, mit falschen Ausweisen ausgestattet wurden und in der Untergrundorganisation einen Tarnnamen verwendeten. Noch in den ersten Oktobertagen wurde auch ein Politischer Beirat beim Oberkommando des SZP gebildet, welchem Vertreter der bisherigen Oppositionsparteien PPS, SL (Bauernpartei), SN (Nationale Partei) und später auch der SP (katholische »Partei der Arbeit«) angehörten.

Da die Kommandeure und Offiziere der Exilarmee wie der Untergrundarmee notwendigerweise aus dem aktiven Dienst kamen und das bisherige Regime unterstützt oder zumindest bejaht hatten, mußten sich zwischen dem Militär und der aus der Opposition kommenden politischen Führung Konflikte ergeben, die eine reibungslose Zusammenarbeit erschwerten.

Der Regierung Sławoj-Składkowski wurde von der verbündeten rumänischen Regierung zwar Asyl gewährt, eine Regierungstätigkeit jedoch nicht gestattet. Auch schien eine neue politische Orientierung unter Heranziehung aller bisherigen Oppositionsparteien dringend geboten, und die Exilregierung mußte Handlungsfreiheit haben. Präsident Mościcki trat, um diese Umbildung zu erleichtern, am 28. IX. 1939 im rumänischen Exil zurück[13] und bestimmte gleichzeitig aufgrund der Aprilverfassung den Senatspräsidenten und Wojewoden von Pommerellen Władysław Raczkiewicz (1885–1947), der sich in Paris befand, zu seinem Nachfolger, nachdem der zunächst vorgesehene Botschafter in Rom, Wieniawa-Długoszowski, nicht die Zustimmung der Alliierten erhalten hatte. Raczkiewicz bildete in Frankreich aus Vertretern der Oppositionsparteien, die sich außer Landes befanden, am 30. IX. eine Exilregierung unter General Władysław Sikorski (1881–1943)[14], der zugleich den Oberbefehl und das Verteidigungsministerium übernahm. In der Exilregierung ergaben sich erhebliche Probleme der Zusammenarbeit zwischen Vertretern der bisherigen Opposition, zu denen Sikorski selbst und die Mehrzahl der Minister gehörten, und den »Piłsudskisten«, zu denen neben dem Außenminister August Zaleski der Stellvertretende Oberbefehlshaber und Stellvertretende Staatspräsident General Sosnkowski zu zählen waren. Auch basierte die Legitimation der Regierung auf der »Aprilverfassung«, die von der Opposition als undemokratisch und autoritär abgelehnt wurde. Dieser Widerspruch konnte unter den gegebenen Umständen naturgemäß nicht aufgelöst werden, er wurde aber seit 1943 von den polnischen Kommunisten und ihren Anhängern geschickt ausgenutzt. Eine zusätzliche Basis suchte sich die Exilregierung, die im November 1939 ihren Sitz nach Angers verlegte, dadurch zu schaffen, daß sie im Dezember 1939 aus 19 früheren Sejmabgeordneten der vier Oppositionsparteien ein Exilparlament, den Nationalrat *(Rada Narodowa)* bildete, an dessen Spitze nominell der greise Ignacy Jan Paderewski (gest. 29. VI. 1941) trat, das aber praktisch von dem jungen Generalsekretär der Bauernpartei SL Stanisław Mikołajczyk geleitet wurde. Deren Vorsitzender, der 1939 aus dem Exil zurückgekehrte Wincenty Witos, war nicht geflüchtet und stand im deutschen Besatzungsgebiet unter Hausarrest.

Wesentlich war jedoch, daß trotz der vollständigen Besetzung des Staatsgebiets durch Deutschland, die Sowjetunion und Litauen die Kontinuität des Staates durch die Bildung einer handlungsfähigen Exilregierung gewahrt blieb, die sich alsbald mit Erfolg bemühte, den Status eines kämpfenden Verbündeten auch in der Praxis durch die Aufstellung einer Exilarmee zu unterstreichen. Die polnische Bevölkerung, durch Niederlage, Zusammenbruch und Besetzung äußerst erschüttert, konnte aus der Tatsache dieser Kontinuität Hoffnung schöpfen.

Die Epoche der deutsch-sowjetischen Zusammenarbeit (Oktober 1939–Juni 1941)

Trotz der Bildung von Exilorganen und der Schaffung der Anfänge von kämpfenden Widerstandsorganisationen schien die Situation Polens in der Phase der deutsch-sowjetischen Zusammenarbeit nahezu hoffnungslos zu sein, insbesondere nach der Niederlage Frankreichs. Die Exilregierung konnte zunächst in kurzer Zeit, bis zum Juni 1940, aus den aus Rumänien und Ungarn kommenden Soldaten und aus in Frankreich lebenden polnischen Staatsbürgern eine aus mehreren Divisionen und einer Gebirgsbrigade bestehende Armee[15] in einer Gesamtstärke von 84 000 Mann bilden, von denen die Gebirgsbrigade im Kampf um Narvik eingesetzt wurde, während zwei Infanteriedivisionen im Juni an der französischen Ostfront kämpften. Diese polnischen Verbände nahmen nicht an der Kapitulation der französischen Armee teil und lösten sich auf, um in Gruppen die Evakuierung nach Großbritannien zu erreichen, während die 2. Division am 19. VI. 1940 in die Schweiz übertrat und dort interniert wurde.

Auch die polnische Exilregierung, zuletzt nach Bordeaux ausgewichen, verweigerte eine Teilnahme an der Kapitulation und wurde am 20. VI. nach London evakuiert. Ihr folgten bis Mitte Juli knapp 20 000 Soldaten der Exilarmee, darunter über 4000 Offiziere, so daß ein Neuaufbau bei Zustrom von Freiwilligen aus den USA und Kanada möglich war. Nach einer schweren Krise in der Exilregierung am 18./19. VII. (während der Sikorski aufgrund der gegen ihn erhobenen Vorwürfe zeitweilig durch Zaleski ersetzt wurde), wurde am 5. VIII. 1940 ein Abkommen[16] mit Großbritannien geschlossen, in dem sich dieses zum Aufbau und zur Unterhaltung neuer polnischer Streitkräfte unter britischem Oberbefehl verpflichtete.

Insgesamt standen dafür, einschließlich einer in Palästina gebildeten Brigade (s. unten S. 1030), im Spätsommer 1940 rund 28 000 Mann zur Verfügung, mit einem besonders großen Anteil von Offizieren und Mannschaften der polnischen Luftwaffe (rd. 6500 Mann), die alsbald einen erheblichen Anteil an der Abwehr der deutschen Luftangriffe auf Großbritannien hatte. Die Landarmee wurde in Schottland formiert, wo ein Armeekorps gebildet werden konnte. Die Freiwilligenwerbung in USA und Kanada ergab jedoch keine befriedigenden Resultate.

Dem westlichen Exil stand in dieser Periode kein organisiertes östliches gegenüber, da die sowjetische Politik zu dieser Zeit keine Wiederherstellung Polens anstrebte und sich sogar deutschen Anregungen widersetzt hatte, einen »Reststaat« zu belassen.

Das besetzte Polen[17] erlebte im deutschen und im sowjetischen Besatzungsbereich eine sehr unterschiedliche Politik, die aber in jedem Fall die Abtötung des Staatsorganismus und die Ausschaltung der die Nation und den Staat tragenden Führungsschicht anstrebte. Durch das Abkommen vom 28. IX. war das deutsche Besatzungsgebiet um das Gebiet zwischen Weichsel und Bug vergrößert worden und umfaßte nunmehr, das Gebiet von Białystok ausgenommen, das geschlossene Siedlungs- und Sprachgebiet des polnischen Volkes. Das erwies sich für die sowjetische Politik als vorteilhaft, da sie die polnische Bevölkerung in ihrem ei-

e) Das geteilte Polen im II. Weltkrieg (1939–1944)

genen Bereich lediglich als herrschende Oberschicht behandeln konnte.

Im deutschen Machtbereich wurde, nachdem sich Vorverhandlungen mit einigen polnischen Politikern über eine der Protektoratsregierung ähnliche polnische Regierung als aussichtslos erwiesen hatten, durch Hitlers Erlaß vom 8. X. 1939 eine Aufteilung in die »Eingegliederten Ostgebiete« und das »Generalgouvernement für die besetzten polnischen Gebiete« (rund 142 000 km² mit 12 Mill. Einwohnern; später nur Generalgouvernement) mit Hans Frank[18] als Generalgouverneur vorgenommen.

Die Eingegliederten Ostgebiete wurden wiederum in vier Teile geteilt: Der Kreis Suwałki und der Norden Masowiens mit Ciechanów (»Regierungsbezirk Zichenau«) wurden Ostpreußen zugeschlagen (rund 16 200 km² mit 1 Mill. Einwohner, Gauleiter Koch). Die vergrößerte Wojewodschaft Pommerellen wurde mit Danzig und Teilen der alten Provinz Westpreußen zum »Reichsgau Danzig-Westpreußen« vereinigt (rund 21 200 km² mit 1,95 Mill. Einwohner, Gauleiter Forster), Oberschlesien mit Teilen des Industrierreviers von Dąbrowa als Regierungsbezirk Kattowitz an Schlesien angegliedert (rund 10 600 km² mit 2,6 Mill. Einwohnern, Gauleiter Wagner; einige Kreise wurden auch dem Regierungsbezirk Oppeln zugeschlagen). Während hier eine Verschmelzung mit Gebieten des »Altreichs« angestrebt wurde, bestand der »Reichsgau Posen«, der, im Januar 1940 in »Reichsgau Wartheland« umbenannt, weit über die Reichsgrenze von 1914 hinausreichte und die in »Litzmannstadt« umbenannte Großstadt Lodz einschloß, ausschließlich aus Gebieten des polnischen Staates (44 000 km² mit rund 5 Mill. Einwohnern, Gauleiter Greiser).

In diesen fünf Gebieten wurde sowohl gegenüber den ansässigen Deutschen wie gegenüber den seit dem Winter 1939/40 hineinströmenden Umsiedlern aus Estland, Lettland, Wolhynien und Ostgalizien eine höchst unterschiedliche Politik betrieben, deren Richtung und Härte weitgehend von den Gauleitern abhing, die zugleich Reichsstatthalter waren. Obwohl Himmler, am 7. X. 1939 zum »Reichskommissar für die Festigung deutschen Volkstums«[19] ernannt, theoretisch für eine einheitliche Volkstums- und Eingliederungspolitik verantwortlich war, wurde die Zuordnung zu den vier Gruppen der durch Verordnung vom 4. III. 1941 geschaffenen »deutschen Volksliste« sehr unterschiedlich gehandhabt. Während in Danzig-Westpreußen Hunderttausende von Polen, die Deutsch konnten, in die »Volksliste III« eingetragen wurden, damit die deutsche Staatsbürgerschaft auf Widerruf erhielten und vor Aussiedlungs- und Enteignungsaktionen sicher sein konnten, wurde im »Wartheland« und im Regierungsbezirk »Zichenau« die Zuweisung zur Gruppe III oder IV nur sehr selten vorgenommen. Während aber in »Zichenau«, wohin praktisch keine Umsiedler kamen, die polnische bäuerliche Bevölkerung, von den Kriegswirtschaftsmaßnahmen abgesehen, relativ ungestört blieb, fanden im »Warthegau« brutale Enteignungs- und Aussiedlungsaktionen nicht nur gegen die Intelligenz, sondern auch gegen die bäuerliche Bevölkerung statt. Gleichmäßig grausam war in allen eingegliederten Ostgebieten die Behandlung der jüdischen Bevölkerung, die durchweg in die Ghettobezirke des Generalgouvernements abtransportiert wurde.

Dieses, als »Nebenland« des Reiches betrachtet, sollte Wohnbereich der polnischen Bevölkerung bleiben und gleichzeitig als Reservoir für billige Arbeitskräfte und als Ausbeutungsobjekt dienen. Der polnischen Bevölkerung im Generalgouvernement wurde zwar eine begrenzte Teilnahme an der Verwaltung zugestanden, vor allem auf den unteren Ebenen, doch sollte sie nur einfache und rein fachliche Bildungsstätten behalten, von höherer Schulbildung und erst recht von Universitätsbildung jedoch ausgeschlossen sein.

Auch hier gab es erhebliche Widersprüche: Während der auf dem Krakauer Wawel residierende Hans Frank[20] als Regierungschef des in die vier Distrikte Krakau, Warschau, Radom und Lublin eingeteilten Generalgouvernements ebenso wie die ihm unterstellten Gouverneure sich gelegentlich für die polnische Bevölkerung einsetzte, trieben die nur Himmler unterstellten Höheren SS- und Polizeiführer in den einzelnen Distrikten eine brutale Ausrottungs- und Unterdrückungspolitik.

Insgesamt war die Verwaltung in den eingegliederten Ostgebieten wesentlich straffer und mit reichsdeutschen und »volksdeutschen« Beamten und Mitarbeitern so weitgehend durchsetzt, daß ein »Untertauchen« und ein Leben mit neuer Identität schwierig bis unmöglich war, zumal die schon im Winter 1939/40 einsetzenden Aussiedlungsaktionen insbesondere die Intelligenz und das Bürgertum trafen. Dagegen war es im Generalgouvernement zwar schwierig, aber möglich, nicht nur unterzutauchen, sondern auch politisch und konspirativ tätig zu sein, da die weitgehend geschlossene und die Hoffnung nicht aufgebende polnische Bevölkerung Hilfsbereitschaft und Erfindungsreichtum zeigte, zumal deutscherseits nicht versucht wurde, einzelne Gruppen zu bevorzugen.

Dagegen war die sowjetische Politik im sowjetischen Machtbereich[21] bemüht, die polnische Bevölkerung nicht generell zu diskriminieren, sondern eine Politik des Klassenkampfes zu betreiben, die das Polentum nicht als solches, sondern als bisher politisch und wirtschaftlich führende Klasse bekämpfte. Auch hier fand eine Dreiteilung statt. Das Wilnagebiet wurde aufgrund des litauisch-sowjetischen Vertrages vom 10. X. 1939 Ende Oktober der Republik Litauen übergeben und bis zur Einbeziehung Litauens in die Sowjetunion im Juni/August 1940 einer Lithuanisierungspolitik unterworfen. Im übrigen Gebiet wurden unter sowjetischer Militärverwaltung am 22. X. 1939 »Wahlen« zu einer westweißruthenischen und einer westukrainischen Nationalversammlung abgehalten, wobei auf den Einheitslisten keine polnische, sondern nur weißruthenische, ukrainische, russische und jüdische Kandidaten figurierten. Die so mit über 90 % der Stimmen gewählten »Nationalversammlungen« beschlossen am 27. X. in Lemberg bzw. am 29. X. in Białystok, den Obersten Sowjet um Aufnahme ihrer Gebiete in die Sowjetrepublik Ukraine bzw. Weißruthenien zu bitten, die am 1. bzw. am 2. XI. erfolgte.

Allen Einwohnern wurde unterschiedslos am 29. XI. das sowjetische Staatsbürgerrecht verliehen und somit eine formelle Gleichstellung auch der Polen vorgenommen. Die sofortige Außerkraftsetzung des *złoty* als Zahlungsmittel (der im Generalgouvernement noch gültig war), die Sperrung aller Bankkonten, die Enteignung von Großgrundbesitz, Banken und Industriebetrieben brachten die gesamte nichtbäuerliche Bevölkerung sofort in völlige Abhängigkeit von den sowjetischen Behörden. Lediglich die Kollektivierung des bäuerlichen Besitzes erfolgte noch nicht. Die Ausschaltung des Polentums als Führungsschicht wurde in noch wirkungsvollerer Weise als durch die Erschießungen und Arbeitsverpflichtungen im deutschen Machtbereich durch massenweise Zwangsdeportationen vorgenommen, denen in vier Wellen bis zum Juni 1941 alle Polen unterworfen wurden, die in irgendeiner Weise der polnischen Regierung gedient hatten, als Angehörige der »herrschenden Klasse« eingestuft werden konnten oder während der Kampfhandlungen als Flüchtlinge ins Land gekommen waren.

Etwa 1,5 Mill. Menschen wurden so vom Herbst 1939 bis zum Juni 1941 in die Sowjetunion deportiert, neben Polen auch Teile der ukrainischen Intelligenz, insbesondere der unierten Geistlichkeit, während die jüdische Bevölkerung, im deutschen Machtbereich völlig entrechtet, hier weitgehend unangefochten blieb.

e) Das geteilte Polen im II. Weltkrieg (1939–1944)

Unter diesen Umständen hatte die polnische politische und militärische Untergrundbewegung in den eingegliederten Ostgebieten wie im sowjetischen Machtbereich nur sehr beschränkte Wirkungsmöglichkeiten, die lediglich den Aufbau kleiner konspirativer Einzelgruppen, jedoch nicht eines weitverzweigten Netzes von quasi-staatlichen Organisationen erlaubte.

Dagegen konnten im Generalgouvernement ein regelrechter Untergrundstaat[22] und eine Untergrundarmee aufgebaut werden, deren Organisation und Zusammenhalt in den ersten zwei Jahren vor allem am Mangel an Koordination und an Kompetenzstreitigkeiten litten. So wurde die erste militärische Untergrundorganisation noch im November 1939 auf Befehl Sikorskis in eine neue, den »Verband für bewaffneten Kampf« *(Związek Walki Zbrojnej, ZWZ)* umbenannt und umgebildet; der erste Organisator General Tokarzewski wurde mit dem Aufbau im sowjetischen Machtbereich beauftragt, jedoch bei der Überschreitung der Grenze Anfang März 1940 verhaftet, so daß der Aufbau des als Teil der polnischen Armee betrachteten ZWZ im sowjetischen Gebiet ebenso wenig vorankam wie in den eingegliederten Ostgebieten. Zum Kommandeur des ZWZ wurde im Juni 1940 General Rowecki (Tarnnamen: Rakoń, Grot) ernannt. Er hatte strikte Anweisungen, einen Führungskader aufzubauen und kleine Einheiten zu bilden, sich jedoch keinesfalls in einzelne Kampfaktionen einzulassen, sondern »Gewehr bei Fuß« zu stehen.

Die politische Führung übernahm ein Politisches Verständigungskomitee *(Polityczny Komitet Porozumiewawczy, PKP)*, in dem die vier »Regierungsparteien« vertreten waren und das über Funk und Emissäre Weisungen aus Angers bzw. London entgegennahm und dorthin Berichte schickte. Im September 1940 wurde mit dem früheren Oberbürgermeister von Posen C. Ratajski auch ein »Regierungsdelegierter« ernannt.

Die Aktivitäten dieses »Regierungslagers« blieben auf den organisatorischen Auf- und Ausbau beschränkt. Neben ihm gab es zahlreiche Untergrundgruppen der radikalen Rechten wie der Linken, meist linke Abspaltungen der PPS, alle mit Presseorganen. Völlig ruhig verhielten sich dagegen die polnischen Kommunisten.

Zusammenarbeit der Exilregierung mit der Sowjetunion (1941–1943)[23]

Der deutsche Angriff auf die Sowjetunion hatte für Polen weitreichende Konsequenzen: Er brachte in wenigen Tagen das gesamte polnische Staatsgebiet unter deutsche Herrschaft und ließ damit die im Untergrund verbreitete These zurücktreten, daß man gegen zwei Feinde zu kämpfen habe; er eröffnete die Möglichkeit, aus den in der Sowjetunion gefangenen polnischen Soldaten eine Armee aufzubauen; er erlaubte schließlich den polnischen Kommunisten, aus ihrer Untätigkeit herauszutreten und, die Bezeichnung »kommunistisch« sorgfältig vermeidend, eine eigene Untergrundorganisation aufzubauen, wobei sie Verbündete bei den »heimatlosen Linken« suchte und fand.

Die Exilregierung reagierte auf die durch den Kriegsausbruch entstandene neue Situation nicht mit der gleichen Geschwindigkeit und Entschlossenheit wie Churchill. Erst Anfang Juli 1941 begannen in London unter britischer Assistenz und nicht ohne britischen Druck zwischen Sikorski und dem Sowjetbotschafter Maiskij zähe Verhandlungen, die am 30. VII. 1941 zu einem Abkommen[24] führten. In diesem sagten sich beide Seiten gegenseitige Unterstützung im Kampf gegen Deutschland zu und vereinbarten den Austausch von Botschaftern sowie die Aufstellung einer polnischen Armee auf sowjetischem Territorium, wofür alle polnischen Staatsbürger »amnestiert« werden sollten. Die geforderte Anerkennung der polnischen Ostgrenze erfolgte nicht, sondern es wurde lediglich die Unwirksamkeit der deutsch-sowjetischen Teilungsverträge erklärt. Wegen dieses sich später als verhängnisvoll erweisenden Mangels an Präzision und wegen des Ausdrucks »amnestiert« statt »freigelassen« traten einige Mitglieder der Exilregierung zurück, unter ihnen der Außenminister Zaleski (1883–1972) und der Stellvertretende Oberbefehlshaber General Sosnkowski (1885–1969). Zwar erklärte die britische Regierung gleichzeitig ergänzend, daß sie die territorialen Veränderungen zugunsten der Sowjetunion nicht anerkenne, schwächte dies aber durch eine Unterhauserklärung Edens wieder ab, daß damit keine Garantie der Grenzen Polens gegeben worden sei. Angesichts der Kriegslage trat jedoch das Grenzproblem zunächst in den Hintergrund; durch eine sofort nach Moskau entsandten Delegation (Botschafter Stanisław Kot[25], General Bohusz-Szyszko) wurde am 14. VIII. ein Militärabkommen geschlossen, wonach die auf sowjetischem Territorium aufzustellende polnische Armee Teil der polnischen Streitkräfte sein, nach Möglichkeit aus USA-Lieferungen versorgt und nur in geschlossenem Verband (mindestens Division) an der Front eingesetzt werden sollte. Zum Oberbefehlshaber wurde der unmittelbar vorher aus Gefängnishaft entlassene General Władysław Anders (1896–1970)[26] ernannt. Der Aufbau der auf ein Armeekorps (das II. Korps) begrenzten Armee vollzog sich im Herbst 1941 unter großen Schwierigkeiten, da zwar genügend Mannschaften aus den Gefangenenlagern zu den Sammelstellen kamen, etwa 10 000 polnische Offiziere, deren Gefangennahme durch die Rote Armee bekannt war, jedoch nicht aufgefunden werden konnten, und da die Ausstattung mit Waffen unzureichend war.

Anfang Dezember 1941, als der Gesamtbestand knapp 40 000 betrug (davon 2200 Offiziere) erreichte Sikorski bei einem Besuch in Moskau in einem formlosen Abkommen (3. XII.) von Stalin, daß sechs Divisionen aufgestellt werden, diese nach Zentralasien verlegt und ein Teil nach vollzogener Aufstellung in den Iran evakuiert werden sollte. Das Schicksal der verschwundenen Offiziere blieb ungeklärt, auch ging Sikorski nicht auf eine Anregung Stalins ein, Korrekturen der Grenze zu besprechen.

Eine ernste Krise entstand, als im März 1942 der Gesamtbestand auf 67 000 angewachsen war, jedoch nur 44 000 Rationen zugestanden wurden und die Sowjetführung den möglichst baldigen Fronteinsatz verlangte. Noch im März/April 1942 wurde ein Teil der Verbände zusammen mit hilfesuchender polnischer Zivilbevölkerung in den Iran evakuiert, und im August folgte aufgrund eines neuen Abkommens in Taschkent vom 31. VIII. 1942 die Evakuierung des gesamten Restes. Die »Anders-Armee«, in den Irak und nach Palästina verlegt, dort ausgerüstet und ausgebildet, trat als »Polnische Armee im Orient« in operativer Hinsicht unter britischen Oberbefehl. An den Kämpfen in Nordafrika hatte von August 1941 bis März 1942 bereits die in Palästina formierte Selbständige Brigade der Karpathenschützen (General Kopański) (s. oben S. 1026) teilgenommen und sich besonders bei der Verteidigung von Tobruk ausgezeichnet.

Die sowjetisch-polnischen Beziehungen verschlechterten sich im Laufe des Jahres 1942 nicht nur wegen der Kontroversen über Aufbau und Einsatz der »Anders-Armee«, wobei beide Seiten grundverschiedene Ziele hatten, sondern auch wegen der Konflikte um die in die Sowjetunion verbrachten polnischen Staatsbürger, welche diese, falls sie aus den Ostgebieten stammten, als sowjetische Bürger betrachtete, was dem Nachfolger Kots in der Botschaft, T. Romer, am 16. I. 1943 ausdrücklich notifiziert wurde.

Der endgültige Bruch wurde durch die Auffindung der Leichen von Katyń[27] herbeigeführt. Auf die deutsche Rundfunkmeldung vom 13. IV. reagierte die So-

e) Das geteilte Polen im II. Weltkrieg (1939–1944)

wjetunion am 16. IV. mit der Mitteilung, die polnischen Offiziere seien im Sommer 1941 in deutsche Hand gefallen und mithin von Deutschen ermordet worden, während vorher nie eine entsprechende Version über den Verbleib der vermißten Offiziere verlautbart worden war. Als Kriegsminister Kukiel am 17. IV. das Internationale Rote Kreuz um eine Untersuchung bat und die Exilregierung am 20. IV. eine entsprechende Note an die Sowjetregierung richtete, antwortete diese am 25. IV. 1943 brüsk mit dem Abbruch der Beziehungen. Alle Versuche, den Bruch zu heilen, blieben erfolglos.

Diesem Schlag für die Exilregierung folgte am 4. VII. 1943 ein weiterer durch den Tod von General Sikorski durch Flugzeugunfall in Gibraltar[28], wo er auf der Rückkehr von Truppeninspektionen im Nahen Osten zwischengelandet war.

Zwar wurde am 14. VII. die Exilregierung unter dem bisherigen Stellvertretenden Ministerpräsidenten Mikołajczyk neugebildet, doch konnte sie an Bedeutung und Prestige mit der Regierung Sikorski nicht verglichen werden.

Schon im Winter 1942/43 wurde in der Sowjetunion das östliche Exil vorbereitet, nachdem am 1. XII. 1941 in Saratov eine Organisation der polnischen Kommunisten unter Wanda Wasilewska[29] neu gegründet worden war und ein Sender »Kościuszko« die Soldaten der »Anders-Armee« prosowjetisch zu beeinflussen versucht hatte. In der Periode der Spannungen wurde unter Mitwirkung von Nichtkommunisten am 1. III. 1943 der Verband Polnischer Patrioten *(Związek Patriotów Polskich, ZPP)*[30] gegründet, der sich in seiner Wochenschrift *Wolna Polska* (Freies Polen) für enge Zusammenarbeit mit der Sowjetunion einsetzte, die Exilregierung strikt ablehnte und eine der Curzon-Linie entsprechende polnisch-sowjetische Grenze befürwortete. In Oberst Zygmunt Berling stellte sich im Zusammenwirken mit dem ZPP auch ein höherer Offizier für den Aufbau einer neuen polnischen Armee bereits am 8. IV. zur Verfügung. Im Moment des lange vorbereiteten Bruches mit der Exilregierung verfügte die Sowjetregierung somit über eine zwar nicht kommunistische, aber doch stark kommunistisch beeinflußte Alternative, die sich in der entscheidenden Grenzfrage völlig der sowjetischen Politik unterordnete.

Im nunmehr nur noch deutsch besetzten Polen hatte der deutsche Vorstoß im Juni/Juli 1941 zunächst gewisse Hoffnungen auf einen Kurswechsel im Sinne der deutschen Politik von 1916 erweckt, insbesondere in den polnischen Ostgebieten. Tatsächlich gab es nur insofern Erleichterungen, als die polnische Bevölkerung in den neu eroberten Gebieten nicht mit der gleichen Brutalität behandelt wurde wie in den eingegliederten Ostgebieten und im Generalgouvernement. Jeder Versuch, die polnische Rechte für eine Beteiligung am Krieg gegen die Sowjetunion zu gewinnen, wurde jedoch unterlassen. Die Aufteilungspolitik wurde auch in den polnischen Ostgebieten fortgesetzt, aber ohne ein nationalitätenpolitisches Konzept. Am 17. VII. 1941 wurde Ostgalizien entgegen allen Selbständigkeitsbestrebungen der dortigen Ukrainer als »Distrikt Galizien« dem Generalgouverneur Frank unterstellt und faktisch dem Generalgouvernement angegliedert. Wolhynien und der größte Teil Polesiens wurden mit sowjetukrainischen Gebieten zum »Generalbezirk Wolhynien-Podolien« vereinigt und dem »Reichskommissariat Ukraine« (Gauleiter Koch) zugeschlagen. Ostpolen nördlich der Pripjetsümpfe ohne das Wilnagebiet, das beim »Generalbezirk Litauen« verblieb, bildete mit weißruthenischen Kreisen den »Generalbezirk Weißruthenien« im »Reichskommissariat Ostland« (Gauleiter Lohse), und die Wojewodschaft Białystok mit überwiegend polnischer Bevölkerung wurde als »Bezirk Białystok« ohne besondere Zuteilung ebenfalls Gauleiter Koch unterstellt. Auch hier also eine Fünfteilung und eine dementsprechend ungleichmäßige Behandlung der polnischen Bevölkerung.

§ 26 Polen von der Unabhängigkeit bis zur Volksrepublik 1918–1970

Diese hatte in den Kriegsjahren 1941–1943 vor allem unter der potenzierten Ausbeutung des Generalgouvernements für die Kriegswirtschaft zu leiden. Das vermehrte den Widerstandswillen ebenso wie die seit 1942 betriebene Politik der Massenvernichtung der Juden, die von der polnischen Bevölkerung scharf abgelehnt wurde, während sich in den ersten beiden Kriegsjahren der frühere polnische Antisemitismus noch bemerkbar gemacht hatte. Die größten Vernichtungslager lagen zwar auf polnischem Boden (Auschwitz, Maidanek, Treblinka); das Geschehen in ihnen gehört aber nicht in den Zusammenhang der polnischen, sondern der Geschichte des NS-Staats. Während in den eingegliederten Ostgebieten gewisse Versuche gemacht wurden, die polnische Bevölkerung aufzuspalten, so durch die verhältnismäßig großzügige Gewährung der »Volksliste III« in Danzig-Westpreußen und durch die Gründung eines »Verbandes der Leistungspolen« im Wartheland (20. XII. 1942), wurden im Generalgouvernement bei den Massenaushebungen zur Arbeitsleistung im Reichsgebiet und bei anderen Kriegswirtschaftsmaßnahmen keine Unterschiede gemacht. Ließen sich diese aber noch erklären, so war eine seit November 1942 im Kreis Zamość[31] (Distrikt Lublin) gegen den Willen des Generalgouverneurs von der SS durchgeführte zwangsweise Aussiedlung von 110 000 Polen und Ukrainern, an deren Stelle deutsche »Wehrbauern« angesetzt wurden, völlig widersinnig. Die polnische bäuerliche Bevölkerung, die sich vorher teilweise abwartend verhalten hatte, war seitdem ebenfalls zu aktivem Widerstand bereit.

Die Untergrundbewegung[32] erhielt durch die Maßnahmen der deutschen Politik und durch die Möglichkeit, auch in den weniger intensiv kontrollierten Ostgebieten aktiv zu werden, Zulauf und vermehrte Wirkungsmöglichkeiten, beschränkte sich aber zunächst auf Nachrichtendienst[33] und einzelne Sabotageaktionen, für die spezielle »Diversionskommandos« *(Kedyw)* gebildet wurden. Die »Armee im Lande« *(Armia Krajowa, AK),* wie der Verband für Bewaffneten Kampf seit dem 14. II. 1942 hieß, erreichte im Winter 1942/43, daß sich ihr auch die »Nationale Verteidigungsorganisation« *(NOW)* der Nationalen Partei und die »Bauernbataillone« der Volkspartei unterstellten. Dagegen blieben die rechtsradikalen »Nationalen Streitkräfte« *(Narodowe Siły Zbrojne, NSZ),* die gegen jede Zusammenarbeit mit der Sowjetunion waren, selbständig, waren zahlenmäßig aber zunächst nicht bedeutend. Bis zur Aussiedlungsaktion im Gebiet Zamość im Winter 1942/43 wurden größere Unternehmungen von Partisanenkampfgruppen vermieden, die Aktivitäten auf Organisation, Vorbereitung und Einzelaktionen beschränkt.

Gegen diese abwartende Haltung wandten sich die bis zum Juni 1941 zum Schweigen verurteilten polnischen Kommunisten, die im Januar 1942 in Warschau die Polnische Arbeiterpartei *(Polska Partia Robotnicza, PPR)*[34] mit M. Nowotko als Sekretär des ZK gründeten und im Winter 1941/42 einen »Verband für den Kampf um die Befreiung« *(Związek Walki o Wyzwolenie, ZWW)* unter Marian Spychalski aufbauten, der im Januar 1942 in »Volksgarde« *(Gwardia Ludowa, GL)* umbenannt wurde und, ohne Rücksicht auf die durch Vergeltungsaktionen betroffene Zivilbevölkerung, den sofortigen bewaffneten Kampf gegen die Besatzungsmacht propagierte, zunächst aber schwach blieb.

Nach der Ermordung von Nowotko (28. XI. 1942) spielte der Warschauer Bezirkssekretär Władysław Gomułka eine entscheidende Rolle in der PPR. Angesichts der Schwäche von PPR und GL erklärte er sich im Januar 1943 zu einer Zusammenarbeit mit der AK bereit, allerdings unter nicht akzeptablen Bedingungen. Diese Verhandlungsbereitschaft wurde ihm später von den »Moskowitern« als schwerer Fehler angelastet.

e) Das geteilte Polen im II. Weltkrieg (1939–1944)

Wiederherstellung des eigenen Staates – mit sowjetischer Hilfe oder durch Aufstand? (1943–1944)

Nach dem Bruch zwischen der Sowjetunion und der Exilregierung ging die Initiative an die Sowjetunion über, die alle anglo-amerikanischen Versuche einer Wiederannäherung scheitern ließ und auf der Konferenz von Teheran (28. XI.– 1. XII. 1943) die grundsätzliche Zustimmung zu ihren Grenzforderungen gegenüber Polen, zur Kompensation der polnischen Gebietsverluste durch deutsche Ostgebiete und damit – unausgesprochen, aber in der Konsequenz unabwendbar – auch zu ihrem beherrschenden Einfluß auf die weitere Entwicklung Polens erhielt. Die Exilregierung Mikołajczyk[35] konnte sich lediglich bemühen, ihren Standpunkt der Integrität des polnischen Staatsgebiets zu verteidigen und ihren Wert als Verbündeter durch den Einsatz ihrer Streitkräfte zur Geltung zu bringen, geriet aber gegenüber Großbritannien und den USA in die Position des armen Verwandten und lästigen Mahners. Über die Teheraner Vereinbarungen wurde die Regierung Mikołajczyk nicht unterrichtet; britische Vorschläge, die Grenzfrage und die Möglichkeit einer Kompensation zu diskutieren, lehnte sie entschieden ab. Als die Rote Armee am 3. I. 1944 erstmals die polnische Grenze in Wolhynien überschritt, betonte Mikołajczyk in einer Rundfunkbotschaft vom 5. I. 1944 den polnischen Rechtsstandpunkt und erklärte die Bereitschaft zur Zusammenarbeit des polnischen Untergrunds mit der Roten Armee. Es folgte ein scharfer Notenwechsel, der die Unvereinbarkeit des polnischen und des sowjetischen Standpunkts erneut deutlich machte, obwohl Mikołajczyk Kompromißbereitschaft zeigte. Die Sowjetunion forderte dagegen am 11. I. unmißverständlich die Curzon-Linie und schlug die Kompensation für die polnischen Ostgebiete durch »Angliederung althergebrachter polnischer Gebiete, die Polen früher von Deutschland geraubt wurden«, vor.

Der sowjetische Vormarsch im Frühjahr und Sommer 1944 und die Annäherung der Roten Armee an die Bug-Linie verschlechterte auch die Situation der Exilregierung, die ihre Untergrundorgane am 23. X. 1943 und 18. II. 1944 angewiesen hatte, die Einheiten der Roten Armee auf polnischem Boden zu begrüßen und mit ihnen gemeinsam gegen die Deutschen zu kämpfen (Aktion »Burza«, s. u. S. 1034), im Konfliktfall aber wieder unterzutauchen. Im übrigen wurde die endgültige Entscheidung über die Auslösung eines Aufstandes den Untergrundbehörden selbst überlassen, so daß Mikołajczyk, als er Anfang August zu Verhandlungen in Moskau war, vom Ausbruch des Warschauer Aufstandes überrascht wurde. Er zeigte hier wie auf der Moskauer Außenministerkonferenz (9.–17. X. 1944) unter britischem Druck weitgehende Kompromißbereitschaft, falls wenigstens Wilna und Lemberg bei Polen belassen würden, stieß aber bei Stalin auf völlige Ablehnung. Als sowohl die britische Regierung (im »Cadoganbrief« vom 2. XI. 1944) wie Roosevelt (am 17. XI. 1944) ihm keinerlei bindende Zusagen bezüglich der polnischen Ostgrenze machten, trat Mikołajczyk, der ohnehin auf starke Widerstände im Exil stieß, am 24. XI. 1944 zurück. Die folgende Exilregierung unter dem jeden Kompromiß ablehnenden Sozialisten Tomasz Arciszewski konnte keine Bedeutung mehr erlangen und wurde praktisch bereits in Jalta auf dem Altar der Verständigung mit der Sowjetunion geopfert.

Dies war umso bemerkenswerter, als der Anteil polnischer Streitkräfte am Krieg im Westen[36] gerade im Jahre 1944 bedeutend und militärisch wichtiger als der aller anderen Exilverbände auf westalliierter Seite war. Das in Palästina aus der »Anders-Armee« gebildete II. Korps nahm seit März 1944 an den Kämpfen der britischen 8. Armee in Italien teil und zeichnete sich durch die Aufsehen erregende Eroberung des Monte Cassino (18. V.) und die Einnahme von Ancona (18. VII. 1944) besonders aus.

Eine Selbständige Fallschirmbrigade kämpfte verlustreich bei Arnheim (21.–25. IX. 1944), und das in Schottland gebildete I. Korps war seit August 1944 an den Kämpfen in Frankreich, Belgien und zuletzt im Emsland beteiligt, allerdings ohne spektakuläre Erfolge.

Im östlichen Exil trat der Verband der Polnischen Patrioten auf einer Tagung in Moskau am 9./10. VI. 1943 vor die Öffentlichkeit und sprach sich gegen die Grenze des Rigaer Friedens, aber für eine Grenze an der Oder aus. Der Verband, dessen Präsidium den Kern der späteren Regierung bildete, wurde zum eigentlichen Verhandlungspartner der Sowjetregierung in polnischen Angelegenheiten, war aber gleichzeitig materiell völlig von ihr abhängig. Im Mai 1943 begann die Aufstellung einer neuen polnischen Truppe auf sowjetischer Seite, die nach dem polnischen Freiheitskämpfer »Kościuszko-Division« genannt wurde. Ihr erster Kampfeinsatz erfolgte unter sehr schweren Verlusten am 12./13. X. bei Lenino[37] in der Nähe von Mogilew. Obwohl der geringfügige Erfolg den Verlusten nicht entsprach, wurde »Lenino« zum Symbol für polnisch-sowjetische Waffenbrüderschaft und polnischen militärischen Einsatz erhoben. Die »Kościuszko-Division« wurde in den folgenden Monaten durch Neuaufstellungen zur 1. Armee (»Berling-Armee«) erweitert, litt aber unter dem Mangel an polnischen Offizieren und suchte die während des Vormarsches der Roten Armee in Polen auftauchenden Soldaten der »Heimatarmee« zwangsweise in ihre Reihen einzugliedern.

Im Untergrund waren die Jahre 1943/44 durch stärkeres Selbstbewußtsein der AK und durch die wachsende Rivalität zwischen »Rechts« und »Links« geprägt. Fast gleichzeitig mit dem Tod Sikorskis verlor die AK ihren Kommandeur General Rowecki durch Verhaftung (30. VI. 1943). Den Oberbefehl übernahm sein bisheriger Stellvertreter General Graf Komorowski (Deckname »Bór«), der die etwa 300 000 Mann umfassende Untergrundarmee auf den Aufstand im Augenblick des Zurückweichens der deutschen Armeen vorbereitete. Dieser sollte beim Vordringen der Roten Armee auf polnisches Gebiet schrittweise ausgelöst werden (Aktion »Burza«-Gewitter), was zunächst im März 1944 in Wolhynien, im weiteren Verlauf des Frühjahrs und Sommers 1944 dann in der Weise geschah, daß die Untergrundverbände der AK sich in regelrechte Divisionen umformierten und den Verbänden der Roten Armee Zusammenarbeit anboten[38]. Diese kam in der Regel für einige Zeit auch zustande, doch wurden nach wenigen Wochen die zu Stabsbesprechungen eingeladenen Offiziere verhaftet und abtransportiert, die Mannschaften aufgefordert, in die »Berling-Armee« einzutreten, und, falls das nicht geschah, in Gefangenenlager verbracht. Angesichts dieser Erfahrungen verblieben Einheiten der AK im Untergrund, doch erst am 19. I. 1945 löste der letzte Kommandeur der AK, General Okulicki, diese auf, nachdem der Warschauer Aufstand[39] (1. VIII.–2. X. 1944) die Unmöglichkeit einer dauerhaften Kooperation erneut deutlich gemacht hatte. Der Aufstand hatte den militärischen Zweck, die geschwächte deutsche Front zum Einsturz zu bringen und den östlich der Weichsel stehenden Verbänden der Roten Armee unter dem Oberbefehl von Marschall Konstantin Rokossovskij[40] (1896–1968), bei denen sich auch die »Berling-Armee« befand, den Vorstoß über die Weichsel zu erleichtern. Er hatte den politischen Zweck, die Hauptstadt mit dem Delegierten der Exilregierung (seit 1. III. 1943 Jan St. Jankowski) und der einer Regierung ähnlichen Delegatur (mit zehn Departements) noch vor dem Eintreffen der Roten Armee zu befreien und somit dem auf der sowjetischen Seite in Lublin tätigen Regierungs-

e) Das geteilte Polen im II. Weltkrieg (1939–1944)

organ, dem Polnischen Komitee für die Nationale Befreiung (s. u. S. 1036), legitime Behörden auf mit eigener Kraft freigekämpftem Boden entgegenzustellen. Beide Ziele wurden trotz anfänglicher Erfolge der am Nachmittag des 1. VIII. 1944 losschlagenden knapp 40 000 Untergrundkämpfer nicht erreicht. Zwar nahm die Rote Armee am 14. IX. die Vorstadt Praga rechts der Weichsel, auch überquerte ein Bataillon der »Berling-Armee« gleichzeitig südlich der Stadt den Fluß, doch kam es zu keiner Koordination, und die anglo-amerikanische Luftversorgung war unzureichend, die erst am 14. IX. einsetzende sowjetische minimal. Den deutschen Gegenaktionen gelang Anfang September die Aufspaltung des Aufstandsgebiets in mehrere Teilbereiche, so daß von diesem Zeitpunkt an ein Freikämpfen aus eigener Kraft nicht mehr möglich war.

Am 2. X. kapitulierten die Aufständischen unter General Bór-Komorowski; sie wurden als Kombattanten gemäß der Genfer Konvention behandelt und in Kriegsgefangenenlager gebracht. Die polnischen Verluste waren mit über 15 000 Toten und Vermißten sehr hoch; hinzu kamen sehr hohe Verluste der Zivilbevölkerung, die nach der Kapitulation zum Verlassen der Stadt gezwungen wurde. Die Stadt selbst sollte auf Hitlers Befehl zerstört werden, was allerdings in den noch zur Verfügung stehenden drei Monaten nicht mehr völlig durchgeführt werden konnte.

Nach der Kapitulation Warschaus blieben die Untergrundbehörden bestehen, doch wurden Ende März 1945 der Kommandeur der AK, der Regierungsdelegierte und mehrere »Minister« und Vertreter der Untergrundparteien unter dem Vorwand eines in Moskau anberaumten Gesprächs von der sowjetischen Geheimpolizei verhaftet[41] und in Moskau im Juni 1945, gerade während der Verhandlungen über die Bildung einer »Regierung der Nationalen Einheit«, zu Gefängnisstrafen von einigen Monaten bis zu zehn Jahren verurteilt. Die Untergrundbewegung, soweit sie nicht kommunistisch war oder mit den Kommunisten kooperierte, fand im Frühjahr 1945 durch weitere Verhaftungen größeren Umfangs ein Ende, soweit nicht einzelne Gruppen versuchten, eine antikommunistische Widerstandstätigkeit aufzunehmen. Der Plan, Vorkriegspolen in strukturell nur leicht veränderter Form und mit erweiterten Westgrenzen aus eigener Kraft wiederherzustellen, war grundsätzlich bereits in Teheran, endgültig mit dem Mißerfolg des Warschauer Aufstands gescheitert.

Im linken Untergrund gewann die PPR im Laufe des Jahres 1943 nur wenig Anhänger, doch wurde von dem im August 1943 aus der Sowjetunion nach Warschau eingeschleusten Vertrauensmann der KPdSU Bolesław Bierut[42] (1892–1956) alsbald eine geschickte Politik der Sammlung linker Parteigruppen betrieben, die in der Neujahrsnacht 1943/44 in Warschau zur Gründung eines Landesnationalrats *(Krajowa Rada Narodowa, KRN)* mit Bierut an der Spitze führte. Der Landesnationalrat, in dem außer der PPR vor allem die Arbeiterpartei Polnischer Sozialisten mit Edward Osóbka-Morawski und mehrere an sich unbedeutende linke Abspaltungen vertreten waren, erklärte sich selbst zur Legislative und Exekutive im Untergrund und bildete die »Volksgarde« zu einer »Volksarmee« *(Armia Ludowa, AL)* unter dem Oberbefehl des parteilosen Generals Michał Żymierski (Deckname »Rola«) um. Somit hatte die der Sowjetunion verpflichtete PPR seit Anfang 1944 ebenfalls einen Verwaltungsapparat und eine Armee, beide zahlenmäßig viel schwächer als die entsprechenden Einrichtungen des »Regierungslagers«, aber trotz der scheinbaren Vielfalt der Richtungen straff geführt. Allerdings ergaben sich Auffassungsunterschiede zwischen Bierut, der für eine klassenkämpferische Haltung eintrat und dem Parteisekretär (seit November 1943) Gomułka, der für eine wesentliche Verbreiterung der Basis und stärkere Unabhängigkeit von der KPdSU war, was ihm später den Vorwurf der »Rechtsabweichung« eintrug.

Der Vormarsch der Roten Armee entschied den Streit zugunsten der sowjetischen Ausrichtung. Zwei Delegationen der KRN erreichten im Mai bzw. Juli Moskau, wo sie als offizielle Vertreter des polnischen Volkes von Stalin empfangen wurden und mit ihm über die künftigen Grenzen und die Regierungsbildung verhandelten, wobei bereits Mitte Juli von Stalin die Oder-Neiße-Linie als künftige polnische Westgrenze festgelegt wurde, während er Korrekturen der Ostgrenze zugunsten Polens mit Ausnahme kleiner Zugeständnisse im Urwald von Białowieża ablehnte. Während der Verhandlungen in Moskau wurde dort am 21. VII. 1944 das Polnische Komitee für die Nationale Befreiung[43] *(Polski Komitet Wyzwolenia Narodowego, PKWN)* als Regierungsapparat für die von der Roten Armee zu besetzenden Gebiete jenseits des Bug gebildet, mit dem Sozialisten Edward Osóbka-Morawski als Vorsitzenden, mehreren nichtkommunistischen und einigen kommunistischen Mitgliedern, unter ihnen der spätere Sicherheitsminister Stanisław Radkiewicz und der spätere Industrieminister und Planungschef Hilary Minc. In Moskau wurde auch das Manifest des PKWN, das Regierungsprogramm, redigiert und gedruckt, das später »Lubliner Manifest« genannt wurde.

Erst am 27./28. VII. 1944 trafen einige Mitglieder des Komitees in Chełm ein, wo es angeblich sofort nach Eroberung durch die Rote Armee gebildet worden war. Das Komitee, von der Sowjetunion wie eine Regierung behandelt, schloß am 26./27. VII. mit dieser Verträge über die Tätigkeit der Roten Armee auf polnischem Territorium und über die Grenze[44].

Trotz der Proteste der Exilregierung vom 24. VII. übernahm das Komitee, das seine eigentliche Tätigkeit Ende Juli in Lublin begann – daher meist »Lubliner Komitee« – in dem Gebiet zwischen Bug und Weichsel Regierungsfunktionen, veröffentlichte ein Gesetzblatt (während gleichzeitig in Warschau ebenfalls eines erschien) und bereitete die Regierungsübernahme im übrigen Polen vor. Gleichzeitig proklamierte sich der Landesnationalrat zur einzigen Vertretung der Nation und rief seinen Vorsitzenden Bolesław Bierut am 9. IX. zum Staatspräsidenten aus.

Der Alleinvertretungsanspruch wurde noch dadurch unterstrichen, daß sich das Komitee am 1. I. 1945 in Lublin zur Provisorischen Regierung *(Polski Rząd Tymczasowy)* umbildete, mit Osóbka-Morawski als Ministerpräsidenten und Außenminister, Gomułka als Stellv. Ministerpräsidenten, und Kommunisten wie Radkiewicz, Minc und Skrzeszewski an den Schaltstellen, während die Mehrzahl der Ministerien von Vertretern anderer Parteien besetzt wurde. Um die Jahreswende 1944/45 war damit die theoretische wie die praktische Basis für den weiteren Staatsaufbau an der Seite der Sowjetunion gelegt, auch wenn die Provisorische Regierung von den Westmächten noch nicht anerkannt wurde.

---

[1] Dazu eingehend das von *H. Roos* u. *G. Rhode* verfaßte Kapitel »Polen im Zweiten Weltkrieg« im Osteuropa-Hdb. Polen, S. 167–219, mit Bibliographie. Die polnische Literatur ist so umfangreich, daß nur die großen Sammel- und Quellenwerke genannt werden können, u. zwar das im Londoner Exil bearbeitete Monumentalwerk: Polskie Siły Zbrojne w Drugiej Wojnie Światowej (Die polnischen Streitkräfte im II. Weltkrieg) mit Tl. I: Kampania wrześniowa (Der Septemberfeldzug), Teilbände 1–3 und 5 (1951–1962, reicht bis 14. IX. und erfaßt d. Seekrieg), Tl. II: Kampanie na obczyźnie (Feldzüge in d. Fremde), Teilbände 1 u. 2 (1959–1975, reicht bis 1944) und Tl. III: Armia Krajowa (Die Armee im Lande, 1950). Im folgenden: PSZ. Documenta Occupationis Teutonicae, Bd I–

e) Das geteilte Polen im II. Weltkrieg (1939–1944)

VII (1945–1959). *Cz. Madajczyk,* Polityka III-ej Rzeszy w okupowanej Polsce (Die Politik des III. Reichs im besetzten Polen; 2 Bde. 1970). Documents on Polish-Soviet Relations 1939–1945, hg. v. *General Sikorski Historical Institute,* London (2 Bde. 1961–67). Poland in the British Parliament 1939–1945, hg. v. *W. Jędrzejewicz* (3 Bde. 1946, 1959, 1962). Dokumenty i materiały; Bd. VII–VIII (1973–1974). Zur nat.-soz. Politik: *M. Broszat,* Nationalsozial. Polenpolitik 1939–1945 (1961). Zum Widerstand: *C. Klessmann,* Die Selbstbehauptung einer Nation. (s. Einleitung, Anm. 5). Eine Gesamtdarstellung der Emigration in West u. Ost – abgesehen v. Militärischen – liegt noch nicht vor.

² Vgl. *N. v. Vormann,* Der Feldzug 1939 in Polen (1958). *L. Moczulski,* Wojna Polska. Rozgrywka dyplomatyczna w przededniu wojny i działania obronne we wrześniu – październiku 1939 (Der polnische Krieg. Das diplom. Vorspiel am Vorabend d. Krieges und d. Verteidigungsaktionen im Sept/Okt. 1939; 1972). *N. Bethell,* The War Hitler Won. September 1939 (1972).

³ Das geht außer aus PSZ (s. Anm. 1), Bd. I,1 aus d. Quellenband: Przygotowania niemieckie do agresji na Polskę w 1939 r. w świetle sprawozdań Oddziału II. Sztabu Głównego WP. (Die dt. Vorbereitungen z. Angriff auf Polen im J. 1939 im Lichte d. Berichte d. II. Abt. d. Generalstabs d. poln. Heeres; 1969), hervor.

⁴ Der Marschall, geb. 1886, kehrte aus d. rumän. Internierung im Herbst 1941 heimlich n. Warschau zurück, starb dort aber bereits am 2. XII. 1941. Außer den panegyrischen Biographien v. *K. Cepnik* (1936) u. *J. A. Teslar* (1936; fr.) s. die den II. Weltkrieg betreffenden Erinnerungen von *L. Barański, J. Hoffmann* u. *B. Rogowski:* Zeszyty Historyczne 22 (1972), S. 119–124; 8 (1965), S. 153–164, u. 2 (1962), S. 7–124.

⁵ Die Angaben sind nicht ganz einheitlich, die Abweichungen sind aber nicht so erheblich, daß ein anderes Bild entstünde. Sie entstehen z. T. dadurch, daß die zwar eingesetzten, aber nicht zum Kampf gekommenen Verbände einmal mitgezählt werden, einmal nicht.

⁶ *R. Elble,* Die Schlacht a. d. Bzura im Sept. 1939 aus dt. u. poln. Sicht (1975); *J. Kirchmayer,* Uwagi i polemiki (2 Bde. 1958 u. 1959), u. *T. Kutrzeba,* Bitwa nad Bzurą. 9.–22. IX. 1939 (Die Schlacht a. d. Bzura; ²1958).

⁷ Dazu am eingehendsten *B. Kuśnierz,* Stalin and the Poles. An Indictment of the Soviet Leaders (1949). Die sowjet. Militärzeitung Krasnaja Zvezda (Roter Stern) gab am 17. IX. 1940 folgende Zahlen der poln. Gefangenen an: 10 Generäle, 124 Obersten u. Oberstleutnante, 5131 weitere Stabsoffiziere, 4096 Leutnante u. Hauptleute, 181 223 Mannschaften u. Unteroffiziere. In der gleichen Nummer wurde die Gesamtzahl aber mit 230 670 Gefangenen angegeben.

⁸ So die offiziellen Angaben nach einer Berechnung von Malczewski, Wiedergabe u. a. in d. halboffiziellen Darstellg. d. Geschichte Polens: Dzieje Polski, hg. v. *J. Topolski,* S. 772.

⁹ S. dazu die sachliche Darstellung d. Niederländers *L. de Jong,* Die deutsche Fünfte Kolonne (s. d, Anm. 32), die feststellt, daß von einer organisierten Spionage u. Sabotage der deutschen Volksgruppe nicht gesprochen werden kann. Wörtlich: »Beweise dafür, daß irgendeine wirtschaftliche oder politische Organisation der Volksdeutschen Schritte unternommen habe, um den (späteren) militärischen Operationen der Deutschen Hilfe zu leisten, sind nicht vorhanden«, S. 148. In der poln. Kriegsliteratur wird trotz fehlender Beweise und obwohl nach dem Krieg niemand deshalb vor Gericht gestellt wurde, an der Version der »Fünften Kolonne« festgehalten, im wesentlichen aufgrund eines Merkblatts eines dt. Abwehroffiziers beim XIII. A. K. Major Prinz Reuss, wiedergegeben in: The German Fifth Column in Poland (1941), S. 148 u. Documenta Occupationis Teutonicae, Bd. VII (1959), S. 77 ff. Selbst wenn dieses am 2. IX. in einem abgeschossenen dt. Flugzeug gefundene Merkblatt allgemeingültig gewesen wäre, beweist es lediglich die Pläne u. Hoffnungen d. deutschen Abwehr. S. dazu *P. Aurich,* Der deutsch-polnische September 1939 (s. d, Anm. 9), S. 108–125, m. Bibliographie.

¹⁰ Der Pogrom, alsbald als »Bromberger Blutsonntag« bekannt, wurde offenbar durch eine Panikstimmung angesichts zurückflutender poln. Verbände, allgemeine Verwirrung und die – wie zu Beginn des I. Weltkriegs – allgemein herrschende Spionagepsychose ausgelöst. Ihm fielen etwa 800 Deutsche zum Opfer, meist in den Vorstädten und im Landkreis. Die führenden Persönlichkeiten des Bromberger Deutschtums befanden sich

am 3. IX. als Verhaftete auf dem Marsch nach Łowicz, auf dem nur wenige umkamen.
[11] Die Zahlen sind von der deutschen Propaganda bewußt weit übertrieben worden. In d. Dokumentation: Die polnischen Greueltaten an d. Volksdeutschen in Polen. Im Auftrage d. Ausw. Amts (1939), wird die Zahl von 5437 Toten angegeben, die offenbar eine Reihe ungeklärter Fälle enthält. Die zweite und dritte Auflage von 1940 (diese m. d. Titel: Dokumente poln. Grausamkeit) nennt 12 857 identifizierte Ermordete und 45 000 Vermißte; beide Zahlen sind völlig falsch, doch wurde, auch vom Vf. in früheren Veröffentlichungen, angenommen, daß die erste richtig sei. Die wahren Verlustzahlen sind nach sorgfältigen Überprüfungen mit etwa 4500 anzusetzen.
[12] S. seine eigene Darstellung: Jak powstała Armia Krajowa (Wie die »Armee im Lande« entstand: Zeszyty Historyczne 6 (1964), S. 17–45.
[13] Vorgeschichte und Begleitumstände des Rücktritts und d. Nominierung des Nachfolgers, in: Diplomat in Paris. Papers and Memoirs of *J. Łukasiewicz,* Ambassador of Poland, hg. v. *W. Jędrzejewicz* (1969), S. 338–373. Polnische Wiedergabe: Zeszyty Historyczne 16 (1969), S. 95–130.
[14] S. s. Biographie von *M. Kukiel* (1970). S. hatte bei Kriegsbeginn vergeblich versucht, ein militärisches Kommando zu erhalten, und war über Rumänien nach Paris gereist, wo er Ende September etwa gleichzeitig mit anderen Oppositionspolitikern und späteren Regierungsmitgliedern eintraf.
[15] Am eingehendsten dargestellt in Bd. II der PSZ, Kampanie na obczyźnie (vgl. Anm. 1).
[16] Engl. u. poln. Text in: PSZ, Bd. II, 1, S. 226–230.
[17] S. außer *Broszat* u. *Madajczyk* (s. Anm. 1) d. beiden zeitgenössischen Darstellungen des Generalgouvernements von *M. Du Prel* (1942) u. *J. Bühler* (1943), das Biuletyn Głównej Komisji Badania Zbrodni Hitlerowskich w Polsce (Bulletin d. Hauptkommission zur Erforschung d. Hitler-Verbrechen in Polen, seit 1946). Die von dieser Kommission herausgegebene Dokumentation German Crimes in Poland (2 Bde. 1946/47). Zur Siedlungspolitik: *R. L. Koehl,* R. K. F. D. V., German Resettlement and Population Policy in Poland 1939–1945 (1957). S. a. *St. Mękarski,* Die Südostgebiete Polens z. Zt. der deutschen Besatzung 1941–1943: JbbGOsteur 16 (1968), S. 381–428.
[18] Auszüge aus seinem Tagebuch sind 1963 von *St. Piotrowski* in Warschau veröffentlicht worden (451 S.). Sehr viel umfangreicher: Das Diensttagebuch des deutschen Generalgouverneurs in Polen 1939–1945, hg. v. *W. Präg* u. *W. Jacobmeyer* (1975: 1027 S.!).
[19] S. außer *Koehl* (Anm. 17): *P. Gürtler,* Nationalsozialismus u. evangel. Kirche im Warthegau (1958) u. d. Dokumentation v. *A. J. Kamiński,* Nationalsozialist. Besatzungspolitik in Polen u. d. Tschechoslowakei (1975).
[20] S. außer s. Diensttagebuch (Anm. 18): *G. Eisenblätter,* Grundlinien d. Politik des Reiches gegenüber d. Generalgouvernement 1939–1945 (Phil. Diss. 1969). Außerdem Franks spätere Äußerungen: Im Angesicht d. Galgens, hg. v. *O. Schloffer* (1953), u. *C. Klessmann,* Der Generalgouv. H. F.: VjhefteZG 19 (1971), S. 245–260.
[21] Außer *B. Kuśnierz* (Anm. 7) s. den die Verhältnisse sehr eingehend schildernden Bericht v. *J. Mackiewicz,* Der Weg ins Nirgendwo (1958).
[22] Übersichtlich *St. Korboński,* Fighting Warsaw. The Story of the Polish Underground State 1939–1945 (1956). Stark persönlich gefärbt: *J. Karski,* Story of a Secret State (1944), mehrere Neuauflagen; systematische Übersicht: *St. Korboński,* Polskie Państwo Podziemne (Der poln. Untergrundstaat; 1975).
[23] Dazu außer d. Documents on Pol.-Sov. Relations (Anm. 1) d. Tagebuch d. poln. Botschafters in London (s. 1941 Außenministers) *E. Raczyński,* W sojuszniczyn Londynie (Im verbündeten London; 1960) u. d. Bericht d. Botsch. in d. USA *J. Ciechanowski,* Vergeblicher Sieg (1948; engl.: Defeat in Victory, 1947), sowie der Bericht d. Stellv. Min. Präs. *St. Mikołajczyk,* The Rape of Poland (Pattern of Soviet Aggression, 1948).
[24] Engl. Text in: Documents etc., Bd. I, Nr. 106, S. 141/42. Das Militärabkommen v. 14. VIII., ebd., Nr. 112, S. 147/148. Poln. bzw. russ. Text in Dokumenty i materiały, Bd. VII, Nr. 133 u. 140, S. 232 u. 242–244.
[25] *St. Kot* (1885–1975) war einer der fruchtbarsten Historiker. Als Politiker und Diplomat war er weniger erfolgreich. Vgl. *G. Rhode,* Drei poln. Historiker – drei Persönlichkeiten der Zeitgeschichte (M. Kukiel, O. Halecki, S. Kot): JbbGOsteur 24 (1976), S. 526–546. S. s. Quelleneditionen: Listy z Rosji do Gen. Sikorskiego (1956) u. Rozmowy z Kremlem

e) Das geteilte Polen im II. Weltkrieg (1939-1944)

(1959). Gekürzte engl. Ausg.: Conversations with the Kremlin and Dispatches from Russia (1963).

[26] S. eigene Darstellung: Bez ostatniego rozdziału. Wspomnienia z lat 1939-1946 (1949; ohne letztes Kapitel: Erinnerungen a. d. Jahren 1939-1946); engl: An Army in Exile (1949). S. Biographie: G. A. Życie i chwała (Leben und Nachruhm, 1970. A., entstammte einer dt.-protest. Gutsbesitzersfamilie, fühlte sich aber seit seiner Jugend als Pole. Er konvertierte erst in der Sowjetunion zum Katholizismus. Als Beispiel für das Schicksal poln. Offiziere: *J. Czapski,* Unmenschliche Erde (1967). S. f. d. Dokumente: PSZ, Bd. II, 2 und Dokumenty i materiały, Bd. VII.

[27] S. dazu: *J. Mackiewicz,* Katyn, ungesühntes Verbrechen (1949). Dok.-Bd.: Zbrodnia Katyńska w świetle dokumentów (Das Verbrechen v. K. im Lichte d. Dokumente, [4]1973; engl.: The Crime of Katyn, 1965). US House of Representatives. Select Commitee or of the Facts Evidence and Circumstances of the Katyn Forest Massacre. 82nd Congress, Ird and 2nd Session (7 Tle. 1952). *J. K. Zawodny,* Zum Beispiel Katyn. Klärung eines Kriegsverbrechens (1971; engl. 1962 u. 1972 m. d. Titel: Death in the Forest). *A. Moszyński,* Lista Katyńska ([2]1972; Namensliste d. toten u. d. gefangenen Offiziere in d. Lagern Ostaškov u. Starobielsk). *L. FitzGibbon,* Katyn (1971; mit der Liste d. 4143 Opfer).

[28] *S. D. Irving,* Accident, the Death of General Sikorski (1967). Trotz einiger Unklarheiten (als einziger überlebte d. tschechische Pilot Lt. E. Prchal) kann entgegen den Behauptungen von Rolf Hochhuth nicht daran gezweifelt werden, daß es sich um einen Unfall handelte. (Übrigens behauptete sowohl die nat.-soz. wie die sowjet. Propaganda, S. sei bewußt getötet worden.)

[29] Geb. 1905 in Krakau als Tochter des Sozialisten und Mitarbeiters v. J. Piłsudski St. Wasilewski, Schriftstellerin, seit d. 30er Jahren Kommunistin, 1940 Abgeordnete z. Obersten Sowjet, Oberst in d. Roten Armee. War nur 1941-1944 in der SU bzw. in Polen politisch aktiv, gehörte wohl d. »Lubliner Komitee«, aber nicht mehr der provisorischen Regierung an. Gest. 1964 in Kiew. Vgl. *A. Ciołkosz,* W. W., dwa szkice biograficzne. (2 biogr. Skizzen; 1977).

[30] Treibende Kraft war neben W. Wasilewska der Kommunist Alfred Lampe (1900-1943), außerdem d. späteren kommun. Minister S. Jędrychowski u. S. Skrzeszewski. Die Nichtkommunisten wie Berling, Drobner, Witos und der Priester Kubsz dienten eher als Aushängeschild. 1944-1946 betätigte sich der Verband bei der Rücksiedlung der in d. SU verschleppten Polen, 30. VII. 1946 aufgelöst.

[31] Zamojszczyzna – Sonderlaboratorium SS. Dokumentensammlung, m. mehreren Mitarbeitern hg. v. *Cz. Madajczyk* (2 Bde. 1977).

[32] Hierzu außer *Korboński,* Fighting Warsaw (s. Anm. 22), auch *T. Bór-Komorowski,* The Secret Army (1951) bzw. Histoire d'une armée secrète (alles auch in Polnisch; 1954 bzw. 1951).

[33] Dazu vor allem *Korboński.* Haupterfolg waren die genauen Mitteilungen über die Produktion u. d. Standort der V-Waffen, so daß die Bombardierung von Peenemünde möglich war.

[34] Über sie die dreibändige Dokumentation: Publicystyka Konspiracyjna PPR 1942-1945 (3 Bde. 1961-1967) u. Polski ruch robotniczy w okresie wojny i okupacji hitlerowskiej (Die poln. Arbeiterbewegung in d. Zeit des Krieges u. d. Hitler-Okkupation; 1964), sowie *M. Malinowski,* Geneza PPR (Die Entstehung der PPR; 1972) u. d. Darstellung v. *M. Dziewanowski,* The Communist Party of Poland (Ndr. 1976). Über den Nachfolger von Nowotko P. Finder (erschossen 26. VII. 1944) die Gedenkschrift: P. F. we wspomnieniach towarzyszy walki (1956).

[35] Am 14. VII. in London gebildet, existierte bis 20. XI. 1944. Gegenüber der Reg. Sikorski weitgehend umgebildet. Außenmin. Tadeusz Romer, Verteidigungsmin. General M. Kukiel, Oberbefehlshaber General K. Sosnkowski, als einstiger Adjutant Piłsudskis von der Sowjetunion besonders angefeindet.

[36] Dazu außer PSZ, Bd. II, 2; *W. Anders,* An Army in Exile (s. Anm. 26), u. a. d. Memoiren d. Kommandeurs d. Karpathenbrigade bzw. Karpathendivision *St. Kopański,* Wspomnienia wojenne 1939-1946 (1962) u. d. Sammelwerk: Działania II-go Korpusu we Włoszech, hg. v. *S. Biegański* (Die Operationen des II. Korps in Italien; 1963). Für das I. Korps die Erinnerungen des Kdrs. *St. Maczek,* Od podwody do czołga. Wspomnienia

§ 26 Polen von der Unabhängigkeit bis zur Volksrepublik 1918-1970

wojenne 1918-1945 (Vom Pferdegespann zum Panzer. Kriegserinnerungen; 1961). Über die Luftwaffe: *F. Kalinowski,* Lotnictwo polskie w Wielkiej Brytanii (Die polnische Luftwaffe in Großbritannien; 1969).

[37] Über die Aufstellung d. Armee s. *F. Zbiniewicz,* Armia polska w ZSSR (Die poln. Armee in der S. U.; 1963). Über die Schlacht bei Lenino existiert eine sehr ausgedehnte Literatur, u. a. *H. Hubert,* Lenino (1959); *K. Morawski,* Od Lenino do Berlina (1969); *C. Podgórski,* Polacy w bitwie pod Lenino (Die Polen in d. Schlacht b. L.; 1970). An zwei Kampftagen verlor die Division 2937 Mann (bei einer Sollstärke von 11 500) und mußte abgelöst werden.

[38] Die Problematik der »Burza« eingehend in: PSZ, Bd. III, bei *Korboński,* Polskie Państwo Podziemne (s. Anm. 22), Kap. XXI u. XXII, und in d. Quellenband: Armia Krajowa w Dokumentach (D. Armee im Lande in Dokumenten; 3 Bde. 1970-1976), hier: Bd. III: 1933-44 (1976).

[39] Neben zahlreichen poln. Darstellungen orientieren am besten: *H. v. Krannhals,* Der Warschauer Aufstand (1962); *G. Bruce,* The Warsaw Uprising (1972); *J. M. Ciechanowski,* The Warsaw Rising of 1944 (1974); *J. K. Zawodny,* Nothing but Honor. The Story of the Warsaw Uprising 1944 (1978).

[40] S. s. eigenen Erinnerungen: Soldatskij dolg. Poln.: Żołnierski obowiązek (1976), in der er seine abwartende Haltung verteidigt. Außerdem: *J. Margules,* Boje 1. armii W. P. w obszarze Warszawy (sierpień-wrzesień 1944; Die Kämpfe d. 1. Armee d. poln. Heeres = Berling-Armee im Raum Warschau August-Sept. 1944; 1967).

[41] Ausführlich bei *Z. Stypułkowski,* Invitation to Moscow (1951).

[42] Kurzbiographie v. *W. Ważniewski* (1976). B. kam aus der Genossenschaftsarbeit, war seit 1921 Mitglied der K. P. Im Jahr 1942 war er unter deutscher Besetzung in d. Stadtverwaltung von Minsk in Weißruth. tätig.

[43] Sachl. Darstellung von *K. Kersten,* Polski Komitet Wyzwolenia Narodowego 22. VII.-31. XII. 1944 (1965), aus d. u. a. die Bildung des Komitees in Moskau u. das späte Eintreffen d. Mitglieder in Cholm deutlich hervorgehen (S. 36-45). Dazu auch *T. Żenczykowski:* Kultura, Nr. 322/23 (Juli/Aug. 1974). In d. Gesamtdarstellungen, so bei *Topolski,* Geschichte Polens, S. 816, wird die falsche Version einer Entstehung in Cholm aufrechterhalten. Text des Manifests ohne Datum in d. Beilage z. Nr. 1 des Dziennik Ustaw v. 15. VIII. 49 (Gesetzblatt). Wiedergabe in: Dokumenty i materialy, Bd. VIII, Nr. 69, S. 143-149.

[44] Texte in: Dokumenty i materialy, Bd. VIII, Nr. 75 u. 76, S. 155-159. Sie fehlen in: Documents on Polish-Soviet Relations, Bd. II s. Anm. 1).

f) Die Wiedererrichtung des Staates. Westverschiebung und »Mittelweg« (1944/45 -1947)[1]

Obwohl um die Jahreswende 1944/45 die Exilregierung Arciszewski noch als die einzig legitime Vertretung Polens angesehen werden mußte und - von der Sowjetunion abgesehen - als solche international anerkannt war, machten es die realen Machtverhältnisse an der Weichsel unmöglich, daß sie auf die Neugestaltung des Staates irgendeinen Einfluß nahm. Von seiten der mit ihr verbündeten Westmächte wurde auch gar kein Versuch gemacht, ihr zu ihrem Recht zu verhelfen. Es wurde lediglich versucht, den übermächtigen sowjetischen Einfluß abzuschwächen und auf die Bildung einer Regierung auf breiterer Basis zu drängen, die durch allgemeine Wahlen zu legitimieren oder entsprechend neu zu bilden war. Regierungsbildung und Wahlen fanden zwar statt, aber beide später als von den Westmächten gewünscht und in anderer Form. Regierungsbildung und Parlamentswahlen begrenzen die beiden Etappen des Rückzugs der Westmächte aus ihrem Engagement für Polen, das nur knapp zwei Jahre den »Mittelweg« zu gehen scheint, in denen jedoch die endgültige kommunistische Machtübernahme systematisch vorbereitet wird.

f) Die Wiedererrichtung des Staates (1944/45–1947)

Polen in Jalta. Die Bildung der »Regierung der Nationalen Einheit«

Da die Rote Armee Warschau am 17. I. 1945 eroberte, konnte die bisher in Lublin amtierende Provisorische Regierung Anfang Februar ihren Sitz in die Hauptstadt verlegen und, bei dem raschen Fortschreiten der sowjetischen Offensive, bis zum April ihre Verwaltungsbehörden im gesamten früheren Staatsgebiet einrichten. Darüber hinaus erklärte Bierut bereits am 5. II., daß mit der Übernahme deutscher Gebiete in polnische Verwaltung begonnen würde, und am 30. III. wurde durch Errichtung der Wojewodschaft Danzig die Eingliederung des Freistaates Danzig in das polnische Staatsgebiet formell dekretiert. Während hier – auch mit der beginnenden Entrechtung und Vertreibung der deutschen Bevölkerung – vollendete Tatsachen geschaffen wurden, war die Zukunft Polens Gegenstand umfangreicher Beratungen auf der Konferenz von Jalta (4.–11. II. 1945), wobei nicht die in Teheran grundsätzlich entschiedene Grenzfrage, sondern die Bildung einer »demokratischen« Regierung und die baldige Durchführung »freier und unbehinderter Wahlen« den Kernpunkt bildeten. Die Grenzfrage wurde schon auf der dritten Plenarsitzung am 6. II. im Sinne der nur unwesentlich modifizierten Curzon-Linie entschieden, die Oder-Neiße-Linie als künftige Westgrenze genannt, in das Schlußkommuniqué aber nicht aufgenommen, in dem nur »beträchtlicher Gebietszuwachs im Norden und Westen« erschien. In der Frage der Regierungsbildung wichen die Westmächte schrittweise zurück, indem sie zugestanden, daß nicht der Exilpräsident und die mit ihnen verbündete Exilregierung zur Regierungsbildung heranzuziehen seien, sondern lediglich »demokratische Führer« aus dem Exil und aus Polen selbst. Auch sollte die Provisorische Regierung der Nationalen Einheit nicht grundsätzlich neu-, sondern lediglich umgebildet werden, und zwar in Beratungen einer aus Molotov und den Botschaftern Harriman und Clark Kerr gebildeten Dreierkommission. Damit war tatsächlich nicht ein Kompromiß geschlossen worden, sondern die Vorstellungen Stalins hatten sich im wesentlichen durchgesetzt.

Die baldige Regierungsneubildung wurde durch die bei den Verhandlungen der Dreierkommission auftauchenden Auffassungsgegensätze verzögert, was sich zugunsten der amtierenden Provisorischen Regierung auswirkte, die weiter durch Verträge und Dekrete vollendete Tatsachen schuf. So war zwar Polen bei der ersten Konferenz der Vereinten Nationen in San Francisco (Ende April 1945) nicht vertreten, da die Provisorische Regierung nicht die Anerkennung der Westmächte, die Exilregierung nicht die der Sowjetunion hatte, aber fast gleichzeitig, am 21. IV. 1945, schloß die Provisorische Regierung mit der Sowjetunion einen Vertrag über »Freundschaft, gegenseitigen Beistand und Zusammenarbeit nach dem Kriege«[2] für zwanzig Jahre, der trotz der formellen Verpflichtung, sich in die inneren Angelegenheiten des Partners nicht einmischen zu wollen, die feste Bindung des neuen Polen an die Sowjetunion präjudizierte.

Umbildungen innerhalb der Provisorischen Regierung verstärkten den Einfluß der Kommunisten in Schlüsselstellungen, so im Innenministerium und im Justizministerium.

Nach dem Abbruch der Verhandlungen (3. V. 1945) über die Regierungsneubildung, zu dem auch die Empörung über die hinterhältige Verhaftung der 16 Untergrundrepräsentanten beigetragen hatte (s. o. S. 1035), sandte Präsident Truman Ende Mai Harry Hopkins als Sonderbotschafter nach Moskau, um im Hinblick auf den erwarteten Eintritt der Sowjetunion in den Krieg gegen Japan die Gespräche wieder in Gang zu bringen. Bei diesen Verhandlungen erfolgte eine weitere Annäherung an den sowjetischen Standpunkt, ohne daß die Freilassung der verhafteten Untergrundpolitiker erreicht wurde. Die im Juni 1945 ausgehandelte Zusammensetzung der Provisorischen Regierung der Nationalen Einheit, die am 28. VI. ihre Funktionen aufnahm, entsprach den ursprünglichen Vorstellungen der Westmächte von einer »breiten demokratischen Grundlage« kaum noch, da an wirklich unabhängigen Politikern aus dem Exil nur der Bauernführer Stanisław Mikołajczyk als Stellvertretender Ministerpräsident und Landwirtschaftsminister und der Sozialist Jan Stańczyk als Arbeits- und Wohlfahrtsminister in sie eintraten. Die Parteien der Rechten und der Mitte waren in der Regierung nicht vertreten, und der angesehene Repräsentant der Bauernpartei, Wincenty Witos, der formell zum Vizepräsidenten des erweiterten Landesnationalrats ernannt wurde, war gesundheitlich nicht in der Lage, sich noch aktiv zu betätigen (er starb bereits am 21. X. 1945). Ein Teil der Ministerien war zwar nicht mit Kommunisten oder deren Sympathisanten besetzt worden, aber doch mit Personen aus der »Lubliner« Bauernpartei oder der neugeschaffenen Demokratischen Partei, von denen Unterordnung erwartet werden konnte.

Die neue Regierung wurde unverzüglich von der französischen Regierung (29. VI.), von Großbritannien und den USA anerkannt (5. VII.). Die Exilregierung Arciszewski und der Exilpräsident konnten zwar trotz Entziehung der Anerkennung in London bleiben, verloren aber mehr und mehr ihre Aktionsfähigkeit, wenn sie auch im ersten Nachkriegsjahrzehnt noch von mehreren Ländern als einzig legitime Organe des polnischen Staates angesehen wurden, so von Spanien, Irland und dem Vatikan. Den Angehörigen der polnischen Streitkräfte im Westen wurde freigestellt, in die Heimat zurückzukehren oder im Exil zu verbleiben, was die gesamte Generalität, die Mehrheit des Offizierskorps und ein Großteil der Mannschaften taten. Sie bildeten somit den Grundstock des politisch und wissenschaftlich sehr aktiven polnischen politischen Exils in Großbritannien, Frankreich und den Vereinigten Staaten.

Polen auf dem »Mittelweg«. Um freie und unbehinderte Wahlen[3]

Die anderthalb Jahre der Existenz der »Regierung der Nationalen Einheit« vom Juni 1945 bis Februar 1947 sind durch zwei entscheidende Entwicklungsstränge gekennzeichnet; der eine betrifft die durch die »Westverschiebung« des polnischen Staatsgebiets und durch das Kriegsende ausgelöste nur teilweise in exakten Zahlen faßbare Bevölkerungsbewegung: Rückkehr der zur Arbeitsleistung nach Deutschland verbrachten Zwangsarbeiter, der kriegsgefangenen, in der Schweiz internierten oder in Großbritannien stationierten Soldaten (sogenannte Repatrianten, 1945–47 etwa 2,2 Millionen, allein 1945 etwa 1,5); vertragsmäßige Umsiedlung von Polen von jenseits der neuen Ostgrenze im Austausch gegen Ukrainer und Weißruthenen aus den bei Polen verbliebenen Gebieten (1945–47 1,5 Millionen gegen rd. 520 000); darüber hinaus »wilde« Umsiedlung aus Ostpolen und Heimkehr aus der Verschleppung in die Sowjetunion von etwa 1,5 Millionen (keine offiziellen Zahlen); Rückkehr der in das Generalgouvernement zwangsweise verbrachten oder ausgewichenen Personen in die bisherigen »eingegliederten Ostgebiete« (zahlenmäßig kaum zu erfassen); Einströmen polnischer Bevölkerung aus Zentral- und Westpolen in die als »Wiedergewonnene Gebiete« (*Ziemie Odzyskane*) bezeichneten Ostgebiete des Deutschen Reiches und die Freie Stadt Danzig (bei der Volkszählung vom 13. II. 1946 wurden knapp 2 Millionen neben rd. 870 000 als Polen anerkannten »Autochthonen« gezählt). Vertreibung der deutschen Bevölkerung aus Polen selbst und aus den »Wiedergewonnenen Gebieten«, z. T. nach vorheriger Verbringung in Lager, 1945 in »wilder«, ungeregelter Form, 1946/47 dann wenigstens teilweise unter Beachtung gewisser Regeln und mit Bahntransport. Hinzu kam die Rückkehr in die evakuierten Städte,

f) Die Wiedererrichtung des Staates (1944/45–1947)

vor allem nach Warschau, das Auftauchen aus dem »Untergrund« sowie die Bildung neuer antikommunistischer Untergrundkampftruppen insbesondere im teilweise ukrainisch besiedelten Südosten des neuen Staatsgebietes, wo als prominentestes Opfer General Świerczewski (Pseud. »Walter«) am 28. III. 1947 bei einem Überfall ukrainischer Partisanen erschossen wurde. All das bewirkte eine erneute tiefgreifende Umschichtung der Bevölkerung sowohl in geographischer wie in soziologischer Hinsicht.

Nur in bestimmten ländlichen Gebieten und in einigen größeren Städten wie in Krakau war die frühere Bevölkerungsstruktur weitgehend intakt geblieben. Jene setzten den einsetzenden Umwandlungen den meisten Widerstand entgegen, während diese auf dem Neuland der deutschen Ostgebiete bei der dort angesetzten ganz verschiedenartigen Bevölkerung und angesichts der durch die Enteignung der Deutschen eingetretenen Erschütterung des Grundsatzes des Schutzes des Privateigentums viel leichter durchzusetzen waren. Die Pläne, mit Hilfe des schon am 7. X. 1944 gegründeten »Repatriierungsamtes« noch im Jahre 1945 3,5 Millionen polnische Neusiedler in den »Wiedergewonnenen Gebieten« anzusetzen, wurden zwar bei weitem nicht erfüllt, doch erhielt das durch Dekret vom 13. XI. 1945 geschaffene »Ministerium für die Wiedergewonnenen Gebiete«, dessen Leitung der Parteisekretär Gomułka übernahm, weitgehende Vollmachten für die weitere rasche Besiedlung, die vollständige Eingliederung und die rechtliche Angleichung[4].

Damit wurden in einseitiger Auslegung der Potsdamer Beschlüsse (s. S. 283) in jeder Hinsicht vollendete Tatsachen geschaffen, wenn auch gerade durch die Schaffung dieses Ministeriums die Sonderstellung hervorgehoben wurde und die Reichsgrenzen von 1937 als Verwaltungsgrenzen zunächst noch erhalten blieben.

Der zweite Entwicklungsstrang betraf die Auseinandersetzung um die künftige Staatsgestaltung[5] entweder im Sinne der »Volksrepublik« auf dem Wege zur sozialistischen Republik, wie sie von der PPR propagiert wurde, oder im Sinne einer parlamentarischen Republik, in der allerdings kein privater Großgrundbesitz und kein Privatbesitz im Bergbau und in den Grundindustrien geduldet werden sollte, wie sie – allerdings nicht eindeutig formuliert – von der Opposition angestrebt wurde. Deren Funktion wurde wegen der Nichtzulassung von Parteien der Rechten im wesentlichen von der Bauernpartei (Mikołajczyk) und der kleinen katholischen Partei der Arbeit (SP, mit dem aus dem Exil zurückgekehrten Karol Popiel an der Spitze) übernommen, zumal zahlreiche wichtige Vertreter der PPS im Exil verblieben.

Dabei ergaben sich erhebliche Abgrenzungsschwierigkeiten zwischen dem mit der PPR seit der Bildung des Komitees für die Nationale Befreiung zusammenarbeitenden Flügel der Bauernpartei (SL) und dem die Selbständigkeit betonenden Flügel, dessen Führung Mikołajczyk übernahm. Ähnliches galt für die Sozialisten, deren kleine »Lubliner« Gruppe den traditionellen Namen der PPS für sich beanspruchte, obwohl sie eigentlich aus einer linken Abspaltung, der RPPS, hervorgegangen war. In der Bauernpartei führten die Richtungs- und Personalauseinandersetzungen im September 1945 zur Trennung in zwei Parteien; während der »Lubliner« Flügel den Namen SL behielt und die enge Bindung an die PPR aufrechterhielt, nahm die Gruppe Mikołajczyk-Kiernik den Namen Polnische Bauernpartei (*PSL*) an.

In der PPS wurde dagegen im Dezember 1945 ein Kompromiß geschlossen, durch den die Vertreter der »alten« PPS Sitze in den Führungsgremien erhielten, ohne aber dem Ministerpräsidenten Osóbka-Morawski und dem jungen, energischen Generalsekretär Józef Cyrankiewicz (geb. 1911, 1947–1952 und 1954–1970

Ministerpräsident) wesentliche Gegenkräfte entgegenstellen zu können. Zu den noch für das Jahr 1945 vorgesehenen Parlamentswahlen konnten somit zwei oppositionelle Parteien – PSL und SP – und drei der PPR eng verbundene Parteien – SL, PPS, SD – antreten. Die Wahlen wurden jedoch von dem Parlamentsfunktionen wahrnehmenden erweiterten Landesnationalrat im Dezember 1945 hinausgeschoben. Gleichzeitig begrenzte er die Zahl der zugelassenen Parteien auf sechs. Langwierige Verhandlungen über die Bildung einer Einheitsliste, des »Demokratischen Blocks«, der die Mandate nach einem vorherbestimmten Schlüssel verteilen sollte, scheiterten am Widerstand des PSL, das auf echte Wahlen drängte. Gewissermaßen als Generalprobe und um die Zustimmung der Bevölkerung zur Regierung der Nationalen Einheit zu demonstrieren, wurde am 30. VI. 1946 ein Volksentscheid durchgeführt, dessen drei Fragen[6] so gestellt waren, daß sie von der überwältigenden Mehrheit mit »Ja« beantwortet werden konnten. Um trotzdem eine Machtprobe zu ermöglichen und seine Stärke zu demonstrieren, forderte Mikołajczyk seine Anhänger auf, die erste Frage, die nach der Abschaffung des Senats, mit »Nein« zu beantworten. Das erst nach zehn Tagen veröffentlichte Wahlergebnis besagte, daß trotzdem auch die erste Frage zu 68 % mit »Ja« beantwortet worden sei (die beiden anderen zu 77,2 bzw. 91,6 %). Tatsächlich dürfte das Ergebnis jedoch eine große Zahl von Nein-Stimmen und damit die Stärke des noch vorhandenen Widerstands gezeigt haben[7].

Die Wahlen wurden deshalb – wohl auch unter dem Eindruck des großen Wahlerfolgs der dem PSL verwandten »Partei der Kleinen Landwirte« in Ungarn am 4. XI. 1945 und der »Demokratischen Partei« in der Slowakei am 25. V. 1946 – entsprechend vorbereitet. Dabei wurde ein – möglicherweise provozierter – Judenpogrom in Kielce vom 4. VII. 1946 für ein rigoroses Vorgehen gegen »rechte« Kräfte im PSL ausgenutzt, das in der Tat zum Sammelbecken oppositioneller Kräfte geworden war.

Außerdem wurde die kleine »Partei der Arbeit« durch Verbote und Beschlagnahmen so unter Druck gesetzt, daß der Vorsitzende K. Popiel im September 1946 die Arbeit der Partei einstellte[8] und ihre Abgeordneten aus dem Landesnationalrat abberief. Eine Abspaltung unter dem gleichen Namen trat für den »Block« ein. Das am 22. IX. beschlossene Wahlgesetz begünstigte durch die Wahlkreiseinteilung die dünn besiedelten »Wiedergewonnenen Gebiete« mit ihrer regierungsabhängigen Bevölkerung und benachteiligte die dicht bevölkerten Zentralbereiche mit starkem bäuerlichen Bevölkerungsanteil. Die am 19. I. 1947 durchgeführten Wahlen zum Verfassunggebenden *Sejm* waren weder frei noch unbehindert, da das PSL als praktisch einzige Oppositionspartei erheblichen Restriktionen unterworfen war, u. a. durch die Streichung seiner Kandidaten in 10 von 52 Wahlkreisen mit etwa 25 % der Stimmberechtigten. Das offizielle Wahlergebnis, das wiederum nicht das wirkliche gewesen sein dürfte[9], brachte dem »Demokratischen Block« 80,1 % der Stimmen und 394 von 444 Mandaten; die Opposition befand sich mit nur 28 Mandaten – einige weitere gehörten kollaborierenden Splittergruppen – in hoffnungsloser Minderheit.

Trotz britischer und amerikanischer Proteste trat der *Sejm* am 4. II. 1947 zusammen, wählte Bierut zum Staatspräsidenten und bestätigte am 7. II. 1947 die neue Regierung Józef Cyrankiewicz *(PPS)*, in der das PSL nicht mehr vertreten war. Zwar gehörte die Mehrheit des Kabinetts nicht der PPR an, doch hatte diese, die wiederum die stärksten Persönlichkeiten stellte (Gomułka, Radkiewicz, Minc, Modzelewski, Skrzeszewski) in ihm eindeutig die Führung. Das am 19. II. 1947 angenommene Verfassungsgesetz, die »Kleine Verfassung«, schuf neben dem Präsidenten als oberstes Organ den Staatsrat *(Rada Państwa)*, der auch ge-

f) Die Wiedererrichtung des Staates (1944/45–1947)

setzgebende Funktionen übernehmen konnte, und eine Oberste Kontrollkammer. Die Funktionen des Parlaments wurden zugunsten der Regierung erheblich eingeschränkt, da sie für zahlreiche Maßnahmen nur die spätere Billigung des Parlaments benötigte. In der Praxis wurde dieses nur in großen Abständen tätig und legte, obwohl es doch als »Verfassunggebender *Sejm*« gewählt war, den Verfassungsentwurf erst im Januar 1951 vor, nach Verlängerung der auf vier Jahre begrenzten Legislaturperiode bis zum September 1952. Mit der Bildung der Regierung Cyrankiewicz und der Annahme der »Kleinen Verfassung« setzte die rasche Umgestaltung zur »Volksdemokratie« ein, in der andere Parteien als die führende Arbeiterpartei nur noch die Funktion von untergeordneten Organisationen für die Erfassung bestimmter Schichten und Berufsgruppen haben, aber keinerlei eigene Meinungsbildung mehr betreiben konnten. Dementsprechend flüchteten die führenden Vertreter der bisherigen Opposition, vor allem Mikołajczyk selbst, noch im Laufe des Jahres 1947 ins Ausland.

Außenpolitisch wurde die Bindung an die Sowjetunion zunächst durch das Auftreten der polnischen Regierungsdelegation auf der Konferenz von Potsdam unterstrichen, insbesondere aber durch zwei Verträge vom 16. VIII. 1945[10]. Der erste bestätigte zum Teil wörtlich die in dem bisher geheimgehaltenen Vertrag vom 27. VII. 1944 (s. oben S. 1036) gezogenen gemeinsamen Grenzen und ergänzte sie »bis zur endgültigen Entscheidung der Territorialfragen bei der Friedensregelung« durch die Linie Braunsberg-Goldap zur Abgrenzung des sowjetisch besetzten Ostpreußen von dessen Polen zugewiesenem Südteil. Der zweite gestand Polen 15 % der der Sowjetunion zugebilligten Reparationsleistungen sowohl aus der Sowjetischen Besatzungszone wie aus den Westzonen Deutschlands zu, wogegen sich Polen zu einer Lieferung von 13 Millionen t Kohle jährlich in den nächsten vier Jahren bzw. von 12 Mill. t bis zum Ende der Besetzung Deutschlands »zu einem vereinbarten Sonderpreis« verpflichtete.

Die im Vertrag vom 27. VII. 1944 vorgesehene, in Art. IX der Potsdamer Beschlüsse aber nicht aufgenommene Übergabe der Stadt Stettin mit Umgebung erfolgte nach einem Notenwechsel im September am 5. X. 1945.

Gegenüber der Tschechoslowakei konnte die polnische Regierung ihre Wünsche nicht durchsetzen, sowohl das Olsagebiet wie die von der Slowakei abgetretenen Grenzstreifen zu behalten, obwohl diese Forderungen im Frühjahr 1945 sogar durch einen Einmarsch in das Olsagebiet unterstrichen wurden. Ihnen standen tschechische Wünsche auf erhebliche Abtretungen in Schlesien gegenüber. Nach langen Verhandlungen unter sowjetischem Druck wurde die Grenze von 1937 zunächst wiederhergestellt; ein Freundschafts- und Beistandspakt mit der Tschechoslowakei vom 10. III. 1947 führte zur Beilegung der zeitweilig sehr heftigen Auseinandersetzungen (s. § 25, S. 964).

Verwicklungen anderer Art ergaben sich mit Großbritannien und dem Vatikan. Ersteres war nicht bereit, die Exilstreitkräfte der Regierung der Nationalen Einheit zu unterstellen und die Soldaten nach Polen zu evakuieren, sondern diesen die Heimkehr lediglich zu »empfehlen«, nachdem am 20. III. 1946 ein polnisch-britisches Repatriierungsabkommen geschlossen worden war. Nur etwa 25 % machten von der Heimkehrmöglichkeit Gebrauch, den anderen wurden durch Dekret vom 13. IX. 1946 Dienstgrade und Staatsangehörigkeit aberkannt. Gegen ständige Proteste Polens schuf die britische Regierung für die etwa 150 000 nicht rückkehrwilligen Soldaten ein »Polish Industrial Resettlement Corps«, die Generale erhielten britische Pensionen.

Gegenüber dem Vatikan[11] wurde das seit 1925 bestehende Konkordat durch eine einseitige Erklärung vom 16. IX. 1945 aufgekündigt und die Beziehungen zu

§ 26 Polen von der Unabhängigkeit bis zur Volksrepublik 1918–1970

ihm abgebrochen, weil sich dieser geweigert hatte, in den von Polen übernommenen deutschen Ostgebieten neue Bistümer zu errichten und diese entsprechend abzugrenzen. Er hatte im Juli den Erzbischof von Posen-Gnesen, Kardinal Augustin Hlond (1881–1948) mit der Regelung der Verhältnisse beauftragt, und dieser hatte am 15. VIII. Administratoren für die mit den Bistümern nicht übereinstimmenden Apostolischen Administraturen Allenstein, Breslau, Danzig, Landsberg und Oppeln ernannt. Die Frage blieb seither ein dauernder Streitpunkt im Verhältnis zur Katholischen Kirche, die andererseits auch die geistliche Jurisdiktion in den polnischen Ostgebieten formell aufrechterhielt.

[1] Für diesen Zeitabschnitt außer *Roos, Pobóg-Malinowski* (s. bibliogr. Einführg.) d. Beitrag v. *G. Rhode* im Osteuropa-Hdb. Polen, S. 213–236. *R. Staar,* Poland 1944–1962. The Sovietization of a Captive People (1962). *N. Kolomejczyk* u. *B. Szyzdek,* Polska w latach 1944–1949 (1969), mit mehreren Quellentexten. »Poland« in d. Reihe »East Central Europe under the Communists«, hg. v. *O. Halecki* (1957). *J. Malara* u. *L. Rey,* La Pologne d'une occupation à l'autre 1944–1952 (1952). Die Erinnerungen d. amerik. Botschafters: *A. Bliss Lane,* I Saw Poland Betrayed (1948), auch fr. (1949), u. seines Nachfolgers *St. Griffith,* Lying in State (1954). S. auch die Berichte d. italienischen Botschafters *E. Reale* (Mitglied der K. P. J.) in poln. Übersetzung: Raporty. Polska 1945–1946 (1968).
[2] Text in: Dok. i materiały, Bd. VIII, Nr. 249, S. 443–445. Auch in: U. N. Treaty Series, Bd. 12, Nr. 70, S. 391–403. Teilabdruck bei: Quellen zur Entstehung der Oder-Neisse-Linie in den diplomatischen Verhandlungen während des Zweiten Weltkrieges, hg. v. *G. Rhode* u. *W. Wagner* (1956), Nr. 133.
[3] Eine sachliche und faktenreiche Darstellung: Zarys Historyczno-Polityczny I-go rządu demokratycznego w Polsce (Histor.-polit. Abriß der ersten demokrat. Regierung in Polen; 1947). Von seiten d. Opposition außer *Mikołajczyk,* The Rape of Poland (s. e, Anm. 23), *St. Korboński,* W imieniu Kremla (Im Namen d. Kreml; 1954).
Zu d. Verlusten: Straty Kultury Polskiej 1939–1944 (Verluste d. poln. Kultur; 2 Bde. 1945).
[4] Zu d. Umgestaltungen, Umsiedlungen u. Vertreibungen s.: Die Ostgebiete d. Deutschen Reiches, hg. v. *G. Rhode* (⁴1956). *H. Kuhn,* Das Deutscht. in Polen u. s. Schicksal in Kriegs- u. Nachkriegszeit, in: Osteuropa-Hdb. Polen, S. 138–164.
Dokumentation d. Vertreibung d. Deutschen aus Ost-Mitteleuropa, hg. v. *Th. Schieder,* Bd. I, 1–3 (1953–1960); I, 3: Poln. Gesetze u. Verordnungen 1944–1955. *A. Bohmann,* Menschen u. Grenzen, Tl. I (1969). *K. Kersten,* Repatriacja ludności polskiej po II. wojnie światowej (Die Repatriierung d. poln. Bevölkerung nach d. II. Weltkrieg; 1974).
[5] Im Manifest des PKWN war lediglich vom »Wiederaufbau der poln. Staatlichkeit« und von der Gültigkeit der Verfassung vom 17. III. 1921 bis zur Annahme einer neuen Verfassung durch einen nach d. allgemeinen, gleichen, direkten, geheimen u. verhältnismäßigen Wahlrecht gewählten Sejm die Rede. Das bedeutete die Illegalität der auf der Verfassung von 1935 basierenden Exilregierung, aber unklar blieb, was unter »Volksdemokratie« zu verstehen sei, deren Schaffung verschiedentlich angekündigt wurde. Die Resolution des I. Parteitages der PPR v. 12. XII. 1945 enthielt gar keine Aussagen über die Staatsform.
[6] Diese betrafen 1) die Abschaffung des Senats, 2) die Zustimmung zur Grenze an Oder und Neisse, 3) die Zustimmung zur Agrarreform und zur Nationalisierung der Schwerindustrie.
[7] Nach *Mikołajczyk,* The Rape, S. 164, war das Resultat in 2805 Stimmbezirken, in denen dem PSL eine Kontrolle möglich war, 83,54 % »Nein« zu 16,46 % »Ja«.
[8] S. d. ausführlichen Bericht mit Wiedergabe von Dokumenten von *K. Popiel,* Od Brześcia do Polonii (1967), S. 206–235.
[9] Dazu *Mikołajczyk,* S. 198–202.
[10] Texte in: Dok. i materiały, Bd. VIII (1974), Nr. 314 u. 315, S. 580–584. In Nr. 318, S. 585–589 Bericht d. poln. Delegation. Auszugsw. dt. Übersetzung d. Grenzvertrages, in: Quellen z. Entstehung d. Oder-Neisse-Linie, Nr. 165, S. 310–312.

g) Polens Umgestaltung zur »Volksdemokratie«

[11] Dazu *B. Stasiewski,* Die Kirchenpolitik der poln. Regierung nach 1945, in: Osteuropa-Hdb. Polen, S. 356–366. *J. Kaps,* Die kathol. Kirchenverwaltung in Ostdeutschland vor u. nach 1945: Jb. der Schlesisch. Friedr.-Wilh.-Universität zu Breslau 2 (1957), S. 121–165. *G. Rhode,* Bistumsgrenzen ostw. v. Oder u. Neisse: ZGeopol 12 (1951), S. 300–308, m. Karten. *K. Papée* (poln. Botschafter b. Vatikan, gest. 1979), Pius XII. a Polska 1939–1949 (1954). S. auch: Kirchen im Sozialismus. Kirche u. Staat in d. osteurop. sozialist. Republiken, hg. v. *G. Barberini, M. Stöhr, E. Weingärtner* (1977); für Polen: S. 186–211.

g) Polens Umgestaltung zur »Volksdemokratie«. »Eigener Weg«. Stalinismus und erste Wandlungen nach Stalins Tod (1947–1956)[1]

Die knapp zehn Jahre von der Annahme der »Kleinen Verfassung« im Februar 1947 bis zur Rückkehr Gomułkas an die Spitze der Partei im polnischen »Frühling im Oktober« sind insbesondere durch die Auseinandersetzungen um die Angleichung an das sowjetische Vorbild gekennzeichnet, die sich in drei Phasen vollziehen. Vom Frühjahr 1947 bis zum November 1949 wird noch mit dem »eigenen Weg« experimentiert, dessen Schicksal mit der Einsetzung des sowjetischen Marschalls K. Rokossovskij als Oberbefehlshaber der polnischen Armee und Verteidigungsminister am 6. XI. 1949 und dem Ausschluß Gomułkas und seiner engeren Freunde aus der Partei endgültig besiegelt schien. Danach folgt die Phase der völligen Angleichung, die über Stalins Tod (5. III. 1953) bis in das Ende des Jahres 1954 reicht. 1955/1956 setzen Wandlungen ein, die durch den XX. Kongreß der KPdSU und den überraschenden Tod von Bolesław Bierut (12. III. 1956) beschleunigt werden.

Um den »eigenen Weg«. Der Sturz Gomułkas[2] (1947–1949)

Die Auseinandersetzung um »eigenen Weg« oder Angleichung hatte sowohl grundsätzlichen wie personenbezogenen Charakter. Grundsätzlich ging es um die Frage, ob es in Polen angesichts der starken Boden- und Besitzgebundenheit der bäuerlichen Massen, angesichts der tiefen Verwurzelung der katholischen Kirche in fast allen Volksschichten und angesichts des starken emotionell betonten Nationalgefühls richtig sein könne, das Kolchossystem schnellstens einzuführen, der Kirche einen harten Kampf anzusagen und die Arbeiterklasse über die Einheit der Nation zu stellen, oder ob es nicht besser sei, auf diesen drei Gebieten langsam und schonungsvoll vorzugehen und die Gefühle zu achten, ohne das Ziel des sozialistischen Staates aus den Augen zu verlieren.

Personell wurde – wie andernorts – der »eigene Weg« von denjenigen Parteiführern vertreten, die, wenn auch zum Teil früher in der Sowjetunion geschult, die Kriegszeit in Polen im Gefängnis oder im Untergrund verbracht hatten und somit aus eigener Erfahrung wußten, daß die kommunistische Bewegung im Lande schwach war, und deshalb zu Zugeständnissen bereit waren (außer Gomułka selbst Spychalski, Bieńkowski, Kliszko). Dagegen wurde die harte konsequente Linie des Klassenkampfes auch auf dem Dorfe von Kommunisten vertreten, die während des Krieges in der Sowjetunion gewesen und erst 1943/44 ins Land gebracht worden waren wie Bierut, Minc, Jędrychowski, Radkiewicz, Jóźwiak-Witold. Verbindungen zu Tito, wie sie den »Gomułkisten« später vorgeworfen wurden, spielten in Wirklichkeit kaum eine Rolle.

Meinungsunterschiede gab es u. a. anläßlich der in Schreiberhau im September 1947 erfolgten Gründung der Kominform, die bei den bewußt polnischen Kommunisten negative Erinnerungen an die Komintern und die Liquidierung der KPP erweckte, und wegen der angestrebten Fusion der PPS mit der PPR zu einer einzigen Arbeiterpartei, die in einem Abkommen beider Parteien vom 28. XI. 1946 zwar vorgesehen war, die Gomułka aber nicht forcieren wollte. Die schwelende Krise kam zum Ausbruch, als Gomułka in einem Referat auf einer ZK-Sitzung am 3. VI. 1948 seinen von der KPdSU abweichenden Standpunkt dargelegt hatte, und wurde durch den Kominformkonflikt beschleunigt. In einer ZK-Sitzung vom 31. VIII. bis 3. IX. 1948 wurden dem Sekretär des ZK W. Gomułka von Bierut zahlreiche Irrtümer, meist »Rechtsabweichungen«, vorgeworfen, die dieser größtenteils eingestand. Er trat als Sekretär zurück und verlor in der Folge auch seine beiden Regierungsämter. Die Leitung der Partei übernahm als »Vorsitzender des Zentralkomitees« B. Bierut, der nun in seiner Doppelfunktion als Staatspräsident und Parteiführer ähnlich wie Stalin zur großen Führerpersönlichkeit hinaufstilisiert wurde. Mit Gomułka verloren seine Freunde ihre Funktionen.

Der Verschmelzung mit der durch intensive »Säuberungen« stark zusammengeschrumpften PPS stand nunmehr nichts mehr im Wege. Sie wurde am 15. XII. 1948 vollzogen, die Partei nahm gleichzeitig den Namen Polnische Vereinigte Arbeiterpartei *(Polska Zjednoczona Partia Robotnicza, PZPR)* an. Durch die etwa 500 000 PPS-Mitglieder wuchs ihr Mitgliederbestand auf etwa 1,4 Millionen an. Cyrankiewicz wurde zu einem der drei Sekretäre des Zentralkomitees (neben Zambrowski und Zawadzki) ernannt, und in das elfköpfige Politbüro traten außer ihm noch die bisherigen PPS-Mitglieder Rapacki und Swiątkowski ein.

Die »Rechtsabweichler« hatten auch jetzt noch Anhänger in der PZPR und vor allem in der Armee, so daß die »Moskowiter« ihre völlige Ausschaltung vorbereiteten, offenbar nicht ohne Einwirkungen aus Moskau, wo vor allem der Vizekriegsminister (bis 7. IV. 1949) Marian Spychalski persona ingrata war. Dabei dürften außenpolitische Besorgnisse (Unterzeichnung des Atlantikpakts 4. IV., Aufhebung der Berlin-Blockade 10. V., Konstituierung der Bundesrepublik Deutschland 7. IX. 1949) den zusätzlichen Beweggrund für eine straffere Bindung der polnischen Streitkräfte an die Rote Armee gebildet haben. Völlig überraschend wurde am 6. XI. 1949 der Marschall und sowjetische Staatsbürger Konstantin Rokossovskij aus der Roten Armee entlassen und anstelle von Rola-Żymierski[3] zum Verteidigungsminister Polens ernannt. Unter Rokossovskij erfolgte eine weitgehende Umgestaltung und Politisierung der Armee, aus der in der Folgezeit zahlreiche höhere polnische Offiziere, die 1945 reaktiviert worden waren, entlassen wurden. Ein im August 1951 durchgeführter Schauprozeß gegen neun höhere Offiziere, darunter vier Generale, die nach 1956 rehabilitiert wurden, diente zur Rechtfertigung dieser Maßnahmen. Durch das Gesetz über die allgemeine Wehrpflicht vom 4. II. 1950 konnten die personellen Reserven ausgeschöpft und die gleichzeitig in 5 Teile – Heer, Luftwaffe, Luftabwehr, Marine, Sicherheitstruppe – gegliederten Streitkräfte personell stark vermehrt werden. Auf der unmittelbar (11.–13. XI. 1949) folgenden Plenarsitzung des ZK wurde der Sowjetmarschall zum Mitglied gewählt, Gomułka, Kliszko und Spychalski nach erneuten schweren Anklagen, die ihnen nun nicht mehr »Irrtümer«, sondern »Verrat« vorwarfen, aus dem Zentralkomitee und aus der Partei ausgeschlossen. Im Unterschied zu Rajk in Ungarn und Kostov in Bulgarien, die wenige Wochen vor (Rajk 15. X.) bzw. nach (Kostov 15. XII.) Gomułkas Sturz hingerichtet wurden, fand gegen den polnischen Parteiführer jedoch kein Schauprozeß mit vorherbestimmtem Todesurteil statt. Gomułka blieb zunächst sogar in Freiheit, wurde am 31. VII. 1951 verhaftet, unter wechselnden Bedingungen in Arrest gehalten und nicht unter Anklage gestellt. Entsprechend wurden seine Gesinnungsgenossen behandelt. Die Schauprozesse der folgenden Jahre galten in

g) Polens Umgestaltung zur »Volksdemokratie«

Polen keinen gestürzten Parteigrößen, sondern hohen Offizieren und Geistlichen.

In wirtschaftlicher Hinsicht war der polnische »eigene Weg« vor allem durch die Vermeidung der zwangsweisen Kollektivierung der bäuerlichen Wirtschaften gekennzeichnet, die durch die noch vom »Lubliner Komitee« am 6. IX. 1944 dekretierte Agrarreform und durch die Übernahme deutschen Grundbesitzes in Polen selbst (etwa 900 000 ha) und in den deutschen Ostgebieten (9,4 Mill. ha) ihren Landbesitz erheblich erweitert hatten[4]. Ein unmittelbarer Eingriff in das bäuerliche Wirtschaftsleben erfolgte nicht, lediglich mittelbar wurden die Bauern durch die Preisgestaltung der staatlichen Handelsorganisationen und durch den Zwang, Steuern in Naturalien (zu festgesetzten Niedrigpreisen) zu entrichten, zur Produktion angeregt, bei spürbarer Benachteiligung der größeren Betriebe.

Auch die Planwirtschaft hielt sich noch in Grenzen. Nach einem lediglich der Wiederingangsetzung der Schlüsselindustrien geltenden ersten Volkswirtschaftsplan (1. VI.–31. XII. 1946) wurde für den Zeitraum 1947–1949 ein Dreijahresplan aufgestellt, der abgeändert wurde, als die Regierung Cyrankiewicz am 7. VII. 1947 ihre Mitarbeit bei der Marshallplankonferenz abgelehnt hatte. Er war vor allem ein Investitionsplan für den forcierten Aufbau der verstaatlichten Industriebetriebe, insbesondere in den »Wiedergewonnenen Gebieten«. Die Auflösung des Ministeriums für diese Gebiete, der Domäne Gomułkas, am 21. I. 1949 gab der »Staatlichen Kommission für Wirtschaftsplanung«, an deren Spitze am 28. IV. 1949 Gomułkas Antipode auf wirtschaftlichem Gebiet, Hilary Minc, trat, weitgehende Vollmachten auch hier, so daß etwa ab Sommer 1949 der »eigene Weg« verlassen und die grundsätzlich beschlossene, aber bisher nicht in Gang gesetzte Kollektivierung vorangetrieben werden konnte.

Ähnliche Zurückhaltung wurde gegenüber der Katholischen Kirche geübt, gegen die zwar einschränkende Maßnahmen – insbesondere im publizistischen Bereich – getroffen wurden und der in der von dem früheren Nationalradikalen Bolesław Piasecki (1915–1978) gegründeten »Bewegung fortschrittlicher Katholiken« mit dem Verlag »Pax« eine finanziell begünstigte Konkurrenz entgegengestellt wurde, von deren Unterdrückung aber noch Abstand genommen wurde.

Der Kirchenkampf[5] begann im Sommer 1949, nachdem das päpstliche Exkommunikationsdekret gegen Kommunisten vom 1. VII. 1949 den Anlaß gegeben hatte. Dem Dekret »Zum Schutze der Gewissensfreiheit« vom 5. VIII. 1949 folgten zahlreiche Beschlagnahmen und Verstaatlichungen kirchlicher Einrichtungen, die nicht unmittelbar der Seelsorge dienten, wie Kinderheime und Krankenhäuser, doch erreichte er seinen Höhepunkt erst in den folgenden Jahren.

Totale Angleichung und Stalinismus (1949/50–1954/1955)[6]

Das zweite Jahrfünft nach der Wiederherstellung des polnischen Staates ist die am wenigsten »polnische« Periode in der jüngsten Entwicklung Polens. Die Sowjetunion und die KPdSU wurden in jeder Hinsicht als Vorbilder angesehen und nachgeahmt, nicht nur im politischen und wirtschaftlichen, sondern auch im wissenschaftlichen Bereich, in dem sowjetische Professoren als Lehrmeister auftraten[7].

Im Verwaltungsbereich wurden die schon 1946 gebildeten Nationalräte *(Rady Narodowe),* die bisher nur die Legislative gebildet hatten, während die Verwaltungsbehörden von Wojewoden, Starosten und Gemeindevorstehern *(wójt)* geleitet wurden, durch Gesetz vom 20. III. 1950 zu Gesamtbehörden umgestaltet, die Exekutive und Legislative vereinigten. Über sie konnte der Verwaltungsapparat vollständig von der Partei beherrscht werden, da der Sekretär des regionalen Parteikomitees in der Regel Präsident oder zumindest Mitglied des jeweiligen Nationalrats wurde. Die am 6. VII. 1950 erfolgte Neuumgrenzung der Wojewodschaften, deren Gesamtzahl mit 17 gleich blieb, verfolgte einerseits das Ziel, bestimmte Wirtschaftszweige auch verwaltungsmäßig zusammenzufassen, andererseits, die Grenzen von 1939 als Verwaltungsgrenzen verschwinden zu lassen[8]. Dem sowjetischen Vorbild folgte auch die am 22. VII. 1952 verkündete Verfassung der Polnischen Volksrepublik *(Polska Rzeczpospolita Ludowa)*[9]. Sie schuf sowohl das Amt des Staatspräsidenten wie die klassische Gewaltentrennung ab und machte den *Sejm* zum »höchsten Willensträger des werktätigen Volkes in Stadt und Land«. Der von ihm gewählte Staatsrat *(Rada Państwa)* wurde sowohl kollektives Staatsoberhaupt als auch gesetzgebendes Organ in der Zeit zwischen den Sejmsitzungen. (Da diese nur äußerst selten stattfanden und meist nur der Zustimmung zu den vom Staatsrat erlassenen Gesetzen galten, wurde in der Praxis der Staatsrat neben der Regierung das entscheidende Staatsorgan.) Auf den Verwaltungsebenen – Wojewodschaft, Kreis, Gemeinde bzw. kreisfreie Stadt und Stadtteil – entsprach dem *Sejm* der Nationalrat und dem Staatsrat dessen Präsidium, das aber die Verwaltung unmittelbar ausübte und die nächsttiefere Ebene kontrollierte, der nächsthöheren Ebene verantwortlich war. Die Selbstverwaltung war damit aufgehoben.

In der Regierung, nunmehr »Ministerrat« genannt, wurde die Stellung des früheren Ministerpräsidenten dadurch geschwächt, daß er lediglich Vorsitzender des Ministerrats war, dem mehrere Stellvertreter (zeitweilig acht) zur Seite standen. Die Stellung der Partei wurde in der Verfassung nicht erwähnt, in der Praxis war aber klar, daß sie mittels der Kandidatenauswahl für die Wahlen allein die Zusammensetzung des *Sejm* wie aller Nationalräte bestimmte. Die ersten Wahlen nach der neuen Verfassung vom 26. X. 1952 – die zweiten seit 1945 – waren eine reine Abstimmung für die Kandidaten der Einheitsliste der »Nationalen Front«, die programmgemäß 99,8 % aller Stimmen erhielt. Dem *Sejm* gehörten außer 273 Abgeordneten der PZPR auch 90 Abgeordnete der Vereinigten Bauernpartei *(Zjednoczone Stronnictwo Ludowe, ZSL,* 1949 aus der Fusion von SL und PSL hervorgegangen) und 25 der Demokratischen Partei an, was jedoch bei der Einstimmigkeit aller Beschlüsse praktisch bedeutungslos war und es auch in den folgenden Parlamenten blieb. Der am 20. XI. 1952 zusammengetretene *Sejm* wählte den Altkommunisten Aleksander Zawadzki (1899–1964) zum Staatsratsvorsitzenden und damit zum Staatsoberhaupt, und B. Bierut zum Vorsitzenden des Ministerrats.

Die Zusammensetzung des Ministerrats und die Besetzung der Ministerien, deren Zahl auf 30 angewachsen war, änderte sich jedoch nicht entscheidend. Sie blieb auch erhalten, als, sowjetischem Vorbild folgend, die Personalunion von Parteiführer und Regierungschef wieder aufgegeben wurde und statt Bierut Cyrankiewicz am 18. III. 1954 wieder Vorsitzender des Ministerrats wurde, was er auch in den folgenden Legislaturperioden bis zum 23. XII. 1970 blieb.

Praktisch fielen die Entscheidungen weder im Staatsrat noch im Ministerrat, sondern im Politbüro des ZK der PZPR, dessen Mitglieder gleichzeitig stellvertretende Vorsitzende des Ministerrats oder Fachminister waren. Diese personale Durchdringung von Partei- und Staatsführung sicherte einerseits den unumschränkten Einfluß der Partei auf allen Gebieten, führte aber auch zur Vermeidung jeder Verantwortung durch nicht von der Partei gestellte Funktionäre. Das machte sich besonders bei dem »Umbau zur sozialistischen Wirtschaft« bemerkbar, der nach dem Sechsjahresplan für 1950–55 forciert durchgeführt werden sollte, und zwar sowohl im Sinne der beschleunigten Industrialisierung wie auch

g) Polens Umgestaltung zur »Volksdemokratie«

der Kollektivierung der Landwirtschaft. Paradestück der Industrialisierung war die Lenin-Hütte in der unmittelbar neben Krakau auf grünem Rasen entstehenden Industriestadt Nowa Huta, die gleichzeitig die Aufgabe haben sollte, dem konservativ-bürgerlich-katholischen Krakau einen proletarisch-atheistischen Gegenpol entgegenzustellen, was wegen der bäuerlichen Herkunft der Neubürger nur sehr unvollkommen gelang. Die nun mit Energie vorangetriebene Kollektivierung[10] brachte trotz erheblichen Druckes nur begrenzte Erfolge, die größten in den »Wiedergewonnenen Gebieten« bei der dort nicht bodenständigen bäuerlichen Bevölkerung. Während z. B. in der Wojewodschaft Stettin 1955 26,1 % der Nutzfläche kollektiviert waren und 41,8 % in Staatsgütern bewirtschaftet wurden, waren in der Wojewodschaft Krakau nur 1,5 % kollektiviert und 1,5 % staatlich bewirtschaftet. Zwischen diesen beiden Extremen – auf der einen Seite nur noch 32,1 % der Nutzfläche privat bewirtschaftet, auf der anderen 97 % – lagen die übrigen Wojewodschaften, die in Zentralpolen meist dem Krakauer Typ entsprachen. Insgesamt hatte die Kollektivierung 1955 nur 9,2 % der Nutzfläche erfaßt. 13,5 % waren staatlich bewirtschaftet, so daß über 75 % noch in privater Hand waren. Da die Staatsgüter und die Produktionsgenossenschaften zu teuer und unzureichend produzierten, die durch hohe Abgaben bedrückten Privatbauern aber passiven Widerstand leisteten, wurde die Versorgung der Bevölkerung entgegen dem Plan nicht besser, sondern schlechter; 1954 zeichneten sich die Mißerfolge deutlich ab, so daß der Kollektivierungsdruck nachließ.

Für Mißerfolge und Fehlplanungen wurden »Saboteure und Spione« verantwortlich gemacht, mit deren Aufspürung und Inhaftierung die Geheimpolizei, die Beamten des Sicherheitsamtes *(Urząd Bezpieczeństwa, UB,* daher *Ubek* für den Geheimpolizisten) betraut war. Deren Herrschaft unter dem seit 1944 amtierenden Sicherheitsminister Radkiewicz war ein Charakteristikum der Epoche. Sie wurde beendet, als im Dezember 1953 der Oberstleutnant der Polizei Światło in den Westen floh und im Laufe des nächsten Jahres seine Enthüllungen über die gesetzwidrigen Praktiken des Geheimdienstes von westlichen Rundfunksendern nach Polen ausgestrahlt wurden. Das Ministerium für Staatssicherheit wurde am 7. XII. 1954 aufgelöst, Radkiewicz zum Minister für Staatsgüter degradiert[11].

Mit ihm und nach ihm stürzten Vizeminister und hohe Beamte, die z. T. vor Gericht gestellt wurden. Durch die damit um die Jahreswende 1954/55, wieder erreichte größere Rechtssicherheit wurde, fast zwei Jahre nach dem Tod Stalins, die letzte Phase der Stalinismusära in Polen eingeleitet.

»Tauwetter«, Kritik am Regime, Posener Aufstand (1954/55–1956)
Der Zweite Kongreß der PZPR (10.–17. III. 1954) hatte keine entscheidenden Beschlüsse gebracht, aber deutlich gemacht, daß die Partei keine stärkere Verankerung in der Bevölkerung erreicht hatte, vor allem nicht auf dem Lande. Ihre Mitgliederzahl war trotz zahlreicher Neuaufnahmen auf 1,3 Millionen abgesunken, der Anteil der Arbeiter auf 48,3 %, der der Bauern auf 13,2 % zurückgegangen. Bieruts Spitzenstellung wechselte nur die Bezeichnung: statt »Vorsitzender« wieder »Erster Sekretär«. Erst auf der Dritten Plenarsitzung des ZK im Januar 1955, bei der das Sekretariat verjüngt wurde, wurde Kritik an der Parteiführung geäußert und »Kampf gegen den Bürokratismus« beschlossen. Die schärfste Kritik an Bürokratie und Planwirtschaft wurde jedoch von dem kommunistischen Schriftsteller Adam Ważyk (geb. 1905, Angehöriger der »Kościuszko«-Division 1943–45) in dem »Gedicht für Erwachsene«[12] gebracht, das am 21. VIII. 1955 in der Zeitschrift »Nowa Kultura« erschien, zwar sofort verboten wurde, aber in

zahlreichen Abschriften kursierte, ohne daß der spöttische Kritiker verhaftet wurde.

Mit einer ersten Öffnung für Einreisen aus dem westlichen Ausland verbanden sich Bemühungen, Emigranten zur Rückkehr zu bewegen. Ein Beschluß des Ministerrats vom 10. IX. 1955 sicherte ihnen Straffreiheit und materielle Hilfe zu, womit auch einige spektakuläre Erfolge erreicht wurden. Den eigentlichen Durchbruch brachte jedoch erst der XX. Kongreß der KPdSU mit Chruschtschows Kritik an Stalin, auf die nach wenigen Tagen völlig überraschend der Tod des polnischen Parteiführers Bierut (12. III. 1956 in Moskau) folgte. Der in Anwesenheit Chruschtschows am 20. III. zum Ersten Sekretär gewählte Edward Ochab (geb. 1906), Politoffizier, »Moskowiter« und zeitweilig Stellvertretender Verteidigungsminister unter Rokossovskij, konnte nicht als Vertreter einer »weichen Linie« gelten, doch wurde gleichzeitig das Sekretariat weiter verjüngt, u. a. durch den erst 1948 aus Belgien heimgekehrten Edward Gierek (geb. 1913). Umfangreiche Personalveränderungen, denen besonders mißliebige Persönlichkeiten wie Radkiewicz und Berman zum Opfer fielen, die Bekanntgabe z. T. längst erfolgter Haftentlassungen (u. a. von Gomułka und Spychalski), die Entlassung von 30 000 politischen Häftlingen im Mai 1956 machten deutlich, daß die neue Parteiführung versuchte, durch die Rückkehr zur Rechtsstaatlichkeit das verlorengegangene Vertrauen der Bevölkerung zu gewinnen. Da sich die wirtschaftlichen Verhältnisse aber nicht besserten, entlud sich die Unzufriedenheit der Arbeiter im Posener Aufstand vom 28. VI. 1956. Dieser ging aus Protestdemonstrationen in bewaffnete Aktionen gegen Gefängnisse und Polizeigebäude über, als die Polizei in die Menge geschossen hatte. Zwar wurde der Aufstand noch am gleichen Tag niedergeschlagen, doch zeigte seine Spontaneität, daß sich hier nicht Agenten und Rechtsextreme, sondern gerade Vertreter der Arbeiterklasse erhoben hatten.

Die folgenden Maßnahmen von Partei und Regierung zeigten weitgehende Ratlosigkeit, brachten aber auch die Spaltung der Parteiführung in einen auf harten Kurs ausgerichteten Flügel (nach dem Ort ihrer Zusammentreffen die »Natolin-Gruppe« genannt) und einen für Reformen und größere Unabhängigkeit Polens von der Sowjetunion eintretenden Flügel (»Puławy-Gruppe«), zwischen denen Ochab geschickt lavierte. Gleichzeitig wurde die Stalinära offen kritisiert, und eine Pilgerfahrt von über 1 Million Teilnehmern zur 300-Jahrfeier der Krönung der Mutter Gottes zur »Königin der Krone Polens« am 25./26. VIII. nach Tschenstochau zeigte die ungebrochene Kraft der katholischen Kirche, deren Primas, Erzbischof und Kardinal Wyszyński, sich seit dem 26. IX. 1953 in Arrest befand, allerdings auch er ohne Anklage und Prozeß.

In dieser Situation verhandelten Ochab und die »Puławy-Gruppe« mit Gomułka[13] über dessen Rückkehr an die Parteispitze, nachdem er, über ein Jahr wieder in Freiheit, am 5. VIII. rehabilitiert worden und sein Freund Kliszko sogar zum stellvertretenden Justizminister ernannt worden war. Mit dem Rücktritt des Planungschefs Minc am 9. X. wurde offenbar ein entscheidendes Hindernis für die Rückkehr Gomułkas an die Parteispitze beseitigt, die aber keinen vollständigen Bruch mit der jüngsten Vergangenheit bedeutete und nicht, wie häufig fälschlich behauptet, gegen den Einspruch der sowjetischen Parteiführung erzwungen wurde, sondern mit ihrem – allerdings wohl kaum freudig gegebenen – Einverständnis erfolgte. Auf der Achten Plenarsitzung des ZK am 19. X. wurden Gomułka, Kliszko und Spychalski wieder in das ZK aufgenommen und am folgenden Tage, nach Gesprächen mit der sowjetischen Parteidelegation, Gomułka zum Ersten Parteisekretär gewählt. Jubelnde Zustimmung der Warschauer Be-

g) Polens Umgestaltung zur »Volksdemokratie«

völkerung kennzeichnete sowohl die Hochstimmung des »Frühling im Oktober« wie auch die falschen Hoffnungen, die übersahen, daß Gomułkas Rückkehr einen Kompromiß, aber keinen völligen Wandel bedeutete.

Die Ära des unumschränkten Stalinismus war insbesondere durch den Kirchenkampf geprägt, der 1950–1953 seinen Höhepunkt erreichte. Die materielle Basis sollte der Kirche durch das Dekret vom 20. III. 1950 entzogen werden, durch das 375 000 ha kirchlichen Grundbesitzes enteignet wurden. Ein am 14. IV. 1950 mit dem Episkopat geschlossenes Abkommen schränkte die kirchliche Tätigkeit und die Bindungen an Rom erheblich ein. Der Zweck, die Pfarrer durch staatliche Gelder zu binden, wurde jedoch nicht erreicht; die Kirche als Ganzes wie die einzelnen Pfarreien behielten ihre finanzielle Unabhängigkeit.

Schwere Konflikte entstanden 1951/52 wegen der Regelung der kirchlichen Jurisdiktion in den »Wiedergewonnenen Gebieten«, in denen die Regierung eigenmächtig Kapitularvikare ernannte.

Besonders weit ging das Dekret »über die Besetzung von Kirchenämtern« vom 9. II. 1953, das die staatliche Zustimmung zu allen Ernennungen und die Ablegung eines Treueides vorschrieb. Im Konflikt darüber wurde auch der Primas Wyszyński am 26. IX. 1953 verhaftet. Anschließend gelang es zwar, den Episkopat zum Treueid zu zwingen, aber nicht, ihn durch eine Bewegung »fortschrittlicher« Priester auszuschalten.

Die Außenpolitik der Jahre 1947 bis 1956 folgte völlig der von der Sowjetunion eingeschlagenen Linie. Bemerkenswert war die Annäherung an die DDR, mit der am 6. VI. 1950 eine »Deklaration über die unantastbare Friedens- und Freundschaftsgrenze an Oder und Lausitzer Neiße« unterzeichnet wurde, worauf weitere Verträge folgten. Ein Zugeständnis an das polnische Selbstbewußtsein war die Tatsache, daß der mehrseitige »Vertrag über Freundschaft, Zusammenarbeit und gegenseitige Hilfe« der Ostblockstaaten am 14. V. 1955 in Warschau unterzeichnet wurde, so daß das von der Sowjetunion geführte Bündnis den Namen »Warschauer Pakt« trägt.

---

[1] S. dazu neben d. Osteuropa-Hdb. Polen, S. 236–253, 367–404 (Wirtschaft) vor allem *R. Neumann* in: *E. Birke* u. *R. Neumann,* Die Sowjetisierung Ostmitteleuropas (1959), S. 65–176, auch *R. Staat* (s. f, Anm. 1) u. *R. Hiscocks,* Poland. Bridge for the Abyss? (1963), sowie *O. Forst de Battaglia,* Zwischeneuropa von d. Ostsee bis zur Adria, Tl. I (1954), S. 59–186.

[2] Innerhalb Polens ist keine Gomułka-Biographie entstanden. Zwei wurden kurz vor seinem zweiten Sturz geschrieben: *P. K. Raina,* W. G., życiorys polityczny (1969; dt. 1970). *V. Bethell,* G., his Poland and his Communism (1969; fr. 1970; dt. 1971). G's Reden erschienen in Buchform nur f. d. Zeit nach 1956.

[3] Geb. 1890, Legionsoffizier, 1926 Gegner Piłsudskis und für 5 Jahre in Haft, baute mit Spychalski die Volksgarde und die Volksarmee auf, deren Kommandeur er wurde. Mitglied im »Lubliner« Komitee und seit 1945 Verteidigungsminister, offiziell parteilos. 1949–52 Mitglied im Staatsrat, 1952–55 inhaftiert, dann rehabilitiert. Eigenartig ist die Parallele zum Schicksal Svobodas in der Tschechoslowakei, doch wurde R.-Ż. nach seiner Rehabilitierung nur Vizepräsident der Nationalbank.

[4] S. d. Tabellen im Osteuropa-Hdb. Polen, Nr. 103 u. 104. Vom deutschen Grundbesitz waren in Polen 242 000, in d. dt. Ostgebieten 1,033 Mill. ha an Staatsgüter gegeben worden, der große Rest aber den bäuerlichen Wirtschaften zugutegekommen.

[5] S. d. Kampfschrift *Wł. Bieńkowski,* Polityka Watykanu wobec Polski (Die Politik des Vatikans gegenüber Polen; 1949). *E. Ligocki,* Między Watykanem a Polską (Zwischen d. V. und Polen; 1949). Zur Auseinandersetzung zw. Staat u. Kirche s. *A. Sarrach,* Das poln. Experiment (1964). Über die Laienbewegungen Pax und Znak: *A. Micewski,* Katholische Gruppierungen in Polen (1978). Über d. Situation des zahlenmäßig unbedeu-

§ 26 Polen von der Unabhängigkeit bis zur Volksrepublik 1918–1970

tenden und daher geduldeten Protestantismus s. d. alljährl. Berichte von *H. Kruska* in d. Jb. Kirche im Osten, ab Bd. I (1958).
[6] S. außer *Staar* (s. f, Anm. 1) und *Hiscocks* (s. Anm. 1) die innerpoln. Darstellung von *W. Góra,* Polska Rzeczpospolita Ludowa 1944–1974 (1974), sowie die sowjetische: Istorija Pol'ši, von der Bd. 3 den Jahren 1917–1944 gewidmet ist. Ein Zusatzband von 1965 behandelt die Jahre 1944–1964. S. d. Wiedergabe von Beiträgen aus d. poln. Presse in: Ostprobleme, ab Jg. 1 (1949) und die Berichterstattung in: Osteuropa, ab Jg. 1 (1951), sowie im »Wissenschaftl. Dienst«.
[7] Besonders eindrucksvoll ist das Beispiel der Geschichtswissenschaft. Auf der Ersten Methodologischen Konferenz der Polnischen Historiker, die vom 28. XII. 1951 bis 12. I. 1952 in Otwock bei Warschau gehalten wurde, wurde den polnischen Historikern vom Sekretär des ZK der PZPR und von führenden sowjetischen Historikern die vollständige Umorientierung der poln. Geschichtsschreibung anempfohlen, bei weitgehender Verurteilung der bisherigen Historiographie. S. d. beiden in Wa. 1953 erschienenen Berichtsbände: Pierwsza Metodologiczna Konferencja Historyków Polskich. Przemówienia-Referaty-Dyskusja, sowie *H. Ludat,* Das sowjetische Geschichtsbild Polens: ZOstforsch 1 (1952), S. 371–87, u. *G. Rhode,* Literaturbericht über poln. Geschichte I: HZ, Sonderheft 1 (1962), S. 158–211.
[8] Nach der Verwaltungsreform hatten auch die Wojewodschaften Białystok, Danzig, Posen und Kattowitz einzelne Kreise des Reichsgebiets von 1937 in ihren Grenzen, die Wojewodschaft Allenstein dagegen Kreise früher poln. Staatsgebiets. »Ungemischt« blieben nur die Wojewodschaften Stettin, Köslin, Landsberg, Breslau und Oppeln.
[9] Dt. Übersetzung b. *L. Schultz,* Die Verfassungsentwicklung Polens seit 1944: JbÖffR 3 (1954), S. 388–397. Engl. Übersetzung bei *Triska,* Constitutions of the Communist Party States (1968), S. 331–348.
[10] S. d. Tabellen 104–107 im Osteuropa-Hdb. Polen, die nach d. poln. Statist. Jb. v. 1956 erarbeitet wurden.
[11] Er verlor im April 1956 auch diesen Posten, am 20. X. 56 seinen Sitz im Politbüro und wurde im Mai 1957 zusammen mit der »grauen Eminenz« der Ära Bierut, Jakób Berman, aus der Partei ausgeschlossen.
[12] Eine deutsche Übersetzung erschien in Darmstadt o. J.
[13] Die Einzelheiten der Verhandlungen sind unbekannt, auch die beiden ausländischen Biographen Gomułkas, *P. Raina* und *N. Bethell,* bringen keine näheren Angaben. Das Protokoll d. VIII. Plenums in d. Parteizeitschr. »Nowe Drogi« (Jg. 1956), Sonderheft VIII Plenum.

h) »Frühling im Oktober« und zweite »Ära Gomułka« (1956–1970)

Die zweite Ära Gomułka wurde durch einen Arbeiteraufstand, den Posener Aufstand, eingeleitet, dessen Hauptforderungen sich in die Schlagworte »Mehr Brot« und »Russen raus« komprimieren lassen. Sie wurde wiederum durch einen Arbeiteraufstand beendet, der sich im Dezember 1970 in den Küstenstädten über mehrere Tage erstreckte und nicht nur mittelbare, sondern unmittelbare Konsequenzen hatte – Wandel in Parteiführung und Regierung. Seine Forderungen waren vor allem sozialer Art und richteten sich gegen die enormen Preiserhöhungen bei Lebensmitteln, dagegen wurden nationale Forderungen nicht gestellt. In verkürzter Form läßt das den Rückschluß zu, daß unter der Führung von Gomułka zwar die bedrückendsten Symptome der engen Bindung an die Sowjetunion verschwanden, ohne daß die Bindung selbst entscheidend gelockert worden wäre, daß es aber nur unzureichend gelang, den Lebensstandard der Arbeiterbevölkerung wesentlich zu verbessern, während das bei der überwiegenden Mehrheit der Landbevölkerung in zum Teil erheblichem Umfang der Fall war. Das dritte wesentliche Element, die Intelligenz, die Gomułkas Rückkehr begrüßt und zum Teil große Hoffnungen auf sie gesetzt hatte, erlebte schon nach Jahresfrist Enttäuschungen, für die das Verbot der Zeitschrift *Po prostu* am 5. X. 1957

h) »Frühling im Oktober« und zweite »Ära Gomułka« (1956–1970)

symptomatisch war. Andererseits fand weder inbezug auf die Intelligenz und das geistige Leben noch inbezug auf die Kirche eine Rückkehr zu den restriktiven Methoden der Stalin-Bierut-Ära statt, so daß die sechziger Jahre im Verhältnis von Staatsgewalt, Führungsanspruch der Partei und Repräsentanten des geistigen Lebens durch einen Wechsel von Liberalisierung, Einschränkungen, Protesten und neuer Liberalisierung gekennzeichnet waren, ohne daß eine klare kulturpolitische Linie verfolgt worden wäre, mit Ausnahme der bewußten, oft prononcierten Hervorhebung der polnischen Nation und des Stolzes auf die Leistungen des polnischen Volkes in Vergangenheit und Gegenwart, am deutlichsten erkennbar in den sich über sieben Jahre (1960–1966) erstreckenden Feiern zum tausendjährigen Bestehen des polnischen Staates. In den vierzehn Jahren der »Ära Gomułka« lassen sich drei ungleich lange Perioden unterscheiden. Das Jahr des »Frühlings« 1956–1957; das Jahrzehnt der Hoffnungen und Enttäuschungen 1958–1968; die Jahre des Wartens auf die Ablösung März 1968–1970.

Der »Frühling im Oktober« (1956/1957)[1]

Mit Gomułkas Rückkehr an die Parteispitze war kein radikaler Machtwechsel eingetreten, auch hatte er sich in der Zeit der Haft und Isolierung nicht zu einem liberalen Demokraten gewandelt. Er war vielmehr weiter überzeugter Kommunist mit geringen geistigen Interessen und wenig Verständnis für die Intellektuellen, aber mit einem Sinn für die begrenzten Möglichkeiten der Durchsetzung des sozialistischen Wirtschaftssystems in der Realität der polnischen Verhältnisse, wie seine siebenstündige Antrittsrede[2] deutlich machte. Er propagierte wirtschaftlich: die Abkehr von der starren Herrschaft der Planung, die Abkehr vom Zwang zur Kollektivierung und die Schaffung materieller Anreize für Arbeiter und Handwerker; außenpolitisch: Wandlung des Verhältnisses zur Sowjetunion auf der Basis der Unabhängigkeit und Gleichheit; innen- und parteipolitisch: Größere Rolle des *Sejm* im Staat und mehr praktische Demokratie im Parteileben.

Von diesem Programm wurden die wirtschafts- und außenpolitischen Ziele im Rahmen des Möglichen verwirklicht, die innenpolitischen fast gar nicht. Die Sejmwahlen vom 20. I. 1957 gaben zwar die Möglichkeit, Kandidaten zu streichen und somit Antipathien Ausdruck zu geben, die Zusammensetzung war aber weiterhin durch die Kandidatenliste der »Nationalen Front« vorherbestimmt und, abgesehen von einigen Ausnahmen im ersten Jahr der Legislaturperiode, gab es im *Sejm* weder wirkliche Debatten noch echte Abstimmungen, wenn sich auch gelegentlich die beiden kleinen Gruppen der katholischen, »parteilosen« Abgeordneten durch Gegenerklärungen und Enthaltungen bemerkbar machten. In der Ende Februar 1957 gebildeten dritten Regierung Cyrankiewicz befanden sich zwar der einstige Sozialist Adam Rapacki[3] als Außenminister und der als »liberal« geltende Marian Spychalski als Verteidigungsminister sowie eine Reihe ausgesprochener Fachleute, aber einen Bruch mit der Vergangenheit bedeutete sie nicht.

Außenpolitisch zeigte die Rückkehr von Rokossovskij nach Moskau am 8. XI., der die Abberufung weiterer hoher sowjetischer Offiziere folgte, das gewandelte Verhältnis an, das durch eine gemeinsame Deklaration vom 18. XI. und einen Stationierungsvertrag vom 17. XII. 1956 sowie durch ein Repatriierungsabkommen vom 25. III. 1957 genauer geregelt wurde. Aufgrund dieser Vereinbarungen wurde die Unterbezahlung der polnischen Kohlelieferungen an die Sowjetunion beendet, und über 200 000 Polen konnten in den Jahren 1956–58 nach Polen zurückkehren.

Obwohl zur Bundesrepublik Deutschland keine Beziehungen aufgenommen werden konnten, wurden die Reisemöglichkeiten erleichtert und vor allem weitgehende Ausreiseerlaubnisse im Rahmen der Familienzusammenführung erteilt[4]. Auch die Ausreise nach Israel wurde wesentlich erleichtert, so daß 1957 etwa 30 000 Juden das Land verlassen konnten.

Im landwirtschaftlichen Bereich hatte der zweite Fünfjahresplan 1956–1960 die Vermehrung der sozialisierten Landwirtschaft auf 40 % der Nutzfläche vorgesehen, aufgrund des Kurswechsels vom Oktober 1956 lösten sich aber über 80 % der Produktionsgenossenschaften wieder auf, so daß eine Reprivatisierung stattfand, die durch ein Gesetz vom 13. VII. 1957, das den Landerwerb bis zu 15 ha gestattete, noch gefördert wurde. Senkungen der Ablieferungsverpflichtungen und Erhöhung der Agrarpreise erlaubten in den folgenden Jahren vor allem den mittleren Bauern in Großstadtnähe, zu einem relativen Wohlstand zu kommen.

Während die Kirche, deren Primas am 28. X. aus der Haft entlassen wurde, mit dem Staat einen neuen modus vivendi fand (Vereinbarung vom 7. XII. 1956) und alsbald wieder als geschlossene geistige Kraft auftreten konnte, entbrannte in der Partei und in der Publizistik eine lebhafte Auseinandersetzung zwischen »Revisionisten« (u. a. der Philosoph Leszek Kołakowski) und »Dogmatikern« und »Konservativen«. Schon im Mai 1957 wurde deutlich, daß der Parteiführer im »Revisionismus« die weitaus größere Gefahr sah. Einschränkungen der zeitweilig sehr weitgehenden Pressefreiheit folgten. Mit dem Verbot der besonders avantgardistischen Wochenschrift *Pro prostu* am 5. X. 1957 wurde klargemacht, daß an den Grundlagen des Sozialismus nicht gerüttelt werden dürfe.

Verstärkte Industrialisierung. Hoffnungen und Enttäuschungen (1958–1968)

Das zentrale Jahrzehnt der Ära Gomułka ist durch den raschen Ausbau neuer Industriezweige – Schiffbau, Petrochemie –, den fortschreitenden Übergang zu einer Industriegesellschaft mit zunehmender Verstädterung einerseits und durch Schwankungen und Richtungskämpfe in der Ideologie und im geistigen Leben andererseits gekennzeichnet. Die rasche Zunahme der Bevölkerungszahl – 1950: 25 Mill., 1960: 29,78 Mill., 1970: 32,64 Mill. – erleichterte die Industrialisierung, da genügend Arbeitskräfte zur Verfügung standen, schuf aber zusammen mit der Binnenwanderung in die Städte Versorgungsprobleme, insbesondere im Wohnungsbau. Während 1950 noch 63 % der Bevölkerung in Landgemeinden lebten, wurde 1967 die 50 %-Grenze erreicht, bei raschem Fortschreiten der Urbanisierung. Gleichzeitig wuchs der Anteil der Landbevölkerung, die nicht von der Landwirtschaft lebte, von 13 % im Jahre 1950 über 16 % im Jahre 1960 auf 20 % im Jahre 1970, so daß der Anteil der ländlichen, von der Landwirtschaft lebenden Bevölkerung 1970 nur noch 25,1 % betrug. Diese sozialen Veränderungen waren mit einem raschen Anwachsen insbesondere der technischen Intelligenz, mit erhöhten Anforderungen an den Lebensstandard und mit wachsendem Selbstbewußtsein der Arbeiterschaft und der technischen Intelligenz verbunden.

Die Partei war bemüht, sich dieser Entwicklung anzupassen und sich durch »Säuberungen« wieder soweit umzugestalten, daß sie neue Kräfte anziehen und die beanspruchte Führungsrolle auch tatsächlich ausfüllen konnte. Auf dem III. Parteitag[5] im März 1959 konnte Gomułka feststellen, daß die Partei ihre Einheit wiedergewonnen habe, daß ihre Mitgliederzahl infolge der seit 1957 durchgeführten »Säuberungen« aber auf 1,02 Millionen abgesunken war. Davon waren nur noch knapp 42 % Arbeiter und 12,2 % Bauern, so daß der Anteil der »schaffenden Intelligenz« über 45 % betrug. In den folgenden Jahren wuchs die Gesamtzahl rasch an; auf dem IV. Parteitag im Juni 1964 betrug sie 1,57 Millio-

h) »Frühling im Oktober« und zweite »Ära Gomułka« (1956–1970)

nen, auf dem V. im November 1968 bereits 2,03 Millionen. Die starke Stellung der Intelligenz, d. h. der Angestellten und der Parteifunktionäre, wurde aber trotz aller Bemühungen, den Namen *Arbeiter*partei auch zu rechtfertigen, nicht erschüttert. Ihr Anteil lag vielmehr im Juni 1968 sogar bei 48,4 %[6].

Praktisch blieb die Partei die ganze Ära Gomułka hindurch eine Funktionärspartei, in der die erstarrte Formelsprache der Stalinzeit wieder auflebte und von der keine wesentlichen Impulse ausgingen, vor allem nicht von Gomułka selbst. Auf keinem der drei Parteitage dieser Periode, deren letzter (der V.) im November 1968 die Beteiligung der polnischen Truppen am Einmarsch in die Tschechoslowakei zu erklären hatte, kam es zu lebhaften Debatten oder – bei allen Einzelverschiebungen zugunsten jüngerer, stärker pragmatisch-technologisch bestimmter Funktionäre – zu tiefgreifenden Veränderungen in der Parteispitze, in der das Verhältnis von »Reformern« und »Revisionisten« (z. B. Gierek, Kliszko, Spychalski) zu den »Dogmatikern« oder »Konservativen« stets eine Mehrheit der letzteren ergab und damit nur geringe Kurskorrekturen ermöglichte. Diese zeigten sich im wesentlichen in Einschränkungen der geistigen Freiheit, gegen die am 19. III. 1964 in einem »Brief der 34« von einigen führenden Vertretern geistigen Lebens protestiert wurde, und in stillschweigend oder ausdrücklich gewährten Möglichkeiten, die eigene Meinung in Wissenschaft, bildender Kunst und Literatur einigermaßen frei zu äußern, wobei Schwanken, Richtungslosigkeit, Widersprüche und ein von Gomułka selbst ausgehendes lebhaftes Mißtrauen gegenüber allen Vertretern geistigen Lebens charakteristisch waren.

Innerhalb der Partei entwickelte sich unter der Oberfläche eine heftige Auseinandersetzung um die künftige Führung zwischen den einem polnischen Nationalismus huldigenden, im übrigen aber für strikte Herrschaftsausübung eintretenden »Partisanen«, mit dem Innenminister und Vorsitzenden des »Verbandes der Kämpfer für Freiheit und Demokratie« *(ZBOWiD)* Mieczysław Moczar[7] als Leitfigur, und den »Revisionisten« und »Technokraten«, die aber keine geschlossene Front bildeten. Da sich unter den »Revisionisten«, die z. T. wie Adam Ważyk, Altkommunisten waren, verhältnismäßig viele Personen jüdischer Herkunft befanden, wie Ważyk selbst, das Politbüromitglied Roman Zambrowski und der Chef der Planungsbehörde Eugeniusz Szyr, nutzten die »Partisanen« die in manchen Kreisen vorhandenen antisemitischen Stimmungen ebenso bedenkenlos aus wie die allgemein vorhandene, äußerlich nie hervortretende Abneigung gegen die Sowjetunion. Gomułka vermochte im allgemeinen geschickt zu taktieren und einen »Mittelkurs« zu halten, unterstützt von Edward Ochab, der nach dem Tode Zawadzkis (7. VIII. 1964) das Amt des Staatsratsvorsitzenden übernahm. Bezüglich des geistigen Lebens und der Meinungsfreiheit neigte er jedoch mehr und mehr der »harten« Linie der »Partisanen« zu und hielt jede weiterreichende Diskussion gerade von Marxisten, die als »revisionistisch« eingestuft werden konnten, für schädlich. Das wirkte sich u. a. in scharfer Kritik an dem kommunistischen Philosophen Adam Schaff aus, dessen Buch »Marxismus und das menschliche Individuum« im Dezember 1965 als Zeichen eines »bourgeoisen Marxismus« abqualifiziert wurde, und insbesondere im Vorgehen gegen den ebenfalls der Partei angehörenden jungen Philosophen Leszek Kołakowski[8], der wegen einer nüchternen, den Zustand geistiger Stagnation anklagenden Rede zum zehnten Jahrestag des »Frühlings im Oktober« am 21. X. 1966 trotz zahlreicher Proteste unverzüglich aus der Partei ausgeschlossen wurde. Ungeachtet ihres zahlenmäßigen Anwachsens war die Stagnation in der Partei nicht zu übersehen, die nicht mehr in der Lage war, eine geistige Faszination auszuüben und selbständig denkende Persönlichkeiten anzuziehen, aber auch nicht mehr mit strengen Disziplinierungsmaßnahmen der Stalin-Radkiewicz-Zeit unumschränkt herrschen konnte.

In den Zeitraum fielen zwei Parlamentswahlen, die zusammen mit den Wahlen für die Nationalräte am 16. IV. 1961 und am 30. V. 1965 durchgeführt wurden. Bei 98,3 % bzw. sogar 99,2 % aller abgegebenen Stimmen für die »Nationale Front« fiel es wenig ins Gewicht, daß durch die Möglichkeit der Streichung auf der Kandidatenliste gewisse Sympathien (z. B. für den katholischen Publizisten Stomma) und Antipathien (z. B. gegen Ministerpräsident Cyrankiewicz) durch die Wähler ausgedrückt werden konnten, da auch die unbeliebtesten Kandidaten noch über 90 % erhielten. Das Parlament, in der Legislaturperiode 1957–61 noch einigermaßen diskutierfreudig, fiel in den folgenden Kadenzen trotz häufiger Sitzungen wieder in die Rolle des Zustimmungsapparats zurück und betraute jeweils wieder Cyrankiewicz mit der Bildung der zwar im einzelnen veränderten, grundsätzlich aber gleichbleibenden Regierung.

Außenpolitisch waren lediglich drei Ereignisse von weitreichender Bedeutung: Der Abschluß eines für drei Jahre laufenden Handelsvertrages mit der Bundesrepublik Deutschland und die Vereinbarung über die Errichtung von Handelsmissionen am 7. III. 1963, die Erneuerung des Freundschafts- und Beistandspaktes mit der Sowjetunion bei ausdrücklicher Hervorhebung der »Unantastbarkeit der Staatsgrenze Polens an der Oder und Neiße« am 8. IV. 1965 und die Botschaft der polnischen Bischöfe an die deutschen Bischöfe vom 18. XI. 1965[9] mit dem Kernsatz: »Wir gewähren Vergebung und bitten um Vergebung.«

Diese während des II. Vatikanischen Konzils an die deutschen Bischöfe gerichtete Botschaft, die mit einer Einladung zur Tausendjahrfeier der Christianisierung Polens im folgenden Jahr verbunden war, fand allerdings die schärfste Kritik der Partei: Sie zeigte aber ebenso wie die kirchlichen Jahrtausendfeiern im Vergleich mit den sich über sieben Jahre erstreckenden staatlichen Jahrtausendfeiern (1960–1966)[10], daß die katholische Kirche erneut eine wesentliche geistige Kraft in Polen bildete und der Stagnation im Parteibereich eigene Initiativen gegenüberstellen konnte.

»Märzunruhen«, Aufruhr an der Küste, Gomułkas Ersetzung durch Edward Gierek (1968–1970)

Die sich verstärkende Unzufriedenheit mit dem Abbau der Errungenschaften des »Frühling im Oktober« äußerte sich spontan in studentischen Demonstrationen in Warschau am 8. III. 1968, ausgelöst durch die Absetzung der »Totenfeier« *(Dziady)* von Adam Mickiewicz vom Spielplan[11]. In Anlehnung an den gleichzeitigen Wandel in der Tschechoslowakei wurde in Resolutionen Aufhebung der Zensur und mehr geistige Freiheit gefordert, was mit harten Polizeimaßnahmen, Verhaftungen und sofortiger Einberufung zum Militär beantwortet wurde. Nachdem schon während des israelisch-arabischen Sechstagekrieges im Juni 1967 eine »antizionistische« Propaganda inszeniert worden war, die sich unmißverständlich auch gegen die Juden in Polen richtete, wurden nunmehr »Zionisten« und »Revisionisten« für die Unruhen verantwortlich gemacht, wobei Gomułka selbst in einer scharfen Rede vom 19. III. 1968 darauf hinweis, daß »Juden, die sich zu der zionistischen Ideologie bekennen«, in Kürze das Land verlassen würden. Bei verbaler Ablehnung des Antisemitismus wurde in den folgenden Monaten unter dem Stichwort des »Antizionismus« eine heftige Kampagne gegen Intellektuelle jüdischer Herkunft geführt, die größtenteils ihre z. T. einflußreichen Stellungen im wissenschaftlichen und künstlerischen Leben wie im diplomatischen Dienst verloren[12]. Etwa 12 000 verließen noch im Jahre 1968 das Land. Mit der »März-

h) »Frühling im Oktober« und zweite »Ära Gomułka« (1956–1970)

politik« rigorosen Vorgehens gegen an sich vorsichtige Regungen geistigen Freiheitsstrebens näherte sich Gomułka der harten Linie der »Partisanen«, was ihm durch die ablehnende Haltung der Arbeiterschaft gegenüber den unzufriedenen Intellektuellen erleichtert wurde. Andererseits brachte die Ersetzung von Edward Ochab (der offiziell erkrankt, tatsächlich aber mit der »Märzpolitik« nicht einverstanden war) durch Marian Spychalski als Staatsratsvorsitzenden (11. IV. 1968) wieder einen »Liberalen« an die Staatsspitze. Die Haltung der PZPR während der Auseinandersetzung der »Bruderparteien« mit der KPČ und die Beteiligung polnischer Truppen an der Besetzung der Tschechoslowakei am 21. VIII. 1968 ließen keinen Zweifel an der Ablehnung jedes »revisionistischen« Kurses durch die Parteispitze, was auch durch den V. Kongreß der PZPR vom 11. bis 16. XI. 1968 in Anwesenheit von L. Breschnew bestätigt wurde, mit der Hoffnung, nun eine »Stabilisierung« zu erreichen. Diese schien im folgenden Jahr äußerlich erreicht, als Gomułka in einer Rede zu den wiederum programmgemäß verlaufenden Sejmwahlen (31. V. 1969) am 17. V. 1969 eine Aufforderung an die Bundesrepublik Deutschland zu Verhandlungen über die Aufnahme diplomatischer Beziehungen ergehen ließ, die eine Ära deutlicher Klimaverbesserung einleitete. Die Verhandlungen selbst wurden erst im Februar 1970 aufgenommen und führten am 7. XII. 1970 zur Unterzeichnung des »Warschauer Vertrages«.

Unmittelbar anschließend zeigte sich jedoch, daß die Stabilisierung im Innern nicht erreicht war, denn die Ankündigung erheblicher Preiserhöhungen für Lebensmittel vom 12. XII. 1970, die durch gleichzeitige Preissenkungen für Gegenstände des längerfristigen Bedarfs nur formell kompensiert wurden, führten zu umfangreichen Streiks und Protestaktionen der Arbeiter in Danzig, Gdingen, Stettin und weiteren Städten an der Küste oder in Küstennähe. Hartes Durchgreifen der Polizeiorgane mit Schüssen in die demonstrierende Menge in den folgenden Tagen (14.–18. XII.) konnte trotz erheblicher Verluste, deren genaue Zahl[13] nicht feststellbar ist, die Ruhe nicht wiederherstellen.

Auf einer Sitzung des Politbüros und des Zentralkomitees (VII. Plenum) am 19. und 20. XII. 1970 trat der am gleichen Tag offiziell erkrankte Gomułka zurück. Er wurde durch Edward Gierek[14] ersetzt, der sich somit als »Pragmatiker« und »Technokrat« gegen den »Partisan« Moczar durchsetzen konnte, ohne ihn jedoch zunächst auszuschalten. Unmittelbar anschließend (23. XII.) trat die Regierung Cyrankiewicz zurück, neuer Regierungschef wurde der bisherige Stellvertretende Ministerpräsident, der wenig hervorgetretene Piotr Jaroszewicz (geb. 1909), Politoffizier der 1. polnischen Armee in der Sowjetunion und langjähriges Politbüro- und Regierungsmitglied. Cyrankiewicz, seit 1947 mit anderthalbjähriger Unterbrechung Regierungschef, wurde anstelle Spychalskis Staatsratsvorsitzender (bis 28. III. 1972).

Während somit an die Parteispitze ein Technokrat und Pragmatiker trat, der auf erhebliche Aufbauleistungen im heimischen Oberschlesien verweisen konnte, wurde die Regierung von einem Mann übernommen, an dessen Treue gegenüber der Sowjetunion wie der ideologischen Linientreue nicht gezweifelt werden konnte. Gleichzeitig wurden die »Revisionisten« zurückgedrängt, mit Gomułka verließen Kliszko und Spychalski das Politbüro.

Regierungs- und Parteispitze waren bemüht, die aufgeregte Bevölkerung auf zahlreichen Versammlungen zu beruhigen und einen »neuen Stil« der Offenheit, des Pragmatismus und des guten Willens zu prägen, mit der Bitte um Mithilfe breiter Schichten. Die Preiserhöhungen wurden zurückgenommen. Auf dem VIII. Plenum am 7. II. 1971 konnte Gierek feststellen, daß das verlorengegangene Vertrauen der Bevölkerung zurückgewonnen worden sei, und weitere Verbesserungen des Lebensstandards ankündigen.

§ 26 Polen von der Unabhängigkeit bis zur Volksrepublik 1918-1970

[1] S. dazu *G. Rhode,* Der »Polnische Oktober« und seine Folgen, im Osteuropa-Hdb. Polen, S. 253-267, und *G. Rhode, K. Hartmann* und *W. Salmen,* Polens geistiges Leben im zweiten Jahr nach dem »Frühling im Oktober«: Osteuropa 8 (1958), S. 77-98.
[2] Der Text der Rede in: *W. Gomułka,* Przemówienia; Październik 1956-Wrzesień 1957 (1957); dt. in Auszügen: EurArch 11 (1956), S. 9369-9383.
[3] Adam Rapacki (1909-1970), seit 1950 Minister für Hochschulwesen, seit 27. IV. 1956 Außenminister, legte den Vereinten Nationen am 2. X. 1957 den alsbald nach ihm benannten Plan einer atomwaffenfreien Zone in Polen und beiden Teilen Deutschlands vor, der in den folgenden Jahren lebhaft diskutiert wurde; er dürfte aber keinesfalls ohne vorheriges sowjetisches Einverständnis konzipiert und formuliert worden sein.
[4] Während in den Jahren 1950-1955 nur rund 44 000 Personen die Ausreiseerlaubnis erhielten, waren es 1956 rund 16 000, 1957: 98 207, 1958: 117 618; danach sanken die Zahlen wieder stark ab.
[5] Vgl. *G. Rhode,* Der Dritte Parteitag und das II. ZK-Plenum der polnischen Kommunisten: Osteuropa 9 (1959), S. 619-630.
[6] S. die Berichte von *H. Laeuen* über den Vierten und Fünften Kongreß: Osteuropa 14 (1964), S. 903-915, und 19 (1969), S. 334-52, sowie *G. W. Strobel,* Die PVAP. Mitgliederbestand, soziale Zusammensetzung, Säuberungen, ebd., S. 353-359.
[7] Geb. in Lodz 1913, wahrscheinlich eigentlich Mikolaj Diemko, weißruthenischer Herkunft, kämpfte seit 1942 in G. L. und A. L., 1948-52 Wojewode von Allenstein, 1956-1964 Stellv. Innenminister, seit 1964 Innenminister und Präsident des ZBoWiD. Sein Erlebnisbuch: Barwy walki (übertragen etwa: Fahne und Kampf; [1]1963, erlebte zahlreiche Neuauflagen).
[8] Geb. in Radom 1927. In dt.: Der Mensch ohne Alternative (1960); Traktat über die Sterblichkeit der Vernunft (1967). Über ihn *G. Schwan,* L. K., eine marxistische Philosophie der Freiheit (1971); dort auch Bibliographie. K. lebt seit 1968 in Oxford. 1976 veröffentlichte er: Główne nurty marksizmu (Die Hauptströmungen des Marxismus; Bd. I).
[9] Wiedergabe in: Deutsch-Polnischer Dialog. Briefe der polnischen und deutschen Bischöfe und internationale Stellungnahmen (1967).
[10] Vgl. *G. Rhode,* Gomułka und die Geschichte Polens: Außenpolitik 11 (1960), S. 506-516. Sowie: Geschichtsbewußtsein in Ostmitteleuropa, hg. v. *E. Birke* u. *E. Lemberg* (1961); *G. Rhode,* Geschichtsbild und Geschichtsbewußtsein in Osteuropa: Saeculum 28 (1977), S. 3-21, und *B. Stasiewski,* Die Jahrtausendfeier Polens in kirchengeschichtlicher Sicht: JbbGOsteur 8 (1960), S. 313-329.
[11] Die wichtigsten Dokumente, insbesondere die Resolutionen übersichtlich in: Wydarzenia marcowe 1968 (Die Märzereignisse; 1969). Während der Aufführung der »Totenfeier« im Nationaltheater im Januar 1968 war es zu spontanen Beifallsbekundungen bei antirussischen Äußerungen gekommen, die man, obwohl auf die zwanziger Jahre des 19. Jh. gemünzt, auch auf die Gegenwart beziehen konnte. Daraufhin war das Stück vom Spielplan abgesetzt worden, und dagegen protestierten am 30. I., dem letzten Aufführungstage, Warschauer Studenten. Gegen deren Bestrafung erhoben sich die ersten Proteste, die dann immer weiteres Ausmaß annahmen. S. auch *H. Wagner,* Mit den Waffen von Karl Marx. Junge Polen wider den Monopolsozialismus: Osteuropa 18 (1968), S. 628-643; und *H. Laeuen,* Die Märzunruhen und ihre Folgen: Osteuropa 19 (1969), S. 1-17, 110-124.
[12] Dazu *H. Laeuen,* wie oben, außerdem ders., Der intellektuelle Aderlaß: Osteuropa 19 (1969), S. 198-204, und *R. Hammer,* Bürger zweiter Klasse. Antisemitismus in der Volksrepublik Polen und der UdSSR (1974), S. 96-225.
[13] *H. Laeuen,* Polen nach dem Sturz Gomułkas (1972), gibt eine eingehende Darstellung der »Dezemberereignisse«, ihrer Vorgeschichte und ihrer Folgen. Die Verluste gab Gierek auf dem VIII. Plenum im Februar 1971 mit 48 Toten und 1165 Verwundeten an. Dabei ist schon das Verhältnis von einem Toten auf 24 Verwundete bei Schüssen in demonstrierende Menschengruppen höchst unwahrscheinlich. Die Zahl der Toten dürfte vielfach höher liegen.
S. auch den von *E. Wacowska* bearbeiteten Dokumentationsband: Rewolta Szczecinska i jej znaczenie (Die Stettiner Revolte und ihre Bedeutung; 1971); sowie: Poznań 1956–

h) »Frühling im Oktober« und zweite »Ära Gomułka« (1956–1970)

Grudziądz 1970, ebenfalls von *E. Wacowska* bearbeitet (1971; Posen 1956–Dezember 1970).

[14] E. Gierek wurde 1913 bei Będzin (Kohlenrevier Dąbrowa) geboren, lebte 1923–34 in Frankreich, ausgewiesen, seit 1937 in Belgien, dort Vorsitzender des »Polnischen Nationalrats«. 1948 Rückkehr nach Polen, 1954 Mitglied im ZK der PZPR, 1956 Mitglied des Politbüros und Sekretär des ZK. 1957 Erster Sekretär des Wojewodschaftskomitees in Kattowitz und damit wichtigste Persönlichkeit im oberschlesischen Industriegebiet. *H. Laeuen,* Führungswechsel in Polen: Osteuropa 21 (1971), S. 217–239. Zur Biographie s. *Laeuen,* Polen nach dem Sturz Gomułkas, S. 67–106. S. auch *G. Rhode,* Der VI. Kongreß der polnischen Kommunisten: Osteuropa 22 (1972), S. 581–607.

§ 27 Litauen vom Kampf um seine Unabhängigkeit bis zur Gründung der Sowjetrepublik 1917–1944

Von Gotthold Rhode

Allgemeines Schrifttum
Gesamtdarstellungen der Geschichte Litauens in den Jahren der Unabhängigkeit sind nicht vorhanden. Entweder handelt es sich um Darstellungen der ganzen Geschichte Litauens mit Schwerpunkten in der neuesten Zeit oder um die Behandlung einzelner Zeitabschnitte und Probleme, wobei die Staatsentstehung und der Verlust der Selbständigkeit im Vordergrund stehen, während für die innere Entwicklung der Jahre 1920–1938 verhältnismäßig wenig vorliegt. Hier werden nur die Gesamtdarstellungen oder die Werke über Detailfragen genannt, die nicht in den einzelnen Abschnitten angeführt werden, und zwar nur solche in westeuropäischen Sprachen.
In kulturelles Leben und Volkskunde führen ein: *J. Ehret,* Litauen in Vergangenheit, Gegenwart und Zukunft (1919).
V. Jungfer, Litauen, Antlitz eines Volkes (^{2}1948).
Reiches Material bietet die in Boston, Mass. erschienene Encyclopedia Lituanica, hg v. *J. Kapočius* (6 Bde. 1970–1978).
Einen instruktiven Überblick über die Geschichte bietet *M. Hellmann,* Grundzüge der Geschichte Litauens (1966).
Von *Hellmann* stammen auch die meisten Beiträge zum Stichwort »Litauen« im Handwörterbuch des Grenz- und Auslandsdeutschtums, Bd. 3 (1938) mit reichem statistischem Material.
Die Darstellung von *C. R. Jurgela,* History of the Lithuanian Nation (1948), widmet der Zeit nach 1918 nur einige knappe Schlußkapitel.
Sehr viel breiter, aber z. T. einseitig nationalistisch ist das Sammelwerk Lithuania 700 Years, hg. v. *A. Gerutis* u. *A. Budreckis* (1969), in dem *Gerutis* die Abschnitte Independent Lithuania und Occupied Lithuania (S. 145–312) behandelt.
Für die ersten eineinhalb Jahrzehnte wichtig und informativ: *H. de Chambon,* La Lithuanie moderne (^{3}1933 mit Quellentexten), und *A. Voldemaras,* La Lithuanie et ses problèmes (1933).
Über die Deutschen in Litauen: *G. Wagner,* Die Deutschen in Litauen (1959), und das Sammelwerk: Litauen und seine Deutschen (1955).

Die Entstehung des litauischen Staates war ebenso wie die Geschichte seiner nur wenig über zwei Jahrzehnte dauernden Unabhängigkeit von drei Mächten bestimmt: vom Deutschen Reich, von Polen und von Sowjetrußland. Keine von diesen drei Mächten konnte ein Interesse an der Unabhängigkeit eines Staates haben, der die gesamten Gebiete des alten Großfürstentums umfaßte und somit einen Staat mittlerer Größe bildete. Jede konnte allenfalls einen auf das ethnographisch überwiegend litauische Gebiet beschränkten Kleinstaat dulden, der möglichst unter erheblichem eigenen Einfluß stehen oder dem eigenen Staatsgebiet in engerer oder loserer Form sogar angegliedert werden sollte. Ohne Bodenschätze, ohne wichtige Häfen und ohne die Gunst einer handelspolitisch oder strategisch wichtigen geographischen Lage konnte das kleine Land auch nicht das Interesse Großbritanniens oder Frankreichs erwecken. Für letzteres konnte es nur vorübergehend von Wichtigkeit sein, solange nämlich die französische Politik daran interessiert war, dem gefürchteten deutschen Nachbarn an dessen Ostgrenze möglichst viele Pfähle ins Fleisch zu setzen. Mit dem Abschluß des Locarno-Vertrages erlahmte dieses Interesse. Die einzigen Trümpfe, die das

Land im Westen zur Verfügung hatte, waren die Sympathien des Vatikans für ein, trotz erst fünfhundertjähriger Zugehörigkeit zur Römischen Kirche, in seiner überwältigenden Mehrheit gut katholisches Land und die Einsatzbereitschaft der etwa eine Million zählenden Amerikaner litauischer Herkunft für ihr Heimatland.

Beide Trümpfe stachen aber nicht im machtpolitischen Spiel, und so blieben nur zwei Möglichkeiten: Geschicktes Lavieren zwischen den rivalisierenden drei Nachbarn oder enge Anlehnung an einen der beiden großen unter ihnen, die aber zur Abhängigkeit oder noch weiter führen mußte. Eine dritte, theoretisch vorhandene Möglichkeit, die Bildung eines Fünfstaatenbündnisses von Finnland bis nach Polen mußte an den Gegensätzen zwischen dem letzteren und Litauen scheitern, und der Rumpf, das Bündnis der drei »Randstaaten« Estland, Lettland, Litauen, war mit einer Gesamtbevölkerung von 6 Millionen und unterschiedlichen Interessen viel zu schwach, als daß es eine Versicherung auf Gegenseitigkeit hätte darstellen können.

Eine weitere, in der Rückschau akzeptabel erscheinende, nur vage gezeichnete Möglichkeit war in den politischen Verhältnissen der Jahre 1917 bis 1922 nicht zu verwirklichen, nämlich eine Föderation mit Polen, also ein Wiederaufleben der jagiellonischen Union, die von 1385/86 bis 1793/95 beide Länder verbunden hatte, freilich bis 1569 mit Unterbrechungen und erst danach in der Form einer »Realunion«. Einer solchen, von Polens Staatschef Józef Piłsudski geplanten, aber niemals klar konzipierten Föderation stand die Tatsache entgegen, daß sich das litauische Nationalbewußtsein im 19. und frühen 20. Jh. gerade im Gegensatz zum Polentum entwickelt hatte, von dessen geistiger Vorherrschaft man sich emanzipieren wollte und dessen Adelskultur eine bewußt bäuerlich-bodenständige litauische Kultur gegenübergestellt werden sollte. Die nationale Bewegung der Litauer war gleichzeitig eine soziale Bewegung gegen die bisherige Dominanz der polnischen Oberschicht, die vom Großgrundbesitz, dem höheren Klerus und einem zahlenmäßig schwachen, aber einflußreichen Bildungsbürgertum gebildet wurde. Die Repräsentanten des nationalen Litauertums kamen dagegen aus dem Bauerntum, dem niederen Klerus und einer noch ganz schwachen, im wesentlichen im Bauerntum und im Lehrerstand wurzelnden Intelligenzschicht; sie mußten befürchten, in einer Föderation wieder unter den dominierenden Einfluß einer polnischen Führungsschicht zu geraten.

Somit blieb ein auf dem nationalen Prinzip basierender Staat auf sich selbst gestellt und wegen der Betonung der Sprachnation auch weitgehend isoliert, weil die litauische Sprache nur mit der lettischen Sprache verwandt ist und keinen Zugang zu anderen Sprachen der gleichen Familie vermittelt. Zu diesen Phänomenen der notorischen Schwäche und der Isolierung kam erschwerend hinzu, daß der litauische Staat von Anfang an mit zwei wesentlichen Grenzproblemen belastet war, die mit dem Prinzip der Sprachnation und der ethnischen Geschlossenheit nicht zu vereinbaren waren: mit der Wilnafrage[1] und der Memelfrage[2]. Wilna (polnisch Wilno, litauisch Vilnius) war zwar die Hauptstadt des alten Großfürstentums, war aber ethnisch gesehen eine polnisch-jüdische Stadt, kulturell eine polnische Stadt, in der die Litauer nach der russischen Volkszählung von 1897 nur eine verschwindend kleine Minderheit von 2 % bildeten[3]. Der Hafen von Memel bildete wiederum eine wirtschaftliche Notwendigkeit für das fast ganz von der Küste abgeschlossene Land, das in dem Seebad Polangen nur einen einzigen, für Hochseeschiffahrt unbrauchbaren Hafen hatte, aber in der Stadt lebten 1910 nur rund 5 % Litauischsprachige, im ganzen Gebiet zwischen der russisch-preußischen Grenze und dem Memelfluß, dem späteren Memelland 47,9 %.

§ 27 Litauen 1917–1944

Diese Litauischsprachigen waren aber nicht Katholiken wie die Litauer in den Gouvernements Kowno und Wilna, sondern Lutheraner, »Preußisch-Litauer«, und wegen dieses Konfessionsunterschiedes und der langen Zugehörigkeit zum preußischen Staat in ihrer großen Mehrheit nicht »großlitauisch« eingestellt.

Beide Ansprüche, der auf die »historische Hauptstadt« und der auf den Seehafen mit Hinterland, standen also argumentativ auf schwachen Füßen und waren nur mit Gewalt oder mit massiver Unterstützung einer dritten Macht – Sowjetrußlands im Falle Wilna und Frankreichs im Falle Memel – durchzusetzen. Das mußte das Verhältnis zu den beiden Nachbarn Deutschland und Polen zumindest ständig gespannt sein lassen, was sich wieder auf den Handel eines überwiegend agrarischen, auf Ausfuhr landwirtschaftlicher Produkte in die nähere Nachbarschaft angewiesenen Landes negativ auswirkte. Wilnafrage und Memelproblem, industrielle Zurückgebliebenheit bei geringer Kapitalakkumulation, einseitig landwirtschaftliche Struktur und geringe Berufs- und Aufstiegsmöglichkeiten außerhalb des Staatsapparats und des Militärs waren die wesentlichen Probleme eines Staates, dessen Bevölkerung für eine parlamentarische Demokratie mit einem Vielparteiensystem unter der russischen Herrschaft und unter der kulturellen polnischen Dominanz nicht vorbereitet worden war. Der Übergang zu einer autoritären Regierungsform im Dezember 1926 konnte deshalb auch ohne große Schwierigkeiten und wesentlichen Widerstand der Parteien erfolgen, da die Bevölkerung von ihr die Lösung wenigstens einiger Probleme erhoffte.

Auf das Erstarken der Nachbarn konnte die litauische Regierung gegenüber dem polnischen Ultimatum von 1938, dem deutschen von 1939 und dem sowjetischen von 1939 und 1940, jeweils allein gelassen, nur mit Nachgeben reagieren, wobei das letzte in der Konsequenz des Hitler-Stalin-Paktes das Ende der Selbständigkeit bedeutete.

Die Entwicklung läßt sich in folgende Phasen gliedern:
a) Die Entstehung des litauischen Staates (1917–1920)
b) Parlamentsherrschaft und Grenzprobleme in Ost und West (1920–1926)
c) Autoritäres Regime (1926–1938)
d) Verlust der Unabhängigkeit (1938–1940).
Ein fünfter Abschnitt e) kann das Geschick des Landes als Sowjetrepublik, unter deutscher Besetzung 1941–1944 und wiederum als Sowjetrepublik nur noch in der Art eines knappen Überblicks behandeln.

---

[1] Das Wilna-Problem am besten bei *A. E. Senn,* The Great Powers, Lithuania and the Wilna Question 1920–1928 (1966).
[2] Zur Memelfrage zusammenfassend *E.-A. Plieg,* Das Memelland 1920–1939. Deutsche Autonomiebestrebungen im litauischen Gesamtstaat (1962).
[3] Die (einzige) russische Volkszählung von 1897 stellte in der knapp 154 000 Einwohner zählenden Stadt folgende Verteilung nach der Muttersprache fest: Jiddisch 41 %, Polnisch 31,1 %, Russisch (mit Garnison) 20 %, Weißruthenisch 4,5 %, Litauisch 2 %, Deutsch 1,2 %.
Im Gouvernement Wilna mit 1,6 Millionen Einwohnern blieben die Polnischsprachigen mit 8,2 % weit hinter den Litauischsprachigen mit 17,6 % zurück. Die absolute Mehrheit hatten aber die Weißruthenen mit 56 %. Von den rund 130 000 Polen im Gouvernement Wilna gehörten 28 % zum Adel, 28 % zum Bürgertum und 43 % zu den Bauern, von den rund 279 000 Litauern aber weniger als 1 % zum Adel, 2 % zum Bürgertum und 97 % zu den Bauern. Von den sieben Kreisen des Gouvernements Wilna hatte nur der Kreis Troki eine knappe litauische Mehrheit, im Kreis Święciany waren die Litauer mit knapp 30 %, im Landkreis Wilna mit 31 % vertreten.

a) Die Entstehung des litauischen Staates (1917–1920)[1]

Obwohl es seit den letzten Jahrzehnten des 19. Jh. eine lebhafte litauische Nationalbewegung[2] gab, die im Jahre 1904 die Aufhebung des Druckverbots von Schriften in litauischer Sprache in Rußland erreicht und im Dezember 1905 in Wilna einen »Großen Litauischen Landtag« mit etwa 2000 Delegierten ermöglicht hatte, gab es bei Ausbruch des I. Weltkrieges keine allgemeine Hoffnung auf einen eigenen Staat. Die Schicht der politisch tätigen Intellektuellen war noch sehr dünn; die um die Jahrhundertwende zunächst in der Illegalität entstandenen Parteien wie die Litauische Sozialdemokratische Partei (1895), die Litauische Demokratische Partei (1902), seit 1914 Litauische Volkssozialistische Demokratische Partei, der Litauische Bauernbund (1905) und die Christlich-Demokratische Partei (1906) hatten keine größere Anhängerschaft und waren schlecht organisiert, zumal das Litauertum in den Städten nur schwach vertreten war und die polnischen oder polonisierten Gutsbesitzer die nationale Bewegung nicht unterstützten, sie oft sogar bekämpften. In der russischen *Duma* hatten die Litauer zwar einige Abgeordnete (7 in den beiden ersten, je 4 in der dritten und vierten *Duma*), doch gehörten sie verschiedenen gesamtrussischen Parteien an und brachten ihre Stimme nicht geschlossen zur Geltung. Ihre Forderungen nach nationaler Autonomie für die vereinigten Gouvernements Wilna und Kowno (litauisch Kaunas, deutsch Kauen) wurden nur vorsichtig vorgebracht und waren keineswegs Allgemeingut.

Im westlichen Ausland hatte ein junger Jurist Juozas Gabrys (1880–1951) im Jahre 1911 in Paris ein »Bureau d'information de Lithuanie« gegründet, das er 1915 nach Lausanne verlegte. Dies versuchte, möglichst viel Informationen über das in Westeuropa weitgehend unbekannte litauische Volk, seine Sprache und Geschichte zu verbreiten und Verständnis für die Forderungen nach Autonomie und Selbstbestimmung zu erwecken. In Wilna versuchte ein im Monat des Kriegsausbruchs entstandenes »Litauisches Zentrum« mit dem *Duma*-Abgeordneten Martynas Yčas (1880–1931) der russischen Regierung ähnliche Forderungen verständlich zu machen, ohne aber Gehör zu finden oder gar Versprechungen zu erhalten, wie sie der Oberkommandierende Nikolaj Nikolaevič in seinem Manifest vom 14. VIII. 1914 den Polen gegeben hatte.

Die deutsche Besetzung des gesamten litauischen Siedlungsgebiets im Spätsommer 1915 (Wilna wurde kampflos am 18. IX. besetzt) löste zunächst keine Aktivitäten der Unabhängigkeitsbewegung aus, wenn auch deutlich wurde, daß im Verwaltungsgebiet Oberost die Litauer offiziell gegenüber den Polen bevorzugt wurden, was praktisch bei der zahlenmäßigen Schwäche der Intelligenz auf Schwierigkeiten stieß. Klare Konzepte für die Zukunft des Landes gab es deutscherseits nicht[3], doch wurden Geschichte und Kultur des litauischen Volkes und die geographischen und künstlerischen Besonderheiten des Landes gewissermaßen entdeckt und der deutschen Öffentlichkeit mit deutlicher Sympathie vorgestellt[4].

Erst die Proklamation der Wiederherstellung eines polnischen Staates durch die Mittelmächte (5. XI. 1916), dessen Grenzen unbestimmt blieben, so daß eine künftige Einbeziehung des Wilnagebietes denkbar war, und die russische Februarrevolution gaben der Idee der Wiederbegründung eines litauischen Staates stärkere Antriebe. Der am 13. III. 1917 in Petrograd von Vertretern der oben genannten Parteien gegründete Litauische Nationalrat, der Ende Mai/Anfang Juni 1917 eine stürmisch verlaufende Versammlung litauischer Flüchtlinge in Petrograd veranstaltete, fand zwar mit seinen Autonomieforderungen auch bei der

§ 27 Litauen 1917–1944

Provisorischen Regierung kein Gehör, aber in Deutschland wurde im Laufe des Sommers 1917 Übereinstimmung über die künftige Bindung Litauens an das Reich und die Notwendigkeit der Einberufung einer Landesvertretung erreicht, nachdem eine Denkschrift[5] prominenter Litauer vom 10. VII. 1917 die litauische Eigenständigkeit gegenüber Polen betont hatte.

Vom 18. bis 22. IX. 1917 tagte in Wilna eine Versammlung von 214 teils gewählten, teils von deutschen Dienststellen benannten »Notabeln«. Diese wählte ihrerseits einen Landesrat *(Taryba)* von 20 Mitgliedern (6 Sitze wurden für Vertreter der Polen, Juden und Weißruthenen offengehalten), dem der Publizist Antanas Smetona[6] (1874–1944) präsidierte. Diese *Taryba* sollte die »Entwicklung zu einem unabhängigen demokratisch geordneten Staate innerhalb der ethnographischen Grenzen Litauens mit den für die Entwicklung des wirtschaftlichen Lebens notwendigen Grenzkorrekturen« vorantreiben. Zustimmend äußerten sich eine Litauische Konferenz in Stockholm (18.–20. X.) und eine Konferenz in Bern (6. XI. 1917)[7], und die nach der Oktoberrevolution am 15. XI. verkündete Deklaration der Rechte der Völker Rußlands ermöglichte ja ausdrücklich die Selbstbestimmung bis zur Konsequenz der Loslösung vom Russischen Reich. Dementsprechend proklamierte der Landesrat am 11. XII. 1917 »die Wiederherstellung eines unabhängigen litauischen Staates mit der Hauptstadt Wilna und seine Abtrennung von allen staatlichen Verbindungen, die mit anderen Völkern bestanden haben«. Er erbat dazu »Schutz und Hilfe des Deutschen Reiches«, mit dem ein »ewiges festes Bundesverhältnis« eingegangen werden sollte. Da die Reichsregierung jedoch nicht reagierte und auch den Wunsch der *Taryba,* eine litauische Vertretung bei den Friedensverhandlungen in Brest-Litowsk zuzulassen, nicht erfüllte, wiederholte diese am 16. II. die Proklamation, jedoch ohne den Zusatz über das Bundesverhältnis, und ersuchte Berlin und Moskau um Anerkennung des »unabhängigen litauischen Staates«. Nach Unterzeichnung des Brester Friedens und nach einer Erklärung der *Taryba* vom 20. III. 1918, daß sie am Beschluß vom 11. XII. über das Bündnis festhalte, erfolgte am 23. III. 1918 die feierliche Anerkennung der Unabhängigkeit Litauens durch das Deutsche Reich, allerdings mit der Bedingung, daß »Litauen an den Kriegslasten Deutschlands, die auch seiner Befreiung dienen, teilnehmen wird«.

Trotzdem erfolgte keine Einsetzung einer Regierung, einer litauischen Verwaltung auf unterer Ebene oder die Bildung einer eigenen Armee, da innerhalb deutscher Dienststellen keine Einigung über die Person des künftigen Monarchen sowie über die Art der Überleitung vom Besatzungsregime zur Selbständigkeit bestand. Unter entscheidender Mitwirkung des Zentrumspolitikers Matthias Erzberger wählte die *Taryba* – ohne Mitwirkung der sozialdemokratischen Mitglieder – am 2. VII. 1918 nicht, wie von der Reichsregierung gewünscht, einen Hohenzollernprinzen, sondern den katholischen Herzog Wilhelm von Urach aus einer Seitenlinie des württembergischen Königshauses zum König. Er sollte als Mindaugas II. den litauischen Thron besteigen, wobei der Name bewußt an den einzigen litauischen König Mindaugas bzw. Mindowe I. erinnerte, der sich 1253 unter Mitwirkung des Deutschen Ordens taufen und krönen ließ[8]. Der Wahl war die Verabschiedung einer Verfassung von 12 Artikeln und deren Annahme durch den in Freiburg lebenden präsumtiven Monarchen (4. VI. bzw. 1. VII. 1918) vorausgegangen. Praktische Konsequenzen hatte dieser Akt wegen des Widerstandes von Reichsregierung und »Oberost« allerdings nicht, ebensowenig wie die am 11. VII. erfolgte Umbenennung des Landesrats in »Staatsrat«.

Inzwischen war mit Professor Augustinas Voldemaras (geb. 1883, nach 1940 verschollen) eine neue Führungskraft im deutsch besetzten Litauen aufgetaucht.

a) Die Entstehung des litauischen Staates (1917–1920)

Er war von einem im November 1917 in Voronež zusammengetretenen »Obersten Litauischen Rat in Rußland« als Vertreter der Litauer für Brest-Litowsk benannt worden, hatte als »Berater« der ukrainischen Delegation an den Verhandlungen teilgenommen und wurde am 25. VII. zusammen mit Yčas und einigen anderen in den Landesrat kooptiert, nachdem einige Vertreter der Linken aus diesem ausgeschieden waren. Er bemühte sich in Berlin um Durchsetzung der litauischen Forderungen, vor allem bezüglich Wilnas, erreichte aber keine Unterstützung. Erst Reichskanzler Max von Baden gab am 20. X. die Zustimmung der Reichsregierung zur Regierungsbildung und zur Aufstellung von Milizen. Im Zeichen des deutschen Zusammenbruchs wurde die Wahl Wilhelms praktisch rückgängig gemacht und am 28. X. eine neue Provisorische Verfassung verabschiedet, die den Staatsrat *(Valstybės Taryba)* zum obersten Staatsorgan machte und die baldige Berufung einer Konstituierenden Versammlung vorsah. Der Staatsrat beauftragte Voldemaras mit der Bildung einer Regierung, die er am 11. XI. vorstellen konnte. Er hatte neben dem Ministerpräsidium das Außenministerium, das er auch in den folgenden Regierungen beibehielt, und das Verteidigungsministerium übernommen.

Das entscheidende Problem des neuen Staates, dessen Gebiet noch von den deutschen Truppen besetzt blieb und der zunächst über keine eigenen Truppen verfügte, war die Durchsetzung der Ansprüche auf die Hauptstadt Wilna gegen die Polen einer- und die Bolševiki andererseits, die schon im Oktober 1917 ein Zentralbüro der Litauischen Sektion ihrer Partei mit dem früheren Sozialdemokraten Vincas Kapsukas-Mickevičius (1880–1935) an der Spitze gebildet hatten und im Spätsommer 1918 eine Kommunistische Partei Litauens und Weißrußlands (KP Litbel) ins Leben riefen[9]. Diese bildete wiederum am 8. XII. in Dünaburg eine teilweise im Untergrund wirkende Revolutionäre Arbeiter- und Bauernregierung mit Kapsukas-Mickevičius an der Spitze, die sich alsbald auf die Anerkennung einer Räterepublik Litauen[10] durch den Rat der Volkskommissare in Moskau vom 22. XII. 1918 berufen konnte, ohne konkret Macht ausüben zu können. Diese fiel ihr zu, als die deutschen Truppen am Neujahrstage 1919 Wilna verließen, Staatsrat und die inzwischen umgebildete Regierung unter dem Volkssozialisten Mykolas Sleževičius (1882–1939) nach Kowno auswichen und die Rote Armee nach einem kurzen polnischen Zwischenspiel am 5. I. 1919 Wilna mit umliegendem Gebiet besetzte.

Die Regierung, die bis zu den Wahlen zur Konstituierenden Versammlung (14./15. IV. 1920) noch mehrere Male umgebildet wurde (vom November 1919 bis zur ersten parlamentarischen Regierung im Juni 1920 fünf Kabinette), sah sich auf das frühere Gouvernement Kowno beschränkt und mußte, da der Aufbau einer eigenen Armee nur langsam vor sich ging, den Schutz der deutschen Truppen in Anspruch nehmen, die zwar der Roten Armee Einhalt geboten, polnischem Vordringen auf das von Litauen beanspruchte Grodno und im sprachlich gemischten Gebiet von Suwałki aber natürlich nicht entgegentraten. Während Außenminister Voldemaras auf der Pariser Friedenskonferenz[11] die litauischen Ansprüche auf ein Gebiet von rund 125 000 km^2 mit 6 Millionen Einwohnern durchzusetzen versuchte (die russischen Gouvernements Kowno, Wilna, Grodno und Suwałki sowie Teile von Kurland und große Teile Nordostpreußens), mußte die Regierung ohnmächtig zusehen, daß sich in Wilna die Kommunisten unter Mitwirkung einiger Sozialdemokraten als Rat der Volkskommissare der Räterepublik Litauen etablierten (6. I., umgestaltet 22. I.) und eine Vereinigung mit der Räterepublik Weißruthenien anstrebten, die am 27. II. 1919 in Wilna proklamiert wurde. Die neue Sozialistische Räterepublik Litauens und Weißrußlands (abgek. »Litbel« genannt), deren Rat der Volkskommissare wieder von Kapsukas-Mickevičius geleitet wurde, hatte freilich weder eine richtige Basis bei der überwiegend ländlichen Bevölkerung noch eine größere militärische Schlagkraft (Kriegskommissar war der Kommunist Unszlicht) und konnte keinen nennenswerten Widerstand leisten, als polnische Truppen unter Piłsudski am 19. IV. 1919 auf Wilna vorstießen und es ohne längere Kampfhandlungen bis zum 22. IV. (Ostermontag) fest in ihre Hand brachten, u. a. von den polnischen Eisenbahnern unterstützt. Das Angebot Piłsudskis, Wilna an Litauen abzutreten, wenn dieses eine Föderation mit Polen eingehe und eine neue Regierung unter dem zwischen den beiden Nationen stehenden Juristen Mykolas Roemeris (1880–1946) bilde, fand in Kowno auch bei der Linken keine Gegenliebe, so daß ein Quasi-Kriegszustand zwischen beiden Ländern eintrat, freilich ohne größere Kampfhandlungen.

Größeren Erfolg hatte die *Taryba* mit der inneren Konsolidierung, bei der u. a. eine vom Reich gewährte Anleihe von 100 Millionen Mark und die materielle Hilfe der Amerika-Litauer für die Ausrüstung der sich seit Januar 1919 allmählich formierenden Armee eine Rolle spielten. Unter Mithilfe des deutschen Grenzschutzes Nord wurde die Rote Armee aus den von ihr besetzten Nordostgebieten bis Mitte August 1919 hinausgedrängt, und als im Oktober die Truppen des russischen »Generals« Bermondt-Avalov in litauisches Gebiet eindrangen und u. a. die Städte Birsen (Biržai) und Schaulen (Šiauliai) besetzten, konnte die junge litauische Armee sie bei Radviliškis am 21./22. XI. 1919 entscheidend schlagen und vertreiben. Von einer Überschreitung der alten kurländischen Grenze zu ungunsten Lettlands konnte freilich keine Rede sein; die Gouvernementsgrenze wurde zur Staatsgrenze. In Paris erreichte die litauische Delegation zwar die Abtrennung des Memelgebiets[12] von Deutschland (Artikel 99 Versailler Vertrag), aber noch nicht dessen Übergabe an Litauen, obwohl die alliierten und assoziierten Mächte in ihrer Antwort auf das deutsche Memorandum feststellten, das fragliche Gebiet sei »immer litauisch« gewesen, und der Memeler Hafen bilde für Litauen den »einzigen Ausgang zur See«. Alle anderen Wünsche Litauens waren aber abgelehnt worden, und die Abgrenzung zwischen Polen und Litauen konnte nicht Gegenstand des Versailler Vertrages sein. Eine vorläufige Abgrenzung wurde aber in Paris am 18. VII. 1919 durch eine Demarkationslinie, die sog. Foch-Linie, vorgenommen. Sie verlief etwa 12 km westlich der Bahnlinie Dünaburg–Grodno und entlang des Flusses Czarna Hańcza, so daß außer Wilna auch Suwałki auf polnischer Seite blieb. Am 8. XII. 1919 wurde diese Demarkationslinie vom Obersten Alliierten Rat bestätigt, von Litauen aber nicht anerkannt. Waren somit gegen Ende 1919 die Landesgrenzen wenigstens im Norden und Westen klar und gesichert, im Osten und Südwesten freilich offen, so war doch im Inneren eine gewisse Stabilisierung eingetreten, die allerdings noch nicht dazu führte, daß der neue Staat allseits offiziell anerkannt wurde. In der provisorischen Hauptstadt Kowno (Kaunas) hatte der Staatsrat auf seiner Sitzung am 4. II. eine wesentliche Veränderung der vorläufigen Verfassung vorgenommen. Statt des Präsidiums der *Taryba* sollte nunmehr der Staatspräsident das Land repräsentieren, die Legislative während der Sessionspausen der *Taryba* handhaben und den Oberbefehlshaber der Armee ernennen. Zum ersten Präsidenten wählte die *Taryba* am 4. IV. 1919 Antanas Smetona, der in der Folgezeit seine Kompetenzen faktisch noch auszuweiten wußte.

Erst ein Jahr später, am 14./15. IV. 1920, fanden die Wahlen zur Konstituierenden Versammlung statt, deren Ausgang für Smetona und die nationale Rechte enttäuschend war. Von 112 Sitzen entfielen 59 auf die Christlichen Demokra-

b) Parlamentsherrschaft und Grenzproblem in Ost und West (1920–1926)

ten, die somit die absolute Mehrheit hatten, 29 auf die Volkssozialisten und 14 auf die Sozialdemokraten. Die »Völkischen« *(Tautininkai),* denen Smetona und Voldemaras nahestanden, gingen leer aus; die Kommunistische Partei war verboten; Juden, Polen und Deutsche hatten mit 9 Mandaten immerhin die Möglichkeit der Äußerung im Landtag *(Seimas).* Der Staat konnte nun in die Phase der parlamentarischen Demokratie eintreten, die seine wesentlichen äußeren Probleme allerdings ungelöst übernehmen mußte.

[1] Die wichtigsten Quellen (bis November 1918) bei *P. Klimas,* Der Werdegang des Litauischen Staates (1919). Übersichtliche Darstellung *A. E. Senn,* The Emergence of Modern Lithuania (1959). Zur deutschen Politik gegenüber Litauen: *B. Colliander,* Die Beziehungen zwischen Litauen und Deutschland während der Okkupation 1915–1918 (1935) und *G. Linde,* Die deutsche Politik in Litauen im Ersten Weltkrieg (1965).
[2] Dazu *M. Hellmann,* Die litauische Nationalbewegung im 19. und 20. Jahrhundert: ZOstforsch 2 (1953), S. 66–106.
[3] Außer *Colliander* und *Linde* aufschlußreich: *Erich Ludendorffs* Kriegserinnerungen (1919), S. 374–77 und S. 426–29, und das Litauenkapitel bei *M. Erzberger,* Erlebnisse im Weltkrieg (1920), S. 183–196.
[4] U. a. *P. Weber,* Wilna, eine vergessene Kunststätte (1917); Das Litauenbuch – eine Auslese aus der Zeitung der 10. Armee (1918); *B. Brandt,* Geographischer Bilderatlas des polnisch-weißruthenischen Grenzgebietes (1918); Bilder aus Litauen, hg. v. *R. Schlichting* u. *L. Osman* (1917).
[5] Alle Denkschriften und Resolutionen bis 1918 am einfachsten bei *Klimas.*
[6] Am 13. XI. trug er die litauischen Pläne in Berlin deutschen Politikern vor. *A. Smetona,* Die litauische Frage (1917). Als künftiges Staatsgebiet forderte er etwa 80 000 km². Eine Zeitschrift »Das neue Litauen« warb in Berlin seit 1917 für die litauischen Belange. Smetona vertrat die neue »Fortschrittliche Nationale Partei«.
[7] An beiden Konferenzen nahmen auch Vertreter der Taryba teil, an der in Bern sogar Smetona und der Vizepräsident Jurgis Šaulis (Christl. demokr. Partei).
[8] Dabei konnte die enge Bindung Mindowes an den Deutschen Orden programmatisch aufgefaßt werden, doch für Kenner der Geschichte konnte die Namenswahl kein gutes Omen bedeuten, denn Mindowe war 1262 vom Orden abgefallen und wurde schon im folgenden Jahr ermordet. S. dazu die Beiträge von *Z. Ivinskis, M. Hellmann* und *M. Hocij*: ZOstforsch 3 (1954), S. 360–415.
[9] Die Daten schwanken zwischen dem 14. VIII. und 14. IX.; die wirkliche Gründung erfolgte offenbar auf der ersten Delegiertenversammlung 1.–3. X. 1918 in Wilna.
[10] Dazu *A. E. Senn,* Die bolschewistische Politik in Litauen 1917–1919: ForschOsteurG 5 (1957), S. 93–118.
[11] *H. de Chambon,* La Lithuanie pendant la conférence de la paix 1919 (1931); entschieden prolitauisch.
[12] Außer *E.-A. Plieg* (s. S. 1064, Anm. 2) s. *Fr. Janz,* Die Entstehung des Memelgebiets (1928), und *R. Schierenberg,* Die Memelfrage als Randstaatenproblem (1925).

b) Parlamentsherrschaft und Grenzprobleme in Ost und West (1920–1926)

Die von Christdemokraten und Volkssozialisten beherrschte Konstituierende Versammlung *(Steigiamasis Seimas),* die am 15. V. 1920 in Kowno zusammentrat und als Hauptaufgabe die Ausarbeitung einer endgültigen Verfassung hatte, wollte nicht mit der auf einen starken Präsidenten ausgerichteten Vorläufigen Verfassung vom 4. IV. 1919 arbeiten, sondern nahm am 10. VI. 1920 eine weitere Provisorische Verfassung an, die Litauen endgültig zur demokratischen Republik erklärte und praktisch die Alleinherrschaft der Versammlung für eine Übergangszeit etablierte. Ein Staatspräsident war zwar vorgesehen, wurde aber von der Versammlung, in der der bisherige Präsident Smetona gar nicht vertreten war, nicht gewählt, sondern der Parlamentspräsident, der Christdemokrat Alek-

§ 27 Litauen 1917–1944

sandras Stulginskis (geb. 1885), fungierte gleichzeitig als Präsident. Da die Konstituierende Versammlung ihre Tätigkeit wegen der außenpolitischen Verwicklungen zeitweilig unterbrechen mußte, wurde die Verfassung erst am 1. VIII. 1922[1] verabschiedet. Sie behielt die Bestimmung bei, daß Wilna die Hauptstadt Litauens sei (die auch in den beiden späteren Verfassungen von 1928 und 1938 erhalten blieb), und folgte im übrigen westeuropäischen, vor allem französischen Vorbildern mit Vorherrschaft eines nach dem Verhältniswahlrecht für drei Jahre zu wählenden Einkammerparlaments (78 Sitze), das neben der Legislative die Regierungsbildung und Regierungskontrolle ausübte. Der vom Parlament auf ebenfalls drei Jahre zu wählende Staatspräsident hatte im wesentlichen repräsentative Funktionen, verfügte jedoch über das Recht der Parlamentsauflösung und des aufschiebenden Vetos bei Gesetzen, die nicht mit Zweidrittelmehrheit verabschiedet worden waren.

Das nach dieser Verfassung am 11. und 16. X. 1922 gewählte erste Parlament *(Seimas)* sah die Christdemokraten zwar wieder als stärkste Partei, doch verfehlten sie mit 38 von 78 Mandaten knapp die absolute Mehrheit. Der am 21. XII. 1922 zum Staatspräsidenten gewählte A. Stulginskis machte, um klare Mehrheitsverhältnisse zu erreichen, von seinem Auflösungsrecht Gebrauch, und die schon am 12./13. V. 1923 unter dem Eindruck des Memel-Handstreichs durchgeführten Wahlen zum zweiten *Seimas* brachten den Christdemokraten bei sonst geringfügigen Verschiebungen und einer erheblichen Stärkung der Position der nationalen Minderheiten (von 5 auf 13 Sitze) mit 40 Sitzen wieder eine regierungsfähige, von den nationalen Minderheiten tolerierte Mehrheit, die sie zu einer ziemlich hemmungslosen Beherrschung des Staatsapparates ausnutzten. Die vier Regierungen der Vorherrschaft der Christdemokraten wurden von Ernestas Galvanauskas (1882–1967, 22. II. 1923–24. VI. 1924), Antanas Turmenas (24. VI. 1924–3. II. 1925), Vytautas Petrulis (1890–1942, 3. II. 1925–25. IX. 1925) und Leonas Bistras (geb. 1890, 25. IX. 1925–15. VI. 1926) gebildet, meist Vertreter der jungen Intelligenzschicht bäuerlicher Herkunft. Die »Völkischen« oder Nationalisten, auch im ersten und zweiten *Seimas* ohne Sitz, spielten in diesen Jahren keine Rolle. Hauptprobleme der Innenpolitik waren die Einrichtung einer geordneten Verwaltung, die Einführung einer eigenen stabilen Währung statt der in den ersten Jahren noch umlaufenden »Ostmark« (Besatzungsmark) und die Agrarreform, der bei dem überwiegend bäuerlichen Gepräge der Landwirtschaft allerdings bei weitem nicht so viel Bedeutung zukam wie in Lettland und Estland. Die Verwaltung wurde zweistufig organisiert, in Kreisen *(apskritis)* und Gemeinden *(valsčius,* 10–20 je Kreis). Die Zahl der Kreise betrug 1920 zwanzig und stieg durch die Einbeziehung des Memelgebietes 1923 auf 23. Kreise und Gemeinden hatten eine begrenzte Selbstverwaltung mit gewählten Kreis- und Gemeindevertretungen, deren Kompetenz durch die Verfassung von 1928 jedoch erheblich eingeschränkt wurde.

Das Gesamtgebiet des Staates umfaßte 1922 52 822 km². Die einzige Volkszählung vom 17. IX. 1923 stellte in diesem Gebiet 2 030 000 Einwohner fest, also eine mittlere Dichte von knapp 40 auf den Quadratkilometer (ohne Memelgebiet). Die Litauer bildeten nach amtlichen Angaben fast 84 %; in Wirklichkeit dürfte der Anteil 80 % betragen haben. Unter den nationalen Minderheiten standen die Juden mit knapp 155 000 (7,5 %) an erster Stelle; die Zahl der Deutschen lag über 30 000 (1,5 %), die der Polen bei 66 000; sie wurde aber von den Polen selbst mehr als doppelt so hoch angesetzt.

Die Währung[2] des litauischen Staates blieb zunächst noch die »Ostmark«, auch nach Abzug der deutschen Truppen (Juli 1919). Ihr Wert sank rasch, da das

b) Parlamentsherrschaft und Grenzproblem in Ost und West (1920–1926)

Gesamtvolumen von knapp 300 Millionen Mark im Dezember 1918 auf 3,5 Milliarden, also mehr als das Zehnfache, im Sommer 1922 stieg. Durch Gesetz vom 9. VIII. 1922 wurde als neue Währung auf Goldbasis der Litas zu 100 *cent* mit einer Parität von 0,1 US-Dollar eingeführt und gleichzeitig die Bank von Litauen als Staatsbank geschaffen. Wie beim Waffenankauf 1919 wirkten sich auch hier Spenden und Kredite der Amerika-Litauer positiv für die Stabilisierung der Währung aus, die ihre Parität über ein Jahrzehnt halten und 1934 sogar auf 0,165 US-Dollar verbessern konnte.

Die Basis für die Agrarreform[3] war das noch vor der Verfassung verabschiedete Gesetz vom 3. IV. 1922. Es sah vor, daß Landbesitz von kirchlichen, adeligen oder sonstigen privaten Eigentümern über 80 ha gegen Entschädigung in einen staatlichen Agrarfonds überführt wurde, der ihn in Parzellen an landlose Bauern oder an Bauern mit Zwergbesitz weiterzugeben hatte, wobei die Freiwilligen aus den Kämpfen der Jahre 1919/20 bevorzugt wurden. Die Reform verlief besonders stürmisch in den Jahren 1923–26, in denen über 420 000 von der erfaßten Fläche von 800 000 ha (rd. 15 % des Staatsgebietes) enteignet und neu verteilt wurden, danach wesentlich langsamer, zumal ein Dekret vom 13. XI. 1929 die Höchstgrenze für privaten Landbesitz auf 150 ha heraufsetzte, den theoretisch verfügbaren Landvorrat also wesentlich verringerte.

Bis Ende 1938 wurden von dem Landvorrat 718 000 ha neu verteilt, doch kam ein erheblicher Teil davon – etwa 270 000 ha – in den Besitz von Kommunen oder gemeinnützigen Institutionen (Kinderheime, Landwirtschaftsschulen, Mustergüter und dgl.). Rund 39 000 neue Bauernhöfe mit einer Durchschnittsgröße von 9 ha wurden mit erheblichen staatlichen Krediten geschaffen. Neben dem wirtschaftlichen und sozialen Aspekt hatte die Agrarreform auch klare nationale Ziele, da der Großgrundbesitz sich überwiegend in der Hand von Polen und Russen (kaum von Deutschen) befunden hatte. Parzellierung bedeutete also Stärkung des staatstragenden mittleren und kleinen Bauerntums und Lithuanisierung.

Die erste Hälfte der sechseinhalbjährigen Zeitspanne der Parlamentsvorherrschaft war vor allem von den beiden außenpolitischen Problemen, der Wilnafrage[4], der gegenüber das Problem der Grenzziehung im Suwałkigebiet zweitrangig war, und der Memelfrage beherrscht. Die Wilnafrage wurde durch die polnische Offensive gegen Kiew im Frühjahr 1920 und die folgende sowjetrussische Gegenoffensive im weißruthenischen Gebiet im Frühsommer 1920 erneut akut (s. Abschnitt Polen, S. 995 f.). Durch sie wurden die seit 1919 mit Moskau geführten Friedensverhandlungen beschleunigt, da man dort im Kampf gegen Polen die Neutralität des bisher bekämpften bürgerlichen Litauens wünschte. Am 12. VII. 1920, während die Rote Armee sich bereits Wilna näherte, wurde in Moskau der litauisch-sowjetische Friedensvertrag[5] geschlossen, der Litauen zu dem faktisch beherrschten Staatsgebiet auch die Städte Wilna, Lida und Grodno zubilligte. Ein am gleichen Tag herausgegebener Aufruf des ZK der im sowjetischen Machtbereich tätigen KPL an das litauische Proletariat, es solle die Rätemacht in Litauen einführen, zeigte allerdings, daß bei einem vollen Erfolg der Roten Armee in Polen auch die Tage der Regierung Grinius gezählt gewesen wären. Kapsukas-Mickevičius erschien auch gleich nach der am 14. VII. 1920 erfolgten Einnahme Wilnas durch die Rote Armee in der Stadt, vermochte aber in den folgenden stürmischen Wochen sowjetischen Vormarschs und polnischer Gegenoffensive den Aufstand nicht entsprechend vorzubereiten. Die Übergabe Wilnas an Litauen erfolgte erst am 25. VIII., als die Rote Armee bereits an der Weichsel geschlagen war und sich in vollem Rückzug befand. Im Suwałkigebiet überschritten die

§ 27 Litauen 1917–1944

Litauer Ende Juli die Foch-Linie und besetzten Sejny (lit. Seiniai), verhielten sich also Polen gegenüber nicht strikt neutral, zumal am 23. VII. ausdrücklich der Kriegszustand erklärt worden war und Litauen sowjetischen Verbänden auf dem Rückzug den Durchmarsch gestattet hatte. Schon Ende August drängten polnische Verbände die litauischen Truppen wieder auf die Foch-Linie zurück, und nach weiteren kleineren Kampfhandlungen wurde der Konflikt sowohl vor dem Völkerbundsrat in Paris als auch in direkten Gesprächen behandelt. Die unter Völkerbundsvermittlung in Suwałki geführten Verhandlungen führten am 7. X. zu einem Waffenstillstandsabkommen, das am 10. X. in Kraft trat und Wilna stillschweigend in litauischer Hand beließ. Bereits am 9. X. war die Stadt aber in der Hand des angeblich rebellischen polnischen Generals Lucjan Żeligowski, und das von ihm geschaffene ephemere Staatsgebilde »Mittel-Litauen«[6] wurde ungeachtet aller litauischen Proteste am 20. IV. 1922 de facto mit Polen vereinigt. Litauen blieb dementsprechend ein Staat mit einer provisorischen Hauptstadt, befand sich mit Polen im Kriegszustand ohne Kampfhandlungen und betrachtete die Grenze zu diesem als Demarkationslinie, über die es keinerlei Grenzverkehr gab.

Diese Niederlage und die offensichtliche Wirksamkeit der Schaffung von *faits accomplis* erweckten in Litauen den Wunsch, das westliche Grenzproblem, die Memelfrage, nun ebenfalls gewaltsam durch einen Handstreich statt auf dem Verhandlungswege zu lösen. Mit Inkrafttreten des Versailler Vertrages war das Memelgebiet[7], 2566 km^2 mit knapp 140 000 Einwohnern, davon nach der Volkszählung von 1910 rund 71 000 deutschsprachig und 67 000 litauischsprachig, einem interalliierten Kondominium unterstellt, das von einem französischen Oberkommissar ausgeübt wurde (1920–22 General Odry, 1922–23 Petisné). Die Verwaltung lag in der Hand eines deutschen Landesdirektoriums, die bisherigen Beamten blieben größtenteils im Amt, die bewaffnete Macht lag bei der französischen Besatzung. Es begann somit ein Schwebezustand, da das Memelgebiet nicht wie das territorial etwas kleinere, aber wesentlich volkreichere Danzig zu einem Freistaat erklärt worden war und Litauen keine Prärogativen zugebilligt wurden, ungeachtet eines Beschlusses der litauischen Verfassunggebenden Versammlung vom 11. XI. 1921, der die baldige Vereinigung mit Litauen forderte. Das Gebiet konnte, nach Georg Jellinek, als »Staatsfragment« bezeichnet werden, das keine eigene Staatsangehörigkeit, wohl aber eigenes Post- und Zollwesen hatte. Angesichts der durch den Versailler Vertrag ausgesprochenen Trennung vom Deutschen Reich war die Mehrheit der Bevölkerung für die Bildung eines Freistaates unter alliierter Garantie bei wirtschaftlichen Prärogativen (Freihafenzone) für Litauen und für Polen, das ebenfalls Ansprüche auf den Hafen angemeldet hatte; doch brachten entsprechende Verhandlungen vor der Memelkommission der Botschafterkonferenz in Paris im November/Dezember 1922 noch kein entsprechendes Ergebnis.

Am 10. I. 1923, am Vortage des französischen Einmarschs in das Ruhrgebiet, jedoch ohne nachweisbare Koordination, überschritten litauische Truppen, teils als »Aufständische« getarnt, teils in Uniform die Grenze und besetzten bei geringem Widerstand der zahlenmäßig weit unterlegenen französischen Besatzungstruppe bis zum 16. I. das gesamte Gebiet. Da von der durch den Ruhrkampf voll in Anspruch genommenen Reichsregierung keine Gegenaktion erfolgte und die Alliierten den Handstreich nicht ahndeten, war Litauen faktisch im Besitz des Gebiets, und ein Beschluß der Botschafterkonferenz vom 16. II. 1923 übertrug ihm auch offiziell die Souveränität, allerdings mit den Bedingungen, dem Gebiet eine durch ein Statut gesicherte Autonomie zu gewähren und auch Polen die Mit-

c) Autoritäres Regime (1926–1938)

benutzung des Hafens Memel zu gestatten. Die erste Bedingung wurde durch den Abschluß einer Memelkonvention vom 8. V. 1924 zwischen Litauen und den Alliierten, deren Bestandteil das Statut des Memelgebiets[8] wurde, erfüllt, die zweite wegen des litauisch-polnischen Konflikts jedoch nicht. Das Statut sah die Autonomie des Gebiets mit eigenem Landtag und eigener vollziehender Gewalt in Gestalt eines fünfköpfigen Landesdirektoriums vor, dem als Vertreter des litauischen Staates ein vom Staatspräsidenten ernannter Gouverneur gegenüberstand, welcher das Einspruchsrecht gegen die vom Landtag beschlossenen Gesetze hatte. Litauisch und Deutsch wurden gleichberechtigte Amtssprachen, doch war nicht gewährleistet, daß Beamte und Angestellte Bürger des Memelgebiets sein mußten[9].

Die statutswidrig bis zum 10. X. 1925 hinausgeschobenen ersten Landtagswahlen machten deutlich, daß litauische Familiensprache und politisches Bekenntnis zu Litauen nicht übereinstimmten, da 27 der 29 Mandate auf deutsche Parteien entfielen. Trotzdem ernannte der Gouverneur gegen das Mißtrauen des Landtags Litauer zu Präsidenten des Landesdirektoriums. Es gab dementsprechend im Jahre 1926 einen Dauerkonflikt, bis der Staatsstreich in Kowno vom 17. XII. 1926 die Situation grundlegend zuungunsten der memelländischen Autonomie veränderte.

[1] *S. A. Headlam-Morley,* The New Democratic Constitutions of Europe (1928), und *M. Roemeris,* L'évolution constitutionnelle de la Lithuanie (1928).
[2] Vgl. dazu den Beitrag »Currencies« in der Encyclopedia Lituanica von *J. K. Karys* und dessen dort zitierte Werke, sowie *O. Lehnich,* Währung und Wirtschaft in Polen, Litauen, Lettland und Estland (1923).
[3] *S. Broedrich,* Die Agrarreform in Litauen, in: *M. Sering,* Die agrarischen Umwälzungen im außerrussischen Osteuropa (1930), S. 128–153. *A. Činikas,* La réforme agraire en Lithuanie (1937). *J. Krikščiunas,* Agriculture in Lithuania (1938). Vgl. auch *W. Essen,* Die ländlichen Siedlungen in Litauen (2 Bde. 1931).
[4] Außer der Darstellung von *A. E. Senn* s. die polnische Dokumentation von 1920 und die litauische von 1924 (Abschn. Polen b, Anm. 23), sowie *V. Geležinius,* Der litauisch-polnische Streit und die Möglichkeit seiner Lösung (1928; lit. Standpunkt), und *W. Studnicki,* Współczesne państwo litewskie i jego stosunek do Polaków (1922; Der gegenwärtige litauische Staat und sein Verhältnis zu den Polen).
[5] Druck in: Dokumenty vněšnej politiki SSSR, Bd. 3 (1959), S. 28–42 (russisch). Französisch bei *H. de Chambon,* La Lithuanie moderne, S. 263–275.
[6] *A. E. Senn,* On the State of Central Lithuania: JbbGOsteur 12 (1964), S. 366–374.
[7] S. Abschn. a, Anm. 12, sowie: *E. Friesecke,* Das Memelgebiet. Eine völkerrechtsgeschichtliche und politische Studie (1928), und *W. Schätzel,* Das Reich und das Memelland (1943). Ein Teil der sehr umfangreichen Publizistik bei *E.-A. Plieg,* Memelland (s. S. 1064, Anm. 2), S. 251–255.
[8] Text u. a. bei *Plieg,* S. 231–244, bei *Chambon,* La Lithuanie moderne, S. 276–297. Außerdem *A. Rogge,* Die Verfassung des Memelgebiets (1928).
[9] Art. 29 verlangte nur, sie sollten »soweit als irgend möglich aus den Bürgern des Memelgebiets entnommen« werden.

c) Autoritäres Regime (1926–1938)

Die vom 8. bis 10. V. 1926 durchgeführten Landtagswahlen, bei denen erstmals das Memelgebiet mitwählte (daher 85 statt bisher 78 Abgeordnete), brachten eine schwere Niederlage für die bisher herrschenden Christdemokraten (30 statt 40 Mandate), aber mit 37 Mandaten der Volkssozialisten (22) und Sozialdemokraten (15) auch für diese keine Regierungsmehrheit, so daß sie auf die Unterstützung der nationalen Minderheiten angewiesen waren, insbesondere der Polen

§ 27 Litauen 1917–1944

und Juden. Diese Mitte-Links-Koalition wählte am 7. VI. 1926 den Volkssozialisten Kazys Grinius (1866–1950, Juni 1920 bis Februar 1922 Ministerpräsident) zum Staatspräsidenten und Sleževicius zum Ministerpräsidenten. Wegen ihrer Nachgiebigkeit gegenüber der verbotenen KP, ihrer Konflikte mit dem Vatikan wegen der Gehaltszahlung an katholische Geistliche und insbesondere wegen eines am 28. IX. 1926 mit der Sowjetunion geschlossenen Nichtangriffspaktes[1], in dem die Gefahr kommunistischer Infiltration gesehen wurde, stieß diese Regierung auf scharfe Opposition der Christdemokraten, des Heeres und der »Völkischen«, der *Tautininkai,* die erstmals mit 5 Sitzen im *Seimas* vertreten waren.

Nach dem Vorbild des Mai-Umsturzes in Polen führten Armeeoffiziere und Vertreter der *Tautininkai* in der Nacht zum 17. XII. 1926 unter General Povilas Plechavičius einen Staatsstreich durch, besetzten das Parlament, erklärten Präsident und Regierungschef für abgesetzt und proklamierten Smetona zum Staatspräsidenten und Voldemaras zum Ministerpräsidenten, der eine Regierung aus Christdemokraten und *Tautininkai* bildete. Die Verfassung wurde faktisch außer Kraft gesetzt und der von der Regierung Sleževicius aufgehobene, seit 1919 bestehende Kriegszustand wieder eingeführt. Dem gewaltsamen, aber unblutigen Umsturz folgte am 12. IV. 1927 ein Staatsstreich des Präsidenten Smetona, den seine Anhänger zum »Führer der Nation« *(tautos vadas)* ausgerufen hatten. Er löste das Parlament auf, schrieb aber nicht die nach der Verfassung von 1922 vorgesehenen Neuwahlen aus, sondern regierte neun Jahre ohne Volksvertretung[2].

Am 15. V. 1928, dem Feiertag der Armee, die Smetonas wichtigste Stütze bildete, erließ der Präsident eine neue, als provisorisch bezeichnete und durch Volksabstimmung zu bestätigende Verfassung[3]. Diese Abstimmung fand aber nicht statt, und wichtige Artikel dieser oktroyierten Verfassung, wie die Parlamentswahl, blieben jahrelang wirkungslos. Praktisch gab diese Verfassung alle Macht dem Präsidenten, der sich im Dezember 1931 in einer formellen Wahl durch ein Wahlmännerkollegium für eine Amtszeit von sieben Jahren bestätigen ließ.

Die Alleinherrschaft baute Smetona zunehmend aus. Als Ministerpräsident Voldemaras ein bedrohlicher Rivale zu werden schien, setzte er ihn am 23. IX. 1929 ab und gab das Ministerpräsidium seinem Schwager Juozas Tubelis (1882–1939), der bis zur Staatskrise im März 1938 im Amt blieb.

Eine eigentliche Ideologie des litauisch-nationalen Totalitarismus wurde jedoch nicht geschaffen. Eine radikal-nationale Kaderorganisation, der »Eiserne Wolf« (nach einer historischen Legende aus dem 14. Jh. so benannt), stand mehr hinter Voldemaras und verlor nach 1930 an Bedeutung. Antichristlich-nationale Ideen, die an die Naturreligion vorchristlicher Zeit anknüpfen wollten, blieben ohne größere Wirkung, doch war das Verhältnis zum Vatikan und zur katholischen Geistlichkeit zeitweilig gespannt. Widerspruch erregte zunächst das mit Polen am 10. II. 1925 geschlossene Konkordat, da es durch die Schaffung eines Erzbistums Wilna die faktischen Staatsgrenzen als Kirchengrenzen anerkannte. Die Regelung der kirchlichen Verhältnisse in Litauen wurde am 4. IV. 1926 durch die Bulle »Lithuanorum gente« einseitig vorgenommen, indem eine Kirchenprovinz Kowno mit vier Bistümern und einer Freien Prälatur (für das überwiegend protestantische Memelgebiet) geschaffen wurde. Die Regierungen Sleževicius und Voldemaras verweigerten dieser Regelung die Anerkennung; erst am 10. XII. 1927 wurde das sie bestätigende Konkordat geschlossen[4]. Danach gab es mehrfach Auseinandersetzungen zwischen den *Tautininkai,* den christlichen Demokraten, die Smetona ihre anfängliche Unterstützung versagten, und der katholischen Geistlichkeit, begleitet von scharfen antiklerikalen Kampagnen der Regie-

c) Autoritäres Regime (1926–1938)

rungspresse. Auf dem Höhepunkt der Spannungen wurde der päpstliche Nuntius im Mai 1931 des Landes verwiesen, und erst 1937, im Zeichen einer gewissen Milderung des autoritären Regimes, wurden die Beziehungen zum Vatikan wiederhergestellt.

Bezeichnend für das weitgehend auf die Person des »Führers« Smetona eingestellte Regime waren ein häufiges Schwanken zwischen Härte und Nachgiebigkeit, das Fehlen zündender Ideen und eine weitergehende Isolierung, da gerade die Betonung des National-Litauischen und die Berufung auf die einseitig aufgefaßte litauische Geschichte die außenpolitischen Gegensätze zu Polen und zum Deutschen Reich noch vertieften, obwohl Regierungsform und Führerkult einander glichen. Ein mißglückter Militärputsch am 6./7. VI. 1934 gab Anlaß zu zahlreichen Verhaftungen und Repressalien einschließlich der Einrichtung eines Konzentrationslagers. Ein Bauernstreik in Südwestlitauen im August/September 1935, hervorgerufen durch den Verfall der Agrarpreise, führte zwar zur Entlassung des Innen- und Landwirtschaftsministers, im Februar 1936 aber mußten die Oppositionsparteien aufgrund eines Vereinsgesetzes ihre Tätigkeit einstellen, und die für den 9./10. VI. 1936 endlich ausgeschriebenen »Wahlen« gaben mittels eines indirekten Wahlsystems nur den *Tautininkai* eine Chance. Dieses Einheitsparlament verabschiedete am 11. II. 1938 eine Verfassung[5], die den Staat und die ihm gegenüber bestehenden Pflichten in den Vordergrund stellte und die starke Stellung des allmächtigen Präsidenten bestätigte, das Parlament aber wieder direkt und nach dem Verhältniswahlrecht wählen ließ. Ehe das aber zu Konsequenzen führen konnte, wurde das Land im März 1938 in den Strudel außenpolitischer Entwicklungen einbezogen, der die ungenügende Absicherung des »starken« Regimes zeigte.

Auch für das Regime Smetona blieben Wilnakonflikt und Memelfrage die entscheidenden Probleme. Im Wilnakonflikt war Litauen nicht zum Nachgeben bereit, räumte Polen auch nicht die Öffnung des Memelflusses und die Benutzung des Memeler Hafens ein und wies alle inoffiziellen Vorschläge Piłsudskis, ein »Kondominium« über Wilna zu errichten, schroff zurück. In einer dramatischen Sitzung des Völkerbundsrats vom 10. XII. 1927[6] kam es zu einer scharfen Auseinandersetzung zwischen Piłsudski und Voldemaras, in der dieser auf Piłsudskis Drängen seinen Friedenswillen bekundete, und anschließend wurde das Ende des Kriegszustandes erklärt. Die gleichzeitig beschlossenen direkten Verhandlungen auf neutralem Boden wurden zwar aufgenommen, führten aber zu keinem Ergebnis, so daß der bisherige Zustand der Beziehungslosigkeit zum Schaden der beiderseitigen nationalen Minderheiten aufrechterhalten blieb.

Im Memelgebiet herrschte seit dem Dezember 1926 ein Dauerkonflikt, der allerdings durch die Aufrechterhaltung der freien Wahlen zum Landtag und durch die Möglichkeit, an den Völkerbund wegen Verletzung des Statuts zu appellieren, abgeschwächt wurde. Bedeutsam war vor allem, daß der Landtag bei allen Wahlen (30. VIII. 1927, 10. X. 1930, 26. IV. 1932, 29. IX. 1935) trotz aller Repressalien, Verhaftungen und Einbürgerungen von Nicht-Memelländern stets eine starke Mehrheit der deutschen Parteien hatte und daß der litauische Anteil immer deutlich unter 20 % blieb (meist 4 oder 5 von 29 Abgeordneten). Die ständigen Verstöße gegen das Memelstatut und die Lithuanisierungspolitik wirkten sich negativ auf das Verhältnis zum Deutschen Reich aus, das am 29. I. 1928 einen Grenz- und Schiedsgerichts- und am 30. X. 1928 einen Handelsvertrag mit Litauen schloß, aber seit 1932 wegen der Übergriffe im Memelgebiet die Einfuhren aus Litauen rigoros drosselte. Die Beziehungen, 1934/35 auf dem Tiefpunkt, besserten sich erst 1936 wieder, als am 5. VIII. ein neues, den Handel belebendes

Waren- und Grenzverkehrsabkommen geschlossen wurde, nachdem Ende 1935 ein rein memelländisches Landesdirektorium eingesetzt und eine Reihe von Lithuanisierungsmaßnahmen rückgängig gemacht worden waren. Gegen ein Wiederaufleben scharfer Konflikte war das Land aber nicht abgesichert.

Nachdem die Baltische Liga der frühen zwanziger Jahre auf ein estnisch-lettisches Bündnis vom 1. XI. 1923 zusammengeschrumpft war, konnte auch Litauens Aufnahme in dieses Bündnis vom 12. IX. 1934 kaum eine außenpolitische Garantie bedeuten, zumal Wilna- und Memelfrage aus den Bündnisverpflichtungen ausdrücklich ausgenommen wurden. Als einziger Partner blieb somit die Sowjetunion, zu der das Regime aber in ideologischem Gegensatz stand, wenn es auch angesichts der Konflikte mit den beiden moskaufeindlichen Nachbarn an guten Beziehungen interessiert war.

Die über elf Jahre dauernde autoritäre Herrschaft hatte mithin die außenpolitische Lage in nichts stabilisiert, im Innern allerdings eine gewisse Geschlossenheit im Sinne eines allgemeinen Patriotismus gebracht, ohne daß eine Konsolidierung erreicht worden wäre.

[1] Druck in: Dokumenty vnešnej politiki SSSR 9 (1964), S. 446–448 (russisch).
[2] Dazu den Bericht von *H. Westenberger:* Osteuropa 2 (1926/27), S. 261–274, sowie *O. Hoetzsch,* ebd., S. 352–354.
[3] Vgl. *M. v. Römer,* Die Verfassungsreform Litauens vom Jahre 1928 (1930); Vf. ist mit *M. Roemeris* identisch. *A. Gerutis,* Die staatsrechtliche Stellung des Staatshauptes in Litauen, Lettland und Estland (1935).
[4] Acta Apostolicae Sedis: Bd. 18 (1926), Nr. 4, S. 121–123, u. Bd. 19 (1927), Nr. 13, S. 425–434. Erster Erzbischof wurde Juozas Skvireckas. Die vier Bischofssitze waren Telschen (Telšiai), Poneweesch (Panevežys), Wilkowischken (Vilkaviškis) und Kaišiadorys.
[5] Eine 1967 in New York erschienene litauische Darstellung von *K. Račkauskas* bringt die Texte aller vier Verfassungen von 1920, 1922, 1928 und 1938.
[6] Lebendig geschildert bei *E. Schmidt,* Statist auf diplomatischer Bühne ([11]1968), S. 144–147.

d) Verlust der Unabhängigkeit (1938–1940)

Obwohl das litauische Heer als Hauptstütze des Regimes bevorzugt und ausgebaut worden war, konnte es doch bei einer Friedensstärke von 28 000 Mann ohne nennenswerte Luftwaffe und mit gänzlich unzureichender Panzerwaffe keinem potentiellen Gegner in Ost oder West hinreichenden Widerstand leisten, zumal die geographische Beschaffenheit des Landes keinerlei natürlichen Schutz bot. Um so wichtiger wäre die Verankerung in einem Bündnissystem oder die Anlehnung an einen Nachbarn gewesen. Beides war versäumt worden, und Litauen sah sich, als Polen unmittelbar nach dem Anschluß Österreichs, gewissermaßen als Kompensation für den Machtzuwachs des Deutschen Reiches, am 16. III. 1938 die Wilnafrage mit Hilfe von antilitauischen Demonstrationen und Militärparaden aufs Tapet[1] brachte und am 17. ultimativ die sofortige Aufnahme diplomatischer und wirtschaftlicher Beziehungen forderte, genötigt, sofort und ohne Vorbehalte einzuwilligen. Zwar war mit der Annahme des Ultimatums und mit den folgenden Abkommen keine offizielle Anerkennung des Status quo verbunden; faktisch hatte Litauen aber auf die Geltendmachung seiner Ansprüche verzichtet.

Angesichts des Vertrauensschwunds für das Regime hätte eine stärkere Verankerung der Regierung im Volk nahegelegen, doch wurde lediglich Tubelis durch den Armeegeistlichen Vladas Mironas (1880–1954), einen engen Berater Smetonas, ersetzt, und die Macht blieb in der Hand der *Tautininkai.* Der zunehmende

d) Verlust der Unabhängigkeit (1938–1940)

Druck des Reiches veranlaßte die Regierung Mironas zu weiterem Nachgeben im Memelgebiet, wo sich zwei deutsche Parteien, die Christlich-Soziale Arbeitsgemeinschaft (v. Sass) und die Sozialistische Volksgemeinschaft (Dr. Neumann), sich beide auf den Nationalsozialismus im Reich berufend, erbittert bekämpften, eine auch sonst im Auslandsdeutschtum der dreißiger Jahre zu beobachtende Erscheinung des Kampfes der »Jungen« gegen die »Alten«. Dies hatte der Regierung Anlässe zu Verhaftungen und zu einem Landesverratsprozeß geliefert, an dessen Ende am 3. IV. 1935 84 Memelländer verurteilt worden waren. Als Zeichen litauischer Verhandlungsbereitschaft war Dr. Neumann im Februar 1938 freigelassen worden, ein weiteres Zeichen war die Aufhebung des Kriegszustandes im Memelgebiet am 31. X. 1938. Die memelländischen Deutschen errangen bei der Wahl vom 11. XII. 1938 mit einer Einheitsliste wieder 25 von 29 Mandaten, und die von dem neuen litauischen Außenminister Urbšys (seit 5. XII. 1938) mitgeteilte Bereitschaft, auf deutsche Wünsche einzugehen, wurde hinhaltend behandelt[2]. Nach der Schaffung des Protektorats wurde Urbšys zu Verhandlungen in Berlin aufgefordert, die am 22. III. 1939[3] zu einem Vertrag über die Rückgabe des Memelgebiets an Deutschland gegen Sicherung der litauischen Interessen im Memeler Hafen führten. Nach dieser Niederlage wurde eine neue Regierung unter dem Generalstabschef Jonas Černius (geb. 1898) gebildet, der auch Christdemokraten und Volkssozialisten angehörten.

Bekanntlich wurde Litauen im geheimen Zusatzprotokoll zum Hitler-Stalin-Pakt am 23. VIII. 1939 in das deutsche Interessengebiet einbezogen und sein Interesse am Wilnagebiet anerkannt. Das hätte den Kriegseintritt Litauens auf seiten des Reiches gegen Polen und als weitere Folge den Abschluß eines deutsch-litauischen Schutzvertrages[4] bedingt, wie ihn Ribbentrop am 21. IX. 1939 dem nach Zoppot eingeladenen Außenminister Urbšys vorzulegen plante. Litauen blieb jedoch neutral, und Urbšys nahm die Einladung zwar an, teilte sie jedoch dem diplomatischen Korps mit, so daß sie verschoben wurde. Die Folge war, daß Litauen im Teilungsvertrag vom 28. IX. 1939 mit Ausnahme des Gebiets von Mariampol[5] der sowjetischen Einflußsphäre zugeschlagen wurde, und damit war das Ende der litauischen Selbständigkeit besiegelt. Außenminister Urbšys reiste auf sowjetische Einladung nach Moskau und unterzeichnete dort am 10. X. einen Grenz- und Beistandsvertrag[6], der unter Berufung auf den Vertrag vom 12. VII. 1920 Wilna, das die Rote Armee am 19. IX. besetzt hatte, mit wesentlich kleinerem als 1920 vorgesehenen Gebiet an Litauen gab, während der Sowjetunion das Recht zur Stationierung von Truppen auf litauischem Gebiet zugebilligt wurde, bei Achtung des Grundsatzes der Nichteinmischung in innere Angelegenheiten. Gegen diesen Grundsatz wurde schon im Juni 1940 verstoßen, als die Sowjetunion nach Klagen über das Verschwinden von Rotarmisten in Litauen am 14. VI. in einem auf 22 Stunden befristeten Ultimatum[7] die Bestrafung des Innenministers, die Umbildung der Regierung und die Aufnahme weiterer Verbände der Roten Armee forderte. Die Regierung Merkys (1887–1955, im Amt seit 21. XI. 1939) konnte nur anordnen, den einrückenden sowjetischen Verbänden keinen Widerstand zu leisten; Präsident Smetona bat um Asyl im Deutschen Reich, das eine vorsichtige Anfrage, ob Hilfe geleistet werden könne, mit kalter Zurückhaltung beantwortete.

Die vollständige Einbeziehung Litauens in den Staatsverband der Sowjetunion war ebenso wie in Estland und Lettland ein Werk weniger Wochen. Schon am 21. VII. 1940 beschloß ein unter äußerstem Druck gewählter *Seimas*, die Sowjetunion um die Aufnahme in die Union zu bitten, und am 3. VIII. beschloß der Oberste Sowjet die Aufnahme Litauens als 15. Sowjetrepublik, wobei gewisse

Grenzänderungen mit der Sowjetrepublik Weißruthenien zugunsten Litauens vorgenommen wurden. Alsbald setzte die völlige Umgestaltung der Staats- und Gesellschaftsstruktur ein; nur die Kollektivierung der Landwirtschaft wurde zunächst nicht durchgeführt.

Mit dem Deutschen Reich schloß die Sowjetrepublik Litauen am 10. I. 1941 einen Umsiedlungsvertrag[8], den letzten in der Reihe der deutsch-sowjetischen Umsiedlungsverträge, aufgrund dessen in den Monaten Januar bis März rund 50 000 Personen überwiegend deutscher Volkszugehörigkeit in das Reichsgebiet umgesiedelt wurden. Die umfangreichen Deportationen unerwünschter Personen aus Litauen wurden unmittelbar vor dem deutschen Angriff auf die Sowjetunion zwischen dem 14. und 22. VI. 1941 durchgeführt, und zwar in Befolgung von Instruktionen des Stellvertretenden Volkskommissars für Staatssicherheit, Serov[9]. Zahlreiche einst prominente Politiker waren unter den rund 40 000 Deportierten, so Stulginskis, Voldemaras, Merkys, Urbšys. Ihr Leben endete in sowjetischen Lagern; oft ist das Todesdatum unbekannt.

[1] Eingehend bei *H. Roos,* Polen und Europa 1931–1939 (1957), S. 305–318. Vgl. auch die Erinnerungen des polnischen Militärattachés in Kowno: *L. Mitkiewicz,* Wspomnienia kowieńskie (Kowноer Erinnerungen; 1968). Die Darstellung der litauischen Geschichte von *A. Gerutis* erwähnt den Vorgang überhaupt nicht.

[2] Die Verhandlungen in: ADAP, Serie D, V, S. 347–441. Schon am 28. XI. 1938 wird im Auswärtigen Amt erklärt:»Verhandlungen über deutsch-litauische Beziehungen sind nur erwünscht, wenn Litauen Rückgabe des Memelgebiets an Deutschland anbietet.«

[3] Wortlaut ADAP, Serie D, V, S. 440–441. Dazu und zum folgenden. *L. Sabaliunas,* Lithuania in Crisis, Nationalism to Communism 1939–1940 (1972). Die Memelfrage und ihre Auswirkung, S. 113–142.

[4] Wortlaut ADAP, Serie D, VIII, S. 87. Hierzu die Dokumentation: The USSR-German Aggression against Lithuania, hg. v. *B. J. Kaslas* (1973), mit englischer Übersetzung aller deutschen und russischen Dokumente.

[5] Bei der Begrenzung mag eine Rolle gespielt haben, daß das Gebiet bis zur Memel von 1795 bis 1806 zu Preußen gehört hatte. Die Frage der Übergabe spielte in den deutsch-sowjetischen Verhandlungen 1939–1941 mehrfach eine Rolle. Gleichzeitig mit dem Umsiedlungsvertrag vom 10. I. 1941 verzichtete das Reich auf das Gebiet gegen eine Zahlung von 7,5 Millionen $ = 31,5 Millionen RM, die allerdings nicht mehr gezahlt wurden. ADAP, Serie D, XI,2, S. 889–890.

[6] Engl. Übersetzung in: Soviet Documents on Foreign Policy, 3 (1953), S. 380–382, und in: The USSR-German Aggression, S. 149–151.

[7] Text in Englisch in: USSR-German Aggression, S. 187–189. Dazu auch der Schriftwechsel des deutschen Gesandten in Kowno, Zechlin, mit dem Auswärtigen Amt in ADAP, Serie D, Bd. IX.

[8] Wortlaut bei *H. Hecker,* Die Umsiedlungsverträge des Deutschen Reiches während des Zweiten Weltkrieges (1971), S. 154–171. Dazu auch *D. A. Loeber,* Diktierte Option (1972).

[9] Englische Übersetzung in: The USSR-German Aggression, S. 327–334.

e) Die Sowjetrepublik Litauen

In den Frühjahrswochen des Jahres 1941 hofften litauische Emigranten in Deutschland und ihre Verbindungsmänner in Litauen selbst auf die Wiederherstellung ihres Staates im Falle eines deutsch-sowjetischen Konflikts. Dabei konnten sie auch auf die Unterstützung der Diplomaten rechnen, die sich dem neuen Regime unter dem früheren Schriftsteller Justas Paleckis[1] (geb. 1899), einem Volkssozialisten, nicht unterstellen wollten. Sie waren bestärkt worden durch den Rücktritt des zunächst als Stellvertreter von Paleckis eingesetzten Professors und Schriftstellers Vincas Krėvė (1882–1954), der später über seine Verhandlun-

e) Die Sowjetrepublik Litauen

gen mit Molotov ausführlich berichtet hat. Es bildete sich eine »Aktivistenfront für Litauen« (*Lietuviu Aktyvistu Frontas* – LAF), die einen Aufstand vorbereitete. Tatsächlich brach am 23. VI. 1941 in Kowno ein Aufstand aus, und ein Manifest einer Vorläufigen Regierung Litauens wurde verkündet[2]. In ihr befanden sich unter der Leitung von J. Ambraževicius mit Ausnahme des Generals Stasys Raštikis (geb. 1896) allerdings kaum bekannte Politiker früherer Jahre. Die nationalsozialistische Führung, zu einer Politik der absoluten Herrschaft im Osten entschlossen, dachte aber nicht an die Wiederherstellung eines litauischen Staates und an die Zusammenarbeit mit einer spontanen Befreiungsbewegung. Der Generalkommissar für Litauen, Adrian v. Renteln, schlug den Mitgliedern der Regierung lediglich vor, einen Vertrauensrat bei der Zivilverwaltung zu bilden, worauf die Provisorische Regierung sich am 5. VIII. 1941 auf unbestimmte Zeit selbst suspendierte.

Das Generalkommissariat Litauen in den Grenzen von 1939 bildete einen Teil des Reichskommissariats Ostland und wurde bis zur Wiedereroberung durch die Rote Armee 1944 wie dieses verwaltet und bezüglich der Arbeitskraft ausgebeutet, wenn auch in den unteren Verwaltungseinheiten litauische Beamte tätig waren und das kulturelle Leben sich entwickeln konnte, soweit es der nationalsozialistischen Ideologie nicht zuwiderlief. Erst angesichts der sich abzeichnenden Niederlage wurden mit Hilfe des Generals Povilas Plechavičius, der im Dezember 1926 den Staatsstreich durchgeführt hatte, im Februar/März 1944 »litauische Sonderverbände« in Stärke von 20 Bataillonen gebildet, die aber wegen der sich ergebenden Konflikte über ihren Kampfeinsatz größtenteils wieder aufgelöst wurden. Sie bildeten einen Teil der Partisanenverbände, die in den Jahren 1944–1949 versuchten, der Sowjetisierung Litauens Widerstand zu leisten.

Trotz aller Enttäuschungen, die die deutsche Besetzung den Litauern bereitet hatte, verließen doch viele Tausend, vor allem Vertreter der Intelligenz und des Militärs, mit den abziehenden deutschen Truppen das Land. Diese Emigration ist mit Hilfe des starken materiellen Rückhalts der Amerika-Litauer intensiv bemüht, die Öffentlichkeit in Westeuropa und in den Vereinigten Staaten über die Zustände in der 1944 wiedererrichteten Sowjetrepublik Litauen zu unterrichten[3]. Für eine Geschichte Sowjetlitauens seit 1944 reicht das verfügbare Quellenmaterial nicht aus; sicher ist jedoch, daß lebendiges Nationalgefühl und enge Bindung an die Katholische Kirche zu den Besonderheiten gehören, die die SSR Litauen von anderen Republiken der Union unterscheiden.

---

[1] Von ihm stammt eine Schrift: Das sowjetische Litauen (1948), die die 22 Jahre litauischer Unabhängigkeit in den düstersten Farben schildert.

[2] In: The USSR-German Aggression (s. d, Anm. 4), S. 345–347. Ausführlich zu den litauischen Bestrebungen und Enttäuschungen das Sammelwerk: Lithuania under the Soviets. Portrait of a Nation 1940–1965, hg. v. *V. St. Vardys* (1965).

[3] Neben einigen stark propagandistisch gefärbten Arbeiten sind hier die seit 1962 in Königstein/Ts. erscheinenden Acta Baltica zu nennen, die regelmäßig über die kirchliche und allgemeine kulturelle Lage in Litauen berichten. Vgl. auch *P. Zunde*, Die Landwirtschaft Sowjetlitauens (1962), und über den Widerstand *K. V. Tauras*, Guerilla Warfare on the Amber Coast (1962). Zur Situation der Kirche in Litauen *E. Staffa*, Religion und christliche Religionsgemeinschaften im historischen Materialismus in der Sowjetunion (1970).

§ 28 Finnland von der Erringung der Selbständigkeit bis zur Neuorientierung nach dem II. Weltkrieg 1918–1966

Von Eino Jutikkala

Gesamtdarstellungen
H. *Eskelinen*, Itsenäisyytemme vuosikymmenet (^{2}1970).
E. *Hornborg*, Det fria Finland (^{2}1964).
V. *Huttunen*, Kansakunnan historia, Bd. 6 (1968).
E. *Jutikkala* – K. *Pirinen*, Geschichte Finnlands (^{2}1976), S. 341–395.
E. W. *Juva*, Suomen kansan historia, Bd. 5 (1967).
A. C. *Mazour*, Finland between East and West (1956).
V. V. *Pohlebkin*, Suomi vihollisena ja ystävänä (1969, auch auf russisch).
V. *Rasila*, E. *Jutikkala*, K. K. *Kulha*, Suomen poliittinen historia 1809–1975, Bd. 2 (1977).
T. *Torvinen*, M. *Jääskeläinen*, H. *Soikkanen*, L. *Hyvämäki*, J. *Hissa*, Valtioneuvoston historia (2 Bde. 1977).
J. H. *Wuorinen*, A History of Finland (1965), S. 202–481.

a) Der Weg zur Selbständigkeit

Gesamtdarstellung
J. T. *Lappalainen*, Itsenäisen Suomen synty (1967).

Quellenpublikationen
G. *Mannerheim*, Marskalkens minnen, Bd. 1 (1951, verkürzt auf deutsch 1952).
Kansalaissota dokumentteina, hg. v. H. *Soikkanen* (2 Bde. 1967–1969).
C. *Enckell*, Politiska minnen, Bd. 1 (1956).

Jägerbewegung und Aktivismus
O. *Apunen*, Suomi keisarillisen Saksan politiikassa 1914–1915 (1968).
S. *Eskola*, Suomen kysymys ja Ruotsin mielipide (1965).
M. *Lauerma*, Kuninkaallinen Preussin Jääkäripataljoona 27 (1966).
A. *Pakaslahti*, Suomen politiikkaa maailmansodassa (2 Bde. 1933–34).

Von der Märzrevolution zur Anerkennung
A. J. *Alanen*, Santeri Alkio (1976), S. 420–470.
Y. *Blomstedt*, K. J. Ståhlberg (1969), S. 307–351.
E. W. *Juva*, P. E. Svinhufvud, Bd. 2 (1961), S. 1–96.
S. *Lindman*, Eduskunnan aseman muuttuminen 1917–1919, in: Suomen kansanedustuslaitoksen historia, Bd. 6 (1968), S. 9–328.
J. *Paasivirta*, Suomen itsenäisyyskysymys 1917 (2 Bde. 1947/48).
T. *Polvinen*, Venäjän vallankumous ja Suomi, Bd. 1 (1967).

Freiheitskrieg – Bürgerkrieg
J. O. *Hannula*, Finland's War of Independence (1939, übersetzt aus dem Finnischen).
E. *Heinrichs*, Mannerheimgestalten, Bd. 1 (1957, auch auf finnisch), S. 13–264.
Juva, Svinhufvud, S. 96–200.
St. *Jägerskiöld*, Gustaf Mannerheim 1918 (1967), S. 9–282.
O. *Manninen*, Kansannoususta armeijaksi (1974).
Y. *Nurmio*, Suomen itsenäistyminen ja Saksa (1957).
J. *Paasivirta*, Suomi vuonna 1918 (1958).
J. *Paavolainen*, Poliittiset väkivaltaisuudet Suomessa 1918 (2 Bde. 1966/67).
Ders., Vankileirit Suomessa 1918 (1970).

a) Der Weg zur Selbständigkeit

Polvinen, s. o.
V. Rasila, Kansalaissodan sosiaalinen tausta (1968).
H. Rautkallio, Kaupantekoa Suomen itsenäisyydellä (1977).

Konsolidierung der Selbständigkeit
Alanen, s. o., S. 499–574.
Blomstedt, s. o., S. 352–383.
Heinrichs, s. o., S. 265–390.
St. Churchill, Itä-Karjalan kohtalo 1917–1922 (1970).
Juva, s. o., S. 201–293.
Jägerskiöld, s. o., S. 283–384.
Ders., Riksföreståndaren (1969).
M. Jääskeläinen, Die ostkarelische Frage (1965, übersetzt aus dem Finnischen).
L. Hyvämäki, Aktivistit ja Pietarin retki: Hist. Aikakauskirja (1972).
Lindman, s. o., S. 331–426.
J. Paasivirta, The Victors of World War I and Finland (1965, übersetzt aus dem Finnischen).

Finnland war in der Titulatur der schwedischen Könige Großfürstentum genannt worden, aber erst nachdem Rußland 1808 das Land erobert hatte, erhielt diese Bezeichnung eine staatsrechtliche Bedeutung. Bevor Schweden im Frieden von Hamina 1809 das Land an Rußland abtrat, berief Zar Alexander I. den finnischen Landtag nach Porvoo ein und erhob dort Finnland »in den Kreis der Nationen«. Da ein Volk im ethnischen Sinne nicht durch einen kaiserlichen Beschluß geschaffen wird und da man sich bald auf gerade diese Worte bezog, wenn man von der »politischen Existenz« Finnlands sprach, muß damit Staatsvolk gemeint sein, wie überhaupt mit dem französischen Wort *nation* zu jener Zeit. Auf dem Landtag von Porvoo bestätigte der Zar die Grundgesetze Finnlands; die damals gültigen Grundgesetzte für Schweden-Finnland aus den Jahren 1772 und 1789 wurden nicht genauer genannt, weil sie Bestimmungen enthielten, die nicht zur neuen Stellung Finnlands paßten, wie die, daß der Herrscher lutherisch zu sein habe. Allmählich setzte sich jedoch die Auslegung durch, daß gerade diese Gesetze sinngemäß weiterhin die Grundgesetze Finnlands seien. Andere Zeichen der finnischen Autonomie waren eine aus Finnen bestehende Regierung, der Senat, neben dem als Vertreter des Zaren ein Generalgouverneur eingesetzt war, und in Petersburg als Vertreter des Landes ein Ministerstaatssekretär, der die finnischen Angelegenheiten direkt dem Zaren vortrug. Finnland hatte seinen eigenen Landtag, und das Gesetz über den Landtag aus dem Jahre 1869 war das ausdrücklich für Finnland bestätigte neue Grundgesetz, über dessen Gültigkeit keine Zweifel bestehen konnten. Finnland hatte seine eigene Nationalität und eine Zollgrenze gegen das Zarenreich, am Ende des 19. Jh. außerdem eine eigene Armee von Wehrpflichtigen sowie eine von Rußland völlig unabhängige Währung.

Teils aus nationalistischen Ambitionen, teils aus militärischen Gründen ging Rußland Ende des Jahrhunderts daran, das Großfürstentum dem Zarenreich anzugleichen. Durch den Staatsstreich im Jahre 1899 nahm Nikolaus II. sich das Recht, Gesetze entweder nur für Finnland oder sowohl für Finnland als auch Rußland zu erlassen und das ohne Zustimmung des Landtages, und im Jahre 1910 wurde die Finnland betreffende Gesetzgebung auf allen wichtigsten Gebieten dem russischen Reichstag übertragen (vgl. Bd. VI, S. 330, 338). Der Weg des getrennten Vortrages wurde 1908 abgeschafft; die finnische Armee war schon früher (1901–1905) aufgelöst worden, nachdem der Versuch, sie in die russische

§ 28 Finnland von der Erringung der Selbständigkeit bis nach dem II. Weltkrieg

einzugliedern, mißlungen war. Schließlich besetzten die Russen den finnischen Senat, als seit 1909 keine finnische Partei unter den herrschenden ungesetzlichen Zuständen bereit war, die Regierungsverantwortung zu tragen. Aus loyalen Untertanen des Zaren war somit in zwanzig Jahren ein unzufriedenes Volk geworden, dessen Jugend eine aktivistische Bewegung hervorbrachte, die bei sich bietender Gelegenheit zum offenen Aufstand bereit war.

Die Gelegenheit bot sich, als der Weltkrieg ausgebrochen war. Ohne eine finnische Initiative hätten die deutschen Bemühungen kaum bis Finnland reichen können; nach Verhandlungen mit den Aktivisten war Deutschland doch bereit, die finnische Selbständigkeitsbewegung zu unterstützen. Als Stamm einer Befreiungsarmee wurden im 27. Preußischen Jägerbataillon 1 900 Männer, die heimlich sich aus Finnland entfernt hatten, in Deutschland ausgebildet; einige Zeit dienten sie auch an der baltischen Front.

Nach der Februarrevolution erklärte die provisorische Regierung Rußlands alle Finnland betreffenden gesetzwidrigen Bestimmungen für ungültig, und die Autonomie des Landes wurde in der Form wiederhergestellt, wie sie vor dem Jahre 1899 gewesen war. Der russische Senat trat zurück, und an seine Stelle wurde ein finnischer eingesetzt, der auf dem parlamentarischen Kräfteverhältnis beruhte. Seit dem Jahre 1907 war der Landtag aufgrund des allgemeinen und gleichen Wahlrechts gewählt worden, und die Sozialdemokraten, die Kautsky als ihren Lehrmeister betrachteten und für einen scharfen Klassenkampf waren, bildeten die größte Partei. Da der Zar ständig den Landtag aufgelöst und ihm einen wesentlichen Teil seiner gesetzgebenden Gewalt geraubt hatte, war die Wahlbeteiligung äußerst gering geworden, und den Sozialdemokraten war es 1916 gelungen, wenn nicht die Mehrheit der Stimmen, so doch 103 von 200 Sitzen zu erhalten. In den neuen Senat wurden ebenso viele sozialdemokratische wie bürgerliche Senatoren ernannt; Vorsitzender (formell Zweiter Vorsitzender, weil der Generalgouverneur als Vorsitzender betrachtet wurde) war der Sozialdemokrat O. Tokoi.

Schon durch die Annahme der Ernennung des Senats erkannte Finnland die provisorische Regierung als Inhaberin der »höchsten«, d. h. der kaiserlichen Gewalt in Finnland an. Das entsprach der Auffassung vieler bedeutender Rechtsgelehrter von der Stellung Finnlands nach der Revolution. Aber auch die bürgerlichen Politiker, die sich diese sog. Linie der Zusammenarbeit zu eigen machten, waren der Meinung, daß Finnland versuchen müsse, die provisorische Regierung zum Erweitern der Autonomie des Landes zu bewegen. Die Aktivisten wiederum stützten sich auf die schon während der Zarenherrschaft in Finnland beliebte Theorie, nach der zwischen dem Kaiserreich und dem Großfürstentum nur eine Personalunion bestand, und sie zogen daraus den Schluß, daß sich Finnland nach der Beseitigung der Zarenherrschaft ohne weiteres als selbständig erklären könne. Die Sozialisten waren verbunden durch den Gegensatz zur provisorischen Regierung und das vorläufig gleiche innenpolitische Ziel, die Übertragung der Gewalt auf den Landtag, während auf der bürgerlichen Seite das Problem der inneren Gewaltenteilung zu einer Trennlinie zwischen Aktivisten und der Linie der Zusammenarbeit wurde.

Da Finnland kein eigenes Staatsoberhaupt hatte, bedeutete nämlich die Übertragung der »höchsten« Gewalt an Finnland ihre Übertragung an den Landtag und unter den gegebenen Verhältnissen an die sozialdemokratische Partei. Auf dem Ende Juni/Anfang Juli 1917 in Rußland abgehaltenen Rätekongreß waren die Bolschewisten bereit, die Loslösung Finnlands von Rußland zu unterstützen, denn es entsprach ihren Zielen, die gegen die provisorische Regierung gerichte-

a) Der Weg zur Selbständigkeit

ten separatistischen Bewegungen zu stützen. Die finnischen Sozialisten glaubten – oder ihnen wurde absichtlich diese falsche Vorstellung gegeben –, daß auch die Menschewiken dieses Programm unterstützten. Im Vertrauen darauf und auf den Erfolg eines bolschewistischen Putschversuches brachten sie am 18. VII. 1917 im Landtag das sog. Gewaltengesetz durch, das die Gewalt des Zaren auf den finnischen Landtag übertrug, die Außenpolitik und das Heerwesen ausgenommen. Eine selbständige parlamentarische Regierung kannte das Gewaltengesetz nicht, und aus dem Senat wäre nur eine Art von Parlamentsausschuß geworden. Auch die bürgerlichen Aktivisten stimmten für das Gesetz, weil es ihr Selbständigkeitsprogramm weiterbrachte. Im allgemeinen war man auf der bürgerlichen Seite aber zufrieden, als die provisorische Regierung – die gerade einen bolschewistischen Putschversuch niedergeschlagen hatte – die Bestätigung des Gesetzes verweigerte und das Parlament auflöste. Die Tatsache, daß die Menschewiken an diesem Beschluß beteiligt waren, war geeignet, die finnische Linke den Bolschewisten näher zu bringen. Die Beteiligung an den neuen Wahlen war lebhaft, und die Ergebnisse entsprachen besser der Volksstimmung als bei den vorangegangenen Wahlen; auch eine kleine Verschiebung nach rechts geschah in der Wählerschaft, eine Folge der vielen wilden Streiks im Sommer – besonders in der Landwirtschaft, die während der Erntezeit streikempfindlich ist – und anderer Unruhen. Als Kräfteverhältnis ergab sich zugunsten der Bürgerlichen 108 : 92. Die Sozialisten waren enttäuscht von dem Verhalten der Bürgerlichen bei der Auflösung des Parlaments und von dem Wahlergebnis. Die Anhänger der Zusammenarbeitslinie setzten inzwischen ihre Verhandlungen darüber fort, die Hoheitsrechte des Zaren in den inneren finnischen Fragen auf den Senat zu übertragen, und ein darauf hinzielendes Manifest war bis auf die Unterschrift fertig, als die bolschewistische Revolution ausbrach.

Bei den Sozialisten hat man zwei Richtungen unterschieden, eine parlamentarische und eine revolutionäre. In Wirklichkeit war die große Mehrheit labil: sie hätte am liebsten friedliche Mittel gebraucht, hatte aber im Prinzip auch nichts gegen Gewalt. Die ungeheure Arbeitslosigkeit und der Mangel an Lebensmitteln trugen zur Radikalisierung bei. Die Arbeitslosigkeit erklärte sich daraus, daß der Weltkrieg die Handelsverbindungen des wichtigsten Exportzweiges, der Holzindustrie, abgeschnitten hatte; nur die russischen Befestigungsarbeiten und die Bestellungen der russischen Armee hatten sie bis dahin mildern können. Der Lebensmittelmangel wurde durch die ungeordneten Verhältnisse in Rußland hervorgerufen, die die Einfuhr von Lebensmitteln erschwerten. In Finnland entstanden keine räteartigen Einheiten der Gewaltausübung, aber die radikalen Elemente, zu deren Aktivierung die bolschewistische Partei Rußlands einige Petersburger Finnen entsandt hatte, hatten schon seit Mai Rote Garden gebildet. Als Gegengewicht gründeten die Bürgerlichen Weiße Garden, und aus denen sowie aus den bewaffneten Organisationen, die die Aktivisten heimlich gegründet hatten, um die Russen aus dem Lande zu vertreiben, entstanden die Einheiten des Schutzkorps. So bildeten sich in dem Land, das keine Streitkräfte hatte und dessen Polizei sehr schwach war, zwei Privatarmeen.

Nach der bolschewistischen Revolution begannen sich die Ereignisse zu überstürzen. Auch die Anhänger der Zusammenarbeitslinie waren jetzt der Ansicht, daß sich Finnland aktiv von Rußland lösen müsse: die Bolschewisten, an deren dauernde Herrschaft man auch nicht glaubte, wurden nicht als Verhandlungspartner akzeptiert. Das Parlament beschloß mit den Stimmen der Bürgerlichen, die Gewalt des Zaren drei Regenten zu übergeben. Aus Protest rief die äußerste Linke zum Generalstreik auf, während dessen zahlreiche Morde begangen wur-

§ 28 Finnland von der Erringung der Selbständigkeit bis nach dem II. Weltkrieg

den. Den gemäßigten Sozialisten gelang es noch, einen Kompromiß zu erzielen: am 15. XI. 1917 verkündete das Parlament, daß es »vorläufig« die Gewalt des Zaren in die eigenen Hände genommen habe. Heerwesen und Außenpolitik wurden nicht mehr ausgeschieden, aber jetzt wollte man andererseits auch kein bleibendes Grundgesetz beschließen, wie das Gewaltengesetz, sondern es handelte sich um eine Überbrückungsmaßnahme. Als außerdem der Landtag in Ausübung der »höchsten« Gewalt einige vom vorangegangenen Landtag beschlossene, von den Sozialisten als wichtig betrachtete Gesetze bestätigte, wurde der Generalstreik beendet.

Die Morde während des Streiks machten jedoch eine Zusammenarbeit zwischen den Bürgerlichen und den Sozialisten unmöglich. Den neuen Senat bildete der als unbeugsamer Vorkämpfer der Selbständigkeit bekannte P. E. Svinhufvud ausschließlich aus Bürgerlichen. Dieser Senat legte dem Landtag einen unter der Leitung von K. J. Ståhlberg ausgearbeiteten Entwurf für eine republikanische Verfassung vor, und im Zusammenhang damit mußte das Parlament seine Erklärung zu einer eigentlichen Proklamation der Selbständigkeit erweitern. Die Stellungnahmen (6. XII.) hatten sich seit dem Sommer ins Gegenteil verwandelt: der Kommuniqué-Vorschlag der Sozialisten, der nicht angenommen wurde, war für Zusammenarbeit, der der Bürgerlichen für aktives Handeln. In Wirklichkeit richtete man sich jedoch insofern nach dem ersteren, als Svinhufvud – widerstrebend und von Deutschland gedrängt – die Sowjetregierung um Anerkennung bat, die dank Lenins Einfluß am 4. I. 1918 gewährt wurde. Hinter der Anerkennung steht Lenins Lehre von den Nationalitäten: da der Nationalismus noch eine starke Ideologie war, sollte jedes Volk Gelegenheit haben, sich von Rußland zu lösen, um seine eigene Revolution durchzuführen und sich danach wieder freiwillig der Sowjetunion anzuschließen. Noch im April erwähnte Stalin das rote Finnland – u. a. neben der Ukraine – als einen Teil der Sowjetföderation. Der Anerkennung Rußlands folgten die Anerkennungen der anderen Staaten, ausgenommen England und die Vereinigten Staaten.

Die Selbständigkeit war jedoch illusorisch, solange russische Streitkräfte mit 40 000 Mann im Lande standen, wobei die nahe Helsinki vor Anker liegende Flotte nicht mitgerechnet ist. Von finnischer Seite wurde energisch deren Rückführung verlangt, aber die Russen zögerten, was sich natürlich zum Teil daraus erklärt, daß sie in dem ja andauernden Weltkriege an ihrer Nordwestgrenze kein militärisches Vakuum haben wollten. In den Soldatenräten dieser Truppen hatten die Bolschewisten schon im September die Mehrheit errungen, und in Finnland fürchtete man, daß sie die Rote Garde bei ihrer möglichen Revolution unterstützen würden. Mehrere Male waren von Rußland aus die Roten Garden zur Revolte aufgefordert worden, und der letzte Anstoß dürfte Trotzkis Telegramm gewesen sein; hatte doch der Kommissar für das Kriegswesen, Podvoiski, dem Gebietskomitee von Viipuri angeraten, die Schutzkorps zu entwaffnen, was allerdings nach einer finnischen Beanstandung widerrufen wurde. Der Senat betrachtete es als notwendig, einen Vorsprung zu gewinnen. Am 12. I. erhielt er vom Reichstag unbestimmte Vollmachten zum Aufrechterhalten der Ordnung, durch welchen Beschluß die umstrittene »höchste« Gewalt praktisch auf den Senat überging. Die Schutzkorps wurden zur Armee des Landes gemacht, und zu ihrem Oberbefehlshaber wurde ein in der zaristischen Armee verdienter finnischer Offizier ernannt, Generalleutnant Gustaf Mannerheim. Er ging – wie auch ein Teil des Senats unter H. Renvalls Führung – nach Ostbottnien, wo er in der Nacht zum 28. I. russische Truppen zu entwaffnen begann. Der so begonnene Kampf war die Verwirklichung des Selbständigkeitsprogramms der Aktivisten, und sein

a) Der Weg zur Selbständigkeit

Ergebnis war die Befreiung des Landes von fremden Streitkräften; in seiner bleibenden Bedeutung war es ein Freiheitskrieg.

Für den Augenblick sah man ihn jedoch mehr als Bürgerkrieg, denn – zufällig in derselben Nacht – bemächtigte sich die Rote Garde der Gewalt in Südfinnland und gründete eine Revolutionsregierung, den Volksrat. Ein Teil der labilen Sozialisten (S. 1083) beteiligte sich nur widerstrebend, während sich die Führer der parlamentarischen Linie zurückzogen. Deutschland erlaubte den Jägern, in ihre Heimat zurückzukehren, und als die freiwilligen Schutzkorpstruppen nicht ausreichten als Streitkräfte der Regierung, wurde aufgrund eines von Nikolaus II. rechtswidrig aufgehobenen Gesetzes die Wehrpflicht verkündet, aber die Musterungen und die Ausbildung kosteten Zeit, und die Front quer durch Finnland vom Bottnischen Meerbusen zum Ladoga-See versteifte sich für zwei Monate.

Nur widerwillig war Mannerheim bereit, aus Deutschland die militärische Hilfe anzunehmen, die die Aktivisten erbeten hatten, und bei deren Entsendung im Lichte der jüngsten Forschung die Aktivität der Deutschen größer war, als man geglaubt hat. Als Gegenleistung gewährten die Finnen Deutschland eine Stellung im finnischen Außenhandel, die einer Hegemonie gleichkam. Aufgrund des Friedensvertrages von Brest-Litowsk (Bd. VI, S. 181) verlangte Deutschland den Abzug der russischen Truppen aus Finnland, aber einige Freiwillige kamen von dort auch noch nach dem Friedensschluß ins Land. Schon vor dem Eintreffen der Deutschen war in der bisher größten Schlacht der skandinavischen Geschichte der stärkste Stützpunkt der Roten, Tampere, erobert worden. Die Deutschen landeten Anfang April an der Küste des finnischen Meerbusens, und durch ihr Vorrücken wurden die zäh kämpfenden Roten zwischen ihnen und den Weißen eingeschlossen. Die Führer flohen nach Rußland, 70 000 Rotgardisten wurden gefangengenommen. Der Krieg endete Anfang Mai, und Mannerheim ritt am 16. V. an der Spitze seiner Armee in das festliche Helsinki ein. Wie alle Bürgerkriege, war der Krieg grausam gewesen. Die Roten ermordeten über 1600 Zivilpersonen, und die Weißen richteten 8400 Rote hin, davon 300 aufgrund von Urteilen der Hochverratsgerichte, die übrigen mehr oder weniger willkürlich. In den Gefangenenlagern starben an Hunger und Krankheiten über 12 000 Rote. Die Kriegsgefangenenlager konnten nicht aufgelöst werden, weil die nach Rußland geflohenen Führer der Roten zu einem neuen Aufstand aufwiegelten und weil zuerst die Kriminellen und die Anführer der Roten auszusondern und zu verurteilen waren. Der junge Staat war nicht auf eine solche Riesenorganisation vorbereitet, wie sie die Gefangenenlager erforderten, und die Verpflegung bereitete unüberwindliche Schwierigkeiten, da auch die Zivilbevölkerung der Städte hungerte. Der Krieg hinterließ im Staatskörper eine nur langsam verheilende Wunde.

Bei der Erörterung der Gründe dieses nationalen Unglücks ist in der älteren Forschung übermäßig viel Aufmerksamkeit auf die Pachtfrage gerichtet worden, die in der Innenpolitik auch wirklich ganz zentral war. Das Gesetz aus dem Jahre 1909 garantierte den Pächtern eine gesicherte Stellung, als sie sie zu jener Zeit irgendwo anders hatten, aber es betraf nur die neuen Verträge, die nach Inkrafttreten des Gesetzes geschlossen würden. Die Grundbesitzer waren nicht gewillt, unter den für sie so ungünstigen Bedingungen Verträge abzuschließen, und zur Vermeidung von allgemeinen Pachtentsetzungen mußten die alten Verträge in ihrer Gültigkeit durch Sondergesetze verlängert werden. Die Kleinpächter wählten im allgemeinen Sozialisten, und man stellte sich vor, daß sie den Kern der Roten Garde gebildet hätten. Die jüngere Forschung hat jedoch nachgewiesen, daß auf der weißen Seite soviel Kleinpächter wie auf der roten Seite fielen.

Es ist außerdem überhaupt nicht nötig, andere innere Gründe als die in allen europäischen Ländern gewöhnlichen sozialen Gegensätze für den roten Aufstand zu suchen: Finnland konnte als ein Teil des russischen Reiches nicht von dem Revolutionsversuch verschont bleiben.

Auf der weißen Seite hinterließen die schwierigen Phasen des Kampfes um die Selbständigkeit das Streben nach einer festen Regierungsgewalt und das Suchen nach Sicherheit vor künftigen Angriffen Rußlands. Jene sah man am besten durch die Monarchie gewährleistet. Svinhufvud wurde zum Träger der »höchsten« Gewalt gewählt, und der neue Senat, dessen Vorsitzender J. K. Paasikivi war, zog den republikanischen Verfassungsvorschlag zurück und gab dem Reichstag einen neuen, monarchistischen. Die Republik hatte jedoch weiterhin ihre Fürsprecher, und obwohl nahezu alle Sozialisten wegen der Beteiligung am Aufstand im Reichstag fehlten, wurde die für Verfassungsänderungen erforderliche qualifizierte Mehrheit nicht erreicht. Die monarchistische Mehrheit des Reichstages beschloß jedoch – unter Berufung darauf, daß die Regierungsform von 1772 so lange in Kraft sei, bis eine neue beschlossen werde – die Wahl des Königs vorzunehmen. Dabei verband sich der Gedanke an die Monarchie mit ausländischen Sicherheitsgarantien: der Monarch war in Deutschland zu suchen. Zuerst dachte man an Wilhelms II. Sohn Oskar, aber wenn auch Deutschland die finnischen Monarchisten deutlich unterstützte, wollte es das Schicksal Finnlands – dessen Zukunft unsicher schien – nicht so eng mit dem Kaiserhaus verknüpfen. Die Wahl fiel dann (am 9. X. 1918) auf Friedrich Karl, Prinz von Hessen. Der deutsche Einfluß machte sich auch sonst stark bemerkbar: z. B. organisierten deutsche Fachleute die finnische Armee. Mannerheims Abschied schon im Mai ist hauptsächlich damit erklärt worden, daß seine Sympathien den Westmächten gehörten, an deren Sieg er auch glaubte, und daß er sich nicht durch die Beteiligung an einer deutschfreundlichen Politik kompromittieren wollte.

Die Wahl Friedrich Karls geschah im letzten Augenblick; Deutschland stand vor dem Zusammenbruch. Svinhufvud überwand sich und trat an Mannerheim heran, und Mannerheim überwand sich und übernahm die Aufgabe, Beziehungen mit England und Frankreich anzuknüpfen. Dank seinem diplomatischen Geschick und alter persönlicher Beziehungen gelang es Mannerheim, die fast unmöglich erscheinende Aufgabe auszuführen, und Finnland wurde in Versailles nicht als Verbündeter Deutschlands angesehen. Friedrich Karl verzichtete auf die Krone, bevor er sie empfangen hatte, und die deutschen Truppen verließen Finnland. Svinhufvud verzichtete auf den Platz des Reichsverwesers zugunsten von Mannerheim. Der Reichstag wurde aufgelöst, damit bei den Neuwahlen auch der Teil des Volkes, der Sozialisten gewählt hatte, die Anwendung der politischen Gewalt beeinflussen könnte. Die Wahlen fanden im März 1919 statt, und die Sozialdemokraten, die sich ideologisch erneuert hatten, gewannen 80 Sitze. Danach erkannten England und die Vereinigten Staaten Finnland an, und Frankreich, das seine Anerkennung widerrufen hatte, erneuerte sie.

Der außenpolitische Richtungswechsel Finnlands verbesserte nicht im geringsten seine Beziehungen zu Sowjetrußland; eher war das Gegenteil der Fall. In Finnland war man auf bürgerlicher Seite allgemein bestrebt, unter den von Rußland abfallenden Teilen sich Ostkarelien einzuverleiben, wo ein eng verwandtes Volk lebte; der Besitz von Ostkarelien hätte die schwer zu verteidigende Ostgrenze verkürzt. Man glaubte, daß Deutschland diese Ziele unterstütze, und die Monarchisten gebrauchten diesen Glauben als Köder, als sie den Republikanern einen deutschen Fürsten als Herrscher anboten. Der im August geschlossene Zusatzvertrag von Brest-Litowsk zeigte jedoch, daß Deutschland Rußland nicht

a) Der Weg zur Selbständigkeit

weiter zersplittern wollte. Die Engländer dagegen waren in den nordrussischen Häfen gelandet und beherrschten Kola und einen Teil Ostkareliens. Mannerheim hätte es gerne gesehen, wenn Finnland wie die Engländer die gegenrevolutionären Kräfte Rußlands militärisch unterstützt hätte, aber die Verhandlungen führten zu keinem Ergebnis, da die weißen Generale nicht einmal die Selbständigkeit Finnlands anerkennen wollten, geschweige denn für die Hilfe irgendwelche Vorteile gewähren. Der Außenminister der gegenrevolutionären Regierung, Sazonow, hätte die Selbständigkeit Finnlands anerkannt, wenn Finnland Rußland militärische Stützpunkte überlassen hätte, aber der isoliert in Sibirien lebende Koltschak war nicht einmal geneigt, so weit zu gehen.

Von den Westmächten wiederum war besonders England gegen die finnischen Forderungen hinsichtlich Ostkareliens. Während der Regierungszeit Mannerheims wurde eine von der finnischen Regierung ausgerüstete freiwillige Truppeneinheit dorthin entsandt, die zuerst Erfolg hatte, aber dann von den Russen zurückgeschlagen wurde. Im Herbst, als Judenitsch Petersburg angriff, versuchte Mannerheim, der nicht mehr Staatsoberhaupt war, Finnland zum Mitmachen zu bewegen. Das gelang ihm nicht, und nach Judenitschs Rückzug drückte Lenin seine Zufriedenheit mit der von Finnland eingehaltenen Neutralität aus. Er behauptete sogar, daß die Intervention der Baltischen Länder (Finnland eingeschlossen) zu einer »Entscheidung des Kampfes zugunsten des Weltkapitalismus« geführt hätte.

Der neue Reichstag war in seiner großen Mehrheit republikanisch, und am 17. VII. 1919 unterzeichnete Mannerheim nach gewissem Zögern dessen Verfassung, die heute noch in Kraft ist. Der erste Präsident wurde ausnahmsweise vom Reichstag gewählt. Gegenüber standen sich der Kandidat der Rechten Mannerheim und der von der Linken unterstützte Kandidat des Zentrums Ståhlberg, Präsident des Obersten Verwaltungsgerichts, der in den Verfassungskämpfen des vorangegangenen Jahres ein unnachgiebiger Befürworter der Republik gewesen war. Der Letztgenannte wurde mit großer Mehrheit gewählt.

Nach Beendigung des Freiheitskrieges herrschte Kriegszustand zwischen Finnland und Sowjetrußland. Finnland war nicht zu Friedensverhandlungen bereit, solange die bolschewistische Regierung nicht anerkannt war und ihre Stellung auch im eigenen Lande nicht gefestigt war. Die Friedensverhandlungen begannen schließlich im Juni 1920 in Dorpat, und der Vertrag wurde am 14. X. unterschrieben. Die Finnen versuchten vergebens, Gebiete in Ostkarelien zu bekommen oder wenigstens für dessen karelischsprachige Bevölkerung das Recht, in einer Volksabstimmung zu entscheiden, zu welchem Reich sie gehören wollten. Dagegen gaben die Russen bei der Unterzeichnung eine Mitteilung zu Protokoll über die von ihnen schon gegründete autonome Kommune Ostkarelien, die sie der Führung von Kommunisten anvertrauten, die nach dem Aufstand aus Finnland geflohen waren; dieser Protokollzusatz wurde dann in Finnland und in Rußland verschieden interpretiert. Dagegen traten sie an Finnland den schon von Zar Alexander II. versprochenen Korridor zum Eismeer, das Gebiet von Petsamo ab.

Zur gleichen Zeit verfestigten sich Finnlands Grenzen auch in entgegengesetzter Richtung. Schweden hatte schon während des Freiheitskrieges begonnen, die Ålandinseln in seinen Besitz zu bringen. Es betrachtete sie als strategisch wertvoll, und ihre Bevölkerung wünschte den Anschluß an Schweden. Schweden versuchte, seine Forderung auf die Friedenskonferenz von Versailles zu bringen, aber da Finnland in seinen bisherigen Grenzen anerkannt worden war, gelang das nicht. Schließlich brachte es die Sache vor den Völkerbund, in den 1920 auch

§ 28 Finnland von der Erringung der Selbständigkeit bis nach dem II. Weltkrieg

Finnland aufgenommen worden war. Der Völkerbund sprach am 27. VI. 1921 die Inselgruppe Finnland zu. Finnland mußte jedoch den Bewohnern der Ålandinseln die Autonomie gewähren und garantieren, daß die Inseln schwedischsprachig blieben. Gleichzeitig wurde ein Vertrag über die Nichtbefestigung und die militärische Neutralisierung der Ålandinseln unterschrieben; als Signatarmächte wurden so entlegene Länder wie Italien und auch das besiegte Deutschland geladen, aber nicht das nahe Sowjetrußland.

b) Die Außen- und Innenpolitik in der Zeit zwischen den Weltkriegen
Quellenpublikationen
C. *Enckell*, s. S. 1080, Bd. 2.
L. K. *Relander*, Presidentin päiväkirja, hg. v. E. *Jutikkala* (2 Bde. 1967/68).

Außenpolitik bis 1937
Blomstedt, s. S. 1080, S. 387–493.
K. J. *Holsti*, Suomen ulkopolitiikka suuntaansa etsimässä 1918–1922 (1963).
J. *Ilvessalo*, Suomi ja Weimarin Saksa (1959).
Itsenäisen Suomen ulkopolitiikkaa (1962), insbesondere die Aufsätze Reunavaltiopolitiikka *(H. Schauman)*, Puolueettomuuskysymys ja Suomi Kansainliitossa *(B. Broms)*, Suomi ja länsivallat *(K. Killinen)* und Pohjoismainen suuntaus *(H. R. Wasastjerna)*.
St. *Jägerskiöld*, Mannerheim mellan världskrigen (1972).
J. *Kalela*, Grannar pa skilda vägar. Det finländsk-svenska samarbetet i den finländska och svenska utrikespolitiken 1921–1923 (1971).
Juva, s. S. 1080, S. 294–617.
K. *Korhonen*, Naapurit vastoin tahtoaan (1961).
T. *Polvinen*, Venäjän vallankumous ja Suomi 1917–1920, Bd. 2 (1971).
J. *Suomi*, Talvisodan tausta. Neuvostoliitto Suomen ulkopolitiikassa 1937–1939, Bd. 1 (1973), S. 15–144.
K. *Selén*, Genevestä Tukholmaan (1974).

Politische Parteien
Erinnerungen:
A. *Tuominen*, Sirpin ja vasaran tie (1956).
Ders., Maan alla ja päällä (1958).
Darstellungen:
I. *Hakalehto*, Suomen kommunistinen puolue 1918–1928 (1966).
J. H. *Hodgson*, Communism in Finland (1967).
H. *Soikkanen*, Kohti kansanvaltaa. Suomen sosialidemokraatinen puolue 75 vuotta 1 (1975).

Sprachenkampf
G. *von Bonsdorff*, Självstyrelsetanken i finlandssvensk politik 1917–1923 (1950).
P. K. *Hämäläinen*, Kielitaistelu Suomessa 1917–1939 (1966).
M. *Klinge*, Ylioppilaskunnan historia, Bd. 4 (1968).

Innenpolitische Entwicklung
Blomstedt, s. S. 1080.
Juva, s. S. 1080.
St. *Jägerskiöld*, s. S. 1080.
L. *Hyvämäki*, Sinistä ja mustaa. Tutkielma Suomen oikeistoradikalismista (1971).
M. *Jääskeläinen*, Itsenäisyyden ajan eduskunta 1919–1938, in: Suomen kansanedustuslaitoksen historia, Bd. 7 (1973).
M. *Klinge*, Vihan veljistä valtiososialismiin (1972).
Sv. *Lindman*, Studier över parlamentarismens tillämpning i Finland 1919–1926 (1937).

b) Die Außen- und Innenpolitik in der Zeit zwischen den Weltkriegen

Ders., De homogena partiregeringarna 1926–1928 (1940–1942).
V. *Tervasmäki*, Eduskuntaryhmät ja maanpuolustus (1964).

Außenpolitik vor dem II. Weltkrieg
M. *Jakobson*, The Diplomacy of the Winter War (1961, übersetzt aus dem Finnischen).
K. *Korhonen*, Turvallisuuden pettäessä (1971).
J. *Suomi*, Talvisodan tausta, Bd. 1 (1973), S. 145–375.
Kr. *Wahlbäck*, Finlandsfrågan i svensk politik 1937–1940 (1964), S. 1–170.

Außenminister Rudolf Holsti (1919–1922) und Präsident Ståhlberg versuchten anfangs, sich auf die Westmächte zu stützen, und die englische Flotte erschien sowohl im Sommer 1919 als auch 1920 im Finnischen Meerbusen. Aber das Interesse der Westmächte an den Problemen des Ostseebereiches ließ nach, und in dieser Situation begann die außenpolitische Führung, Garantien für die Selbständigkeit des Landes zunächst bei den Randstaaten und dann beim Völkerbund zu suchen. Die Zusammenarbeit der Randstaaten war von vielen Schwierigkeiten belastet; Polen und Litauen saßen nicht gerne am selben Verhandlungstisch, und alle anderen Randstaaten außer Finnland fürchteten außer Sowjetrußland auch Deutschland. Von 1920 an wurden regelmäßig Konferenzen der Randstaaten abgehalten.

Im folgenden Jahr erhoben sich die Ostkarelier gegen die ihnen von den Bolschewisten gegebene Regierung, und in der Zusammenarbeit der Randstaaten ging man so weit, daß Finnland, Estland, Lettland und Polen der Sowjetregierung eine Note überreichten, in der diese der Mißachtung der Friedensverträge beschuldigt wurde; Finnland klagte besonders in bezug auf Ostkarelien. Da Finnland sich gleichzeitig an den Völkerbund wandte, den die Sowjetunion überhaupt nicht akzeptierte, und da Freiwillige aus Finnland nach Ostkarelien gingen, ohne daß die Regierung das verhindern konnte, geriet man um die Jahreswende 1921/22 in die schwerste Krise zwischen den beiden Ländern in der Zeit zwischen den Weltkriegen. Sowjetrußland verheimlichte nicht die Konzentrierung von Truppen an der finnischen Grenze, und die Noten wurden im Ton immer schärfer. In Finnland erwog man die Mobilmachung. Aber als Finnland zu einer scharfen Grenzkontrolle überging und der Aufstand unterdrückt wurde, war die Krise überstanden. Daraufhin ermordeten rechtsradikale Elemente den Innenminister Ritavuori, der den russischen Forderungen gegenüber Nachgiebigkeit gezeigt hatte; es sollte der einzige politische Mord in der Geschichte des selbständigen Finnland bleiben. Die in Rußland tätige Führung (S. 1091) der Kommunistischen Partei Finnlands organisierte – offensichtlich ohne Erlaubnis der Sowjetregierung – aus Rache für die Tätigkeit der finnischen Freiwilligen einen zur Farce gewordenen Konflikt auf den Waldarbeitsstellen Nordostfinnlands (die sog. Speck-Revolte).

Die Ereignisse des Winters verstärkten den Wunsch der Finnen nach engeren Beziehungen mit den Randstaaten. Vor seiner Abreise zu einer Konferenz in Warschau scheint Außenminister Holsti von allen bürgerlichen Parteien die Voreinwilligung zu einem Militärpakt bekommen zu haben. Anstelle eines Militärpaktes unterzeichnete Holsti im März 1922 einen politischen Vertrag, nach dem die Randstaaten über erforderliche Maßnahmen verhandeln würden, falls einer von ihnen von Sowjetrußland oder Deutschland angegriffen würde. Die Linke wollte keinen Vertrag gegen die Länder, die sich im Vertrag von Rapallo nähergekommen waren; die Rechte wiederum akzeptierte keinen Vertrag, der gegen Deutschland, den Bündnispartner der Jägerbewegung und des Freiheitskrieges, gerichtet war. Wenn auch die Regierung den umstrittensten Punkt wegließ, als

§ 28 Finnland von der Erringung der Selbständigkeit bis nach dem II. Weltkrieg

sie den Warschauer Vertrag zur Ratifizierung in den Reichstag brachte, wurde Holsti mit den Stimmen der Rechten und der Linken gegen das Zentrum das Vertrauen entzogen. Der Vertrag wurde nicht ratifiziert, und dazu dürfte beigetragen haben, daß man Finnland nicht mit Ländern verknüpfen wollte, deren Stellung als gefährdeter angesehen wurde als die eigene; die Hegemoniebestrebungen Polens erregten ebenfalls Kritik. Die Randstaatenpolitik siechte langsam dahin, wenn es auch noch Zusammenarbeit gab, als 1932 mit der Sowjetunion ein Nichtangriffspakt geschlossen wurde.

Einen solchen Vertrag hatte die Sowjetunion Finnland schon zweimal früher angeboten, 1926 und 1927. Finnland fürchtete durch einen solchen Vertrag, aus dem westlichen – mehr eingebildeten als wirklichen – Einflußbereich in den östlichen zu geraten, und wollte auch nicht seine Verbindungen zum Völkerbund schwächen, von wo man sich Schutz und Schirm erhoffte. Die Sowjetunion ging auch nicht auf die von Finnland gestellten Bedingungen ein, wie auf den neutralen Vorsitzenden des Schlichtungsausschusses oder auf einen die Parteien bindenden Schiedsspruch. Das Mißtrauen gegen die Sowjetunion war überall in Europa stark, und in Finnland wurde es durch den historischen Argwohn gegen Rußland noch verstärkt. Bei der Ratifizierung des Friedensvertrages von Dorpat hatte der Auswärtige Ausschuß des Reichstages bezeichnenderweise gesagt, daß er sich »der Schwierigkeiten und Gefahren bewußt [sei], die unserem Land aus dem Friedensschluß mit Sowjetrußland erwachsen können«. So scheiterten die Verhandlungen beide Male an der Widersetzlichkeit Finnlands. In Finnland glaubte man in hoffnungsvoller Einfalt an den Völkerbund; »eine Garantie aus 55 Ländern ist besser als aus einem«, sagte Holsti. Daß man 1932 dem Nichtangriffspakt mit der Sowjetunion positiv gegenüberstand, erklärt sich aus dem wachsenden Prestige der östlichen Großmacht in der internationalen Politik.

Die Åland-Frage brachte in die finnisch-schwedischen Beziehungen für lange Zeit Spannung. Ståhlberg lehnte die Staatsbesuche ab, die von schwedischer Seite gewünscht wurden, aber sie begannen während der Amtsperiode Präsident Relanders (S. 1094 f.). Trotz der auf den Völkerbund konzentrierten Außenpolitik wurde Schweden die unglückliche Liebe Finnlands. Aber Schweden wich keinen Finger breit von seiner Neutralität ab und ließ die Liebeserklärungen unerwidert. Die Finnen erbitterte es, daß Schweden hinter dem Schild Finnlands seine Wehrmacht vernachlässigte. Der größte Teil der Schweden sah in dem Militärbündnis mit Finnland, das u. a. ein rechts stehender Außenminister befürwortete, nur einen Vorwand zur Erhöhung der Verteidigungsausgaben.

Auch im Völkerbund gehörten Finnland und die skandinavischen Länder zu verschiedenen Gruppen: Finnland zu der von Frankreich angeführten Gruppe, die ein bewaffnetes Sicherheitssystem und Hilfe für Angegriffene verfocht, die skandinavischen Länder zu Englands Gruppe, die für Abrüstung eintrat. Finnland näherte sich den skandinavischen Ländern erst, als der Völkerbund in der Abessinien-Krise seine Machtlosigkeit bewiesen hatte. Sie erklärten zusammen, daß sie sich das Recht vorbehielten, je nach der Situation zu prüfen, ob sie mit der Durchführung der Zwangsmittel gemäß der Charta für ihren Teil einverstanden wären. Aber als Finnland am 5. XII. 1935 feierlich verkündete, in seiner Außenpolitik die skandinavische Richtung zu befolgen, bedeutete das kein Verteidigungsbündnis, nicht einmal den Keim dazu, sondern im Gegenteil die Feststellung der Tatsache, daß Finnland zu keinem Bündnis gehörte; für ein Verteidigungsbündnis gab es keine Voraussetzungen, denn, wie treffend gesagt worden ist, Finnland fürchtete Rußland, Dänemark Deutschland, Norwegen niemand, und Schweden wußte nicht, wen es am meisten fürchten sollte.

b) Die Außen- und Innenpolitik in der Zeit zwischen den Weltkriegen

Die Parteiengruppierung wurde am Ende der autonomen Periode durch die Einstellung einmal zur Sprachenfrage, zum andern zur Rußland-Politik bestimmt; erst die Landtagsreform (S. 1082 f.) hatte als neuen Machtfaktor die 1899 gegründete und in ihrem Programm schon bald marxistisch-kautskysche sozialdemokratische Partei gebracht. Die Altfinnen waren bis zu einer gewissen Grenze bereit, den Forderungen der Russen nachzugeben; die Jungfinnen, d. h. die konstitutionellen Fennomanen weigerten sich, rechtswidrige Bestimmungen zu befolgen. Die Schwedische Partei vertrat die Sache der schwedischen Sprache und nahm in ihrer Gesamtheit den Standpunkt des Konstitutionalismus ein. Als die russischen Forderungen immer größer wurden, erlitt die Linie der Zugeständnisse Schiffbruch und kam in so schlechten Ruf, daß in der Zeit zwischen den Weltkriegen die historische Vorstellung von der russischen Unterdrückungsperiode vom konstitutionellen Denken beherrscht wurde, und es ist bezeichnend, daß alle Reichspräsidenten bis zum Jahre 1946 frühere Konstitutionelle waren. Das zweite Jahrzehnt dieses Jahrhunderts hindurch näherten sich die Altfinnen den Jungfinnen, und nach dem Erlangen der Selbständigkeit hatte die alte Parteiengruppierung keinen Sinn mehr. Die altfinnische und die jungfinnische Partei hörten 1918 auf zu bestehen, und an ihrer Stelle entstanden zwei neue, die beide keine direkten Fortsetzungen der früheren Partei waren: die rechts stehende Nationale Sammlungspartei und die im Zentrum stehende Nationale Fortschrittspartei. Wasserscheide in der Phase der Entstehung war die Einstellung zur Verfassungsfrage, wobei jene für die Monarchie und diese für die Republik kämpfte. Die in der Zeit der Landtagsreform entstandenen Bauernparteien hatten sich bald in dem Bund des Landvolks (Agrarier) vereinigt, der für die Republik eintrat. Er wurde in den Wahlen 1917 und 1919, bis dahin nur eine kleine Partei, plötzlich zur unbedingt größten nichtsozialistischen Partei, und er hielt diese Stellung bis zum Jahre 1970. Die Schwedische Volkspartei war für die Monarchie und wurde anfangs zur Rechten gezählt.

Nach dem Aufstand unterzog sich die Sozialdemokratische Partei einem gründlichen ideologischen Wandel. Unter der Führung von Väinö Tanner, der fast bis zu seinem Tode (1966) in der Partei dominierte, schwenkte sie auf einen deutsch-skandinavisch revisionistischen, ganz parlamentarischen Kurs. Das Erbe Kautskys lebte jedoch so stark im Bewußtsein der Arbeiterschaft, daß die Partei ständig gegen eine innere Linksopposition zu kämpfen hatte und deshalb die Klassenkampftheorie betonen mußte; die Geschichte der Partei in den 1920er und 1930er Jahren ist als ein langsamer Übergang vom marxistischen Radikalismus zur Verfechtung sozialer Reformen beschrieben worden. Die nach Rußland geflohenen Führer des Aufstandes gründeten im August 1918 in Petersburg die Kommunistische Partei Finnlands (SKP), die zunächst als einzige Methode die gewaltsame Revolution gelten ließ und zu diesem Zweck Waffen nach Finnland sandte. Die äußerste Linke, der die verwandelte sozialdemokratische Partei nicht genügte, und die vielmehr die Diktatur des Proletariats anstrebte, lehnte jedoch den einseitig gewaltsamen Kurs der SKP ab. Nachdem sie vergebens versucht hatten, die sozialdemokratische Partei zu erobern, gründeten sie 1920 unter der Führung von Arvo Tuominen die Sozialistische Arbeiterpartei Finnlands. Ungeachtet der Verbote der SKP ging einer ihrer führenden Männer, O. V. Kuusinen, nach Finnland, hielt sich hier im Untergrund auf und brachte die – dann von Lenin gutgeheißene – Zusammenarbeit zwischen der zur Komintern gehörenden SKP und der sozialistischen Arbeiterpartei zustande, die die Regierung nicht zur Komintern gehören ließ. Diese fungierte nun als Tarnung der SKP. Sie beteiligte sich an den Reichstagswahlen und gewann in den Wahlen der 1920er Jahre gut

§ 28 Finnland von der Erringung der Selbständigkeit bis nach dem II. Weltkrieg

ein Zehntel der Sitze. Auch die Fraktion nahm Befehle von der SKP entgegen, und es ist nachgewiesen, daß sie in einigen Fällen zwischen der Behandlung in den Ausschüssen und der im Plenum in einer wichtigen Sache ihre Auffassung aufgrund eines solchen Befehles geändert hat. Diese Befehle kamen von dem Finnischen Büro der SKP; das wurde vom Zentralkomitee eingesetzt und das Zentralkomitee vom Parteitag, an dem auch aus Finnland kommende Vertreter teilnahmen, aber die finnischen Kommunisten wählten diese nicht selbst, sondern das Finnische Büro berief sie.

Infolge dieses vielschichtigen Systems gab es in Finnland eine Reichstagspartei, die von außerhalb der Grenzen des Landes gelenkt wurde. Die Tätigkeit der SKP in Finnland war nach dem Gesetz hochverräterisch, und wenn ihre Agenten angetroffen wurden, war Verhaftung und Anklage die Folge. Im August 1923 gelang es der Staatspolizei, genügende Beweise für die Verbindungen der Sozialistischen Arbeiterpartei zur SKP beizubringen, so daß die von Kyösti Kallio geführte Regierung deren Abgeordnete verhaften und Anklage gegen die Partei erheben konnte, was zu ihrer Auflösung führte. Die Kommunisten gründeten eine neue Deckorganisation, an die man ohne Verfassungsänderungen nicht herankonnte, und die waren durch die dafür erforderliche qualifizierte Mehrheit des Reichstages nur schwer zustandezubringen. Unter dem Druck der Lapua-Bewegung (S. 1095 f.) wurden im November 1930 die sog. Kommunisten-Gesetze angenommen. Die kommunistische Tätigkeit in allen Formen war von da an bis zum Waffenstillstandsvertrag 1944 verboten.

Die Lapua-Bewegung war eine nationale finnische rechtsradikale Strömung, die ihren Einfluß innerhalb der Parteien geltend zu machen suchte. Als sie ihrer Gewalttätigkeiten wegen 1932 aufgelöst wurde, fand sie eine Nachfolge in der Vaterländischen Volksbewegung (IKL), die vom deutschen Nationalsozialismus beeinflußt war. Ihr Anteil an den Sitzen im Reichstag beschränkte sich durchschnittlich auf nur sechs Prozent.

Eine der vielen schwierigen Streitfragen der finnischen Innenpolitik in der Zeit zwischen den Weltkriegen war der Sprachenkampf, dessen Wurzeln einerseits in den besonderen, von der Geschichte geprägten Sprachverhältnissen zu suchen sind, andererseits in der Ideologie der Nationalromantik.

Spätestens seit Ende der prähistorischen Zeit gibt es in Finnland ein größeres finnischsprachiges und ein kleineres schwedischsprachiges Siedlungsgebiet. Aber auch die oberen Schichten des finnischsprachigen Gebietes sprachen Anfang des 19. Jh. schwedisch, denn während der schwedischen Herrschaft hatten die Familien der gebildeten Kreise, unabhängig davon, ob sie von Finnen, von Finnlandschweden, von Schweden aus dem Mutterland oder von Ausländern abstammten, das Schwedische als Muttersprache angenommen. Unter dem Einfluß der finnisch-nationalen Bewegung nahm ein Teil dieser Familien – völlig unabhängig von der Herkunft – in der zweiten Hälfte des 19. Jh. das Finnische als Muttersprache an. Aber noch zu Beginn der Zeit der Selbständigkeit waren die oberen Schichten in viel stärkerem Maße schwedischsprachig als der Durchschnitt: von der ganzen Bevölkerung sprachen 11 % schwedisch, von den Studenten der Universität Helsinki ein Viertel, von den Professoren die Hälfte. Die Nationalromantik lehrte, daß die Sprache das Merkmal der Rasse sei und daß ein Staat, um stark zu sein, einsprachig sein müsse. Die radikalsten Finnen (»die echten Finnen«) zogen aus der letzteren Lehre den Schluß, daß Finnland einsprachig werden müsse, während das Schwedische nur als lokale Sprache in den schwedischsprachigen Gemeinden erhalten bleiben solle; die Schweden wiederum sprachen von zwei Nationen in Finnland, und die radikalsten unter ihnen forderten unter

b) Die Außen- und Innenpolitik in der Zeit zwischen den Weltkriegen

Berufung darauf eine weitgehende Autonomie für die schwedischsprachigen Gebiete.

Zuerst traten als aktive Seite die Schweden auf, die die Stellung als Minderheit um so mehr beunruhigte, als die Gesetze aus der Zeit der Autonomie keine Bestimmungen über die offizielle Sprache enthielten; die standen nur in leicht zu ändernden Verordnungen. Von den Bemühungen der Bevölkerung der Ålandinseln um den Anschluß an Schweden ist oben schon gesprochen worden (S. 1088); auch ein Teil der Schweden in Ostbottnien folgte ihrem Beispiel, aber die schwedische Regierung reagierte nicht auf die Bitte der Ostbottnier. In ihrem Eifer für die Autonomieforderungen versuchten die Schweden, die im Völkerbund zur Beratung stehende Frage der Ålandinseln auszunutzen. Viele angesehene Schweden sagten sich von dem Anrufen des Auslandes und auch von den Isolierungsbestrebungen los. Als in die republikanische Verfassung ein Paragraph über die beiden Nationalsprachen aufgenommen worden war, als das 1920 gegebene Sprachengesetz etwas den Wünschen der Schweden gemäß geändert wurde, als ein schwedisches Bistum gegründet war und als die Frage der Ålandinseln von der Tagesordnung verschwunden war, verlor das offensive Schwedentum seine Kraft. Vom Jahre 1923 an befanden sich die Schweden in der Defensive, während die »echten Finnen« als Angreifer auftraten.

Von den politischen Parteien übernahm die echtfinnischen Ideen der Bund des Landvolks und dann später die IKL. In der Sammlungspartei gab es eine Zeitlang eine den echtfinnischen Ideen wohlwollend gegenüberstehende Gruppe. Die Sozialdemokraten waren als Partei gegen die echtfinnischen Ideen, teils, weil der Nationalismus nicht zu der Ideologie der Partei paßte, teils, weil die Partei selbst zweisprachig war und um die Stimmen der schwedischsprachigen Arbeiterschaft mit der Schwedischen Volkspartei in Wettbewerb lag. Die von den echtfinnischen Ideen ergriffenen Reichstagsabgeordneten waren in allen Wahlperioden in der Minderheit, und trotz vieler Versuche wurden an den Sprachengesetzen nur einige geringfügige Änderungen zugunsten der finnischen Sprache vorgenommen. Zentrales Streitobjekt war die einzige staatliche Universität des Landes in Helsinki – in Turku entstanden am Anfang der Selbständigkeit zwei private Universitäten im Zeichen des Sprachenkampfes, zuerst eine schwedische und dann eine finnische, aber die blieben zwergenhaft klein. Die Meinungsbildung der finnischsprachigen Studenten wurde in den Jahren 1925–1932 souverän von der Akademischen-Karelien-Gesellschaft (AKS) beherrscht, die nach dem mißlungenen Aufstand in Ostkarelien von Studenten gegründet worden war, um die Sache des Brudervolkes zu verfechten, die aber mangels außenpolitischer Betätigungsmöglichkeiten sich darauf konzentrieren mußte, für die innere Stärkung des Staates gemäß der Ideologie des Nationalismus zu arbeiten. Da noch in den 1920er Jahren die finnischsprachigen Studenten in zahlreichen Fächern schwedischsprachigem Unterricht folgen mußten, hatten die Forderungen eine praktische Grundlage, aber nachdem der finnischsprachige Unterricht erweitert worden war, stand hinter den Forderungen nur die nationale Ambition, eine vollständig finnischsprachige Staatsuniversität zu bekommen. Eine von der AKS 1928 aufgesetzte, der Regierung überreichte Adresse über die Fennisierung der Universität wurde von 90 % der finnischsprachigen Studenten unterschrieben. Die Studenten gebrauchten als Kampfmittel außerdem Vorlesungsstreiks und Demonstrationen, und sie trugen dazu bei, daß im Reichstag durch Obstruktion die Behandlung eines Universitätsgesetzentwurfes verhindert wurde, der sie nicht zufriedenstellte. Die Frage der Sprache der Universität Helsinki wurde durch ein Gesetz im Jahre 1937 entschieden; es war ein Kompromiß, mit dem sowohl die

§ 28 Finnland von der Erringung der Selbständigkeit bis nach dem II. Weltkrieg

Schweden als auch die »echten Finnen« nicht zufrieden waren, aber da das Interesse an diesem ganzen Fragenkomplex nachzulassen und der drohende Weltkrieg die Gemüter zu beherrschen begann, bedeutete das Gesetz einen Schlußstrich unter den Sprachenkampf.

Die Verfassung des Jahres 1919 machte aus dem finnischen Präsidenten die zentrale Staatsgewalt oder gab den Präsidenten immerhin die Möglichkeit, diese Stellung einzunehmen. Deshalb haben die Amtsperioden der einzelnen Präsidenten in gewissem Grade ihr eigenes Gepräge.

Nachdem Ståhlberg zum Präsidenten gewählt worden war, bot er Mannerheim die Stellung des Oberbefehlshabers an. Mannerheim stellte jedoch solche Bedingungen, daß deren Annahme aus der Armee einen Staat im Staate gemacht hätte. Weder der Präsident noch die Regierung konnten darauf eingehen. Der General leistete dann also der anderen Schlüsselfigur des Selbständigkeitskampfes, Svinhufvud, Gesellschaft; beide waren für gut ein Jahrzehnt gewissermaßen in den Ruhestand versetzt. Die Rechte – Sammlungspartei und Schwedische Volkspartei – gab auf manche Weise zu verstehen, daß Ståhlberg kein ihr genehmes Staatsoberhaupt war, und am stärksten war der Antagonismus unter den Jäger-Offizieren der Armee, weil Ståhlberg seinerzeit gegen die Jägerbewegung aufgetreten war – entweder aus Vorsicht oder aus juristischem Formalismus.

Charakteristisch für den größten Teil der Amtsperiode waren die in erster Linie von den Zentrumsparteien – der Fortschrittspartei und dem Bund des Landvolks – gebildeten Regierungen, die sich in einigen Angelegenheiten auf die Linke des Reichstages stützten, in anderen wieder auf die Rechte. Von der Linken abhängig waren sie u. a. bei dem Beschluß von Gesetzen über die Begnadigung von verurteilten Teilnehmern des Aufstandes oder bei der in diesen Jahren eifrig betriebenen Reformarbeit. Schon im Jahre 1917 war die Kommunalverwaltung demokratisiert worden und der Achtstundentag für alle Berufe mit Ausnahme der Landwirtschaft gesetzlich bestimmt worden; das von der Rechten eingenommene Rumpfparlament nach dem Bürgerkrieg (S. 1084 f.) hatte das Kleinpächterproblem gelöst, indem es diesen das Recht gab, den bestellten Boden für sich zu erwerben. Der nächste vollzählige Reichstag radikalisierte dieses Gesetz wesentlich. Von den späteren Gesetzen seien die über die Religionsfreiheit und über die Schulpflicht genannt.

Als die Regierung die kommunistischen Reichstagsabgeordneten (S. 1092) hatte verhaften lassen, war der Reichstag wieder unvollständig. Die Sozialdemokraten forderten deshalb seine Auflösung, was die meisten bürgerlichen Abgeordneten und auch die meisten Mitglieder der Regierung ablehnten. Aber der Präsident zwang die Regierung zum Rücktritt und ernannte ein Fachkabinett, das sich seinem Auflösungsbefehl fügte. Zwischen der Rechten und Ståhlberg ließ sich doch eine gewisse Annäherung feststellen, und wenigstens ein Teil der Rechten wäre zur Wiederwahl Ståhlbergs bereit gewesen, die alle anderen Parteien wünschten. Ståhlberg lehnte jedoch entschieden ab, und von allen möglichen Erklärungen dürfte die am zutreffendsten sein, daß er ins Privatleben zurückkehren wollte.

Zum neuen Präsidenten wurde Regierungspräsident L. K. Relander gewählt (1925–1931). Er gehörte zum Bund des Landvolks, und für ihn stimmten außer seiner eigenen Partei die Sammlungspartei und die Schweden; sein Gegenkandidat Risto Ryti, der junge Direktor der Finnischen Staatsbank, erhielt die Stimmen der Fortschrittspartei und der Sozialdemokraten. Die Präsidentenwahl besiegelte das Ende der Zusammenarbeit des Zentrums; der Bund des Landvolks war nach rechts gerückt, und später bemerkte man, daß der neue Präsident der

b) Die Außen- und Innenpolitik in der Zeit zwischen den Weltkriegen

Rechten ziemlich nahe stand. Als neuer Faktor begann zu dieser Zeit die Furcht der Schweden vor den radikalfinnischen Ideen die Innenpolitik zu beeinflussen. Wohl wissend, daß die Sprachenfrage für die Sozialdemokraten von geringem Interesse war und daß diese keine Anträge der »echten Finnen« unterstützen würden, waren die Schweden bereit, als Gegenleistung den Sozialdemokraten bei bestimmten Entscheidungen zu helfen – nicht jedoch bei wirtschaftlichen. So stürzten sie dreimal zusammen mit der Linken eine bürgerliche Regierung, ohne daß sie jedoch bereit gewesen wären, sich mit der Linken an einer neuen Regierung zu beteiligen. So verhinderte der Sprachenkampf die Befolgung eines parlamentarischen Prinzips. Einmal wurde das Problem durch die Bildung einer rein sozialdemokratischen Minderheitsregierung unter Tanners Führung gelöst (1926). Die Übernahme der Regierungsverantwortung zeigte, daß die Partei von ihrem Kurs des Klassenkampfes nach Kautsky abging, und die Ernennung der Regierung zeigte, daß nur knapp zehn Jahre nach dem roten Aufstand die Nation dem sozialdemokratischen Teil der Linken vertraute. Mit Hilfe der Schwedischen Volkspartei hielt sich die Regierung ein Jahr, bis sie an Getreidezöllen scheiterte. Die Schwierigkeiten der Innenpolitik zeigen sich daran, daß Relander 1929 den Reichstag auflöste, obwohl nur einige Reichstagsabgeordnete und auch die Regierung nur schwach diese Maßnahme unterstützten.

Auch die Umtriebe der Kommunisten erzeugten Unruhe. Sie waren maßgebend in der Gewerkschaftsbewegung, der einzigen Organisation, wo die Sozialdemokraten mit ihnen zusammenzuarbeiten bereit waren und wo die Kommunisten auch etwas Rücksicht auf die Sozialdemokraten zu nehmen hatten, damit diese nicht ihre Drohung verwirklichten, eine eigene Organisation zu gründen. Das hinderte die Gewerkschaft jedoch nicht daran, große Streiks auszurufen, wie den fast ein Jahr dauernden Hafenstreik, der nicht nur zufällig in den gleichen Zeitraum fiel, in dem die Sowjetunion in großem Umfange Holzwaren auszuführen begann. Auch sonst wurde durch die Erstarkung der Sowjetunion die Frage der Kommunisten als fünfter Kolonne bei Ausbruch eines möglichen Krieges aktuell.

Im November 1929 rissen die Bewohner des ostbottnischen Dorfes Lapua den dort versammelten Jungkommunisten die roten Hemden vom Leibe, und die Regierung teilte mit, daß die Tat nicht bestraft werde. Es wurde eine Organisation mit dem Namen »Türschloß Finnlands« gegründet, die den Kommunismus mit legalen Mitteln bekämpfen sollte. In der Organisation gewannen jedoch gewalttätige Elemente die Oberhand, und nach der oben genannten Gemeinde erhielt die antikommunistische Aktion den Namen Lapua-Bewegung. Den Anhängern dieser Bewegung gegenüber war die Obrigkeit im Sommer 1930 machtlos: es war üblich, einen örtlichen Kommunistenführer in ein Auto zu ziehen, ihn an die russische Grenze zu fahren und zu zwingen, sie zu überschreiten. Die Regierung des Agrarier-Vorsitzenden Kallio legte dem Reichstag eine Reihe von Gesetzen vor, mit deren Hilfe die öffentliche Tätigkeit der Kommunisten hätte erstickt werden können, und trat unmittelbar danach zurück, um einer gesamtbürgerlichen Regierung Platz zu machen, mit deren Bildung Relander den alten Veteranen Svinhufvud beauftragte. Gegen die Gesetze waren die Sozialdemokraten, die fürchteten, daß sie einmal gegen sie selbst gebraucht werden könnten, und einige linke Bürger, die darin eine zu große Einschränkung der Staatsbürgerrechte sahen. Die Gesetze fanden nicht die für eine Verfassungsänderung ohne neue Wahlen erforderliche Mehrheit ($5/6$); der Präsident löste den Reichstag auf und ermahnte das Volk, einen solchen neuen zu wählen, der die Gesetze endgültig beschließen würde. Das Volk kam der Aufforderung nach: in dem neuen Reichstag gab es genau die ausreichende Zahl von bürgerlichen Abgeordneten (²/₃), und diese stimmten auch alle für die Gesetze (November 1930).

Die Gewalttätigkeiten der Lapua-Bewegung wurden allgemein mißbilligt, aber viele dürften wie Svinhufvud gedacht haben, der sagte, daß die Entfernung des Kommunismus aus dem öffentlichen Leben ein so großer Sieg für die Gesetzlichkeit sei, daß die begangenen Gesetzwidrigkeiten daneben geringfügig erschienen. Erst als der frühere Präsident Ståhlberg entführt wurde, schlug die öffentliche Meinung schnell um und richtete sich gegen die Lapua-Bewegung, obwohl die Führung der Bewegung von diesem Verbrechen offensichtlich nicht unterrichtet war. Der alte Ståhlberg, der als Verfechter der Gesetzlichkeit par excellence galt, ließ sich als Präsidentschaftskandidat aufstellen, und das gleiche tat ein anderer alter Mann, Svinhufvud, nachdem die Agrarier die Kandidatur Relanders abgewehrt hatten, indem er ihn beschuldigte, einerseits zu nachgiebig gegenüber der Lapua-Bewegung zu sein und andererseits zu unfreundlich gegenüber radikalfinnischen Ideen. Svinhufvuds Möglichkeiten schienen jedoch geringer, als es Relanders gewesen wären, weil der Bund des Landvolks als eigenen Kandidaten Kallio aufstellte. Als sich dessen Wahl jedoch als unmöglich erwies, stimmten die Agrarier geschlossen für Svinhufvud, der 151 Stimmen gegen Ståhlbergs 149 erhielt. Somit wurde Finnlands Präsident für die Jahre 1931–1937 von der gleichen Koalition – Bund des Landvolks, Sammlungspartei, Schwedische Volkspartei – gewählt wie beim vorigen Male.

Gegen einen rechts stehenden Präsidenten konnte die Lapua-Bewegung das Volk nicht aufwiegeln. Im Februar 1932 sammelten sich allerdings im Kirchdorf Mäntsälä nahe Helsinki einige Hundert bewaffnete Männer und forderten den Rücktritt der Regierung, aber eine Rundfunkansprache des Präsidenten genügte, um die schon waggonweise in Zügen verladenen Männer zur Heimkehr zu bewegen. Der Aufstand von Mäntsälä wurde ohne Blutvergießen unterdrückt und die Lapua-Bewegung aufgelöst.

Sofort nach seinem Amtsantritt holte Svinhufvud Mannerheim für eine führende Stellung und ernannte ihn zum Vorsitzenden des Verteidigungsrats. Man begann die vernachlässigte Landesverteidigung zu entwickeln, aber im Anfang ließ die Wirtschaftskrise das nur in begrenztem Umfang zu. Die Schwierigkeiten der Wirtschaftskrise verminderten auch die Zahl derer, die zur Regierungsverantwortung bereit waren. Die Regierung Prof. T. M. Kivimäkis, der zur Fortschrittspartei gehörte, saß vier Jahre und stellte damit den Zeitrekord in der Geschichte der Republik auf; man kann sie als Regierung des Präsidenten bezeichnen, denn ihre Basis im Parlament war schwach, aber der Reichstag wollte sie auch nicht stürzen, bis die Sozialdemokraten nach ihrem Wahlsieg im Herbst 1936 in die Regierung zu streben begannen. Der alte Svinhufvud akzeptierte jedoch die Sozialdemokraten nicht als Regierungspartei, und diese beschlossen dann, alles zu tun, um seine Wiederwahl bei den nahenden Präsidentenwahlen 1937 zu verhindern. Da die Wahl Ståhlbergs unsicher war, unterstützten sie Kallio, und als die Stimmen der Agrarier somit wegfielen, hatte Svinhufvud, den nur die Sammlungspartei, die IKL und ein Teil der Schweden unterstützte, keine Möglichkeiten.

Kyösti Kallio war ein ostbottnischer Großbauer, der viermal Ministerpräsident gewesen war; er verfügte über eine lange innenpolitische Erfahrung, aber er wurde Präsident zu einer Zeit, in der die Außenpolitik alle Aufmerksamkeit in Anspruch nahm. Die Koalition, die die Präsidentenwahl entschieden hatte, bildete unter Professor A. K. Cajander eine fortschrittlich-agrarisch-sozialdemokratische Regierung, deren Außenminister Holsti war. Irgendwelche radikalen so-

b) Die Außen- und Innenpolitik in der Zeit zwischen den Weltkriegen

zialen Reformen wurden von dieser Regierung der Linken und der Mitte nicht begonnen, sondern ihre Energie wurde völlig von der Landesverteidigung in Anspruch genommen, die man endlich zu verstärken begann, und von der Außenpolitik. Eine große Bedeutung hatte sie dadurch, daß sie eine auch die Arbeiterklasse einschließende, geschlossene nationale Front für die kommenden schweren Jahre schuf.

Die Finnen waren sich im klaren darüber, daß die immer näher kommende Gefahr eines Weltkriegs automatisch auch eine Bedrohung der finnischen Ostgrenze bedeutete. Schon 1927 waren Nachrichten von einem Beschluß des Zentralkomitees der Kommunistischen Partei der Sowjetunion nach Finnland durchgesickert, wonach bei einem möglichen Angriff der Westmächte auf die Sowjetunion diese als maximale Maßnahme Finnland bis zum Kymi-Fluß besetzen müsse. Man wußte auch, daß jenseits der Grenze zahlreiche Militärflugplätze angelegt und in Ostkarelien strategische Eisenbahnlinien gebaut worden waren; außerdem war 1937 bei den Säuberungen Stalins die Verwaltung der finnischen Kommunisten in Ostkarelien beseitigt worden. Kurz davor hatte der Parteisekretär des Bezirks Leningrad, Schdanov, eine drohende öffentliche Rede gehalten.

Svinhufvud und die ihm nahestehenden konservativen Kreise sahen in der Macht Deutschlands einen Garanten der Sicherheit Finnlands. »Die russische Gefahr droht ständig. Für Finnland ist es deshalb gut, wenn Deutschland stark ist. Hitler ist vom finnischen Standpunkt aus besser als Stresemann.« Svinhufvud faßte jedoch die Zusammenarbeit rein defensiv auf: »Im Kriegsfall muß Deutschland die Invasion Finnlands durch russische Truppen abwarten, bevor es sich selbst entschließt, Finnlands Boden zu betreten.« In der Sowjetunion hatte man jedoch den Verdacht, daß Deutschland das Gebiet Finnlands zur Offensive benutzen würde und daß Finnland nicht in der Lage wäre, die Landung einer »Großmacht« an der Küste des Finnischen Meerbusens zu verhindern, wie Stalin bei den Moskauer Verhandlungen (S. 1101) sagte. Für England empfand man im allgemeinen Sympathie, aber dessen Interessen in der Ostsee waren derart schwach, daß von dort keine militärische Hilfe zu erwarten gewesen wäre – was u. a. Mannerheim klar wurde, als er Finnland bei der Beerdigung Georgs V. vertrat.

Aus Gründen der Vorsicht wurde alle Zusammenarbeit mit Deutschland vermieden, und das ging so weit, daß ein von Deutschland angebotener Nichtangriffspakt abgelehnt wurde, wenn auch Holsti, der Hitler öffentlich beleidigt hatte, von dem Posten des Außenministers zurücktreten mußte. Es blieb nur Schweden.

Die finnische Initiative zur Zusammenarbeit mit Schweden wurde jetzt dort von militärischen Kreisen, den Konservativen und einigen einflußreichen Sozialdemokraten unterstützt, vor allem von dem langjährigen Außenminister Sandler. Den Schweden aber ging es nur um die gemeinsame Verteidigung der Ålandinseln, weil die Inselgruppe, die Stockholm vorgelagert ist, in den Händen einer Großmacht eine Gefahr für Schweden darstellte. Für Finnland wiederum war die gemeinsame Verteidigung der Ålandinseln sowohl Selbstzweck als auch Mittel: wenn man Schweden dafür gewinnen könnte, wäre ein Schritt in Richtung auf das Verteidigungsbündnis getan. Die Abneigung in Schweden wurde auf nationalistischer Seite durch den finnischen Sprachenkampf verstärkt, auf liberal-sozialdemokratischer Seite – während der Regierung Cajander völlig unbegründet – von der Furcht, auf dieselbe Seite wie Hitlers Deutschland zu geraten, und alle Schweden waren von dem Wunsch beeinflußt, die traditionelle Neutralität zu bewahren. Sandler gelang es schließlich, die führenden Kreise zu dem Ålandver-

§ 28 Finnland von der Erringung der Selbständigkeit bis nach dem II. Weltkrieg

trag zu überreden, der am 7. I. 1939 in Stockholm unterzeichnet wurde. Zum ersten Mal nach über hundert Jahren war Schweden zur militärischen Zusammenarbeit mit einem anderen Staat bereit. Nach dem Vertrag half Schweden Finnland bei der Verteidigung der Ålandinseln, und die südlichen kleinen Inseln der Inselgruppe sollten befestigt werden, wofür die Zustimmung der Unterzeichnerstaaten des Ålandvertrages zu beschaffen war.

Schon davor hatte ein Beamter der Sowjetbotschaft in Helsinki, Jartsev, der offensichtlich von hohen Stellen beauftragt worden war, der finnischen Regierung einen Vertrag vorzuschlagen, nach dem Finnland in einer Krisensituation russische Truppen annehmen würde, um eine Landung der Deutschen abzuwehren. Die finnische Regierung antwortete, daß sie sich mit eigenen Kräften verteidigen werde, zu welchem Zweck die Befestigung der Ålandinseln notwendig sei. Ohne völlig auf seine Hauptforderung zu verzichten, schlug Jartsev nun eine Zusammenarbeit bei der Befestigung der Ålandinseln vor, worauf Finnland auch nicht einging. Auch in anderem Zusammenhang hatte es sich gezeigt, daß die Sowjetunion nicht bereit war, die von Schweden und Finnland geplante gemeinsame Befestigung der Inseln zu gestatten, und das Hauptmotiv hat man in beiden Ländern in dem Bestreben gesehen, Finnland zu isolieren. Die Sowjetunion gehörte zwar nicht zu den Unterzeichnerstaaten des Ålandvertrages, die alle ihre Einwilligung gaben, auch Deutschland, aber England und Frankreich gaben zu verstehen, daß man zuerst mit der Sowjetunion verhandeln müsse. Als die Frage im Mai 1939 im Völkerbundsrat zur Sprache kam, forderten die Russen ihre Vertagung, und sie wurde von der Tagesordnung entfernt. Die schwedische Regierung zog unverzüglich ihren Antrag auf Ratifizierung des Vertrages aus dem Reichstag zurück, und es bedeutete also nichts, daß er in Finnland schon ratifiziert war.

Politisch völlig isoliert mußte Finnland nun mit Besorgnis die Verhandlungen zwischen den Westmächten und der Sowjetunion über die Garantien für die Randstaaten verfolgen und die Nachricht vom Ribbentrop-Vertrag empfangen. Das finnische Volk gab eine erste Probe seines Verteidigungswillens, als Tausende von Männern aus allen Schichten der Bevölkerung ihren Urlaub opferten, um ohne Bezahlung an der Befestigung der karelischen Landenge mitzuarbeiten.

c) Finnland im II. Weltkrieg
Quellenpublikation
Finland Reveals the Secret Documents on Soviet Policy, March 1940–June 1941 (1941).
M. Favorin – J. Heinonen, Kotirintama 1941–1944 (1972).

Die wichtigsten Memoirenwerke
W. v. Blücher, Gesandter zwischen Diktatur und Demokratie (1951).
W. Erfurths Kriegstagebuch (Manuskript, teilweise publiziert auf Finnisch 1954).
G. A. Gripenberg, En beskickningschefs minnen (2 Bde. 1959/60).
E. Linkomies, Vaikea aika (1970).
G. Mannerheim, Minnen, Bd. 2 (1952, verkürzt auf Deutsch).
J. K. Paasikivi, Toimintani Moskovassa ja Suomessa 1939–1941 (1958, auch auf Schwedisch).
A. Pakaslahti, Talvisodan poliittinen näytelmä (1970).
Th. Palm, The Finnish-Soviet Armistice Negotiations of 1944: Kungl. Vetenskaps samhällets i Uppsala Handlingar 14 (1971).
P. Talvela, Muistelmat (2 Bde. 1976/77).
V. Tanner, Olin ulkoministerinä talvisodan aikana (1950, auch auf Schwedisch).
Ders., Suomen tie rauhaan 1943/44 (1952, auch auf Schwedisch).

c) Finnland im II. Weltkrieg

Politische Geschichte
S. *Eskola,* Yhdysvaltain lehdistö ja Suomen kriisi (1973).
M. *Häikiö,* Maaliskuusta maaliskuuhun. Suomi Englannin politiikassa 1939–1940 (1976).
E. *Heinrichs,* Mannerheimgestalten, Bd. 2 (1959, auch auf Finnisch).
Jakobsen, s. S. 1089.
H. *Jalanti,* La Finlande dans l'étau germano-soviétique 1940–1941 (1966).
M. *Jokipii,* Panttipataljoona (1968, behandelt die im Text nicht erwähnten finnischen SS-Truppen).
Ders., Vuodenvaihde 1940–1941 uudessa valossa: Hist. Aikakauskirja (1977).
M. *Julkunen,* Talvisodan kuva. Ulkomaisten sotakirjeenvaihtajien kuvaukset Suomesta 1939–1940 (1975).
St. *Jägerskiöld,* Fältmarskalken (1975).
A. *Korhonen,* Barbarossa-suunnitelma ja Suomi (1963, auch auf schwedisch).
H. P. *Krosby,* Finland, Germany and the Soviet Union 1940–1941. The Petsamo Dispute (1968).
Ders., Suomen valinta 1941 (1967).
O. *Manninen,* Toteutumaton valtioliitto. Suomi ja Ruotsi talvisodan jälkeen (1977).
R. *Marandi,* Naapurin silmin (1964).
J. *Nevakivi,* The Appel that Was Never Made – The Allies, Scandinavia and the Finnish Winter War 1939–1940 (1976; übersetzt aus dem Finnischen).
Ders., Ystävistä vihollisiksi. Suomi Englannin politiikassa 1940–1941 (1976).
R. O. *Peltovuori,* Saksa ja Suomen talvisota (1975).
T. *Perko,* Aselveljen kuva. Suhtautuminen Saksaan jatkosodan Suomessa 1941–1944 (1971).
T. *Polvinen,* Suomi suurvaltain politiikassa 1941–1944 (1964).
K. *Skyttä,* Ei muuta kunniaa. Risto Rytin kujanjuoksu (^{4}1971).
A. F. *Upton,* Finland in Crisis 1940–1941 (1965).
Wahlbäck, s. S. 1089, S. 171–396.

Kriegsgeschichte
W. H. *Halsti,* Suomen sota 1939–1945 (3 Bde. 1955–1957).
Suomen sota, hg. v. Sotahistoriallinen tutkimuslaitos (11 Bde. 1952 ff.).
H. *Öhquist,* Talvisota minun näkökulmastani (1949).

Sofort nachdem die baltischen Länder sich bereit erklärt hatten, der Sowjetunion militärische Stützpunkte zu überlassen (S. 1127), wurden die Vertreter Finnlands zu Beratungen nach Moskau eingeladen. Die wichtigsten Forderungen, die Stalin den finnischen Delgierten Paasikivi und Tanner vorlegte, waren die Abtretung eines kleinen Territoriums auf der Karelischen Landenge und die Verpachtung der Halbinsel Hanko oder wenigstens der davorliegenden Inseln als Militärbasis. Im Austausch sollte Finnland ein Stück von Ostkarelien erhalten. Die ablehnende Haltung Finnlands ging von zwei entgegengesetzten Vermutungen aus, die jedoch zu derselben Schlußfolgerung führten: einerseits glaubte man nicht, daß die Sowjetunion nach Abbruch der Verhandlungen angreifen würde; andererseits fürchtete man, daß bald neue Forderungen folgen würden, denen man sich nicht widersetzen könnte, nachdem die Verteidigungsmöglichkeiten wesentlich geschwächt wären. Die Delegierten wären bereit gewesen, etwas weiterzugehen als Außenminister Erkko und die übrige Regierung, aber es herrscht kein Zweifel darüber, daß das Volk hinter der Regierung stand.

Die Verhandlungen hatten Finnland Zeit gegeben, die Mobilmachung durchzuführen. Sie brachen Anfang November ab, und am 30. XI. 1939 ging die Sowjetarmee an allen Abschnitten der Grenze zum Angriff über. Obwohl Mannerheim wußte, daß die Bewaffnung der kleinen Armee unzureichend war, erklärte er sich bereit, trotz seiner 72 Jahre, den Oberbefehl zu übernehmen. Finnland

§ 28 Finnland von der Erringung der Selbständigkeit bis nach dem II. Weltkrieg

wechselte sofort die Regierung, damit die neuen Männer neue Verhandlungsmöglichkeiten hätten; Ministerpräsident wurde Ryti und Außenminister Tanner. Der Wechsel schien vergebens, denn die Sowjetunion enthüllte, daß es wenigstens in diesem Stadium ihr Ziel sei, ganz Finnland zu erobern. Stalin setzte für Finnland eine aus emigrierten Kommunisten bestehende Marionettenregierung ein, deren Ministerpräsident O. V. Kuusinen wurde, der gleich nach dem Frieden von Dorpat die finnische Republik »eine ganz provisorische Erscheinung« genannt hatte.

Tuominen, der sich in Stockholm aufhielt, hatte abgelehnt. Die Einsetzung der Regierung gehörte vielleicht zu der inneren Meinungsmanipulation, weil man so zeigen wollte, daß die Sowjetunion nicht gegen die »richtige« Regierung des Nachbarlandes kämpfte, aber das war von außerordentlicher Wirkung auch auf die finnische Meinung; jeder Finne begriff jetzt, daß es sich nicht nur um irgendwelche strategisch wichtigen Stücke Land handelte, sondern um die Selbständigkeit und die staatsbürgerlichen Freiheiten der ganzen Nation. Die Kuusinen-Regierung erklärt zum Teil die keine Opfer scheuende Unnachgiebigkeit, mit der die Finnen den hunderttägigen sog. Winterkrieg führten. Eine psychologisch positive Wirkung hatte anfangs auch die Sympathie, die die Weltöffentlichkeit zeigte und die sich in Reden von Staatsmännern wie Churchill ausdrückte, und darin, daß die Sowjetunion vor den Völkerbund geladen wurde, um sich wegen des Angriffs zu verantworten. Die Sowjetunion weigerte sich zu kommen: sie berief sich auf die Regierung Kuusinen und behauptete, sich nicht mit Finnland im Krieg zu befinden. Der Generalsekretär Avenol arbeitete mit Unterstützung Frankreichs für den Ausschluß der Sowjetunion aus dem Völkerbund; Finnland betrachtete den Beschluß als Demonstration und lehnte ihn ab, wie auch den Gebrauch von Sanktionen gegen die Großmacht. Der Rat des Völkerbundes stieß am 14. XII. formal einstimmig die Sowjetunion aus dem Völkerbund aus, wobei die Hälfte der Mitglieder entweder abwesend war oder sich der Stimme enthielt. Die Generalversammlung forderte alle Mitgliedstaaten auf, Finnland Waffen- und humanitäre Hilfe zu geben. Frankreich und England verkauften auch Waffen, aber langsam und spärlich. Dagegen gab Schweden bereitwillig und schnell große Mengen von Waffen und sandte 8 500 Freiwillige, aber alle Versuche, Schweden in der einen oder anderen Form zur Teilnahme am Kriege zu bewegen, scheiterten.

Die Finnen schlugen die ersten Versuche der Russen zurück, die schwachen Befestigungen auf der Karelischen Landenge, die sog. Mannerheim-Linie, zu durchbrechen. In den Einöden an der östlichen Grenze, wo die Russen in der vielfachen Übermacht waren, zersplitterten die Finnen die über die Grenze angreifenden Divisionen in kleine Teile, und es gelang ihnen, vor dem Friedensschluß zahlreiche solcher *Motti* (= Klafter Feuerholz) zu vernichten. Ende Januar war Stalin bereit, Friedensverhandlungen mit der legalen Regierung Finnlands zu beginnen; die Kuusinen-Regierung konnte vergessen werden. Davor brachen die Russen jedoch nach einer gewaltigen Konzentration der Kräfte in zwei Wochen langen ununterbrochenen Kämpfen durch die Mannerheim-Linie (1. II.–14. II.). Der ungewöhnlich scharfe Frost hatte die Bucht von Viipuri so tief zufrieren lassen, daß sie für Panzer befahrbar gemacht wurde, und der Angriff wurde über sie fortgesetzt.

Inzwischen hatten die Westmächte bemerkt, daß der finnische Widerstand gegen die Sowjetunion, den Verbündeten Deutschlands, ihnen selbst politische Vorteile brachte. Finnland bat um militärische Hilfe, und die allgemeine Begeisterung für das Land unterstützte seine Sache; schließlich fürchtete man – beson-

c) Finnland im II. Weltkrieg

ders in Frankreich – nicht einmal mehr, daß die Unterstützung Finnlands einen Bruch mit der Sowjetunion bedeuten könnte.

Der Weg, den ein Expeditionskorps nach Finnland hätte nehmen müssen, führte durch Norwegen und Schweden, und unter dem Vorwand, Finnland beizustehen, konnte die Armee nach Schweden vorrücken, um die Eisenerzverschiffungen von Schweden nach Deutschland zu sperren.

Die schwedische Regierung hatte jetzt mit der Möglichkeit zu rechnen, daß Deutschland diese militärischen Operationen zum Anlaß nehmen konnte, Schweden anzugreifen. Da der Finnland versprochene Beistand nur gering war und da besonders Schweden drohte, dessen Durchmarsch zu verhindern, sahen sich die Finnen gezwungen, auf die angebotenen Friedensbedingungen der Sowjets einzugehen. Besonders Ryti, Tanner und der ins Kriegskabinett aufgenommene Paasikivi arbeiteten für einen baldigen Frieden, während Präsident Kallio schwankte und einige Agrarier dagegen waren. Das Beistandsangebot der Westmächte verstärkte zweifellos die Friedensbereitschaft der Sowjetunion.

Der Friedensvertrag wurde am 13. III. 1940 in Moskau geschlossen. Südostfinnland einschließlich Viipuri bis ungefähr zur sog. Grenze Peters des Großen wurde an die Sowjetunion abgetreten, und die Halbinsel Hanko wurde als Militärstützpunkt an sie verpachtet. Die Einwohner dieser Gebiete, die elf Prozent der Gesamtbevölkerung Finnlands ausmachten, zogen auf die finnische Seite der neuen Grenze.

Der Druck, den die Sowjetunion ausübte, dauerte jedoch auch nach dem Friedensschluß an. Auf seinem Posten als Gesandter in Moskau nutzte Paasikivi alle seine diplomatische Geschicklichkeit, um neuen russischen Ansprüchen Widerstand entgegenzusetzen, während er gleichzeitig versuchte, seine Regierung zum Nachgeben zu bewegen. Die größte Sorge bereitete die Einmischung der Sowjetunion in die inneren Angelegenheiten Finnlands. Die Kommunisten versuchten, wieder öffentlich aufzutreten, und als Molotow sie in Schutz nahm, konnte man ihre Tätigkeit erst Ende des Jahres verhindern, als der sowjetrussische Druck nachgelassen hatte. Tanner mußte auf sowjetischen Druck hin aus der Regierung ausscheiden. Als Kallio einer schweren Krankheit wegen auf die Präsidentschaft verzichten mußte – er starb bald danach –, nannte Molotow Paasikivi gegenüber die finnischen Staatsmänner, die *personae ingratae* waren. Darunter war jedoch nicht Ryti, der als Ministerpräsident in der schweren Zeit über die Parteigrenzen hinweg beliebt geworden war und der im Dezember 1940 praktisch einstimmig zum Präsidenten gewählt wurde.

Schweden war nicht einmal bereit, Finnland so viel Hilfe wie während des Winterkrieges zu versprechen. Günstiger waren die Schweden für einen schwedisch-finnischen Bundesstaat gestimmt; die Verhandlungen wurden aber in den Anfängen sowohl von Deutschland als auch von der Sowjetunion erstickt. Finnland mußte den Russen auch das Recht zu militärischen Transporten durch die Kerngebiete Finnlands zum Stützpunkt Hanko zugestehen.

Gleichzeitig verschlechterte sich die außen- und verteidigungspolitische Lage Finnlands noch mehr. Nachdem Dänemark und Norwegen besetzt worden waren, lag die Aufrechterhaltung der Verbindung zu den Westmächten in der Gewalt Deutschlands. Den Anschluß der baltischen Staaten an die Sowjetunion betrachtete man als Voraussage des finnischen Schicksals, und Molotow teilte später in Berlin mit (S. 1127), daß seine Absichten in bezug auf Finnland dieselben seien wie bei den baltischen Ländern. Es ist verständlich, daß die unter einer ständigen Drohung lebenden Finnen sehr erleichtert waren, als die Deutschen im August das Recht forderten, Truppen durch finnisches Territorium nach Norwegen zu befördern. Die Anklage, daß Finnland seine Politik der Neutralität aufgegeben habe, konnte nicht erhoben werden, da die Sowjetunion zu gleicher Zeit ähnliche Rechte in Südfinnland erhielt. Man wußte in Finnland noch nicht, daß Hitler bei der Ausführung des Unternehmens Barbarossa Finnland eine Rolle zugedacht hatte, aber nach Molotows Berlin-Besuch teilten die Deutschen Finnland mit, daß sie bereit seien, es zu unterstützen, und rieten ihm, sich russischen Forderungen zu widersetzen.

Während des Winters sollen sowohl Mannerheim als auch Ryti unter starkem russischen Druck zu der Überzeugung gekommen sein, daß Finnland genötigt war, mit Deutschland militärisch zusammenzuarbeiten. Zwischen den Generalstäben Finnlands und Deutschlands wurden Verhandlungen über diese Zusammenarbeit geführt, aber deren Protokolle sollten erst verwirklicht werden, »wenn die politische Seite der Frage geklärt ist«. In Finnland wurde im Juni die Mobilmachung angeordnet, die eine der totalsten in der Weltgeschichte ist: ein Sechstel der gesamten Bevölkerung einschließlich Frauen und Kinder wurde zu den Fahnen gerufen. Nördlich der Linie des Oulu-Flusses, wohin unter dem Deckmantel des Transitverkehrs Deutsche geströmt waren, verblieb das Kommando beim AOK Norwegen. Nach Hitlers Angriff teilte Finnland mit, »so lange wie möglich« neutral zu bleiben. Als aber drei Tage später (25. VI.) russische Luftwaffenverbände einige südfinnische Städte bombardierten, stellte der Reichstag einstimmig fest, daß sich Finnland im Krieg befinde. »Die politische Seite der Frage« war geklärt. Das war, äußerst vereinfacht, die Ereignisfolge im Frühjahr und Vorsommer 1941. Finnland hatte keine Möglichkeit, sich aus dem Krieg zwischen zwei Großmächten herauszuhalten, die beide Truppen in Finnland hatten (die Sowjetunion im Pachtgebiet von Hanko) und deren Machtbereiche in Lappland nur von einem schmalen Streifen getrennt wurden. Finnland konnte zwischen den Alternativen wählen: entweder Schlachtfeld der Großmächte zu werden oder sich aktiv am Kampf zu beteiligen. Es war nicht »wie das Treibholz auf den reißenden Flüssen«, wie der deutsche Botschafter in Helsinki später die Schicksale des Landes beschrieb, sondern es wählte bewußt die letztere Alternative. Ein weiteres Motiv war vor allem unter den Kareliern, aber auch in anderen Kreisen der Bevölkerung, der allgemeine Wunsch, das abgetretene Karelien zurückzuerobern.

Bis Ende August war denn auch – zum Teil nach heftigen Kämpfen – die verlorene Provinz erobert, und die Karelier begannen in ihre Heimat zurückzukehren. Im Ausland verstand man anfangs die Schwierigkeiten und Wünsche Finnlands; selbst Hull gratulierte Finnland zur Rückeroberung Kareliens, und die schwedischen Zeitungen, die später unter dem Einfluß der angelsächsischen Propaganda der finnischen Politik kritisch, wenn nicht sogar feindselig gegenüberstanden, sprachen wohlwollend selbst von dem Anschluß Ostkareliens an Finnland.

Die genannte Eroberung wurde von den verantwortlichen Stellen in Finnland fast völlig verschwiegen, ausgenommen ein Tagesbefehl Mannerheims. Die Finnen rückten zwar ins südliche Ostkarelien vor, aber mit wenigen Ausnahmen wurde die Operation mit strategischen Gesichtspunkten begründet, oder es wurde gesagt, daß das Gebiet als Pfand für künftige Friedensverhandlungen besetzt worden sei. Anfang Dezember stoppte Mannerheim den Angriff, und die Front blieb für zweieinhalb Jahre unverändert. Mannerheim lehnte es ab, sich dem Angriff der Deutschen gegen Leningrad anzuschließen, und die drohende Meinungsverschiedenheit wurde vermieden, als auch Hitler zugunsten anderer Pläne seinen Vorsatz aufgab. Ebenso weigerte sich Mannerheim, die finnischen Trup-

c) Finnland im II. Weltkrieg

pen bis zur Küste des Weißen Meeres vorrücken zu lassen und somit die als Verbindungsweg zwischen den Westmächten und der Sowjetunion wichtige Murmansk-Bahn abzuschneiden.

Gerade als der Angriff der Finnen zum Stehen kam, erklärte England am 6. XII. 1941 auf Drängen Stalins hin Finnland den Krieg – ohne jedoch irgendwelche kriegerischen Maßnahmen zu ergreifen. Der Anteil der Vereinigten Staaten beschränkte sich darauf, dann und wann Finnland zum Friedensschluß aufzufordern, aber die Bedingungen der Sowjetunion waren so hart, daß die Vereinigten Staaten sich nicht einmal in der Lage sahen, sie Finnland zu übermitteln. Die Friedenserkundigungen wurden lebhafter, als nach der Schlacht von Stalingrad der willensstarke Führer der Sammlungspartei Edwin Linkomies die neue Regierung bildete und besonders als die militärische Lage Finnlands nach der Entsetzung Leningrads viel ungünstiger wurde. Paasikivi war sogar in Moskau, um sich nach den Einzelheiten der Waffenstillstandsbedingungen zu erkundigen. Die Sowjetunion hielt an den im Moskauer Frieden festgesetzten Grenzen fest. Finnland sollte den Korridor zur Eismeerküste abtreten, seine Armee auf Friedensstärke zurückbringen, eine Kriegsentschädigung in Höhe von 600 Mill. Dollar zahlen und die deutschen Truppen in einem Monat internieren. Die Finnen waren der Ansicht, daß die Erfüllung der beiden letztgenannten Bedingungen auch beim besten Willen unmöglich sei. Der Reichstag wies die sowjetischen Waffenstillstandsbedingungen durch ein einstimmiges Votum zurück. Aber schon die reinen Friedenserkundigungen hatten Hitler gereizt, und er schnitt die Ausfuhr der für Finnland notwendigen Lebensmittel wie auch Waffen ab.

Anfang Juni 1944 begannen die Russen einen Großangriff auf der karelischen Landenge. Das Trommelfeuer der Artillerie war eines der stärksten in der Kriegsgeschichte (an einigen Stellen fast 400 Geschütze pro Kilometer). Die finnische Front brach schnell zusammen und mußte bis nach Viipuri zurückgezogen werden. Um Verstärkungen für die am meisten gefährdete Front zu erhalten, zogen sich die Finnen auch aus Ostkarelien zurück. Als Finnland um Frieden bat, trafen in Helsinki gleichzeitig die Moskauer Forderung nach bedingungsloser Kapitulation und aus Deutschland von Ribbentrop mit einem Vertragstext in der Tasche ein. Was den Deutschen nicht in den Tagen ihrer Siege gelungen war, das geschah jetzt, als beide nahe am Zusammenbruch waren: Ryti unterzeichnete ein persönliches Übereinkommen mit den Deutschen, wonach er nicht ohne deren Einverständnis in Friedensverhandlungen mit den Russen eintreten werde. Die sofortige Hilfe der Deutschen durch Waffenlieferung war von nicht geringer Bedeutung. Aber es waren die eigenen ungeheuren Anstrengungen der Finnen, durch die die sowjetische Offensive zum Stehen gebracht wurde. Unmittelbar nachdem die Front gefestigt worden war, trat Präsident Ryti zurück, und Mannerheim wurde zu seinem Nachfolger gewählt.

Als die Friedensverhandlungen wieder aufgenommen wurden, waren die Bedingungen Moskaus in einigen Punkten milder geworden. Die Deutschen brauchten nicht interniert zu werden, sondern sie mußten vertrieben werden, und es wurde kein Termin festgesetzt; außerdem war die Aufgabe infolge der Schwächung Deutschlands viel leichter als im Frühjahr. Die Kriegsentschädigung war auf die Hälfte herabgesetzt. Aber neue Bedingungen waren dazugekommen, wie die Überlassung der Halbinsel Porkkala in unmittelbarer Nähe Helsinkis als Militärstützpunkt. Die gesamtpolitische Lage hatte sich jedoch für Finnland so weit verschlechtert, daß der Reichstag nach anfänglichem Zögern die Beziehungen Finnlands zu Deutschland abbrach und dann die Bedingungen des Waffenstillstandsvertrages am 19. IX. annahm. Als die Russen die Finnen antrieben, die

§ 28 Finnland von der Erringung der Selbständigkeit bis nach dem II. Weltkrieg

Deutschen aus Lappland zu vertreiben, kam es zu heftigen Kämpfen, und die Deutschen zerstörten gründlich den größten Teil der Provinz.

d) Ausblick auf die Nachkriegszeit

Quellenpublikation
Fällande dom som friar. Dokument ur Finlands krigsansvarighetsprocess, hg. v. *Hj. J. Procopé* (1946).

Darstellungen
L. *Hyvämäki*, Vaaran vuodet 1944–1948 (^{3}1957).
K. *Skyttä*, Presidentin muotokuva (2 Bde. 1969/70).
T. *Suontausta*, Paasikiven sopimus – eduskunnan sopimus, Paasikivi (^{3}1960).
J. *Tarkka*, 13. artikla (1977).
Kr. *Wahlbäck*, Från Mannerheim till Kekkonen (1967), S. 155–220.

Nach dem Waffenstillstandsvertrag wurde eine neue Regierung gebildet, deren Ministerpräsident der während des Fortsetzungskrieges der Politik ferngebliebene Paasikivi war und unter deren Mitgliedern es schon »Volksdemokraten« gab. Die Kommunistengesetze aus dem Jahre 1930 wurden eilends aufgrund des Friedensvertrages aufgehoben, und die SKP trat jetzt zum ersten Mal als legale, in Finnland eingetragene Organisation auf. Dessen ungeachtet gründete sie in Hinblick auf die Reichstagswahlen eine Dachorganisation mit dem Namen SKDL (= Demokratischer Bund des finnischen Volkes), in der sie selbst die führende Rolle spielte, zu der aber auch andere linksradikale Blöcke gehörten. Bei den Reichstagswahlen im März 1945 erzielte sie einen Erfolg, der sie auch selbst überraschte: mit 50 Sitzen wurde sie die größte Partei des Reichstags. Auf das Wahlergebnis wirkten außer der Hungersnot, der Heimatlosigkeit der aus den abgetretenen Gebieten wieder Vertriebenen und dem Defaitismus die von verschiedenen Seiten gegebenen Ermahnungen, aus außenpolitischen Gründen »neue Gesichter« in den Reichstag zu wählen. Als Mannerheim nach dem »Kriegsschuldigenprozeß« zurücktrat, wurde zum Nachfolger fast einstimmig Paasikivi gewählt (März 1946). Danach war zwei Jahre lang ein Volksdemokrat auch Ministerpräsident. Die Kommunisten hatten schon seit dem vorangegangenen Jahr viele Schlüsselstellungen in ihrem Besitz, unter anderen die Sicherheitspolizei, die Hunderte von Bürgern inhaftiert hatte und einige auch an die Sowjetunion auslieferte. Die übrige Polizei und die Armee bekamen die Kommunisten nicht in ihre Gewalt, und mit deren Hilfe ergriff Paasikivi Vorsichtsmaßregeln, als im Frühjahr 1948 Gerüchte über einen Putsch umliefen. Die Gerüchte haben nicht bewiesen werden können, weder als richtig noch als falsch.

Die Hauptaufgabe der Regierung und des Reichstages bestand darin, die Bedingungen des Waffenstillstandsvertrages und des Friedensvertrages zu verwirklichen, und dies wurde bis zur endgültigen Friedenskonferenz in Paris von einer Kommission der Alliierten unter der Leitung von Ždanov überwacht. Der Friedensvertrag vom 10. II. 1947 setzte für die verschiedenen Waffengattungen der Armee Höchstgrenzen fest, und das vor dem Freiheitskrieg gegründete Schutzkorps, das ein organischer Bestandteil der Wehrmacht geworden war, mußte als »faschistisch« aufgelöst werden. Die IKL wurde natürlich mit demselben Paragraphen verboten. Die Kriegsentschädigung in Höhe von 300 Mill. Dollar wurde um 73,5 Mill. herabgesetzt, aber wenn der übliche Marktwert bei der Berechnung zugrunde gelegt wird, hat Finnland tatsächlich den Gegenwert von 444,7 Mill. Dollar gezahlt. Die Differenz entsteht durch die angewandte Preisberechnung.

d) Ausblick auf die Nachkriegszeit

Besondere Schwierigkeiten verursachte der Paragraph des Waffenstillstandsvertrages, in dem von der Bestrafung der Personen gesprochen wird, »die sich Kriegsverbrechen schuldig gemacht hatten«. Der Reichstag sträubte sich, mußte sich aber schließlich fügen und die Tätigkeit der führenden Politiker der Kriegszeit – gemäß den Vereinbarungen der Alliierten – durch ein Gesetz kriminalisieren. Trotz dieses Gesetzes und der halb politischen Zusammensetzung der Gerichte fielen die Urteile nicht zur Zufriedenheit der alliierten Überwachungskommission aus, und sie schaltete sich ein, um jene zu verschärfen. Präsident Rytis Gesundheit wurde im Gefängnis zerrüttet, die anderen kehrten, nachdem sie ihre Strafen verbüßt hatten, in Schlüsselstellungen der Gesellschaft zurück, wie Tanner als Vorsitzender der Sozialdemokratischen Partei und Linkomies als Rektor und Kanzler der Staatsuniversität Helsinki.

Zu den durch den Krieg verursachten Schwierigkeiten gehörte auch die Beschaffung neuer Bauernhöfe für die aus Karelien ausgesiedelten Bauern, was aufgrund eines strengen Zwangsabtretungsgesetzes (vom 5. V. 1945) geschah. Das Wirtschaftsleben wurde durch Unruhen auf dem Arbeitsmarkt gestört. Die Mitgliederzahl der Gewerkschaften verdreifachte sich innerhalb eines Jahres, und darunter waren auch Elemente, die nicht an geregelte Arbeitsmarktverhältnisse gewöhnt waren. Die Sozialdemokraten führten im Bereich der Gewerkschaft einen erbitterten Kampf um die Unterstützung der Arbeiterschaft, und es gelang ihr, die Führung der Bewegung in ihren Händen zu behalten, aber so wurden auch die Lohnerhöhungen meistbietend versteigert, und ständige Streiks ließen sich nicht vermeiden; im Jahre 1956 stand fast das ganze Erwerbsleben drei Wochen lang still.

Paasikivis außenpolitisches Programm war es, so vorzugehen, daß jeder Konflikt mit den sowjetischen Interessen vermieden werde und die Sowjetunion Vertrauen zu der Aufrichtigkeit dieser realistischen finnischen Politik gewinnen könne. Diese sog. Paasikivi-Linie zeigte sich zum ersten Mal deutlich 1947, als Finnland die Marshallplanhilfe ablehnte. Im folgenden Jahr schloß Finnland mit der Sowjetunion einen Vertrag über die Freundschaft, die Zusammenarbeit und den gegenseitigen Beistand (5. IV. 1948). Das geschah auf die Initiative Stalins, aber Paasikivi und dem Reichstag gelang es, dem Vertrag einen anderen Inhalt zu geben als das Modell aufgrund der Verträge der Sowjetunion mit Ungarn und Rumänien: der Vertrag betonte die Neutralität Finnlands, er betraf nur die Verteidigung finnischen Gebietes in dem Falle, daß »Deutschland oder ein mit ihm verbündetes Land« versuchen würde, durch dieses Gebiet die Sowjetunion anzugreifen, und deren mögliche militärische Hilfe war nicht automatisch, sondern darüber mußte verhandelt werden. Finnland konnte jedoch nicht als neutral betrachtet werden, solange auf seinem Gebiet der russische Stützpunkt Porkkala lag. Paasikivis Politik wurde denn auch dadurch gekrönt, daß die Sowjetunion kurz vor Ende seiner Amtsperiode, im Januar 1956, auf das Pachtgebiet verzichtete. Mitglied der Vereinigten Nationen war Finnland im Jahre 1955 geworden.

In den Wahlen des Jahres 1948 verlor die SKDL ein Viertel ihrer Sitze. Der Friedensvertrag war ratifiziert und die außenpolitischen Beziehungen gefestigt. K. A. Fagerholm bildete eine sozialdemokratische Regierung, und in dieser Periode wurden die Kommunisten aus den Schlüsselstellungen verdrängt und die Rechtssicherheit wiederhergestellt. Die Kommunisten versuchten die Regierung durch wilde Streiks zu stürzen, aber sie erhielt mit fester Hand die Ordnung aufrecht. Während der Regierung Fagerholms begann die Zusammenarbeit zwischen den Sozialdemokraten und den kleinen bürgerlichen Parteien, und diese Koalition wählte 1950 Paasikivi erneut zum Präsidenten. Charakteristisch für seine zweite Amtsperiode waren die von U. K. Kekkonen geführten, aus Agrariern und Sozialdemokraten bestehenden Regierungen. Die Beziehungen zwischen den letztgenannten und den Kommunisten blieben angespannt. Der Bund des Landvolks unterhielt Beziehungen zu den Kommunisten und zu den Linkssozialisten, die 1957–1972 von den Sozialdemokraten getrennt waren. Im Jahre 1956 wurde Kekkonen hauptsächlich mit den Stimmen der Agrarier und der Kommunisten zum Präsidenten gewählt; sein Gegenkandidat, der mit nur zwei Stimmen verlor, war Fagerholm. Kekkonen hat die Außenpolitik eingehalten, zu der Paasikivi die Grundlage schuf (»Paasikivi-Kekkonen-Linie«). Ernste Krisen zwischen Finnland und der Sowjetunion gab es zweimal. Um die Jahreswende 1958/59 mußte eine Regierung, die das Vertrauen einer großen Mehrheit des Reichstages genoß, zurücktreten. Eine Folge war auch, daß die Sozialdemokraten bis 1966 als »regierungsunfähig« betrachtet wurden. Im November 1961 forderte die Sowjetunion unter Hinweis auf die Zuspitzung der Berlin-Krise die im Freundschaftsvertrag vorgesehenen militärischen Verhandlungen, verzichtete aber dann auf diese Forderung; in Finnland zerbrach die für die Präsidentenwahl gebildete Front gegen Kekkonen, und dieser wurde mit großer Mehrheit wiedergewählt. Später ist er noch zweimal wiedergewählt worden und hat sich in der Innenpolitik den Linksparteien genähert.

Im Jahre 1961 gelang es Finnland, ein assoziiertes Mitglied der EFTA zu werden, und im Jahre 1973 wurde ein Handelsvertrag mit der EWG geschlossen.

Das Jahr 1966 bezeichnete einen Umschlag in der finnischen Innenpolitik – nicht weil die sozialistischen Parteien die Majorität bei den Reichstagswahlen erhielten, denn diese Majorität ging schon bei den nächsten Wahlen verloren. Wegen der Zersplitterung der Bürgerlichen und der großen Macht der Gewerkschaften dominierte jedoch die Linke. Die Sozialdemokraten taten einige Schritte nach links und billigten nicht nur die Zusammenarbeit mit den Kommunisten, sondern zogen sie sogar vor. Die Kommunisten haben wieder an den meisten Regierungen teilgenommen.

§ 29 Estland und Lettland als selbständige Republiken und als Unionsrepubliken der UdSSR 1918–1970

Von Arved Frhr. v. Taube †

Bibliographische Hilfsmittel
Die »Baltische Bibliographie«, Schrifttum über Estland und Lettland in Auswahl bearbeitet von *H. Weiss*, erscheint seit 1954 alljährlich in ZOstforsch (seit 1956 regelmäßig in Heft 4).
H. Dopkewitsch, Baltische Staaten: JberrDtG (1929 ff).
Legal Sources and Bibliography of the Baltic States (Estonia, Latvia, Lithuania, 1963).
Umfassende Literaturverzeichnisse finden sich ferner in: *G. von Rauch*, Geschichte der baltischen Staaten (1970 u. 1977) und – mit Einschluß der älteren Zeit – in: *R. Wittram*, Baltische Geschichte. Die Ostseelande Livland, Estland, Kurland 1180–1918 (1954).

Nachschlagewerke
Latvju Enciklopedija/Latvian encyclopaedia, 1–4 (1950–1955).
Eesti entsüklopeedia (1932–1937).
Eesti biograafiline leksikon (1926–1929, Erg.Bd. 1940).
Deutschbaltisches Biographisches Lexikon 1710–1960, hg. v. *W. Lenz* (1970).
Handwörterbuch des Grenz- und Auslanddeutschtums (mit Schrifttumsnachweisen), Deutschbalten und baltische Lande: II (1936), Estland: II (1936), Lettland: III (1938).

Gesamtdarstellungen
G. von Rauch (s. o.).
R. Wittram (s. o.).
Handwörterbuch (s. o.).
Latvijas vēsture, unter Mitarbeit von *E. Dunsdorfs, A. Spekke, A. Svabe, E. Andersons*, bisher erschienen 1–6 (1958–1973).
A. Spekke, History of Latvia, An Outline (1951).
A. Schwabe, The Story of Latvija (1950).
H. Kruus, Grundriß der Geschichte des estnischen Volkes (1932).
M. Ojamaa, A. ja T. Varmas, Eesti ajalugu (Geschichte Estlands; 1946).
E. Uustalu, The History of the Estonian People (1952).
Istorija Latvijskoj SSR. Sokraščënnyj kurs (1971).
Istorija Estonskoj SSR (vom März 1917 bis zum Beginn der 50er Jahre), red. *V. Maamjagi* u. a. (1974).
H. Rothfels, Das Baltikum als Problem der internationalen Politik. Zur Geschichte und Problematik der Demokratie, in: Festschrift H. Herzfeld (1958).

a) Die geschichtlichen Voraussetzungen der Staatsgründung

Die soziale und nationale Emanzipation des estnischen und lettischen Volkes
U. Ģērmanis, Die Autonomie- und Unabhängigkeitsbestrebungen der Letten, in: Von den baltischen Provinzen zu den baltischen Staaten, hg. v. *J. von Hehn, H. von Rimscha* und *H. Weiss* (2 Bde. 1971 und 1977).
Ders., The Idea of Independent Latvia and its Development in 1917, in: Res Baltica (1968).
H. Dopkewitsch, Die Entwicklung des lettländischen Staatsgedankens bis 1918 (1936).
H. Rosenthal, Kulturbestrebungen des estnischen Volkes während eines Menschenalters (1869–1900). Erinnerungen (1912).
Aspects of Estonian Culture, hg. v. *E. Uustalu* u. a. (1961).

§ 29 Estland und Lettland 1918–1970

R. Wittram, Das ständische Gefüge und die Nationalität. Zum Strukturwandel in den baltischen Adelslandschaften im 19. Jh., in: Das Nationale als europäisches Problem (1954).
O. O. Karma, Osnovnye čerty razvitija krupnoj promyšlennosti v Estonii v epochu monopolističeskogo kapitalizma: IzvAkadEst (1952).

Seit der Eingliederung des ostbaltischen Küstenlandes in den abendländischchristlichen Kulturbereich durch die deutsche und dänische Schwertmission im 13. Jh. hatte die Stammbevölkerung dieses Gebietes – unter wechselnder staatlicher Herrschaft – in sozialer Abhängigkeit von der deutschstämmigen feudalen und großbürgerlichen Herrenschicht gelebt. Aber sowohl die eine ostseefinnische Sprache sprechenden Esten als auch die der baltischen Gruppe der indogermanischen Sprachfamilie angehörenden Letten hatten im Rahmen der ständischen Ordnung und der deutschrechtlichen »landesstaatlichen« Autonomie ihre Nationalität zu bewahren vermocht. Dazu hatte wesentlich die frühe Übernahme des Luthertums beigetragen, dessen Prediger den Esten und Letten das Evangelium in den Volkssprachen verkündeten und diese dadurch zu Schriftsprachen erhoben[1]. Sozialer oder bildungsmäßiger Aufstieg war allerdings mit dem Übergang ins Deutschtum verbunden.

In den Kriegen, die von den Anliegerstaaten der Ostsee um den Besitz des ostbaltischen Küstenlandes und um das Dominium maris Baltici geführt wurden (Deutscher Ritterorden, Polen-Litauen, Schweden, Rußland), hatte die Bevölkerung immer wieder schwer leiden und erhebliche Substanzverluste und Rückschläge hinnehmen müssen. Erst der Übergang Livlands und Estlands von Schweden an das Kaiserreich Rußland (1710/1721) leitete eine längere Friedensperiode ein, in der allerdings die soziale und rechtliche Unfreiheit der bäuerlichen, estnisch-lettischen Bevölkerung im feudalen System der Erbhörigkeit und der Fron ihren Tiefpunkt erreichte. Livland, Estland und Kurland, das 1795 an Rußland kam, hatten sich zu typischen Adelslandschaften entwickelt.

Erst das 19. Jh. schuf die Voraussetzungen für die soziale Emanzipation der Esten und Letten und für ihr Erwachen zu nationalem Eigenbewußtsein. Durch die persönliche Befreiung des Bauern in den Jahren 1816/17/19 und durch die Schaffung bäuerlichen Grundeigentums durch die Reformen der Jahrhundertmitte erhielten die baltischen Provinzen eine Agrarstruktur, die sich grundlegend von der auf dem Gemeindebesitz ruhenden russischen unterschied. Durch den Ausbau des muttersprachlichen Landvolksschulwesens wurde eine allgemeine Anhebung des Bildungsniveaus erreicht: um die Jahrhundertwende gab es unter den Esten und Letten fast gar keine Analphabeten mehr. Durch die liberalen Reformen der Regierungszeit Alexanders II. eröffneten sich endlich dem aufstrebenden Esten- und Lettentum gewisse Möglichkeiten zur Mitarbeit in der kommunalen Selbstverwaltung. Die tragende soziale Schicht der zunächst von der Nationalromantik geprägten Bewegung des »nationalen Erwachens« war das aus den Reformen hervorgegangene eigenbesitzliche Mittelbauerntum. Man erstrebte zunächst die soziale und politische Gleichstellung mit den baltischen Deutschen, suchte die Unterstützung der nationalrussischen Kreise in St. Petersburg zu gewinnen und hoffte, durch Loyalität gegenüber der Regierung die Ablösung der feudal-ständischen Ordnung zu erreichen. Die unter Alexander III. (1881–1894) durchgeführte Verstaatlichung des bisher ständischen Justiz- und Polizeiwesens sowie die Überführung des Landvolksschulwesens in die Zuständigkeit des Ministeriums für Volksaufklärung brachten jedoch eine Enttäuschung, denn sie waren mit der Russifizierung dieser Landesinstitutionen verbunden. Auch blieben agrarpolitische Reformen aus; die Korporationen der Großgrundbesitzer – die

a) Die geschichtlichen Voraussetzungen der Staatsgründung

Ritter- und Landschaften – blieben bis 1917 Träger der Provinzial-Selbstverwaltung. Die altnationale Bewegung geriet hierdurch in eine Krise. Erst die sozialen Wandlungen, die sich im letzten Jahrzehnt des 19. Jh. auszuwirken begannen, führten zu einer politischen Neuorientierung.

Seit den 70er Jahren war der Anteil des estnischen und lettischen Elements an der Bevölkerung der Städte schnell und stetig gestiegen. Gefördert wurde diese Entwicklung durch die Bahnbauten und durch das Entstehen einer protektionistischen Industrie mit einer national heterogenen Fabrikarbeiterschaft vor allem in den großen Hafenstädten[2]. Die Russifizierungsmaßnahmen verfehlten zwar ihr eigentliches Ziel, eröffneten jedoch den nunmehr der russischen Sprache mächtigen Esten und Letten neue Aufstiegsmöglichkeiten im Inneren des Reiches und ermöglichten Kontakte zu den russischen revolutionären und demokratischen Gruppierungen sowie zu den anderen »Fremdvölkern« Rußlands. Mit dem Beginn des Industriezeitalters formierte sich die marxistische, revolutionäre Arbeiterbewegung. Die Lettische Sozialdemokratische Partei (LSD, gegr. 1904) schloß sich 1906 der Russischen Sozialdemokratischen Partei an und gewann das besondere Vertrauen Lenins. Sie stand seit 1914 unter bolschewistischer Führung. Doch entwickelte sich gerade aus der internationalistisch-marxistischen LSD – zum Teil in der Emigration – der neue militante politische Nationalismus der jungen, radikalen lettischen Intelligenz[3]. Die estnische Sozialdemokratie war seit 1906 selbständig. In ihren Organisationen dominierten die Menschewisten. Doch war der bolschewistische Einfluß bereits vor dem I. Weltkrieg im Wachsen. Die heftigen sozialen und nationalen Spannungen entluden sich in der Revolution von 1905/06, in der erstmalig auch nationale Autonomieforderungen laut wurden.

Zwar wurde die Erhebung, die sich nicht nur gegen die zaristische Bürokratie, sondern auch gegen die deutschstämmige Großgrundbesitzerschicht – die »Baltischen Barone« – richtete, von der Regierung mit harter Hand blutig niedergeworfen; doch eröffnete das Oktobermanifest des Zaren den nichtrussischen Völkern nunmehr die Möglichkeit zur Gründung von legalen politischen Parteien, von nationalen Vereinigungen und Genossenschaften, von muttersprachlichen höheren Privatschulen sowie zur Teilnahme an der gesetzgeberischen Arbeit der Reichsduma in St. Petersburg. Schon aus diesem Grunde orientierten sich die politischen Parteien der Esten und Letten an den großen russischen demokratischen oder sozialistischen Parteien. Völlig eigenständige Parteien, die aus den spezifisch baltischen Verhältnissen erwuchsen und in Rußland keine Entsprechung hatten – wie der Bund der Landwirte (Bauernbund) –, konstituierten sich erst nach der Märzrevolution von 1917. Mit dem Beginn des 20. Jh. begannen auch die kommunalen Selbstverwaltungen der Städte aus den Händen der Deutschbalten in die der Esten und Letten überzugehen (Reval 1904).

Schon damals waren die nationale und die demokratische Idee im Denken der estnischen und lettischen Bildungsschicht eine unlösliche Verbindung eingegangen, denn das demokratische Mehrheitsprinzip mußte den beiden Völkern als den Mehrheitsvölkern im eigenen Lande zur langersehnten Herrschaft verhelfen. Der für Rußland so unglückliche Verlauf des I. Weltkrieges brachte es mit sich, daß das Schicksal des lettischen Volkes sich ungünstiger gestaltete als das des estnischen. Der deutsche Einmarsch in Kurland im Sommer 1915 löste russische Evakuierungsmaßnahmen und eine Massenflucht der lettischen Bevölkerung vorwiegend ins Innere Rußlands aus (mehr als 600 000 Menschen), wo die Flüchtlinge sich auf nationaler Basis zusammenschlossen und sich im »Zentralkomitee« in Petrograd eine Interessenvertretung und einen politischen Willensträger schufen. In der Heimat gelang es zwei bürgerlichen lettischen Abgeordneten der Reichsduma im August 1915, die Genehmigung zur Aufstellung nationallettischer Schützenbataillone im Verbande des russischen Heeres zu erwirken. Diese bewährten sich bestens bei den Abwehrkämpfen an der Dünafront, wurden bald zu Regimentern ausgebaut und trugen merklich zur Hebung des nationalen Selbstbewußtseins der Letten bei.

[1] Die erste Druckschrift in estnischer Sprache ist ein im Auftrage des Revaler Rates 1535 bei Hans Lufft in Wittenberg gedruckter niederdeutsch-estnischer Katechismus.
[2] S. *W. Lenz,* Die Entwicklung Rigas zur Großstadt (1954).
[3] *Ģērmanis* (s. o.), u. *Karma* (s. o.).

b) Der Weg in die Eigenstaatlichkeit (1917–1920)

Die russische Revolution von 1917
R. *Wittram,* Die baltische Frage als Problem der russischen Provisorischen Regierung: AbhhAkadGöttingen, Dritte F. 78 (1971).
Oktjabr'skaja Revoljucija v Latvii, Dokumenty i materialy (1957).
Velikaja Oktjabr'skaja Revoljucija v Estonii (1958).
Očerki istorii kommunističeskoj partii Latvii, 1/2 (1965 ff.).
Bor'ba za sovetskuju vlast' v Pribaltike (1967).
K. *Siilivask,* Die Rolle des Baltikums in der Großen Sozialistischen Oktoberrevolution: ZGWiss 19 (1971).

Der I. Weltkrieg und die Baltikumpolitik des Deutschen Reiches
B. *Mann,* Die baltischen Länder in der deutschen Kriegszielpublizistik (1965).
H.-E. *Volkmann,* Die deutsche Baltikumpolitik zwischen Brest-Litovsk und Compiègne (1970).
Ders., Probleme des deutsch-lettischen Verhältnisses zwischen Compiègne und Versailles: ZOstforsch 15 (1955).
H. G. *Linke,* Deutsch-sowjetische Beziehungen bis Rapallo (1972).
W. *Conze,* Nationalstaat oder Mitteleuropa? Die Deutschen des Reiches und die Nationalitätenfragen Ostmitteleuropas im ersten Weltkrieg, in: Festschrift H. Rothfels (1951).
R. *Stupperich,* Siedlungspläne im Gebiet des Oberbefehlshabers Ost: Jomsburg 5 (1941).
K.-H. *Janssen,* Alfred von Goßler und die deutsche Verwaltung im Baltikum 1915/18: HZ 207 (1968).
Ders., Die baltische Okkupationspolitik des Deutschen Reiches, in: Von den baltischen Provinzen (s. o.; 1971).
A. *Frhr. v. Taube,* Das Auswärtige Amt und die estnische Frage 1917/18: JbbGOsteur (1969).

Die Politik der baltischen Ritterschaften
E. *Frhr. v. Dellinghausen,* Im Dienste der Heimat! (Erinnerungen, 1930).
A. *Frhr. v. Taube,* Die baltisch-deutsche Führungsschicht und die Loslösung Livlands und Estlands von Rußland, in: Von den baltischen Provinzen (1971).
Ders., Von Brest-Litowsk bis Libau, ebd. 1918–1919 (1977).

Die Staatsgründungen
J. v. *Hehn,* Die Entstehung der Staaten Lettland und Estland. Der Bolschewismus und die Großmächte: ForschOsteurG 4 (1956).
B. *Kalniņš,* Die Staatsgründung Lettlands, in: Von den baltischen Provinzen (1971).
E. *Dunsdorfs,* Bevölkerungs- und Wirtschaftsprobleme bei der Staatsgründung Lettlands, ebd.
E. *Uustalu,* Die Staatsgründung Estlands, ebd.

b) Der Weg in die Eigenstaatlichkeit (1917–1920)

M. Walters, Lettland. Seine Entwicklung zum Staat und die baltische Frage (1923).
H. v. Rimscha, Die Staatswerdung Lettlands und das baltische Deutschtum (1939).
Ed. Laaman, Eesti Iseseisvuse Sünd (Die Geburt der Selbständigkeit Estlands; 1936, photomechan. Nachdruck 1964).
S. W. Page, The Formation of the Baltic States (1959).
M. W. Graham jr., New Governments of Eastern Europe (1969).

Der Freiheitskrieg und die Politik der Mächte
R. Wittram, Zur Geschichte des Winters 1918/19, in: Balt. Lande, Bd. 4 (1939).
A. Winnig, Am Ausgang der deutschen Ostpolitik (1921).
R. von der Goltz, Als politischer General im Osten (1936).
C. Grimm, Vor den Toren Europas. Geschichte der Baltischen Landeswehr 1918/20 (1963).
Deutsch-sowjetische Beziehungen von den Verhandlungen in Brest-Litowsk bis zum Abschluß des Rapallovertrags. Dokumentensammlung. Bd. 1: 1917–1918 (1967).
V. Sipols, Die ausländische Intervention in Lettland 1918–1920 (1961).
R. Ullman, Britain and the Russian Civil War (1968).
P. Vihalem, Eesti Kodanlus Imperialistide Teenistuses 1917–1920 (Das estnische Bürgertum im Dienst der Imperialisten; 1960).
A. N. Tarulis, American-Baltic Relations 1918–1920: The Struggle over Recognition (1965).
E. Anderson, The British Policy toward the Baltic States 1918–1920: JournCentrEurAff 19 (1959).
Ders., Die baltische Frage und die Politik der Alliierten und Assoziierten Mächte bis zum November 1918, in: Von den balt. Provinzen (1977).
K. Hovi, Cordon sanitaire of barrière de l'Est? The Emergence of the New French Eastern European Alliance Policy 1917–1919 (1975).
Die De-jure-Anerkennung: *M. W. Graham,* The Diplomatic Recognition of the Border States (1939).
G. Ruhtenberg, Die Baltischen Staaten und das Völkerrecht (1928).

Der Ausbruch der Revolution in Petrograd und die Abdankung des Zaren am 2. / 15. III. 1917 riefen unter den Esten und Letten die höchsten Erwartungen hervor. Die Provisorische Regierung ernannte – zum ersten Mal in der Geschichte – einen Esten (J. Poska) und einen Letten (A. Krastkalns) zu Vertretern der Zentralgewalt (Gouvernementskommissaren) in Estland und Livland. Den Vertretern der estnischen politischen Parteien und gesellschaftlichen Organisationen gelang es bereits am 30. III. / 12. IV., die Bestätigung eines provisorischen Selbstverwaltungsentwurfes durch die Regierung zu erwirken, der praktisch einem Autonomiestatut gleichkam. Das ganze von Esten bewohnte Gebiet – d. h. das Gouvernement (Alt-)Estland und die vier nördlichen Kreise von Livland – wurden zu einer administrativen Einheit zusammengefaßt und die Verwaltung dem Gouvernementskommissar und einem demokratisch gewählten Landschaftsrat (Landtag, estnisch *Maapäev)* übertragen. Die unverzüglich nach einem mehrstufigen Wahlmodus durchgeführten Wahlen ergaben eine bürgerliche Mehrheit.

Die russische Revolution hatte auch in Estland und Livland zu der für Rußland typischen Doppelherrschaft geführt: die von der Provisorischen Regierung geschaffenen und unterstützten Selbstverwaltungsorgane konnten sich nur mit Mühe gegen die konkurrierende Gewalt der Arbeiter-, Soldaten- und Landlosenräte behaupten, die in zunehmendem Maße unter bolschewistischen Einfluß gerieten. Das gleiche galt für die lettischen Schützenregimenter. Die Esten hatten erst nach der Märzrevolution mit der Aufstellung nationaler Truppenteile begonnen, die in geringerem Maße der bolschewistischen Agitation unterlagen. Nach der Machtübernahme durch Lenin und Trotzki in Petrograd am 25. X. /

7. XI. 1917 (Oktoberrevolution) ging auch in den von den Deutschen noch nicht besetzten Teilen Livlands und Estlands die Macht auf die Exekutivkomitees der Arbeiter-, Soldaten- und Landlosenräte über, die sogleich die Diktatur des Proletariats und die Rätedemokratie zu praktizieren begannen. Sie nationalisierten u. a. die Rittergüter und die Industriebetriebe und führten in sämtlichen Behörden die estnische bzw. lettische Geschäftssprache ein.

Inzwischen hatten jedoch die deutschen Truppen am 3. IX. Riga erobert und im Oktober die estnischen Inseln Ösel, Dagö und Moon besetzt. Angesichts des unaufhaltsam fortschreitenden Zerfalles der russischen Armee, des in Rußland umsichgreifenden revolutionären Terrors, der drohenden Sozialisierungsmaßnahmen und der offensichtlich nahe bevorstehenden Besetzung des gesamten Baltikums durch die Deutschen erwachte in den bürgerlichen und bäuerlichen Kreisen des estnischen und des lettischen Volkes, aber auch unter den liberalgesinnten Sozialdemokraten der Wunsch, sich von Rußland zu lösen und sein Schicksal selbst in die Hand zu nehmen. Eine Handhabe hierfür bot die Deklaration des Rates der Volkskommissare über »die Rechte der Völker Rußlands« vom 2. / 15. XI. 1917, durch welche diesen »das Recht auf Selbstbestimmung bis zur Abtrennung und Bildung eines selbständigen Staates« zuerkannt worden war. Angesichts der ablehnenden Haltung der estnischen und lettischen Bolschewisten ließ sich die Selbstbestimmung jedoch nur realisieren, wenn das Land von den bolschewistischen Truppen geräumt wurde. Dieses zu erzwingen, lag nur in der Macht des Deutschen Reiches. Aber auch die Okkupation durch die Truppen des kaiserlichen Deutschland mußte den estnischen und lettischen national-demokratischen Politikern als Bedrohung der Zukunft ihrer Völker erscheinen: sie befürchteten nicht zu Unrecht die Annexion durch das Deutsche Reich, die Konservierung der halbfeudalen Agrarstruktur und letztlich die Germanisierung ihres Landes vermittels der Siedlungs- und Bildungspolitik. So reifte unter den estnischen und lettischen Politikern die Erkenntnis, die lebenswichtigen Interessen ihrer Völker würden am besten gewahrt werden können, wenn man, anstatt die deutsche Okkupation als russische Provinz über sich ergehen zu lassen, seine Selbständigkeit und Neutralität deklariere, um dadurch die »baltische Frage« zu einer internationalen zu machen. Die Deklaration der Unabhängigkeit ließ sich jedoch vor dem Einmarsch der Deutschen nur in Estland verwirklichen, das in seinem *Maapäev* eine Vertretung des ganzen Volkes besaß, die dem lettischen Gebiet fehlte. So erklärte sich – kurz vor seiner gewaltsamen Auflösung durch die Bolschewisten – der *Maapäev* in Reval am 15. / 28. XI. 1917 zum »Träger der höchsten Gewalt« bis zur Einberufung einer Konstituierenden Versammlung und erteilte seinem Ältestenrat weitgehende Vollmachten.

Im lettischen Südlivland, wo die bolschewistisch orientierten Sozialdemokraten bei den Neuwahlen zum Landesrat im September 1917 60% der Mandate gewonnen hatten, war es bereits vor der Oktoberrevolution zu einem Bruch zwischen der bürgerlich-bäuerlichen Fraktion, die ein selbständiges Lettland erstrebte, und der LSD gekommen, die für ein Verbleiben bei Rußland und für die Rätedemokratie eintrat. Als es den bürgerlich-bäuerlichen demokratischen Gruppen gelang, am 16. / 17. XI. 1917 in Walk einen »Provisorischen Nationalkongreß« zu konstituieren, lehnten die Sozialisten die Teilnahme ab.

Die Frage der außenpolitischen Orientierung der Esten und Letten gewann Aktualität, als am 22. XII. 1917 in Brest-Litowsk die deutsch-russischen Friedensverhandlungen begannen. Die Vertreter der baltisch-deutschen Oberschicht hatten bereits seit dem Sommer 1917 geheime Verbindungen zur deutschen Obersten Heeresleitung (OHL) sowie zum Auswärtigen Amt (AA) hergestellt und um

b) Der Weg in die Eigenstaatlichkeit (1917–1920)

eine Besetzung ganz Livlands und Estlands durch Deutschland nachgesucht. Um der Reichsleitung eine Handhabe hierfür zu geben, hatten die Ritter- und Landschaften der beiden Provinzen im Dezember 1917 die Loslösung von Rußland beschlossen und am 28. I. 1918 dem sowjetrussischen Vertreter in Stockholm eine »Unabhängigkeitserklärung« überreicht, die zugleich die Bitte um deutschen Schutz enthielt. Die Bemühungen der deutschbaltischen Politiker, eine gleichlautende Erklärung auch vom *Maapäev* zu erhalten, waren jedoch gescheitert. Vielmehr entsandten sowohl dieser als auch der lettische Nationalrat eine Delegation zu den kriegführenden und neutralen Mächten, um die Anerkennung der Unabhängigkeit und Neutralität Estlands und Lettlands zu betreiben. Der lettische Nationalrat verlegte seine Tätigkeit nach Petrograd und trat von dort aus in Verbindung zu den Alliierten und Assoziierten Mächten.

Als nach dem Abbruch der Verhandlungen in Brest am 10. II. 1918 die deutschen Truppen ganz Livland und Estland besetzten, riefen die Vertreter des *Maapäev* am 24. II. 1918 in Reval – kurz vor dem Einmarsch der Deutschen – die Unabhängigkeit des demokratischen Freistaates Estland aus und bildeten eine Provisorische Regierung unter Konstantin Päts. Die deutschen Besatzungsbehörden versagten jedoch allen nach der Märzrevolution von 1917 gebildeten Selbstverwaltungsorganen die Anerkennung und bemühten sich, mit Hilfe der konservativen Deutschbalten die Provinzen als gesamtbaltischen Ständestaat mit monarchischer Spitze dem Deutschen Reich anzugliedern. Diese auch in Deutschland umstrittenen Bestrebungen stießen auf die entschiedene Ablehnung der estnischen und lettischen politischen Parteien, die seit dem Frühling 1918 bereits mit dem Siege der Westalliierten rechneten und deren Unterstützung gewonnen hatten.

Als im November 1918 das deutsche Kaiserreich zusammenbrach, schlug die geschichtliche Stunde für die kleinen Völker Ostmitteleuropas: auch die Esten und Letten konnten nunmehr die staatliche Macht in ihrem Lande übernehmen. Während jedoch in Estland der *Maapäev* und die Provisorische Regierung sogleich ihre Tätigkeit wieder aufnehmen konnten, mußte in Lettland erst ein neues Organ – der aus Vertretern des Bauerntums, des Bürgertums und der sozialistischen Gruppen paritätisch zusammengesetzte »Lettische Volksrat« – gebildet werden. Dieser rief am 18. XI. 1918 die Unabhängigkeit Lettlands aus und beauftragte den Führer des Bauernbundes, Kārlis Ulmanis, mit der Bildung einer Regierung. Großbritannien und Frankreich hatten den *Maapäev* bereits im März 1918 de facto als selbständige Regierung anerkannt. Die Anerkennung des Nationalrates durch Großbritannien erfolgte am 11. XI. 1918, dem Tage des Waffenstillstandes. Es folgte die De-facto-Anerkennung der estnischen und der lettischen Provisorischen Regierung durch den Beauftragten des Deutschen Reiches, August Winnig, am 19. bzw. am 26. XI. 1918.

Aber fast wollte es scheinen, als sollte die kaum gewonnene Freiheit sogleich wieder verlorengehen, denn den abziehenden kriegsmüden deutschen Besatzungstruppen folgte auf dem Fuße die Rote Armee. Der Rat der Volkskommissare hatte nämlich bereits am 18. XI. erklärt, er betrachte sich durch den Brester Friedensvertrag nicht mehr als gebunden. Die Regierung Sowjetrußlands unterstützte die Bildung einer »unabhängigen« sowjetestnischen und sowjetlettischen Regierung und war entschlossen, die Sowjetmacht in den baltischen Ländern mit Waffengewalt wiederherzustellen, um von dort aus der deutschen Revolution die Hand zu reichen und »die Ostsee zu einem Meer der sozialistischen Revolution« zu machen[1].

Die Provisorischen Regierungen Estlands und Lettlands sahen sich somit ge-

§ 29 Estland und Lettland 1918–1970

zwungen, unverzüglich die Verteidigung des Landes zu organisieren und eine nationale Armee aufzustellen. Die Masse der landlosen oder »landarmen« estnischen und lettischen Agrarbevölkerung zeigte jedoch zunächst wenig Neigung, den als aussichtslos erscheinenden Kampf für die nationale Unabhängigkeit aufzunehmen. Sie mußte zunächst davon überzeugt werden, daß der bürgerlich-bäuerliche demokratische Nationalstaat ihr eine Sozialordnung gewährleiste, die nicht nur besser sein würde als die bisherige halbfeudale, sondern auch als die von den Bolschewisten verheißene sozialistische. Den Teilnehmern am Freiheitskriege wurde deshalb die Zuteilung von Siedlungsland in Aussicht gestellt, das durch die Aufteilung der Rittergüter gewonnen werden sollte. Hierbei kam es den nationalen Regierungen zustatten, daß die bolschewistischen Machthaber die enteigneten Rittergüter nicht aufgeteilt, sondern als sozialistische Großbetriebe bewirtschaftet hatten. Sie hatten den elementaren Drang zur »eigenen Scholle« nicht richtig eingeschätzt und dadurch die Sympathien der landhungrigen Bevölkerung verloren[2]. So konnte der Gedanke der nationalen Solidarität über das Prinzip der proletarischen Klassensolidarität triumphieren.

In Estland, das von den deutschen Truppen sogleich vollständig geräumt worden war, gelang es der Regierung Päts, von den Westalliierten und von Finnland Waffen und Kriegsmaterial zu erhalten und eine schlagkräftige nationale Armee aufzustellen. Dank dem Eingreifen eines britischen Geschwaders und eines finnischen Freiwilligenkorps von 2700 Mann konnte der Oberbefehlshaber General Laidoner bereits im Januar 1919 zur Gegenoffensive übergehen und bis Ende Februar das ganze estnische Gebiet vom Feinde befreien, dessen Streitkräfte nur zu einem geringen Teil (zwei Regimenter) aus roten estnischen Einheiten bestanden. Die in Narva residierende kommunistische Gegenregierung (J. Anvelt) verlor damit jede Bedeutung.

In Lettland, dessen Bevölkerung größere Sympathien für den Bolschewismus gezeigt hatte, trug der Abwehrkampf in weit höherem Maße den Charakter eines Bürgerkrieges, da der Chef der sowjetlettischen Regierung, Pēteris Stutschka, sich auf die »Avantgarde der Revolution«, die kampferprobten lettischen Schützenregimenter (insgesamt 9) stützen konnte. Die ententefreundliche Regierung Ulmanis, deren eigene Streitkräfte nicht ausreichten, um den Kampf aufzunehmen, sah sich daher gezwungen, mit dem Generalbevollmächtigten des Reiches, Winnig, am 29. XII. 1918 einen Vertrag abzuschließen, durch den sie deutschen Freiwilligen die lettische Staatsangehörigkeit in Aussicht stellte. Sie geriet dadurch in Abhängigkeit von den deutschen Freikorps und der Freiwilligentruppe der Deutschbalten, der Baltischen Landeswehr, die nach der Räumung Rigas im westlichen Kurland Stellung bezogen hatten und dort beim deutschen kommandierenden General in Libau, Graf Rüdiger von der Goltz, einen Rückhalt fanden. Die Auseinandersetzungen zwischen den Letten und den jungen Landeswehr-Offizieren, die einen schnellen Vormarsch auf Riga und eine ihrer militär-, wirtschafts- und kulturpolitischen Bedeutung entsprechende Beteiligung der Deutschbalten an der Staatsführung verlangten (sog. »Libauer Putsch« vom 16. IV. 1919), führten dazu, daß v. d. Goltz im Mai 1919 die Bildung einer deutschfreundlichen Regierung Lettlands (Pastor A. Niedra) erzwang. Ministerpräsident Ulmanis hatte sich jedoch unter britischen Schutz gestellt und fand auch bei den Esten Unterstützung, die inzwischen die roten Streitkräfte aus dem nördlichen Lettland hinausgedrängt und dort eine Mobilisation durchgeführt hatten. Zwar konnte nunmehr die durch lettische und reichsdeutsche Einheiten verstärkte Baltische Landeswehr am 22. V. 1919 in einem kühnen Handstreich die Hauptstadt Riga zurückerobern, wodurch die sowjetlettische Armee in eine

b) Der Weg in die Eigenstaatlichkeit (1917–1920)

Zange geriet und das ganze lettische Livland räumte[3]; doch wurden die von einem deutschen Freikorps unterstützten Deutschbalten bei ihrem weiteren Vormarsch nach Norden von den zahlenmäßig überlegenen Esten und nordlettischen Ulmanistruppen in der Schlacht bei Wenden (20.–23. VI. 1919) geschlagen und auf Riga zurückgeworfen.

Auf Grund eines von der Interalliierten Militärmission (unter dem britischen General Gough) vermittelten Waffenstillstandes konnte Ministerpräsident Ulmanis wieder in Riga einziehen, die Regierung übernehmen und die allgemeine Mobilisation durchführen, die bisher von General v. d. Goltz verhindert worden war. Als dieser darauf versuchte, eine deutsch-russische konterrevolutionäre Freiwilligenarmee aufzustellen und das Gebiet Lettlands und Litauens zu seiner Operationsbasis gegen Sowjetrußland zu machen, wurde die sog. Bermondt-Armee im Oktober 1919 von lettischen, litauischen und estnischen Truppen, die von einem alliierten Geschwader unterstützt wurden, zum Rückzug gezwungen. Es kam sogar zu einer Kriegserklärung Lettlands an das Deutsche Reich. Die Interalliierte Militärmission unter dem französischen General Niessel erzwang nunmehr die Räumung des lettischen und litauischen Territoriums durch die letzten deutschen Truppen. Die Landeswehr war in die lettische Armee eingegliedert worden und hatte in Oberstleutnant Alexander, dem Feldmarschall des II. Weltkrieges, einen britischen Chef erhalten. Während somit die Westalliierten eine deutsche antibolschewistische Machtkonzentration im Baltikum verhinderten, betrieben sie dennoch selbst eine Interventionspolitik gegenüber Sowjetrußland, unterstützten die konterrevolutionären (»weißen«) russischen Armeen und verlangten das gleiche von den kleinen baltischen Republiken, deren Unabhängigkeit sie noch nicht einmal de jure anerkannt hatten. Zwar verschafften die Vorstöße der Armeen Koltschaks, Denikins und Judenitschs auf Moskau bzw. auf Petrograd den Esten und Letten an der Front zeitweilig eine spürbare Entlastung; die Restauration des »einen und unteilbaren Rußland« lag jedoch durchaus nicht in deren Interesse. Nachdem ihre nationalen Kriegsziele erreicht waren, sahen die kleinen Völker keinerlei Sinn mehr in der Fortsetzung der Kampfhandlungen. Als erste entschlossen sich die Esten, ihr Schicksal selbst in die Hand zu nehmen: sie verließen enttäuscht die Pariser Friedenskonferenz, ließen die inzwischen vor Petrograd geschlagene Nordwest-Armee des Generals Judenitsch entwaffnen und schlossen – nachdem ihre Armee im Dezember 1919 die massierten Angriffe überlegener feindlicher Kräfte an der Narvafront abgewehrt hatte –, am 2. II. 1920 mit Sowjetrußland den überaus günstigen Frieden von Dorpat (Tartu). Die RSFSR erkannte die Unabhängigkeit Estlands »vorbehaltlos« an und verzichtete »für alle Zeiten« auf die Souveränitätsrechte über das estnische Territorium. Lenin feierte den Friedensschluß als den ersten Durchbruch durch die Blockade und als einen »beispiellosen Sieg über den Weltimperialismus«[4]. Aber ebenso wie die Unterzeichnung des Friedensvertrages von Brest-Litowsk ihm nur als befristetes Zugeständnis erschienen war, das bald durch den Ausbruch der Revolution in Deutschland gegenstandslos werden würde, so war er auch jetzt überzeugt, die estnischen Arbeiter würden bald »ein Sowjet-Estland schaffen, das mit uns einen neuen Frieden schließen wird«.

Lettland folgte am 11. VIII. 1920 dem Beispiel Estlands und erhielt im Frieden von Riga gegenüber der Sowjetunion gleichfalls eine sehr günstige Grenze: die Landschaft Lettgallen, die 1629 bei Polen-Litauen verblieben und vollständig rekatholisiert worden war, wurde wieder mit dem übrigen lettischen Gebiet vereinigt. Die kommunistischen Gegenregierungen wurden aufgelöst, und das Schicksal der in Rußland verbliebenen führenden estnischen und lettischen

Kommunisten sowie der hohen Offiziere der um den Sieg der Bolschewisten hochverdienten *Latdivision* gestaltete sich tragisch: sie wurden fast ausnahmslos – soweit sie noch lebten – Opfer der unter Stalin in den Jahren 1936–1939 durchgeführten »Säuberungen«[5].

Inzwischen hatte auch der Oberste Rat der Siegermächte auf die Interventionspolitik verzichtet und sich auf die Errichtung des *cordon sanitaire* entlang der Westgrenze des bolschewistischen Rußland umgestellt. Am 26. I. 1921 erkannten die Westalliierten die Unabhängigkeit Estlands und Lettlands de jure an. Am 22. IX. des gleichen Jahres wurden die drei Republiken Estland, Lettland und Litauen in den Völkerbund aufgenommen.

[1] *Hehn*, Entstehung (s. S. 1110), S. 157.
[2] In der heutigen Sowjetliteratur wird das zugegeben und den damaligen Machthabern als Fehler angelastet. Vgl. *Hehn* (s. o.), S. 128, Anm. 133. Den gleichen »Fehler« begingen die lettischen Bolschewisten, als sie im Jahre 1919 den größten Teil Lettlands in ihre Gewalt gebracht hatten. Ebd. S. 164.
[3] Die Freiwilligentruppe des estländischen Deutschtums focht im Verbande des estnischen Heeres und wurde durch die Ereignisse in Lettland nicht berührt (vgl. *Baron W. Wrangell*, Geschichte des Baltenregiments, 1928).
[4] *W. I. Lenin*, Polnoe sobranie sočinenij (1963), Bd. 40, S. 89–92 (2. II. 20) und S. 123 (7. II. 20).
[5] *U. Ģērmanis*, Oberst Vācietis und die lettischen Schützen im Weltkrieg und in der Oktoberrevolution (1974).

c) Die staatliche Konsolidierung (1920–1929)
Die Bodenreform
M. Sering, Die Umwälzung der osteuropäischen Agrarverfassung: Schriften zur Förderung der inneren Kolonisation 24 (1921).
Das Estländische Agrargesetz und das Entschädigungsgesetz (mit den Parlamentsreden der deutschbaltischen Abgeordneten, 1929).
E. Kahn, Die Agrarstruktur Lettlands bis 1939 (1942).
H. Baron Foelkersahm, Die Entwicklung der Agrarverfassung Livlands und Kurlands und die Umwälzung der Agrarverhältnisse in der Republik Lettland (1923).
J. Uluots, Grundzüge der Agrargeschichte Estlands (1935).
G. E. Luiga, Agrarreformen in Estland. Dess tillkomst och innebörd (1920).

Die Verfassungsentwicklung und die politischen Parteien
A. Mägi, Das Staatsleben Estlands während seiner Selbständigkeit (1967).
A. Zalts, Die politischen Parteien Lettlands (1926).
S. Klau, Zur politischen Ideologie des Estentums: BaltMhefte 60 (1929).
Ders., Die estnischen Sozialisten, ebd. 61 (1930).
Ders., Das Parteiwesen Estlands, ebd. 62 (1931).
A. Klive, Latvian Peasant Political Parties: BaltRev (1957).
A. Drizulis, Očerki istorii rabočego dviženija v Latvii 1920–1940 gg. (1959).
J. v. Hehn, Die politische Bedeutung des Bauerntums in der unabhängigen Republik Lettland 1918–1940. Zur Geschichte des Lettischen Bauernbundes, in: Europäische Bauernparteien im 20. Jh., hg. v. *H. Gollwitzer* (1977).
H. Weiss, Bauernparteien in Estland: ebd.

Die Wirtschaft
A. Salts, Lettlands Wirtschaft und Wirtschaftspolitik (1930).
H. Zitron, Außenhandel und Handelspolitik Lettlands und die Frage der baltischen Zollunion (1935).
P. Meyer, Die Industrie Lettlands (1925).

c) Die staatliche Konsolidierung (1920–1929)

U. Kaur, Wirtschaftsstruktur und Wirtschaftspolitik des Freistaates Estland 1918–1940 (1962).
A. Vendt, Estnische Handelspolitik (1938).
A. Aiszilnieks, Latvijas saimniecības vēsture 1914–1945 (Wirtschaftsgeschichte Lettlands; 1968).

Ethnische und konfessionelle Gliederung. Nationale Minderheiten
K. Aun, Der völkerrechtliche Schutz nationaler Minderheiten in Estland 1917–1940 (1951).
O. Angelus, Die Kulturautonomie in Estland (1951).
H. Weiss, Das Volksgruppenrecht in Estland vor dem 2. Weltkriege: ZOstforsch 5 (1956).
Ders., Der deutsch-baltische Beitrag zur Lösung der Minderheitenfragen in der Zeit zwischen den beiden Weltkriegen, in: Leistung und Schicksal, hg. v. *E. G. Schulz* (1967).
W. Hasselblatt, Kulturautonomie, in: Festschrift für R. Laun (1948).
W. Wachtsmuth, Von deutscher Arbeit in Lettland, 1–3 (1951–1953).
H. v. Rimscha, P. Schiemann als Minderheitenpolitiker: VjhefteZG 4 (1956).

Bildungswesen und Kulturpolitik
G. Ney, Das estnische Hochschulwesen: Acta Baltica 3 (1963/64).
A. Namsons, Das lettische Hochschulwesen, ebd.
L. Villecourt, L'Université de Tartu (1942).

Der Kampf um die nationale Eigenstaatlichkeit hatte hohe Opfer gefordert. So hatte das estnische Volk – bei einer Gesamtbevölkerung von wenig mehr als einer Million – über 2000 Gefallene zu beklagen; weitere 1400 waren ihren Verwundungen erlegen. Es war nunmehr die Aufgabe der Politiker, den Völkern eine Staats- und Sozialordnung zu geben, die dieser Opfer würdig war.

Die Probleme, die vordringlich gelöst werden mußten, waren in beiden Republiken weitgehend die gleichen: es galt, der nationalen Demokratie eine soziale und wirtschaftliche Grundlage zu schaffen und dem Staat eine Verfassung zu geben. Die erste Aufgabe wurde in beiden Republiken durch eine radikale Bodenreform gelöst. Zwar waren im Ergebnis der Reformgesetze des 19. Jh. bereits mehr als 40 % des landwirtschaftlich genutzten Bodens bis zum Ausbruch des I. Weltkrieges in den Besitz estnischer und lettischer Bauern übergegangen. Aber das Ziel dieser Reformen war die Schaffung eines Groß- und Mittelbauernstandes gewesen, der nur etwa ein Drittel der Landbevölkerung ausmachte, während sich der Masse der landarmen und landlosen Agrarbevölkerung kaum die Möglichkeit bot, in den Besitz einer eigenen Ackernahrung zu gelangen. Mehr als die Hälfte des gesamten Bodens gehörte noch immer einigen hundert deutschstämmigen Adelsgeschlechtern. So verfolgte die siegreiche estnische und lettische Demokratie mit der Bodenreform nicht nur ein agrar- und sozialpolitisches, sondern auch ein nationalpolitisches Ziel: die Überführung des Bodens in den Besitz des eigenen Volkes, die vielen Esten und Letten als eine »Wiedergutmachung geschichtlichen Unrechts« erschien.

Durch die Agrargesetze vom 10. X. 1919 in Estland und vom 16. IX. 1920 in Lettland wurde somit der gesamte, zu 90 % in baltisch-deutschen Händen befindliche Großgrundbesitz, d. h. mehr als 1600 Rittergüter mit einer Fläche von 4,3 Mio ha, enteignet und zu rd. 65 % aufgeteilt[1]. Durch diese nationale Vermögensumschichtung wurde die politische und wirtschaftliche Macht des baltischdeutschen Adels, der jahrhundertelang Träger der landesstaatlichen Autonomie der drei Provinzen und Kontrahent der um die Ostseeherrschaft ringenden Monarchien gewesen war, für immer gebrochen. Durch die Schaffung von mehr als 150 000 Neusiedlerstellen mit einer durchschnittlichen Größe von ca. 17 ha wurde die Agrargesellschaft grundlegend demokratisiert, der Landhunger der ländlichen Bevölkerung weitgehend gestillt und die erstrebte Immunisierung gegen die bolschewistische Propaganda erreicht. Anfällig für diese blieben die Industriearbeiterschaft, gewisse Kreise der Intelligenz und die Grenzbevölkerung russischen Volkstums. Die Forsten der enteigneten Rittergüter verblieben als wichtige Einnahmequellen (Holzexport) im Besitz des Staates.

Die Verfassungen, die von den Konstituierenden Versammlungen ausgearbeitet wurden, lehnten sich an westliche Vorbilder an (Schweiz, Weimarer Verfassung des Deutschen Reiches) und trugen radikal parlamentarischen Charakter: die Legislative erhielt ein deutliches Übergewicht gegenüber der Exekutive. So fehlte in Estland das Amt des Staatspräsidenten; der Ministerpräsident war zugleich Staatsoberhaupt. In Lettland (1922) wurde der Staatspräsident vom Parlament *(Saeima)* gewählt, war Oberbefehlshaber der Armee und besaß ein Notverordnungsrecht, konnte das Parlament jedoch nicht auflösen. Das in beiden Republiken geltende Verhältniswahlrecht hatte zunächst die Entstehung einer Vielzahl von Parteien zur Folge, doch setzte bald ein Konzentrationsprozeß ein, der zu einer Dreigliederung hinführte: es gab ab 1932 eine konservative Bauernpartei, eine durch den Zusammenschluß mehrerer bürgerlicher Parteien entstandene nationalliberale Mittelpartei (in Lettland schon seit 1922 »Demokratisches Zentrum« mit stark nationalistischer Tendenz) und die Sozialdemokratische Partei. Entsprechend dem Charakter der beiden Länder als agrarischer Demokratien kam dem Bauernbund als der Partei der Hofbesitzer besondere Bedeutung zu. Er verfügte über profilierte Führerpersönlichkeiten, die zur Zeit der Staatsgründung an der Spitze der Regierung gestanden hatten, wie K. Päts und K. Ulmanis, und die beiden Oberbefehlshaber im Freiheitskrieg J. Laidoner und J. Balodis[2]. Auch war der Bauernbund fast an allen Regierungskoalitionen beteiligt. Die Nationale Mittelpartei hatte in Estland ihren Schwerpunkt in der Universitätsstadt Dorpat und ihren anerkannten geistigen Führer in J. Tönisson. Die Sozialdemokraten waren am stärksten in den Konstituierenden Versammlungen vertreten. Die ländlichen Wählermassen hatten nämlich ihre Stimme vorwiegend den Linksparteien gegeben, weil diese die radikalste Lösung des Agrarproblems versprachen. Als dieses im Sinne des bäuerlichen Privateigentums am Boden gelöst war, setzte ein Rückgang der linken Stimmen ein. Die Kommunistische Partei, welche die bürgerlich-nationale Eigenstaatlichkeit grundsätzlich negierte und deren subversive Tätigkeit von der Komintern ferngesteuert wurde, war in Lettland bereits während des Freiheitskrieges verboten worden. Erst ab 1928 gelang es einer Tarnorganisation, einige Abgeordnetensitze zu gewinnen. In Estland, wo die kommunistische Agitation am heftigsten war, gab es bis 1924 eine kommunistische Parlamentsfraktion. Die staatsfeindliche Tätigkeit der KP zwang die Regierung jedoch bald zu hartem Durchgreifen. 1922 wurde der führende Kommunist V. Kingisepp auf Grund des Urteils eines Militärgerichts standrechtlich erschossen. 1924 wurde ein Spionage- und Umsturzplan einer »Einheitsfront des werktätigen Volkes« aufgedeckt. Ein Prozeß gegen 149 Kommunisten mit einem Todesurteil und 30 Verurteilungen zu lebenslänglichem Zuchthaus folgte. Am 1. XII. 1924 kam es darauf in Reval zu einem gefährlichen kommunistischen Putschversuch, der vom Oberbefehlshaber Laidoner mit nachsichtsloser Energie niedergeschlagen wurde. Die Fäden der Verschwörung führten nach Leningrad und zur estnischen Sektion der Komintern. Die KP wurde seitdem in die Illegalität gedrängt, und das Verhältnis zur Sowjetunion erlitt zeitweilig eine empfindliche Belastung.

Die nationalen Minderheiten waren auf Grund des Verhältniswahlrechts in den Parlamenten vertreten. Der langjährige Leader der deutschen Fraktion in der

c) Die staatliche Konsolidierung (1920–1929)

lettischen *Saeima*, Dr. Paul Schiemann, und der Abgeordnete der estnischen Staatsversammlung *(Riigikogu)*, Werner Hasselblatt, nahmen eine führende Stellung auch in der europäischen Nationalitätenbewegung ein.

Mit dem Ausscheiden aus dem Russischen Reich, in dessen Wirtschaftsorganismus die Ostseeprovinzen seit etwa 1860 immer stärker integriert worden waren, hatte die baltische Wirtschaft ihr größtes Absatzgebiet verloren. Lettland hatte überdies durch russische Evakuierungsmaßnahmen während des Krieges schmerzliche Einbußen an Industriepotential erlitten. Der Durchfuhrhandel Rigas, das vor dem Kriege die Einwohnerzahl von einer halben Million überschritten hatte und zum ersten Seehandelsplatz des Russischen Reiches aufgestiegen war, war fast zum Erliegen gekommen. Infolge von Absatzschwierigkeiten trat jetzt vor allem in den metallverarbeitenden Betrieben (Werften, Maschinenfabriken) und in der Textilindustrie ein Rückgang der Produktion ein, der auch ein Sinken der Zahl der Beschäftigten zur Folge hatte. Die erforderliche Umorientierung auf die westlichen Märkte und den Binnenmarkt, die Umstellung von der Erzeugung von Produktions- und Investitionsgütern auf Konsumgüter machte eine Umstrukturierung vieler Betriebe notwendig. Andererseits entstand in Estland durch die Erschließung der reichen Ölschiefervorkommen im Nordosten des Landes (Zentrum Kohtla-Järve und Kiviõli) ein völlig neuer Industriezweig (Gewinnung von Rohöl, Benzin und Asphalten). Auch begann man mit dem Abbau der Phosphoritlager an der nordestnischen Küste zwecks Herstellung von Düngemitteln. Im Jahre 1930 betrug der Anteil der in der Industrie tätigen Bevölkerung in Estland (Reval, Narva, Kohtla-Järve) 17,4 %, in Lettland (Riga) 13,5 %. Beide Republiken waren somit noch typische Agrarländer. Steigende Bedeutung gewannen die holzverarbeitende Industrie und der Export von hochwertigen Erzeugnissen der Viehwirtschaft (Butter, Bacon). Im Außenhandel nahm jetzt Großbritannien als Ausfuhrland die erste, Deutschland die zweite Stelle ein; unter den Einfuhrländern lag Deutschland an erster Stelle, gefolgt von Großbritannien. Demgegenüber blieb der Handelsverkehr mit der Sowjetunion gering und wies sogar eine rückläufige Tendenz auf. So war z. B. der Export Lettlands in die UdSSR nach dem Abschluß eines Handelsvertrages (1926) zwischen 1927 und 1929 von 2 % auf 15 % gestiegen, bis 1933 jedoch wieder auf 1 % gesunken.

Einen besonderen lebhaften Aufschwung nahmen in den 22 Jahren der Eigenstaatlichkeit das endlich von allen Einschränkungen durch eine andersnationale autoritäre Staatsgewalt befreite Bildungswesen und die Kulturpolitik: überall regten sich schöpferische Kräfte; »die Emanzipation vollendete sich« (G. v. Rauch). Nicht nur die Zahl von Schulen jeder Art war im Wachsen; es wurden auch nationale Universitäten und Forschungsinstitute ins Leben gerufen. So wurde die bis 1889 deutschsprachige, dann russifizierte und in Jurjew umbenannte Universität Dorpat (gegr. 1802) zur estnischen Staatsuniversität Tartu; in Riga wurde das Polytechnikum (gegr. 1862) zur lettischen Volluniversität ausgebaut. Die Nationalsprachen wurden zu modernen Literatur- und Fachsprachen entwickelt; die schöne Literatur, das Kunst- und Musikschaffen erreichten europäisches Niveau. In ihrer kulturpolitischen Orientierung tendierten die beiden Länder eindeutig nach dem Westen, zu den alten Demokratien. Das Englische wurde zur ersten Fremdsprache in den Schulen; die Kenntnis des Deutschen, vor allem aber die des Russischen ging zurück. In Estland pflegte man speziell die Kontakte zum finnischen Brudervolk und zu Schweden. Der Ausbau der Universität erfolgte unter Hinzuziehung vorwiegend von finnischen und schwedischen Gelehrten.

Die baltischen Länder hatten seit jeher eine geringe Bevölkerungsdichte und ein geringes Bevölkerungswachstum gehabt (1934 in Estland 23,7, 1935 in Lettland 29,7 Einwohner je qkm; Geburtenzahl je 1000 Einwohner 15,2 bzw. 16,4). Bei einer Gesamtbevölkerung Estlands von 1 126 413 und Lettlands von 1 950 000 Einwohnern, davon Esten 992 000 und Letten 1 470 000, betrug der Anteil der nationalen Minderheiten in Estland 11,9 %, in Lettland 24,6 %. Trotz dieser verhältnismäßig homogenen ethnischen Struktur spielte das Nationalitätenproblem in den beiden Kleinstaaten insofern eine nicht unerhebliche Rolle, als die bedeutendsten Minderheiten volkstumsmäßig den beiden früher herrschenden großen Nationen – der russischen und der deutschen – angehörten. Die an Zahl stärkste Volksgruppe – die russische (Estland 1934: 91 109 = 8,2 %; Lettland 1935: 206 499 = 10,6 %) – war vorwiegend in den östlichen Grenzbezirken und in den größeren Städten ansässig. Das Verhältnis zur deutschen Volksgruppe, die trotz ihrer geringen zahlenmäßigen Stärke einen bedeutenden wirtschafts- und kulturpolitischen Faktor darstellte (Estland 1934: 16 346 = 1,5 %; Lettland 1935: 62 144 = 3,2 %), war insbesondere für die lettische Staatsführung insofern ein nicht ganz einfaches Problem, als es den baltischen Deutschen als Angehörigen der früheren Herrenschicht nicht leicht fiel, sich mit dem Status einer nationalen Minderheit abzufinden. Auch waren von den etwa 5000 Deutschbalten, die in den Jahren 1918/19 vor dem roten Terror nach Deutschland geflohen oder infolge der Enteignung ihrer Güter dorthin übergesiedelt waren, nicht wenige im Deutschen Reich zu Ansehen und Einfluß gelangt.

Einen konstruktiven Beitrag zur Lösung des Nationalitätenproblems leistete die Republik Estland mit dem Gesetz über die Kulturautonomie der nationalen Minderheiten vom 12. II. 1925. Ausgehend von den Ideen der österreichischen Sozialdemokraten Otto Bauer und Karl Renner (Personalitätsprinzip), eröffnete das Gesetz den Volksgruppen die Möglichkeit, sich als öffentlich-rechtlicher Personenverband mit dem Recht der Steuererhebung zu konstituieren und die Verwaltung des nationalen Bildungswesens selbst zu übernehmen. Die deutsche und die jüdische Minderheit machten von diesem Recht Gebrauch, und die Republik Estland gewann dadurch an internationalem Ansehen, fand aber keine Nachahmung.

In konfessioneller Hinsicht war die Bevölkerung Estlands und Lettlands überwiegend evangelisch-lutherisch (Estland: 78,3 %; Lettland 55,1 %). Lettland hatte jedoch einen Anteil von 24,5 % Katholiken. Die Geburtenfreudigkeit war unter der katholischen und griechisch-orthodoxen Bevölkerung der östlichen Grenzgebiete bedeutend größer als in den rein estnischen und lettischen, überwiegend protestantischen Landesteilen.

[1] In Lettland war die Enteignung der Güter entschädigungslos erfolgt, doch wurde dem ehemaligen Besitzer ein »Restgut« in der Größe von bis zu 50 ha belassen. In Estland wurde 1926 – vorwiegend aus außenpolitischen Gründen – eine Entschädigung bewilligt, die weniger als 5 % des tatsächlichen Wertes ausmachte. Der Gesamtwert der enteigneten Güter ist auf 1,5 Milliarden Goldmark geschätzt worden. Die Familienbetriebe der Neusiedler erwiesen sich – nach Überwindung der durch die überstürzte und improvisierte Aufsiedlung der Güter bedingten Anfangsschwierigkeiten – im allgemeinen als krisenfest. Agrarsozialistische Vorstellungen hatten sich gegenüber dem bäuerlichen Denken nicht durchsetzen können.
[2] Kurzbiographien der estnischen und lettischen bürgerlichen und kommunistischen Politiker und Militärs in: *Hehn,* Entstehung (s. S. 1110), Anm. passim.
V. Zinghaus, Führende Köpfe in den baltischen Staaten (1938).

d) Die Krise des Parlamentarismus und die »autoritäre Demokratie« der 30er Jahre (1934–1940)

Die Krise des Parlamentarismus und die autoritären Regime
J. v. Hehn, Lettland zwischen Demokratie und Diktatur (1957).
I. Lipping, The Emergence of Estonian Authoritarianism, in: Baltic History (1974).
W. Meder, Die Verfassung Estlands vom 17. 8. 1973: ZOsteurR 4 (1937/38).
Ders., Die Verfassungsentwicklung Estlands und Lettlands: Jomsburg 1/2 (1937/38).
A. Piip, Estlands Weg zur neuen Verfassung (1936).
G. v. Knorring, Krisenjahre in Estland: BaltHh (1962/2).
H. Stegmann, Aus meinen Erinnerungen, ebd. (1961/2: Stadtverordneter in Riga); ebd. (1961/3: Im sterbenden Parlament).
W. Tomingas, Vaikiv Ajastu Eestis (»Die Zeit des Schweigens in Estland«, das autoritäre Regime Päts aus der Sicht eines »Freiheitskämpfers«, 1961).
H. U. Scupin, Die neuen lettländischen Wirtschaftsgesetze (1939).
G. v. Rauch, Zur Krise des Parlamentarismus in Estland und Lettland in den 30er Jahren: Die Krise des Parlamentarismus in Ostmitteleuropa (1967).
H. v. Rimscha, Zur Gleichschaltung der deutschen Volksgruppen durch das Dritte Reich. Am Beispiel der deutschbaltischen Volksgruppe in Lettland: HZ 182 (1956).
W. v. Rüdiger, Aus dem letzten Kapitel deutschbaltischer Geschichte in Lettland 1919–1945, I (1934), II (1955).

Der unabhängige, demokratische Nationalstaat war vielen patriotischen Esten und Letten als das Ziel und die Erfüllung der Geschichte ihrer Völker erschienen. Die Politiker hatten in der heroischen Epoche des Kampfes um die Unabhängigkeit ein beachtliches politisches Augenmaß, Beharrlichkeit im Verfolgen ihrer Ziele und ein gutes Organisationsvermögen bewiesen; die Parteien hatten über der Wahrnehmung ihrer Interessen das nationale Ganze nicht aus den Augen verloren: die Bevölkerung hatte Disziplin, politische Reife und militärische Einsatzbereitschaft gezeigt. Als das hohe Ziel erreicht war, begannen Gruppen von Interessenten sowie Einzelpersonen vom Staat in erster Linie die Befriedigung ihrer Ansprüche zu erwarten. Der Nachholbedarf der so lange vom Schicksal benachteiligten Völker verlangte sein Recht, und es fehlte an staatspolitischen und parlamentarischen Traditionen, die als Korrektiv gegen das Erwerbsstreben hätten wirken können.

In Estland, wo es der Sozialdemokratie gelungen war, »die Staatsgewalt in der Volksvertretung zu konzentrieren« (A. Mägi), erwies sich die Stellung der Regierung als besonders schwach. Sie war nicht imstande, die Koalitionsparteien zu leiten, so daß »die Grenze zwischen Koalition und Opposition fließend« war (Mägi). Die Regierungskoalitionen verfügten oft nicht einmal über ein festes Arbeitsprogramm, und die Parteien riefen häufig aus taktischen Gründen Regierungskrisen hervor, indem sie die Koalition verließen. So betrug z. B. die durchschnittliche Lebensdauer der Regierungen Estlands zwischen 1919 und 1933 nur 8 Monate und 20 Tage[1]. Die in der Staatsversammlung vertretenen Parteien zeigten sich – so resümiert der estnische Staatsrechtler A. Mägi – »den hohen Ansprüchen«, die an ihre »moralischen, intellektuellen und organisatorischen Qualifikationen« in Anbetracht der »Machtkonzentration« auf die Volksvertretung gestellt werden mußten, nicht gewachsen[2]. Manche Parteien drohten zu reinen Interessenvertretungen zu werden. Trotz der abweichenden Verfassungskonstruktion galt für die politischen Parteien Lettlands etwa das gleiche. Auch hier waren häufige und langwierige Regierungskrisen an der Tagesordnung[3]. Die Krise des Parlamentarismus wurde offenkundig, als die Auswirkungen der Weltwirtschaftskrise sich um 1930 auch in den baltischen Staaten bemerkbar machten und Absatzschwierigkeiten und Arbeitslosigkeit hervorriefen. Am stärksten wurden die Landwirte betroffen, da die 1931 erfolgte Abwertung des englischen Pfundes und der Reichsmark den Export landwirtschaftlicher Erzeugnisse ungünstig beeinflußte. Die kritische Situation erforderte Maßnahmen und Planungen auf weite Sicht, die nur von einer starken und stabilen Regierung getroffen werden konnten. So wurde in beiden Ländern die Forderung nach einer Stärkung der Exekutive laut, die nur über eine Reform der Verfassung zu erreichen war. In beiden Republiken machte sich der Bauernbund – in Estland auch die Nationale Mittelpartei – zum Fürsprecher dieser Reform. Bei den Esten wurde zum dynamischen Träger dieser Bestrebungen jedoch der »Verband der Freiheitskämpfer« (sog. *Vapsen*), der sich aus einem Zusammenschluß von Kriegsveteranen zu einer antikommunistischen und antiparlamentarischen Massenbewegung entwickelt hatte und offensichtlich von der finnischen rechtsextremen Lapua-Bewegung (IKL) beeinflußt war. Nachdem zwei vom Parlament zur Abstimmung gestellte maßvolle Verfassungsreformentwürfe vom Volke abgelehnt worden waren, suchten nunmehr die »Freiheitskämpfer« offenbar über die Annahme des von ihnen eingebrachten Verfassungsprojektes an die Macht zu kommen. Als die neue – nunmehr dualistische – Verfassung im Oktober 1933 mit 72,7 % der abgegebenen Stimmen durch ein Plebiszit vom Volke angenommen worden war, erhielt jedoch der amtierende Ministerpräsident K. Päts die ihm gemäß der neuen Verfassung zustehenden erweiterten Befugnisse. Um einer Machtergreifung durch die »Freiheitskämpfer« vorzubeugen, die mit allen Mitteln der Agitation versuchten, bei der bevorstehenden Wahl des Staatspräsidenten durch das Volk ihren Kandidaten durchzubringen, verhängte er am 12. III. 1934 den Ausnahmezustand, ernannte J. Laidoner zum Oberbefehlshaber der Streitkräfte, ließ die Führer der *Vapsen* verhaften und die Wahl des Staatspräsidenten sowie die Parlamentswahlen bis auf weiteres verschieben. Das Parlament billigte die Verhängung des Ausnahmezustandes und unterbrach seine Sitzungsperiode. Ab Oktober 1934 berief die Regierung das Parlament jedoch nicht mehr ein und sistierte die Tätigkeit aller Parteien. Seitdem regierte K. Päts vermittels des Dekretrechts. Die »Freiheitskämpferbewegung« verschwand, nachdem 1935 ein Putschplan aufgedeckt worden war und ihr aus der Untersuchungshaft entkommener Führer, Artur Sirk, 1937 im Auslande wahrscheinlich durch Selbstmord geendet hatte, gänzlich aus dem politischen Leben Estlands[4].

In Lettland vollzog sich am 15. V. 1939 etwa das gleiche wie in Estland, obwohl es dort keine antiparlamentarische Massenbewegung in der Art der *Vapsen* gab. Nachdem jede Aussicht auf die Annahme des vom Bauernbund eingebrachten Verfassungsreformprojektes durch das Parlament geschwunden war, entschloß sich der Ministerpräsident K. Ulmanis angesichts der zunehmenden Radikalisierung von rechts wie von links zu einem Staatsstreich. Er ließ auf Grund des Ausnahmezustandes Verhaftungen in Links- und Rechtskreisen vornehmen, sistierte die Tätigkeit des Parlaments und aller Parteien und bildete eine »Regierung der nationalen Konzentration« aus Vertretern fast aller gemäßigten Parteien. Die Regierung übernahm auch die Funktionen der Legislative.

In beiden Ländern regte sich kein nennenswerter Widerstand gegen die Abschaffung der sog. »Alleinherrschaft der Parteien«. Nicht wenige Vertreter derselben fanden sich bereit, das autoritäre Regime zu unterstützen oder doch zu tolerieren. Das letztere taten z. B. in Estland die Sozialdemokraten aus Furcht vor den *Vapsen*[5]. In beiden Ländern stützte sich das Regime vorwiegend auf das Bauerntum, die wohlhabenden Wirtschaftskreise auf die Armee und – beson-

d) Die Krise des Parlamentarismus und die »autoritäre Demokratie« der 30er Jahre

ders in Lettland – auf die Schutzwehr, eine paramilitärische freiwillige Organisation der »staatserhaltenden« Schichten. Die beiden Staatschefs begründeten ihren Staatsstreich u. a. mit der Notwendigkeit, einer Einmischung ausländischer Mächte vorzubeugen, die angesichts der zunehmenden Spannung zwischen dem nationalsozialistischen Deutschland und dem bolschewistischen Rußland nicht außerhalb jeder Möglichkeit lag. Beiden Staatsmännern gelang es, rechtsradikale Tendenzen weitgehend zu entschärfen, indem sie dem Nationalismus einen gewissen Spielraum gewährten. Gemeinsam war beiden auch das Bemühen um eine berufsständische Neugliederung der Gesellschaft. Im Führungsstil bestanden jedoch deutliche Unterschiede: Die beiden »Landesväter« verkörperten in ihrem Wesen auch die unterschiedlichen Charakteranlagen ihrer Völker: Der bedächtig und nüchtern wirkende, bereits alternde Konstantin Päts (geb. 1874) erstrebte im Grunde nur eine Reform des Staates in konservativem Sinne. Er ließ deshalb 1936 sein Regime durch ein Plebiszit über die Einberufung einer Nationalversammlung legalisieren, die eine neue Verfassung ausarbeiten sollte. Die Nationalversammlung trat am 18. II. 1937 zusammen und bestätigte den von der Regierung eingebrachten Entwurf einer Präsidialverfassung, der jedoch das Gleichgewicht zwischen Präsident, Regierung und Volksvertretung herzustellen suchte. Das nunmehr aufgrund des Mehrheitswahlrechts gewählte und aus zwei Kammern bestehende Parlament trat am 21. IV. 1938 zusammen. In ihm konnte die Opposition immerhin zu Worte kommen. K. Päts wurde von einer ad hoc geschaffenen Wahlkammer zum Staatspräsidenten gewählt, überließ das Regieren aber weitgehend dem Ministerpräsidenten K. Eenpalu (bis 1935 Einbund). Das Parteienverbot und die Einschränkungen der Presse- und Versammlungsfreiheit blieben bestehen. Die Gefahr einer Faschisierung Estlands war damit zwar behoben; eine gewisse Stagnation des politischen Lebens war jedoch die Folge.

In Lettland verzichtete der energiegeladene »Volksführer« Kārlis Ulmanis (geb. 1877) auf eine Legalisierung seines Regimes durch eine Volksabstimmung. Er duldete einen gewissen Führerkult und verschmähte es nicht, gewisse Methoden der Massenführung von den autoritären Regimen in Deutschland und Italien zu übernehmen. Ulmanis schuf keine regierungstreue Einheitspartei. Er vereinigte aber 1936 das Amt des Ministerpräsidenten mit dem des Staatspräsidenten in seiner Hand und versprach dem Volke, statt des »zerrissenen ein geeintes, starkes und lettisches Lettland« zu schaffen. Die Lettisierung der Wirtschaft führte zu einer ständigen Erweiterung des staatskapitalistischen Sektors vermittels der Gründung von Staatsunternehmen – zum Teil mit Monopolcharakter. Eine ähnliche Entwicklung vollzog sich auf dem kulturellen Sektor: durch Gleichschaltung und staatlichen Dirigismus suchte man eine lettische Einheitskultur zu schaffen, deren Grundlage eine die lettische Frühzeit verklärende Geschichtsromantik war. Die Zusage, dem Lande eine neue Verfassung zu geben, hat Ulmanis nicht mehr eingelöst.

Die Lettisierungspolitik ging vorwiegend zu Lasten der nationalen Minderheiten, vor allem der deutschen. Deren junge Generation, die sich in ihren beruflichen Möglichkeiten mehr und mehr eingeengt fühlte, sah die Bemühungen um einen Ausgleich mit dem Lettentum als gescheitert an, opponierte gegen die eigene parlamentarische Führung und geriet in steigendem Maße unter den Einfluß des Nationalsozialismus. Die größte deutsche Tageszeitung des Landes, die »Rigasche Rundschau«, die dem deutschen Winkler-Konzern gehörte, wurde vom Reich aus gleichgeschaltet, Dr. P. Schiemann als Chefredakteur abgelöst.

In Estland verlief die Entwicklung in ruhigeren Bahnen: die Führung der durch die Kulturselbstverwaltung in den Staat integrierten deutschen Volksgrup-

§ 29 Estland und Lettland 1918–1970

pe behielt guten Kontakt zu Staatspräsident Päts und seiner Regierung, die allerdings auch dem Nationalismus einige Konzessionen auf Kosten der nationalen Minderheiten machte[6].

Die kommunistische Opposition bestand in beiden Staaten unterschwellig fort. Demgegenüber wurden die Masse der bäuerlichen Bevölkerung und die wohlhabenden Kreise des Bürgertums durch die wirtschaftspolitischen Maßnahmen der Regierung für das autoritäre Regime gewonnen: Der Außenhandel und der Lebensstandard zeigten stets steigende Tendenz. Estland geriet dabei allerdings in zunehmende wirtschaftliche Abhängigkeit vom Deutschen Reich. So begannen in der zweiten Hälfte der 30er Jahre deutsche Kapitalgesellschaften, sich an der estnischen Steinölproduktion zu beteiligen. Die Kriegsmarine schloß 1935 einen langfristigen Öl-Liefervertrag mit Estland ab; das estnische Phosphoritvorkommen wurde 1939 für fünf Jahre von der I.G. Farbenindustrie übernommen[7].

In Lettland hatte der staatliche Dirigismus allerdings auch nachteilige Folgen: die private Unternehmerinitiative wurde geschwächt; das ausländische Kapital begann aus dem Lande abzufließen.

Die autoritären Regime in Estland und Lettland müssen im ost-mitteleuropäischen Zusammenhang gesehen werden. Sie stellten einen Versuch dar, die »Staatspolitik« von der »Parteipolitik« zu trennen und ein »überparteiliches« Präsidialregime einzuführen, das allerdings mehr sein wollte als eine Notstandsregierung auf Zeit. Die Überparteilichkeit blieb weitgehend eine Fiktion, und es ergab sich letztlich ein Rückgriff auf ein patriarchalisches, vordemokratisches Staatsmodell. Trotz mancher Auswüchse des Polizeiregimes wurden die rechtsstaatlichen Grundsätze im allgemeinen gewahrt. Deswegen leben in der Erinnerung der Esten und Letten im Exil Konstantin Päts und Kārlis Ulmanis als Repräsentanten des Willens ihrer Völker zu nationaler Einheit und Freiheit und als Staatsgründer fort, obwohl ihr Lebenswerk sie nicht überdauerte[8].

[1] *Mägi*, Staatsleben (s. S. 1116), S. 202.
[2] Ebd. S. 260.
[3] *Hehn*, Lettland.
[4] *v. Knorring*, Krisenjahre.
[5] Laut *A. Rei* (Den autoritära regimen i Balticum, Manuskript 1947, S. 56) erhielt Ministerpräsident Päts die letzte Ermahnung einzugreifen von der Sozialistischen Arbeiterpartei. (Rei war deren Vorsitzender, A. T.) Diese hatte angeblich Informationen darüber erhalten, »daß der Bund der Freiheitskämpfer einen Staatsstreich im Verlauf der nächsten Tage durchführen wollte...« Zit. nach *Mägi*, Staatsleben, S. 279/280, Anm. 6. Aufgrund des zum Prozeß vorliegenden Materials ließ sich diese Absicht jedoch nicht »mit hinreichender Sicherheit« erweisen (*Knorring*, S. 91).
[6] K. Päts war als maßvoller konservativer Politiker stets für die Wahrung der Volkstumsrechte eingetreten und hatte sich um die Verabschiedung des Gesetzes für die Kulturautonomie Verdienste erworben.
[7] *Volkmann*, Baltikumpolitik (s. S. 1110), S. 485 ff.
[8] Kennzeichnend hierfür: *M. Raud*, Kaks Suurt (Die beiden Großen). J. Tõnisson, K. Päts ja nende ajastu (J. T., K. P. und ihr Zeitalter).
A. Bērziņš, Kārlis Ulmanis, čilveks un valstvirs (K. U., Mensch und Staatsmann, 1973).

e) Die Neutralitätspolitik der baltischen Staaten und das Ende ihrer Unabhängigkeit (1939/40)

Die Neutralitätspolitik Estlands und Lettlands. Das Ende ihrer Eigenstaatlichkeit
Akten zur deutschen Auswärtigen Politik 1918–1945, Serie D, Bd. V: Juni 1937–März 1939 (1953); Bd. VI: März–August 1939 (1956); Bd. VII: August–September 1939 (1956).

e) Die Neutralitätspolitik der baltischen Staaten und das Ende ihrer Unabhängigkeit

Documents on British Foreign Policy 1919–1939, Series III, Bd. V–VII: 1939 (1952–1954).
Dokumenty vnešnej politiki SSSR, Bd. 8 (1963).
G. v. Rauch, Die baltischen Staaten und Sowjetrußland 1919–1939: EurArch 9 (1954/19, 20, 21).
A. Bīlmanis, Latvian-Russian Relations (1944).
A. Spekke, Latvia and the Baltic Problem (1952).
B. Meissner, Die Sowjetunion, die Baltischen Staaten und das Völkerrecht (1956).
Ders., Die baltische Frage in der Weltpolitik: Acta Baltica 16 (1976).
E. Krepp, Security and Non-Aggression. Baltic States and U.S.S.R. Treaties of Non-Aggression, in: Problems of the Baltic (1973).
H.-E. Volkmann, Ökonomie und Machtpolitik. Lettland und Estland im politisch-ökonomischen Kalkül des Dritten Reiches 1933–1940: Geschichte und Gesellschaft (Das nationalsozialistische Herrschaftssystem) 4 (1976).
W. Baron Wrangell, Die deutsche Politik und die baltischen Staaten 1939: BaltHh (1959/4).
E. Čeginskas, Die baltische Frage in den Großmächteverhandlungen 1939: Commentationes Balticae XII/XIII 2 (1967).
A. N. Tarulis, Soviet Policy toward the Baltic States 1918–1940 (1959).
Ch. Arumjae (Arumäe), Za kulisami baltijskogo sojuza (1960).
G. Vigrabs, Die Stellungnahme der Westmächte und Deutschlands zu den baltischen Staaten im Frühling und Sommer 1939: VjhefteZG 7 (1959).
H. v. Rimscha, Zur Frage der Garantierung der Baltischen Staaten: JbbGOsteur N. F. 5 (1957).
Ders., Die baltische Politik der Sowjetunion: BaltHh (1956/57/3).
Ders., Die Baltikumpolitik der Großmächte: HZ 177 (1954).
V. Sipols, Vnešnjaja politika pravjaščich krugov Latvii ... 1933–1940 gg.: Istorija SSSR (1963).
Ders., Tajnaja diplomatija. Buržuaznaja Latvija v antisovetskich planach imperialističeskich deržav 1919–1940 (1968).
O. Sepre, Zavisimost'buržuaznoj Estonii ot imperialističeskich stran (1960).
A. Rei, Nazi-Soviet Conspiracy and the Baltic States (1948).
A. Kristian, The Right of Selfdetermination and the Soviet Union (1952).
M. Walters, Das Verbrechen gegen die Baltischen Staaten. Warnung an Europa und die Welt (1962).

Die Umsiedlung der Deutschbalten
W. v. Wrangell, Die Vorgeschichte der Umsiedlung der Deutschen aus Estland: BaltHh (1958/3).
H. Petersen, Der große Aufbruch. Die Umsiedlung und ihre politische Vorgeschichte: BaltBrr (1964/11).
E. Kroeger, Der Auszug aus der alten Heimat. Die Umsiedlung der Baltendeutschen (1967).
Diktierte Option. Die Umsiedlung der Deutsch-Balten aus Estland und Lettland 1939–1941, Dokumentation, zusammengestellt und eingeleitet von D. A. Loeber (1972).
A. Frhr. v. Taube und E. Thomson, Die Deutschbalten (1973).
R. Wittram, Rückblick auf den Strukturwandel der deutsch-baltischen Volksgruppen im letzten Jahrzehnt vor der Umsiedlung, in: Festschrift Percy Ernst Schramm (1964).

Die baltischen Staaten hatten ihre Unabhängigkeit in einem geschichtlichen Augenblick gewonnen, in dem sowohl Rußland als auch Deutschland ihre Stellung als Großmächte zeitweilig eingebüßt hatten. Solange die beiden Nachbarmächte im Zustand der Schwäche verharrten oder sich in unversöhnlichem Antagonismus gegenüberstanden, war die Unabhängigkeit der »Randstaaten« nicht gefährdet, mochte es auch sowohl in Sowjetrußland als auch in Deutschland Kreise geben, die von einer Wiedereinbeziehung des Ostbaltikums in ihre Einfluß- oder Machtsphäre träumten und auf ihre Stunde warteten. Als in den 30er

§ 29 Estland und Lettland 1918–1970

Jahren der erneute Machtanstieg des Deutschen Reiches und der UdSSR sich abzeichnete, suchten die baltischen Republiken, die keinen anderen Wunsch hatten, als in Ruhe und Frieden zu leben, ihre Neutralitätspolitik fortzusetzen, indem sie sich keinem der machtpolitischen Blöcke anschlossen. Die Möglichkeit einer Verständigung zwischen dem Deutschland Hitlers und dem Rußland Stalins schien außerhalb jeder Wahrscheinlichkeit zu liegen.

Föderationspläne, die zunächst eine Teilnahme Finnlands und Polens vorsahen, waren bereits zu Beginn der 20er Jahre am unversöhnlichen Gegensatz zwischen Litauen und Polen wegen der Wilna-Frage und an der Abneigung Finnlands, sich südlich des Finnischen Meerbusens politisch zu engagieren, gescheitert. Auch der Plan einer Skandinavisch-baltischen Union oder der Garantierung der Neutralität der baltischen Republiken durch die Großmächte waren unerfüllte Wunschträume geblieben. Es war 1923 nur zum Abschluß eines estnisch-lettischen Defensivbündnisses gekommen, das 1934 erneuert wurde und nunmehr auch eine ständige außenpolitische Kooperation vorsah. Durch den Beitritt Litauens entstand die sog. »Baltische Entente«, doch wurden das Wilna- und das Memel-Problem ausdrücklich aus der Beistandsverpflichtung ausgenommen. 1936 erhielt Lettland einen nichtständigen Sitz im Völkerbund in Genf (Außenminister Munters). Die Baltische Entente hat jedoch die auf sie gesetzten Erwartungen weder in politisch-militärischer noch in wirtschaftlicher, noch in kultureller Hinsicht zu erfüllen vermocht[1]. Die Sowjetregierung schloß, als sie sich um die Aufnahme in den Völkerbund bemühte und ihre Friedensliebe bekunden wollte, 1932 mit Estland und Lettland Nichtangriffspakte ab, die 1934 sogar bis 1945 verlängert wurden. Seit der Machtübernahme durch Hitler in Deutschland konnten sich die baltischen Staatsmänner jedoch nicht mehr auf die Barrierepolitik der Westmächte verlassen. Ihre Länder gerieten mehr und mehr in das Spannungsfeld deutsch-russischer machtpolitischer Interessen. Obwohl ihre eigentlichen Sympathien nach wie vor auf der Seite der demokratischen Westmächte lagen, verhielten Estland und Lettland sich ablehnend gegenüber den unter dem Eindruck der Annexion der Tschechei durch Hitler im März 1939 erneuerten Bemühungen des sowjetischen Außenkommissars Litwinow, sie zur Eingliederung in ein von der Sowjetunion *und* den Westmächten vereinbartes kollektives Sicherheitssystem zu bewegen. Seit dem April 1939 verhandelten die britische und die französische Regierung mit der Sowjetregierung über die von dieser vorgeschlagene Einbeziehung Polens, Rumäniens und der baltischen Staaten in das geplante Sicherheitssystem, wobei Moskau verlangte, man solle die Sicherheit dieser Randstaaten garantieren, auch im Falle sie es selbst nicht wünschten. Der neue Außenminister Molotow prägte hierbei den Begriff der »indirekten Aggression«: er äußerte wiederholt die Befürchtung, Estland und Lettland könnten auch ohne direkten deutschen Angriff zu einer Operationsbasis gegen die Sowjetunion werden. Demgegenüber lehnten Estland und Lettland jede einseitige Garantierung ihrer Unabhängigkeit ab. Aber mochten die estnischen und lettischen Staatsmänner auch subjektiv überzeugt sein, sie trieben strengste Neutralitätspolitik, so hatten sie doch ihre feste Meinung darüber, aus welcher Richtung – aus dem Westen oder aus dem Osten – die ernstere Gefahr drohe. Die Ansichten hierüber waren allerdings in Estland und in Lettland nicht ganz die gleichen. Während es in Lettland Kreise gab, die der ersteren Ansicht zuneigten, war die Verteidigungskonzeption Estlands, ebenso wie die Finnlands, eindeutig gegen einen möglichen Angriff von Osten gerichtet. Das wußte man in Berlin, aber natürlich genauso gut in Moskau, Paris und London. Ein Vorschlag des Außenministers Munters[2], die Neutralität der baltischen Staaten durch das Deutsche

e) Die Neutralitätspolitik der baltischen Staaten und das Ende ihrer Unabhängigkeit

Reich *und* die UdSSR garantieren zu lassen, fand keinen Widerhall. Und der Abschluß von Nichtangriffspakten durch Lettland und Estland mit dem Großdeutschen Reich am 7. VI. 1939, der durch Präsident Roosevelts Friedensappell an Hitler ausgelöst worden war, wurde in Moskau als sowjetfeindlicher Akt ausgelegt. Ebenso wie Finnland und Polen fürchteten auch Estland und Lettland nicht zu Unrecht, daß sie die Rote Armee nicht wieder loswerden würden, wenn diese erst einmal in ihrem Lande als Beschützer Fuß gefaßt hätte. Aber durch ihre ablehnende Haltung gegenüber den Bemühungen zur Schaffung eines gegen Hitlerdeutschland gerichteten Sicherheitssystems gerieten Lettland – und vor allem Estland – gleichsam »zwischen Hammer und Amboß«. Inzwischen hatte die französische Regierung schon längst den sowjetischen Forderungen zugestimmt. Jedoch das Zögern Großbritanniens (Außenminister Lord Halifax), unabhängigen Staaten gegen deren Willen eine Garantie aufzudrängen und damit der Sowjetunion ein Interventionsrecht einzuräumen, hatte ein Stocken der Verhandlungen in Moskau zur Folge und erleichterte Stalin die Herstellung geheimer Verbindungen zu Hitler, die am 23. VIII. 1939 zum Abschluß des für die Weltöffentlichkeit so überraschenden sog. Ribbentrop-Molotow- oder Hitler-Stalin-Paktes führten. Das Schicksal der baltischen Staaten war damit besiegelt: Nachdem Hitler in geheimen Zusatzprotokollen zunächst Estland und Lettland und – nach Beendigung des Polenkrieges – am 28. IX. auch Litauen als zur sowjetischen »Interessensphäre« gehörig anerkannt hatte, verlangte die Regierung der Sowjetunion in ultimativer Form zunächst am 23. IX. von Estland und dann am 2./3. X. von Lettland und Litauen den Abschluß von »gegenseitigen Nichtangriffs- und Beistandspakten« sowie die Einräumung militärischer Stützpunkte (»Basen«) auf ihrem Territorium. Angesichts der völligen Isolierung der über keine eigene Rüstungsindustrie verfügenden baltischen Staaten erschien militärischer Widerstand als sinnlos. Man mußte sich ins Unvermeidliche schicken.

Daß die baltischen Republiken von Hitler der Willkür Stalins überlassen wurden, um dessen Neutralität zu erkaufen, ließ auch die zwischen Berlin und Moskau vereinbarte Umsiedlung der baltisch-deutschen Volksgruppe ins Deutsche Reich erkennen. Die Geschlossenheit, mit der die Deutschbalten von dieser Möglichkeit Gebrauch machten – rd. 84 000 Menschen verließen in einem Exodus das Land, das ihnen seit Jahrhunderten die Heimat bedeutet hatte –, hat damals vor allem im neutralen Ausland überrascht. Diese Kollektiventscheidung kann jedoch nicht nur auf den Einfluß des Nationalsozialismus zurückgeführt oder als Beweis der bereits vollzogenen »Gleichschaltung« angesehen werden. Die maßgebenden Kreise des baltischen Deutschtums waren sich darüber im klaren, daß die Sowjetisierung der baltischen Staaten unausweichlich kommen werde und daß ein jeder, der im Lande blieb, damit rechnen müsse, eines Tages als sowjetischer Staatsbürger zu erwachen[3].

Die Sowjets hielten die Verträge zunächst korrekt ein und beschränkten sich auf ihre »Basen«. Sie beobachteten jedoch mit zunehmendem Mißtrauen das anhaltende kriegswirtschaftliche Interesse Großdeutschlands an den baltischen Ländern (neue Handelsverträge!) – u. a. an den Erzeugnissen der estnischen Ölschieferindustrie – sowie die Bemühungen der drei Republiken, die Baltische Entente zu aktivieren. Die maßgebenden Politiker Estlands und Lettlands, vor allem Staatspräsident Päts, scheinen nicht mit einer langen Dauer der deutsch-sowjetischen Zusammenarbeit gerechnet zu haben[4].

Im Sommer 1940 nutzten jedoch die sowjetischen Machthaber die günstige Gelegenheit: am 14. VI. – am Tage des Einmarsches der Deutschen in Paris – wurde als erster der baltischen Staaten Litauen aufgefordert, eine sowjetfreundli-

1127

che Regierung zu bilden und dem Einmarsch sowjetischer Truppen zuzustimmen. Gleichlautende Ultimaten wurden am 16. VI. den Gesandten Estlands und Lettlands überreicht. Als Begründung diente der Vorwurf, die drei Republiken hätten gröblich gegen den gegenseitigen Beistandspakt mit der UdSSR verstoßen, indem sie die zwischen ihnen bestehende, gegen die Sowjetunion gerichtete »militärische Allianz« (gemeint war die »Baltische Entente«) nicht nur nicht aufgelöst, sondern sogar neu belebt und durch »vor der Sowjetregierung geheimgehaltene« Außenministerkonferenzen und Generalstabsbesprechungen erweitert hätten[5]. Nach der Annahme des Ultimatums erschienen in Reval (Tallinn), Riga und Kaunas Sonderbeauftragte der Sowjetregierung, deren Aufgabe es war, für die Bildung prosowjetischer Regierungen zu sorgen. Die Kommissare nahmen mit örtlichen linksradikalen Elementen und mit den Funktionären der inzwischen wieder zugelassenen KP Fühlung und erzwangen durch die Inszenierung kommunistischer Demonstrationen und Unruhen die Bildung prosowjetischer Regierungen unter Umgehung der noch im Amt befindlichen Staatspräsidenten. Appelle, die Päts und Ulmanis in letzter Stunde über die deutschen Gesandten an die Reichregierung richteten, zwecks Erhaltung der Integrität ihrer Staaten zu intervenieren, blieben wirkungslos. Die neuen Regierungen führten am 14. und 15. VII. sog. »Volkswahlen« durch, bei denen nur prokommunistische Kandidaten zugelassen wurden, so daß die durch die Auflösung aller gewohnten Einrichtungen verunsicherte Bevölkerung nur für die Kandidaten des »Blocks des werktätigen Volkes« stimmen konnte, die mit beruhigenden Versicherungen nicht sparten. Da auf die Wähler überdies ein starker moralischer Druck ausgeübt wurde und auch das Wahlgeheimnis nicht gewährleistet war, erbrachten die Wahlen das von den Sowjetkommissaren gewünschte Ergebnis: in Estland stimmten (bei einer Wahlbeteiligung von 81,6 %) 92,9 % der Wähler für die Einheitsliste, in Lettland (bei einer Wahlbeteiligung von 94,7 %) 97,6 %[6]. Die importierte Revolution hatte auf kaltem Wege gesiegt.

Die aus den »Volkswahlen« hervorgegangenen »Volksparlamente« traten am 21. VII. zusammen und erklärten bereits in ihrer ersten Sitzung Estland und Lettland zu Sozialistischen Sowjetrepubliken. Es folgten die Anträge auf Aufnahme in die Sowjetunion und die Beschlüsse über die Verstaatlichung des städtischen und ländlichen Grundbesitzes. Päts und Ulmanis wurden zum Rücktritt gezwungen und ins Innere der Union deportiert[7]. Am 5. und 6. VIII. wurde in einer feierlichen Sitzung des Obersten Sowjet in Moskau die Aufnahme der Lettischen und der Estnischen SSR in die UdSSR vollzogen[8]. Die Verfassungen Estlands und Lettlands wurden nunmehr dem sowjetischen Modell angepaßt. Durch die Angleichung an das sowjetische Preisniveau und die Einführung der Rubelwährung sank die Kaufkraft des Geldes auf $\frac{1}{6}$ bis $\frac{1}{8}$ ihres früheren Wertes. Die Bevölkerung verlor ihre Ersparnisse. Der Lebensstandard sank schnell auf das sowjetische Niveau. Die estnische und lettische Armee wurden als »territoriale Schützenkorps« der Sowjetarmee eingegliedert. Aufgrund der Erfassung von »Klassenfeinden« durch die sowjetischen Sicherheitsorgane wurde eine große Zahl von Angehörigen der bisherigen Führungsschicht: Politiker, höhere Beamte und Militärs, Publizisten und Unternehmer – aus Estland allein sieben ehemalige Ministerpräsidenten – ins Innere Rußlands deportiert. Selbst Politiker, die zum autoritären Regime in Opposition gestanden hatten und – wie J. Tõnisson – für den Anschluß an das kollektive Sicherheitssystem eingetreten waren, wurden nicht ausgenommen. Die meisten von diesen Deportierten gelten als in Rußland verschollen. Die Zahl der vom NKWD liquidierten Esten und Letten läßt sich nur schätzen: sie dürfte einige Tausende betragen. Eine zweite Welle von Depor-

f) Estland und Lettland als Unionsrepubliken der UdSSR

tationen »sowjetfeindlicher Elemente« setzte kurz vor dem Ausbruch des deutsch-sowjetischen Krieges 1941 ein. Man schätzt die Zahl der damals deportierten Esten auf ca. 60 000, die der Letten auf ca. 34 000. Die Zahl der ins Ausland Geflüchteten war zunächst – infolge der Sperrung der Grenzen – nicht erheblich.

Die Westmächte haben auch nach der Beendigung des II. Weltkrieges die Annexion der baltischen Staaten durch die UdSSR nicht de jure anerkannt. Das Verhalten Großbritanniens und Frankreichs kommt allerdings einer De-facto-Anerkennung sehr nahe, während die USA von ihrem Standpunkt bisher nicht abgewichen sind. Sie betrachten die baltischen Republiken im Sinne des internationalen Rechts als »zeitweise okkupiert«.

[1] Von der historischen Tradition her war der Gedanke der Einheit des baltischen Landes nur unter den Deutschbalten lebendig. Vgl. *G. v. Rauch,* Der Deutsche Orden und die Einheit des baltischen Landes (1961).

[2] *J. v. Hehn,* Vilhelms Munters. Vom Außenminister des freien Lettland zum Verteidiger der Sowjetpolitik: Osteuropa 13 (1963).
Vgl. auch: *V. Munters,* The Own Peoples' Enemies (1965).

[3] In den Jahren 1940–1944 kehrte auch die kleine schwedische Volksgruppe (rd. 7 000 Menschen) von der Nordwestküste Estlands und von der Insel Runö im Rigaschen Meerbusen – zum Teil spontan und auf eigenen Booten, zum Teil auf Grund einer Zusammenarbeit schwedischer Stellen mit den deutschen Besatzungsbehörden – in ihr Mutterland zurück. Vgl. En bok om Estlands Svenskar I (1961), II (1964), hg. v. *E. Lagman* u. a.

[4] Diesen Eindruck gewann der estnische Gesandte in Stockholm, H. Laretei, bei seinem letzten Gespräch mit Staatspräsident Päts im April 1940. S. *H. Laretei,* Saatuse mängukanniks (Spielball des Schicksals, 1970), S. 241.

[5] Der Text des Ultimatums in: *Rei,* Conspiracy, S. 46/47.

[6] Für die Einzelheiten vgl.: *B. Meissner,* Die kommunistische Machtübernahme in den Baltischen Staaten: VjhefteZG 2 (1954).
Baltic States Investigation XII (1954) (Hearings before the Select Committee to Investigate the Incorporation of the Baltic States into the U.S.S.R. House of Representatives. 83rd Congress, 1st Session).
Communist Takeover and Occupation of Estonia. (1954, Special Report nr. 12 of the Select Committee on Communist Aggression.)
V. A. Maamjagi (Maamägi), O revolucionnoj situacii v Estonii nakanune vosstanovlenija Sovetskoj vlasti v 1940 g.: JstArch (1960) (Quellenbd.).

[7] Päts soll 1956 in Sibirien gestorben sein, Laidoner wurde am 19. VII. 1940 nach Pensa deportiert; als Todesjahr wird 1953 angegeben. Von Tõnisson fehlt jede Nachricht. Ulmanis starb vermutlich bereits 1942. Sein stellvertretender Ministerpräsident Skujenieks wurde wahrscheinlich schon 1941 in Moskau erschossen (s. *G. v. Rauch,* Geschichte, S. 212). Munters erhielt die Genehmigung zur Rückkehr in die Heimat, nachdem er seine früheren politischen Ansichten widerrufen hatte, und ist bald darauf gestorben (s. o.).

[8] In den Gesprächen, die Molotow am 23. IX. 1939 mit dem estnischen Außenminister Selter und am 30. VI. 1940 mit dem litauischen Außenminister Krēvē-Mickevičius führte, betonte er – neben dem Hinweis auf prosowjetische Elemente in den baltischen Ländern – die historischen Ansprüche Rußlands auf den breiteren Zugang zur Ostsee.

f) Estland und Lettland als Unionsrepubliken der UdSSR
II. Weltkrieg und deutsche Okkupation 1941–1944
S. Myllyniemi, Die Neuordnung der Baltischen Länder 1941–1944. Zum nationalsozialistischen Inhalt der deutschen Besatzungspolitik (1973).
W. Haupt, Baltikum 1941 (1964).
A. Silgailis, Latviešu legions (Die lettische Legion, 1964).

§ 29 Estland und Lettland 1918–1970

O. Angelus, Tuhande valitseja maa, Mälestusi Saksa okupatsiooni ajast 1941–1944 (Das Land der Tausend Regenten. Erinnerungen aus der Zeit der deutschen Okkupation, 1956).
Eesti riik ja rahvas Teises Maailmasõjas (Estlands Staat und Volk im Zweiten Weltkrieg), hg. v. *R. Maasing, E. Blumfeldt, H. Kauri* (10 Bde. ab 1954/55).
B. Kalninš, De baltiska staternas frihetskamp (1950).
A. Bīlmanis, Latvia under German Occupation, 1/2 (1942).
M. Kaufmann, Die Vernichtung der Juden Lettlands (1947).
E. Nodel, Life and Death of Estonian Jewry, in: Baltic History (1974).
Die Sowjetisierung allgemein: H. Weiss, Die baltischen Staaten, in: Die Sowjetisierung Ost-Mitteleuropas. Untersuchungen zu ihrem Ablauf in den einzelnen Ländern 1945–1957, hg. v. *E. Birke* und *R. Neumann* (1959).
A. Kaelas, Das sowjetisch besetzte Estland (1958).
Ustanovlenie i upročnenie Sovetskoj vlasti v Estonii i Latvii (Dokumenty i materialy): Triumfal'noe šestvie Sovetskoj vlasti. 1 (1963).
Sozdanie sovetskoj gosudarstvennosti v Latvii, hg. v. *V. O. Miller* (1967).
V. A. Maamjagi (Maamägi), Obrazovanie Estonskoj socialističeskoj nacii: IstZapMoskva 45 (1954).
A. Küng, Estland zum Beispiel, Nationale Minderheit und Supermacht (1973).

Industrialisierung und Kollektivierung der Landwirtschaft, Bevölkerung, Kulturpolitik
J. Oberg, Die industriegeographische Entwicklung Lettlands seit 1945 und seine Verflechtung mit der Wirtschaft der Sowjetunion; ders., Die industriegeographische Entwicklung Estlands seit 1945 und seine Verflechtung mit der Wirtschaft der Sowjetunion: ZOstforsch 17 (1968).
J. A. Bokalders, Strukturwandel der Landwirtschaft Lettlands, ebd. 6 (1957) und 7 (1958).
V. L. Gerbov, M. B. Mazanova, Osobennosti chozjajstva Pribaltijskogo ekonomičeskogo rajona i problmey ego dal'nejšego razvitija: Razvitie i razmieščenie proizvoditel'nych sil ekonomičeskich rajonov SSR (1967); Estonija (1967), Latvija (1968), Geografičeskoe opisanie v 22 tomach »Sovetskij Sojuz«, hg. v. *M. I. Rostovcev.*
J. v. Hehn, Dic Entwicklung der nationalen Verhältnisse in den Baltischen Sowjetrepubliken. Die Russifizierungspolitik des Kreml vor allem am Beispiel Lettlands: Historisch-Politische Hefte der Ranke-Gesellschaft 24 (1975).
Zur Bevölkerungsentwicklung in den baltischen Republiken, hg. v. *H. Harmsen* (1973).
Itogi vsesojuznoj perepisi naselenija 1959 goda (Die Ergebnisse der Allunions-Volkszählung des Jahres 1959): Estonskaja SSR (1962); Latvijskaja SSR (1962); dass. für die Volkszählung von 1970: Nacional'nyj sostav (Der nationale Bestand) 4 (1973).
T. Parming, Population Changes in Estonia 1935/1970: Population Studies 26 (1972).
E. Blumfeldt, Umwertung der Geschichte in Sowjet-Estland, in: Die baltischen Völker in ihrer europäischen Verpflichtung (1958).
J. v. Hehn, Sowjetisierung der baltischen Geschichte: Osteuropa 3 (1953).
H. Weiss, Geschichtswissenschaft in Sowjet-Estland: ZOstforsch 3 (1954).
E. Thomson, Fakten und Daten aus der Estnischen SSR: Osteuropa 21 (1971).
J. Zutis, Ob istoričeskom značenii prisoedinenija Latvii k Rossii: VoprIst 7 (1954).
Über die Entwicklung in den baltischen Sowjetrepubliken, insbesondere über die Wirtschafts- und Kulturpolitik sowie über die Bevölkerungsbewegung berichten laufend bekannte exilbaltische Autoren in den Acta Baltica, Königstein/Ts (seit 1962 15 Bde.)
Emigration: s. Acta Baltica 6 (1966).
A. Grünbaum, Die baltische Emigration: Europäische Begegnung 4 (1964).

Die Eroberung Lettlands und Estlands durch die deutsche Wehrmacht 1941 wurde von der Mehrheit der Bevölkerung zunächst als Befreiung von der sowjetischen Zwangsherrschaft begrüßt; nicht wenige Esten und Letten waren bereit, auf deutscher Seite gegen die Sowjetarmee zu kämpfen (Partisanengruppen, Estnische und Lettische Legion, Grenzschutzregimenter), die ihrerseits nationale Schützenkorps einsetzte.

Doch wurden die in Verkennung der wahren Absichten Hitlers auf eine

f) Estland und Lettland als Unionsrepubliken der UdSSR

Wiederherstellung der Eigenstaatlichkeit gesetzten Hoffnungen durch die nationalsozialistischen Machthaber und ihr Besatzungsregime schnell und gründlich enttäuscht[1]. An die Stelle des bolschewistischen totalitären Regimes trat das nationalsozialistische; der Terror des NKWD wurde durch den der Gestapo abgelöst, die nunmehr die sowjetfreundlichen Elemente verfolgte und die Juden vernichtete.

Für die 1944 zurückgekehrten Sowjets entfielen nach dem Sieg über Hitlerdeutschland jegliche Rücksichten gegenüber den Völkern des Baltikums: die Angleichung an die Wirtschaftsstruktur und Gesellschaftsordnung der Sowjetunion wurde in wenigen Jahren kompromißlos zu Ende geführt.

Die mit der zwangsweisen Kollektivierung der Landwirtschaft (seit 1949) verbundene forcierte Industrialisierung hat grundlegende Strukturwandlungen zur Folge gehabt. So hat sich das frühere zahlenmäßige Verhältnis von Stadt- und Landbevölkerung im Laufe von knappen 20 Jahren geradezu umgekehrt: hatten im Jahre 1940 noch zwei Drittel der Bevölkerung auf dem Lande gewohnt, so wohnten 1965 zwei Drittel in den Städten und nur noch ein Drittel auf dem Lande. Das eigenbesitzliche Mittelbauerntum, die tragende soziale Schicht der nationalen Staatsgründungen, war als »Kulakentum« diffamiert und unter Anwendung massiven Druckes (erneute Massendeportationen 1949) in die Kolchosen gezwungen worden. Durch die Schaffung moderner Kolchoszentren in Verbindung mit der Liquidation des Einzelhofsystems ändert sich zunehmend auch das Siedlungsbild; die Lebensweise des Kolchosnik wird der des Industriearbeiters angeglichen.

Die Unmöglichkeit, den für den forcierten Ausbau der Industrie benötigten Bedarf an Arbeitskräften (z. B. im estnischen Ölschiefergebiet) aus den Reihen der eigenen Bevölkerung zu decken, die Sowjetisierung des Verwaltungs- und Parteiapparates sowie die militärischen und polizeilichen Sicherungsmaßnahmen haben eine stetige Zuwanderung russischer Elemente ausgelöst. Sie vollzieht sich sowohl in der Form der Unterwanderung durch Arbeitskräfte als in der einer Überlagerung durch leitende Funktionäre, technische Führungskräfte und Militärpersonen. Diese Infiltration hat nicht nur die Einwohnerzahlen der größeren Städte schnell anwachsen lassen (Reval/Tallinn 1939 143 384, 1977 410 000; Riga 1939 347 800, 1975 731 800), sondern auch die ethnische Zusammensetzung der Bevölkerung erheblich verändert: der Anteil der Letten an der Gesamtbevölkerung ist von 75,5 % im Jahre 1935 auf 56,8 % im Jahre 1970 zurückgegangen, der der Esten von 88 % (1934) auf 68,2 % (1970). Im gleichen Zeitraum stieg der Anteil der Russen in Lettland von 12,6 % (1925) auf 36,1 % (1970); in Estland von 8,2 % (1922) auf 28,2 % (1970). Von dem Bevölkerungszuwachs der Estnischen SSR, der im Zeitraum von 1950 bis 1968 219 700 Menschen betrug, entfiel nahezu die Hälfte auf die Zuwanderung, die fast ausschließlich in die größeren Städte und Industriezentren geleitet wird. In diesen ist der Anteil der Letten bzw. Esten bereits seit einiger Zeit unter die 50 % gesunken. So wurde z. B. der Anteil der Letten an der Bevölkerung Rigas im Jahre 1975 auf nur 37 % geschätzt[2]. Zu den Zuwanderern gehören auch die sog. Rußlandesten und Rußlandletten, mit denen die meisten Führungsämter in Staat und Partei zur Zeit besetzt werden. Dadurch wird der optische Eindruck erweckt, als läge die Staatsgewalt noch in der Hand der Letten und Esten. Tatsächlich erweisen sich jedoch diese Funktionäre aufgrund der in Rußland genossenen ideologischen Schulung als genauso zuverlässige Schrittmacher der Sowjetisierung im Dienste Moskaus wie die russischen Genossen. Da die Zuwanderer aus dem Osten auch eine höhere Geburtenziffer aufweisen als die estnische und lettische Stammbevölkerung, dürfte auch

§ 29 Estland und Lettland 1918–1970

der Anteil der Nicht-Esten und Nicht-Letten unter den Schulanfängern von Jahr zu Jahr steigen und mit ihm die Zahl der russischen oder »gemischten« Schulen[3].

Für den kulturellen Bereich und das Bildungswesen gilt zwar die Devise Lenins »national in der Form, sozialistisch im Inhalt«; die nationalen Sprachen und Literaturen, Brauchtum, Volkslied und Volkstanz sowie die Erforschung der nationalen Vergangenheit werden gepflegt und gefördert. Aber die Frage scheint sich für die Völker des Baltikums heute eher umgekehrt zu stellen: wie läßt sich in der – vorgeschriebenen – sozialistischen Form der nationale Inhalt ausdrücken und bewahren? Denn die gesamte von der KP gelenkte Kulturarbeit hat der »Annäherung der nationalen Kulturen« zu dienen mit dem Endziel der Schaffung einer »einheitlichen multinationalen Sowjetkultur«. Der Formierung »sozialistischer Nationen« dienen auch die gegenüber der »bürgerlichen« Vergangenheit bewußt parteiliche Umwertung der nationalen Geschichte im sowjetmarxistischen Sinne und die atheistische Propaganda zwecks Herauslösung des estnischen und lettischen Volkes aus seiner christlichen – protestantischen oder katholischen – Glaubenstradition.

Zwar hat die Integration Estlands und Lettlands in den Wirtschaftsorganismus des Sowjetimperiums die industrielle Produktion um ein Vielfaches der Produktion von 1939 erhöht und jegliche Absatzschwierigkeiten beseitigt: so sind z. B. die Bodenschätze (Ölschiefer) und die Wasserkräfte des Landes in einem ungeahnten Ausmaß der Erzeugung von Energie dienstbar gemacht worden (mit Ölschiefer beheizte Wärmekraftwerke, Gasleitungen nach Leningrad und Reval, Stauseen an der Narowa und Düna). Estland steht heute in der Erzeugung von Elektroenergie mit 6,760 kWh je Einwohner in der Welt an zweiter Stelle. Aber alle diese Errungenschaften dienen nicht in erster Linie den Bedürfnissen der Bevölkerung des Landes, sondern denen der Gesamtwirtschaft der Union. Offenbar ist dies der Grund für die immer noch unbefriedigende Versorgung der Bevölkerung mit Konsumgütern, die besser sein könnte, wenn man bedenkt, daß der Anteil der industriellen Produktion am Bruttosozialprodukt bereits 1966 in Lettland 60 % und in Estland 80 % betrug, daß die Arbeitsproduktivität in den beiden Republiken sowie die landwirtschaftlichen ha-Erträge oder die Milchleistung je Kuh weit höher liegen als der Unionsdurchschnitt[4].

Da nicht nur die Presse, sondern alle Lebensäußerungen von der KP kontrolliert werden, die nicht eine nationale Partei, sondern nur eine regionale Untergliederung der KPdSU ist, vermag der Außenstehende heute kaum zu erkennen, wieweit die Bevölkerung sich mit dem Verlust der Eigenstaatlichkeit und mit der Sowjetisierung abgefunden hat. Zwar sind gerade in der letzten Zeit einzelne Anzeichen von Systemkritik bekannt geworden[5], die meisten Angehörigen der beiden kleinen Nationen haben aber offenbar aus den leidvollen Erfahrungen der jüngsten Vergangenheit die Lehre gezogen, daß sie sich weder auf fremde Mächte verlassen noch allein und souverän ihr Schicksal bestimmen können. Sie sehnen sich zwar nach freierer Kommunikation mit dem Westen, suchen sich aber im übrigen im Rahmen des Systems zu arrangieren. Die Esten können über das Medium der verwandten finnischen Sprache (Rundfunk und Fernsehen) eine rezeptive Verbindung zur westlichen Welt unterhalten. Die Letten sind in einer ungünstigeren Lage.

Die Emigranten, die zu einem erheblichen Teil der Bildungsschicht angehören und vor allem in Schweden, Canada, den USA und Australien ein reges Kulturleben entwickeln[6], kommen für eine Kontaktpflege nur in geringem Maße in Frage, weil sie den politischen Kampf für die Wiederherstellung der Eigenstaatlichkeit ihrer Herkunftsländer fortführen.

f) Estland und Lettland als Unionsrepubliken der UdSSR

Der Lebenswille der Esten und Letten in der Heimat äußert sich u. a. bei eindrucksvollen Massenveranstaltungen, wie den großen nationalen Sängerfesten. Eheschließungen mit Russen und Russinnen sind verhältnismäßig selten. Und noch immer erscheinen die baltischen Republiken den von Osten kommenden »Sowjetmenschen« als ein Stück der westlichen Welt. Die Denkmalpflege ist mit Erfolg bemüht, das historische Bild der Städte und die Baudenkmäler aus der Zeit der Hanse und des Ordens zu erhalten. Sie sind in den Augen der einheimischen Bevölkerung Zeugnisse der Zugehörigkeit ihres Landes zum westlichen Kulturbereich. Und die Völker des Baltikums erfüllen in der Sowjetunion eine »zivilisatorische Schrittmacherfunktion« (G. v. Rauch).

Diese könnte zweifellos an Effizienz gewinnen, wenn die Sowjetführung bereit wäre, dem Streben der Letten und Esten nach mehr Eigenständigkeit und Bewegungsfreiheit entgegenzukommen. Es gibt jedoch Anzeichen dafür, daß die Unifizierungspolitik eher zu einer Verschärfung als zu einer Milderung tendiert.

»In früheren Jahrhunderten der Fremdherrschaft«, sagt J. v. Hehn[7] »haben die baltischen Völker die erstaunliche Fähigkeit gezeigt, durch Anpassung zu überleben und dennoch die nationale Substanz zu erhalten. Es fragt sich, ob die Voraussetzungen dafür heute im Zeichen der ständig fortschreitenden Industrialisierung und Technisierung, der alle Bereiche des Lebens erfassenden und bis in den letzten Winkel dringenden Propaganda und Agitation und bei all den anderen Lebensformen der modernen Massengesellschaft noch gegeben sind.«

---

[1] Estland und Lettland waren als »Generalbezirke« dem Reichskommissariat Ostland eingegliedert worden, das dem Reichsministerium für die besetzten Ostgebiete (Alfred Rosenberg) unterstand.

[2] *J. v. Hehn*, Entwicklung, S. 15.

[3] Im Zeitraum zwischen den beiden Volkszählungen von 1959 und 1970 hatten die Nicht-Esten einen Zuwachs von 42 %, die Esten hingegen einen von kaum 4 %. So erhöht sich der Anteil der Nicht-Esten und Nicht-Letten sowohl durch die Zuwanderung als auch durch den natürlichen Zuwachs.
S. T. Parming, Soziale Konsequenzen der Bevölkerungsveränderungen in Estland seit 1939: Acta Baltica 11 (1971).

[4] Estonija, Latvija (s. o.); *Thomson*, Fakten.

[5] Z. B. der Protestbrief von 17 lettischen Altkommunisten gegen die Russifizierung ihrer Heimat, gerichtet an die Kommunistischen Parteien mehrerer Länder Europas: Acta Baltica 11 (1971).

[6] Die Gesamtzahl der außerhalb der Grenzen der UdSSR wohnhaften Esten wird auf ca. 102 800, die der Letten auf ca. 180 000 geschätzt. Von diesen haben ca. 65 000 Esten und ca. 125 000 Letten die Heimat infolge ihrer Annexion durch die Sowjetunion verlassen. Von den Deportierten soll etwa ein Viertel nach dem Tode Stalins in die Heimat entlassen worden sein.

[7] *J. v. Hehn*, Entwicklung, S. 44.

§ 30 Die südosteuropäischen Staaten von der Neuordnung nach dem I. Weltkrieg bis zur Ära der Volksdemokratien

Von Gotthold Rhode

I. Rumänien 1918-1968

Allgemeines Schrifttum
Der Stand der Aufarbeitung der Zeitgeschichte Rumäniens kann weder für die Jahrzehnte bis 1944 noch für die Zeit danach, weder für die rumänische noch für die außerrumänische Geschichtsschreibung als voll befriedigend bezeichnet werden. Es fehlen vor allem verläßliche Übersichtsdarstellungen und Quellenpublikationen, die für die ältere Geschichte Rumäniens in großer Zahl erscheinen; auch ein neues Biographisches Lexikon liegt nicht vor, so daß die Feststellung biographischer Daten auf Schwierigkeiten stößt. Einen gewissen Ersatz bilden das 1962-1964 in Bukarest erschienene vierbändige Dicționar Enciclopedic Român u. d. einbändige Mic Dicționar Enciclopedic (^{2}1978).
Bibliographien:
Einen umfassenden Überblick über die Veröffentlichungen von 1944 bis 1970, jedoch nur für die Zeit bis 1945, gibt *H. Weczerka,* Literaturbericht über die Geschichte Rumäniens (bis 1945): HZ, Sonderheft 5 (1973), S. 324-420.
Das Schrifttum des gleichen Zeitraums führt die gut unterrichtende Bibliografia istorică a României 1944-1969 des Instituts f. Geschichte u. Archäologie in Klausenburg (Cluj) (1970), in Auswahl, mit französischer Übersetzung der rumänischen Titel, an.
Weit weniger umfangreich (2783 gegen 7701 Titel) ist der für den rumänischen Studierenden gedachte bibliographische Führer: Istoria României, ghid bibliografic, von *M. Tomescu* (1968), aufgrund der Bestände der Universitätsbibliothek in Bukarest zusammengestellt.
Eine Einführung in das Schrifttum mit knapp 750 Titeln gibt *S. A. Fischer-Galați,* Rumania; a Bibliographic Guide (1963, Ndr. 1968).
Eine knappe Bibliographie raisonnée bis 1956 auch in dem vom gleichen Autor herausgegebenen Sammelwerk »Romania« in der Reihe »East Central Europe under the Communists« (1957).
Vgl. auch »Romania«, in: Southeastern Europe, a Guide to Basic Publications, hg. v. *P. L. Horecky* (1969).
Die laufende Bibliographie seit 1945 am übersichtlichsten in der Südosteuropa-Bibliographie, Bd. I: 1945-1950, Teil I (1956), S. 31-56; Bd. II: 1951-1956, Teil II (1962), S. 495-576; Bd. III: 1956-1960, Teil I (1964), S. 289-480; Bd. IV: 1961-65, Teil I (1971), S. 328-524.
Über Neuerscheinungen berichten u. a. der Wissenschaftliche Dienst Südosteuropa (seit 1952), die Südostforschungen (seit 1936, zunächst als Südostdeutsche Forschungen), die Revue des études sud-est-européennes (seit 1963) und die Revue Roumaine d'histoire (seit 1962).
Geschlossene *Übersichtsdarstellungen* über den Zeitraum seit 1918 allein liegen nicht vor. Die groß angelegte Istoria României (4 Bände) der Rumänischen Akademie der Wissenschaften hat das 20. Jh. noch nicht erreicht.
Einen gewissen Ersatz bieten Teil I u. II in dem oben genannten Sammelwerk »Romania«: *M. Huber,* Grundzüge der Geschichte Rumäniens (1973), und die französische Übersetzung der Istoria României: Histoire de la Roumanie des origines à nos jours, v. *M. Constantinescu, C. Daicoviciu* und *S. Pascu* (1970), in der die Jahre 1918 bis 1944 allerdings auf nur 22 Seiten sehr allgemein dargestellt sind. Die dort nur knappe Zeittafel wesentlich ausführlicher und genauer in: Chronological History of Romania, hg. v. *C. G. Giurescu,* die Zeitgeschichte bearbeitet von *I. Chiper* und *I. Alexandrescu* (1972; auch in Rumänisch).

§ 30 Die südosteuropäischen Staaten vom I. Weltkrieg bis zur Ära der Volksdemokratien

Erwähnenswert ist die russische Istorija Rumynii novogo i novejšago vremeni (Geschichte Rumäniens in neuerer und neuester Zeit) v. *V. N. Vinogradov* u. a. (1964).
Die Bearbeitung der Zeitgeschichte durch die sehr rührige und gut organisierte, überwiegend aber früheren Epochen zugewandte rumänische Geschichtswissenschaft konzentriert sich mit zahlreichen Monographien, die oft auch in französischer Sprache vorliegen, auf bestimmte eng begrenzte Komplexe wie die Vereinigung Siebenbürgens und der Bukowina mit dem »Altreich« samt Vorgeschichte, die Arbeiterbewegung, die kommunistische Partei, die Außenpolitik in der Kleinen Entente, den 23. VIII. 1944, den Widerstand, die Industrialisierung, die Nationalitäten, die nunmehr als »mitwohnend« bezeichnet werden.

Rumäniens Geschichte in den fünf Jahrzehnten seit der Umgestaltung des national weitgehend einheitlichen Königreichs jenseits der Karpaten in den Nationalitätenstaat Großrumänien im Winter 1918 ist besonders reich an überraschenden Wechselfällen. Nach dem Tiefpunkt des Friedens von Bukarest mit den Mittelmächten (s. Bd. VI, S. 608) kam noch im gleichen Jahr ein Höhepunkt mit der Vereinigung aller von Rumänien bewohnten Gebiete. Von einem wenig bedeutenden Kleinstaat mit knapp 139 000 km² stieg es mit einem Schlage zu einem großen Mittelstaat von 295 000 km² auf, dem an Umfang und Einwohnerzahl größten Staat Südosteuropas, der sich schon im Sommer 1919 als Ordnungshüter gegenüber dem revolutionären Ungarn Achtung und Prestige zu erwerben wußte. Als Mitglied der sog. Kleinen Entente, Bündnispartner Frankreichs und Polens schien es sich dann in den zwanziger und frühen dreißiger Jahren zum wichtigsten politischen Faktor in Südosteuropa aufzuschwingen, trotz aller Probleme der Integration der historisch und strukturell sehr unterschiedlichen Landesteile doch weit weniger von inneren Krisen geschüttelt als das benachbarte und verbündete Jugoslawien.

Der mit dem Anschluß Österreichs fast zusammenfallende Übergang zur Königsdiktatur im Februar 1938, dem Beispiel Jugoslawiens und Bulgariens folgend, leitete den Umschwung in der Stellung und Politik Rumäniens ein: Versuchte Annäherung an das Dritte Reich aus Sorge vor ungarischen und sowjetischen Revisionsansprüchen, jedoch ohne Aufkündigung der bisherigen Bündnisse und der sich aus ihnen ergebenden Verpflichtungen, was zu einer höchst zwiespältigen Haltung in der Außen- wie in der Innenpolitik in den 2½ Jahren von 1938 bis 1940 führte.

Das sowjetische Ultimatum vom 26. VI. 1940, der Verlust Bessarabiens und der Nordbukowina, enthüllte schlagartig die gefährdete Lage des Landes, das von den Westmächten keinerlei Hilfe erwarten und mit deutscher Unterstützung erst nach Regelung der ungarischen und bulgarischen Revisionsansprüche rechnen durfte. Der Verlust Nordsiebenbürgens an Ungarn durch den Zweiten Wiener Schiedsspruch (30. VIII. 1940) und der Süddobrudscha an Bulgarien durch den Vertrag von Craiova (7. IX. 1940) fielen zusammen mit der Abdankung König Carols II. (6. IX. 1940), mit der gleichzeitigen Machtübernahme durch den »Staatsführer« Marschall Antonescu und mit der Entsendung deutscher »Lehrtruppen«. Das um rund 100 000 km² auf 195 000 km² verkleinerte Land wurde zum getreuen Verbündeten der »Achse« und zum einzigen Satelliten des nationalsozialistischen Deutschlands, der am Krieg gegen die Sowjetunion nicht unwillig und unter Druck, sondern aus eigenem Antrieb und mit eigenen Kriegszielen teilnahm. Diese waren mit der Rückgewinnung der Verluste und mit der Eroberung »Transnistriens« schon im Spätsommer 1941 erreicht.

Der Gegenschlag der sowjetischen Macht, die Offensive der Roten Armee am 20. VIII. und der Umsturz vom 23. VIII. 1944 brachten Rumänien auf die Seite der Sowjetunion und kosteten das Land erneut Bessarabien und die Nordbuko-

§ 30 Die südosteuropäischen Staaten vom I. Weltkrieg bis zur Ära der Volksdemokratien

wina, nun aber gegen die Rückgabe Nordsiebenbürgens, so daß der Gebietsumfang wieder auf 237 500 km² anstieg, womit Rumänien flächenmäßig nur noch die zweite Stelle im Südosten, hinter Jugoslawien, einnahm.

Die Umwandlung von der Monarchie zur Volksdemokratie vollzog sich in Anwesenheit und unter dem Druck der Roten Armee ähnlich rasch wie in Bulgarien, so daß von 1948 an der Weg in den Sozialismus betreten werden konnte, freilich mit der Nuance, daß seit Beginn der sechziger Jahre zwar die Vorherrschaft der Kommunistischen Partei unangetastet blieb, Rumänien aber außenpolitisch vorsichtig eine gewisse Sonderstellung im Rahmen des Warschauer Paktes einnehmen konnte, die sich in der Nichtbeteiligung am Einmarsch in die Tschechoslowakei im August 1968 dokumentierte.

Die Hauptprobleme Rumäniens der Jahre vor 1940 sind zum Teil durch die radikalen Umwandlungen nach 1944 verschwunden, zum Teil aber bestimmen sie auch noch die Entwicklung nach 1944, wenn auch in abgeschwächter Form:

Zur ersten Gruppe gehören: die Agrarfrage, die Verwirklichung der parlamentarischen Demokratie, die Judenfrage, das Dobrudschaproblem. Zur zweiten: die Frage der Umgestaltung einer Agrargesellschaft in eine industriell-agrarische Gesellschaft, die zwar fortgeschrittene, aber noch nicht zu Ende geführte Integration der einzelnen Landesteile, das durch Gebietsverkleinerung verringerte Minderheitenproblem, die Sorge gegenüber einem ungarischen Revisionismus, das zwar 1940 und 1944 gelöste, aber unter der Oberfläche weiter schwelende Bessarabienproblem.

Die isolierte Stellung einer romanischen Nation in slawisch-madjarischer Umwelt hat in diesem halben Jahrhundert zu einer besonders lebhaften Entwicklung des Geschichtsbewußtseins geführt, das mit Stolz auf die Abkunft der Rumänen der Gegenwart von den Dakern und der römischen Provinzialbevölkerung verweist und somit dem rumänischen Volk und seiner Bodenständigkeit ein wesentlich höheres Alter zumißt als den erst im 6. Jh. n. Chr. eingewanderten Slawen und den um die Wende von 9. zum 10. Jh. in das Donaubecken gekommenen Madjaren. Entsprechend den mehrfachen Wandlungen läßt sich die Geschichte Rumäniens seit 1918 in sechs zeitlich sehr ungleiche Phasen gliedern:

a) Großrumänien als konstitutionelle Monarchie und Glied der »Kleinen Entente« (1918–1938)
b) Rumänien unter der Königsdiktatur gegenüber dem Druck des Revisionismus (Februar 1938 – September 1940)
c) Das autoritäre Rumänien als Verbündeter des Dritten Reiches (September 1940 – 23. VIII. 1944)
d) Die Umgestaltung zur Volksdemokratie (1944–1948)
e) Der Weg in den Sozialismus (1948–1962)
f) Die rumänisch-nationale Variante im Sozialismus seit 1963.

Dabei ist allerdings festzuhalten, daß sich der Übergang zwischen dem vierten und fünften und dem fünften und sechsten Zeitabschnitt nicht ähnlich präzise datieren läßt wie die vorangegangenen, auf einen Tag oder eine Woche konzentrierten Umstürze, und daß die Abgrenzung der letzten Phase als eine durchaus problematische Hilfskonstruktion betrachtet werden kann, wobei die Übergänge erst recht fließend sind.

a) Großrumänien als konstitutionelle Monarchie[1] und Glied der »Kleinen Entente« (1918–1938)

Nach dem Frieden von Bukarest (7. V. 1918) befand sich Rumänien zwar in einer bedrängten, durch den am 7. IV. proklamierten Anschluß Bessarabiens mit

I. a) Großrumänien als konstitutionelle Monarchie (1918–1939)

44 420 km² und 2,6 Mill. Einwohnern² freilich aufgehellten Lage. Die Erfolge der Westalliierten und das Scheitern der letzten deutschen Offensive im August 1918 ließen aber auf baldigen völligen Wandel hoffen, so daß die Ratifikation des Bukarester Vertrages durch das Parlament hinausgeschoben wurde und nie erfolgte.

Der Zusammenbruch Bulgariens, der mit diesem am 29. IX. geschlossene Waffenstillstand und der Vormarsch der Orientarmee, insbesondere das Waffenstillstandsangebot der Mittelmächte (4. X.) waren Zeichen für die Möglichkeit der Rückkehr auf die Seite der Alliierten, doch zögerte König Ferdinand noch den ganzen Oktober hindurch, zumal sich ja die Armee Mackensen noch in der Walachei befand und erst nach Abschluß des Waffenstillstandes von Compiègne das Land verließ³. Erst am 6. XI., also *nach* dem Umsturz in Ungarn und dessen Bruch mit Deutschland, entließ Ferdinand die deutsch-freundliche Regierung Marghiloman (s. Bd. VI, S. 608), berief aber nicht sofort den Führer der bisher oppositionellen National-Liberalen Partei Ion C. Brătianu (1864–1927), sondern für eine Übergangszeit General Constantin Coandă, dem allerdings Brătianu schon am 14. XII. mit einem rein liberalen Kabinett folgte. Am gleichen Tage erfolgte die neuerliche Kriegserklärung an Deutschland und Österreich mit der eigenartigen Begründung, diese hätten durch Vermehrung ihrer Truppen in der Walachei den Bukarester Frieden verletzt, der doch unmittelbar darauf im Waffenstillstand für null und nichtig erklärt wurde.

Gleichzeitig wiederholte der König sein schon am 5. IV. 1917 gegebenes Versprechen an die bäuerliche Bevölkerung, daß 2 Mill. ha privater Großgrundbesitz aufgeteilt werden und das allgemeine Wahlrecht eine volle Beteiligung am politischen Leben sichern sollten.

Das Hauptanliegen war aber zunächst die Einlösung der im Vertrag vom 17. VIII. 1916 (s. Bd. VI, S. 607) gegebenen Versprechen auf Angliederung Siebenbürgens, des Banats und der Bukowina. Dabei arbeiteten den staatsrumänischen Bestrebungen die volksrumänischen Aktivitäten entgegen, zumal seit dem Manifest Kaiser Karls vom 16. X. die Bildung von Nationalräten ja überall in Gang gekommen war. Am raschesten und reibungslosesten konnte die Angliederung der Bukowina⁴ vollzogen werden, da die gleichzeitig Ansprüche erhebenden Ukrainer politisch und militärisch viel zu schwach waren, um sich durchsetzen zu können. Der dort gebildete rumänische Nationalrat übernahm schon am 27. X. in Czernowitz gegen den Protest der Ukrainer die Landesverwaltung aus der Hand der österreichischen Behörden und erbat die Entsendung rumänischer Truppen, die am 8. XI. die Grenze überschritten und bis zum 11. XI. das ganze Land besetzten. Der Nationalrat verkündete am 28. XI. die Vereinigung des Landes mit dem Königreich Rumänien, die zwar völkerrechtlich erst mit dem Inkrafttreten des Friedens von St. Germain wirksam, praktisch aber damit vollzogen wurde.

In Siebenbürgen⁵, dem größten und wichtigsten Gebiet, das rumänische Truppen ja 1918 teilweise schon in Besitz genommen hatten und über das hinaus Rumänien auch das sogenannte Kreischgebiet und Sathmar beanspruchte, waren trotz 1917/18 erneut einsetzenden ungarischen Drucks vor allem die bäuerliche rumänische Nationalpartei unter ihren Führern Iuliu Maniu (1873–1955) und Alexandru Vaida-Voevod (1872–1950) und die wesentlich schwächeren Sozialdemokraten aktiv. Schon am 12. X. hatte in Großwardein (ung. Nagy Várad, rum. Oradea Mare) der Vollzugsausschuß der Partei die Selbstbestimmung für Siebenbürgen verlangt, die Vaida-Voevod am 18. X. auch im ungarischen Parlament forderte. Danach konstituierte sich am 30. X. der Vollzugsausschuß als Rumänischer Nationalrat für Ungarn und Siebenbürgen in Arad und gewann alsbald

Autorität bei den Rumänen des Landes. Rumänische Nationalräte entstanden in den ersten Novembertagen in zahlreichen Komitaten Siebenbürgens und übernahmen die Verwaltung, so daß der Zentralrat in Arad die »volle Regierungsgewalt in allen von Rumänen bewohnten Gebieten« von der neuen ungarischen Regierung Károlyi verlangte, in den mit dem Nationalitätenminister Oskár Jászi und Vertretern des Ungarischen Nationalrats vom 13. bis 15. XI. geführten Verhandlungen unnachgiebig blieb und ein Verbleiben im ungarischen Staat ablehnte, auch unter den gewandelten Bedingungen einer »Ostschweiz«. Am 18. XI. forderte der Rumänische Nationalrat in einem Manifest, in dem allen Nationalitäten gleiche Rechte versprochen wurden, zu einer Versammlung von Repräsentanten der örtlichen Nationalräte und der Verbände und Organisationen in Karlsburg (Alba Iulia) auf, der Hauptstadt des einstigen Fürstentums Siebenbürgen. Diese von 1228 Delegierten beschickte Nationalversammlung beschloß am 1. XII. die Union Siebenbürgens mit dem Königreich[6] und wählte eine Provisorische Landesregierung mit Maniu als Präsidenten und 14 weiteren Mitgliedern. Jetzt erst, der abziehenden Armee Mackensen folgend, rückten auch rumänische Truppen ein. Am 14. XII. wurde der Unionsakt König Ferdinand feierlich überreicht und gleichzeitig einige Mitglieder des »Dirigierenden Rates«, der Provisorischen Regierung, in die Regierung Brătianu aufgenommen. Die Siebenbürger Sachsen stimmten auf einer Versammlung des Deutsch-Sächsischen Nationalrats in Mediasch am 8. I. 1919 der Union ausdrücklich zu, wie es vorher schon die Buchenländer Deutschen durch ihren Volksrat getan hatten.

Sehr viel schwieriger gestaltete sich der Anschluß des Banats[7], das die Alliierten in seiner ganzen Ausdehnung Rumänien zugesichert hatten, das aber in seinem Westteil überwiegend von Serben bewohnt war, so daß die Übergabe an Rumänien dem Selbstbestimmungsrecht in eklatanter Weise widersprochen hätte. Serbien schuf auch durch den Einmarsch seiner Truppen gleich nach dem Waffenstillstand von Belgrad (4. XI.) vollendete Tatsachen, besetzte am 19. XI. sogar Temeschburg (Temesvár), die Hauptstadt des Banats, und richtete eine Verwaltung ein. Aufgrund rumänischer Proteste mußten die serbischen Truppen im Januar 1919 das Banat wieder räumen, und es folgte eine französische Besetzung bis zur Regelung der Grenzfragen auf der Pariser Friedenskonferenz. Diese erfolgte nach Ablehnung eines für Rumänien recht günstigen Teilungsvorschlags vom 28. II. durch das Königreich SHS am 21. VI. 1919 durch den Obersten Rat in der Weise, daß etwa zwei Drittel des Gebiets mit rund 19 000 km^2 und 940 000 (im Jahre 1930) Einwohnern Rumänien zugesprochen wurden, worauf im Juli die Besetzung durch rumänische Truppen erfolgte. Brătianu, der Rumänien zusammen mit dem Außenminister Mişu auf der Friedenskonferenz vertrat, beugte sich dieser Entscheidung erst nach erheblichem Widerstand[8], verließ aber die Konferenz aus Protest gegen den den österreichischen Nachfolgestaaten ebenso wie Polen auferlegten Minderheitenschutzvertrag und trat am Tage der Unterzeichnung des Friedensvertrags mit Österreich in St. Germain am 10. IX. 1919 zurück.

Er hatte vorher noch den Triumph erlebt, daß rumänische Truppen die am 20. VII. beginnende Offensive der ungarischen Roten Armee an der Theiß in wenigen Tagen zurückschlugen und zur Wiederherstellung der Ordnung am 4. VIII. Budapest besetzten, wo sie bis zum November verblieben (vgl. Beitrag Ungarn, S. 888). Rumänien hatte sich somit als Ordnungsfaktor und verläßlicher Partner im Kampf gegen den Bolschewismus[9] bewährt, so daß Brătianu meinte, hohe Forderungen stellen zu dürfen.

Der Abschluß des Friedensvertrages mit Ungarn und damit die völkerrechtli-

I. a) Großrumänien als konstitutionelle Monarchie (1918–1939)

che Sanktion der Rumänien von den Alliierten zugebilligten Gebietserwerbungen in Siebenbürgen, dem Banat, dem Kreischgebiet, Sathmar und Marmaros (Maramureş) wurde dadurch bis zum 4. VI. 1920 verzögert. Mit dem an diesen Tagen geschlossenen Frieden von Trianon war die Bildung Groß-Rumäniens endgültig abgeschlossen, und der Dirigierende Rat konnte seine Tätigkeit beenden. Durch die Ungarn gegenüber günstige Grenzziehung hatte das Land nunmehr 295 000 km², mehr als doppelt soviel als 1914, und rund 15 750 000 Einwohner, von denen nach den Volkszählungen der Vorkriegszeit nur 67 % Rumänen waren. Die stärkste nationale Minderheit bildeten die Madjaren mit 11,6 %, die in einigen Komitaten des Széklergebiets, so im Karpatengebiet, weit von der ungarischen Grenze entfernt, Mehrheiten von über 80 und sogar 90 % (Udvarhély, rum. Odorheiu) bildeten. Die erste allgemeine rumänische Volkszählung vom 29. XII. 1930 stellte allerdings etwas günstigere Relationen fest. Sie fand unter der nun auf 18,06 Mill. angewachsenen Bevölkerung fast 13 Mill. (71,9 %), die sich zum rumänischen Volkstum bekannten, jedoch, wohl auch durch Auswanderungen bedingt, nur noch 1,42 Mill. Madjaren (7,9 %) und 0,75 Mill. Deutsche (4,1 %)[10].

Das Minderheitenproblem war also erheblich, jedoch dadurch abgemildert, daß nur die Madjaren und die Bulgaren in der Dobrudscha eine Wiedervereinigung mit dem Mutterland anstrebten, während die Deutschen sich ausdrücklich für den Anschluß an Rumänien ausgesprochen hatten (seitens der Banater Schwaben durch den aktiveren Flügel, die Deutsch-Schwäbische Volkspartei, am 10. VIII. 1919), und die Ukrainer in der Bukowina und in Bessarabien die Hoffnung auf eine Ukrainische Republik, an die sie sich hätten anschließen können, aufgeben mußten.

Die Stellung zu den Friedensverträgen und zum Minderheitenschutzvertrag bestimmte auch die Innenpolitik nach dem Rücktritt Brătianus, an dessen Stelle zunächst ein Übergangskabinett unter General A. Văitoianu getreten war. Die Anfang November 1919 durchgeführten ersten allgemeinen Wahlen zeigten trotz geringer Beteiligung, daß die starre, nationalistische Haltung der Liberalen und Brătianus nicht einmal im Altreich voll honoriert wurde, wo sie 101 von 241 Sitzen gewannen, und daß sie der Rumänischen Nationalpartei Manius, die mit 168 Mandaten Wahlsieger wurde, und den bäuerlichen Parteien des Altreichs unterlegen war. Die gemäßigten Parteien fanden sich zu einem parlamentarischen Block zusammen, und am 4. XII. wurde unter dem Präsidium von Vaida-Voevod eine Koalitionsregierung gebildet, die sich überwiegend aus Vertretern der neuen Gebiete zusammensetzte, mit dem sehr populären General Averescu als Innenminister. Vaida-Voevod schlug sofort eine andere außenpolitische Linie ein, billigte am 9. XII. die Verträge von Neuilly und St. Germain und gab den Widerstand gegen den Minderheitenschutzvertrag auf.

In der Folge sollte sich allerdings zeigen, daß die Vorkriegsregel, nach der in Rumänien nicht die Wahlen die Regierung bestimmten, sondern die Regierung die Wahlen bestimmte, weiterhin gültig war. Jede folgende Wahl zeitigte einen fast völligen Umsturz der Sitzverhältnisse; von einer Parteienstabilität konnte bei rasch wechselnden Koalitionen und Zusammenschlüssen keine Rede sein. So brachten die schon im Mai 1920 unter dem im März an die Stelle von Vaida-Voevod getretenen Ministerpräsidenten General Averescu für dessen neugegründete Volkspartei 215 Sitze und beließen den Liberalen nur 7, der Nationalpartei nur 21 Sitze.

Als im Januar 1922 wieder Brătianu vom König berufen wurde, errang seine Partei bei den im März durchgeführten Wahlen eine starke Mehrheit, so daß die

§ 30 Die südosteuropäischen Staaten vom I. Weltkrieg bis zur Ära der Volksdemokratien

geschlagenen Oppositionsparteien sich zu Fusionen entschlossen, wovon die der Nationalpartei Manius mit der Bauernpartei des Altreichs unter Ion Mihalache (geb. 1883, 1947 verurteilt, Todesdatum nicht bekannt) zur Nationalen Bauernpartei (»Nationalţaranisten«, nach rumän. *ţaran*-Bauer) im Juni 1924 die wichtigste und dauerhafteste war, während die ebenfalls durch Fusion kleinerer Parteien im Mai 1924 gebildete Nationale Volkspartei unter Führung des Historikers N. Iorga (1871–1940) als Honoratiorenpartei vielfachen Schwankungen unterlag.

Als Brătianu nach vierjähriger Regierungszeit – der weitaus längsten dieser Epoche – am 30. III. 1926 wieder Averescu Platz machen mußte und dieser am 25. V. 1926 ein neues Parlament wählen ließ, gewann seine »Volkspartei«, die gegen entsprechende Berücksichtigung bei der Mandatsverteilung auch von Madjaren und Deutschen gewählt wurde, 280 Sitze, während die Liberalen nur 15 behielten. Ein Jahr später, im Juli 1927, kehrte sich unter dem ein letztes Mal an die Regierungsspitze zurückgekehrten I. Brătianu (gest. 24. XI. 1927) das Verhältnis wieder um: Die Liberalen gewannen 328 Sitze, die Volkspartei Averescus nicht einen, ebensowenig die Partei Iorgas.

Diese allzu offensichtlichen Manipulationen, die Intrigen und die Korruption bei der Regierungsbildung, von denen sich am ehesten noch die Nationalţaranisten frei hielten, während die Sozialisten bedeutungslos blieben und die Kommunisten nach dem Verbot vom 5. IV. 1924 für über zwanzig Jahre in den Untergrund gehen mußten, verstärkten das Mißbehagen gegenüber der parlamentarischen Demokratie und ihren Vertretern im Volk[11].

Bis zum Tode von König Ferdinand (20. VII. 1927) und dem vier Monate später folgenden Tod I. Brătianus, die eine innere Krise wegen der Nachfolgefrage auslösten, war Rumäniens außenpolitische Stellung im wesentlichen durch die Sorge vor ungarischen Revisions- und Restaurationsabsichten, vor bulgarischen Revindikationsansprüchen und vor der Nichtanerkennung der Angliederung Bessarabiens durch die Sowjetunion bestimmt (der Oberste Rat hatte die rumänische Souveränität über Bessarabien am 28. X. 1920 anerkannt). Hinzu kam, daß Rumänien am Tage der Unterzeichnung des Versailler Vertrags dem Völkerbund beigetreten war, trotz vorübergehender Trübung wegen der Gebiets- und Minderheitenfragen im Jahre 1919 das gute Verhältnis zu Frankreich aufrechtzuerhalten bemüht und ein sicherer Partner im System des *cordon sanitaire* war.

Bei drei möglichen Gegnern und nur einem Nachbarn, Polen, mit dem es keine Grenzprobleme gab, war zunächst die Ausräumung der Schwierigkeiten mit dem Königreich SHS wichtig. Sie erfolgte durch den am 10. VIII. 1920 geschlossenen Vertrag von Sèvres, durch den die vom Obersten Rat im Banat vorgeschlagenen Grenzen in gütlichem Einvernehmen festgelegt wurden. In einer Belgrader Konvention wurde 1923 noch ein Gebietsaustausch vorgenommen[12]. Der erste Rückkehrversuch Kaiser Karls nach Ungarn Ostern 1921 veranlaßte dann das tschechisch-rumänische Bündnis vom 23. IV. 1921 mit der Verpflichtung zur Aufrechterhaltung des durch den Vertrag von Trianon geschaffenen Status quo sowie das am 5. VI. 1921 geschlossene Bündnis mit Jugoslawien, das sich auch gegen Bulgarien richtete – dieses System der »Kleinen Entente« bedarf hier keiner weiteren Behandlung. Am 3. III. 1921 wurde zur Abwehr sowjetischer Angriffe ein rumänisch-polnisches Bündnis geschlossen, das freilich die erste Bewährungsprobe im September 1939 nicht bestand.

Der Bündnisvertrag mit Frankreich, verhältnismäßig spät erst am 10. VI. 1926 geschlossen, bildete den Schlußstein dieses Systems, das allerdings den Mangel hatte, daß die politischen Beziehungen nicht durch entsprechende intensive wirt-

I. a) Großrumänien als konstitutionelle Monarchie (1918–1939)

schaftliche Verbindungen ergänzt wurden und daß französische Hilfe im Ernstfall militärisch erst spät wirksam werden konnte.

Mit der Sowjetunion wurden im März/April 1924 in Wien vergebliche Verhandlungen über die Anerkennung der Grenze[13] und die Aufnahme diplomatischer Beziehungen geführt. Es blieb bei der Nichtanerkennung durch die Sowjetunion, die ihre Ansprüche durch die am 11. X. 1924 erfolgte Errichtung der Autonomen Moldauischen Sozialistischen Räterepublik mit der nur 40 km von der Grenze entfernten Hauptstadt Balta deutlich hervorhob. Am Grenzfluß Dnjestr gab es keinerlei Grenzverkehr.

Im innenpolitischen Bereich waren die Agrarreform[14] und die Umgestaltung der seit 1866 gültigen Verfassung[15] vordringlich. Die Agrarreform war vor allem im Altreich (Regat) dringend, wo 5 % der Grundbesitzer 60 % des Bodens besaßen und der Anteil des Großgrundbesitzes über 100 ha 42,5 % der Bodenfläche betrug. Da die Verhältnisse in den anderen Gebieten wesentlich anders gelagert waren – nur in Bessarabien machte der meist in russischer Hand befindliche Großbesitz sogar 44 % aus –, wurde die Reform nicht landeseinheitlich, sondern durch verschiedene regionale Gesetze geregelt: am frühesten und radikalsten in Bessarabien, noch aufgrund eines Nationalratsbeschlusses vom 27. XI. 1918, im Regat durch Gesetze vom 16. XII. 1918 und 14. VIII. 1921, in Siebenbürgen, wo weniger der Großbesitz privater Eigentümer als der der Gemeinden und Kirchen bedeutsam war (was besonders auf die Sachsen zutraf), in Ausführung der Karlsburger Beschlüsse durch Gesetz vom 23. VII. 1921, in der Bukowina durch Gesetz vom 30. VII. 1921. Die Größe des den Besitzern belassenen Bodens schwankte zwischen 25 ha (Bessarabien) und 500 ha (Regat); die Entschädigung betrug nur zwei Jahreseinkünfte. Insgesamt wurden an 1,4 Mill. Bauern 5,812 Mill. ha verteilt, durchschnittlich also 4,15 ha, weitaus das meiste in Bessarabien und im Regat, nämlich 4,2 Mill. ha. Der Erfolg, der bis etwa 1928 erreicht wurde, war zwiespältig. Zwar wurde der Großgrundbesitz praktisch ausgeschaltet, auch wurde das mittlere und kleine rumänische Bauerntum erheblich gestärkt, während die besser gestellten deutschen Bauern meist leer ausgingen, doch gab es wirtschaftliche Ausfälle durch Rückgang der Weizenanbaufläche. Großrumänien erreichte nach der Reform nur 40–60 % der Weizenausfuhr des knapp halb so großen Vorkriegsrumäniens. Wegen der Aufsplitterung bei fehlender Intensivierung infolge schwachen Maschinenbesatzes und geringer Anwendung künstlicher Düngemittel produzierte der rumänische Bauer im Jahre 1927 pro Kopf nur 48 % der europäischen Durchschnittsagrarproduktion, während die Pro-Kopf-Produktion in der Tschechoslowakei mit einem Index von 105 etwas über dem Durchschnitt lag. Weitaus die Mehrheit der Bauern, nämlich fast 85 %, hatten 1927 weniger als 5 ha bestellbares Land, d. h. auf rd. 47 % des Ackerlandes, das in diesen Kleinbesitz aufgeteilt war, wurde nur für den Eigenbedarf und den engsten lokalen Markt produziert; für den Export fielen sie aus, da erst eine Mindestgröße von $6\frac{1}{2}$ ha bei entsprechender Intensivierung exportfähige Erträge ermöglichte. Geringe Bodenrendite, hohe Zinsen für landwirtschaftliche Kredite, entsprechend hohe Verschuldung gerade der Kleinbetriebe und ein elementarer Antisemitismus (da die Gläubiger häufig Juden waren) waren die Folgen einer stark ideologisch bestimmten Agrarreform, der von den nationalen Minderheiten zudem vorgeworfen wurde, daß sie als Waffe im Kampf um die Rumänisierung Siebenbürgens und Bessarabiens benutzt wurde[16].

Die neue Verfassung vom 28. III. 1923 wurde in der langen Regierungsperiode I. Brătianus und der Liberalen ausgearbeitet und vom Parlament ohne Berücksichtigung der Wünsche und Einwände der Opposition angenommen. Sie trug einen ganz zentralistischen, die großen regionalen Unterschiede einebnenden Charakter, da sie nur »Rumänen« (im Sinne der Staatsangehörigkeit) und »Fremde«, aber keine nationalen Unterschiede kannte und bei der das ganze Land überziehenden Einteilung in 76 Distrikte[17] *(judeţ)* mit einem vom König ernannten Präfekten an der Spitze keine regionale oder provinzielle Autonomie oder auch nur Selbstverwaltung ermöglichte.

Neben dem nun von der gesamten männlichen Bevölkerung über 21, für die trotz des im Altreich noch weit verbreiteten Analphabetismus Wahlpflicht bestand, gewählten Parlament stand der Senat. Dessen 250 Mitglieder wurden zum Teil direkt, zum Teil indirekt durch die Distrikts- und Gemeinderäte gewählt; zum Teil gehörten sie dem Senat kraft Amtes an, so die Bischöfe und Metropoliten, die ehemaligen Minister mit einem bestimmten Amtsalter und die pensionierten Generale. Die Regierungsbildung lag ganz in der Hand des Königs, der auch das Parlament jederzeit auflösen konnte, während dieses die Regierung weder durch Vertrauenserklärungen bestätigen noch durch Mißtrauenserklärungen stürzen, lediglich eingebrachte Gesetze ablehnen und Regierungspraktiken anprangern konnte.

Die starke Stellung der Regierung und der sie tragenden Partei wurde durch das Wahlgesetz vom 27. III. 1925 gestärkt, das zwar grundsätzlich die Konkurrenz einer Vielzahl von Parteien ermöglichte, praktisch aber derjenigen Partei, die 40 % der Stimmen erreicht hatte, eine überwältigende Mehrheit gab. Diese erhielt nämlich als »Prämie« 50 % der 380 nicht in Direktwahl vergebenen Sitze und wurde bei der Vergabe der zweiten 50 % nochmals prozentual beteiligt, so daß sie mit 41 % der Stimmen mindestens 71 % der Sitze erhielt, meist aber noch erheblich mehr, weil Parteien mit weniger als 2 % der Gesamtstimmenzahl leer ausgingen. Dies in Europa einzig dastehende Wahlgesetz begünstigte die oben geschilderten vollständigen Umstürze bei jeder Neuwahl und machte das Parlament nicht zu einem Spiegelbild der Volksmeinung, sondern zu einer Domäne der jeweiligen Regierungspartei, in der sich die Opposition nur verbal, aber nicht durch Abstimmungen zur Geltung bringen konnte.

Unter diesen Umständen kam der Krone und ihrem Träger – deren Stellung durchaus nicht der der britischen Krone vergleichbar war – besondere Bedeutung zu, und dementsprechend löste der Thronverzicht des Kronprinzen Carol (1893–1953), der sich von seiner Gattin Helene von Griechenland getrennt hatte und ein allgemein bekanntes Verhältnis mit Madame Helene Lupescu hatte, Ende Dezember 1925 allgemeine Erregung aus. Der Verzicht wurde durch Gesetz vom 4. I. 1926 sanktioniert und gleichzeitig festgelegt, daß bei Nachfolge des 1921 geborenen Prinzen Michael ein Regentschaftsrat gebildet werden solle, dem neben dem Bruder Carols, Prinz Nikolaus, auch der Patriarch der Orthodoxen Kirche Rumäniens, Miron Cristea, angehören sollte. (Das Patriarchat war am 7. II. 1925 errichtet worden.)

Die Nachfolgefrage[18] wurde akut, als König Ferdinand[19] am 20. VII. 1926 starb, unmittelbar nach dem Wahlsieg der Liberalen Partei vom 7. VII., die somit Chancen hatte, ihrer Herrschaft fast unbegrenzte Dauer zu verleihen. Pläne Manius, den Thronverzicht Carols rückgängig zu machen, scheiterten ebenso wie die Versuche Carols, der für 10 Jahre aus dem Lande verbannt war, doch zurückzukehren. Der knapp sechsjährige Michael wurde König, doch wurde die Frage insbesondere von Maniu erneut aufgeworfen, als mit Ion Brătianus Tod am 24. XI. 1927 die entscheidende Kraft der Liberalen ausfiel, die durch seinen Bruder und Nachfolger Vintila (1867–1930) nicht ersetzt werden konnte. Maniu, der allen Versuchen beider Brătianus, ihn für eine Koalition zu gewinnen, ausgewi-

I. a) Großrumänien als konstitutionelle Monarchie (1918–1939)

chen und mit seiner Fraktion dem Parlament demonstrativ ferngeblieben war, bewies die Stärke seiner Position mit einem Kongreß seiner Nationalţaranistischen Partei in Alba Iulia am 6. V. 1928, bei dem fast 700 Delegierte aus den 71 Distrikten und etwa 200 000 Bauern anwesend waren, die gegen die Selbstherrlichkeit der liberalen Zentralisten protestierten, weil diese die »neuen Provinzen zu Kolonien degradiert« hätten. Der von den Massen geforderte »Marsch auf Bukarest« unterblieb zwar, doch zeigten weitere Demonstrationen, das Haushaltsdefizit von 6,5 Milliarden Lei und der Rücktritt des Außenministers Titulescu (30. VII.) sowie die Schwierigkeiten, zur Stabilisierung der Währung Auslandsanleihen zu erhalten, die Schwäche der Regierung, die am 3. XI. 1928 zurücktrat, so daß nun Maniu als Gegenspieler mit dem Anspruch der Sauberkeit, des Kampfes gegen Korruption und Bestechung und der Dezentralisierung am 10. XI. die Regierung übernehmen konnte, mit Vaida-Voevod als Innen-, Mihalache als Landwirtschaftsminister und je einem Minister für Bessarabien, das Banat, die Bukowina und Siebenbürgen. Das von den Nationalţaranisten bisher bekämpfte Wahlgesetz gab ihnen bei den Wahlen vom 12. XII. bei 83 % der Stimmen (die Deutschen waren mit ihnen ein Wahlbündnis eingegangen) 348 von 387 Mandaten.

Die bis zum Frühjahr 1931 und nochmals vom Juni 1932 bis November 1933 amtierenden Regierungen der Nationalţaranisten, entweder mit Maniu selbst, mit Mironescu oder mit Vaida-Voevod als Ministerpräsidenten, änderten an der durch große Haushaltsdefizite und Kapitalarmut gekennzeichneten ungünstigen Wirtschaftssituation des Landes nur wenig, da sie gerade die Weltwirtschaftskrise mit fallenden Agrarpreisen zu bestehen hatten. Ein wesentlicher Wandel war die von Maniu betriebene und vorbereitete, aber auch von den Nationaldemokraten unter Iorga begrüßte Rückkehr des Prinzen Carol[20] am 6. VI. 1930, der sich von Madame Lupescu getrennt hatte (allerdings, wie sich in Kürze herausstellte, nur vorübergehend) und nach einstimmiger Annullierung des Gesetzes vom 4. I. 1926 am 8. VI. anstelle seines Sohnes Michael zum König aller Rumänen ausgerufen wurde.

Die zehnjährige Regierungszeit Carols II. (8. VI. 1930 bis 6. IX. 1940) zerfällt in eine 7½jährige konstitutionelle und eine 2½jährige diktatorische Phase, die beide nicht als glücklich bezeichnet werden können, was nicht zuletzt an der Person des hochintelligenten, geschickten und persönlich gewinnenden, jedoch ebenso unzuverlässigen, intrigenreichen und leicht beeinflußbaren Monarchen lag, mit dem Männer von bäuerlicher Mentalität wie Dr. Juliu Maniu, mit soldatischem Ethos wie General Ion Antonescu oder mit religiös-fanatischem Sendungsbewußtsein wie der Führer der Eisernen Garde Corneliu Z. Codreanu (1899–1938) zwangsläufig in Konflikte geraten mußten.

In den ersten dreieinhalb Jahren der ersten Phase stützte Carol II. sich auf die Kräfte, die für seine Rückkehr eingetreten waren, auf die Nationalţaranisten und auf N. Iorga (1871–1940)[21], der vom April 1931 bis Ende Mai 1932 Ministerpräsident war. In dieser schon im November 1928 begonnenen Periode der nicht-liberalen Regierungen wurde eine Abkehr von der zentralistischen, agrarfeindlichen und korruptionsanfälligen Politik der Nationalliberalen versucht. So wurde noch unter der ersten Regierung Maniu durch Gesetz vom Juli 1929 eine Verwaltungsdezentralisierung durch die Bildung von sieben »Regionen«, Bukarest, Czernowitz, Kischinev, Klausenburg, Craiova, Jassy (Ìaşi) und Temeschburg, erreicht. Da die Grenzen der »Regionen« weitgehend denen der historischen Länder entsprachen, erhielten diese wieder ein stärkeres Eigengewicht. In die Zeit der um Sparsamkeit bemühten Regierung Iorga fielen auch das Zwangsversteigerungen von Bauernhöfen verbietende Gesetz vom 18. XII. 1931 und das die bäuerliche Schuldenlast erleichternde Umschuldungsgesetz vom 19. IV. 1932.

Insgesamt konnten diese viele Hoffnungen erweckenden Regierungen aber die Auswirkungen der Weltwirtschaftskrise[22] nicht abwenden. Bei rasch sinkenden Preisen für landwirtschaftliche Erzeugnisse gingen 1928 bis 1932 die Ausfuhrpreise Rumäniens um 59,8 %, die Einfuhrpreise aber nur um 19,6 % zurück, so daß der Unterschied durch vermehrten Getreide-Export und neue Kreditaufnahmen ausgeglichen werden mußte, da die steigende Erdölproduktion allein, die 1933 schon 55 % der gesamten Ausfuhr bestritt, bei ebenfalls sinkenden Preisen nur zeitweilig für eine positive Handelsbilanz sorgen konnte. Zusätzliche Kredite bewirkten einen steigenden Zinsendienst ins Ausland, der 1930 bereits 6,7 Mrd. Lei ausmachte und für den 1932 sogar 27 % der gesamten Staatsausgaben aufgewandt werden mußten. Während die Bauern wegen des ständigen Sinkens des Wertes ihrer Produktion (von 1929 bis 1933 um 60 %) mit Verlust arbeiteten und die versteckte ländliche Arbeitslosigkeit zunahm, gingen die Beschäftigungszahlen in der Textil- und Metallindustrie zwischen 1928 und 1932 rapide zurück und hielten sich nur in der Erdölindustrie auf gleicher Höhe. Da seit Sommer 1931 fast keine neuen Auslandskredite mehr gewährt, alte aber abgerufen wurden und die Zentralbank kaum noch über Devisenvorräte verfügte, mußte die Regierung Iorga im Mai 1932 zur Zwangsbewirtschaftung der Devisen Zuflucht nehmen. Im Herbst 1933 konnte der Schuldendienst nicht mehr geleistet werden.

Das bedeutete aber in den folgenden Jahren, daß Rumänien um Wirtschaftsbeziehungen zu Ländern bemüht sein mußte, mit denen es bilaterale Verrechnungsabkommen schließen konnte und wo seine Agrarprodukte und sein Erdöl gegen Industriewarenimporte Absatz fanden. Das war in erster Linie das Deutsche Reich, so daß eine unmittelbare Folge der Weltwirtschaftskrise für Rumänien – wie für andere Länder Südosteuropas – die stärkere wirtschaftliche Bindung an Deutschland war, und das bereits in einer Zeit, in der es ihm politisch noch sehr fern stand. Während der Anteil des Deutschen Reiches an der rumänischen Ausfuhr 1933 mit 10,6 % auf einem Tiefpunkt angelangt war und erheblich hinter der nach Großbritannien (15,4 %) und Frankreich (12,4 %) zurückblieb, stand er 1934 mit 16,6 % schon an erster Stelle und hielt diese Position ziemlich gleichbleibend in den folgenden Jahren bis 1937. 1938 schnellte der Anteil, mitbedingt durch den Anschluß Österreichs, auf 26,5 % hinauf, während der Anteil Großbritanniens und Frankreichs zusammen nur noch 15,8 % betrug. Noch größer wurde in der gleichen Zeit die Abhängigkeit von Einfuhren aus Deutschland: Hier lag der Tiefpunkt mit 15,5 % im Jahre 1934, während die Einfuhr aus Großbritannien mit 16,3 % nur knapp darüber lag. Schon 1935 machte der deutsche Anteil aber 23,8 % aus und blieb in den folgenden Jahren weit über 25 %; 1938 wurden fast 37 % erreicht; der Anteil Großbritanniens und Frankreichs zusammen lag in den gleichen Jahren um 15 %[23].

Bevor sich diese Entwicklung auch innen- und außenpolitisch auswirkte, versuchte Carol nach dem Scheitern der Regierungen der Nationalțaranisten, die sich, während sie in der Regierungsverantwortung standen, abgenutzt und bei den Wahlen vom 17. VII. 1932 die Hürde der 40 % nur ganz knapp überwunden hatten, im November 1933 wieder eine Rückkehr zur Ära der Nationalliberalen, was außenpolitisch enge Bindung an Frankreich und an die Kleine Entente bedeutete. Das doppelte Problem war jedoch, daß die Nationalliberalen, von der sich eine Dissidentengruppe unter Gheorghe Brătianu (1898–1955 – in Haft gestorben, Sohn von Ion Brătianu d. J.) abgespalten hatte, weder in Ion Brătianus zweitem Bruder Constantin (1866–1950, in Haft gestorben), der 1934 die Parteiführung übernahm, noch in dem Ministerpräsidenten der Jahre 1934 bis 1937 Gheorghe Tătărescu (1886-1961) eine überragende Persönlichkeit aufzuweisen hatten und daß die im Gefolge der französischen Politik betriebene allmähliche Annäherung an die Sowjetunion auf starke Widerstände in der öffentlichen Meinung stieß.

Auch wurde das Parteienspektrum, das bis 1931 durch die beiden Blöcke der Liberalen und der Nationalţaranisten bei geringer Rolle der Sozialdemokraten, Kommunisten und rechter Splitterparteien und nur gelegentlicher Bedeutung von Averescus »Volkspartei« einigermaßen überschaubar gewesen war, durch die Spaltung der Liberalen, mehrere Abspaltungen von der Nationalţaranistischen Partei[24] sowie die zunehmende Bedeutung der Christlich Nationalen Partei (die auch unter anderen Namen auftrat) unter dem bedeutenden Schriftsteller Octavian Goga (1881-1938) und der »Eisernen Garde«[25] unter Corneliu Z. Codreanu (1899-1938) immer unübersichtlicher und labiler. Daß auch die Kommunisten trotz zahlenmäßiger Schwäche eine nicht zu übersehende Kraft darstellten, zeigte der von ihnen organisierte Streik der Eisenbahner im Februar 1933, der nur durch die Ausrufung des Ausnahmezustandes mit entsprechenden Maßnahmen unterdrückt werden konnte[26].

Nach dem Rücktritt der letzten nationalţaranistischen Regierung unter Vaida-Voevod am 15. XI. 1933 berief Carol zunächst den Führer der Nationalliberalen Partei Ion Duca (1879-1933) an die Spitze der Regierung. Dieser versuchte, gegen die radikalen Gruppen der »Eisernen Garde« durch Massenverhaftungen von 18 000 »Legionären« energisch vorzugehen; er erzielte auch am 20. XII. mit 51 % und 300 Mandaten ein gutes Wahlergebnis, doch wurde er schon am 29. XII. 1933 auf dem Bahnhof von Sinaia von Legionären ermordet[27]. Der am 3. I. 1934 an seine Stelle getretene Exponent der Jungliberalen, Gh. Tătărescu, blieb bis zum 28. XII. 1937 Ministerpräsident, mußte aber die Regierung mehrere Male umbilden. Da nicht er, sondern Constantin Brătianu die Parteiführung übernahm, war er stärker auf das Vertrauen des Königs angewiesen, der auch zunehmend selbst in die Politik eingriff.

Wirtschaftlich brachten die Jahre nach 1934 eine Stabilisierung, da die Liberalen, die wirtschaftlich nicht liberal, sondern schutzzöllnerisch und protektionistisch waren, mit französischer und tschechischer Hilfe eine forcierte Industrialisierungs- und Aufrüstungspolitik betrieben, was mit den geschilderten Wirtschaftsbeziehungen zum Deutschen Reich so lange in Einklang zu bringen war, als dieses sich der Isolierung gegenübersah und deshalb die Beziehungen nach Südosteuropa um jeden Preis zu intensivieren suchte.

Außenpolitisch wurde insbesondere von dem von 1932 bis 1936 in mehreren Regierungen amtierenden Außenminister Nicolae Titulescu[28] (1882-1941) die Linie der unbedingten Abwehr von jeder Form des Revisionismus vertreten. Zu seinen Erfolgen gehörte der von ihm besonders angestrebte Abschluß des Balkanpakts am 9. II. 1934 und die am 13. VI. 1934 nach mehrfach gescheiterten Verhandlungen erfolgte Aufnahme diplomatischer Beziehungen mit der Sowjetunion[29], die dabei zwar nicht Rumäniens Recht auf Bessarabien, wohl aber die »Souveränität« über dieses anerkannte. Nach 15 Jahren wurde der Grenzverkehr aufgenommen und am 17. II. 1936 auch ein Handelsabkommen mit der Sowjetunion geschlossen, ohne daß allerdings der Warenaustausch einen nennenswerten Umfang erreicht hätte. Die weiteren Konsequenzen einer folgerichtigen antirevisionistischen Politik, nämlich, dem Beispiel Frankreichs und der Tschechoslowakei folgend, der Abschluß eines rumänisch-sowjetischen Beistandspaktes, der im Mai 1935 nahegelegen hätte, wurden jedoch nicht gezogen. Dieser wäre

§ 30 Die südosteuropäischen Staaten vom I. Weltkrieg bis zur Ära der Volksdemokratien

auch kaum mit dem bestehenden und immer wieder bekräftigten polnisch-rumänischen, gerade gegen die Sowjetunion gerichteten Bündnis in Einklang zu bringen gewesen und stieß im Lande auf große Widerstände.

Das Ausscheiden Titulescus aus der erneut umgebildeten Regierung Tătărescu am 29. VIII. 1936 und seine Ersetzung durch den farblosen Victor Antonescu war ein erster Schritt auf dem Wege zu einer Umorientierung, vor allem einer Annäherung an das faschistische Italien, während im Inneren die Bekämpfung aller rechtsgerichteten politischen Gruppen insbesondere an den Hochschulen fortgesetzt wurde, so daß ein Schwebezustand hergestellt wurde. Dieser nahm ein Ende, als die verfassungsmäßig nach vier Jahren am 20. XII. 1937 fälligen Parlamentswahlen zum ersten Mal in der rumänischen Geschichte der regierenden Partei nicht die Mehrheit brachten. Trotz eines Wahlbündnisses mit der »Rumänischen Front« erhielten die Liberalen nur knapp 38 % der Stimmen, also nicht die für die absolute Mehrheit im Parlament nötigen 40 %. Dagegen erhielt die an die Stelle der aufgelösten »Eisernen Garde« getretene Bewegung »Alles für das Land« 16 % und Gogas Christliche Nationalisten 9 %. Carol betraute mit der Regierungsbildung nicht Maniu oder Mihalache, deren Partei immerhin 21 % erzielt hatte, sondern am 28. XII. 1937 Octavian Goga[30], der sofort antisemitische Maßnahmen ankündigte, sich sehr bald aber als unfähig erwies, die Unterstützung anderer Parteien zu gewinnen, und keine Mehrheit im Parlament erreichen konnte.

Carol, der mit dieser Berufung eines politisierenden Schriftstellers wohl bewußt die Lage verschärft hatte, berief nach Auflösung des Parlaments und Gogas erzwungenem Rücktritt am 11. II. 1938 den Patriarchen Miron Cristea und ging zur autoritären Regierungsform über.

[1] Eine zusammenfassende Darstellung dieser Epoche liegt nicht vor; sie wird jedoch in Bd. 10 der »Histoire des Roumains« des Altmeisters der rumänischen Geschichtsschreibung, *N. Iorga* (1945), noch knapp mitbehandelt. Das für den westeuropäischen Leser geschriebene Standardwerk von *R. W. Seton-Watson*, A History of the Roumanians (1934, Ndr. 1963; fr. 1937); dazu kritisch *S. Fischer-Galati:* Südostforsch 24 (1965), S. 325–331, reicht nur bis 1920. Man ist also auf die oben erwähnten Gesamtwerke angewiesen. Die neueste Geschichte wird mitbehandelt in den eher landeskundlich-politischen Büchern von *W. Höpker,* Rumänien diesseits und jenseits der Karpaten (1936), *W. Hoffmann,* Rumänien von heute (³1942), und *N. L. Forter,* The Roumanian Handbook (1931, Ndr. 1971).

[2] Von den 2 631 000 Einwohnern waren 1919 1 683 000 (knapp 65 %) Rumänen, 267 000 Juden, 254 000 Ukrainer, 134 000 Russen, 79 000 Deutsche und 214 000 Sonstige (Bulgaren, Zigeuner, Gagausen, Tataren, Türken). Das Bevölkerungsbild war also außerordentlich bunt. Quelle: Dicționarul Statistic al Basarabiei (1923); Hdwb. d. Grenz- u. Auslandsdeutschtums, hg. v. *C. Petersen* u. *O. Scheel,* Bd. 1 (1933), S. 395. Dementsprechend hatte der Nationalrat, der Sfat, der am 8. IV. 1918 die Union mit 86 von 125 Stimmen aussprach, unter seinen 138 Deputierten 103 Rumänen, 13 Ukrainer, 7 Russen, 7 Juden, 2 Deutsche und 7 »Sonstige«.

[3] Vgl. *V. A. Varga,* Der Rückzug der deutschen Armee Ende 1918 aus Rumänien: ZGWiss 9 (1961), S. 1014–1039.

[4] Auf einem Gebiet von 10 442 km² lebten nach der österr. Volkszählung von 1910 800 000 Einwohner, darunter 273 000 (34,4 %) Rumänen, 305 000 (38,4 %) Ukrainer, 169 000 (21,2 %) Deutsche, von denen 96 000 der israelit. Konfession angehörten, außerdem größere Gruppen von Polen und Madjaren. Das Bild war also ebenso bunt wie in Bessarabien, doch wurden die Rumänen politisch durch die Deutschen unterstützt.
Die von den Ukrainern angefochtene rumänische Volkszählung vom 28. II. 1919 stellte dagegen 379 000 Rumänen und nur 227 000 Ukrainer fest, bei nur unwesentlich verringerten Zahlen für die anderen Nationalitäten. Quelle: Österr. Statistik, N. F. Bd. 1, H. 1

I. a) Großrumänien als konstitutionelle Monarchie (1918-1939)

u. 2 (1912-14); Dicţionarul statistic al Bucovinei etc. (1922); Hdwb. d. Grenz- u. Auslandsdeutschtums, Bd. 1, S. 615-617.
[5] Der Vereinigung des zwischen Ungarn und Rumänien umstrittenen Landes mit Rumänien sind beiderseits besonders viele Darstellungen gewidmet worden. Der rumänische Standpunkt jetzt in: Unification of the Romanian National State. The Union of Transylvania with Old Romania, hg. v. *M. Constatinescu* u. *S. Pascu* (1971), sowie für die kulturell-geistige Vorgeschichte: *V. Curticapeanu,* Le mouvement culturel pour le parachèvement de l'état national Roumain 1918 (1973), und die letzten Beiträge des von *D. Berciu* herausgegebenen Sammelwerks: Unitate şi continuitate în istoria poporului român (1968).
Der ungarische Standpunkt am eindrucksvollsten in »Siebenbürgen«, hg. v. d. Ungarischen Hist. Gesellschaft (1940), einem Monumentalwerk, auf das d. Inst. f. rumän. Geschichte mit einem ähnlichen Monumentalwerk »Siebenbürgen« (2 Bde. 1943), ebenfalls in deutscher Sprache, antwortete.
Nach der ungarischen Volkszählung von 1910 lebten im eigentlichen Siebenbürgen 2 678 000 Einwohner, davon 1 472 000 (55 %) Rumänen, 918 000 (34,3 %) Ungarn und 234 000 (8,7 %) Deutsche, der Rest von 2 % Zigeuner und andere.
[6] Engl. Übersetzung d. Resolution in: Unification, S. 282-284.
[7] Bei einer Gesamtbevölkerung der drei das Banat bildenden Komitate Temes (rum. Timiş), Krassó-Szöreny (rum. und deutsch Caraş Severin) u. Torontal von 1 582 000 im Jahre 1910 stellten die Rumänen 592 000 (37,3 %); die Serben mit 284 000 (17,9 %) waren erst die drittgrößte Gruppe hinter den Deutschen mit 388 000 (fast 24 %); sie bildeten aber im westlichen Komitat Torontal die Mehrheit, allerdings mit 35 % der Gesamtbevölkerung nur die relative, während die Deutschen hier fast 28 %, die Rumänen aber nur 15 % stellten.
[8] Vgl. die ihn rechtfertigende Schrift *G. I. Brătianu,* Acţiunea politică şi militară a României în 1919 in lumina corespondenţii diplomatice a lui Ion I. C. Brătianu (²1940).
[9] Die gegenwärtige rum. Geschichtsschreibung sucht dieses Bild zu korrigieren, z. B. *G. Unc,* Die Solidarität der Werktätigen Rumäniens mit der proletarischen Revolution in Ungarn (1970).
[10] Nach Anuarul statistic 1937/38. Vgl. dazu *W. Krallert,* Geschichte u. Methode d. Bevölkerungszählung im Südosten, Teil I. Rumänien: DALdVolksforsch 3 (1938), S. 489-508. Im Anhang zu *Seton-Watson,* History (Anm. 1), werden für 1930 falsche Nationalitätenzahlen angegeben. Die Zahlen für die Muttersprache differieren, da z. B. 210 000 Juden jüd. Volkstum, aber andere Sprachen als das Jiddische angegeben hatten. Ähnliches gilt für 160 000 der insgesamt 262 000 Zigeuner.
[11] Das wenig übersichtliche rumän. Parteiensystem der zwanziger Jahre ist an keiner Stelle befriedigend analysiert. Auch der Abschnitt Political Parties bei *N. L. Forter,* The Roumanian Handbook (Anm. 1), S. 14-20, beschränkt sich auf sehr allgemeine Angaben, das gleiche gilt für die Übersicht bei *M. Huber,* Grundzüge.
[12] Texte in: Politica externă a României (1925).
[13] Zur Bessarabienfrage s. d. zeitgenössische Studie von *G. Uhlig,* Die bessarabische Frage (1926), *I. Frunza,* Bessarabien. Rumänische Rechte und Leistungen (1941), und *A. Popovici,* The Political Status of Bessarabia (1931).
[14] Darstellung und Wertung der Agrarreform bis zum Jahre 1929 bei *H. Baumberger-Deimling,* Die agrarische Umwälzung in Großrumänien, in: Die agrarischen Umwälzungen im außerrussischen Osteuropa, hg. v. *M. Sering* (1930), S. 341-395. Zur Streitfrage der unverhältnismäßigen Benachteiligung der Ungarn in Siebenbürgen vgl.: La réforme agraire roumaine en Transylvanie devant la justice internationale et le Conseil de la Société des Nations. Quelques opinions (1928). Neue rumän. Darstellung: *D. Şandru,* Reforma agrară din 1921 în România (1975).
[15] Zur Verfassungsfrage vgl. *E. Schmidt,* Die verfassungsrechtliche und polit. Struktur des rumän. Staates in ihrer historischen Entwicklung (1932). Im Anhang sind alle Verfassungstexte bis 1923 in Französisch bzw. in deutscher Übersetzung abgedruckt. Ausführliche Wiedergabe der Verfassung vom 28. III. 1923 bei *C. G. Rommenhöller,* Groß-Rumänien etc. (1926), S. 34-79.

§ 30 Die südosteuropäischen Staaten vom I. Weltkrieg bis zur Ära der Volksdemokratien

Zur Entwicklung der Verfassungen bis zur Verf. von 1952 vgl. *D. Ionescu, Gh. Ţuţui, Gh. Matei,* Desvoltarea constituţională a Statului Român (1957).
[16] Zusammenfassend über die Agrarfrage nach der Reform und die Bauernparteien: *O. R. Liess,* Rumänische Bauernparteien, in: Europäische Bauernparteien im 20. Jh., hg. v. *H. Gollwitzer* (1977), S. 437–465. Vgl. a.: *D. Mitrany,* The Land and the Peasant in Roumania (1930).
[17] Die Distrikteinteilung wurde endgültig durch Gesetz vom 13. VI. 1925 geregelt. Die Zahl der Distrikte verringerte sich später auf 71.
[18] Zur Nachfolgekrise vgl. *Th. Neşşa,* Criza dinastică din 1926–1930: Studii 10 (1957), H. 6, S. 39–63.
[19] Über ihn eine Biographie von *E. Wolbe,* Kg. Ferdinand, der Begründer Groß-Rumäniens (1938).
[20] Zu der umstrittenen und widersprüchlichen Gestalt Carols II. vgl. *A. Hillgruber,* Hitler, König Carol und Marschall Antonescu; die deutsch-rumänischen Beziehungen 1938–1944 (1954). Wenig zuverlässig ist die Biographie von *J. v. Kürenberg* (d. i. *J. v. Reichel),* Carol II. und Madame Lupescu (1952). Wieweit Madame Lupescu den ihr zugeschriebenen politischen Einfluß tatsächlich hatte, ist nicht festzustellen; mit Sicherheit war sie äußerst geschäftstüchtig und vermehrte das bedeutende Privatvermögen des Königs, der sie erst sieben Jahre nach seiner Abdankung in Portugal im Jahre 1947 heiratete. Die Tatsache, daß Helene Lupescu Jüdin war, gab dem in Rumänien ohnehin starken Antisemitismus zusätzliche Nahrung.
[21] N. Iorga, in den ersten Jahren nach 1945 als bürgerlicher Politiker negativ abgestempelt, wird seit Anfang der sechziger Jahre in Rumänien wieder voll gewürdigt. Vgl.: Nicolas Iorga, l'homme et l'oeuvre à l'occasion de la centième anniversaire de sa naissance, hg. v. *D. M. Pippidi* (1972). Eine Würdigung im Exil von *P. Seicaru,* N. Iorga (1957).
[22] Vgl. dazu *R. Schönfeld,* Die Balkanländer in der Weltwirtschaftskrise: VjschrSozialWirtschG 62 (1975), S. 179–213. Die folgenden Zahlenangaben entstammen dieser sehr instruktiven und gut dokumentierten Untersuchung. Vgl. auch *H. Raupach,* Die Auswirkungen der Weltwirtschaftskrise in Ostmitteleuropa: VjhefteZG 24 (1976), S. 38–56.
[23] Zahlen bei *W. Hoffmann,* Rumänien von heute ([3]1942), Tabelle auf S. 241 und 242. Demgegenüber lag der Anteil des Bündnispartners Polen bei der Ausfuhr zwischen 1 und 1,7 %, bei der Einfuhr zwischen 0,9 und 3,2 %. Der Austausch mit der Sowjetunion lag, wenn er überhaupt stattfand, in beiden Richtungen weit unter 0,5 %.
[24] Es entstanden: 1932 die Agrarpartei unter C. Argetoianu, die Radikale Bauernpartei unter Gr. Iunian, 1933 die linksradikale »Front der Pflüger« unter Petru Groza, der 1945 Ministerpräsident werden sollte, davor aber ohne größere Bedeutung blieb. Am meisten Abbruch tat den Naţionalţaranisten der Austritt von Vaida-Voevod, der im Mai 1935 die autoritär eingestellte »Rumänische Front« gründete.
[25] Codreanu ist ein eigenartiges Beispiel für einen stark religiös-asketisch geprägten fanatischen Nationalismus, der weder von Faschismus noch von Nationalsozialismus wesentlich beeinflußt war. Die von ihm bewußt nicht als Partei, sondern als »Lebensform« aufgebaute »Eiserne Garde« oder »Legion des Erzengels Michael« hatte außer scharfem Antisemitismus, Antimarxismus und der Betonung einfacher Lebensweise mit stark religiöser Note kein eigentliches Programm, zog aber vor allem junge Menschen an. Codreanu, dessen Vater noch Zelinski hieß und dessen Mutter eine Buchenländer Deutsche war, bekannte sich zu einem glühenden mythisch-christlich geprägten Nationalismus. Vgl. seine Schriften auf Deutsch: Eiserne Garde (1939). Eingehend über die Bewegung: *N. M. Nagy-Talavera,* The Green Shirts and the Others. A History of Fascism in Hungary and Rumania (1970).
[26] Verständlicherweise widmet die gegenwärtige rum. Geschichtsschreibung der offenen und versteckten Aktivität der seit dem 5. IV. 1924 verbotenen Kommunist. Partei sehr viel Aufmerksamkeit; die Literatur ist kaum zu übersehen. Vgl. u. a. *M. Constantinescu,* La Création du Parti Comm. Roum., événement mémorable du développement du mouvement ouvrier et de l'histoire du peuple roumain: EtHistContempRoum II (1971), S. 7–18; *P. Constantinescu-Iasi;* La lutte pour la création du Front populaire en Roumanie (1972); *I. Babici,* Boevaja antifašistskaja solidarnost' 1933–1939 gg. (Die kämpfende antifaschistische Solidarität; 1974), u.v.a.m.

I. b) Rumänien unter der Königsdiktatur (Februar 1938–September 1940)

Auch die sonst sehr unbefriedigende »Histoire de la Roumanie« rechnet den rein wirtschaftlich motivierten Streik (Lohnkürzungen um 10–12,5 % waren unmittelbarer Anlaß) unter die »premières grandes actions du prolétariat mondial contre le fascisme« (S. 345). Tatsächlich hatte die KP unter den Rumänen nur sehr wenige Anhänger, einige mehr unter Ungarn, Ukrainern und Juden, was ihr den Vorwurf einbrachte, sie sei nicht rumänisch.

[27] Der politische Mord, nach Codreanus Tod von den »Legionären« mehrfach verübt, gehörte zu seinen Lebzeiten nicht zu den Praktiken der Garde. Die drei Attentäter ließen sich nach der Tat widerstandslos festnehmen und wurden von den Legionären entsprechend heroisiert.

[28] Empfehlenswert: *I. M. Oprea,* Nicolae Titulescu's Diplomatic Activity (1968).

[29] Dazu die einseitige, aber materialreiche sowjet. Darstellung von *J. M. Kopanskij* u. *I. E. Levit,* Sovetsko-rumynskie otnošenija 1929–1934 gg. (Die sowjet.-rumän. Beziehungen; 1971).

[30] Zweifellos gehörte der aus Rășinari bei Hermannstadt in Siebenbürgen stammende Goga, dessen Lyrik von Eminescu u. Petöfi beeinflußt war und dessen Lieder z. T. zu Volksliedern wurden, zu den bedeutendsten, auch im heutigen Rumänien anerkannten Dichtern. Politisch war er eher ein Wirrkopf, der an Hitler sofort eine Neujahrsbotschaft richtete und gleichzeitig bat, die Eiserne Garde nicht zu unterstützen. Er überlebte seinen Rücktritt nur um wenige Wochen.

b) Rumänien unter der Königsdiktatur gegenüber dem Druck des Revisionismus (Februar 1938–September 1940)

Die zweieinhalb Jahre von Carols II. Diktatur waren, abgesehen von den wachsenden außenpolitischen Schwierigkeiten, die sich schließlich zur Katastrophe gestalteten[1], durch eine Politik der Unsicherheit und des Hin und Her im Inneren gekennzeichnet, bei der das Fehlen jeder Konzeption und einer den König wirklich stützenden politischen Kraft dem Zufall und einigen Personen besonders großen Einfluß einräumte. Von einer starken, konsequent vorgehenden Regierung konnte nicht die Rede sein: In den 31 Monaten gab es zehn Regierungen mit sechs Ministerpräsidenten, die allein in den vier Monaten von Mai bis September 1940 viermal die Regierung umbilden bzw. neu bilden mußten. Daß Carol bei seinem Rücktritt bei niemandem mehr Sympathien hatte und das Land heimlich verlassen mußte, lag nicht nur an dem außenpolitischen Debakel, sondern vor allem daran, daß er alle politischen Gruppierungen enttäuscht und niemanden für sich zu gewinnen gewußt hatte.

Die nur knapp zwei Monate im Amt befindliche erste Regierung Cristea, die Carol am 11. II. 1938 noch im Einklang mit § 93 der Verfassung von 1923 berief, hatte den Charakter einer Regierung der nationalen Konzentration, da ihr alle ehemaligen Ministerpräsidenten mit Ausnahme von Maniu als »Staatsminister« angehörten, da mehrere Minister aus den großen Parteien kamen und da das Kriegsministerium mit einem der fähigsten Offiziere der Armee, General Ion Antonescu[2] (1882–1946), besetzt wurde, der für die materielle und moralische Stärkung der Armee eintrat und in lebhafter Opposition zum Hof und der dort herrschenden Kamarilla, insbesondere zum Hofminister Urdareanu stand.

Die staatsstreichartige Umwälzung folgte am 12. II., als König und Regierung wesentliche Teile der Verfassung außer Kraft setzten und eine neue Verfassung ankündigten, die offenbar schon früher ausgearbeitet worden war und bereits am 21. II. verkündet wurde[3]. In ihren hundert Artikeln wurde vor allem die Stellung des Königs gestärkt, der die Gesetzesinitiative praktisch allein erhielt, die gesetzgebenden Körperschaften nur einmal jährlich zu berufen brauchte und sie jederzeit vertagen konnte. Die Wahl für diese sollte nicht nach Parteien, sondern nach

Persönlichkeiten erfolgen. Das Wahlalter wurde auf 30 Jahre hinaufgesetzt, das Wahlrecht an die Zugehörigkeit zu drei großen Berufsgruppen gebunden. Die Freiheits- und Bürgerrechte wurden erheblich eingeschränkt und durch Pflichten ergänzt. Bereits drei Tage später, am 24. II., wurde eine nur als Farce zu bezeichnende mündliche (!) Volksbefragung durchgeführt, bei der 99,87 % sich für die Verfassung aussprachen.

Durch königliches Dekret vom 30. III. 1938 wurden alle politischen Parteien aufgelöst, die Bildung neuer politischer Organisationen praktisch unmöglich gemacht. Gleichzeitig wurde die zweite Regierung Cristea gebildet, der weder ein ehemaliger Liberaler noch General Antonescu mehr angehörten. Die ehemaligen Ministerpräsidenten wurden in einen neugebildeten, eher dekorativen »Kronrat« berufen. Der »starke Mann« dieser »Regierung der aufbauenden Arbeit« war der Innenminister Calinescu[4], ein früherer Nationalţaranist. Er bekämpfte insbesondere Codreanu, der seine Bewegung »Alles für das Vaterland« *(Tot pentru ţara)* noch vor dem Parteienverbot aufgelöst hatte, und die Legionäre. Codreanu wurde am 19. IV. verhaftet, zunächst wegen Beleidigung Iorgas, dann wegen Landesverrat zu zehn Jahren Zwangsarbeit verurteilt (28. V.). Weitere Verurteilungen führender Legionäre zu hohen Gefängnisstrafen folgten.

Während Codreanu auch sein Eintreten für eine stärker auf das Deutsche Reich ausgerichtete Politik und seine angeblichen Verbindungen zu Parteistellen der NSDAP vorgeworfen wurden, wurde die deutsche Volksgruppe[5], die in den vergangenen Jahren scharfen Restriktionen unterworfen gewesen war, durch Berufung von Rudolf Brandsch in das neu geschaffene Minderheitenkommissariat (5. VIII. 38) etwas aufgewertet. Durch das Partei- und Organisationsverbot und durch ein die lokale Autonomie aufhebendes Verwaltungsgesetz vom 15. VIII. 1938 wurde sie aber ebenfalls schwer in Mitleidenschaft gezogen.

Während der Sudetenkrise bemühte sich Carol II. um vorsichtige Neutralität und stellte sich der möglichen Gewährung des Durchmarschrechts für sowjetische Truppen zwecks Hilfeleistung für die Tschechoslowakei entschieden entgegen. Da mit der Entscheidung von München die Kleine Entente praktisch wertlos geworden war, wurde bei einem Besuch des polnischen Außenministers Beck in Rumänien (19. X. 1938) die Festigkeit des rumänisch-polnischen Bündnisses besonders betont. Die noch im November unternommenen Reisen Carols nach London und Paris zeigten dem König, daß in beiden Ländern kaum mit wesentlicher Unterstützung für Rumänien zu rechnen war, so daß Carol die Einladung Hitlers zu einem Gespräch[6] am 24. XI. annahm. Dieses beruhigte den König in Bezug auf weitergehende Absichten Hitlers, so daß er sich, als Mitglieder der verbotenen Eisernen Garde durch ein Attentat auf den Rektor der Universität Klausenburg, Ştefanescu-Goânga, einen willkommenen Anlaß boten, zu härteren Maßnahmen entschloß. Codreanu und 13 andere gefangene Legionäre wurden am 30. XI. »auf der Flucht erschossen«, in Wirklichkeit erdrosselt. Dieser Mord brachte zwar eine erhebliche vorübergehende Trübung der deutsch-rumänischen Beziehungen, verbreitete aber auch soviel Furcht, daß die am 15. XII. verkündete Absicht, eine Einheitspartei, die »Front der nationalen Wiedergeburt« zu bilden, auf keinen entscheidenden Widerstand stieß. Auch die deutsche »Volksgemeinschaft«, deren zerstrittene Gruppierungen sich im November 1938 zu gemeinsamem Handeln zusammengefunden hatten, trat im Januar 1939 dieser Einheitspartei korporativ bei.

Auch im Jahre 1939 setzte Carol seine Politik des Sowohl-als-auch im Äußeren bei gleichzeitigem weiterem Ausbau seiner Diktatur zu einem totalitären Staat zunächst erfolgreich fort, unterstützt von dem am 23. XII. 1938 zum Außenmini-

I. b) Rumänien unter der Königsdiktatur (Februar 1938–September 1940)

ster ernannten geschickten Diplomaten Grigore Gafencu[7]. So bat Rumänien anläßlich des Einmarsches in die Tschechoslowakei um eine Garantie Großbritanniens und Frankreichs gegenüber einer möglichen Bedrohung von Seiten Deutschlands, die es am 13. IV. durch öffentliche Erklärungen Chamberlains und Daladiers auch erhielt. Während die Verhandlungen darüber liefen, die auch zu Wirtschaftsabkommen mit Frankreich (31. III.) und Großbritannien (11. V.) führten, wurde aber am 23. III. 1939 ein sehr weitgehender Wirtschaftsvertrag zwischen Rumänien und Deutschland geschlossen, in dem die wechselseitige Abstimmung der Produktion beider Länder und die Zurverfügungstellung deutschen Kapitals für den Ausbau der rumänischen Volkswirtschaft vereinbart wurden. Die wirtschaftliche Bindung an Deutschland wurde dadurch noch stärker; es war 1939 mit fast 40 % an der rumänischen Einfuhr und mit 32,3 % an der Ausfuhr beteiligt, die beiden Westmächte zusammen nur mit 13,9 bzw. 17,5 %[8].

Im Inneren trat nach dem Tode des Patriarchen Cristea am 8. III. Armand Calinescu an die Spitze der Regierung und setzte die Politik der *einen* Staatspartei und des erbarmungslosen Kampfes gegen die Reste der Eisernen Garde fort, deren neuer Führer Horia Sima mit einigen Vertrauten in Deutschland stillschweigend Asyl genoß. Die am 1. und 2. VI. 1939 endlich durchgeführten Parlaments- und Senatswahlen in drei Berufsgruppen brachten mit Hilfe einer Einheitsliste nur regierungstreue Abgeordnete ins Parlament, das praktisch keine echten Funktionen hatte.

In den Krisentagen des August 1939, während der Bündnispartner Polen aufs äußerste bedroht war und das Ribbentrop-Molotov-Abkommen für Rumänien auch ohne Kenntnis der Abmachungen über Bessarabien gefährlich erscheinen mußte, ließ Carol am 15. VIII. zwar teilweise mobilisieren, so daß 500 000 Mann unter Waffen standen, gleichzeitig aber am 25. VIII. in Warschau mitteilen, daß Rumänien im Fall eines deutsch-polnischen Konflikts strikte Neutralität bewahren werde. Es erklärte auch nach Kriegsausbruch am 4. IX. seine Neutralität und schloß auf deutschen Druck hin am 15. IX. seine Grenze gegenüber Polen in der Weise, daß die Überschreitung nur einzelnen Personen, auch Soldaten, jedoch nicht ganzen Einheiten gestattet wurde. Mit dem Vormarsch der Roten Armee auf polnisches Gebiet am 17. IX. war an sich der im Bündnis mit Polen vom 3. III. 1921 vorgesehene *casus foederis* gegeben, doch schloß sich Rumänien praktisch der sowjetischen Begründung an, daß der polnische Staat nicht mehr existiere. Es nahm den polnischen Oberbefehlshaber Marschall Rydz-Śmigły, der im Bündnisfall an die Spitze der verbündeten polnischen und rumänischen Armee treten sollte, ebenso wie Staatspräsident Mościcki und die Mitglieder der Regierung Sławoj-Składkowski[9] nur als Privatpersonen auf, erlaubte ihnen keinerlei Regierungshandlungen und hielt sie unter Bewachung.

Während dieser kritischen Tage wurde Ministerpräsident Calinescu am 21. IX. in Bukarest von Legionären ermordet[10], die der folgenden Verhaftung keinen Widerstand leisteten und sofort erschossen wurden. In einem grausamen Strafgericht wurden zahlreiche in Haft oder in Konzentrationslagern festgehaltene Legionäre in den folgenden Tagen im ganzen Land erschossen[11].

Als Carol auf diese Weise unbeugsame Härte gezeigt hatte und eine akute Gefahr während des »Sitzkrieges« im Winter 1939/40 nicht zu bestehen schien, zumal sich das sowjetische Interesse auf die baltischen Staaten und Finnland konzentrierte, lenkte er durch die Berufung des früheren Ministerpräsidenten Tătărescu an die Spitze der Regierung am 24. XI. 1939 wieder ein und versuchte sogar, Legionäre niedrigerer Ränge zum Eintritt in die Staatspartei zu bewegen.

Während die Erdöl- und Rohstofflieferungen nach Deutschland der Wirtschaft eine Hochkonjunktur brachten, wurde noch im Winter 1939/40 etwa 40 000 internierten polnischen Soldaten die Evakuierung über See nach Frankreich ermöglicht.

Die Sorge um Bessarabien vergrößerte sich, als Molotov am 29. III. 1940 in Moskau betonte, daß die Sowjetunion mit Rumänien keinen Nichtangriffspakt geschlossen habe. Daß trotz britischer Garantieerklärung keine Hilfe von Großbritannien erwartet werden konnte, war nach einer britischen Mitteilung vom 14. XII. 1939 deutlich, in der betont wurde, daß Hilfe nur mit Zustimmung der Türkei geleistet werden könne, die tatsächlich nicht zu erwarten war.

Während die britische Störaktion auf der Donau Anfang April 1940 noch einmal Gelegenheit gab, die strikte Neutralität Rumäniens zu betonen, machte der überraschend schnelle Zusammenbruch Frankreichs schon im Mai deutlich, daß sie nicht mehr aufrechterhalten werden konnte. Am 1. VI. 1940 wurde dementsprechend der als »Westler« geltende Außenminister Gafencu durch den bisherigen Verkehrsminister Ion Gigurtu ersetzt, der als deutschfreundlich galt. Gleichzeitig, am 27. V. 1940, wurde der lange vorbereitete »Ölpakt« unterzeichnet, durch den sich Rumänien verpflichtete, die gesamte dem Staat zustehende Erdölmenge gegen Warenlieferungen an Deutschland abzugeben, und zwar zu den günstigen Preisen vom Oktober 1939[12]. Die Schwenkung ins deutsche Lager war damit programmiert, wenn auch am 6. VI. 1940 noch ein Wirtschaftsabkommen mit Großbritannien unterzeichnet wurde. Diese Schwenkung rettete Rumänien aber nicht vor dem sowjetischen Ultimatum vom 26. VI.[13], das mit einer Frist von 24 Stunden die Abtretung ganz Bessarabiens, der nördlichen Bukowina und der zur Moldau gehörenden Stadt Herța forderte.

In einem am 27. VI. tagenden Kronrat sprachen sich zwar einige Mitglieder, darunter der Historiker Iorga, für Widerstand aus, da aber vom deutschen Gesandten Fabricius Nachgeben angeraten wurde und die Inanspruchnahme der britischen Garantieerklärung aussichtslos war, erklärte sich Carol zu Verhandlungen bereit, doch erklärte Molotov dem rumänischen Botschafter Davidescu, daß nur sofortige, am 28. VI. beginnende Räumung in Frage käme, die nach Annahme des zweiten Ultimatums in überstürzter Form unter Zurücklassung fast allen Kriegsmaterials und der Akten durchgeführt werden mußte. Etwa 40 000 Flüchtlinge, meist Beamte mit ihren Familien, mußten in kürzester Frist aufgenommen werden.

Wenige Wochen später, am 2. VIII. 1940, wurde die 1924 gegründete Moldauische Autonome Republik unter Einbeziehung Bessarabiens in die Moldauische Sowjetrepublik, die dreizehnte Sowjetrepublik, umgewandelt, während die nördliche Bukowina in die Ukrainische Sowjetrepublik einbezogen wurde. Eine vertragliche Festlegung der neuen Grenzen erfolgte nicht, obwohl die Sowjetunion im Falle Bessarabiens bei Herța die Grenzen des Berliner Vertrages von 1878 überschritten und in der Bukowina überhaupt ganz neue, ungefähr die ethnographischen Verhältnisse berücksichtigende Grenzen gezogen hatte, die in keinem bisherigen Vertrag festgelegt worden waren.

Nach dem Schock des 26./27. VI. erbat Carol von Hitler die Garantie der nunmehrigen Grenzen, erhielt aber sofort eine ungehaltene abweisende Antwort. Daraufhin wurde durch Verzicht auf die ohnehin wertlos gewordene britische Garantie am 1. VII. und durch Bildung einer Regierung Gigurtu mit Mitgliedern der früheren Christlich-Nationalen Partei und dem als deutschfreundlich angesehenen Mihail Manoilescu[14] als Außenminister am 4. VII. weiteres Wohlverhalten an den Tag gelegt, und Carol bemühte sich fieberhaft, Hitlers Zustimmung und Hilfe zu erlangen. Auch der Austritt Rumäniens aus dem Völkerbund (11. VII.)

konnte aber Hitler, der am 10. VII. den ungarischen Ministerpräsidenten Graf Teleki in Berlin empfangen hatte, nicht umstimmen. Die kühle Antwort vom 15. VII.[15] verlangte vor allem die Einigung mit den Nachbarn Ungarn und Bulgarien, bevor dem Wunsch auf Entsendung von »Lehrtruppen«, die zugleich deutsche Garantie bedeutet hätte, stattgegeben werden könne.

Der Erfolg eines Besuches von Gigurtu und Manoilescu am 26. VIII. auf dem Berghof waren ungarisch-rumänische Verhandlungen in Turnu Severin über Abtretungen in Siebenbürgen und bulgarisch-rumänische Verhandlungen über die Süd-Dobrudscha in Craiova. Während die letzteren zu einer Einigung über die Wiederherstellung der Grenze von 1912 führten, die dann am 7. IX. im Vertrag von Craiova[16] (s. Beitrag Bulgarien, S. 1252) geregelt wurde, wurden die Verhandlungen mit Ungarn, das zwei Drittel Siebenbürgens verlangte und 23 seiner 24 Divisionen an der rumänischen Grenze aufmarschieren ließ, am 23. VIII. ergebnislos abgebrochen.

Daraufhin entschloß sich Hitler am 26. VIII. zum unmittelbaren Eingreifen und zur Einladung der Außenminister Italiens, Rumäniens und Ungarns nach Wien, wo am 29./30. VIII. ohne jegliche Diskussion der Zweite Wiener Schiedsspruch[17] gefällt wurde, bei dem in Kombination der Hitler gemachten Alternativvorschläge Rumänien zur Abtretung von 43 500 km^2 mit 2,5 Mill. Einwohnern mit sehr ungünstiger Grenzziehung gezwungen wurde. Carol entschloß sich trotz Einspruch von Maniu und Brătianu zur ultimativ geforderten Annahme und erhielt die Zusicherung, daß nunmehr deutsche Lehrtruppen entsandt werden könnten (2. IX.), während ungarische Truppen am 5. IX. mit der Besetzung des Ungarn zugesprochenen Gebietes begannen. Die ungeheure Erregung über die Abtretung Nordsiebenbürgens machte sich in heftigen Straßendemonstrationen gegen den König und gegen Italien und in einem Putschversuch der Eisernen Garde Luft. Carol versuchte durch Entlassung Gigurtus und Berufung General Ion Antonescus, den er Anfang Juli zunächst hatte verhaften und dann in einem Kloster internieren lassen, am 4. IX. den Thron für sich zu retten. Massive Abdankungsforderungen der Eisernen Garde, die Erklärung des Kommandanten der königlichen Garde, er werde nicht schießen lassen, und ultimative Vorstellungen Antonescus veranlaßten ihn aber doch zur Abdankung am 6. IX., an dem der nunmehr 19jährige König Michael I. den Treueeid leistete und Ion Antonescu unter Verleihung des Titels »Staatsführer« *(Conducatorul Statului Român)* mit unbeschränkter diktatorischen Vollmachten ausstattete.

Carol konnte zusammen mit Madame Lupescu das Land unter Mitnahme großer Vermögenswerte und mit der Zusicherung einer Jahresrente von 20 Mill. Lei am folgenden Tage verlassen; ein Versuch von Legionären, den Zug in Temesvár aufzuhalten, scheiterte.

---

[1] Am besten unterrichtet über den Zeitraum *A. Hillgruber* (s. a, Anm. 20). Weitere Einzelheiten in den Bänden VI–X der ADAP, Serie D, die ihm noch nicht zur Verfügung standen. Informativ für Wirtschaft und allgemeines kulturelles Leben *W. Hoffmann*, Rumänien von heute (s. a, Anm. 1).

[2] Die Biographie von *H. Laeuen*, Marschall A. (1943), ist auch heute noch trotz mancher zeitbedingter Nuancen unentbehrlich; eine moderne Biographie liegt nicht vor. Antonescu, Offizierssohn aus Pitești, hatte sich schon während des Bauernaufstands 1907 durch besonnenes Handeln hervorgetan, war 1919 als Major im Generalstab maßgebend am Vorgehen gegen Ungarn beteiligt, Dezember 1933 bis Dezember 1934 Chef des Generalstabs und scharfer Kritiker der Mißstände in der Armee.

[3] Dazu: *K. Braunias,* Die rumän. Verfassungsentwicklung 1923–1938: ZOsteurR 4 (1937/38), S. 771 ff. Ausführl. Wiedergabe in: Schulthess europ. Geschichtskalender (1938).

§ 30 Die südosteuropäischen Staaten vom I. Weltkrieg bis zur Ära der Volksdemokratien

[4] Seine Reden der Jahre 1938/39 in: *A. Calinescu,* Noul Regim (Cuvântări; 1939), dt. Übersetzung als Ms. gedr. (1939). Er bezeichnete die Umwälzung als »eine seelische Revolution, eine Änderung der Mentalität, eine ungeheure Revision des Gewissens« (S. 171, S. 76 der Übersetzung). Am 28. VI. 1939, genau ein Jahr vor der kampflosen Räumung Bessarabiens erklärte er: »Die Grenzen Rumäniens bleiben unberührt so lange Zeit, als noch *ein* rumänischer Soldat die Waffe in der Hand hält« (S. 182, S. 80 der Übersetzung).
[5] Dazu *W. Miege,* Das Dritte Reich und die Deutsche Volksgruppe in Rumänien 1933–1938. Ein Beitrag zur nationalsozial. Volkstumspolitik (1972).
[6] Vgl. ADAP, Serie D, Bd. V, Nr. 254, S. 282–286, Aufzeichnung Ribbentrops über die Unterredung Hitler–Carol II.
[7] Er veröffentlichte bei Kriegsende seine Memoiren in zwei Bänden: Vorspiel zum Krieg im Osten (1944), und: Europas letzte Tage (1946), beide zunächst französisch.
[8] *W. Hoffmann,* Rumänien von heute, Tabellen S. 241/42.
[9] *Sławoj-Składkowski* hat die der poln. Regierung in Rumänien zuteilgewordene erniedrigende Behandlung in seinen Memoiren: Nie ostatnie słowo oskarżonego (Das noch nicht letzte Wort des Angeklagten; 1964), S. 303–382 ausführlich beschrieben. Der casus foederis war nach Artikel 1 des Bündnisses vom 3. III. 1921 am 17. IX. 1939 eindeutig gegeben: »dans le cas où l'une d'elles serait attaquée, sans provocation de sa part, sur ses frontières orientales actuelles.« Mit ihrem Verhalten paßte sich die rumän. Regierung deutschen Wünschen an, s. Weisung Ribbentrops an den Gesandten in Bukarest vom 12. IX. und dessen Antwort vom 14. IX. in: ADAP, Ser. D., Bd. VIII, Nr. 55, S. 41 u. Nr. 64, S. 48. Schon am 16. IX. fragte Min.Präs. Calinescu, ob Rumänien nicht aus »jetziger Beute« – also von seinem geschlagenen polnischen Verbündeten – Kriegsmaterial bekommen könne. Ebd., Bericht d. Gesandten Fabricius, Nr. 74, S. 57/58.
[10] Die zunächst vom DNB verbreitete Version, hinter dem Mord stünde der britische Geheimdienst, war völlig aus der Luft gegriffen.
[11] Die Zahlenangaben über die Getöteten schwanken zwischen 200 und 300; zu ihnen gehörten u. a. der frühere Vorsitzende d. Partei »Alles für das Land«, Clime, Fürst Cantacuzino d. J., Istrati, Jugendleiter der »Garde«, die Dichter Valeriu Cârdu u. Constantin Goga, d. h. gerade die intellektuellen Köpfe der »Garde«.
[12] Vgl. Bericht des Sonderbeauftragten Neubacher vom 28. V. über den am Vortag unterzeichneten Pakt mit Einzelheiten in: ADAP, Serie D, Bd. IX, Nr. 338, S. 375. Vgl. *Neubachers* Memoiren: Sonderauftrag Südost 1940–45 (1956), S. 41–43. Bei *Hillgruber,* Hitler, S. 70, 85 und passim irrtümlich der 29. V. als Datum des »Ölpakts«.
[13] Dazu ausführlich *W. Brügel,* Das sowjet. Ultimatum an Rumänien im Juni 1940: VjhefteZG 11 (1963), S. 404–417. Vgl. auch *N. Makarov,* Die Eingliederung Bessarabiens u. d. Nordbukowina in d. Sowjetunion: ZAuslÖffR 10 (1940/41), S. 336–359. Ganz einseitig: *B. M. Kolker* u. *I. E. Levit,* Vnešnaja politika Rumynii i rumynosovetskie otnošenija, sentjabr'1939–ijun' 1941 [Die Außenpolitik Rumäniens und die rumänisch-sowjetischen Beziehungen Sept. 1939–Juni 1941] (1971). Dort wird als Grund für das Ultimatum S. 106 »der Übergang Rumäniens in das Lager Hitlerdeutschlands« angegeben.
[14] Seine schon 1937 in Französisch erschienene Studie über die »einzige Partei« wies ihn als Anhänger autoritärer Regime aus. Deutsche Fassung: Die einzige Partei als politische Institution des neuen Regime (1941).
[15] ADAP, Ser. D, Bd. X, Nr. 171, S. 178–180. König Carols hektische Bemühungen um deutsche Hilfe zwischen dem 1. und 13. VII. wie auch die späteren Verhandlungen sind in dem Band reich dokumentiert.
[16] *F. Korkisch,* Die rumänischen Gebietsabtretungen an Ungarn und Bulgarien und die Regelung damit zusammenhängender Volkstumsfragen: ZAuslÖffR 10 (1940/41), S. 707–768 mit allen Texten.
[17] Zu den dem Schiedsspruch vorausgegangenen Verhandlungen u. d. Schiedsspruch selbst s. ADAP, Serie D, Bd. X, Nr. 407–410. Der Text des Schiedsspruchs m. Begleitdokumenten Nr. 413, S. 479–484. Vgl. auch *A. Hillgruber,* Hitler, S. 89–92. Zu den ung.-rum. Verhandlungen nach dem Schiedsspruch vgl. *St. Kertész,* Diplomacy in a Whirlpool. Hungary between Nazi Germany and Soviet Russia (1953).

c) Das autoritäre Rumänien als Verbündeter des Dritten Reiches (September 1940–23. VIII. 1944)

Das neue Regime Antonescu[1], neben dem der junge König anfänglich lediglich als dekorative Figur erschien, wurde zunächst nicht von dem »Conducator« allein, sondern in erheblichem Maße von den Legionären bestimmt, deren nunmehriger Führer Horia Sima zu Lebzeiten Codreanus eher zur dritten Garnitur gehört hatte. Durch die Erschießungen vom September 1939 hatten die Legionäre ihre besten Köpfe verloren. Sie bekamen nunmehr großen Zulauf und waren auch aktiv, während die anderen Parteien sich zurückhielten, so daß Antonescu mit ihnen ein Bündnis[2] einging, sich selbst an die Spitze der Legionärsbewegung stellte und in die am 14. IX. neugebildete Regierung neben Horia Sima als Stellvertretendem Ministerpräsidenten auch weitere Legionäre als Minister aufnahm.

Das Zusammenwirken zwischen dem konservativ-soldatischen, den Begriffen von Disziplin und Pflichterfüllung verbundenen Antonescu und den revolutionär-chaotischen, zu Racheakten und Mordtaten[3] greifenden Legionären, die die Unterstützung deutscher Parteistellen zu haben glaubten und eine völlig neue Sozialordnung aufrichten wollten, führte rasch zu großen Schwierigkeiten. Da die Legionäre den Staatsapparat mit ihren Anhängern zu durchsetzen suchten, kam es Mitte Januar 1941 zum offenen Machtkampf, als Antonescu gegen den Willen der Legionäre den Innenminister Petrovicescu entließ und General Popescu ernannte, der an Stelle der zivilen, meist von den Legionären gestellten Präfekten kommissarisch Offiziere einsetzte. Am 21. I. 1941 machten die Legionäre in Bukarest einen bewaffneten Aufstand, der einen großen Teil der Stadt in ihre Hand brachte, aber in zwei Tagen niedergeschlagen wurde. Dabei hatte Antonescu deutlich das Wohlwollen Hitlers, den er am 14. I. aufgesucht und der ihm erklärt hatte, daß er, Antonescu, »der einzige sei, der die Geschicke Rumäniens leiten könne«[4]. Am 27. I. 1941 bildete Antonescu eine neue Regierung ohne Legionäre, ausschließlich aus Generalen und Fachleuten, die mit einigen Umbesetzungen bis zum 23. VIII. 1944 im Amt blieb. Die stärkste Stellung errang der bisherige Justizminister Mihai Antonescu (1902–1946), kein Verwandter des Generals, der bei Rumäniens Kriegseintritt am 22. VI. Stellv. Ministerpräsident und kurz darauf auch Außenminister wurde. Horia Sima und einige weitere führende Legionäre konnten mit Hilfe des SD nach Deutschland entkommen, wo sie in einem Lager festgehalten wurden, sozusagen als Reserve für einen Umsturz, aber ohne jeden Einfluß. Antonescu, dessen Autorität durch das Vorgehen gegen die Legionäre im Lande erheblich gewachsen war und der sich am 5. II. 1941 zum Armeegeneral befördern ließ, verzichtete nicht auf das Dekorum eines Volksentscheides, der Anfang März durchgeführt wurde und das erwartete Ergebnis fast hundertprozentiger Zustimmung brachte.

Obwohl die deutschen Sympathien für ein »revolutionäres« und »dynamisches« Rumänien durch die Ersetzung des bisherigen Gesandten Dr. Wilhelm Fabricius durch den undiplomatischen und ungeschickten SA-Führer Manfred v. Killinger[5] Ende Januar 1941 zum Ausdruck kamen, überwog das Interesse an Stabilität in Rumänien nicht nur wegen der kriegswichtigen Erdöllieferungen, sondern auch wegen der Rolle, die Rumänien im Krieg gegen Griechenland und die Sowjetunion spielen sollte.

Im Oktober 1940 kamen die ersten Einheiten der »Lehrtruppen« nach Rumänien, die zunächst mit der Ausbildung von drei rumänischen Musterdivisionen begannen, während die Masse der seit dem August 1939 mobilisierten Jahrgänge entlassen wurde. Am 23. XI. 1940 trat Rumänien anläßlich von Antonescus erstem Besuch bei Hitler dem Dreimächtepakt bei, und ein neuer Wirtschaftsvertrag vom 4. XII. 1940 legte die Zusammenarbeit für einen Zeitraum von zehn Jahren fest. Rumänien war damit fest in den deutschen Einflußbereich eingegliedert, was Großbritannien mit dem Abbruch der diplomatischen Beziehungen am 10. II. 1941 quittierte. Ein formelles Bündnis für den Krieg gegen die Sowjetunion wurde von Rumänien mit dem Deutschen Reich aber nicht geschlossen.

Am Krieg gegen das verbündete Jugoslawien[6] beteiligte sich Rumänien nicht aktiv, obwohl sein Territorium als Aufmarschgebiet benutzt wurde, stellte auch ursprünglich keine territorialen Forderungen, verlangte aber, daß das 1919 mit Jugoslawien strittig gewesene Westbanat nicht von Ungarn besetzt würde, andernfalls Rumänien es von dort vertreiben werde. Tatsächlich wurde das Gebiet, um dem schwelenden ungarisch-rumänischen Konflikt nicht weitere Nahrung zu geben, keinem der beiden Kontrahenten zugesprochen, sondern unter deutsche Militärverwaltung gestellt; spätere rumänische Grenzrevisionsforderungen wurden nicht diskutiert.

An Rumäniens aktiver Teilnahme am Krieg gegen die Sowjetunion[7] waren Hitler und Antonescu in gleichem Maße interessiert, und zweifellos war dieser Krieg beim Heer und der Bevölkerung auch populär, solange das Ziel der Wiedergewinnung Bessarabiens und der Nordbukowina nicht erreicht war. Antonescu, der Hitler am 12. VI. 1941 zum dritten Male aufsuchte[8], erklärte, daß Rumänien vom ersten Tage an am Krieg aktiv teilnehmen wolle. Um die Stellung des Mitkämpfers herauszuheben, wurde dem Oberbefehl Antonescus auch die deutsche 11. Armee unterstellt. Am 22. VI. 1941 erklärte Antonescu der unvorbereiteten Bevölkerung, daß Rumänien einen »heiligen Krieg« begonnen habe, und übernahm selbst den Oberbefehl über zwei rumänische (die 3. und 4.) und eine deutsche Armee. Die offizielle Kriegserklärung an die Sowjetunion erfolgte erst zwei Tage später[9]. Die rumänischen Angriffsoperationen begannen erst am 2. bzw. 14. VII. und brachten rasche Erfolge; schon Ende Juli waren Bessarabien und die Nordbukowina zurückgewonnen und wurden wieder in die rumänische Verwaltung übernommen.

Obwohl damit das primäre Kriegsziel erreicht war, war Antonescu trotz eindringlicher Warnungen des Königs, des liberalen Parteiführers Constantin Brătianu und des Bauernführers Iuliu Maniu, deren Parteien zwar offiziell nicht mehr existierten, praktisch aber doch vorhanden waren, zur Weiterführung des Krieges über den Dnjestr hinweg entschlossen. Ein Ausscheiden und ein Kampf gegen Ungarn zur Rückgewinnung Siebenbürgens wäre aber trotz großer Popularität im Heer und bei der Bevölkerung angesichts des deutschen Übergewichts praktisch gar nicht durchführbar gewesen.

Antonescu, am 23. VIII. 1941 zum »Marschall von Rumänien« ernannt, sagte Hitler für die Fortführung des Krieges 15 rumänische Divisionen zu und nahm durch Dekret vom 19. VIII. das Gebiet zwischen Dnjestr und ukrainischem Bug (Boh) als »Provinz Transnistrien« in Besitz, zu deren Gouverneur Gh. Alexianu ernannt wurde.

Die erste große eigene Operation des rumänischen Heeres, die der 4. Armee übertragene Einnahme von Odessa, ohne das der Besitz von Transnistrien nicht gesichert schien, zeigte jedoch die großen Mängel in Ausrüstung und Ausbildung. Erst nach zweimonatiger verlustreicher Belagerung konnte die von der Roten Armee geräumte Stadt besetzt werden. Die Verluste der knapp 4 Monate waren außerordentlich hoch, nach Angaben des Hauptquartiers 70 000 Tote und 100 000 Verwundete[10] und damit verhältnismäßig ungleich fühlbarer als die des deutschen Ostheeres, das im gleichen Zeitraum 117 000 Tote und 410 000 Verwundete verlor.

I. c) Das autoritäre Rumänien als Verbündeter des Dritten Reiches

Im Herbst und Winter 1941/42 war Rumänien vorwiegend mit Sicherungs- und Besatzungsverbänden am Krieg beteiligt, stellte aber für den Feldzug des Jahres 1942 erneut die 3. und 4. Armee mit 26 Divisionen ins Feld, die wiederum unzulänglich bewaffnet waren, vor allem über nur eine Panzerdivision verfügten. Auf diese beiden Armeen, die beiderseits Stalingrad zur Verteidigung der langgezogenen Front eingesetzt waren, die 3. Armee unter Generaloberst Dumitrescu westlich von Stalingrad, die 4. Armee unter Generaloberst Constantinescu-Claps, traf die sowjetische Großoffensive vom 19./20. XI. 1942. In wenigen Tagen wurde die Front aufgerissen, die rumänischen Armeen geschlagen und zersprengt, so daß nach einer Woche von den 22 dort eingesetzten Divisionen nur noch vier kampftauglich, jedoch neun völlig aufgerieben, die übrigen in desolatem Zustand waren. Zwei rumänische Divisionen waren mit der deutschen 6. Armee in Stalingrad eingeschlossen und teilten deren Schicksal.

Heftige Auseinandersetzungen zwischen deutschen und rumänischen Kommandostellen und abfällige Äußerungen Hitlers über die Kampfkraft der von ihm vorher mehrfach belobten rumänischen Truppen waren die Folge, doch erklärte sich Antonescu trotz wachsender Skepsis über den Kriegsausgang bei einem Besuch bei Hitler vom 10. bis 12. I. 1943 zur Neuaufstellung weiterer Divisionen bereit, falls deren Ausrüstung und Bewaffnung von Deutschland besorgt und finanziert würde, was bis Anfang 1944 erreicht sein sollte. Während des Jahres 1943 waren nur noch acht rumänische Divisionen im Fronteinsatz, sechs mit der deutschen 17. Armee im Kuban-Brückenkopf und zwei auf der Krim ohne selbständige Armeeführung, sondern im Korps- oder Divisionsverband deutscher Führung unterstellt. Auch diese Einheiten hatten aber erhebliche Verluste, so daß in den drei Kriegsjahren bis Ende 1943 über 250 000 Mann gefallen waren.

Da ein deutscher Sieg seit Stalingrad nicht mehr denkbar, hingegen der Vorstoß der Roten Armee an die Grenzen Rumäniens zu erwarten war, schien es seit Anfang 1943 die vordringlichste Aufgabe für die Staatsführung, aus dem Krieg mit möglichst wenig Menschen- und Gebietsverlusten wieder auszuscheiden. Dabei standen der Gedanke an die Rückgewinnung Siebenbürgens und die offene Feindschaft gegen Ungarn, die es unmöglich machte, daß rumänische und ungarische Verbände in der Sowjetunion benachbart eingesetzt wurden, im Vordergrund. Auch nach der Katastrophe vom November 1942 wurden noch im folgenden Monat zehn neue Divisionen nicht zum Kampf gegen die Sowjetunion, sondern für den Einsatz an der stets unruhigen Grenze gegen Ungarn aufgestellt. Antonescu hatte am 1. XI. 1942 mitteilen lassen, daß Rumänien den Wiener Schiedsspruch wegen des ungarischen Verhaltens als hinfällig betrachte[11], doch stieß er damit auf klare Ablehnung in Berlin. Die Enttäuschung über die Nichteinhaltung deutscher Zusagen auf wirtschaftlichem Gebiet, die Flucht Horia Simas aus deutschem Gewahrsam im Dezember 1942 und die Behandlung rumänischer Offiziere durch deutsche Stäbe sorgten für zusätzliche Entfremdung, obwohl Hitler und Antonescu bei dessen Besuch vom 10. bis 12. I. 1943 weitgehendes Einvernehmen feststellen konnten.

Die gesamtpolitische Lage Rumäniens nach seinem Angriff auf die Sowjetunion hatte Antonescu am 12. XII. 1941 mit folgendem Satz gekennzeichnet: »Ich bin der Verbündete des Reiches gegen Rußland. Ich bin neutral zwischen Großbritannien und Deutschland. Ich bin für die Amerikaner gegen die Japaner.«[12] Zu diesem Zeitpunkt befand sich Rumänien aufgrund einer britischen Erklärung seit dem 7. XI. 1941 im Kriegszustand mit Großbritannien und aufgrund der rumänischen Kriegserklärung vom 12. XII. auch mit den USA, die ihrerseits erst am 5. VI. 1942 eine Gegenkriegserklärung ausgesprochen hatten. Angesichts des Fehlens jeglicher Konfliktstoffe war der Kriegszustand rein formal, und Rumänien konnte auf Verständnis der Anglo-Amerikaner hoffen.

Kontakte wurden schon 1943 von dem Außenminister Mihai Antonescu geknüpft, u. a. unter Inanspruchnahme von Italiens Außenminister Graf Ciano, aber auch über die Vertretungen in Madrid, Lissabon und Bern. Seit dem Winter 1943/44 stand der Gesandte in Ankara, Alexander Cretzianu[13], in Verhandlungen mit den Anglo-Amerikanern, und der Gesandte in Stockholm, Frederic Nanu[14], in Verhandlungen mit der Sowjetunion. Die Verhandlungen mit den Anglo-Amerikanern wurden im Frühjahr 1944 in Kairo[15] von Prinz Stirbei fortgesetzt, der dabei sowohl für die Regierung als auch für die Opposition, insbesondere für Maniu und C. Brătianu sprach. Die sehr weitgehenden Forderungen der Anglo-Amerikaner, die praktisch keinerlei wesentliche Zugeständnisse für den Frontwechsel machten, ließen die Verhandlungen jedoch ergebnislos enden, während sich die sowjetischen Unterhändler bis August 1944 sehr viel flexibler zeigten. Seit am 5. V. bzw. 12. VI. 1944 Großbritannien und die USA sich damit einverstanden erklärt hatten, daß Rumänien zum Operationsbereich der Sowjetunion gehören sollte, mußten allerdings alle Versuche der Regierung wie der Opposition, die Front ohne eine Kapitulation vor der Roten Armee und ohne die Gebietsverluste von 1940 zu beenden, zum Scheitern verurteilt sein.

Die Chance, Rumänien durch Entgegenkommen ohne große Verluste zum Frontwechsel zu bewegen, wurde von den Anglo-Amerikanern im Winter 1943/44 nicht genutzt und war nicht mehr zu verwirklichen, seit infolge der sowjetischen Märzoffensive 1944 die Front quer durch die Bukowina, die Moldau und Bessarabien verlief und deutsche Truppen in erheblichem Umfang in rumänischem Gebiet standen, mit rumänischen Verbänden vermischt[16]. Am 4./5. IV. begannen andererseits die Anglo-Amerikaner, die bis dahin nur theoretisch Krieg gegen Rumänien geführt hatten, mit schweren Angriffen auf das rumänische Erdölgebiet, die von der deutschen Luftwaffe nur ungenügend abgewehrt werden konnten.

Obwohl zahlreiche Hinweise den bevorstehenden Frontwechsel Rumäniens bei einer erneuten Verschlechterung der Gesamtlage wahrscheinlich machten, war Hitler, den Antonescu am 5. VIII. 1944 ein letztes Mal aufsuchte[17], von der Bündnistreue Rumäniens überzeugt und ließ keine entsprechenden Maßnahmen vorbereiten.

Indessen hatten sich, da ein Frontwechsel mit Antonescu für die Sowjetunion nicht akzeptabel erschien, zwei Gruppierungen zum Umsturz entschlossen: Einerseits hatten die Oppositionsparteien der Nationalliberalen (Brătianu), Naționalțaranisten (Maniu), Sozialdemokraten (Petrescu) und der wenig zahlreichen Kommunisten (Pătrășcanu) Anfang Juni eine Aktionsgemeinschaft, den Nationaldemokratischen Block, gebildet; andererseits stellte König Michael, beraten von dem Chef der Militärkanzlei General Sănătescu, rechtlich die höchste Gewalt im Staate dar und war berechtigt, den Ministerpräsidenten legal zu entlassen. Am 18. VIII. kamen der König und der Block überein, Antonescu am 26. VIII. zu stürzen und dann sofort die sehr harten Waffenstillstandsbedingungen anzunehmen. Der Zusammenbruch der deutsch-rumänischen Front unter den Schlägen der sowjetischen Offensive vom 20. VIII. beschleunigte aber den Umsturz.

Das Schicksal der jüdischen[18] und der deutschen Bevölkerung in der Zeit der Diktatur war von den raschen Wandlungen der Jahre 1938 bis 1944 besonders stark beeinflußt. Die antisemitischen Gesetze der Regierung Goga beraubten

I. c) Das autoritäre Rumänien als Verbündeter des Dritten Reiches

u. a. alle Juden, die vor 1918 nicht die rumänische Staatsbürgerschaft besessen hatten, ihrer Bürgerrechte und ermöglichten zahlreiche Pressionen. Der von den Gruppen Cuza, Goga und der Eisernen Garde propagierte und praktizierte Antisemitismus fand zusätzliche Nahrung durch das Verhalten von Teilen der jüdischen Bevölkerung in Bessarabien und der Nordbukowina beim Einmarsch der Roten Armee, was sich in antijüdischen Exzessen im Winter 1940/41, vor allem aber im Juni/Juli 1941 in grausamen Massakern an der jüdischen Bevölkerung in Jassy und Czernowitz niederschlug. Das Regime unterschied im übrigen zwischen der jüdischen Bevölkerung im »Altreich«, die diskriminiert wurde, durch mehrere Gesetze ihren Grundbesitz verlor, aber im Lande verbleiben konnte, und den Juden in den wiedereroberten Gebieten Bessarabiens und der Nordbukowina, die, soweit sie den Pogromen entgangen war, nach Transnistrien und weiter ins Heeresgebiet abgeschoben wurden, wo sie in Ghettos eingepfercht wurden und größtenteils Vernichtungsaktionen zum Opfer fielen. Ein Abtransport von Juden aus dem Banat in den Bezirk Lublin, im Herbst 1942 begonnen, wurde in Kürze wieder eingestellt, und die rumänische Regierung versuchte, im Winter 1942/43 die Auswanderung nach Palästina für etwa 75 000 Juden bei einer Kopfquote von 200 000 Lei in Gang zu setzen. Tatsächlich konnten aber nur kleine Gruppen über See entkommen[19].

Eine für den Spätsommer 1944 vorgesehene Evakuierungsaktion, für die Adolf Eichmann im August 1944 nach Rumänien geschickt wurde, wurde durch den Kriegsverlauf unmöglich gemacht, während die Juden im an Ungarn abgetretenen Nordsiebenbürgen, etwa 150 000, zu 90 % deportiert wurden. Im Endergebnis hatte das Judentum Rumäniens 1940 bis 1944 zwar schwerste Verluste erlitten, insbesondere außerhalb des rumänischen Einflußbereiches; etwa 400 000 hatten aber überlebt, im wesentlichen die jüdische Bevölkerung der Moldau, der Walachei und Südsiebenbürgens.

Die deutsche Bevölkerung[20], 1930 745 000 Köpfe zählend, die auf die Siedelgebiete Banat, Bukowina, Siebenbürgen, Dobrudscha und Bessarabien verteilt waren, verringerte sich 1940 durch die Gruppen in Bessarabien und der Nordbukowina, von denen aufgrund des deutsch-sowjetischen Umsiedlungsvertrages vom 5. IX. 1940 92 500 aus Bessarabien und 37 000 aus der Nordbukowina in die dem Reich angegliederten Gebiete umgesiedelt wurden, sowie um 51 000 aus der Südbukowina und 15 500 aus der Dobrudscha, die aufgrund eines deutsch-rumänischen Umsiedlungsvertrages vom 22. X. 1940 ebenfalls das Land verließen. Die Deutschen des Sathmargebietes und Nordsiebenbürgens kamen durch den Zweiten Wiener Schiedsspruch unter ungarische Herrschaft, so daß sich die Gesamtzahl im verkleinerten Staatsgebiet nur noch auf 420 000–450 000 belief, im wesentlichen Banater Schwaben und Siebenbürger Sachsen. Für ihr späteres Schicksal war es verhängnisvoll, daß die sich dem Deutschen Reich verbunden fühlenden jungen Männer, die freiwillig am Krieg teilnehmen, aber ungern im rumänischen Heer dienen wollten, sich aufgrund einer deutsch-rumänischen Vereinbarung nur zur Waffen-SS, aber nicht zur Wehrmacht melden konnten und dementsprechend in Waffen-SS-Einheiten am Krieg teilnahmen, ohne Ideologie und Geist der SS zu bejahen.

---

[1] Vgl. außer *H. Laeuen* und *A. Hillgruber* (s. b, Anm. 2 u. a, Anm. 20) auch Antonescus Sekretär *Gh. Barbul,* Memorial Antonesco, le troisième homme de l'axe (1950), sowie die Aufsätze von *I. Popescu-Puțuri* u. a. in dem Sammelband: La Roumanie pendant la deuxième guerre mondiale (1964) und d. Überblick von *H. Prost,* La Roumanie et la seconde guerre mondiale: RevHistII^{me}GuerreMond 2 (1952), S. 26–49.

§ 30 Die südosteuropäischen Staaten vom I. Weltkrieg bis zur Ära der Volksdemokratien

2 Text bei *H. Laeuen,* S. 51/52. Reden und Aufrufe Antonescus aus der Zeit der Zusammenarbeit in: *I. Antonescu,* Zum Aufbau des legionären Rumäniens. Aufrufe, Ansprachen und Weisungen (1940).
3 Am 26./27. XI. 1940 ermordeten Legionäre im Gefängnis von Jilava über 60 Personen, die wegen des Mordes an Codreanu und wegen der Mordtaten vom September 1939 verhaftet waren und vor Gericht gestellt werden sollten. Neben den zahlreichen Morden an Juden erregte vor allem der als Racheakt begangene Mord an dem greisen Historiker N. Iorga am 28. XI. 1940 großes Aufsehen. *Horia Sima* hat diesen Mord später zu rechtfertigen versucht: Cazul Iorga – Madgearu (1961). Über Iorga s. auch das ihm gewidmete Sonderheft der RevRoumHist 4 (1965/66). Eine unvollständige Liste der Untaten der Legionäre außerhalb des Mordes von Jilava und d. Januaraufstandes nennt 9 Morde, 323 Entführungen, 1162 Zwangsverkäufe, 1081 gewaltsame Beschlagnahmungen und Plünderungen, wobei festzuhalten ist, daß viele Juden aus Angst die Untaten nicht meldeten. Vgl. *N. M. Nagy-Talavera ,* The Green Shirts (s. a, Anm. 25), S. 314 nach der Dokumentation: Pe marginea präpästiei [Am Rande des Abgrunds] (2 Bde. 1942).
4 ADAP, Serie D, Bd. XI, Nr. 652, S. 905–911. Bei der Niederschlagung des Aufstandes spielte die Vermittlung des Sondergesandten Dr. Neubacher eine wesentliche Rolle. Siehe dazu mehrere Berichte in dem oben genannten Band. Deutlich wird, daß die Legionäre bei der NSDAP und bei Ribbentrop große Sympathie genossen, daß aber Hitlers Standpunkt, ruhige Entwicklung im Südosten sei für Deutschland wichtiger, für Antonescu sprach, der auf Hitler offenbar auch persönlich Eindruck machte. Vgl. *A. Hillgruber,* Hitler, S. 116–121 u. *M. Broszat,* Die Eiserne Garde u. d. Dritte Reich: PolStud 9 (1958), S. 628–36.
5 M. v. Killinger gehörte zu der nach Südosteuropa entsandten Gruppe der »SA-Diplomaten«. Er versagte im Jahre 1944, als er die Anzeichen des sich abzeichnenden Abfalls Rumäniens von der Achse ignorierte, insbesondere aber in den Krisentagen nach dem 23. VIII. 1944 vollkommen und nahm sich am 25. VIII. das Leben.
6 Dazu mehrere Dokumente in: ADAP, Serie D, Bd. XII, u. a. Weisung Ribbentrops an die Gesandtschaft in Bukarest v. 12. IV. 1941, Nr. 330, S. 445 u. rumän. Memorandum vom 23. IV., Nr. 387, S. 513/514.
7 Neben *Hillgruber,* Hitler, jetzt *P. Gosztony,* Hitlers fremde Heere. Das Schicksal der nichtdeutschen Armeen im Ostfeldzug (1976). S. auch *F. Forstmeier,* Odessa 1941. Der Kampf um Stadt und Hafen u. d. Räumung der Seefestung (1967).
8 Ausführliche Niederschrift in: ADAP, Serie D, Bd. XII, Nr. 614, S. 830–838.
9 *G. Gafencu,* 1941 Botschafter in Moskau, war vom Kriegsausbruch vorher nicht unterrichtet. S. sein »Vorspiel zum Krieg im Osten« (1944), S. 412–418.
10 Die Verlustangaben schwanken. Die Zahlen d. Hauptquartiers bei *Laeuen,* S. 147; *Gosztony* nennt S. 152 nur f. d. 4. Armee 110 000 »Tote, Verwundete und Vermißte«.
11 Bericht Killingers v. 1. XI. 1942 in: ADAP, Serie E, Bd. IV, Nr. 118, S. 203 und Ribbentrops Reaktion.
12 Nach Mitteilung seines Sekretärs *Barbul* (s. Anm. 1), S. 141.
13 *A. Cretzianu* war, bevor er im Herbst 1943 Gesandter in Ankara wurde, Staatssekretär im Außenministerium. S. sein Bericht: The Rumanian Armistice Negotiations: Cairo 1944: JournCentrEurAff 11 (1951), S. 243–258. Sowie sein Buch: The Lost Opportunity (1957).
14 Vgl. *F. Nano* (frz. Schreibweise), The First Soviet Double Cross; a Chapter of the Secret History of World War II: JournCentrEurAff 12 (1952).
15 Dazu neben *Cretzianu* die Dokumente in: Foreign Relations of the US, Diplomatic Papers 1944, Bd. IV, Europe, Rumania, S. 133–188.
16 Vgl. *A. Hillgruber,* Die letzten Monate der deutsch-rumänischen Waffenbrüderschaft: WehrwissRdsch (1957).
17 Teilweiser Abdruck der Aufzeichnungen von Paul Schmidt in: *H. Kissel,* Die Katastrophe in Rumänien 1944 (1964), S. 182–187.
18 Nach der Volkszählung von 1930 gab es in Großrumänien 726 000 Juden (= 4 % der Bevölkerung), von denen 518 000 Jiddisch als Muttersprache angegeben hatten. Die zum Teil aus antisemit. Schrifttum entnommenen wesentlich höheren Zahlen bei *H. Schuster,* Die Judenfrage in Rumänien (1939), sind unglaubwürdig. 1940 konnte infolge

von natürlichem Zuwachs und Zuwanderung aus Polen mit etwa 800 000 gerechnet werden. Der Abschnitt Rumänien bei *G. Reitlinger,* Die Endlösung (dt. 1956), enthält zahlreiche Ungenauigkeiten. Zuverlässiger ist *J. Tenenbaum,* Race and Reich. The Story of an Epoch (1956), S. 312–317. Die modernen rumänischen Darstellungen, u. a. die Histoire de la Roumanie, erwähnen die Judenfrage und die Judenpogrome überhaupt nicht. Vgl. *A. Hillgruber,* Hitler (s. a. Anm. 20), Anhang I. Die Judenfrage als Problem der deutsch-rum. Beziehungen, S. 236–246.

[19] Vgl. *J. Rohwer,* Die Versenkung d. jüd. Flüchtlingstransporter Struma u. Mefkure im Schwarzen Meer (1964).

[20] S. dazu Dokumentation der Vertreibung der Deutschen aus Ostmitteleuropa, hg. v. *Th. Schieder,* Bd. III: Das Schicksal der Deutschen in Rumänien (1957), sowie *A. Bohmann,* Menschen u. Grenzen, Bd. 2: Bevölkerung u. Nationalitäten in Südosteuropa (1969).

d) Die Umgestaltung zur Volksdemokratie (1944–1948)

Der Umsturz vom 23. VIII. 1944[1] leitete zusammen mit dem völligen Zusammenbruch der rumänisch-deutschen Front die rasche Umwandlung des Königreichs zur Volksdemokratie ein, die von der großen Mehrzahl der Akteure des Umbruchs weder gewünscht wurde noch vorausgesehen werden konnte. Die wesentlichen Entscheidungen für diese Entwicklung wurden nicht in, sondern außerhalb von Rumänien gefällt: Im Mai 1944 mit der Festlegung, daß Rumänien zum Operationsgebiet der Roten Armee gehören solle, im August mit dem siegreichen Vormarsch der Roten Armee, dem mangels entsprechender Vorsorge keine Auffangstellung mehr Einhalt gebot, im Oktober 1944 in Moskau, als Churchill auf dem berühmten »*half-sheet of paper*« der Sowjetunion 90% Einfluß in Rumänien zubilligte und somit sein und der Westmächte völliges Desinteresse bekundete.

Von einem Volksaufstand konnte am 23. VIII. keine Rede sein, ja nicht einmal von einem Staatsstreich, da sich der Regierungswechsel im Rahmen der dem König zustehenden Befugnisse vollzog. Dennoch hatte der 23. VIII. weitreichende Folgen, die allerdings in ähnlicher Form auch eingetreten wären, wenn Antonescu den Waffenstillstand geschlossen oder wenn sich eine neue Regierung nach dem Einmarsch der Roten Armee gebildet hätte. Nur das Tempo des Ablaufs der Ereignisse wäre anders, die Enttäuschungen vielleicht geringer gewesen.

Die Offensive der Roten Armee[2], die am 20. VIII. in erster Linie die nordwestlich Iaşi stehenden rumänischen Divisionen – dazwischen eine deutsche Division – traf, führte in kurzer Zeit zu tiefen Einbrüchen, da einige Verbände ihre Stellungen kampflos aufgaben, und damit zum Einsturz der Front der Heeresgruppe Südukraine, zu der die 3. und 4. rumänische Armee gehörten. Der Vormarsch der Roten Armee auf die untere Donau und die Einschließung der in Südbessarabien stehenden deutschen 6. Armee waren nicht mehr aufzuhalten. Angesichts dessen bot Antonescu Maniu seinen Rücktritt an und ermächtigte den Gesandten in Stockholm Nanu am 22. VIII. zu Waffenstillstandsverhandlungen. Indessen entschloß sich der König, ohne die Vertreter des Nationaldemokratischen Blocks zu befragen, zur Vorverlegung des für den 26. VIII. geplanten Umsturzes. Die beiden Antonescu wurden bei einer Audienz im Schloß am 23. VIII. ihrer Ämter enthoben und sofort verhaftet[3]. Der König, der sich auf das Gesetz vom 6. IX. 1940 berufen konnte, ernannte General Sănătescu zum Ministerpräsidenten und erklärte über den Rundfunk die Annahme der in Kairo und Stockholm gestellten Waffenstillstandsbedingungen, zu denen der Abbruch der Beziehungen zu Deutschland und der Abzug der deutschen Truppen gehörten. Die von Hitler befohlene Niederschlagung des »Putsches« und ein deutscher Luftangriff auf Bukarest am folgenden Tag bei völlig chaotischem Durcheinander der deutschen

1161

Kommandostellen gaben die erwünschte Möglichkeit zur Kriegserklärung am 25. VIII.

Während die Rote Armee weiter vordrang und am 31. VIII. Bukarest besetzte, wurden zwar die Kampfhandlungen eingestellt, das Land von der Roten Armee aber als Feindesland behandelt. Erst am 12. IX. 1944 wurde in Moskau der Waffenstillstand[4] zwar von allen drei Alliierten, aber im wesentlichen doch nach sowjetischem Diktat geschlossen. Er verlangte u. a. die Teilnahme Rumäniens am Krieg gegen Deutschland mit mindestens 12 Divisionen unter sowjetischem Kommando, die Wiederabtretung Bessarabiens und der Nordbukowina, Reparationszahlungen von 300 Mill. Dollar an die Sowjetunion und die Einsetzung einer Alliierten Kontrollkommission. Die einzige positive Klausel war die Ungültigkeitserklärung des Zweiten Wiener Schiedsspruches und somit die Anerkennung des Rechts auf ganz Siebenbürgen.

Die rumänischen Truppen, bis zum Vertragsabschluß noch als Kriegsgefangene behandelt, nahmen in den folgenden Monaten in der befohlenen Stärke am Krieg gegen Ungarn und Deutschland teil und erlitten mit 110 000–170 000[5] Toten und Vermißten nochmals sehr hohe Verluste, so daß Rumänien in bezug auf die gegen Deutschland erlittenen Kriegsverluste an vierter Stelle stand.

Die Regierung Sănătescu war im wesentlichen eine Regierung von Generälen und Fachleuten mit General Rascanu als Kriegs- und General Aldea als Innenminister, der die Vertreter des Nationaldemokratischen Blocks Brătianu, Maniu und Petrescu als Minister ohne Geschäftsbereich angehörten. Lediglich der Kommunist Pătrăşcanu (1900–1954)[6], der auch die Waffenstillstandsdelegation leitete, hatte mit dem Justizministerium ein Schlüsselministerium. Insgesamt war die Kommunistische Partei zur Zeit des Umsturzes mit etwa 1000 Mitgliedern noch sehr schwach und vor dem Einmarsch der Roten Armee nur mit wenigen Personen wie eben Pătrăşcanu oder Stefan Foriş aktiv. Eine wichtige Gruppe mit der einflußreichen Rabbinerstochter Ana Pauker, Vasile Luca und Emil Bodnaras, der erste ungarischer, der zweite ukrainischer Herkunft, war während des Krieges in Moskau, wo aus Kriegsgefangenen eine rumänische Division »Tudor Vladimirescu« (nach dem Führer des nationalen Aufstandes von 1821) gebildet wurde. Eine dritte Gruppe mit Gheorghe Gheorghiu-Dej, Gheorghe Apostol und Ion Gheorghe Maurer war während des Krieges in Haft und konnte zusammen mit den »Moskowitern«, denen von den bürgerlichen Gruppen ihre nicht-rumänische Herkunft vorgehalten wurde, erst nach dem Umsturz aktiv werden, alsbald wirksam unterstützt von der siegreichen Roten Armee.

In kurzer Zeit errangen die Kommunisten während der Herbstmonate 1944 drei wesentliche Erfolge: 1) Die Partei hatte großen Zulauf sowohl aus Arbeiterkreisen als insbesondere aus Kreisen früherer Legionäre und anderer Rechtsradikaler, die sich in Sicherheit bringen wollten. 2) Sie gewann Verbündete in der bisher unbedeutenden »Front der Pflüger« unter Petru Groza und damit unter Landarbeitern und Kleinbauern und bildete im Oktober mit ihr, einer »Patriotischen Union« und den Sozialdemokraten sowie mit Abspaltungen der Liberalen unter dem früheren Ministerpräsidenten Tătărescu und der Nationalţaranisten einen neuen »Demokratischen Block« ohne die alten Parteien der Liberalen und Nationalţaranisten. 3) Sie bildete mit Hilfe der Division Tudor Vladimirescu eine eigene »patriotische Miliz«, die sich nicht dem Innenministerium unterstellte und von der Roten Armee Waffen erhielt. Von den insbesondere von Maniu geforderten alsbaldigen Wahlen war keine Rede.

Als Sănătescu Anfang November die Regierung mit Hilfe des »Demokratischen Blocks« umbildete, gehörten ihr bereits drei kommunistische Minister an,

I. d) Die Umgestaltung zur Volksdemokratie (1944–1948)

unter ihnen Gheorghiu Dej als Verkehrsminister, sowie ein Staatssekretär im Innenministerium, jedoch nicht mehr Maniu und Brătianu. Trotzdem konnte diese und die ihr am 4. XII. folgende, ähnlich zusammengesetzte Regierung des Generalstabschefs General Radescu noch als Regierung einer nationalen Konzentration gelten. Seit Januar 1945 wurde Radescu jedoch von den Kommunisten, die über die Druckergewerkschaften auch eine Pressezensur ausübten, schärfstens angegriffen. Als sich Radescu in einer öffentlichen Versammlung und in einer Rundfunkansprache am 11./12. II. 1945 gegen die »volksfremden Elemente« wandte, begannen die Kommunisten eine Terror- und Demonstrationswelle, die am 24. II. in einem Sturm auf das Innenministerium ihren Höhepunkt erreichte, wobei mehrere Personen getötet wurden. Durch unmittelbares Eingreifen des sowjetischen Marschalls Malinovskij und des eigens nach Bukarest entsandten stellvertretenden Außenministers Vyšinskij wurde die Hauptstadt praktisch unter Kriegsrecht gestellt und König Michael in einer dramatischen Begegnung am 27. II. gezwungen, Radescu zu entlassen, der Schutz in der Britischen Botschaft suchte. Gleichzeitig wurde dem König erklärt, daß unter den Nichtkommunisten nur Petru Groza (1884–1958), der Vorsitzende der »Front der Pflüger«, das Vertrauen der Besatzungsmacht besitze, so daß Michael ihn am 6. III. 1945 mit der Regierungsbildung beauftragte.

Damit waren, noch vor Kriegsende, die entscheidenden Weichen für die Entwicklung zur Volksdemokratie gestellt, so daß der 6. III. neben dem 23. VIII. 1944 in Rumänien mit Recht als das zweite entscheidende Datum der neuesten Geschichte Rumäniens gilt. Die Regierung Groza mit Tătărescu als Vizepremier wurde vollständig von Vertretern des Demokratischen Blocks gebildet und praktisch, obwohl die kommunistischen Minister noch in der Minderheit waren, von den Kommunisten beherrscht, zumal die Ministerien des Inneren (Georgescu) und der Justiz (Pătrăşcanu) von Kommunisten geleitet wurden. Um Popularität zu gewinnen, erließ die Regierung Groza am 23. III. 1945 ein Dekret zur Agrarreform, durch das aller Grundbesitz von »Kollaborateuren« einschließlich der Deutschen, und Grundbesitz, den der Besitzer nicht selbst bearbeitete, enteignet wurde. Der enteignete Boden von über 1,1 Mill. ha wurde an fast 800 000 Personen verteilt, d. h. durchschnittlich 1,3 ha, so daß keine produktionsfähigen Betriebe entstanden. Das Wohlwollen der Sowjetunion wurde Groza durch die formelle Übergabe Nordsiebenbürgens an Rumänien am 9. III. 1945 dokumentiert.

Jedoch waren die Westmächte nicht zur Anerkennung Grozas und zur Aufnahme diplomatischer Beziehungen bereit, weil die Forderungen von Punkt V der Jalta-Konferenz nach einer Regierung, die »in breitem Umfang alle demokratischen Elemente« repräsentierte, bis sie durch eine aus freien Wahlen hervorgegangene Regierung ersetzt werden konnte, von Groza nicht erfüllt wurden, obwohl sie in Potsdam erneuert worden waren. Die USA und Großbritannien gaben am 9. VIII. bzw. 20. VIII. entsprechende Erklärungen ab, woraufhin König Michael am 21. VIII. Groza zum Rücktritt aufforderte, den dieser nach Rücksprache mit dem sowjetischen Gesandten verweigerte. Daraufhin verweigerte Michael seinerseits die Unterschrift unter alle Dekrete und Regierungsakte und empfing kein Regierungsmitglied mehr. Noch am 21. VIII. bat er die Westmächte um »Ratschläge« bezüglich der Erweiterung der Regierung Groza. Die Krise fand erst am 25. XII. 1945 eine scheinbare Lösung, als auf der Dreierkonferenz in Moskau die Aufnahme je eines Repräsentanten der Naţionalţaranisten und der Liberalen als Vorbedingung für die Anerkennung beschlossen und eine Dreierkommission (Vyšinskij, Averell Harriman, Clark Kerr) zur Durchführung eingesetzt wurde. Diese Kommission begnügte sich Anfang Januar 1946 in

§ 30 Die südosteuropäischen Staaten vom I. Weltkrieg bis zur Ära der Volksdemokratien

Bukarest damit, daß je ein Vertreter der echten Nationalţaranisten (E. Haţieganu) und der echten Liberalen (M. Romniceanu) in die Regierung Groza eintraten. Da beide Minister kein Portefeuille erhielten, war ihre praktische Wirkungsmöglichkeit minimal. Trotzdem sahen die Westmächte ihre Bedingungen als erfüllt an und erklärten am 4. III. 1946 die Anerkennung der Regierung Groza.

Deren Abhängigkeit von der Sowjetunion war im Laufe des Jahres 1945 durch enge wirtschaftliche Verflechtungen gewachsen, die durch ein Wirtschaftsabkommen vom 8. V. 1945 begründet wurden. Aufgrund dieses Abkommens wurden gemischte sowjetisch-rumänische Gesellschaften geschaffen, die nominell beide Seiten gleichberechtigt machten, praktisch aber die Inanspruchnahme rumänischer Bodenschätze und Industrieanlagen durch die Sowjetunion bewirkten, so bei »Sovrompetrol« für Erdöl, »Sovromgaz« bei Erdgas, »Sovromchim« für Chemikalien und der zunächst geheimen Gesellschaft »Sovromcuart« für Uranium.

Gemäß der Jalta-Deklaration und der Bedingung der Anerkennung durch die Westmächte waren vor dem Friedensvertrag Parlamentswahlen durchzuführen. Der überragende Sieg der Partei der Kleinen Landwirte in Ungarn bei den Wahlen am 5. XI. 1945 hatte alle übrigen Kommunistischen Parteien gelehrt, daß Parlamentswahlen durch Bündnisse, Spaltungen und Manipulationen sorgfältig vorbereitet werden mußten, wollte man nicht ähnlich unliebsame Überraschungen erleben. Schon im März 1946 gelang die Spaltung der Sozialdemokratischen Partei[8], deren einer Flügel ohne den Vorsitzenden T. Petrescu einer gemeinsamen Liste mit den Kommunisten zustimmte. Am 17. V. 1946 wurde, entsprechend dem Demokratischen Block vom November 1944, der »Block der Demokratischen Parteien« für die zunächst für August 1946 vorgesehenen, dann auf den 19. XI. verschobenen Wahlen gebildet, dem neben den Kommunisten, der »Front der Pflüger« und einem ephemeren »Verband der Patrioten« Abspaltungen der Sozialdemokraten, der Liberalen und der Nationalţaranisten angehörten. Gleichzeitig wurde, obwohl die Verfassung von 1923 formell wieder in Kraft war, der in dieser Verfassung vorgesehene Senat abgeschafft.

Die Kommunistische Partei, die im Oktober 1945 ihren ersten Parteitag gehalten und dabei Gheorghiu-Dej, Ana Pauker, Luca und Georgescu zu Sekretären des Zentralkomitees und gleichzeitig zu Mitgliedern des Politbüros gewählt hatte, war trotz der in nur 14 Monaten von 1000 auf 800 000 angewachsenen Mitgliederzahl nicht stark genug, um allein die Wahlen zu gewinnen. Der Block, dem die drei Oppositionsparteien der Sozialdemokraten, Nationalţaranisten und Liberalen einzeln gegenübertraten, erhielt jedoch dank massiver Einschüchterung der Wähler und wahrscheinlich auch durch Manipulationen[9] am 19. XI. 1946 fast 80 % der Stimmen und 378 von 414 Mandaten, so daß die Opposition zu hoffnungsloser Bedeutungslosigkeit verurteilt war. Proteste der Westmächte gegen Übergriffe bei den Wahlen blieben unberücksichtigt, und in die neue Regierung Groza wurden Haţegan und Romniceanu nicht mehr aufgenommen.

Am 10. II. 1947 wurde in Paris der Friedensvertrag[10] mit Rumänien unterzeichnet, der dem Land zwar nicht den Status einer kriegführenden Macht zubilligte, ihm aber Nordsiebenbürgen endgültig zurückgab, während im übrigen die Grenzen vom 1. I. 1941 wiederhergestellt wurden. Die Maximalstärke der Armee wurde auf 120 000 Mann, der Marine auf 5000 Mann und 15 000 t, die der Luftwaffe auf 150 Flugzeuge und 8000 Mann beschränkt, der Besitz und die Produktion zahlreicher Waffen verboten. Die an die Sowjetunion zu zahlenden Reparationen wurden auf 300 Mill. $ festgelegt, zahlbar in acht Jahren, ab 12. IX. 1944 gerechnet, in Rohstoffen oder Waren.

I. d) Die Umgestaltung zur Volksdemokratie (1944–1948)

Nachdem so die internationale Position gefestigt war und da die Tätigkeit des Kontrollrats zu Ende ging, waren die letzten entscheidenden Schritte auf dem Weg zur Volksdemokratie möglich: die Ausschaltung jeglicher Opposition und die Abschaffung der Monarchie. Hauptgegner waren die Nationalțaranisten, gegen die im Mai und Juni mit zahlreichen Verhaftungen vorgegangen wurde, bis am 14. VII. Ion Mihalache und mehrere andere führende Mitglieder der Partei verhaftet wurden, die mit Billigung des kranken Parteiführers Maniu heimlich das Land mit einem Flugzeug zu verlassen gesucht hatten[11]. Schon am 29. VII. wurde die Partei durch Regierungsdekret aufgelöst, Maniu und Mihalache am 11. XI. 1947 zu lebenslänglicher Zwangsarbeit, 17 andere verhaftete Parteiführer zu langjährigen Gefängnisstrafen verurteilt. Maniu und Mihalache, über deren Schicksal lange Zeit Ungewißheit bestand, starben 1955 bzw. nach 1964 in der Haft. Die Liberale Partei löste sich nach diesem Schlag im Sommer 1947 selbst auf[12].

Die Reihe war nun an den Sozialdemokraten, deren Reihen bereits so erfolgreich durchsetzt waren, daß der vom 4. bis 8. X. tagende XVIII. Parteikongreß, an dem auch führende Kommunisten teilnahmen, beschloß, mit den Kommunisten eine gemeinsame Arbeiterpartei zu bilden. Die endgültige Vereinigung fand auf dem ersten gemeinsamen Kongreß vom 21. bis 23. II. 1948 statt; die vereinigte Partei, in die die Sozialdemokraten 560 000 Mitglieder einbrachten, hieß nunmehr Rumänische Arbeiterpartei[13]» *(Partidul Muncitoresc Român, PMR).* Kein einziger Sozialdemokrat kam aber in das Sekretariat des Zentralkomitees der PMR, das weiter von Gh. Gheorghiu-Dej, Ana Pauker, V. Luca und E. Bodnaras beherrscht wurde.

Die letzte Gruppe mit gewisser Selbständigkeit war die Gruppe der Liberalen im Regierungsblock mit G. Tătărescu als Stellv. Ministerpräsident und Außenminister. Ihm wurde im Herbst 1947 Kosmopolitismus vorgeworfen. Am 6. XI. wurde er vom Parlament gezwungen, zusammen mit seinen Anhängern die Regierung zu verlassen. Mit Ana Pauker als Außenminister, Luca als Finanz- und Bodnaras als Kriegsminister war die personelle Identität von Regierung und Parteiführung erreicht. Der König, letztes Relikt der bisherigen Regierungsform, der noch im November 1947 an der Hochzeit seiner Cousine, Prinzessin Elisabeth von England, teilgenommen und dem der neue Kriegsminister Bodnaras am 24. XII. den Treueid geleistet hatte, wurde von diesem und Groza am 30. XII. 1947 zur Abdankung gezwungen; unmittelbar darauf, Anfang Januar 1948, verließ er das Land. Am gleichen 30. XII. 1947 wurde Rumänien durch Gesetz Nr. 363 zur Volksrepublik proklamiert mit einem fünfköpfigen Präsidium als formellem, aber praktisch bedeutungslosem Staatsoberhaupt. Damit war, nach Jugoslawien und Bulgarien, die letzte Monarchie in Südosteuropa beseitigt.

Die Beschlüsse der ersten Monate des Jahres 1948 waren nur noch Folgeerscheinungen der vom Oktober bis Dezember gefallenen Entscheidungen: Neben dem erwähnten Vereinigungskongreß der PMR im Februar 1948 die Umbildung des Blocks der Demokratischen Parteien in eine »Front der Volksdemokratie« am 27. II., die Entlassung des titoistischer Sympathien verdächtigen Justizministers L. Pătrășcanu am 24. II., die Zulassung zweier angeblich unabhängiger Parteien, der National-Liberalen und der Demokratischen Bauernpartei zur zweiten Parlamentswahl am 28. III. 1948 und der Wahlausgang mit 405 von 414 Mandaten für die »Front«. Die so gewählte uniforme »Große Nationalversammlung« beschloß am 13. IV. 1948 die Verfassung der Volksrepublik Rumänien, die vierte Verfassung Rumäniens und zugleich die kurzlebigste, da sie nur $4\frac{1}{2}$ Jahre in Kraft blieb.

§ 30 Die südosteuropäischen Staaten vom I. Weltkrieg bis zur Ära der Volksdemokratien

Außenpolitisch wurde nach der Unterzeichnung des Friedensvertrages die feste, wirtschaftlich und parteipolitisch schon bestehende Bindung an die Sowjetunion noch weiter gefestigt: durch den Beschluß der Regierung Groza vom Juni 1947, nicht an der Pariser Marshallplankonferenz teilzunehmen, durch die Gründung der Kominform im September 1947 (s. folgender Abschnitt), insbesondere aber durch den am 4. II. 1948 von Groza und Ana Pauker in Moskau unterzeichneten rumänisch-sowjetischen Vertrag über Freundschaft, Zusammenarbeit und gegenseitige Hilfe[14], der praktisch den Einbau Rumäniens in das sowjetische Verteidigungssystem bedeutete und beide Länder für 20 Jahre binden sollte. Zwei unmittelbar vorher, am 16. und 24. I., unterzeichnete, weitgehend gleichlautende Verträge mit Bulgarien und Ungarn machten eine selbständige Außenpolitik für die nächsten Jahre so gut wie unmöglich. Der 4. II. und der 13. IV. 1948 können somit als Abschlußdaten der Entwicklung zur Volksrepublik Rumänien festgehalten werden.

[1] Über die Fülle der Literatur zu diesem nunmehrigen Nationalfeiertag unterrichten: *I. Chiper*, L'historiographie étrangère relative à l'insurrection armée d'août 1944: EtHistContempRoum I (1970), S. 133–168; *M. Rusenescu*, L'historiographie roumaine relative à l'insurrection antifasciste d'août 1944 et à ses conséquences, S. 110–132; ebd. weitere Beiträge von *M. Constantinescu* u. *E. Cimponeriu*. S. außerdem d. Aufsatzsammlung: 23. August 1944 (1964), u. *F. Herberth*, Neues von Rumäniens Frontwechsel am 23. Aug. 1944 (1970).
Über den Zeitraum 1944–48 unterrichten: *G. Ionescu*, Communism in Rumania 1944–1962 (1964); *D.G.A. Serbanesco*, Sous la botte soviétique (1957; überwiegend dokumentarischer Bericht eines prominenten Sozialdemokraten); *H. Prost*, Le destin de la Roumanie (1954), Kap. XIV ff.; Captive Rumania, a Decade of Soviet Rule, hg. v. *A. Cretzianu* (1956); *G. Mergl*, Von der Kapitulation zur Volksrepublik: Osteuropa 3 (1953), S. 213–219. Als Gegenstück: *A. Petric, Gh. Țuțui*, L'instauration et la consolidation du régime démocratique populaire en Roumanie (1964).
[2] Vgl. *H. Friessner*, Verratene Schlachten. Die Tragödie d. dt. Wehrmacht in Rumänien u. Ungarn (1956), u. *H. Kissel*, Die Katastrophe in Rumänien (s. c, Anm. 17).
[3] Wiedergabe d. Wortwechsels zwischen Michael u. Antonescu bei *Serbanesco*, S. 42–44. Beide Antonescu wurden zeitweilig in der Sowjetunion gefangengehalten und im Mai 1946 in Rumänien nach einem Schauprozeß erschossen.
[4] Text in: Recueil des textes à l'usage des Conférences de la Paix (1946), S. 229–239, und bei *E. C. Ciurea*, Le traité de la paix avec la Roumanie du 10 février 1947 (1954), S. 234–241, dt. in: Ursachen u. Folgen. Vom deutschen Zusammenbruch 1918 und 1945 bis zur staatl. Neuordnung Deutschlands in d. Gegenwart, Bd. 22 (1975), S. 76–79.
[5] Nach *E. Trugly*, Die rumän. Verluste in der Endphase des Zweiten Weltkrieges: Osteuropa 8 (1958), S. 540/41: 111 000, nach *G. Ionescu*, Communism in Rumania, S. 91: 170 000.
[6] Die Behandlung der Rolle dieses ersten kommunistischen Ministers in Rumänien ist ein bezeichnendes Beispiel für die Schwankungen der rumänischen Historiographie zur Zeitgeschichte. Im September 1944 lautete eine Forderung der Kommunisten »Pătrășcanu an die Macht«. Da er in der Ära Gheorghiu-Dej in Ungnade fiel und im April 1954 als »Rechtsabweichler und Verräter« hingerichtet wurde, erscheint sein Name weder im Dicționar enciclopedic noch in der in Anm. 1 zitierten Arbeit von *Petric* u. *Țuțui*, in der bis zum Auftreten von Gheorghiu-Dej überhaupt kein Name genannt wird. Anfang der siebziger Jahre wurde die »Unperson« wieder zur Person, so in der Histoire de la Roumanie von 1970, wo ihm S. 377 »un rôle politique culturel considérable« attestiert wird, und in der Chronological History of Roumania, in der er fünfmal genannt wird. Nach wie vor fehlt in allen Darstellungen der Name von Ana Pauker, der während der Stalin-Ära nahezu allmächtigen Schlüsselfigur der rumänischen KP, die im Sommer 1952 alle Ämter verlor, jedoch nicht angeklagt wurde und 1960 in Vergessenheit starb.

I. e) Der Weg in den Sozialismus (1948–1962)

[7] Über Michaels vergebliche Versuche, sich der Entwicklung zu widersetzen, s. *A. G. Lee,* Crown against Sickle. The Story of King Michael of Rumania (1955).
[8] Eingehend bei dem Augenzeugen *Serbanesco,* S. 82–89, geschildert.
[9] Serbanesco, selbst Kandidat in Galatz, erwähnt S. 90–95 zahlreiche Übergriffe und behauptet, das wahre Ergebnis habe 60 % für die Nationalţaranisten und 23 % für die unabhängigen Sozialdemokraten gelautet.
[10] Text in »Traité de paix avec la Roumanie, 1947«. La documentation française, No. 541, auch bei *Ciurea* (Anm. 4), S. 242–262.
[11] Nach *W. Bretholz,* Ich sah sie stürzen (1955), S. 241, hatte Maniu Anfang 1947 versucht, durch persönliche Botschaften an Bauernführer in Nachbarländern eine gemeinsame Aktion der nichtkommunistischen Parteien zur Aufklärung des Westens und eine Zusammenarbeit der Bauernparteien in Gang zu setzen.
[12] Der Führer der Liberalen, Constantin Brătianu, wurde im Mai 1950, 84jährig, verhaftet und starb noch im gleichen Jahr in der Haft.
[13] Auf dem III. Kongreß der PMR im Juli 1965 wurde beschlossen, die Partei wieder Kommunistische Partei zu nennen (PCR) und die Kongresse durchzuzählen, so daß der I. Kongreß der PMR als VI. Kongreß der PCR gezählt wird. Der Einfachheit halber wird im folgenden weiter von der KP gesprochen.
[14] Text in: United Nations Treaty Series, Bd. 48 (1950).

e) Der Weg in den Sozialismus (1948–1962)[1]

Rumänien hat in den zwei Jahrzehnten zwischen der Durchsetzung der Herrschaft der Kommunistischen Partei und der Erschütterung des Selbstverständnisses des Staatskommunismus anläßlich des »Prager Frühlings« und des Einmarsches der Truppen der Warschauer Paktstaaten in die Tschechoslowakei – an dem es sich nicht beteiligte – eine Entwicklung genommen, die sich nur mit Mühe klar definieren läßt. Bis in das Ende der fünfziger Jahre hinein und ohne erkennbare Rückwirkungen des Aufstandes und der Liberalisierung im benachbarten Ungarn schienen sich die innere Entwicklung ebenso wie das Verhältnis zur nichtsozialistischen Umwelt ganz in den von Moskau vorgezeichneten Bahnen zu bewegen, mit den geringfügigen Abweichungen, die die soziale und nationale Struktur der Bevölkerung (Überwiegen des Bauerntums und besondere Rolle der ungarischen Volksgruppe in Siebenbürgen) nötig machten. Eine »Entstalinisierung« fand nach dem XX. Parteikongreß der KPdSU 1956 nur in sehr bescheidenem Rahmen und ohne entscheidenden Personenwechsel und hervorstechende Ereignisse statt.

Im Gegenteil, der »Stalin Rumäniens«, Parteisekretär Gheorghe Gheorghiu-Dej (1901–1965), der im Mai 1952 und April 1954 seine wichtigsten Rivalen im Kampf um die Macht, Ana Pauker, Vasile Luca und Lucretiu Pătrăşcanu, ausschalten konnte und sich stets als treuer Anhänger Stalins und unwandelbarer Gefolgsmann der Sowjetunion bekannt hatte, konnte seine Machtstellung bei Zugeständnissen an das System der kollektiven Führung nach 1956 weiter festigen. Weder ihm selbst noch seinen engeren Vertrauten konnten »titoistische« oder »liberalisierende« Tendenzen oder Aktionen angelastet werden, die vom jeweiligen Vorbild Moskaus abwichen. »Rechtsabweichungen«, »bürgerlichen Nationalismus« und ähnliches hatte er vielmehr den Rivalen, vor allem Pătrăşcanu vorgeworfen und schien selbst ebenso wie Petru Groza, bis 2. VI. 1952 Ministerpräsident, dann bis zu seinem Tode am 7. I. 1961 als Präsident des Präsidiums der Großen Nationalversammlung formelles Staatsoberhaupt, über jeden Verdacht erhaben, er favorisiere den »Nationalkommunismus« und habe Neigungen, eine von Moskau unabhängige Politik zu treiben. Trotzdem bahnte sich noch unter seiner Herrschaft Ende der fünfziger und deutlicher zu Beginn der sechziger Jahre eine neue Politik an, die bei dauernder Hervorhebung unveränderter Linientreue eine größere Selbständigkeit, ein stärkeres Selbstbewußtsein und schließlich eine deutliche Hervorhebung rumänischen Nationalbewußtseins und rumänischer Eigenständigkeit anstrebte. Unter anderem war dies daran erkennbar, daß die Latinität der rumänischen Sprache betont, die Herkunft der Rumänen von den Dakern – und somit ein Alter von 3000 Jahren – hervorgehoben und bezüglich des Umsturzes vom 23. VIII. 1944 die eigene rumänische Leistung in den Vordergrund gestellt wurde. Für die Abtrennung der konformistischen, absolut moskautreuen Periode rumänischer Politik von der neuen, nationalbewußten, aber nichtsdestoweniger orthodox-kommunistischen Periode gibt es kein präzises Datum, das Epoche gemacht hätte, wie der Aufstand in Ungarn Oktober 1956 oder der Kominformkonflikt vom 28. VI. 1948.

Die Erklärung des ZK der PMR vom 26. IV. 1964 über die Selbständigkeit der Kommunistischen Parteien und gegen die Einflußnahme in die inneren Angelegenheiten des Landes (s. unten S. 1176f.), in der Rückschau oft als entscheidender Wendepunkt angesehen, sogar als »Unabhängigkeitserklärung« apostrophiert, kann bei genauerer Betrachtung nicht als epochemachender Wendepunkt gelten. Die Übergänge sind vielmehr fließend. Es entspricht deshalb der tatsächlichen allmählichen Entwicklung besser, wenn man die erste Periode bis in das Jahr 1962 reichen, die zweite mit dem Jahr 1963 beginnen läßt, ohne eine scharfe Trennungslinie zu ziehen, die den verschwommenen Konturen eine tatsächlich nicht vorhandene Präzision gäbe.

In der Zeit des linientreuen Aufbaus des Sozialismus in Rumänien lassen sich drei Phasen unterscheiden. Die erste, von 1948 bis 1952, ist durch den weiteren Ausbau der zu Beginn des Jahres 1948 endgültig gewonnenen und konsolidierten Machtstellung der Kommunistischen Partei und durch die überwiegend personell und nicht ideologisch bedingten Machtkämpfe an ihrer Spitze gekennzeichnet. Sie endet mit der Erringung der unangefochtenen Machtstellung des nunmehrigen Generalsekretärs und Ministerpräsidenten Gheorghiu-Dej (2. VI. 1952) und der Verabschiedung der zweiten Verfassung der Volksrepublik Rumänien (24. IX. 1952).

Die zweite Phase, zunächst gekennzeichnet durch gewisse Anpassungs- und Orientierungsschwierigkeiten, die durch das in Moskau verkündete Prinzip der kollektiven Führung und den Canossagang der Kremlführung nach Belgrad im Mai 1955 entstehen, bringt danach weitere Konsolidierung und nach Aufnahme Rumäniens in die UNO (14. XII. 1955) erste Anzeichen eines erneuerten Selbstbewußtseins. Sie endet im Herbst 1956 nach dem Ungarnaufstand mit der erneuten Festlegung eines »harten Kurses« im Innern.

Die dritte von 1957 bis 1962 zeigt bei nahezu unverändertem Festhalten an der bisherigen Linie im Inneren, z. B. bei rigoroser Weiterführung der Kollektivierung, deren Abschluß im April 1962 triumphal gefeiert wird, Anzeichen stärkerer Selbständigkeit, u. a. durch den im Juni 1958 erreichten Abzug der sowjetischen Truppen aus Rumänien und durch die im März 1961 verkündete Verfassungsänderung, die sich vom sowjetischen Vorbild in einem praktisch nicht bedeutsamen, optisch jedoch wirksamen Punkt löste (Staatsrat statt Präsidium der Nationalversammlung als kollektives Staatsoberhaupt). Abweichende Vorstellungen über die Rolle Rumäniens im RGW und über das Verhältnis der kommunistischen Parteien zueinander, im Jahre 1962 mehrfach verkündet, lassen erkennen, daß das Land unter Beibehaltung der bisherigen Führung und ohne sonstige spektakuläre Umgestaltungen im Inneren eine Sonderstellung innerhalb des »Blocks« anstrebt.

I. e) Der Weg in den Sozialismus (1948–1962)

In der ersten Phase, den Jahren 1948 bis 1952, stehen Ausbau der Parteiherrschaft und Umbau des gesellschaftlichen Gefüges ganz im Vordergrund, jedoch unter Wahrung bestimmter Eigenheiten. So wählte die am 28. III. 1948 gewählte Nationalversammlung aufgrund der neuen Verfassung ein Präsidium als formelles Staatsoberhaupt, dessen Präsident Professor Constantin I. Parhon (1874 bis 1969)[2] schon nach der Abdankung des Königs zusammen mit vier anderen die Funktion des Staatsoberhauptes übernommen hatte und der nicht der Partei angehörte. Er behielt diese formell bedeutsame, praktisch einflußlose Funktion bis zu seiner Ablösung durch Petru Groza am 2. VI. 1952. Groza blieb auch nach der neuen Verfassung im April 1948 Chef einer nominellen Koalitionsregierung, in der seine eigene Partei, die »Front der Pflüger«, noch drei Ministerien, u. a. das für Landwirtschaft und für Genossenschaftswesen besetzen konnte. Die beiden für die Wahl vom 28. III. 1948 neu gebildeten Parteien, die nur neun von 414 Mandaten erhalten hatten, gingen dagegen leer aus und traten nicht mehr in Erscheinung, während die »Front der Pflüger« in diesem Zeitraum weiter bestand, bis sie sich am 7. II. 1953 selbst auflöste.

Die Schlüsselministerien der dritten Regierung Groza (13. IV. 1948–2. VI. 1952) waren jedoch mit führenden Kommunisten besetzt, die zugleich Mitglieder des Politbüros oder des fünfköpfigen Sekretariats des ZK waren. So war der Erste Sekretär des ZK Gheorghe Gheorghiu-Dej[3] zugleich Erster Stellvertreter des Ministerpräsidenten sowie Industrie- und Handelsminister, die Mitglieder des Politbüros Ana Pauker (1893–1960), Emil Bodnăraş (1904–1976) und Teohari Georgescu (geb. 1908) Außen-, Verteidigungs- und Innenminister. Eine weitere Schlüsselstellung hatte der ebenfalls dem Politbüro angehörige Finanzminister Vasile Luca, der wie Ana Pauker »Moskowiter« war.

Die beiden letzteren waren aus diesem Grunde und weil sie nicht Rumänen waren – Ana Pauker Jüdin, V. Luca Ungar – für die rumänische Bevölkerung ein besonderes Symbol sowjetischer Vorherrschaft. Es war deshalb ein besonders geschickter Schachzug des Ersten Parteisekretärs Gheorghiu-Dej, daß er auf den Plenarsitzungen des Zentralkomitees im März und Mai 1952 Anklage gegen diese beiden sowie gegen Teohari Georgescu wegen verschiedener rechter und linker Abweichungen von der Parteilinie erhob und ihren Ausschluß aus den höchsten Parteigremien sowie den Verlust ihrer Regierungsämter erreichte[4]. Vasile Luca, als Finanzminister für die rigorose Währungsreform vom 28. I. 1952 verantwortlich, die eine Abwertung des alten gegen den neuen Lei von 1 : 400 gebracht hatte, wurde schon am 9. III. 1952 zusammen mit zahlreichen Beamten seines Ministeriums seines Postens enthoben und nach dem Ausschluß aus dem Zentralkomitee vor Gericht gestellt und zum Tode verurteilt. Dieses Urteil wurde allerdings in lebenslängliche Haft umgewandelt, doch starb Luca bald darauf, während Frau Pauker ohne Anklage bis zu ihrem Tode 1960 als kleine Angestellte beschäftigt wurde. Mit diesem Vorgehen gegen Personen, die später nicht, wie Pătrăşcanu, rehabilitiert wurden, hatte Gheorghiu-Dej noch in der Stalinära nicht nur Rivalen im Kampf um die Macht ausgeschaltet, sondern zugleich die Verantwortung für die am wenigsten populären Maßnahmen des Regimes »Stalinisten« und »Nichtrumänen« angelastet, sich selbst aber als guten Rumänen und weniger Verantwortlichen präsentiert. Daß die Maßregelung und Ausschaltung der Rivalen nicht etwa mit zu großer Härte gegenüber der bäuerlichen Bevölkerung, sondern mit Nachgiebigkeit gegenüber dem »Klassenfeind« und »Opportunismus« begründet worden war, geriet angesichts der Genugtuung darüber, daß einige verhaßte Stalinisten, von denen Ana Pauker angeblich das besondere Vertrauen Stalins genossen hatte, entmachtet worden waren, rasch in Vergessenheit.

§ 30 Die südosteuropäischen Staaten vom I. Weltkrieg bis zur Ära der Volksdemokratien

Die Kommunistische Partei, die in den Jahren 1944/45 kritiklos alle Anwärter aufgenommen hatte und durch die Fusion mit der Sozialdemokratischen Partei auf mindestens 1 Million Mitglieder[5] angewachsen war, war vor der Reinigung an der Spitze einer rigorosen Auskämmung an der Basis unterzogen worden, die vom November 1948 bis Mai 1950 durchgeführt wurde und den Ausschluß von 192 000 Mitgliedern zum Ergebnis hatte. Der »Reinigung« folgte die intensive Schulung im Marxismus-Leninismus in den Jahren 1950 bis 1952, von der über 300 000 Mitglieder erfaßt wurden und die Bildung von »Kadern«, alles streng nach sowjetischem Vorbild.

Dieses wurde auch in der Lösung des Landwirtschaftsproblems[6], eines Hauptproblems des Landes, seit dem März 1949 strikt nachgeahmt. Zunächst wurde, vier Jahre nach der ersten (s. oben S. 1163) eine zweite Agrarreform dekretiert (2. III. 1949), die allen noch verbliebenen Grundbesitz über 50 ha enteignete (insgesamt 342 000 ha). Die Besitzer, meist größere Bauern, verloren nicht nur den 50 ha übersteigenden Besitz, sondern wie vorher die Großgrundbesitzer den ganzen Hof, den sie unverzüglich räumen mußten. Danach begann aufgrund einer ZK-Resolution vom 5. III. 1949 der Klassenkampf auf dem Land mit dem Ziel der Kollektivierung und entsprechend dem Leninschen Grundsatz der Stützung auf die Dorfarmut, des Bündnisses mit den Mittelbauern und des gnadenlosen Kampfes gegen die »Kulaken«, wobei die letztere Gruppe (rumänisch *chiaburi*) erst künstlich konstruiert werden mußte. Da das Tempo der freiwilligen Bildung von Kollektivwirtschaften 1949/50 nur langsam war, begannen 1950/51 Zwangsmaßnahmen, wobei nach einer Enthüllung von Gheorghiu-Dej vom Dezember 1961 über 80 000 Bauern vor Gericht gestellt wurden. Heftige blutige Auseinandersetzungen waren die Folge, und da trotzdem nur wenig über 1000 Kollektivwirtschaften mit etwa 300 000 ha (3 % des Ackerlandes) entstanden waren, wurde seit Herbst 1951 ein »milderer Kurs« gesteuert, durch Vermehrung der Maschinen-Traktoren-Stationen (MTS) und durch die Festsetzung von hohen Abgabequoten für Einzelbauern mit rascher Progression für größere Höfe und niedriger für Kollektivwirtschaften. Das erwies sich als wirksamer, zumal den Bauern seit März 1952 die »niedrigere« Form der Landbaugenossenschaft (gemeinsame Bodenbearbeitung unter Beibehaltung des Privatbesitzes von Vieh und Gerät) gestattet wurde.

Bei der Industrialisierung wurde dem sowjetischen Vorbild mit einer gewissen Verzögerung gefolgt, denn erst am 1. VII. 1948 wurde die Staatliche Planungskommission gebildet, in der Miron Constantinescu die entscheidende Rolle spielte, und für die Jahre 1949 und 1950 wurden nur Ein-Jahrespläne aufgestellt. Erst am 15. XII. 1950, zu spät für das reguläre Anlaufen, verabschiedete die Nationalversammlung den ersten, nun dem sowjetischen Rhythmus angeglichenen Fünfjahresplan für 1951–1955. Er war im wesentlichen ein Investitionsplan mit starker Betonung der Elektrifizierung.

Eine große Rolle spielte in den Plänen der Bau eines Donau-Schwarzmeer-Kanals, dessen Bau die Partei im Mai 1949 ankündigte. Er sollte in einer Länge von 75 km den Unterlauf der Donau und das Donau-Delta umgehen und einen neuen Schwarzmeerhafen nördlich von Constanza erreichen. Der Bau, Ende 1949 mit dem Einsatz von bis zu 200 000 Arbeitskräften begonnen, von denen ein großer Teil politische Gefangene waren, endete 1953 mit einem völligen Fiasko. Nur 7 km waren mit riesigen Opfern fertiggestellt worden, als der Plan 1954 im Zuge der neuen, pragmatischer eingestellten Wirtschaftspolitik aufgegeben wurde.

Für die rasche Verstaatlichung des gesamten Wirtschaftslebens bildete ein Ge-

I. e) Der Weg in den Sozialismus (1948–1962)

setz vom 11. VI. 1948 den Ausgangspunkt, durch welches alle größeren Industrieunternehmen, Banken, Versicherungen, Bergbau- und Transportbetriebe verstaatlicht wurden, d. h. 90 % der gesamten industriellen Produktion. In rascher Folge engten weitere Gesetze den privatwirtschaftlichen Sektor immer weiter ein; so wurden am 3. XI. 1948 die Krankenhäuser, am 2. IV. 1949 die Apotheken und Laboratorien, am 20. IV. 1950 der Miethausbesitz verstaatlicht. Der rigorose Kampf gegen den »Klassenfeind« erreichte Anfang 1951 einen Höhepunkt, als enteignete Geschäftsleute, frühere Offiziere und Beamte und die Angehörigen von Emigranten kurzfristig aus ihren Wohnungen in Bukarest und einer Anzahl größerer Städte exmittiert wurden, um zuverlässigen Elementen Platz zu machen.

Die rücksichtslose Politik dieser Jahre dokumentierte sich auch in der souveränen Mißachtung der Verfassung und des Parteistatuts. Nach beiden hätten im Frühjahr 1952 Wahlen zur Nationalversammlung bzw. der II. Kongreß der PMR stattfinden müssen. Beides wurde verschoben und die Ausarbeitung einer neuen Verfassung angekündigt. Diese wurde am 24. IX. 1952 verabschiedet, nachdem am 2. VI. der Erste Sekretär des ZK, nunmehr mit dem Titel Generalsekretär, Gheorghiu-Dej selbst das Ministerpräsidium übernommen und eine rein kommunistische Regierung gebildet hatte. Petru Groza wurde als Präsident des Präsidiums der Nationalversammlung formelles Staatsoberhaupt.

Die neue Verfassung[7] unterschied sich von der bisherigen vor allem durch eine Einführung, in der die Sowjetunion und ihre »brüderliche Hilfe« überschwenglich gefeiert wurden, und durch die Verankerung des durch Dekret vom 28. XII. 1950 eingeführten Rätesystems in den Artikeln 51–63 wie durch die Sonderstellung, die in den Artikeln 73–76 dem Generalstaatsanwalt und den ihm nachgeordneten Stellen für die Strafverfolgung zugebilligt wurde. Erst aufgrund der neuen Verfassung wurden am 30. XI. 1952 die Wahlen zur Nationalversammlung durchgeführt, ohne andere Kandidaten als die der »Front der Volksdemokratie« und mit dem erwarteten Ergebnis von 98 % Ja-Stimmen. Von den 423 Abgeordneten hatten nur 93 dem vorherigen Parlament und nur 24 dem 1946 gewählten angehört, ein Zeichen für die neue ergebene Gefolgschaft des Partei- und Regierungschefs.

Die Stellung von Gheorghiu-Dej und der Partei wurde weder durch Stalins Tod (5. III. 1953) noch durch die Ausschaltung Berijas ernsthaft erschüttert. Offenbar fürchtete Gheorghiu-Dej, es könne ihm L. Pătrăşcanu, der seit 1948 kein Ministeramt mehr hatte, bei einem Übergang zur kollektiven Führung als Exponent einer »nationalen«, titoistischen Richtung an die Seite gestellt werden und ihn schließlich überflügeln, wenn es zu einem Parteitag käme. Bevor dieser, der seit 1952 fällig war, einberufen wurde, ließ Gheorghiu-Dej im April 1954 Pătrăşcanu und einige andere, darunter auch jüdische Intellektuelle, wegen Spionage und Verschwörung vor ein Militärgericht stellen, das Pătrăşcanu und das frühere ZK-Mitglied Koffler am 17. IV. 1954 zum Tode, die anderen zu langen Freiheitsstrafen verurteilte. Unmittelbar danach, am 19. IV. 1954, trat das Zentralkomitee zusammen und beschloß, Moskauer Vorbild folgend, die Trennung von Partei- und Regierungsführung. Gheorghiu-Dej wählte das Ministerpräsidium, erreichte aber, daß zum Ersten Sekretär (der erst 1952 geschaffene Titel »Generalsekretär« wurde wieder abgeschafft) einer seiner Vertrauten, Gheorghe Apostol, gewählt wurde. In das auf vier Köpfe verkleinerte Sekretariat trat der junge ehemalige Jugendfunktionär und Politoffizier Nicolae Ceauşescu (geb. 1918) ein, der gleichzeitig Kandidat für das Politbüro wurde.

Nur anderthalb Jahre dauerte aber in dieser zweiten Phase der Orientierungsschwierigkeiten der Verzicht von Gheorghiu-Dej auf die Führung der Partei. Bereits am 5. X. 1955, noch vor dem II. Kongreß der Arbeiterpartei (dem VII. der KP) übernahm er wieder den Posten des Ersten Sekretärs. Ministerpräsident wurde sein enger Vertrauter Chivu Stoica (geb. 1908), wie Gheorghiu-Dej ursprünglich Eisenbahnarbeiter, 1933 ebenfalls zu langjähriger Haft verurteilt und seit 1950 Stellvertretender Ministerpräsident in den Regierungen Groza und Gheorghiu-Dej. Auf dem endlich vom 23. bis 28. XII. abgehaltenen II. (VII.) Parteikongreß[8] konnte Gheorghiu-Dej eine gefestigte Partei vorführen, deren Mitgliederzahl allerdings nur noch knapp 600 000 betrug, weil seit 1948 kaum Neuaufnahmen stattgefunden hatten. Der Anteil der Arbeiter betrug nur knapp 43 statt der angestrebten 60 %. Da gleichzeitig die Gesamtzahl der Arbeiter mit 2,6 Mill. angegeben wurde, bedeutete das, daß nur 10 % der Arbeiter dieser »Arbeiterpartei« angehörten. Diese Erkenntnis bekräftigte nicht nur die Notwendigkeit des eingeschlagenen milderen Kurses, sondern führte auch zur erneuten Öffnung der Partei, die 1960, beim III. (VIII.) Parteitag wieder 826 000 Mitglieder hatte, darunter 51 % Arbeiter. Der mildere Kurs dieser Übergangsphase wurde, abgesehen von der Aufgabe des Kanalprojekts 1954, durch Lohnerhöhungen in den meisten Industriezweigen (Nov. 1953) und durch Abschaffung der Lebensmittelrationierung (Dez. 1954) demonstriert, sowie durch Herabsetzung der Einkommensteuer (27. XI. 1953), die vor allem eine Erleichterung für die Vertreter der Intelligenzberufe darstellte, denen die Partei auch sonst Entgegenkommen zeigte. Im Bereich der Landwirtschaft und der Kollektivierung zeitigte der »mildere« Kurs Erfolge. Ende 1955 gehörten insgesamt 26,5 % des Ackerlandes zum sozialistischen Sektor, davon allerdings nur 8,3 % zu den Kollektivwirtschaften, 4,5 % zu den »niedrigeren« Formen gemeinsamen Wirtschaftens.

Der Anfang 1956 anlaufende Zweite Fünfjahresplan sah vor, daß die Kollektivierung weiter vorangetrieben werden sollte, so daß 60–70 % der gesamten landwirtschaftlichen Produktion vom »sozialistischen Sektor« kommen sollten. Im übrigen setzte der Plan die ehrgeizigen Ziele des ersten Planes erneut fest: Industrialisierung und Steigerung der industriellen Produktion um 60–65 %, wobei den Verbrauchsgütern nur ein schmaler Bereich zugebilligt wurde.

Der XX. Kongreß der KPdSU, an dem u. a. Gheorghiu-Dej und Miron Constantinescu teilgenommen hatten, wirkte sich auf die Parteiführung nicht negativ aus, da der Erste Sekretär in seinem Rechenschaftsbericht vor dem ZK (23. III. 1956) betonen konnte, daß man sich in Rumänien von Stalinisten und stalinistischen Methoden schon 1952 gelöst habe. Lediglich die harte Linie gegenüber den Intellektuellen wurde sanfter; verhaftete und abgesetzte Schriftsteller und Wissenschaftler wurden im Frühjahr 1956 freigelassen, durften wieder publizieren oder ihre alten Posten wieder einnehmen. So konnte der zum völligen Schweigen verurteilte, bedeutendste zeitgenössische rumänische Lyriker Tudor Arghezi (1880–1967) 1956 wieder veröffentlichen, und im Schriftstellerverband wurde die »vergangene Periode« kritisiert, allerdings viel vorsichtiger als in Polen und Ungarn[9].

Die dortigen Ereignisse im Oktober/November 1956 führten dazu, daß die nur wenig gelockerte Schraube innenpolitischen Drucks wieder angezogen und damit um die Jahreswende 1956/57 die dritte Phase (1957–1962) begonnen wurde. Nachdem die rumänische Partei- und Staatsspitze bei einem Budapestbesuch Ende November 1956 Kádár den Rücken gestärkt hatte, machte das ZK-Plenum Ende Dezember 1956 in Abänderung des Fünfjahresplanes der Bevölkerung wirtschaftliche Konzessionen: Die geforderte Wachtumsrate der Industrieproduktion wurde von 10–12 auf 3,8 % ermäßigt; eine Einkommenssteigerung von

I. e) Der Weg in den Sozialismus (1948–1962)

15% und die Sicherung der Lebensmittelversorgung durch Vertragsabschlüsse statt durch Zwangslieferungen wurden angekündigt. Nachdem schon 1954/55 die rumänisch-sowjetischen Gesellschaften (Sovrom) aufgelöst worden waren, brachten diese Maßnahmen weitere leichte Verbesserungen der Wirtschaftslage als Kompensation für die Straffung der Parteiherrschaft. Diese änderte sich auch nicht, als am 7. I. 1958 das Staatsoberhaupt Petru Groza starb und von der ein Jahr zuvor neu gewählten Nationalversammlung[10] an seine Stelle am 11. I. ein Kommunist bürgerlicher Herkunft, der Rechtsanwalt Dr. Ion Gheorghe Maurer[11] (geb. 1902) gewählt wurde, der weder wegen seiner Herkunft noch aufgrund seines an der Sorbonne erworbenen Doktorgrades als »proletarischer Kämpfer« gelten konnte, dafür aber den Staat im Ausland mit Sprachgewandtheit und umfassender Allgemeinbildung wirkungsvoll repräsentierte. Nach der am 14. XII. 1955 im Pauschalverfahren (zusammen mit Bulgarien, Ungarn und Albanien) erfolgten Aufnahme in die UNO erreichten Staats- und Parteiführung in geschickter Ausnutzung sowjetischer Friedensoffensiven einen weiteren außenpolitischen Erfolg, der ihr Ansehen bei der Bevölkerung erhöhte: den Abzug der sowjetischen Truppen im Juni 1958.

Im gleichen Jahr, auf dem Plenum des ZK im November 1958, wurde aber auch die »Atempause« wieder beendet und die vorzeitige Beendigung des Fünfjahresplanes, der unmittelbare Anschluß eines Sechsjahresplanes und die erneute Forcierung der Kollektivierung der Landwirtschaft[12] angekündigt. Deren Abschluß wurde dann schon nach 3½ statt der vorgesehenen 6 Jahre im April 1962 mitgeteilt und in einer Sondersitzung der Nationalversammlung mit 11 000 Bauern vom 27. bis 30. IV. 1962 gefeiert. Die Kollektivwirtschaften bearbeiteten nunmehr 77% des Ackerlandes; weitere 17,5% gehörten zu den Staatsgütern, so daß nur jeweils etwas über 5% in privater Hand bzw. im Besitz von Genossenschaften »niedrigeren« Typs blieben. Auf dem III. (VIII.) Parteikongreß (20. bis 28. VI. 1960), an dem auch Chruschtschow teilnahm, zeigte sich die wieder auf über 800 000 Mitglieder angewachsene Partei sowohl selbstbewußt wie moskautreu und verkündete erste Erfolge des Sechsjahresplanes auf dem Gebiet der Industrialisierung, vor allem der Stahlproduktion.

Am 22. III. 1961 wurde ein Wechsel an der Spitze des Staates vorgenommen. Die Nationalversammlung änderte die Verfassung von 1952 durch Schaffung eines Staatsrats, dessen Vorsitzender und damit formelles Staatsoberhaupt Gheorghe Gheorghiu-Dej wurde. Präsident der Nationalversammlung wurde Ştefan Voitec, ein früherer Sozialdemokrat, während Maurer das Ministerpräsidium übernahm. Gleichzeitig wurden eine Kommission mit der Ausarbeitung einer neuen Verfassung beauftragt und durch Gesetz regionale Wirtschaftsräte gebildet.

Dieser Umgestaltung waren wiederum Wahlen mit dem kaum noch zu überbietenden Ergebnis von 99,8% der Stimmen für die »Front« vorausgegangen (5. III. 1961). Von den 465 Abgeordneten gehörten 61 den nationalen Minderheiten an, deren Stellung somit etwas verschlechtert wurde. Die Bildung des Staatsrats bewirkte eine weitere Herabdrückung der ohnehin nur zweimal im Jahr zusammentretenden Nationalversammlung in die Bedeutungslosigkeit, denn dieser konnte nicht nur Dekrete erlassen und Gesetze auslegen, sondern auch die Minister und den Obersten Befehlshaber ernennen und entlassen – Funktionen, die nach der Verfassung von 1952 das Präsidium der Nationalversammlung ausübte. Ganz deutlich war damit die Macht wieder bei *einer* Person in ihrer Doppelfunktion konzentriert, während der Ministerpräsident zweitrangige, der Präsident der Nationalversammlung fünftrangige Bedeutung hatte.

§ 30 Die südosteuropäischen Staaten vom I. Weltkrieg bis zur Ära der Volksdemokratien

Mit dieser Machtstellung, mit dem Triumph der im April 1962 vollendeten Kollektivierung und im Bewußtsein, daß der rumänischen KP keinerlei »linke« oder »liberalisierende« Abweichungen vorgeworfen werden konnten, begann Gheorghiu-Dej unter zeitweiliger geschickter Ausnutzung des sowjetisch-chinesischen Konflikts, aber ohne sich je, wie Albanien 1961, brüsk von der Sowjetunion ab- und China zuzuwenden, den Weg der schrittweisen stärkeren Verselbständigung Rumäniens[13] zu beschreiben, dessen einzelne Etappen nicht nachgezeichnet werden können, zumal es dabei durchaus Inkonsequenzen und gelegentliche Schritte in eine andere Richtung gab[14]. Bemerkenswert war, daß Gheorghiu Dej in seinem dem ZK erstatteten Bericht[15] über den XXII. Parteitag der KPdSU Anfang Dezember 1961 indirekt auch Chruschtschow angriff, als er betonte, daß die Stalinisten in Rumänien eben »Moskowiter« gewesen seien und daß man sie 1952 (Pauker, Luca) und 1957 (M. Constantinescu, I. Chisinevschi) auch ohne Hilfe und Rat der KPdSU entfernt hatte[16]. Die Entfernung von Stalins Namen aus den Bezeichnungen für Orte, Straßen, Fabriken wurde zum Teil schon vor dem XXII. Parteikongreß im Winter 1961/62 stillschweigend vorgenommen.

Die Öffnung der Partei für alle Gutwilligen, ohne Rücksicht auf frühere Zugehörigkeit zu den alten Parteien und auf die soziale Herkunft, durch Beschluß des April-Plenums 1962 und die gleichzeitige Betonung, *alle* Rumänen – nicht nur Arbeiter und Bauern – sollten »ein neues Vaterland« bauen, waren ein weiteres, auch von der Öffentlichkeit bemerktes Signal für eine sich langsam ändernde Richtung rumänischer Politik, die in der gleichen Zeit vorsichtig, aber spürbar die wirtschaftlichen Beziehungen zum Westen zu verbessern suchte.

Während eines offenbaren Konfliktes über die Rolle der einzelnen Mitgliedsländer im RGW auf der Ratstagung[17] in Moskau am 6. und 7. VI. 1962 betonte die rumänische Delegation, daß Rumänien sich dem Prinzip der Unterordnung nationaler Interessen unter die der Gemeinschaft nicht beugen könne und auf dem Grundsatz der »Achtung der nationalen Souveränität, der vollen Gleichberechtigung« bestehen müsse. Chruschtschows letzter Besuch in Rumänien (18.–25. VI. 1962) sollte offenbar die hier aufgebrochenen Gegensätze überbrücken, und dem gleichen Zweck diente ein Besuch Ulbrichts im September. Beide blieben erfolglos, da seitens der rumänischen KP die Ablehnung jeder Einmischung von außen erneut betont und mit der Ankündigung, ein anglo-französisches Konsortium werde ein Stahlwerk in Galatz bauen (25. XI. 1962), ein deutliches Zeichen gesetzt wurde, da der RGW doch gerade den Verzicht auf den weiteren Ausbau der Schwerindustrie verlangt hatte. Um die Jahreswende 1962/63 konnte von außen noch kaum erkannt werden[18], daß die Zeit der absoluten Treue der rumänischen Kommunisten gegenüber Moskau zu Ende war, tatsächlich waren aber die Weichen für den eigenen nationalen Kurs bereits gestellt.

---

[1] Die in Anm. 1 zu Kapitel d) genannten Werke von *Ionescu, Prost* und *Cretzianu* unterrichten auch über diesen Zeitraum bzw. seine ersten Phasen. Darüber hinaus *S. Fischer-Galati,* The New Rumania. From People's Democracy to Socialist Republic (1966), und mit abweichenden Urteilen: *K. Jowitt,* Revolutionary Breakthroughs and National Development. The Base of Romania 1944–1965 (1971). Knapper *S. Fischer-Galati,* Twentieth Century Rumania (1970). Vom Blickpunkt der Sonderstellung: *D. Floyd,* Rumania, Russia's Dissident Ally (1965). Für die Zeit ab 1952 s. die regelmäßigen Berichte in der »Chronik« der Zschr. Osteuropa v. *V. Velerim* u. *A. Klees* (bis 1955), v. *G. Mergl* (1957–1959) u. *A. Rohmann* (seit 1960). Außerdem die vom Südost-Institut München seit 1952 herausgegebene Monatsschrift Wissenschaftlicher Dienst Südosteuropa und die Ost-Probleme mit dt. Übersetzung oder Wiedergabe rumänischer Beiträge.

[2] Constantin I. Parhon, geb. 1874, war ein international bekannter Endokrinologe, der die

I. e) Der Weg in den Sozialismus (1948–1962)

Endokrinologie in Rumänien erst begründet hatte. Er hatte sich 1941 gegen den Krieg gegen die Sowjetunion ausgesprochen.
3 Seine Biographie gibt *O. R. Liess* in: Osteuropa 10 (1960), S. 168–170. Gh. Gheorghiu wurde in Bârlad (Moldau) am 8. XI. 1901 geboren. Den Beinamen Dej nahm er nach dem mittelsiebenbürgischen Industrieort Dej an, wo er 1931/32 als Gewerkschaftsfunktionär tätig war und überregional bekannt wurde. S. auch seine »Artikel und Reden« 1955–1959 (1959).
4 Dazu d. Bericht des ZK-Sekretärs A. Moghioroş in Nr. 8 der Kominformzeitschrift »Für dauerhaften Frieden, für Volksdemokratie« vom 12. VI. 1952, Wiedergabe in: Ost-Probleme 4 (1952), S. 821–835. S. auch *C. Ring,* Stalin m'a dit – Ana Pauker, est-elle coupable? (1962).
5 Wenn die Angaben von Ana Pauker über 800 000 KP-Mitglieder im Oktober 1945 und die Angaben der Sozialdemokraten vom Oktober 1947 über 560 000 Mitglieder *(Ionescu,* Communism in Rumania, S. 150) richtig sind, hätte die Gesamtzahl fast 1 400 000 betragen müssen, doch ist Ende 1948 nur von knapp 1 Million die Rede.
6 Dazu *G. Mergl,* Die Agrarfrage – das Schlüsselproblem Rumäniens: Osteuropa 6 (1956), S. 365–374, u. 7 (1975), S. 178–186.
7 Text in Englisch bei *J. F. Triska,* Constitutions of the Communist Party-States (1968), S. 362–377.
8 Die Berichte darüber im Parteiorgan Scînteia vom 24.–29. XII. 1955, s.: *Ionescu,* Communism in Rumania, S. 240–247.
9 Hierzu *G. Mergl,* Rumäniens Intellektuelle werden härter angefaßt: Osteuropa 9 (1959), S. 482–487, und *Ionescu,* Communism in Rumania, S. 262–266, sowie für die Atmosphäre die Romane v. *P. Dumitriu,* Treffpunkt jüngstes Gericht (1961), und: Inkognito (1962).
10 Die Wahlen fanden am 3. II. 1957 statt und brachten 99 % für die »Front«. Bemerkenswert war lediglich, daß von den nunmehr 437 Abgeordneten 67, also 15 %, den nationalen Minderheiten angehörten. Unter ihnen befanden sich fünf Siebenbürger Sachsen, darunter der »Sachsenbischof« Dr. Friedrich Müller, und fünf Banater Schwaben, sowie mindestens 45 Ungarn. Das entsprach in bemerkenswerter Weise dem Ergebnis der Volkszählung vom 2. II. 1956, nach der von rund 17,5 Mill. Einwohnern fast 15 Mill. = 85 % rumänischer Nationalität, knapp 1,6 Mill. = 9 % Ungarn, fast 0,4 Mill. = 2,3 % Deutsche und 0,15 Mill. = 0,85 % Juden waren.
11 S. Biographie von *O. R. Liess:* Osteuropa 8 (1958), S. 815–817. Maurer entstammte einer rumänisierten deutschen Familie. Sein nicht romanisierter Name konnte auch als Signal für die Minderheitenpolitik und die Weltoffenheit der KPR angesehen werden.
12 S. u. a. *K.-E. Wädekin,* Sozialistische Agrarpolitik in Osteuropa, Bd. I: Von Marx bis zur Vollkollektivierung (1974).
13 Die Bedeutung der ersten Schritte und die Dauerhaftigkeit der neuen Entwicklung wurde erst spät erkannt, dann aber ex post eingehend zu erläutern gesucht, s.: *G. Ionescu,* The Reluctant Ally (1965), u. ders.: Rumäniens Unabhängigkeitsbestrebungen: Osteuropa 16 (1966), S. 300–313, sowie *J. M. Montias,* Background and Origins of the Rumanian Dispute with Comecon: Soviet Studies 16 (1964), S. 125–151, und *R. V. Burks,* Rumäniens nationale Abweichung, eine Bestandsaufnahme: Osteuropa 16 (1966), S. 314–328. Außerdem die in Anm. 1 genannten Werke von *D. Floyd, K. Jowitt* und *S. Fischer-Galati.*
14 Während *G. Ionescu,* Communism in Rumania (nicht identisch mit dem in Anm. 13 genannten Autor) zum Abschluß seines 1964 erschienenen Buches die mögliche Abkehr vom sowjetischen Vorbild noch sehr zurückhaltend beurteilt, überschreibt *Fischer-Galati* Kap. III seines 1966 abgeschlossenen Buches: The New Rumania: Reculer pour mieux sauter (1952–1960) und Kap. IV: The Road to Independence (1960–1964).
15 S. d. Rede in: Gh. Scînteia v. 7. XII. 1961, dt. in: *Gheorghiu-Dej,* Artikel und Reden, Juni 1961–Dezember 1962 (1963).
16 Als letztes Opfer der Entstalinisierung fiel auf diesem ZK-Plenum der Altkommunist und »Moskowiter« C. Pârvulescu (geb. 1895), der sämtliche Parteiämter verlor. Die Lobeshymnen, die Gheorghiu-Dej selbst auf die Sowjetunion und Stalin zu dessen Lebzeiten ausgesprochen hatte, blieben natürlich unerwähnt.

§ 30 Die südosteuropäischen Staaten vom I. Weltkrieg bis zur Ära der Volksdemokratien

[17] S. dazu u. a. *Floyd,* Rumania, S. 70–99, und *Fischer-Galati,* The New Rumania, S. 87–91. *Ionescu,* Communism in Rumania, S. 337/38, erwähnt diese Ereignisse nur beiläufig, aber mit dem Hinweis auf ihre Bedeutung. In den offiziellen rumänischen Darstellungen werden diese Fragen ganz übergangen.
[18] So betonte *A. Rohmann* noch im Juni 1963 die »absolute Linientreue« Rumäniens gerade im Zusammenhang mit dem Chruschtschow-Besuch, der bei genauer Analyse doch die Auffassungsunterschiede zeigte, s.: Osteuropa 13 (1963), S. 421.

f) Die rumänisch-nationale Variante im Sozialismus seit 1963[1]

Die Besonderheit der rumänischen Eigenentwicklung seit 1963 war, daß es nicht nur zu keinem eklatanten Bruch mit Moskau oder einem der anderen Staaten des Warschauer Paktes kam, sondern daß nicht einmal eine scharfe Polemik in den Parteiorganen oder in beiderseitigen scharfen und verletzenden Deklarationen der Parteigremien stattfand. Es wurden vielmehr stets die Formen diplomatischer Höflichkeit und »bruderparteilichen« Anstands gewahrt und weit eher die Methode der indirekten Beschuldigungen, der Konkurrenz, wer der bessere und konsequentere Kommunist sei, und der stillschweigenden Veränderungen als die der unmittelbaren Angriffe oder gar Verdammungsurteile gewählt. Auch die zu weitgehend als »Unabhängigkeitserklärung« bezeichnete »Deklaration« der Rumänischen Arbeiterpartei »über Probleme der Internationalen Bewegung der Kommunisten und der Arbeiterklasse« vom 22. IV. 1964 (veröffentlicht 26. IV.)[2] enthält keine direkten Attacken und Bezüge auf die vorausgegangenen Auseinandersetzungen.

Dieser Umstand erschwert die Darstellung der Sonderentwicklung anhand einiger Tatsachen, da erst eine Fülle in Kurzform nicht aufzuzählender Einzelerscheinungen mosaikartig die besondere Entwicklung zeigt, die schlagwortartig unter die Devise: »Rumänien für die Rumänen unter Führung der rumänischen Kommunisten« gestellt werden kann.

Am deutlichsten läßt sich die Entwicklung an der Stellung der rumänischen Kommunisten zum Rat für gegenseitige Wirtschaftshilfe ablesen, der im Jahr 1963 vor der 18. Tagung drei Sondersitzungen in Moskau und Warschau (Februar, April, Mai) abhielt. Der rumänische Vertreter im RGW, das Politbüromitglied Alexandru Bârlădeanu, betonte dabei ständig die im RGW geltenden Prinzipien sozialistischer Arbeitsteilung, die nach rumänischer Auffassung nur bei voller Gleichberechtigung, bei »gegenseitiger kameradschaftlicher Hilfe zu gegenseitigem Nutzen« verwirklicht werden konnten. Auf der 18. Ratstagung in Moskau am 25./26. VII. 1963 setzten die rumänischen Vertreter ihren Standpunkt durch, da die geplante Koordinierung der nationalen Wirtschaftspläne vertagt, bilaterale Vorbesprechungen angekündigt und die Zustimmung des Rats zum Bau des Stahlwerks in Galatz erreicht wurden. Bei der Betonung, daß jedes sozialistische Land seine eigene entwickelte Stahlproduktion haben müsse, konnten sich die Vertreter Rumäniens auf Lenin berufen und außerdem auf den Bau von Stahlwerken in anderen Ländern mit weit ungünstigeren Standortbedingungen verweisen (z. B. Nowa Huta bei Krakau in Polen).

Im Februar 1964 betonte Gheorghiu-Dej vor der Bukarester Ortsgruppe der Partei, daß der rumänische Weg des weiteren Eigenaufbaus mit finanzieller und technologischer Hilfe des Westens sich als richtig erwiesen habe, denn während in allen anderen RGW-Ländern die Wachstumsrate der Industrieproduktion erheblich abgesunken war und unter 10 % lag, wurde sie für Rumänien mit 15 % angegeben[3].

I. f) Die rumänisch-nationale Variante im Sozialismus seit 1963

Die umfangreiche, etwa 16 000 Worte umfassende Erklärung vom 22. IV. 1964, offensichtlich lange vorbereitet, ohne erkennbaren aktuellen Anlaß veröffentlicht und sofort vielsprachig verbreitet, wirkte schon wegen ihrer Länge und teilweise verklausulierten Sprache nicht wie ein Fanal, faßte aber alle Argumente für die ungestörte eigene Entwicklung, für die Gleichberechtigung aller Parteien und Länder und gegen einen umfassenden »Generalplan« nochmals so zusammen, daß später darauf verwiesen werden konnte[4]. Ein an sich unwichtiger Aufsatz des sowjetischen Nationalökonomen E. B. Valev[5], in dem der Vorschlag gemacht wurde, einen wirtschaftlichen Großraum an der Donaumündung zu schaffen, gab kurz darauf Gelegenheit, die rumänische Souveränität nochmals zu betonen und zu erklären, daß man im Stahlwerk Galatz nicht nur Erze aus dem sowjetischen Krivoj Rog, sondern auch aus Brasilien und Indien verhütten werde[6]. Es folgte jedoch kein Austritt Rumäniens aus dem RGW; die Kooperation wurde vielmehr unter Betonung der Sonderstellung aufrechterhalten.

Parallel liefen flankierende Aktionen, wie ein Abkommen mit Jugoslawien über den gemeinsamen Bau eines Kraftwerks am Eisernen Tor (30. XI. 1963), der Besuch einer rumänischen Partei- und Staatsdelegation in Peking mitten im sowjetisch-chinesischen Konflikt (März 1964), die Abschaffung des Russischen als erste verpflichtende Fremdsprache an den Oberschulen (Herbst 1963) und die Vereinbarung über die gegenseitige Errichtung von Handelsvertretungen mit der Bundesrepublik Deutschland (17. X. 1963)[7], mit der Rumänien allen Ländern des Ostblocks, von der Sowjetunion abgesehen, vorausging. Die Intensivierung der Beziehungen zu Frankreich und den USA in der gleichen Zeit – am 1. VI. 1964 wurden die beiderseitigen Vertretungen in Bukarest und Washington zu Botschaften erhoben – unterstrich im Verein mit Wirtschafts- und Kreditabkommen das Streben nach beidseitiger Offenheit, während im Inneren durch die Begnadigung politischer Häftlinge, die Aufhebung von Arbeitslagern und die Entrussifizierung von Kultureinrichtungen nur begrenzte Erleichterungen gewährt wurden.

Der Tod von Gheorghiu-Dej am 19. III. 1965 löste angesichts der Geschlossenheit der Partei und der starken Stellung von Nicolae Ceausescu[8] im Sekretariat des ZK keine Erschütterungen aus, doch wurden die Funktionen des Verstorbenen – wie üblich – zunächst geteilt. Ceausescu wurde zum Ersten Sekretär des ZK, der frühere Ministerpräsident Chivu Stoica zum Staatsratsvorsitzenden gewählt. Schon auf dem IV. (IX.) Parteikongreß (19.–24. VII. 1965), auf dem die Partei wieder den Namen »Kommunistische Partei« annahm, rückte Ceausescu mit dem Titel »Generalsekretär« aber voll in die Nachfolge von Gheorghiu-Dej in der Parteibeherrschung ein. Die Partei, nun auf 1 450 000 Mitglieder angewachsen, machte erneut deutlich, daß sie für Intellektuelle geöffnet sei und den gemeinsamen Aufbau eines »neuen sozialistischen Rumäniens« anstrebe. Ein neues Parteistatut[9] verpflichtete die Mitglieder, »ihrem Vaterland« die Treue zu halten, das bald darauf durch die Verfassung vom 21. VIII. 1965 in »Sozialistische Republik Rumänien« umbenannt wurde. Diese Verfassung[10], seit 1961 vorbereitet und schon die dritte seit 1948, verzichtete auf eine Präambel und jede Nennung der Sowjetunion und ihrer »brüderlichen Hilfe«, sondern stellte knapp fest, daß Rumänien eine sozialistische Republik und ein »souveräner, unabhängiger, einheitlicher Staat« mit einem »unveräußerlichen und unteilbaren Territorium« sei. Die in den beiden vorausgehenden Verfassungen nicht genannte Kommunistische Partei wurde nunmehr in Artikel 26 als die »höchste Organisationsform der Arbeiterklasse« und als »Führer auf allen Gebieten sozialistischen Aufbaus« in der Verfassung verankert; andererseits erschienen die Bürgerrechte, in den früheren Verfassungen in den Schlußteil verbannt, nun, präzisiert und erweitert, im Kapitel II inklusive des Rechts auf ein – genauer definiertes – persönliches Eigentum (Art. 36) und des Erbrechts (Art. 37), die bisher nicht genannt waren. Die Neuerung von 1961, der Staatsrat als oberstes Organ, war nunmehr in den Artikeln 62–69 in Rechten und Zusammensetzung (Präsident, drei Vizepräsidenten und fünfzehn weitere Mitglieder) genau beschrieben.

In den nächsten Jahren wurde der eingeschlagene Weg der Betonung der Eigenständigkeit im sozialistischen Lager, der vorsichtigen Öffnung nach Westen, insbesondere im ökonomischen Bereich, einer selbstbewußten, das Moskauer Vorbild nicht nachahmenden Außenpolitik (z. B. Aufrechterhaltung der diplomatischen Beziehungen zu Israel) bei gleichzeitig strikter Parteiherrschaft konsequent weiter beschritten. Hinzu kam die immer stärkere Hervorhebung des Stolzes auf die eigene 3000jährige Vergangenheit und die Stärkung des Geschichtsbewußtseins[11]. In diesem Zusammenhang wurde nunmehr auch der Umsturz am 23. VIII. 1944 zunehmend als eigene rumänische Leistung angesehen, bei der die Mitwirkung der Nichtkommunisten anerkannt wurde.

Die Konzentration der Macht in der Hand des Parteichefs und seiner engeren, meist jüngeren Vertrauten wurde ebenso konsequent fortgesetzt, und gleichzeitig wurden diejenigen Parteiführer geopfert, die in irgendeiner Weise mit den Übergriffen und Ungesetzlichkeiten in der Stalinära im Zusammenhang standen. Schon am 8. XII. 1967 ließ sich Ceausescu anstelle von Ch. Stoica zum Staatsratsvorsitzenden wählen und vereinigte somit wie vorher Gheorghiu-Dej Staats- und Parteispitze in seiner Person, die zunehmend in den Vordergrund trat, bei gleichzeitiger Absage an den Personenkult. Sicher nicht ohne Einfluß des »Prager Frühlings« und der dabei gemachten Enthüllungen wurde am 25. IV. 1968 der Innenminister Drăghici, als Sicherheitsexperte auch ein Rivale Ceausescus, aller Partei- und Staatsämter enthoben, da er an der Hinrichtung von Pătrăşcanu im April 1954 wesentlichen Anteil gehabt hatte, was natürlich auch vorher bekannt gewesen war. Nicht nur indirekt wurde dabei auf der ZK-Sitzung vom 22. bis 25. IV. 1968 Kritik an Gheorghiu-Dej geübt und durch die Entfernung von Stoica und Apostol aus ihren Parteiämtern auch verdeutlicht, daß nun die Vergangenheit endgültig vorüber sei, man also nicht, wie in Prag, ihre Bewältigung versuchen müsse.

Innere Umgestaltungen auf der lokalen Führungsebene ermöglichte auch die durch Gesetz vom 16. II. 1968 beschlossene, Artikel 79 der Verfassung ändernde Gebietsreform. Während im Dezember 1950 bei der Einführung des Rätesystems (s. oben S. 1171) sowjetischem Vorbild folgend die dreistufige Verwaltung – Region, Kreis, Gemeinde – eingeführt worden war[12], wobei der Kreis den der sowjetischen Amtssprache entlehnten Namen *raion* erhielt, kehrte man mit dem Gesetz vom 16. II. 1968 wieder zur zweistufigen Verwaltung nach französischem Departementsvorbild zurück. Es wurden 39 Kreise (Distrikte)[13] gebildet, die die frühere Bezeichnung *judeţ* erhielten und teils ihre historischen Landschaftsnamen, teils den Namen des Hauptortes trugen. Dabei wurden die Grenzen der historischen Bereiche im wesentlichen beachtet. Diese Reform ermöglichte es bei den Wahlen zu den neu zu bildenden Kreis- und Gemeindevolksräten, mißliebig gewordene Genossen auf einfache Weise gegen andere auszutauschen. Die Wahlen fanden dann zusammen mit den Wahlen zur Nationalversammlung am 2. III. 1969 statt, nachdem am 19. XI. 1968 anstelle der früheren »Front der Volksdemokratie« eine »Front der Sozialistischen Einheit« für die Aufstellung der Listen gebildet worden war. Erwartungsgemäß erhielt diese »Front« 99,75 % der Stimmen.

I. f) Die rumänisch-nationale Variante im Sozialismus seit 1963

Gleichzeitig brachte die Gebietsreform aber auch Verschlechterungen für die Situation der nationalen Minderheiten, insbesondere für die etwa 1,6 Mill. Ungarn. Für diese hatte die Verfassung von 1952, Art. 19, nach sowjetischem Vorbild eine Autonome Ungarische Region aus neun *raions* mit dem Hauptort Târgu-Mureş (Neumarkt am Mieresch) geschaffen. Diese erschien auch in Art. 15 der Verfassung von 1965 noch als eine der sechzehn »Regionen«, wurde aber nun beseitigt. Als ein gewisser Ersatz dafür wurden nach Verhandlungen des ZK mit Kultur- und Geistesschaffenden ungarischer und deutscher Nationalität am 15. XI. 1968 der »Rat der Werktätigen deutscher Nationalität« sowie der »Rat der Werktätigen ungarischer Nationalität«[14] konstituiert, die unter Führung der KP in der »Front der Sozialistischen Einheit« mitwirken sollten. Die dabei und weiterhin verwendete Bezeichnung »mitwohnende Nationalitäten« machte deutlich, welche Rolle den Ungarn und Deutschen im Staate zugewiesen war. Beide waren aber etwa dem Anteil an der Bevölkerung entsprechend auch in den Kreis- und Gemeindevolksräten vertreten; außerdem wurden 15 ungarische und 10 deutsche Kreisräte[15] des »Rats der Werktätigen« in den von Ungarn und Deutschen bewohnten Kreisen für die Fragen der Sprache und Kultur gebildet. Da ihre Hauptaufgabe jedoch »politische Erziehungsarbeit im Dienste des sozialistischen Internationalismus und der Ergebenheit für unsere neue Ordnung« sein sollte, war klar, daß Sprache und nationale Eigenarten zwar erhalten, aber der Integration in die »sozialistische Nation« dienen sollten.

Deshalb wurde unter den Deutschen Rumäniens, insbesondere den Siebenbürger Sachsen, der Wunsch nach Auswanderung (Familienzusammenführung) nicht geringer, wenn auch die Diskriminierungen der ersten Nachkriegsjahre aufgehoben und zum Teil rückgängig gemacht wurden und ein umfangreiches deutschsprachiges Schrifttum[16] erscheinen konnte. Da die Ungarn in einigen Kreisen, insbesondere im Széklergebiet (Covasna, Harghita, Mureş) die absolute Mehrheit bildeten, blieb ihre Situation trotz der Aufhebung der Autonomie wenigstens in diesen Gebieten günstiger; gleichzeitig konnte aber das Ungarnproblem in außenpolitischen Konfliktsituationen ins Spiel gebracht werden.

In die Geschlossenheit der sozialistischen Nation wurden auch die Kirchen einbezogen, deren Oberhäupter Ceausescu am 29. II. 1968 offiziell empfing, um eine Konsolidierung des Verhältnisses zwischen Staat und Kirchen zu erreichen. Dementsprechend beteiligten sich zwar nicht die Kirchen als solche, aber einzelne Geistliche an der Gründung der »Front der Sozialistischen Einheit« und wurden als Kandidaten für die Volksräte und das Parlament aufgestellt. Bei andauernder klarer Unterordnung unter den Staat wurde so ein Modus vivendi erreicht, welcher der orthodoxen Kirche Rumäniens neue Stärke verlieh und den anderen Kirchen das Weiterleben ermöglichte[17].

Mit den Appellen an Geschlossenheit und sozialistische Einheit gelang es der rumänischen Staats- und Parteiführung auch, die außenpolitische Krise des Spätsommers und Herbstes 1968 ohne Änderung ihrer grundsätzlichen Haltung zu überstehen. Im Februar 1968 verließen die rumänischen Delegierten unter Protest eine beratende Konferenz der Kommunistischen Parteien, weil die Haltung Rumäniens im Nahostkonflikt (Aufrechterhaltung der Beziehungen zu Israel) kritisiert wurde. Die grundsätzlich positive Einstellung zur Entwicklung in der Tschechoslowakei – ohne sie aber nachvollziehen zu wollen – wurde durch einen Staatsbesuch von Ceausescu in Prag vom 15. bis 17. VIII. 1968 und durch ostentative Nichtbeteiligung der KPR an den Konferenzen der Kommunistischen Parteien im Sommer 1968 unterstrichen. Rumänien, obwohl weiterhin Mitglied des Warschauer Paktes, wurde auch nicht zur Beteiligung an der Intervention vom 21. VIII. 1968 aufgefordert und wandte sich am 21. und 22. VIII. scharf gegen diese unter gleichzeitiger Betonung der eigenen Bereitschaft gegenüber etwaigen ähnlichen Übergriffen: »Das gesamte rumänische Volk wird es niemandem gestatten, das Territorium unseres Vaterlandes zu verletzen.«[18] Nach dem 25. VIII. 1968 wurde der Ton der Ablehnung wesentlich zurückhaltender, doch betonte Ceausescu in seiner Ansprache zum 50. Jahrestag der Vereinigung Siebenbürgens mit Rumänien am 29. XI. 1968 in Klausenburg die strikte Ablehnung der sog. Breschnew-Doktrin: »Die These, die man in letzter Zeit glaubwürdig zu machen versuchte, wonach die gemeinsame Verteidigung der sozialistischen Länder gegen einen imperialistischen Angriff die Begrenzung oder den Verzicht auf die Souveränität irgendeines Mitgliedstaats des Vertrags voraussetzt, entspricht nicht den Prinzipien der Beziehungen der sozialistischen Länder und kann unter keiner Form akzeptiert werden.«[19]

Damit war erneut eine Einstellung und eine Politik definiert, die ein Beobachter wohl etwas zu dramatisierend als »Drahtseilakt ohne Netz«[20] zu kennzeichnen suchte: Wohl im sozialistischen Lager und im Warschauer Pakt, aber mit eigener Entscheidungsfreiheit und souverän; wohl im RGW, aber ohne Unterordnung unter eine allgemeine Planung und mit intensiven Wirtschaftsbeziehungen zu »kapitalistischen« Staaten; wohl kommunistisch und internationalistisch, aber doch voll Stolz auf die eigene Nation in allen ihren Klassen und Repräsentanten, betont rumänisch und romanisch.

[1] S. außer den nicht den ganzen Zeitraum abdeckenden Werken von *Fischer-Galati, Floyd, Jowitt* (s. e, Anm. 1), *Ionescu,* Communism in Rumania (s. d, Anm. 1), und *Ionescu,* Reluctant Ally (s. e, Anm. 13), vor allem den von *C. Grothusen* 1977 herausgegebenen Band »Rumänien« des Südosteuropa-Handbuches, der allerdings gegenwartsbezogensystematisch aufgebaut ist und die Gesamtentwicklung der 60er Jahre nur in der Kombination verschiedener Beiträge erkennen läßt, vor allem bei *Fischer-Galati* (Außenpolitik) und *D. Ghermani* (Kommunistische Partei). Die Zeitangaben in Biographien und Regierungslisten sind nicht immer korrekt. Instruktiv außerdem: *H. König,* Drahtseilakt ohne Netz. Rumäniens Standort in der kommunistischen Weltbewegung: Osteuropa 20 (1970), S. 77–94, und die dort folgenden Berichte von *L. Schultz.*

[2] In »Scînteia« vom 26. IV. 1964. Auszugsweise Übersetzung mit Erläuterungen in: Ost-Probleme 16 (1964), S. 447–452.

[3] Vgl. *Floyd,* S. 101/102, und insbesondere das Kommuniqué der Zentraldirektion für Statistik in »Scînteia« v. 1. II. 1964, Wiedergabe in: Ost-Probleme 16 (1964), S. 237–241 unter der Überschrift »Höchste Wachstumsrate«.

[4] Die Schlußsätze »Niemand kann entscheiden, was für andere Länder oder Parteien richtig ist oder nicht. Erarbeitung, Auswahl oder Änderung der Formen und Methoden des sozialistischen Aufbaus sind eine Befugnis einer jeden marxistisch-leninistischen Partei, sind ein souveränes Recht eines jeden sozialistischen Staates« konnten aufgrund der früheren RGW-Entschließungen von Moskau nicht verworfen werden, waren aber in ihrer Prononcierung eine klare Absage an die unbedingte sozialistische Solidarität und nahmen somit die rumänische Stellungnahme zum 21. VIII. 1968 vorweg.

[5] In der wissenschaftlichen Zeitschrift: Vestnik Moskovskogo Universiteta 2 (1964); teilweise Wiedergabe in: Ost-Probleme 16 (1964), S. 451.

[6] Die darauf einsetzende Kontroverse, u. a. in Viaţa Economica, Bukarest, vom 12. VI. 1964, im Moskauer und Bukarester Rundfunk, ist in: Ost-Probleme 16 (1964), S. 452–454, wiedergegeben.

[7] Am 31. I. 1967 nahm Rumänien als erstes Land im Ostblock außerhalb der SU diplomatische Beziehungen zur Bundesrepublik Deutschland auf. Außenminister C. Mănescu, seit 1974 Ministerpräsident, besuchte vom 30. I. bis 3. II. 1967 die Bundesrepublik, im August wurde der Besuch von Außenminister W. Brandt erwidert.

[8] Geb. 26. I. 1918 in Scornisesti (Alt-Kreis), seit 1932 in der Partei, 1940 im Untergrund

I. f) Die rumänisch-nationale Variante im Sozialismus seit 1963

Sekretär des Bundes der Kommunistischen Jugend, 1945 Brigade-General (Politoffizier), 1948 Mitglied des ZK, 1948–50 Landwirtschaftsminister, 1950–54 Stellv. Verteidigungsminister. Seit 1954 Sekretär des ZK, 1955 Mitglied im Politbüro. Als Untergrundmitglied während des Krieges in Rumänien hatte er das Prestige, von den »Moskowitern« gänzlich unabhängig zu sein. Als ZK-Sekretär und enger Vertrauter von Gheorghiu-Dej galt er in dessen letzten Lebensjahren als sicherer Nachfolger. S. seine Biographie von *M.-P. Hamelet,* N. Ceausescu avec ses textes essentiels (1971), sowie eine Auswahl seiner Reden und Beiträge: *N. Ceausescu,* Rumänien auf dem Weg des Sozialismus. Reden – Aufsätze – Interviews (1971).

⁹ Das Statut ersetzte das bisherige Politbüro durch ein zentrales Exekutiv-Komitee, an dessen Spitze ein ständiges Präsidium trat. In diesem, dessen Leitung der Generalsekretär persönlich übernahm, konzentrierte sich nunmehr die Parteielite. Ihm gehörten an: der Ministerpräsident Maurer, Erster Stellvertr. Ministerpräsident G. Apostol, der Vertreter Rumäniens beim RGW A. Bârlâdeanu, der Staatsratsvorsitzende (bis Dez. 1967) C. Stoica, der Sicherheitschef und Innenminister (seit 1952) A. Drăghici (geb. 1919) und als einziger Vertreter der alten Parteiführungsschicht E. Bodnaras (geb. 1904), früh. Verteidigungsminister und mehrfach Stellv. Min.Präsident. S. die wichtigsten Texte in: IX. Parteitag der RKP, 19.–24. VII. 1965 (1965) sowie *M. Cismărescu,* Zum rumänischen Parteitag: Ost-Probleme 17 (1965), S. 501–505.

¹⁰ Text in Englisch bei *Triska,* Constitutions (s. e, Anm. 7), S. 378–394.

¹¹ S. dazu *G. Rhode,* Geschichtsbild und Geschichtsbewußtsein in Osteuropa: Saeculum 28 (1977), S. 3–22.

¹² Es wurden dabei 16 Regionen (regiunea), 177 Rayons (raion) und 4056 Gemeinden (comuna) gebildet, 148 Städte bildeten eigene Gemeinden.

¹³ Die neuen Kreise, zu denen nur Bukarest als einzige Stadt nicht gehörte, hatten sehr unterschiedliche Größe und Einwohnerzahl, weil sie nicht schematisch gebildet wurden. Das kleinste județ, Covasna im Széklergebiet Siebenbürgens, hatte 3750 km² und knapp 190 000 Einwohner, das größte Timiș (mit Temeschburg) hatte 8680 km², wurde aber an Bevölkerungszahl noch von Ilfov in der Walachei mit 806 000 übertroffen, da zu diesem die Agglomeration um Bukarest gehörte.

¹⁴ S. dazu u. a.: Wissenschaftl. Dienst Ostmitteleuropa 17 (1968), S. 191–193, und für die Siebenbürger Sachsen und Banater Schwaben die »Sächsisch-schwäbische Chronik«, Beiträge zur Geschichte der Heimat, hg. v. *E. Eisenburger* (d. Vorsitzenden des Rats d. deutschen Werktätigen) und *M. Kroner* (1976). Dort S. 191–92 die Satzung des »Rats« im Auszug.

¹⁵ Die Kreise sind Hermannstadt (Sibiu) mit 97 000, Kronstadt (Brașov) mit 41 000, Miersch (Mureș) mit 21 000 in Siebenbürgen (159 000) und Temesch (Timiș) mit 109 000, Arad mit 44 000 und Karasch-Severin mit 24 000 im Banat (177 000). Außerdem Bistritz-Nassod (Bistrița-Năsăud), Karlsburg (Alba) und Hunedoara in Siebenbürgen und Sathmar (Satu Mare) mit kleineren Gruppen, insgesamt knapp 400 000 (nach der Volkszählung vom 15. III. 1966).

¹⁶ Außer der deutschen überregionalen Tageszeitung »Neuer Weg« (seit 1949) und der entsprechenden ungarischen Tageszeitung »Elöre« (Vorwärts, seit 1947) hatten die nationalen Minderheiten im Jahr 1970 33 Zeitschriften und mehrere Verlage für schöngeistiges und wissenschaftliches Schrifttum. S. d. Überblick von *A. Coulin* im Bd. »Rumänien« des Südosteuropa-Handbuches, S. 563–573.

¹⁷ Die lutherische Kirche der Siebenbürger Sachsen zählte 1969 187 000 Gläubige in 298 Gemeinden, in denen 180 Pfarrer tätig waren. Der Nachwuchs wurde in der zur Universität Klausenburg gehörenden Evangel.-Theol. Fakultät in Hermannstadt ausgebildet. Durch die Familienzusammenführung ging die Zahl der Gläubigen zurück, doch erklärte Bischof Albert Klein: »Die Kirche wandert nicht aus. Sie bleibt, um dort zu dienen, so Gott sie hingestellt und ihren Dienst gesegnet hat« (zitiert nach dem Band »Rumänien« S. 475). Albert Klein, geb. 1910, wurde 1969 als Nachfolger des am 1. II. 1969 gestorbenen D. Friedrich Müller (1945–1969) zum 35. »Sachsenbischof« gewählt. Zu der sehr umstrittenen Frage des Auswanderns oder Bleibens: Siebenbürgisch-Sächsische Geschichte in ihrem neunten Jahrhundert, hg. v. *G. Möckel* (1977), sowie die von *H. Zillich* herausgegebene Zeitschrift »Südostdeutsche Vierteljahrsblätter«.

§ 30 Die südosteuropäischen Staaten vom I. Weltkrieg bis zur Ära der Volksdemokratien

[18] Zitiert nach: Osteuropa 18 (1968), S. 781. In die in Anm. 8 genannten Sammlungen sind die am 21./22. VIII. 1968 gehaltenen Ansprachen nicht aufgenommen.
[19] S. das in Anm. 8 zitierte Werk: Rumänien auf dem Wege des Sozialismus, S. 172.
[20] H. *König* (s. Anm. 1).

II. Jugoslawien 1918–1968

Allgemeines Schrifttum
Verglichen mit den anderen Ländern Südosteuropas ist die Geschichte Jugoslawiens seit 1918 verhältnismäßig gut erschlossen. Das erklärt sich u. a. durch das Interesse, das die deutsche wie die anglo-amerikanische Öffentlichkeit sowohl der Entwicklung des Landes zwischen den Kriegen wie dem durch Kominformkonflikt und »eigenen Weg« interessant gewordenen Nachkriegsjugoslawien entgegenbrachte. Auch die innerjugoslawische Geschichtsschreibung konnte sich in der Darstellung der Geschichte des Königreichs einigermaßen frei entfalten. Ungünstig ist die Situation bei der Publikation von Akten. Sie liegen für die Außenpolitik des SHS-Staates ebensowenig vor wie für die des Königreiches Serbien.
Die Gesamtentwicklung von 1918 bis 1974 behandeln eingehend die beiden deutschen Handbücher: Osteuropa-Handbuch, hg. v. *W. Markert*, Bd. Jugoslawien (1954), mit Zeittafel und Bibliographie, und das Südosteuropa-Handbuch, Bd. I: Jugoslawien, v. *K. D. Grothusen* (1975), das, ähnlich aufgebaut, an das erste Handbuch anschließt.
Einen knappen Überblick vermittelt das von *St. Clissold* herausgegebene Sammelwerk: A Short History of Jugoslavia from Early Times to 1966 (1966), sowie die von *V. Dedijer, J. Božić, S. Ćirković* und *M. Ekmečić* verfaßte History of Jugoslavia (1974).
Für die ersten 20 Jahre bleibt unersetzlich *G. In d. Maur*, Die Jugoslawen einst und jetzt (3 Bde. 1936–38); Bd. 2: Außenpolitik; Bd. 3: »Der Weg zur Nation« 1918–1938 (Innenpolitik; betont proserbisch–großjugoslawisch).
Für die ersten 30 Jahre s. a. *R. J. Kerner*, Jugoslavia (1949); proserbisch.
Für Kroatien vor allem wichtig: *R. Kiszling*, Die Kroaten; der Schicksalsweg eines Südslawenvolkes (1956), u. *J. Omrčanin*, Diplomat. u. polit. Geschichte Kroatiens (1968).
Vom sowjet. Standpunkt: Istorija Jugoslavii, hg. v. *L. V. Valev, G. M. Slavin, J. J. Udal'cev,* Bd. 2 (1963).
Die repräsentative Gesamtdarstellung d. jugoslaw. Historiographie: Geschichte d. Völker Jugoslawiens (Istorija naroda Jugoslavije), die seit 1953 erscheint, ist vom 20. Jh. noch weit entfernt.
Bibliographien:
Systemat. Überblick b. *P. L. Horecky,* Southeastern Europe. A Guide to Basic Publications (1969), S. 451–641, m. Erläuterungen.
Laufende Bibliogr. f. d. Jahre 1945–1970 in d. Südosteuropa-Bibliographie, Bd. I, 2 (1959), S. 7–116; Bd. II, 1 (1960), S. 29–233; Bd. III, 2 (1968), S. 201–529; Bd. IV (1973), S. 255–595; Bd. V (1976), S. 361–731.
Außerdem die vom Nationalkomitee d. jugoslaw. Historiker herausgegebenen Zehnjahresberichte: Dix années d'historiographie yougoslave 1945–1955 (1955), Historiographie yougoslave 1955–1965 (1965) und H. y. 1965–1975 (1975), hg. v. *J. Tadić.*
Vgl. insbesondere d. Literaturbericht über die Geschichte Jugoslawiens von *K. D. Grothusen:* HZ, Sonderheft 3 (1969), S. 355–430.
Nachschlagewerke:
Narodna Enciklopedija Srpsko-Hrvatsko-Slovenačka (4 Bde. 1929).
Enciklopedija Jugoslavije (8 Bde. 1955–1971); besonders wichtig f. biograph. Daten.

Die Überschrift ist insofern ungenau, als der Staat, dessen fünfzigjährige Geschichte im folgenden dargestellt wird, im ersten Jahrzehnt seiner Existenz offiziell einen anderen Namen trug, nämlich »Königreich der Serben, Kroaten und Slowenen« – *Kraljevina Srba, Hrvata i Slovenaca,* abgekürzt Königreich SHS. In dieser Nennung dreier südslawischer Völker als der staatstragenden Nationen und in der späteren Ersetzung der Aufzählung durch einen Oberbegriff kommt sogleich ein ständiges Problem dieses Staates zum Ausdruck: das Bestreben, die Unterschiede zwischen den einzelnen Völkern zurücktreten zu lassen und die Gemeinsamkeit hervorzuheben. Diese Gemeinsamkeit ist aber nicht vollständig, denn Südslawen sind zweifellos auch die Bulgaren, die, wenn überhaupt, so nur sehr begrenzte Bereitschaft zeigten, in einem südslawischen Staat aufzugehen. Südslawen sind auch die Mazedonier, denen die Anerkennung, sie seien ein eigenes Volk mit eigener Sprache, bis 1945 vorenthalten wurde und die deshalb im ersten Staatsnamen nicht erscheinen.

Der Staatsname »Jugoslawien« ist eine künstliche Schöpfung und eine Kurzform, die sich im allgemeinen Sprachgebrauch durchgesetzt hat, obwohl der Staat zwölf Jahre lang – von 1929 bis 1941 – unter dem Namen »Königreich Jugoslawien« existierte, 1944 unter diesem Namen neu entstand, ohne aber de facto noch ein Königreich zu sein, seit 1946 Föderative Volksrepublik Jugoslawien (FNRJ) und seit 1963 offiziell Sozialistische Föderative Republik Jugoslawien (SFRJ) heißt. Diese Verwendung einer künstlichen Kurzform in Analogie zu gewachsenen Kurzformen – wie Polen, Ungarn, Rumänien usw. – im täglichen Sprachgebrauch bringt eine Fülle von Mißverständnissen und Ungenauigkeiten mit sich, vor allem bei der Benutzung des Adjektivs »jugoslawisch«. Dieses kann sich nur auf den Gesamtstaat, seine Regierung und seine Einrichtungen beziehen, nicht aber auf eine Sprache, denn eine jugoslawische Sprache gibt es nicht, nur eine serbokroatische, slowenische oder mazedonische Sprache, und nicht auf ein Volk, sobald man unter »Volk« nicht lediglich die Summe der Einwohner eines Staates verstehen will.

Das Unvermögen vieler Westeuropäer, zu begreifen, daß jemand zwar Bürger der SFR Jugoslawien ist, gleichzeitig aber entweder Serbe, Kroate, Slowene, Albaner oder Mazedonier und als solcher bezeichnet und gewertet werden möchte, macht es schwer, die Probleme eines Vielvölkerstaates verständlich zu machen, der nicht nur die Nachfolge Österreich-Ungarns, sondern auch die der europäischen Türkei angetreten und ihre Widersprüche, Gegensätze und Schwierigkeiten geerbt hatte.

Zu den ständigen Problemen der Geschichte Jugoslawiens gehört daher die Auseinandersetzung zwischen den Bemühungen, die unterschiedlichen Bevölkerungsgruppen zu integrieren, sei es unter straff zentralistischer Führung, sei es am lockeren Zügel eines föderativen Aufbaus, und den Bestrebungen, die Selbständigkeit der Einzelteile hervorzuheben und zu stärken, bis hin zur Sezession aus dem Staatsverband. Leitende Ideen erwiesen sich dabei regelmäßig gegenüber Bedrohungen, Institutionen und Persönlichkeiten als die schwächeren Integrationskräfte. In den ersten beiden Jahrzehnten waren es das Königshaus und der 1934 in Marseille ermordete König Alexander, die integrativ wirkten; in den Jahrzehnten nach 1945 taten dies die Erinnerung an den Kampf gegen die Besatzungsmächte, das Gefühl, von der Sowjetunion bedroht zu sein, und die überragende Gestalt des Marschalls Tito.

Die Tatsache, daß sich der Bund der Kommunisten Jugoslawiens seit dem Juni 1948 im Konflikt mit der KPdSU befand, daß das Verhältnis zwischen der Sowjetunion und der Volksrepublik Jugoslawien mehrfachen jähen Wechseln unterworfen war, hat zu einem vermehrten Interesse deutscher und westeuropäischer Publizisten an der neuesten Entwicklung Jugoslawiens geführt, das besonders den verschiedenen Experimenten der föderativen Gestaltung und der Arbeiterselbstverwaltung galt, verbunden mit der Hoffnung, hier werde eine besonders zukunftsträchtige und attraktive Form des Kommunismus verwirklicht. Tatsächlich handelte es sich jedoch um periodisch wiederkehrende Erscheinungen, die im folgenden nicht in ihrem Auf und Ab der Reformen und Neoreformen, der Lockerung und Straffung behandelt werden können. Dieser Faktor, im Schrifttum oft überbetont, ist nur einer von mehreren, die die Entwicklung in einem

§ 30 Die südosteuropäischen Staaten vom I. Weltkrieg bis zur Ära der Volksdemokratien

halben Jahrhundert entscheidend beeinflußt haben und weiterhin wirksam sind. Zu ihnen gehören: A) Die Zusammensetzung des 1918 entstandenen und nach 1945 durch Istrien und früher italienische Adriastädte vergrößerten Staatsgebietes aus acht historisch und kulturell weitgehend verschiedenen Landesteilen: 1. dem Königreich Serbien aus der Zeit vor den Balkankriegen, 2. den bis 1913 türkischen Südserbien und Westmazedonien, die 1919 noch durch einige kleinere bisher bulgarische Gebiete erweitert wurden, 3. dem Königreich Montenegro, 1913 durch bisher türkisches Gebiet erheblich erweitert. Die langjährige Türkenherrschaft hatte in diesen drei Teilen ebenso ihre Spuren hinterlassen wie die Tradition des Freiheitskampfes gegen sie, die Idee des Waffentragens als eines Vorrechts des Bauern und Bergbewohners sowie die Orthodoxie; 4. Bosnien und Herzegowina, seit 1878 österreichisch-ungarisch besetzt und verwaltet, mit starkem mohammedanischem Bevölkerungsanteil und dem Widerstreit zwischen Anhänglichkeit an die Habsburger Monarchie und Rebellion gegen sie; 5. dem österreichischen Kronland Dalmatien mit venezianischen Traditionen, der einstigen Republik Ragusa (Dubrovnik) mit starken italienischen Einschlägen, mittelmeerisch-katholisch; 6. dem mit Ungarn in Personalunion verbundenen, ihm praktisch eingegliederten, aber doch die eigene Tradition hervorhebenden Königreich Kroatien und Slawonien, mit selbstbewußter katholischer Bevölkerung, eigenem Adel und erheblichem bäuerlichen Selbstbewußtsein; 7. den aus dem eigentlichen Ungarn ausgegliederten Komitaten des westlichen Banats, der Batschka und Teilen der Baranja mit serbischen, ungarischen und deutschen Siedlungen, die meist erst aus dem 18. Jh. stammten; 8. dem alten Herzogtum Krain mit Teilen Südkärntens und der Südsteiermark, mitteleuropäisch-alpenländisch, mit den innerösterreichischen Ländern durch zahlreiche wirtschaftliche und kulturelle Beziehungen eng verbunden. Diese Vielfalt bedingte nicht nur unterschiedliche Rechtsgebiete, sondern völlig voneinander abweichende Wirtschaftsweisen, Auffassungen von Arbeit und Gesellschaft, Bildungsstand und Bewußtsein.

B) Die nationale Vielfalt. Nur teilweise entsprachen die historisch-kulturell unterschiedlichen Landesteile auch verschiedenen Sprach- und Volksgruppen, da die Serben zwar in Altserbien über 90 % der Bevölkerung bildeten, die Kroaten über 70 % in Kroatien-Slawonien, die Slowenen über 90 % in Krain, Südkärnten und Südsteiermark, aber in Bosnien–Herzegowina hatte keine Nationalität die absolute Mehrheit, ebensowenig im Banat und in der Batschka, und in Mazedonien blieb die Zuteilung weiter Bevölkerungsteile zu den Serben oder zu den Mazedoniern ein offenes, von jeder Verwaltung anders gelöstes Problem.

C) Die Scheidewand zwischen dem überwiegend orthodox–byzantinisch–osmanisch geprägten Südosten und dem überwiegend katholisch–lateinisch–mitteleuropäisch geprägten Nordwesten des Landes, die teilweise mit der Kulturgrenze zwischen Serben und Kroaten zusammenfällt, welche keine Sprachgrenze der gesprochenen, aber wohl eine Sprachgrenze der geschriebenen Sprache ist. Zwischen beiden Bereichen liegen breite Zwischenzonen, oder es gibt Randgebiete, wie Dalmatien oder das Banat, die weder dem einen noch dem anderen Bereich voll zugehören.

D) Die sich aus der nationalen und kulturellen Vielfalt ergebenden Grenzprobleme gegenüber nahezu allen Nachbarn, insbesondere aber gegenüber Italien, Albanien, Ungarn und Bulgarien, woraus mögliche Verbindungen dieser vier Nachbarn resultieren, sobald ihnen nicht ideologische Bedenken entgegenstehen.

E) Die Schwierigkeit, in Gebieten so unterschiedlicher geschichtlicher, kultureller, wirtschaftlicher und nationaler Entwicklung für alle Bereiche passende

§ 30 Die südosteuropäischen Staaten vom I. Weltkrieg bis zur Ära der Volksdemokratien

und praktikable Verwaltungs-, Regierungs- und Wirtschaftssysteme zu verwirklichen. Alle diese Faktoren wirken nicht dauernd und gleichmäßig stark, lassen sich praktisch aber zu keinem Zeitpunkt völlig ausschalten.

Die fünf Jahrzehnte von 1918 bis 1968 lassen sich in folgende Hauptperioden gliedern:
  a) Das Königreich SHS als konstitutionelle Monarchie (1918–1929)
  b) Das Königreich Jugoslawien als autoritär geführter Staat (1929–1941)
  c) Zusammenbruch, Widerstand und Umgestaltung zur Volksrepublik (1941–1946
  d) Jugoslawiens beschleunigter Übergang zum Sozialismus und der Kominformkonflikt (1946–1948)
  e) Jugoslawien im Zeichen des Kominformkonflikts und als Exponent einer »blockfreien Welt« (1948–1963)
  f) Experimente und Umgestaltungen zur Zeit der Abmilderung ideologischer Gegensätze (1963–1968).

Die Einschnitte fallen größtenteils mit entscheidenden Wandlungen in der Gesamtgeschichte Europas zusammen, wie 1918, 1941, 1945/46. Zwei Einschnitte sind jedoch spezifisch für die jugoslawische Entwicklung: Zunächst der Übergang zur Königsdiktatur zu Beginn des Jahres 1929. In keinem anderen Land Südosteuropas wurde der Übergang zu einem autoritären System so eindeutig und entschlossen vollzogen wie hier, so daß dieser Umschwung auch die Umwelt erheblich beeinflußte und die Königsdiktatur nicht nur als mögliche, sondern sogar als erstrebenswerte Lösung erscheinen ließ.

Noch bedeutsamer ist der von Jugoslawien freilich gar nicht angestrebte oder auch nur provozierte Kominformkonflikt, der an einem zum dritten Mal für die Geschichte der Südslawen schicksalsträchtigen Tage, dem 28. VI., buchstäblich wie ein Blitz aus heiterem Himmel über die ostmitteleuropäische Staatenwelt hereinbrach und die Einheit des kommunistischen Systems fragwürdig erscheinen ließ. Waren die Auswirkungen des Übergangs zur Königsdiktatur auf die unmittelbaren Nachbarn beschränkt, so beeinflußte der Kominformkonflikt das gesamteuropäische Geschehen, zwar nicht mit der gleichen Kettenreaktion wie das Attentat von Sarajewo 34 Jahre davor, aber doch in einem Maße, daß von dem Bebenzentrum Belgrad tiefe Erschütterungen ausgingen und daß Belgrad immer wieder zu einem Brennpunkt europäischen Interesses wurde.

a) Das Königreich SHS als konstitutionelle Monarchie (1918–1929)

Die Staatsbildung im Herbst 1918[1]

Der Entstehung des neuen Staates, der sich aus ganz unterschiedlichen Gebieten bildete, waren, wie in Band VI, S. 599/600, geschildert, in den letzten Jahren des Weltkrieges Verhandlungen zwischen dem in London von Emigranten aus Österreich-Ungarn gebildeten Jugoslawischen Komitee[2] und der im Exil auf Korfu residierenden serbischen Regierung vorausgegangen. Ihr Ergebnis war der am 20. VII. 1917 geschlossene »Pakt von Korfu«[3], eigentlich nur eine Deklaration, in der die künftige Bildung eines »Königreiches der Serben, Kroaten und Slowenen« unter der Dynastie der Karadjordjević festgelegt wurde, und zwar »innerhalb der Grenzen geschlossener Siedlungsgebiete auf Grund des Selbstbestimmungsrechts«. In dem Präsidenten des Komitees, dem Kroaten Dr. Ante Trumbić (1864–1938)[4] und dem serbischen Ministerpräsidenten Nikola Pašić (1846–1926)[5] standen sich die Vertreter schwer zu vereinbarender gegensätzlicher Vorstellungen gegenüber. Trumbić, seit 1897 Reichsratsabgeordneter und bei

II. a) Das Königreich SHS als konstitutionelle Monarchie (1918–1929)

Kriegsausbruch nach Italien emigriert, vertrat eine föderative, alle Südslawen der Donaumonarchie einschließende Staatsidee, Pašić dagegen lediglich die Erweiterung des Kernstaates Serbien, des »Piemont« für die neue Staatsbildung, die, zentralistisch aufgebaut, sich von dem alten Königreich möglichst wenig unterscheiden sollte. Da über die wichtigsten Fragen keine Übereinstimmung erzielt werden konnte, blieb offen, ob der neue Staat als Bundesstaat, als Föderation oder als zentralistischer Einheitsstaat gestaltet werden sollte und wie das Selbstbestimmungsrecht zu handhaben war. Beim Namen des künftigen Staates war Trumbić, der für »Jugoslawien« eingetreten war, vor den Forderungen Pašićs zurückgewichen. Das Königreich Montenegro, vollständig von österreichischen Truppen besetzt und zwar durch eine Exilregierung in Bordeaux, aber nicht, wie Serbien, auch durch eine kämpfende Armee repräsentiert, nahm selbst nicht Stellung dazu, wohl aber ein seit März 1917 unter dem früheren Ministerpräsidenten A. Radović (s. Bd. VI, S. 571) im Exil existierender »Montenegrinischer Ausschuß für nationale Einigung«, und zwar noch im Juli 1917. Wesentlich zurückhaltender äußerte sich im August 1917 der Führer der Kroatischen Bauernpartei Stjepan Radić (1871–1928), der zwar die Union befürwortete, aber sie lieber als Republik unter Hinzuziehung der Bulgaren gesehen hätte.

Eine schwere Belastung bildete das Bekanntwerden des am 26. IV. 1915 zwischen den Alliierten und Italien geschlossenen Londoner Vertrages durch seine Veröffentlichung in der *Izvestija* am 28. XI. 1917, denn in ihm waren Italien mit Istrien und der Adriaküste einschließlich Fiume, Spalato, Ragusa Gebiete mit slowenischer bzw. kroatischer Bevölkerung zugesagt worden. Mit Hilfe der englischen Befürworter eines jugoslawischen Staates, Wickham Steed und R. W. Seton-Watson, und des italienischen Senators della Torre wurde am 7. III. 1918 in London ein Vertragsentwurf für die künftige Abgrenzung vorgelegt, der jedoch wesentliche Fragen ungelöst ließ.

Die Kriegsereignisse im Herbst 1918 beschleunigten dann die Staatsbildung, ohne daß eine Einigung in den offen gebliebenen Fragen erzielt worden wäre. Einerseits ermöglichte der Zusammenbruch der bulgarischen Front Ende September 1918 der serbischen Armee eine rasche Wiederbesetzung Serbiens, so daß am 12. X. Niš, am 28. X. Požarevac erreicht war. Andererseits bildete sich im Zeichen der Auflösung der Habsburger Monarchie am 6. X. in Agram (Zagreb) ein Nationalrat der Slowenen, Kroaten und Serben mit einem dreiköpfigen Präsidium an der Spitze, dem Slowenen Dr. Ante Korošec (1872–1940), dem Serben Svetozar Pribićević (1875–1936) und dem Kroaten Ante Pavelić (1869–1939, nicht identisch oder verwandt mit dem späteren kroatischen Staatsführer)[6]. Dieser Nationalrat beantwortete das Manifest Kaiser Karls vom 16. X. am 19. X. mit der Forderung nach einem »einheitlichen selbständigen südslawischen Nationalstaat auf allen Territorien, wo Slowenen, Kroaten und Serben wohnen, ohne Rücksicht auf staatliche und provinziale Grenzen«.

Am gleichen Tage bildete der Nationalrat eine Landesregierung mit dem Banus Mihajlović an der Spitze. Während durch Massendesertionen kroatischer Soldaten (die »grünen Kader«) die militärische Ordnung sich teilweise auflöste, bemächtigten sich kroatische Soldaten in Fiume am 23. X. der Kasernen ungarischer Soldaten und nahmen Stadt und Hafen de facto in Besitz. Am 29. X. 1918 erklärte der Agramer Nationalrat feierlich die Lösung der Verbindung des Königreiches Kroatien-Slawonien mit dem Königreich Ungarn, unterstellte sich die ihm von den Generalen Snjarić und Mihajlović zur Verfügung gestellten kroatischen Verbände und vollzog den Anschluß Sloweniens, wo in Laibach am 28. X. eine Landesregierung unter Josef Pogačnik gebildet worden war. Bevor der

Prinzregent Alexander am 6. XI. feierlich in Belgrad einziehen konnte, war somit mit dem Zentrum Agram schon ein Staat entstanden, der kurzfristig sogar über die ihm von Admiral Horthy übergebene österreichisch-ungarische Flotte verfügte, bis Italien sich am 6. XI. ihrer bemächtigte. Dagegen schlossen sich Bosnien-Herzegowina und Montenegro, in die Anfang November serbische Truppen einrückten, dem Königreich Serbien an.

Es standen also zwei Staaten einander gegenüber, deren Vertreter sich jedoch am 9. XI. 1918 in Genf mit den Repräsentanten des Nationalkomitees unter französischer Vermittlung dahingehend einigten, daß sich vorläufig alle Institutionen bis zur Bildung einer Konstituante gegenseitig anerkannten, daß aber die Agramer Truppen schon als kriegführende, verbündete Macht anerkannt werden sollten. Der zunehmende Druck der Italiener, die Fiume besetzt hatten und sich Laibach (Ljubljana) näherten, ohne daß die Agramer Truppen Schutz gewähren konnten, beschleunigte dann den Zusammenschluß, der am 1. XII. 1918 in Belgrad vom Prinzregenten Alexander als »Vereinigung Serbiens mit den Ländern des unabhängigen Staates der Slowenen, Kroaten und Serben in das einheitliche Königreich der Serben, Kroaten und Slowenen« proklamiert wurde, unter Zusicherung baldiger Wahlen aufgrund des allgemeinen und gleichen Wahlrechts. Das neugebildete Königreich hatte zwei Kerngebiete: Serbien, das durch die nahezu siebenjährige Kriegszeit fast ein Viertel seiner Bevölkerung verloren hatte, dessen stark dezimierte Armee aber diszipliniert und nach den Erfolgen im Herbst selbstbewußt und siegessicher war, und Kroatien, vom Krieg wenig mitgenommen, aber mit Streitkräften, die infolge der Auflösung der österreichisch-ungarischen Armee undiszipliniert und kaum einsatzfähig waren, so daß serbische Militärhilfe gegen italienische Aspirationen unbedingt nötig war.

Gegenüber fast allen Nachbarn hatte der neue Staat Grenzprobleme. Am schwierigsten lösbar waren sie gegenüber den am Sieg beteiligten Staaten Italien und Rumänien, während man gegenüber den Verliererländern Österreich, Ungarn und Bulgarien auf Verständnis und Hilfe bei der Friedenskonferenz rechnen konnte.

Dem Zusammenschluß entsprach die am 29. XII. 1918 gebildete Regierung der nationalen Sammlung. Ministerpräsident wurde ein Parteifreund Pašićs, Stojan Protić (1857–1923) von der serbischen Radikalen Volkspartei, sein Stellvertreter der Vorsitzende der katholischen Slowenischen Volkspartei, Ante Korošec, Außenminister (bis 22. XI. 1920) der Kroate Trumbić, Innenminister der aus Kroatien stammende Serbe und Vertreter der Demokratischen Partei Svetozar Pribićević. Bei 19 Regierungsmitgliedern hatten die Serben aber mit 12 die unbedingte Mehrheit.

Neben den Grenzfragen stand gleich bei der Staatsbildung das kroatische Problem an der Spitze, denn die kleine separatistische kroatische Staatsrechtspartei protestierte sofort gegen den Akt vom 1. XII. 1918, und S. Radić, der Führer der Kroatischen Bauernpartei, die er am 1. XII. in »Republikanische Bauernpartei« umbenannt hatte, begann noch im Winter 1918/19 mit der Sammlung von Unterschriften für eine kroatische Republik. Im Mai 1919 übergab er eine Denkschrift mit 150 000 Unterschriften an den italienischen Geschäftsträger in Fiume, was von der Regierung als Landesverrat aufgefaßt werden mußte.

Grenzprobleme und innere Konsolidierung bis zur »Vidovdan«-Verfassung (28. VI. 1921)[7]

Nach der Deklaration von Korfu sollte für die Grenzziehung das Selbstbestimmungsrecht innerhalb der Grenzen geschlossener Siedlungsgebiete maßgebend

II. a) Das Königreich SHS als konstitutionelle Monarchie (1918–1929)

sein, brauchte Streuminderheiten und Volksinseln wie die deutsche Sprachinsel Gottschee also nicht zu berücksichtigen. Der Begriff »geschlossenes Siedlungsgebiet« war allerdings dehnbar. Sichergestellt war damit nur, daß man sich nicht an historische Verwaltungsgrenzen zu halten brauchte. Wie in anderen strittigen Gebieten wurde auch von bewaffneten Kräften des sich erst bildenden SHS-Staates versucht, durch rasche Besetzung dort vollendete Tatsachen zu schaffen, wo der Ausgang einer Volksabstimmung oder der Entscheidung einer Kommission der Friedenskonferenz zweifelhaft sein mußte. Serbische Truppen besetzten deshalb noch in der ersten Novemberhälfte den größten Teil des Banats, mußten ihn freilich im Januar 1919 auf alliierten Druck wieder räumen und einer französischen Besatzung Platz machen (s. S. 1138). Ebenfalls Anfang November drangen slowenische Kampfgruppen in Südkärnten[8] ein, besetzten Völkermarkt und versuchten, die Landeshauptstadt Klagenfurt zu nehmen. Abwehraktionen Kärntner Freiwilliger führten zu teilweisen Rückzügen der Slowenen und zu einem Waffenstillstand Anfang Januar 1919 sowie zur Bereisung des von den Slowenen geforderten südkärntnischen Gebietes durch eine amerikanische Kommission Ende Januar/Anfang Februar 1919. Nachdem ein zweiter slowenischer Vorstoß Ende April/Anfang Mai 1919 gescheitert war, folgte noch Ende Mai ein dritter Vorstoß, nunmehr mit regulären serbischen Truppen und schweren Waffen, der am 6. VI. 1919 die Besetzung Klagenfurts erreichte. Weiteres Vordringen wurde durch das Eingreifen Italiens verhindert, das am 12. VI. die Bahnlinie Tarvis–Villach–St. Veit in Besitz nahm, doch blieb Klagenfurt bis zum 31. VII. in slowenischer Hand. Die Erinnerung an diesen »Kärntner Freiheitskampf« und die serbische Übermacht sollten das Verhältnis zwischen deutschen und slowenischen Kärntnern die nächsten Jahrzehnte hindurch maßgeblich beeinflussen. In Paris war auf der Friedenskonferenz am 12. V. entschieden worden, daß im Klagenfurter Becken eine Volksabstimmung durchgeführt werden sollte, doch erreichten die slowenischen Vertreter am 6. VI. eine Trennung in eine südliche Zone A, in der sie mit einer Mehrheit rechneten, und eine nördliche Zone B, deren sichere deutsche Mehrheit somit das Gesamtergebnis nicht beeinflussen konnte. In der Zone B sollte nur dann abgestimmt werden, falls Zone A sich für den Übergang an den SHS-Staat entschied. Diese Bestimmung wurde in den Friedensvertrag von St. Germain aufgenommen (10. IX. 1919), der kleine Teile Kärntens (das Mießtal und Unterdrauburg) sowie die Untersteiermark mit den überwiegend deutschen Städten Marburg, Cilli und Pettau ohne Abstimmung an den SHS-Staat gab, das Kanaltal mit Tarvis aber Italien zusprach. Aufgrund eines Ratsbeschlusses vom 20. VII. 1919 blieb die Zone A von südslawischen Truppen besetzt, die aber das zur Zone B gehörende Klagenfurt am 31. VII. wieder räumen mußten. Die für Österreich sichere, weil kaum von Slowenischsprachigen bewohnte Zone B konnten österreichische Truppen besetzen. Trotz der südslawischen Besatzung ging die am 10. X. 1920 durchgeführte Volksabstimmung für den SHS-Staat ungünstig aus: den 22 025 Stimmen für Österreich standen nur 15 279 für den SHS-Staat (59 : 41 %) gegenüber. Damit mußten die Aspirationen auf eine Grenze jenseits der Karawanken aufgegeben werden.

Wesentlich schwieriger war es für die nach Paris entsandte südslawische Delegation[9] (Nikola Pašić, Außenminister Ante Trumbić, Gesandter Milenko Vesnić und Professor Ivan Žolger), die Gebietsansprüche im Westen durchzusetzen, da sie auf den entschiedenen Widerstand Italiens stießen. Dieses ließ weder den Grundsatz des Selbstbestimmungsrechts noch den des ethnographischen Prinzips gelten, sondern pochte auf die ihm in den Artikeln 4 und 5 des Londoner Vertrages (26. IV. 1915) gegebenen Zusagen: Istrien mit Triest und den Inseln, die

§ 30 Die südosteuropäischen Staaten vom I. Weltkrieg bis zur Ära der Volksdemokratien

Grafschaft Görz und wenigstens Teile der in London versprochenen, in der Deklaration von Korfu aber für den SHS-Staat geforderten Provinz Dalmatien. In Fiume, dem zu Ungarn gehörenden Adriahafen mit italienischsprachiger Mehrheit, wurde dagegen das ethnographische Prinzip geltend gemacht. Die wesentlichen Auseinandersetzungen zwischen Italien und dem SHS-Staat galten im Sommer und Herbst 1919 der Adria- und der Fiume-Frage; die südslawische Delegation weigerte sich, wegen Nichterfüllung ihrer Wünsche, dem Friedensvertrag von St. Germain beizutreten. Unmittelbar nach dessen Unterzeichnung, am 12. IX. 1919, besetzten italienische Freischaren, denen sich aber auch reguläre Truppen anschlossen, unter Führung des Dichters Gabriele D'Annunzio Stadt und Hafen Fiume[10], wo letzterer durch Neuwahlen des Gemeinderats (26. X. 1919) ein sozusagen unabhängiges Staatsgebilde entstehen ließ. Energische Proteste von südslawischer Seite bewirkten wenig, ebenso wie die erneute Weigerung, dem Vertrag von St. Germain zuzustimmen, da die Delegation angesichts der Erfüllung ihrer Forderungen gegenüber Bulgarien dem Friedensvertrag von Neuilly mit diesem (27. XI. 1919) beitreten mußte und da die unterschiedliche Stellungnahme zu beiden Verträgen auf die Dauer nicht durchgehalten werden konnte. So gab die Delegation am 5. XII. 1919 doch ihre Zustimmung zu St. Germain. Der Ausgleich mit Italien wurde erst nach überaus langwierigen und schwierigen Verhandlungen am 12. XI. 1920 im Vertrag von Rapallo[11] erreicht, ganz überwiegend mit Zugeständnissen an Italien. Dieses verzichtete zwar auf Dalmatien, erhielt aber Zara (Zadar) und die Adria-Inseln Cherso (Cres), Lussin (Lošinj), Lagosta (Lastovo) und Pelagosa (Palagruža). Fiume im Umfang des einstigen ungarischen *corpus separatum* wurde zum Freistaat erklärt. Da dieser an italienisches Gebiet angrenzte und auch nach dem Rücktritt D'Annunzios (28. XII. 1920) italienisch regiert wurde, konnte wenig Zweifel daran bestehen, daß die »Freistaats«lösung nur den Übergang für den endgültigen Anschluß an Italien bilden sollte. Tatsächlich stimmte der SHS-Staat diesem in dem bereits mit dem faschistischen Italien geschlossenen Abkommen von Rom (27. I. 1924) zu.

Durch die Verträge von St. Germain und Rapallo kamen etwa 500 000 Slowenen und Kroaten unter italienische Herrschaft, ohne daß deren Minderheitenrechte in irgendeiner Weise gesichert worden wären. Dagegen wurden den in Dalmatien verbliebenen etwa 10 000 Italienern – die übrigen hatten von dem in Rapallo festgelegten Optionsrecht Gebrauch gemacht – die Minderheitenrechte in § 7 des Rapallovertrages ausdrücklich garantiert.

Gegenüber Ungarn hatte der SHS-Staat außer Kroatien-Slawonien auch den größten Teil des Banats mit Temeschburg (Temesvár), die Batschka (zwischen Theiss und Donau), die Baranja mit Fünfkirchen (Pécs) sowie den Zipfel zwischen Mur und Drau (Medjumurje) und den Bereich nördlich der Mur (Prekmurje) gefordert. Diesen Forderungen wurde durch die schon am 17. XI. 1918 erfolgte Besetzung Temeschburgs Nachdruck verliehen. In Paris konnte, vor allem gegen den Widerstand Rumäniens, nur ein Teil dieser Forderungen durchgesetzt werden. Temeschburg mußten die südslawischen Truppen am 18. VI. 1919 wieder räumen, und am 24. VII. wurde das Banat so geteilt, daß der SHS-Staat etwa ein Drittel mit den Städten Groß Betschkerek und Werschetz (Vrsac), d. h. etwa das Komitat Torontal erhielt (s. S. 1138). Gegenüber Rumpfungarn[12] fiel die Entscheidung am 8. VIII. 1919, als die Räteregierung beseitigt war. Der SHS-Staat erhielt die Batschka mit Zombor (Sombor) und Subotica (Szabadka), das Medjumurje und das Prekmurje, aber nur ein kleines Stück der Baranja im Winkel zwischen Drau und Donau. Das begehrte Kohlebecken von Fünfkirchen wurde ihm nicht zugestanden. Der Friedensvertrag von Trianon (4. VI. 1920) bestätigte diese

II. a) Das Königreich SHS als konstitutionelle Monarchie (1918–1929)

Regelung ohne weitere Veränderung. Verhältnismäßig einfach war die Grenzregelung mit Bulgarien, das im Vertrag von Neuilly (27. XI. 1919) die Gebiete von Strumica und Caribrod (jetzt Dimitrovgrad) etwa in dem von der südslawischen Delegation geforderten Umfang abtreten mußte.

Die Grenzfrage gegenüber Albanien (s. S. 1274) war mit den italienischen Grenzproblemen eng verbunden, da der SHS-Staat den Norden Albaniens bis zum Drin-Fluß einschließlich Skutari verlangte, falls Italien das Mandat über Albanien erhielte. Durch die Anerkennung der Selbständigkeit Albaniens seitens Italiens (2. VIII. 1920) und die Aufnahme Albaniens in den Völkerbund (17. XII. 1920) entfiel die Begründung für diese Forderungen.

Erst gegen Ende des Jahres 1920 konnten somit alle Grenzprobleme als geklärt betrachtet werden, wenn auch die endgültige Grenzfestlegung zum Teil erst später erfolgte (mit Rumänien am 24. XI. 1923). Wenn auch die südslawischen Forderungen vor allem gegenüber Italien und Ungarn nur teilweise verwirklicht worden waren, so umfaßte der neue Staat doch nunmehr fast 250 000 km^2 mit nahezu 12 Millionen Einwohnern, während Serbien bei Kriegsausbruch 87 400 km^2 mit 4,5 Millionen Einwohnern und Montenegro 14 250 km^2 mit 0,5 Millionen, zusammen also nur knapp 102 000 km^2 mit 5 Millionen Einwohnern gezählt hatten. Während es in den beiden Kleinstaaten praktisch kein Nationalitätenproblem gegeben hatte, lebten in dem neuen Mittelstaat nach der Volkszählung von 1921 neben den zu Unrecht als *eine* Nation deklarierten knapp 9 Millionen »Serbokroaten« (74,4 %) und 1 Million der den Staat mittragenden Slowenen (8,5 %) rund 2 Millionen nationale Minderheiten, von denen die Deutschen mit über 500 000 (4,2 %) die stärkste, aber regional stark verstreute Gruppe bildeten, gefolgt von rund 470 000 (3,9 %) Madjaren und 440 000 (3,7 %) Albanern[13]. Die Wahrung der Minderheitenrechte hatte der SHS-Staat in dem gleichzeitig mit dem Friedensvertrag von St. Germain unterzeichneten Minderheitenschutzvertrag (10. IX. bzw. 5. XII. 1919) zusichern müssen.

Obwohl die Grenzregelung mit fast allen Nachbarn Wünsche offengelassen und Minderheitenprobleme aufgeworfen hatte, standen Grenzfragen und Minderheitenfragen in der Reihe der Probleme des neuen Staates nicht obenan. Vordringlich waren vielmehr im Innern die Konsolidierung und die Befriedigung der Kroaten und nach außen das Verhältnis zu Italien sowie die Rolle des SHS-Staates im neuen Staatensystem.

Im Inneren stand in den ersten Jahren das Problem der Verfassung im Vordergrund, die von einer Verfassunggebenden *Skupština* (= Parlament) ausgearbeitet und angenommen werden sollte, während zunächst eine aus dem serbischen Parlament und den Vertretern der verschiedenen Gebietskörperschaften gebildete Provisorische Nationalversammlung amtierte. In ihr waren zahlreiche Parteien[14] vertreten, von denen nur drei, die Sozialdemokraten, die Kommunisten und die Demokratische Partei, einigermaßen gleichmäßig in allen Landesteilen vertreten waren und sich jedenfalls nicht als regional begrenzt betrachteten, während die zentralistische Radikale Volkspartei und die Serbische Bauernpartei ihren Schwerpunkt in Altserbien hatten, die Kroatische Bauernpartei und die Staatsrechtspartei auf Kroatien beschränkt waren, die Bosnischen Muselmanen auf Bosnien und die Herzegowina, während die Allslowenische Volkspartei zwar ein Großjugoslawien anstrebte, ihre Anhänger aber doch in Slowenien hatte. Das von dieser Versammlung am 20. VII. 1920 auf Vorschlag der dritten Regierung unter Dr. Milenko Vesnić beschlossene Wahlgesetz beschränkte das Wahlrecht auf die männliche Bevölkerung über 21 Jahre und sah einen Abgeordneten auf 30 000 Wahlberechtigte vor, d. h. 419 Mandate. Das Verhältniswahlrecht begün-

§ 30 Die südosteuropäischen Staaten vom I. Weltkrieg bis zur Ära der Volksdemokratien

stigte die Parteienvielfalt und erschwerte klare Mehrheitsbildungen. Bei den Wahlen vom 28. XI. 1920 errangen die zentralistischen Parteien (94 Demokraten, 93 Radikale, 23 Allslowenische Volkspartei, 10 Sozialdemokraten) mit 220 Mandaten einen klaren Sieg über die Föderalisten. Bemerkenswert war das Abschneiden der Kommunisten, die mit 58 Sitzen die drittstärkste Partei wurden.

Der von einem am 2. II. 1921 gebildeten Verfassungsausschuß, dem die Vertreter der 50 Abgeordneten der Kroatischen Bauernpartei fernblieben, ausgearbeitete Verfassungsentwurf[15] fiel dementsprechend zentralistisch aus. Zwar blieb es beim Staatsnamen »Königreich der Serben, Kroaten und Slowenen«, doch erhielt der Staat nur *eine* alle vier Jahre zu wählende Kammer und keinerlei autonome Verwaltungseinheiten. Dem König standen der Oberbefehl über die Armee und die Entscheidung über Krieg und Frieden zu, die Regierungsbildung lag jedoch in der Hand der Parlamentsmehrheit. Die bisher gebildeten sieben großen Verwaltungseinheiten, die im wesentlichen den historischen Landschaften entsprachen (Serbien, Montenegro, Bosnien-Herzegowina, Dalmatien, Kroatien-Slawonien, Slowenien und die aus dem westlichen Banat, der Batschka und der südöstlichen Baranja gebildete *Vojvodina*), sollten im Zuge einer Verwaltungsreform aufgelöst werden. An ihre Stelle sollten, dem Vorbild der Departements in Frankreich entsprechend, höchstens 35 etwa gleichgroße Verwaltungseinheiten, die *oblasti,* gebildet werden, deren Bevölkerungszahl 700 000 nicht überschreiten sollte[16]. Dieser Entwurf wurde am 28. VI. 1921, dem *Vidovdan* oder St. Veitstag, mit nur 223 von 419 Stimmen angenommen; 161 Abgeordnete blieben der Abstimmung fern. Auf Prinzregent Alexander, der am gleichen Tag verfassungsgemäß vereidigt wurde, und auf Ministerpräsident Pašić wurde bei der Rückkehr aus dem Parlament von dem Kommunisten Stejić ein Bombenanschlag verübt, der allerdings keine Opfer forderte. Einige Wochen später wurde der Innenminister Drašković von einem Kommunisten ermordet; bei den Untersuchungen kamen weitere Mordpläne zutage; deshalb wurde am 3. VIII. 1921 ein Staatsschutzgesetz beschlossen, durch das die kommunistischen Organisationen in Acht und Bann *(Obznana)* getan und die kommunistischen Mandate für ungültig erklärt wurden. Wenige Tage später, am 16. VIII. 1921, starb König Peter. Alexander, seit Juni 1914 Prinzregent, stand nun auch formell an der Spitze des Staates, dessen neuer Verfassung die Föderalisten wie die Linken feindlich gegenüberstanden. Demgegenüber vertrat der *grand old man* der serbischen und südslawischen Politik, Nikola Pašić[17] (geb. 1846), seit Januar 1921 Ministerpräsident und bis zum 8. VIII. 1926 Chef von zehn wechselnden Regierungen, die serbische Tradition und die Idee der Staatseinheit.

In der Außenpolitik fiel, abgesehen vom Ausgleich mit Italien in Rapallo, am 14. VIII. 1920 eine wichtige Entscheidung durch das Bündnis mit der Tschechoslowakei, in dem sich beide Länder gegenseitige Hilfe im Falle eines nicht provozierten Angriffs von seiten Ungarns zusicherten. Diesem Kernvertrag der »Kleinen Entente« folgte am 7. VI. 1921 ein entsprechendes Bündnis mit Rumänien, in dem auch Bulgarien als möglicher Angreifer genannt wurde. Diese Verpflichtung zur Aufrechterhaltung des status quo wurde ergänzt durch die gleichzeitig mit dem Rapallovertrag mit Italien vereinbarte »antihabsburgische Konvention«, in der allerdings nur »politische Maßnahmen« »im gemeinsamen Einvernehmen« gegen die Wiedereinsetzung des Hauses Habsburg vorgesehen waren.

Dem inneren Zentralismus nach französischem Vorbild entsprach somit trotz der Enttäuschungen der ersten Nachkriegsjahre eine feste Bindung an das französische System des *cordon sanitaire,* wobei die Aufrechterhaltung der kaiserlich-russischen Botschaft in Belgrad eine besondere Nuance bildete.

II. a) Das Königreich SHS als konstitutionelle Monarchie (1918–1929)

Krisen des parlamentarischen Systems; Wechselwirkungen von Innen- und Außenpolitik (1921–1929)

In den siebeneinhalb Jahren der Gültigkeit der St. Veitstags-Verfassung konnte sich das parlamentarische System nicht stabilisieren und dem Land das Beispiel handlungsfähiger, langfristig planender Regierungen und einer verantwortungsbewußten, jederzeit zur Regierungsübernahme bereiten und fähigen Opposition geben. Daran waren nicht nur die nahezu ständige Staatsverdrossenheit der Kroatischen Bauernpartei einerseits und der großserbische Zentralismus schuld. Eine bedeutende Rolle spielte auch die Tatsache, daß die Parteien in einer sozial wenig gegliederten, zu über 75 % bäuerlichen Gesellschaft, ganz überwiegend weder Weltanschauungsparteien waren noch die Interessen bestimmter sozialer Schichten repräsentierten, sondern im wesentlichen regional, konfessionell und national bestimmt waren oder sich um bestimmte hervorragende Persönlichkeiten gruppierten, die oft, wie der Kroate Stjepan Radić oder der in der Donaumonarchie groß gewordene Serbe Svetozar Pribičević, eine überraschende Wandlungsfähigkeit zeigten. Da Regierungskoalitionen somit meist auf rein rechnerischer Zusammenfassung verschiedener Gruppierungen unter Führung der serbischen Radikalen[18], jedoch nicht auf klaren Koalitionsabsprachen basierten, waren sie wenig stabil, und häufige Regierungsumbildungen ohne entscheidende Richtungsänderungen waren an der Tagesordnung. So folgten den sieben Regierungen der zweieinhalb Jahre von der Staatsbildung bis zur *Vidovdan*-Verfassung (Protić, zweimal Davidović, Protić, zweimal Vesnić, Pašić) in siebeneinhalb Jahren weitere 21[19] (siebenmal Pašić von 1921–24, Davidović, erneut dreimal Pašić 1924–26, sechsmal Uzunović April 1926–April 1927, dreimal Vukičević April 1927–Juli 1928, Korošec 28. VII.–30. XII. 1928). Die durchschnittliche Lebensdauer eines Kabinetts betrug also nur wenig über vier Monate, und nur bestimmte Ministerien blieben längere Zeit in der gleichen Hand, was vor allem für das Außenministerium galt. Dies leitete der Vertreter eines Ausgleichs mit Italien, Dr. Momčilo Ninčić (1876–1949), mit einer Unterbrechung von 7 Monaten im Jahre 1924, vom Januar 1922 bis zu seinem dramatischen Rücktritt am 6. XII. 1926, also fast 5 Jahre lang. Auch das Parlament, die *Skupština*, amtierte niemals die volle Legislaturperiode von vier Jahren hindurch, sondern wurde regelmäßig vorzeitig aufgelöst, was nach der Verfassung durch den König bei Zustimmung aller Kabinettsmitglieder erfolgen konnte. Die am 18. III. 1923 gewählte erste »Ordentliche *Skupština*« (die dritte nach der Provisorischen und der Verfassunggebenden) existierte nur anderthalb Jahre (bis 10. XI. 1924), die am 8. II. 1925 gewählte zweite zweieinhalb Jahre (bis 16. VI. 1927), und der Existenz der dritten, am 11. IX. 1927 gewählten *Skupština* machten die Außerkraftsetzung der Verfassung und der Beginn der Königsdiktatur am 6. I. 1929 ein vorzeitiges Ende. Die Handlungsfähigkeit des Parlaments wurde durch das häufige demonstrative Fernbleiben der Abgeordneten der Kroatischen Bauernpartei und anderer in Opposition stehender Gruppen wesentlich eingeschränkt, und darüber hinaus mußte die Regierung oft erleben, daß mühsam ausgehandelte außenpolitische Verträge und Abkommen keine oder nur sehr knappe Mehrheiten im Parlament fanden, d. h., daß auch Abgeordnete der sie tragenden Mehrheit diesen Verträgen die Zustimmung versagten. Das mußte sich wieder auf die außenpolitische Glaubwürdigkeit der Regierung negativ auswirken und hatte unmittelbare Folgen in der enttäuschten Abwendung Italiens unter Mussolini von der zunächst in Gang gesetzten und Erfolg versprechenden Ausgleichs- und Entspannungspolitik; zumindest hatte Mussolini damit bequeme und einleuchtende Gründe für seinen Sinneswandel.

§ 30 Die südosteuropäischen Staaten vom I. Weltkrieg bis zur Ära der Volksdemokratien

Die schwelende Krise erreichte ihren Höhepunkt durch die im Parlament begangene Mordtat vom 20. VI. 1928, nach der die Abgeordneten der Kroatischen Bauernpartei jede weitere Mitarbeit im Parlament ablehnten. Gegenüber diesen schweren Belastungen des politischen Lebens, die durch die konspirative Tätigkeit der Inneren Mazedonischen Revolutionären Organisation auf dem Gebiet des SHS-Staats noch vermehrt wurden (s. S. 1246f.), erschienen die wirtschaftlichen Probleme der agrarischen Überbevölkerung, der zu geringen Industrialisierung und der öfters negativen Handelsbilanz durch Agrarreform und Unternehmensförderung eher lösbar, zumal der durch die Weltwirtschaftskrise bedingte Preisverfall für Agrarprodukte erst später einsetzte.

Die der Verfassungsannahme folgenden frühen zwanziger Jahre der mehrfach umgebildeten Regierung Pašić waren durch die Obstruktion des »Kroatischen Blocks« (zu dem neben der Kroatischen Bauernpartei die Staatsrechtspartei und die Liberalen unter dem früheren Außenminister Ante Trumbić gehörten, zusammen 63 Abgeordnete)[20] und die schwachen Versuche, die Kroaten zur Mitverantwortung zu bewegen, gekennzeichnet. Dabei konnte die aufgrund der Verfassung am 28. IV. 1922 beschlossene Verwaltungsreform die Kroaten nur erneut abschrecken, denn die historischen Einheiten Kroatien-Slawonien und Dalmatien, die überwiegend von Kroaten bewohnt waren, wurden in sechs nach den Verwaltungssitzen benannte *oblasti* (Karlstadt-Karlovac, Agram-Zagreb, Esseg-Osijek, Vukovar, Spalato-Split, Ragusa-Dubrovnik) aufgesplittert. Damit verschwand auch der historisch bedeutsame Titel eines Banus von Kroatien.

Die konsequente Ablehnung der zentralistischen Maßnahmen brachte der Kroatischen Bauernpartei bei den Wahlen zur ersten Ordentlichen *Skupština* am 18. III. 1923 einen beachtlichen Erfolg, denn bei einer um 25 % geringeren Mandatszahl des Parlaments (313 statt 419) erhielt sie 68 statt bisher 50 Sitze. Sie war somit zweitstärkste Partei nach der Altradikalen Partei geworden, die mit 123 Mandaten ebenfalls große Gewinne erzielt hatte, überwiegend auf Kosten der in sich zersplitterten Demokraten[21]. Statt der verbotenen Kommunisten hatten die Unabhängige Arbeiterpartei zwei Sitze, die Sozialdemokraten gar keinen errungen. Während 185 Abgeordnete voll für die Verfassung eintraten, waren 72 strikt gegen sie; 43 strebten Verbesserungen an, und 14, darunter 8 deutsche Abgeordnete, verhielten sich neutral. Angesichts dieser Sachlage versuchte Pašić, den Kroatenführer Stjepan Radić zur Mitverantwortung und zum Regierungseintritt zu bewegen, und bot ihm vier Ministerien an. Nach vorübergehender Verhandlungsbereitschaft lehnte der sprunghafte, sich häufig in Volksreden und Presse-Interviews öffentlich äußernde Radić jedoch Verfassung und Mitarbeit entschieden ab (14. VII. 1923) und versuchte in London und Wien vergeblich, Verständnis für die kroatischen Wünsche zu finden. Beide Hauptstädte mußte er als *persona ingrata* verlassen. Nach diesen Mißerfolgen erklärte er im Juni 1924 in Moskau den Beitritt seiner Partei zur Bauern-Internationale. Dieser Schritt wurde zwar vom Parteikongreß offiziell gutgeheißen, aber eine Gruppe von 20 Abgeordneten der Partei hatte sich schon im Frühjahr bereiterklärt, die Obstruktion aufzugeben und im Parlament im Oppositionsblock mitzuarbeiten. Als Radić nach seiner Rückkehr im Spätsommer und Herbst 1924 erneut äußerst scharfe Reden hielt, wurde am 24. XII. 1924 er selbst, am 1. I. 1925 auch seine Partei aufgrund des Staatsschutzgesetzes in den Bann (*obznana*) erklärt. Vorübergehende Verhaftungen von Radić, Maček und anderen sowie Hausdurchsuchungen folgten, wobei der Unterrichtsminister Pribičević (Demokrat) für ein scharfes Vorgehen eintrat. Trotzdem konnte die Kroatische Bauernpartei unter leicht verändertem Namen in die Wahlen vom 8. II. 1925 gehen und wieder

II. a) Das Königreich SHS als konstitutionelle Monarchie (1918–1929)

68 Mandate erringen, während die Altradikalen mit 141 Mandaten erneut erheblich gewonnen, ihre Verbündeten, vor allem die Serbische Bauernpartei, aber schwere Einbußen erlitten hatten[22]. Da unter diesen Umständen niemand die Konfrontation auf die Spitze treiben wollte, wurden trotz der *obznana* alle Mandate der Kroatischen Bauernpartei anerkannt, und Pavle Radić, Neffe des Parteiführers, gab am 27. III. 1925 im Parlament eine vielbeachtete Loyalitätserklärung ab, nach der sich die Partei ganz auf den Boden der bisher bekämpften Verfassung stellte.

Es vergingen aber noch Monate, bis dieser innenpolitische Versöhnungskurs im Eintritt Radićs – der nicht Abgeordneter war – als Unterrichtsminister in die erneut umgebildete Regierung Pašić (19. XI. 1925) zu einem dauerhaften Ausgleich zu führen schien.

Schon nach kurzer Zeit erwies sich die Lösung wegen der Haltung Radićs, der als Minister nicht aufhörte, nicht nur einzelne Mitglieder der Regierung, sondern die Regierung als Ganzes schärfstens anzugreifen, als untragbar. Regierungsbeteiligung ohne föderative Umgestaltung konnte die Gegensätze eben nur überdecken, aber nicht beseitigen. Zwar überdauerte Radić noch den Sturz des achtzigjährigen Pašić über eine Korruptionsaffäre seines Sohnes Rade Pašić (4. IV. 1926), aber unmittelbar danach erfolgte der Bruch Radićs mit dem neuen, ebenfalls der Altradikalen Partei entstammenden Ministerpräsidenten Uzunović (1873–1954), der sein Kabinett immer wieder umbildete, um zwar nicht mehr Radić, aber doch andere Vertreter der Kroatischen Bauernpartei in ihm halten zu können. In beiden Parteien gab es Abspaltungen, und die Unmöglichkeit, die Ratifizierung der schon im Juli 1925 mit Italien geschlossenen Nettuno-Konventionen (s. unten S. 1197) im Parlament durchzusetzen (21. VI. 1926), machte die ganze Zerfahrenheit des Systems deutlich. Der am 27. XI. 1926 von Mussolini mit Albanien geschlossene erste Tiranapakt desavouierte die Verständigungspolitik und bewirkte mit dem Rücktritt des Außenministers Ninčić (6. XII.) eine weitere Regierungskrise, zu deren Lösung der greise, immer noch aktive Pašić hätte beitragen können. Doch starb er überraschend am 10. XII. 1926. Mit ihm verlor das Land eine zwar umstrittene, aber doch integrierend wirkende politische Kraft.

In sein am 1. II. 1927 gebildetes sechstes Kabinett nahm Uzunović, gegen den sich Pašić kurz vor seinem Tod noch ausgesprochen hatte, die Vertreter der Kroatischen Bauernpartei nicht mehr auf. Neben der fortschreitenden inneren Zersplitterung der Altradikalen Partei in drei Gruppen veränderte die zunehmende Entfernung der Gruppe der Demokraten unter Svetozar Pribečević vom Regierungslager das unstabile Kräfteverhältnis. Die von Uzunovićs Nachfolger Vukičević veranlaßten Wahlen am 11. IX. 1927 zur Dritten Ordentlichen *Skupština* brachten den Altradikalen wie der Kroatischen Bauernpartei erhebliche Verluste, der regierungsfreundlichen Demokratischen Vereinigung aber Gewinne, so daß eine Regierungskoalition der Altradikalen, Mehrheitsdemokraten, Slowenen und 6 Deutschen mit 218 von 315 Mandaten recht stabil zu sein schien. Trotzdem kam es zu ständigen schärfsten Auseinandersetzungen im Parlament, vor allem, nachdem Pribičević eine vollständige Schwenkung vollzogen hatte, mit Radić zusammen die Opposition führte und in seiner »Sturmrede« vom 19. X. 1927 die unterdrückten *Prečani* – die Bewohner der einst habsburgischen Gebiete – den übermächtigen »Serbianern« gegenübergestellt hatte. Der bald darauf erfolgte Kurswandel in der Außenpolitik zugunsten Frankreichs (Bündnis vom 11. XI. 1927, s. u. S. 1197) und die von Mussolini mit dem zweiten Tirana-Vertrag erteilte Antwort (22. XI.) ließ eine auf eine breite Sammlung gestützte Regierung

§ 30 Die südosteuropäischen Staaten vom I. Weltkrieg bis zur Ära der Volksdemokratien

als notwendig erscheinen, doch scheiterte alles an den nach wie vor heftigen Kämpfen im Parlament, wo es ständig Tumulte gab. Vor allem entzündeten sich nationale Leidenschaften an den Debatten um die immer noch nicht erfolgte Ratifizierung der Nettuno-Konventionen und um die Erneuerung des Adria-Paktes mit Italien, wobei Verleumdungen und Beleidigungen an der Tagesordnung waren. Nach einer derart stürmischen Debatte erschoß der altradikale Abgeordnete Puniša Račić[23] am 20. VI. 1928 drei Abgeordnete der Kroatischen Bauernpartei, darunter Pavle Radić, und verletzte Stjepan Radić und einen weiteren Abgeordneten schwer. Der zuckerkranke Radić erlag seinen Verletzungen am 8. VIII. Seine Beisetzung am 12. VIII. in Agram gab Gelegenheit zu Massendemonstrationen, und unter seinem Nachfolger Vladko Maček (1879–1964) blieben die kroatischen Abgeordneten dem Parlament wieder fern.

Noch im Juli unternahm der Vorsitzende der Slowenischen Volkspartei, Anton Korošec, den Versuch, das parlamentarische System durch eine Sammlungsregierung zu retten, in der 8 Altserben 7 *Prečani* gegenüberstanden und in der erstmals ein Nichtserbe Ministerpräsident war. Sein Plan, den Staat trialistisch umzugestalten – in ein serbisches, ein kroatisches und ein slowenisches Banat –, fand aber nicht die Billigung der Koalitionspartner, der Demokraten unter Davidović, so daß er am 30. XII. 1928 zurücktrat. König Alexander führte in den folgenden Tagen Gespräche mit allen Parteiführern, vollzog aber am 6. I. 1929, dem Weihnachtstag der Orthodoxen Kirche, einen überraschenden Schritt, indem er durch ein Manifest die Verfassung außer Kraft setzte, die *Skupština* auflöste und – getreu einem von Radić geprägten Wort: »König und Volk – nur der Säbel ist ehrlich« – den General Pera Živković, Kommandeur der Gardedivision, zum Ministerpräsidenten ernannte. Gleichzeitig wurden ein Gesetz über die Machtbefugnisse des Königs und ein sehr rigoroses Staatsschutzgesetz erlassen. Da sich der König auf das Militär stützen konnte und Parteien und Parlament ihr Ansehen weitgehend verloren hatten, rief der Staatsstreich keine Unruhen im Lande hervor.

In der Außenpolitik[24] der zwanziger Jahre war das Verhältnis zu Italien das entscheidende Problem, zu dem einzigen Nachbarn, unter dessen Herrschaft sich eine bedeutende Anzahl von Kroaten und Slowenen befand und der außerdem zwei Aspirationen hatte: Albanien und damit die Adria wenn nicht zu beherrschen, so doch weitgehend zu beeinflussen und eine wesentliche Vormachtstellung in ganz Südosteuropa zu erringen, wobei in erster Linie Ungarn, in zweiter Bulgarien als geeignete Partner erschienen. Gegen das erste richtete sich die Kleine Entente; das zweite war als möglicher Gegner im Vertrag mit Rumänien vom 7. VI. 1921 genannt worden. Jede engere Bindung Italiens an Albanien, Ungarn oder Bulgarien konnte deshalb in Belgrad und erst recht in Zagreb als gegen die Erhaltung des Status quo gerichtet angesehen werden. Da die Kleine Entente zwar rein rechnerisch bei Addition der Bevölkerung und der Armeen der drei verbündeten Länder einer Großmacht nahekam, praktisch aber doch nur gegen Ungarn oder Österreich schlagkräftig war und unverzüglich aktiv werden konnte, war es bei aller verständlichen Aversion, die das italienische Vorgehen in Fiume und die Nationalitätenpolitik in Istrien hervorriefen, nur vernünftig, die im Rapallo-Vertrag begonnene Politik des Ausgleichs mit Italien fortzusetzen und auszubauen. Diese Linie verfolgte der seit Januar 1922 amtierende Außenminister Dr. Momčilo Ninčić mit den im Anschluß an die Konferenz von Genua am 6. V. 1922 geschlossenen Konventionen von St. Margherita (bei Genua) über die Durchführung des Rapallovertrages. Die Linie wurde auch nach der Machtergreifung Mussolinis fortgesetzt, mit dem am 27. I. 1924 der »Adriapakt« oder

II. a) Das Königreich SHS als konstitutionelle Monarchie (1918–1929)

»Pakt von Rom« geschlossen wurde. In ihm billigte der SHS-Staat die schon am 16. IX. 1923 erfolgte Einbeziehung Fiumes in das italienische Staatsgebiet, erhielt dafür aber einen Teil des bisherigen Freistaatsgebiets mit dem Hafen Baros. Außerdem verpflichteten sich beide Partner für 5 Jahre zu »freundschaftlicher Zusammenarbeit«, zur Aufrechterhaltung des Status quo und zur Neutralität im Fall eines unprovozierten Angriffes. Damit war keine Option für Italien und gegen Frankreich ausgesprochen, von dem der SHS-Staat 1922 einen Rüstungskredit von 300 Mill. ffr. erhalten hatte, an das man sich allerdings nicht, wie Polen und die Tschechoslowakei, durch einen Bündnisvertrag fest gebunden hatte. In der *Skupština* wurde der Adria-Pakt am 19. II. 1924 nur dadurch ratifiziert, daß außer den ohnehin abwesenden Abgeordneten der Kroatischen Bauernpartei weitere 99 der Abstimmung fern blieben. Nur 123 Abgeordnete stimmten für die Ratifizierung.

Das den Adria-Pakt ergänzende Handels- und Schiffahrtsabkommen vom 14. VII. 1924, die »Belgrader Konvention«, stieß auf noch mehr Widerstand und wurde erst von der zweiten Ordentlichen *Skupština* am 9. VI. 1926 wiederum nur durch Fernbleiben von Abgeordneten ratifiziert. Eine weitere Gruppe von Ergänzungsabkommen, die meist technische Einzelheiten in Fiume und den Eisenbahnverkehr regelten, wurde am 20. VII. 1925 in Nettuno b. Rom unterzeichnet. Gegen diese – insgesamt 31 – »Nettuno-Konventionen« wandte sich unter dem Eindruck von Zwischenfällen in Triest und andernorts die öffentliche Meinung mit starken antiitalienischen Ausfällen, als diese im Sommer 1926 zur Ratifizierung vorgelegt wurden, obwohl ihr umfangreicher Text kaum einen Grund dafür bot. Sie wurden deshalb zurückgezogen, und Mussolini hatte nun Grund, das Steuer herumzuwerfen. Am 10. XI. 1926 wurde der slowenische Abgeordnete im römischen Parlament und Führer der slowenischen Minderheit in Italien, Dr. Josip Wilfan, Präsident des Europäischen Nationalitätenkongresses, in Rom verhaftet; am 27. XI. 1926 wurde völlig überraschend der italienisch-albanische Ausgleichsvertrag (»erster Tirana-Pakt«) unterzeichnet. Obwohl der Vertragstext nichts Beanstandenswertes enthielt, wurde er doch als Ende der Ausgleichspolitik gewertet (Rücktritt Ninčićs v. 6. XII.), zumal am 4. IV. 1927 der italienisch-ungarische Freundschafts- und Schiedsvertrag folgte, was als italienische Einkreisungspolitik aufgefaßt wurde. Zwar wurden die Nettuno-Konventionen von der Rumpf-*Skupština* am 15. VIII. 1928 – nach drei Jahren! – doch noch ratifiziert, jedoch nur, weil Großbritannien dies als Voraussetzung für eine Anleihe genannt hatte. Der am 27. I. 1929 ablaufende »Adria-Pakt« wurde nicht erneuert, dagegen am 11. XI. 1927 der schon früher geplante, aber zurückgestellte Bündnisvertrag mit Frankreich[25] geschlossen.

Gegenüber diesem außenpolitischen Zentralproblem verursachten die Beziehungen zu Bulgarien[26] weit weniger innenpolitische Auseinandersetzungen, da die Mazedonienfrage weder die Slowenen noch die Kroaten und Bosnier beschäftigte. Stambolijskis großsüdslawische Ideen (s. Beitrag Bulgarien, S. 1245) fanden allenfalls bei einem Teil der Serben Anklang, doch sprach sich Ministerpräsident Pašić im Januar 1922 in der *Skupština* ausdrücklich gegen feindschaftliche Gefühle Bulgariens gegenüber aus, und Stambolijskis Belgradbesuch im November 1922 konnte als Beginn einer Ära der Verständigung gewertet werden, die durch den ihn beseitigenden Aufstand (9.–15. VI. 1923, s. S. 1245) erstickt wurde, und gegen die sich die Aktivitäten der IMRO richteten. Vorsichtige Annäherungsversuche wurden durch den Zwischenfall von Kriva Palanka (nordöstl. v. Štip) Anfang August 1926 wieder zunichtegemacht, wo mazedonische Freischärler in jugoslawisches Gebiet eingedrungen waren und erst nach längerem Gefecht über die bulgarische Grenze zurückgetrieben werden konnten. Die Reaktion – eine gemeinsame Demarche des SHS-Staats, Rumäniens und Griechenlands vom 11. VIII. 1926 – brachte nur vorübergehende Beruhigung, die durch weitere Attentate – am 27. VIII. 1927 auf den Brigadekommandeur General Kovačević in Štip, am 14. VII. 1928 auf den Chef des Sicherheitsdienstes Zika Lazić – getrübt wurde, so daß im August 1927 eine vollständige Grenzsperre gegen Bulgarien erklärt wurde.

Mit Griechenland[27] war Serbien durch ein auf zehn Jahre befristetes Bündnis vom 1. VI. 1913 verbunden, das sich während des Krieges allerdings nicht bewährt hatte, da Griechenland seinen Verpflichtungen nicht nachgekommen war (s. Bd. VI, S. 581 ff.). In diesem war Serbien eine Freihafenzone im Hafen von Saloniki zugestanden worden, auf die nun auch der SHS-Staat Wert legte. Es kam aber wegen der italienisch-griechischen Abmachungen über Albanien (29. VII. 1919, s. Beitr. Albanien, S. 1274) und infolge des griechischen Engagements in Kleinasien zunächst zu keinen konkreten Verhandlungen. Die griechische Niederlage in Kleinasien wurde von Ninčić geschickt ausgenutzt, und am 10. V. 1923 in Belgrad ein Abkommen über die Überlassung der Freihafenzone auf 50 Jahre geschlossen. Kurz darauf erwarb der SHS-Staat nicht nur die auf seinem Gebiet verlaufende Strecke der Orientbahn, sondern auch Aktien der Strecke Gevgelija–Saloniki auf griechischem Gebiet (13. VII. 1923) und hatte so ein Druckmittel für ein weiteres, die Einzelheiten regelndes Saloniki-Abkommen vom 29. IX. 1923, das von der *Skupština* am 24. II. 1924 ratifiziert wurde. Da Griechenland mit der Durchführung zögerte und im September 1924 mit Bulgarien ein Minderheitenabkommen schloß, das alle in Griechenland lebenden »Slawophonen« als Bulgaren anerkannte, verlangte Belgrad für einen den Vertrag von 1913 ersetzenden neuen Bündnisvertrag die alsbaldige Übergabe des Freihafens, die am 25. II. 1925 auch erfolgte, und die Nichtratifizierung des Abkommens mit Bulgarien, weil Belgrad die »Slawophonen« (nach jugoslaw. Auffassung 800 000) als »Südserben« reklamierte. Tatsächlich lehnte das griechische Parlament auch die Ratifizierung des Minderheitenabkommens mit Bulgarien ab (Dezember 1924), aber der am 17. VIII. 1926 endlich geschlossene neue Saloniki-Vertrag, die »Athener Konventionen«, hatte das gleiche Schicksal (23. VIII. 1927), denn er war mit dem inzwischen gestürzten Diktator Pangalos ausgehandelt worden. Erst als die Annäherung zwischen Italien und Griechenland erfolgt und dadurch die Stellung des letzteren erheblich gestärkt worden war, wurde im Herbst 1928 von dem griechischen Außenminister Venizelos in Belgrad erneut verhandelt, doch wurde der die Salonikifrage regelnde Vertrag erst unter der Königsdiktatur, am 17. III. 1929, geschlossen, dem zehn Tage später ein »Freundschaftsvertrag« folgte. Südslawien verzichtete auf das meiste, was es vorher angestrebt hatte, vor allem auf eine Hoheitszone in Saloniki, auf Rechte an der Bahnlinie und auf ein Minderheitenabkommen. Nach dem Muster anderer Schiedsverträge sollten alle Streitfragen in friedlicher Weise geregelt werden; Bündnisverpflichtungen wurden nicht eingegangen.

Zog man Bilanz dieser Jahre, so hatte sich die außenpolitische Lage durchaus nicht verbessert; Belgrad stand im Gegenteil einem in Südosteuropa höchst aktiven Italien gegenüber, das Albanien an sich gebunden hatte, mit Ungarn gute Beziehungen unterhielt, Bulgarien für sich zu gewinnen suchte und dem stets mißtrauischen Partner Griechenland den Rücken gestärkt hatte. Aktivposten in diesem Saldo waren lediglich das Bündnis mit Frankreich und die regelmäßig alljährlich in einem der Partnerländer zusammentretende »Kleine Entente« (im Mai 1927 war Bled Tagungsort), in der aber Beneš die erste Geige spielte.

II. a) Das Königreich SHS als konstitutionelle Monarchie (1918–1929)

Auf dem Gebiet der Volkswirtschaft war, wie in ganz Ostmitteleuropa, die Agrarreform[28] eine vordringliche Aufgabe. Durch sie sollten die landwirtschaftliche Überbevölkerung verringert und die wirtschaftliche Machtstellung der fremdnationalen Großgrundbesitzer in den früher habsburgischen Gebieten verringert werden. Daneben sollte der unverhältnismäßig stark verbreitete, unrationell wirtschaftende Zwergbesitz (unter 2 ha) beseitigt oder lebensfähig gemacht werden. Die wesentlichen Fragen wurden dabei auf dem Verordnungsweg geregelt. So wurde schon am 2. IV. 1919 ein Ministerium für Agrarreform errichtet und am 21. VII. 1919 eine »Verordnung über das Verbot der Veräußerung und Belastung von Großgrundbesitz« erlassen, die die Verfassunggebende *Skupština* am 20. V. 1922 zum Gesetz erhob. Danach wurde aller landwirtschaftliche Besitz, der, nach den Gebieten verschieden, 50 bis 300 ha Ackerland und 100 bis 500 ha Gesamtfläche überstieg, gegen Entschädigung enteignet und in Flächen bis zu 5 ha an Kleinbesitzer und Neusiedler aufgeteilt. Die Durchführung oblag den 1920 errichteten Agrardirektionen in Agram, Laibach, Split, Sarajewo, Cetinje, Neusatz (Novi Sad) und Skoplje. Der Schwerpunkt der Maßnahmen lag, der Besitzverteilung entsprechend, in der *Vojvodina,* in Kroatien-Slawonien und in Bosnien-Herzegowina, in geringerem Umfang in dem bis 1912 türkischen Südserbien. Bis Ende 1928 war der Großteil des enteignungsfähigen Bodens erfaßt und neu verteilt, nur die Reform in Südserbien erfolgte wesentlich langsamer. Insgesamt waren 2 Mill. ha (8 % der Gesamtfläche des Staates) enteignet worden, wovon allerdings nur 500 000 ha neu besiedelt wurden. 500 000 ha waren nunmehr verstaatlichter Waldbesitz, und 1,05 Mill. ha gingen in den Besitz der bisherigen Pächter, der *Kmeten,* über (in Bosnien-Herzegowina und Montenegro), ohne daß die verschiedenen Besitzgrößen dabei einander angeglichen wurden. Abgesehen von den rund 133 000 *Kmeten,* die nunmehr Besitzer von durchschnittlich knapp 8 ha Land waren, hatten rund 200 000 Anlieger durchschnittlich 1,1 ha erhalten, und knapp 40 000 Neusiedler, darunter über die Hälfte bevorzugt anspruchsberechtigte Kriegsteilnehmer, waren auf rund 200 000 ha mit je 5 ha Land angesiedelt worden.

Insgesamt konnte dies Ergebnis die landwirtschaftliche Überbevölkerung und die Zwergbetriebe nicht beseitigen. 1931 hatte ein Drittel (33,8 %) aller landwirtschaftlichen Betriebe unter 2 ha und ein weiteres Drittel (34 %) unter 5 ha, wirtschaftete also unrationell und nicht für den Export, während die Zahl der größeren Betriebe über 50 ha nur 0,4% mit nur 6,7% der landwirtschaftlichen Nutzfläche betrug. Erreicht war lediglich die Beseitigung der wirtschaftlichen Vormachtstellung der etwa 700 madjarischen und deutschen Großgrundbesitzer in der *Vojvodina,* Kroatien-Slawonien und Slowenien, und das für den Preis eines erheblichen Rückgangs der landwirtschaftlichen Produktion und der Viehhaltung.

---

[1] Zur Vorgeschichte *D. A. Lončarević,* Jugoslawiens Entstehung (1929), u. *E. Haumant,* La formation de la Yougoslavie, XV–XX siècles (1930). Sehr eingehend *H. Baerlein,* The Birth of Jugoslavia (2 Bde. 1922). Völkerrechtlich: *E. Holzer,* Die Entstehung des jugosl. Staates (1929), u. *S. Budisavljević,* Stvaranje Države Srba, Hrvata i Slovenaca (1958). Sehr materialreich: *G. In d. Maur,* Die Jugoslawen. Vgl. auch *A. Mousset,* Le royaume Serbe-Croate-Slovène, son organisation, sa vie politique et ses institutions (²1926).

[2] Dazu *D. R. Živojinović,* America, Italy and the Birth of Jugoslavia (1972). Aus d. Zeit: *E. J.* u. *C. G. Woodhouse,* Italy and the Jugoslavs (1920).

[3] Engl. Text in: Peace Handbook, hg. v. *Brit. Foreign Office* (1920), S. 35–38. Kritische Darstellung: *D. Janković,* Jugoslovensko pitanje i Krfska Deklaracija (1967). Vgl. auch: Das Korfuabkommen über das südslaw. Königreich: Süddt Mhefte (Sept. 1917).

[4] Über ihn *A. Smith-Pavelić,* Dr. A. T. (1959; kroatisch).

§ 30 Die südosteuropäischen Staaten vom I. Weltkrieg bis zur Ära der Volksdemokratien

[5] *Comte Sforza,* Pachitch et l'union des Yougoslaves ([5]1938; auch in tschechisch und serbisch); vgl. auch die Erinnerungen (serbisch) 1845–1925 (1926). Über seine Rolle bei der Staatsentstehung und im neuen Staat: *A. N. Dragnich,* Serbia, Nikola Pašić and Jugoslavia (1974).
[6] Zur Kroatenfrage s. die Übersichten von *R. Kiszling* u. *J. Omrčanin,* sowie *W. Schneefuss,* Die Kroaten u. ihre Geschichte (1942).
[7] Dazu *J. Vrčinac,* Kraljevina Srba, Hrvata i Slovenaca od Ujedinjenja do Vidovdanskog Procesa (1956). *F. Taysen,* Das jugoslaw. Problem. Studie zur Balkanpolitik (1927).
[8] Dazu *M. Wutte,* Kärntens Freiheitskampf (1943), und das Sammelwerk: Kampf um Kärnten, hg. v. *F. Perkonig* (o. J.); außerdem: *E. Steinböck,* Die Kämpfe im Raum Völkermarkt 1918/19 (1969).
[9] *S. J. G. Lederer,* Jugoslavia at the Paris Peace Conference (1963), u. die von *B. Krizman* und *B. Hrabak* herausgegebene Quelle: Zapisnici za sednica delegacije kraljevine SHS na mirownoj konferencji u Parizu 1919–1920 (1960).
[10] Vgl. d. Streitschrift von *F. Šišić,* Abridged Political History of Rieka (Fiume; 1919), und *C. Sforza,* Fifty Years of War and Diplomacy in the Balkans (1940), sowie ders., Jugoslavia. Storia e ricordi (1948).
[11] Texte und Akten: Rapallski Ugovor 12. Novembra 1920, hg. v. *V. M. Jovanović* (1950).
[12] *V. Vinaver,* Jugoslavija i Madjarska 1918–1931 (1971).
[13] Vgl. d. Tabellen im Jugoslawien-Bd. des Osteuropa-Handbuchs, S. 16 ff. Vgl. auch *M. B. Cvetkovitsch,* Der Schutz nationaler Minderheiten in Jugoslawien (1939).
[14] Über sie *M. Reuter,* Die polit. Parteien in J. von ihren Anfängen bis zur St. Veits-Verfassung vom 28. Juni 1921 (1952).
[15] Zur Verfassungsgeschichte: *D. Janković,* Istorija države i prava naroda FNRJ (1959). Der Text d. Verfassung: Ustav Kraljevine Srba, Hrvata i Slovenaca (1921).
[16] Tatsächlich wurden aufgrund einer am 28. IV. beschlossenen Verwaltungsreform, die ab 1924 stufenweise in Kraft trat, 33 Oblasti gebildet, deren Grenzen sich im allgemeinen an die historischen Grenzen hielten, abgesehen von Montenegro und der Vojvodina. Slowenien und Dalmatien wurden in je 2 Oblasti geteilt, Bosnien-Herzegowina in 6, die oblast Cetinje war erheblich größer als Montenegro usw.
[17] Vgl. außer *Dragnich: C. Sforza,* Pachitch et l'union des Yougoslaves (s. Anm. 5).
[18] Der Name darf nicht darüber hinwegtäuschen, daß es sich hier um eine konservative, serbisch-nationale Partei auf bäuerlicher Basis unter der straffen Führung von Pašić handelte.
[19] Die Regierungen bis 1929 übersichtlich unter d. Stichwort Ministarstva in der Narodne Enciklopedija Srba etc.
[20] Die Zahlen schwanken wegen gelegentlicher Übergänge von einer Fraktion zur anderen.
[21] Über sie eine gute Studie: *B. Gligorijević,* Demokratska Stranka i Politički odnosi u kraljevini SHS (1970).
[22] Eingehend bei *M. Glojnasić,* Borba Hrvata. Kronika dvaju desetljeća političke povijesti 1919–1939 (1940). Vgl. auch *Vl. Maček,* In the Struggle for Freedom (1957).
[23] Die Hergänge genau bei *Z. Kulundžić,* Atentat na Stjepana Radića (1967). Der Attentäter Račić lebte während des Krieges in Freiheit in Belgrad, wurde bei dessen Einnahme von Partisanen erschossen.
[24] Vgl. vor allem *G. Zamboni,* Mussolinis Expansionspolitik auf dem Balkan. Italiens Balkanpolitik vom 1. zum 2. Tiranapakt im Rahmen des ital.-jugosl. Interessenkonflikts und der ital. »imperialen« Bestrebungen in Südosteuropa (1970). Außerdem: *V. Gayda,* La Jugoslavia contra l'Italia. Documenti e rivelationi (1941). *R. Machsay,* The Little Entente (1929). *G. Parese,* Italia e Jugoslavia dal 1915 al 1929 (1935).
[25] Dazu u. a. *L. Marković,* La politique extérieure de la Yougoslavie (1935), und *V. M. Radovanovitch,* La Petite Entente. Étude Historiquo-juridique (1939).
[26] Vgl. *A. I. Krainikowsky,* La question de Macédoine et la diplomatie européenne (1938). Außerdem das im Beitrag über Bulgarien unter a, Anm. 14 genannte Schrifttum.
[27] Vgl. u. a. *L. S. Stavrianos,* Balkan Federation. A History of the Movement toward Balkan Unity in Modern Times (1944), u. *L. Markovitch,* Lord Curzon and Pashitch – Light on Jugoslavia, Turkey and Greece in 1922: JournCentrEurAff 13/14 (1953/54), S. 329–337.

II. b) Das Königreich Jugoslawien als autoritär geführter Staat (1929–1941)

[28] Vgl. M. *Mirković,* The Land Question in Jugoslavia: SlavonicEastEurRev 14 (1935/36), S. 389–402, u. d. Beitrag von L. *Fritscher,* Agrarverfassung und agrarische Umwälzung in Jugoslawien, in: Die agrar. Umwälzungen im außerrussichen Osteuropa, hg. v. *M. Sering* (1930), S. 276–340 (mit weiterer Literatur).

b) Das Königreich Jugoslawien als autoritär geführter Staat (1929–1941)

Die Königsdiktatur Alexanders (1929–1934)[1]

Der Umsturz vom 6. I. 1929 bildete zwar einen tiefen Einschnitt in der innerpolitischen Entwicklung des Landes, das seither keine völlig freien und unbeeinflußten Wahlen mehr erlebt hat, führte aber dank der Autorität, die das Königshaus und insbesondere König Alexander selbst genossen, weder zu Protestaktionen noch zu einer grundsätzlichen Änderung der Außenpolitik. Die Reaktion im Ausland, das schon in Polen und Litauen die Abkehr vom Parlamentarismus erlebt hatte, war gelassen, führte jedenfalls nicht zur Aufkündigung oder zur Revision bestehender Verträge oder zum Abbruch schon laufender Verhandlungen. Basis der neuen Staatsform war das am 7. I. 1929 publizierte Gesetz[2] über die Machtbefugnisse des Königs, das diesem die gesamte vollziehende Gewalt zuerkannte. Die Regierung war nur ihm verantwortlich; Gesetze wurden bis zur Verkündigung einer neuen Verfassung und bis zur Wahl einer neuen *Skupština* von ihm erlassen. Die Aufhebung der Pressefreiheit, das Verbot aller politischen Parteien mit regionalem, stammlichem oder konfessionellem Charakter und die Anwendung rigoroser Strafen für Aufrührer machten jede Opposition praktisch unmöglich. In die Regierung des Generals Živković wurden jedoch mehrere Vertreter der aufgelösten Parteien berufen, so der Slowene Korošec (Verkehr) und der Demokrat Marinković (Äußeres). Dem am 1. IV. endgültig gebildeten Kabinett, das im April 1930 erstmals umgebildet wurde, gehörten 10 Serben, 4 Kroaten und 1 Slowene an, darunter zwei frühere Ministerpräsidenten (Uzunović und Korošec). Gänzlich ausgeschaltet waren die Mitglieder der Kroatischen Bauernpartei, die Demokraten der Richtung Pribičević[3] und die konservativen Altradikalen. Die neu ernannten kroatischen Minister waren bisher politisch nicht hervorgetreten.

Alexander, neben dem der politisch unerfahrene und auch militärisch nie hervorgetretene General Živković nur die Rolle eines ausführenden Organs spielen durfte, glaubte, die nationalen Probleme durch strikte Verwirklichung einer fiktiven Einheit der »Südslawen« auf dem Weg einer Verschmelzung lösen zu können. Ihr sollte das Gesetz vom 3. X. 1929[4] dienen, durch das der bisherige Name »Königreich der Serben, Kroaten und Slowenen« durch den Namen »Jugoslawien« abgelöst und statt der 33 *Oblasti* neun neue größere Verwaltungseinheiten, die Banate[5] *(banovina),* geschaffen wurden, die statt der historischen Namen Flußnamen erhielten oder – im Falle Dalmatiens – »Küstenbanat« genannt wurden. Dabei wurden Slowenen und Kroaten nicht unbedingt benachteiligt, denn das Drau-Banat umfaßte das slowenische Stammesgebiet und erhielt einen Slowenen (Professor Sernec) als Banus; das Save-Banat entsprach fast genau dem historischen Kroatien-Slawonien und erhielt einen Kroaten (Professor Silović) als Banus. Dagegen verschwanden die Grenzen Altserbiens, Bosniens und Montenegros fast völlig gegenüber den neuen Banatgrenzen, so daß das Serbentum, nunmehr auf sechs Banate aufgesplittert, auf dem Altar des Jugoslawismus größere Opfer zu bringen hatte als Kroaten und Slowenen, doch wurden in allen sechs auch Serben zu Banen ernannt. Ein weiteres Opfer hatten die Serben dadurch zu bringen, daß die Regimenter neue »jugoslawische« Fahnen erhielten und die alten serbischen Fahnen nach Topola in die Grablege der Dynastie gebracht wurden (6. IX. 1930), die damit ihren »jugoslawischen« Auftrag unterstreichen wollte. Die Dezentralisierung und der »Jugoslawismus« trafen somit die Serben eigentlich härter als Kroaten und Slowenen, die allerdings außerhalb ihrer Banate kaum zur Geltung kamen.

Den Banen wurden erhebliche Rechte eingeräumt, welche durch die durch Gesetz vom 1. IV. 1930 geschaffenen Banalräte – beratende Körperschaften aus ernannten Mitgliedern – kaum beeinträchtigt wurden. Kreisinspektorate sorgten außerdem für straffe Gliederung nach unten, so daß von einer echten Selbstverwaltung kaum die Rede sein konnte, eher von Statthalterschaften mit Männern königlichen Vertrauens an der Spitze. Der Wunsch Alexanders, auch die Schrift und den Kalender zu vereinheitlichen, scheiterte am Widerstand der orthodoxen Kirche, so daß alle kirchlichen Feiertage weiterhin doppelt gefeiert wurden, einmal nach gregorianischem und dreizehn Tage später nach julianischem Kalender. Vereinheitlicht wurde jedoch im November 1929 der Lehrplan der Schulen, mit dem Ziel der Schaffung einer »jugoslawischen Nation«. Die diesem Ziel widerstrebenden Führer der Opposition wurden rasch ausgeschaltet. Der Nachfolger Radićs, der Rechtsanwalt Vladko Maček[6], wurde im Zusammenhang mit Bombenexplosionen in Kroatien am 1. XII. 1929, dem Nationalfeiertag, im Dezember 1929 verhaftet, mußte im Juni 1930 zwar freigesprochen werden, konnte sich aber politisch nicht betätigen. Am 31. I. 1933 wurde er erneut verhaftet und zu drei Jahren Verbannung unter Polizeiaufsicht nach Mitrovica (in der *Vojvodina*) verurteilt. Korošec, bis zum September 1930 noch in der Regierung, wurde am 28. I. 1933 verhaftet und auf die Insel Hvar verbannt; einige Tage danach traf die Führer der bosnischen Muselmanen Spaho und Hrasnica das gleiche Schicksal[7].

Diese Verschärfung der Diktatur stand im Zusammenhang mit der am 3. IX. 1931 oktroyierten neuen Verfassung, die zwar die Bürgerrechte verkündete, das Parteienverbot aber noch erweiterte, da alle Vereinigungen auf regionaler, stammlicher oder konfessioneller Basis verboten wurden. Die *Skupština* bestand nunmehr aus einer gewählten Kammer und einem zur Hälfte ernannten Senat (36 Mitglieder). Da die Wahl aber nicht geheim war und Kandidaten nur auf einer Staatsliste aufgestellt werden konnten, die in allen 305 Wahlbezirken mindestens je 200 Unterschriften aufweisen mußte, war klar, daß nur eine regierungsamtliche Liste Erfolg haben konnte. Bei der Wahl vom 8. XI. 1931 konnte deshalb die Opposition nur Enthaltung empfehlen, ohne damit die Wahl der Kandidaten der Einheitspartei verhindern zu können. Auch diese Einheits-*Skupština* wurde jedoch kein völlig fügsames Instrument des Königs, da in ihr Politiker der früheren Parteien vertreten waren, die Gruppierungen bildeten, insbesondere seit General Živković am 4. IV. 1932 zurückgetreten und ihm zunächst der frühere Demokrat Voja Marinković und ab 2. VII. der frühere Altradikale Dr. Milan Srškić gefolgt war. Um dem Streben nach Parteitätigkeit entgegenzukommen, gründete Srškić eine »jugoslawisch-nationalradikale Bauerndemokratie« (seit Juli 33 »Jugoslawische Nationalpartei«), in deren Präsidium mehrere Altpolitiker eintraten (u. a. Uzunović und Marinković). Unter diesen Umständen beschlossen Mitglieder der verbotenen Kroatischen Bauernpartei am 7. XI. 1932 eine das Regime scharf kritisierende »Agramer Resolution«, der Korošec am 31. XII. 1932 eine ähnlich scharfe »Laibacher Resolution« folgen ließ. In beiden wurde die föderative Neugestaltung gefordert, und dagegen versuchte der königliche Jugoslawismus sich gewaltsam durchzusetzen.

König und System wurden jedoch nicht durch diese aus der Legalität ver-

II. b) Das Königreich Jugoslawien als autoritär geführter Staat (1929–1941)

drängte Opposition am empfindlichsten bedroht, sondern durch diejenige kroatische Bewegung, die von vornherein als illegal und terroristisch auftrat, nämlich die am 7. I. 1929 von Ante Pavelić (1889–1959)[8] gegründete *Ustaša* (»der Aufständische, der Empörer«). Diese zunächst *Domobran* (= Heimwehr) genannte Organisation proklamierte den Kampf gegen den bestehenden Staat für ein völlig selbständiges Kroatien auf dem Wege des gewaltsamen Umsturzes und des individuellen Terrors und stand somit ideologisch und in ihren Methoden der mazedonischen IMRO nahe. Mit dieser verbrüderten sich Pavelić, bis zur Auflösung der *Skupština* Parlamentsabgeordneter der radikalen Staatsrechtspartei, und sein Vertreter Gustav Perčec am 19./20. IV. 1929 in Sofia. Wegen ihres aufrührerischen Programms wurden beide am 17. VII. 1929 aufgrund des Staatsschutzgesetzes in Abwesenheit zum Tode verurteilt. In Italien, das Pavelić großzügig unterstützte und ihm eine Villa und Ausbildungslager zur Verfügung stellte, konnte er seine etwa 300 Gefolgsleute ausbilden; Perčec, zunächst in Wien propagandistisch tätig, organisierte seit 1931 ein Ausbildungslager in Yanka Puszta bei Nagy Kanizsa in Ungarn. Mehrfache Zeitbombenattentate auf den Orientexpreß im Sommer 1931 gingen auf das Konto der *Ustaša*. Sie sollten die Weltöffentlichkeit auf die kroatische Frage aufmerksam machen, was außerdem durch intensive Auslandspropaganda anderer *Ustaša*-Vertreter geschah, so daß auch Albert Einstein und Heinrich Mann im April 1931 öffentlich für die Kroaten eintraten.

Ohne Erfolg blieb ein im August 1932 begonnener Aufstand im Bergland der Lika mit Gospić als Zentrum, da die Bevölkerung sich den aus dem italienischen Zara eingeschleusten und von dort versorgten Aufständischen nicht anschloß, so daß Militär und Polizei der Bewegung mühelos Herr wurden. Trotzdem setzte die *Ustaša* ihre Attentatsserie fort und plante für den 16. XII. 1933 beim Königsbesuch in Zagreb auch einen Anschlag auf Alexander, doch verlor der Attentäter Petar Oreb die Nerven und machte während seines Prozesses im März 1934 genaue Angaben über die Ausbildungslager. Aufgrund eines jugoslawischen Protestes ließ die ungarische Regierung Anfang 1934 das Lager von Yanka Puszta auflösen, entfernte die Verschwörer aber nicht von ihrem Territorium. Diese konnten den nächsten Anschlag vorbereiten, dem Alexander am 9. X. 1934 in Marseille zusammen mit dem französischen Außenminister Louis Barthou zum Opfer fiel, bei absolut unzureichenden Sicherheitsvorkehrungen der französischen Polizei[9].

Die Ermordung Alexanders rief in Kroatien keinen Aufstand hervor, sondern wirkte durch den Abscheu gegenüber der Mordtat eher integrierend. Trotzdem war die Diktatur schwer getroffen, weil weder Alexanders 11jähriger Sohn, König Peter II., noch der dreiköpfige Regentschaftsrat mit Prinz Paul (geb. 1893), dem Vetter Alexanders, an der Spitze, die Autorität und das außenpolitische Geschick Alexanders besitzen konnten.

War die Bilanz Anfang 1929 wenig günstig, so brachten die beiden Verträge mit Griechenland vom 17. und 27. III. 1929 über Saloniki und die künftige gegenseitige Unterstützung wenigstens ein Ende der langen Auseinandersetzung mit dem südlichen Nachbarn. Mit Bulgarien, zu dem die Grenze seit Anfang 1928 gesperrt war und dessen IMRO in Sofia am 19./20. IV. 1929 die *Ustaša*-Führer gefeiert hatte, wurde im Lauf des Jahres 1929 auf mehreren Konferenzen in Pirot und Sofia wenigstens ein *modus vivendi* erreicht, so daß Anfang 1930 wieder normale Grenzverhältnisse eintraten. Dieser Zustand wurde durch neue Zwischenfälle schon im Sommer 1930 beendet, die Grenze erneut abgeriegelt. Im Herbst 1933 ergab sich durch persönliche Initiative des Königs, der Boris von

Bulgarien zunächst auf der Durchreise durch Belgrad, dann in Varna begegnete, eine Annäherung an Bulgarien, die durch den Umsturz in Bulgarien vom 19. V. 1934 (s. Beitrag Bulgarien, S. 1250) und die ihm folgende Zerschlagung der IMRO vertieft wurde (Handelsvertrag vom 24. V. 1934).

Gleichzeitig wurden die bisher zweiseitigen Verträge Jugoslawiens, Rumäniens, Griechenlands und der Türkei in den vierseitigen Balkanpakt (9. II. 1934) umgewandelt, in dem die gegenseitigen Grenzen garantiert wurden. Außerdem sicherten sich die Vertragspartner Hilfeleistung zu, falls ein Balkanstaat sich am Angriff eines Nichtbalkanstaats gegen einen anderen Balkanstaat beteiligte. Das hieß für Jugoslawien konkret, daß jeder Angriff Italiens, an dem sich Albanien oder Bulgarien beteiligte, die Hilfeleistung der drei Vertragspartner auslöste, die bedrohlich erscheinende Einkreisungspolitik Italiens also neutralisiert war. Die Annäherung an Bulgarien wurde durch den Balkanpakt dank der vorherigen Verhandlungen mit ihm nicht gestört. In dem durch Hitlers Machtergreifung und die europäischen Reaktionen darauf in Bewegung geratenen Kräfteverhältnis suchten Alexander und der neue Außenminister (seit Juli 1932) Bogoljub Jevtić (1886–1960, 1929–1932 Hofminister) die außenpolitische Stellung des Landes mit Erfolg dadurch zu stärken, daß bei Intensivierung der Beziehungen innerhalb der Kleinen Entente und mit Frankreich jede weitergehende Bindung vermieden wurde. So wurden mit Barthou im Juni 1934 in Belgrad zwar ausgedehnte Gespräche geführt, die bei Alexanders Gegenbesuch in Frankreich im Oktober fortgesetzt werden sollten, aber für neue Kollektivverträge war Alexander ebensowenig zu gewinnen wie für einen Vertrag mit der Sowjetunion, zu der nach wie vor keine Beziehungen bestanden.

Dagegen erschien Deutschland als der geeignete Handelspartner, mit dessen Hilfe aufgrund des Überganges von freiem Handel und Zahlung in Devisen zum Clearingsystem die Überwindung der Folgen der Weltwirtschaftskrise möglich sein konnte, ohne daß der wirtschaftlichen Präferenz eine politische Option entsprach. Nach einem vorläufigen Vertrag vom 29. VII. 1933 wurde am 1. V. 1934 ein auf Austausch basierender Handelsvertrag geschlossen, der den zurückgegangenen Handel noch im gleichen Jahr wieder ansteigen ließ und vor allem einen Ausgleich von Ein- und Ausfuhr mit sich brachte. Schon 1935 stand Deutschland mit 16,2 % der jugoslawischen Einfuhr und 18,7 % der Ausfuhr an erster Stelle unter Jugoslawiens Handelspartnern (1929: 15,6 % Einfuhr, 8,5 % Ausfuhr).

Königsdiktatur ohne König (1934–1941)[10]

Die Verfassungsstruktur des Königreichs war nach der Ermordung Alexanders insofern widersprüchlich und inkonsequent, als die auf den König als Zentralfigur des Staates zugeschnittene Verfassung vom 3. IX. 1931 beibehalten und beachtet wurde, der König, der minderjährige Peter II., die königlichen Prärogativen aber nicht selbst in Anspruch nehmen konnte. Der von Alexander in dem am 5. I. 1934 errichteten Testament eingesetzte dreiköpfige Regentschaftsrat – sein Vetter Prinz Paul[11], der Banus des Save-Banats Ivo Perović und der Herzspezialist und Erziehungsminister Dr. Radenko Stanković – war ein so heterogenes Gremium, daß es kein machtbewußtes Triumvirat darstellen konnte. Prinzregent Paul, der alsbald ganz im Vordergrund der Regentschaft stand, der in Oxford studiert und später das Leben eines reichen Privatmannes in Belgrad oder in Bled geführt hatte, ohne viel Interesse an der Politik, hatte nicht zuletzt aufgrund seiner proenglischen Sympathien wenig Neigung zu diktatorischen Maßnahmen, tendierte im Gegenteil eher zu einer praktischen Liberalisierung. Die Diktatur hätte also von einem von der Regentschaft beauftragten »starken Mann« im Na-

II. b) Das Königreich Jugoslawien als autoritär geführter Staat (1929–1941)

men des kindlichen Königs ausgeübt werden können, und zeitweilig schien es, als sei Milan Stojadinović[12] (1888–1961), Ministerpräsident von 1935–1939, diese alles beherrschende Zentralfigur, aber sein reibungsloser Rücktritt am 4. II. 1939 machte deutlich, daß Jugoslawien doch nicht sklavisch faschistische Vorbilder nachahmte.

Die Übernahme der Verantwortung durch die Regentschaft ging ohne innere Unruhen vor sich; Uzunović wurde erneut mit der Regierungsbildung beauftragt. Der Versuch der Regierung, sich gegenüber Ungarn und Italien, die beide die Königsmörder begünstigt hatten, Genugtuung zu verschaffen, scheiterte am Widerstand Frankreichs. Zwar entschied der Völkerbundsrat am 10. XII. 1934, daß alle für den Mord Verantwortlichen bestraft werden müßten, gab aber keine praktischen Handhaben für die Durchsetzung einer solchen Bestrafung, so daß tatsächlich nichts unternommen werden konnte. Die Empörung darüber richtete sich sowohl gegen die Regierung, die einer Regierung des bisherigen Außenministers Jevtić Platz machte, als auch gegen die Westmächte, so daß die Annäherung an das nationalsozialistische Deutschland auch aufgrund dieser Enttäuschung als eine mögliche Reaktion erschien.

Jevtić, der das Außenministerium beibehielt und weiterhin – ohne Erfolg – in Genf auf Genugtuung drängte, suchte nach stärkerer Unterstützung durch die *Skupština,* die am 5. V. 1935 neu gewählt wurde. Nach dem Wahlgesetz hatte nur eine einzige, im ganzen Land vertretene gemeinsame Oppositionsliste Aussicht auf Erfolg, die als »Liste Maček« auftrat, während die Regierungspartei als »Liste Jevtić« firmierte. Trotz der offenen Stimmabgabe erhielt die Oppositionsliste 35,4 % der Stimmen, die Regierungspartei 62 %. In der *Skupština* erhielt die Regierungspartei trotzdem 301, die Opposition nur 67 Mandate – dem Wahlgesetz entsprechend.

Wegen dieser eklatanten Benachteiligung der Opposition blieben Maček und seine Anhänger dem Parlament fern, in dem sich indes sofort parteiähnliche Gruppierungen bildeten, deren Gegensätze Jevtić nicht überwinden konnte. Nach mehreren Kabinettsumbildungen trat Jevtić am 20. VI. 1935 zurück, und der Finanzminister Milan Stojadinović, ein Altradikaler und bereits früher mehrfach Finanzminister, bildete eine neue Regierung, in die er den Slowenenführer Korošec als Innenminister und den bosnischen Moslem Mehmed Spaho aufnahm. Da beide bis zu Alexanders Ermordung verbannt gewesen waren, zeigte dies Kabinett deutlich versöhnlerische Tendenzen, denen Maček aber ablehnend gegenüberstand. Um möglichst große Teile der Opposition zu gewinnen, gründete Stojadinović am 19. VIII. 1935 die »Jugoslawisch-Radikale Union«, die neben den Altradikalen im wesentlichen die frühere Slowenische Volkspartei und die bosnischen Moslems umfaßte und deren Vollzugsausschuß folgerichtig Korošec und Spaho angehörten. Auch diese Neugründung konnte aber die tiefgreifenden Gegensätze vor allem zwischen älteren großserbischen Altradikalen und jüngeren »Großjugoslawen« nicht überbrücken. Stojadinović, der die Regierung ähnlich wie Pašić energisch, aber mit viel Elastizität führte, mußte mehrere Regierungskrisen durchstehen und überstand nur durch einen glücklichen Zufall ein auf ihn am 6. III. 1936 in der *Skupština* verübtes Pistolenattentat unverletzt. Da sich die um die früheren Ministerpräsidenten Živković und Jevtić gruppierende »rechte« Opposition am 30. VI. 1936 zu einer Jugoslawischen Nationalpartei zusammenschloß, die Mačekanhänger aber weiterhin dem Parlament fernblieben, war die innenpolitische Situation von straffer Einparteienherrschaft weit entfernt, doch verfügte Stojadinović über sichere Mehrheiten in der *Skupština.* Mit dieser konnte er am 26. IX. 1936 auch das »Gesetz über die Bauernentschuldung« durchbringen, durch das 25 % der Schulden ganz gestrichen und weitere 25 % den Schuldnern ebenfalls erlassen, den Gläubigern aber durch dreiprozentige Staatsobligationen ersetzt wurden. Nur 50 % hatten die Schuldner bei nur einprozentiger Verzinsung in 14 Jahresraten an die Staatliche Agrarbank abzuzahlen. Dadurch wurden über 650 000 bäuerliche Betriebe bis zu 50 ha (die wenigen größeren waren ausgenommen) zu Ungunsten der Gläubiger, die 25 % Verlust tragen mußten, und zu Lasten der Staatsfinanzen entschuldet. Die landwirtschaftliche Produktion, die vorher wegen der hohen Verschuldung und daraus folgender Investitionszurückhaltung stagniert hatte, erholte sich und konnte den – neben den Rohstoffen – lebenswichtigen Agrarexport wieder beleben.

Während in diesem Fall nationale und konfessionelle Unterschiede keine Rolle spielten, traten diese bei den Verhandlungen um die Ratifizierung des Konkordats, das die Regierung Stojadinović am 25. VII. 1935 unterzeichnet hatte, mit aller Schärfe wieder in Erscheinung. Da nach der Volkszählung von 1931 37,4 % (1921: 39,3 %) der Einwohner der Römisch-Katholischen Kirche und 48,7 % (1921: 46,7 %) der Orthodoxen Kirche angehörten, war das Konkordat eigentlich nur für diese Minderheit von Bedeutung; die Orthodoxe Kirche sah aber darin einen bedrohlichen Machtzuwachs der römischen Kirche, die in Laibach und Split zwei neue Erzbistümer hätte errichten können. Ähnlich wie bei den Nettuno-Konventionen kam es zu heftigen Debatten, deren Leidenschaftlichkeit durch den Text des Konkordats gar nicht zu begründen war. Bei der erst nach zwei Jahren, am 23. VI. 1937, durchgeführten Ratifizierungsabstimmung fand das Konkordat zwar eine knappe Mehrheit von 166 Stimmen der anwesenden, nicht jedoch der gewählten *Skupština*-Abgeordneten[13]. Stojadinović legte daraufhin das Konkordat dem Senat nicht mehr vor. Die Ratifizierung unterblieb dadurch und mit ihr die Neuorganisation. Die wiederum öffentliche Wahl zur dritten autoritären *Skupština* am 11. VII. 1938 zeigte erneut die Stärke der Opposition, die 1,36 Mill. Stimmen (40,2 %), trotzdem aber weniger Mandate als 1935, nämlich 61 von 371, erhielt. Die Kroatenfrage war drängender geworden, seit die Macht des Dritten Reiches mit dem Anschluß Österreichs an der Landesgrenze stand und Italien erneut sein Interesse für Kroatien zeigte. Maček, der die Regierungspartei in einigen kroatischen Städten vernichtend geschlagen hatte (Zagreb: 47 000 gegen 4000!), forderte erneut die Bildung einer einzigen weitgehend autonomen Banschaft Kroatien. Da Stojadinović darauf nicht eingehen konnte, trat er am 4. II. 1939 zurück.

Sein Nachfolger Dragiša Cvetković, bis zum Umsturz am 27. III. 1941 Regierungschef, erklärte die Lösung der kroatischen Frage zur wichtigsten Aufgabe und wurde darin durch die mit der italienischen Besetzung Albaniens (7. IV. 1939) verschärfte außenpolitische Lage bestätigt. Maček ging jedoch auf verlockende italienische Angebote[14] einer Union eines unabhängigen Kroatien mit Italien nicht ein. Die schließlich am 26. VIII. 1939 erfolgte Verständigung zwischen Cvetković und Maček, das *Sporazum*[15], war naturgemäß durch die spannungsgeladene Atmosphäre des Sommers 1939 beschleunigt worden. Durch das Abkommen wurde eine neue Banschaft Kroatien *(Banovina Hrvatska)* aus den 1929 geschaffenen Banaten Save und Küste sowie aus einigen Distrikten der Banschaften Drina, Donau, Vrbas (Bosnien) und Zeta gebildet. Diese Banschaft sollte einen eigenen Landtag in Zagreb, den *Hrvatski Sabor*, und eine eigene Regierung mit einem Banus an der Spitze erhalten. Die Zentralregierung in Belgrad war neben der auswärtigen Politik nur für Verteidigung, Post, Telegraphie und Verkehr zuständig. Gleichzeitig wurde die Regierung Cvetković umgebildet. Maček wurde Stellvertretender Ministerpräsident, und vier weitere Vertreter seiner Partei,

II. b) Das Königreich Jugoslawien als autoritär geführter Staat (1929–1941)

die nun wieder die volle Legalität zurückgewann, wurden Minister, u. a. für Finanzen sowie Handel und Industrie. Banus von Kroatien wurde ein Mann des Vertrauens von Prinz Paul, Ivan Šubašić (1892–1955).

Der Kriegsausbruch, die Mobilisierung der jugoslawischen Armee und die folgenden außenpolitischen Verflechtungen Jugoslawiens verhinderten die volle Verwirklichung des *Sporazum*. So wurde weder der Landtag gewählt, noch fanden Wahlen zum Zentralparlament statt, wozu ein neues, dem *Sporazum* entsprechendes Wahlgesetz nötig gewesen wäre. Auch die Verwaltungsübernahme ging nur allmählich vor sich, doch schien trotz des Protestes der *Ustaša*-Anhänger und einiger von ihnen verübter Bombenattentate das kroatische Problem befriedigend gelöst. Allerdings wäre eine ähnliche Regelung für Slowenien und eine entsprechende Umgestaltung der anderen Landesteile die logische Folge gewesen.

Außenpolitisch[16] lassen sich in diesem Zeitraum zwei Phasen unterscheiden, die durch die Okkupation Albaniens durch Italien getrennt sind. In der ersten konnte eine vorsichtige Politik des Ausgleichens der Gegensätze mit Bulgarien und der Annäherung an Deutschland ohne Aufgabe der bisherigen Bindungen und Bündnisse betrieben werden. In der zweiten, unter dem zunehmenden Druck Italiens, das Teilungspläne ventilierte, konnte es nur darum gehen, dem übermächtigen Einfluß der Achsenmächte hinhaltenden Widerstand entgegenzusetzen und sich dabei mehr an Deutschland anzulehnen, das keine territorialen Forderungen stellte und an einer möglichst ungestörten Entwicklung in Südosteuropa interessiert war, solange dieses als Rohstofflieferant und Abnehmer von Industriewaren wirtschaftlich weitgehend von ihm abhängig war. Bei diesem hinhaltenden Widerstand galt es aber auch, die Sympathien der Westmächte, vor allem Großbritanniens, zu erhalten, von dessen endgültigem Sieg über die Achsenmächte die führenden Kreise in Belgrad wie in Zagreb und insbesondere Prinz Paul überzeugt waren. Es zeigte sich, daß diese Politik vorsichtigen Kalküls weder das Verständnis der Westmächte noch nationaler Kreise im Lande selbst fand, so daß dem Höhepunkt der begrenzten Annäherungspolitik, dem Beitritt zum Dreimächtepakt, der schon vorher in Erwägung gezogene Umsturz folgte.

Die Annäherungspolitik war zunächst vor allem Außenhandelspolitik, schon von Alexander und Jevtić mit den Handelsverträgen von 1933/34 begonnen. Die weitergehende wirtschaftliche Abhängigkeit von Deutschland wurde von den Westmächten während der Sanktionspolitik gegen Italien, an der sich Jugoslawien voll beteiligte, mit verursacht. Bis 1935 war Italien mit 21,4 % im Durchschnitt der Jahre 1931–35 Hauptabnehmer jugoslawischer Exporte gewesen, stand bei den Importen freilich mit 12,9 % an vierter Stelle hinter Deutschland, der Tschechoslowakei und Österreich[17]. Obwohl die Wirtschaftssanktionen nur 8 Monate andauerten (18. XI. 1935–13. VII. 1936), sank die jugoslawische Ausfuhr im Jahre 1936 nach Italien auf rund 20 % der Ausfuhr von 1935, und nur knapp 35 % dieser Verluste wurde durch vermehrte Ausfuhr nach Großbritannien und in die Tschechoslowakei ausgeglichen, während Frankreich sich ganz zurückhielt. Der Besuch von Hjalmar Schacht[18] im Juni 1936 in Belgrad bewirkte neben Intensivierung des Warenaustausches auch zunehmende deutsche Investitionen, insbesondere im Bergbau, und durch den Anschluß Österreichs stieg die Ausfuhr 1938 auf 42 %, die Einfuhr auf 39,4 %, trotz der Zahlungsschwierigkeiten auf deutscher Seite. Durch die Einbeziehung der Tschechoslowakei, des einzigen Verbündeten Jugoslawiens, zu dem auch intensive Wirtschaftsbeziehungen bestanden, in den deutschen Machtbereich war Deutschland schon 1939 mit 54,2 % der Einfuhr und 45,8 % der Ausfuhr zum alles beherrschenden Faktor geworden, neben dem Italien mit 11,7 % der Einfuhr und 10,6 % der Ausfuhr weit zurückstand, während kein anderer Partner auch nur 7 % erreichte. Großbritannien machte zwar seit 1936 Anstrengungen, mehr jugoslawische Exportgüter abzunehmen, und steigerte in diesem Jahr den Anteil an der jugoslawischen Ausfuhr von 5,3 % auf 9,9 %, erreichte diese Höchstquote in den folgenden Jahren aber nicht mehr, wenn es auch immer noch weit mehr in Jugoslawien einkaufte als Frankreich.

Bis zum April 1939 nutzten Stojadinović, der selbst das Außenministerium leitete, bzw. Cvetković und sein Außenminister Aleksander Cincar-Marković, vorher Gesandter in Berlin, den gegebenen Spielraum voll aus, wobei die Enttäuschung über das Versagen des Völkerbundes in der Frage der von Ungarn und Italien zu verschaffenden Genugtuung wegen ihrer Rolle beim Königsmord und über die bei den Sanktionen gegenüber Italien gebrachten wirtschaftlichen Opfer das Bestreben nach zweiseitigen Verträgen und nach einem Ausgleich mit Italien verstärkte.

Zunächst wurde am 24. I. 1937 ein Freundschaftsvertrag mit Bulgarien geschlossen, in dem sich die Partner »unverletzlichen Frieden und aufrichtige ewige Freundschaft« zusicherten, was eigentlich mit den Hilfsverpflichtungen im Widerspruch stand, die Jugoslawien im Balkanpakt vom 9. II. 1934 eingegangen war. Durch das Nichtangriffsabkommen, das die drei anderen Balkanpaktstaaten anderthalb Jahre später, am 31. VII. 1938, mit Bulgarien schlossen, wurde dieser Widerspruch allerdings beseitigt. Bedeutsamer war der am 25. III. 1937, dreiviertel Jahre nach Einstellung der Sanktionen, für fünf Jahre geschlossene Freundschaftsvertrag mit Italien[19], in dem die Unterstützung von gegen den Vertragspartner gerichteten Organisationen ausdrücklich ausgeschlossen wurde, was als späte Genugtuung für Italiens frühere Aktivitäten gewertet werden konnte.

Ein gleichzeitiges Handelsabkommen leitete eine erneute Vermehrung des jugoslawischen Exports nach Italien ein, auf Clearingbasis, durch das allerdings der frühere hohe Anteil nicht zurückgewonnen werden konnte. Die allseitige Absicherung wurde dadurch verstärkt, daß der Reichsaußenminister Frh. v. Neurath im Juni 1937 zu einem Staatsbesuch nach Belgrad kam und daß Stojadinović Mitte Januar 1938 nach Berlin reiste. In einer ausführlichen Unterredung mit Hitler am 17. I. 1938 betonte dieser das deutsche Interesse an einem »starken Jugoslawien«, äußerte sich zurückhaltend über mögliche ungarische Revisionsforderungen und erfuhr von Stojadinović, daß Jugoslawien deutsche Beispiele nachahmen werde[20].

Gleichzeitig ging die Bedeutung der Kleinen Entente ständig zurück, und Jugoslawien blieb bei seiner Ablehnung, irgendeine Bindung an die Sowjetunion einzugehen, mit der nach wie vor keine diplomatischen Beziehungen bestanden. Der »Anschluß« Österreichs und die »Sudetenkrise« riefen in Jugoslawien keine besondere Beunruhigung hervor und schienen die Richtigkeit des eingeschlagenen Weges zu bestätigen. Bei der Bildung der Regierung Cvetković am 4. II. 1939 sollte die Ernennung des bisherigen Gesandten in Berlin A. Cincar-Marković zum Außenminister auf die Fortsetzung der Annäherungspolitik hinweisen.

Die über englische Kanäle zwar angekündigte, letztlich aber doch überraschende Besetzung Albaniens durch Italien bedeutete, obwohl formell eine Verletzung des Freundschaftsvertrages nur bezüglich der Konsultationsklausel (§ 2) vorlag, eine Bedrohung der Sicherheit Jugoslawiens, so daß eine engere Bindung an Deutschland die logische Folge war. Nachdem Cincar-Marković bei einem Berlin-Besuch Ende April betont hatte, daß Jugoslawien unter allen Umständen neutral bleiben werde, vorläufig aber weder aus dem Völkerbund aus- noch dem

II. b) Das Königreich Jugoslawien als autoritär geführter Staat (1929–1941)

Antikominternpakt beitreten könne[21], verlief ein Empfang von Prinz Paul bei Hitler am 5. VI. 1939 in einer ähnlich freundlichen *good-will*-Atmosphäre, bei der sich der Regent trotz Hitlers Drängen aber auf keine klaren Zusicherungen einließ[22]. Ein am 5. VII. 1939 in Belgrad unterzeichnetes Geheimprotokoll über umfangreiche Rüstungskredite Deutschlands an Jugoslawien, die über die zunächst in Aussicht genommenen 200 Mill. RM hinausgingen, brachte aber doch eine unübersehbare feste Bindung, zumal einige Wochen später auch Flugzeuge in die Lieferungen einbezogen wurden[23]. Ein Privatbesuch des Regenten in London (17. VII.–2. VIII. 1939) gab Gelegenheit, Lord Halifax die Gründe für Jugoslawiens Haltung zu erläutern[24]. Sicherheitshalber wurden die Goldbestände des Landes nach England verbracht.

Nach dem Ausbruch des Krieges, der Jugoslawien zur Erklärung seiner strikten Neutralität bei gleichzeitiger Mobilisierung einiger Jahrgänge veranlaßte, wurde deutscherseits die Frage des Beitritts zum Dreimächtepakt in Abständen immer wieder aufgeworfen, während Jugoslawien zurückhaltend blieb, die Reserve gegenüber der Sowjetunion aufgab, nachdem diese Bündnispartner des Dritten Reiches geworden war und ihre Aspirationen, in die Politik Südosteuropas einzugreifen, deutlich geworden waren. Nachdem im Herbst 1939 die kaiserlich-russische Gesandtschaft in Belgrad ihre Funktion eingestellt hatte, wurden Verbindungen zur Sowjetunion über Ankara angeknüpft, die am 11. V. 1940 zum Abschluß von Handels- und Wirtschaftsabkommen und am 24. VI. zu einer Vereinbarung über die alsbaldige Aufnahme diplomatischer Beziehungen führten.

Mit Ungarn wurde am 12. XII. 1940 aufgrund deutscher Vermittlung ein Freundschaftsvertrag unterzeichnet, als der italienische Angriff auf Griechenland und der deutsche Entschluß, die zurückgeschlagenen Italiener zu unterstützen (4. XI. 1940), das politische Gleichgewicht in Südosteuropa erneut in Bewegung gebracht hatte, und Ungarns Revisionsverzicht den Entschluß Jugoslawiens, dem Dreimächtepakt beizutreten, ebenso erleichtern sollte wie Angebote Hitlers, es könne ohne eigene Kriegsbeteiligung Saloniki erhalten[25].

Nach einem Besuch Cvetkovićs bei Hitler (14. II. 1941) und einer persönlichen Unterredung Pauls mit diesem (4. III.), wobei Hitler den Beitritt in möglichst kurzer Zeit verlangte, fällte Paul Mitte März die Entscheidung für den Beitritt, die dem Kabinett am 20. III. mitgeteilt wurde. Die Entscheidung wurde durch den Verzicht auf militärische Aktionen Jugoslawiens[26] und auf die Gewährung von Durchmarschrechten erleichtert. Der Rücktritt von drei Regierungsmitgliedern war zwar ein Warnsignal, doch wurde die Beitrittserklärung am 25. III. 1941 im Schloß Belvedere in Wien feierlich unterzeichnet bei gleichzeitiger Zusicherung der Souveränität und Integrität des Landes und der Nichterhebung irgendwelcher Forderungen auf unmittelbare oder mittelbare Unterstützung.

Die Bedingungen, die Jugoslawien erhalten hatte, die es allerdings nur zum Teil veröffentlichen durfte, waren günstig, da sie Jugoslawien kaum tatsächliche Lasten auferlegten. Trotzdem waren die Bedenken im Land selbst so groß, daß sie den Ausschlag für die Durchführung eines gegen die Regierung Cvetković gerichteten Putsches gaben, der am 27. III. 1941[27] nicht nur Regentschaft und Regierung stürzte, sondern Jugoslawien schlagartig aus einem Achsenpartner in einen Achsengegner verwandelte, dessen Kriegseintritt nur eine Frage von Wochen sein konnte.

---

[1] Der Zeitraum am eingehendsten bei *G. In der Maur*, Die Jugoslawen, Bd. II und III. Außerdem die etwas panegyrische Biographie von *St. Graham*, Alexander of Jugoslavia; Strong Man of the Balkan (1938). Eine Bewertung aus der Zeit: Das Königreich Südsla-

§ 30 Die südosteuropäischen Staaten vom I. Weltkrieg bis zur Ära der Volksdemokratien

wien, hg. v. *F. Thierfelder.* Mit Beitr. von *G. Gesemann, A. Schmaus, G. Wirsing* (1935). Wichtig die Memoiren von *Maček* (s. a., Anm. 22).
[2] Wiedergaben und Übersetzungen der Gesetze am leichtesten zugänglich bei *G. In der Maur,* Bd. III, S. 422–424 u. 439–451.
[3] Pribičević wurde im Mai 1929 verhaftet und zunächst in Brus bei Kruševac, dann in einer Belgrader Klinik unter strenge Polizeiaufsicht gestellt. Nach einem Hungerstreik und einer Intervention von Masaryk durfte er Belgrad am 23. VII. 1931 verlassen und lebte zunächst in Karlsbad und Paris, wo er 1933 seine Erinnerungs- und Anklageschrift: La dictature du roi Alexandre; contribution à l'étude de la démocratie veröffentlichte. Er starb im Exil in Prag an Lungenkrebs, 15. IX. 1936.
[4] Wiedergabe und z. T. wörtl. Übersetzg. bei *G. In der Maur,* Bd. III, S. 440–457.
[5] Die neun Banate: 1) Drau (Slowenien, 1,1 Mill. Einw.), 2) Save (Kroatien-Slawonien, 2,6 Mill. E.), 3) Donau (Vojvodina mit Nordserbien ohne Belgrad, Hauptort Novi Sad, 2,3 Mill. E.), 4) Vrbas (Nordbosnien, Hauptort Banja Luka, 1 Mill. E.), 5) Drina (Ostbosnien und Nordwestserbien, Hauptort Sarajevo, 1,6 Mill. E.), 6) Küstenland (Dalmatien und westl. Herzegowina, Hauptort Split, 0,9 Mill. E.), 7) Morava (Mittelserbien, Hauptort Niš, 1,45 Mill. E.), 8) Zeta (Montenegro und Sandschak Novipazar, Süddalmatien, Hauptort Cetinjè, 0,9 Mill. E.), 9) Vardar (Südserbien-Mazedonien, Hauptort Skoplje, 1,65 Mill. E.). Belgrad mit Semlin (Zemun) und Pančevo bildete einen eigenen Bezirk.
[6] Vgl. s. Memoiren: In the Struggle for Freedom, Kapitel 10.
[7] Trumbić gehörte entgegen *G. In der Maur,* Bd. III, S. 516, und Jugoslawien-Hdb., S. 91, nach seiner Biographie (s. a, Anm. 4) und nach *Maček nicht* zu den Verhafteten.
[8] Er und Perčec veröffentlichten 1931 in Wien zwei Kampfschriften: Aus d. Kampf um d. selbständigen Staat Kroatien und: Durch Lug und Trug, durch Gewalt, durch Mord zur Unterjochung Kroatiens und zum neuerlichen Weltkrieg.
[9] Vgl. *V. Milićević,* Der Königsmord von Marseille (1959). Der Attentäter, ein Makedone, früherer Chauffeur des IMRO-Chefs Michajlov, wurde gelyncht. Über die beiden in Aix-en-Provence geführten Prozesse gegen drei Beteiligte berichtet ausführlich *St. Graham* (s. Anm. 1) in Kap. 16. Die Auslieferung von Pavelić und Kvaternik an Frankreich wurde von Italien verweigert.
[10] Die beste Übersicht bei *J. B. Hoptner,* Jugoslavia in Crisis 1934–1941 (1962; auch serbisch: 1964). Würdigungen d. Zeit: *E. Reimers,* Das neue Jugoslawien (1939; insbesondere f. d. Wirtschaftsbeziehungen). *O. v. Frangeš,* Die sozialökonomische Struktur der jugosl. Landwirtschaft (1937). Zu den dt.-jugosl. Beziehungen *J. Wuescht,* Jugoslawien u. d. Dritte Reich. Eine dokumentierte Geschichte d. dt.-jug. Beziehungen von 1933–1945 (1969), mit 32 Dokumenten f. d. Zeit 1939–43. Jugosl. Standpunkt: *N. Milovanović,* Od marseljskog atentata do Trojnog pakta (1963).
[11] Prinz Paul, 1893 in Petersburg geboren, war der Sohn des Bruders von König Peter I., Arsen Karadjordjević. Er war als Kind zusammen mit seinen 1887 und 1888 geborenen Vettern Georg und Alexander erzogen worden. Prinz Georg, Alexanders älterer Bruder, der 1909 auf sein Thronfolgerecht verzichtet hatte, lebte als Privatmann in Serbien und hatte als »echter Serbe« gegenüber d. »Westler« Paul Sympathien in der Bevölkerung, bemühte sich aber nicht um die Regentschaft.
[12] Er starb im Exil in Buenos Aires. Dort verfaßte er seine posthum 1963 erschienenen Memoiren: Ni rat ni pakt (Weder Krieg noch Bündnis).
[13] Zur Frage der Kirchen in Jugoslawien s. d. Überblick von *H. Schwalm, J. Matl, B. Spuler* u. *L. Müller* im Jugoslawien-Band d. Osteuropa-Handbuchs, S. 173–191. Befriedigende Literatur fehlt.
[14] Vgl. *R. Kiszling,* Die Kroaten, S. 158–159. *Maček* selbst erwähnt das Angebot kurz in seinen Memoiren, S. 187–189. *J. Wuescht,* Jugoslawien u. das Dritte Reich (s. Anm. 10) gibt S. 288 nach einer im Polit. Archiv des A. A. befindlichen Übersetzung den Text eines »Abkommens« vom 26. IV. 39 wieder, das aber lediglich von Mačeks Vermittler, dem Ingenieur Carnelutti, abgezeichnet ist.
[15] Ausführlich: *L. Boban,* Sporazum Cvetković-Maček (1965). Er schildert Vorgeschichte, Verhandlungen, Reaktion d. Auslands u. d. Parteien, Auswirkungen. Bei *Maček* knapp, S. 190–195.

II. c) Zusammenbruch, Widerstand und Umgestaltung zur Volksdemokratie (1941–1946)

[16] Vgl. außer *Milovanović, Wuescht* u. *Hoptner: L. Marković,* La politique extérieure (s. a, Anm. 25). *M. Tschekitsch,* Jugoslawien am Scheidewege. Das serbokroat. Problem und Jugoslawiens Außenpolitik (1939). *J. März,* Grundlagen und Aufgaben der jugosl. Politik: Osteuropa 14 (1938/39), S. 77–86.
[17] Vgl. d. Tabellen bei *J. Tomasevich,* Foreign Economic Relations 1918–1941, in: Jugoslavia, hg. v. *R. Kerner* (1949), S. 172 u. 209. Wiedergabe bei *Hoptner,* Kap. IV, The Economics of Neutrality. Vgl. auch d. Tabelle im Osteuropa-Hdb. Jugoslawien, S. 225.
[18] Vgl. *H. Schacht:* 76 Jahre meines Lebens (1953), S. 331.
[19] Text in engl. Übersetzung bei *Hoptner,* Anhang A, S. 301–303.
[20] Aufzeichnung v. Heerens, in: ADAP, Serie D, V, Nr. 163, S. 187–193.
[21] Aufzeichnungen Kordts und Hewels, in: ADAP, Serie D, VI, Nr. 262, S. 270–274, u. Nr. 271, S. 282–285.
[22] Aufzeichnung Ribbentrops, in: ADAP, Serie D, VI, Nr. 474, S. 528–530. Nach *P. Schmidt,* Statist auf diplomatischer Bühne 1923–1945 ([11]1968), S. 436, zeigte sich Prinz Paul nicht sehr beeindruckt von Deutschlands militärischer Stärke, während Henderson nach London berichtete: He had clearly been impressed by the military force of Germany: Documents on British Foreign Policy, Ser. 3, VI, S. 438/39. Vgl. auch *N. Ristić* (Anm. 27), S. 31.
[23] ADAP, Ser. D, VI, Nr. 615, S. 708 u. Nr. 620, S. 720–22. Zur Lieferung von 100 Flugzeugen s. Schriftwechsel im August 1939, in: ADAP, D, VII.
[24] Aufzeichnung in: Documents on British Foreign Policy, Ser. 3, VI, Nr. 393.
[25] Aufzeichnung *Schmidts* über Unterredung Hitlers mit Cincar-Marković am 28. XI. 1940, in: ADAP, Ser. D, Bd. XII, 1.
[27] Über den Putsch *N. Ristić,* Jugoslavia's Revolution of 1941 (1966).

c) Zusammenbruch, Widerstand und Umgestaltung zur Volksdemokratie (1941–1946)[1]

Der Umsturz vom 27. März 1941[2]. Niederlage und Aufteilung Jugoslawiens

Für den schon länger geplanten, seit Januar 1941 von dem Befehlshaber der Luftstreitkräfte General Dušan Simović (1882–1962), dem früheren Chef des Generalstabs, und dem Luftwaffengeneral Borivoje Marković vorbereiteten Putsch bot die Unterzeichnung des Beitritts zum unpopulären Dreimächtepakt eine günstige Vorbedingung. Jeder Appell, der nationale Töne anschlug, konnte auf Widerhall rechnen, und die Regierung Cvetković, die die Politik der Annäherung an die Achse ohnehin halbherzig geführt hatte, vermochte den Emotionen nur mit kaum wirksamen Vernunftsargumenten zu begegnen.

In der Nacht vom 26. zum 27. III. 1941 konnten Simović und seine Anhänger, die außer der Luftwaffe nur drei Bataillone eines Garderegiments und einige weitere in Belgrad stationierte Einheiten zur Verfügung hatten, Cvetković und andere Regierungsmitglieder ohne Widerstand verhaften. Am Morgen des 27. III. wurde eine Proklamation des 17jährigen Königs Peter II.[3] verbreitet, wonach er selbst die Macht in die Hand nahm, eine Proklamation, die er aber erst nachträglich unterzeichnete. Prinz Paul und Maček, die sich beide in Zagreb befanden, verzichteten auf jeglichen Kampf. Paul emigrierte nach Griechenland, und Maček trat nach einigem Zögern am 4. IV. wieder als Stellvertretender Ministerpräsident in die Regierung Simović ein, der auch alle bisherigen kroatischen Minister wieder angehörten. Außenminister wurde Momčilo Ninčić, durch dessen Person die Fortsetzung guter Beziehungen zu Deutschland[4] garantiert werden sollte.

Diesem gegenüber befand sich Simović in der schwierigen Lage, daß er den offenkundigen Anlaß für den Putsch abstreiten und alle antideutschen Kundgebungen unterdrücken, gleichzeitig aber mit einer bewaffneten Reaktion rechnen mußte, für die Armee und Luftwaffe gänzlich unzureichend vorbereitet waren. Deshalb wurde das Abkommen vom 25. III. weder aufgekündigt noch bestätigt, und Ninčić versuchte vergeblich, Berlin von den besten Absichten der neuen Regierung zu überzeugen, die überhaupt kein Konzept ihrer künftigen Außenpolitik hatte. Hitler empfand dagegen den Umsturz als eindeutige Kampfansage und gab noch am 27. III. die entsprechenden Anweisungen für einen Aufmarsch gegen Jugoslawien[5], um etwaige Störungen des Angriffs gegen Griechenland (»Marita«) und in der Folge auch gegen die Sowjetunion (»Barbarossa«) von seiten Jugoslawiens, nunmehr eines potentiellen Verbündeten der Westmächte, auszuschalten. Die bulgarische und die ungarische Regierung wurden am 28. III. aufgefordert, sich trotz der bestehenden Verträge an der Zerschlagung und Aufteilung zu beteiligen, ein Vertragsbruch, der den ungarischen Ministerpräsidenten Teleki zum Selbstmord trieb[6].

Alle Versuche, den Kroatenführer Maček zum Abfall und zur Ausrufung eines selbständigen Staates Kroatien zu veranlassen, scheiterten an der klaren Absage Mačeks, der lediglich dafür eintrat, daß man dem Reich für Ausschreitungen am 27. III. Genugtuung verschaffen und den Frieden unbedingt erhalten müsse. Die deutschen Bestrebungen mußten sich deshalb auf Ante Pavelić und seine wenigen Anhänger richten, die kein großes Ansehen genossen und sich zudem in Italien befanden. Es wurde deshalb darauf verzichtet, den bestellten »Hilferuf« eines neu proklamierten unabhängigen Staates Kroatien zum Vorwand für den Angriff auf Jugoslawien zu wählen. Die vordringenden deutschen Verbände konnten aber damit rechnen, daß die kroatische Bevölkerung den am 28. III. ergangenen Befehl zur Mobilmachung zögernd oder gar nicht befolgte und daß kroatische Einheiten kaum energischen Widerstand leisteten.

Die Regierung Simović, ohne jede Antwort aus Berlin auf ihre zahlreichen Beschwichtigungs- und Verhandlungsversuche, bemühte sich um italienische Vermittlung, doch war Simović entgegen Ninčić nicht bereit, Italiens Forderung nach sofortiger Abriegelung der griechischen Grenze zu erfüllen, und ließ in einer pathetischen Rede im Kabinett am 5. IV. keinen Zweifel daran, daß er den Krieg riskieren wolle[7]. Der strategische Plan sah vor, durch hinhaltenden Widerstand im Norden und absolut entschlossene Abwehr an der bulgarischen Grenze die Armee zu erhalten und sie langsam bis nach Saloniki zurückzunehmen, die Operationen des I. Weltkrieges also zu wiederholen, bis eine Änderung der allgemeinen Kriegslage die Rückgewinnung des Landes ermöglichte.

Gleichzeitig bemühte sich Simović um einen Militärpakt mit der Sowjetunion, die jedoch nur bereit war, einen Freundschafts- und Nichtangriffsvertrag zu schließen, der beide Seiten im Fall eines Angriffs durch eine dritte Macht nur zu »Freundschaft«, aber nicht zur Unterlassung jeder Hilfeleistung für den Angreifer verpflichtete. Der Vertrag[8] wurde nach kurzen dramatischen Verhandlungen in Moskau in der Nacht vom 5. zum 6. IV. unterzeichnet, er blieb aber trotz der Verpflichtung der Sowjetunion, die territoriale Integrität Jugoslawiens zu respektieren, ohne positive Folgen für letzteres und hinderte die Sowjetunion nicht, wenige Wochen nach Jugoslawiens Zusammenbruch dessen Gesandten Gavrilović den diplomatischen Status abzuerkennen.

Sofort nach den schweren Luftangriffen auf Belgrad, mit denen der Krieg gegen Jugoslawien am 6. IV. ohne Kriegserklärung begann, wich die Regierung Simović zunächst nach Užice, dann nach Pale aus, war aber schon nach einer Woche nicht mehr aktionsfähig, da die raschen Vorstöße deutscher Panzerverbände aus Bulgarien nach Mazedonien und Saloniki und aus Österreich nach Zagreb das gesamte Verteidigungssystem zum Einsturz brachten, ohne daß dabei heftige

II. c) Zusammenbruch, Widerstand und Umgestaltung zur Volksdemokratie (1941–1946)

Kämpfe mit schweren Verlusten geführt wurden. Ungarische und bulgarische Verbände fungierten wegen der überraschend schnellen deutschen Vorstöße nur noch als Besatzungstruppen. Schon am 17. IV. wurde in dem am 13. IV. genommenen Belgrad der Waffenstillstand mit dem jugoslawischen Oberkommando unter General Kalafatović unterzeichnet, der die vollständige Besetzung des Landes und die Auflösung der jugoslawischen Wehrmacht festlegte.

In den nächsten Monaten erfolgte – unter nicht unerheblichen deutsch-italienischen Zwistigkeiten – die völlige Aufteilung des Landes, und zwar in acht unterschiedlich behandelte Teilbereiche. Fünf Gebiete wurden von anderen Staaten annektiert: der Hauptteil Sloweniens mit rd. 9600 km² und 775 000 Einwohnern von Deutschland, der Rest Sloweniens mit der Hauptstadt Laibach, die dalmatinische Küste und die Mehrzahl der Inseln mit rd. 10 600 km² und rd. 760 000 Einwohnern von Italien; Montenegro, dessen Wiederherstellung als von Italien abhängiger Staat unter einem Mitglied des italienischen Königshauses zeitweilig in Rom geplant wurde, sowie Teile des Kosovo-Gebietes und Mazedoniens, zusammen 28 000 km² mit 1 230 000 Einwohnern von Albanien und damit indirekt auch von Italien; der Rest Mazedoniens, 28 500 km² mit 1 260 000 Einwohnern, von Bulgarien; das Übermur- und Zwischenmurgebiet und die Bačka, zusammen 11 600 km² mit 1 145 000 Einwohnern, von Ungarn. Der größte Teil des verbliebenen Restes wurde zu dem am 10. IV. ausgerufenen »Unabhängigen Staat Kroatien« (*Nezavisna Država Hrvatska*)[9] geschlagen, nämlich 98 600 km² mit rund 6 300 000 Einwohnern. Die militärische Besetzung des Staatsgebiets wurde im Nordosten einschließlich Zagrebs und Sarajevos von deutschen, im Südwesten von italienischen Truppen ausgeübt. Serbien, im wesentlichen auf die Grenzen des Königreichs von 1912 reduziert, stand unter deutscher Besetzung und Militärverwaltung, hatte aber seit dem 29. VIII. 1941 eine eigene regierungsähnliche Landesverwaltung unter General Milan Nedić[10], einem früheren Verteidigungsminister. Ebenfalls von deutschen Truppen besetzt, aber nicht der Nedić-Regierung unterstellt, sondern unter Mitwirkung von Banater Schwaben vom Militär verwaltet war schließlich das jugoslawische Banat, rd. 9800 km² mit 640 000 Einwohnern, das auf diese Weise nicht zu einem Streitobjekt zwischen Ungarn und Rumänien wurde.

Bei den rasch durchgeführten Operationen hatte es deutscherseits nur minimale Verluste gegeben. Die Verluste der jugoslawischen Armee und Zivilbevölkerung können bei der allgemeinen Auflösung nur geschätzt werden. Sie lagen jedenfalls erheblich unter 10 000. Von der zunächst großen Zahl der Kriegsgefangenen (die Angaben schwanken zwischen 254 000 und 340 000) wurde die Mehrzahl der Kroaten, Bosnier und Mazedonier nach kurzer Zeit entlassen, so daß im Juni 1941 nur noch 180 000 in deutschem Gewahrsam waren, fast alles Serben, darunter 13 500 Offiziere. Die schnelle Kampfführung und die geringen Verluste bewirkten, daß sich überall im Land, vor allem in den Gebirgsgegenden, noch versprengte Soldaten der Armee und Lager von leichten Waffen befanden. Das begünstigte den Aufbau von Partisanenverbänden, deren Mitglieder, da sie die Schrecken des modernen Krieges in den kurzen Apriltagen kaum erlebt hatten, einen ungebrochenen Kampfgeist hatten.

Ebenso wirkte es sich für die Kampfführung der »Partisanen« aus, daß sie es nicht mit einer einzigen Besatzungsmacht zu tun hatten, sondern mit vier, die miteinander rivalisierten, und daß die verschiedenen Teilgebiete nicht durch gut bewachte Grenzen voneinander getrennt waren. Ein Überwechseln von einem Gebiet in das andere, besonders im unwegsamen Bergland Bosniens, der Herzegowina und Montenegros war deshalb verhältnismäßig leicht.

König Peter II. und die Regierung des Generals Simović[11], der am 14. IV. als Oberbefehlshaber zurückgetreten war, um Kalafatović die Kapitulationsverhandlungen führen zu lassen, gelangten mit englischen Flugzeugen über Athen-Jerusalem nach London, wo die Exilregierung Simović zunächst weiter im Amt blieb (bis 13. I. 1942) und den jugoslawischen Bundesgenossen Großbritanniens repräsentierte. Die Sowjetunion erklärte bereits am 9. V., daß sie Jugoslawien nicht mehr als unabhängiges Land betrachte, nahm aber am 17. VI. die Beziehungen zur Exilregierung Simović auf.

Völkerrechtlich war somit die Fortexistenz des jugoslawischen Staates und seine alleinige Vertretung durch König und Exilregierung anerkannt, und die Wiederherstellung des zerschlagenen Staates in seinen alten Grenzen gehörte zu den Kriegszielen. Dagegen erklärten die Achsenmächte am 8. VII. 1941 das staatsrechtliche Ende des Königreichs Jugoslawien. Erst danach, am 11. VII. 1941, wurde die oben genannte Annexion jugoslawischer Gebiete durch Albanien offiziell proklamiert, am 12. VII. von einer in Cetinje zusammengetretenen, von Italien gesteuerten »Nationalversammlung« auch die Unabhängigkeit Montenegros[12] ausgerufen. Dessen Schicksal sollte »mit dem Italiens verknüpft werden«, doch fand sich kein Mitglied des einstigen montenegrinischen oder des italienischen Königshauses bereit, die Krone dieses Miniatur-Königreichs anzunehmen. Auch eine Regentschaft wurde nicht eingesetzt, sondern lediglich eine provisorische Regierung (*Consulta Tecnica*), die aber praktisch bis zur Kapitulation Italiens kaum funktionsfähig war. Montenegro konnte somit zu einem bevorzugten Aktionsgebiet von Widerstandskämpfern werden.

Der »Unabhängige Staat Kroatien« (1941–1944)[13]

Im Unterschied zu dem um zwei Jahre älteren anderen deutschen Schutzstaat, der Slowakei, die sich trotz erheblichen deutschen Einflusses doch einigermaßen eigenständig entwickeln konnte und bis zum Aufstand vom August 1944 keine scharfen inneren Auseinandersetzungen erlebte, brachte es der »Unabhängige Staat Kroatien« in den vier Jahren seiner Existenz nie zu stabilen inneren Verhältnissen, zu einer nicht allein auf Terror und Waffengewalt gegründeten Autorität des Regimes und zu völkerrechtlicher Anerkennung durch neutrale Staaten. Das lag vor allem an folgendem:

1) Das Staatsgebiet ging weit über die ethnischen Grenzen des kroatischen Volksgebiets hinaus und schloß etwa 2 Millionen orthodoxe Serben sowie rund 800 000 Moslems ein. Die ersten mußten gewaltsam zum kroatischen Volkstum und zur katholischen Konfession bekehrt oder vertrieben oder physisch vernichtet werden; die letzteren wurden entgegen der Wahrheit zu dem »reinsten Teil des kroatischen Volkes«[14] erklärt, um die nicht vorhandene nationale Einheit zu schaffen. Gewalt und Unrecht gegenüber fast der Hälfte der Staatsbevölkerung waren die Folge. Die Verfolgten und Bedrängten konnten diesem Staat nur ablehnend gegenüberstehen.

2) Das Regime Pavelić-Kvaternik wurde nicht von einer breiten kroatischen Volksbewegung getragen, wie sie die Kroatische Bauernpartei darstellte, sondern von einer kleinen, radikalen Gruppierung, die vor ihrer »Machtübernahme« höchstens einige tausend Mitglieder zählte und deren Führer weitgehend unbekannt waren, weil sie sich im Ausland befunden hatten. Auch fehlte ihnen jede parlamentarische und diplomatische Erfahrung, und ihr Auftreten war wenig vertrauenerweckend.

3) Der »unabhängige« Staat war von vornherein durch die Abhängigkeit seiner Führungsschicht von Italien belastet, dem im Grenzvertrag vom 18. V. 1941

II. c) Zusammenbruch, Widerstand und Umgestaltung zur Volksdemokratie (1941–1946)

zahlreiche Inseln, das Küstenland mit Split und das Hinterland der Bucht von Cattaro (Kotor) abgetreten werden mußten. In diesem Gebiet von etwa 5400 km² und rund 380 000 Einwohnern bildeten die Kroaten mit 280 000 oder fast 74 % weitaus die Mehrheit. Gerade ein kulturell und politisch besonders hochstehender Teil des kroatischen Volkes wurde somit den italienischen Interessen geopfert. Das Angebot der Königskrone Kroatiens an König Viktor Emanuel III., das offiziell am 18. V. 1941 in Rom erfolgte, und die Designation eines unbedeutenden Mitglieds des Königshauses, des Herzogs Aimone von Spoleto, zum künftigen König Tomislav II. unterstrich diese als entwürdigend empfundene Abhängigkeit. Die Tatsache, daß der »König« gar kein Interesse an seinem Land bezeugte, daß er dieses nie betrat und auch nicht gekrönt wurde, war ein Zeichen für das ständig gespannte kroatisch-italienische Verhältnis.

4) Obwohl Hitler grundsätzlich das deutsche Desinteresse »an den politischen Fragen Kroatiens« erklärt hatte, ergab sich durch das Bemühen der kroatischen Führung, ein Gegengewicht gegen den italienischen Einfluß zu finden, und durch ihr Unvermögen, der Aufstandsbewegung Herr zu werden, doch ein sich zunehmend verstärkender deutscher Einfluß. Dieser wurde sowohl durch den unerfahrenen Gesandten Siegfried Kasche, einen früheren SA-Führer ohne jede diplomatische Vorbildung, als auch durch den »Bevollmächtigten Deutschen General in Agram«, General Edmund Glaise von Horstenau (1882–1946)[16], ausgeübt, der als Offizier der alten österreichisch-ungarischen Armee Landeskenntnis und Erfahrung mitbrachte. Dieser konnte seine auf Ausgleich bedachte Politik allerdings nur bis zum Jahre 1943 betreiben, als die praktisch vollständige Machtübernahme durch Wehrmacht und SS die »Unabhängigkeit« zu einer reinen Fiktion machte.

Die nach der Unabhängigkeitserklärung zweifellos vorhandene Zustimmung breiter Schichten der kroatischen Bevölkerung zu dem neuen Staat verringerte sich rasch, als die Verträge vom 18. V. 1941 mit Italien neben den umfangreichen Gebietsverlusten die Abhängigkeit des Regimes von Italien deutlich machten. Innerhalb der Führung ergaben sich alsbald Gegensätze zwischen Ante Pavelić, der eine an der SS orientierte Kader- und Terrorpolitik betrieb und bis zur Kapitulation Italiens Hitler, den er im Juni 1941 und im September 1942 aufsuchte, gegen Mussolini auszuspielen suchte, und dem Kriegsminister Marschall Slavko Kvaternik, der als ehemaliger österreichischer Offizier an die Tradition der Kroaten in der k. u. k. Armee anzuknüpfen und möglichst rasch eine schlagkräftige Wehrmacht aufzubauen suchte. Diese war mit 6 Divisionen und 15 bis 35 *Ustaša*-Bataillonen rein zahlenmäßig einigermaßen stark (Ende 1942 knapp 150 000 Mann), aber sie gelangte, schon früh in den Kampf gegen die Partisanen verstrickt, zu keiner großen Schlagkraft. Der Einsatz in Kroatien selbst verhinderte auch eine Beteiligung der kroatischen Wehrmacht am Krieg gegen die Sowjetunion. Nur ein in die deutsche Wehrmacht eingegliedertes kroatisches Legionsregiment (Nr. 369) kämpfte im Verband der 6. Armee in der Ukraine. Obwohl Kvaterniks Sohn Eugen als Chef der Polizei an den Terrormaßnahmen gegen Juden und Serben beteiligt war, spitzten sich die Gegensätze zwischen kroatischer Wehrmacht und *Ustaša* so zu, daß Pavelić den Marschall Kvaternik am 6. X. 1942 aller Ämter enthob und selbst, Hitlers Vorbild folgend, den Oberbefehl übernahm. Mit dem Vater stürzte auch der Sohn Kvaternik, dem Umsturzpläne nachgesagt wurden.

Ein Versuch deutscher Wehrmachtsstellen, den große Autorität genießenden Parteiführer Maček an die Spitze des Staates zu stellen, scheiterte an dessen Weigerung. Maček wurde am 15. X. 1941 verhaftet, stand aber seit dem 16. III. 1942 lediglich unter Hausarrest auf seinem Bauernhof in Kupinec[17]. Nach dem Sturz der beiden Kvaternik, die in die Slowakei emigrierten, spielte Dr. Mladen Lorković, 1941–1943 Außenminister, dann bis zu seinem eigenen Sturz am 30. VIII. 1944 Innenminister, eine wesentliche Rolle.

Die Kapitulation Italiens am 8. IX. 1943 verbesserte die Stellung Kroatiens insofern, als die Verträge vom 18. V. 1941 nunmehr hinfällig waren und die abgetretenen Inseln und Küstenstreifen an Kroatien kamen. Sie verschlechterte sie aber dadurch, daß die kommunistischen Partisanen Waffen und Vorräte der entwaffneten italienischen Truppen übernahmen. Der Kampf gegen sie mußte wegen der Schwäche der kroatischen Wehrmacht überwiegend von deutschen Verbänden geführt werden, was zu einer Fülle von Unstimmigkeiten führte.

Nach dem Übertritt Rumäniens auf die Seite der Alliierten machten sich auch in der Regierung Pavelić Tendenzen bemerkbar, mit den Westmächten Fühlung aufzunehmen. Ihre Exponenten, Innenminister Lorković und Kriegsminister Vokić, wurden am 30. VIII. 1944 abgesetzt, und in dem schrumpfenden Machtbereich wurde eine noch radikalere *Ustaša*-Herrschaft errichtet. In diesem Zusammenhang wurde auch Glaise v. Horstenau am 7. IX. 1944 abberufen.

Danach, vor allem nach der Einnahme Belgrads durch die Rote Armee (20. X. 1944), hatte der »Unabhängige Staat« vor allem das ihm noch verbliebene Territorium mit der Hauptstadt Agram (Zagreb) zu verteidigen. Ende April 1945 war das Staatsgebiet auf Kroatien in engerem Sinne und Nordbosnien zusammengeschrumpft. Pavelić und die von ihm nicht abgefallenen bzw. von ihm nicht, wie Lorković und Vokić, liquidierten Regierungsmitglieder konnten noch vor der Kapitulation Agram verlassen und sich über Klagenfurt–Salzburg zunächst in Sicherheit bringen und dann bis zur Ausreise nach Argentinien in Italien versteckt halten.

Die von Pavelić im Stich gelassenen kroatischen Truppenteile – etwa 150 000 Mann – kämpften noch nach dem 9. V. 1945 in Kärnten gegen die Partisanen Titos, kapitulierten zwar am 14. V. bei Bleiburg gegenüber englischen Verbänden, wurden aber schon am folgenden Tage an die Partisanen ausgeliefert[18]. Ein großer Teil – etwa 40 000 – wurde noch auf dem Marsch bei Bleiburg oder bei Marburg a. d. Drau erschossen; weitere starben auf dem Weitermarsch oder in den Lagern. Das *Ustaša*-Regime, auf Gewalt und Terror aufgebaut, fand somit ein besonders blutiges und grausames Ende.

Nationaler und kommunistischer Widerstand (1941–1943)[19]

Die vollständige Aufteilung des Landes und die alsbald in Kroatien und in den an Ungarn und Bulgarien gefallenen Gebieten einsetzenden Zwangs- und Terrormaßnahmen gegen die serbische Bevölkerung ließen – zusammen mit den oben genannten verhältnismäßig günstigen Vorbedingungen für einen bewaffneten Widerstand – schon wenige Wochen nach der Kapitulation der jugoslawischen Armee den Gedanken an eine kampfkräftige Widerstandsorganisation entstehen. Dabei spielten die Traditionen der gegen die türkische Herrschaft gerichteten nationalen Aufstände eine bedeutende Rolle. Diese bewirkten – neben den geographischen Gegebenheiten –, daß der bewaffnete Widerstand seine Zentren nicht in den schon vor 1878 zu Österreich-Ungarn gehörenden Gebieten hatte, sondern in den bis 1878 unter mittelbarer oder unmittelbarer türkischer Herrschaft stehenden Landesteilen, d. h. in Bosnien, der Herzegowina, Montenegro und im westlichen Serbien. Daß sie in Mazedonien keinen Fuß fassen konnte, lag an den Besonderheiten der mazedonischen nationalen Bewegung und an der besonders effektiven und rigorosen Besatzungspolitik Bulgariens, das bis 1944

II. c) Zusammenbruch, Widerstand und Umgestaltung zur Volksdemokratie (1941–1946)

nur theoretisch Krieg führte und seine Truppen voll zur Verfügung hatte.

Infolge der Aufteilung und der inneren Gegensätze konnte sich keine einheitliche und geschlossene Widerstandsbewegung entwickeln, die nur einen Gegner – die jeweilige Besatzungsmacht – hatte. Es gab vielmehr zumindest vier Formen:

1) Eine äußerlich mit der deutschen Besatzungsmacht kollaborierende und auf Erhaltung der biologischen wie materiellen Substanz bedachte serbische Nationalbewegung, deren Exponenten zunächst christliche Nationalisten wie Dimitrije Ljotić und Jeremija Protić waren. Seit dem 29. VIII. 1941 wurde sie durch General Milan Nedić[20] (1882–1946), den Ministerpräsidenten der von der Besatzungsmacht eingesetzten Regierung in Serbien, repräsentiert. Obwohl Nedić als »Quisling« diffamiert wurde, war er doch bemüht, nicht nur der serbischen Bevölkerung, sondern auch der nationalen Kampfbewegung, den *Četniks* des Obersten Draža Mihajlović, umfangreiche Hilfe zu leisten. In einer 1943 an Peter II. und die Londoner Exilregierung gerichteten Botschaft erklärte er ausdrücklich, daß er sich nur als Platzhalter der legalen Regierung betrachte und bis zu ihrer Rückkehr Ruhe und Ordnung im Lande aufrechterhalten wolle. Von den beiden von Nedić mit deutscher Duldung gebildeten bewaffneten Verbänden, der Serbischen Staatswache (SDS), etwa 18 000 Mann, unter Dragi Jovanović, und dem Serbischen Freiwilligenkorps (SDK), etwa 3600 Mann, war aber nur der erste dem nationalen Widerstand zuzurechnen, während der zweite ganz unter deutschem Kommando stand und vorbehaltlos kollaborierte. Die Übergänge zwischen Kollaboration, passivem und aktivem Widerstand waren fließend; auch änderten sich die Haltungen mit dem Kriegsverlauf und mit der deutschen Politik, die seit dem Herbst 1943 die Gewinnung der eigenständigen nationalen Kräfte anstrebte[21].

2) Eine im Namen wie im Aufbau bewußt an alte Kampftraditionen der Serben anknüpfende nationale Kampfbewegung, die ihren Kampf als Fortsetzung des Krieges betrachtete und sich dementsprechend der Exilregierung unterstellte, einzelne Aktionen gegen die deutsche Besatzungsmacht aber für verfrüht und schädlich hielt. Sie nahm ihren Namen *Četnik*[22] (für den einzelnen Kämpfer, Mehrzahl *četnici*, von *četa* – Schar, Truppe) von einer Milizorganisation, die für den Guerillakrieg aktiv werden sollte. Zu jeder der sieben jugoslawischen Armeen auf Friedensfuß gehörte ein *Četnik*-Bataillon. Präsident der 1921 gegründeten »*Četnik*-Organisation für Freiheit und Ehre des Vaterlands« war Kosta Pećanac, der seine Abteilungen nach dem Zusammenbruch wieder organisierte und sich im Oktober 1941 Nedić zur Verfügung stellte. Das geschah in Konkurrenz zu der Bewegung des Obersten Draža Mihajlović[23] (1893–1946), früherer Generalstabsoffizier, Militärattaché in Sofia und Prag, und zur Zeit, als Nedić Kriegsminister war, in Konflikt mit diesem. Mihajlović erklärte am 10. V. 1941, daß er die Kapitulation nicht anerkenne, und organisierte in Westserbien, im Gebirge der Ravna Gora, eine Widerstandsgruppe, die sich auch *Četnik* oder »Bewegung der *Ravna Gora*« nannte. Die zunächst begonnene Aktivität reduzierte er weitgehend, als die Exilregierung am 22. VII. über den britischen Rundfunk die Bevölkerung ermahnte, Ruhe zu bewahren und den Kampf nicht weiter zu führen. Er baute lediglich seine Kampforganisation aus, die aber ebenso wie die »legalen« *Četniks* auf Serbien beschränkt blieb.

3) Eine national-montenegrinische Bewegung in Montenegro, die sofort nach der »Selbständigkeitserklärung« des Landes unter italienischer Herrschaft am 12. VII. 1941 den Aufstand ausrief und mit Ausnahme der Städte das ganze Land in ihre Gewalt brachte, bis sie im Oktober niedergeschlagen wurde.

4) Die kommunistische Partisanenbewegung unter Josip Broz-Tito[24], die sich

1217

§ 30 Die südosteuropäischen Staaten vom I. Weltkrieg bis zur Ära der Volksdemokratien

in der kurzen Zeitspanne der deutsch-sowjetischen Zusammenarbeit bis zum 22. VI. 1941 nicht entwickeln konnte, dann aber, aufgrund der Weisungen der Komintern vom 1. VII. 1941, erhebliche Aktivität entwickelte, nachdem das Politbüro der seit 1921 in der Illegalität wirkenden KPJ am 4. VII. den Kampf gegen die Okkupanten beschlossen hatte. Er sollte sich vor allem auf Serbien, Bosnien und Montenegro konzentrieren. Die wichtigsten ZK-Mitglieder wurden in die einzelnen Teilgebiete entsandt, Milovan Djilas[25] und Moše Pijade nach Montenegro, Svetozar Vukmanović nach Bosnien, Edvard Kardelj nach Slowenien. Die kommunistischen Partisanen bekamen noch im Sommer 1941 erheblichen Zulauf durch Personen, die der Ideologie und Partei fernstanden, aber durch die Terrormaßnahmen der *Ustaša* und durch die seit dem 16. IX. 1941 einsetzenden überaus harten Vergeltungsmaßnahmen der deutschen Wehrmacht (50–100 Geiselerschießungen für einen getöteten deutschen Soldaten) einer Widerstandsorganisation geradezu in die Hände getrieben wurden. Das Sabotage- und Aktionsprogramm der Partisanen war zudem attraktiver als die Stillhalte- und Wartetaktik der Mihajlović-*Četniks*.

Eine Zusammenarbeit aller dieser vier Bewegungen war aufgrund der ideologischen Unterschiede und der verschiedenartigen Auffassung von der einzuschlagenden Taktik ausgeschlossen. Verbindungen von Nedić und den Pećanac-*Četniks* waren nur zu Mihajlović möglich, nicht aber zu den mit aller Schärfe bekämpften Kommunisten und den separatistischen Montenegrinern. Die größte Offenheit nach zwei Seiten, zu Mihajlović und den Montenegrinern, hatten die Tito-Partisanen, die zudem übernational waren und nicht an serbische, kroatische oder slowenische Gefühle appellierten. Von Großbritannien und der Exilregierung konnte ideell und alsbald durch Entsendung von Verbindungsoffizieren[26] und Kriegsgerät auch materiell nur die Mihajlović-Bewegung unterstützt werden. König Peter II. gab dem Ausdruck, indem er Mihajlović am 7. XII. 1941 zum Brigadegeneral beförderte und ihm bei der ersten Umbildung des Exilkabinetts am 11. I. 1942, bei der Slobodan Jovanović statt Simović Ministerpräsident wurde, zum Minister »für Heer, Flotte und Luftwaffe« ernannte, was bei der schwachen und oft unterbrochenen Funkverbindung nur deklamatorischen Charakter haben konnte.

Noch im Herbst 1941 wurde Verbindung zwischen Tito, dessen Partisanen sich Ende August der westserbischen Stadt Užice bemächtigt und dort eine »Volksrepublik« ausgerufen hatten, die bis zu ihrer Besetzung durch deutsche Truppen Ende November existierte, und Mihajlović[27] aufgenommen. Die von Tito gestellten Forderungen nach Beseitigung aller alten Verwaltungsbehörden, nach sofortigen gemeinsamen Operationen gegen Besatzungsmacht und »Quislinge« und nach Freiwilligkeit des Beitritts statt des Rekrutierungssystems der *Četniks* konnten von Mihajlović nicht akzeptiert werden, und trotz eines Stillhalteabkommens begannen schon am 2. XI. 1941 im Ibar-Tal Kämpfe zwischen *Četniks* und Partisanen, die häufig heftiger und blutiger waren als diejenigen gegen die Besatzungsmacht.

Für die Tito-Partisanen war es dabei enttäuschend, daß die propagandistische Unterstützung durch die Sowjetunion, die die Exilregierung Simović bzw. Jovanović anerkannte, minimal war und daß trotz dringender Funksprüche Titos bis zum Sommer 1943 keine Militärmission der Roten Armee in die Partisanengebiete entsandt wurde. Nach dem Fall von Užice gingen die Partisanengruppen in das italienische Besatzungsgebiet Montenegros und Südostbosniens über, wo sie am Bergmassiv des Durmitor mit Foča als Hauptort am 8. II. 1942 eine »Volksrepublik Durmitor« ausriefen, die entgegen sowjetischen Wünschen zu ei-

II. c) Zusammenbruch, Widerstand und Umgestaltung zur Volksdemokratie (1941–1946)

ner Republik der UdSSR erklärt wurde, Anfang Mai unter dem Druck einer deutsch-italienischen Offensive aber aufgegeben werden mußte, ohne daß die Partisanenführung ernstlich gefährdet wurde. Sie hatte seit Juni 1942 nach einem »langen Marsch« ihr Hauptquartier in Bihać in Nordwestbosnien, im italienischen Besatzungsgebiet. Hier begann Tito in teilweiser Übereinstimmung mit Weisungen aus Moskau eine neue Taktik durch Proklamierung einer »nationalen Front« der »antifaschistischen Kräfte«. Am 26. XI. 1942 trat in Bihać der von 54 Delegierten besuchte erste nationale Befreiungskongreß zusammen, der den Antifaschistischen Rat der Nationalen Befreiung Jugoslawiens (AVNOJ) gründete, dessen Sechspunkteprogramm gleiche demokratische Rechte für alle Völker Jugoslawiens, freie Wahlen, Unverletzbarkeit des Eigentums und Erhaltung der Privatinitiative im Wirtschaftsleben forderte. Praktisch war der überparteiliche AVNOJ in der Hand der Kommunisten; der Vorsitzende Ivo Ribar gehörte zwar nicht der KPJ an, dafür aber seine beiden Söhne.

Vor einer neuen Offensive deutscher Truppen und der Pečanac-Četniks mußte Tito im Frühjahr 1943 auf weiten Umwegen über Montenegro nach Südwestbosnien in das Vlasić-Bergmassiv südöstlich Jajce ausweichen, doch waren die Partisanen als Kämpfer und Verbündete nun soweit anerkannt, daß die britische Dienststelle der Special Operation Executive (SOE) in Kairo im Februar 1943 den Auftrag erhielt, auch zu ihnen Verbindungsoffiziere[28] zu entsenden, wobei der Name Titos und seine Identität noch weithin unbekannt waren. Im Mai 1943 wurde diese Verbindung hergestellt, und die Partisanen erhielten nunmehr nicht nur Unterstützung durch Luftversorgung, sondern auch die Anerkennung als Verbündete. Die Kapitulation Italiens am 8. IX. 1943 führte den Partisanen dann soviel Material und neue Kämpfer zu, daß die bisherigen Trupps und Gruppen sich in eine »Nationale Befreiungsarmee« mit 8 Armeekorps und 27 Divisionen und schweren Waffen umgestalten konnten, die praktisch den größten Teil Bosniens, der Herzegowina und Montenegros kontrollierte.

Auf der zweiten Tagung des AVNOJ am 29. XI. 1943 in Jajce[29] wurde von dem wie ein Parlament fungierenden Rat bereits eine provisorische Regierung unter dem Namen »Nationalkomitee zur Befreiung Jugoslawiens« (NKOJ) gebildet, das kaum noch Zweifel über die Gestalt des befreiten Jugoslawien aufkommen ließ. Fast gleichzeitig beschlossen die drei alliierten Großmächte in Teheran, Tito mit allen Mitteln zu unterstützen. Noch im Dezember 1943 wurde Tito von Großbritannien als selbständiger alliierter Befehlshaber anerkannt. Besprechungen einer Partisanendelegation in Alexandria führten zu Zusagen umfangreicher Waffen- und Materiallieferungen. Gleichzeitig verloren die Četniks Mihajlovićs zwar ihre Bedeutung in Serbien und Teilen Montenegros nicht; da sie aber keine gegen die Deutschen gerichteten größeren Operationen durchführten und, stillschweigend mit Nedić kooperierend, dafür sorgten, daß Serbien ruhig und frei von Kommunisten blieb, sank ihr Bündniswert in den Augen der Alliierten beträchtlich. Ende 1943 schien jedenfalls allein der im Vorjahr noch weithin unbekannte Tito mit seinen Partisanen der entscheidende Verbündete der Alliierten zu sein.

Von der Befreiungsbewegung zur Volksrepublik Jugoslawien (1944–1945)

Parallel zur Anerkennung Titos als selbständiger militärischer Befehlshaber verlief noch im Dezember der Umschwung der sowjetischen Politik ihm gegenüber. Die Sowjetregierung erkannte nämlich am 15. XII. 1943 das Nationalkomitee (NKOJ) als einzige Regierung Jugoslawiens an und brach gleichzeitig die Beziehungen zur Exilregierung in London ab, bei der sie, wie bei anderen Exilregierungen, Botschafter Bogomolov akkreditiert hatte. Da aber Jugoslawien in dem Großbritannien vorbehaltenen Operationsgebiet lag, war die Zusammenarbeit mit diesem, das auch unmittelbare und mittelbare Hilfe – z. B. durch Bombardements deutscher Befehlsstellen – leisten konnte, zunächst wichtiger, wenn auch am 23. II. 1944 erstmals eine sowjetische Militärmission in Titos Hauptquartier entsandt wurde. Gleichzeitig erklärte Churchill im Unterhaus am 22. II.[30], daß zwar die Kommunisten am Anfang der Partisanenbewegung gestanden, daß aber nun nationale Konzeptionen die Oberhand gewonnen hätten. Dabei erwähnte er zwar Mihajlović, gab aber nicht bekannt, daß er nicht mehr diesen, sondern nur noch Tito militärisch unterstützen wolle[31]. Britischer Druck auf König Peter II., mit dem die Beziehungen abzubrechen Churchill für nicht »chivalrous or honorable« hielt, veranlaßte diesen am 17. V. 1944 zu einer Umbildung der Exilregierung, in der Mihajlović unter dem neuen Ministerpräsidenten Dr. Ivan Šubašić nicht mehr Minister war. Daß die britische Regierung Tito nunmehr für wesentlich wichtiger hielt als die verbündete Exilregierung, wurde dadurch deutlich, daß Churchill diese Änderung Tito, in dessen Hauptquartier auch Churchills Sohn Randolph entsandt worden war, unverzüglich mitteilte, während er Šubašić den Rat erteilte, sich ruhig zu verhalten[32].

Fast gleichzeitig mit diesem Triumph geriet Tito am 25. V. 1944 in höchste Gefahr, als deutsche Fallschirmspringer sein Hauptquartier in der westbosnischen Stadt Drvar angriffen und er der Gefangennahme nur mit Mühe und dank alliierter Lufthilfe entkommen konnte. Nach kurzem Aufenthalt in Italien verlegte Tito Anfang Juni sein Hauptquartier auf die Adria-Insel Vis (Lissa), wo ihn am 16. VI. Ministerpräsident Šubašić aufsuchte. In dem am gleichen Tage geschlossenen Abkommen wurde das in Jajce gebildete Nationalkomitee als einzige Autorität und die nationale Befreiungsarmee als einzige Armee anerkannt, der Bruch mit Mihajlović seitens der Exilregierung also endgültig vollzogen. Dieser wurde dagegen nur das Zugeständnis gemacht, daß man die Frage der Monarchie während des Krieges nicht aufwerfen werde[33].

Von der Insel Lissa aus konnte Tito, nunmehr völlig ungefährdet und in Übereinstimmung mit dem britischen Oberkommando, zu dessen Operationszone ganz Jugoslawien laut der am 15. V. 1944 mit der Sowjetunion getroffenen Absprache gehörte, die weiteren Operationen seiner Armee leiten, die nach dem Übergang Rumäniens und Bulgariens auf die Seite der Alliierten im September auch Serbien erfassen konnten. Völlige Oberhand gewann er, als König Peter am 12. IX. angesichts des Herannahens des Zusammenbruchs der deutschen Besatzungsmacht »alle Serben, Kroaten und Slowenen« aufforderte, sich der »nationalen Befreiungsarmee unter der Führung von Marschall Tito« anzuschließen. Dadurch wurde die am 29. VIII. erfolgte Auflösung des militärischen Oberkommandos bekannt, durch die Mihajlović jede Kommandogewalt verlor. Außerdem wurde deutlich, daß der König die »jugoslawische« Linie seines Vaters nicht fortsetzen, sondern eine föderative Lösung anstreben wollte. Die Befreiungsarmee, die gewaltigen Zulauf erhielt, auch von Kroaten, denen Amnestie zugesichert wurde, wenn sie bis zum 15. IX. übergingen, kämpfte nunmehr in Serbien ebenso gegen die Deutschen wie gegen die *Četniks*. Schon am 6. IX. wurde die erste Verbindung zwischen der vordringenden Roten Armee und der Partisanenarmee hergestellt. Zur Regelung der bei weiterem sowjetischem Vormarsch entstehenden Probleme flog Tito am 21. IX. ohne Wissen der Briten nach Moskau[34], wo am 28. IX. ein gemeinsames Kommuniqué veröffentlicht wurde, in dem festgehalten wurde, daß die Rote Armee nur vorübergehend jugoslawisches Gebiet betreten und daß die Zivilverwaltung durchweg in den Händen des Be-

II. c) Zusammenbruch, Widerstand und Umgestaltung zur Volksdemokratie (1941–1946)

freiungskomitees liegen solle. Bei den Unterredungen betonte Stalin nachdrücklich den Wunsch, Tito möge König Peter, wenn auch nur vorübergehend, ins Land zurückkehren lassen und mit den bürgerlichen Politikern zusammenarbeiten. Nach Titos Abreise wurde auf der Moskauer Außenministerkonferenz (9.–20. X. 1944) die Vereinbarung über die Einflußsphären auf Churchills »sheet of paper« dahingehend abgeändert, daß die Sowjetunion und die Westmächte jeweils 50 % des Einflusses haben sollten, eine Regelung, die auch beim besten Willen aller Beteiligten undurchführbar war.

Am 20. X. 1944 erfolgte die Einnahme Belgrads durch die Rote Armee, und kurz danach siedelte das Nationalkomitee dorthin über, während König und Exilregierung in London verblieben. Lediglich Ministerpräsident Šubašić kam nach Belgrad und schloß dort mit Tito am 1. XI. ein Abkommen[35] über die vorläufige Zusammenarbeit und die alsbald nach der Rückgewinnung des ganzen Landes zu haltenden Wahlen. Die Zusammenarbeit wurde ausdrücklich von der Sowjetunion gewünscht, mit der Tito und Šubašic während eines gemeinsamen Aufenthaltes in Moskau am 11. IV. 1945 einen Freundschaftspakt schlossen, nachdem am 8. III. 1945 eine Koalitionsregierung aus Vertretern des AVNOJ und vier Mitgliedern der Exilregierung sowie Politikern aller Parteien gebildet worden war. In dieser Regierung[36] hatte Tito das Ministerpräsidium und das Verteidigungsministerium inne; andere AVNOJ-Mitglieder waren Stellvertretende Ministerpräsidenten (Kardelj) oder hatten so wichtige Ministerien wie das des Inneren, der Justiz und der Finanzen, während den aus dem Exil kommenden Ministern als einziges wichtiges Ministerium das des Äußeren (Šubašić) zugebilligt wurde und die Vertreter früherer Parteien sich mit dem Bauwesen oder der Landwirtschaft begnügen mußten. Von 22 Kabinettsmitgliedern (außer den Regionalministern) waren 15 Mitglieder des AVNOJ oder Kommunisten außerhalb des AVNOJ. Das Übergewicht der Kommunisten in der Koalition war somit qualitativ wie quantitativ überwältigend.

Die Exilregierung war damit aufgelöst, aber der König, der das Abkommen Tito-Šubašić nicht gebilligt hatte, kehrte nicht in das Land zurück, das offiziell noch eine Monarchie war.

Die Umgestaltung zur Volksdemokratie wurde danach in weniger als einem Jahr vollzogen, wesentlich schneller als in den anderen Ländern Ostmitteleuropas und ohne Mitwirkung der Roten Armee, deren Verbände schon im Mai 1945 jugoslawischen Boden verließen. Im Abkommen der drei Großmächte von Jalta[37] war die Bildung der Koalitionsregierung für Jugoslawien – ähnlich wie für Polen – empfohlen worden, außerdem die Erweiterung des AVNOJ durch Mitglieder des alten Parlaments und die Bestätigung der AVNOJ-Gesetze durch eine Verfassunggebende Versammlung. Anfang August wurde diese Erweiterung vorgenommen. Da aber nur 39 Altparlamentarier als nicht kompromittiert gelten konnten, wurden noch 82 weitere politisch tätige Persönlichkeiten kooptiert. Die so geschaffene Körperschaft, in der der AVNOJ mit 270 gegen 121 die erdrückende Mehrheit hatte, erklärte sich am 10. VIII. 1945 zum »Provisorischen Parlament des demokratischen föderativen Jugoslawien« und erließ ein Wahlgesetz, das das Wahlalter auf 18 Jahre herabsetzte und Kollaborateure von der Wahl ausschloß.

Für die Wahl kandidierte in erster Linie die Volksfront *(Narodni Front),* die Anfang August als eine »allgemeine, nationale, antifaschistische, demokratische Bewegung«[38] gegründet worden war, mit maßgebendem Einfluß der Kommunisten, obwohl nach Artikel 14 Parteien korporative Mitglieder sein und ihre Individualität behalten sollten. Die Wahlen für das aus zwei Kammern, dem Bundesrat *(Savezno vijeće)* und dem Nationalitätenrat *(Vijeće naroda),* bestehende Parlament fanden am 11. XI. 1945 statt und brachten der Volksfront 90,48 bzw. 88,68 % der abgegebenen Stimmen, wobei die Opposition lediglich »Nein« sagen, nicht aber andere Kandidaten wählen konnte. Die so gewählte Konstituante war zwar nicht rein kommunistisch, aber die Vertreter anderer Parteien, wie die Demokraten und Sozialisten, spielten eine ganz geringfügige Rolle, während die Kroatische Bauernpartei Mačeks gar nicht vertreten war. Die Konstituante erklärte am 29. XI. 1945, am zweiten Jahrestag der AVNOJ-Tagung von Jajce, Jugoslawien zur Republik und legalisierte am 1. XII. diskussionslos alle vom AVNOJ erlassenen Gesetze.

Gleichzeitig wurde eine an der sowjetischen Verfassung von 1936 orientierte Verfassung vorbereitet, die am 31. I. 1946 in Kraft trat und Jugoslawien zu einer aus sechs Teilrepubliken – Serbien, Kroatien, Slowenien, Bosnien-Herzegowina, Montenegro und Mazedonien – bestehenden »Föderativen Volksrepublik« umgestaltete. Sie berief am folgenden Tage eine neue Regierung Tito, in der nur noch ein Mitglied der einstigen Exilregierung saß. Šubašić hatte die Koalitionsregierung schon während des Wahlkampfes am 8. X. 1945 verlassen.

Die zweite Regierung Tito, obwohl dem äußeren Anschein nach noch eine Koalitionsregierung mit 12 Nichtkommunisten gegenüber 9 Kommunisten, war praktisch ganz kommunistisch beherrscht; auch schieden mehrere Nichtkommunisten noch im Jahre 1946 oder 1948 aus. Bei formeller Einhaltung der auf den Beschlüssen von Jalta basierenden Verpflichtungen war die Umgestaltung zur »Volksdemokratie« praktisch ohne Einschaltung eines »Mittelweges« Ende Januar 1946 vollzogen, ohne daß von seiten der Westalliierten Proteste erfolgten.

Grenzprobleme: Zu den Kriegszielen der Alliierten gehörte die Wiederherstellung der Grenzen Jugoslawiens, wie sie vor dem 6. IV. 1941 bestanden hatten. Bei der Konferenz von Jalta war bezüglich einer Neuregelung der jugoslawisch-bulgarischen und der jugoslawisch-italienischen Grenze keine Einigung zustande gekommen. Mit dem Kriegsende ergab sich jedoch die Gelegenheit, die für Jugoslawien ungünstigen Ergebnisse der Verträge von St. Germain und Rapallo (s. oben S. 1190) zu korrigieren. Gegenüber Italien war die Korrektur dadurch leichter, daß die Mehrheit der Bevölkerung in Istrien unbestreitbar slowenisch bzw. kroatisch war und daß jugoslawische Verbände vor dem Eintreffen der Alliierten Ende April ganz Istrien und Anfang Mai auch Fiume, Triest und Görz (Gorizia) besetzten. Sofort übernahmen »Nationale Befreiungsausschüsse« die Zivilverwaltung und veranlaßten Resolutionen, in denen die Angliederung an Jugoslawien verlangt wurde, eine Forderung, die von der KPJ nachdrücklich unterstützt wurde. Da alliierte Verbände unmittelbar darauf auch in Triest und Görz einrückten, entstand der Triest-Konflikt[39]. Er wurde zunächst durch ein Dreimächteabkommen vom 9. VI. 1945 vertagt, in dem Jugoslawien zwar die Militärverwaltung in Istrien übertragen wurde, aufgrund dessen es aber Pola, Triest und das Isonzotal wieder räumen mußte. Die am 20. VI. in Duino festgelegte »Morgan-Linie« beließ zwar Pola, das Gebiet von Triest und das Isonzotal vorläufig in alliierter Militärverwaltung, machte gleichzeitig aber deutlich, daß Jugoslawien mit dem Besitz von Fiume, Zara (Zadar), des größten Teils von Istrien und der bisher italienischen Adria-Inseln rechnen durfte.

Ein ähnliches *fait accompli* gelang in Südkärnten nicht. Dort waren jugoslawische Einheiten Anfang Mai eingedrungen, hatten die Reste der kroatischen Armee von den Briten als Gefangene bei Bleiburg übernommen und Mitte Mai auch Klagenfurt besetzt. Titos Anspruch, daß Jugoslawien an der Besetzung Österreichs beteiligt werden sollte, wurde jedoch abgewiesen, und die jugoslawi-

II. c) Zusammenbruch, Widerstand und Umgestaltung zur Volksdemokratie (1941–1946)

schen (slowenischen) Verbände mußten Südkärnten am 25. V. wieder räumen. Jugoslawien erhob jedoch Anspruch auf etwa 2500 km² in Südkärnten und etwa 130 km² in der Südsteiermark.

Während bis zur Umgestaltung Jugoslawiens in eine Volksdemokratie zwar die Möglichkeiten politischer Tätigkeit außerhalb der »Volksfront« stark beschnitten wurden, wurde das soziale Gefüge zunächst kaum durch Gesetze verändert, wenn es auch durch die Kriegsereignisse schwer erschüttert worden war. Mit aller Härte wurde aber gegen Kollaborateure und gegen die deutsche Bevölkerung[40] vorgegangen.

Schon am 21. XI. 1944 erließ der AVNOJ in Belgrad ein Gesetz[41] über den Übergang »feindlichen Eigentums« an den Staat, durch welches das gesamte Vermögen aller deutschen Staatsbürger, aller jugoslawischen Staatsbürger deutscher Volkszugehörigkeit, soweit sie nicht in Partisaneneinheiten gekämpft hatten, und aller »Kriegsverbrecher und ihrer Helfershelfer« entschädigungslos enteignet wurde. Das oben erwähnte Wahlgesetz vom 10. VIII. 1945 schloß zwar nicht generell alle Deutschen vom Wahlrecht aus, aber doch alle Mitglieder der deutschen Volkstumsorganisation, des »Kulturbundes«, sowie alle Personen, die in anderen Einheiten als denen der Partisanen gekämpft hatten, und selbstverständlich alle Mitglieder der *Četniks* und der *Ustaša*. Drei weitere Gesetze[41], vom 23. VIII. über die Staatsangehörigkeit, vom 25. VIII. über »Straftaten gegen Volk und Staat« und vom 26. VIII. über die Organisation der Volksgerichte, gaben die Handhabe, alle Personen, die als Antikommunisten oder Landesverräter hingestellt werden konnten, auszubürgern, zu enteignen und sie mit dem Tod oder langjähriger Haft zu bestrafen. Da praktisch alle Firmeninhaber der Kollaboration angeklagt werden konnten, wurde auf diese Weise ein großer Teil der privaten Industriebetriebe verstaatlicht, ohne daß das Privateigentum an Produktionsmitteln generell aufgehoben wurde.

Ein weiterer Eingriff in die Eigentumsrechte erfolgte durch das von der Provisorischen Volksversammlung am 23. VIII. 1945 verabschiedete Gesetz[41] über Agrarreform und Kolonisation, das allen Grundbesitz der Kirchen und Glaubensgemeinschaften, der juristischen Personen aller Art und den über 45 ha hinausgehenden landwirtschaftlichen Grundbesitz verstaatlichte. Die Zuteilungen, bei denen Kämpfer in den Partisaneneinheiten bzw. in der Armee zu bevorzugen waren, lagen durchschnittlich bei 4–6 ha »anbaufähigen Landes für eine Hausgemeinschaft«, d. h., sie waren im allgemeinen zu gering, um ein ausreichendes Einkommen und eine Produktion über die Selbstversorgung hinaus zu gewährleisten, so daß damit die spätere Kollektivierung dieses am Rande der Rentabilität stehenden Kleinbesitzes erleichtert wurde.

Aufgrund dieser Gesetze wurde der größte Teil der deutschen Bevölkerung, soweit sie nicht während des Krieges umgesiedelt oder in den letzten Wochen des Krieges geflüchtet war, enteignet, ausgebürgert, interniert und zur Zwangsarbeit verschickt[42].

Mit größter Härte wurde noch 1945 gegen die Repräsentanten des Staates Kroatien, der Nedić-Regierung und der *Četniks,* vorgegangen, nachdem Massenerschießungen schon im Mai 1945 stattgefunden hatten. Während Nedić, der in Österreich verhaftet worden war, sich einem Prozeß durch Selbstmord im Gefängnis entzog[43], konnte Mihajlović sich noch ein Jahr lang in Bosnien verborgen halten. Er wurde aber mit anderen *Četnik*-Führern im März 1946 durch Verrat entdeckt und im Juli 1946 nach einem Schauprozeß mit sieben anderen, darunter dem Bürgermeister von Belgrad, D. Jovanović, hingerichtet[44].

Besonderes Aufsehen erregte wenige Monate danach der Prozeß gegen den

§ 30 Die südosteuropäischen Staaten vom I. Weltkrieg bis zur Ära der Volksdemokratien

Erzbischof von Zagreb, Alois Štepinac, der am 11. X. 1946 als »Kollaborateur und Oberster Militärgeistlicher der *Ustaša*« zu 16 Jahren Haft verurteilt wurde, obwohl Tito ihn noch im Juni 1945 zu einer Unterredung über die Errichtung einer katholischen Nationalkirche empfangen hatte[45].

Aus all dem wie aus der Verfassung wurde deutlich, daß Jugoslawien um die Jahreswende 1945/46 nicht den von der Sowjetführung zu diesem Zeitpunkt für die ostmitteleuropäischen Staaten empfohlenen »Mittelweg« gehen, sondern forciert zum Sozialismus kommen wollte, allerdings auf einem »eigenen« Weg.

[1] Dieser Zeitraum wird als heroische Periode und als Legitimierung der Geburt der komm. Herrschaft aus dem Krieg besonders intensiv behandelt. Quellen außer den ADAP: Zbornik dokumenata i podataka o narodno-oslobodilačkom ratu jugoslovenskich naroda (9 Bde. 1949–65). Jugoslavia and the Soviet Union 1939–73. A Documentary Survey, hg. v. *S. Clissold* (1975). Hronologija oslobodilačke borbe naroda Jugoslavije 1941–45, hg. v. *P. Brajović* (1964).
An Erinnerungen, abges. v. *M. Djilas*, Wartime (1977; dt. 1978), *V. Dedijer*, With Tito through the War. A Partisan Diary 1941–44 (1951), *S. Vukmanović-Tempo*. Mein Weg m. Tito. Ein Revolutionär erinnert sich (1972): Titos eigene Schriften: *J. Broz-Tito*, Vojna dela (3 Bde. 1961).
Darst.: *R. Čolaković*, Winning Freedom (1962). *C. Fotitch*, The War we Lost. Jugoslavia's Tragedy and the Failure of the West (1948). *B. Lazitch*, Tito et la révolution yougoslave 1937–57 (1957). *V. Kučan* u. *P. Morača*, The War and Revolution of the Peoples of Jugoslavia 1941–45 (1962). Oslobodilački rat naroda Jugoslavije 1941–45 (2 Bde. 1957 u. 1958).
Zur Außenpolitik: *D. Plenča*, Medjunarodni odnosi Jugoslavije u toku drugog svjetskog rata (1962).
[2] Außer *N. Ristić*, Jugoslavia's Revolution (s. b, Anm. 27), und *J. B. Hoptner*, Jugoslavia in Crisis (s. b, Anm. 10), vgl. *F. Čulinović*, Dvadeset sedmi Mart. (1965), und *J. Jukić*, The Fall of Jugoslavia (1974).
[3] Vgl. seine Memoiren: *Peter II., King of Jugoslavia*, A King's Heritage (1954).
[4] Vgl. ADAP, D, XII, Nr. 219, S. 315/16, und weitere Berichte.
[5] Aufzeichnung über Lagebesprechung vom 27. III. und Führerweisung vom gleichen Tag in: ADAP, D, XII Nr. 217, S. 307–309, und Nr. 223, S. 324–26.
[6] Unterredg. Hitlers m. d. bulg. Gesandten Draganoff am 28. III. (ADAP, D, XII, Nr. 216, S. 306/307) und m. d. ung. Gesandten Sztójay am gleichen Tag (ebd., Nr. 215, S. 304–306) sowie Brief Horthys vom 3. IV. (ebd., Nr. 261, S. 369).
[7] *Vl. Maček*, In the Struggle for Freedom (s. a, Anm. 21), S. 223, über Simović am 5. IV.: »His speech had no political content whatsoever and consisted entirely of patriotic phrases and martial slogans. It became plain that Simović wanted to enter the war at all costs.«
[8] Die Verhandlungen bei *J. B. Hoptner*, S. 276–281. Ebd., S. 307 im Appendix C der Vertragstext in Englisch. *Ristić*, der alle Vorgänge in Belgrad minuziös beschreibt, erwähnt den Vertrag überhaupt nicht.
[9] Maček, der großes Ansehen in Deutschland genoß und 1940 das Großkreuz d. Ordens vom Deutschen Adler verliehen bekommen hatte, versagte sich jeder Mitarbeit, obwohl auch Kvaternik ihm die Ausrufung der Unabhängigkeit vorgeschlagen hatte. Pavelić, der erst am 15. IV. in Agram ankam, lenkte den Staat in eine radikale Richtung, die unter einem Regime Maček gewiß vermieden worden wäre.
[10] Außer s. Biographie v. *St. Krakov* (s. Anm. 20) das Kapitel: Die deutsche Besatzungspolitik in Serbien bei *J. Wuescht*. Jugoslawien und das Dritte Reich (s. b, Anm. 10), S. 191–226, mit Statistiken, und das Sammelwerk: Les systèmes d'occupation en Yougoslavie 1941–1945 (Referate auf einem Kongreß in Karlsbad 1963; 1963).
[11] S. hat keine Memoiren hinterlassen, doch basiert *Ristić*s Darstellung auf seinen Berichten und Unterlagen. Simović war Min.Präs. der Exilregierung bis 12. I. 1942. Er kehrte später nach Belgrad zurück, wo er 1962 starb.

II. c) Zusammenbruch, Widerstand und Umgestaltung zur Volksdemokratie (1941–1946)

[12] Da Königin Helena selbst dem montenegrinischen Haus Petrović entstammte, war zunächst an die formelle Übernahme der Krone durch sie selbst, dann durch einen ihrer Neffen gedacht. Tatsächlich erwies sich aber kein Mitglied der Familie als geeignet und fähig. Vgl. *G. Ciano,* Tagebücher (1946), S. 313, 315, 325.
[13] Über den Staat Kroatien informieren: *L. Hory, M. Broszat,* Der kroatische Ustascha-Staat 1940–1945 (1964). *G. Fricke:* Kroatien 1941–1944. Der »Unabhängige Staat« Kroatien in der Sicht des Deutschen Bevollmächtigten Generals in Agram, Glaise v. Horstenau (1972). *M. Basta,* Agonija i slom nezavisne države Hrvatske (1971).
Zur wirtschaftlichen Bedeutung: *H. Sundhaussen,* Südosteuropa in der deutschen Kriegswirtschaft am Beispiel des »Unabhängigen Staates Kroatien«: Südostforsch 32 (1973), S. 233–266.
[14] Dies sagte Pavelić am 9. VI. 1941 zu Hitler, s. ADAP, Serie D, XII, 2, S. 814.
[15] Vgl. ADAP, Serie D, XII, 2, S. 506. Aufzeichnung eines Gesprächs zwischen Ribbentrop und Ciano in Wien am 22. IV. 1941.
[16] G. v. H. war ein ausgesprochen »politischer« General, studierter Historiker und seit 1925 Direktor des Kriegsarchivs. 1936–38 Innenminister und Vizekanzler, hatte er den Ausgleich zwischen Schuschnigg und den Deutschnationalen herzustellen versucht. Vgl. *G. Fricke,* Kroatien 1941–1944 (s. Anm. 13). G. v. H. beging als Zeuge beim Nürnberger Prozeß 1946 Selbstmord.
[17] Vgl. *Vl. Maček,* In the Struggle for Freedom, S. 232–260. *Maček,* der einige Mordtaten der Ustaša schildert, betont S. 234, daß die Mitteilungen über von der Ustaša erzwungene Massenbekehrungen zum Katholizismus falsch seien. Lediglich freiwillige Übertritte hätten – meist zum Schein – in großer Zahl als Selbstschutzmaßnahme stattgefunden.
[18] Vgl. *R. Kiszling,* Die Kroaten, S. 220–223. Bleiburška Tragedija Hrvatskog Naroda, hg. v. *Fr. Nevistić* u. *V. Nikolić* (1976).
[19] Der Sieg der Kommunisten und die Niederlage des nationalen Widerstands haben in Jugoslawien selbst zur Heroisierung des ersteren und zum Verdammen oder Verschweigen des letzteren geführt. Informativ ist außer dem Beitrag *J. Matls* im Handbuch Jugoslawien, S. 108–119, der z. T. auf eigener Erfahrung basiert, der Überblick von *W. R. Roberts,* Tito, Mihailović and the Allies 1941–1945 (1973).
Das *Kriegsgeschichtliche Institut* in Belgrad veröffentlichte 1949–1952 die achtbändige Dokumentensammlung über die Partisanen und ihren Kampf: Zbornik dokumenata i podataka o narodnooslobodilačkom ratu.
[20] Vgl. die nur in Serbisch vorliegende Würdigung von *St. Krakov,* General Milan Nedić (2 Bde. 1963 und 1968; Krakov war der Schwiegersohn von Nedič).
[21] Vgl. dazu *H. Neubacher,* Sonderauftrag Südost (1956).
[22] Am umfassendsten unterrichtet *J. Tomasevich,* The Chetniks; War and Revolution in Yugoslavia (1975).
[23] Über ihn u. a.: Knjiga o. Draži, hg. v. *R. L. Knežević* (2 Bde. 1956); *Br. Lazitch,* La tragédie du Général D. M. (1946); *J. Omrčanin,* Istina o Draži Mihailoviću (1957).
[24] Von den zahlreichen Biographien sind zu nennen: die »autorisierte« Biographie v. *V. Dedijer* (1953); *Ph. Auty,* Tito, a Biography (1970), dt.: »Staatsmann aus dem Widerstand« (1972).
[25] Vgl. seine Kriegserinnerungen: Wartime (Anm. 1).
[26] Vgl. außer *Roberts* den v. *Ph. Auty* u. *R. Clogg* herausgegebenen Sammelband: British Policy Towards Wartime Resistance in Yugoslavia and Greece (1975).
[27] Schilderung der Besprechung am 26. X. 1941 bei *V. Dedijer,* S. 155–157.
[28] Dazu der Erlebnisbericht des ersten britischen Verbindungsoffiziers *F. W. D. Deakin,* The Embattled Mountain (1971). Zu den amerikanischen Verbindungen: The Secret War Report of the OSS, hg. v. *A. C. Brown* (1976), S. 270–283.
[29] Dazu das dreisprachige Gedenkbuch von *Z. B. Spasić,* Drugo zasjedanje AVNOJ-a 1943 (1968); mit einer Liste der 270 Delegierten und der 156 Stellvertreter.
[30] *W. Churchill,* The Second World War, Bd. V, S. 363/64.
[31] Dies hatte er Tito in einem Brief vom 8. I. 1944 mitgeteilt. Wiedergabe wie oben, Bd. V, S. 360.
[32] Wie oben, Bd. V, S. 365/66.
[33] *V. Dedijer,* Tito, S. 211–213.

§ 30 Die südosteuropäischen Staaten vom I. Weltkrieg bis zur Ära der Volksdemokratien

[34] Über Titos Moskaubesuch vgl. *Dedijer,* S. 218–224, mit eigenen Äußerungen Titos, u. *Ph. Auty,* Tito, S. 285–288.
[35] Text des Abkommens in engl. Übersetzung in »The Conferences at Malta and Yalta 1945«, Dept. of State Publications Nr. 6199 (1955), S. 251–252. Es sah auch vor, daß Peter II. vor einer entsprechenden Volksabstimmung nicht ins Land zurückkehren und daß solange ein Regentschaftsrat eingesetzt werden solle, was der König ablehnte.
[36] Die Ministerliste im Osteuropa-Handbuch, Jugoslawien, S. 304/305, mit Angaben der Parteizugehörigkeit. Ebd., S. 305/307 die Ministerliste der zweiten Regierung Tito vom 1. II. 1946 mit allen späteren Umbesetzungen und Erweiterungen.
[37] Artikel VII »Yugoslavia« enthält lediglich diese drei »Empfehlungen« und die Bemerkung: »There was also a general review of other Balkan questions«, jedoch keine Feststellung zu den vorher diskutierten Fragen der Grenze zu Italien und Bulgarien. Vgl. The Conferences etc., S. 974.
[38] Einen rechtsgeschichtlichen Überblick über die Umgestaltung *F. Čulinović,* Stvaranje nove jugoslavenske države (1959).
[39] Dazu eingehend *W. Hildebrand,* Der Triest-Konflikt und die italienisch-jugoslawische Frage (Mit Dokumentenanhang, 1953), sowie *J. B. Duroselle,* Le conflit de Trieste 1943–1954 (1966).
[40] Über die Jugoslawiendeutschen (über 510 000) während des Krieges und danach eingehend: Das Schicksal der Deutschen in Jugoslawien, Band V der Dokumentation d. Vertreibung, bearbeitet von *Th. Schieder* (1961). Das Schicksal einer geschlossenen kleinen Gruppe, der etwa 12 500 Deutschen der Sprachinsel Gottschee (slow. Kočevje) behandelt *H. H. Frensing,* Die Umsiedlung der Gottscheer Deutschen. Das Ende einer südostdeutschen Volksgruppe (1970).
[41] Text, sowie die Texte der Gesetze von 1945, in dt. Übersetzung in: Das Schicksal ... (Anm. 40), S. 180 E–252 E.
[42] Von den 1941 über 510 000 Jugoslawiendeutschen lebten 1950 in beiden Teilen Deutschlands rund 163 000, in Österreich rund 150 000; etwa 75 000 wurden in Jugoslawien gezählt; etwa 20 000 dürften sich im Ausland oder in Kriegsgefangenschaft befunden haben. Bei fast 30 000 Kriegsverlusten dürfte deshalb die Zahl der Toten aus der Zivilbevölkerung, die 1944/45 erschossen wurden oder in den Lagern umkamen, mit etwa 70 000 oder 14 % zu veranschlagen sein.
Nach dem Statistischen Überblick in: Das Schicksal, S. 119 E–132 E. *A. Bohmann,* Bevölkerung und Nationalitäten in Südosteuropa, Bd. 2 des Gesamtwerks: Menschen und Grenzen (1969), errechnet S. 276 über 90 000 Zivilverluste, setzt aber die Zahl der Deutschen für das Jahr 1944 mit fast 550 000 an. Danach wäre der Verlust 16,5 %.
[43] Nach *J. Tomasevich,* The Chetniks (s. Anm. 22), S. 462, Anm. 85. Genauere Angaben fehlen.
[44] Der Prozeßbericht liegt auch in englisch vor: Trial of Dragoljub-Draža Mihajlović (1946).
[45] Dazu *M. Derrick,* Tito and the Catholic Church (1953).

d) Jugoslawiens beschleunigter Übergang zum Sozialismus und der Kominformkonflikt (1946–1948)[1]

Die zweieinhalb Jahre vom Inkrafttreten der Verfassung am 31. I. 1946 bis zu der die Umwelt völlig überraschenden Bekanntgabe des Kominformkonflikts am 29. VI. 1948 werden in der jugoslawischen Geschichtsschreibung weitgehend retrospektiv unter dem Eindruck des Bruchs mit der Sowjetunion geschildert und heroisiert, obwohl dieser Bruch von Tito weder gewünscht noch bewußt herbeigeführt worden war und zum Teil ideologische Gegensätze konstruierte, wo es sich um nationale und persönliche Differenzen handelte, während in anderen Bereichen nicht die Maßnahme als solche, sondern lediglich ihre verfrühte, nicht in die Stalinsche Gesamtlinie passende Anwendung kritisiert wurde. Auch in der Geschichtsschreibung außerhalb Jugoslawiens, besonders in der in zeitlicher Nä-

II. d) Jugoslawiens beschleunigter Übergang zum Sozialismus und der Kominformkonflikt

he zu den Ereignissen stehenden, überwiegt eine heroisierende oder zumindest mit Jugoslawien, insbesondere mit Tito selbst, deutlich sympathisierende Betrachtungsweise, was oft schon in den Buchtiteln zum Ausdruck kommt (Tito and Goliath, 1951; Tito of Yugoslavia, 1952; Der siegreiche Ketzer, 1957). Außerdem konzentriert sich das Interesse auf den Konflikt und seine Vorgeschichte, übersieht infolgedessen die Gemeinsamkeiten mit der Sowjetunion und vernachlässigt die sonstige Entwicklung, in der Jugoslawien den anderen unter kommunistischem Einfluß stehenden Staaten Ostmitteleuropas entschieden vorauseilte.

Nach außen hin konnten die wichtigsten Grenzprobleme gelöst oder einer Lösung nähergebracht werden. Im Triestkonflikt stellte Jugoslawien auf den Außenministerkonferenzen in Paris (April–Juni 1946) und New York (November–Dezember 1946) mit sowjetischer Unterstützung seine Forderungen auf ganz Istrien und eine weit westlich des Isonzo verlaufende Grenze. Im Friedensvertrag mit Italien (10. II. 1947) mußte es zwar unter Protest hinnehmen, daß aus Triest ein Freistaat gemacht wurde, dessen größere, aber weniger wichtige Zone B es immerhin militärisch besetzen und verwalten durfte, aber es erhielt Pola, ganz Istrien und den Ober- und Mittellauf des Isonzo sowie alle Adria-Inseln, Zadar und Fiume (Rijeka) und gliederte diese Gebiete durch Gesetz vom 15. IX. 1947 in die Föderative Volksrepublik ein. Gegenüber Albanien erhielt es seine alten Grenzen auch formell zurück und konnte eines vermehrten Einflusses auf dieses sicher sein, das in die Rolle eines »Subsatelliten« gedrängt wurde. Die Sowjetführer ermunterten Jugoslawien sogar, Albanien zu »schlucken«[2]. Gegenüber Bulgarien, mit dem das Mazedonienproblem durch neue Grenzkämpfe und Attentate nicht gelöst werden konnte, beschritt Tito den Weg des Ausgleichs mit dem Ziel einer südslawischen Föderation, wobei die guten persönlichen Beziehungen zu Dimitrov eine Rolle spielten. Während eines Staatsbesuchs Dimitrovs in Bled im Juli/August 1947 wurden Abmachungen über einen Beistandspakt und eine Zollunion getroffen. Der Gedanke einer Föderation stieß dabei noch auf Schwierigkeiten, da Bulgarien nicht als siebentes zu den bereits bestehenden sechs Ländern hinzutreten wollte, sondern Wert auf Gleichberechtigung mit der Gesamtrepublik Jugoslawien legte. Die bewußte Wiederanknüpfung an panslawische Ideen und die Veranstaltung eines Slawenkongresses in Belgrad (8.–13. XII. 1946)[3], die von der Sowjetunion lebhaft gefördert wurden, schienen einen föderativen Zusammenschluß unter slawisch-kommunistischen Vorzeichen trotz des in dieser Kombination liegenden Widerspruchs zu begünstigen, und bei der Unterzeichnung des dem sowjetisch-jugoslawischen Pakt entsprechenden jugoslawisch-bulgarischen Freundschafts- und Beistandsvertrags in Sofia am 27. XI. 1947[4] erklärte Tito, man werde eine so allgemeine und enge Zusammenarbeit herbeiführen, »daß die Frage einer Föderation nur noch eine Formalität sein wird«.

Die Jugoslawien zukommende und zugedachte Rolle im sowjetischen Bündnis- und Parteienverbundsystem kam dadurch zum Ausdruck, daß das im September 1947 in Schreiberhau im Riesengebirge gegründete Kommunistische Informationsbüro »Kominform« seit November 1947 seinen Sitz in Belgrad hatte. Demgegenüber hatten die Freundschafts- und Beistandspakte, die Jugoslawien mit allen Staaten des sowjetischen Machtbereichs schloß (Polen – 18. III. 1946; Tschechoslowakei – 9. V. 1946; Albanien – 9. VII. 1946; Ungarn – 8. XII. 1947; Rumänien – 19. XII. 1947), nur geringere Bedeutung, auch wenn sie mit Wirtschaftsabkommen verbunden waren, denn sie wurden während der Konfliktzeit im September/Oktober 1949 ausnahmslos gekündigt.

Im wirtschaftlichen Bereich wurden in den Jahren 1946/1947 die Kollektivierung der Landwirtschaft und die Industrialisierung des Landes mittels planwirt-

§ 30 Die südosteuropäischen Staaten vom I. Weltkrieg bis zur Ära der Volksdemokratien

schaftlicher Maßnahmen rasch vorangetrieben. Das Gesetz über die Genossenschaften vom 18. VII. 1946 sah neben der Staatskontrolle bestehender und neu zu gründender Genossenschaften die Bildung bäuerlicher Arbeitsgenossenschaften vor, in welche die Mitglieder den landwirtschaftlichen Boden mit Ausnahme eines Privatlandes von höchstens 1 ha und das lebende und tote Inventar einzubringen hatten, während die Teilung der Einkünfte nach der Größe des eingebrachten Eigentums vorgenommen wurde. Seit 1947 genehmigte die Regierung nur noch die Bildung bäuerlicher Genossenschaften dieses Typs. Zwar blieb die Freiwilligkeit des Beitritts vorerst noch gewahrt, doch wurden Druckmittel in Gestalt höherer Steuern für bäuerliche Privatbetriebe angewandt.

Sehr viel rascher als auf dem landwirtschaftlichen Sektor, wo 1949 noch 76 % der landwirtschaftlichen Nutzfläche in Privathand waren, ging die Entprivatisierung in Handel und Industrie vor sich. Durch Gesetz vom 8. X. 1946 wurden alle Kreditinstitute der Nationalbank oder der Investitionsbank angeschlossen, so daß private Kredite und Investitionen praktisch unmöglich gemacht wurden, und durch Gesetz vom 5. XII. 1946 wurden die Betriebe der wichtigsten Wirtschaftszweige verstaatlicht, zwar gegen Entschädigung, aber nur in Staatsschuldscheinen.

Schon am 4. VI. 1946 war durch Gesetz die Bundesplankommission unter Leitung von Boris Kidrić gebildet worden, und diese legte für die Jahre 1947 bis 1951 einen Fünfjahresplan vor, der durch ein Gesetz vom 28. IV. 1947 sanktioniert wurde. Durch ihn sollten die Kriegsschäden beseitigt und die Industrialisierung durch intensive Investitionen (72 % des Gesamtvolumens) forciert vorangetrieben werden, so daß im letzten Jahr des Planes 1951 das Verhältnis von Industrieproduktion zu landwirtschaftlicher Produktion 64 zu 36 statt 45 zu 55 im Jahre 1939 lauten sollte. Bevorzugt werden sollten die bisher industrieschwachen Republiken Mazedonien und Montenegro.

Der neuen politischen Bindung entsprach die Umorientierung des Außenhandels. War der Handelsverkehr mit der Sowjetunion vor 1939 praktisch gleich Null gewesen, so war die Sowjetunion 1946 mit fast 22 % an der jugoslawischen Einfuhr und sogar mit 42,2 % an der Ausfuhr beteiligt, und zum zweitwichtigsten Handelspartner wurde die Tschechoslowakei, während der Verkehr mit den Ländern Mitteleuropas rapide zurückging[5]. Der wirtschaftlichen Bindung an die Sowjetunion dienten die im Februar 1947 gegründeten gemischten sowjetisch-jugoslawischen Gesellschaften für die Donauschiffahrt (Juspad) und den Luftverkehr (Justa).

Als Grund für die sowjetisch-jugoslawischen Reibungen, die zum Bruch im Kominformkonflikt führten, werden in der autorisierten Tito-Biographie neben den jugoslawischen Beschwerden über die Ausschreitungen von Rotarmisten im Frühjahr 1945 und über die Überheblichkeit sowjetischer Berater auch die Unzuträglichkeiten bei diesen beiden Gesellschaften genannt[6]. Tatsächlich dürften aber für den Bruch, der mit der Abberufung der sowjetischen Militärberater aus Jugoslawien am 18. III. 1948 einen ersten Höhepunkt erreichte und der in dem scharfen Briefwechsel zwischen den beiden Parteiführungen dokumentiert ist, diese Enttäuschungen über den stärkeren Partner nicht die wesentliche Rolle gespielt haben, wenn auch eine größere als die angeblichen Fehler der jugoslawischen Kommunisten, die in der Kominformentschließung: »Über die Lage in der Kommunistischen Partei Jugoslawiens« vom 28. VI. 1948[7] festgestellt wurden. »Bürgerlicher Nationalismus« und »Unterstützung der kapitalistischen Elemente auf dem Dorf« waren von den jugoslawischen Kommunisten gerade nicht praktiziert worden, und »sowjetfeindlich« war die Einstellung nur dann, wenn

II. d) Jugoslawiens beschleunigter Übergang zum Sozialismus und der Kominformkonflikt

ein gewisses Selbstbewußtsein und Kritik an Ausschreitungen »Feindschaft« genannt werden können.

Wesentlich dürften vielmehr folgende Gründe gewesen sein, soweit nicht die Persönlichkeit Stalins und seine zunehmende Starrheit entscheidend ins Gewicht fielen:

1) Die jugoslawischen Bestrebungen zu einer Föderation mit Bulgarien konnten zur Bildung eines zwar kleinen, aber eigenständigen Blocks führen, der nicht nur Albanien einschloß, sondern auch auf Rumänien und Griechenland attraktiv wirken konnte und in der Lage war, eine von Moskau unabhängige Politik zu führen. Nachdem erst im Februar 1948 die letzte Position einer gewissen Selbständigkeit in Prag beseitigt worden war, schien es logisch, sie auch in Belgrad nicht zu dulden.

2) Die radikalen Sozialisierungsmaßnahmen Jugoslawiens, die harte Politik gegenüber führenden Vertretern der Katholischen Kirche schon in den Jahren 1945–1947 paßten nicht in den Zeitplan der sowjetischen Politik in Ostmitteleuropa, widersprachen auch der These, daß Volksdemokratie nicht den Sozialismus bedeute und nur geringe Umwälzungen nach sich ziehe.

3) Für die der Volksdemokratie folgende Phase des Übergangs zum Sozialismus war nur nach den Vorstellungen Schdanovs, der zeitweilig als möglicher Nachfolger Stalins angesehen wurde, die Zwischenschaltung eines »eigenen«, nicht strikt am sowjetischen Vorbild orientierten Weges nötig, nicht aber nach denen Stalins selbst, der möglicherweise mit dem Kominformkonflikt einen Konflikt mit Schdanov (gest. 31. VIII. 1948) austragen wollte, Tito unterschätzte und nach Schdanovs Tod keinen Rückzug antreten wollte.

4) Zweifellos spielte auch das deutliche Selbstbewußtsein der jugoslawischen Kommunistenführer eine Rolle, die ihre Herrschaft nicht einer unmittelbaren Unterstützung durch die Rote Armee verdankten und dies häufig hervorhoben. Der Briefwechsel, welcher der Abberufung der sowjetischen Berater folgte, wurde nicht bekanntgegeben, so daß die Veröffentlichung der Entschließung der Kominform vom 28. VI. 1948[8] am folgenden Tage die Bevölkerung des Landes wie die Umwelt völlig überraschte. Zu der Sitzung des Kominformbüros, die in Bukarest statt in Belgrad stattfand, war die KPJ eingeladen worden; sie hatte aber am 20. VI. abgesagt. Die Resolution wiederholte die zum Teil ganz unhaltbaren Vorwürfe aus dem vorausgegangenen Briefwechsel und schloß mit dem praktischen Ausschluß der jugoslawischen Partei aus dem Kominformbüro, mit der Feststellung, daß die KPJ sich »auf den Weg des Nationalismus begeben« habe und die Orientierung auf den Kapitalismus hin vorbereite, sowie mit der Aufforderung an die »gesunden Kräfte« in der Partei, die gegenwärtige Führung abzusetzen.

Die erhoffte Spaltung gelang nicht. Noch am 29. VI. formulierte das Zentralkomitee eine höfliche, aber bestimmte Erwiderung. Zwei Parteiführer, die als moskautreu galten, Andrija Hebrang und der Finanzminister Sreten Žujović, waren schon am 9. V. 1948 aus der Partei ausgeschlossen und anschließend verhaftet worden.

Der am 21. VII. 1948 in Belgrad tagende V. Kongreß der KPJ[9] billigte vollinhaltlich die Handlungsweise des ZK und wählte die von der KPdSU namentlich angegriffenen Parteiführer Tito, Djilas, Kardelj, Ranković und Kidrić nahezu einstimmig[10] wieder zu ZK-Mitgliedern. Die Folge des Bruches war nicht nur die Isolierung der KPJ gegenüber allen anderen kommunistischen Parteien, sondern vor allem das von der Partei- und Staatsführung gar nicht gewünschte, aber nun unvermeidbar hinzunehmende Ausscheiden aus dem politischen und wirtschaft-

§ 30 Die südosteuropäischen Staaten vom I. Weltkrieg bis zur Ära der Volksdemokratien

lichen Verbund des gerade erst entstandenen »Blocks«. Dabei war es für Jugoslawien von Vorteil, daß es nicht ausschließlich an ebenfalls zum »Block« gehörende Länder angrenzte.

[1] Die Literatur über diesen kurzen Zeitraum ist ganz an der Person Titos und am Kominformkonflikt orientiert. Vgl. außer den schon genannten Tito-Biographien: *H. Armstrong,* Tito and Goliath (1951); *K. Zilliacus,* Tito of Yugoslavia (1952); *E. Halperin,* Der siegreiche Ketzer. Titos Kampf gegen Stalin (dt. 1957); *L. White,* Balkan Caesar; Tito versus Stalin (1951); *Cl. Bourdet,* Le schisme yougoslave (1950); *A. B. Ulam,* Titoism and the Cominform (1952).

[2] Nach Mitteilung von *M. Djilas,* Conversations with Stalin (1962; dt. 1962), S. 183, erklärte ihm Stalin bei einem Besuch im Januar 1947: »Ihr sollt Albanien schlucken – je früher desto besser«.

[3] Dabei wurde ein Panslawisches Komitee mit Sitz in Belgrad unter dem Vorsitz des jugoslawischen politischen Generals Božidar Maslarić (1895–1963) gegründet.

[4] Text bei *B. Meissner,* Das Ostpaktsystem (1955), S. 31–32, dort S. 30/31 auch das Protokoll v. Bled vom 1. VIII. 1947.

[5] Tabellen zum Außenhandel im Jugoslawienband des Osteuropa-Handbuchs, S. 237.

[6] *V. Dedijer,* Tito (s. c, Anm. 1), S. 273–277.

[7] Der Text des Schriftwechsels in dt. Übersetzung in: Tito contra Stalin. Der Streit der Diktatoren in ihrem Briefwechsel (1949). Die Kominformresolution auch bei *B. Meissner,* Das Ostpaktsystem, S. 99–102, ebd. S. 102–106 die Antwort d. jugosl. Partei: Die Resolution auch bei *C. Gasteyger,* Die feindlichen Brüder. Jugoslawiens neuer Konflikt mit dem Ostblock (1960), S. 1–9.

[8] Ob die Wahl des für die Südslawen denkwürdigen Datums des 28. VI. (St. Veitstag 1389, Sarajewo-Mord 1914) zufällig oder bewußt erfolgte, läßt sich den vorliegenden Quellen nicht entnehmen. Bei dem auffälligen Sinn der sowjetischen politischen Führung für symbolträchtige Formulierungen und Daten dürfte aber das Datum der Niederlage der Südslawen gegen die Türken bewußt gewählt worden sein.

[9] Die Zahl der Mitglieder betrug 468 000, die der Delegierten 2344. Auf 200 Mitglieder entfiel also ein Delegierter (beim XX. Parteitag der KPdSU 1956 war das Verhältnis 1 : 5300), womit offenbar der demokratische Charakter der Partei unterstrichen werden sollte.

[10] Selbstverständlich sind derartige Wahlergebnisse durch sorgfältige Siebung der Delegierten vorprogrammiert, doch kann in diesem Fall an einem echten Treuebekenntnis in einer Art Kriegsstimmung wohl kaum gezweifelt werden.

Die zum Kongreß eingeladenen anderen kommunistischen Parteien hatten sämtlich abgesagt.

e) Jugoslawien im Zeichen des Kominformkonflikts und als Exponent einer »blockfreien Welt« (1948–1963)

Die anderthalb Jahrzehnte[1] vom Bruch mit Moskau bis zur Verabschiedung einer neuen, dritten Verfassung im April 1963 sind vor allem durch die besondere Aufmerksamkeit gekennzeichnet, die das Land mit seiner Sonderstellung – kommunistisch geführt, aber von Moskau unabhängig – erfuhr. Als mit Beginn der 60er Jahre einerseits die weltweite Entspannungspolitik einsetzte, andererseits der sowjetisch-chinesische Konflikt im Juni 1963 endgültig manifest wurde, verlor Belgrad diese monopolartige Sonderstellung, wenn auch Jugoslawien dank der langen unangefochtenen Herrschaft der gleichen Persönlichkeit, des Marschalls Tito, weiterhin eine größere Rolle zu spielen vermochte, als es seiner geographischen Ausdehnung und seiner Wirtschaftskraft entsprach. In diesem Zeitraum einer von tiefgreifenden Krisen freien Entwicklung zu einer Kombination von Föderalismus und Sozialismus bildet die Wiederannäherung an die Sowjetunion durch den Besuch von Chruschtschow und Bulganin in Belgrad im Mai/Juni 1955 einen deutlichen Einschnitt.

II. e) Jugoslawien als Exponent einer »blockfreien Welt« (1948–1963)

Im Zeichen des Kominformkonflikts (1948–1955)

Der Isolierung der jugoslawischen Kommunisten folgte noch 1948, jedoch verstärkt im Laufe des Jahres 1949, auch die Isolierung des Landes durch die anderen sozialistischen Länder. Ein Höhepunkt wurde im Herbst 1949 erreicht, als die 1946 und 1947 geschlossenen Freundschafts- und Beistandspakte von den Partnern fast gleichzeitig aufgekündigt wurden[2] und eine Resolution des Kominformbüros vom 29. XI. 1949[3] wüste Beschimpfungen der »Tito-Clique, dieser gedungenen Spione und Mörder« enthielt, die zu bekämpfen »internationale Pflicht« aller kommunistischen Parteien sei. »Titoismus« wurde zu einer der gefährlichsten Abirrungen gestempelt, und »Titoist« war in den Jahren 1949 bis 1953 im Ostblock außerhalb Jugoslawiens ein Synonym für »Verräter«, »Spion«, »Feind des Kommunismus«. Den Opfern der Schauprozesse in den sozialistischen Nachbarländern wie László Rajk in Ungarn und Trajčo Kostov in Bulgarien, wurden angebliche oder wirkliche Verbindungen zu Tito als besonders schwere Verbrechen zur Last gelegt[4].

Im Zusammenhang damit waren schon 1948, ohne daß die diplomatischen Beziehungen offiziell abgebrochen wurden, die Wirtschaftsbeziehungen verschlechtert worden, indem die Preise für Ausfuhrgüter nach Jugoslawien von den sozialistischen »Bruderstaaten« wesentlich erhöht und Lieferungsverpflichtungen nicht eingehalten wurden[5]. Im Spätsommer 1949 setzte dann, gleichzeitig mit der Auflösung der gemischten Gesellschaften Juspad und Justa (31. VIII. 1949), die totale wirtschaftliche Absperrung ein, und danach wurden durch Abberufung diplomatischen Personals, dann auch der Gesandten bzw. Botschafter, die politischen Beziehungen praktisch eingestellt. Der weitgehenden Isolierung gegenüber den Ländern des Ostblocks entsprach eine Annäherung an den Westen, für welche die Wahl Jugoslawiens in den Sicherheitsrat der UNO gegen den Einspruch der Sowjetunion, aber mit Hilfe der Westmächte, am 20. X. 1949 eine Wendemarke darstellte. Ein weiteres Zeichen war die offizielle Aufgabe aller territorialen Ansprüche gegenüber Österreich durch eine Regierungserklärung von Ministerpräsident Tito vom 27. IV. 1950 und die Aufnahme der diplomatischen Beziehungen zu Österreich am 30. I. 1951, der im Juli 1951 auch die Aufnahme von Beziehungen zur Bundesrepublik Deutschland folgte, nachdem im November 1950 schon Handelsmissionen errichtet worden waren. Der Logik entsprach auch die Aufgabe der Unterstützung der griechischen Kommunisten durch Jugoslawien nach der Kominformresolution und die Anknüpfung diplomatischer Beziehungen zu Griechenland am 28. XI. 1950, mit dem am 10. IV. 1954 ein Handelsvertrag geschlossen wurde.

Der unfreundlichen Haltung der volksdemokratischen Nachbarn, die durch gelegentliche grenznahe Truppenbewegungen unterstrichen wurde, setzte Jugoslawien nach längeren Vorverhandlungen am 28. II. 1953 einen Dreiervertrag mit Griechenland und der Türkei (Balkanpakt) entgegen, der zwar keine militärischen Beistandsklauseln enthielt, aber militärische Absprachen und die Bildung eines ständigen Sekretariats (7. XI. 1953) möglich machte. Während so eine mittelbare Verbindung zur NATO geschaffen wurde, vermied die jugoslawische Außenpolitik jeden unmittelbaren Vertragsabschluß mit Großbritannien oder den USA unter Hervorhebung der These, daß es als Repräsentant einer Dritten Kraft unabhängige Politik treiben könne.

Diese Unabhängigkeit wurde auch in der Triestfrage[6] demonstriert, in der sich Tito der von den Westmächten geförderten Angliederung der Zone A an Italien im Laufe des Jahres 1952 vehement widersetzte und erneut ein Kondominium vorschlug. Als die Westmächte am 8. X. 1953 erklärten, daß sie die Zone A an

§ 30 Die südosteuropäischen Staaten vom I. Weltkrieg bis zur Ära der Volksdemokratien

Italien zurückgeben wollten, drohte Tito sogar mit dem Einmarsch, und es bedurfte sehr langer Verhandlungen, bis am 5. X. 1954 in London die Übergabe der Zone A an Italien, die der Zone B an Jugoslawien bei geringfügigen Grenzveränderungen und mit Schutzbestimmungen für die beiderseitigen Minderheiten vereinbart wurde. Danach konnten sich auch die bisher gespannten Beziehungen zu Italien verbessern, während diejenigen zum Vatikan am 17. XII. 1952 abgebrochen wurden, als dieser erklärt hatte, er werde den zwar aus der Haft entlassenen, aber internierten und jeder Möglichkeit zu geistlicher Tätigkeit beraubten Erzbischof Štepinac zum Kardinal ernennen. (Die tatsächliche Ernennung erfolgte am 12. I. 1953.)

Der Wirtschaftsblockade der Volksdemokratien setzte Jugoslawien Kredit- und Handelsabkommen mit den Vereinigten Staaten und Großbritannien entgegen, durch die der an den Rand des Ruins geratenen Wirtschaft wesentliche Hilfe geleistet wurde, zumal Jugoslawien kaum in der Lage war, die Importe mit entsprechenden Exporten zu vergüten.

In der inneren Politik tat die jugoslawische Parteiführung zunächst alles, um die Vorwürfe zu entkräften, sie handle abweichlerisch und nicht marxistisch. Sie steuerte im Gegenteil zunächst einen zentralistischen, sozusagen »stalinistischen« Kurs mit einer zielstrebigen »Politik der Revolution«. Dieser diente ein weiteres Gesetz über die landwirtschaftlichen Genossenschaften vom 6. VI. 1949, das die Kollektivierung beschleunigte, so daß 1951 nur noch 64 % der landwirtschaftlichen Nutzfläche von Privatbauern bewirtschaftet wurden, in der landwirtschaftlich besonders wichtigen *Vojvodina* nur noch 45,5 %. Gleichzeitig wurde der Partei-, Staats- und Sicherheitsapparat ausgebaut.

Die unversöhnliche Haltung der »Bruderparteien« führte aber in den Jahren 1950/51 zu einem Kurs der Dezentralisierung, die freilich kaum als »Liberalisierung«, sondern als Versuch, die These vom Absterben des Staates zu verwirklichen, gedeutet werden konnte. Einen tiefen Einschnitt bildete hier das »Grundgesetz über die Leitung der staatlichen Wirtschaftsbetriebe und der höheren Wirtschaftsverbände durch die Arbeiterkollektive« vom 27. VI. 1950. Gewählte Arbeiterräte sollten nunmehr zusammen mit Fachleuten die Betriebsleitung übernehmen und über die Verteilung etwaiger Überschüsse entscheiden. Dem so wieder eingeführten Konkurrenzgedanken wurde im Januar 1951 die Konzession freier Preisbildung für Industriewaren gemacht.

Ein Reformgesetz vom 6. IV. 1951 schränkte die Zentralbürokratie erheblich ein, verringerte die Zahl der Bundesministerien vor allem im Wirtschaftsbereich und gab den Regierungen der sechs Einzelrepubliken wesentlich erweiterte Kompetenzen. Die Regierung der FVR Jugoslawien, die 1952 über 25 Ministerien umfaßt hatte, die häufig geteilt und wieder zusammengelegt wurden, hatte danach außer dem Ministerpräsidenten Tito und zwei Stellvertretern (Kardelj und Ranković) nur noch fünf Fachministerien – Äußeres, Inneres, Verteidigung, Finanzen, Justiz – und behandelte die übrigen zentralen Fragen durch Räte, in denen die Organe der sechs Einzelrepubliken repräsentiert waren.

Der größeren Lockerung der innerstaatlichen Zusammenhänge bei straffer Aufrechterhaltung der Parteidisziplin wurde dann auf dem VI. Kongreß der KPJ in Agram-Zagreb (2.–7. XI. 1952) Rechnung getragen, indem die Partei auf Vorschlag von Milovan Djilas in »Bund der Kommunisten Jugoslawiens« (*Savez Komunista Jugoslavije*) umbenannt und das Politbüro durch ein Exekutivkomitee des Zentralkomitees ersetzt wurde. Dessen Vorsitz übernahm aber wieder Tito, so daß sich an der Spitze an der Machtkonzentration in seiner Person (Vorsitzender des Präsidiums der *Skupština* und damit Staatsoberhaupt, Ministerpräsident, Verteidigungsminister, Oberbefehlshaber und Parteiführer) nichts änderte.

Ähnlich zweischneidig, d. h. dezentralisierend, aber an der Spitze alles konzentrierend, wirkte auch die Abänderung der Verfassung[6] durch die Reform vom 13. I. 1953. Während der dem Sowjetvorbild nachgebildete Nationalitätenrat aus einer zweiten Kammer der *Skupština,* des Parlaments, zu einer bloßen Untergliederung umgestaltet wurde, wurde eine neue zweite Kammer, ein Produzentenrat, geschaffen, zu dem nach einem komplizierten, vom »Gesellschaftsprodukt« abhängigen Schlüssel[7] nur die »Produzenten«, d. h. die arbeitende Bevölkerung wahlberechtigt waren. An die Stelle der Regierung trat nunmehr ein Bundes-Exekutivrat, dessen Präsident Tito auch zum Präsidenten der Republik gewählt wurde. Vizepräsidenten wurden mit Kardelj, Ranković, Pijade und Djilas wieder die wichtigsten Mitglieder des Exekutivkomitees, und die Ressorts wurden nunmehr von Staatssekretären verwaltet. Entsprechend war bereits vorher die örtliche Verwaltung durch die Einschaltung von Produzentenräten umgestellt worden, deren Wahl wiederum nach dem »Gesellschaftsprodukt« erfolgte, so daß die Industriearbeiterschaft in den Kreis- und Gemeinderäten unverhältnismäßig stark vertreten war.

Der Kampf gegen den Stalinismus und die Bürokratisierung nach außen war im Inneren von der Anwendung »stalinistischer« Methoden begleitet, d. h. vom Anwachsen der Bürokratie und von einer überragenden Rolle der Geheimpolizei. Gegen das Überwuchern des bürokratischen Apparats und den Abbau innerparteilicher Demokratie trat im Winter 1953 Milovan Djilas[8] in einer Serie von Artikeln im Parteiorgan *Borba*[9] auf und verursachte damit eine schwere ideologische Krise im Bund der Kommunisten Jugoslawiens, dem er bisher wesentliche Impulse gegeben hatte. Djilas, einer der vier Vizepräsidenten des Bundes-Exekutivrates (= Stellvertretender Ministerpräsident) und Mitglied des Exekutivkomitees (= Politbüro), wandte sich gegen die Bildung einer neuen privilegierten Oberschicht (die er später als »neue Klasse«[10] beschrieb) und ihr Machtmonopol und strebte eine Lockerung der Parteidisziplin mit ständiger Erneuerung der Parteikader an. Innerhalb der Partei sollte »demokratische Praxis« geübt werden; sie sei die eigentliche Aufgabe der Revolution.

Daraufhin wurde Djilas trotz Reuebekenntnis und Selbstkritik am 17. I. 1954 aus dem Zentralkomitee ausgeschlossen und verlor am 30. I. auch sein Staatsamt als Vizepräsident des Bundes-Exekutivrats. Den endgültigen Bruch vollzog Djilas selbst, indem er im März 1954 aus dem BdKJ austrat. Im Dezember 1954 entfernte sich Djilas noch weiter von der Partei und Staatslinie, indem er in einem der *New York Times* gewährten Interview die Zulassung einer zweiten Partei forderte. Daraufhin wurde er am 25. I. 1955 wegen regierungsfeindlicher Tätigkeit zu einer Gefängnisstrafe[11] von 18 Monaten verurteilt, die aber zur Bewährung ausgesetzt wurde. Damit waren allerdings der Fall Djilas und die Auseinandersetzungen um eine Reform von Partei und Staat nicht abgeschlossen; sie wurden jedoch nicht mehr innerparteilich, sondern international diskutiert, und der Rebell Djilas wurde ebenso zu einer Symbolfigur jugoslawischer Entwicklung wie vorher der »Rebell« Tito, der sich seit 1955 mehr und mehr zum *elder statesman* entwickelte.

Ausgleich mit der Sowjetführung und neue ideologische Konflikte (1955–1963)

Mit dem Tode Stalins (5. III. 1953) war eine Lockerung der bisherigen Spannung erfolgt, die durch die Entsendung neuer Botschafter im Juni/Juli 1953 manifestiert wurde. Bis zum Sommer 1954 änderte sich wenig, doch setzte dann sowjetischerseits ein deutliches Streben nach Wiederannäherung ein, wobei die Feier

§ 30 Die südosteuropäischen Staaten vom I. Weltkrieg bis zur Ära der Volksdemokratien

des Jahrestages der Einnahme Belgrads durch die Rote Armee in Moskau mit Hervorhebung der Rolle der »ruhmreichen jugoslawischen Armee« Signalwirkung hatte. Am 5. I. 1955 wurde durch Unterzeichnung eines einjährigen jugoslawisch-sowjetischen Handelsabkommens die bisherige Wirtschaftsblockade aufgehoben, und die Verurteilung von Djilas, dem scharfen Kritiker sowjetischer Politik, am 25. I. (s. oben), konnte als Zeichen des Entgegenkommens von jugoslawischer Seite gewertet werden.

Nachdem Tito in einer Rede in Pola am 15. V. 1955 die Anerkennung der Souveränität und Unabhängigkeit Jugoslawiens als unabdingbare Voraussetzung für die Wiederaufnahme normaler Beziehungen genannt hatte, trafen Chruschtschow und Ministerpräsident Bulganin am 26. V. 1955 zu einem einwöchigen Besuch in Jugoslawien ein, der insgesamt nur als Canossagang bewertet werden kann, war doch der von Chruschtschow auf dem Flugplatz als »teurer Genosse« angesprochene Tito noch 1952 in unqualifizierter Weise beschimpft worden[12]. Die in Dedinje und auf Titos Sommersitz auf der Insel Brioni geführten Verhandlungen[13] endeten mit der Belgrader Erklärung[14] beider Regierungen (nicht der Parteiführungen) vom 2. VI. 1955, in der auf der Basis der Unabhängigkeit, territorialer Integrität und Gleichberechtigung sowie der Nichteinmischung in innere Angelegenheiten und der Einstellung »jeder Form der Propaganda« wirtschaftliche Zusammenarbeit, kulturelle Beziehungen und Erfahrungsaustausch angekündigt wurden.

Damit war der Friede wiederhergestellt und Jugoslawiens Sonderstellung außerhalb des Warschauer Pakts und des Rats für Gegenseitige Wirtschaftshilfe (Comecon) anerkannt worden. Tito war nicht nur voll rehabilitiert, sondern es wurde ihm offenbar auch ein gewisser Einfluß in Südosteuropa zugebilligt. Die Auflösung des nur noch vegetierenden Kominformbüros im März 1956 erfolgte gewiß auf seine Forderung hin, während Einflüsse auf Chruschtschows »Geheimrede« auf dem XX. Parteitag am 25. II. 1956 möglich, aber nicht nachweisbar sind. Ein Staatsbesuch Titos in der Sowjetunion (1.–23. VI. 1956), bei dem er von der Bevölkerung stellenweise enthusiastisch begrüßt wurde und der mit einer Deklaration über die Beziehungen zwischen den beiden Parteien abgeschlossen wurde (Moskauer Deklaration vom 20. VI. 1956), bildete den Höhepunkt des Einvernehmens. Das sowjetische Eingreifen in Ungarn (4. XI. 1956) veranlaßte Tito jedoch zu einer deutlichen Distanzierung von der sowjetischen Machtpolitik in einer programmatischen Rede in Pola am 11. XI. 1956[15]. Er betonte darin, daß dem Sozialismus ein furchtbarer Schlag zugefügt wurde und daß dieser kompromittiert sei, vermied aber Äußerungen, die zu einem Bruch hätten führen können, und erhob gegen die Entführung von Imre Nagy aus der jugoslawischen Botschaft in Budapest nur Proteste, ohne weitere Konsequenzen zu ziehen. Die Tendenz zur Distanz ohne Bruch wurde auch durch das neuerliche Vorgehen gegen Milovan Djilas bestätigt, der im Herbst 1956 das Manuskript seines Aufsehen erregenden Buches »Die neue Klasse«[16], das im folgenden Jahr erschien, ins Ausland geschickt und in der amerikanischen Zeitschrift *New Leader* vom 19. XI. einen die ungarische Revolution begrüßenden Aufsatz: »Sturm in Osteuropa« veröffentlicht hatte. Er wurde am gleichen Tage verhaftet und am 12. XII. zu drei Jahren Gefängnis verurteilt. Im folgenden Jahr, nach Erscheinen des Buches, wurde die Strafe auf 10 Jahre erhöht (5. X. 1957).

Die weiteren Jahre der Chruschtschow-Ära in der Sowjetunion waren seitens Jugoslawiens durch Betonung der Selbständigkeit gegenüber Ost und West, ideologische Abgrenzung bei gleichzeitigen versöhnlichen Gesten und zunehmende Distanzierung von den USA und der Bundesrepublik Deutschland gekennzeichnet.

II. e) Jugoslawien als Exponent einer »blockfreien Welt« (1948–1963)

Charakteristisch dafür waren die Anerkennung der Endgültigkeit der Oder-Neiße-Grenze durch Tito bei einem Besuch Gomułkas in Belgrad Mitte September 1957 und die Aufnahme diplomatischer Beziehungen zur DDR am 15. XI. 1957, was von der Bundesrepublik Deutschland mit dem Abbruch der Beziehungen beantwortet wurde (Wiederaufnahme am 31. I. 1968). Von den USA wurde wirtschaftliche Hilfe zwar weiter angenommen (u. a. Vertrag über Lieferungen in Höhe von 94,8 Mill. Dollar am 22. XII. 1958, weitere Abkommen 1960 und 1961), die militärische Hilfe aber allmählich eingestellt.

Gegenüber Moskau folgte einer Annäherung im Sommer 1957 (Treffen Titos mit Chruschtschow in Rumänien 1./2. VIII.) eine erhebliche Abkühlung im November, als die jugoslawische Delegation nicht bereit war, eine Deklaration kommunistischer Parteien[17] zu unterzeichnen, die scharfe Angriffe gegen den »Revisionismus« enthielt. Sie verstärkte sich im April 1958 während des VII. Kongresses des BdKJ in Laibach (22.–26. IV.), bei dem ein umfangreiches Programm[18] verabschiedet wurde, an dessen Entwurf in der sowjetischen Zeitschrift *Kommunist* ein »eindeutiges Abweichen von den Grundlagen der marxistisch-leninistischen Theorie« kritisiert wurde. Die Annahme des Programms, in dem die Eigenart des »jugoslawischen Weges« erneut betont wurde, wurde von der Sowjetunion mit Sperrung der 1956 zugesagten Kredite beantwortet. Ungeachtet der folgenden heftigen Auseinandersetzungen in der Presse und in Reden Chruschtschows und Titos fand aber keine Rückkehr zur Diffamierungskampagne der Jahre 1948–1953 statt, und im Januar 1959 wurde ein neuer Handelsvertrag mit der Sowjetunion geschlossen, dem 1960 Verträge mit Polen und der DDR folgten. Im Jahre 1962 war der Konflikt über die »revisionistische« Haltung des BdKJ zwar nicht beigelegt, aber überdeckt, als zunächst der sowjetische Außenminister Gromyko (16.–21. IV. 1962), dann Chruschtschow selbst nach Belgrad kamen (24. IX.–3. X.) und die Belgrader Deklaration von 1955 bestätigten.

Spiegelbild dieses Auf und Ab waren sowohl das Verhältnis zu Albanien und Bulgarien wie auch die Behandlung des Kritikers Djilas, der im Januar 1961 während einer neuen Phase ideologischer Auseinandersetzungen vorzeitig aus der Haft entlassen, am 7. IV. 1962, am Vorabend des Gromyko-Besuches, aber erneut verhaftet und wegen seines die sowjetische Politik im II. Weltkrieg schonungslos charakterisierenden Buches »Gespräche mit Stalin« am 14. V. zu fünf Jahren Haft verurteilt wurde[19].

Die Jahre des Ausgleichs und der erneuten Auseinandersetzungen mit der Sowjetunion ermöglichten es Jugoslawien, sich als Vertreter einer konsequenten Politik der »Blockfreiheit« zu profilieren und durch eine intensive Reise- und Besuchspolitik eine größere Bedeutung zu gewinnen, als es der Größe und Wirtschaftskraft des Landes entsprach. Gleichzeitig wurde die während des Bruches mit der Sowjetunion forcierte Politik des Balkanpakts mit der Türkei und Griechenland zwar nicht aufgegeben, aber doch zum allmählichen Absterben gebracht. Auftakt der Politik der Blockfreiheit[20] war der Besuch der Staatspräsidenten von Indien, Nehru, und Ägypten, Nasser, bei Tito im Juli 1956 mit gemeinsamen Erklärungen über die friedliche Koexistenz und die Notwendigkeit einer »Dritten Kraft«.

Nach weiteren Reisen und nach der Anknüpfung intensiver Beziehungen zu den arabischen Staaten bildete die erste Konferenz von 23 blockfreien Staaten in Belgrad[21] vom 1.–6. IX. 1961 einen weiteren Höhepunkt erfolgreicher jugoslawischer Außenpolitik und Profilierung. Das unmittelbare Engagement durch den Balkanpakt, das während des Konflikts mit Moskau eingegangen worden war (s. oben S. 1231), wurde dagegen abgebaut, als die Parteizeitung *Borba* am 24. IV.

§ 30 Die südosteuropäischen Staaten vom I. Weltkrieg bis zur Ära der Volksdemokratien

1958 den nicht aufgekündigten Pakt als erloschen kennzeichnete, was die Aufrechterhaltung guter Beziehungen zu Griechenland und den Abschluß einer Reihe von Abkommen über wirtschaftliche, wissenschaftliche und kulturelle Zusammenarbeit mit diesem im Juni 1959 nicht hinderte.

Am Ende der mit dem Paukenschlag des Kominformkonflikts beginnenden Epoche hatte das Land zwar seine wirtschaftlichen Probleme trotz westlicher Wirtschaftshilfe und zunehmendem devisenbringendem Touristenstrom durchaus nicht gelöst, war aber außenpolitisch von einem zweitrangigen Verbündeten der Sowjetunion zu einer beachteten Selbständigkeit herangewachsen. Dieser zuliebe wurde die überaus harte jugoslawische Innenpolitik der Jahre 1944 bis 1948 im Westen ebenso mit Nachsicht beurteilt wie das spätere harte Vorgehen gegen unliebsame Abweichler, denen freilich nach 1948 die Todesstrafe erspart blieb.

[1] Dazu außer dem Band Jugoslawien des Osteuropa-Handbuchs (reicht bis 1953) der Bd. Jugoslawien des Südosteuropa-Handbuchs. *C. Gasteyger,* Die feindlichen Brüder (s. d, Anm. 7). *G. W. Hoffmann* u. *F. W. Neal,* Yugoslavia and the New Communism (1962); *A. Z. Rubinstein,* Yugoslavia and the Nonaligned World (1970); *M. G. Zaninovich,* The Development of Socialist Yugoslavia (1968).
[2] Durch die UdSSR am 28. IX., Polen am 30. IX., durch Ungarn am 30. IX., durch Bulgarien und Rumänien am 1. X., durch die ČSR am 4. X. – Lediglich gegenüber Albanien war Jugoslawien am 2. XI. der kündigende Teil.
[3] Auszugsweise bei *C. Gasteyger,* Die feindlichen Brüder, S. 10–11.
[4] Beispielsweise betonten alle Angeklagten im Rajk-Prozeß, daß sie das Werkzeug Titos gewesen seien, so Rajk selbst: »daß ich in gewissem Grade auch das Mittel Titos ... wurde. Jenes Tito, der den Spuren Hitlers folgte und auf dem Balkan und in Osteuropa Hitlers Politik fortsetzte und hinter dessen Rücken als lenkende Herren die amerikanischen Imperialisten stehen.« *T. Szönyi:* »Tito, Rankowitsch, Kardelj und Djilas tarnten es vor dem jugoslawischen Volk durch eine Theorie eigenen Fabrikats in jugoslawischer nationalfarbener Packung, ... wonach sie auch auf einem Sonderweg zum Sozialismus gelangten, daß sie amerikanische Agenten sind.« In: László Rajk und Komplicen vor dem Volksgericht (1950), S. 359/60, S. 367.
[5] Dazu die Dokumentation: Livre Blanc sur les procédés agressifs des Gouvernements de l'URSS etc. envers la Yougoslavie (1951).
[6] Verfassungsgesetz über die Grundlagen der gesellschaftlichen und politischen Ordnung der Föd. Volksrepublik Jugoslawien und über die Bundesorgane der Gewalt, hg. v. *Verband der Vereine jugosl. Juristen* (1953).
Vgl. a. *F. Mayer,* Die Sozialistische Föderative Republik Jugoslawien. Entstehung und staatsrechtl. Entwicklung bis zur Verfassung von 1963: ZPol 11 (1963).
[7] 1953 stellte die Industriearbeiterschaft 63 % der 213 Abgeordneten, die Landwirtschaft nur 33 %, das Handwerk die restlichen 4 %. Es handelte sich also um eine neue Art des Zensuswahlrechts.
[8] Zusammenfassend über Djilas: *G. Bartsch,* Milovan Djilas oder die Selbstbehauptung d. Menschen. Versuch einer Biographie (1971). S. auch den ersten Teil seiner Autobiographie: Land ohne Recht (1958; umfaßt nur die Jugendjahre). Über Djilas' Rolle im Krieg s. seine Memoiren: Wartime (c, Anm. 1).
[9] Es handelte sich um 18 Aufsätze, die zwischen dem 11. X. 1953 und dem 7. I. 1954 erschienen. 1961 in dem Band: »Anatomie einer Moral, eine Analyse in Streitschriften« in dt. Übersetzung erschienen.
[10] Zuerst in Englisch 1957, dt. m. d. Untertitel: Eine Analyse des kommunistischen Systems (1958).
[11] Mit ihm wurde der Biograph Titos Vladimir Dedijer zu sechs Monaten verurteilt, nachdem er am 28. XII. wegen seines Eintretens für Dj. aus dem Zentralkomitee ausgeschlossen worden war.
[12] Ein Beispiel war die 1952 in Moskau erschienene, von der All-Unionsgesellschaft für Verbreitung politischer und wissenschaftlicher Kenntnisse herausgegebene Schrift von

II. f) Umgestaltungen zur Zeit der Abmilderung ideologischer Gegensätze (1963-1968)

A. *Piradov*, »Die Titoisten – die Waffenträger der anglo-amerikanischen Kriegshetzer«, in der u. a. von der »faschistischen Tito-Bande« oder von der »blutdürstigen Clique Tito-Ranković, die als Bande faschistischer Spione und Mörder im Dienst der anglo-amerikanischen Imperialisten entlarvt wurde,« die Rede war.

[13] Auszugsweise in: Osteuropa 5 (1955), S. 284-289.
[14] Wie oben S. 287/288, bei *C. Gasteyger,* S. 13-16.
[15] Deutscher Text: EurArch 22/23 (1956), S. 9391-9400, und bei *Gasteyger,* S. 17-27.
[16] The New Class. An Analysis of the Communist System (1957); dt. Ausgabe, mit Einführung von *A. Kantorowicz* (1958). Die Häftlingsnummer von Djilas, Nr. 6880, wurde zeitweilig zu einem Symbol der Opposition in Jugoslawien.
[17] Vom 16. XI. 1957, dt. Wiedergabe bei *C. Gasteyger,* S. 35-48. Die entscheidende Kritik S. 42 ff.
[18] Deutscher Text: Das Programm des BdKJ, angenommen von dem VII. Kongreß des BdKJ etc. (1958). Es umfaßt in 10 Kapiteln 310 S. Die Unterschiede zwischen Entwurf und endgültigem Text synoptisch b. *C. Gasteyger,* S. 284-304. Zu dem Konflikt selbst die Wiedergaben der Reden bei *Gasteyger,* S. 82-167. Dort auch Auszüge aus der anschließenden Pressefehde, S. 169-260. Vgl. auch *R. H. Bass* u. *E. Marbury*, The Soviet-Yugoslav Controversy 1948-1958. A Documentary Record (1959).
[19] Conversations with Stalin (s. d, Anm. 2). Am 31. XII. 1966 wurde Djilas amnestiert, nachdem Ranković, sein Hauptfeind, im Oktober aus dem BdKJ ausgeschlossen worden war. Trotz eines bis 1971 geltenden Publikationsverbots veröffentlichte D. seine Werke weiter im Ausland.
[20] Dazu *A. Z. Rubinstein,* Yugoslavia.
[21] Vgl. Documents of the Gatherings of Non-Aligned Countries 1961-1973 (1973).

f) Experimente und Umgestaltungen zur Zeit der Abmilderung ideologischer Gegensätze (1963-1968)

Hatte Jugoslawien und vor allem Präsident Tito in den Jahren des Kominformkonflikts und des sogenannten Kalten Krieges die bevorzugte Rolle eines von mehreren Seiten umworbenen begehrten Partners spielen und damit die inneren Schwierigkeiten zu geringer landwirtschaftlicher Produktion und nicht weichender Spannungen zwischen den verschiedenen Nationalitäten wie zwischen den sehr verschiedenartig entwickelten Teilrepubliken weniger sichtbar machen können, so bot die Phase weltpolitischer Entspannung der sechziger Jahre wesentlich weniger Gelegenheit zu spektakulären Aktionen nach außen[1]. Um so mehr war es nötig, die in der Phase des Sichbedrohtfühlens leicht erreichbare Solidarität aller Staatsbürger durch eine Kombination von mehr Föderalismus und Verteilung der Verantwortung auf die Teilrepubliken und von klarer Abgrenzung gegen alle nationalen Aspirationen – insbesondere der Kroaten – sowie gegen alle weitgehenden Äußerungen individueller Meinung zu festigen. Zwar bildeten Staatspräsident Tito und die immer neu beschworene Erinnerung an die Kriegsjahre wesentliche Elemente der Integration, aber die letztere mußte für eine heranwachsende Generation, die den Krieg nicht mehr aktiv erlebt hatte, zunehmend an Bedeutung verlieren. Daher wurde zunächst mit einer neuen Verfassung eine Basis für die föderative Entwicklung geschaffen, dann aber auf dem Gebiet der Wirtschaft wie auf dem der inneren Verwaltung vorsichtig, gelegentlich auch widersprüchlich experimentiert.

Ein wesentliches Element dieser Politik war die Verabschiedung der neuen Verfassung[2] am 7. IV. 1963, der dritten seit 1946, die, außerordentlich kompliziert und umfangreich mit 259 Artikeln in 14 Kapiteln, schon nach vier Jahren, 1967, die ersten Veränderungen erfuhr, denen immer neue folgten. Durch sie wurde der Staat, da die Periode des sozialistischen Aufbaus vorüber sei, in *Sozialistische* Föderative Republik Jugoslawien (SFRJ) umbenannt, die Einteilung in

§ 30 Die südosteuropäischen Staaten vom I. Weltkrieg bis zur Ära der Volksdemokratien

sechs Republiken und zwei Autonome Gebiete (Kosovo-Metohija und Vojvodina) innerhalb der Sozialistischen Republik Serbien zwar beibehalten, den einzelnen Republiken aber Staatsqualität zugesprochen und die Kompetenzen ihrer Organe wesentlich erweitert. Jede Republik gab sich noch im April 1963 eine eigene Verfassung. In dieser wurde der Staat meist sowohl als sozialistische Selbstverwaltungsgemeinschaft wie als »nationaler Staat des kroatischen (bzw. montenegrinischen oder mazedonischen) Volkes« bezeichnet. Jede Republik und Autonome Provinz erhielt ein aus fünf Räten (für Wirtschaft, für Erziehung und Kultur, für Soziales und Gesundheit, für Gesellschaftspolitik, sowie dem Rat der Republik) zusammengesetztes Parlament unterschiedlicher Mitgliederzahl und einen Vollzugsrat (= Regierung). Das Bundesparlament, die *Skupština*, setzte sich ebenfalls aus fünf Räten zusammen, von denen der Bundesrat als wichtigstes Organ mit jedem einzelnen der übrigen vier, analog den Republikräten gebildeten Räte Sondersitzungen abhalten konnte. Nur der Bundesrat wurde direkt gewählt, außerdem entsandte jedes Republikparlament zehn, jedes Autonome Gebiet fünf Delegierte. Die anderen Räte wurden indirekt von den Gemeindeversammlungen gewählt. Die Kompetenz von *Skupština* und Bundesvollzugsrat (= Regierung) wurden auf die Außenpolitik, die Verteidigung, das Verkehrswesen und die Koordinierung der wirtschaftlichen und steuerlichen Maßnahmen der Teilrepubliken beschränkt, wobei sich das Zusammenwirken der verschiedenen Räte äußerst kompliziert gestaltete. Da aber die führende Rolle des BdKJ als »organisch leitende Kraft« auch in dieser Verfassung festgelegt wurde, war die Einheitlichkeit durch diese Klammer stärker, als es dem Buchstaben der Verfassung entsprach. Eine besondere Rolle wies die Verfassung dem Präsidenten der Republik zu. Zu diesem wurde nach Durchführung der Wahlen der Delegierten zur *Skupština* (16. VI. 1963) am 30. VI. wiederum Tito gewählt, und zwar auf Lebenszeit; sein Stellvertreter wurde Alexander Ranković, während Edvard Kardelj am Vortag zum Präsidenten der *Skupština* gewählt worden war. Damit war die Macht wieder in den Händen des auf drei Köpfe reduzierten bisherigen Führungsgremiums der Partei konzentriert (Moša Pijade, damaliger Präsident der *Skupština*, war am 15. III. 1957 gestorben). Zum Präsidenten des Bundesvollzugsrats (= Ministerpräsident) wurde am 30. VI. Petar Stambolić (geb. 1912), ein serbischer Altkommunist, gewählt, der Pijade als Präsident der *Skupština* gefolgt war.

In der Verfassung wurde einerseits das Privateigentum der selbständigen Bauern und Handwerker anerkannt, andererseits festgelegt, daß das gesellschaftliche Eigentum nicht dem Staat oder der Arbeiterklasse, sondern den jeweiligen Belegschaften gehöre, deren Selbstverwaltung durch spätere Verfassungsänderungen wiederum neu geregelt wurde. Gesetze vom 24. VII. 1965 und vom 24. VI. 1966 verpflichteten die Unternehmensleitungen, nach dem Prinzip der Wirtschaftlichkeit des Einzelunternehmens zu verfahren, und ermöglichten einen begrenzten Privathandel[3].

Mit dieser teilweisen Auflockerung kontrastierten die fortbestehende Bürokratie und die Tätigkeit der von Alexander Ranković aufgebauten und beherrschten Geheimpolizei. Noch auf dem VIII. Kongreß des BdKJ im Dezember 1964 erschien Ranković unangefochten als der aussichtsreichste Kandidat für die Nachfolge Titos und erstattete den Hauptbericht. Am 1. VII. 1966 wurde er bei der 4. Zentralkomiteesitzung in Brioni des Machtmißbrauchs und der Überwachung von höchsten Parteiführern beschuldigt und sämtlicher Ämter in Partei und Staat enthoben; das Amt des Vizepräsidenten der Republik wurde unter Abänderung der Verfassung im folgenden Jahre abgeschafft. Auf der 5. Plenarsitzung im Ok-

II. f) Umgestaltungen zur Zeit der Abmilderung ideologischer Gegensätze (1963–1968)

tober wurde Ranković aus der Partei ausgeschlossen, aber nicht strafrechtlich verfolgt.

Die mangelnde innere Geschlossenheit der Partei wurde auch durch das Verfahren gegen den Dozenten für russische Literatur Mihajlo Mihajlov deutlich, der wegen eines ungeschminkten Berichtes über einen Aufenthalt in der Sowjetunion: »Moskauer Sommer 1964« zunächst am 23. VI. 1965 zu einer fünfmonatigen Gefängnisstrafe auf Bewährung verurteilt wurde. Unmittelbar danach veröffentlichte er etwa im Sinne der Gedanken von Djilas eine Studie[4] über die Möglichkeit der Schaffung eines öffentlichen Organs der Opposition, was nach seinen Darlegungen den in der Verfassung festgelegten Rechten nicht widersprechen konnte. Er wurde 1966 zu neun Monaten Gefängnis, am 19. IV. 1967 aber zu viereinhalb Jahren Zuchthaus verurteilt, da jede Forderung nach Abänderung des Einparteiensystems oder nach Zulassung einer legalen Opposition als Angriff auf Staat und Gesellschaft Jugoslawiens bewertet wurde.

Vorsichtiger verhielt sich ein Kreis kroatischer Philosophen und Schriftsteller um die in Zagreb erscheinende Zeitschrift *Praxis* (seit 1963), der die Humanisierung des Sozialismus[5] unter Berufung auf den jungen Marx anstrebte und den Menschen nicht als klassenbedingtes Wesen, sondern als Individuum zum Zentrum eines oppositionellen Marxismus machen wollte. Er konnte trotz deutlicher Verstöße gegen die offizielle Parteilinie seine Publikationstätigkeit fortsetzen, während eine im März 1967 von führenden kroatischen Schriftstellern und Sprachwissenschaftlern veröffentlichte »Deklaration über Namen und Status der kroatischen Schriftsprache« von den Zentralkomitees der Partei in Kroatien und in Serbien sofort als »nationalistische Exzesse« verurteilt wurde, freilich ohne strafrechtliche Folgen für die Verantwortlichen.

Außenpolitisch war diese Phase des Experimentierens und des periodischen Straffens und Lockerns der Zügel durch Annäherung an die Sowjetunion und die anderen sozialistischen Länder, Fortsetzung der Besuchs- und Reisepolitik gegenüber den »Blockfreien« und Abkühlung gegenüber dem Westen, vor allem den USA, gekennzeichnet. Ausdruck der ersten Tendenz war neben Besuchen Titos in allen Ländern des Warschauer Pakts in den Jahren 1964–1966, auf die Gegenbesuche folgten und die oft mit neuen Wirtschaftsabkommen verbunden waren, vor allem das Abkommen Jugoslawiens mit dem Rat für Gegenseitige Wirtschaftshilfe (RGW-Comecon) vom 17. IX. 1964, durch das Jugoslawien assoziiertes Mitglied des RGW wurde. Der Höhepunkt der Angleichung wurde während des »Siebentagekrieges« im Juni 1967 erreicht, als Tito an der Moskauer Beratung der Spitzenpolitiker teilnahm und gegenüber Israel genauso reagierte wie die Ostblockländer.

Diese Haltung paßte wegen der Hilfe für Nasser zwar auch zur Politik der Blockfreiheit, zeigte aber doch ein weit größeres anti-israelisches Engagement, als es der Grundidee des *non-alignment* entsprach. Zahlreiche Begegnungen mit Nasser und ein Besuch Titos in Delhi im Oktober 1966 festigten zwar Jugoslawiens Prestige als eines Protagonisten der Blockfreiheit, förderten aber trotz anwachsender Zahl der blockfreien Staaten nicht eine wirkliche Zusammenarbeit.

Für die dritte Tendenz waren vor allem scharfe Stellungnahmen zur amerikanischen Politik in Kuba, Vietnam und Israel kennzeichnend, sowie das Auslaufen der amerikanischen Militärhilfe im Jahre 1964. Andererseits wurde trotz fehlender diplomatischer Beziehungen zur Bundesrepublik Deutschland der Touristenzustrom ebenso gefördert wie die Beschäftigung jugoslawischer Arbeiter in der Bundesrepublik, ohne welche das Problem der Arbeitslosigkeit unlösbar gewesen wäre.

§ 30 Die südosteuropäischen Staaten vom I. Weltkrieg bis zur Ära der Volksdemokratien

Die Reformbewegung in der Tschechoslowakei im Jahre 1968, die von Tito wohlwollend betrachtet und ermuntert wurde, und der Einmarsch der Warschauer Pakt-Mächte am 21. VIII. 1968 führten Jugoslawien von dem Abdriften in sowjetisches Fahrwasser wieder zu einer stärkeren Betonung des »eigenen Weges«, aber ohne den Eklat eines Bruches mit der Sowjetunion und trotz der Wiederaufnahme der Beziehungen mit der Bundesrepublik Deutschland (3. II. 1968) und trotz eines Besuchs von Außenminister Brandt in Belgrad (12.–14. VI. 1968), ohne eine engere vertragliche Bindung an ein Land des Westens. Eine Erhöhung des Wehretats im Oktober und die Äußerung des amerikanischen Außenministers Rusk im November 1968, in Jugoslawien seien auch die Sicherheitsinteressen der NATO berührt, unterstrichen aber den Willen Jugoslawiens, sich sowjetischen Wünschen nicht unterordnen zu wollen.

[1] Für diesen Zeitraum gibt es fast nur Werke analytischen und systematischen Charakters, die die Entwicklung des ganzen Landes kaum oder nur als Nebenaspekt behandeln. Neben dem v. *K. D. Grothusen* hg. Südosteuropa-Handbuch, Bd. I, Jugoslawien, das teilweise der Entwicklung, teilweise der Beschreibung des 1974 bestehenden Zustandes gewidmet ist, bringen am meisten Material die Jahrgänge 12 (1963) bis 17 (1966) des »Wissenschaftlichen Dienstes Südosteuropa«. Knapper, aber übersichtlicher die regelmäßigen Berichte in den Jahrgängen der Zeitschrift: Osteuropa. Der zuverlässige Sammelband: Contemporary Yugoslavia, Twenty Years of Socialist Experiment, hg. v. *W. S. Vucinich* (1969), schließt mit 1965 ab.
[2] Druck: Die Verfassung der SFR Jugoslawien (1969; mit den Änderungen von 1967/68). Dazu *J. Krbek,* Die Verfassung der SFRJ vom 7. IV. 1963: JbÖffR N. F. 13 (1964), sowie der oben unter e, Anm. 6 genannte Aufsatz von *F. Mayer.* Der sehr umfangreiche Beitrag von *F. Mayer* im Südosteuropa-Handbuch I, S. 42–80, beschreibt d. Verfassung von 1974.
[3] Dazu u. a.: »Belgrad reformiert d. Wirtschaftssystem« in: Wissenschaftl. Dienst Südosteuropa 14 (1965), S. 95–99. Übersichten über die Wirtschaftsentwicklung sowohl im Osteuropa-Handbuch Jugoslawien (von *K. Günzel*) als auch im Südosteuropa-Hdb. (von *W. Gumpel, F. B. Singleton* u. a.) und in Contemporary Yugoslavia (von *G. Macesich*).
[4] Die Studie erschien in Kroatisch in Zadar 1965, in Englisch unter dem Titel: A Historical Proposal, in New York 1966.
[5] Programmatisch sind die Sammelwerke: Humanizam i Socijalizam (2 Bde. 1963), sowie: Čovek danas, hg. v. *M. Stambolić* (1964).

III. Bulgarien 1918–1968

Allgemeines Schrifttum
Zu den Übersichtsdarstellungen über die ganze Geschichte Bulgariens bzw. die Geschichte seit 1878 die Angaben in Bd. VI, S. 556. Inzwischen hat die offizielle Istorija na Bulgarija eine zweite, nichtstalinistische, dreibändige Auflage erlebt, deren Bd. 3 (1964) die Geschichte Bulgariens von 1917 bis 1962 behandelt. Zwischen der ersten, 1956 erschienenen, und der zweiten, auffassungsmäßig aber der ersten angeglichenen, Auflage liegt die Kratka Istorija na Bulgarija eines Autorenkollektivs (1958; Kurze Geschichte Bulgariens); Teil V ist der Zeit 1917–1944, Teil VI den Jahren 1944–1954 gewidmet. In deutscher Sprache erschien außer der Bulgarischen Geschichte von *Kossev, Christov, Angelov* (s. Bd. VI, S. 556), die eine gekürzte Übersetzung der »Kratka Istorija« ist, 1975 in Sofia die bis 1971 reichende bulgarische Geschichte von *N. Todorov* (S. 84–111 f. d. Zeit ab 1918), die die Bindung an das Jahr 1917 als Epochenjahr auch für Bulgarien verlassen hat.
Eine Übersichtsdarstellung der Geschichte Bulgariens seit 1918 bis in die Gegenwart existiert weder in Bulgarisch noch in einer anderen Sprache. Die bulgarische Geschichtsschreibung konzentriert sich, soweit sie überhaupt Zeitgeschichte behandelt, auf bestimmte Ereignisse, so auf den angeblich »faschistischen« Staatsstreich vom 9. VI. 1923, den Septemberaufstand 1923 und insbesondere den Umsturz vom 9. IX. 1944 und die Geschichte der KP Bulgariens sowie einzelne Persönlichkeiten der KP mit Georgi Dimitrov an der Spitze. Eine zuverlässige Übersicht darüber gibt *D. Kulman,* Literaturbericht über die Geschichte Bulgariens. Veröffentlichungen 1945–1970: HZ, Sonderheft 5 (1973), S. 536–583. Vgl. auch die Südosteuropa-Bibliographie: Bd. I, 1945–1950 (²1968), S. 57–94; Bd. II, 1951–1955, Teil 2 (1966), S. 383–493; Bd. III, 1956–1960, Teil 2 (1968), S. 39–200; Bd. IV, 1961–1965, Teil 2 (1973), S. 63–244; Bd. V, 1966–1970, Teil 2 (1976), S. 113–359, und die Bibliographie bulgarischer Literatur zur Geschichte Bulgariens 1944–1955 und 1956–1960 von *E. Kostova-Jankova* u. *W. Franz* in: Jb. f. Gesch. d. UdSSR und der volksdemokratischen Länder Europas 3 (1959), S. 497–510, und 7 (1963), S. 645–706. Eine gute, bis 1963 reichende Einführung in die Bulgarien betreffende Literatur mit 1243 Titeln gibt *M. V. Pundeff,* Bulgaria, a Bibliographic Guide (1965; Nachdruck 1968). Die Literatur über die Beziehungen Bulgariens zu seinen Nachbarn ist für die Jahre 1944–74 erfaßt in der Bibliographie von *M. Lazarov,* Bulgaria na Balkanite, hg. v. Institut für Balkanistik (1975) mit 2560 Titeln.
Einen gewissen Ersatz für die fehlende Übersichtsdarstellung bietet für die Zeit bis 1956 der von *L. A. D. Dellin* hg. Band »Bulgaria« in der Reihe: East-Central Europe under the Communists, da er auch Rückblicke auf die Zeit vor 1944 enthält (1957). Außerdem d. Beitr. v. *L. A. D. Dellin* in: East Central Europe and the World; Developments in the Post-Stalin Era, hg. v. *S. D. Kertesz* (1962). Trotz zeitbedingter Einseitigkeit brauchbar: *K. Haucke,* Bulgarien; Land, Volk, Geschichte, Kultur, Wirtschaft (²1943). Für die Einzeldaten und biographischen Angaben gut verwendbar die fünfbändige Kratka Bulgarska Enciklopedija (1963–1969) sowie die Enzyklopädie: Enciklopedija A–Ja (letzter Buchstabe des Alphabets; 1974), beide von der Bulgarischen Akademie der Wissenschaften herausgegeben.
Bei allen Namen wird im folgenden die wissenschaftliche Transkription verwandt; also Cankov und nicht Zankoff, Červenkov und nicht Tscherwenkoff.

Von den vier Ländern der Balkanhalbinsel ist Bulgarien dasjenige, dessen Interessen sich allein auf diesen Bereich konzentrieren, während Griechenland weit mehr Mittelmeerstaat als Balkanstaat ist, Südslawien mit Slowenien und Istrien in zentraleuropäische, mit der dalmatinischen Küste in adriatisch-italienische Belange hineinreicht, und Albanien mit seinem der Adria zugekehrten Gesicht und mit seiner weder slawischen noch griechischen oder romanischen Bevölkerung, die drei Konfessionen angehört, eine völlige, vom übrigen Balkanbereich isolierte Sonderstellung einnimmt. Gleichzeitig ist es das südosteuropäische Land, in dem die emotionellen Bindungen an Rußland ungeachtet des dort herrschenden Systems stark waren und sind, in dem aber auch weder die alte Habsburger Monarchie noch das Deutsche Reich mit Abneigung oder negativen Vorurteilen bedacht wurden, so daß Befürchtungen gegenüber einer möglichen deutschen Hegemonie während der Phase der Annäherung an das nationalsozialistische Deutschland und während des II. Weltkrieges verhältnismäßig gering blieben.

Die Begrenzung der Interessen auf den engeren Balkanraum, auf Grenzfragen mit den unmittelbaren Nachbarn Griechenland, Südslawien, Rumänien, und die Tatsache, daß Bulgarien weder eine strategisch wichtige geographische Lage hat noch über wichtige und wertvolle Bodenschätze – Erdöl, Erze, Uran – verfügt, bewirkten, daß sich seine Entwicklung trotz aller dramatischen Wechselfälle in den letzten sechs Jahrzehnten sozusagen im Windschatten der gesamteuropäischen wie auch der südosteuropäischen neuesten Geschichte vollzog. Das hat zur Folge, daß die bulgarische Geschichte der neuesten Zeit außerhalb des Landes selbst weit weniger Interesse erregt und Forschungen angeregt hat als die Jugoslawiens oder Rumäniens und daß sowohl die Geschichte des Landes in den Jahrzehnten zwischen den Kriegen als auch in der Epoche der Umgestaltung vom Königreich zur Volksdemokratie und zur sozialistischen Republik weitgehend unbekannt geblieben ist und große Forschungslücken aufweist. Diese Tatsache läßt sich eindrucksvoll an dem geringen Umfang des außerhalb Bulgariens entstandenen Schrifttums ablesen.

Folgende Faktoren haben die Geschichte Bulgariens seit 1918 im wesentlichen bestimmt:

Das Bündnis mit den Mittelmächten im I. Weltkrieg und der das Staatsgebiet erheblich reduzierende Vertrag von Neuilly stempelten es zum Verlierer, der nach Grenzrevision strebte und deshalb für ein Bündnis mit einem revisionistischen Deutschland der gegebene Partner im Südosten war.

Die Gebietsverluste brachten Spannungen und Probleme mit Griechenland, Südslawien und Rumänien, die sich nur sehr mühsam mildern, aber kaum beseitigen ließen. Die mazedonische Frage bildete ein kaum lösbares Dauerproblem, das in den zwanziger Jahren immer neuen Sprengstoff für die Innenpolitik lieferte, Bulgarien bei der ersten sich bietenden Gelegenheit zum Verbündeten Deutschlands im Krieg gegen Jugoslawien machte und das auch nach der Bildung einer eigenen Mazedonischen Republik im Rahmen der Föderativen Republik Jugoslawien nicht völlig überdeckt werden konnte.

Von geringerem Gewicht war die Bulgarien von Rumänien trennende Dobrudschafrage, deren im Herbst 1940 an der Seite Deutschlands zugunsten Bulgariens erfolgte Lösung die einzige nicht revidierte Grenzregelung aus der Zeit der Vorherrschaft der »Achse« in Europa werden sollte.

Im Unterschied zu Rumänien und Jugoslawien hatte das durch Neuilly in seinem Gebietsumfang erheblich reduzierte Bulgarien kein wesentliches Problem nationaler und konfessioneller Minderheiten, denn der Anteil der Bulgaren an der Gesamtbevölkerung von (1920) 4,8 Mill. betrug 83,4 %, und die einzige zahlenmäßig ins Gewicht fallende Minderheit, die türkische mit etwa 11 %, siedelte nicht geschlossen an der Grenze zur Türkei, sondern im Nordosten des Landes. Erst nach dem II. Weltkrieg wurde ihre teilweise Zwangsaussiedlung in Gang gesetzt. Dagegen bildeten die in das verkleinerte Gebiet einströmenden Flüchtlinge und Zwangsumsiedler in den ersten Nachkriegsjahren ein schwieriges soziales Problem.

Wesentlich für die Entwicklung waren ferner das Fehlen ausgeprägter regionaler Unterschiede und die verhältnismäßig geringe soziale Differenzierung, die

III. a) Die konstitutionelle Monarchie in Bulgarien (1918–1934)

weder einen grundbesitzenden Adel noch ein Besitzbürgertum größeren Umfangs kannte. Neben der großen Masse der Bauern und der geringen Anzahl der Arbeiter spielten deshalb wie in den Jahren der Staatsbildung Offizierskorps und Beamtenschaft bis zum Umsturz des Jahres 1944 eine entscheidende Rolle. Das völlige Überwiegen der Landbevölkerung änderte sich bis in den II. Weltkrieg hinein nur unwesentlich. Hatte das Verhältnis der ländlichen zur städtischen Bevölkerung im Jahre 1900 80,2 zu 19,8 betragen, so war es 1920 mit 80,1 zu 19,9 gar nicht und 1934 mit 78,5 zu 21,5 auch kaum gewandelt. Erst die forcierte Industrialisierung nach 1944 hat diese Struktur ins Wanken gebracht, so daß 1956 das Verhältnis 66 zu 34 betrug.

Eine starke Bauernbewegung, eine relativ zahlreiche, auch auf dem Lande erfolgreiche Kommunistische Partei – vor 1944 die stärkste auf dem Balkan – und rasche Wandlungen bei den übrigen Parteien, die keine breite soziale Grundlage hatten, waren die Folge dieser Sozialstruktur, ebenso die Möglichkeit zu radikalen putschartigen Umstürzen, wie sie 1923, 1934 und 1944 stattfanden.

Letzter entscheidender Faktor für die jüngste Entwicklung war schließlich, daß die Sowjetunion spätestens seit 1939 Bulgarien als ihr Interessengebiet betrachtete. Das kam beim Besuch Molotovs in Berlin im November 1940 deutlich zum Ausdruck und wurde – nunmehr mit einem anderen, willfährigeren Partner – im Mai 1944 zunächst für eine Übergangsphase für die militärischen Operationen bekräftigt. Als dann im Oktober 1944 in Moskau auf dem berühmt gewordenen halben Blatt Papier von Churchill und Stalin die Aufteilung der Einflußbereiche in Südosteuropa festgelegt wurde und dabei Bulgarien zu 75 % unter sowjetischem Einfluß stehen sollte, sanktionierte diese Absprache nur noch einen bereits bestehenden Zustand. Danach folgten Bulgarien und seine Kommunistische Partei getreulich dem sowjetischen Vorbild, ohne jemals den Versuch zu machen, einen »eigenen Weg« zu gehen.

Unter Berücksichtigung dieser Faktoren läßt sich die Entwicklung Bulgariens von 1918 bis 1968, in welchem Jahr seine getreue Gefolgschaft durch die symbolische Beteiligung bei der Besetzung der Tschechoslowakei erneut zum Ausdruck kam, in folgende Phasen gliedern:

a) Die konstitutionelle Monarchie unter der Last der Kriegsfolgen und des Vertrags von Neuilly (1918–1934)
b) Die autoritäre Monarchie Bulgarien nach dem Staatsstreich vom 19. V. 1934 (1934–1941)
c) Bulgarien als Achsenpartner und Kriegsteilnehmer (1941–1944)
d) Die Umgestaltung zur Volksrepublik bis zum Kominformkonflikt (1944–1948)
e) Das sozialistische Bulgarien (1948–1968).

a) Die konstitutionelle Monarchie unter der Last der Kriegsfolgen und des Vertrags von Neuilly (1918–1934)

Im Sommer 1918[1] befand sich die Stimmung der bulgarischen Armee auf einem Tiefpunkt, da sie sich praktisch seit 1912 nahezu ununterbrochen im Einsatz befand, ihre unmittelbaren Kriegsziele erreicht hatte und vergeblich auf die zugesicherten zwölf deutschen Divisionen wartete. Kriegsmüdigkeit und Desertion hatten die Kampfkraft erheblich geschwächt, so daß der erwartete Angriff der alliierten Orientarmee unter General Franchet d'Esperey am 15. IX. an der mazedonischen Front sofort tiefe Einbrüche in die bulgarischen Linien erreichte und daß schon nach fünf Tagen zwei Divisionen in chaotischer Auflösung bei Bitola und Prilep zurückfluteten. Am 22. IX. war die Front aufgerissen, die Verbindung

§ 30 Die südosteuropäischen Staaten vom I. Weltkrieg bis zur Ära der Volksdemokratien

zwischen der Albanienarmee und der zunächst noch ihre Stellungen haltenden bulgarischen Ersten Armee verloren, die sich nun überstürzt auf die Landesgrenze zurückzog, bei rascher Auflösung der militärischen Disziplin. Meuternde und aufständische Soldaten bemächtigten sich des Hauptquartiers in Kjustendil und der Stadt Radomir (40 km südwestlich von Sofia). Am 25. IX. bat die Regierung, ohne den König zu unterrichten, die Alliierten um Waffenstillstand, während König Ferdinand den seit 1915 in Haft befindlichen Bauernführer Alexander Stambolijski[2] befreien ließ und mit dem Auftrag, die Aufständischen zu beruhigen, nach Radomir entsandte. Indessen rief Stambolijski in Radomir am 27. IX. die Republik aus und erklärte die Dynastie für abgesetzt. Königstreue Verbände zerschlugen jedoch am 29. IX. die bis kurz vor Sofia vorgedrungenen Aufständischen. Am gleichen Tage wurde in Saloniki der Waffenstillstand unterzeichnet, der die Besetzung des Landes durch französische, englische und italienische Truppen, fast völlige Demobilisierung der bulgarischen Armee und Abzug der deutschen und österreichischen Truppen binnen vier Wochen vorsah.

Am 3. X. dankte König Ferdinand[3], Repräsentant des Bündnisses mit den Mittelmächten, zugunsten seines ältesten Sohnes ab, des 1894 geborenen und seit 1896 im orthodoxen Glauben erzogenen Boris, der als Boris III.[4] (1918–1943) den Thron bestieg. Am 10. X. brach das Deutsche Reich die Beziehungen zu Bulgarien ab; die französische Besatzung begann. In die am 17. X. neu gebildete Regierung Malinov (ab 28. XI. unter Teodorov) traten auch der Bauernbund und die Sozialisten ein, so daß die Regierung nunmehr von den in Opposition zur im Juni 1918 zurückgetretenen Regierung Radoslavov stehenden Parteien getragen wurde.

Das Hauptproblem war der Abschluß des Friedensvertrages, dessen Bedingungen der bulgarischen Delegation unter Teodorov am 19. IX. 1919 überreicht wurden. Angesichts der Härte der Bedingungen weigerte sich Teodorov, den Vertrag zu unterzeichnen. Erst Alexander Stambolijski, der aufgrund der Wahlen vom 24. VIII. 1919, die große Gewinne des Bauernbundes, der Sozialisten und der Kommunisten[5] (die sich vorher »Engsozialisten« nannten) brachte, am 6. X. an die Spitze einer überwiegend vom Bauernbund getragenen Koalitionsregierung trat, unterzeichnete am 27. XI. 1919 den Vertrag von Neuilly[6]. Durch ihn verlor Bulgarien nicht nur alle im Weltkrieg errungenen Gewinne, sondern auch Caribrod und Strumica an das Königreich SHS und den Zugang zur Ägäis zwischen Mesta und Marica mit dem Hafen Dedeagač (griech. Alexandrupolis) an die Alliierten, die es in San Remo im April 1920 an Griechenland gaben, insgesamt rd. 10 750 km^2 von dem seit 1915 fast 114 000 km^2 umfassenden Staatsgebiet, so daß ihm nur wenig über 103 000 km^2 verblieben. Die militärische Dienstpflicht wurde abgeschafft und Bulgarien neben einer Gendarmerie nur ein Söldnerheer von 20 000 Mann ohne Panzer und Flugzeuge zugestanden. Die Reparationszahlungen betrugen 2250 Mill. Goldfrancs. Diese harten Bedingungen ließen in dem vom Krieg mitgenommenen Land, in das alsbald zahlreiche mazedonische Flüchtlinge einströmten, den Revisionismus und den Linksradikalismus anwachsen, der seine Stärke durch einen kommunistischen Sieg bei den Gemeindewahlen vom 19. XII. und einen Ende Dezember 1919 ausbrechenden, fast zwei Monate andauernden Transportarbeiterstreik zeigte.

Nach dem Zusammenbruch des Streiks und der Verhaftung einiger kommunistischer Führer wurde das Parlament (*Sobranje*) am 20. II. 1920 aufgelöst; die Neuwahlen am 28. III. ergaben erneute Gewinne des Bauernbundes (von 86 auf 110 Sitze) und der Kommunisten (von 46 auf 50), aber Verluste der Sozialisten, die daraufhin die Regierung Stambolijski verließen.

III. a) Die konstitutionelle Monarchie in Bulgarien (1918–1934)

Seit dem 21. V. 1920 trug der Bauernbund allein die zweite Regierung Stambolijski (1920–1923), die sich scharf gegen die städtischen und besitzenden Schichten wandte und am 10. VI. 1920 die Arbeitsdienstpflicht (für Männer 12, für Frauen 6 Monate) gesetzlich festlegte und in der Agrarreform vom 9. V. 1921 allen privaten Bodenbesitz über 30 ha enteignete[7]. Die agrarsozialistische, scharf gegen die Bürger und die Städte überhaupt gerichtete Politik Stambolijskis führte jedoch zu Mißstimmung in der reduzierten Armee und unter den Intellektuellen. In einem im wesentlichen von Offizieren durchgeführten, von Boris III. gebilligten Staatsstreich[8] wurde Stambolijski am 9. VI. 1923 gestürzt und durch eine Koalitionsregierung unter dem parteilosen Professor der Universität Sofia Alexander Cankov (Zankoff) ersetzt. Stambolijski, der sich durch seine großsüdslawischen Neigungen auch den Haß der Mazedonier, insbesondere ihrer Kampforganisation IMRO, zugezogen und mit Hilfe einer bäuerlichen Garde, der »Orange-Armee«, diktatorisch geherrscht hatte, wurde am 15. VI. »auf der Flucht erschossen«, d. h. ermordet.

Obwohl Stambolijski auch gegen die Kommunisten vorgegangen war, wurde seine Regierung doch von diesen als Wegbereiter für den Kommunismus angesehen. Auf seine Ermordung und die Verurteilung von vier Mitgliedern seines Kabinetts zum Tode (15. VIII.; die Inhaftierung und Verurteilung früherer Minister nach Umstürzen wiederholte sich seit 1918 regelmäßig) reagierte daher die KP Bulgariens unter Georgi Dimitrov[9] und dem im Juli 1923 nach Bulgarien entsandten bulgarischen Sekretär der Komintern Vasil Kolarov[10] mit einem Aufstand, durch den die neutrale Haltung am 9. VI. korrigiert werden sollte. Der Aufstand[11], am 13. IX. vorzeitig ausgebrochen, erfaßte besonders den Nordwesten (Ferdinand, Vidin) und die Zentralgebiete (Stara Zagora), jedoch nicht die Hauptstadt und die wichtigsten städtischen Zentren. Er wurde in wenigen Tagen blutig niedergeschlagen; Dimitrov und Kolarov sowie zahlreiche Bauernparteiler emigrierten. Die am 18. XI. 1923 durchgeführten Wahlen brachten einen Sieg der die Regierung Cankov tragenden »Demokratischen Vereinigung« (*Demokratičeski Sgovor*) und der mit ihr verbündeten Sozialisten (203 von 248 Mandaten, aber nur 600 000 von rund 900 000 Stimmen). Die Demokratische Vereinigung stellte auch die auf das Kabinett Cankov (1923–1926) folgende Regierung Ljapčev (1926–1931). Sie bildete aber keinen geschlossenen Block, sondern einen höchst heterogenen taktischen Zusammenschluß zahlreicher älterer bürgerlicher Parteien, zu dem andere bürgerliche Parteien in Opposition standen. Diese, im »Nationalen Block« (*Naroden blok*) zusammengeschlossen und von der Bauernpartei unterstützt, gewannen die Parlamentswahlen vom 21. VI. 1931 und bildeten die folgenden Regierungen Malinov (Juni–Oktober 1931) und Mušanov (1931–Mai 1934).

Im Vergleich mit den rasch wechselnden Regierungen in den Nachbarländern zeigten die Regierungen in den Jahren 1923 bis 1934 bemerkenswerte Stabilität. Sie hatten in den Jahren 1924/1925 jedoch erhebliche, meist auf das Konto der Kommunisten oder ihnen nahestehender linksradikaler Gruppen gehende Unruhen zu bekämpfen. Den Höhepunkt brachte das Jahr 1925, in dem nach mehreren Mordanschlägen auf bürgerliche Politiker und einem mißglückten Attentat auf den König am 14. IV. der folgenschwerste Terroranschlag der europäischen Geschichte der zwanziger Jahre[12] verübt wurde. Bei den Trauerfeiern für den ermordeten General Georgiev wurde am 16. IV. das Dach der Kathedrale in die Luft gesprengt, um den König und die Regierungsmitglieder zu töten. Das gelang zwar nicht; es kamen aber über 125 Menschen um, und über 300 wurden verletzt. Unter den Toten waren 14 Generale und der Bürgermeister von Sofia.

Scharfe Maßnahmen waren die Folge; von April bis Oktober 1925 galt der Ausnahmezustand; die Armee wurde mit Genehmigung der Botschafterkonferenz für ein Jahr auf 30 000 Mann verstärkt. Außer den Attentätern, die am 27. V. hingerichtet wurden, wurde auch der in Deutschland befindliche Georgi Dimitrov in Abwesenheit zum Tode verurteilt. Die bisherigen Sympathien für den Kommunismus wurden dadurch erheblich vermindert; auch der seit 1923 oppositionelle Bauernbund erklärte seine Ablehnung des Terrors und der Komintern. Die Kommunistische Partei, seit 1924 verboten, fand in der »Unabhängigen Arbeiterpartei« eine Auffangorganisation, die im Februar 1927 gegründet wurde und sich erfolgreich an den Wahlen beteiligte, während der illegalen KP von Moskau »linkes Sektierertum« vorgeworfen wurde.

Ein weiteres Problem, das die innere Unruhe verstärkte, war der Zustrom bulgarischer Flüchtlinge aus der Dobrudscha, Mazedonien und Thrazien in den Jahren 1919 bis 1925, deren Zahl mindestens 250 000 betrug, nach bulgarischen, wohl überhöhten Angaben im Jahre 1925 aber auf 600 000 angewachsen war.

Mit Griechenland hatte Bulgarien am Tage des Vertrags von Neuilly, am 27. XI. 1919, eine Konvention über den Austausch von Minderheitsangehörigen auf freiwilliger Basis und über diesen zu gewährende Entschädigungen geschlossen. Aufgrund dieser Konvention wurden zwischen 1923 und 1928 etwa 30 000 Griechen gegen etwa 53 000 Bulgaren ausgetauscht, und 16 000 Griechen sowie 39 000 Bulgaren, die schon vor 1923 abgewandert waren, wurden entschädigt. Obwohl damit Bulgarien doppelt soviel Bulgaren aufnahm, als es Griechen abgab, kam es 1925 zu Spannungen mit Griechenland, das in diesen Jahren 1 300 000 Griechen aus Kleinasien aufzunehmen hatte[13].

Außenpolitisch befand sich Bulgarien 1919–1934 in weitgehender Isolierung, da es Revisionsforderungen gegenüber allen Nachbarländern mit Ausnahme der Türkei hatte. Es betrieb jedoch keine einheitlich revisionistische Außenpolitik, da Stambolijski, großsüdslawisch eingestellt, den Ausgleich mit dem Königreich SHS anstrebte; auch die seit 1931 amtierende Regierung Mušanov suchte Bulgarien aus der Konfrontationspolitik herauszuführen. Das Hauptproblem war dabei die mazedonische Frage[14], in der dadurch unüberbrückbare Gegensätze bestanden, daß in Jugoslawien die Existenz einer gesonderten mazedonischen Minderheit geleugnet wurde und die gesamte slawischsprechende Bevölkerung Mazedoniens als »serbokroatisch« angesehen und bei den Volkszählungen ausgewiesen wurde, während bulgarischerseits die Mazedonier entweder als eigene autonome Volksgruppe mit engen Bindungen an Bulgarien oder einfach als Bulgaren in Anspruch genommen wurden.

Zahlenspielen jeglicher Art war bei der Schwierigkeit, in diesen Mischbereichen überhaupt zuverlässige Aussagen über Sprache und Volksbewußtsein zu erhalten, Tür und Tor geöffnet. Während es nach südslawischer Auffassung in Südslawien weder Mazedonier noch Bulgaren gab, gingen bulgarische Schätzungen weit über die Millionengrenze hinaus. Daß man in den zwanziger und dreißiger Jahren aber mit Recht von fast einer Million Mazedonier und Bulgaren in Jugoslawien sprechen konnte, zeigt die erste Volkszählung der Föderativen Volksrepublik Jugoslawien vom Jahre 1948. Sie zählte 810 000 Mazedonier und 61 000 Bulgaren[15].

Erschwert wurde jede Verständigung durch die Existenz der terroristischen Geheimorganisation Mazedoniens, der Inneren Mazedonischen Revolutionären Organisation (IMRO; bulgarisch: *Vutrešna Makedonska Revoljucionna Organizacija VMRO*), die, 1906 in Sofia gegründet, zunächst die Befreiung von der Türkenherrschaft, dann die Autonomie eines Groß-Mazedonien einschließlich Bul-

III. a) Die konstitutionelle Monarchie in Bulgarien (1918–1934)

garisch- und Griechisch-Mazedoniens anstrebte und unter der Parole »Freiheit oder Tod« mit dem Zeichen des Totenschädels über gekreuzten Knochen mit allen Mitteln des Terrors arbeitete, einschließlich des Mordes an eigenen, als abtrünnig oder verräterisch angesehenen Mitgliedern. Praktisch trat die IMRO für eine Angliederung Mazedoniens an Bulgarien ein und wehrte sich mit Vehemenz gegen jede bulgarisch-südslawische Annäherung. Obwohl offiziell eine geheime Organisation, war doch bekannt, daß in den ersten Nachkriegsjahren Todor Aleksandrov (1881–1924) an der Spitze der Organisation stand, der 1924 den »Krieg« mit Jugoslawien erklärte, am 31. VIII. dieses Jahres aber selbst erschossen wurde. Sein Nachfolger, General Alexander Protogerov (1867–1928), hatte Einfluß auf die Regierungen von Cankov und Ljapčev, der selbst Mazedonier war, wurde aber bei den mörderischen Bruderkämpfen der IMRO am 7. VII. 1928 ebenfalls ermordet, nachdem er noch 1927 allen »Verständigungspolitikern« den Tod angedroht hatte. Dabei ging es meist um die Auseinandersetzung zwischen »Föderalisten«, zu denen Protogerov gehörte, und »Autonomisten«, deren führender Vertreter Ivan Michajlov[16] nach 1928 an der Spitze der Organisation stand, ohne daß deshalb das gegenseitige Morden, z. T. den Gesetzen der Blutrache folgend, aufgehört hätte. Wichtiger war, daß eine Kette von politischen Morden an jugoslawischen Beamten und Politikern verübt wurde, z. T. als Rache für brutales Vorgehen gegen Mazedonien, z. T. um die Beziehungen unbedingt zu stören. Im August 1926 überschritt eine IMRO-Bande bei Kriva Palanka die Grenze und lieferte südslawischen Truppen ein Gefecht, und am 7. X. 1927 wurde in Stip (Mazedonien) der jugoslawische General Kovačević ermordet, woraufhin Jugoslawien Anfang 1928 die Grenzen nach Bulgarien sperrte. Unter britischer Vermittlung setzte trotz neuer Mordtaten eine Entspannung ein, und auf Grund der Absprachen von Pirot vom 2. X. 1929 wurden die Grenzverhältnisse im Januar 1930 wieder normalisiert. Eine gewisse Ausgleichsbereitschaft von seiten Jugoslawiens war auch dem Bemühen Italiens um bessere Beziehungen zu Bulgarien zuzuschreiben, das allerdings zu keinem Bündnis führte. Die am 25. X. 1930 mit Giovanna, Tochter Viktor Emanuels von Italien, geschlossene Ehe von König Boris III. zeigte aber, daß Bulgarien einen Faktor in der italienischen Jugoslawienpolitik darstellen konnte.

Wenn auch der Einfluß der IMRO seit 1931 nicht mehr so stark war wie in den Jahren 1924–1928, so war doch klar, daß eine beweglichere Außenpolitik, die aus der Isolierung herausführte, unmöglich war, solange die IMRO[17] existierte.

Weniger gespannt waren die Beziehungen zu Griechenland[18], mit dem es nach dem Bevölkerungsaustausch keine schwerwiegenden Minderheitenprobleme gab, obwohl sich die großmazedonischen Aspirationen auch auf griechische Territorien erstreckten. Anlaß zu Auseinandersetzungen gab jedoch Artikel 48 des Vertrags von Neuilly, in dem sich die Großmächte verpflichteten, »die Freiheit eines wirtschaftlichen Zugangs Bulgariens zum Ägäischen Meer« zu garantieren, was sehr unterschiedlich ausgelegt werden konnte, so daß man in Bulgarien daraufhin einen Korridor zur Ägäis verlangte, während Griechenland freien Transit und Freihafenzonen anbot, was wiederum Bulgarien als zu geringfügig nicht akzeptierte.

Während es für die Korridorforderung an Griechenland keine ethnographischen Gründe gab, war das Streben nach Rückgabe der 1913 verlorenen und 1919 erneut abgetretenen Süd-Dobrudscha durch Rumänien ethnographisch wohl begründet. Nach der rumänischen Zählung von 1928[19] waren von den 339 000 Einwohnern der die Süd-Dobrudscha bildenden Bezirke Durostor und

§ 30 Die südosteuropäischen Staaten vom I. Weltkrieg bis zur Ära der Volksdemokratien

Caliacra nur 50 000 Rumänen, aber 137 000 Bulgaren, denen die gleiche Zahl an Türken und Tataren gegenüberstand.

Seine Forderungen trug Bulgarien, zunächst schroff, dann gemäßigter, auf den vier Balkankonferenzen[20] der Jahre 1930–1933 vor. Damit festigte es aber lediglich die Front seiner Nachbarn, die am 9. II. 1934 in Athen den Balkanpakt abschlossen, dem beizutreten Bulgarien zwar vorher und nachher aufgefordert wurde, der aber mit seiner Forderung des Artikels 8: »Die Aufrechterhaltung der gegenwärtig auf dem Balkan festgelegten territorialen Ordnung ist für die Vertragspartner endgültig« eine unübersehbare Spitze gegen Bulgarien enthielt und Bulgariens Isolierung bekräftigte, zumal an die Stelle der auch von ihm besuchten Balkankonferenzen die Tagungen der neubegründeten Balkan-Entente traten.

[1] Die Situation in Bulgarien bis Anfang Oktober eingehend bei *K. F. Nowak,* Der Sturz der Mittelmächte (1921), S. 198–235.
[2] 1878–1923. Studierte 1900–1902 Landwirtschaft in Halle/Saale. Führender Kopf des 1899 als Selbsthilfeorganisation gegründeten Nationalen Bauernbundes, 1915 wegen Hochverrates zu lebenslänglicher Haft verurteilt.
[3] Biographien von *R. Madol* (d. i. *G. Salomon*), Ferdinand von Bulgarien. Der Traum von Byzanz (1931); *D. Jotzoff,* Zar Ferdinand von Bulgarien, sein Lebenswerk im Orient (1927); *J. Knodt,* Ferdinand d. Bulgare (1947). Ferdinand lebte seit 1918 in Coburg im Exil, wo er erst 1948 starb und so seine beiden Söhne Boris und Kyrill überlebte.
[4] Geb. Sofia 30. I. 1894, gest. ebd. 29. VIII. 1943. Die Biographie von *N. P. Nikolaev,* Le règne et la mort de Boris III (1953) ist teilweise unkritisch.
[5] Sachliche Darstellung von *J. Rothschild,* The Communist Party of Bulgaria. Origins and Development 1883–1936 (1959; 1960).
[6] Dazu die Kampfschrift von *J. Ivanoff,* Les Bulgares devant le Congrès de la paix; documents historiques, ethnographiques et diplomatiques (^{2}1919).
Franz. Darstellung im bulg. Sinn: *G. Desbons,* La Bulgarie après le traité de Neuilly (1930). Text in *Martens:* Nouv. Recueil Général des Traités, 3. Serie, Bd. XII, S. 323 ff.
[7] Einzelheiten über die bulg. Agrarreform einschließlich der Flüchtlingssiedlungen bei *E. Buske,* Die Agrarreform in Bulgarien, in: Die agrarischen Umwälzungen im außerrussischen Osteuropa, hg. v. *M. Sering* (1930), S. 396–446.
[8] Die Einzelheiten sind ungenügend geklärt. Ihn als »faschistisch« zu bezeichnen, wie es die neuere bulgarische Literatur tut, ist ganz unsinnig, weil auf ihn ja keine Einparteienherrschaft folgte, sondern Koalitionsregierungen, die sich zur Wahl stellten und diese 1931 auch verloren.
Außerdem war der erste Ministerpräsident der »Vaterländischen Front« 1944–45, Kimon Georgiev, an diesem Staatsstreich ebenso beteiligt wie an denen vom 19. V. 1934 und 9. IX. 1944. *S. J. Mitev,* Fašistikijat prevrát na deveti juní 1923 god i junskoto antifašistko vustanie (Der faschist. Staatsstreich vom 9. Juni 1923 und der antifaschist. Juni-Aufstand; 1956). *S. Petrov,* Septembr. vustanie 1923 god. i bolševizacijáta na bulgarskata komunističeskata partija (1960).
[9] Geb. 1882 in Kovačevci b. Radomir, Drucker, seit 1902 in der Bulg. Sozialdemokratischen Arbeiterpartei (BRSDP, sog. »Engsozialisten«) tätig, seit 1919 Bulgar. Komm. Partei, 1921 deren Delegierter zum Dritten Kongreß der Komintern, seit 1912 Sekretär des Bezirks Sofia. 1926 wegen Urheberschaft an dem Sofioter Bombenanschlag in Abwesenheit zum Tode verurteilt. Nach dem Reichstagsbrandprozeß in der SU, dort 1935–1943 Generalsekretär der Komintern, sowjet. Staatsbürger. Werke: (14 Bde. 1951–1955 [bulgar.]; Auswahl in Deutsch, 1 Bd. 1950, 3 Bde. 1956–1958). Biographien: *S. Blagoeva,* G. D., Biografski očerk (^{5}1951). *E. Savova,* J. D. Letopis na života i revolucionnata mu dejnost (Chronik d. Lebens u. seiner revolutionären Tätigkeit; 1952).
[10] Geb. 1877 in Šumen (heute Kolarovgrad). Jurist, studierte in Genf. Seit 1897 in der BRSPD tätig, Rechtsanwalt, seit 1919 Sekretär des ZK der BKP, 1921 Deleg. zur Komintern, 1922–24 Generalsekretär d. Komintern. Seit 1923 in der SU. Ausgewählte Werke (bulgarisch) in drei Bänden (1954–55).

III. a) Die konstitutionelle Monarchie in Bulgarien (1918–1934)

[11] Der Aufstand wird zum ersten »antifaschistischen Aufstand in der Welt« hinaufstilisiert; die Literatur dazu ist kaum übersehbar, vgl. u. a. *S. D. Kosev,* Septembrijskoto vustanie v 1923 g. (1954).
Ders., Meždunarodnoto značenie na Septembrijskoto vustanie (1964). *K. Georgiev,* Der antifasch. Septemberaufstand in B. v. J. 1923: Jb. f. Gesch. d. UdSSR und der volksdem. Länder Europas 7 (1963), S. 61–101.
J. Mitev, Der bulgarische Septemberaufstand 1923 und sein Echo in der europäischen Arbeiterbewegung: BeitrrGDtArbeiterbew 11 (1969), S. 278–290. Die »Bulg. Geschichte« widmet ihm allein 11 Seiten, ebensoviel wie Bulgariens Beteiligung am II. Weltkrieg. S. a. *G. Georgiev,* Bulgarien – September 1923 (1977).

[12] Vgl. *Schulthess,* Europ. Geschichtskal. (1925), S. 353/54. Die »Bulgarische Geschichte« (1963) erwähnt das Attentat S. 349 ohne alle Daten mit einem Satz als Vorwand für die »unerhörten Ausschreitungen der Zankovregierung«. In der Kratka Istorija S. 290 wird erklärt, daß das Attentat mit der kommunistischen Taktik nicht im Einklang stand; im übrigen wird anschließend ausführlich der »faschistische Terror« geschildert.

[13] Zu dem ganzen, in seiner Bedeutung meist unterbewerteten Komplex, der in der neueren bulgarischen Geschichtsschreibung gar nicht erwähnt wird, vgl. u. a. *S. P. Ladas,* The Exchange of Minorities. Bulgaria, Greece and Turkey (1935); sowie *G. Rhode,* Phasen und Formen der Massenzwangswanderungen in Europa, in: Die Vertriebenen in Westdeutschland, hg. v. *E. Lemberg* u. *F. Edding* (1959), Bd. 1, S. 17–36. Die Konvention entsprach d. Artikel 56, § 2, des Vertrags v. Neuilly, in dem es hieß: »Bulgaria undertakes to recognize such provisions as the Principal Allied and Associated Powers may consider opportune with respect to the reciprocal and voluntary emigration of persons belonging to racial minorities.« Vgl. auch *A. A. Pallis,* A Study of the Racial Migrations in Macedonia and Thrace 1912–1924 (1925).

[14] Die umfangreiche polemische Literatur der zwanziger und dreißiger Jahre trägt kaum etwas zur Erfassung des Problems bei. Informierend: *G. B. Zotiades,* The Macedonian Controversy (²1961), sowie *E. Barker,* Macedonia; its Place in Balkan Power Politics (1950). Eine befriedigende Darstellung der IMRO und ihrer Aktivität liegt nicht vor. Einen Ersatz dafür bietet *J. Swire,* Bulgarian Conspiracy (1939). Die gegenwärtige bulg. Geschichtsschreibung klassifiziert die IMRO als »faschistisch« und widmet ihr keine Aufmerksamkeit. Zu den in Wirklichkeit zeitweilig guten Beziehungen der KP und der IMRO vgl. *J. Rothschild* (Anm. 5), Kapitel: Allies and Decoys, S. 170–204. Die Bedeutung, die der mazedonischen Frage in Bulgarien weiterhin zugemessen wird, geht u. a. aus dem 1969 von der Bulg. Akademie der Wissenschaften herausgegebenen Quellenband: Documents and Materials on the History of the Bulgarian People hervor, der in Wirklichkeit ausschließlich Unterlagen zur Mazedonienfrage enthält.

[15] Osteuropa-Handbuch, Bd. Jugoslawien, hg. v. *W. Markert* (1954), S. 16.

[16] Unter ihm verwandelte sich die IMRO endgültig in eine Mörderorganisation, die nach *Swire,* Bulgarian Conspiracy, S. 50, seit 1932 auch Rauschgifthandel betrieb. *Michajlov* überlebte die Auflösung der IMRO und den II. Weltkrieg und publizierte 1948 in St. Louis unter dem Pseudonym *Macedonicus* ein Buch: Stalin and the Macedonian Question, dem er 1950 ein zweites: Macedonia: a Switzerland of the Balkans unter seinem richtigen Namen folgen ließ.

[17] Noch nach ihrer Auflösung war es ein ehemaliges IMRO-Mitglied, der Chauffeur Michajlovs Vlado Makedonski alias Veliks Kerin alias Vlado Georgiev, der am 9. X. 1934 König Alexander von Jugoslawien in Marseille ermordete.

[18] Zu Griechenland und Bulgarien vgl. *J. Barros,* The League of Nations and the Great Powers. The Greek-Bulgarian Incident 1925 (1970).

[19] Vgl. Hdwb. des Grenz- und Auslandsdeutschtums, Bd. 2, S. 281, sowie *Dobrogea,* 1878–1928 cincizeci ani de viață românească (Fünfzig Jahre rumänischen Lebens; 1928).

[20] In Athen, 5.–13. X. 1930, Istanbul, 20.–26. X. 1931, Bukarest, 22.–29. X. 1932, Saloniki, 5.–11. XI. 1933. Vgl. *L. S. Stavrianos,* Balkan Federation (1964), Kapitel IX, S. 224–258.

b) Die autoritäre Monarchie Bulgarien nach dem Staatsstreich vom 19. V. 1934 (1934–1941)

Die Umgestaltung Bulgariens von der konstitutionellen Monarchie mit einem Vielparteiensystem und wechselnden Blockbildungen zu einem autoritären Staat vollzog sich ohne erkennbare Einwirkung von außen, obwohl das seit 1929 in Jugoslawien praktizierte Beispiel der Königsdiktatur nachahmenswert erscheinen mochte, weit eher als Einparteienherrschaft und Führerkult in Deutschland. Hinter der Gruppe, die den Staatsstreich vom 19. V. 1934[1] durchführte, standen jedenfalls keine Partei oder Massenorganisation, sondern einerseits Offiziere, die schon am Staatsstreich vom Juni 1923 beteiligt waren, wie die Obersten Velčev und Georgiev, andererseits einige Bauernbündler und andere Intellektuelle, die sich mit den Offizieren in einer 1927 gegründeten, *Zveno* (»das Bindeglied«) genannten Gemeinschaft zusammengeschlossen hatten und ebenso gegen die Parlamentsparteien wie gegen Einfluß und Terror der IMRO waren. Oberst Velčev, erfahrener Taktiker des Umsturzes, war Vorsitzender der Militär-Liga, eines Verbandes der Reserve-Offiziere.

Anlaß war die Tatsache, daß es innerhalb des seit 1931 regierenden Nationalen Blocks Kämpfe um die Zahl der dem Bauernbund zustehenden Ministerien gab, so daß Ministerpräsident Mušanov nach Auflösung des Parlaments am 14. V. 1934 zurücktrat und den Auftrag des Königs, eine neue Regierung zu bilden, nicht erfüllen konnte. In der Nacht vom 18. zum 19. V. 1934 ergriffen die Militärs und die Mitglieder des *Zveno*-Kreises die Macht, erklärten kurzfristig den Ausnahmezustand und proklamierten die außerparlamentarische Regierung des Obersten Kimon Georgiev[2], den König offenbar vor vollendete Tatsachen stellend. Unter den Verschwörern befanden sich auch Anhänger der Republik, doch war die Monarchie in der Volksmeinung zu fest verankert, so daß die Autorität des Königs in Anspruch genommen werden mußte. Die Regierungserklärung Georgievs besagte jedenfalls, daß der König angesichts der wirtschaftlichen Krise und der ernsten politischen Lage, womit auf die Isolierung durch den Balkanpakt angespielt wurde, die Bildung einer starken Regierung für notwendig befunden habe.

Die Maßnahmen der Regierung Georgiev griffen tief in das politische Leben ein und setzten Teile der seit 1879 gültigen Verfassung von Tirnovo außer Kraft. Vor allem wurden rigorose Sparmaßnahmen in der Verwaltung durchgeführt, die Zahl der Gemeinden von 2500 auf 800 verringert und der Beamtenapparat entsprechend verkleinert. Am 12. VI. 1934 wurden sämtliche politischen Parteien und Vereinigungen für aufgelöst erklärt und die Presse der Zensur unterworfen. Gegen die IMRO, die sich der Auflösung widersetzte, wurde im Laufe des Sommers die ganze Armee eingesetzt, bis sie völlig zerschlagen wurde, wobei große Waffenvorräte beschlagnahmt wurden. Da ein Teil ihrer führenden Köpfe, darunter Michajlov selbst, entkommen konnte, setzte sie ihre Tätigkeit im Ausland noch einige Zeit fort – 1937/38 erschien in Genf ihre Zeitschrift *Macédoine* –, doch verlor sie seit 1938 endgültig ihre frühere Bedeutung.

Eine Verordnung zum Schutze des Staates vom 31. VIII. 1934 ermöglichte der Regierung ein rigoroses, oft brutales Vorgehen gegen alle bewaffneten und umstürzlerischen Organisationen einschließlich der Kommunisten. Gleichzeitig bemühte sich Georgiev um ein korrektes Verhältnis zur Sowjetunion. Die im Jahre 1925 unter dem Eindruck des Sofioter Bombenanschlags abgebrochenen Beziehungen wurden im Juli 1934 wieder aufgenommen.

Die Heterogenität der teilweise republikanisch eingestellten Regierung Georgiev und die Differenzen mit der royalistischen Mehrheit der Armee führten

III. a) Die konstitutionelle Monarchie in Bulgarien (1918–1934)

schon am 22. I. 1935 zum – wiederum staatsstreichartig herbeigeführten – Sturz Georgievs durch König Boris III., der von einer ursprünglich eher passiven Duldung des Umsturzes in den folgenden Jahren mehr und mehr zu aktivem Eingreifen überging und eine besondere Form der Königsdiktatur aufbaute. Dabei spielte es eine Rolle, daß ihm nach dem Sturz Georgievs und der Verhaftung des Drahtziehers im Hintergrund, Oberst Velčev[3] – er wurde im Januar 1936 wegen Hochverrats zum Tode verurteilt, jedoch nicht hingerichtet und 1940 von Boris begnadigt –, keine starke Persönlichkeit mit Rückhalt bei der Bevölkerung oder mit einer mächtigen Organisation gegenüberstand. So kam es im Jahre 1935 zu zweimaligem Regierungswechsel; auch der besondere Vertraute des Königs, der Diplomat Georgi Kioseivanov (1884–1960), der am 22. XI. 1935 die Regierung übernahm und bis zum 15. II. 1940 im Amt blieb, bildete seine Regierung in diesen vier Jahren achtmal um, ein Zeichen für das Fehlen einer leitenden Idee und einer die Regierung tragenden politischen Kraft.

Um die Krone zu stützen und die Verfassung von 1879 wenigstens formell zu wahren, ließ der König im Oktober 1937 ein neues Wahlgesetz verkünden, das die Zahl der Parlamentssitze auf 160 verringerte und keine Parteien oder Verbände, auch keine Staatspartei, sondern nur Einzelkandidaturen zuließ. Erstmals waren auch die Frauen wahlberechtigt. Die im März 1938 in drei Etappen durchgeführten relativ freien Wahlen brachten 104 Abgeordnete ins Parlament, die der Regierung nahestanden, gegen 56 der Opposition, so daß eine verfassungsändernde Zweidrittelmehrheit nicht gegeben war. Erst die unter dem Eindruck des Kriegsausbruchs und der Neutralitätshaltung Bulgariens vom Dezember 1939 bis 1. II. 1940 erneut durchgeführten Wahlen ergaben mit 140 von 160 Sitzen eine starke Regierungs- oder besser Königsmehrheit, doch blieb unklar, ob dieses Parlament die neue Regierung des Professors der Archäologie und bisherigen Präsidenten der Akademie der Wissenschaften Bogdan Filov (1883–1945), die, mehrfach umgebildet, bis zum Tode von König Boris im Amt blieb, wirklich kontrollieren oder lediglich Zustimmungsfunktionen haben sollte. Immerhin war es bis in das Jahr 1941 hinein möglich, daß oppositionelle, auch als Kommunisten[4] bekannte Abgeordnete die Regierung in Parlamentsdebatten scharf kritisierten.

Insgesamt gesehen hatte die autoritäre Monarchie Bulgarien trotz aller Maßnahmen gegen ihre Gegner, die sie im Konzentrationslager Gonda voda und nach dessen Auflösung 1941 in früheren griechischen Militärlagern in Thrazien gefangenhielt, einen verhältnismäßig liberalen Charakter, da mangels einer Staatsideologie – abgesehen von dem selbstverständlichen Patriotismus – auch keine Indoktrinierung betrieben wurde. Sie war je länger je mehr ganz auf die Krone und insbesondere die Person des Königs zugeschnitten, der, hochintelligent und vielseitig gebildet, sich innenpolitisch ebenso als geschickter Taktierer erwies, wie er außenpolitisch bei vorsichtiger Annäherung an das Dritte Reich[5] möglichst viel Gewinn für sein Land bei möglichst geringem Engagement zu erreichen suchte. Damit hatte er bis zum für Bulgarien entscheidenden Winter 1940/41 auch vollen Erfolg. Im Vordergrund stand zunächst der Ausgleich mit Belgrad, von Boris durch mehrere persönliche Begegnungen mit Alexander von Jugoslawien in den Jahren 1933/34 vorbereitet und bei einem Besuch Alexanders in Sofia im September 1934 fast vor dem Abschluß[6], durch die Ermordung Alexanders am 9. X. 1934 aber verzögert. Neue Verhandlungen im Jahre 1936 führten dann zu dem vielbeachteten Freundschafts- und Nichtangriffspakt vom 24. I. 1937[7], der sofort ratifiziert wurde und lediglich feststellte: »Zwischen dem Königreich Jugoslawien und dem Königreich Bulgarien wird unverletzlicher Frieden und aufrichtige, ewige Freundschaft herrschen.«

Großsüdslawische Möglichkeiten, auch später von Dimitrov und Tito wieder ins Gespräch gebracht, wiesen Bulgarien gleichzeitig auf eine stärkere Betonung seiner Revisionsansprüche gegenüber Griechenland und Rumänien hin: Zunächst wurde Bulgariens Stellung durch einen am 31. VII. 1938 in Saloniki unterzeichneten Nichtangriffspakt mit dem Balkanbund erheblich gestärkt, denn abgesehen von dem Verzicht auf Gewaltanwendung enthielt der Vertrag die Aufhebung der Bulgarien in Neuilly auferlegten Rüstungsbeschränkungen einschließlich der Wahrung einer entmilitarisierten Zone an der griechischen Grenze, die im August 1938 von bulgarischen Truppen besetzt wurde.

In den gleichen Jahren wurde die wirtschaftliche Bindung an Deutschland wesentlich enger, was u. a. durch mehrfache Besuche führender Persönlichkeiten des Dritten Reiches in Sofia zum Ausdruck kam. Insbesondere betonte Reichswirtschaftsminister Funk 1938 in Sofia die Bedeutung des deutschen Absatzmarktes für bulgarische Agrarprodukte. Tatsächlich war der Anteil des Deutschen Reiches an der Ausfuhr Bulgariens, das schon 1930 mit 26,2 % an der Spitze seiner Handelspartner stand, 1937 auf 47,1 % und 1939 auf 67 % angewachsen. Entsprechend entwickelte sich in den gleichen Jahren die bulgarische Einfuhr aus Deutschland von 23,2 über 58,2 auf 65,5 %. Das Gesamtvolumen des bulgarischen Handels mit Deutschland, das 1930 rund 2,5 Milliarden Lewa umfaßte, war 1939 auf das Dreifache, nämlich rund 7,5 Milliarden Lewa, angewachsen, mit einer positiven Handelsbilanz für Bulgarien[8]. Diese Bindung Bulgariens an den deutschen und seit 1938 »großdeutschen« Wirtschaftsraum machte sich um so stärker bemerkbar, als der Austausch mit den ähnlich strukturierten Nachbarländern minimal war und der nächstgrößte Handelspartner, Italien, 1939 nur zwischen 6 und 7 % des bulgarischen Außenhandels bestritt[9].

Eine engere politische Bindung an Deutschland wurde von Boris III. aber vermieden und von Hitler in der Vorkriegszeit wie in der Anfangsphase des II. Weltkrieges auch nicht gefordert. Als nach dem Ribbentrop-Molotow-Pakt und dem Kriegsausbruch offenbar von sowjetischer Seite Sondierungen in Sofia erfolgten, erklärte Bulgarien am 18. IX. 1939 offiziell seine Neutralität, erbat aber in Berlin gleichzeitig Verhaltensmaßregeln für den Fall, daß die Sowjetunion ihm bei einer Besetzung Bessarabiens die Dobrudscha anbiete[10]. Das folgende sowjetische Angebot eines gegenseitigen Beistandspaktes – nach Vorbild der baltischen Staaten – wurde von Bulgarien dilatorisch behandelt, doch erbat König Boris Anfang Dezember 1939 erneut Ratschläge, wurde aber mit dem Hinweis vertröstet, die Sowjetunion habe »nicht die Absicht, im Balkan eine aggressive Politik zu betreiben«[11].

Als das sowjetische Ultimatum vom 24. VI. 1940 an Rumänien jedoch deutlich machte, daß die Sowjetunion sehr wohl im Südosten aktiv wurde, erbat Boris deutschen Druck auf Rumänien wegen der Wiedergutmachung »des Unrechts des Bukarester Friedens 1913« und hatte, nachdem die Sowjetunion ausdrücklich die bulgarischen Revisionswünsche als berechtigt anerkannt hatte, den Erfolg, daß Hitler König Carol eine baldige Verständigung mit Bulgarien anriet[12]. Der bulgarische Wunsch, die Erfüllung seiner Revisionswünsche Deutschland verdanken zu können, wurde nach einem Besuch des Ministerpräsidenten Filov und des Außenministers Popov in Salzburg am 27. VII. dadurch verwirklicht, daß auf deutschen Vorschlag am 19. IV. in Craiova bulgarisch-rumänische Verhandlungen begannen, die am 7. IX. zum Vertragsabschluß führten. Danach gab Rumänien die Süddobrudscha[13], rund 7700 km² mit rund 380 000 Einwohnern, an Bulgarien zurück und zahlte eine Entschädigung von 1 Milliarde Lei. Gleichzeitig wurde ein vertragsmäßiger Bevölkerungsaustausch vorgesehen, aufgrund

III. a) Die konstitutionelle Monarchie in Bulgarien (1918–1934)

dessen rund 100 000 Rumänen – so stark war ihre Zahl gegenüber 1928 durch staatliche Ansiedlungspolitik gewachsen – die Süddobrudscha verließen und rund 60 000 Bulgaren aus der Norddobrudscha in die Süddobrudscha umgesiedelt wurden.

Nach diesem, noch im Zeichen der Neutralität errungenen ersten Erfolg bulgarischer Revisionspolitik wurde das Land zum Objekt deutsch-sowjetischer Auseinandersetzungen, da Deutschland Bulgariens Beitritt zum Dreimächtepakt, die Sowjetunion, die nach dem Besuch Molotovs in Berlin erneut erklärt hatte[14], daß Bulgarien in ihrer »Sicherheitszone der Schwarzmeer-Grenzen« liege, aber den Abschluß eines gegenseitigen Beistandspaktes wünschte. Der Bulgarien sehr weit entgegenkommende sowjetische Vorschlag[15] vom 25. XI. 1940 versprach weitgehende Erfüllung bulgarischer Revisionswünsche gegenüber Griechenland in Thrazien, gegenüber der Türkei und bedeutende materielle Hilfe. Er wurde von der bulgarischen Regierung vorsichtig abgelehnt, mit Hilfe der bulgarischen Kommunisten aber der bulgarischen Öffentlichkeit in Tausenden von Flugblättern bekannt gemacht, so daß ein Druck auf die Regierung einsetzte, während Hitler persönlich den bulgarischen Gesandten von der Notwendigkeit des Beitritts zum Dreimächtepakt zu überzeugen suchte[16].

Diesem durch die italienischen Mißerfolge gegenüber Griechenland zu erklärenden Drängen setzte Bulgarien längeren hinhaltenden Widerstand entgegen und ließ sich ausdrücklich versichern, daß es für den Beitritt und das für deutsche Truppen gewünschte Durchmarschrecht den gewünschten Zugang zur Ägäis zwischen Marica und Struma erhalten werde[17]. Am 1. III. 1941 trat Bulgarien dann dem Dreimächtepakt bei. Gleichzeitig überschritten deutsche Truppen offiziell die Donau, nachdem schon vorher deutsche Offiziere in getarnter Form bulgarischen Boden betreten hatten. Bulgarien war damit Verbündeter der Achsenmächte, ohne aber zunächst zu eigener militärischer Aktion verpflichtet zu sein.

---

[1] Er wird in der bulgarischen Geschichtsschreibung »militärfaschistisch« genannt. Dabei wird verschwiegen, daß an dem Umsturz der gleiche Kreis von Offizieren beteiligt war, der auch den Umsturz vom 9. IX. 1944 im Bündnis mit den Kommunisten durchführte. Kimon Georgiev war auch erster Ministerpräsident der »Vaterländischen Front«, und Oberst Damian Velčev (1883–1954) war der eigentliche Organisator aller drei Staatsstreiche und 1944–46 Kriegsminister.

[2] Kimon Georgiev, geb. 1882 in Pazardžik, gest. 1969, ist eine der schillerndsten Gestalten in der bulgarischen Geschichte. An den Staatsstreichen von 1923, 1934 und 1944 aktiv beteiligt, war er im Kabinett Ljapčev 1926–28 Postminister, 1934–35 als Ministerpräsident treibende Kraft der antidemokratischen Umgestaltung, seit 1935 im Konflikt mit dem König, 1944 als Vertreter des *Zveno* in der Vaterländischen Front, 1944–46 wieder Ministerpräsident, dann Inhaber verschiedener Ministerien; 1962 wurde er zum »Helden der sozialistischen Arbeit« erklärt.

[3] Velčev konnte lange Jahre als der eigentliche Machthaber im Hintergrund und als Inspirator der Umstürze von 1923 und 1934 gelten, dem Konspirieren zum Lebensinhalt geworden war. Gleich nach seiner Freilassung 1940 begann er eine neue konspirative Tätigkeit, stand 1941/42 in Verbindung mit dem serbischen Četnik-Führer Draža Mihajlović und führte 1943 das *Zveno* in die kommunistisch beeinflußte »Vaterländische Front«. Nach dem Umsturz vom 9. IX. 1944 trat er erstmals in eine Regierung ein und war bis September 1946 Kriegsminister, dann Gesandter in der Schweiz. 1947 wegen seiner früheren Verbindungen zu Mihajlović abgesetzt, blieb er in der Emigration und starb 1954 in Frankreich. Eine Begegnung mit ihm schildert *W. Bretholz,* Ich sah sie stürzen (1955), S. 59–60.

[4] Erst am 10. VII. 1941 wurde die Immunität der neun kommunistischen Abgeordneten aufgehoben, und diese wurden verhaftet, unter Protest des früheren Ministerpräsidenten

Mušanov. Vgl. *N. Oren,* Bulgarian Communism. The Road to Power 1934–1944 (1971), S. 173, wo auch die Namen genannt werden.

[5] In einer Unterredung mit RAM v. Neurath am 28. II. 1934 wurde diese möglichste Selbständigkeit wahrende Annäherung deutlich, wobei Boris sich gleichzeitig zum Sprecher für bessere deutsch-jugoslawische Beziehungen machte. Vgl. ADAP, Ser. C, Bd. II, Nr. 291, S. 534/35.

[6] Im Abschlußkommuniqué (Wiedergabe bei *Busch-Zantner,* Bulgarien [1941], S. 194/95) wurde der »Geist der Freundschaft und Verbrüderung« beschworen und eine Reihe von Abkommen angekündigt.

[7] Vgl. *Ž. Avramovski,* The Yugoslav-Bulgarian Perpetual Friendship Pact of 24. January 1937: CanadSlavPapers 11 (1969), S. 304–338.

[8] Zahlen bei *K. Haucke,* Bulgarien, S. 66/67. Zu berücksichtigen ist, daß die Zahlen für 1937 und 1939 auch den Anteil Österreichs, aber noch nicht den des Protektorats enthalten. In den Kriegsjahren wurden keine Daten über den Handel veröffentlicht.

[9] Leider gibt es, trotz inzwischen guter Quellenlage, keine zusammenfassende Darstellung der Rolle Bulgariens in der deutschen und italienischen Politik der Vorkriegs- und Kriegsjahre. Die Dissertation des amerika-bulgarischen Spezialisten für neueste bulgarische Geschichte, *M. V. Pundeff,* Bulgaria's Place in Axis Policy 1936–1949 (1959), ist nur als Manuskript zugänglich.

Ausdruck der lebhaften kulturellen und kulturpolitischen Beziehungen war das seit 1938 in Leipzig erscheinende Jahrbuch der Deutsch-Bulgarischen Gesellschaft, Schriftleitung Kurt Haucke, das trotz kriegsbedingter Einschränkungen noch mit dem Jg. 1943/44 erschien und durch Vorworte des Königs und der Minister einen offiziösen Charakter erhielt.

[10] ADAP, Serie D, Bd. VIII, Nr. 92, S. 73, Aufzeichnung Woermanns vom 18. IX. 1939.

[11] ADAP, Ser. D, Bd. VIII, Nr. 247, S. 217, Aufzeichnung Weizsäckers vom 12. X. 1939, sowie Nr. 415, S. 380/81, Bericht Richthofens v. 4. XII. 1939, u. Nr. 454, S. 418/19, Weisung Weizsäckers an Richthofen.

[12] ADAP, Ser. D, Bd. X, Nr. 53, S. 45/46, Bericht Richthofens vom 29. VI. 1940, Nr. 165, S. 171, Bericht Richthofens v. 13. VII. 1940, Nr. 174, S. 182/83, Telegramm Ribbentrops v. 16. VII. 1940.

[13] Text in: *Martens,* Nouveau Rec. Général, 3. S., Bd. 49, S. 348. Vgl. auch *F. Korkisch,* Die rumän. Gebietsabtretungen an Ungarn v. Bulgarien etc: AuslÖffR 10 (1940/41), S. 750–52, sowie *W. Z. Eredanski,* Das Dobrudschaproblem (1947).

[14] ADAP, Ser. D, Bd. XI, Nr. 404, S. 597/98, Bericht Schulenburgs v. 26. XI. 1940.

[15] Wortlaut in ADAP, Ser. D, Bd. XI, Anl. zu Nr. 438, S. 645.

[16] ADAP, Ser. D, Bd. XI, Nr. 438, S. 640–45, Aufzeichnung v. 3. XII. 1940.

[17] Die ADAP, Ser. D, Bd. XI u. XII geben in einer Fülle von Dokumenten ein eindrucksvolles Bild der geschickten bulgarischen Verhandlungstaktik.

c) Bulgarien als Achsenpartner und Kriegsteilnehmer (1941–1944)[1]

Nach dem Beitritt zum Dreimächtepakt hatte Bulgarien den erheblichen Vorteil, daß es sich am Krieg gegen Griechenland aktiv ebensowenig zu beteiligen brauchte wie an dem zur Zeit seines Beitritts zum Dreimächtepakt gar nicht vorauszusehenden Krieg mit Jugoslawien. In beiden Fällen stellte es lediglich sein Gebiet für den Durchmarsch deutscher Truppen zur Verfügung und besetzte die ihm im Falle Griechenland vorher zugesagten, im Fall Jugoslawien nach dem Umsturz vom 27. III. zufallenden Gebiete Thraziens und Mazedoniens erst nach Abschluß der Kampfhandlungen, so daß es formell gesehen beiden Ländern gegenüber keine unmittelbaren Angriffshandlungen beging. Die Besetzung erfolgte, nachdem die Gebiete der bulgarischen Armee am 17. IV. 1941 ausdrücklich dafür freigegeben worden waren, in Mazedonien nach anfänglichen Meinungsverschiedenheiten im Mai 1941 bis an die albanische Grenze einschließlich des für die bulgarische Kirchengeschichte bedeutsamen Ochrid.

Indessen wurde Bulgarien nicht veranlaßt, der Sowjetunion den Krieg zu er-

III. c) Bulgarien als Achsenpartner und Kriegsteilnehmer (1941–1944)

klären, wie das bei Rumänien, Ungarn und der Slowakei der Fall war. Es brach auch nicht die Beziehungen zu ihr ab, erklärte aber nach dem japanischen Überfall auf Pearl Harbour am 12. XII. 1941 den Vereinigten Staaten und Großbritannien den Krieg, den es mangels entsprechender Luft- und Seestreitkräfte praktisch gar nicht führen konnte. Es befand sich also, obwohl Achsenpartner und Kriegsteilnehmer, in der günstigen Situation, daß es in den Jahren 1941 bis 1943 nur die Vorteile seiner Partnerschaft genoß, ohne dafür mehr als wirtschaftliche Belastungen in Kauf nehmen zu müssen. Zwar erforderte die Besetzung Mazedoniens wegen der dortigen Partisanentätigkeit auch militärische Aktionen und dementsprechend einige Verluste, und die durch die deutsche Niederlage von Stalingrad deutlich gewordene Wende des Krieges im Frühjahr 1943 ließ Überlegungen Platz greifen, auf welche Weise die frühere Neutralität bei Aufrechterhaltung der Gewinne wieder erreicht werden könne. Da Bulgarien aber mit der Sowjetunion nicht im Krieg war, konnte auf günstiges Abschneiden bei einem Absprung im richtigen Augenblick gerechnet werden.

Die gegenüber drängender werdenden deutschen Forderungen hinhaltende Politik Bulgariens bewährte sich vor allem in der Judenfrage[2]. Zwar waren die 28 000 Juden Bulgariens aufgrund eines Gesetzes vom 7. X. 1940 nicht mehr berechtigt, im Staatsdienst tätig zu sein und eine Reihe von weiteren Berufen auszuüben; im August 1942 wurden sie durch Verordnung gezwungen, in Gettos zu leben und den Judenstern zu tragen, doch wurden diese Maßnahmen nur zögernd in die Praxis umgesetzt, und an Deportationen wurde nicht gedacht. Als im Februar 1943 starker Druck auf Bulgarien ausgeübt wurde und der frühere Judenreferent der Gestapo in Paris, Dannecker, zur »Hilfeleistung« nach Sofia kam, fand die Regierung Filov den Kompromiß, daß sie wohl Hilfe bei der Deportation von etwa 11 000 Juden aus Thrazien und Mazedonien leistete, die nicht die bulgarische Staatsbürgerschaft hatten, die bulgarischen Juden aber in Arbeitslagern oder sogar in Freiheit beließ, so daß sie alle überlebten – als einzige geschlossene Gruppe osteuropäischen Judentums. Wieweit König Boris, der mehrfach bei Hitler war – zuletzt im April und August 1943 –, persönlich an diesen Erfolgen einen Anteil hatte, ist nicht mit Sicherheit festzustellen[3]. Gewiß ist aber, daß er Hitler gegenüber äußerst freimütig auftrat und es verstand, die Sonderstellung Bulgariens im Krieg und die Vorteile, die sich aus ihr auch für Deutschland ergaben, zu verdeutlichen. Da auch die eigenartige bulgarische Staatsform ganz auf die Krone und die Person des Königs zugeschnitten war, bedeutete es eine katastrophale Wendung für Bulgarien, daß König Boris am 28. VIII. 1943, nach ganz kurzer Krankheit und unter ungeklärten Umständen, erst 49jährig starb. Daß dieser Tod[4] auf das Konto deutscher Geheimdienste gehen könnte, wie öfters angedeutet wird, ist schon deshalb auszuschließen, weil er die Politik Hitlers in der ohnehin bedrohlichen Situation des Spätsommers 1943 vor unerwartete Schwierigkeiten stellte und weil der König in der wechselvollen bulgarischen Regierungsszene die einzige berechenbare Größe darstellte. Da sein Sohn, König Simeon, erst sechs Jahre alt war, wurde am 8. IX. ein dreiköpfiger Regentschaftsrat von der Parlamentsmehrheit gewählt, dem Prinz Kyrill, der jüngere Bruder von Boris, der bisherige Ministerpräsident Bogdan Filov und der bisherige Kriegsminister Nikola Michov angehörten. Ministerpräsident wurde der bisherige Finanzminister Dobri Božilov, Außenminister der bisherige Gesandte in Ankara, Kirov, der versucht hatte, Verbindung mit London aufzunehmen, um Bulgarien aus dem Krieg herauszuführen.

Während im Herbst 1943 ein sich im Jahre 1944 verstärkender bewaffneter Widerstand begann, dessen Ausmaß und Bedeutung allerdings von einer heroisierenden Geschichtsschreibung[5] stark übertrieben wird, liefen auf Initiative der in Moskau arbeitenden bulgarischen Kommunisten G. Dimitrov und V. Kolarov, die dort u. a. den Sender *Christo Botev*[6] betrieben, Verhandlungen der in Bulgarien im Untergrund agierenden Kommunisten mit oppositionellen Politikern über die Bildung einer »Vaterländischen Front«. Sie dauerten vom Sommer 1942 bis zum September 1943, als sich das erste Nationalkomitee dieser »Front« konstituierte. In ihm war die Gruppe *Pladne* der Bauernpartei mit Nikola Petkov (1889–1947; als »Volksverräter« hingerichtet), das *Zveno* mit Kimon Georgiev, die wenig bedeutenden Sozialdemokraten mit Grigor Čežmedžiev und die Kommunisten mit Kiril Dramaliev vertreten. Das schon 1942 verkündete Programm erklärte, daß das »hitleristische Regime« gestürzt und durch ein »wirklich bulgarisch-nationales Regime« ersetzt werden müsse, daß Bulgarien das Bündnis mit Deutschland verlassen und seine politische Freiheit wiederherstellen sollte. Ein der Verfassung von 1879 entsprechendes »Großes *Sobranie*« – das im September 1943 entgegen der Verfassung nicht einberufen worden war – sollte über die Zukunft der Regierungsform entscheiden.

Die Erweiterung der »Front« durch renommierte Oppositionelle wie Mušanov gelang nicht, indessen wirkte sich die bedrohlich werdende Kriegslage dahin aus, daß die als achsenfreundlich geltende Regierung Božilov am 18. V. 1944 zurücktrat und durch eine für die Westalliierten eher akzeptabel erscheinende Regierung Ivan Bagrianov (1891–1945; hingerichtet) ersetzt wurde.

Unter dem Eindruck der Erfolge der Roten Armee und anglo-amerikanischer Luftangriffe auf bulgarische Städte im Sommer 1944 verlangten am 12. VIII. dreizehn Oppositionspolitiker, darunter auch Georgiev, Petkov und zwei Kommunisten, den sofortigen Friedensschluß mit den Anglo-Amerikanern, freundschaftliche Beziehungen zur Sowjetunion, Rückzug aus den besetzten Gebieten und Bildung einer verfassungsmäßigen Regierung[7].

Die Kapitulation Rumäniens am 23. VIII. und der Vormarsch der Roten Armee an die Donau führten Opposition und Regentschaft näher zusammen. Das Ergebnis war der Befehl, die deutschen Soldaten zu entwaffnen, und die Bildung einer von mehreren Parteien getragenen Regierung des Bauernparteilers Konstantin Muraviev (1893–1965) am 2. IX. Diese erklärte sofort den Austritt aus dem Dreimächtepakt und forderte Deutschland auf, unverzüglich alle Truppen abzuziehen, andernfalls die Beziehungen abgebrochen würden, verzögerte jedoch den Bruch mit Deutschland um 72 Stunden, um die eigenen Truppen aus dem noch in deutscher Hand befindlichen griechischen Bereich unversehrt abziehen zu können. Dies benutzte die Sowjetregierung als Vorwand für die völlig überraschende Kriegserklärung an Bulgarien vom 5. IX. – Muraviev reagierte mit dem Befehl, der die Donau überschreitenden Roten Armee keinen Widerstand zu leisten, und mit der Kriegserklärung an Deutschland am 8. IX., so daß sich Bulgarien kurzfristig in der grotesken Situation befand, gleichzeitig mit Deutschland und der Sowjetunion im Kriegszustand zu sein. Verzweifelte Verhandlungen über den Waffenstillstand mit den Alliierten in Kairo und der vollzogene Bruch mit Deutschland bewahrten Bulgarien jedoch nicht vor der »Befreiung vom deutschen Joch« durch die alsbald vorrückende Rote Armee. Bevor die Regierung Muraviev jedoch weiter verhandeln konnte, wurde sie in der Nacht zum 9. IX. durch einen Militärputsch gestürzt, der die Umgestaltung Bulgariens in eine Volksrepublik einleiten sollte.

---

[1] Eine zuverlässige Darstellung der Beteiligung Bulgariens am Kriege fehlt. Die neueste bulg. Geschichtsschreibung beschränkt sich weitgehend auf die bis 1943 ganz unbedeu-

III. d) Die Umgestaltung zur Volksrepublik bis zum Kominformkonflikt (1944–1948)

tende und von den Alliierten gar nicht wahrgenommene Partisanentätigkeit und die Vorbereitung der »Vaterländischen Front«. Das bulgarische Besatzungsregime in Thrazien und Mazedonien wird dabei mit Stillschweigen übergangen. Vgl. jedoch: Bulgarian Atrocities in Greek Macedonia and Thrace 1941–44. A Report of Professors of the Universities of Athens and Salonica (1945); sowie *Ath. Chrysochoos*, He Katoche en Makedonia (Die Okkupation in Mazedonien; 4 Bde. 1949–52), insbesondere Bd. 4 über die Bulgaren in Ostmazedonien und Thrazien. Jugoslaw. Darstellung: Bulgarska Okupacija Makedonije i kratak pregled razvoja narodno-oslobodilačke borbe, u. Makedonije do novembra 1943 god. (Die bulg. Okkupation Mazedoniens und Kurzer Überblick über die Entwicklung des Volksbefreiungskriegs in Mazedonien bis November 1943), in: Vojno-istoriski Glasnik 1 (1950), S. 7–45. Weitere Literatur bei *A. Hillgruber*, Südost-Europa im Zweiten Weltkrieg. Literaturbericht und Bibliographie (^{2}1962). Vgl. auch *D. C. Bratanov*, Sur la Bulgarie en guerre: RevHistII^{me}GuerreMond 18 (1968), S. 1–93.

[2] Vgl. das Kapitel The Balkans, Abschn. Bulgaria, S. 310–312, in: *J. Tenenbaum*, Race and Reich (1956), und den Abschnitt Bulgarien, S. 430–436, bei *G. Reitlinger*, Die Endlösung (1956), die sich zu einem Gesamtbild ergänzen. Außerdem eingehend *Fauck*, Das deutsch-bulgarische Verhältnis 1939–1944 und seine Rückwirkung auf die bulgarische Judenpolitik, in: Gutachten des Inst. f. Zeitgesch. 2 (1966), S. 46–59.

[3] Da König Boris als Coburger ausgezeichnet Deutsch sprach, war bei den mehrfachen Begegnungen mit Hitler kein Dolmetscher anwesend. Es liegen auch keine anderweitigen Aufzeichnungen vor. *Paul Schmidt*, nur gelegentlicher Zeuge dieser Gespräche, betont in: Statist auf diplomatischer Bühne (^{11}1968), S. 573, daß Boris gerade durch seine Ungezwungenheit Hitler beeindruckte und einiges bei ihm erreichte. Zu seiner Person außer dem in a, Anm. 4 genannten *Nikolaev* das Sammelwerk von *C. Schaufelberger*, La destinée tragique d'un roi. La vie et le règne de Boris III (1952), in dem der außerdem getrennt erschienene Beitrag von *Nikolaev* enthalten ist.

[4] Dazu eingehend *H. Heiber*, Der Tod des Zaren Boris: VjhefteZG 9 (1961), S. 384–416. Er kommt zu dem Ergebnis: »Es spricht viel dafür, in dieser Richtung (d. h. bei seinen innenpolit. Gegnern) die Urheber der plötzlichen Erkrankung des Königs zu suchen, wobei ausländische Drahtzieher – sofern es sie überhaupt gegeben hat – kaum im deutschen Lager zu finden sein dürften« (S. 416).

[5] Neben der kaum noch übersehbaren Widerstandsliteratur in Bulgarisch, vgl. d. von *P. Georgieff* u. *B. Spiru* herausgegebene Dokumentation: Bulgariens Volk im Widerstand 1941–1944 (1962), sowie *N. Gornenski*, Über die antifaschist. Widerstandsbewegung u. d. bewaffneten Kampf in Bulgarien 1941–1944: ZGWiss 6 (1958), S. 1069–1088.

[6] Christo Botev, 1848–1876, war Dichter und Nationalrevolutionär, in seinem Wirken und seinem Einfluß etwa mit dem Ungarn Petöfi vergleichbar. Wie in anderen Fällen bediente sich die von der Sowjetunion aus betriebene kommunistische Propaganda hier eines nationalen Idols.

[7] Die Entwicklung im August/September 1944 am zuverlässigsten bei *N. Oren*, Bulgarian Communism (vgl. b, Anm. 4), S. 238–262, und in »Bulgaria« S. 114–120. Die in Bulgarien erschienenen Darstellungen sind panegyrisch, ohne genaue Daten und praktisch kaum brauchbar. Immerhin bringt *Todorov*, Kurze bulg. Geschichte, S. 103–104, das Programm d. Vaterländischen Front. Panegyrisch: *L. B. Walew*, Aus der Geschichte der Vaterländischen Front Bulgariens, Juli 1942–September 1944 (1952).

d) Die Umgestaltung zur Volksrepublik bis zum Kominformkonflikt (1944–1948)[1]

In allen zum sowjetischen Machtbereich gehörenden Staaten Ostmitteleuropas ist das gleiche Schema der Umformung zur kommunistisch regierten Volksrepublik erkennbar, mit breitem Parteienspektrum in einer »Front« oder einem »Block« am Anfang, Besetzung der Schlüsselministerien durch Kommunisten, Wahlmanipulationen durch Absprachen und massive Beeinflussung, Ausschaltung der Opposition durch Unterwanderung, Korruption und Hochverratsprozesse. In Bulgarien wurde nach dem gleichen Schema verfahren, nur mit dem

Unterschied, daß die einzelnen Phasen sehr rasch aufeinanderfolgten und daß gegen Vertreter des bisherigen Regimes und gegen bisherige Verbündete besonders brutal mit Todesurteilen vorgegangen wurde, so daß kaum einer überlebte, während die führenden Kommunisten die Kriegsjahre in Haft oder im Untergrund lebend überstanden hatten und, wie Trajčo Kostov, erst von den eigenen Genossen hingerichtet wurden.

Unmittelbar nach dem Umsturz, der durchaus kein »Volksaufstand«[2], sondern ein wohlorganisierter Militärputsch mit Hilfe des Kriegsministers der Regierung Muraviev, Ivan Marinov, war, bildete sich am 9. IX. die Regierung der »Nationalen Front« mit je vier Ministern des *Zveno,* der Bauerngruppe *Pladne* und der Kommunisten und zwei der Sozialdemokraten. Während Ministerpräsidium (Georgiev), Krieg (Velčev) und Äußeres (Stainov) vom *Zveno* besetzt wurden, sicherten sich die Kommunisten die Schlüsselministerien des Inneren (Jugov) und der Justiz (Nejčev). Da die Monarchie beibehalten wurde, wurde auch ein neuer Regentschaftsrat eingesetzt, mit zwei Nichtkommunisten und einem Kommunisten. Am gleichen Tage gewährte Marschall Tolbuchin den Waffenstillstand[3].

Unter dem Einfluß der Roten Armee, an deren Seite die bulgarische Armee nunmehr gegen ihren bisherigen Verbündeten kämpfen mußte[4], wuchsen Bedeutung und Stärke der Kommunistischen Partei[5] sehr rasch. Während sie im September 1944 etwa 15 000 Mitglieder zählte und damit, verglichen mit der KP Rumäniens, ausgesprochen stark war, konnte sie im Januar 1945 schon auf einen Mitgliederbestand von 250 000 verweisen. Ihre führenden Köpfe befanden sich noch außerhalb des Landes; Dimitrov, der geistige Vater der »Vaterländischen Front«, kehrte erst im November 1944, Kolarov im September 1945 zurück, Vulko Červenkov, der Schwager Dimitrovs (geb. 1900), erschien schon mit der Roten Armee in Bulgarien.

Zunächst schien unter der Regierung Georgiev eine Rückkehr zu einer konstitutionellen Monarchie möglich zu sein, da diese sich am 18. IX. ausdrücklich zur Verfassung von Tirnovo bekannte, obwohl ja gerade Georgiev 11 Jahre vorher diese Verfassung außer Kraft gesetzt hatte. Statt der Wiederherstellung demokratischer Freiheiten setzte aber noch im Winter eine beispiellose Verfolgung früherer Regierungsmitglieder ein, die sich praktisch zunächst ohne Kontrolle der Westmächte vollzog, da die britische Militärmission noch im September 1944, unmittelbar nach ihrem Eintreffen, wieder zum Verlassen des Landes gezwungen wurde. In einem Hochverratsprozeß gegen 162 Angeklagte, darunter alle drei Mitglieder des ersten Regentschaftsrates, wurden am 1. II. 1945 sechsundneunzig Todesurteile und dreißig lebenslängliche sowie weitere langfristige Haftstrafen, jedoch kein einziger Freispruch verkündet. Die Verurteilten, unter ihnen Prinz Kyrill, Filov, Michov, Božilov, Bagrianov, 17 weitere Minister und 66 Abgeordnete, wurden schon am folgenden Tage erschossen[6].

Im gleichen Winter wurden, im wesentlichen auf Betreiben der Kommunistin Cola Dragoičeva (geb. 1900), die den Krieg zeitweilig im Lager oder in Freiheit überlebt hatte und die Generalsekretärin des Nationalkomitees der »Vaterländischen Front« war, Volksgerichtshöfe »zur Säuberung Bulgariens von faschistischen, nationalreaktionären und antidemokratischen Elementen« eingesetzt, die nach einer Mitteilung vom März 1945 von 11 000 Angeklagten 2680 zum Tode und etwa 2000 zu lebenslänglicher Zwangsarbeit verurteilt hatten. Es war verständlich, daß sich nach diesem im ganzen sowjetischen Machtbereich ohne Beispiel dastehenden brutalen Vorgehen keinerlei politische Kräfte außerhalb der »Vaterländischen Front« entfalten oder auch nur regen konnten.

Am 28. X. 1944 wurde in Moskau der Waffenstillstand[7] mit Bulgarien unter-

III. d) Die Umgestaltung zur Volksrepublik bis zum Kominformkonflikt (1944–1948)

zeichnet, der die Beteiligung Bulgariens am Krieg, die weitere Besetzung des Landes durch die Rote Armee und den Rückzug aus allen besetzten Gebieten – die Süddobrudscha ausgenommen – sowie die Einsetzung einer Alliierten Kontrollkommission in Sofia vorsah. Diese wurde jedoch praktisch von der Sowjetunion beherrscht, konnte aber den Nichtkommunisten der »Vaterländischen Front« wenigstens gewisse Unterstützung gewähren. Das galt für den Generalsekretär der Bauernpartei G. M. Dimitrov (genannt »Gemeto« zur Unterscheidung von seinem kommunistischen Namensvetter), der im Winter 1944/45 eine selbständigere Politik des *Pladne* innerhalb der »Vaterländischen Front« zu treiben versuchte. Er konnte sich im Mai 1945 vor Verfolgungen in die amerikanische Vertretung retten und unter deren Schutz das Land verlassen.

In den folgenden Monaten gelang es den Kommunisten, einem bewährten Schema folgend, die Sozialdemokraten und die Bauernpartei *Pladne* zu spalten[8] und am 17. VIII. 1945 eine zweite Regierung Georgiev mit Vertretern der Abspaltungen zu bilden, während der Bauernparteiler Nikola Petkov, Stellv. Ministerpräsident seit 9. IX. 1944, in die Opposition ging. Im September kehrte Georgi Dimitrov, bislang noch sowjetischer Staatsangehöriger, nach Bulgarien zurück und wurde sofort Spitzenkandidat der »Vaterländischen Front« für die Wahlen am 18. XI. 1945. Bei diesen gab es, wieder bewährtem Schema folgend, nur eine Einheitsliste der »Front«, die die 276 Sitze vorher so aufgeteilt hatte, daß die Kommunisten 96, die Bauernpartei ebensoviel, das *Zveno* 47 und den Rest Sozialdemokraten und »Unabhängige« erhielten. Die Opposition, an der Aufstellung eigener Listen gehindert, propagierte Wahlenthaltung, doch entsprach das Ergebnis den Wünschen der Regierung: 85 % Wahlbeteiligung, davon 88 % für die »Front«. Das Parlament sanktionierte die Verordnungen der Regierung, reduzierte den privaten Landbesitz gesetzlich auf 20 ha und ermöglichte durch ein »Gesetz zum Schutz der Volksmacht« weitere Gerichtsverfahren. Da ein von Präsident Truman nach Bulgarien entsandter Beobachter, Mark Ethridge[9], im Herbst 1945 festgestellt hatte, daß die Regierungsbildung nicht den Beschlüssen von Jalta entsprach, beschlossen die Außenminister der »Großen Drei« in Moskau im Dezember 1945 ähnlich wie im Falle Rumäniens die Aufnahme von zwei Oppositionsmitgliedern in die Regierung, die aber, da sie die Kontrolle von Polizei und Justiz forderten, nicht zustande kam. Infolgedessen wurden weitere Gerichtsverfahren gegen alle der Opposition Verdächtigen durchgeführt. Die Armee, als möglicher Oppositionsherd, wurde durch ein Gesetz vom 2. VIII. 1946 unter die Kontrolle der Gesamtregierung gestellt und so dem Einfluß des Kriegsministers Velčev entzogen, der kurz darauf demissionierte. Das Offizierskorps konnte nunmehr durch Entlassungen »reaktionärer« Offiziere und Neuernennungen weitgehend umgestaltet werden. Obwohl nach der als gültig erklärten Verfassung von Tirnovo nur ein »Großes *Sobranie*« den Monarchen wählen oder über die Staatsform entscheiden durfte, wurde am 8. IX. 1946 eine Volksbefragung zur Frage »Monarchie oder Volksrepublik« durchgeführt, bei der sich erwartungsgemäß nur noch 4,2 % der 4,1 Millionen Wähler für die Monarchie entschieden. Eine Woche später wurde die Volksrepublik Bulgarien ausgerufen, zu deren Präsident Vasil Kolarov vom Parlament gewählt wurde. Der entthronte 9jährige König Simeon II. konnte mit seiner Mutter Giovanna[10] das Land verlassen.

Für die Ausarbeitung einer neuen Verfassung wurde nach Auflösung des Parlaments am 27. X. 1946 ein »Großes *Sobranie*« (mit doppelter Anzahl von Sitzen) gewählt. Dabei standen der »Vaterländischen Front« die unabhängige Bauernpartei unter Nikola Petkov und die Sozialdemokraten unter Kosta Lulčev gegenüber und gewannen 30 % der 4,16 Millionen Stimmen, jedoch nur 99 der 465 Sitze. Von den 366 Sitzen der »Vaterländischen Front« beanspruchten die Kommunisten 275 für sich; von ihren drei Partnerparteien wurden Sozialdemokraten und *Zveno* mit zusammen 17 Sitzen in völlige Bedeutungslosigkeit heruntergedrückt. Dementsprechend wurde die neue Regierung, nun mit G. Dimitrov als Ministerpräsident, am 23. XI. 1946 zwar noch mit je einem Vizepremier der drei Partnerparteien gebildet, wobei Kimon Georgiev zusätzlich das Außenministerium erhielt, aber von den restlichen fünfzehn Ministerien besetzten die Kommunisten bereits neun.

Immerhin wurde die Opposition noch geduldet, solange vor Unterzeichnung des Friedensvertrages mit anglo-amerikanischen Protesten und den Beobachtungen der anglo-amerikanischen Kontrollkommission gerechnet werden mußte. Der am 10. II. 1947 in Paris gleichzeitig mit den Verträgen mit den übrigen Verbündeten Deutschlands unterzeichnete Friedensvertrag mit Bulgarien[11] reduzierte das Territorium Bulgariens auf die Grenzen vom 1. I. 1941, beließ ihm also die Süddobrudscha.

Als Entschädigung hatte es an Griechenland 45 Millionen Dollar und an Jugoslawien 25 Millionen in Warenlieferungen zu zahlen. Die Stärke der Armee wurde auf 55 000 Mann, die Luftwaffe auf 90 Flugzeuge, die Kriegsmarine auf insgesamt 7250 t begrenzt; Bau und Besitz von Atomwaffen wurden Bulgarien ebenso verboten wie U-Boote. Neben anderen Klauseln sah der Vertrag auch den alsbaldigen Abzug der sowjetischen Streitkräfte vor, deren Unterhaltung seit 1944 für das Land eine schwere Last bedeutet hatte. Tatsächlich wurden nach Inkrafttreten des Friedensvertrages am 15. IX. 1947 die sowjetischen Truppen abgezogen, während die Interalliierte Kontrollkommission ebenfalls ihre Tätigkeit beendete. Ein auf 20 Jahre geschlossener Vertrag über Freundschaft, Zusammenarbeit und gegenseitige Hilfe[12] mit der Sowjetunion vom 18. III. 1948 gab der ohnehin bestehenden festen Bindung Bulgariens an die Sowjetunion die völkerrechtliche Basis.

Die Ratifizierung des Friedensvertrages durch die USA am 4. VI. 1947 und die Einstellung der Tätigkeit der Kontrollkommission gaben die Möglichkeit, gegen den bedeutendsten Kopf der Opposition, Nikola Petkov (1893–1947), den Verbündeten der Jahre 1943–1945, mit gleicher Brutalität vorzugehen wie vorher gegen die »Monarchofaschisten«. Er wurde am 5. VI. verhaftet, des Hochverrats angeklagt, in einem Schauprozeß zum Tode verurteilt und am 23. IX., acht Tage nach dem Inkrafttreten des Friedensvertrages, hingerichtet[13]. Amerikanische Proteste wurden als »Einmischung in innere Angelegenheiten« zurückgewiesen. Die Bauernpartei wurde nach Petkovs Hinrichtung aufgelöst; die einzige noch verbliebene Oppositionsgruppe, die Sozialdemokraten, hielt sich noch bis zum Juli 1948, als sechs ihrer neun Abgeordneten verhaftet und Lulčev zu lebenslänglicher Haft verurteilt wurden. Unmittelbar darauf wurde auch diese Partei aufgelöst.

Die unangreifbare Stärke der Kommunisten Bulgariens wurde bereits im Dezember 1947 durch die Verabschiedung einer neuen Verfassung (4. XII.) und durch die Bildung der zweiten Regierung Dimitrov (13. XII.) dokumentiert. Die Verfassung[14], am elften Jahrestage der »Stalin-Verfassung« von 1936 angenommen und dieser weitgehend nachgebildet, erklärte Bulgarien zur »Volksrepublik« und schaffte die Dreiteilung der Gewalten ab, da praktisch alle Gewalt bei der auf vier Jahre zu wählenden Nationalversammlung und insbesondere bei deren neunzehnköpfigem Präsidium liegt, dessen Vorsitzender die Funktionen des Staatsoberhauptes ausübt. Dieses Präsidium, dem Präsidium des Obersten So-

III. d) Die Umgestaltung zur Volksrepublik bis zum Kominformkonflikt (1944–1948)

wjets in der UdSSR entsprechend, tagt in Permanenz, kann Dekrete mit Gesetzeskraft erlassen und ernennt und entläßt die Regierungsmitglieder. Im übrigen wird die gesamte Verwaltung durch Nationalräte auf den verschiedenen Ebenen gehandhabt, die ihrerseits wiederum Legislative und Exekutive in sich vereinen, entsprechend der Theorie des »demokratischen Zentralismus«. Obwohl die Kommunistische Partei, ebenso wie in der sowjetischen Stalin-Verfassung, nicht erwähnt wird, gewährleistet diese Verfassung infolge der Identifizierung von »Volk« mit »Proletariat« und dessen »führende Kraft« die Alleinherrschaft der Kommunisten bzw. der von ihnen gesteuerten »Vaterländischen Front«. In der zweiten Regierung Dimitrov, die neben dem Ministerpräsidenten fünf Vizepremierminister und 17 Minister umfaßte, gab es zwar noch neun Nichtkommunisten. Da aber die Sozialdemokraten innerhalb der »Front« am 11. VIII. 1948 sich mit den Kommunisten vereinigten, das *Zveno* sich anschließend auflöste, während seine Mitglieder unmittelbar der »Front« beitraten und die Bauernpartei zwar vorläufig bestehen blieb, aber die »führende Rolle der Arbeiterklasse und der Kommunistischen Partei« vorbehaltlos anerkannte, war die Unterscheidung zwischen Kommunisten und Nichtkommunisten innerhalb der »Vaterländischen Front« weitgehend gegenstandslos.

Im Dezember 1947 war die Umgestaltung zur Volksrepublik praktisch abgeschlossen. Die Parteienauflösungen und Vereinigungen des Jahres 1948 waren nur noch unvermeidliche Konsequenzen. Auf dem Fünften Parteikongreß im Dezember 1948 konnte Dimitrov, dessen Bedeutung durch den Kominformkonflikt noch gestiegen war, verkünden, daß in Bulgarien nun die Diktatur des Proletariats errichtet worden sei. Die Geschichte Bulgariens wurde nunmehr weitgehend identisch mit der Geschichte der Kommunistischen Partei.

---

[1] Da kaum ein Oppositionspolitiker den Hinrichtungen oder der Umerziehung entkam, gibt es, im Unterschied zu anderen ostmitteleuropäischen Ländern, keine Erlebnisberichte oder Memoiren. Am eingehendsten unterrichtet der Sammelband »Bulgaria«. Vgl. auch *L. A. D. Dellin,* Bulgaria under Soviet Leadership: CurrentHist 44 (1963), S. 281–287; *J. F. Brown,* Bulgaria under Communist Rule (1970), u. *J. Kanapa,* Bulgarie d'hier et d'aujourd'hui. Le pays de Dimitrov (1953).

[2] Die Darstellungen des »Volksaufstandes« können, von allgemeinen Redensarten abgesehen, nicht angeben, wann und wo »das Volk« eigentlich aktiv wurde. Vgl. *S. Petrova,* Devetoseptemvrijska chronika. 1. juni–9. sept. 1944 (1969), u. *D. Sarlanov,* The Fatherland Front's Role in Bulgarian History (1966).

[3] Die Beziehungen zwischen der UdSSR und Bulgarien vom 9. IX. 1944 bis zum 1. IV. 1948 sind dokumentiert in Sovetsko–Bolgarskie otnošenija 1944–1948. Dokumenty i materialy, hg. v. d. Außenministerien der UdSSR und Bulgariens (1969), mit 155 zweisprachigen Texten. Die Erklärung Tolbuchins dort als Nr. 2, S. 11/12.

[4] Der Einsatz wird in großer Breite in dem dreibändigen Werk des bulg. Generalstabs, kriegswissenschaftl. Abteilung: Otečestvenata vojna na Bulgarija 1944–1945 (1961–1966) geschildert. Vgl. *P. Gosztony,* Der Krieg zwischen Bulgarien und Deutschland 1944/45: WehrwissRdsch 17 (1967), S. 22–38. Nach offiziellen Angaben verlor die bulgar. Armee, die bis 1944 praktisch keine Verluste gehabt hatte, dabei 31 000 Mann an Toten und Verwundeten.

[5] Die Entwicklung der bulgarischen KP nach 1944 am besten bei *N. Oren,* Revolution Administered. Agrarianism and Communism in Bulgaria (1973), Kapitel 4–7, S. 79–170. Die sowjetisch-offizielle Istorija bolgarskoj kommunističeskoj partii (1960) reicht nur bis zum 9. IX. 1944.

[6] Diese von der bulgarischen Geschichtsschreibung mit Stillschweigen übergangene Massenerschießung schildert der Augenzeuge *W. Bretholz,* Ich sah sie stürzen, (s. b, Anm. 3), S. 148–151.

[7] Text in Russisch und Bulgarisch in: Sovetsko-Bolg. otnošenija (Anm. 3), Nr. 17, S. 32–42, in Englisch in: U. S. Dep. of State, Executive Agreement Series Nr. 437, Wash. DC (1945).
[8] Am besten geschildert bei *N. Oren*, Revolution Administered, Kapitel 4, mit reichen bibliogr. Angaben.
[9] Vgl. seinen Bericht: Negotiating on the Balkans 1945–1947, in: Negotiating with the Russians, hg. v. *R. Dennet* u. *J. E. Johnson* (1961), S. 171–206.
[10] Sie veröffentlichte ihre Memoiren in »Oggi« (1961).
[11] Für Bulgarien unterzeichneten Kimon Georgiev, der der »Front« angehörende, später bedeutungslose Bauernparteileiter A. Obbov und der 1949 als Verräter hingerichtete Kommunist T. Kostov. Russischer Text in: Sovetsko-Bolg. otnošenija, Nr. 123, S. 276–310. Dt. Übersetzung nach d. engl. Text in: Die Friedensverträge im deutschen Wortlaut, hg. v. *D. Sternberger,* Heft 1 (1947), mit Einleitung v. *E. v. Puttkamer.*
[12] Text in: Sovetsko-Bolg. otnošenija, Nr. 150, S. 408–414.
[13] Vgl. The Trial of Nikola Petkov. Record od the Judicial Proceedings, August 5th–15th, 1947 (1947); The Petkov-Case; Exchange of Letters and Notes between the U. S. Government and the S. U. and Bulgaria. Dept. of State Bulletin, XVII (1947), S. 429/430, 481/482, 531–533, sowie *M. Padev,* Dimitrov Wastes no Bullets.: Nikola Petkov, the Test Case (1948).
[14] Text in Konstitucija i osnovnije zakonodatel' nye akty Narodnoj Rep. Bolgarii, hg. v. *N. P. Farberow* (1950). Ausführl. Wiedergabe in: Bulgaria, S. 91–101.

e) Das sozialistische Bulgarien (1948–1968)[1]

In den zwei Jahrzehnten zwischen dem Fünften Parteikongreß der bulgarischen Kommunisten im Dezember 1948 und der – mehr symbolischen – Beteiligung bulgarischer Truppen am Einmarsch in die Tschechoslowakei am 21. VIII. 1968 hat sich Bulgarien den Ruf des getreuesten und zuverlässigsten Satelliten der Sowjetunion in ganz Ostmitteleuropa erworben. Die Führer der bulgarischen Kommunisten, seit dem frühen Tod Georgi Dimitrovs am 2. VII. 1949 bei Moskau[2] durchweg Sterne zweiter und dritter Ordnung und außerhalb Bulgariens kaum bekannt, waren eifrig bestrebt, die Entwicklung in der KPdSU getreulich nachzuvollziehen und nichts zu tun, was nicht die Billigung der Kreml-Führung gefunden hätte. Die absolute Linientreue der bulgarischen Kommunisten führt in diesen zwei Jahrzehnten dazu, daß Bulgarien in den verschiedenen Phasen sowjetischer Politik in Südosteuropa häufig die Rolle des Vorreiters übernimmt und daß es praktisch keine Abweichungen, weder in Richtung des »Revisionismus« noch des »Dogmatismus« gibt, sie seien denn in der Sowjetunion bzw. der KPdSU vorprogrammiert worden.

Von einem »eigenen Weg« zum Sozialismus mit spezifisch bulgarischen Zügen, von Versuchen, sich vom sowjetischen Vorbild zu lösen, kann in diesen zwei Jahrzehnten nicht einmal andeutungsweise gesprochen werden, und weder Stalins Tod noch seine posthume Verdammung auf dem XX. Parteikongreß der KPdSU 1956 lösten in Bulgarien Erschütterungen besonderer Art aus, die sich mit den Vorgängen in der Sowjetischen Besatzungszone Deutschlands, in Polen und Ungarn vergleichen ließen. Das Beispiel Albaniens oder Rumäniens fand in Bulgarien ebenfalls keine Nachahmung.

Ein Umsturzversuch vom April 1965, der mit dem Selbstmord des wichtigsten Verschwörers Ivan Todorov-Gorunja am 7. IV. 1965 und verhältnismäßig geringen Haftstrafen für die übrigen Beteiligten endete, dürfte, wenn er überhaupt ernstzunehmen war, auf einen engen Personenkreis in der Partei- und Armeeführung beschränkt gewesen sein und fand jedenfalls außerhalb Bulgariens keine Resonanz. Angesichts seiner isolierten Lage in der Nachbarschaft zweier nichtsozialistischer Staaten, der Türkei und Griechenlands, mit denen es Grenz- und

III. e) Das sozialistische Bulgarien (1948–1968)

Minderheitenprobleme gab, und Jugoslawiens, dem gegenüber das Mazedonienproblem jederzeit hochgespielt werden konnte, war Bulgarien auf die Hilfe der Sowjetunion besonders angewiesen, und es hat in diesen zwei Jahrzehnten von den ohnehin bescheidenen Möglichkeiten, eine eigene Außenpolitik zu betreiben, kaum Gebrauch gemacht, sondern sich im allgemeinen so verhalten, als gehöre es als eine weitere Sozialistische Sowjetrepublik unmittelbar zum engeren Verband der Union und nicht zum weiteren des Rats für Gegenseitige Wirtschaftshilfe und des Warschauer Paktes.

Die Erklärung des bulgarischen Parteisekretärs Todor Živkov vor dem XXI. Kongreß der KPdSU in Moskau am 29. I. 1959: »Niemals, unter keinen Umständen und für nichts auf der Welt ist unsere Partei dem proletarischen Internationalismus und ihrer Lehrmeisterin, der KPdSU, untreu gewesen, und sie wird es auch niemals sein. Sie wird sich auch nicht vom Wege der Großen Sozialistischen Oktoberrevolution und des großen Lenin abbringen lassen«[3], kann als ein Motto für die tatsächliche Einstellung der bulgarischen Kommunisten in diesem Zeitraum und nicht nur als bloße Verbeugung und als Lippenbekenntnis gewertet werden.

Es gibt in diesen zwei Jahrzehnten keine innerbulgarischen Ereignisse, die eine Periodisierung ermöglichen oder rechtfertigen, und die für ganz Südosteuropa unter sowjetischer Herrschaft festzustellenden Erscheinungen und Tendenzen gelten ausnahmslos und häufig besonders intensiv für Bulgarien, so daß sich die folgende Darstellung auf die hervortretenden Besonderheiten der allgemeinen Entwicklung, meist personeller Art, und auf die wenigen für Bulgarien spezifischen Ereignisse, z. B. die Türken- und Judenpolitik, beschränken kann.

Nach dem vollständigen Sieg der bulgarischen Kommunisten im Dezember 1947 wurde die Partei in den nächsten drei Jahren durch Führungswechsel und Säuberungen zu einem gefügigen Instrument der sowjetischen »Bruderpartei« umgestaltet und verlor in rascher Folge ihre hervorragendsten Vertreter.

Für Georgi Dimitrov, der den Plänen einer bulgarisch-jugoslawischen Föderation zumindest nicht ablehnend gegenübergestanden hatte, war der Kominformkonflikt und die Verdammung Titos zweifellos eine Warnung Stalins, sich jeglicher Eigenständigkeitsregungen zu enthalten und seinen internationalen Ruf, den er vor allem dem Reichstagsbrandprozeß verdankte, nicht allzu sehr auszunutzen. Zwar konnte er auf dem Fünften Parteitag der Bulgarischen Arbeiterpartei, die nunmehr den Namen Kommunistische Partei Bulgariens annahm, noch den mehrstündigen Rechenschaftsbericht abgeben (19. XII. 1948)[4] und Ovationen entgegennehmen, erschien aber danach nur noch einmal, bei der Gedenkfeier zu Lenins 25. Todestag, in der Öffentlichkeit und begab sich im März 1949 zu ärztlicher Behandlung in die Sowjetunion, wo er am 2. VII. 1949 in einem Sanatorium bei Moskau im Alter von 67 Jahren starb. Mit ihm, dessen Tod manche Gerüchte hervorrief, verloren die bulgarischen Kommunisten die einzige überragende, innerhalb des Weltkommunismus weithin bekannte und geachtete Persönlichkeit. Sein Nachfolger als Ministerpräsident wurde der bisherige Stellvertretende Ministerpräsident und Außenminister Vasil Kolarov (1877–1950)[5], der aber schon ein halbes Jahr später, am 23. 1. 1950, starb. Er hatte seinerseits noch an der Ausschaltung des dritten Mannes der »alten Garde«, Trajčo Kostov[6] (1897–1949), mitgewirkt. Kostov, der als möglicher Nachfolger Dimitrovs galt, war zwar auch in Moskau ausgebildet worden, hatte aber die ersten Kriegsjahre im Untergrund in Bulgarien verbracht und war 1942 verhaftet und zu lebenslänglichem Gefängnis verurteilt worden. Er konnte also als »Nationalist« gelten, obwohl die andernorts wesentlichen Unterschiede zwischen »Moskowitern« und

»Partisanen« oder »Spanienkämpfern« im bulgarischen Kommunismus keine Rolle spielten. Im Laufe des Jahres 1949 verlor er nacheinander seinen Platz im Politbüro, dem er seit 1935 angehört hatte, und seine Funktion als Sekretär des ZK und als Stellvertretender Ministerpräsident. Im Juni 1949 verhaftet, wurde er mit zehn anderen, darunter der Finanzminister Ivan Mateev und der Präsident der Nationalbank Conio Co̵nčev, des Hoch- und Landesverrats, vor allem landesverräterischer Beziehungen zum britischen Geheimdienst und zu den »Faschisten« Tito, Djilas und Rankovič, angeklagt und in einem Aufsehen erregenden Schauprozeß am 14. XII. 1949 zum Tode verurteilt, während seine Mitangeklagten lebenslängliche oder langjährige Haftstrafen erhielten. Besonders bemerkenswert war, daß Kostov in seinem Schlußwort in Anwesenheit zahlreicher, auch westlicher Journalisten seine vorherigen Geständnisse widerrief und sich als unschuldig bezeichnete. Dieser Vorfall[7] hatte entsprechende Auswirkungen auf die Behandlung der Angeklagten in späteren Schauprozessen, die ausnahmslos ihre Schuld bekannten und um harte Strafen baten. Im Zusammenhang mit dem Kostov-Prozeß war auch der amerikanische Gesandte D. R. Heath verdächtigt worden; ein bulgarischer Mitarbeiter der Gesandtschaft, M. Šipkov, wurde verhaftet und des Landesverrats bezichtigt. Die Vereinigten Staaten brachen daraufhin am 20. II. 1950 die Beziehungen zu Bulgarien ab. Sie wurden erst im März 1959 wiederhergestellt, nachdem Bulgarien im Dezember 1955 in die Vereinten Nationen aufgenommen worden war.

An die Spitze der Regierung trat nach Kolarovs Tod im Januar 1950 Dimitrovs Schwager Vulko Červenkov[8] (geb. 1900), der von 1925 bis 1944 in der Sowjetunion gelebt hatte und als absolut linientreuer Stalinist gelten konnte. Er übernahm zunächst nur das Ministerpräsidium und die Leitung der von der Partei beherrschten »Vaterländischen Front«, wurde aber am 11. XI. 1950 auch zum »Generalsekretär« des ZK gewählt, ein Posten, der nach Dimitrovs Tod zunächst nicht besetzt worden war. Ähnlich wie Stalin hatte Červenkov damit in den folgenden sechs Jahren die unumschränkte Macht in Partei und Staat inne und führte noch 1950 umfangreiche Säuberungen in der Partei durch, denen nach seinem Bericht vom Juni 1950 92 500 von 460 000 Mitgliedern und Kandidaten, einschließlich dreizehn ZK-Mitglieder, zum Opfer fielen.

In die stalinistische Ära Červenkov (1950–1956) fällt neben der rigorosen Kollektivierung der Landwirtschaft, für die es angesichts des Fehlens von Großgrundbesitz und bei sehr ausgeglichenen Besitzverhältnissen der bulgarischen Bauern nur ideologische, aber keine sachlichen Gründe gab (Anfang 1954 waren fast 63 % des anbaufähigen Bodens verstaatlicht oder kollektiviert), die forcierte Abwanderung eines Teiles der türkischen und fast der ganzen jüdischen Bevölkerung des Landes. Die türkische Bevölkerung, über 700 000 Personen stark (8–9 % der Gesamtbevölkerung) ziemlich geschlossen im Nordosten des Landes und in der Süddobrudscha siedelnd und rein bäuerlich, konnte wegen ihrer konservativen Haltung und ihrer geschlossenen Andersartigkeit in Sprache und Religion als besonderes Hindernis für Kollektivierung und Integration betrachtet werden. Aufgrund eines 1925 geschlossenen türkisch-bulgarischen Abkommens, das die freiwillige Abwanderung regelte und bis zum Ausbruch des II. Weltkrieges etwa 100 000 Angehörigen der türkischen Minderheit das Verlassen des Landes ermöglicht hatte (also etwa 6500 jährlich), wurden im Spätsommer 1950 rund 250 000 Türken veranlaßt, die Auswanderungsgenehmigung zu beantragen. Gleichzeitig wurde die türkische Regierung, die im August 1950 7000 Auswanderer aufgenommen hatte, am 10. VIII. 1950 aufgefordert, binnen 3 Monaten 250 000 aufzunehmen, ein Ansinnen, das im September 1950 mit Schließung der

III. e) Das sozialistische Bulgarien (1948–1968)

Grenze beantwortet wurde. Trotzdem wurden in den Jahren 1950/51 aufgrund eines am 2. XII. 1950 erreichten Kompromisses etwa 150 000 Türken über die Grenze abgeschoben, die meist aus der Süddobrudscha kamen und dort enteignet worden waren[9]. Aufgrund türkischer Proteste wurde die Aussiedlung 1952 eingestellt; erst 1968 konnte ein neues bulgarisch-türkisches Abkommen geschlossen werden, das die weitere Abwanderung der Türken regulierte. Nach der Volkszählung von 1956 betrug die Gesamtzahl der Türken in Bulgarien 656 000; sie soll bis 1965 infolge des hohen Geburtenzuwachses wieder auf rund 750 000 angewachsen sein.

Die etwa 45 000 Juden[10] Bulgariens hatten den II. Weltkrieg trotz antijüdischer Gesetze und trotz der Einweisung der männlichen jüdischen Bevölkerung in Arbeitslager ohne wesentliche Verluste überstanden (s. oben S. 1255). Bis 1947 gab es kaum eine Abwanderung der wieder in die vollen staatsbürgerlichen Rechte eingesetzten bulgarischen Juden, die keine hervorragenden Vertreter in der Partei hatten und insgesamt dem Zionismus zuneigten. Seit 1950 wurden die Abwanderungswünsche der Juden von der Regierung Červenkov begünstigt und forciert, so daß in den folgenden Jahren fast die gesamte jüdische Bevölkerung nach Israel auswanderte, das in der bulgarischen Presse ständig angegriffen wurde. Der Wunsch nach möglicher Ausschaltung aller Minderheiten und jüdisches Auswanderungsstreben hatten hier zu einer Übereinstimmung der Interessen geführt.

Im kirchlichen Bereich[11] wurde entsprechend dem sowjetischen Vorbild die Orthodoxe Kirche in möglichst weitgehende Abhängigkeit vom Staat gebracht, während gegen die Protestanten und Katholiken, obwohl sie zahlenmäßig kaum ins Gewicht fielen, energisch vorgegangen wurde. Das Gesetz über die religiösen Bekenntnisse vom 1. III. 1949 erklärte die Orthodoxe Kirche zur »traditionellen Kirche des bulgarischen Volkes; als solche kann sie – in Form, Inhalt und Geist – eine volksdemokratische Kirche sein«. Ein neues Kirchenstatut, das am 1. I. 1951 in Kraft trat, gab der bulgarischen Orthodoxen Kirche, die bisher dem Patriarchat in Konstantinopel unterstanden hatte, ein eigenes Patriarchat, und am 10. V. 1953 wurde der Metropolit Kyrill von Plovdiv zum Patriarchen gewählt. Die so geschaffene Eigenständigkeit der bulgarischen Orthodoxen Kirche, deren Patriarch häufige Treuebekenntnisse zum Staat aussprach, wurde von Konstantinopel zwar nicht ausdrücklich anerkannt, aber hingenommen. Der Religionsunterricht in den Schulen war schon 1945 beseitigt worden; Gottesdienste wurden aber mit Rücksicht auf die Religiosität des bulgarischen Volkes nicht behindert, Kirchen nicht zerstört oder profaniert.

Dagegen wurden die kleinen protestantischen Kirchen, die meist natürliche Verbindungen zu ihren Schwesterkirchen in den USA hatten (Baptisten, Methodisten) durch einen Schauprozeß gegen 15 der Spionage angeklagte Pastoren[12] im Frühjahr 1949 in Angst versetzt und ebenfalls in staatliche Abhängigkeit gebracht. Indessen wurde die kleine, drei Diözesen umfassende Katholische Kirche Bulgariens im Zuge des Kampfes gegen den Vatikan in den frühen fünfziger Jahren praktisch zerstört. Ein Schauprozeß gegen vierzig katholische Priester und Laien, die der »Spionage für den Vatikan« angeklagt waren, endete im Oktober 1952 mit dem Todesurteil für Bischof Eugeni Bosilkov und drei Priester und mit langjährigen Gefängnisstrafen für die übrigen. Die noch bestehenden kirchlichen Einrichtungen wurden im gleichen Jahr geschlossen.

Im Bereich von Bildung und Wissenschaft wurde zwar durch intensiven Schulbau und durch Erwachsenenkurse der bisherige Analphabetismus beseitigt, die Freiheit der Forschung wie der Literatur aber rigoros unterdrückt.

Die Fortdauer des stalinistischen Herrschaftssystems in Bulgarien wurde durch Stalins Tod nicht beeinträchtigt. Erst auf dem lange hinausgezögerten Sechsten Parteikongreß[13] (28. II.–5. III. 1954) trat Červenkov als Generalsekretär zurück. Gleichzeitig wurde das Amt wieder aufgehoben. An die Spitze des dreiköpfigen Sekretariats trat als Erster Sekretär Todor Živkov (geb. 1911), Vertreter der jüngeren, im Lande aufgewachsenen Kommunisten und seit 1950 einer der Sekretäre des ZK. Er wurde in den folgenden Jahren zur entscheidenden Führungsperson, doch blieb Červenkov weiter Ministerpräsident. Erst der XX. Parteikongreß in Moskau, bei dem nicht Živkov, sondern Červenkov und der Stellvertretende Ministerpräsident Anton Jugov (geb. 1904) die bulgarische Partei vertraten, bewirkte einen Wandel auf einer Sondersitzung des ZK-Plenums vom 2.–6. IV. 1956. Hier wurde Červenkov des Persönlichkeitskults und der falschen Anklagen gegen Kostov bezichtigt, doch trat er bei der folgenden Sitzung des *Sobranie* am 16. IV. 1956, bei der Jugoslawien durch Moše Pijade vertreten war, lediglich als Ministerpräsident zurück, blieb aber Stellvertretender Ministerpräsident, während Jugov das Ministerpräsidium übernahm. Nach und nach wurden auch die Kostov-Anhänger aus der Haft entlassen und rehabilitiert, doch gab es keinen grundlegenden Wandel, wenn auch die Schriftsteller mehr Freiheit in Anspruch nehmen konnten[14].

Schon die Ereignisse in Polen und Ungarn im Oktober und November 1956 führten dazu, daß die etwas gelockerten Zügel wieder straff angezogen wurden, und Živkov wie Jugov warnten eindringlich vor allen Versuchen, dem ungarischen Beispiel zu folgen und antisowjetischen Gefühlen Raum zu geben, da Streitkräfte, Grenzwachen und Volksmiliz »jede Hand abhacken würden, die sich gegen die sozialistischen Errungenschaften erhöbe«[15].

Gemeinsame Erklärungen[16] der Partei- und Regierungsdelegationen, die vom 15. bis 21. II. 1957 zu Verhandlungen in Moskau waren, bekräftigten neben dem Hinweis auf die Wirtschaftshilfe der Sowjetunion für Bulgarien die Festigkeit und Unverbrüchlichkeit der Bindungen Bulgariens an die Sowjetunion, und die kurze Periode relativer Freiheit war damit wieder beendet, was vom Siebenten Parteikongreß im Juni 1958, an dem Chruschtschow selbst teilnahm, deutlich bekräftigt wurde. Die Energien wandten sich nunmehr der Erfüllung des Dritten Fünfjahresplanes (1958–62) zu, mit dessen vorzeitiger Erfüllung ein »großer Sprung vorwärts« getan werden sollte.

Nach den im Januar 1959 veröffentlichten Thesen Živkovs sollte die Industrieproduktion 1962 doppelt und 1965 sogar drei- bis viermal so hoch sein wie 1957; die landwirtschaftliche Produktion sollte schon 1960 den dreifachen Wert der Produktion von 1958 erreichen. Diese Ziele, mit denen man sich am Beispiel Chinas orientierte, wohin Červenkov im Oktober 1958 mit einer Parlamentsdelegation gereist war, waren natürlich unerreichbar, was Ende 1960 eingestanden werden mußte. Darüber und über die zeitweilige Annäherung an das chinesische Beispiel stürzte aber nicht Živkov, sondern im Zuge der zweiten Entstalinisierung nach dem XXII. Kongreß der KPdSU der Stalinist Červenkov. Auf der Plenarsitzung des ZK der KPB im November 1961 verlor er sämtliche Posten in der Partei- und Staatsführung, von Živkov als der »Stalin Bulgariens« angeprangert, dem gegenüber Dimitrov als der »Lenin Bulgariens« in um so hellerem Licht erschien. Vor dem Achten Parteikongreß im November 1962 reiste Živkov nach Moskau, wo er offenbar die Zustimmung zu den folgenden weiteren tiefgreifenden Änderungen erhielt. Jugov, der 1944 bis 1948 Innenminister gewesen war und die Morde an politischen Gegnern organisiert hatte, wurde nun unter Hinweis auf diese Untaten vom Posten des Ministerpräsidenten, den er 6½ Jahre bekleidet hatte, entfernt und schied trotz heftiger Gegenwehr auch aus dem Zen-

III. e) Das sozialistische Bulgarien (1948–1968)

tralkomitee aus, während Červenkov sogar aus der Partei ausgeschlossen wurde (die ihn im Mai 1969 wieder aufnahm).

Živkov, weiterhin Erster Sekretär, übernahm trotz der Grundsätze kollektiver Führung im November 1962 auch das Ministerpräsidium und blieb in beiden Stellungen bis zum Ende des Zeitraums und darüber hinaus unangefochten. Die Ein-Mann-Führung der Stalin-Červenkov-Ära war damit wiederhergestellt, allerdings unter einem Mann, der, in mancher Hinsicht Chruschtschow vergleichbar, dogmatisch weniger festgelegt war und sich nicht den Mantel der Unfehlbarkeit umlegte. Nach wie vor an dem Vorbild der Sowjetunion orientiert und entsprechend flexibel, erklärte sich Živkov noch auf dem Achten Parteikongreß für die Herstellung besserer Beziehungen zu den »kapitalistischen« Staaten und schloß sowohl mit der Bundesrepublik Deutschland (6. III. 1964) wie mit Griechenland (9. VII. 1964) als auch mit Österreich (27. II. 1965) Abkommen über Warenaustausch und wirtschaftliche Zusammenarbeit. Der Erfolg zeigte sich in einer gewissen Umorientierung des Außenhandels. Während 1963 die Sowjetunion noch 53 % der gesamten bulgarischen Ausfuhr von 976 Mill. Leva abgenommen hatte, alle »kapitalistischen« Länder zusammen aber nur 20 %, verschob sich das Verhältnis 1968 bei fast verdoppelter Ausfuhr (1890 Mill. Leva) auf 43 % zu 24 % bei steigender Tendenz für die »kapitalistischen« Länder[17].

Das Verhältnis zur Türkei wurde durch das schon erwähnte Übersiedlungsabkommen (Februar 1968) und durch einen Besuch Živkovs in Ankara (März 1968) verbessert. Dagegen blieb die Mazedonienfrage ein Gegenstand ständig neuer Auseinandersetzungen mit Jugoslawien, da bulgarischerseits die Existenz einer eigenen mazedonischen Sprache bestritten wird und die Mazedonier in Jugoslawien als mit den Bulgaren eng verwandt angesehen werden. Das Dobrudschaproblem, bis 1940 ein wesentliches Hindernis guter rumänisch-bulgarischer Beziehungen, spielte dagegen eine geringere Rolle im Verhältnis zu Rumänien, das jedoch wegen der rumänischen Eigenständigkeitsbestrebungen eher kühl blieb. Im Innern war die Stellung Živkovs trotz des Putschversuchs[18] einiger Militärs und Parteigenossen im April 1965 unangefochten, wobei freilich offen bleiben muß, ob hier wirklich eine ernsthafte Bedrohung der Herrschaft Živkovs und seines Partei- und Sicherheitsapparates vorlag. Der rasche Zusammenbruch der Pläne der Putschisten und die im Vergleich zu den Schauprozessen der späten vierziger und frühen fünfziger Jahre relativ milden Freiheitsstrafen für die Verschwörer (zwischen drei und fünfzehn Jahren Gefängnis) ließen eher vermuten, daß hier dilettantisch gehandelt wurde.

Ende der sechziger Jahre waren sowohl leichte Verbesserungen des Lebensstandards als auch Erleichterungen im öffentlichen Leben und im liberalisierten Verkehr mit dem »westlichen« Ausland unverkennbar; die Reaktion auf den »Prager Frühling« im August 1968 zeigte aber, daß die von einem kritischen Beobachter gestellte Frage: »Frühlingstendenzen in Bulgarien?«[19] kaum mit »Ja« beantwortet werden konnte.

---

[1] Abgesehen von den im allg. Schrifttum genannten Übersichtswerken kann für die Zeit nach 1948 vor allem empfohlen werden: *N. Oren,* Revolution Administered (s. d, Anm. 5), mit guter Bibliographie; *J. F. Brown,* Bulgaria (s. d, Anm. 1); die offizielle Parteigeschichte: Istorija na BKP (1969). Für die Zeit bis 1956 der von *L. A. D. Dellin* herausgegebene Sammelband »Bulgaria«.
Besonders wertvoll sind die regelmäßigen Lageberichte über Bulgarien von *H. Ch. Schepky* bzw. *N. Bornemann* in der Zeitschrift »Osteuropa« seit 1952 und die Berichte in: Wissenschaftlicher Dienst Südosteuropa. Übersetzungen bulg. Beiträge in »Ostprobleme«, seit Juli 1969 »Osteuropa-Archiv« in Verbindung mit »Osteuropa«. Für die

§ 30 Die südosteuropäischen Staaten vom I. Weltkrieg bis zur Ära der Volksdemokratien

bulg.-sowjet. Beziehungen ist der Quellenband: Blgarsko-Svetski otnošenija 1948–1970, Dokumenti i materiali (1974), der 239 Dokumente enthält, besonders wichtig.
[2] Vgl. Kap. a, Anm. 9. Die Umstände seiner Krankheit, der Behandlung durch sowjetische Ärzte und seines Todes im Sanatorium Borovicha bei Moskau sind nicht näher bekannt und haben zu vielfachen Gerüchten und Spekulationen Anlaß gegeben. Jedenfalls trug sein früher Tod dazu bei, daß er posthum zu einer unfehlbaren Leitfigur des bulgar. Kommunismus wurde.
[3] Wiedergabe in: Rabotničesko Delo vom 30. I. 1959, vgl. d. Chronik in: Osteuropa 10 (1960), S. 48–58.
[4] Wiedergabe in Deutsch in: *G. Dimitroff,* Ausgewählte Schriften, Bd. 3: 1935–48 (1958), S. 525–642.
[5] Vgl. Kap. a, Anm. 10. Seine Schriften liegen nur in bulgarischer Sprache vor. *V. Kolarov,* Izbrani proizvedenija (3 Bde. 1955). Außerdem: Spomeni (1968).
[6] Das Protokoll erschien mehrsprachig in Sofia: Le procès de Traitcho Kostov et de son groupe, bzw. The Trial of T. K. and his Group (1949; in Wirklichkeit 1950).
[7] Das Protokoll gibt S. 584 seine Erklärung wieder, bei der ihm der Präsident das Wort abschneidet. Zur Vertuschung des schlechten Eindrucks wurde Kostov noch am gleichen Tage zu einem schriftlichen Widerruf des Widerrufs gezwungen, der dem Protokoll im Faksimile beigefügt ist.
[8] Seine Biographie 1900–1950 erschien 1950 in Sofia. Nach seinem sich über mehrere Etappen erstreckenden Sturz wurde Č. 1962 aus der Partei ausgeschlossen, wurde zur »Unperson« und in keiner offiziellen Darstellung mehr erwähnt. Nach seiner Wiederaufnahme in die Partei im Mai 1969 erscheint sein Name wieder, u. a. auch in der 1974 in Sofia erschienenen einbändigen Enzyklopädie, während er in der fünfbändigen Kratka Encyklopedija der sechziger Jahre fehlt.
[9] Dazu *H. L. Kostanick,* Turkish Resettlement of Bulgarian Turks 1950–1953 (1957). Vgl. auch *R. L. Wolff,* The Balkans in our Time (³1974), S. 476–480. Die Zahl der ausgewiesenen Türken wird auch mit 220 000 angegeben.
[10] Dazu *N. Oren,* The Bulgarian Exception. A Reassessment of the Salvation of the Jewish Community: Yad Vashem Studies 7 (1968), S. 83–106.
[11] Vgl. dazu: *V. Gsovski,* Church and State behind the Iron Curtain (1955), u. *G. Shuster,* Religion behind the Iron Curtain (1954).
[12] Vgl. d. Protokoll: The Trial of the Fifteen Pastor-Spies (1949).
[13] Er hätte satzungsgemäß vier Jahre nach dem Fünften, also im Dezember 1952, stattfinden müssen.
[14] Vgl. dazu *St. Treis,* Die Revolte der bulgar. komm. Schriftsteller: Osteuropa 8 (1958), S. 588–596.
[15] Vgl. u. a. *L. A. D. Dellin,* Bulgaria, in: East Central Europe and the World, hg. v. *S. D. Kertesz* (s. allg. Schrifttum), S. 169–196.
[16] Text in Blgarsko-Svetski otnošenija, Nr. 52 u. 53, S. 113–122.
[17] Vgl. d. Tabelle 14 b. *R. F. Staar,* Die kommunist. Regierungssysteme: Osteuropa 27 (1977), S. 69.
[18] Vgl. *N. Bornemann,* Die Verschwörung in Bulgarien: Osteuropa 15 (1965), S. 616–619.
[19] So der Titel eines Beitrags von *J. F. Brown:* Osteuropa 16 (1966), S. 609–620, in dem der Vf. – sicher zu Recht – eine Steigerung des bulgarischen Selbstbewußtseins feststellt.

IV. Albanien 1918–1968

Allgemeines Schrifttum
Bis zur italienischen Okkupation hatte Albanien weder eine Universität noch eine wissenschaftliche Gesellschaft und dementsprechend keine eigene Historiographie. Erst unter italienischer Herrschaft entstand ein Institut für albanische Studien, das unter kommunistischer Herrschaft in ein Institut für Wissenschaften umgestaltet wurde. Seither gibt es eine eigene albanische Geschichtsschreibung, deren Veröffentlichungen aber im folgenden nur angeführt werden, soweit sie in einer westeuropäischen Sprache erschienen sind. Das außerhalb Albaniens erschienene Schrifttum konzentriert sich meist auf bestimmte Probleme und ist, soweit es Italien und Jugoslawien betrifft, einseitig und häufig polemisch.
Voll befriedigende Gesamtdarstellungen des ganzen Zeitraumes oder größerer Zeitabschnitte existieren nicht, doch bieten einige Werke allgemeinen Charakters zuverlässige Informationen. Das gilt insbesondere für das von dem albanischen, in den USA lebenden Historiker *St. Skendi* (s. Bd. VI, S. 585, Anm. 33) herausgegebene Sammelwerk »Albania« in der Reihe »East Central Europe under the Communists« (1956) mit bibliograph. und biograph. Anhang, sowie für die Übersichten von *T. Zavalani,* Albania 1912–1952 (1952), und *R. Marmullaku,* Albania and the Albanians (1975).
Den offiziellen Standpunkt vertritt *K. Frashëri,* The History of Albania. A Brief Survey, bzw. die ident. französische Fassung: Histoire d'Albanie (1964); S. 204–361 behandeln die Zeit nach 1914.
Nur bis 1939 reicht die Kratkaja Istorija Albanii v. *G. L. Arš, J. G. Senkevič* und *N. D. Smirnova* (1965), S. 185–253.
Für die Zeit bis 1929 noch unentbehrlich, wenn auch stellenweise fehlerhaft, weil ohne Aktenkenntnis: *J. Swire,* Albania, the Rise of a Kingdom (1929, Ndr. 1971).
Das der Volksrepublik gewidmete Buch von *N. C. Pano,* The People's Republic of Albania (1968), enthält einen Rückblick auf die Zeit vor 1944.
Ein Sondergebiet bei *K. Lange,* Grundzüge der alban. Politik. Versuch einer Theorie polit. Kontinuität von d. Anfängen d. alban. Nationalbewegung bis heute (1973).
Als Quelle f. d. Zeit von 1914 bis 1925 ist von hohem Wert *E. Bey Vlora,* Lebenserinnerungen, Bd. II: 1912–25 (1973), zumal dieser konservat. Vertreter der Adelsschicht auch Dokumente wiedergibt.
Bibliographien:
Albania, in: *P. L. Horecky,* Southeastern Europe. A Guide to Basic Publications (1969), S. 73–118 (bibl. rais.).
A. Ducellier, Les études hist. en Rep. pop. d'Albanie 1945–66: RevHist (Jan./März 1967), S. 125–144.
E. Lewin u. *W. Stellner,* Bibliographie alban. Literatur zur Gesch. Albaniens 1944–58: Jb. f. Gesch. der SU und der volksd. Länder Europas 5 (1961), S. 457–475, sowie »Albanien« in d. Südosteuropa-Bibliogr., für 1945–1970 in Bd. I, 2 (1959), S. 183–195; Bd. II, 2 (1962), S. 363–382; Bd. III, 2 (1968), S. 3–37; Bd. IV (1973), S. 5–61; Bd. V (1976), S. 5–111.

Von allen Ländern Südosteuropas, die seit dem Ende des II. Weltkriegs kommunistisch beherrscht werden, ist Albanien nicht nur das kleinste (nach den Grenzkorrekturen der zwanziger Jahre rund 28 750 km^2) und bevölkerungsärmste (1918 unter 1 Mill., 1965: 1,8 Mill. Einwohner), sondern auch das am wenigsten bekannte. Obwohl seine Hafenstädte wie Durazzo-Dyrrhachium oder Valona-Aulon schon im Altertum bekannt und bedeutend waren, sind sie im 20. Jh. nur kleine Mittelstädte mit weniger als 50 000 Einwohnern und ohne wesentliche handelspolitische oder industrielle Bedeutung. Einzig die Hauptstadt Tirana, im Jahre 1920, als sie zur Hauptstadt erhoben wurde, noch eine Kleinstadt mit etwa 15 000 Einwohnern, ist während des hier behandelten Zeitraumes zu einer Großstadt herangewachsen (1938: 25 000, 1970: 170 000), nicht zuletzt infolge der im kommunistischen System üblichen Zentralisierung.

§ 30 Die südosteuropäischen Staaten vom I. Weltkrieg bis zur Ära der Volksdemokratien

Im übrigen ist das Land trotz seiner Nähe zu Italien und trotz seiner Adriaküste wegen der schroffen Gebirgsnatur eines großen Teiles seines Territoriums (60 % liegen oberhalb der 1000-m-Höhenlinie) weder landwirtschaftlich noch klimatisch sonderlich begünstigt, denn Weinbau und Tabakbau sind unbedeutend; nur der Anbau von Olivenbäumen fällt wirtschaftlich ins Gewicht. Da außer Erdöl, Asphalt und Chromerz keine wesentlichen Bodenschätze vorhanden sind und auch diese nicht in leicht abbaufähiger Form, gab es vor der Umgestaltung zur Volksdemokratie nur geringes Interesse der außeralbanischen Wirtschaft an dem Land. Das fast völlige Fehlen von Verkehrswegen (es gab gegen Ende der sechziger Jahre nur eine Bahnlinie von nur 175 km Länge und nur 3600 km asphaltierte Straßen, obwohl Asphalt im Lande gewonnen wird), die in den zwanziger Jahren größtenteils aus Bergpfaden bestanden, sowie von Hotels und Gasthöfen haben eine Entwicklung des Tourismus verhindert, obwohl landschaftliche Schönheiten, insbesondere im Bereich des Skutarisees und des Ohridsees, diesen geradezu einladen. Zu diesen naturgegebenen Gründen für die Abgeschlossenheit kommen historische, sprachliche und politische hinzu. Unter der erst 1912 beendeten Türkenherrschaft (s. Bd. VI, S. 587–593) war das Land wirtschaftlich wie kulturell völlig unentwickelt geblieben und hatte eine feudale Besitzstruktur bewahrt. Noch 1945 waren 80 % der Bevölkerung Analphabeten. Die albanische Sprache, zwar ein interessantes Studienobjekt für Indogermanisten und vergleichende Sprachforscher, nimmt eine ausgesprochene Sonderstellung innerhalb der europäischen Sprachen ein und ist trotz zahlreicher lateinischer Lehnwörter und mancher Übernahmen aus dem Türkischen und Serbischen schwer erlernbar, ist jedenfalls weder vom Italienischen noch vom Serbischen her leicht zugänglich. Politisch war das Land nur in den anderthalb Jahrzehnten von der Mitte der zwanziger Jahre bis zur italienischen Okkupation im April 1939 fremden Einflüssen und Reisenden einigermaßen offen. Bis in die Mitte der zwanziger Jahre behinderten verschiedene Besatzungsregime und die allgemeine Unklarheit der Gesamtlage jegliche Aufgeschlossenheit. Von 1939 bis 1944 war das Land erst italienisch, dann deutsch besetzt und Kampfgebiet. Von 1944 bis 1948 war Albanien lediglich ein Subsatellit Jugoslawiens, das von Stalin ermuntert wurde, den kleinen Nachbarn einfach zu „verschlucken". Im Zeichen des Kominformkonflikts 1948–1955 schloß sich das moskautreu gebliebene Land sorgfältig von seinen Nachbarn ab und tat es wieder 1961, als es im Konflikt zwischen der Sowjetunion und China die Partei des letzteren ergriff.

Die kurzen Perioden der Nichtabgeschlossenheit haben die Landeskenntnis nur wenig fördern können, und so ist die Zahl der Kenner des Landes und seiner Geschichte außerordentlich klein. Diese Tatsache ist auch am Schrifttum erkennbar, das außerhalb Albaniens von einigen Exilalbanern und wenigen nichtalbanischen Spezialisten bestritten wird. Im allgemeinen gilt das Interesse der nicht rein wissenschaftlichen Literatur der Exotik des Landes (wilde Bergnatur, Überwiegen des Islam in einem europäischen Land, Reste der Blutrache) oder der Sonderstellung im Kommunismus, und dementsprechend fehlen ausgewogene sachkundige Darstellungen seiner Geschichte im 20. Jh.

Nachdem das Land im Jahre 1912 seine Unabhängigkeit gewonnen hatte, die ihm die Londoner Botschafterkonferenz im Sommer 1913 bestätigt und garantiert hatte (s. Bd. VI, S. 589), wurde es bereits im ersten Jahr des I. Weltkrieges Objekt der Teilungs- und Herrschaftsinteressen der Nachbarn Italien, Serbien und Griechenland und war vielfacher Besatzungspolitik ausgesetzt. Die Wiederherstellung der Unabhängigkeit anderthalb bis zwei Jahre nach dem Ende des I. Weltkrieges verdankte es nicht so sehr der Einhaltung gegebener Zusagen als der

§ 30 Die südosteuropäischen Staaten vom I. Weltkrieg bis zur Ära der Volksdemokratien

Einsicht sowohl der italienischen wie der südslawischen Regierungen, daß Aufteilung und unmittelbare Beherrschung Albaniens den eigenen Interessen mehr schaden als nützen würden, daß daher die Aufrechterhaltung eines machtlosen Pufferstaates der Teilung vorzuziehen sei. Von der italienisch-jugoslawischen Rivalität an der Adria und in Südosteuropa konnte Albanien zeitweilig profitieren, mußte aber nach Abschluß des Tirana-Pakts vom 27. XI. 1926 bemüht sein, den italienischen Einfluß nicht übermächtig werden zu lassen, was bei dem Erstarken der »Achse« immer schwieriger wurde, obwohl der Präsident (seit 1928 König) Ahmed Zogu erhebliches politisches Geschick zeigte. Der italienischen Besetzung konnte es im Frühjahr 1939, auf sich allein gestellt, keinen wirksamen Widerstand entgegensetzen und war während der Kriegsjahre ein handlungsunfähiges Objekt ohne Exilregierung und entsprechende Unterstützung durch die Westmächte. Deutsche Bestrebungen, nach der Kapitulation Italiens die Unabhängigkeit Albaniens wiederherzustellen, mußten angesichts der Gesamtkriegslage trotz gewisser Sympathien bei den Albanern zur Aussichtslosigkeit verurteilt sein, so daß die von Jugoslawien her organisierte und geförderte Bewegung kommunistisch geführter Partisanen 1944 in ein Machtvakuum stoßen konnte. In Enver Hodscha trat eine Persönlichkeit an die Spitze von Partei und Staat, die, unangefochten und allen Liberalisierungs- und Lockerungstendenzen feindlich, der jungen, vor 1941 praktisch nicht existierenden Kommunistischen Partei Albaniens den Ruf besonderer Härte und Linientreue verschaffte und keinerlei Experimente zuließ, weder im Bereich der Wirtschaft noch dem des geistigen Lebens, so daß der »Stalinismus« hier sowohl nach dem physischen Tod Stalins 1953 als auch nach seiner zweimaligen posthumen Verdammung 1956 und 1961 weitgehend erhalten blieb, und bemerkenswerte innere Wandlungen nicht eintraten.

Bei der inneren Entwicklung ist hervorzuheben, daß Albanien bei Beginn seiner Staatlichkeit keine durchgegliederte Gesellschaft mit allen sozialen Schichten hatte und daß es auch keine Parteien mit weltanschaulichen Grundsätzen gab. Es existierte lediglich eine dem Adel vergleichbare grundbesitzende mohammedanische Oberschicht, die Beys, deren Mitglieder in türkischer Zeit die Verwaltungsbeamten in Albanien selbst und im Osmanischen Reich gestellt hatten. Die wenigen reichen, weit verzweigten Familien wie die Klissura, Libohova, Toptani, Vlora, Virjoni-Vrioni, Zogolli-Zogu waren miteinander versippt, häufig auch verfeindet, hatten eine Klientel von Hintersassen und Bauern und verfügten oft über eine private Schutztruppe. Daneben gab es die große Masse von Bauern und Hirten, die zum Teil von den Großgrundbesitzern wirtschaftlich abhängig, aber nie unfrei gewesen waren und persönliche Bindungen an den Adel bewahrt hatten, wobei ethische Begriffe wie Ehre und Treue eine große Rolle spielten. Die dazwischen stehende Mittelschicht aus Gewerbetreibenden und Vertretern der Intelligenz war wegen der Kleinheit der Städte und des weitgehenden Fehlens von Schulen minimal, zumal es bei der Aufspaltung in drei Konfessionen (etwa 70 % Moslems, 20 % orthodoxe, 10 % katholische Christen) keine geschlossene Schicht der Geistlichen als geistige Führung der Landbevölkerung geben konnte. Eine Industriearbeiterschaft existierte nicht, ebensowenig eine Landarbeiterschaft, da der Großgrundbesitz nicht in Eigenwirtschaft betrieben wurde. Sippe und Familie, traditionelle Ehrbegriffe, das selbstverständlich in Anspruch genommene Recht des Waffentragens für den freien Mann gaben der Bevölkerung des Landes zur Zeit der Wiedergewinnung der Unabhängigkeit noch einen sehr archaischen Charakter, zu dem die Spielregeln einer parlamentarischen Demokratie wenig passen wollten. Viele Auseinandersetzungen der frühen zwanziger Jahre, auch wenn sie unter Einsatz von Schußwaffen geführt wurden, machten gelegentlich einen eher pittoresken als ernsthaften Eindruck, was auch für das Königtum Ahmed Zogus galt. Der Sieg des Kommunismus im Jahre 1944 war mit der Ausrottung der Oberschicht verbunden – soweit diese nicht emigriert war – und verhältnismäßig leicht abzusichern, da ein Reservoir für eine selbstbewußte Opposition nicht vorhanden war, und die beiden zahlenmäßig schwachen und miteinander konkurrierenden christlichen Kirchen, von denen die katholische ganz auf den Norden des Landes beschränkt ist, keine geistige Gegenkraft bilden konnten.

In der Entwicklung des Landes, die in Bd. VI bis zum Herbst 1914 dargestellt ist, lassen sich folgende Phasen unterscheiden:
a) Wechselnde Besatzungen und Teilregierungen bis zur Wiedergewinnung der Unabhängigkeit (1914–1920)
b) Das unabhängige Albanien auf der Suche nach einer Staats- und Regierungsform (1920–1924)
c) Das autoritäre Regime des Präsidenten und Königs (seit 1928) Ahmed Zogu (1925–1939)
d) Okkupation und Union mit Italien (1939–1943)
e) Übergang zum kommunistischen Herrschaftssystem unter dem Einfluß Jugoslawiens (1944–1948)
f) Das kommunistische Albanien unter Enver Hodscha (1948–1968).

a) Wechselnde Besatzungen und Teilregierungen bis zur Wiedergewinnung der Unabhängigkeit (1914–1920)[1]
Nach Abreise des Fürsten Wilhelm am 3. IX. 1914 (s. Bd. VI, S. 592) aus Durazzo (Durrës)[2] ging die Regierungsgewalt theoretisch an die Internationale Kontrollkommission über, die sich jedoch wegen des Kriegsausbruchs selbst auflöste. Praktisch herrschte in Durazzo und Umgebung seit dem 2. X. der Rebell gegen den Fürsten, der frühere Innenminister Essad Pascha Toptani (um 1875–1920), der mit serbischer finanzieller Unterstützung die Stadt eingenommen und den dort noch existierenden »Senat« gezwungen hatte, ihn zum Ministerpräsidenten und Oberkommandierenden zu ernennen. Im übrigen Bereich herrschten örtliche Komitees, die sich teils für den Fürsten, teils für eine Wiedervereinigung mit dem Osmanischen Reich aussprachen[3].

Sehr rasch bemächtigten sich die Nachbarn einzelner Landesteile. Als erste besetzten die Italiener Ende Oktober 1914 die strategisch wichtige Insel Sasseno (Sazan) am Eingang der Bucht von Valona (Vlorë), am 26. XII. 1914 auch Valona selbst. Gleichzeitig okkupierten griechische Truppen Südalbanien mit Argyrokastron (Gjirokastër) und Koritza (Korçë) und setzten dort eine Militärverwaltung ein. Im Londoner Vertrag der Alliierten mit Italien vom 26. IV. 1915, der den Londoner Beschlüssen vom Juli/August 1913 (Bd. VI, S. 589) diametral widersprach, wurde in § 6 Italien die volle Souveränität über Sasseno, Valona und ein entsprechendes Hinterland zugesprochen; in § 7 wurde Griechenland, Serbien und Montenegro die Inbesitznahme albanischen Gebiets gestattet, so daß nur ein aus Mittelalbanien bestehender Reststaat übrigblieb, den Italien völkerrechtlich vertreten sollte. Obwohl der Vertrag bekanntlich bis zu seiner Veröffentlichung durch die Bol'ševiki 1917 geheim blieb, war die förmliche Annexion Südalbaniens durch Griechenland im April 1915 doch ein Zeichen für die bevorstehende Aufteilung, an der sich Montenegro und Serbien im Juni 1915 beteiligten, unter dem Vorwand, dem »Heiligen Krieg« der protürkischen Albaner ein Ende machen zu wollen. Ersteres nahm trotz des Protestes der Alliierten Skutari (Shkodër) in Besitz; letzteres brachte dem in Durazzo von seinen Geg-

IV. a) Albanien bis zur Wiedergewinnung der Unabhängigkeit (1914–1920)

nern bedrängten Essad Pascha Toptani Entsatz, nahm Tirana in Besitz und unterstützte den von Serbien abhängigen Regierungschef, der mit dessen Hilfe mehrere prominente Mitglieder des Tiranaer Komitees kriegsgerichtlich verurteilen und hinrichten ließ. Im Oktober verließen die Truppen Serbiens, das nun dem konzentrischen Angriff der Mittelmächte und Bulgariens ausgesetzt war, Albanien wieder, doch zog sich die geschlagene serbische Armee im Dezember/Januar 1915/1916 durch Nordalbanien zurück und wurde in Durazzo und Valona nach Korfu eingeschifft. Nordalbanien einschließlich des von den Montenegrinern nach deren Waffenstreckung geräumten Skutari sowie Durazzo wurden im Januar 1916 von der österreichisch-ungarischen Armee besetzt, die in Skutari einen albanischen Verwaltungsrat mit Luigj Gurakuqi als Unterrichtsdirektor und Fejzi Bey Alizoti als Finanzdirektor einsetzte, albanische Volksschulen eröffnete und eine eigene, albanische Lokalverwaltung ermöglichte. An der Spitze dieser Zivilverwaltung stand der österreichische Generalkonsul August Kral, vorher Mitglied der Internationalen Kontrollkommission. Die Abhaltung eines Kongresses in Elbasan, der im März 1916 bereit war, Fürst Wilhelm wieder einzusetzen, wurde von den österreichischen Behörden aber nicht gestattet. Essad Pascha, der Österreich-Ungarn Anfang Januar 1916 noch formell den Krieg erklärt hatte, wurde mit den serbischen Truppen nach Saloniki evakuiert, wo er zeitweilig den exilierten Regierungschef spielte[4].

Die Front verlief seit dem Herbst 1916 quer durch Albanien, da die Italiener von Valona aus im Oktober einen Teil Südalbaniens mit Argyrokastron, das französische Expeditionskorps unter General Sarrail Koritza (Korça) besetzten, ohne Rücksicht auf das noch neutrale Griechenland. Beide Besatzungsregime sprachen sich für albanische Autonomie aus. In Koritza wurde aufgrund eines Protokolls vom 10. XII. 1916 ein Verwaltungsrat unter Themistokli Germenj für das »autonome Territorium Koritza« gebildet; in Argyrokastron verkündete der italienische General Giacinto Ferrero am 3. VI. 1917 feierlich »die Einheit und Unabhängigkeit ganz Albaniens unter der Ägide und der Protektion des Königreichs Italien«[5], was sowohl den Londoner Beschlüssen vom August 1913 wie dem Londoner Vertrag vom 26. IV. 1915 widersprach. Das österreichisch-ungarische Oberkommando beeilte sich, im Juli 1917 in einer Proklamation[6] in albanischer Sprache auf die bisherige Politik Italiens und seine »lügnerische Propaganda« hinzuweisen, nachdem schon eine Proklamation vom 23. I. 1917 den Albanern einen eigenen Staat versprochen hatte. Nach dem Kriegseintritt Griechenlands Ende Juni 1917 fand das autonome Territorium Koritza ein rasches Ende. Germenj wurde verhaftet und aufgrund eines französischen Militärgerichtsurteils am 9. XI. 1917 in Saloniki erschossen, die Verwaltung vom französischen Militär übernommen.

Bei Kriegsende im November 1918 gab es somit die Grundlagen einer eigenen albanischen Verwaltung im Norden und Süden des Landes, eine von Frankreich anerkannte »Exilregierung« unter Essad Pascha, dagegen aber das Bestreben Griechenlands und des neuen Königreichs SHS, große Teile des Landes zu annektieren. Die italienische Außenpolitik unter Außenminister Sonnino war wendig genug, den Teilungsgedanken fallen zu lassen und ein Albanien in den Grenzen von 1913, aber unter italienischem Protektorat, zu favorisieren.

Sie gestattete daher in dem von italienischen Truppen besetzten Durazzo die Einberufung einer Nationalversammlung, die am 28. XII. 1918 mit 48 Delegierten zusammentrat und – entgegen italienischen Wünschen – am 2. I. 1919[7] die Bildung einer Provisorischen Regierung unter Turhan Pascha als Präsidenten und dem katholischen Mirditenhäuptling Prenk Bib Doda aus Nordalbanien als

Vizepräsidenten beschloß. Der Regierung wurden nur die mittelalbanischen Bezirke unterstellt; der Süden wurde von italienischem, Koritza und Skutari von französischem Militär verwaltet; einige Gebiete im Norden waren nach dem Abzug der Österreicher von südslawischen Einheiten besetzt.

Die Regierung entsandte eine fünfköpfige Delegation zur Pariser Friedenskonferenz, die dort, obwohl nicht offiziell zugelassen, aber unterstützt von der Organisation der Amerika-Albaner, erreichte, daß die Londoner Teilungspläne ad acta gelegt und die Wiederherstellung eines unabhängigen Staates in den Grenzen von 1913 ins Auge gefaßt wurde.

In einer erneuten Wendung seiner Politik schloß Italien am 29. VII. 1919 ein Geheimabkommen mit Griechenland, das diesem Südalbanien überließ, wogegen Italien Valona mit Umgebung unmittelbar besitzen und ein Mandat über Restalbanien ausüben sollte. Trotzdem unterstellte Italien, um das Ansehen der provisorischen Regierung zu heben, dieser das Gebiet von Argyrokastron, was Griechenland, dem ja dieses zugesagt worden war, zur Veröffentlichung des Abkommens veranlaßte. Weitere Teilungspläne, für die Italien die Zustimmung Großbritanniens und Frankreichs erreicht hatte, scheiterten am Widerspruch der USA und am fehlenden Einverständnis Jugoslawiens, bewirkten aber, daß das Vertrauen zu Italien unter den Albanern immer mehr schwand. Am 28. I. 1920 trat in dem kleinen Ort Lushnjë südlich Durazzo ein neuer Nationalkongreß von 48 Delegierten zusammen (ursprünglich für den 21. I. geplant; daher erscheint gelegentlich dieses Datum), der gegen jede Teilung und jedes fremde Mandat protestierte[8]. Er beschloß, die Frage, ob Albanien Monarchie oder Republik werden solle, zunächst offenzulassen, und wählte einen vierköpfigen Regentschaftsrat, dem je ein Vertreter der vier Konfessionen[9] angehörte, darunter der katholische Bischof von Alessio, Monsign. Lugj Bumçi. Der Kongreß bildete außerdem eine Gegenregierung zu der von Durazzo mit Suleyman Bey Delvino als Ministerpräsident und Ahmed Bey Zogu als Innenminister und bestimmte das bisher ganz unbedeutende Tirana zur neuen Hauptstadt[10]. Dort trat auch am 27. III. 1920 ein neu gewählter Nationalrat zusammen, der die Regierung bestätigte und eine vorläufige Verfassung beschloß. Die Regierung Turhan Pascha löste sich auf, und es gelang der Regierung Delvino, die auch eine neue Delegation unter Außenminister Mehmed Bey Konica nach Paris entsandte, sowohl den Abzug der französischen Besatzung aus Skutari (11. III. 1920) und Koritza (21. VI.) wie die allmähliche Konzentration der italienischen Truppen im Raum von Valona zu erreichen, letzteres allerdings nur unter dem Druck bewaffneter albanischer Milizen.

Der starken italienischen Besatzung in Valona wurde Ende Mai 1920 ein Ultimatum gestellt[11], und in heftigen Kämpfen im Juni wurden die Italiener zur allmählichen Räumung veranlaßt, wobei Streiks in Italien den Nachschub lahmlegten. Die Regierung Giolitti entschloß sich zum Nachgeben, und am 2. VIII. 1920 wurde in Tirana ein Abkommen geschlossen, in dem Italien die Integrität und Unabhängigkeit Albaniens anerkannte und sich zum Abzug aller Truppen (die Insel Sasseno ausgenommen) bis zum 3. IX. verpflichtete. Im August konnten auch die südslawischen Truppen im Bereich von Dibra zum Abzug gezwungen werden, so daß im September 1920 das ganze Land unter einer unabhängigen Regierung vereint war. Auf einen albanischen Antrag vom 12. X. erfolgte am 17. XII. 1920 die Aufnahme Albaniens in den Völkerbund und damit die internationale Anerkennung des Staates in den Grenzen von 1913, die aber im einzelnen noch abgesteckt werden mußten, was sich bis 1926 hinzog.

IV. a) Albanien bis zur Wiedergewinnung der Unabhängigkeit (1914–1920)

[1] Zu diesem Zeitraum außer *J. Swire, K. Frashëri* u. *E. Vlora* eingehend: *A. Giannini*, La formazione dell'Albania (^{3}1930); erweitert als: L'Albania dall'indipendenza all'Unione con l'Italia (1940), sowie zur Politik Italiens: *G. Zamboni*, Mussolinis Expansionspolitik auf dem Balkan (1970). Einiges bei *E. Durham*, Die slawische Gefahr. Zwanzig Jahre Balkan-Erinnerungen (^{2}1922); stark proalbanisch. Anti-albanisch, polemisch: *E. Baerlein*, Southern Albania (1922, Ndr. 1968). Ein knapper Überblick bei *G. Arnakis* u. *W. S. Vucinich*, The Near East in Modern Times, Bd. 2: Forty Crucial Years 1900–1940 (1972), s. 178–190.

[2] Es werden wie in Band VI die bekannten nichtalbanischen Ortsnamen wie Durazzo, Skutari, Valona verwendet. Die albanische Form des Namens wird nur bei der ersten Nennung in Klammern hinzugefügt. Bei den Personennamen wird die populäre phonetische Schreibweise angewendet, also Hodscha und nicht Hoxha.

[3] Text der Entschlüsse einer Junta in Tirana vom Okt. 1914 bei *E. Vlora*, Bd. II, S. 93/94, eines Komitees der öfftl. Wohlfahrt vom Januar 1915 bei *J. Swire*, S. 240.

[4] Er versuchte danach noch in London und Paris eine Rolle als legitimer Repräsentant Albaniens zu spielen, wurde aber am 13. VI. 1920 in Paris von dem Studenten Avni Rustem ermordet. Der Mörder wurde von einem französischen Gericht freigesprochen und in Albanien als Nationalheld gefeiert, im Dezember 1923 als Vertreter der Volkspartei ins Parlament gewählt. Seine Ermordung durch Agenten Ahmed Zogus am 20. IV. 1924 war eines der auslösenden Momente für die Revolution vom Juni 1924.

[5] Text bei *A. Giannini* (s. Anm. 1), S. 39, und bei *E. Vlora*, Bd. II, S. 116. Es wurden »libere istituzioni, milizie, tribunale, scuole rette« versprochen.

[6] Der Text in dt. Übersetzung bei *E. Vlora*, Bd. II, S. 117/18.

[7] Der Text der Resolution in Französisch bei *E. Vlora*, Bd. II, S. 120; die Ministerliste bei *J. Swire*, S. 185.

[8] Der Text der Resolution vom 28. I. 1920 in fehlerhaftem Französisch bei *E. Vlora*, Bd. II, S. 124/25.

[9] Bei den Mohammedanern handelte es sich um zwei Gemeinschaften, die weitaus die Mehrheit bildenden Sunniten und die Sekte der Bektaschi, die durch Aqif Pascha Elbasani vertreten war. Dieser war Präsident des Regentschaftsrats.

[10] Die Ministerliste bei *J. Swire*, S. 311.

[11] Dazu ausführlich *J. Swire*, S. 318–326.

b) Das unabhängige Albanien auf der Suche nach einer Staats- und Regierungsform (1920–1924)

Gegen Ende des Jahres 1920 hatte Albanien zwar internationale Anerkennung gefunden und begonnen, Verwaltungsbehörden auch in den bisher anderweitig besetzten Gebieten zu errichten, doch verfügte es weder über einen eingespielten und funktionierenden Verwaltungsapparat noch über ein reguläres organisiertes Heer, da die Truppen, die die Italiener zum Abzug genötigt hatten, eher den Charakter von Freischaren und kleinen Privatarmeen der Beys und Stammesführer hatten. In den ersten Jahren der Unabhängigkeit[1] mußten Verwaltung, Unterrichtswesen und Heer erst mühsam aufgebaut werden, da ja nicht, wie im benachbarten Königreich SHS, vorhandene Einrichtungen übernommen und abgewandelt werden konnten. Der Zeitabschnitt, gelegentlich als demokratische Periode positiv bewertet, hat deshalb auch viele chaotische Züge, und die Möglichkeit des Eingreifens von außerhalb wurde mehrfach erwogen bzw. befürchtet. Die in Lushnjë erreichte Übereinstimmung verschiedener Richtungen ging nach den erreichten Erfolgen wieder verloren, die Regierung Delvino trat im November 1920 zurück; der Nationalrat löste sich auf, um einem regulär gewählten Parlament Platz zu machen. Eine vom Regentschaftsrat eingesetzte Regierung unter Elias Bey Vrioni, die nach einer Umbildung vom 10. XII. 1920 bis zum 16. X. 1921 im Amt war, erließ ein Wahlgesetz mit gleichem Wahlrecht für alle Männer über 20 Jahre, das aber nur eine indirekte Wahl ermöglichte. Die Wahlen vom 5. IV. 1921 brachten zwei Parteien ins Parlament, die Fortschrittspartei, die konservativ war und vom Großgrundbesitz getragen wurde, und die Volkspartei, die liberal-demokratisch eingestellt war, aber auch einige Beys zu ihren Abgeordneten zählte. Dabei spielten persönliche Bindungen und Fehden aber eine große Rolle, und die Übergänge waren fließend. So gehörte Ahmed Bey Zogu, obwohl konservativ und zugleich bonapartistisch eingestellt, zunächst der Volkspartei an. Mittel- und westeuropäische politische Begriffe sind hier kaum anwendbar.

Die Regierung Vrioni, vom Parlament im Amt bestätigt, hatte im Sommer und Herbst 1921 schwierige außenpolitische Fragen zu lösen. Griechenland und das Königreich SHS hielten weiterhin Grenzgebiete besetzt, und Albanien appellierte am 29. IV. 1921 an den Völkerbund, er möge die Grenzfragen klären und die Nachbarn zum Rückzug auffordern. Der Völkerbundsrat verwies in seiner Sitzung vom 25. VI. die Frage an die Botschafterkonferenz. Bevor sich diese damit befassen konnte, brach im Juni im Gebiet des katholischen Stammes der Mirditen ein Aufstand aus, dessen Führer, Gjon Marka Gjoni, am 17. VII. in der südslawischen Stadt Prizren eine »Mirditenrepublik« ausrief und am Drin-Fluß heftige Kämpfe mit Regierungstruppen ausfocht. Da die Regierung Vrioni nach Meinung albanischer Patrioten ungenügende Abwehrmaßnahmen traf, formierte sich aus Kreisen beider Parteien ein »Heiliger Bund«, der die Regierung am 11. X. zum Rücktritt zwang. An ihre Stelle trat am 16. X. eine entschlossenere Regierung mit Pandel Evangheli als Ministerpräsidenten, Bajram Curri, einem Führer des »Bundes«, als Innenminister und Ahmed Zogu[2] als Kriegsminister. Zogu konnte den Aufstand im November 1921 in kurzer Zeit niederwerfen und seinen Ruf als »starker Mann« festigen. Fast gleichzeitig fiel am 9. XI. die Entscheidung der Botschafterkonferenz[3], die Südslawien aufforderte, seine Truppen unverzüglich zurückzuziehen, und gleichzeitig im Gebiet von Prizren Grenzkorrekturen zu seinen Gunsten vornahm, im übrigen aber die Grenzen von 1913, auch gegenüber Griechenland, bestätigte. Ein am gleichen Tage geschlossenes Abkommen[4] der vier Hauptmächte stellte die Integrität der albanischen Grenzen unter den Schutz des Völkerbundes und sah vor, daß Italien speziell für deren Unantastbarkeit zu sorgen habe. Eine internationale Kommission wurde, wie 1913, mit der Absteckung der Grenze im Gelände beauftragt. Sie war ab Frühjahr 1922 tätig. Damit war den Ambitionen Südslawiens und Griechenlands auf albanisches Gebiet ein Ende gesetzt, wenn auch Grenzkonflikte weiterhin vorkamen.

Nach diesem außenpolitischen Erfolg zerfiel der »Heilige Bund« wieder; auf den Rücktritt des Kabinetts Evangheli am 7. XII. folgte eine Krise mit mehrfachen Regierungswechseln und Auflösung des Regentschaftsrats. Unter dem Druck von Ahmed Bey Zogu, der in Tirana einige Tausend seiner Anhänger versammelt hatte, wurde Ende Dezember 1921 ein neuer Regentschaftsrat, wiederum aus Vertretern der vier Religionen, und eine Regierung unter Dschafer Ypi gebildet, in der aber Zogu als Innenminister die leitende Persönlichkeit war. Einen gegen ihn gerichteten Aufstand im März 1922 konnte er niederschlagen, und anschließend reduzierte er das die Aufstände erleichternde Recht des Waffentragens durch die Beschlagnahme von 35 000 Gewehren[5]. Trotz lebhafter Opposition konnte sich die Regierung Dschafer Ypi an der Macht halten; im Dezember 1922 übernahm Zogu selbst das Ministerpräsidium mit einem Programm der Reformen, einschließlich der Reduzierung der Armee, und einem ausbalancierten Budget. Wirtschaftliche Hilfe sollte durch die Vergabe von Erdölkonzessionen erlangt werden, um die sich u. a. die Anglo-Persian Oil Company und die Standard Oil Company bewarben. Die Jahre 1922/23 bedeuteten eine gewisse Stabili-

IV. b) Das unabhängige Albanien (1920–1924)

sierung durch den Austausch von Gesandten, die Absteckung der Grenzen und einen ausführlichen Bericht[6] einer Völkerbundskommission über das Land. Auch entwickelte sich eine freie, häufig allerdings kurzlebige Presse. Im August 1923 legte Zogu dem Parlament ein neues Wahlgesetz für die Wahlen zur Konstituante vor, das entgegen den Vorschlägen der Opposition, die u. a. von dem orthodoxen Bischof Fan Noli[7], 1921 Außenminister, geführt wurde, wieder indirekte Wahlen und Stimmabgabe mit Zetteln statt mit farbigen Kugeln vorsah. Nach Annahme des Gesetzes löste sich das Parlament auf; nach einem erstmals intensiv geführten Wahlkampf erhielt die Regierungspartei 40 von 95 Sitzen, die Volkspartei 35. Die restlichen 20 Sitze gingen an »Unabhängige«, die sich aber bei Eröffnung der Konstituante am 21. I. 1924 dem Regierungslager anschlossen, so daß Zogu trotz heftiger Beschwerden über Wahlfälschungen im Amt bleiben konnte. Ein auf ihn am 23. II. 1924 im Parlament verübtes Attentat[8], bei dem er lediglich verwundet wurde, veranlaßte ihn zwar zum Rücktritt, doch trat kein Richtungswechsel ein, da der neue Regierungschef Shefqet Verlaçi einer der reichsten Großgrundbesitzer war. Zogu rächte sich nicht an dem Attentäter Beqir Walter, der selbst nur ein Werkzeug war, ließ aber am 20. IV. ein Attentat auf den Abgeordneten Avni Rustem durchführen, der einige Tage später an seinen Verwundungen starb. Damit hatte Zogu zwar die Anhänger des von Rustem ermordeten Essad Pascha Toptani versöhnt, die Opposition aber erst recht gegen sich aufgebracht. Rustems Begräbnis am 1. V. wurde zu einer großen Anti-Zogu-Demonstration, und Ende Mai brach, von den Nordostgebieten ausgehend und von Vertretern des »Heiligen Bundes« wie Bajram Curri geführt, ein Aufstand aus, der in Kürze das ganze Land erfaßte. Am 10. VI. zogen die Aufständischen in Tirana ein; Zogu war vorher nach Jugoslawien, Verlaçi und Vrioni nach Italien geflüchtet.

Präsident der revolutionären Regierung, die keine parlamentarische Stütze hatte, wurde Bischof Fan Noli (16. VI. 1924). Diese Regierung, in der gegenwärtigen albanischen Historiographie sehr positiv bewertet, weil sie Beziehungen zur Sowjetunion aufnahm, verkündete ein umfangreiches 19 Punkte umfassendes Programm, das Aufhebung des Feudalismus – also Agrarreform – und Errichtung der Demokratie – also saubere unbestechliche Verwaltung – vorsah. Gegen ihre Gegner gingen ihre Anhänger aber mit Methoden vor, die dem italienischen Faschismus entsprachen. Da die Regierung keine Mehrheit im Parlament hatte und keine Neuwahlen ausschrieb, kam es nicht zu einem – an sich sehr notwendigen – Agrarreformgesetz, und die Beziehungen zur Sowjetunion gaben dem scharf antisowjetischen Jugoslawien Gelegenheit, das Regime Fan Noli international als »bolschewistisch« zu verdächtigen, was durchaus nicht zutraf.

Indessen bereitete Zogu auf jugoslawischem Boden mit finanzieller Unterstützung Roms und Belgrads seine Rückkehr vor. Mit einer aus Albanern, serbischen und russischen (aus der Wrangelarmee) Freiwilligen[9] bestehenden Truppe und mit schweren Waffen der jugoslawischen Armee überschritt er am 13. XII. 1924 die Grenze und zog schon am 24. XII. in Tirana ein, nachdem Fan Noli den Völkerbund vergebens um Hilfe gebeten hatte und seinerseits geflüchtet war.

Vom Rumpfparlament ließ Zogu sich am 15. I. 1925 zum Ministerpräsidenten und Oberkommandierenden ernennen. Am 22. I. proklamierte das Parlament die Republik und wählte am 31. I. Zogu für sieben Jahre zum Präsidenten unter gleichzeitiger Annahme einer Verfassung[10], die neben dem mit weitgehenden Machtvollkommenheiten ausgestatteten Präsidenten einen 18köpfigen Senat und eine 57köpfige Deputiertenkammer vorsah.

§ 30 Die südosteuropäischen Staaten vom I. Weltkrieg bis zur Ära der Volksdemokratien

[1] Über sie gibt es kaum Spezialliteratur. Außer *J. Swire,* Albania, und *A. Giannini,* La formazione dell'Albania (s. a, Anm. 1), vgl. *E. Lewin,* Die Große Sozialistische Oktoberrevolution u. d. alban. Unabhängigkeitsbewegung von 1917 bis 1920: Jb. f. Gesch. d. UdSSR und der volksdemokr. Länder Europas 11 (1967), S. 107–123, und *J. Godart,* L'Albanie en 1922. L'enquête de la SdN (1922). Die Abschnitte in: *Schulthess'* Europ. Geschichtskalender sind dürftig und fehlerhaft.
[2] Ahmed Zogu war als zweiter Sohn von Dschemal Pascha Zogolli am 8. X. 1893 in Burgajet in Nordalbanien im Gebiet der Matja-Stämme geboren, wo seine Vorfahren seit Jahrhunderten Häuptlinge und Beys von Mat gewesen waren. Er wuchs in Istanbul auf, verdrängte seinen älteren Bruder aus der Stammesführung und wurde zur Zeit der österr. Besatzung nomineller Oberst in d. österr.-ung. Armee. Als Innenminister in der ersten unabhängigen Regierung Delvino 1920 zeigte er sich trotz seiner Jugend als entschlossen, energisch und rücksichtslos.
[3] Text bei *J. Swire,* S. 366–368.
[4] Ebd., S. 369/70.
[5] *E. Vlora,* Lebenserinnerungen, Bd. II, S. 159.
[6] Dazu *J. Godart* (vgl. Anm. 1).
[7] Fan Noli, eigentl. Stilian Mavromati (1882–1965), stammte aus einem albanischen Dorf bei Adrianopel und war zunächst Schauspieler in Istanbul. Durch russ. Geistliche kam er zum Studium der Theologie in Rußland, nahm d. Namen Fan Noli an und war zeitweilig an einer russischen Missionsstation in den USA tätig. In Albanien übersetzte er die griech.-kirchlichen Texte ins Albanische und trug so zur Albanisierung der orthodoxen Albaner bei. Er war im übrigen hochgebildet, übersetzte Ibsen, Cervantes und Shakespeare und schrieb eine Biographie des alban. Nationalhelden Skanderbeg.
[8] Eingehend beschrieben vom Augenzeugen *E. Vlora,* Bd. II, S. 176–180. Der Attentäter Beqir Walter entstammte einer ursprünglich deutschen Familie.
[9] Nach *J. Swire,* S. 445, waren es 1000 Freiwillige aus der jugosl. Armee, z. T. Albaner aus dem Kosovo-Gebiet, 1000 Reservisten aus den alban. Gebieten Südslawiens, 500 Albaner, die mit Ahmed Zogu geflüchtet waren, 800 Russen aus der Wrangelarmee, dazu 40 Wrangel- und 16 jugosl. Offiziere, zusammen also nur knapp 3400 Mann.
[10] Kurze Wiedergabe bei *J. Swire,* S. 452.

c) Das autoritäre Regime des Präsidenten und Königs Ahmed Zogu (1925–1939)

Das anderthalb Jahrzehnte während Regime Zogus[1] ist in der Innenpolitik dadurch gekennzeichnet, daß jede Opposition hart unterdrückt wurde, wobei die Staatsführung auch vor Mordtaten[2] nicht zurückschreckte. Jedoch wurde keine Staatspartei geschaffen und keine der faschistischen angepaßte Ideologie entwickelt, sondern lediglich ein lebhafter albanischer Nationalismus gefördert, der sich u. a. auch gegen die Katholische Kirche und ihre Schulen richtete. Im übrigen war Zogu, offenbar das Vorbild Napoleons[3] vor Augen, bestrebt, die Verwaltung zu zentralisieren, die Wirtschaft zu modernisieren und dem Staat durch eine an französischen Mustern orientierte Gesetzgebung Stabilität zu verleihen. Seine Bindung an die alte adelige und landbesitzende Führungsschicht verhinderte weitgehende Reformen, vor allem auf dem Agrarsektor, doch kann er nicht als Exponent der Beys angesehen werden. Die Finanzierung der Reformen und der eigenen Hofhaltung wurde u. a. durch Vergabe von Erdölkonzessionen an mehrere Gesellschaften erreicht, so daß diese schließlich das Recht hatten, auf 23 % des staatlichen Territoriums nach Erdöl zu suchen.

In der Außenpolitik suchte Zogu, der mit jugoslawischer Hilfe an die Macht gekommen war, sofort Anlehnung an Italien und wurde durch die beiden Tiranapakte 1926 und 1927 fest an dieses gebunden, doch versuchte er in den dreißiger Jahren eine größere Unabhängigkeit von italienischer Bevormundung zu erreichen. Das bewirkte den schon 1938 gefaßten Entschluß Mussolinis, Albanien

IV. c) Das autoritäre Regime des Präsidenten und Königs Ahmed Zogu (1925–1939)

zu besetzen und mit Italien zu vereinen, der am Karfreitag des Jahres 1939 (7. IV.) verwirklicht wurde.

Wenige Wochen nach Zogus Amtsantritt als Präsident und Regierungschef wurden im März 1925 Konzessionsverträge mit Italien und der Anglo-Persian Oil Company ratifiziert, die ihnen das Recht gab, in einem Areal von 5000 bzw. 20 000 km^2 nach Öl zu bohren. Weitere Konzessionen an italienische Gesellschaften kamen in den folgenden zwei Jahren hinzu, so daß Italien 1927 das Recht hatte, in fast 17 000 km^2 Untersuchungen vorzunehmen. Obwohl sich später zeigte, daß die Hoffnungen auf reichliches Erdöl weder quantitativ noch qualitativ erfüllt wurden, flossen erhebliche Summen, teils als Abfindung, teils als Anleihen, ins Land, die die Stellung Zogus und seines Außen- und Finanzministers Myfit Bey Libohova wesentlich stärkten. Gleichzeitig wurde am 15. III. 1925 mit einer italienischen Finanzgruppe die Gründung der albanischen Nationalbank vereinbart. Das Land, das bisher keine eigene Währung gehabt hatte, erhielt damit am 2. IX. 1925 eine Emissionsbank[4] und eine Währung, den alban. Franc. Eine von Italien gewährte Anleihe von 70,5 Mill. Goldfrancs sollte vor allem der wirtschaftlichen Hebung des Landes dienen, insbesondere der Verbesserung der völlig zurückgebliebenen Landwirtschaft. Im März 1925 wurde auch ein schon am 27. I. 1924 geschlossener Handelsvertrag mit Italien ratifiziert, der letzteres erheblich begünstigte.

Diese Bindung an Italien, das im Sommer 1926 versuchte, seine Stellung zu einem »Protektorat« auszubauen, wozu das Viererabkommen vom 9. XI. 1921 ja Handhaben bot, wurde durch den am 26. XI. 1926 für 5 Jahre in Tirana geschlossenen »Freundschafts- und Sicherheitspakt« (»Erster Tiranapakt«)[5] noch wesentlich enger. Es wurde darin – mit deutlicher Spitze gegen Jugoslawien – festgehalten, daß jede Störung des Status quo Albaniens dem beiderseitigen Interesse zuwiderlaufe. Beide Seiten verpflichteten sich zu »Unterstützung und herzlicher Zusammenarbeit«, die im einzelnen nicht definiert wurde. Die Hoffnungen, daß der am 10. XII. 1926 ratifizierte Vertrag ähnliche Verträge mit dem Königreich SHS und mit Griechenland nach sich ziehen und so zur internationalen Aufwertung[6] des Staates und seines Präsidenten führen würde, erfüllten sich freilich nicht, da der Pakt in Belgrad doch als unfreundlicher Akt (s. S. 1195) betrachtet wurde.

Wesentlich weiter ging, unter deutlichem Einfluß des französisch-jugoslawischen Bündnisses vom 11. XI. 1927, das wenige Tage später, am 22. XI. 1927 in Tirana für 20 Jahre geschlossene italienisch-albanische Defensivbündnis (»Zweiter Tiranapakt«)[7], in dem sich beide Seiten zu uneingeschränkter Hilfe im Kriegsfall verpflichteten, was bei der Schwäche des albanischen Heeres, das Zogu in eine Miliz umgewandelt hatte, nur bedeuten konnte, daß Italien nunmehr den Schutz der albanischen Grenzen übernommen hatte.

Das Bündnis bewirkte die Entsendung einer italienischen Militärmission nach Albanien, die Angleichung der Bewaffnung an die der italienischen Armee, den Bau von Straßen und Brücken und den Ausbau der Häfen Durazzo und Valona für italienische Kriegsschiffe.

Dem zweiten Tiranapakt war im Juni 1927 ein ernster albanisch-jugoslawischer Konflikt wegen der Verhaftung des Dolmetschers bei der jugoslawischen Gesandtschaft in Tirana vorausgegangen. Die beiderseitigen Gesandten und Konsuln wurden abberufen, und erst eine gemeinsame Demarche der Großmächte führte Anfang Juli zur Beilegung[8].

Durch das Bündnis geschützt und im Inneren durch die wirtschaftliche Hilfe Italiens abgesichert, tat Zogu einen entscheidenden Schritt zur Ausweitung seiner

Macht, indem er im Sommer 1928 als Präsident beide Kammern auflöste und am 17. VIII. Neuwahlen für eine Konstituante durchführen ließ, die Verfassungsänderungen beschließen sollte. Diese wunschgemäß zusammengesetzte Versammlung proklamierte am 1. IX. 1928 unter dem Vorsitz des früheren Ministerpräsidenten Evangheli Zogu zum »König der Albaner« (*Mbret Shqyptarvet*)[9]. Eine von der gleichen Versammlung beschlossene, am 1. XII. 1928 in Kraft tretende Verfassung – die vierte seit 1920! – setzte an die Stelle der beiden Kammern wieder nur eine, die für vier Jahre in allgemeinen indirekten Wahlen gewählt wurde, auf die Regierungsbildung aber keinen Einfluß hatte. Diese erfolgte allein durch den König, der auch das Vetorecht bei Gesetzen hatte und nicht gezwungen war, dem Parlament Verträge zur Ratifikation vorzulegen.

In der Folgezeit übernahm König Zogu bei der Regierungsbildung das faschistische Prinzip des häufigen »Wachewechsels« und berief sowohl Persönlichkeiten aus der Großgrundbesitzerschicht wie solche aus der einstigen Volkspartei in die Regierung. Erster Ministerpräsident der königlichen Regierung (bis März 1930, erneut 1936–39) wurde Koço Kota, ein früherer Volksschullehrer orthodoxer Konfession, der Zogus Machtergreifung durch die Einnahme von Koritza im Dezember 1924 unterstützt hatte.

Die »Modernität« des Königtums wurde durch eine Reihe von Reformen unterstrichen, die z. T. noch in der Präsidialperiode beschlossen worden waren. Besonders wichtig war die Schaffung eines Bürgerlichen Gesetzbuches, das, am Code civil orientiert, die Ziviltrauung einführte und die Scheidung ermöglichte, was heftige Proteste der katholischen Kirche hervorrief, während die Abschaffung der Vielehe bei den Mohammedanern kaum auf Widerstand stieß, da sie in Albanien ohnehin kaum üblich war (beschlossen im März 1928, in Kraft seit 1. IV. 1929). Das Strafgesetzbuch, seit 1. I. 1928 in Kraft, war dem italienischen nachgebildet. Für die 1929 beschlossene Durchsetzung der allgemeinen Schulpflicht fehlte es in den folgenden Jahren noch an Mitteln; der säkulare Charakter der Schulbildung wurde aber durch das Verbot der katholischen Privatschulen (1933) unterstrichen. Eine 1929 durchgeführte Verwaltungsreform folgte dem französischen Muster, indem sie das Land in 189 Gemeinden mit einer Mindesteinwohnerzahl von 2500 gliederte. Der Gemeindevorsteher wurde vom König ernannt, hatte aber einen von der männlichen Bevölkerung für vier Jahre zu wählenden Gemeinderat zur Seite. Zwischen der Gemeinde und den Ministerien gab es keine Zwischeninstanzen, so daß Stammes- und Regionalbindungen zwar immer noch sehr wirksam waren, aber in der Verwaltung nicht mehr zur Geltung kamen.

Ebenso wie in dieser Reform konnte auch in dem Agrarreformgesetz vom 3. V. 1930 ein energischer Schritt gegen alte Strukturen gesehen werden, da der Grundbesitz grundsätzlich auf 40 ha plus je 15 ha für die Ehefrau und jedes Kind beschränkt wurde, einer fünfköpfigen Familie also 100 ha beließ. Die weiteren Bestimmungen nahmen der Reform aber jeden Radikalismus, da der Eigentümer von dem unter die Reform fallenden Besitz nur ein Drittel über die Agrarbank an Landlose verkaufen mußte, die übrigen zwei Drittel aber noch für 15 Jahre behalten durfte, wenn er seinen Betrieb modernisierte[10]. Außerdem gab es zahlreiche Ausnahmen, die der König selbst bewilligen konnte, so daß die faktische Durchführung weniger als 10 % des Agrarlandes erfaßte und den Großgrundbesitz nicht beseitigte[11].

Die Bremsung der Agrarreform wurde auch durch die Weltwirtschaftskrise verursacht, von der Albanien als fast reines Agrarland besonders hart betroffen wurde. Der Gesamtwert der Ausfuhr betrug 1932 nur noch 30 % des Wertes von

IV. c) Das autoritäre Regime des Präsidenten und Königs Ahmed Zogu (1925–1939)

1928; die Preise für Agrarprodukte fielen im gleichen Zeitraum auf 69 %, und das ständige Handelsdefizit zwang zu neuen Anleihen bei der italienischen »Società per lo sviluppo economico d'Albania« (SVEA), für die Albanien 1932 nicht einmal die Zinsen aufbringen konnte.

Als Mussolini für eine neue Anleihe die Zollunion verlangte, widersetzte sich König Zogu in Übereinstimmung mit der wachsenden antiitalienischen Stimmung im Lande dieser Forderung, und es kam trotz negativer Folgen für die albanische Wirtschaft zu einer längeren Spannung mit Italien, auf deren Höhepunkt die italienische Flotte am 22. VI. 1934 vor dem Hafen von Durazzo Anker warf. Dem so ausgeübten Druck gab Zogu nach. Italien verzichtete zwar auf die Zollunion, setzte aber für die neue Anleihe eine Reihe weiterer drückender Bedingungen durch, wie die Kündigung aller ohne italienische Zustimmung geschlossenen Handelsabkommen, die Abberufung antiitalienisch eingestellter Beamter, die Einführung des Italienischen als Pflichtfach in allen albanischen Schulen u. a. m. Während der Abessinienkrise beteiligte sich Albanien nicht an den Sanktionen gegen Italien und wurde dafür mit einem neuen Handels- und Finanzabkommen (19. III. 1936) belohnt und zugleich gebunden.

Ein Aufstandsversuch im August 1935, an dem sowohl konservative Oppositionelle unter dem früheren, mit Zogu eng verbundenen Ministerpräsidenten Shefqet Verlaçi wie auch kleine Gruppen von Kommunisten aus Berat beteiligt waren, wurde rasch unterdrückt, veranlaßte den König aber zu einem Richtungswechsel unter der neuen Regierung Frashëri (15. X. 1935) mit Erweiterung der Pressefreiheit und Beschleunigung der Agrarreform, der aber durch die neue Bindung an Italien wieder beendet wurde.

Die 1938 mit erheblichem Aufwand verbundenen Feiern der 25 Jahre bestehenden Unabhängigkeit Albaniens konnten nicht darüber hinwegtäuschen, daß das Land, das sich in den letzten zehn Jahren zwar erheblich modernisiert hatte, weitgehend von Italien abhängig war und daß keine andere Großmacht für die Aufrechterhaltung seiner Unabhängigkeit eintreten würde. Italien hatte die wirtschaftliche und politische Abhängigkeit Albaniens seit 1935 erreicht, so daß die völlige Unterwerfung, die es im April 1939 durchführte, im wesentlichen durch das Prestigebedürfnis gegenüber dem Achsenpartner und durch den Wunsch nach weiterer Expansion auf dem Balkan zu erklären ist.

[1] Eine befriedigende Biographie oder eine zusammenfassende Darstellung seiner Herrschaftszeit liegt nicht vor, so daß wiederum die Gesamtdarstellungen und *A. Giannini*, La formazione dell'Albania (s. a, Anm. 1), sowie für die ersten Jahre *J. Swire*, Albania, und *G. Zamboni*, Mussolinis Expansionspolitik (s. a, Anm. 1) – bis 1928 – herangezogen werden müssen. Für die dreißiger Jahre die Reiseberichte von *J. Swire*, King Zog's Albania (1937). Vgl. auch *R. Bernard*, Essais sur l'histoire d'Albanie moderne (1935). Zur wirtschaftl. Entwicklung: *H. Gross*, Wirtschaftsstruktur und Wirtschaftsbeziehungen Albaniens: WeltwirtschArch 38 (1933), S. 505–551, und *D. Zavalani*, Die landwirtschaftl. Verhältnisse Albaniens (1938).
Das Regierungsprogramm Zogus ist in seiner Proklamation vom 7. I. 1925 enthalten (dt. bei *E. Vlora*, Lebenserinnerungen, Bd. II, S. 209/10). Es unterschied sich grundsätzlich nur wenig von dem der Regierung Fan Noli, legte aber größeren Nachdruck auf »Ruhe und Ordnung« und sprach nur allgemein von der »Lösung der wichtigsten Wirtschaftsprobleme«, ohne die Agrarreform zu nennen.

[2] Noch 1925 ließ Zogu zwei politische Gegner ermorden: am 2. III. 1925 in Bari Luigj Gurakuqi, am 29. III. 1925 in Albanien seinen Kampfgenossen vom Herbst 1921 Bajram Curri. Im Oktober 1927 wurde in Prag der mit Zogu verschwägerte albanische Gesandte Ceno Bey Kryeziu ermordet, der im Verdacht stand, landesverräterische Beziehungen zu Jugoslawien zu haben.

§ 30 Die südosteuropäischen Staaten vom I. Weltkrieg bis zur Ära der Volksdemokratien

[3] Bezeichnenderweise war in Albanien bis in den II. Weltkrieg hinein der Napoléon d'or (20 Goldfrancs) das beliebteste Zahlungsmittel.
[4] Zur Wirtschaftspolitik Italiens in Albanien vgl. *Ž. Avramovski,* Italijanska ekonomska penetracija u Albanija, in d. Sammelbd.: Istorija XX veka, Zbornik Radova, Bd. 5 (1963), S. 137–221. Außerdem *G. Zamboni,* S. XLIII–XLVII.
[5] Vorgeschichte, Abschluß, Entwürfe, Text bei *G. Zamboni,* S. 1–61.
[6] Das Deutsche Reich hatte Albanien 1922 anerkannt, ließ sich aber erst seit 1925 in Tirana durch einen Gesandten (U. v. Kardoff) vertreten.
[7] Auch dazu in großer Genauigkeit *G. Zamboni,* S. 301–503.
[8] Das Deutsche Reich beteiligte sich trotz Aufforderung nicht, sondern betonte den »Grundsatz größtmöglicher Zurückhaltung« in allen Fragen der Balkanpolitik. Vgl. ADAP, Serie B, Bd. V, Nr. 259, S. 604–606.
[9] Um die Gefühle der Christen zu berücksichtigen, nannte sich Zogu nicht Ahmed I., sondern Zog I. Die Krönung erfolgte in Kruja (ndl. Tirana), wo am 28. XI. 1443 der albanische Nationalheld Skanderbeg den Aufstand gegen die Türken begonnen hatte.
[10] Einzelheiten in »Albania«, hg. v. *St. Skendi,* S. 148–158.
[11] Nach *K. Frashëri,* Histoire d'Albanie, S. 256, wurden nur 4700 ha von 60 640 ha Staatsbesitz und 3400 ha von 103 000 ha Privatbesitz neu verteilt.

d) Okkupation und Union mit Italien (1939–1943)

Die gewaltsam erzwungene Union Albaniens mit Italien[1] verstärkte zunächst die Italianisierung des Landes, gab aber, als der Süden Albaniens im Winter 1940/41 Kriegsschauplatz wurde und die Schwäche der italienischen Armee offenbar wurde, dem Selbstgefühl der Albaner neuen Auftrieb. Der rasche Zusammenbruch Jugoslawiens im April 1941 und die Niederlage Griechenlands brachten dem Land erhebliche Gebietsgewinne im Kosovo-Gebiet und in Nordepirus, was zeitweilig mit der italienischen Herrschaft versöhnte. Im Widerstand gegen diese traten die Kommunisten, bis zum 22. VI. 1941 zum Stillhalten gezwungen und bis zum 8. XI. 1941 noch nicht in einer Partei organisiert, erst allmählich und unter jugoslawischem Einfluß stärker in den Vordergrund, so daß sie bei der Kapitulation Italiens im September 1943 das Feld noch den nationalen Kräften überlassen mußten, die unter deutscher Ägide wieder ein »unabhängiges« Albanien aufzubauen suchten.

Die Besetzung Albaniens, von Mussolini schon im Mai 1938 ins Auge gefaßt[2], wurde im wesentlichen durch die deutsche Okkupation der »Resttschechei« ausgelöst, weil Mussolini der deutschen Machtausweitung eine eigene gegenüberstellen wollte und an der Reaktion der Westmächte die relative Gefahrlosigkeit eines Überraschungsschlags hatte ablesen können. Der endgültige Beschluß Mussolinis zur Annexion fiel am 23. III.[3], worauf der voraussehbare Ablauf eines Ultimatums an Zogu mit unannehmbar harten Bedingungen für einen neuen Vertrag, dessen hinhaltende Antwort, Fristverlängerung und albanische Demonstrationen gegen Italien mit wirklichen und fingierten Ausschreitungen gegen italienische Bürger folgte[4], »deren Schutz übernommen werden mußte«.

Der König[5], der die Besetzung auch durch ein vollständiges Nachgeben nicht verhindern konnte, flüchtete am 6. IV. mit seiner Gattin, Gräfin Geraldine Apponyi, und dem am Vortage geborenen Thronfolger nach Griechenland, ohne daß ihm seine Regierung oder zahlreiche Politiker gefolgt wären. Am 7. IV. 1939, am Karfreitag, begannen italienische Truppen, von einer starken Luftflotte unterstützt, nach endgültigem Ablauf des Ultimatums die Besetzung des Landes und stießen nur in Durazzo kurzfristig auf Widerstand, so daß binnen vier Tagen das ganze Land in ihrer Hand war. Am 12. IV. versammelte sich in Tirana eine »Nationalversammlung«, die »einstimmig durch Handaufheben« in Anwesenheit des italienischen Außenministers Graf Ciano beschloß, die Krone Albaniens

IV. d) Okkupation und Union mit Italien (1939–1943)

dem König von Italien anzubieten und aus dem Völkerbund auszutreten. Gleichzeitig wurde eine neue Regierung unter dem früheren Anhänger und präsumtiven Schwiegervater und späteren Gegner Zogus S. Verlaçi gebildet. Ein italienisches Gesetz vom 16. IV.[6] über die Annahme der Krone setzte in Tirana einen Vizekönig *(Luogotenente Generale)* ein. Dieser Posten wurde von dem bisherigen italienischen Gesandten Jacomoni übernommen. Sechs Wochen später, am 3. VI. 1939, gab König Viktor Emmanuel Albanien eine neue (fünfte) Verfassung[7], die die Gewalt im wesentlichen in der Hand des Königs konzentrierte und als beratendes Organ den Obersten Faschistischen Rat schuf, der sich aus dem Zentralrat der Faschistischen Partei Albaniens und Mitgliedern des Korporationsrats zusammensetzte. Die dafür notwendige Faschistische Partei Albaniens und ihre dem italienischen Vorbild entsprechenden Unterorganisationen hatten am Vortag durch Dekret des Vizekönigs ihr Statut erhalten.

Die Bevölkerung wurde freilich nicht durch derartige Pseudoorganisationen, wohl aber durch vermehrten Geldumlauf, der 1940 achtmal so hoch war wie 1938, durch Bodenmeliorierung in der Ebene, vermehrte Arbeitsmöglichkeiten – die allerdings auch einwandernde Italiener in Anspruch nahmen – und nicht zuletzt durch reichlich fließende Bestechungsgelder, die Ciano schon am Tag der »Nationalversammlung« verteilte[8], wenigstens vorübergehend für die »neue Ordnung« gewonnen.

Das verhinderte freilich nicht, daß die griechischen Truppen, die Ende November 1940 Koritza und Anfang Dezember Argyrokastron einnahmen, von der Bevölkerung begeistert begrüßt wurden und daß sich zahlreiche Albaner freiwillig zum Kampf gegen Italien meldeten, allerdings nur unter der albanischen Fahne Skanderbegs, dem schwarzen Doppeladler im roten Feld, was Griechenland nicht zugestand, das aber seine Eroberungen bis zum deutschen Vormarsch behielt. Danach nahm allerdings auch Albanien an der Aufteilung der Beute teil und gliederte sich am 11. VII. 1941 offiziell das albanisch besiedelte Kosovo-Gebiet und Teile Mazedoniens ein (etwa 14 000 km²), wo am 12. VII. albanisches Recht eingeführt und alsbald albanische Schulen errichtet wurden[9]. Außerdem wurde Südepirus, von den Albanern Çameria[10] genannt, dem Königreich Albanien angeschlossen, so daß dieses sein Gebiet und seine Bevölkerung nahezu verdoppelt hatte[11]. Da die Fiktion eines selbständigen Königreichs Albanien, lediglich in Personalunion mit Italien und von diesem außenpolitisch vertreten, aufrechterhalten wurde, befand sich Albanien ebenso wie Italien auch im Kriegszustand mit Frankreich und allen anderen Ländern, denen Italien den Krieg erklärt hatte, wie ein königliches Dekret vom 9. VI. 1940 ausdrücklich feststellte. Praktisch kämpften albanische Einheiten aber nur gegen Griechenland und waren an der Besetzung Jugoslawiens beteiligt.

Nach der Kapitulation Italiens wurde deutscherseits versucht, die Unabhängigkeit Albaniens wiederherzustellen, ein Unterfangen, das in einem z. T. von nationalen und kommunistischen Partisanen (s. unten S. 1286) kontrollierten Gebiet, in dem sich auch deutsche Truppen befanden, nur vorübergehenden Erfolg haben konnte. Unter Mitwirkung des deutschen Sonderbeauftragten Hermann Neubacher[12] wurde von Vertretern des nationalen Widerstandes *(Balli Kombëtar* = Nationale Front) und anderen nicht durch die Kollaboration mit Italien diskreditierten Personen am 11. IX. 1943 in Tirana die »Unabhängigkeit des Vaterlandes« ausgerufen, es bildete sich ein vorläufiges Vollzugskomitee unter Ibrahim Bey Biçaku als Provisorische Regierung. Diese berief eine Nationalversammlung aufgrund der Verfassung von 1928 ein, die am 20. X. einen dreiköpfigen Regentschaftsrat unter Mehdi Bey Frashëri, dem Ministerpräsidenten Zogus von 1936, wählte und eine Regierung unter dem Kosovo-Albaner Redschep Mitrovica bildete. Die Regierung erklärte die Neutralität Albaniens, die allerdings, solange deutsche Truppen im Lande standen, nur eine »relative Neutralität« sein konnte. Bis zum Herbst 1944, in dem die Partisanen allmählich die Oberhand gewannen, existierte dieses »neutrale« Albanien, doch wurde sein Machtbereich immer mehr eingeengt, bis im November 1944 auch die letzten von deutschen Truppen gehaltenen festen Plätze geräumt waren.

Die Neutralität des Landes wurde allerdings dadurch fragwürdig, daß zwar keine regulären albanischen Truppen auf deutscher Seite kämpften, daß aber mit Hitlers Genehmigung 1944 in Prizren eine albanische SS-Freiwilligendivison mit dem traditionsreichen Namen »Skanderbeg« aufgestellt und zur Partisanenbekämpfung eingesetzt wurde. Im allgemeinen Strudel des Herbstes 1944 ging diese ebenso unter wie die Regierung, an deren Spitze seit Juni 1944 Fiqri Dino gestanden hatte[13]

[1] Eine befriedigende Gesamtdarstellung des Zeitraums liegt nicht vor. Die zeitgenössischen italienischen und deutschen Berichte sind tendenziös und kaum brauchbar. Die offizielle alban. Geschichtsschreibung widmet dem kommunist. Widerstand übertrieben viel Raum und läßt die italien. Politik wie die inneralbanischen Auseinandersetzungen kaum deutlich werden. Im albanischen Exil ist man bemüht, die unleugbare Kollaboration zu vertuschen. Insbesondere wird die alban. Verwaltung im Kosovo-Gebiet von keiner Seite näher behandelt. Neben den allgemeinen Darstellungen liefert *Lemkin* (s. Anm. 6) wenigstens die wichtigsten Quellentexte.

[2] *G. Ciano,* Diario (3 Bde., zuletzt 1965); dt. u. d. Titel: Tagebücher (^{2}1947, 1949); 1937/38 (10. V.), S. 159.

[3] *G. Ciano,* Tagebücher 1939–1943, S. 60.

[4] In seiner Eintragung vom 29. III. 1939 legte Ciano ein Fünfpunkteprogramm fest, das bis zum 12. IV. fast ganz planmäßig ablief: Tagebücher 1939/40, S. 63/64, sowie 65–76.

[5] Ahmed Zogu lebte zunächst in London, seit 1941 in Kairo, das er 1955 unter der Anklage, Schmuggelgeschäfte betrieben zu haben, verlassen mußte. Er starb im April 1961 in Paris.

[6] Wiedergabe in Englisch bei *R. Lemkin,* Axis Rule in Occupied Europe (1944), Teil III, S. 267.

[7] Text in Englisch ebd., S. 267–272.

[8] Ciano am 12. IV., Tagebücher S. 74: »Man wird sich jedoch leicht einig, sobald ich die Pakete mit Albanerfranken in Umlauf bringe, die ich für alle Fälle mitgebracht habe.«

[9] Die entsprechenden Dekrete bei *R. Lemkin,* S. 627–630.

[10] Dazu, scharf antialbanisch, *P. J. Ruches,* Albania's Captives (1965), S. 152–156.

[11] Über die Grenzziehung s. Wissensch. Dienst f. Südosteuropa (1953), S. 177–179: Die Grenzen Albaniens 1938–1947.

[12] Dazu d. Kapitel »Albanien«, S. 105–121 in: *H. Neubacher,* Sonderauftrag Südost 1940–1945 (1956). Neubacher gibt ein anschauliches Bild der Verhandlungen und charakterisiert mehrere alban. Politiker.

[13] Die alliierte Politik gegenüber Albanien und der Widerstand werden im nächsten Kapitel behandelt.

e) Übergang zum kommunistischen Herrschaftssystem unter dem Einfluß Jugoslawiens (1944–1948)

Wie im benachbarten Jugoslawien waren Anwachsen und schließlich Machtergreifung des Kommunismus[1] in Albanien nicht das Ergebnis einer sozialen Revolution und eines Klassenkampfes mit einem starken, gut organisierten Proletariat als Basis einer kommunistischen Partei. Die Machtergreifung war vielmehr dadurch ermöglicht, daß die albanischen Kommunisten, zunächst gering an Zahl

IV. e) Übergang zum kommunistischen Herrschaftssystem (1944–1948)

und untereinander zerstritten, sich unter Anleitung jugoslawischer Kommunisten an die Spitze eines nationalen Befreiungskomitees stellten, das ebenso wie Titos Partisanen und die AVNOJ die Unterstützung der Westmächte, insbesondere Großbritanniens[2], gewann, und so ihre nichtkommunistischen Konkurrenten ausmanövrieren und schließlich ausschalten konnten. Bereits im Spätherbst 1944 waren die albanischen Kommunisten nicht mehr gezwungen, sich patriotisch zu tarnen und das Spiel des nationalen Befreiungskomitees fortzusetzen, da ihnen nach dem Abzug der deutschen Truppen keine ernstzunehmenden Partner mehr gegenüberstanden und somit rein taktische Bündnisse nicht mehr nötig waren.

Da es in Albanien kaum Industriearbeiter gab, konnte dort keine starke sozialistische Bewegung entstehen. Auch ansatzweise gab es für sie im stammesbewußten, traditionsgebundenen mohammedanischen oder katholischen Norden des Landes unter den Gegnern keine Chance. Etwas anders war die Lage im Süden bei den meist orthodoxen Kleinbürgern und Intellektuellen der Tosken. Hier bildeten sich durch die Tätigkeit des albanischen Kominternagenten Ali Kelmendi, der zunächst vergeblich versucht hatte, eine Kommunistische Partei Albaniens zu gründen, in den Jahren 1930 bis 1932 kleine kommunistische Zirkel in Koritza (genannt *Puna* = Arbeit), Valona, Elbasan und Kruja. Sie organisierten einige Streiks und waren auch an dem Aufstandsversuch vom August 1935 (s. oben S. 1281) beteiligt, erschöpften sich aber sonst in theoretischen Auseinandersetzungen und in Propaganda. Kelmendi, vom Frühjahr 1932 bis November 1935 in Haft, wurde 1936 ausgewiesen und starb im Februar 1939 in Frankreich. Mit der Organisation der Bewegung im Sinne der Volksfronttaktik der Komintern wurde im Februar 1937 ein weiterer Kominternagent, Koço Tashko, beauftragt, der sich vergeblich bemühte, die verschiedenen Gruppen zur Einigung zu bewegen. Die stärkste von ihnen war die von Koritza mit Ablegern in Durazzo und Tirana. In ihr waren der Gymnasiallehrer Enver Hodscha[3] und der Schmied Koçi Dschodsche die führenden Persönlichkeiten.

Auch jetzt erfolgte keine Parteigründung, und nach der italienischen Okkupation verhielten sich die albanischen Kommunisten auf Weisung der Komintern bis zum 22. VI. 1941 still. Erst im Herbst 1941 wurden zwei Vertreter der KPJ, Dušan Mugoša und Miladin Popović, der einige Monate in Albanien verhaftet war, zu den albanischen Genossen entsandt. Am 8. XI. 1941 gründeten sie auf einer Konferenz von 20 Vertretern kommunistischer Gruppen in Tirana die KPA. Die Konferenz nahm eine umfangreiche Resolution[4] an, in der die Fehler der Vergangenheit gerügt wurden, und wählte ein Zentralkomitee mit Enver Hodscha an der Spitze und Koçi Dschodsche und Nako Spiru als prominenten Mitgliedern. Einige Tage später, am 23. XI. 1941, wurde eine kommunistische Jugendorganisation gegründet, und es wurde mit Sabotage- und Kampfaktionen gegen die italienische Besatzung begonnen.

Im Sinne der allgemeinen, von Tito in einem kritischen Brief[5] vom 22. IX. 1942 an die albanische KP noch bekräftigten Richtlinien wurde versucht, eine antiitalienische Einheitsfront zu bilden, wozu sich einige Oppositionelle im Norden des Landes, vor allem der Führer einer monarchistisch-zogistischen Bewegung, Abbas Kupi, bereit fanden. Am 16. IX. 1942 wurde in Pezë bei Tirana ein Nationales Befreiungskomitee (*Levisija Nazional Çlirimtare* – LNC) gegründet, dem vier Kommunisten, darunter Enver Hodscha, und sechs Nichtkommunisten angehörten. Das Programm war allgemein-national, doch wurde das Komitee bald von den Kommunisten dominiert, da drei Stammesführer aus dem Norden traditionsgemäß bei ihrem Stamm zu sein hatten und meist nicht zu den Sitzungen erscheinen konnten. Nationale Oppositionelle im Süden gründeten deshalb im Oktober 1942 die Nationale Front (*Balli Kombëtar* – BK) mit Midhat Frashëri[6] an der Spitze. Die Folge war, daß die Gruppen ebenso heftig einander wie die Italiener bekämpften und daß nach der Kapitulation Italiens die Einheiten der Nationalen Front sich nicht gegen die deutschen Truppen wandten, die die kommunistischen Kampfverbände im Winter 1943/44 aus den meisten von ihnen schon beherrschten Städten wieder verdrängen konnten.

Kurz vor der Kapitulation Italiens hatte im August 1943 in Mukaj eine Annäherung zwischen LNC und BK stattgefunden, wobei man sich ohne Wissen der Jugoslawen auf den Kampf für ein größeres Albanien – einschließlich Kosovo – geeinigt hatte. Auf jugoslawischen Druck mußte dies Abkommen als »nationalistische Verirrung« für ungültig erklärt werden. Abbas Kupi, wichtigstes Gegengewicht gegen die kommunistische Vorherrschaft im LNC, wurde am 7. XII. 1943 aus diesem ausgeschlossen und im Sommer 1944 von seinen früheren kommunistischen Bundesgenossen so heftig angegriffen, daß er, ohne die bisherige britische Hilfe, unterlag und das Land verließ. Da die BK als Kollaborateur verdächtigt werden konnte, blieben im Herbst 1944, als die deutschen Truppen sich zurückzogen und im September/Oktober den Süden, im November unter dem Druck der Verbände der »Albanischen Nationalen Befreiungsarmee« Tirana und am 29. XI. als letzte albanische Stadt auch Skutari aufgeben mußten, die von den Kommunisten geführten Organisationen als einzige handlungsfähige Kräfte zurück. Den militärischen Sektor repräsentierte die »Albanische Nationale Befreiungsarmee«, die im März 1943 nach einer Konferenz der KPA in Labinot bei Elbasan gegründet worden war, da das LNC bis dahin über keine militärisch organisierten Einheiten verfügte und zu befürchten war, daß die zum Kampf gegen die italienische Besatzung bereiten Bauern sich der Nationalen Front (BK) anschlossen. Der Aufbau wurde wesentlich von einem Beauftragten Titos, Svetozar Vukmanović-Tempo[7] mitgetragen, und im Sinne von Titos kritischem Brief vom 22. IX. 1942 wurde Wert darauf gelegt, daß die Stäbe nicht mit den lokalen Komitees der KP identisch waren, sondern einen allgemein-nationalen Anstrich hatten. Praktisch hatten sowohl in dem am 10. VII. 1943 gebildeten »Generalstab« wie in den Stäben der seit dem August formierten, sich alsbald mit italienischen Waffen versorgenden Brigaden die Kommunisten die leitenden Stellen. So war Kommandeur der ersten Stoßbrigade der Spanienkämpfer Mehmet Shehu[8], der jugoslawische Kommunist Dušan Mugoša politischer Kommissar. Nach den verlustreichen Kämpfen mit deutschen Verbänden im Winter 1943/44 war die ANBA im Frühjahr und Sommer rasch angewachsen und zählte im Oktober 1944 nach offiziellen Angaben über 70 000 Kämpfer, darunter 5000 Frauen.

Den zivilen Sektor repräsentierte der »Antifaschistische Rat der Nationalen Befreiung«, der ganz nach dem Vorbild des jugoslawischen AVNOJ (s. S. 1219) im Mai 1944 von einem in dem Städtchen Permeti in Südalbanien zusammengetretenen »Antifaschistischen Kongreß der Nationalen Befreiung«, zu dem etwa 200 Delegierte gekommen waren, als legislatives und exekutives Organ gebildet worden war. Den Vorsitz im »Rat« hatte, wieder getreu jugoslawischem Vorbild, ein Nichtkommunist, Dr. Omer Nishani. Der Rat, gewissermaßen Staatsoberhaupt und Legislative zugleich, hatte ein zehnköpfiges »Komitee der Nationalen Befreiung« eingesetzt, das Regierungsfunktionen ausübte, die es im Herbst 1944 auf das ganze Land ausdehnen konnte. An seiner Spitze stand Enver Hodscha, zugleich Oberkommandierender der Armee und somit, wie Tito, mit einzigartiger Machtvollkommenheit ausgestattet. Noch bevor die Hauptstadt Tirana erobert war, am 22. X. 1944, wurde das Komitee von einem rasch einberufenen zweiten Kongreß in Berat zur »Demokratischen Regierung Albaniens« erklärt.

IV. e) Übergang zum kommunistischen Herrschaftssystem (1944–1948)

Damit war, weit früher als in allen anderen Ländern Ostmitteleuropas und von der noch mit der Kriegführung beschäftigten westlichen Welt kaum bemerkt, die kommunistische Machtergreifung in Albanien praktisch abgeschlossen, ohne unmittelbare Einwirkung der Sowjetunion, aber unter lebhafter Mithilfe der jugoslawischen Kommunisten, die ein Mitspracherecht in Albanien in Anspruch nahmen.

Die folgenden 3½ Jahre bis zum Kominformkonflikt dienten dem raschen Ausbau der kommunistischen Herrschaft und dem Aufbau der »Volksdemokratie« im Schatten Jugoslawiens und unter Wahrung pseudodemokratischer Formen.

Früher und rigoroser als andernorts wurden die tatsächlichen und potentiellen Gegner des Regimes beseitigt, indem die Regierung schon am 26. I. 1945 in Tirana einen Volksgerichtshof unter Leitung des Innenministers Koçi Dschodsche errichtete, der frühere Minister, Abgeordnete, aber auch politisch nicht hervorgetretene Nichtkommunisten aburteilte. Ebenfalls noch im Winter 1944/45, im Dezember und Januar, erließ die Regierung eine Reihe von Gesetzen, durch die alle Fabriken und Handelsunternehmungen unter strenge Staatsaufsicht gestellt, das Vermögen von Emigranten und »Volksfeinden« konfisziert und die Privatbetriebe von Industrie und Handel mit einer hohen »Kriegsgewinnsteuer« belegt wurden, was bei Zahlungsunfähigkeit zur Konfiskation führte.

Dieses Streben nach schneller Machtabsicherung und Ausschaltung aller für eine Opposition in Frage kommenden Schichten ist wohl auch dadurch zu erklären, daß die albanischen Kommunisten für eine mögliche Landung der Briten – wie in Griechenland – vollendete Tatsachen schaffen wollten. Zwar erschien Albanien nicht auf Churchills berühmtem »half-sheet of paper« von Moskau (9. X. 1944), auf dem er den Einfluß in Prozenten vorschlug – ob absichtlich oder aus Vergeßlichkeit, bleibt unklar –, aber da die britische militärische Führung ihr Interesse an Albanien gezeigt und Verbindungsoffiziere erst zu den Einheiten von Abbas Kupi, dann zur ANBA geschickt und seit dem Frühjahr 1944 nur noch diese unterstützt hatte[9], war denkbar, daß die Briten wie in Griechenland 90 % Einfluß verlangten und in Albanien landeten, wogegen seitens der Sowjetunion kaum etwas unternommen werden konnte. Entgegen den Besorgnissen Enver Hodschas kam aber das Thema Albanien in Jalta im Februar 1945 nicht zur Sprache[10], und Großbritannien, das sich im Mai 1945 in der nördlichen Adria (Triest, s. S. 1222) durchaus lebhaft engagierte, zeigte in der südlichen Adria trotz der Nähe zu Griechenland keine Aktivität.

Albanien lag somit im Windschatten der sich seit dem Mai deutlicher abzeichnenden angloamerikanisch-sowjetischen Spannungen, und da seine Regierung durch Entsendung inoffizieller britischer und amerikanischer Missionen provisorische Anerkennung gefunden hatte, konnte diese ungehindert durch eine Exilregierung und durch Bestimmungen der Großmächte über freie Wahlen ihre Machtbefestigung rasch vorantreiben.

Das Agrarreformgesetz[11] vom 30. VIII., das schon eine Woche später in Kraft trat, verstaatlichte alle Wälder und Weiden und enteignete die Landeigentümer, die ihr Land nicht selbst bewirtschafteten, praktisch vollständig und ohne Entschädigung[12]. Die Bauern durften 40 oder 20 ha behalten, je nachdem, ob sie mit modernen Mitteln wirtschafteten oder nicht. Ihr Besitz blieb also in der Regel unangetastet, und die Klausel bezüglich der »modernen Geräte« war dehnbar, da ja die Bauern zunächst gewonnen werden sollten. Insgesamt wurden durch die Reform 155 000 ha und fast 240 000 Olivenbäume an rd. 70 000 »landarme« und landlose Familien verteilt[13], es wurden also mit einem Durchschnitt von 2,2 ha Kleinstbetriebe geschaffen.

§ 30 Die südosteuropäischen Staaten vom I. Weltkrieg bis zur Ära der Volksdemokratien

Diese verhältnismäßig »sanfte« Politik den Bauern gegenüber entsprach einer gewissen Unsicherheit, da die Regierung offiziell nur von Jugoslawien anerkannt war (seit 28. IV. 1945), während die Großmächte einschließlich der Sowjetunion noch zögerten und Albanien auch nicht in die UNO aufgenommen worden war. Am 10. XI. 1945 erkannte die Sowjetunion das Regime an, das sich nun wesentlich sicherer fühlen konnte, zumal die anderen Länder Osteuropas bald folgten. Es sorgte für breite Zustimmung durch die am 2. XII. 1945 durchgeführten Wahlen, bei denen es nur eine Liste, die »Demokratische Front«[14] gab, die dann wunschgemäß bei fast 90 %iger Wahlbeteiligung 93 % der Stimmen erhielt.

Die am 10. I. 1946 zusammentretende Nationalversammlung schaffte die Monarchie ab und proklamierte die Volksrepublik Albanien. Formelles Staatsoberhaupt wurde ein Präsidium unter Dr. Omer Nishani. Am 14. III. 1946 wurde eine neue Verfassung angenommen, die nahezu eine Übersetzung der jugoslawischen Verfassung[15] vom 31. I. 1946 darstellte, natürlich ohne deren, den föderativen Aufbau betreffende, Bestimmungen. Oberstes Organ wurde die Volksversammlung, die ihre Rechte auf das in Permanenz tagende Präsidium übertrug, da sie nur zweimal im Jahr zusammentrat. Dieses Präsidium, das die Regierung berufen und entlassen konnte, war praktisch formelles Staatsoberhaupt, Legislative und Exekutive zugleich, wurde aber de facto über die »Demokratische Front« von der Partei beherrscht. Präsident des Präsidiums (bis 1953) wurde wieder Omer Nishani.

Mit dieser Konsolidierung der Herrschaft ganz im Sinne Stalins koinzidierte ein Konflikt mit den Anglo-Amerikanern, die in Noten vom 10. XI. 1945 die Anerkennung der Regierung Hodscha von der Durchführung der Wahlen in Anwesenheit von ausländischen Beobachtern und der Anerkennung der Gültigkeit der vor dem 7. IV. 1939 geschlossenen Verträge abhängig machten. Da Hodscha sich weigerte, auf diese Forderungen einzugehen, knüpften Großbritannien und die USA keine diplomatischen Beziehungen zu Albanien an, und am 29. VIII. 1946 lehnte der Sicherheitsrat der UN Albaniens Antrag auf Aufnahme in die UN (vom 25. I. 1946) ab[16].

Beides führte zu einer Radikalisierung im Inneren, vor allem zu einer harten Linie gegenüber den Bauern, die durch mehrere Gesetze vom Februar 1946 bis Mai 1948 immer weitere Einschränkungen hinnehmen mußten, u. a. die Verstaatlichung allen Zugviehs, aller Obst- und Olivenbäume (April u. Juni 1946), die Auferlegung hoher Ablieferungsquoten bei härtesten Strafen für Zurückhaltung von Erträgen, und schließlich (Mai 1948) die Enteignung aller Schaf- und Ziegenherden über 50 Stück. Die gleichzeitig betriebene Kollektivierung hatte trotzdem noch relativ bescheidene Ergebnisse[17]. Gegen alle, die sich den Maßnahmen widersetzten, wurde, der harten Linie des Innenministers und für die Parteiorganisation verantwortlichen Sekretärs Koçi Dschodsche[18] entsprechend, seit April 1946 mit massenweisen Verhaftungen vorgegangen, die auch Parteimitglieder erfaßten. Einen Höhepunkt erreichte diese Politik der Einschüchterung, als am 9. VIII. 1947 das Recht der Regierung, jedermann zur Zwangsarbeit zu verpflichten, verkündet wurde und als am 28. IX. 1947 in einem Schauprozeß 16 Personen als angebliche anglo-amerikanische Agenten zum Tode verurteilt wurden.

Besonderes Aufsehen erregte der Selbstmord des Wirtschaftsministers und Mitglieds im Politbüro Nako Spiru im November 1947, der sich ebenso wie seine Frau Liri Belishova gegen eine allzu enge Bindung an Jugoslawien ausgesprochen hatte. Diese Bindung und weitgehende Unterordnung unter Jugoslawien war das wesentliche äußere Problem der Jahre 1945–1948. Zunächst mußten bei

IV. e) Übergang zum kommunistischen Herrschaftssystem (1944–1948)

den Verhandlungen über die Anerkennung im April 1945 alle »kleinbürgerlich-nationalistischen Hoffnungen« auf das Kosovo-Gebiet, von denen auch Hodscha nicht frei war, aufgegeben werden. Dann folgte am 9. VII. 1946 der jugoslawisch-albanische Vertrag über »Freundschaft, Zusammenarbeit und gegenseitige Hilfe«, der Albanien durch die völlige Koordinierung der Wirtschaftspläne, Zollunion und gleiches Preissystem weit stärker von Jugoslawien abhängig machte als die beiden Tirana-Verträge von Italien. 1947 schlug die jugoslawische Partei sogar einen gemeinsamen Fünfjahresplan vor, was von Albanien zwar abgelehnt wurde, aber durch einen jugoslawischen Kredit an Albanien in Höhe von 40 Mill. Dollar (12. VII. 1947) wurde die Abhängigkeit erneut demonstriert, denn diese Summe machte fast 60 % des albanischen Budgets aus[19].

Innerhalb der albanischen KP bildeten sich in diesem Zusammenhang drei Richtungen heraus: Die von K. Dschodsche, der völlig auf die jugoslawische Karte setzte und zugleich für härtestes Vorgehen gegen alle Abweichler war, die von N. Spiru, L. Belishova und Mehmet Shehu, die, national-albanisch eingestellt, die Abhängigkeit so gering wie möglich halten wollten und zugleich bereit waren, den »kleinbürgerlichen Nationalisten« entgegenzukommen, und die von Enver Hodscha selbst, der sich vor allem an der Macht halten wollte und deshalb eher geneigt war, seinem Rivalen Dschodsche nachzugeben, der als Arbeiter (Schmied) nicht den Makel des kleinbürgerlichen Intellektuellen (wie eben Hodscha selbst) ausgleichen mußte. Die Sowjetführung war bereit, Albanien in Jugoslawien aufgehen zu sehen und bildete sich ihr Urteil über Hodscha aufgrund von Auskünften jugoslawischer Kommunisten[20]. Bezeichnenderweise wurde die albanische KP nicht an der Bildung des Kominform beteiligt – so wenig galt sie in Moskau als selbständig. Der Kominformkonflikt war deshalb für die albanische Partei, insbesondere aber für Hodscha selbst, ein Glücksfall, denn beide erfuhren eine unerwartete Aufwertung.

[1] Über diese und ihre Vorgeschichte sehr ausführlich, aber ganz einseitig und unter völligem Verschweigen der jugoslawischen Einwirkung: History of the Party of Labor of Albania, hg. v. *Instit. f. marxist.-leninist. Studien* (1971). Für die jugosl. Mitwirkung unentbehrlich: *Vl. Dedijer,* Jugoslovansko-albanski odnosi 1939–1948, mit zahlreichen Dokumentenwiedergaben (1949), gleichzeitig ital. Ausgabe mit d. Titel: Il Sangue tradito. Einige Dokumente in Deutsch bei *L. Dodic,* Histor. Rückblick auf die Stellung Albaniens im Weltkommunismus 1941–1968, mit Dokumentation (1970). Sehr informativ die beiden ersten Kapitel bei *N. C. Pano,* The People's Republic, und *S. Peters,* Ingredients of the Communist Takeover in Albania, in: The Anatomy of Communist Takeovers, hg. v. *T. T. Hammond* (1975), S. 273–292. Außerdem *K. Frashëri,* The History of Albania (einseitig), und »Albania«, hg. v. *St. Skendi,* S. 76–80.
[2] Über die britische Politik und ihre Fehler eingehend *J. Amery,* Sons of the Eagle (1948). Auf diesem Bericht des britischen Verbindungsoffiziers bei der monarchistischen Widerstandsgruppe unter Abbas Kupi basiert der Abschnitt »Albanien« bei *F. Borkenau,* Der europäische Kommunismus (1952), S. 371–382. Vgl. außerdem: *E. F. Davies,* Illyrian Venture. The Story of the British Military Mission to Enemy-Occupied Albania 1943/1944 (1952).
[3] Geb. 16. X. 1908 in Argyrokastron, Mohammedaner, studierte mit Staatsstipendium 1930–33 in Frankreich, ohne Examen. 1933–36 Privatsekretär des alb. Konsuls in Brüssel, 1936–39 Gymnasiallehrer f. Französisch in Tirana u. Koritza, schloß sich dem dort. komm. Zirkel an und betrieb 1940/41 einen Tabakladen in Tirana, der zum Treffpunkt der kommun. Widerständler wurde.
[4] Voller Text bei *L. Dodic,* S. 45–59.
[5] Wiedergabe in serbisch bei *Vl. Dedijer,* S. 20–22, in dt. bei *Dodic,* S. 61–63.
[6] Nicht zu verwechseln mit dem Ministerpräsidenten und Vorsitzenden des Regentschaftsrats Mehdi Bey Frashëri, wie es Borkenau (S. 376) tut.

§ 30 Die südosteuropäischen Staaten vom I. Weltkrieg bis zur Ära der Volksdemokratien

[7] Vgl. seine Erinnerungen: Mein Weg mit Tito. Ein Revolutionär erinnert sich (1972).
[8] Geb. 1913, Moslem, Offiziersschüler in Tirana, 1938/39 in der Internationalen Brigade in Spanien, seit 1942 in Albanien. 1954 Ministerpräsident. Vgl. seinen eigenen Bericht: On the Experience of the National Liberation Army and on the Development of the National Army (1963).
[9] Die Parallelen zu Mihailović und Tito sind unverkennbar. Major Amery überschätzt in seiner temperamentvollen, anklägerischen Darstellung (s. Anm. 2) aber wohl die Möglichkeiten und Fähigkeiten von Abbas Kupi.
[10] Enver Hodscha besuchte im Februar 1945 besorgt die Vertretung des amerik. Office of Strategic Services (OSS) in Tirana, um sich nach der Konferenz von Jalta zu erkundigen, wie der Augenzeuge Peters (s. Anm. 1), S. 289/90 mitteilt. Über die Tätigkeit des OSS in Albanien vgl. The Secret War Report of the OSS, hg. v. *A. Brown* (1976), S. 291–293.
[11] Dazu ausführlich »Albania«, hg. v. *St. Skendi,* S. 158/59.
[12] Nur falls die Enteigneten kein anderes Einkommen hatten, erhielten sie für 10 Jahre eine Naturalentschädigung der neuen Besitzer.
[13] Nach: The Development of Agriculture in the People's Republic of Albania (1962), S. 8/9; auch *N. Pano,* The People's Republic, S. 62/63.
[14] Diesen Namen hatte das Komitee der Nationalen Befreiung auf einem Kongreß im August 1945 angenommen.
[15] Einzelheiten in »Albania«, hg. v. *St. Skendi,* S. 61–66.
[16] Unbeschadet dessen erhielt Albanien 1945/46 erhebliche Hilfeleistungen von der UNRRA, und zwar im Wert von über 26 Mill. Dollar. Vgl. *G. Woodbridge,* UNRRA, The History of the UN Relief and Rehabilitation Administration (1950), Bd. III, S. 428–433. Vgl. auch: *St. Skendi,* Albania, in: The Fate of East Central Europe. Hopes and Failures of American Foreign Policy, hg. v. *S. D. Kertesz* (1956), S. 297–318.
[17] 1948 existierten nur 56 Kollektive mit rd. 2500 Höfen.
[18] Er war zugleich Hodschas Rivale im Kampf um die Macht.
[19] Sehr ausführlich, mit Zahlenmaterial: *Vl. Dedijer,* Odnosi, Kap. V, S. 100–137.
[20] Über Stalins Aufforderung an d. jugoslaw. Kommunisten, Albanien einfach zu »schlukken«, vgl. *M. Djilas,* Conversations with Stalin (1962; dt. 1962), S. 182–188. Über Hodscha sagte Stalin, er sei ein »kleiner Bourgeois, der zum Nationalismus neigt«, während er, ebenso wie Kardelj, Dschodsche für den »stärksten Mann« hielt, den Kardelj den »besten und konsequentesten« nannte. Vgl. auch *Vl. Dedijer,* With Tito through the War (1951), S. 263/64. Auf S. 295 Stalins abfällige Bemerkungen über die »primitiven und rückständigen« Albaner.

f) Das kommunistische Albanien unter Enver Hodscha (1948–1968)[1]

In den zwei Jahrzehnten zwischen dem Kominformkonflikt im Sommer 1948 und dem Einmarsch der Truppen der Warschauer-Pakt-Staaten in die Tschechoslowakei am 21. VIII. 1968 war das kleine und wirtschaftlich trotz mit Energie vorangetriebener Industrialisierung immer noch zurückgebliebene Albanien das einzige Land des Ostblocks, in dem kein Führungswechsel stattfand. Vielmehr konnte sich Enver Hodscha, dessen Stellung im Herbst 1948 noch nicht voll gefestigt war, unangefochten an der Spitze der Partei behaupten und die tatsächliche Führung behalten, wenn er auch am 12. VII. 1954, sowjetischem Vorbild folgend, das Amt des Ministerpräsidenten an Mehmet Shehu abgab und sich mit der Stellung des Ersten Sekretärs der Albanischen Arbeiterpartei begnügte. Diese Stabilität verdankten Hodscha und seine Gefolgsleute nicht zuletzt der Abgeschlossenheit und sprachlichen Sonderstellung ihres Landes, in das »revisionistisches« Gedankengut aus den slawischen Ländern Ostmitteleuropas schon wegen der Sprachbarriere kaum eindringen und keine Verbreitung finden konnte. Daneben spielten die Tatsachen eine Rolle, daß eine Bildungsschicht als mögliche Trägerin revisionistischer Bestrebungen ebensowenig vorhanden war wie ein

IV. f) Das kommunistische Albanien unter Enver Hodscha (1948–1968)

selbstbewußter Schriftstellerverband, der in der Vorbereitung der ungarischen Revolution eine so bedeutende Rolle spielte, und daß das Regime Hodscha auch in der Blütezeit des Stalinismus, in der nationale Besonderheiten und nationaler Stolz in den anderen Ländern des Ostblocks vor der Bewunderung des sowjetischen Vorbildes zurückzuweichen hatten, stets albanisch-national war. In diesem besonderen Fall war die Hervorhebung nationaler Eigenheiten eben nicht Zeichen eines verdammungswürdigen »Titoismus« (ein Begriff, der 1948–1954 zu den ärgsten Schimpfworten im Ostblock gehörte), sondern eines lobenswerten Anti-Titoismus.

Außerdem nützte Hodscha mit Geschick das Interesse der Sowjetunion an einem Stützpunkt an der Mittelmeerküste aus, das solange bestehen mußte, bis die Entwicklung der weittragenden Raketenwaffen Stützpunkte und Marinebasen zu einem Anachronismus machte. Schließlich düpierte Hodscha mit nicht geringerem Geschick seine bisherigen sowjetischen Helfer, als er im beginnenden sowjetisch-chinesischen Konflikt 1961 auf die chinesische Karte setzte, damit plötzlich allgemeines Interesse für sein Land erweckte und zugleich neue wirtschaftliche Hilfe erhielt, ohne die früheren Kredite tilgen zu müssen. Dies Geschick, das auch Ahmed Zogu bewiesen hatte, als er mit jugoslawischer Hilfe an die Macht gekommen war, sich dann aber italienischer Unterstützung bediente, war bei Hodscha gepaart mit dem Festhalten an der »reinen Lehre« des Marxismus-Leninismus-Stalinismus, das ihn die Ergebnisse des XX. Parteitages der KPdSU nur in ganz geringem Umfang übernehmen ließ und sein Land zeitweilig zum Zufluchtsort für Stalinisten und »Dogmatiker« machte.

Das bedeutendste einschneidende Faktum dieser zwei Jahrzehnte albanischer Geschichte ist der Übergang aus dem sowjetischen in das chinesische Patronat im Jahre 1961, so daß eine Teilung in zwei Abschnitte gerechtfertigt ist.

Albanien unter dem Einfluß des Kominformkonflikts und der sowjetisch-jugoslawischen Entspannung (1948–1960)

Im Machtkampf zwischen den drei Richtungen innerhalb der albanischen KP[2] schien Koçi Dschodsche um die Jahreswende 1947/48 nach dem Selbstmord von Nako Spiru dem Erfolg nahe zu sein, obwohl Hodscha durch einen Aufenthalt in der Sowjetunion im Juli 1947 – allerdings begleitet von Dschodsche – Albanien in unmittelbare Beziehungen zu Moskau gebracht und sein Prestige gefestigt hatte. Während des VIII. Plenums des ZK der KPA im Februar 1948[3], das in der offiziellen Parteigeschichte »ein schwarzer Fleck in der ruhmvollen Geschichte der KPA« genannt wird[4], konnten Koçi Dschodsche und Pandi Kristo die posthume Verurteilung des »Spions« Nako Spiru und den Ausschluß von Mehmed Shehu aus dem ZK erreichen, der wegen seiner Weigerung, der Stationierung zweier jugoslawischer Divisionen in Albanien zuzustimmen, auch seine Stellung als Chef des Generalstabs verlor und mit dem Postministerium abgespeist wurde. Neben dem Ausschluß anderer prominenter »Nationalisten« wie Liri Belishova soll das Plenum auch die Vorbereitung einer Union mit Jugoslawien, u. a. auf dem Weg eines gemeinsamen Oberkommandos ins Auge gefaßt haben.

Im Kominformkonflikt bezog die albanische Partei sofort Stellung gegen Jugoslawien, offenbar sowjetischer Rückendeckung sicher, kündigte am 1. VII. 1948 alle bestehenden Verträge mit Jugoslawien (mit Ausnahme des Freundschafts- und Beistandsvertrags, den Jugoslawien am 12. XII. 1949 kündigte), wies die jugoslawischen Spezialisten binnen 48 Stunden aus dem Land und begann eine heftige antijugoslawische Propaganda. Für die unbedingt notwendige Wirtschaftshilfe trat die Sowjetunion an die Stelle Jugoslawiens, mit einem ersten Wirtschaftsabkommen vom September 1948 für 1949, das dann alljährlich erneuert wurde; jugoslawische Spezialisten wurden seit dem Herbst 1948 durch sowjetische Berater ersetzt. 1949 wurden 37 % des albanischen Budgets durch Kredite aus der Sowjetunion und anderen Ostblockländern gedeckt[5]. Dschodsche und Kristo wurden seit September 1948 mit Geschick stufenweise entmachtet und aus der Partei ausgeschlossen, Dschodsche nach einem hinter verschlossenen Türen geführten Prozeß am 11. VI. 1949 als Verräter hingerichtet[6]. Auf dem XI. Plenum des ZK vom 13. bis 24. IX. 1948 wurde eine ausführliche Resolution[7] verabschiedet, die die bisherigen »Irrwege«, vor allem die Beschlüsse des VIII. Plenums, verdammte und die Grundpositionen für die künftige »reine« Linie des Marxismus-Leninismus-Stalinismus darlegte. Nako Spiru wurde rehabilitiert; Mehmet Shehu und Liri Belishova kehrten in das ZK zurück, und Shehu übernahm nach einer kurzen Zwischenphase am 31. X. das Innenministerium und die Lejtung der Geheimpolizei, der *Sigurimi*.

Vom 8. bis 22. XI. 1948 fand in Tirana der I. Kongreß der KP Albaniens statt, die etwas über 45 000 Mitglieder und Mitgliedskandidaten zählte, also weniger als 5 % der Bevölkerung erfaßte. Auf diesem Kongreß wurde der Name in »Partei der Arbeit« geändert, die Verdammung Dschodsches und anderer »antialbanischer und antimarxistischer Elemente« feierlich ausgesprochen, ein Statut angenommen und ein neues Zentralkomitee und Politbüro gewählt, in dem neben Hodscha Mehmed Shehu, Hysni Kapo und Spiro Koleka die wichtigsten Personen waren. Das Statut sah die Abhaltung der Kongresse im Abstand von vier Jahren vor. Diese Frist wurde einigermaßen genau eingehalten; der II. Kongreß fand im März 1952, der III. im Mai 1955, der IV. im Februar 1961, der V. im November 1966 statt. Die Mitgliederzahlen stiegen in dieser Zeit stetig, aber nicht stürmisch an[8]. Im Jahr 1966 zählte die Partei 66 000 Mitglieder; bei einer damaligen Gesamteinwohnerzahl um 1,8 Mill. betrug der Anteil der Parteigenossen also nur 3,5 %.

In der Stalinära, in der sich Hodscha mit besonderer Linientreue dem sowjetischen Vorbild anpaßte, wurden in den Jahren 1948–1952 intensive »Säuberungen« innerhalb der Partei durchgeführt, aufgrund deren fast 6 000 Mitglieder ausgeschlossen wurden, so daß die Mitgliederzahl beim II. Kongreß mit 44 500 niedriger war als beim I.[9] Prominente Genossen wie der Minister für Öffentliche Arbeiten A. Shehu, der Parlamentspräsident B. Ndu, der Chef des Generalstabs N. Vincani wurden in diesen Jahren nicht nur ausgestoßen, sondern unter dem Vorwurf, sie hätten versucht, Albanien von der Sowjetunion zu trennen, zum Tode verurteilt, oder sie verschwanden nach ihrer Absetzung spurlos.

Im staatlichen Bereich wurde die Anpassung an die Sowjetunion durch eine Verfassungsänderung vom 4. VII. 1950 verdeutlicht[10], durch welche die Volksrepublik als »Staat der Arbeiter und arbeitenden Landleute« definiert und die Volksräte zum eigentlichen Träger der Volksmacht erklärt wurden. Auch dieser Verfassung, in der, ähnlich wie in der Stalin-Verfassung, der »Schutz des Vaterlandes« (vorher: die Landesverteidigung) zur höchsten Pflicht und Ehre jeden Bürgers erklärt wurde, fehlte eine Definition der Rolle der Partei. Die Volksversammlung, um das 2½fache vergrößert (1 Delegierter auf 8000 statt bisher 20 000 Wähler), wurde noch mehr zu einem reinen Zustimmungsorgan, das nur zweimal im Jahr (ohne feste Termine wie bisher) tagte.

Die nach § 45 alle vier Jahre im Juni oder Juli stattfindenden Parlamentswahlen der folgenden Zeit verdienten diesen Namen ebensowenig wie in anderen Ländern des Ostblocks und ergaben regelmäßig weit über 99 % aller Stimmen für die Demokratische Front. Die offiziellen Ergebnisse der Wahl vom 10. VII. 1966

IV. f) Das kommunistische Albanien unter Enver Hodscha (1948–1968)

bildeten insofern eine Besonderheit in der Uniformität, als von fast einer Million Wahlberechtigten nur vier gar nicht und drei mit ›Nein‹ stimmten!

Im wirtschaftlichen Bereich erfolgte die Angleichung Albaniens an die Sowjetwirtschaft durch den Beitritt des Landes zum Rat für Gegenseitige Wirtschaftshilfe (RGW oder Comecon) am 23. II. 1949 und durch die Annahme eines Zweijahrplanes für die Jahre 1949/50 durch die Volksversammlung am 2. VI. 1949, so daß die weiteren Pläne als Fünfjahrespläne (1951–55, 1956–60) mit denen der Sowjetunion synchronisiert und harmonisiert werden konnten. Die geringe Bedeutung Albaniens im Rahmen des RGW zeigte sich daran, daß keine seiner Kommissionen ihren Sitz in Tirana nahm; lediglich eine Ratsversammlung (die elfte) tagte im Mai 1959 in Tirana. Die Wirtschaftshilfe durch großzügig gewährte Kredite aus dem Ostblock war bedeutend; sie betrug über 1,6 Mrd. Rubel, von denen die Sowjetunion mit 948 Mill. den Löwenanteil trug, die Tschechoslowakei und die DDR mit 222 bzw. 152 Mill. Rubel weitere große Beträge, die drei südosteuropäischen Partnerländer zusammen aber nur 234 Mill.[11]. Sie wurden vor allem für den Bau von Kraftwerken, die Erdölgewinnung – für die aber die Raffinerien fehlten – und den Ausbau der Lebensmittelindustrie für den Export eingesetzt, während die Konsumgüterindustrie vernachlässigt wurde.

Der Handel mit nichtsozialistischen Ländern war so minimal, daß der Wert der gesamten albanischen Ausfuhr dorthin jährlich nicht einmal 200 000 Dollar erreichte. Das war auch dadurch verursacht, daß die im Juli 1947 statt des albanischen Franken neu eingeführte Währung, der Lek[12], international nicht akzeptiert wurde.

Militärisch erfolgte eine Bindung an die Sowjetunion durch die Zurverfügungstellung einer U-Bootbasis auf der Insel Sasseno, wo italienische und deutsche Anlagen übernommen werden konnten, im Jahre 1950[13]. Der Beitritt Albaniens zum Warschauer Pakt am Gründungstage, dem 14. V. 1955, ersetzte die bisher fehlenden formellen Bündnisverträge.

Durch Stalins Tod wurde die Stellung des »albanischen Stalin« Enver Hodscha nicht erschüttert. Er folgte lediglich dem sowjetischen Vorbild, indem er am 12. VII. 1954 als Ministerpräsident und als Generalsekretär der Partei zurücktrat (dieser Titel wurde abgeschafft), sich aber wieder zum Ersten Sekretär wählen und vom ZK bestätigen ließ, daß es in der albanischen PdA immer einen »Geist der kollektiven Führung« gegeben habe[14]. Ministerpräsident wurde Mehmet Shehu.

Erst der sowjetisch-jugoslawische Ausgleich im Mai 1955 veranlaßte Hodscha zu einer flexibleren Politik gegenüber Jugoslawien, was dadurch erleichtert wurde, daß die Beziehungen nur eingefroren, aber niemals abgebrochen worden waren. Ob unmittelbar davor tatsächlich ein Versuch gemacht worden war, Hodscha und Shehu zu stürzen, wie bei der Entfernung zweier ZK-Mitglieder, Tuk Jakova und Bedri Spahiu, im April 1955 behauptet wurde, ist unklar. Im gleichen Jahr hatte Albanien, mit dem Großbritannien und die USA weiterhin keine Beziehungen unterhielten, die Genugtuung, daß es auf sowjetische Befürwortung hin in die UNO aufgenommen wurde (15. XII. 1955).

Auch der XX. Parteikongreß der KPdSU mit der Verdammung Stalins und des Personenkultes bewirkte keine Erschütterungen in der PdA, die keinerlei Rehabilitationen einst Verurteilter vornahm und als einziges Land im Ostblock die Stalindenkmäler nicht beseitigte. Doch begann nunmehr die Annäherung an China, mit dem schon im Oktober 1954 eine Anzahl von Verträgen geschlossen worden war.

In der Agrar- und Kulturpolitik verfolgte Albanien den harten Kurs des Stalinismus; die Kollektivierung, die 1955 erst 18 % des Ackerlandes erfaßt hatte, stieg 1957 auf 57 % und 1960 auf 87 %.

Im kirchlichen Bereich[15] wurde die Katholische Kirche 1951 gezwungen, eine albanische Nationalkirche zu bilden, doch wurden die meisten Kirchen in der folgenden Zeit geschlossen. Das gleiche Schicksal traf die 530 Moscheen des Landes. Am wenigsten behelligt wurde die Orthodoxe Kirche, die enge Beziehungen zur Orthodoxen Kirche der Sowjetunion aufnahm.

Albanien unter dem Patronat Chinas (1961–1968)

Der Übergang Albaniens vom sowjetischen unter das chinesische Patronat, der die Weltpresse lebhaft beschäftigte und drei umfangreiche Monographien[16] anregte, vollzog sich nicht plötzlich, sondern bereitete sich längere Zeit vor, parallel mit der Annäherung Albaniens an China, für die es im Bereich der klassischen Interessen- und Handelspolitik überhaupt keine Begründung gibt, sondern die rein ideologisch bedingt ist. Ganz abgesehen von dem ungeheuren Größenunterschied beider Länder gab und gibt es zwischen ihnen keinerlei historische, politische oder kulturelle Gemeinsamkeiten, während sich für die Sowjetunion immerhin einige derartige Gemeinsamkeiten finden lassen (der Kampf gegen die Türken, das orthodoxe Bekenntnis) und das machtpolitische Interesse der Sowjetunion am Balkanbereich zu einer der Traditionen russischer Politik seit Peter dem Großen gehört. Es haftete deshalb dem Patronat Pekings über Tirana und dem dadurch ermöglichten selbstbewußten Auftreten der albanischen Führung gegenüber den bisherigen Kreditgebern, Partnern und Verbündeten etwas Exotisches und Abenteuerliches an. Die wichtigsten Gründe für den Bruch dürften folgende gewesen sein:

1) Die 1955 begonnene Ausgleichspolitik der Sowjetunion mit Jugoslawien, die zwar durch neue Konflikte unterbrochen wurde, aber trotz aller Auseinandersetzungen nicht auf einen erneuten Bruch zusteuerte, mußte in Albanien Befürchtungen erwecken, es solle wieder, wie 1945–1948, ein »Subsatellit« Jugoslawiens werden und vielleicht sogar dessen siebente Republik.
2) Die Annäherungspolitik, die Chruschtschow gegenüber Griechenland betrieb, und die Zusage, welche er im Juni 1960 dem Liberalenführer Venizelos gegeben hatte, er werde sich um eine »Autonomie für Nordepirus« bemühen, erregte größtes Mißtrauen und Sorge um die Integrität der Grenzen[17] in Tirana.
3) Die Entstalinisierung und die Rehabilitierung der Opfer des stalinistischen Systems waren ein ständiger versteckter Vorwurf gegen die Fortdauer dieses Systems in Albanien, wobei die angeblichen Umsturzpläne, die der Gruppe um Liri Belishova und K. Tashko im September 1960 vorgeworfen wurden, durchaus einen realen Hintergrund gehabt haben können, so zurückhaltend auch derartige Standardanklagen aufgenommen werden müssen.
4) Im RGW wurde Albanien die Rolle eines Lieferanten von Agrarprodukten und Rohstoffen zugewiesen, und die Sowjetunion trat sogar als Albaniens Konkurrent bei Erdöllieferungen auf. Diese dienende Rolle konnte auch durch die reichlich fließenden Kredite, von denen die Sowjetunion 348 Mill. Rubel im Jahre 1957 in ein Geschenk umwandelte, nicht schmackhafter gemacht werden.

Von den vielfachen Anzeichen für den sich vorbereitenden Bruch können hier nur folgende erwähnt werden:
1) Der Besuch Chruschtschows in Albanien im Mai 1959, bei dem offenbar die Gegensätze überwunden werden sollten, was nicht gelang.
2) Das Auftreten des albanischen Vertreters – statt Hodscha nur H. Kapo –

IV. f) Das kommunistische Albanien unter Enver Hodscha (1948–1968)

beim III. Kongreß der Rumänischen Arbeiterpartei in Bukarest im Juni 1960.
3) Der Ausschluß von Liri Belishova und K. Tashko aus der Partei im September 1960 und die Verhaftung einiger Militärs zur gleichen Zeit. (Letztere wurden im Juni 1961 als »Verräter« hingerichtet.)
4) Hodschas scharfe Kritik an der sowjetischen Außenpolitik anläßlich der Moskauer Konferenz der 81 Kommunistischen Parteien am 16. XI. 1960[18].
5) Auf dem IV. Parteitag der PdA im Februar 1961 wurde der albanische Kurs von den Vertretern der KPdSU scharf kritisiert, während die chinesischen Vertreter zustimmten.

Der Bruch vollzog sich danach in mehreren Etappen durch die Abberufung der sowjetischen Techniker und Berater aus Albanien im Frühjahr 1961, an deren Stelle sofort chinesische Berater traten, durch die Aufkündigung von Kreditzusagen in Höhe von über 135 Mill. Dollar für den dritten Fünfjahresplan, durch den Abzug der sowjetischen U-Bootflottille aus Sasseno und Valona im Juni 1961 und durch die Nichteinladung einer albanischen Delegation zum XXII. Parteitag der KPdSU im Oktober 1961. Erst danach erfolgte – unter einer Flut gegenseitiger Bezichtigungen – zwischen dem 25. XI. und 9. XII. 1961 der Abbruch der sowjetisch-albanischen Beziehungen[19].

Die chinesische Hilfe wurde durch einen Wirtschaftsvertrag vom 23. IV. 1961 über einen Kredit von 123 Mill. Dollar initiiert. Sie wuchs bis 1965 auf über 600 Mill. an. Zwei Besuche des chinesischen Ministerpräsidenten Tschou en Lai in Tirana, Anfang Januar 1964 und Ende März 1965, bei denen die »völlige Einheit des Denkens und Handelns« festgestellt wurde, unterstrichen die nunmehrige Bindung, die allerdings die Erfüllung der ehrgeizigen Fünfjahrespläne für 1961–65 und für 1966–70 nicht ermöglichte. Formell blieb Albanien weiterhin Mitglied des RGW und des Warschauer Pakts, wurde aber zu deren Tagungen nicht mehr eingeladen, wogegen es im Juni 1962 energisch protestierte und alle Treffen ohne seine Teilnahme für »illegal« erklärte.

Während die Mitgliedschaft im RGW theoretisch weiterhin bestand, praktisch aber suspendiert war, nahm Albanien den Einmarsch der Truppen des Warschauer Pakts in die Tschechoslowakei, deren Reformkurs die PdA aufs schärfste verurteilt hatte, zum Anlaß, die Mitgliedschaft im Warschauer Pakt durch Gesetz vom 13. IX. 1968[20] feierlich aufzukündigen. Anschließend wurden erste Versuche der Annäherung an den »Westen« sowohl in politischer wie in wirtschaftlicher Hinsicht gemacht. 55 Jahre nach der Erlangung seiner Unabhängigkeit hatte die Politik Albaniens immer noch eigenartige, bizarre, überraschende und exotische Züge.

---

[1] Für diesen Zeitraum enthält die offizielle Darstellung von K. Frashëri, History of Albania, nur noch wenige Seiten, überwiegend über die wirtschaftliche Entwicklung. Der allseitig informierende Sammelband »Albania«, hg. v. St. Skendi, reicht nur bis 1955. Neben L. Dodic, Histor. Rückblick (s. e, Anm. 1), und K. Lange, Grundzüge, die sich im wesentlichen auf die ideologischen Auseinandersetzungen beschränken, sind am informativsten: N. C. Pano, The People's Republic; das Kapitel »Albania« bei R. Staar, The Communist Regimes in Eastern Europe (³1977); dt.: Das kommunistische Regierungssystem in Osteuropa (1977), sowie, mit feuilletonistischen Einschüben: H. Hamm, Rebellen gegen Moskau, Albanien – Pekings Brückenkopf in Europa (1962); engl.: Albania – China's Beachhead in Europe (1963). Außerdem die Berichte in: Wissensch. Dienst Südosteuropa (seit 1952) und in: »Hinter dem Eisernen Vorhang« (seit 1955).
[2] Dazu vor allem die offizielle History of the Party of Labor (s. e, Anm. 1), S. 308–337, L. Dodic und K. Lange. Ebenso wie im Beschluß des XI. Plenums vom September 1948 wird die unterlegene Dschodsche-Gruppe im offiziellen Schrifttum als trotzkistisch, op-

§ 30 Die südosteuropäischen Staaten vom I. Weltkrieg bis zur Ära der Volksdemokratien

portunistisch und revisionistisch gebrandmarkt, obwohl jeweils eines das andere ausschließt.
[3] *K. Lange,* Grundzüge, S. 77, datiert es irrtümlich auf »Ende des Jahres 1947«. Zu den Beschlüssen vgl. *L. Dodic,* Historischer Rückblick, S. 16/17, und die dagegen gerichtete Resolution des XI. Plenums, ebd., S. 76–84.
[4] History of the Party of Labor, S. 316.
[5] »Albania«, hg. v. *St. Skendi,* S. 231. Für 1950 wurden keine Zahlen bekanntgegeben; 1951 waren 18,4 %, 1952 15 % der Haushaltseinnahme Kredite aus dem Ostblock.
[6] Dschodsche wurde vom Innenministerium zunächst auf das Industrieministerium abgeschoben (3. X.), doch wurde sein Anhänger Kerenedschi Innenminister und Herr der Polizei. Am 31. X. verlor Dschodsche den Ministerposten, und sein Todfeind Shehu wurde Innenminister. Am Tage nach der Eröffnung des Parteikongresses wurde Dschodsche verhaftet, konnte sich also auf dem Kongreß nicht mehr rechtfertigen. Im Mai 1949 fand der mit dem Todesurteil endende Prozeß statt; die Mitangeklagten erhielten Gefängnisstrafen. Auch nach der Wiederannäherung an Jugoslawien wurde der »Verräter« Dschodsche nicht rehabilitiert.
[7] Übersetzung – im Auszug – bei *L. Dodic,* S. 64–93.
[8] Da *R. Staar,* The Communist Regimes, in seiner Tabelle I für 1948 nur die 29 000 Vollmitglieder, für spätere Daten aber auch die Kandidaten (1966: 3300) einrechnet, ergibt sich für die Jahre 1948–52 ein scheinbar stürmisches Anwachsen von 50 %.
[9] *H. Hamm,* S. 38, nennt: 5 996 Fälle, die Hist. of the Party of Labor nennt S. 369 8 %, was 3600 bedeuten würde.
[10] Text in englischer Übersetzung bei *J. F. Triska,* Constitutions of the Communist Party States (1969), S. 137–149.
[11] Vgl. die Tabelle 5 bei *R. Staar.* Für den ersten Fünfjahresplan und die verschiedenen Handelsverträge s. »Albania«, S. 231–337.
[12] Der Wert des bisher gängigsten Zahlungsmittels, des Napoléon d'or (20 Goldfrancs) wurde im Juli 1947 auf 326 Lek festgesetzt.
[13] Dazu *N. C. Pano,* S. 90. Die Rote Flotte unterhielt in Sasseno bis 1961 eine Flottille von 12 U-Booten und entsprechenden Begleitschiffen.
[14] Bezeichnenderweise erwähnt die Parteigeschichte S. 394 den Personalwechsel gar nicht, sondern betont die »stählerne Einheit« der Partei, wohl nicht ohne Anspielung auf Stalin – den Stählernen!
[15] Über die Behandlung der Religionen und die religiösen Verhältnisse ausführlich: *St. Skendi,* »Albania«, S. 285–299, und in: East Central Europe and the World. Developments in the Post-Stalin Era, hg. v. *St. Kertesz* (1962), S. 212–215.
[16] Außer *H. Hamm* und *L. Dodic* vgl. *W. E. Griffith,* Albania and the Sino-Soviet Rift (1963; mit umfangreicher Dokumentation in englischer Übersetzung).
[17] Die offizielle Geschichte der Albanischen Partei der Arbeit, die diesen Komplex sehr breit behandelt, nennt S. 452 schon die Forderung nach Autonomie »chauvinistisch«.
[18] Angeblich sagte Chruschtschow anschließend: »Genosse H., Sie haben mich mit einem Kübel von Unrat übergossen; Sie werden das wieder abwaschen müssen« (*S. Hamm,* Rebellen, S. 55).
[19] Deutsche Übersetzung des Notenwechsels bei *L. Dodic,* S. 96–108. Fast gleichzeitig veröffentlichte das albanische Parteiorgan »Zëri i Popullit« am 2. XI. 1961 einen Leitartikel: Name und Taten Stalins leben und werden noch Jahrhunderte lang weiterleben. Text bei *W. E. Griffith,* S. 240–242.
[20] Text bei *L. Dodic,* S. 114/15.

V. Südosteuropa nach 1944

Allgemeines Schrifttum
Die zahlreichen Gemeinsamkeiten in der Entwicklung der Länder Südosteuropas unter kommunistischer Herrschaft haben dazu geführt, daß diese Entwicklung auch zusammenfassend und vergleichend dargestellt worden ist. Dabei ist dann häufig der Blick auch weiter zurück gerichtet worden, bis zum Ende des I. Weltkrieges. Andererseits wurden in die Übersichtsdarstellungen häufig auch die nördlichen Nachbarn in Ostmitteleuropa, Polen und die Tschechoslowakei, und gelegentlich auch die DDR einbezogen, besonders dann, wenn es sich um Fragen der Wirtschaft und ihrer Planung handelte. Es ist verständlich, daß diese vergleichenden, das Gemeinsame und Vergleichbare hervorhebenden Übersichten durchweg nicht in den betroffenen Ländern selbst und – mit einigen Ausnahmen für Polen – auch nicht im übrigen Ostblock, sondern von außerhalb stehenden Beobachtern geschrieben worden sind, häufig nicht von Historikern, sondern von Publizisten und Politikwissenschaftlern.
Zu der Problematik s. *G. Rhode,* Die Geschichte Ostmitteleuropas als Ganzes und in seinen Teilen als Problem und Aufgabe, in: Probleme der Ostmitteleuropaforschung, hg. v. *J. G. Herder-Institut* (1975), S. 35–43.
Hilfsmittel – Bibliographien, Handbücher und laufende Berichte – sind insbesondere in den USA und in der Bundesrepublik Deutschland erarbeitet und veröffentlicht worden, vor allem die vom Südost-Institut München herausgegebene Südosteuropa-Bibliographie, für jeweils ein Jahrfünft der Jahre ab 1956 erscheinend, nach Ländern aufgegliedert, aber jeweils mit einem Abschnitt »Südosteuropa allgemein« (1978 lagen 5 Bde., bis 1970 reichend, vor, manche in zwei Teilen).
Sehr viel knapper die einbändige Bibliographie von *P. L. Horecky,* Southeastern Europe, a Guide to Basic Publications (1969), mit Teil I: Overview of the Southeast European Area.
Bei den *Handbüchern* wurden in der von *R. F. Byrnes* herausgegebenen Serie: East Central Europe under the Communists, die Bände Albanien *(St. Skendi),* Bulgarien *(L. A. D. Dellin),* Jugoslawien *(Byrnes),* Rumänien *(S. Fischer-Galati),* Ungarn *(E. Helmreich)* im Mid European Studies Center, New York, nach dem gleichen Schema bearbeitet und fast gleichzeitig 1956/57 veröffentlicht. Dadurch ist trotz des Fehlens eines zusammenfassenden Überblicks und trotz mancher zeitbedingter Schwächen die vergleichende Darstellung für das erste Jahrzehnt 1944–1955 wesentlich erleichtert.
Dem Osteuropa-Handbuch, Bd. I: Jugoslawien, hg. v. *W. Markert* (1954), das sich durch großen Faktenreichtum auszeichnet, folgten keine weiteren Bände für die übrigen südosteuropäischen Länder.
Von der neu begründeten Reihe: Südosteuropa-Handbuch, hg. v. *K.-D. Grothusen,* liegen die Bände Jugoslawien (1975) und Rumänien (1978) vor, wobei der verhältnismäßig große Zwischenraum zwischen den Erscheinungsdaten das Vergleichen der Entwicklung erschwert. Das für die Zeit zwischen den Kriegen sehr wertvolle Biographische Lexikon zur Geschichte Südosteuropas, hg. v. *M. Bernath* und *F. v. Schroeder* (bis 1978, 2 Bde.: A–K) berücksichtigt Persönlichkeiten aus der Zeit nach 1944 nur in Ausnahmefällen.
Besonders wertvoll ist die Quellensammlung von *J. F. Triska,* Constitutions of the Communist Party-States (1968), da sie die ins Englische übersetzten Texte aller Verfassungen der südosteuropäischen Staaten (ohne Kommentare) bringt und so die Gemeinsamkeiten deutlich macht.
Laufende Berichte, insbesondere Texte, finden sich in: Ost-Probleme, seit 1949, ab Juli 1969 in knapperer Form im Osteuropa-Archiv, Teil der Zeitschrift »Osteuropa«, in den Monatsschriften »Wissenschaftlicher Dienst Südosteuropa« seit 1952, in: »Hinter dem Eisernen Vorhang« (dt. Ausgabe von: News from behind the Iron Curtain) seit 1955, ab 1966 unter dem Titel »Osteuropäische Rundschau«, seit Juni 1973 eingestellt, und in den Rubriken »Chronik« und »Umschau« sowie »das Porträt« der Monatsschrift Osteuropa seit 1950, mit den halbjährlichen Tochterzeitschriften Osteuropa-Recht und Osteuropa-Wirtschaft.

§ 30 Die südosteuropäischen Staaten vom I. Weltkrieg bis zur Ära der Volksdemokratien

Von den *Übersichtsdarstellungen* sind die der fünfziger Jahre großenteils stark zeitgebunden und z. T. fehlerhaft. Von ihnen werden, vor allem ihrer besonderen Betrachtungsweise wegen, hier nur vier genannt: *O. Halecki,* Grenzraum des Abendlandes (1957); die Zeit nach 1945 nur im Schlußkapitel.
Die Sowjetisierung Ostmitteleuropas: Untersuchungen zu ihrem Ablauf in den einzelnen Ländern, hg. v. *E. Birke, E. Lemberg, R. Neumann* (1959); der Beitrag über Südosteuropa von *W. Krallert.*
H. Seton-Watson, Die osteuropäische Revolution (1956). Der Überblick von *R. L. Wolff,* The Balkans in Our Time (³1974), sehr materialreich, ist gegenüber der ersten Ausgabe von 1956 nur durch ein Nachwort: The Balkans in 1973, ergänzt worden, berücksichtigt Ungarn nicht.
Von den späteren, die z. T. Spezialfragen gewidmet sind, können besonders folgende empfohlen werden:
Z. Brzezinski, The Soviet Bloc. Unity and Conflict (1960), mit Schwerpunkt bei der sowjetischen Politik, bei den »Fällen« Jugoslawien und Ungarn.
Sozusagen die Fortsetzung bietet: *J. K. Hoensch,* Sowjetische Osteuropapolitik 1945–1975 (1977), mit ausführlicher Behandlung der Jahre 1957–1975.
Auf einer ursprünglich 1952 erschienenen französischen Ausgabe basiert: *F. Fejtö,* Die Geschichte der Volksdemokratien, Bd. I: Die Ära Stalin 1945–1953, Bd. II: Nach Stalin 1953–1972 (1972), mit gewissen Ungleichmäßigkeiten.
Sehr faktenreich sind die von dem einstigen ungarischen Außenminister *St. D. Kertész* herausgegebenen Sammelwerke: The Fate of East Central Europe. Hopes and Failures of American Foreign Policy (1956), mit Schwerpunkt bei der amerikanischen Politik und Einstellung, sowie: East Central Europe and the World: Developments in the Post-Stalin Era (1962).
Mehr problemorientiert sind die von *A. Bromke* herausgegebenen Sammelwerke: The Communist States at the Crossroads between Moscow and Peking (1965); The Communist States and the West (1967).
Einen Querschnitt zu Beginn der sechziger Jahre gibt das Sammelwerk von *S. Fischer-Galati,* Eastern Europe in the Sixties (1963).
Zahlen und Strukturen der regierenden Parteien bringt: *R. F. Staar,* Die kommunistischen Regierungssysteme in Osteuropa (³1977).
Einzelfragen des Zusammenwirkens und der Integration behandeln zwei deutsche Sammelwerke: Ostblock, EWG und Entwicklungsländer, hg. v. *E. Boettcher* (1967), und: Ist der Osten noch ein Block? hg. v. *R. Löwenthal* (1967).
Zur Frage der Reformen s. u. a.: Osteuropa-Wirtschaftsreformen, hg. v. *H. Gross* (1970), und: Reformen und Dogmen in Osteuropa, hg. v. *A. Domes* (1971).

Für alle fünf Länder Südosteuropas war das Jahr 1944 ein mindestens ebenso entscheidendes Jahr grundlegenden Wandels wie das Jahr 1918 für die sogenannten Nachfolgestaaten der Habsburger Monarchie. Das Eindringen der Roten Armee, die Waffenstillstände mit der Sowjetunion, der Sturz der autoritären Systeme in Bulgarien, Rumänien und Ungarn, der Erfolg der Partisanen in Jugoslawien und Albanien, sowie der Rückzug der deutschen Armeen bedeuteten nicht nur das Ende der kurzen deutsch-italienischen Vorherrschaft und den Beginn des überragenden sowjetischen Einflusses, dem sich nur Jugoslawien in wechselnder Weise zu entziehen wußte, sondern den Ansatzpunkt für den Übergang in die Staats- und Gesellschaftsform des Sozialismus, auf dem nur für kurze Zeit der von Schdanov propagierte »Mittelweg« beschritten wurde.
Während in den Jahren 1918 bis 1944 in den Ländern Südosteuropas zwar die Tendenzen der inneren Entwicklung vergleichbar waren und ähnliche Probleme gelöst werden mußten, daneben aber doch bedeutende Unterschiede zwischen den Siegern und den Verlierern des I. Weltkrieges bestehen blieben, beginnt mit dem Jahre 1944 eine weitgehend parallele, bestimmte gleichartige Phasen durchlaufende Entwicklung, durch welche nationale und regionale Unterschiede zeit-

weilig ebenso eingeebnet erscheinen wie die Unterscheidung zwischen den bisherigen Verbündeten und Gegnern der Sowjetunion. Dieser Unterschied hatte nur in der Anfangsphase Bedeutung. Allerdings kommen die nationalen und historischen Unterschiede an bestimmten Wendepunkten sofort wieder zur Geltung, so in den Krisenjahren 1948, 1956, 1968, aber die überragende Rolle Moskaus bei der Entwicklung Südosteuropas bleibt auch dort sichtbar, wo der unmittelbare Einfluß verringert wird oder wo, wie in Jugoslawien 1948 bis 1955 und in Albanien seit 1961, möglichst in völligem Gegensatz zu Moskau vorgegangen und gehandelt wird.

Es ist jedenfalls seit 1944 ein Mechanismus der inneren Entwicklung wie der Beziehungen untereinander und nach außen in Gang gesetzt worden, der wenig Spielraum für eigene Entscheidungen läßt, sondern jeweils nur begrenzte, zum Teil sogar zumindest tendenziell voraussehbare eigene Reaktionen möglich macht.

Alle Länder Südosteuropas haben nach 1944 nicht nur die Entwicklung von der autoritären, kurzfristig, mit Ausnahme Jugoslawiens und Albaniens, konstitutionell-parlamentarischen Monarchie zur Volksdemokratie und weiter zur Sozialistischen Republik mit Einparteienherrschaft der Kommunistischen Partei durchlebt (wobei die unterschiedlichen Namen dieser Partei außer acht gelassen werden können). Sie haben auf diesem Weg im wesentlichen auch die gleichen Entwicklungsphasen durchgemacht, die nur verschieden lang waren, so daß keine zeitliche Koordination vorlag. Insbesondere hatten Jugoslawien und Albanien im Jahre 1946 einen ausgesprochenen »Vorsprung« und hatten einige Phasen bereits hinter sich, die die drei anderen noch vor sich hatten. Es wurden bei der Durchsetzung der Volksdemokratie durchweg die gleichen Methoden angewandt. Deren Gleichartigkeit ist nicht unbedingt und allein durch Planungen und Anweisungen aus dem Steuerungszentrum Moskau zu erklären; sie ist auch dadurch gegeben, daß überall die gleiche Partei und die gleiche Ideologie die entscheidende Kraft darstellt und daß Unterschiede, so sehr sie zeitweilig betont werden mögen, Personen, Taktik und zeitlichen Ablauf betreffen, auch von den sich jeweils ergebenden Konjunkturen abhängen, jedoch nicht die Grundeinstellung zu Staat, Wirtschaft, Gesellschaft, Individuum berühren. Hier bleibt die Übereinstimmung bestehen.

a) Die Phase des »Mittelwegs« (1944–1948)

Alle Länder durchlaufen nach dem entscheidenden Umbruch im letzten Kriegsjahr folgende, nicht genau aufeinander abgestimmte und verschieden lange Phasen:

1) Die Befreiung des Landes von der deutschen Besetzung und Vorherrschaft unter starker Betonung nationaler Anliegen und der Gemeinsamkeit aller »nichtfaschistischen« Parteien und Kräfte.

2) Dementsprechend Bildung von »Einheitsfronten« und Regierungen, in denen nicht Sozialismus oder Kommunismus, sondern »Antifaschismus« und Befreiung des Vaterlandes im Vordergrund stehen. Dabei erscheinen die Kommunisten in erster Linie als entschlossenste Kämpfer gegen Kollaboration, »Faschismus« und alte, autoritäre Gewalten, weit weniger aber als Klassenkämpfer und Sozialreformer. An die Spitze der Regierung tritt nur dort, wo die Partei sich im Partisanenkampf besonders hervorgetan hat, ein Kommunist (Tito, Enver Hodscha), im übrigen aber Vertreter anderer, koalitionsbereiter Parteien oder Militärs. Dort, wo die Regierungsspitze bereits kommunistisch ist, wird aber die Staatsspitze einem Nichtkommunisten anvertraut, falls nicht, wie in Rumänien,

der König noch regiert. In den Koalitionsregierungen werden vor allem die die Machtausweitung garantierenden Schlüsselministerien mit Kommunisten besetzt, vorzugsweise Innen- und Justizministerium, gegebenenfalls auch das der Agrarreform.

3) Möglichst rasche Ausschaltung aller wirklichen und vermeintlichen Kollaborateure als »Volksfeinde« und »Faschisten«, soweit sie nicht geflüchtet sind, durch generelle Maßnahmen der Entziehung des Wahlrechts, Vermögenskonfiskation, Aberkennung der Staatsbürgerschaft. Handelt es sich um Angehörige der deutschen Volksgruppen (Rumänien, Ungarn, Jugoslawien), dann werden diese zur Zwangsarbeit herangezogen (die Rumäniendeutschen auch in der Sowjetunion), völlig und frühzeitig enteignet, zum Teil in Lager eingewiesen und ausgesiedelt. Damit wird sowohl der Grundsatz der Wahrung des Privateigentums praktisch aufgehoben als auch das Sozialgefüge in Frage gestellt. Denunziationen und persönliche Racheakte machen die bisherigen Führungsschichten unsicher und veranlassen sie oft zu besonders rascher und eifriger Anpassung an eine »sozial-patriotische« Linie.

4) Spezielle Strafverfahren gegen »Kriegsverbrecher« – die z. T. im Lande aufgespürt und verhaftet (Mihajlović), z. T. auf Auslieferungsbegehren hin von den Anglo-Amerikanern verhaftet und ausgeliefert werden. Dabei lautet die Anklage außer auf Hochverrat auch auf Sabotage oder auf im Untergrund gegen Widerständler begangene angebliche Straftaten. Auch hier erscheinen die Kommunisten bei der Anklage in erster Linie als makellose und konsequente, moralisch hochstehende, nicht zu korrumpieren gewesene Patrioten. »Kriegsverbrechern« und Kollaborateuren niedrigeren Grades wird dabei die Gelegenheit zur »Umkehr« gegeben, falls sie der KP beitreten oder außerhalb von ihr geheimpolizeiliche Funktionen auszuüben bereit sind.

5) Gleichzeitig gemäßigte soziale Umgestaltungen, die von der Sozialisierung und Kollektivierung noch weit entfernt und in erster Linie darauf ausgerichtet sind, die bäuerliche Bevölkerung für die Regierung einzunehmen, da diese durch die Umgestaltung nur gewinnen kann: Enteignung des Großgrundbesitzes, im allgemeinen auch des größeren Landbesitzes der Religionsgemeinschaften, des Privatbesitzes im Bereich der Grundindustrien, Aufhebung der Aktiengesellschaften und der Privatbanken; zusätzlich die Sperrung aller größeren, über einen bestimmten Nennbetrag hinausgehenden Bankkonten. Durch die inflatorische Emissionspolitik der staatlichen Notenbank sinkt gleichzeitig der Geldwert rapide ab, so daß auch größere außerhalb der Banken gehortete Summen rasch entwertet werden. Dadurch erfolgt die weitgehende wirtschaftliche Entmachtung und Verunsicherung aller derjenigen »bürgerlichen« Schichten, die durch Enteignung und Konfiskation noch nicht betroffen waren.

6) Durchweg sollten »freie und ungehinderte Wahlen«, den Wünschen und zum Teil klaren Anweisungen der Alliierten folgend, die Basis für die Staatsgestaltung und Regierungsbildung ergeben, auch in den Ländern, in denen nach Churchills Vorstellungen der sowjetische Einfluß mit 75 % (Bulgarien) oder sogar 90 % (Rumänien) übermächtig sein sollte. Dieser Grundsatz wurde sowohl von der sowjetischen Besatzungsmacht wie von den jeweiligen Kommunistischen Parteien nicht nur akzeptiert, sondern stark unterstrichen und proklamiert. Da es jedoch klar war, daß die Kommunisten in keinem der fünf Länder, auch nicht dort, wo sie als Partisanen und Träger der Befreiungsarmee großes Prestige genossen (Jugoslawien und Albanien) die Mehrheit erreichen würden, wurden für die Vorbereitung der Wahlen Zusammenschlüsse mehrerer Parteien mit den Kommunisten durchgeführt, die einen möglichst unverfänglich neutralen, für je-

V. Südosteuropa nach 1944

den Bürger akzeptablen Namen erhielten: »Vaterländische Front« in Bulgarien, »Demokratische Front« in Albanien (wo andere Parteien nicht beteiligt waren), »Demokratischer Block« bzw. »Block der Demokratischen Parteien« in Rumänien, »Volksfront« in Jugoslawien. Lediglich in Ungarn konnte sich die Partei der Kleinen Landwirte der Forderung nach einem »Block« oder einer sonstigen Einheitsliste widersetzen, trotz des Druckes des Kontrollratsvorsitzenden Marschall Vorošilov, und die Wahlen vom 4. XI. 1945 mit absoluter Mehrheit gewinnen, freilich mit der vorher gegebenen Zusicherung, auch nach einem Wahlsieg wieder eine Koalitionsregierung unter starker Berücksichtigung der Kommunisten zu bilden, die somit auf keinen Fall in die Opposition gedrängt werden konnten. In den übrigen Ländern wurde das erwünschte Ergebnis für »Front« oder »Block« erzielt, in Jugoslawien am 11. XI. 1945 mit 90,48 % bzw. 88,68 % der Stimmen für die »Front«, in Bulgarien am 18. XI. 1945 mit 88 %, in Albanien am 2. XII. 1945 mit 93 %, in Rumänien, wo man nach dem ungarischen abschreckenden Beispiel längere Vorbereitungszeit brauchte, erst am 19. XI. 1946 mit fast 80 %. Es war klar, daß überall, Ungarn ausgenommen, von Freiheit und Unbehindertheit keine Rede sein konnte.

7) Zur Vorbereitung dieser Wahlen wurden, abgesehen von Albanien und Jugoslawien, wo dieser Schritt nicht mehr nötig war, die Positionen der bisherigen Parteien auf doppelte Weise geschwächt. Einmal wurden alle Parteien, die in irgendeiner Weise als konservativ oder »faschistisch« bezeichnet werden konnten, nicht zugelassen; außerdem wurden bei denjenigen Parteien, die keinesfalls als »undemokratisch« diffamiert werden konnten, Abspaltungen versucht, meistens mit Erfolg. Da außer den in diesen Agrarländern schwachen Sozialdemokraten somit nur *eine* große Partei übrigblieb, und zwar eine bäuerliche (die Bauernpartei in Bulgarien, die Nationalţaranisten in Rumänien, die Partei der Kleinen Landwirte in Ungarn), war es verständlich, daß alle rechtsstehenden Kräfte im Land, die sonst heimatlos waren, sich diesen Parteien zuwandten (in der gleichen Weise übrigens auch der Polnischen Bauernpartei in Polen). Um so leichter wurde es nun, diese an sich in der linken Mitte angesiedelten Parteien als »Sammelbecken der Rechten«, der Konservativen usw. zu verdächtigen und bloßzustellen.

8) Die neugewählten Parlamente bestätigten die bisherigen, durch Regierungsdekrete in Kraft gesetzten inneren Umgestaltungen und änderten die Staatsform, indem die Monarchie abgeschafft wurde, am schnellsten dort, wo der König durch andere Mächte zum Verlassen des Landes gezwungen worden war oder wo es zwar eine formelle Monarchie, aber keinen König mehr gegeben hatte: in Jugoslawien am 29. XI. 1945, in Albanien am 11. I. 1946, in Ungarn am 31. I. 1946; etwas später dort, wo man der Dynastie wenig vorwerfen konnte, wo aber der König ein Kind war: in Bulgarien am 8. bzw. 15. IX. 1946 (durch Volksabstimmung); zuletzt dort, wo der König darauf pochen konnte, daß er selbst den Umsturz mitgetragen hatte: in Rumänien am 30. XII. 1947.

Alle diese Vorgänge, die sich zum Teil in deutlich aufeinanderfolgenden Phasen, zum Teil gleichzeitig abspielen, fallen in die Periode des von dem ZK-Sekretär der KPdSU Andrej Schdanov, der damals als wahrscheinlicher Nachfolger Stalins galt, propagierten »Mittelwegs«, und zwar, mit Ausnahme der Abschaffung der Monarchie in Rumänien, in seine erste, mildere und dem westlichen Ausland gegenüber auf gewisse Rücksichten bedachte Teilphase, die bis zum Abschluß der Friedensverträge mit den drei ehemaligen Feindländern am 10. II. 1947 dauert und endgültig mit der Ablehnung der Marshallplanhilfe im Juli 1947 beendet ist. In den beiden von der Roten Armee nicht besetzten »Partisanenländern« Jugoslawien und dem es getreulich kopierenden Albanien ist die Gesamtphase des »Mittelwegs«, in der sich hier zwei Teilphasen nicht abzeichnen, weit früher beendet, nämlich mit dem Inkrafttreten der Verfassungen der »Volksrepublik« am 31. I. bzw. 15. III. 1946, die ganz stalinistisch waren und keinen »Mittelweg« mehr ermöglichten. Gerade dieses rasche Tempo der »Partisanen« war aber der sowjetischen Politik in Südosteuropa ein Dorn im Auge, weil hier schon zu Beginn des Jahres 1946 deutlich ablesbar war, zu welchem Ziel der »Mittelweg« zwangsläufig führen mußte.

Außenpolitisch ist in dieser Phase der Unterschied der drei ehemaligen Bündnispartner der Achse von dem Mitstreiter Jugoslawien und von Albanien deutlich, dessen Stellung als unfreiwilliger Satellit Italiens und dann als »Neutraler« sich schwer genau definieren läßt. Mit den drei Achsenpartnern können vor Abschluß des Friedensvertrages keine Bündnisverträge geschlossen werden, so daß in den ersten über zwei Jahren nur Jugoslawien und Albanien voll handlungsfähig sind. Sie werden in das von der Sowjetunion seit Dezember 1943 aufgebaute System der Freundschafts- und Beistandsverträge einbezogen: Durch den sowjetisch-jugoslawischen Vertrag vom 11. IV. 1945, den polnisch-jugoslawischen vom 18. III. und den jugoslawisch-tschechoslowakischen vom 9. V. 1946. Albanien als »Subsatellit« ist in dieser Phase nur über Jugoslawien durch den Vertrag vom 9. VII. 1946 an die Sowjetunion und ihre Verbündeten gebunden.

In dieser Phase vor den Pariser Friedensverträgen spielen Bemühungen um Grenzkorrekturen gegenüber dem Status quo von 1938 noch eine große Rolle, insbesondere in Kärnten und um Triest, aber auch in Mazedonien, dem Banat, der Dobrudscha, dem Kosovogebiet und in Südalbanien, auf das Griechenland Ansprüche erhob. Mit zwei Ausnahmen blieben aber die Grenzen von 1938 bestehen: Jugoslawien konnte seine Ansprüche gegenüber Italien in Dalmatien und Istrien durchsetzen, mußte freilich in Triest eine Zwischenlösung akzeptieren, und Bulgarien durfte die ihm 1940 von Rumänien abgetretene Süddobrudscha behalten. Das bedeutete, daß drei wesentliche Minderheiten- und Grenzprobleme erhalten blieben und jederzeit wieder aktualisiert werden konnten: das der Ungarn in Siebenbürgen, das der Albaner im Kosovo-Gebiet und das der Mazedonier. Die Tatsache, daß sie während des Krieges durchweg zu Gunsten der Achsenpartner gelöst worden waren (Albanien wäre hier als »Subachsenpartner« zu sehen) erschwerte naturgemäß die Situation Ungarns, Albaniens und Bulgariens bzw. die ihrer Landsleute jenseits der Grenzen. Dagegen war die Situation der Deutschen noch ungleich schlechter, da ein Staat, der sich für sie einsetzen konnte, nicht existierte und da das wiedererstandene Österreich größte Zurückhaltung gegenüber den Deutschen im Südosten zeigte, obwohl diese doch fast alle einst Bürger Österreich-Ungarns gewesen waren. Von den Westalliierten wurden die Deutschen Südosteuropas ohnehin als Kollaborateure oder Angehörige einer legendären »Fünften Kolonne« betrachtet, so daß sie ihrer Enteignung und Entrechtung, einschließlich der Entziehung des Wahlrechts (in Rumänien, Ungarn, Jugoslawien), zwangsweisen Aussiedlung in kurzen Fristen (in Jugoslawien, etwa zur Hälfte in Ungarn), Einweisung in Arbeitslager und gewaltsame, oft bewußte Dezimierung (in Jugoslawien) tatenlos und meist auch teilnahmslos zusahen und allenfalls für die Aufnahme der Vertriebenen (aus Ungarn insbesondere) gewisse Vorsorgemaßnahmen trafen.

Die zweite Teilphase des »Mittelwegs«, die nur noch die drei ehemaligen Achsenpartner durchleben, ist durch die wesentlich konsequentere Bindung an die Sowjetunion, den Abbau bisher zur Schau getragener Offenheit nach beiden Seiten, den wachsenden Herrschaftsanspruch der kommunistischen Parteien und ihre einheitliche Ausrichtung gekennzeichnet, die auch »eigene Wege« nicht mehr zuläßt. Wer solche »eigenen Wege« wirklich geht oder nur den Anschein erweckt, sie gehen zu wollen, wird im Zuge des Kominformkonflikts feierlich gebannt und aus der Gemeinschaft ausgeschlossen.

Der Entschluß, die Phase des »Mittelwegs« in absehbarer Zeit zu beenden, dürfte, wie manche Anzeichen schließen lassen, in Moskau im Herbst 1946 gefallen sein, vielleicht unter dem Eindruck der Stuttgarter Rede des US-Außenministers Byrnes vom 6. IX. 1946. Die Einsetzung der Regierung Dimitrov in Bulgarien am 23. XI. 1946 und somit der Verzicht auf das bisher gewahrte Dekorum, daß ein Nichtkommunist Regierungschef war, wie die Verhaftung des Generalsekretärs der Partei der Kleinen Landwirte Béla Kovács in Ungarn am 26. II. 1947 können als Signale für den Beginn dieser zweiten härteren Phase mit beschleunigter Gangart gesehen werden. Den Abschluß bildet allgemein das Datum der Bekanntgabe des Kominformkonflikts, der 28. VI. 1948, ein Datum, das bei der häufig erkennbaren Vorliebe der Sowjetführung für Datensymbolik wohl nicht ohne Absicht gewählt wurde. In den drei betroffenen Ländern bilden die Daten der Annahme der neuen Verfassung nach dem Vorbild der Sowjetunion den Schlußpunkt für die Entwicklung zur Volksrepublik: in Bulgarien, auch auf anderen Gebieten der Anpassung an die Sowjetunion ein Vorreiter, am 4. XII. 1947, in Rumänien am 13. IV. 1948. Nur in Ungarn, wo erst die dritten Parlamentswahlen vom Mai 1949 der »Front der Unabhängigkeit« die obligate Mehrheit von 96,5 % der Stimmen gebracht hatten, wurde dieser Schlußpunkt unverhältnismäßig spät gesetzt: am 20. VIII. 1949, wobei auch dieses Datum als Tag Stephans des Heiligen mit Bedacht gewählt war (s. Beitr. Ungarn, § 24, S. 909).

In diese Phase fallen im inneren Bereich folgende sich zeitlich überdeckende und miteinander verzahnte Vorgänge:

1) Die teilweise brutale, teilweise mit Geschick und Raffinement betriebene Ausschaltung der führenden Köpfe jener nichtsozialistischen Parteien, mit denen die Kommunisten in den letzten Kriegs- und ersten Nachkriegsjahren Bündnisse geschlossen hatten, die aber der »Front« oder dem »Block« nicht beigetreten waren. Wieder machte Bulgarien mit der Hinrichtung des Bauernführers Nikola Petkov (23. IX. 1947) in besonders brutaler Weise den Vorreiter, während in Rumänien die verhafteten Parteiführer Maniu und Mihalache wie zahlreiche andere Führer der Nationalţaranisten und der unabhängigen Liberalen im Herbst 1947 »nur« zu lebenslänglichen oder langjährigen Freiheitsstrafen verurteilt wurden. Wiederum bildete Ungarn, wo die »Salamitaktik« Rákosis angewandt wurde und wo eher eingeschüchtert und korrumpiert als hingerichtet wurde (der Ministerpräsident Ferenc Nagy durfte im Mai 1947 finanziell wohl ausgestattet in der Schweiz bleiben), eine elegantere Variante. Das Endergebnis blieb das gleiche: eine selbstbewußte, auf die bäuerlichen Massen gestützte Opposition gab es Ende 1947 nicht mehr.

2) Ausschaltung der konkurrierenden Arbeiterpartei, der meist schon vorher gespaltenen Sozialdemokraten, entweder auch mittels Einschüchterung durch Verhaftungen oder durch den Zusammenschluß zu einer einzigen Arbeiterpartei, die zwar den Namen wechselte und in Rumänien nach der erzwungenen Vereinigung im Februar 1948 Rumänische Arbeiterpartei, in Ungarn nach dem gleichen Vorgang im Juni Partei der Ungarischen Werktätigen hieß, praktisch aber die bisherige Kommunistische Partei blieb, in der die Kommunisten auch die Führung, jetzt über größere Mitgliederzahlen, behielten.

3) Das dadurch, aber auch durch den Beitritt von Opportunisten oder sich bedroht Fühlenden erreichte Anwachsen der Kommunistischen Parteien zu erhebli-

cher Mitgliederstärke, ohne daß schon großer Wert auf Schulung und ideologische Reinheit gelegt wurde, was in der nächsten Phase Anlaß zu umfangreichen Säuberungsaktionen gab. Innerhalb der Parteiführung treten die Gegensätze zwischen »Moskowitern« und »Nationalisten« oder wie immer die Gruppe der im Land gebliebenen und häufig längere Zeit in Haft gewesenen Kommunisten bezeichnet wird, allmählich hervor. Diese sind durchweg nicht ideologisch begründet, sondern entweder rein persönlicher Natur, oder sie beziehen sich auf die Taktik, z. B. bei der Behandlung der Bauern, der Glaubensgemeinschaften, der nationalen Tradition und ihrer Symbole und Vertreter.

4) Die Unterschiede zwischen den Parteien und der Entschluß zu strafferer Führung durch die KPdSU bewirken die Gründung des Kominform Ende September 1947 (s. S. 338), dessen Sitz in Belgrad sowohl der Hervorhebung der jugoslawischen Kommunisten wie auch deren Kontrolle diente. Die scharfen Angriffe, die Schdanov bei der Gründungssitzung in Schreiberhau im Riesengebirge gegen das »imperialistische Lager«, gegen Trumandoktrin und Marshallplan richtete, machten deutlich, welche Haltung nunmehr von den Parteien und den von ihr getragenen Regierungen erwartet wurden.

5) Während in der ersten Phase des »Mittelwegs« noch mehrfach an panslawische Gefühle bei den Bulgaren und den Südslawen appelliert worden war, so daß in Belgrad im Dezember 1946 ein Panslawischer Kongreß gehalten werden konnte, der ein Panslawisches Komitee unter dem Vorsitz eines Serben, General Božidar Maslarić, mit Sitz in Belgrad gewählt hatte, während auch die Bemühungen um einen engeren Zusammenschluß Jugoslawiens mit Bulgarien unter Einbeziehung Albaniens in Moskau wohlwollend betrachtet und, soweit es Albanien betraf, sogar ermuntert worden waren, werden in der zweiten Phase derartige Bestrebungen von der KPdSU überwiegend getadelt. Hierbei machen wechselnde und widersprüchliche Äußerungen zu dieser Frage deutlich, daß erst allmählich eine einheitliche Linie herausgearbeitet wird, um die nichtslawischen Nationen Südosteuropas nicht mißtrauisch zu machen oder abzustoßen.

6) Dies erscheint auch wegen der Unterstützung der griechischen Kommunisten notwendig, die zwar schon seit dem Herbst 1946 im Gange war, in der zweiten Phase aber von Seiten der drei Nachbarn Bulgarien, Jugoslawien und Albanien besonders intensiviert wurde, so daß die Aufständischen in Grenznähe am ungestörtesten operieren und sich von jenseits der Grenzen versorgen lassen konnten. Panslawische Appelle und Gefühle waren für die Griechen und eine albanisch-griechische oder bulgarisch-griechische Waffenbrüderschaft selbstverständlich unwirksam; hier konnten nur Parolen des Klassenkampfes und des antiimperialistischen Kampfes wirksam sein.

7) Bereich des Wirtschaftslebens bilden die Hoffnungen auf intensivere Wiederaufbauhilfe durch den amerikanischen Marshallplan und die einheitliche, kaum freiwillig beschlossene Absage, an der Pariser Marshallplankonferenz im Juli 1947 teilzunehmen, eine entscheidende Wendemarke auf dem Weg in die Planwirtschaft, den Jugoslawien mit seinem Fünfjahresplan für die Jahre 1947 bis 1951 schon beschritten hatte. Bis dahin hatte Bulgarien für die Jahre 1947/48 einen Zweijahresplan vorgelegt, der den Bau von Kraftwerken und Verkehrswegen vorantreiben sollte, Ungarn für 1947 bis 1949 einen Dreijahresplan, der vor allem die Grundindustrien fördern sollte, während in Rumänien noch gar kein Plan aufgestellt worden war. Die Absage an die Marshallplankonferenz, die im Falle der Tschechoslowakei am dramatischsten war und am meisten Aufsehen erregte (s. Beitrag Tschechoslowakei, § 25, S. 965), hatte Handelsabkommen der UdSSR mit den Ländern Südosteuropas im Gefolge, die diesen erhebliche Kre-

V. Südosteuropa nach 1944

dite für den zu intensivierenden Warenaustausch gewährte. Fast gleichzeitig mit dem als Vorbild dienenden Handelsabkommen der UdSSR mit der Tschechoslowakei (12. VII.) schloß die erstere noch im Juli 1947 entsprechende Abkommen mit Bulgarien (12. VII.), Ungarn (15. VII.) und Jugoslawien (25. VII.) ab, denen Abkommen zwischen den Staaten Südosteuropas folgten, so daß eine erste Verflechtung wirtschaftlicher Natur verwirklicht wurde. Mit Rumänien war ein Handelsabkommen gleich nach der Unterzeichnung des Friedensvertrages von der Sowjetunion geschlossen worden (20. II. 1947), nachdem schon die 1945 gegründeten gemischten Gesellschaften für eine enge wirtschaftliche Bindung gesorgt hatten (s. Beitrag Rumänien, S. 1164).

Nach Abschluß der Friedensverträge konnten nunmehr auch die bisherigen Feindländer, der Kontrollaufsichtspflicht ledig, in das Bündnissystem eingefügt werden. Außerdem mußte die Frage der weiteren Stationierung von Verbänden der Roten Armee geklärt werden, für die es im Falle Rumäniens und Ungarns noch so lange einen sinnfälligen Grund gab, als die Sowjetunion eine Besatzungszone in Österreich hatte und mit den dort stationierten Truppen Landverbindung haben mußte, was über die Tschechoslowakei seit dem Abzug der amerikanischen und sowjetischen Truppen im Dezember 1945 nicht mehr möglich war. In weniger als zwei Jahren wurden folgende Freundschafts- und Beistandsverträge geschlossen, immer mit dem fast gleichen Wortlaut und mit der in § 2 oder § 3 erfolgenden Erwähnung »einer Aggression seitens Deutschlands oder eines anderen Staates gegen die nationale Unabhängigkeit«: am 4. II. 1948 zwischen der UdSSR und der Volksrepublik Rumänien, am 18. II. zwischen der UdSSR und der Volksrepublik Ungarn, am 18. III. 1948 zwischen der UdSSR und der Volksrepublik Bulgarien, jeweils für zwanzig Jahre geltend und 6 Artikel umfassend. Nur mit Albanien schloß die Sowjetunion keinen derartigen Vertrag, der später, durch den Beitritt Albaniens zum Warschauer Pakt am 14. V. 1955, auch nicht mehr nötig war. Die zum Teil schon früher geschlossenen Verträge zwischen den Staaten Südosteuropas entsprachen dem Muster der mit der Sowjetunion geschlossenen Verträge, wurden freilich, soweit sie mit Jugoslawien geschlossen waren, im Herbst 1949 aufgekündigt: Jugoslawien–Bulgarien: 27. XI. 1947, Jugoslawien–Ungarn: 8. XII., Jugoslawien–Rumänien: 19. XII. 1947, Rumänien–Bulgarien: 16. I., Rumänien–Ungarn: 24. I. 1948, Bulgarien–Albanien: 16. XII. 1947, Bulgarien–Ungarn: 16. VII. 1948. Das System, zu dem auch entsprechende Verträge mit Polen und der Tschechoslowakei kamen (der letzte war der ungarisch-tschechoslowakische Vertrag vom 16. IV. 1949), war somit innerhalb Südosteuropas fast gleichzeitig mit dem Kominformkonflikt komplett; lediglich das abseits gelegene Albanien war nicht voll in das Netz eingefügt.

Um die Mitte des Jahres 1948 war die Phase des »Mittelwegs« generell abgeschlossen; es begann die Phase der »Sowjetisierung« oder »Stalinisierung«, der sich, entgegen Stalins Wünschen und Hoffnungen, nur Jugoslawien entziehen konnte, wobei es freilich im Inneren, soweit es den Sicherheitsbereich und den Bereich der Meinungsfreiheit betraf, ebenfalls stalinistische Methoden anwandte.

b) Die Phase der »Sowjetisierung« (1948–1955)

Es ist bezeichnend, daß für diese Phase Beginn und Ende durch zwei Ereignisse bestimmt werden, welche das Verhältnis zwischen der Sowjetunion und Jugoslawien bzw. zwischen der KPdSU und dem BdKJ betreffen. Ebenso bezeichnend ist es, daß das erste Ereignis, der offene Ausbruch des Kominformkonflikts am

28. VI. 1948, primär die Parteien und die Ideologie betrifft, sich aber selbstverständlich auf das Verhältnis der Staaten und Regierungen auswirkt, während das zweite, Chruschtschows und Bulganins Reise nach Belgrad im Mai 1955, primär den Charakter eines Staatsbesuchs hat, der sich zwangsläufig auch auf die Beziehungen der Parteien auswirkt. Diese können selbstverständlich nicht wie staatliche Beziehungen rasche Klimaveränderungen durchmachen, weil erst ideologischer Ballast abgeworfen und die Wandlungen ebenso wortreich begründet werden müssen, wie vorher die gegenseitigen Bezichtigungen. Für die Flexibilität staatlicher Beziehungen gegenüber der geringeren Beweglichkeit der Parteibeziehungen ist auch die Tatsache maßgebend, daß der Staatschef im Ostblock von seiten der zu reinen Zustimmungsgremien herabgewürdigten Parlamente keinerlei Schwierigkeiten bei noch so überraschenden Wendungen zu erwarten hat, während in der Partei zwar nicht bei den sorgfältiger vorbereitender Regie unterworfenen Kongressen, wohl aber bei den Zentralkomitees und Politbüros Widerspruch und zumindest Diskussion der Entschlüsse erwartet werden können.

Ohne daß hier auf die Beweggründe der sowjetischen Politik und auf ihren Zusammenhang mit dem Ost-West-Konflikt sowie mit der Deutschlandpolitik des Kreml eingegangen werden kann (Berlinblockade und Kominformkonflikt geschahen fast gleichzeitig!), ist hier lediglich auf die wichtigsten Parallelerscheinungen in den vier Ländern Südosteuropas hinzuweisen, die nur noch geringfügige Unterschiede, dafür aber deutlich zentrale Steuerung erkennen lassen.

1) Die Kommunistischen Parteien werden gesiebt und gesäubert, wobei »Abweichler« oder »Opportunisten« ohne genügende Schulung und Linientreue ebenso ausgeschlossen werden wie Parteigenossen mit einer bürgerlichen Vergangenheit. Dabei können sich die jeweiligen »Moskowiter«, die zumindest zeitweilig in der Sowjetunion geschult worden sind, durchweg gegenüber den in der Heimat Verbliebenen durchsetzen. Ana Pauker in Rumänien, Mátyás Rákosi in Ungarn, Georgi Dimitrov in Bulgarien sind besonders markante Beispiele für den direkten Draht nach Moskau, der durch den frühen Tod von Dimitrov (2. VII. 1949) nicht abriß, weil sowohl sein unmittelbarer Nachfolger Kolarov (gest. 23. I. 1950) wie sein weiterer Nachfolger, sein Schwager Vulko Červenkov, »Moskowiter« waren.

2) Diejenigen Parteigrößen, die nicht absolut moskautreu zu sein scheinen, die im Spanischen Bürgerkrieg tätig oder während des Krieges in der Heimat und gegebenenfalls auch verhaftet waren, werden in Schauprozessen abgeurteilt, wobei die Anklagen der Spionage für die Anglo-Amerikaner, der Sabotage, der Fraktionsbildung, des kleinbürgerlichen Nationalismus, des Titoismus, des Antisowjetismus großenteils völlig absurd sind und nicht durch Dokumente, sondern durch Zeugenaussagen, häufig durch Selbstbezichtigungen belegt werden. Die Kette der Schauprozesse wird mit dem Prozeß gegen Lászlo Rajk begonnen, der am 12. IX. 1949 zum Tode verurteilt wird, wobei in erster Linie die »kriminelle Bande Titos, Ranković', Kardeljs und Djilas'« getroffen und gebrandmarkt werden soll. Da der folgende große Schauprozeß gegen den bulgarischen Kommunistenführer Trajčo Kostov einen Regiefehler enthielt, indem Kostov sich im Schlußwort am 14. XII. für unschuldig erklärte (s. Beitrag Bulgarien, S. 1264), werden die weiteren Prozesse mit größter Sorgfalt durchgeführt und die Angeklagten so präpariert, daß sie sich nicht nur selbst anklagen, sondern um harte Strafen bitten. Die Todes- und langjährigen Haftstrafen treffen zunächst führende Kommunisten, die vor ihrer Verhaftung hohe Funktionen in Partei und Regierung ausübten, dann aber auch Personen minderen Ranges, deren Verurteilung gar nicht bekanntgegeben wird, sondern die einfach verschwinden. Mit der physi-

V. Südosteuropa nach 1944

schen Liquidierung ist die Erklärung zur »Unperson« verbunden. Die Namen der Verurteilten werden aus der Parteigeschichte gelöscht.

3) Durch Säuberung und Schauprozesse wird innerhalb der Parteien ein Klima der dauernden Angst und Unsicherheit erzeugt, da jeden ein ähnliches Schicksal treffen kann. Die Allmacht der Geheimpolizei beruht auf der Angst jedes Parteigenossen, ebenfalls in die Mühle zu geraten, und auf dem Bestreben, durch Spitzeldienste, Denunziationen und offene Beschuldigungen auf Parteiversammlungen die eigene Linientreue zu beweisen.

4) Die Einheit von Partei- und Staatsführung wird dort, wo sie nicht wie in Albanien seit 1944 bestanden hatte, durch die Personalunion des Amtes des Ersten Parteisekretärs und Ministerpräsidenten hergestellt. In Bulgarien, wo Dimitrovs Tod im Juli 1949 diese seit November 1946 bestehende Personalunion vorübergehend unterbrochen hatte, wird sie im November 1950 in der Person von Vulko Červenkov wiederhergestellt. In Rumänien und Ungarn bleiben die nichtkommunistischen Ministerpräsidenten Groza und Dobi zwar zunächst noch im Amt, werden aber im Sommer 1952 durch die Parteisekretäre Georghe Gheorghiu-Dej (2. VI. 1952) und Mátyás Rákosi (14. VIII. 1952) ersetzt, die schon vorher als Stellv. Ministerpräsidenten den Premierminister kontrolliert hatten. Alle vier Personen werden zu unfehlbaren Führerpersönlichkeiten hochstilisiert, ähnlich wie Stalin, an denen keine Kritik geübt werden kann, und denen unterwürfige Verehrung zuteil wird.

5) Im Unterschied zur Sowjetunion sowie zu Jugoslawien und Albanien bleiben in den drei anderen Ländern ebenso wie in Polen und der Tschechoslowakei nichtkommunistische Parteien bestehen, z. B. der Bulgarische Bauernbund und die Partei der Kleinen Landwirte in Ungarn. Obwohl deren Vertreter höchste Staatsämter bekleiden können, wie z. B. István Dobi, bis 1952 Ministerpräsident, dann bis 1967 Vorsitzender des Präsidialrates in Ungarn und somit formelles Staatsoberhaupt, ist ihre tatsächliche Bedeutung minimal, da sie nur vor den jeweiligen Einheitswahlen aktiv werden und keineswegs von der Linie der Kommunistischen Parteien abweichen können. Deren Führung muß vielmehr ausdrücklich anerkannt werden.

6) Im Bereich der Verwaltung wurde durchweg das sowjetische System der »Volksräte« oder »Nationalräte« eingeführt, entweder durch Gesetze, die die Verfassung ergänzten oder änderten, wie in Ungarn (Gesetz IV, 1950) und in Rumänien (Dekret vom 28. XII. 1950), oder durch neue Verfassungen wie in Albanien (4. VII. 1950) und, in Erweiterung des Dekrets von 1950, in Rumänien (24. IX. 1952, Art. 51–63), während in Bulgarien schon die Verfassung vom 4. XII. 1947 Volksräte eingeführt hatte, die aber erst 1949 gewählt wurden (Art. 48–55). Damit war eine von der Partei völlig abhängige Einheitsverwaltung geschaffen. Fast durchweg wurden nunmehr örtlicher Parteisekretär und Volksratsvorsitzender personengleich.

7) Im wirtschaftlichen Bereich wurde durch die Gründung des Rats für Gegenseitige Wirtschaftshilfe (RGW, engl. Abkürzung Comecon) am 25. I. 1949 in Moskau, dem Bulgarien, Rumänien und Ungarn als Gründungsmitglieder angehörten und dem Albanien wenige Wochen später beitrat, eine zentrale Steuerungsmöglichkeit geschaffen, die allerdings zunächst nicht voll ausgenutzt wurde. Die Außenhandelsbeziehungen zur Sowjetunion wurden aber so intensiviert, daß Bulgarien im Jahre 1951 58 %, Rumänien 51 % ihres gesamten Außenhandels mit der Sowjetunion abwickelten. Das völlige Übergewicht Moskaus wird u. a. dadurch dokumentiert, daß die Tagungen des »Rates«, des obersten Organs des RGW, zwischen 1949 und 1954 viermal in Moskau und nur einmal (August

1949) in Sofia stattfanden, statt satzungsgemäß alle halbe Jahre jeweils in einer anderen Hauptstadt. Die mit dem sowjetischen Fünfjahresplan koordinierten jeweiligen Wirtschaftspläne legten das Schwergewicht einseitig auf den Ausbau der Schwerindustrie und vernachlässigten die Konsumgüterindustrie.

Mit aller Intensität wurde seit 1948/49 die Kollektivierung der Landwirtschaft vorangetrieben, wobei wieder Bulgarien den Vorreiter machte. Dort wurden Anfang 1951 bereits 47,9 % des anbaufähigen Bodens in Kollektivwirtschaften oder Staatsgütern bewirtschaftet. Im letzten Jahr der Stalinära, Anfang 1954, war der kollektivierte oder verstaatlichte Anteil am kultivierten Boden in Bulgarien auf 62,7 % gestiegen; in Ungarn betrug er 30,5 % mit einem historisch bedingten starken Anteil der Staatsgüter von 12,5 %, in Rumänien 26,5 % (1955). Fast gleichzeitig – meist 1949/50 – wurden in allen Ländern Südosteuropas die privaten Handwerks- und Handelsbetriebe verstaatlicht, soweit sie über 10 familienfremde Personen beschäftigten. Die kleineren, unter dieser Grenze bleibenden Betriebe wurden in den folgenden Jahren durch hohe Steuern oder Geldstrafen für angebliche Mißstände zunehmend zur Aufgabe der Selbständigkeit veranlaßt, so daß außerhalb der Landwirtschaft nur ein minimaler »privater Sektor« erhalten blieb. Auch der Besitz von Miethäusern wurde 1950 durchweg verstaatlicht, so daß nur von der eigenen Familie genutzte kleinere Häuser im privaten Besitz verbleiben konnten. In diesen wurde dem Eigentümer aber nur ein begrenzter Wohnraum belassen; Wohnraum, der über der Norm lag, mußte gegen niedriges, die Kosten kaum deckendes Entgelt vermietet werden. Das hatte zur Folge, daß der private Wohnungsbau völlig zum Erliegen kam, die vorhandenen verstaatlichten und im Privatbesitz verbliebenen Wohnhäuser vernachlässigt wurden und der Wohnraum außerhalb einiger »Renommierviertel« zunehmend knapper wurde, wozu der im ersten Nachkriegsjahrzehnt durchweg starke Bevölkerungszuwachs ebenfalls beitrug. Der Warenknappheit und dem Geldüberhang wurde in dieser Ära der Industrialisierung und Bevorzugung der Investitionsgüter vor den Konsumgütern nicht durch vermehrte Produktion, sondern durch hohe Preise, hohe Abgaben und Abwertungen (in Rumänien z. B. im Januar 1952 im Verhältnis 400 : 1) begegnet. Die durch die Unsicherheit des Geldwertes bedingte »Flucht in die Sachwerte« und das Bestreben der Bevölkerung, wertbeständiges Geld (vor allem US-Dollars, aber auch Goldmünzen) zu erwerben und als eigentliche echte Währung zu betrachten, führte zum Verbot jeglichen Besitzes an Devisen und zu scharfen Maßnahmen gegen »Schwarzhändler« und »Devisenschmuggler« einschließlich der Todesstrafe. Gleichzeitig konnte die Bevölkerung weiter verunsichert und in Angst gehalten werden.

8) Sowohl die Jagd auf »Abweichler« und die Schauprozesse als auch die Möglichkeit der Anklage wegen Wirtschaftsvergehen aller Art, unter die schon Zurückhaltung von Eigentum bei Verstaatlichungen fallen, geben der Geheimpolizei eine sich praktisch auf alle Lebensbereiche erstreckende Machtfülle. Mit dem Ausbau des Polizeiapparats nach sowjetischem Vorbild gehen Spitzelwesen und Denunziantentum Hand in Hand. Die Wehrlosigkeit gegenüber überraschenden Verhaftungen, das allgemeine Mißtrauen, die Angst vor jeder Äußerung der eigenen Meinung und die Sorge vor jedem Kontakt mit dem als feindlich gebrandmarkten westlichen Ausland werden ebenso wie die fast völlige Schließung der Grenzen für westliche Reisende und für Reisen ins Ausland, sogar in die »Bruderländer«, zu einem wesentlichen Merkmal der »Stalinära« und des in ihr herrschenden politischen Drucks.

9) Während in den Jahren der Umgestaltung zur »Volksdemokratie« die verschiedenen Kirchen Südosteuropas – die Katholische Kirche in Jugoslawien aus-

genommen – verhältnismäßig unbehelligt geblieben waren, setzte 1948 und, das vatikanische Exkommunizierungsdekret gegenüber Kommunisten vom 1. VII. 1949 zum Anlaß nehmend, verstärkt 1949 ein heftiger Kampf gegen die Katholische Kirche ein, der vor allem ihre Internationalität, ihre streng hierarchische Struktur und die Haltung zahlreicher Bischöfe während des Krieges zum Vorwurf gemacht wurden. Die Schauprozesse gegen die beiden ungarischen Erzbischöfe Mindszenty (Februar 1949) und Grösz (1951) fanden zwar in Rumänien und Bulgarien keine unmittelbare Nachahmung gegenüber ähnlich ranghohen Würdenträgern, doch wurden hier wie dort Geistliche und Laien der »Spionage für den Vatikan« angeklagt und zu hohen Strafen verurteilt, in Bulgarien sogar zu Todesstrafen (September 1951 Rumänien, Oktober 1952 Bulgarien). Kirchengesetze, die formell die Freiheit des Bekenntnisses und der Religionsausübung garantierten, ermöglichten dem Staat weitgehende Einflußnahmen, mit einem ersten Höhepunkt in Gestalt der am 1. XII. 1948 vom Präsidium der Volksrepublik Rumänien dekretierten Auflösung der Unierten Kirche, deren Vermögen und Anhänger, entsprechend dem Vorgehen in der Ukraine, in die Orthodoxe Kirche überführt wurden. Während die Katholische Kirche mit allen propagandistischen Mitteln und mit Hilfe von Dekreten und Zwangsmaßnahmen bekämpft wurde, wurde die Orthodoxe Kirche in Abhängigkeit vom Staat gebracht, wobei die bisherigen Verbindungen nach Konstantinopel abgeschnitten wurden. Das gleiche geschah mit den verschiedenen protestantischen Kirchen, die, von der Reformierten Kirche in Ungarn abgesehen, als verhältnismäßig kleine Gemeinschaften dem Staat und seinem Erziehungsanspruch kaum gefährlich zu sein schienen und durch Prozesse gegen einzelne Pastoren in Schrecken versetzt werden konnten.

10) Die überall entstehenden Gesellschaften für Freundschaft mit der Sowjetunion, die Einführung des Russischen als erste Fremdsprache in allen Oberschulen, die Umgestaltung der Akademien der Wissenschaften nach sowjetischem Vorbild, und nicht zuletzt die ständige Betonung der Dankbarkeit gegenüber der Roten Armee und der sowjetischen Führung gaben auch demjenigen Bürger der südosteuropäischen Staaten, der keinen Rotarmisten zu Gesicht bekam und die sowjetische Einflußnahme in Verwaltung und Wirtschaft nicht unmittelbar spürte, das Gefühl, in einer nur dem Namen nach selbständigen Kolonie der Sowjetunion zu leben. Dies Gefühl wurde noch dadurch bestärkt, daß 1950/51 in jedem der vier südosteuropäischen Länder eine bedeutende Industriestadt den Namen Stalins zudiktiert erhielt: in Bulgarien Varna am Schwarzen Meer, in Rumänien das bis 1918 überwiegend deutsche Kronstadt (rumänisch Brașov), in Ungarn die Fabrikstadt Dunapentele und in Albanien Kukësi (Kuçova). Erst die zweite Entstalinisierungswelle nach dem XXII. Parteitag 1961 bewirkte, Albanien ausgenommen, die Rückkehr zu den historischen Namen, während Stalinbilder und Stalindenkmäler meist schon 1956 verschwanden, teils spektakulär, wie in Budapest, teils stillschweigend und ohne Aufsehen.

c) Die Phase der »Entstalinisierung« und der Herausbildung von Abweichungen und Varianten seit 1955

Nach der weitgehenden Vereinheitlichung des politischen und wirtschaftlichen Lebens in allen vier unter sowjetischem Einfluß stehenden Ländern Südosteuropas, die es erlaubte, von der Entwicklung in einem Lande auf die im Nachbarland zurückzuschließen, setzte zwar nicht mit dem Tode Stalins, wohl aber mit der Neugestaltung der Beziehungen der Sowjetunion zu Jugoslawien im Mai 1955 eine neue Phase des Sonderlebens und der Auseinanderentwicklung ein.

§ 30 Die Südosteuropäischen Staaten vom I. Weltkrieg bis zur Ära der Volksdemokratien

Letztere erreichte allerdings nicht den Grad der beiden Jahrzehnte zwischen den beiden Weltkriegen, ließ aber die unter der sowjetischen Decke verhüllt gewesenen nationalen und strukturellen Unterschiede wieder schärfer hervortreten. Konnte man in der Stalinära mit einiger Berechtigung davon sprechen, daß die vier Länder praktisch zunehmend den Status einer Sowjetrepublik annahmen und daß auch die regierenden Kommunistischen Parteien eher Zweigverbänden der KPdSU als selbständigen »Bruderparteien« glichen, so war nunmehr die Tendenz zur Eigenständigkeit, zur Betonung der nationalen und historischen Besonderheiten und zur Profilierung auch in den Parteien unverkennbar.

War es bis 1955 und insbesondere bis zum XX. Parteikongreß der KPdSU im Februar 1956 von Vorteil und sogar gegebenenfalls von entscheidender Bedeutung für einen bulgarischen, rumänischen oder ungarischen Kommunisten, daß er auf eine Schulung in Moskau und auf einen längeren dort – meist während des II. Weltkrieges – verbrachten Lebensabschnitt verweisen konnte, um so seine »Rechtgläubigkeit« unter Beweis zu stellen, so war es nach 1956 ausgesprochen ungünstig, als »Moskowiter« zu gelten. Umgekehrt standen Kommunisten, die während des Krieges in der Heimat im Untergrund tätig, vielleicht längere Zeit verhaftet gewesen waren und deshalb verdächtigt wurden, Spitzeldienste für die politische Polizei geleistet zu haben, nunmehr hoch im Kurs. Ebenso war der bis 1955 gravierende Makel, ein »Titoist«, ein »kleinbürgerlicher Nationalist« zu sein, seit dem Augenblick kein Makel mehr, in dem Chruschtschow den jugoslawischen Marschall am 21. V. 1955 als »teuren Genossen« angesprochen hatte. Überall – Albanien ausgenommen – wurde der bisherige Makel des »Titoismus« und des »Nationalismus« nunmehr nahezu zu einer Auszeichnung.

Es blieb allerdings bezeichnend für die zunächst weiterhin bestehende politische und geistige Vorherrschaft der Sowjetunion, daß von ihr ausgelöste Ereignisse, der Chruschtschow-Bulganin-Besuch in Belgrad im Mai 1955, die erste posthume Verdammung Stalins auf dem XX. Parteitag der KPdSU im Februar 1956 und die zweite Abkehr von Stalin und seinen Methoden auf dem XXII. Parteitag im Oktober 1961, den jeweiligen Anstoß für die Neuorientierung gaben. Die Ausführung fiel dann jedoch sehr unterschiedlich aus, und zwar mit jedem Mal stärker, so daß ab 1961 die Unterschiede den Gemeinsamkeiten die Waage zu halten beginnen. Man kann von da an bei aller Vorsicht gegenüber schlagwortartigen Festlegungen doch vom »stalinistischen Albanien«, vom »moskautreuen Bulgarien«, vom »gemäßigt reformistischen Ungarn« und vom »nationalkommunistischen Rumänien« sprechen.

Dabei ist festzuhalten, daß dem Eklat und der Aussöhnung zwischen der Sowjetunion und Jugoslawien die feste Bindung aller vier Länder an die Sowjetunion und untereinander durch den Warschauer Pakt vom 14. V. 1955 vorausgegangen war, der die bisherigen bilateralen Verträge mit der Sowjetunion und zwischen den einzelnen Staaten durch ein festes System ersetzte. Dieses zu verlassen erforderte einen besonderen Entschluß, zu dem sich Albanien, dem Pakt und seinen Mitgliedstaaten seit 1961 entfremdet, erst 1968 durchrang. Der Pakt bestätigte im wesentlichen zwar nur einen bereits bestehenden Zustand militärischer Zusammenarbeit, war aber gerade im Hinblick auf Südosteuropa auch völkerrechtlich notwendig, weil 40 Tage nach Abschluß des Staatsvertrages mit Österreich (15. V. 1955) der Abzug der sowjetischen Verbände aus Ungarn und Rumänien hätte erfolgen müssen. Der durch den Belgrader Besuch geförderten Lockerung der Bindungen stand also in militärischer Hinsicht doch eine Festigung gegenüber, die das Prestigedenken weniger verletzte und eine elastischere Haltung der Sowjetführung gegenüber ihren südosteuropäischen Partnern möglich machte.

V. Südosteuropa nach 1944

Während das »Tauwetter« in der Sowjetunion und der Belgradbesuch der Sowjetführer in Südosteuropa Auswirkungen geringeren Ausmaßes hatte, berührten die Folgen des XX. Parteikongresses ein Land, Ungarn, unmittelbar und die anderen, je nach dem Grad der Nachbarschaft, mittelbar. Dabei war es für die Folgen der Enthüllungen Chruschtschows über Stalins Untaten in seiner Geheimrede in Ungarn, Rumänien und Bulgarien von geringerer Bedeutung, ob in der Stalinära besonders viele Grausamkeiten und Justizmorde vorgekommen waren oder ob man sich mit weniger Todesurteilen und gewaltsamen Übergriffen begnügt hatte. Die scheinbar logische Annahme, daß dort, wo der Druck am härtesten war, die Liquidierung von »Klassenfeinden« und »Verrätern« am meisten Opfer gefordert hatte, nun auch die Explosion am schnellsten und gewaltsamsten sein werde, erwies sich als falsch, denn dann hätte in Bulgarien, dem Vorreiter in allen Stalinisierungs- und Angleichungsmaßnahmen, das Pendel am weitesten zurückschlagen müssen. Indessen war das Gegenteil der Fall, und Trajčo Kostov, Symbolfigur falscher Anklage und kaltblütiger Liquidierung, wurde zwar im April 1956 rehabilitiert, doch geschah seinem Widersacher Vulko Červenkov nur wenig, und dieser stürzte erst wegen seiner Annäherung an China. In der bulgarischen Bevölkerung lösten die Mitteilungen über das Kostov zugefügte Unrecht nur schwache unmittelbare Reaktionen aus. Dagegen wurde die Rehabilitierung des fast gleichzeitig hingerichteten László Rajk, der als Innenminister selbst Unschuldige hatte liquidieren lassen, zu einem der auslösenden Momente des Aufstands in Ungarn, woran das makabre Schauspiel der Exhumierung und Wiederbeisetzung zweifellos einen Anteil hatte, in erster Linie aber doch einen emotionellen.

Es zeigte sich, daß für den Beginn und das Ausmaß der »Entstalinisierung« in erster Linie Gründe maßgeblich waren, die in der geschichtlichen Tradition, in der Struktur der Bevölkerung und in eher zufälligen Konstellationen innerhalb der Führungsschicht der regierenden Partei verankert waren. Dort, wo »Moskowiter« nie vertreten gewesen waren und wo eher die jugoslawischen Kommunisten bis 1948 die Rolle des schulmeisterlichen Mentors und Besserwissers gespielt hatten, in Albanien, konnte man die Abneigung von Ungarn und Rumänen gegen den sowjetischen Einfluß nicht begreifen und sah in dem Belgradbesuch keinen Akt der Konzilianz und der Vernunft, sondern einen Treuebruch. In Ungarn, wo man mit russischen Soldaten und russischer Sprache nicht nur die Erinnerung an den Winter 1944/45, sondern auch an die Niederschlagung des ungarischen Freiheitskampfes im Jahre 1849 verband, wurde die Entstalinisierung auch automatisch zu einer emotionellen Wendung gegen die Russen als solche, denen gegenüber man in Bulgarien wiederum kaum negative Gefühle hegte. Hinzu kam, daß in Ungarn Antistalinismus wenigstens teilweise durch Antisemitismus potenziert werden und emotionell verstärkt werden konnte, während in Rumänien der diesbezügliche Stein des Anstoßes, Frau Ana Pauker, lange Zeit vor der Entstalinisierung, schon im Mai 1952, entfernt worden war, der im Frühjahr 1954 andere mißliebige Personen jüdischer Herkunft gefolgt waren.

Der elementare Ausbruch des Aufstandes in Ungarn, der Strom nationaler und freiheitlicher Gefühle, sobald die Schleusen erst einmal geöffnet waren, bedeutete für die kommunistische Führung in Rumänien und Bulgarien ein deutliches Warnzeichen gegenüber jeder Liberalisierung und Lockerung der strikten Aufsicht über Meinungsäußerung und unerwünschte Gruppenbildung. Die rumänische Führung mußte dabei wegen der Rückwirkungen auf die ungarische Bevölkerung im eigenen Lande und wegen der Möglichkeit von Revisionsansprüchen besonders wachsam und zurückhaltend sein. Der ungarische Aufstand

§ 30 Die südosteuropäischen Staaten vom I. Weltkrieg bis zur Ära der Volksdemokratien

und seine gewaltsame Niederschlagung, die auf Teile der Bevölkerung nicht nur Ungarns wegen der enttäuschten Hoffnungen auf westliche Hilfe tief deprimierend wirkte, bedeutete für die Parteiführungen eine deutliche Mahnung zum inneren Zusammenschluß und zum Abbremsen jeder Nachgiebigkeit, die als Schwäche ausgelegt werden konnte.

Andererseits machten Entstalinisierung und Ungarnaufstand auch deutlich, daß die Methoden brutalen Terrors und rücksichtsloser Herrschaft durch verfeinerte und verbesserte Methoden ersetzt werden müßten und daß es nötig sei, die resignierte und auf plötzliche Wendungen nicht mehr hoffende Bevölkerung zu aktiver Mitarbeit zu gewinnen. In Ungarn geschah das durch stufenweise Verbesserung des Lebensstandards und durch die versöhnliche Parole Kádárs: »Wer nicht gegen uns (Kommunisten) ist, ist für uns«. In Rumänien wählte schon Gheorghiu-Dej den Weg des nationalen Stolzes und der gesamtstaatlichen Solidarität, der trotz aller Wendungen konsequent weiter beschritten wurde. In Bulgarien konnte man sich weder für die pragmatische noch für die nationale Richtung ganz entscheiden, gab aber doch mehr und mehr letzterer den Vorzug, zumal hier keine Potenzierung durch antirussische Gefühle befürchtet werden mußte. Albanien schließlich machte aus seiner Isolierung und seiner Zurückgebliebenheit eine Tugend, wiederum mit einer Betonung der nationalen Besonderheit.

Seit 1956 überwiegen somit im sozialistischen Südosteuropa wieder die Unterschiede die Gemeinsamkeiten, deren es aufgrund der Uniformierung in der Ära des Stalinismus immer noch eine große Anzahl gibt. Sie liegen aber eher in bestimmten Bereichen der Außenpolitik, der Wirtschaft, der Staatsverwaltung und selbstverständlich der Parteiherrschaft, kaum noch in denen der kulturellen Entwicklung, des geistigen Lebens, der Einstellung zum eigenen Staat und seiner Geschichte.

§ 31 Griechenland vom Lausanner Frieden bis zum Ende der Obersten-Diktatur 1923–1974

Von Gunnar Hering

Bibliographische Hilfsmittel
Γ. Ι. Φουσαρᾶς, Βιβλιογραφία τῶν ἑλληνικῶν βιβλιογραφιῶν 1791–1947 (1961). Bulletin analytique de bibliographie hellénique (1947 ff.); Δελτίον ἑλληνικῆς βιβλιογραφίας (1960 ff.). *A. D. Brown/H. D. Jones,* Greece: A Selected List of References (1943). 15 ans de bibliographie historique en Grèce 1950–1964 (1966). 5 ans de bibliographie historique en Grèce 1965–1969 (1970). 4 ans de bibliographie historique en Grèce 1970–1973 (1974). *C. Th. Dimaras/C. Koumarianou/I. Droulia,* Modern Greek Culture. A Selected Bibliography (⁴1974). *P. L. Horecky,* Southeastern Europe. A Guide to Basic Publications (1969), S. 213–328. *Μ. Χουλιαράκης,* Στατιστικὴ βιβλιογραφία περὶ Ἑλλάδος (1971).

Nachschlagewerke
Μέγα Ἑλληνικὸν βιογραφικὸν λεξικόν (1958 ff.). Biographisches Lexikon zur Geschichte Südosteuropas: I (1974), II (1976), III (1979) (Südosteuropäische Arbeiten, 75). *A. Philippson,* Die griechischen Landschaften. Eine Landeskunde (4 Bde. 1950–1959). *J. H. Schultze,* Neugriechenland (1937). Στατιστικὴ Ἐπετηρὶς τῆς Ἑλλάδος (1930 ff.). Στατιστικὴ τῶν βουλευτικῶν ἐκλογῶν (1928 ff.), desgl. τῶν γερουσιαστικῶν ἐκλογῶν (1932). — Ἐθνικὸν Κέντρον Κοινωνικῶν Ἐρευνῶν: Στατιστικαὶ μελέται 1821–1971 (1972). *Μ. Χουλιαράκης,* Γεωγραφική, διοικητικὴ καὶ πληθυσμιακὴ ἐξέλιξις τῆς Ἑλλάδος 1821–1971 (I 1,2; II 1973–1975).

Quellen
Ἐφημερὶς τῆς Κυβερνήσεως (Staatsanzeiger). Ἐφημερὶς τῶν συζητήσεων τῆς Βουλῆς (Stenographische Protokolle der Parlamentssitzungen). Ἐπίσημα Πρακτικὰ τῶν Συνεδριάσεων τῆς Βουλῆς (Bereinigte Kurzfassungen der Parlamentsprotokolle).
Von den Ausgaben der Reden und Aufsätze der Politiker für die ganze Periode besonders wichtig: *A. Μιχαλακόπουλος,* Λόγοι κοινοβουλευτικοί (2 Bde. 1962/1964). *Α. Παπαναστασίου,* Μελέτες, λόγοι, ἄρθρα (1957). *Γ. Παπανδρέου,* Κείμενα (2 Bde. 1963); ders., Πολιτικὰ θέματα (4 Bde. 1941–1956); Verfassungstexte bei *Ι. Κυριακόπουλος,* Τὰ συντάγματα τῆς Ἑλλάδος. (1960).

Gesamtdarstellungen, Handbücher
Einziges brauchbares Übersichtswerk für die Zwischenkriegszeit *Γ. Δαφνῆς,* Ἡ Ἑλλὰς μεταξὺ τῶν πολέμων (2 Bde. 1955); kurzer Überblick: *E. S. Forster,* A Short History of Modern Greece 1821–1956 (²1957). *N. G. Svoronos,* Histoire de la Grèce moderne (1953). *C. M. Woodhouse,* The Story of Modern Greece (1968); größerer Zeitabschnitt: *D. Dakin,* The Unification of Greece, 1770–1923 (1972). *Γ. Κ. Κορδάτος,* Ἱστορία τῆς νεώτερης Ἑλλάδας, Bd. V (1958). *D. G. Kousoulas,* The Price of Freedom: Greece in World Affairs 1939–1953 (1953). *J. Mavrogordato,* Modern Greece: A Chronicle and a Survey 1800–1931 (1931). *B. Sweet-Escott,* Greece. A Political and Economic Survey 1939–1953 (1954).

Außenpolitik
Π. Ν. Πιπινέλης, Ἱστορία τῆς ἐξωτερικῆς πολιτικῆς τῆς Ἑλλάδος 1923–1941 (1950).
Σ. Θ. Λάσκαρις, Διπλωματικὴ ἱστορία τῆς συγχρόνου Εὐρώπης 1914–1939 (1954).
V. P. Papadakes, Histoire diplomatique de la question Nord-Epirote 1912–1957 (1958).
E. Barker, Macedonia – Its Place in Balkan Power Politics (1950). *E. Kofos,* Nationalism and Communism in Macedonia: Institute for Balkan Studies, 70 (1964).

Verfassungsgeschichte
N. S. Kaltchas, Introduction to the Constitutional History of Modern Greece (1940).

§ 31 Griechenland vom Lausanner Frieden bis zum Ende der Obersten-Diktatur

Sozialgeschichte, Parteien, Gewerkschaften
Χ. Εὐελπίδης, Οἰκονομικὴ καὶ κοινωνικὴ ἱστορία τῆς Ἑλλάδος (1950). *Ch. Jecchinis*, Trade Unions in Greece (1967). *B. Kayser*, Géographie humaine de la Grèce (1964). *Γ. Κ. Κορδάτος*, Ἱστορία τοῦ ἑλληνικοῦ ἐργατικοῦ κινήματος (²1956). *Γ. Δαφνῆς*, Τὰ ἑλληνικὰ πολιτικὰ κόμματα 1821–1961 (1961). 40 χρόνια τοῦ ΚΚΕ 1918–1958 (1964). Τὸ ΚΚΕ ἀπὸ τὸ 1918 ὣς τὸ 1931 (1947). Δέκα χρόνια ἀγῶνες 1935–1945 (1946). *D. G. Kousoulas*, Revolution and Defeat. The Story of the Greek Communist Party (1965). *Γ. Κατσούλης*, Ἱστορία τοῦ Κομμουνιστικοῦ Κόμματος Ἑλλάδας. (7 Bde. 1976/77). *B. Mathiopoulos*, Geschichte der sozialen Frage und des Sozialismus in Griechenland 1821–1961 (1961). *Γ. Δ. Κυριακός*, Ἡ γεωργικὴ πολιτικὴ τοῦ Κράτους (1934). *Α. Δ. Σίδερις*, Ἡ γεωργικὴ πολιτικὴ τῆς Ἑλλάδος κατὰ τὴν λήξασαν ἑκατονταετίαν 1833–1933 (1934). *V. G. Valaoras*, A Reconstruction of the Demographic History of Modern Greece: Milbank Memorial Fund Quarterly 38 (1960).

Biographien von Politikern
D. Alastos, Venizelos (1942). *Δ. Γατόπουλος*, Ἀνδρέας Μιχαλακόπουλος 1875–1938 (1947). *G. Hering*, Georg II, in: Biographisches Lexikon zur Geschichte Südosteuropas II (1976); ders., Georgios Kondilis, Panajotis Kanellopoulos, Ioannis Metaxas. Ebd. II; ders., Andreas Michalakopoulos. Ebd. III (1978). *Δ. Π. Καλογερόπουλος*, Γεώργιος Β' (1949). *Κ. Κομνηνός*, Γεώργιος Παπανδρέου (1965). *Π. Πιπινέλης*, Γεώργιος ὁ Β' (1951). *Δ. Πουρνάρας*, Ἐλευθέρος Βενιζέλος (4 Bde. 1959/60). *Γ. Βοῦρος*, Παναγῆς Τσαλδάρης 1867–1936 (1955).

Wirtschaft
H. Gross, Südosteuropa. Bau und Entwicklung der Wirtschaft (1937). *W. E. Moore*, Economic Demography of Eastern and Southern Europe (1945); *A. Andréades*, Der Staatshaushalt und das Finanzsystem Griechenlands, in: Hdb. d. Finanzwissenschaft III (1929), S. 282–290.

Heer
Γενικὸν Ἐπιτελεῖον Στρατοῦ, Διεύθυνσις Ἱστορίας Στρατοῦ: Ἱστορία τῆς ὀργανώσεως τοῦ Ἑλληνικοῦ Στρατοῦ 1821–1954 (1957). *T. Veremis*, The Officer Corps in Greece 1912–1930, in: Byzantine and Modern Greek Studies II (1976); ders., The Greek Army in Politics 1922–1935 (1974).

a) Vom Lausanner Frieden bis zur Diktatur des Pangalos

A. Andréades, Les effets économiques et sociaux de la guerre en Grèce (1929). *J. Barros*, The Corfu Incident of 1923: Mussolini and the League of Nations (1965). *E. Driault / M. Lhéritier*, Histoire diplomatique de la Grèce de 1821 à nos jours, Bd. V (1926). *Φ. Ν. Γρηγοριάδης*, Διχασμός — Μικρὰ Ἀσία 1909–1930 (2 Bde. 1971; Reportage). Zur Flüchtlingsfrage: *Ch. B. Eddy*, Greece and the Greek Refugees (1931). *S. P. Ladas*, The Exchange of Minorities: Bulgaria, Greece and Turkey (1932). *D. Pentzopoulos*, The Balkan Exchange of Minorities and its Impact upon Greece (1962). *G. Streit*, Der Lausanner Vertrag und der griechisch-türkische Bevölkerungsaustausch (1929). *A. Wurfbain*, L'Echange gréco-bulgare de minorités ethniques (1930).

Der Zusammenbruch des griechischen Heeres in Kleinasien 1922 stellt nach dem Unabhängigkeitskrieg 1821–1830 die tiefste Zäsur in der neueren Geschichte der Griechen dar, deren in die Antike zurückreichende kleinasiatische Siedlungs- und Kulturtradition jetzt zerbrach. Dem Militärregime unter dem Venizelisten Nikolaos Plastiras und dem gemäßigten Stilianos Gonatas, die, beide Obristen, an der Spitze der zurückflutenden und nach Bestrafung der Schuldigen verlangenden Truppen König Konstantin I. zur endgültigen Abdankung zugunsten seines Sohnes Georg II. am 27. IX. 1922 gezwungen hatten, gelang es zwar, in kürzester Zeit eine schlagkräftige Armee zur Verteidigung der Ebros-Grenze bereitzustellen und auf sie gestützt in den am 21. XI. 1922 in Lausanne aufgenomme-

a) Vom Lausanner Frieden bis zur Diktatur des Pangalos

nen Friedensverhandlungen weitgehende Forderungen der Türkei abzuweisen; den neuen Tatsachen mußte es aber durch den schon am 30. I. 1923 vereinbarten obligatorischen Bevölkerungsaustausch Rechnung tragen, von dem nur die über 70 000 in Istanbul vor 1918 etablierten Griechen und die Türken im griechischen Westthrazien ausgenommen wurden. Über 1,2 Millionen Griechen aus Kleinasien, dem Pontusgebiet und Ostthrazien ließen sich in Griechenland nieder; mehr als 330 000 Türken verließen ihre mazedonische, thessalische oder epirotische Heimat. Dadurch und infolge des freiwilligen Bevölkerungsaustauschs mit Bulgarien[1] veränderte sich die ethnographische Struktur der in den Balkankriegen 1912/13 eroberten »Neuen Länder« zugunsten der Griechen. Allen großgriechischen Plänen, die im 19. Jh. die Außenpolitik des nur den kleineren Teil der Connationalen umfassenden Staates geprägt hatten, war jetzt der Boden entzogen; die griechischen Ansprüche richteten sich in der folgenden Zeit auf die vom Italien besetzten Inseln des Dodekanes, auf Südalbanien (Nordepirus) und das britische Zypern, jedoch nicht mehr gegen die Türkei. So schloß der zäh ausgehandelte Friede von Lausanne (24. VII. 1923), in dem Griechenland die türkischen Entschädigungsforderungen im Prinzip anerkannte, die Türkei aber auf Zahlungen verzichtete, das jahrhundertelange Ringen der beiden durch die gemeinsame Geschichte tief miteinander verbundenen und verfeindeten Völker ab.

Innenpolitisch erwies sich die Notwendigkeit, rund 1,3 bis 1,4 Millionen meist mittellose Flüchtlinge aus der Türkei, aus Bulgarien und Rußland[2], d. h. nach dem Stand von 1919 einen Bevölkerungszuwachs von 28 %, und die gleichzeitig zurückkehrenden Soldaten in die Gesellschaft und die rückständige Wirtschaft zu integrieren[3], als eine der stärksten Dauerbelastungen. Die zielstrebige Behandlung der Flüchtlingsprobleme und die wirtschaftliche Entwicklung des Landes wurden in langen Phasen innerer Erschütterungen beeinträchtigt, die Leistungen der zwanziger Jahre und besonders der Konsolidierungsphase unter Eleftherios Venizelos 1928-1932 durch die Weltwirtschaftskrise und politische Wirren, Versuche eines Neubeginns durch die Diktatur des Ioannis Metaxas (1936-1941) und schließlich alle schwer erkämpften Errungenschaften durch Weltkrieg, Besatzung und Bürgerkrieg (1940-1949) weitgehend zunichte gemacht.

Wegen der allgemeinen Erregung über die Niederlage ließ das Militärregime antivenizelistische Politiker, die nach Venizelos' Wahlniederlage am 1. XI. 1920 regiert hatten, und Offiziere vor ein Sondergericht stellen, das fünf Politiker und den letzten Oberkommandierenden in Kleinasien[4] zum Tode verurteilte, obwohl nicht einmal das Indiz eines strafrechtlich zu ahndenden Tatbestands vorlag[5]. Trotz internationaler Proteste wurde das Urteil sofort am 15./28. XI. 1922 vollstreckt. Diese Rechtsbeugung haben Liberale, aber auch antivenizelistische Kritiker der Kleinasienpolitik wie Ioannis Metaxas rückschauend damit verteidigt, daß die »Bestrafung der Verantwortlichen« im Militär und bei den Flüchtlingen mit Genugtuung aufgenommen worden, Unruhe größeren Ausmaßes daher vermieden worden sei. Zweifellos hat aber die Hinrichtung der Politiker, deren Schuldlosigkeit und Integrität später auch Venizelos anerkannte, die Innenpolitik, insbesondere das Verhältnis der liberalen Parteien zu ihren Gegnern, vergiftet und bis 1932 ein Ungleichgewicht der politischen Kräfte verursacht, das sich nachteilig auf das Regierungssystem auswirkte. Obwohl sich das Militärregime als überparteiliche Ordnungsmacht darzustellen und mit durchgreifenden Maßnahmen das drohende Chaos und neue militärische Gefahren abzuwenden suchte, entwickelte es sich doch mehr und mehr zur Vorhut der Liberalen und zog die Streitkräfte in die politischen Auseinandersetzungen hinein[6].

Am 21./22. X. 1923 wurde das Regime durch einen Militärputsch bedroht, der unter der schiefen Bezeichnung »Gegenrevolution« in die Geschichte eingegangen ist. Die Ankündigung eines für die Antivenizelisten nachteiligen Wahlgesetzes, die zunehmende Parteilichkeit der Militärregierung und die politisch bedingte Cliquenbildung im Heer führten dazu, daß eine Verschwörung antivenizelistischer Majore sich ausweitete und die Forderung der Rebellen nach der Auflösung des Militärregimes und fairen Wahlen bereits Unterstützung auch bei Anhängern des Venizelos fand, zu denen die Führer der Insurgenten, die Generalleutnants Georgios Leonardopoulos und Panajotis Gargalidis, gehörten. Obwohl sie mühelos fast das ganze Land außer der Hauptstadt und Saloniki kontrollierten, brach ihr zögernder Widerstand gegen den entschlossenen Angriff der Regierungstruppen am 27. X. zusammen.

Umfangreiche Säuberungen führten zur Entlassung von 1284 Offizieren, darunter acht Generälen, und einer großen Zahl später wieder eingestellter Beamter. Während die Gegner der Liberalen auf diese Weise Zulauf erhielten, gingen die radikalen Republikaner unter den Liberalen und im Offizierkorps sowie die sozialdemokratische Republikanische Union des Alexandros Papanastasiou aus der Krise gestärkt hervor, zumal die ungewöhnlich neutrale Haltung des Königs allgemein als Sympathiebekundung für die Rebellen verstanden wurde. Die Zuspitzung der Lage zeigte sich in blutigen Zwischenfällen nach einer Demonstration der Royalisten in Athen am 9. XII. 1923 und in der Nichtbeteiligung der antivenizelistischen Parteien an den Wahlen zur Konstituante am 16. XII. 1923 wegen vielfältiger Freiheitsbeschränkungen. Die Wahlen brachten den Mehrheitsliberalen 250, den linksrepublikanischen Parteien 120 Mandate[7]. Nachdem die Regierung Georg II. eine »Urlaubsreise« ins Ausland empfohlen hatte, versuchte der zur Rückkehr nach Griechenland gedrängte Venizelos vergeblich, die Politik in ruhigere Bahnen zu lenken und die Regierung aus dem Meinungskampf über die Staatsform herauszuhalten, über die in einer Volksabstimmung entschieden werden sollte. Nach seiner Abreise setzte Regierungschef Papanastasiou mit Unterstützung der Republikaner, des republikanischen Flügels der Mehrheitsliberalen und der Offiziere durch, daß die Nationalversammlung am 25. III. 1924 die Republik proklamierte und ihre Entscheidung durch eine Volksabstimmung am 13. IV. nur noch bestätigen ließ[8]. Obwohl er den Belagerungszustand nicht aufhob und die Freiheit der royalistischen Gegner eingeschränkt blieb, kann kein Zweifel daran bestehen, daß die republikanischen Stimmen selbst bei erheblichen Gewinnen der Royalisten in einem einwandfreien Verfahren die Mehrheit gebildet hätten, die sich im übrigen in den freien Wahlen 1926 eindeutig ergab[9].

Nicht das Ergebnis der Volksabstimmung verursachte die Instabilität der Republik, sondern die Tatsache, daß die Behandlung der Royalisten 1923/24 die Aussöhnung der beiden Lager erschwerte[10]. Denn trotz der bürgerkriegsähnlichen Konflikte in der Frage des Kriegseintritts ab 1915, trotz der Vorgänge der Jahre 1922–1924 muß festgehalten werden, daß die seit 1875 weiterentwickelte parlamentarische Demokratie zwischen Liberalen und Konservativen, zwischen Republikanern und Royalisten nicht strittig war; die Auseinandersetzungen beschränkten sich auf die Frage, ob das Staatsoberhaupt ein König oder ein gewählter Präsident sein sollte. Seit Konstantins I. verfassungswidrigem Verhalten im I. Weltkrieg befürchteten die Republikaner, ein gekröntes Staatsoberhaupt könnte seine Autorität und seine auf die Dauer der Dynastie gegründete Stellung leichter mißbrauchen als ein auf Zeit gewählter Präsident, und sahen überhaupt in der Wählbarkeit der politischen Amtsträger ein moderneres Prinzip staatlicher Organisation, während die Royalisten dem Königtum eine stabilisierende Wirkung zuschrieben, die von einem Präsidenten infolge der Befristung seiner Amts-

a) Vom Lausanner Frieden bis zur Diktatur des Pangalos

zeit, der unvermeidlichen Begleitumstände seiner Wahl und infolge seiner Parteizugehörigkeit nicht bzw. nicht in gleicher Weise ausgehen könne.

Außenpolitisch wurde Griechenland einer schweren Belastung ausgesetzt, als Mussolini nach der nie aufgeklärten Ermordung des italienischen Vertreters bei der internationalen Kommission zur Festlegung der griechisch-albanischen Grenze, General Tellini, und seiner Begleiter am 27. VIII. 1923 auf griechischem Boden Bombardement und Besetzung des unbefestigten Korfu befahl (31. VIII.), um ein Faustpfand für Schadensersatzansprüche zu erwerben sowie »per rialzare il prestigio dell'Italia«[11]. Die Pariser Botschafterkonferenz der Siegermächte verurteilte Griechenland wegen mangelhafter Sicherheitsvorkehrungen zur Zahlung von 50 Millionen Lire, ohne den Schlußbericht der Untersuchungskommission abzuwarten[12], doch sah sich Mussolini nach seinem Scheinerfolg angesichts der Entrüstung in Europa zum raschen Rückzug am 27. IX. veranlaßt, bevor am folgenden Tag die Vollversammlung des Völkerbundes die Entscheidung der Botschafter verwarf.

Mit der Sicherung einer Anleihe von 12,3 Millionen Goldpfund unter der Garantie des Völkerbundes zur Ansiedelung der Flüchtlinge erzielte das Kabinett Andreas Michalakopoulos (7. X. 1924–25. VI. 1926) einen großen Erfolg. Verwaltet wurden diese Mittel durch die autonome »Refugee Settlement Commission« (RSC) des Völkerbundes, die auch den vom Staat bereitgestellten Grund und Boden der ausgetauschten Türken und Bulgaren und der öffentlichen Hand sowie enteignetes Land[13] übernahm. Bis 1930 vergab die RSC überwiegend in dem von den Türken geräumten Norden 861 010 ha Acker- und Weidefläche und 123 000 Gebäude zu etwa 1/5 des Marktwertes[14]. 578 824 Personen, die früher in der Landwirtschaft tätig gewesen waren, erhielten eine dürftige Existenzgrundlage. Schwierigkeiten bereitete die Unterbringung und Beschäftigung der Flüchtlinge aus Städten. Obwohl die RSC diese Aufgabe als zweitrangig betrachtete[15], steuerte sie dem größten Elend der Obdachlosen durch die Errichtung neuer Stadtviertel in Athen, Piräus und Saloniki[16] und die Erweiterung kleinerer Städte, was in Anbetracht der dort beschränkten Nachfrage nach Arbeitskräften und Dienstleistungen schwierige Probleme aufwarf. Bis 1930 wandte die RSC über 2,1 Millionen Pfund sowie 99 Millionen Drachmen aus staatlichen Zuschüssen auf und ließ 27 343 Wohnhäuser sowie 18 Schulen erbauen; 58,6 % der Mittel für die städtische Ansiedlung wurden in Epirus, dem Süden und auf den Inseln investiert.

Obwohl Kriegskosten und Kriegsfolgelasten[17], die Flüchtlingssiedlung und der 1924/25 30,4 % der Staatsausgaben umfassende Schuldendienst[18] die Kräfte des Landes aufs äußerste anspannten, gelang doch in den Jahren 1924–1926 ein bemerkenswerter wirtschaftlicher Aufschwung, der sich bis zur Weltwirtschaftskrise fortsetzte. Der Militärbedarf ab 1917, der sprunghafte Bevölkerungszuwachs[19], der ständige Kursverfall der Drachme und die Schutzzölle begünstigten die Entfaltung der Industrie. Infolge der allgemeinen Bedingungen des Wirtschaftswachstums, vor allem der Kapitalknappheit und der teilweise hohen Erschließungskosten, überwogen weiterhin die Klein- und Mittelbetriebe, wegen des Mangels an qualifizierten Arbeitskräften die arbeitsintensiven Produktionen, doch vergrößerte sich nach der Aktienrechtsreform von 1920 der Anteil der neugegründeten AG an der Gesamtzahl der Betriebe, dem investierten Kapital und der Industrieproduktion. Allein 1925 entstanden 53 neue AG mit einem Aktienkapital von 206,1 Mill. Drachmen. Der Wert der Industrieproduktion stieg von 1921 bis 1925 um 394 %[20]. Auch die Zunahme der Schiffstonnage um 62,19 % (1921–1927) läßt die allgemeine Tendenz, der Vergleich mit der erheblich gerin-

§ 31 Griechenland vom Lausanner Frieden bis zum Ende der Obersten-Diktatur

geren Vermehrung der Schiffe um nur 14,5 % im selben Zeitraum den Vorrang großer Frachter und damit ein weiteres Anzeichen des Aufstiegs erkennen[21]. Zwischen 1920 und 1925 wuchs die Zahl der Arbeiter von 103 777 auf 259 052[22]. Trotz Inflation und steigender Lebenshaltungskosten stiegen die Reallöhne im Vergleich zur Vorkriegszeit erheblich[23] und konnten im allgemeinen mit der Teuerung Schritt halten[24]. Auf der anderen Seite lastete die Rückständigkeit trotz allem schwer auf dem Land. Die Ernährung großer Teile der Einwohner vor allem weniger ertragreicher Regionen blieb unzureichend, die Sterblichkeit hoch, die medizinische Versorgung mangelhaft; Malaria und Tbc peinigten die Bevölkerung. 1928 waren 23,47 % der männlichen und 57,97 % der weiblichen Einwohner über acht Jahre Analphabeten[25]. Die Entwicklung des Gewerbes reichte noch nicht, um die negative Handelsbilanz auszugleichen, alle Flüchtlinge zu beschäftigen – 28,8 % von ihnen waren 1928 arbeitslos – und vor allem die agrarische Überbevölkerung abzuziehen. Zwar machte sich in den Städten der Zuzug aus den Dörfern bemerkbar[26], zwar erhöhte sich der Anteil der in Land-, Forstwirtschaft und Fischerei Beschäftigten an der Gesamtzahl der Erwerbstätigen trotz der Ansiedlung von Flüchtlingen auf dem flachen Lande und trotz Bevölkerungszuwachs zwischen 1920 und 1928 von 57,52 % auf 61,11 %[27], doch blieb er hoch genug, um unrentable Betriebsgrößen in der Landwirtschaft bei niedriger Produktivität, weitere Parzellierungen des Bodens, niedriges Pro-Kopf-Einkommen, ja weithin Armut und Elend zu verursachen; zum Nationaleinkommen trug die Landwirtschaft im Vergleich zur Beschäftigtenzahl nur wenig bei.

Trotz beachtlicher Leistungen im Rahmen beschränkter Möglichkeiten gelang es zunächst nicht, die parlamentarische Demokratie in der neuen Republik zu stabilisieren: Einerseits engte Venizelos, noch immer spiritus rector der Mehrheitsliberalen, den Handlungsspielraum der Regierungsparteien durch gebieterische Ratschläge aus der Ferne ein, zweitens verschleppte die mit aktuellen Problemen überlastete Konstituante die Verabschiedung der neuen Verfassung, drittens drängten Teile des hypertrophen und Betätigung suchenden Offizierskorps[28] auf Mitsprache in der Regierungspolitik, ja auf ihre Kontrolle. Das Spektrum der politischen Gruppen läßt sich in der Zwischenkriegszeit nicht mehr als ein von links nach rechts reichendes Kontinuum beschreiben, vielmehr löste sich jetzt von den demokratisch-parlamentarischen Parteien eine sich gleichfalls von links nach rechts erstreckende Ebene radikalisierter Gruppen um Kerne aktiver oder in Säuberungen entlassener Offiziere ab, die Parlament und Regierung mehr und mehr unter Druck setzten, schließlich antiparlamentarische Regierungssysteme etablieren wollten.

[1] *Π. Δ. Μηλιώτης*, Ἡ ἐν Neuilly σύμβασις τῆς ἑλληνοβουλγαρικῆς μεταναστεύσεως τῆς 14/27 Νοεμβρίου 1919 καὶ ἡ ἐφαρμογὴ αὐτῆς (1962).
[2] Zur Statistik *Pentzopoulos*, bes. S. 97; zu den Problemen der Statistik *Eddy*, S. 248 ff.
[3] Dazu die zum Bevölkerungsaustausch genannte Literatur sowie *A. N. Πετσάλης*, Ἡ δημοσιονομικὴ ἀντιμετώπισις τοῦ προσφυγικοῦ ζητήματος (1930). Die Kriegskosten 1916–1922 sind auf 5,9 Mrd. Dr. berechnet worden; hinzu kommen die Kriegsfolgelasten und die durch die Alliierten hervorgerufenen Schäden (Konfiskation der Flotte).
[4] Dimitrios Gounaris, Nikolaos Stratos, Petros Protopapadakis, Nikolaos Theotokis, Georgios Baltatzis, Generallt. Georgios Chatzianestis.
[5] Publikation der Verhandlungsprotokolle: Ἡ δίκη τῶν ἕξ. Τὰ ἐστενογραφημένα πρακτικά (1931). Verteidigungsreden und -unterlagen: *X. K. Βοζίκης* (Hg.), Αἱ ἀπολογίαι τῶν θυμάτων τῆς 15 Νοεμβρίου 1922 (1925).
[6] Mangels wissenschaftlicher Literatur s. dazu bes. *Δαφνῆς*, Ἑλλάς, sowie die wissenschaftlich anspruchslose, aber informative Biographie des Plastiras von *I. A. Πεπονῆς*, Νικόλαος Πλαστήρας στὰ γεγονότα 1909–1945 (2 Bde. 1947/48).

b) Die Diktatur des Pangalos und ihr Erbe

[7] 6 Antivenizelisten, die trotz des Boykotts kandidiert hatten, wurden gewählt. Über die Geschichte der politischen Parteien informiert Δαφνῆς, Κόμματα.

[8] 69,96 % der Stimmen wurden für die Republik, 30 % gegen sie abgegeben.

[9] Die republikanischen Parteien erhielten 52,42 % der Stimmen, die Volkspartei (überwiegend Royalisten) 20,18 %, der nicht als royalistische Partei auftretende Freisinn des Ioannis Metaxas 15,76 %.

[10] Ein Gesetz zum Schutze der Republik schränkte in Art. 3 die Freiheit der Geschichtsschreibung bezüglich der ehemaligen Dynastie ein und verbot in Art. 4 Kritik an der Tätigkeit der Justiz seit 1917.

[11] Mussolini in der Senatssitzung vom 16. XI. 1923. Über den Vorgang s. *Barros*, The Corfu Incident; die italienische Position verteidigt *T. Argiolas*, Corfù 1923 (1973).

[12] Ramsey Macdonald, 1924 britischer Premier, erwirkte deshalb die Auflösung der Pariser Botschafterkonferenz.

[13] Zur Agrarreform s. Γ. Δ. Κυριακός, Ἡ γεωργικὴ πολιτικὴ τοῦ Κράτους (1934).

[14] S. dazu *Pentzopoulos*, bes. S. 104 ff. (dort weitere Lit.). 1926 folgte eine kleinere Anleihe von 2 Mill. Dr. zur Errichtung der städtischen Siedlung Nea Smyrni (Neu-Smyrna) bei Athen, 1927 die Stabilisierungsanleihe an die RSC in Höhe von 582 450 Pfund zuzüglich 2,5 Mill. Pfund seitens der USA, sowie eine Anleihe von 100 Mill. Dollar. der Tecton Company für städtische Siedlungen. Unabhängig davon wurden 1923–1927 vier Lastenausgleichsanleihen gezeichnet. S. zu dem komplizierten Problem der Entschädigung für das in der Türkei zurückgelassene Vermögen *Protonotarios*, S. 106.

[15] Bis 1927 gab die RSC für die Ansiedlung in Städten 1,1 Mill. Pfund im Vergleich mit 8,2 Mill. für bäuerliche Siedlungen aus.

[16] Die drei Städte nahmen 347 606 Flüchtlinge (= 58,2 % der Einwohnerzahl von 1920, 36 % der Einwohnerzahl von 1928) auf; hinzu kommen die Trabantenstädte Altfaliron, Neufaliron bei Piräus sowie Kallithea bei Athen, s. *Eddy*, S. 116.

[17] Dazu *Andréades*, Effets.

[18] Ders. in: Hdb. d. Finanzwissenschaft III, S. 289.

[19] 1919: 4 814 994, 1926: 6 091 000 Einwohner: Annuaire statistique, Tableaux rétrospectifs.

[20] Ebd.

[21] *Dakin:* Unification, S. 317.

[22] Γ. Χαριτάκης, Ἡ ἑλληνικὴ βιομηχανία (1927), S. 93, T. bei S. 184 f. Nicht eingerechnet sind Arbeiter in Eisenbahn- und Schiffahrtsbetrieben.

[23] Ebd., S. 105 ff., 114 ff.

[24] Am schlechtesten blieben ungelernte Arbeiter gestellt. In einigen Branchen stiegen bis 1926 die Löhne stärker als die Lebenshaltungskosten, so z. B. im Baugewerbe und in der chemischen Industrie: *Andréades*, Effets, S. 209.

[25] Annuaire statistique ebd.

[26] Statistik der Binnenwanderung bei *Kayser*, S. 32 ff.

[27] Griechenland hatte in der Zwischenkriegszeit etwa ebensoviele Offiziere wie Jugoslawien bei doppelter Bevölkerung. Die Beförderung erfolgte nicht nur in tatsächlich vakante Kommandostellen; überdies war der größte Teil des Offizierskorps in Athen und Saloniki stationiert.

b) Die Diktatur des Pangalos und ihr Erbe

Θ. *Πάγκαλος:* Τὰ ἀπομνημονεύματά μου 1897–1947 (2 Bde. 1950/1959); ders.: Ἀρχεῖον Θεοδώρου Παγκάλου I (1973).

Am 25. VI. 1925 inszenierte der ehrgeizige General Theodoras Pangalos einen Militärputsch. Nach einer Übergangsphase, in der sich die Regierung Papanastasiou mit ihm unter der Bedingung arrangierte, daß Verfassung und Notverordnungen nur mit Zustimmung eines Ausschusses der Konstituante erlassen und Anfang 1926 Neuwahlen ausgeschrieben würden, versuchte Pangalos, eine Diktatur auf Dauer zu schaffen. Er löste die Nationalversammlung ohne Ausschreibung von Neuwahlen am 29. IX. 1925 auf, baute schrittweise den Rechtsstaat ab und ließ sich am 4. und 11. IV. 1926 zum Präsidenten der Republik wählen. Die demokratischen Politiker wurden hart verfolgt. Drakonische Maßnahmen gegen Mißwirtschaft machten seine Inkompetenz nicht wett, so daß die Diktatur ein finanzielles Chaos hinterließ.

An den Rand eines Krieges mit Bulgarien brachte er das Land, als er nach einem schweren Grenzzwischenfall (19. X. 1925) die griechischen Truppen in den bulgarischen Grenzdistrikt einrücken und Petrič bombardieren ließ, obwohl Sofia und die Westmächte sich sofort um eine diplomatische Beilegung des Konfliktes bemüht hatten und die Furcht vor einem Angriff des demilitarisierten Nachbarn trotz der terroristischen Aktivität der paramilitärischen IMRO-Banden unbegründet war. Unter dem Druck des Völkerbundes mußte er am 28. X. den Rückzug befehlen; Griechenland wurde zu einer drückenden Entschädigung von £ 45 000 verurteilt[1]. Gegen den Rat sachverständiger Politiker gestand er Jugoslawien, das wegen des Genfer Protokolls über den Schutz der bulgarischen Minorität in Griechenland vom 29. IX. 1924 das Bündnis mit Athen vom 1. VI. 1913 gekündigt hatte, in einem umfassenden Beistandspakt am 17. VIII. 1926 eine erhebliche Ausweitung seiner Rechte in der Freihafenzone in Saloniki und die Nachschubsicherung im Kriegsfalle zu. Am 21. VIII. 1926 beseitigte General Georgios Kondilis das Regime.

Der Schock der Diktatur bewirkte, daß die demokratischen Parteien enger zusammenrückten. Nach den Wahlen am 7. XI. 1926[2] bildeten die liberalen Parteien, die Republikanische Union, die von Panajis Tsaldaris geführte Volkspartei als Sammelbecken der Konservativen und Royalisten sowie der Freisinn des Ioannis Metaxas eine Regierung der großen Koalition, in der Tsaldaris das Innenministerium übernahm. Die republikanische Verfassung[3], die das parlamentarische Regierungssystem ausgestaltete und ein Oberhaus aus gewählten Abgeordneten, Parlamentsvertretern und berufsständischen Repräsentanten vorsah, konnte endlich am 2. VI. 1927 verabschiedet werden. Einmütig lehnte man die Vereinbarungen des Diktators mit Jugoslawien ab. Heftig umstritten war dagegen zwischen den Republikanern und der VP die Frage der Reaktivierung entlassener Offiziere. Denn es handelte sich hier nicht nur um die politisch brisante Wiedereinstellung von Opfern venizelistischer Säuberungen[4], sondern auch um die Bereinigung von Rang- und Ancienitätsstreitigkeiten, da die Offiziere der Salonikifront[5] im Dienstalter rascher vorgerückt, 1918/19 viele von ihnen befördert und außerdem Reservisten als Berufsoffiziere eingestellt worden waren. Diese Probleme belasteten die Geschichte der Republik bis zu ihrem Ende in wachsendem Maße, da mit ihrer Regelung nach Ansicht der Politiker und politisierenden Offiziere über die republikanische bzw. royalistische Disposition der Streitkräfte, in den Augen der Offiziere außerdem über Prestige und Karriere entschieden wurde. Nach längeren Kontroversen, in deren Verlauf nur Venizelos und Plastiras republikanische Offiziere von einem Putsch zurückhalten konnten, einigte man sich auf die Reaktivierung von 341 Offizieren.

Die große Koalition zerbrach schließlich an der Wirtschafts- und Finanzpolitik. In den heftigen Auseinandersetzungen um die Eigentumsrechte an der Notendeckung, zu denen die Forderung des Völkerbundes nach Errichtung einer selbständigen Notenbank als Voraussetzung neuer Anleihen geführt hatte, konnte sich die VP nicht durchsetzen und schied aus dem Kabinett aus; im Streit um die Vergabe von Staatsaufträgen zog sich 1927 auch die Republikanische Union zurück. Die Stabilisierung des Drachmenkurses vertiefte die Gegensätze zwischen Regierung und Opposition, schließlich rief die eigenständige Finanzpolitik

c) Stabilisierung und Wirtschaftskrise

des Kabinetts Venizelos auf den Plan, der am 23. V. 1928 wieder die Parteiführung übernahm. In den Wahlen von 1928 optierten 46,94 % der um Stabilität und wirtschaftlichen Aufbau besorgten Wähler für Venizelos, dessen Partei durch das Mehrheitswahlrecht 178 von 250 Mandaten zufielen[6].

[1] Dazu *J. Barros,* The League of Nations and the Great Powers. The Greek-Bulgarian Incident 1925 (1970).
[2] Ergebnisse s. o. Abschnitt a, Anm. 9.
[3] Text bei Κυριακόπουλος, Συντάγματα, S. 363–401. Verfassungsgeschichtliche Einführung bei *A. I. Σβῶλος,* Τὸ νέον σύνταγμα καὶ αἱ βάσεις τοῦ πολιτεύματος (1928).
[4] Seit 1917 waren über 3000 Offiziere des Heeres, der Marine und der Gendarmerie von ihnen betroffen.
[5] *S. E. Schramm-v. Thadden,* Griechenland vom Beginn der Dynastie Glücksburg bis zum Frieden mit der Türkei (1863–1923), in: Handbuch der Europäischen Geschichte VI, S. 614.
[6] Zu den Wahlergebnissen im einzelnen Δαφνῆς, Ἑλλάς I, S. 394 f.

c) Stabilisierung und Wirtschaftskrise

Τὸ ἔργον τῆς κυβερνήσεως Βενιζέλου κατὰ τὴν τετραετίαν 1928–1932 (1932). *Φ. Γρηγοριάδης,* Ἑλληνικὴ Δημοκρατία 1924–1935, III (1972).

Die Innenpolitik 1928–1932 ist von dem Grundwiderspruch gekennzeichnet, daß Venizelos einerseits das Erreichte sichern und ausbauen wollte, andererseits aber, um die auseinanderstrebenden Kräfte des liberalen Lagers zusammenzubinden und um von Rückschlägen abzulenken, die Opposition unnötig provozierte und somit die ersten Ansätze des innenpolitischen Ausgleichs gefährdete. Mit seinem vielzitierten Staatsschutzgesetz[1] ging er relativ milde gegen Bewegungen vor, die den gewaltsamen Umsturz oder die Preisgabe griechischen Territoriums planten; innerhalb weniger Monate setzte die Regierung dem Räuberunwesen 1929 ein Ende. Die Errichtung eines Obersten Verwaltungsgerichtes (Συμβούλιον τῆς Ἐπικρατίας) wirkte sich förderlich auf die Rechtssicherheit aus. Industrie und Gewerbe entwickelten sich, durch die Austrocknung von Sümpfen wurde Neuland erschlossen; 1650 km Straßen und die Erhöhung der Weizenproduktion, der Bau von 3167 Schulhäusern (gegenüber 1474 Gebäuden seit 1821 !) und die Grundlagen eines Fach- und Berufsschulwesens gehören ebenso zu den bemerkenswerten Leistungen dieses Kabinetts wie die Arbeitsschutzgesetzgebung und die Sozialpolitik, insbesondere die Planung der erst später realisierten Sozialversicherung.

Auf der anderen Seite trug Venizelos durch den Vorschlag, Plastiras, Gonatas und zwei Mitglieder des Militärtribunals von 1922[2] für den Senat kandidieren zu lassen, erheblich zur Vergiftung der Atmosphäre bei. Skandale, in die Beamte und Minister zu Unrecht hineingezogen wurden, schlugen erst durch Venizelos' unkluge Reaktionen auf das Ansehen der Regierung zurück.

Außenpolitisch wollte Venizelos vor allem vermeiden, daß Griechenland in einen Konflikt Jugoslawiens mit Italien verwickelt würde. Dem griechisch-italienischen Freundschaftsvertrag vom 23. IX. 1928 folgte nach der Regelung der dornigen Frage einer jugoslawischen Freizone im Hafen von Saloniki unter Wahrung der griechischen Souveränität (Belgrader Protokoll vom 11. X. 1928, Genfer Protokoll vom 17. III. 1929) der Freundschaftsvertrag mit Jugoslawien vom 27. III. 1929, der jedoch nicht die mit Italien vereinbarte gegenseitige politische und diplomatische Unterstützung im Falle einer Bedrohung vorsah, sondern die schwächere Formel der Erhaltung des Status quo enthielt. Als epochalen Einschnitt empfanden die Zeitgenossen den Freundschafts-, Neutralitäts- und Schiedsvertrag mit der Türkei vom 30. X. 1930[3]. Acht Jahre nach der Katastrophe in Kleinasien stellte Venizelos, gestützt auf seine überwältigende Mehrheit im Parlament, das griechisch-türkische Verhältnis auf eine neue Grundlage.

Die Weltwirtschaftskrise traf zuerst die Handelsschiffahrt, eine der wichtigsten Devisenquellen. Trotzdem gelang es bis 1931, die Stabilität der Währung und ein ausgeglichenes Budget zu erhalten. Doch die folgenreiche Aufhebung der Golddeckung in England am 21. IX. 1931 machte harte Notmaßnahmen erforderlich: Um das Vertrauen des Auslands, von dessen Finanzhilfe Griechenland abhängig war, zu erhalten, versuchte Venizelos, den Schuldendienst durch Devisenbewirtschaftung, Kreditrestriktionen, Notenzwangsumlauf und Importbeschränkungen ungeschmälert weiterzuführen, mußte aber doch ein Moratorium verkünden. Die Drachme verlor 75 % ihres Wertes, die Notendeckung schmolz zusammen, die Unzufriedenheit mit den rapide sich verschlechternden Lebensbedingungen machte sich in einer Streikwelle Luft.

Die Wirtschaftsprobleme, die allgemeine Krise der parlamentarischen Demokratie in Europa und die wachsenden internationalen Spannungen brachten Venizelos zu der Überzeugung, daß die Exekutive nach dem Beispiel des Artikels 48 der Weimarer Verfassung bzw. nach dem Vorbild des Präsidialsystems in den USA gestärkt werden müsse, um mit den Schwierigkeiten fertig zu werden; im Falle der Kriegsgefahr schloß er eine Diktatur nicht aus. Auch fragten sich führende Liberale und Offiziere, ob der VP nach einem Wahlsieg, der infolge der wirtschaftlichen Misere jetzt möglich erschien, ohne Gefahr für die Republik die Regierungsbildung erlaubt werden könne. Gegen dubiose Aktivitäten republikanischer Offiziere hatte Venizelos keine Bedenken, sondern trug zur ungewöhnlichen Zuspitzung der Gegensätze bei, obwohl an der Verfassungstreue der VP kein Zweifel berechtigt erschien.

---

[1] Gesetz 4229/25. VII. 1929.
[2] S. o. S. 1314 f.
[3] Am 10. VI. 1930 war dem Vertrag ein Abkommen vorausgegangen, in dem die dornige Frage der Entschädigung der ausgetauschten Bevölkerung durch die gegenseitige Verrechnung der zurückgelassenen Vermögen endgültig gelöst wurde.

d) Die Krise der Republik und die Restauration des Königtums

Γ. Γ. Μπενέκος, Τὸ κίνημα τοῦ 1935 (1965). *Γ. Πεσμαζόγλου,* Γύρω ἀπὸ τὴν παλινόρθωσιν τοῦ 1935 (o. J. [1950]). *S. Ronart,* Griechenland von heute (1935).

Nachdem die Liberalen und die VP aus den Wahlen nach dem Proportionalsystem am 26. IX. 1932 gleichstark hervorgegangen waren, erkannte Tsaldaris am 3. X. die Republik offiziell an und ermöglichte damit die Bildung einer Koalition mit kleineren republikanischen Fraktionen. Die instabilen Mehrheitsverhältnisse im Parlament machten Neuwahlen nach dem Mehrheitswahlsystem am 5. III. 1933 erforderlich, in denen die VP Stimmen hinzugewann und zusammen mit zwei kleineren Parteien der Rechten die absolute Mehrheit der Mandate erhielt. Plastiras, der inzwischen eine republikanische Diktatur anstrebte und somit Exponent der antiparlamentarischen Kräfte im venizelistischen Lager geworden war, unternahm daraufhin am 6. III. einen Staatsstreich, mußte aber, da ihm das Gros der hohen Offiziere nicht folgte, die Macht an eine Übergangsregierung der Generalität abgeben. Am 10. III. wurde dann das Kabinett Tsaldaris vereidigt.

d) Die Krise der Republik und die Restauration des Königtums

In dieser Situation zeichnete sich deutlich die Tendenz der kommenden Jahre ab: Die Polarisierung zwischen den Mehrheitsliberalen und der VP begünstigte den antiparlamentarischen Radikalismus auf beiden Seiten. Ein Mordanschlag auf Venizelos am 6. VI. 1933, dem der Politiker nur knapp entging, führte zur Eskalation des Konfliktes, als der von Tsaldaris berufene Chef der Sicherheitspolizei, Ioannis Polichronopoulos, mit der Anstiftung des Verbrechens belastet wurde und die Regierung die zügige Untersuchung des Attentats eher behinderte. Die schlimmsten Befürchtungen der Liberalen schienen sich zu bestätigen, als Heeresminister Kondilis, der aus dem republikanischen Radikalismus hervorgegangen, dann aber zum Exponenten der auch vom italienischen Faschismus inspirierten antiparlamentarischen Royalisten und in diesem Sinne das Pendant zu Plastiras geworden war[1], die Frage der Reaktivierung entlassener Offiziere aufgriff und schließlich in einem Gesetzentwurf die Aberkennung aller 1917–1919 gewährten Beförderungen und Vergünstigungen[2] vorsah. Schwere Zwischenfälle im Parlament, der Plan der Regierung, die Wahlkreiseinteilung zu ihren Gunsten zu ändern, und die außenpolitische Kursänderung riefen bei der Opposition neue Erbitterung hervor.

Die von Venizelos begründete griechisch-türkische Freundschaft gestaltete Tsaldaris zwar aus[3], ging aber durch die Beteiligung Griechenlands an dem mit Jugoslawien, der Türkei und Rumänien am 9. II. 1934 in Athen geschlossenen Balkanbund[4], in dem die Signatarstaaten die Garantie ihrer Grenzen, den gegenseitigen Schutz ihrer Interessen und die Abstimmung ihrer Politik gegenüber anderen Staaten vereinbarten, eine Verpflichtung ein, durch die Griechenland in einen jugoslawisch-italienischen Konflikt hineingezogen zu werden drohte, die in jedem Fall aber die guten Beziehungen zu Rom beeinträchtigen konnte: Ein Geheimprotokoll sah im Fall des gemeinschaftlichen Angriffs einer außerbalkanischen Macht und eines Balkanstaates auf einen Vertragspartner (z. B. eines italienisch-bulgarischen Angriffs auf Jugoslawien) Aktionen des Bundes gegen den angreifenden Balkanstaat vor. Da zwei Vertragspartner, Jugoslawien und Rumänien, der Kleinen Entente angehörten, waren auch Spannungen mit Deutschland nicht auszuschließen. Die unter dem Druck der Opposition formulierte Interpretation, Griechenland werde keinesfalls gegen eine Großmacht Krieg führen, schwächte Außenminister Maximos später ab, so daß der Verdacht der Liberalen, von der Regierung getäuscht zu werden, neue Nahrung erhielt.

Venizelos ermutigte jetzt den Zusammenschluß der heterogenen Gruppen republikanischer Offiziere zur Abwehr der befürchteten Restauration des Königtums, gab aber, als er seinen Einfluß bei den Sondierungen vor der Wiederwahl des Staatspräsidenten Zaimis schwinden sah, grünes Licht für den Staatsstreich vor den Senatswahlen, der den Weg zur Einführung eines neuen Regierungssystems mit gestärkter Exekutive und zu umfassenden Säuberungen von Militär und Polizei freimachen sollte. Am 1. III. 1935 wurde der schlecht vorbereitete Putsch inszeniert, der infolge unzweckmäßiger militärischer Durchführung und mangelnder Popularität rasch zusammenbrach. Statt die Republik vor vermeintlichen Gefahren zu schützen, haben die Aufständischen diese Gefahren erst hervorgerufen, da sie den Extremisten der anderen Seite die Legitimation und die Gelegenheit zum Handeln verschafften: Die Regierung antwortete mit verfassungswidrigen Notstandsmaßnahmen, löste das Parlament auf und schaffte den Senat mit seiner liberalen Mehrheit ab. Die radikalen Royalisten und die Gegner der Demokratie und Kondilis und Metaxas nutzten die Chance, den kranken, der Situation nicht mehr gewachsenen Tsaldaris unter Druck zu setzen, um die Restauration des Königtums herbeizuführen. Obwohl die VP in den Wahlen am

9. VI. 1935 254 von 300 Mandaten und damit eine unanfechtbare parlamentarische Machtstellung erhalten hatte, konzedierte Tsaldaris der radikalen Minderheit zunächst einen Volksentscheid über die Staatsform bis zum 15. XI. Als ihn am 10. X. 1935 die Generäle Alexandros Papagos und Georgios Reppas sowie Konteradmiral Dimitrios Ikonomou auf offener Straße festhielten, um ihn zur Rückberufung des Königs durch einen verfassungswidrigen Parlamentsbeschluß zu bewegen, erteilte er ihnen zwar eine Abfuhr, ließ sich jedoch mit seinem Kabinett widerstandslos absetzen. Nach Vereidigung der vom Militär oktroyierten Regierung Kondilis zog die Mehrheit der VP-Fraktion unter Protest aus der Volksvertretung aus, ermöglichte damit aber den verbliebenen Abgeordneten die Wiedereinführung des Königtums und der Verfassung von 1911. Mit diktatorischen Mitteln und umfangreichen Wahlfälschungen führte Kondilis im Bestätigungsplebiszit 97,8 % Ja-Stimmen herbei. Am 25. XI. 1935 traf Georg II. in Piräus ein.

Zunächst strebte der König, der mit einer Generalamnestie für Zivilisten und einem Gnadenerlaß für Offiziere das Kapitel der unruhigen Jahre abschließen wollte, eine rasche Verständigung unter den großen Parteien an, um angesichts der gespannten Lage in Europa dringend erforderliche Maßnahmen zur Landesverteidigung in die Wege zu leiten. Aus den Neuwahlen am 26. I. 1936, die der überparteiliche Ministerpräsident Konstantinos Demertzis korrekt durchführte, gingen die Mehrheitsliberalen als relativ stärkste Fraktion hervor, doch waren infolge des Verhältniswahlsystems die Antivenizelisten etwa gleichstark vertreten, so daß den 15 Abgeordneten der Kommunistischen Partei Griechenlands eine Schlüsselrolle zufiel. Als die Führung der Streitkräfte, die keine auf KPG-Mandate angewiesene Regierung tolerieren wollte, Georg wegen der Amnestie unter Druck setzte, berief dieser zur Wiederherstellung der Disziplin im Militär Metaxas am 5. III. zum Heeresminister, nach dem Tod von Demertzis am 13. IV. 1936 auch zum Ministerpräsidenten.

In der Ermächtigung durch das Parlament, bis zum 30. IX. mit Notverordnungen zu regieren, sah Metaxas eine Chance, die Diktatur vorzubereiten. Den sozialen Konflikten, die sich 1936 in Streikwellen entluden, begegnete Metaxas mit brutalem Polizeieinsatz. Georg, der den politischen Auseinandersetzungen fremd gegenüberstand, wandte sich aus Enttäuschung darüber, daß die demokratischen Parteien die von ihm erhoffte fiktive Einheit der Nation nicht herstellten, vom demokratischen Regierungssystem ab. Obwohl der während der Vertagung des Parlaments tätige interfraktionelle Ausschuß mit legislativen Befugnissen den Erlaß aller zur Bewältigung der Krise erforderlichen Maßnahmen und Gesetze ermöglicht und der König selbst die schon ausgehandelte Bildung einer Koalitionsregierung begrüßt hatte, gab er den Weg zur Diktatur frei. Am 8. VIII. 1936 beseitigte Metaxas auf der Basis einer geheimen Verabredung mit Venizelos' Sohn Sofoklis, der auf die Reaktivierung gemaßregelter republikanischer Offiziere hoffte, die parlamentarische Demokratie.

---

[1] Kondilis gehörte der Koalitionsregierung Tsaldaris als Chef der 1933 noch unbedeutenden Nationalradikalen Partei (1933: 4,09 % der Wählerstimmen, 11 Mandate) an, die 1935/36 zum Sammelbecken der mit dem gemäßigten Kurs der VP unzufriedenen royalistischen Extremisten wurde. Zu Kondilis s. die apologetische Biographie von Σ. Σ. Μερκούρης, Γεώργιος Κονδύλης 1879–1936 (1954); Hering, Kondilis, in: Biogr. Lexikon II, S. 448–450.

[2] S. o. S. 1320.

e) Metaxas-Diktatur und Okkupation

[3] Ergänzt wurden die bestehenden Abmachungen am 14. X. 1933 durch eine gemeinsame diplomatische, nichtmilitärische Garantie der Landgrenze am Ebros (Marica) und ihres Hinterlandes, nicht jedoch der Integrität der Küsten und Inseln, damit eine Spitze gegen Italien vermieden würde.
[4] *R. J. Kerner/H. N. Howard,* The Balkan Conferences and the Balkan Entente 1930–1935 (1936).

e) Metaxas-Diktatur und Okkupation

I. Μεταξᾶς, Τὸ προσωπικό του ἡμερολόγιο (4 Bde. 1951–1964); ders., Λόγοι καὶ σκέψεις 1936–1941 (2 Bde. 1969). *G. Hering,* Ioannis Metaxas, in: Biographisches Lexikon zur Geschichte Südosteuropas II. *Δ. Καλλονᾶς,* 'Ιωάννης Μεταξᾶς (1938). *Ι. Γ. Κορωνάκης,* Ἡ πολιτεία τῆς 4 Αὐγούστου (1950). *M. Μαλαινός,* 4 Αὐγούστου (1947). *Σ. Λιναρδάτος,* Πῶς ἐφτάσαμε στήν 4-η Αὐγούστου (1965); ders., Ἡ 4η Αὐγούστου (1966). *J. S. Koliopoulos,* Greece and the British Connection 1935–1941 (1977). *E. Schramm-v. Thadden,* Griechenland und die Großmächte im 2. Weltkrieg (1955). *M. Cervi,* Storia della guerra di Grecia (1966). *A. Παπάγος,* Ὁ πόλεμος τῆς Ἑλλάδος 1940–1941 (1945; auch deutsche und englische Übersetzung). – Okkupation: *F. A. Spencer,* War and Postwar Greece: An Analysis Based on Greek Writings (1952).

Von früheren Diktaturen unterschied sich das neue Regime dadurch, daß es weder als Notlösung für eine Übergangszeit gedacht war, noch wie die Regierung Pangalos Möglichkeiten pseudodemokratischer Legitimation suchte, sondern nach dem Vorbild Italiens und Deutschlands einen faschistischen Staat auf Dauer und eine »Dritte griechische Kultur« nach Antike und Byzanz begründen sollte. Die Parteien wurden aufgelöst, die Presse der Zensur unterworfen, Gewerkschaften und berufsständische Organisationen, Universitäten und kulturelle Einrichtungen gesäubert, die bürgerlichen Freiheiten und das Streikrecht beseitigt. Schritt um Schritt verdrängte Metaxas die Vertrauensleute des Königs aus der Regierung. Angesichts der tiefen Kluft zwischen Venizelisten und Antivenizelisten hielt der Diktator die politische Organisation der Erwachsenen für inopportun und rief statt dessen gegen den Widerstand des Hofes die Nationale Jugendorganisation EON als Fundament einer künftigen Massenpartei ins Leben. Paramilitärische Organisation, die Ideologie des Regimes, Uniformfaible, Hitlergruß und Spitzeldienste vor allem in der Familie wurden hier eingeübt. Besonders gefürchtet waren die skrupellosen Praktiken (Folterungen, Rhizinuspurgierungen) des Staatssicherheitsdienstes unter Konstantinos Maniadakis, der die häufigen Verschwörungen aufdeckte und die KPG zerschlug. Eine größere Erhebung gegen das Regime gelang nur 1938 auf Kreta. Während die Regierung die slawische Minorität im mazedonisch-thrazischen Grenzgebiet unterdrückte, war ihr der Antisemitismus völlig fremd. Die sozialpolitischen Maßnahmen (Mindestlöhne, Kollektivverträge, Schiedsverfahren in Arbeitskonflikten, Sozialversicherung, Arbeitszeitbeschränkung) beruhten weitgehend auf Gesetzen und Plänen demokratischer Regierungen.

Außenpolitisch versuchte Metaxas zunächst, Griechenland aus internationalen Konflikten herauszuhalten. Schon vor Errichtung der Diktatur erreichte er am 6. V. 1936 in einer Ergänzung des Balkanpaktes, daß der *casus foederis* nur bei innerbalkanischen Kriegen eintritt. Die türkisch-griechische Freundschaft sicherte er im Athener Vertrag vom 27. IV. 1938 weiter ab. Ambitionen territorialer Expansion hatte Metaxas nicht. Trotz der Verwandtschaft der Regimes erkannte er in Italien, das am 7. IV. 1939 Albanien besetzte, sowie in Deutschland und Bulgarien die potentiellen Feinde im Falle eines europäischen Krieges, aus dem die im Mittelmeer dominierenden Westmächte, die am 13. IV. 1939 angesichts des italienischen Ausgriffs eine Garantie der griechischen Grenzen abgaben, trotz vorübergehender Rückschläge als Sieger hervorgehen würden. Zwar erneuerte er den am 1. X. 1939 auslaufenden Vertrag mit Italien nicht, vermied indessen sorgfältig, die Achse zu reizen und ließ sich auch durch die Versenkung des Kreuzers Elli im Hafen von Tinos durch ein italienisches U-Boot nicht provozieren. Das italienische Ultimatum vom 28. X. 1940 lehnte er ab, führte die Truppen in den eisigen Gebirgen des griechisch-albanischen Grenzraumes zum legendären Sieg über den weit überlegenen Gegner und versetzte der Achse den ersten schweren Schlag. Inzwischen hatte Hitler einen Entlastungsangriff (Unternehmen Marita) angeordnet, um vor dem Rußlandfeldzug den feindlichen Rückhalt an der Südflanke zu beseitigen. Nach Metaxas' Tode (29. I. 1941) stimmte sein Nachfolger Korizis (gest. 18. IV. 1941) der Entsendung eines britischen Expeditionskorps zu. Trotz erbitterten Widerstands der Griechen an der Metaxas-Linie und der verlustreichen Gegenwehr der Briten stießen die am 6. IV. angreifenden deutschen Truppen von Bulgarien aus über Thrazien sowie über Monastir-Florina-Metsovo westlich der Verteidigungslinie am Aliakmon rasch in das erschöpfte Land vor und zwangen die Epirus-Armee am 21. IV. 1941 zur Kapitulation; Fallschirmtruppen eroberten Kreta (20. V.–1. VI. 1941)[1]. Da Hitler alle entbehrlichen Truppen gegen die Sowjetunion einsetzen wollte, überließ er den zurückgeworfenen Italienern den größten Teil des Landes als Besatzungsgebiet, was die Griechen als besondere Schmach empfanden; bulgarisches Militär rückte in Ostmazedonien und Westthrazien ein, die deutsche Okkupation beschränkte sich auf Athen, Saloniki und Umgebung bis zum Strymon (Struma), das Grenzgebiet am Ebros, West-Kreta und die Ägäisinseln. Der König, die Regierung und einige Militäreinheiten waren von Kreta aus nach Ägypten entkommen und repräsentierten, verstärkt durch den Zustrom flüchtiger Offiziere und Soldaten, das Land im Lager der Alliierten; in Griechenland veranlaßten die Besatzungsmächte die Bildung loyaler Regierungen[2]. Außer dem griechenfeindlichen Verhalten der bulgarischen Militärverwaltung haben vor allem die Exzesse deutscher Besatzungsorgane (Geiselerschießungen, Massenexekutionen der Einwohner ganzer Ortschaften wie in Kalavrita 13. XII. 1943, Distomo 16. VII. 1944, Klisoura 29. VII. 1944) die Erinnerung bis heute tief geprägt. 1941/42 erlebte das abgeschnittene Land eine Hungerkatastrophe, der in den Städten Zehntausende zum Opfer fielen, bis es dem Roten Kreuz unter schwedischer und schweizer Leitung gelang, ein Hilfswerk aufzubauen, das ab März 1942 ärgste Not lindern half.

---

[1] *K. Olshausen*, Zwischenspiel auf dem Balkan. Die deutsche Politik gegenüber Jugoslawien und Griechenland von März bis Juli 1941: BeitrrMilitKriegsg 14 (1973). *H.-O. Mühleisen*, Kreta 1941. Das Unternehmen »Merkur« 20. Mai bis 1. Juni 1941 (1968).

[2] Am 1. V. 1941 bildete General G. Tsolakoglou das erste Kabinett, ihm folgten die Regierungen K. Logothetis (2. Dezember 1942–7. April 1943) und Ioannis Rallis (7. April 1943–Oktober 1944).

f) Widerstand und Befreiung

Grundlegend: *C. M. Woodhouse*, The Struggle for Greece 1941–1949 (1976). Ders., Apple of Discord (1948). *Widerstand*: *G. Chandler*, The Divided Land, an Anglo-Greek Tragedy (1959). Σ. *Χούτας*, Ἡ Ἐθνικὴ Ἀντίσταση τῶν Ἑλλήνων 1941–1945 (1961). *D. M. Condit*, Case Study in Guerilla War. Greece During World War II (1961). *Φ. Ν. Γρηγοριάδης*, Τὸ

f) Widerstand und Befreiung

ἀντάρτικο, ΕΛΑΣ-ΕΔΕΣ-ΕΚΚΑ (2 Bde. 1963/64). *A. Kédros,* La résistance grecque 1940–1944 (1966). *Σ. Σαράφης,* 'Ιστορικὲς ἀναμνήσεις (1952); ders., Ὁ ΕΛΑΣ (²1958); engl. Übers. (gekürzt): Greek Resistance Army (1951), in den Gesammelten Werken: Ἅπαντα (2 Bde. 1964). Ἱστορικὸν ἀρχεῖον Ἐθνικῆς Ἀντιστάσεως (1958 ff.). Λευκὴ βίβλος τοῦ ΕΑΜ (1945). – *Befreiung: Γ. Παπανδρέου,* Ἡ ἀπελευθέρωσις τῆς Ἑλλάδος (³1949). *Θ. Τσάτσος,* Αἱ παραμοναὶ τῆς ἀπελευθερώσεως (1950). – *Exilregierung: Κ. Τσουδερός,* Ἑλληνικὲς ἀνωμαλίες στὴ Μέση Ἀνατολή (1945); ders., Διπλωματικὰ παρασκήνια 1941–1944 (1950).

Die tiefe Niedergeschlagenheit nach dem deutschen Angriff wich bald einer diffusen Widerstandsbereitschaft, die Aktivistenkernen die Bildung rasch anwachsender Kampforganisationen ermöglichte: Am 9. IX. 1941 entstand die republikanische Nationale Demokratische Griechische Vereinigung (EDES), am 27. IX. 1941 als Volksfrontorganisation die von Kommunisten geführte Nationale Befreiungsfront (EAM), die auf Grund einer Entscheidung des ZK der KPG am 10. IV. 1942 die Nationale Befreiungsarmee (ELAS) gründete. Anders als die Partisanenführung in Jugoslawien versuchten, die Kader des EAM/ELAS, ihre Parteizugehörigkeit vor den Anhängern und Sympathisanten zu verbergen und die Organisation auch für andere Parteien offenzuhalten. In den Städten führten die Widerstandsorganisationen wie auch kleinere Gruppen Demonstrationen, Streiks und Sabotageakte durch; bewaffnete Einheiten operierten von Bergen und Wäldern aus nach den Regeln der Guerillataktik gegen die ortsunkundigen Besatzungssoldaten. Am 30. IX. 1942 gelangte eine britische Militärmission unter Oberst E. C. W. Myers zu den Partisanen und drängte den ELAS und EDES zur gemeinschaftlichen Sprengung des Gorgopotamos-Eisenbahnviaduktes (25. XI. 1942), um den deutschen Nachschub nach Afrika zu stören. Bestimmend für die Haltung der britischen Stäbe blieb bis Kriegsende das Kalkül der militärischen Effektivität des Widerstands. Gerade weil die Führung des EAM/ELAS andere Widerstandsgruppen vor die Alternative stellte, zu fusionieren oder zerschlagen zu werden[1], statt alle Kräfte gegen den Feind zu richten, wollten die Briten sie durch institutionalisierte Kontakte auf ihr erklärtes Ziel: den Widerstand gegen die Besatzung, festlegen und von vorbereitenden Aktionen zur späteren Machtergreifung abhalten. Im Juli 1943 gelang es ihnen, im »National Bands Agreement« den ELAS um den Preis erheblicher Goldzahlungen zur Zusicherung geregelter Kooperation mit den anderen Partisanengruppen zu bringen und ein Vereinigtes Hauptquartier aller bewaffneten Verbände zu bilden, das durch einen britischen Verbindungsoffizier an das GHQ Middle East angeschlossen wurde. Obwohl der ELAS viele Energien auf den Kampf gegen seine inneren Gegner verwandte, ist der Effekt seines Widerstandes gegen die Besatzungsmächte höher zu veranschlagen, als in der Nachkriegspolemik konzediert wurde[2].

Nach der Kapitulation Italiens gewann der ELAS durch die vertragswidrige Entwaffnung der Pinerolo-Division am 15. X. 1943 beträchtlich an Feuerkraft, die er sofort gegen den auf dem westlichen Festland und im Epirus konzentrierten EDES unter dem republikanischen General Napoleon Zervas einsetzte. In dieser »ersten Runde« des Bürgerkrieges gelang ihm jedoch kein Sieg über den Rivalen. Am 29. II. 1944 wurde im Übereinkommen von Plaka der Waffenstillstand zwischen dem EAM/ELAS und dem EDES auf der Basis des Status quo und ihre Zusammenarbeit mit der kleineren EKKA-Gruppe[3] und den Alliierten vereinbart. Belastet blieben die britische Politik und die Beziehungen der Exilregierung zu den Partisanen durch die Weigerung Georgs II., der 1936 die Verfassung gebrochen und die Errichtung der Diktatur durch Metaxas ermöglicht hatte, über seine Rückkehr das Volk in einem Plebiszit entscheiden zu lassen. Die Furcht vor der Wiederherstellung der alten Zustände trieb viele zu den Fahnen des ELAS, die Furcht vor den Kommunisten drängte manchen Republikaner zum Kompromiß mit den Royalisten oder gar zum Eintritt in die Sicherheitsbataillone der Besatzungsregierungen. Obwohl das EAM die Abmachungen mit den Briten bald wieder brach, die EKKA am 16./17. IV. 1944 aufrieb und die Bevölkerung in seinem Wirkungsbereich immer stärkerem Terror aussetzte, hielt es doch am Prinzip der militärischen Kooperation mit den Alliierten fest. In den befreiten Gebieten errichtete es einen Staat mit eigener Militärorganisation, mit Volksgerichten und einer effektiven Verwaltung, die manches abgelegene Gebiet erstmals mit der Außenwelt verband.

Da sich das Exilkabinett nicht, wie die Partisanen gehofft hatten, durch einen Minister in den Bergen vertreten ließ, rief das EAM am 14. III. 1944 das Politische Komitee der Nationalen Befreiung (PEEA) ins Leben, das, ohne formell den Status einer Regierung zu beanspruchen, als provisorisches ziviles Repräsentationsorgan ohne wirkliche Machtbefugnisse fungierte; damit nach außen Charakter und Prestige einer patriotischen Einheitsfront gewahrt blieben, traten in die PEEA nur zwei Vertreter der KPG ein. Der Vorsitz wurde zunächst dem linksrepublikanischen Obersten Evripidis Bakirtzis, dann dem Professor für Verfassungsrecht, Alexandros Svolos, einem Sozialisten, überlassen. Am 14. V. 1944 trat in Korischada ein aus Wahlen, bei denen auch die Frauen das ihnen vom griechischen Staat bis 1956 vorenthaltene Stimmrecht hatten, hervorgegangener Nationalrat zusammen.

Im April 1944 brach unter den griechischen Streitkräften in Ägypten eine von enttäuschten Republikanern und einzelnen linken Offizieren angestiftete Meuterei aus, deren oft vermutete Fernsteuerung durch die KPG sich nicht nachweisen läßt. Die anschließende Säuberung der Truppen, die sich im übrigen während des Krieges tapfer schlugen, verschaffte den Royalisten ein Übergewicht im Offizierskorps. Ministerpräsident Emmanouil Tsouderos trat zurück, und auf das Übergangskabinett des Sofoklis Venizelos (13.–26. IV.) folgte die Regierung des Liberalen Georgios Papandreou, der kurz vorher aus dem besetzten Lande geflüchtet war und anders als seine Vorgänger die Situation in der Heimat aus eigener Anschauung kannte. Papandreou war der Mann der Stunde: hellsichtig, wendig, scharfsinnig, mit festen sozialliberalen Prinzipien, eher ein gewiefter Routinier und brillanter Formulierer als schöpferischer Neuerer, behandelte er mit ungewöhnlichem Geschick, das fehlende Macht ersetzen mußte, die komplizierten Beziehungen zwischen Exilregierung, Alliierten und Partisanen. Unter seinem Vorsitz kam die Libanonkonferenz (17.–20. V. 1944) der Exilregierung mit Vertretern der Parteien und Widerstandsorganisationen zustande, deren Ergebnis Papandreou als sogenannte Libanon-Charta verkündete: Alle Guerillabanden würden der künftigen Regierung des freien Griechenland unterstellt; dem Terrorregime des EAM/ELAS sollte ein Ende gesetzt, über Verfassung, Staatsform und Regierung durch das Volk nach der Befreiung entschieden werden; die strenge Bestrafung der Verräter, alliierte Hilfe für den Wiederaufbau und die Befriedigung nationaler Ansprüche (Dodekanes, Nordepirus/Südalbanien) stellte der Regierungschef in Aussicht. Sechs Ministerien bot er dem EAM an, das jedoch erst auf Drängen der inzwischen eingetroffenen sowjetischen Militärmission unter Oberst Popov einlenkte. Wieder wurde deutlich, daß die Alternative zur Kooperation mit den Partisanen nur die kommunistische Machtergreifung gewesen wäre: Unter dem Vorwand des Kampfes gegen die Sicherheitsbataillone richtete der Bandenführer Aris Velouchiotis (Athanasios Klaras) auf der Peloponnes ein entsetzliches Blutbad an⁴, doch konnte der Finanz- und Wiederaufbauminister Panajotis Kanellopoulos auf Grund der bestehenden Abmachungen dem Morden Einhalt gebieten.

Mit einem Abkommen, das in Caserta am 26. IX. 1944 zwischen der Exilregierung, dem EAM und EDES sowie General Wilson als Supreme Allied Commander im Mittelmeerraum geschlossen wurde, konnte die britische Politik einen neuen Erfolg buchen: Die Partisanen unterstellten sich der Regierung, die das Kommando General Sir Ronald Scobie, dem Kommandeur der für Griechenland bestimmten britischen Truppen, übertrug, und verpflichteten sich, Recht und Ordnung zu respektieren. Ungehindert landeten die britischen Einheiten am 4. X. in Patras; am 27. X., fünf Tage nach der Räumung Athens durch die Deutschen, zog die Regierung Papandreou in die Hauptstadt ein. Mehrere Gründe lassen sich für die Zurückhaltung des EAM/ELAS anführen: Man stellte die Macht Englands im Mittelmeerraum in Rechnung und hatte offenbar ein größeres Expeditionskorps erwartet; die sowjetische Haltung wirkte ernüchternd. Schließlich wirkte sich auch der latente Gegensatz zwischen den Guerillaführern und den Dogmatikern der Parteiführung um Georgios Siantos aus, die in der Mobilisierung des Proletariats der Städte und nicht in der Macht der Partisanen die Voraussetzung für die Revolution sahen⁵.

[1] Am 1. III. 1943 löste der ELAS die Partisanengruppe Kostopoulos-Sarafis auf; Sarafis übernahm die militärische Führung des ELAS.
[2] Dazu *Condit,* S. 196, 213, 229, 237 f., 262.
[3] Text des National Bands Agreement bei *Woodhouse,* Apple of Discord, S. 298 ff., des Waffenstillstands von Plaka ebd., S. 303 f.
[4] In Meligala wurden vom 12. bis 16. IX. 1944 1450 Einwohner, darunter Frauen, Greise und Kinder, niedergemacht. – Text der von Papandreou verkündeten Zusammenfassung der Ergebnisse der Libanon-Konferenz (»Libanon-Charta«) bei *Woodhouse,* Apple of Discord, S. 305.
[5] Text des Abkommens von Caserta ebd., S. 306 f. Belege für die Versuche der KPG, folgerichtig die Gewerkschaften unter ihre Kontrolle zu bringen, bei *Woodhouse,* Struggle, S. 115 f.

g) Dezemberaufstand und Bürgerkrieg

E. Averoff-Tossizza, Le feu et la hache. Grèce 1946–1949 (1973). *Φ. Ν. Γρηγοριάδης,* Ἱστορία τοῦ ἐμφυλίου πολέμου 1945–1949 (4 Bde. 1963–1965). *J. O. Iatrides,* Revolt in Athens (1972). *H. Maule,* Scobie. Hero of Greece (1975). *E. O'Ballance,* The Greek Civil War 1944–1949 (1966). *L. S. Stavrianos,* Greece: American Dilemma and Opportunity (1952). *Θ. Τσακαλῶτος.* 40 χρόνια στρατιώτης τῆς Ἑλλάδος (2 Bde. 1960). *S. G. Xydis,* Greece and the Great Powers 1944–1947 (1963). *Δ. Ζαφειρόπουλος,* Ὁ ἀντισυμμοριακὸς ἀγών 1945–1949 (1956). Ὁ Ἑλληνικὸς Στρατὸς κατὰ τὸν ἀντισυμμοριακὸν ἀγῶνα 1946–1949 (1970).

Am 18. X. gab Papandreou sein Regierungsprogramm bekannt, das Lösungen der offenen Fragen enthielt (Plebiszit über die Staatsform, Säuberung der Streitkräfte, Aufbau einer Nationalarmee, Bestrafung der Kollaborateure, Ansprüche auf Südalbanien und den Dodekanes). Zu heftigen Kontroversen kam es mit den EAM-Ministern in der Frage der Demobilisierung der Partisanen. Nachdem das EAM den Kompromißvorschlag, die eine Brigade der Nationalarmee aus dem ELAS, die andere aus den Exiltruppen (Gebirgsbrigade Rimini, hl. Kompanie) und EDES-Einheiten zu bilden, zurückgezogen¹ und seine Kabinettsmitglieder zum Rücktritt veranlaßt hatte, mißachtete es den Widerruf der bereits erteilten

Genehmigung einer Demonstration am 3. XII. 1944 in Athen, in deren Verlauf dann aus nie restlos aufgeklärten Ursachen die offenbar nervös gewordene Polizei in die größtenteils unbewaffnete Menge schoß – die sogenannte »zweite Runde« des Bürgerkrieges hatte begonnen. In der bis heute kontroversen Diskussion über die Verantwortung der Kommunisten für den Dezemberaufstand wird immer deutlicher, daß Stalin, der sich in den Moskauer Gesprächen mit Churchill am 9. X. 1944 auf ein britisch-sowjetisches Einflußverhältnis in Griechenland von 90 zu 10 geeinigt hatte, ihn nicht gewünscht haben dürfte und weder jetzt noch später ein auf optimistischem Kalkül der Erfolgschancen beruhendes dauerndes Interesse an der Aktivität der KPG hatte, die überhaupt selbständiger handelte, als die Propaganda ihrer Gegner glauben machte. Viele Anzeichen lassen erkennen, daß nur einzelne ELAS-Kommandeure und führende Parteifunktionäre für einen Aufstand zu diesem Zeitpunkt plädierten; die meisten wollten sich gegen die Auflösung der bewaffneten Verbände im Hinblick auf eine spätere Machtergreifung wehren. Im übrigen befürchteten manche die Restauration des Königtums ohne Volksbefragung nach der Demobilisierung. Ob der Rat Titos zur Offensive, wenn er überhaupt erteilt worden ist, für die KPG-Führer den Ausschlag gegeben hat, ist durchaus zweifelhaft[2].

Obwohl der ELAS in der Provinz zunächst vermied, britische Truppen anzugreifen, gingen die Schießereien in Athen rasch in einen harten Kampf um jedes Haus über. Der Terror der Aufständischen nahm gräßliche Formen an[3]. Churchill befahl rücksichtsloses Vorgehen der zunächst völlig unzureichenden britischen Einheiten[4], und nach dem Besuch des alliierten Oberkommandierenden im Mittelmeer, Feldmarschall Alexander, in Athen (11. XII. 1944) wurden Verstärkungen herangebracht, deren Einsatz General John Hawkesworth anstelle des unbefriedigend operierenden Scobie leitete. Auf einer Konferenz der griechischen Regierung mit Churchill, Eden, Alexander, Macmillan und Popov sowie Vertretern der Parteien einschließlich der KPG und des EAM/ELAS in Athen (26.–28. XII. 1944) einigte man sich wenigstens auf die Berufung des populären Erzbischofs Damaskinos zum Regenten[5]. Erfolge erzielte der ELAS nur gegen den EDES, den britische Truppen vom Epirus nach Korfu evakuierten; aus Athen dagegen mußte er sich Anfang Januar geschlagen zurückziehen und nach einem Waffenstillstand (14./15. I. 1945) am 12. II. in Varkiza Frieden mit der Regierung unter dem aus Paris zurückgekehrten Nikolaos Plastiras schließen[6]: Die politischen Freiheitsrechte wurden ausdrücklich bestätigt, eine Amnestie für politische Verbrechen seit dem 3. XII. 1944 und die Abgabe der Waffen des aufzulösenden ELAS bis zum 15. III. vereinbart; die Nationalarmee sollte künftig aus regulär rekrutierten Soldaten bestehen. Die Regierung konzedierte die Säuberung des öffentlichen Dienstes von Kollaborateuren und Anhängern der Metaxas-Diktatur. Schließlich legte man fest, noch 1945 das Plebiszit über das Königtum und danach Wahlen zur Konstituante durchzuführen.

Doch vom Frieden war das zerrissene Land noch weit entfernt. Der ELAS versteckte größere Mengen Waffen, der unnachgiebige Partisanenführer Aris Velouchiotis (Athanasios Klaras) zog sich grollend in die Berge zurück, das EAM beherrschte de facto den größeren Teil des Festlands; viele beschäftigungslos gewordene Freischärler fanden nicht den Weg ins zivile Leben, in dem sie kaum ihr Brot verdienen konnten. Die Gewalt triumphierte: Terrorbanden der extremen Rechten, vor allem die Organisation X (Chi) des späteren EOKA-Führers auf Zypern, Georgios Grivas, operierten vornehmlich im Süden, kommunistische Guerillas im Norden[7]. Unter dem Eindruck der jüngsten Ereignisse begannen die Gerichte milder über Kriegsverbrecher und Kollaborateure zu urteilen als über

g) Dezemberaufstand und Bürgerkrieg

angeklagte Partisanen. Die KPG boykottierte die unter internationaler Aufsicht durchgeführten Wahlen am 31. III. 1946[8], empfahl aber ihren Anhängern ein negatives Votum beim Volksentscheid am 1. IX. 1946. Der Wahlsieg der rechten Koalition aus VP, Nationalliberalen und Reformisten (55,12 % der Stimmen, 58,19 % der Mandate) demonstriert ebenso wie der Ausgang des Plebiszits (68,3 % der Stimmen für das Königtum) den Rechtsruck der Wähler, deren Mehrheit nach dem Weltkrieg, den Schrecken der Besatzung und zweier Bürgerkriegsphasen im König den Garanten der Stabilität sahen. Am 27. IX. 1946 kehrte Georg II. zurück, wenige Monate später, am 1. IV. 1947 starb er.

Wann die KPG den Entschluß zum Aufstand gefaßt hat, läßt sich nicht präzisieren[9]. Offensichtlich plädierte die Mehrheit der führenden Funktionäre für den Krieg, wenn es nicht zur »Versöhnung«, d. h. zu einem für die spätere friedliche Machtergreifung günstigen Ausgleich mit dem Staat komme; ein Datum in nächster Zukunft hat die schwankende Führung unter dem aus Dachau zurückgekehrten Nikos Zachariadis jedoch nicht ins Auge gefaßt. Da unter dem Kabinett des VP-Chefs Konstantinos Tsaldaris die Praxis der situationsbedingt mit weiten Vollmachten ausgestatteten untergeordneten Staatsorgane geeignet war, eher den Eindruck der Rache als der Durchsetzung der rechtsstaatlichen demokratischen Ordnung hervorzurufen, sahen sich die Unversöhnlichen bestätigt. Auch das Ergebnis des Plebiszits dürfte viel zur Polarisierung beigetragen haben, zumal aus Furcht vor den Kommunisten viele Republikaner die Rückkehr des Königs unter der Bedingung strikter Beachtung des parlamentarischen Regierungssystems hinzunehmen bereit waren und damit den Verdacht der Linken vom abgekarteten Spiel nährten. Im übrigen bleibt die Frage offen, wieweit die Parteibürokratie, deren Revolutionskonzept auf der Erhebung des in Griechenland nur schwachen Proletariats der Städte beruhte, die unruhigen Bandenchefs überhaupt kontrollierte.

Obwohl das »Demokratische Heer Griechenlands« (DSE) unter dem Oberbefehl von Markos Vafiadis nur zeitweise eine Stärke von 25 000 Mann erreichte, operierte die von England unzureichend unterstützte Nationalarmee in den damals großenteils noch unerschlossenen und unwegsamen zentral- und nordgriechischen Gebieten zunächst mit geringem Erfolg, da der Feind, der seine Überfälle seit den Wahlen verstärkte, auswich, nur in für ihn günstigen Situationen zuschlug und außerdem von Jugoslawien, Albanien und Bulgarien aus versorgt wurde, auf deren Territorium er sich notfalls zurückziehen konnte. Die Regierungspolitik blieb zwiespältig: einerseits wurde die KPG erst Ende 1947, einenhalb Jahre nach Beginn der »dritten Runde«, verboten, andererseits konnten Sondergerichte Mitglieder bewaffneter Banden zum Tode verurteilen, Militär- und Verwaltungsbehörden Kommunisten und ehemalige EAM-Anhänger auf Ägäisinseln deportieren. Hilfe fand Griechenland bei den Vereinten Nationen: Der Sicherheitsrat entsandte am 19. XII. 1946 Beobachter, die auch die nördlichen Nachbarländer inspizierten. Auf Grund ihrer Berichte, die auch die griechische Innenpolitik kritisch beleuchteten, verurteilte die Vollversammlung am 21. X. 1947 mit 40 zu 6 Stimmen bei 11 Enthaltungen die Unterstützung der Aufständischen durch die drei Nachbarstaaten[10]. Da England nicht mehr in der Lage war, die Last der Hilfe für Griechenland allein zu tragen, wandte sich die Athener Regierung am 3. III. 1947 an die im griechischen Bürgerkrieg bisher neutralen USA, die jetzt, wie Präsident Harry S. Truman in seiner berühmten Botschaft an den Kongreß vom 12. III. 1947 angekündigt hatte, vom Kommunismus bedrohten Staaten zu helfen bereit waren (»Trumandoktrin«). Hilfslieferungen ab August 1947, die Einsetzung der »American Mission for Aid to Greece« (AMAG) und der »Joint US Military Advisory and Planning Group« (JUSMAPG) stärkten Griechenland und begründeten den rasch wachsenden Einfluß der USA auf Politik, Militär und Wirtschaft. Daß vorerst durchschlagende Erfolge der großen Anstrengungen ausblieben, lag zum großen Teil an der unzweckmäßigen Kommandostruktur und teilweise unfähigen Führung der Streitkräfte[11].

Andererseits hatten auch die Kommunisten mit großen Schwierigkeiten zu kämpfen, da sehr viele der (ab Mitte 1947 nach Markos Vafiadis' eigenen Angaben zu 90 %) zwangsrekrutierten Soldaten desertierten, da Flugzeuge und größere Schiffe fehlten und die Erhebung in den Städten ausblieb, wo es nur zu einzelnen Anschlägen und Sabotageakten kam. Immer mehr schwand das Vertrauen der kommunistischen Sympathisanten auf den Sieg. Dazu erlitten sie eine demoralisierende Niederlage, als die kommunistischen Staaten die am 24. XII. 1947 gebildete Gegenregierung unter Markos Vafiadis nicht anerkannten. In ihrem Regierungsprogramm stellte die Rebellenregierung u. a. die Befreiung des Landes vom »Monarchofaschismus«, die Nationalisierung von Banken, Schwerindustrie und ausländischen Unternehmen, eine Agrarreform sowie freie Wahlen in Aussicht; die slawische Minorität im Norden, auf die Jugoslawien und Bulgarien konkurrierende Ansprüche erhoben, sollte gleiche Rechte genießen. Statt einer besseren Gesellschaftsordnung erlebten die Griechen im Kampfgebiet und der »befreiten« Zone die Greuel des Bürgerkriegs. Tiefe und bleibende Erbitterung hat vor allem die Deportation der Kinder ins kommunistische Ausland auf Grund eines Beschlusses der Gegenregierung hervorgerufen: 28 000 Kinder verschwanden während des Krieges[12].

Nahziel der Aufständischen war die Einnahme einer größeren Stadt auf Dauer, um die diplomatische Anerkennung zu erleichtern. Den vollständigen Übergang vom Guerillakrieg zum regulären Feldzug mit Frontschlachten, dauernde Besetzung größerer Gebiete und Ortschaften setzte die 1948 in die Berge geflüchtete KP-Führung gegen Vafiadis durch, der nach dem V. Plenum des ZK als Oberkommandierender von Nikos Zachariadis, dem Generalsekretär der Partei, und am 4. II. 1949 als Ministerpräsident durch Ioannis Ioannidis abgelöst wurde. Die Parteispitze und die neue Gegenregierung entschieden sich im Kominformkonflikt, in dem die Partisanenführung einer Stellungnahme ausgewichen war, gegen Jugoslawien und gaben trotz großem Widerstand unter den griechischen Kommunisten die Parole von der Autonomie Mazedoniens aus, um Titos Plan einer Vereinigung ganz Mazedoniens mit Jugoslawien zu konterkarieren[13]. Doch die Neuorientierung beschleunigte die Niederlage: Für den regulären Krieg waren die Aufständischen weder ausgebildet noch gerüstet und außerdem zahlenmäßig zu schwach, so daß sie weiterhin nur unwegsame Gebirgsregionen kontrollieren, eingenommene Städte aber nicht halten konnten; die dringend notwendige jugoslawische Hilfe ging immer mehr zurück, bis Tito am 10. VII. 1949 die Schließung der Grenzen ankündigte. Da Stalin den Aufstand als verfehltes Unternehmen verwarf, blieb auch Hilfe von anderer Seite aus: Am 13. VI. 1949 offerierte Bulgarien der Athener Regierung die Wiederaufnahme der diplomatischen Beziehungen, am 26. VIII. kündigte Albanien die Internierung aller die Grenze überschreitenden Verbände an. Die außenpolitischen Entwicklungen und die Fehler der Parteispitze erleichterten den Vorstoß der Nationalarmee, die seit Februar 1949 unter der strafferen Führung des mit weitreichenden Vollmachten ausgestatteten Alexandros Papagos stand. Nach den Entscheidungsschlachten in den nordwestlichen Grenzgebirgen Grammos und Vitsi kamen Ende August die Kämpfe zum Stillstand, am 9. X. beschloß das ZK der KPG im Ausland ihre »vorübergehende« Einstellung[14].

g) Dezemberaufstand und Bürgerkrieg

Die Berechnungen der Kriegsopfer seit 1940 weichen voneinander ab, aber alle Zahlen lassen das Grauen erkennen: 16 000 Soldaten fielen im Krieg gegen Italien und Deutschland, über 40 000 Opfer forderte die Besatzung, 60 000 Juden kamen in deutschen Konzentratiosnlagern um, etwa 300 000 Menschen starben den Hungertod. Fast 15 000 Angehörigen der Nationalarmee und Gendarmerie und über 40 000 Partisanen kostete der Bürgerkrieg das Leben, etwa 5000 Personen wurden auf beiden Seiten hingerichtet. Allein die Gesamtzahl dieser Opfer beträgt rund 6,5 % der Bevölkerung von 1946, die ihren Verwundungen Erlegenen und die Schätzungen der beträchtlichen Dunkelziffer nicht eingerechnet. Rund 750 000 Menschen waren durch die Zerstörung von ca. 100 000 Wohnungen obdachlos geworden[15]. Diesen Opfern stand als Aktivum der neun Kriegsjahre nur das Ende der italienischen Herrschaft über den Dodekanes und seine Vereinigung mit Griechenland gegenüber.

---

[1] Dazu und zu der umstrittenen Frage der Zusagen des Premiers s. die vorzügliche quellenkritische Untersuchung bei *Woodhouse,* Struggle, S. 188 ff.

[2] S. ebd., S. 122 f.

[3] ZK-Mitglied G. Zevgos entschuldigte die Morde mit dem Hinweis auf die großen Opfer historischer Entwicklungen: *Γ. Ζεϒος,* Ἡ λαϊκὴ ἀντίσταση τοῦ Δεκέμβρη καὶ τὸ νεοελληνικὸ πρὸβλημα (1945).

[4] Seine vielzitierte Weisung an Scobie: »Zögern Sie aber nicht, so zu handeln, als befänden Sie sich *in einer eroberten Stadt,* in der ein örtlicher Aufstand ausgebrochen ist«, *(W. S. Churchill,* Der Zweite Weltkrieg, VI. 1 (1953), S. 338. Hervorhebung von mir) ist auch auf nichtkommunistischer Seite bitter kommentiert worden.

[5] Georg II. stimmte erst am 30. XII. dem Plebiszit und der Bestellung des Regenten zu.

[6] Text des Abkommens bei *Woodhouse,* Apple of Discord, S. 308–310.

[7] Angaben über die Ausschreitungen rechter und linker Gruppen bei *G. Chandler,* The Divided Land, S. 155 f.

[8] Berechnungen haben ergeben, daß nur etwa 10–15 % der Wahlberechtigten den Boykott befolgt haben, 1,18 % der abgegebenen Stimmen waren ungültig. Selbst bei Berücksichtigung der ungünstigen Umstände ergibt sich, daß der KPG-Anhang erheblich geringer war, als die faktische Machtverteilung im Land anzudeuten schien. Zu den Berechnungen *Δαφνῆς,* Κόμματα, S. 155, 185. Wahlstatistiken bei *Meynaud,* Annexe.

[9] Daß ihn das ZK am 12. II. 1946 gefaßt haben soll, bezweifelt mit guten Gründen *Woodhouse,* Struggle, S. 170 ff. Wahrscheinlich sollte der Angriff auf Litochoro am Vorabend der Wahlen, der allgemein als Beginn des großen Bürgerkriegs angesehen wird, nur die Regierung einschüchtern.

[10] Die ständige Beobachterkommission UNSCOB durfte das Territorium der kommunistischen Staaten dann nicht mehr betreten, konnte die fortgesetzte Intervention dieser Staaten jedoch zweifelsfrei nachweisen.

[11] S. dazu die Darstellung des Generals *Th. Tsakalotos,* der neben Ventiris zu den hervorragenden Truppenführern des Bürgerkriegs gehörte: Θ. Τσακαλῶτος, 40 χρόνια στρατιώτης τῆς Ἑλλάδος (2 Bde. 1960).

[12] Die von kommunistischer Seite vorgebrachte Behauptung, es handle sich um Kriegswaisen, Kinder verfolgter Kommunisten u. dgl., ist durch Berichte der UNSCOB, des Roten Kreuzes und anderer Organisationen sowie durch die Zahl der Eltern widerlegt, die über internationale Hilfsorganisationen die Rückgabe ihrer Kinder zu erreichen versuchten. Etwa 10 000 Kinder konnten nach Kriegsende zu ihren Familien zurückkehren.

[13] Dazu *Woodhouse,* Struggle, S. 263 f.

[14] Bis 1950 kam es noch zu einzelnen kleineren Gefechten mit versprengten Partisanen; danach beschränkte sich die illegale kommunistische Aktivität auf Sabotageakte und Spionage.

[15] *Εὐελπίδης,* S. 71.

h) Die Nachkriegsjahre

Grundlegend *K. R. Legg*, Politics in Modern Greece (1969). *J. Meynaud*, Les forces politiques en Grèce (1965). *N. Mouzelis/M. Attalides*, Greece, in: *M. Scottford Archer/S. Giner* (Hgg.), Contemporary Europe (1971), S. 162–197. *Th. A. Couloumbis*, Greek Political Reactions to American and NATO Influences (1966). *Ch. Foley/W. I. Scobie*, The Struggle for Cyprus (1975). *Kalogeropoulos-Stratis*, Spyros: La Grèce et les Nations Unies (1957). *W. H. MacNeill*, Greece: American Aid in Action 1947–1956 (1957). *J. B. Nugent*, Programming the Optimal Development of Greek Economy 1954–1961 (1966). *A. Pepelasis/ P. A. Yotopoulos*, Surplus Labor in Greek Agriculture 1953–1960 (1962). *I. T. Sanders*, Rainbow in the Rock. The People of Rural Greece (1962). *G. Ziegler*, Griechenland in der Europäischen Wirtschaftsgemeinschaft: Südosteuropa-Studien, 4 (1962). *X. Zolotas*, Monetary Equilibrium and Economic Development (1965).

Die Wirtschaft des Landes war durch die Zerstörungen der Kriege weit zurückgeworfen worden, der Bürgerkrieg hatte das politische Leben vergiftet: Zugehörigkeit zum EAM auch vor dem Bürgerkrieg, ja Widerstand gegen die Besatzung erschien nicht nur dem Militär und der Polizei, sondern auch breiten Kreisen der Bevölkerung eher suspekt; Militär und Polizei dominierten im Staat und untergruben die Rechtssicherheit nicht nur durch illegale Praktiken (Wahlbeeinflussung, Einschüchterung und Bedrohung von Bürgern, Presseorganen, Gewerkschaften), sondern erhielten auf legalem Wege Rechte und Vollmachten, die polizeistaatliche Freiheitsbeschränkungen, Willkür und Machtmißbrauch erlaubten. Dieser Zustand wurde noch dadurch verschlimmert, daß die liberalen Gruppierungen bis 1961 zu keiner Partei und auch zu keiner dauerhaften Koalition zusammenfanden. Weder der außenpolitisch versierte Opportunist Sofoklis Venizelos, noch der lautere, aber in der politischen Praxis überraschend schwache Plastiras, noch Papandreou, der sich im Zerfallsprozeß des liberalen Lagers selbst isolierte, konnten das Zentrum integrieren. Die liberale Mehrheit in den Wahlen von 1950 und 1951[1] führte nicht zur Bildung einer stabilen Regierung, die den Folgelasten der Kriegsjahre und den innenpolitischen Auseinandersetzungen gewachsen gewesen wäre. 1952 begann mit dem Wahlsieg der Griechischen Sammlung, einer breiten Koalition konservativer Gruppen unter dem inzwischen pensionierten Marschall Papagos, die zwölfjährige Phase der Präponderanz der Rechten. Die polizeistaatlichen Maßnahmen begünstigten die Verselbständigung von Exekutivorganen, die sich der politischen Kontrolle bald weitgehend entzogen[2].

Nach Papagos' Tod (5. X. 1955) beauftragte König Paul unerwartet am 6. X. 1955 den Verkehrsminister Konstantinos Karamanlis mit der Regierungsbildung und kam damit der Meinungsbildung in der Fraktion über die künftige Führung zuvor. Aus der Mehrheit der Sammlung bildete sich unter Karamanlis' Führung die Nationalradikale Union (ERE), die sich auch liberalen Politikern öffnete und in Struktur und Programmatik modernere Züge als die Sammlung aufwies. Bei seinen energischen Versuchen, das Land zu modernisieren, die Wirtschaft zu entwickeln sowie im festen Bündnis mit den USA und der NATO militärische Sicherheit und finanzielle Hilfe zu finden, erzielte Karamanlis große Erfolge. Außenpolitisch gelang es ihm, die jahrelangen Kämpfe zypriotischer Gruppen durch die Errichtung einer unabhängigen Republik Zypern unter griechischer, türkischer und britischer Garantie (Londoner Vertrag vom 23. II. 1959) ein vorläufiges Ende zu setzen[3]. Doch blieb seine lange Regierungszeit (1955–1963) von immer schärferen Kontroversen mit der Opposition über die

h) Die Nachkriegsjahre

Grundlagen des Rechtsstaats überschattet. Ihren Höhepunkt erreichten die Auseinandersetzungen im Dauerprotest der unter Papandreou zur Zentrumsunion (EK) vereinigten liberalen und sozialdemokratischen Parteien gegen die umfangreichen Wahlfälschungen durch die Administration 1961[4] und während der Untersuchung des Mordes an Grigorios Lambrakis, einem mit der kommunistischen Ersatzpartei EDA zusammenarbeitenden Abgeordneten, durch eine Terrororganisation der extremen Rechten im Mai 1963, in der hohe Polizeioffiziere schwer belastet wurden.

Nach dem Rücktritt von Karamanlis wegen Meinungsverschiedenheiten mit König Paul, der offensichtlich einen Ausgleich durch Verständigung mit dem rechten Zentrum anstrebte, wurde der Weg zu Neuwahlen am 3. XI. 1963 frei, in denen die Zentrumsunion 42,04 % der Stimmen, aber nur die relative Mehrheit der Parlamentssitze erhielt, so daß nach Ablehnung einer Koalition mit der ERE durch Papandreou Neuwahlen am 16. II. 1964 stattfanden, in denen der Zentrumsunion 52,72 % der Stimmen und 171 von 300 Mandaten zufielen[5]. Karamanlis zog sich nach Paris zurück. Die Politik Papandreous richtete sich darauf, durch eine zügige Liberalisierung den Rechtsstaat wiederherzustellen und die Wirtschaft durch Konsumausweitung anzukurbeln. Das Widerstreben von Militär, Polizei und dem jungen König Konstantin II. gegen den neuen Kurs verursachte eine latente Krise. Schließlich führte die Aufdeckung einer nie einwandfrei untersuchten, durch gefälschte Unterlagen aufgebauschten Konspiration einiger Offiziere mittlerer Ränge zum Schutz der Demokratie *(Aspida)*, in die Papandreous Sohn Andreas verwickelt gewesen sein soll, zum offenen Verfassungskonflikt mit Konstantin II., in dem der König gegen Buchstaben und Sinn der Verfassung sein Mitspracherecht bei Auswahl und Entlassung der Ressortminister und bei der Führung der Streitkräfte durchsetzen wollte[6]. Nach dem erzwungenen Rücktritt Papandreous am 15. VII. 1965 experimentierte der König mit Minderheitskabinetten aus abtrünnigen Zentrumsabgeordneten; die aufgewühlte Öffentlichkeit, die fast täglich Massendemonstrationen und Straßenkrawalle erlebte, kam nicht zur Ruhe, bis ERE-Chef Panajotis Kanellopoulos nach einer Verständigung mit Papandreou der Minderheitsregierung des Stefanos Stefanopoulos 1967 das Vertrauen entzog. Doch kam den für Mai ausgeschriebenen Neuwahlen und einer geplanten politischen Aktion der Generäle der Putsch einer kleinen, seit Jahren bestehenden Verschwörergruppe im Militär um den Obersten Georgios Papadopoulos am 21. IV. 1967 zuvor.

Belagerungszustand und Militärtribunale, Massenverhaftungen und -deportationen auf die KZ-Inseln Jaros und Leros, brutale Folterungen Gefangener, die Säuberung von Militär, Verwaltung, Universitäten und Kirche sowie die rigorose Knebelung der Presse waren die Methoden, mit denen sich das Regime gegen die wachsende Opposition von den Royalisten bis zu den Kommunisten durchzusetzen versuchte[7]. Nachdem der Gegenputsch des Königs im Dezember 1967, der im übrigen keineswegs mit demokratischen Zielen inszeniert wurde, gescheitert und Konstantin nach Rom geflüchtet war, trat Papadopoulos, vom Zwang zur Rücksicht nunmehr frei, als Diktator offen in Erscheinung, säuberte die Armee von royalistischen Offizieren und ermöglichte den raschen Aufstieg niederer und mittlerer Offiziere provinzieller Herkunft, die der als »ineffektiv« kritisierten parlamentarischen Demokratie und den alten Eliten ablehnend gegenüberstanden, der Diktatur aber alles verdankten. Da das Regime keine breite Unterstützung fand, die zur Bildung einer Organisation oder Partei hätte führen können, förderte es loyale und unkritisch-scheinloyale Karrieristen aller Schattierungen. Der Versuch einer beschleunigten Industrialisierung mißlang wegen der Folgen des innenpolitischen Kurses, der katastrophalen Finanzpolitik und dem mangelhaften Vertrauen ausländischer Investoren, deren tatsächliche Aktivität Anhänger und Gegner des Regimes propagandistisch überzeichnet haben. Obwohl die Kritik des Auslands, insbesondere der skandinavischen und der Benelux-Staaten, an den Zuständen in Griechenland nicht nachließ und Athen 1969 aus dem Europarat austrat, um einem Ausschluß wegen Verletzung der Menschenrechte zuvorzukommen[8], konnte das Regime nach einer vorübergehenden Sperre der Lieferung schwerer Waffen durch die USA mehr und mehr auf die Bereitschaft des amerikanischen Verbündeten und der NATO, aber auch der kommunistischen Staaten zur Kooperation rechnen.

Die 1968 durch eine »Volksabstimmung« mit Wahlterror und -fälschungen erlassene Verfassung trat nie zur Gänze in Kraft. Nach einem mißglückten Putsch der Marine rief Papadopoulos am 1. VI. 1973 die Republik aus, zu deren erstem Präsidenten er sich machte. Nachdem er durch eine neue Verfassung das autoritäre Regierungssystem vielfach abgesichert und seine Mitverschwörer von 1967 pensioniert hatte, plante er, durch die Berufung des ehemaligen Führers der Fortschrittspartei, Spiros Markezinis, zum Ministerpräsidenten (6. X. 1973) und die Ankündigung freier Wahlen, die Diktatur in eine Präsidialherrschaft mit pseudodemokratischer Dekoration umzuwandeln. Als sich im November 1973 aus Anlaß aktueller hochschulpolitischer Probleme ein Streik der Studenten der Technischen Universität Athen zu einer von der Bevölkerung mitgetragenen Erhebung ohne Waffen ausweitete und zu hemmungslosen Schießereien von Polizei und Militär in der Hauptstadt führte, wurde Papadopoulos unter maßgeblicher Beteiligung des berüchtigten Chefs der Militärpolizei Ioannidis am 25. XI. abgesetzt.

Die neue Kollektivdiktatur konnte sich nicht stabilisieren, vielmehr zerfiel der Staat in schlecht koordinierte Herrschaftsbereiche der einzelnen am Regime beteiligten Gruppen und Cliquen. Der von Athen befohlene und von den auf Zypern dienenden griechischen Offizieren am 15. VII. durchgeführte Putsch gegen Präsident Makarios brachte das Land an den Rand der Katastrophe: Die Türkei nutzte, als England die Chance zu einer gemeinsamen Aktion vorübergehen ließ, die Gunst der Stunde zur Invasion Zyperns und brachte zunächst einen schmalen Korridor zur Hauptstadt, nach dem Scheitern der Genfer Verhandlungen jedoch am 14. VIII. etwa 40 % des Territoriums der Insel, auf der nur etwa 18 % der Bevölkerung Türken sind, unter ihre Kontrolle. Die Junta ordnete die Generalmobilmachung an, möglicherweise, um einen von der Generalität schließlich verhinderten Präventivschlag gegen den Nachbarn zu führen, verlor aber die Kontrolle über das in voller Kriegsstärke nicht mehr loyale Heer und suchte unter dem Druck der Armeekommandeure den Rat der Politiker, als ihr auch die außenpolitische Krisensteuerung entglitt. Am 24. VII. 1974 übergab das Militär dem aus Paris gerufenen Karamanlis die Regierung, wobei die Junta auf einen schonenden Ausgleich in einem autoritären Staat gehofft zu haben scheint. Doch Karamanlis führte, in den ersten Tagen allein auf das mobilgemachte Heer und den Konsens aller Parteien gestützt, das Land mit Umsicht und taktischem Geschick zur parlamentarischen Demokratie zurück.

Durch die Erfahrungen der Griechen im Bürgerkrieg, der Nachkriegszeit, der Krise der Demokratie und der Diktatur hat sich die politische Lage grundlegend verändert; die Entwicklung der Wirtschaft, insbesondere die fortschreitende Industrialisierung und die Beschäftigung Zehntausender im europäischen Ausland, führt zu tiefgreifendem sozialen Wandel. Die früher von den einen in Erinnerung an Metaxas zum Schutz der nationalen Interessen, von den anderen als

h) Die Nachkriegsjahre

Motor der Entwicklung empfohlene Diktatur ist durch das Papadopoulos-Regime völlig diskreditiert und als politische Alternative aus der Diskussion ausgeschieden. Die Verfolgung aller Demokraten 1967–1974, der mutige Widerstand der Rechten, die Integrität hoher Offiziere, die der Folterung und der Deportation nicht entgangen sind, hat unter den politischen Parteien ein neues Vertrauensverhältnis begründet, die Spaltung der KPG in drei Parteien – die maoistische Revolutionäre KP, die der KPdSU nahestehende KP Ausland und die sich scharf gegen beide absetzende KP Inland – trägt zum Abbau der durch die Polarisierung der fünfziger und sechziger Jahre erzeugten Spannungen bei. Die überwältigende Stimmenmehrheit für die Republik in einem von der Regierung unbeeinflußten Plebiszit über die Staatsform – nur in zwei Wahlkreisen ergab sich eine Mehrheit für das Königtum – dokumentiert das Urteil des Volkes nicht nur über die Person des letzten Königs, der ebenso wie seine Vorgänger Konstantin I. 1915–1917 und Georg II. 1936 massiv in die Innenpolitik eingegriffen hatte und für die Krise 1965–1967 verantwortlich gemacht wurde, sondern auch über die Institution, die sich als überparteilicher Garant der Verfassung nicht bewährt hat. Die Erbitterung über die juntafreundliche Politik der USA führte zur stärkeren Anlehnung an die europäischen Länder, deren Wirtschaftsgemeinschaft Griechenland als Vollmitglied beitreten will. Angesichts der Unfähigkeit der NATO-Verbündeten, im letzten Zypernkonflikt einzugreifen und den türkischen Vormarsch zu bremsen, entzog Karamanlis das griechische Militär dem NATO-Kommando. Die Putschisten von 1967 und ihre Folterknechte wurden abgeurteilt, Junta-Beauftragte aus Heer und Universitäten entlassen. Obwohl die situationsbedingte Verzögerung dieser Maßnahmen und die Anwendung strenger rechtsstaatlicher Normen in allen Verfahren Kritik hervorrief, besteht auch bei der Linken kein Zweifel an den Vorsätzen des Ministerpräsidenten, der die schweren Schäden der Verwaltungspraxis seiner früheren Regierungsjahre erkannt und das seltene und überzeugende Beispiel ungewöhnlicher Lernfähigkeit gegeben hat.

---

[1] Am 4. III. 1950 erhielten die Liberale Partei (Sofoklis Venizelos), die Nationale Fortschrittsunion des Zentrums EPEK (Nikolaos Plastiras/Emmanouil Tsouderos) und die Partei Papandreous 44,35 % der Stimmen und 136 von 250 Mandaten, am 9. IX. 1951 entfielen 42,53 % der Stimmen und 131 von 258 Sitzen auf EPEK und Liberale. Statistik bei *Meynaud,* Annexe.

[2] Als schlimmer Auswuchs dieser Entwicklung wurden allgemein die polizeilichen »Bescheinigungen der sozialen Gesinnung« angesehen, die bei der Anstellung im öffentlichen Dienst, bei juristischen Personen öffentlichen Rechts, in von der öffentlichen Hand geförderten Instituten, Versicherungskassen und Genossenschaften, bei der Immatrikulation an Hochschulen, bei Anträgen auf Reisepässe und Invalidenausweise vorzulegen waren. Dabei hatten die Polizeiorgane »Informationen über die soziale Gesinnung, das Verhalten und die allgemeine Hingabe des Antragstellers und seines unmittelbaren familiären Milieus (Eltern und Geschwister) an die nationalen Ideale« auszuwerten: Zirkular 1953/1954 des Innenministeriums.

[3] Zur Zypernfrage s. *S. G. Xydis,* Cyprus: Conflict and Conciliation 1954–1958 (1967). Σ. *Παπαγεωργίου,* Ἀρχεῖον τῶν παρανόμων ἐγγράφων τοῦ Κυπριακοῦ ἀγῶνος 1955–1959 (1962). *F. G. Maier,* Cypern: Urban TB 81 (1964), S. 128–172; Survey of International Affairs 1954 (1957). *N. Crawshaw,* Cyprus. Local and International Aspects of the Conflict (1964). *L. Dischler,* Die Cypernfrage (1960). *F. K. Kienitz,* Die neue Republik Cypern. Tatsachen und Probleme (1960).

[4] Eine große Zahl von Polizisten wurde später abgeurteilt. Die Belege der liberalen Opposition für ihre Vorwürfe sind zusammengestellt in dem Schwarzbuch Μαύρη βίβλος. Τὸ

§ 31 Griechenland vom Lausanner Frieden bis zum Ende der Obersten-Diktatur

χρονικὸν τοῦ ἐκλογικοῦ πραξικοπήματος τῆς 29-10-1961 (1962).
5 Die von Politikern der EDA aufgegriffene, in den folgenden Jahren immer wieder vorgebrachte Behauptung der Rechten, der Wahlsieg des Zentrums 1964 sei der Tatsache zu verdanken, daß die EDA zugunsten der EK nicht in allen Wahlkreisen Kandidaten aufgestellt habe, ist unzutreffend. Tatsächlich hat die EDA zwar in Wahlkreisen, in denen sie chancenlos war, auf eigene Kandidaten verzichtet. Aber für den Sieg des Zentrums, das im Vergleich zu 1963 462 398 Stimmen hinzugewann, reichten schon die Stimmenverluste der ERE aus, die 389 812 Stimmen betrugen, während die EDA nur 126 402 Stimmen einbüßte. In Anbetracht der geringeren Wahlbeteiligung 1964 sichert allein die Abwanderung von ERE-Wählern dem Zentrum über 51 % der Stimmen. Von 132 Mandaten (1963) verlor die ERE 25 an das Zentrum, das damit die absolute Mehrheit hatte, die EDA dagegen nur 6, davon drei bei der zweiten und dritten Reststimmenverteilung! Statistik bei *Meynaud,* Annexe.
6 Text des berühmten Briefwechsels zwischen Papandreou und Konstantin II. in der Julikrise sowie der Kronrats-Sitzungen: Φῶς εἰς τὴν πολιτικὴν κρίσιν ποὺ συνεκλόνισε τὴν Ἑλλάδα (1965).
7 Aus der Literatur wissenschaftlich brauchbar nur *P. Bakojannis,* Militärherrschaft in Griechenland (1972), Tle. 2–4. Teil 1 (Struktur und Entwicklung der griechischen Gesellschaft) ist, von den Mängeln der theoretischen Konzeption abgesehen, schon wegen der unzulänglichen und z. gr. T. unzutreffenden historischen Auslassungen wertlos.
8 Council of Europe: Report of the European Commission of Human Rights. Bd. I/II, Nr. 15 707/1–4 (1969). Über die internationale Reaktion informiert *A. Skriver,* Soldaten gegen Demokraten. Militärdiktatur in Griechenland (1968). Der Einfluß der USA ist nur bei *Bakojannis* sorgfältig und präzise herausgearbeitet; die Pauschalurteile in der übrigen Literatur sind wertlos.

§ 32 Die Türkei als Nationalstaat seit der Revolution Mustafa Kemal (Atatürk)s 1920–1974

Von Gotthard Jäschke

Quellen
Resmî Gazete (Amtsblatt, 1921–1970).
Düstur (Gesetzessammlung, 3. Reihe 1920–1970).
La Législation Turque (1920–1970).
G. *de Martens,* Nouveau Recueil Général de Traités Internationaux, 3. Reihe.
Ayin Tarihi (Geschichte des Monats, 1923–1931, 1934–1954).

Literatur
Geschichte der Türkischen Republik (1935).
Gazi Mustafa Kemal Pascha, Die neue Türkei 1919–1927 (1934).
Atatürk'ün söylev ve demeçleri (Reden und Ansprachen Atatürks, 1959–1972).
UNESCO (Hg.), Atatürk (= Übersetzung von Heft 10 der İslâm Ansiklopedisi [Enzyklopädie des Islam] 1949) (1963).

Die Endzeit des Osmanischen Reiches (s. Bd. VI, S. 545) und die Entstehung der Türkei als Nationalstaat überschneiden sich insoweit, als Mustafa Kemal Pascha, ihr Gründer, am 16. V. 1919 vom Sultan als Generalinspekteur der 9. Armee nach Anatolien entsandt wurde, um lokale Unruhen im Gebiet von Samsun zu unterdrücken und die Demobilmachung im Osten der Türkei zu überwachen[1]. Stattdessen rief er zu einer nationalen Bewegung auf, wobei er ausdrücklich anordnete, daß die Verwaltung im Namen des Sultans fortzuführen sei. Zum endgültigen Bruch kam es erst nach der offiziellen Besetzung Konstantinopels durch die Alliierten am 16. III. 1920 und der ihr folgenden Auflösung des osmanischen Parlaments, die Mustafa Kemal zur Wahl und Einberufung einer »Großen Nationalversammlung« in Ankara veranlaßte.

Der feierliche religiöse Rahmen, mit dem er ihre Eröffnung (23. IV. 1920) umgab[2], und die als ihr Ziel bezeichnete »Befreiung des Sultanats und Kalifats« (29. IV.) sowie ein von 153 Müftis unterzeichnetes *Fetva* (Rechtsgutachten) über die Heiligkeit des nationalen Kampfes[3] sollten es erleichtern, die von der Sultansregierung im Innern Anatoliens entfesselten Aufstände zu unterdrücken. Dies gelang indessen endgültig erst mit Hilfe von Freiwilligen, die man von der griechischen Front herbeiholte. Obwohl der Sultan weiterhin als Staatsoberhaupt galt, das bloß »in die Hände der Feinde gefallen« sei[4], überzeugte sich das Parlament von der Notwendigkeit einer Regierungsbildung. Mustafa Kemal zeigte sie allen Außenministerien an (30. IV.)[5]. Hierauf beeilte sich Frankreich, einen zwanzigtägigen Waffenstillstand zu schließen[6]. Italien leistete von seinem Besatzungsgebiet (Adalia-Zone) aus[7] den Kemalisten wertvolle Dienste. Außer der offenkundigen Kriegsmüdigkeit der Alliierten konnte Mustafa Kemal ihre Uneinigkeit in Rechnung stellen. Er merkte auch bald, daß England die Sympathie der Sultansregierung keineswegs erwiderte[8]. Die harten Friedensbedingungen waren geeignet, die letzten Reste ihrer Autorität zu zerstören. Doch auch das türkische Volk war von den fast zehnjährigen Kriegen erschöpft. Die neue Kraftprobe, die Mustafa Kemal ihm nun zumutete, nötigte ihn daher zur Zusammenarbeit mit Sowjetrußland[9].

§ 32 Die Türkei als Nationalstaat seit der Revolution Mustafa Kemal (Atatürk)s

Die Verhandlungen darüber zogen sich ein ganzes Jahr hin. Sie wurden zuerst durch russisch-armenische Abkommen, dann durch den türkisch-armenischen Krieg (Friede von Gümrü [Alexandropol], 2. XII. 1920)[10] und den Streit um Batum gestört. Dem wiederholten Eingreifen Lenins und Stalins ist es zu verdanken, daß am 16. III. 1921 der »Freundschafts- und Brüderlichkeitsvertrag« in Moskau unterzeichnet werden konnte. Eine nur leichte Trübung der herzlichen Beziehungen bewirkte die kurz vorher von Mustafa Kemal für erforderlich gehaltene Unterdrückung der kommunistischen Propaganda in Anatolien[11]. Diese Maßnahme ergänzte die straffe Disziplinierung der Freiwilligentruppen, die bei der griechischen Offensive vom Sommer 1920 zurückgewichen waren. Die neu organisierte Nationalarmee unter Ismet Pascha errang ihre ersten Erfolge in den Gefechten von Inönü (10. I. und 30. III. 1921). Dank russischer und anderer Waffenlieferungen wurde sie so gefestigt, daß sie in der Schlacht am Sakarya (23. VIII.–13. IX.) ihre Bewährungsprobe bestand.

Nun schloß Frankreich mit der Ankara-Regierung einen Vertrag (20. X.), der einem Sonderfrieden gleichkam und deshalb in London Bestürzung hervorrief. Immerhin war das Foreign Office jetzt bereit, sämtliche in Malta internierten Türken gegen Oberstleutnant Rawlinson und einige andere Offiziere freizulassen (Abkommen vom 23. X.), nachdem der neue Oberbefehlshaber in Konstantinopel, Sir Charles Harington[12], schon im Mai seine Neutralität erklärt hatte. England und Frankreich konnten sich aber noch nicht entschließen, auf gewisse Vorteile des Vertrags von Sèvres und seiner Nebenabkommen zu verzichten, ebensowenig wie Griechenland sich aufraffte, das anatolische Abenteuer zu liquidieren (Revisionskonferenzen von London 1921 und Paris 1922). Trotz dauernder Verschlechterung seiner Aussichten ermutigte es Lloyd George noch am 4. VIII. 1922 zur Fortsetzung des Krieges. So wurde Griechenlands vollständiger Zusammenbruch unvermeidlich. Binnen wenigen Tagen drang die türkische Armee bis nach Smyrna (Izmir) vor (9. IX.). Ein drohender Zusammenstoß mit britischen Truppen an den Dardanellen wurde dank der taktvollen Festigkeit Haringtons und der Mäßigung Mustafa Kemals vermieden. Dem Waffenstillstand von Mudanya (11. X.) folgten der Sturz von Lloyd George, dessen verfehlte Türkeipolitik offenkundig geworden war, und die Übernahme Ostthrakiens durch den mit unerhörtem Jubel in Istanbul empfangenen General Refet Pascha (19. X.). Da die Westmächte auch die Schattenregierung des Sultans zur Friedenskonferenz einluden, schaffte die Große Nationalversammlung am 1. XI. das »seit dem 16. III. 1920 der Geschichte angehörende« monarchische System ab. Zum »Kalifen«, aber ohne jegliche Herrschaftsrechte, wählte sie am 18. XI. (nach der Flucht Mehmeds VI. auf ein englisches Kriegsschiff) den Thronfolger Abdülmecid[13].

Auf der am 20. XI. 1922 in Lausanne eröffneten Konferenz[14] verlangte Ismet Pascha nach dem Grundsatz der Gleichberechtigung die Anerkennung der schon mit Wirkung vom 1. X. 1914 dekretierten Aufhebung der Kapitulationen. Die schließliche Annahme dieser Forderung: Artikel 28 im Friedensvertrag von Lausanne, der (nach vorübergehender Unterbrechung der Verhandlungen durch Lord Curzon) am 24. VII. 1923 unterzeichnet wurde[15], bedeutete die in Paris noch 1856 kaum für möglich gehaltene wirkliche Aufnahme der Türkei als Vollmitglied in das »Konzert der europäischen Nationen«. Mit Griechenland hatte die Türkei bereits am 30. I. 1923 zwei Sonderabkommen über den Austausch der Kriegs- und Zivilgefangenen und der noch nicht geflohenen griechisch-orthodoxen türkischen Staatsangehörigen (außer in Istanbul) gegen die Muslime Griechenlands (mit Ausnahme von Westthrakien) geschlossen[16]. Eine geringfügige

§ 32 Die Türkei als Nationalstaat seit der Revolution Mustafa Kemal (Atatürk)s

Einschränkung ihrer Unabhängigkeit durch das Meerengenabkommen[17] (Entfestigung, freie Durchfahrt für Handelsschiffe und teilweise Kriegsschiffe) erschien ihr erträglicher als Rußland, das sich hierdurch bedroht fühlte.

Noch während der Konferenzpause bekundete Mustafa Kemal auf einer großen Vortragsreise durch Westanatolien[18] und auf dem Wirtschaftskongreß von Izmir (17. II.–4. III. 1923) seine Absicht, den Vorsprung Europas in Wirtschaft und Technik möglichst bald einzuholen. Mit den Worten »Wir werden uns in die modernste Nation verwandeln« leitete er die neue Kulturpolitik ein. Nach dem Abzug der alliierten Truppen aus Istanbul (2. X.) erhob er Ankara endgültig zur Hauptstadt der Türkei (13. X.). Kurz darauf vollzog er mit der Ausrufung der Republik (29. X.)[19] den entscheidenden Schritt auf dem Wege vom islamischen Kulturverband zur europäischen Zivilisation. Denn neben einem »Präsidenten der Republik« hatte ein »Kalif« keinen Platz mehr. So mußte zwangsläufig diesem Akt die Abschaffung des Kalifats (3. III. 1924) und die Ausweisung aller Mitglieder der Dynastie Osman folgen[20]. Gleichzeitig beschloß die Nationalversammlung die Aufhebung der geistlichen Schulen *(medrese)* und etwas später (8. IV.) diejenige der Scheriatgerichte. Der Islam blieb nach der Verfassung vom 20. IV. vorläufig noch die Staatsreligion[21]. Im Kampfe mit der muslimischen Reaktion, die in der Gründung der oppositionellen »Fortschrittspartei« (9. XI.) sichtbaren Ausdruck fand, die aber bald im Zusammenhang mit einem Kurdenaufstand verboten wurde (3. VI. 1925), ergingen Gesetze gegen den »Mißbrauch der Religion zu politischen Zwecken« und zur »Aufrechterhaltung von Ruhe und Ordnung« durch Sondergerichte. Unbekümmert um die in geistlichen Kreisen wachsende Mißstimmung setzte Mustafa Kemal seinen Feldzug für den Anschluß der Türkei an das Abendland fort. Als wichtig erschien ihm die Einführung der europäischen Kopfbedeckung und Kleidung. Auch legte er großen Wert auf die Befreiung der Frau aus sozialen Fesseln und religiösen Vorurteilen und ihre Eingliederung in das Berufs- und Gesellschaftsleben, die schon zur Jungtürkenzeit begonnen hatte, nun aber im Sturmschritt vollendet werden sollte[22]. Dabei zeigte er indessen Zurückhaltung gegenüber der besonders in den Kleinstädten zäh verteidigten Sitte des Frauenschleiers[23]. Dagegen kannte er keine Milde zugunsten der Derwischorden, die ihm ebenso wie der Fes als Zeichen der Rückständigkeit erschienen. Ihre Versammlungsräume *(tekye* oder *zaviye)* ließ er versiegeln, desgleichen die bewachten Mausoleen *(türbe)* und ihre religiösen Übungen *(zikir)* sogar in Privathäusern verbieten. Das berühmte Hauptkloster der »tanzenden Derwische« *(Mevlevi)* in Konya ebenso wie dasjenige der *Bektaschi* in Hacı Bektaş wurden in Museen umgewandelt, desgleichen 1935 die *Aya Sofya,* die einstige Sophienkirche in Istanbul. Nach Einführung der »internationalen« (christlichen, statt der bisherigen modifizierten muslimischen) Jahreszählung (1. I. 1926)[24] übernahm er das schweizerische Zivil- und Obligationenrecht, deutsches Handels- und italienisches Strafrecht. Am 4. X. 1926, an dem das neue Zivilrecht in Kraft trat, wurde das erste Denkmal Mustafa Kemals (in europäischer Kleidung) in Istanbul enthüllt. Dem Studium des neuen Rechts diente die 1925 in Ankara errichtete Rechtsschule.

Nach Verdrängung des Islams aus seiner beherrschenden Stellung im öffentlichen und privaten Leben fand die Verweltlichung des Staates (Laïzismus) auch in der Verfassung Ausdruck: alle religiösen Bestimmungen wurden daraus entfernt (Gesetz vom 8. IV. 1928). Kurz darauf beschloß die Nationalversammlung den Gebrauch der internationalen, in Europa »arabisch« genannten Ziffern und am 1. XI. die Annahme eines leicht modifizierten Lateinalphabets. Mustafa Kemal setzte sich für diese Reform, die das Analphabetentum bekämpfen sollte, mit seiner ganzen Persönlichkeit ein. Sie bedeutete ihm die entschiedenste Annäherung an die europäische Zivilisation, deren Vorzüge er seinem Volke sichern wollte. Das Verbot des öffentlichen Unterrichts in arabischer Schrift und ihrer Benutzung in türkischen Drucken verbannte die ganze bisherige Literatur in Bibliotheken, in denen sie nur der allmählich absterbenden älteren Generation zugänglich bleibt. Arabisch und Persisch wurden im Herbst 1929 aus dem Lehrplan der höheren Schulen gestrichen.

Als natürliche Folge der Schriftreform ergab sich die »Reinigung« der Sprache. An Stelle der großen Zahl arabischer und persischer Fremd- und Lehnwörter im Osmanischen sollten türkische Dialektausdrücke und Neologismen treten, wie sie Ismet Pascha in einer Rede vom 17. II. 1929 erstmalig prägte. Zum Zwekke einer systematischen Sprachreform bildete Mustafa Kemal 1932 die »Gesellschaft zur Erforschung der türkischen Sprache«. Ein Versuch, das Türkische auch im islamischen Ritus einzuführen, blieb auf den Gebetsruf *(ezan)* beschränkt. Schon vorher (1931) hatte er die »Gesellschaft zur Erforschung der türkischen Geschichte« gegründet. Sie sollte vor allem die vorislamische Vergangenheit der Türken aufhellen, für die sich schon Ziya Gökalp begeistert hatte. Daneben förderte er die Bestrebungen, die türkische Musik nach den Regeln abendländischer Formenlehre zu vervollkommen. Zur Pflege der Volkskunde (Folklore) einerseits und als Erziehungsmittel zur Europäisierung in Kunst und Wissenschaft andererseits schuf er 1932 die »Volkshäuser« *(halkevleri)*. Die Universität Istanbul wurde 1933 nach europäischen Vorbildern modernisiert, in Ankara als Grundstock einer Universität eine mit deutschen Professoren besetzte Landwirtschaftliche Hochschule eröffnet. Im Jahre 1934 machte ein Gesetz die Annahme von Familiennamen obligatorisch. Die Nationalversammlung verlieh Mustafa Kemal den Namen Atatürk (Vater der Türken). Er selber gab Ismet Pascha den Namen Inönü nach dem Orte, bei dem er die ersten Siege über die Griechen errungen hatte. Alle nichtmilitärischen Titel wurden abgeschafft, vor allem solche von religiöser Bedeutung, das Tragen geistlicher und paramilitärischer Kleidung in der Öffentlichkeit verboten. Die Frauen erhielten das Stimmrecht bei den Parlamentswahlen (für Stadträte schon 1930). Endlich verlegte er die (dem Islam unbekannte) Wochenruhe vom Freitag (1924) auf den Sonntag (1935). Die nach Schließung der höheren Islamschulen *(medrese)* eingerichteten Schulen für Vorbeter und Freitagsprediger *(imam ve hatib mektebleri)* mußten wegen ständigen Rückgangs der Hörerzahl aufgelöst werden. Im Lehrplan der Volksschulen, der zur Sultanszeit als höchstes Ziel das Auswendiglernen des Korans bezeichnet hatte, wurde der Religionsunterricht allmählich abgebaut und schließlich der Familie überlassen. Die von Mustafa Kemal geführte Republikanische Volkspartei hatte schon 1931 die Religion zur Gewissenssache erklärt[25]. Sein Versuch, zum Zweiparteiensystem überzugehen, scheiterte am Wiederaufleben der religiösen Reaktion[26]. Galt die Türkei früher als »Bannerträgerin des Kalifats« (so: Freundschaftsvertrag mit Afghanistan vom 1. III. 1921), so übernahm sie nun die Rolle einer »Lichtbringerin nach dem Osten«.

Modernes Wirtschaftsdenken, das man im Osmanischen Reiche den Ausländern und nichtmuslimischen Minderheiten überlassen hatte, machten sich seit dem Wirtschaftskongreß von Izmir immer mehr auch die Türken zu eigen. Mustafa Kemal hielt es zunächst für erforderlich, den Einfluß der Fremden in Handel und Wirtschaft möglichst auszuschalten. Da das türkische Privatkapital anfangs zu schwach war, mußte der Staat helfen. Im Haushalt wurden laufend wachsende Mittel bereitgestellt zur Errichtung von Fabriken und Ablösung fremder Konzessionen, zum Bau von Eisenbahnen und Häfen und zur Förderung der

§ 32 Die Türkei als Nationalstaat seit der Revolution Mustafa Kemal (Atatürk)s

Landwirtschaft durch Anschaffung von Traktoren und anderer Maschinen. Mit der Motorisierung des Verkehrs suchte der Straßenbau Schritt zu halten. Mit der Zeit nahm die Beteiligung des Staates an wirtschaftlichen Aufgaben einen solchen Umfang an, daß Atatürk durch seine Freunde Fethi Okyar und Celâl Bayar Wege suchen ließ, um die Privatinitiative zu begünstigen und rationellere Methoden in Staatsbetrieben anzuwenden[27].

Für die auswärtige Politik hatte Mustafa Kemal 1931 den Grundsatz aufgestellt: »Friede im Lande und Friede in der Welt.« Ohne die im Unabhängigkeitskriege bewährte Freundschaft mit der Sowjetunion aufzugeben, legte er nach der Entscheidung des Völkerbundsrates über die Zuteilung des Mossulgebietes an den Irak besonderen Wert auf Besserung der Beziehungen zu England (14. X. 1929 Empfang des Admirals Field)[28] und zu Griechenland, mit dem bei Gelegenheit eines Besuches von Venizelos in Ankara am 30. X. 1930 ein Freundschafts- und Neutralitätsvertrag geschlossen wurde. Weitere Verträge dieser Art mit Jugoslawien und Rumänien legten den Grund zum Balkanpakt (9. II. 1934), der sich gegen die Revisionswünsche Bulgariens richtete. Ihm folgte am 8. VII. 1937 der Pakt von Saadabad mit Iran, dem Irak und Afghanistan[29]. Mit Unterstützung Englands (gegen die Expansionspolitik Mussolinis!) erreichte die Türkei die Wiederbefestigung der Meerengen (20. VII. 1936 Vertrag von Montreux) und am 23. VI. 1939 die noch von Atatürk eingeleitete Rückgabe des Sandschaks von Alexandrette (Hatay)[30]. Eine lange Reihe von Freundschafts- und Handelsverträgen machte die Türkei zu einem geachteten Mitglied der europäischen Völkerfamilie, was auf der 1927 geschaffenen internationalen Messe von Izmir und mit der Aufnahme in den Völkerbund (18. VII. 1932) sichtbaren Ausdruck fand. König Amanullah und Schah Reza Pehlevi bewunderten bei Staatsbesuchen (1928 bzw. 1934) den wirtschaftlichen und kulturellen Fortschritt der Türkei. Als Atatürk starb (10. XI. 1938), schien ihre Zukunft gesichert zu sein[31].

Ismet Inönü, den die Nationalversammlung am 11. XI. zum Präsidenten der Republik wählte, sah sich bald vor die schwierige Aufgabe gestellt, das Staatsschiff durch die hochgehenden Wogen der europäischen Außenpolitik zu steuern. Er meisterte sie mit außerordentlichem Geschick. Nach der Besetzung Albaniens durch Italien (7. IV. 1939) ging er gern auf den Vorschlag Englands zur Bildung einer gemeinsamen Abwehrfront ein. Der gegenseitigen Beistandserklärung am 12. V. folgte nach Beilegung des Hatay-Streitfalles am 23. VI. eine entsprechende französisch-türkische Erklärung. Der Versuch, die Sowjetunion hinzuzuziehen, scheiterte an deren Forderung nach Vorrechten an den Meerengen[32]. Um zu vermeiden, daß die Türkei in einen offenen Konflikt mit ihr geriete, erreichte Inönü bei Abschluß des Beistandspakts von Ankara (19. X. 1939) die Beifügung eines Protokolls Nr. 2, das sie von allen Aktionen befreite, die eine solche Gefahr heraufbeschwören könnten. Er berief sich hierauf beim Eintritt Italiens in den Krieg (10. VI. 1940) und bei dessen Überfall auf Griechenland (28. X.). Als dann Deutschland in die Balkanhalbinsel eindrang, bewog er Bulgarien zur Abgabe einer Nichtangriffserklärung (17. II. 1941). Den von Hitler ihm angebotenen Freundschaftsvertrag nahm er »unter Vorbehalt der bestehenden Verpflichtungen« an (18. VI.)[33]. So blieb die Türkei mit England verbündet und mit Deutschland befreundet, was dem Protokoll des Außenministeriums einige Mühe verursachte. Noch schwieriger wurde die Lage, als die türkische Presse den deutschen Vormarsch nach Nordkaukasien 1942 mit unverhohlener Freude begleitete[34]. Inönü mußte schließlich zu Strafmaßnahmen gegen die »Turanisten« greifen. Daß es ihm gelang, auch nach Stalingrad allen Verlockungen der Alliierten zu wider-

1343

stehen, ist ein Meisterstück seiner Diplomatie[35]. Die Beteiligung am Kriege machte er von der Lieferung solcher Mengen Waffen und Munition abhängig, wie sie niemand abgeben konnte. Nur unter schärfstem Druck stellte er die für Deutschland lebenswichtige Chromausfuhr ein (1. V. 1944). Um an der Konferenz von San Francisco teilnehmen zu können, erklärte die Türkei Deutschland mit Wirkung vom 1. III. 1945 formell den Krieg, ohne sich indessen aktiv daran zu beteiligen. Kurz darauf (19. III.) kündigte die Sowjetunion den Neutralitätsvertrag vom 17. XII. 1925[36], weil er »den gegenwärtigen Verhältnissen nicht mehr entspreche und erheblicher Verbesserungen bedürfe«. Auf der Potsdamer Konferenz verlangte sie andeutungsweise und danach (7. VIII. 1946) in aller Form Verhandlungen über »gemeinsame Verteidigung der Meerengen«, außerdem mündlich die Rückgabe der Grenzgebiete von Kars, Ardahan und Artvin, die sie 1921 an die Türkei abgetreten hatte. Als England sich zu weiterer Finanzhilfe außerstande erklärte, bot die US-Regierung ihre Unterstützung an (Trumandoktrin 12. III. 1947). In der Folgezeit lieferte sie ihr für mehr als 1 Mrd. $ Kriegsmaterial und gab etwa die gleiche Summe für Straßen- und Hafenbauten, Talsperren und andere Objekte zur Hebung der Landwirtschaft und Erweiterung der Industrie. Auch der Marshall-Plan (5. VI. 1947) kam der Türkei zugute. Sie beteiligte sich am Pariser Abkommen über wirtschaftliche Zusammenarbeit (OEEC 16. IV. 1948) und wurde am 8. VIII. 1949 in den Europarat (Straßburg) aufgenommen[37].

Auf dem Wege zur Demokratisierung ging Inönü über Atatürk hinaus. Nach Umwandlung der noch von diesem gebildeten »Unabhängigengruppe« (1931) in eine verstärkte »Fraktion« (1943) erklärte er am 19. V. 1945, daß die Zeit reif sei für »normale demokratische Methoden«. Hierauf gründeten Celâl Bayar, Adnan Menderes u. a. die Demokratische Partei (7. I. 1946)[38]. Als diese bei den Wahlen desselben Jahres nur 62 Mandate erhielt, versprach Inönü strenge Neutralität aller Staatsbehörden (12. VII. 1947) gegenüber den Parteien, zu denen 1948 noch die Nationalpartei kam. Von größerer Bedeutung war jedoch zunächst die Kritik innerhalb der Volkspartei, besonders auf religiösem Gebiet. Ohne den weltlichen Charakter des Staates (Laïzismus) anzutasten, setzte sich die Überzeugung durch, daß infolge des Mangels an Geistlichen und wegen der unzulänglichen religiösen Erziehung der Jugend die Sittenlosigkeit um sich greife und die kommunistische Propaganda gefährlich werden könne, zumal da mit der Zeit eine Industriearbeiterschaft entstanden war. Deshalb wurden Anfang 1949 wieder Kurse für Vorbeter und Freitagsprediger eingerichtet und für die obersten Klassen der Grundschule Religionsstunden. Der Universität Ankara wurde eine Theologische Fakultät angegliedert. Einzelne bewachte Mausoleen von historischem Wert gab man zur Besichtigung wieder frei. Um aber dem an solchen Stätten früher üblichen Aberglauben und überhaupt der religiösen Reaktion vorzubeugen, beschloß die Nationalversammlung ein Gesetz zum Schutze des Laïzismus[39].

Nach dem überraschend großen Sieg der Demokratischen Partei bei den Wahlen vom 14. V. 1950 wurde Celâl Bayar zum Präsidenten der Republik gewählt. Er ernannte A. Menderes zum Ministerpräsidenten, der mit zumeist unerfahrenen Kräften[40] die Regierung bilden mußte. Ihre erste Amtshandlung betraf die Wiedergestattung des arabischen Gebetsrufes. Trotz Beteuerung, an den übrigen Reformen Atatürks nicht rütteln zu lassen, fiel es ihm schwer, sich der zunehmenden Kritik an ihnen zu erwehren. Als einzelne sogar es wagten, das Andenken Atatürks herabzusetzen, sah er sich genötigt, es unter gesetzlichen Schutz zu stellen (25. VII. 1951). Die religiös-reaktionäre Propaganda nahm einen bedrohlichen Umfang an, als Angehörige des erst 1936 in die Türkei eingedrungenen *Ti-*

§ 32 Die Türkei als Nationalstaat seit der Revolution Mustafa Kemal (Atatürk)s

caniya-Ordens Atatürk-Denkmäler beschädigten. Die Nationalpartei wurde wegen reaktionärer Propaganda verboten. An ihre Stelle trat 1954 die Republikanische Nationalpartei, die sich 1958 mit der 1952 gegründeten Bauernpartei vereinigte. Auch in bezug auf die Gleichberechtigung der Geschlechter zeigten sich rückschrittliche Tendenzen. Der Besuch der Mädchenschulen nahm ab, dagegen die Zahl der verschleierten Frauen zu. Wie schon Atatürk und Inönü, so war auch Bayar gezwungen, die vor dem *Imam* geschlossenen Ehen als rechtswirksam anzuerkennen[41]. In dem immer heftigeren Kampf gegen die Volkspartei baute die Regierung Menderes revolutionäre Errungenschaften wie die Volkshäuser und Dorfinstitute[42] ab. Ihr Sieg bei den Wahlen von 1954 (92 % der Mandate) verleitete sie zu noch undemokratischeren Methoden. Publikationsvergehen wurden mit hohen Strafen geahndet, politische Versammlungen nur noch vor Wahlen gestattet. Die Türkisierung der Sprache wurde abgestoppt (1952 Reosmanisierung der Verfassung).

In der auswärtigen Politik setzte Menderes die bisherige Linie der engen Anlehnung an die Westmächte fort, insbesondere die USA, deren Kredite den Betrag von 2,5 Milliarden $ überschritten (1952 »Joint American Military Aid Mission to Turkey«). Mit ihrer Hilfe gelang die Aufnahme der Türkei in die NATO (18. II. 1952), wobei ihre Beteiligung am Koreakrieg in die Waagschale fiel. Die Sowjetunion verzichtete nach dem Tode Stalins auf ihre Gebietsforderungen und erklärte sich mit einer »auch für die Türkei annehmbaren Lösung der Meerengenfrage« einverstanden (30. V. 1953). Gleichwohl blieb das Verhältnis zu ihr gespannt. Der am 28. II. 1953 unterzeichnete neue Balkanpakt (mit Griechenland und Jugoslawien) wurde, seit 1955 durch den Zypernkonflikt schwer belastet, bald toter Buchstabe, der in diesem Jahre abgeschlossene Bagdadpakt (mit Pakistan, dem Irak, Iran und Großbritannien) wurde nach dem Ausscheiden des Irak am 19. VIII. 1959 zu einer regionalen Ergänzung der NATO umgeformt (*CenTO* = Central Treaty Organization). Die überraschende Einigung mit Griechenland über Zypern (Londoner Vertrag 19. II. 1959, 16. VIII. 1960 Unabhängige Republik Zypern)[43] erwies sich in der Folgezeit als nicht dauerhaft.

Der von Bayar schon unter Atatürk empfohlene Abbau der Staatswirtschaft gelang wegen der sehr beschränkten Mittel des türkischen Privatkapitals nur unvollkommen. Ein Garantieabkommen mit der Internationalen Aufbaubank in Washington (7. VII. 1950) sollte das ausländische Kapital für die Industrie interessieren. Der Bau einer Reihe von Staudämmen mit Kraftwerken, von staatlichen Autostraßen (35 000 km bis 1973) quer durch Anatolien und in Ankara und Istanbul, von Häfen, Fabriken und Silos, verbunden mit großzügiger Modernisierung der Landwirtschaft, wobei man leider die Erosionsgefahr übersah, erhöhten den Kreditbedarf und Geldumlauf in einem Maße, daß die Regierung das türkische Pfund auf 1 $ = 9 T.L. abwerten (2. VIII. 1958) und einem Transferabkommen mit 13 Staaten (11. V. 1959) zustimmen mußte[44].

Am bedenklichsten war der Versuch, die Opposition, die bei den Wahlen von 1957 30 % der Mandate errang, gewaltsam zu unterdrücken. Weder die Bewaffnung einer »Vaterlandsfront« noch die immer schärfere Zensur konnten die wachsende Unzufriedenheit dämpfen. Anstatt Neuwahlen auszuschreiben, griff Menderes schließlich zu dem verzweifelten Mittel einer »Untersuchungskommission« gegen die Volkspartei mit richterlichen Befugnissen[45]. Studentenkundgebungen für Inönü in Istanbul und Ankara wurden von der Polizei blutig unterdrückt. Nun übernahm eine Gruppe von 38 jungen Offizieren die Gewalt und verhaftete die Regierung und alle Abgeordneten der Demokratischen Partei (27. V. 1960). Zum Führer der »Nationalen Revolution« erkoren sie Cemal Gürsel, den bisherigen Kommandeur des Landheeres[46].

§ 32 Die Türkei als Nationalstaat seit der Revolution Mustafa Kemal (Atatürk)s

Unter dem Motto »Zurück zu Atatürk!« bildete Gürsel, der das Amt des Staats- und Ministerpräsidenten übernahm, eine provisorische Regierung aus Fachleuten. Er beauftragte den Rektor der Universität Istanbul, Onar, und einige Professoren mit der Ausarbeitung einer neuen Verfassung, die außer dem nach dem Grundsatz der Verhältniswahl zu wählenden Abgeordnetenhaus einen Senat mit zweijähriger Neuwahl eines Drittels nach amerikanischem Vorbild sowie ein Verfassungsgericht vorsehen sollte. Die Gesetzgebung übte zunächst das »Komitee der nationalen Einheit« aus auf Grund einer von ihm beschlossenen vorläufigen Verfassung (12. VI.). Eine auf berufsständischer Basis einberufene Verfassunggebende Versammlung (6. I. 1961) beriet über den von Onar vorgelegten Entwurf und nahm ihn mit einigen Änderungen am 27. V. an. Das Volk stimmte in einem Referendum am 9. VII. mit einer Mehrheit von 63 % zu. Die Verfassung der Zweiten Republik stellte 8 Gesetze aus der Zeit Atatürks über Europäisierung und Verweltlichung des Staates unter ihren besonderen Schutz[47]. (Das Verfassungsgericht nahm am 29. VIII. 1962 seine Tätigkeit auf.)

Damit war die Rückkehr zum demokratischen Regime vollzogen, die Eisenhower am 11. VI. 1960 Gürsel empfohlen und dieser mit der Ausschaltung einer Gruppe von 14 radikalen Nationalisten des Komitees durch Ernennung zu Militärattachés bei Botschaften erreicht hatte (13. XI. 1960). Das auf der Insel Plati *(Yassıada)* bei Istanbul durchgeführte Strafverfahren gegen die Demokratische Partei endete am 15. IX. 1961 mit 15 Todesurteilen wegen Verfassungsbruchs, von denen drei vollstreckt wurden (gegen Menderes, den Außenminister Zorlu und den Finanzminister Polatkan). Bei den Wahlen am 15. X. erhielt keine der zugelassenen vier Parteien die Mehrheit. Daher wurde erstmalig die Bildung eines Koalitionskabinetts notwendig. Gürsel, der am 26. X. zum Präsidenten der Republik gewählt wurde, betraute damit Inönü, dem es am 20. XI. gelang, eine Regierung zu gleichen Teilen aus Volks- und Gerechtigkeitspartei, der Nachfolgerin der Demokratischen Partei, zu bilden[48]. Dieses unnatürliche Bündnis dauerte freilich nur 7 Monate. Dann versuchte es Inönü am 25. VI. 1962 mit den kleineren Parteien (Partei der Neuen Türkei und Bauern- und Nationalpartei) und schließlich am 25. XII. 1963 mit einem Minderheitskabinett unter Duldung der anderen Parteien, bis am 20. II. 1965 Suat Hayri Ürgüplü eine Regierung ohne die Volkspartei bildete. Ihr gehörte als Vizepräsident Süleyman Demirel an, der mit 40 Jahren am 29. XI. 1964 überraschend zum Vorsitzenden der Gerechtigkeitspartei gewählt worden war. Alle diese Regierungen trugen wegen der Interessengegensätze, vor allem bezüglich einer Amnestie für die minderbelasteten Abgeordneten der früheren Demokratischen Partei, die Merkmale von Übergangskabinetten an sich. Ihre Passivität gegenüber dringenden wirtschaftlichen und sozialen Fragen enttäuschte breite Volksschichten, die den mit der Parole »Freiheit!« bewirkten Umsturz vom 27. V. 1960 (staatlicher Feiertag gemäß Gesetz vom 9. IV. 1963) begrüßt hatten. Eine Gruppe von 150 Intellektuellen forderte mit einer viel beachteten Erklärung vom 1. XII. 1961[49] soziale Gerechtigkeit und einen sorgfältig durchdachten Staatssozialismus nach englischem Vorbild. Demgegenüber verlangte die Volkspartei unter Inönü mit ihrer Devise »Links von der Mitte!« gemäßigte Reformen, die einem Teil ihrer Mitglieder und der konservativ eingestellten Gerechtigkeitspartei schon zu weit gingen.

In der Landwirtschaft waren 1955 noch 82% beschäftigt, 1970 aber 67%, in der Industrie 1955 9%, 1965 12%, im Handel 1945 1,5, 1964 4 Millionen. Im Jahr 1960 besaßen 84% der Landwirte Güter bis zu 10 ha (= 40% der Anbaufläche, die von 13 (1940) auf 23 Millionen ha – 1956 – zunahm), dagegen nur 1,5% solche von mehr als 50 ha (= 25%); $^1/_7$ waren landlose Bauern. Bei der Auftei-

§ 32 Die Türkei als Nationalstaat seit der Revolution Mustafa Kemal (Atatürk)s

lung von Staatsdomänen hatte 1947-1962 bloß ein kleiner Teil von ihnen (ca. 360 000 Familien) 1,8 Millionen ha erhalten. Statt der früheren Ausfuhr von Getreide mußte solches ständig eingeführt werden, besonders nach Ostanatolien, wo öfters eine Hungersnot drohte.

Um den wegen der passiven Zahlungsbilanz bei der Ein- und Ausfuhr zunehmenden Kreditbedarf zu befriedigen, waren schon zur Mendereszeit zwei Gesetze vom 1. VIII. 1951 und 18. I. 1954 zur Begünstigung ausländischer Kapitalanlagen ergangen. Die Europäische Wirtschaftsgemeinschaft (EWG, 25. III. 1957) bildete nun am 31. VII. 1962 in Paris ein Konsortium zur Hilfe für die Türkei und nahm sie mit Wirkung vom 1. XII. 1964 als assoziiertes Mitglied (mit fünfjähriger Vorbereitungszeit)[50] auf. Demselben Zweck dienten zahlreiche Kreditabkommen, u. a. mit der Bundesrepublik Deutschland vom 15. IX. 1964 über technische Zusammenarbeit. Am 1. I. 1963 lief der erste Fünfjahresplan an, ohne indessen eine spürbare Erleichterung der Wirtschaftskrise zu bringen. So blieb das Urteil einer Kommission der EWG von 1959 zu Recht bestehen: »The difficulties in which the Turkish economy finds itself today stem basically from an attempt to do too much too quickly.«[51]

Die allgemeine Unzufriedenheit mit der Passivität der Regierung entlud sich in zwei rasch niedergeschlagenen Militärputschen vom 22. II. 1962 und 21. V. 1963 unter Oberst Aydemir, der am 5. VII. 1964 hingerichtet wurde. Außer in der Armee gärte es auch in der studentischen Jugend und in der Arbeiterschaft, die durch Gesetz vom 15. VII. 1963 endlich das ihr versprochene Streikrecht erhielt, aber nur zum kleinen Teil den gleichzeitig zugelassenen Gewerkschaften beitrat.

Der Ende 1963 mit blutigen Unruhen neu entfachte Zypernkonflikt führte zu einem ernsten Zerwürfnis mit Amerika. Präsident Johnson warnte in einem erst 1966 veröffentlichten Briefe vom 5. VI. 1964 Inönü ernstlich vor Ausübung des im Londoner Abkommen von 1959 der Türkei eingeräumten Interventionsrechtes. Ein Besuch Inönüs in Washington (22.-23. VI.) ergab folgenden Acheson-Plan: »To provide for a Turkish sovereign area as well as for local autonomy for those of the Turkish communities outside this area.« Hätte man auf dieser Basis ruhig weiterverhandelt und Griechenland auf den Kampf um den Anschluß der Insel verzichtet, den Oberst Grivas und die Athener Militärdiktatur (21. IV. 1967) mit einem grausamen Bürgerkrieg fortsetzte, so hätte man die Invasion vom 20. VII.-16. VIII. 1974 mit ihrem unendlichen Leid vermeiden können[52].

Die Sowjetunion, die zuerst Makarios mit Waffenlieferungen unterstützt hatte, versuchte nun die Türkei auf ihre Seite zu ziehen. Die Regierungen Inönü und Ürgüplü waren zwar unter Betonung der »gutnachbarlichen Beziehungen« bei wiederholten Besuchsreisen zu verstärkter wirtschaftlicher Zusammenarbeit beim Ausbau der Industrie bereit, aber nicht, auf das Angebot Kossygins vom 25. VI. 1965 einzugehen, den Neutralitätsvertrag vom 17. XII. 1925 zu erneuern. Die Bindung der Türkei an den Westen erwies sich trotz tiefem antiamerikanischem Groll[53] als stärker.

Bei den Wahlen vom 10. X. 1965 errang die Gerechtigkeitspartei unter Demirel die absolute Mehrheit. Er bildete am 27. X. die Regierung. Obwohl die Wahlrechtsnovelle vom 14. VII. vom Verfahren d'Hondt zur Berechnung der Reststimmen auf nationalen Landeslisten überging, zeigte sich – wie in den Jahren 1946-1950 – bei den Zwischenwahlen zum Senat deutlich der Zug zum Zweiparteiensystem. Am 12. X. 1969 erreichte keine der kleineren Parteien mehr als 3 % der Stimmen, die Arbeiterpartei sogar nur 2 Mandate (statt 14 1965). Ihr Gründer und Führer Professor M. A. Aybar trat am 14. II. 1971 aus der Partei aus.

§ 32 Die Türkei als Nationalstaat seit der Revolution Mustafa Kemal (Atatürk)s

Alle sozialistischen Vereinigungen wurden durch Gerichtsbeschluß vom 23. XII. 1970 aufgelöst[54].
Zum Präsidenten der Republik wurde nach dem Schlaganfall C. Gürsels (gest. 14. IX. 1966) der Generalstabschef Cevdet Sunay (nach Ernennung zum Senator) am 28. III. 1965 gewählt. Sein Nachfolger Cemal Tural warnte mit Tagesbefehl vom 11. VI. 1966 die Armee vor rechts- und linksradikalen Strömungen. Demirel vermied die Fehler der Regierung Menderes, indem er gute Beziehungen zum Militär unterhielt, die Kritik der Volkspartei in außenpolitischen Fragen berücksichtigte und die Reformen Atatürks, vor allem die Türkisierung der Sprache, nicht antastete. Alles dies bewahrte ihn aber nicht vor einer ähnlichen Entwicklung der wirtschaftlichen und sozialen Krise.
Seit Rückgang der Säuglingssterblichkeit und erfolgreicher Bekämpfung der Malaria nahm die Bevölkerung beängstigend schnell zu (35,7 Millionen am 25. X. 1970 gegenüber 13,6 1927, 20,9 1950 und 27,7 1960). Ein Gesetz vom 1. IV. 1965 über Geburtenbeschränkung sollte Abhilfe schaffen, zusammen mit Aufklärungsunterricht in den Schulen und im Heere. Antikonzeptionelle Mittel, die man aus Schweden bezog (Abkommen vom 27. VIII. 1970) und unentgeltlich verteilte, wurden jedoch von der Landbevölkerung kaum genommen, weil nach islamischer Auffassung Kinder eine Gottesgabe sind (Koran 6, 151 und 17, 31). Die wachsende Arbeitslosigkeit (1970 ca. 1,6 Mill., davon 9,4 % in der Landwirtschaft) hatte eine Landflucht zur Folge (schätzungsweise 170 000 jährlich), besonders in die Großstädte, deren Zahl von 3 (1940 = 6 % der Bevölkerung) auf 20 (1970 = 19 %) stieg. Die meisten Zuwanderer bauen sich selber Behelfsheime (*gecekondu* = in einer Nacht errichtet), in denen allein in Ankara etwa die Hälfte der 1,2 Mill. Einwohner haust. Da die neue Industrie wegen der Mechanisierung nur wenige Kräfte aufnehmen konnte, drängte ein großer Teil der Arbeitslosen ins Ausland (1974 803 000, davon 605 000 nach Westdeutschland). Weil von ihnen etwa 50 % Grundschulbildung besitzen, so kann man ihren kulturellen Einfluß nach Rückkehr in die Heimat kaum überschätzen. Was die Regierung Menderes durch Auflösung der Dorfinstitute vermeiden wollte, kommt nun in anderer Form wieder: Aufklärung der traditionsgebundenen Landbevölkerung und verstärktes Drängen nach Hebung des Lebensstandards. Anatolien ist im Begriff, aus seinem jahrundertelangen Schlaf zu erwachen. Rundfunk (1972 3,9 Mill. Empfangsgeräte, seit Juni 1966 auch Fernsehapparate: 1969 3 000, 1972 157 000) und Zeitungen helfen dabei mit, die in osmanischer Zeit der Dorfgeistliche vorlesen mußte. Auch die 1960 errichteten »Türkischen Kulturheime« (seit 21. IV. 1963 wieder »Volkshäuser« genannt) sind hier zu erwähnen. Freilich fehlen noch in etwa ⅓ aller Dörfer Schulen; ca. 65 % der Bevölkerung sind des Lesens und Schreibens unkundig. Diesen Mangel vermögen die Unterrichtskurse von 8 Wochen während der Dienstzeit der Wehrpflichtigen nur unzureichend zu beheben.
So wichtig die seit 1968 und 1973 laufenden neuen Fünfjahrpläne und verschiedene Großanlagen sind wie z. B. ein Atomreaktor in Istanbul (27. V. 1962), die Erdölleitung Batman-Iskenderun (4. I. 1967), die Keban-Talsperre (1972, 675 qkm) und die Bosporusbrücke (1074 m, eröffnet 30. X. 1973), so nimmt doch die Last der Staatsschulden ständig stark zu. Der Banknotenumlauf stieg von 7 (1965) auf 20 Milliarden (1972), entsprechend die Teuerung, unter der besonders die kleinen Beamten und Angestellten leiden. Das Türkische Pfund (T.L. = Ltq.) wurde am 10. VIII. 1970 abermals abgewertet (von 9 auf 15 = 1 Dollar, der aber gleichfalls sank und daher die türkische Währung nicht mehr beeinflußte). Der Staatshaushalt erhöhte sich von 7 (1960) auf 50 (1972) Milliarden, obwohl die

§ 32 Die Türkei als Nationalstaat seit der Revolution Mustafa Kemal (Atatürk)s

amerikanische Militär- und Wirtschaftshilfe von 1948 bis 1970 fast 6 Milliarden Dollar betrug. Die Einnahmen aus dem Tourismus traten allmählich gegenüber den Überweisungen der türkischen Arbeiter im Auslande (1973 1,2 Milliarden Dollar) zurück. Einen schweren Schlag bedeutete daher der der Welterdölkrise Ende November 1973 folgende Anwerbungsstop besonders nach Deutschland wegen Zunahme dessen eigener Arbeitslosigkeit.

Zu der Unruhe wegen der dauernd steigenden Preise kam die zunehmende Kritik innerhalb der beiden großen Parteien, die zu Absplitterungen führte: 1967 die »Vertrauenspartei« unter T. Feyzioğlu (aus der Volkspartei), deren Mitgründer Ismet Inönü (gest. 25. XII. 1973) am 8. V. 1972 als Vorsitzender zurücktrat, und 1970 die »Partei der Demokraten« unter F. Bozbeyli (aus der Gerechtigkeitspartei). Der Regierung Demirel waren die Hände gebunden durch Rücksichtnahme auf ihre konservativen Anhänger (Grundbesitzer und Geschäftsleute). Bei Abstimmungen über fortschrittliche Gesetzesvorlagen erreichte sie nur noch knappe Mehrheiten. Mit dem Terror kleiner Studentengruppen wurde sie nicht mehr fertig. Am 12. III. 1971 mußte sie zurücktreten auf Grund eines Ultimatums, in dem M. Tağmaç (seit 8. III. 1969 Generalstabschef) und die Kommandeure des Landheeres, der Marine und der Luftstreitkräfte »Reformen im Sinne Atatürks« forderten[55]. Staatspräsident Sunay beauftragte den Professor für Völkerrecht Nihat Erim mit der Bildung einer überparteilichen Regierung (26. III.), die am 20. IX. 1971 eine große Verfassungsnovelle gegen den Mißbrauch der Grundrechte und -freiheiten durchbrachte[56]. Da aber die vor allem gewünschte Bodenreform gegen die Gerechtigkeitspartei, die einen weiteren Rückgang der Produktion befürchtete, nicht durchzusetzen war, übernahm auf Bitte Sunays am 22. V. 1972 der bisherige Minister für nationale Verteidigung Ferit Melen die Regierung. Ihr gelang es wenigstens, im Wege einer neuen Verfassungsnovelle vom 15. III. 1973 »Staatssicherheitsgerichte« zu schaffen als notwendige Ergänzung zu dem 1971 gebildeten »Nationalen Sicherheitsrat«, der dem Ministerrat bei Entscheidungen über Sicherheitsfragen in Krisenzeiten (z. B. im Ausnahmezustand) »Empfehlungen« erteilen kann, die dieser zu berücksichtigen hat. Unmittelbar danach wurde die Neuwahl des Präsidenten der Republik fällig, die im 15. Wahlgang (!) am 6. IV. 1973 auf den ehemaligen Admiral Fahri S. Korutürk fiel. Er ernannte am 12. IV. den bisherigen Handelsminister Naim Talu zum Minsterpräsidenten, der am 25. IV. das lang ersehnte Gesetz über die Boden- und Landwirtschaftsreform gegen angemessene Entschädigung zur Annahme brachte. Darin sind auch Kooperativbetriebe vorgesehen. Ein fast gleichzeitig erlassenes Gesetz vom 20. IV. brachte eine grundlegende Änderung der Universitätsverwaltung zustande.

Die Wahlen vom 14. X. 1973 zeigten wegen des Fehlens einer 5 %-Klausel, wie sie in der Bundesrepublik Deutschland besteht, eine solche Parteizersplitterung, besonders durch das unerwartete Auftreten einer starken islamischen Partei *(Selâmet Partisi)*, daß jede Regierungsbildung auf größte Schwierigkeiten stößt. Der nach langen Verhandlungen am 26. I. 1974 gewählte Führer der Volkspartei Bülent Ecevit erklärte daher mit Recht: »Eine neue Zeit ist angebrochen.«

[1] *G. Jäschke,* Auftrag und Vollmacht M. Kemals vom 6. V. 1919: WienZKdeMorgenl LXII (1969), S. 264 ff.
[2] *M. Kemal,* Die neue Türkei (1934), S. 308.
[3] *Jäschke,* Nationalismus und Religion im türkischen Befreiungskriege: Welt des Islams 18 (1936), S. 65 ff.
[4] Ders., Die ersten Verfassungsentwürfe ...: – Mitteil. d. Ausl.-Hochschule XLII (1939), S. 72 ff.

§ 32 Die Türkei als Nationalstaat seit der Revolution Mustafa Kemal (Atatürk)s

[5] *G. Gaillard,* Les Turcs et l'Europe (1920), S. 172; Welt des Islams N.S. XVI (1975), S. 229 ff.
[6] *P. du Véou,* La passion de la Cicilie ... (1938), S. 179.
[7] *B. Pace,* Dalla Pianura di Adalia ... (1927).
[8] Der türkenfeindliche Geist der Kriegszielnote vom 10. I. 1917 (»rejet hors d'Europe de l'Empire Ottoman décidément étranger à la civilisation occidentale«) beherrschte Lloyd George bis zu seinem Tode (*Ll. George,* The Truth about the Peace Treaties (1938), S. 1361 f.). Sir John de Robeck, Hochkommissar 1919–1920, bemühte sich vergeblich um eine realistischere Politik.
[9] *Jäschke,* Der Weg zur russ.-türk. Freundschaft: Welt des Islams 16 (1934), S. 23 ff., 20 (1938), S. 118 ff., N.S. V (1957), S. 44 ff., VI (1961), S. 203 ff., XIII (1971), S. 165 ff.
[10] Welt des Islams N.S. II (1952), S. 25 ff.
[11] *Jäschke,* Le rôle du communisme dans les relations russo-turques: Orient-Paris 26 (1963), S. 31 ff.
[12] *Ch. Harington,* Tim Harington Looks Back (1940). Sir Henry Wilson schrieb ihm am 14. XII. 1921: »... we will certainly never do any good until we make friends with the Turks« (ebd., S. 87).
[13] *Jäschke,* Das Ende des osmanischen Sultanats: Stud. z. Ausl. Kunde I (1944), S. 113 ff.; ders., Das osman. Scheinkalifat von 1922: Welt des Islams N.S. I (1951), S. 195 ff.
[14] Doc. Dipl., Conférence de Lausanne I–II u. Actes signés à Lausanne (1923); Cmd. 1814: The Lausanne Conference u. Cmd. 964: Treaty of Peace with Turkey (1920).
[15] *Earl of Ronaldshay,* The Life of Lord Curzon, III (1928), S. 338 ff.
[16] *E. Rossi,* Lo scambio obbligatorio ...: Oriente Moderno 10 (1931), S. 397 ff.; *St. P. Ladas,* The Exchange of Minorities ... (1932).
[17] *Dep. of State,* Publ. No. 2752: The Problem of the Turkish Straits (1947).
[18] *Mahmut* (Hg.), Le Ghazi et la Révolution: Le Milliet (26. XI. 1929–8. II. 1930).
[19] *Jäschke,* M. Kemal et la proclamation de la République: Orient-Paris 27 (1963), S. 29 ff.
[20] Abdülmecid starb in Paris am 24. VIII. 1944 (s. o. Anm. 13).
[21] *Jäschke,* Der Islam in der neuen Türkei: Welt des Islams N.S. I (1951); *N. Berkes,* The Development of Secularism in Turkey (1964), S. 481 ff.
[22] *Jäschke,* Die Frauenfrage in der Türkei: Saeculum 10 (1959), S. 360 ff.
[23] Das in der Literatur oft behauptete staatliche Verbot des Frauenschleiers besteht nicht.
[24] Der gregorianische Kalender (statt des julianischen) gilt schon seit dem 1. III. 1917.
[25] *W. C. Smith,* Islam in Modern Turkey (1957), S. 161 ff.; *Jäschke,* Die Bedeutung der Religion für M. Kemal (Atatürk): Kairos-Salzburg V (1963), S. 138 ff.
[26] *W. F. Weiker,* The Free Party of 1930 in Turkey (Diss.Princeton 1962).
[27] *M. W. Thornburg* u. a., Turkey, An Economic Appraisal (1949); *W. Uhrenbacher,* Türkei. Ein wirtsch. Handbuch (1957); *F. K. Kienitz,* Türkei (1959).
[28] *H. Bowen,* British Contributions to Turkish Studies (1945), S. 56: »Almost miraculous has been the restoration of Anglo-Turkish Friendship.«
[29] *Jäschke,* Der Pakt von Saadabad: ZPol 27 (1937), S. 495 ff.
[30] *G. Sperduti,* Aspetti ... del S. di Alessandretta (1939).
[31] Vollständigste Biographie: *Lord Kinross,* Atatürk (1964).
[32] »A pact of joint defense of the Dardanelles«: IntAffairs 23 (1947), S. 481, u. ForAffairs 27 (1949), S. 452; *F. A. Váli,* The Turkish Straits and NATO (1972).
[33] ZVölkerr XXV (1941), S. 105; *J. C. Hurewitz,* Diplomacy in the Near & Middle East II (1956), S. 231.
[34] *Jäschke,* Der Turanismus u. die kemalist. Türkei: BeitrArabSemitIslamwiss. (1944), S. 468 ff.
[35] *W. S. Churchill,* The Second World War, IV–V (1951–52).
[36] Nicht der Freundschaftsvertrag vom 16. III. 1921, wie es in Presse und Rundfunk oft hieß.
[37] *Jäschke,* Die Türkei in den Jahren 1942–1951 (1955).
ders. u. a., Social Change and Politics in Turkey (1973).
[38] *K. H. Karpat,* Turkey's Politics. The Transition to a Multi-Party System (1959), S. 408;
[39] Welt des Islams N.S. I (1951), S. 161, VIII (1963), S. 252 ff., XIII (1971), S. 145 ff.

[40] *F. W. Frey,* The Turkish Political Elite (1965).
[41] *Jäschke,* Die »Imam-Ehe« in der Türkei: Welt des Islams N.S. IV (1955), S. 164 ff.
[42] *K. H. Karpat,* The People's Houses in Turkey: Middle East Journal 17 (1963), S. 55 f.; *Jäschke,* Die türkischen Dorfinstitute: bustan-Wien V (1964), S. 10 ff.
[43] Cmnd. 679 (1960); *L. Dischler,* Die Zypernfrage (1960), S. 151 ff.; Middle East Journal 20 (1966), S. 386 ff.
[44] *R. D. Robinson,* The First Turkish Republic (1963).
[45] *A. F. Başgil,* La révolution militaire de 1960 (1963); er warnte Bayar und Menderes noch am 30. IV. 1960 (S. 139 ff.).
[46] *W. F. Weiker,* The Turkish Revolution 1960/61 (1963).
[47] *E. E. Hirsch,* Die Verfassung der Türkischen Republik (1966).
[48] *Jäschke,* Die Türkei in den Jahren 1952–1961 (1965).
[49] Orient-Paris 21 (1962), S. 135.
[50] Cahiers de l'Orient Contemporain 20 (1963), S. 446.
[51] *Robinson* (s. o. Anm. 44), S. 209.
[52] *C. H. Dodd,* Politics and Government in Turkey (1969).
[53] *G. S. Harris,* Troubled Alliance (1972), S. 105 ff. (Cyprus Crisis), S. 191 (Opium, Heroin).
[54] *J. Giritli,* Turkey Since the 1965 Elections, und *M. P. Hyland,* Turkey's 1965 Elections: Middle East Journal 23 (1969), S. 351, und 24 (1970), S. 1 ff.
[55] *Nihat Erim,* The Turkish Experience in the Light of Recent Developments: Middle East Journal 26 (1972), S. 245.
[56] *E. E. Hirsch,* Die Änderungen der türkischen Verfassung von 1961: JbÖffR 23 (1974), S. 335 ff. u. Die Staatsverf. der Welt, Bd. 7a (1973).

Personen- und Sachregister

Die Umlaute Ä, Ö und Ü sind im Alphabet wie die Buchstaben A, O und U behandelt, nicht wie Ae, Oe und Ue. Auf eine durchgängige Vereinheitlichung bei der Transkription kyrillisch geschriebener Namen wurde im Register verzichtet. In der Regel erscheinen die Namen in der Form, die vom Autor bevorzugt wurde.

Aachen, Protokoll (1818) 333
Abakumow, Viktor (1894–1954), sowjet. Min. f. Staatssicherheit (1946–52) 517
Abdülmecid II. (1868–1944), türk. Thronfolger, Kalif (1922–24) 1340, 1350
Abdullah ibn Hussein (geb. 1882), Emir v. Transjordanien (1921–46), Kg. v. Jordanien (1946–51) 425, 427
Abessinien, s. Äthiopien
Abessinienkrieg (1935/36) 155, 161, 190, 225, 258, 323, 381, 732, 791, 860f.
Abkommen (1925 u. 1968), türk.-bulg. 1264f., 1267
Abnutzungskrieg 253
Abrüstung, allg. 124,163,176f., 190, 373, 539, 787
Abrüstungsfrage 175
Abrüstungskonferenz, s. Genf, Internat. Abrüstungskonferenz
Abrüstungspolitik 162, 380
Absolutismus 86, 201
– aufgeklärter 94
– Theorien 86
Abwehr, militär. 567, 573
Acción Nacional (1931) 677
Acción Popular (1932) 677
Accords Matignon (1936) 453
Achmatowa, Anna A. (1889–1966), russ. Dichterin 501
Achse Berlin–Rom (1936) 182, 194, 507, 639, 861, 863, 1135, 1271, 1302, 1326

Achtstundentag 46, 442, 704, 776, 786, 831, 927, 1094
Acker, Achille van (1898–1975), belg. Min.präs. (1945/46, 1954–58) 715
Ackermann, Anton, eigentl. Eugen Hanisch (1905–73), dt. Politiker 582
Action française (1898–1945) 71, 440, 448, 455ff., 460, 462, 636, 696
Acto Colonial (1930) 316
Adamski, Józef (1851–1926), Prälat, Mitgl. d. Obersten Poln. Volksrates (1918) 992
Addis Abeba 860
Addison, Christopher (1869–1951), brit. Munitionsmin. (1916/17), Gesundheitsmin. (1919–21) 366
Adel 33, 35, 38, 42, 70
– balt. 34, 1117
– böhm. 34, 927
– brit. 35, 361
– dt. 34
– frz. 42
– habsburg. 33
– poln. 981 f.
– russ. 33
– span. 654, 668
– ungar. 33, 890f.
Aden 421
Adenauer, Konrad (1876–1967), dt. Bundeskanzler (1949–63), Bundesaußenmin. (1951–55) 72, 325, 341, 472, 519, 573, 575f., 580, 599f., 602f., 880
Adler, Friedrich

(1879–1960), österr. Sozialist 829, 831
– Max (1873–1937), österr. Soziologe 841
– Victor (1852–1918), österr. Sozialist, Staatssekretär d. Auswärtigen (1918) 828f., 841
Adolf-Hitler-Schulen 221
Adriafrage 120, 192
Adria-Pakt (1924) 1196f.
Adua, ital. Niederlage (1896) 637
Afghanistan 495, 1342f.
Africaans 435, 437
Afrika 3, 305, 313ff., 328, 434f., 468, 475, 477, 637, 698
Afrika-Korps (1941–43), dt. 270
Agnelli, Giovanni (1866–1945), ital. Unternehmer 35
Agrarreformen
– alban. 1280,1287
– bulg. 1245
– dt. 33, 572
– estn. 34, 1117
– jugoslaw. 34, 1199, 1223
– lett. 34, 1117
– litau. 1070f.
– ostmitteleurop. 34f., 51f., 213
– poln. 34, 995, 1003f.
– preuß. 4
– rumän. 1141, 1163, 1170
– span. 676
– tschechoslowak. 34
Agrarrevolution 34f., 51
Agt, Andreas (Dries) A. M. van (geb. 1931), niederländ. Min.präs. (seit 1978) 725
Aguilera Egea, Francisco (1857–1931), span. Gene-

ral, Kriegsmin. (1917) 656
Ägypten 266, 303, 306, 424, 427, 519, 820, 1328
Ahrer, Jakob (1888–1962), österr. Fin.min. (1924–26) 840
Aimone, Hzg. v. Spoleto (1900–48), als Tomislav II. desgn. Kg. v. Kroatien (1941–43) 1215
Akademische-Karelien-Gesellschaft (AKS) 1093
Aktion f. Volk u. Heimat 743
»Aktivismus«, sudetendt. 934
Aktivisten, finn. 1082 ff.
Aktivistenfront f. Litauen (LAF) 1079
AKZO 726
Åland-Frage 1090
- Inseln 791, 797, 1087 f., 1093, 1097 f.
- Vertrag (1939) 1097 f.
Alba, Santiago (1872–1946), span. Unterrichtsmin. (1918) 657, 661
Albanien 181, 513, 623, 1191, 1196, 1198, 1206, 1227, 1235, 1241, 1269–1296, 1299–1302, 1304 f., 1310, 1312, 1328 f., 1331 f.
- Gesellschaft 1271
- Wirtschaft 331, 1270, 1279, 1281, 1293
- Außenpolitik 80, 346, 1174, 1276, 1278, 1294
- Parteien 1271, 1276
- kath. Kirche 1278, 1294
- Sprache 1270
- ital. Besetzung 194, 262, 639, 1208, 1271, 1279, 1282–1285, 1325
Albanische Nationale Befreiungsarmee (ANBA) 1286 f.
Albert I. (geb. 1875), Kg. d. Belgier (1909–34) 699 f.
Albert-Kanal 712
Alberti, Albrecht, niederösterr. Heimwehrführer 853
Alcalá Zamora, Niceto (1877–1949), span.

1354

Personen- und Sachregister

Min.präs. (1931), Präs. d. Republik (1931–36) 676, 678
Aldea, Aurel, rumän. General u. Innenmin. (1944/45) 1162
Aleixandre, Vicente (geb. 1898), span. Lyriker (Nobelpreis 1977) 693
Aleksandrov, Todor (1881–1924), Führer d. bulg. Geheimorg. IMRO 1247
Alexander I. (geb. 1777), russ. Zar (1801–25) 1081
- II. (geb. 1818), russ. Zar (1855–81) 1087, 1108
- III. (geb. 1845), russ. Zar (1881–94) 1108
- I. Karadjordjević (geb. 1888), Kg. v. Jugoslawien (1921–34) 94, 214, 233, 859, 1184, 1188, 1192, 1196, 1201 f., 1204 f., 1207, 1210, 1249, 1251
Alexander, Albert Victor (1885–1965), brit. Marinemin. (1929–31, 1940–46), Verteidigungsmin. (1946–50) 372, 390
- Lord Harold, Earl of Tunis (1891–1969), brit. Feldmarschall 1115, 1330
Alexandrow, Georgij F. (1908–61), sowjet. Philosoph 515
Alexianu, Gheorghe (gest. 1946), rumän. Gouverneur v. Transnistrien (1941–44) 1156
Alfau, Gen.kapitän v. Barcelona 656
Alfons XII. (geb. 1857), Kg. v. Spanien (1874–85) 671
- XIII. (1886–1941), Kg. v. Spanien (1902–31) 656, 663 ff., 670 ff., 678, 688
Algerien, Algier 10, 311–314, 433, 468, 475 f., 565
Algerienfrage 471, 476 f.
Algerienfranzosen 10, 312, 476
Algerienkrieg (1954–62) 312, 477
Alhucemas (1925) 668
Alianza Obrera Antifascista 683
Alizoti, Fejzi Bey, alban. Politiker 1273
Alkoholverbot (1919), norweg. 779
Alldeutscher Verband (1891) 529
Alleanza del Lavoro (1922) 629
Allenby, Lord Edmund H. (1861–1936), brit. Feldmarschall 424 f.
Allenstein 126, 539
»Alles für das Vaterland« 1146, 1150, 1154
Allgemeiner Deutscher Gewerkschaftsbund (ADGB) 48
Alliluewa, Nadeshda S. (1901–32), Stalins 2. Gem. 500
Allrussischer Zentralrat d. Gewerkschaften 50
Allslowenische Volkspartei 1191 f.
All-Unionistische Partei (Bolschewiki) 78
Almkvist, Nils Johan Fredrik (1875–1946), dän. Politiker 784
Alonso, Dámaso (geb. 1898), span. Dichter 693
Altamira y Crevea, Rafael (1866–1951), span. Historiker 692
Alting, isländ. 811 ff.
Altradikale Partei 1194 f., 1201, 1205
Alvarez y Gonzáles, Melquíades (1864–1936), span. Politiker 657
Amanullah (1892–1960), Emir (1919–26), Kg. v. Afghanistan (1926–29) 1343
Ambraževicius, Juozas (1903–74), litau. Literaturhistoriker u. Politiker 1079
Amelunxen, Rudolf (1888–1969), dt. Politiker, Min.präs. v. Nordrhein-Westfalen (1946/47) 573
Amendola, Giovanni (1882–1926), ital. Publizist, Kolonialmin. (1922) 632, 634

American Mission for Aid to Greece (AMAG) 1331
Amery, Leopold S. (1873–1955), brit. Kolonialmin. (1924–29) 306, 369, 409
Amritsar, Blutbad (1919) 415
Amsterdam 15, 717
Amt f. Deutsche Roh- u. Werkstoffe 230
Analphabetentum 493, 1142, 1341
Anarchismus, Anarchisten 223, 683, 689
Anarcho-Syndikalisten, span. 662, 677
Anatolien 129, 1339, 1348
Anciens Combattants 446 f., 451
Andalsnes 796
Andalusien 661, 675, 685
Anders, Władysław (1892–1970), poln. General u. Exilpolitiker 256, 1030, 1039
Anders-Armee 1030 f., 1033
Andrews, Sir John M. (1871–1956), nordir. Premiermin. (1940–43) 767
Angestellte 36, 38–43, 61, 84, 537, 552
Anglo-Persian Oil Company 1276, 1279
Angola 315 f., 698
Angriffskrieg 298 f.
Ankara 129, 1341, 1348
– Universität 1342, 1344
– Beistandspakt (1939) 1343
Annual, span. Niederlage (1921) 662
Ansaldo 622, 630
Anschluß, s. Österreich
Antibolschewismus 194, 221
Antifaschismus 78 f., 82, 193, 336, 338, 632, 638 f., 1299
Antifaschistischer Block 573
Antifaschistischer Rat d. Nationalen Befreiung
– Jugoslawien (AVNOJ) 1219, 1221 ff., 1285 f.
– Albanien 1286
Anti-Hitler-Koalition 253, 268, 280
Anti-Klerikalismus 442
Antikolonialismus, 303, 306, 312, 317, 338, 461, s. a. Bewegungen, antikolonialist.
Antikominternpakt (1936) 191, 194 f., 259 f., 293, 507, 795, 1209
Antikommunismus 191
Antillen 319
Antimarxismus 644, 1148
Antiparlamentarismus 441, 472, 474
Antirevisionismus 145
Antirevolutionäre Partei (A. R. P.) 708
Antirisorgimento 633
Antisemitismus 86, 460, 553, 640, 704, 891, 925, 950, 982, 1017 f., 1032, 1058, 1141, 1148, 1159, 1311, 1325
Antisowjetismus 81, 1306
Antistalinismus 1311
Antonescu, Ion
 (1882–1946), rumän. Marschall, Staatschef (1940–44) 233, 266, 1135, 1143, 1149 f., 1153, 1155 ff., 1158, 1160 f., 1166
– Mihail A. (1902–46), rumän. Außenminister (1941–44) 1155, 1158, 1161, 1166
– Victor (1871–1947), nationalliberaler Politiker, rumän. Außenmin. (1936/37) 1146
Antonov, Aleksej I. (1896–1962), sowjet. General 967
Antwerpen 699 f.
Anvelt, Jaan (1884–1937), estn. Politiker 1114
Apartheidspolitik, südafrikan. 309, 315, 435
Apertura a sinistra 74, 648
Apostol, Gheorghe (geb. 1913), rumän. Politiker 1162, 1171, 1178, 1181
Apparatschik 504
Appeasement 189 ff., 198, 258, 381, 455
– Politik 172, 373, 455, 467, 567

Apponyi, Albert Georg Gf. (1846–1933), ungar. Kultusmin. (1906–10, 1917) 133
– Geraldine, Gem. d. alban. Kgs. Ahmed Zogu 1282
Aquarone, Alberto (geb. 1930), ital. Historiker 634
Äquatorialafrika 461
Äquatorial-Guinea 691
Araber 425 ff.
Arad 1137
Araquistain, Luís (1886–1959), span. Sozialist 656, 682 f.
ARBED 711, 727,
Arbeiterbewegung
– balt. 1109
– belg. 706
– brit. 363, 365, 395
– dt. 526
– frz. 460
– ir. 749, 753
– ital. 629
– österr. 841, 861, 864, 877
– sozialist. 75, 841
– span. 662
Arbeiterfakultäten 493
Arbeiterklasse 33, 44
Arbeiterpartei,
– norweg. 778 ff., 789, 813 f.
– rumän. 1165
Arbeiterparteien 45–49, 74–77, 202, 213, 443, 1303, s. a. Parteien, sozialist.
Arbeiterschaft 42–45, 84
Arbeiterselbstverwaltung 50
Arbeiter- u. Soldatenräte 526, 536, 831 f.
»Arbeiter-Zeitung« 836, 849, 880
Arbeitgeberverbände, dt. 527 f., 537, 561
Arbeitnehmer, ausländ., s. Gastarbeiter
Arbeitsbeschaffung 229, 561
Arbeitsdienst, nat.soz. 559
Arbeitslager 11, 1255, 1265, 1302
Arbeitslosenunterstützung 783
Arbeitslosenversicherung 28, 46, 172, 366, 538, 543, 780, 783, 785
Arbeitslosigkeit 27, 31, 43,

46, 94, 173, 213, 393, 395, 544, 548, 561, 579, 637, 707, 709, 749, 767, 776 ff., 783, 785 f., 801, 809, 870, 936, 950, 1015, 1018, 1083, 1122, 1144, 1348
Arbeitsverträge, kollektive 232
Arbeitszeitverkürzung 458
Arcadia-Konferenz (1941/42), s. Washington, Kriegskonferenz
Arciszewski, Tomasz (1877–1955), Min-präs. d. poln. Exilreg. (1944–47) 1033, 1040, 1042
Ardennenschlacht (1944/45) 274, 281
Arditi del popolo 627
Arghezi, Tudor (1880–1967), rumän. Dichter 1172
Argyrokastron 1272 ff., 1283
»Arier-Nachweis« 560
Armenien 128, 489
Armenrecht, brit. 367
Armia Krajowa (AK) 277, 1032, 1034
Army Comrades Association (A. C. A.) 764
Arnamagnaeanische Sammlung 812
Arnheim, brit. Luftlandung (1944), 718, 1034
Aron, Raymond (geb. 1905), frz. Soziologe 474
Arpinati, Leandro (1892–1945), ital. Politiker 630
Arras 467
Arusha, Verträge (1968) 328
Arwa 930, 946, 954
Arzfeld 700
Ärzteprozeß (1953), sowjet. 517
Aserbaidschan 489
Asgeirsson, Asgeir (1894–1972), isländ. Min.präs. (1932/33), Staatspräs. (1952–68) 813
Asquith, Herbert Henry (1852–1928), brit. Premiermin. (1908–16) 362 f., 365, 372, 375, 377, 747 f., 751

Association Française de la Sarre (1928 u. 1945) 592, 597
Asturien 679, 684
Atatürk, s. Kemal Pascha
Athen 15, 1317, 1326, 1329 f., 1336
– Vertrag (1938) 1325
Äthiopien 182, 303, 637, 640, 788
Atlantik-Charta (1941) 267, 269
Atlantikpakt, s. NATO
Atlantikschlacht (1939–41) 264
Atombombe 255, 285
Atomforschung 475
Atomkrieg 343, 412
Atomstop-Abkommen (1963) 346
Atomversuche 436
Atomwaffen 343 f.
Attentat auf Hitler (20. VII. 1944) 279 f., 567
Attlee, Clement R. (1883–1967), Vors. d. Labour Party (1935–55), brit. Premiermin. (1945–51) 71, 282 f., 372, 382, 388, 390 f., 394 f., 400, 418
Attolico, Bernardo (1880–1942), ital. Diplomat, Botschafter in Berlin (1935–40) 194, 606
»Aud« 750
Aufrüstung, dt. 151, 562 f.
Aufstand
– ir. (1867) 748
– slowak. (1944) 924, 952 f., 956 f., 959
– ungar. (1956), s. Ungarn
– DDR (1953) 584
Aunós Pérez, Eduardo (1894–1967), span. Arbeitsmin. 666
Auriol Vincent (1884–1966), frz. Staatspräs. (1947–54) 454, 477
Ausbreitung, europ. 142, 303
Ausgleich
– österr.-ungar. (1867) 748, 891
– sowjet.-jugoslaw. (1955) 1293
Ausgleichsverträge 720

Auslandsverschuldung, dt. 535, 545
Außenhandel 20
Außenhandelspolitik 28
Außenministerkonferenzen, alliierte
– Moskau (1943) 271 f., 872
– Moskau (1944) 1033, 122
– Moskau (1945) 1259
– Paris (1946) 339, 1227
– New York (1946) 1227
– Moskau (1947) 339, 466, 471, 597
– London (1947) 339, 466, 575 f.
– Berlin (1954) 878 f.
Außenpolitisches Amt d. NSDAP 183, 557
Aussiedlung 9, 12
Aussperrung 538
Australien 3, 52, 307, 406, 408, 410 f., 414, 418, 422 f., 435, 1132
Austreibung 9
Austromarxismus, Austromarxisten 842 f.
Auswanderung 4, 11, 16, 747, 760, 769
Ausweisung 11
Autarkie 28, 230, 233, 302, 378, 637, 690
Autarkiepolitik 25, 760, 765
Autobahnen 23, 561
Automation 44
Automobilindustrie 23, 561
Autonome Moldauische Sozialistische Räterepublik 1141
»Avanti!« 625, 627
Avenol, Joseph L. (1879–1952), Gen.sekr. d. Völkerbunds (1933–40) 323, 1100
»Aventin« 631 f., 642 f.
Averescu, Alexandru (1859–1938), rumän. Min.präs. (1918, 1920/21, 1926/27) 1139 f., 1145
AVNOJ, s. Antifaschistischer Rat d. Nationalen Befreiung Jugoslawiens
Aybar, M. A., türk. Politiker 1347
Aydemir (gest. 1964), türk. Oberst 1347

Azaña y Díaz, Manuel
(1880–1940), span.
Min.präs. (1931–33,
1936), Staatspräs.
(1936–39) 675 ff., 680,
683, 685
Azienda Generale Italiana
dei Petroli (Agip) 96
Aznar Cabañas, Juan B.
(1860–1933), span. Admiral, Min.präs. (1931)
671 f.
Azoren 697
Azorín, eigentl. José
Martínez Ruiz
(1873–1967), span. Essayist 692

Bacílek, Karol
(1896–1976), tschechoslowak. Min. f. Staatssicherheit (1952/53) 973
Badajoz 685, 691
Badoglio, Pietro
(1871–1956), ital. Marschall, Min.präs.
(1943/44) 271, 276, 639,
641 ff.
Bagdadpakt (1955) 1345
Bagrianov, Ivan
(1891–1945) bulg.
Min.präs. (1944) 1256,
1258
Baikal-Amur-Bahn 228
Bainville, Jacques
(1879–1936), frz. Historiker u. Politiker 448, 451
Bakirtzis, Evripidis, griech.
Offizier 1328
Baku 4, 15
Balbo, Italo (1896–1940),
ital. Marschall, Luftfahrtmin. (1929–33) 629 f., 641
Baldwin, Stanley
(1867–1947), brit. Premiermin. (1923/24,
1924–29, 1935–37) 36,
42, 156, 163, 172, 204,
361, 371–376, 378 ff., 391
Balfour, Lord Arthur James
(1848–1930), brit. Premiermin. (1902–05), Außenmin. (1916–19) 409,
426
Balfour-Deklaration (1917)
425, 428
Balfour-Formel (1926) 307,

409, 418
Balkan 253, 275, 510
Balkankonferenzen
(1930–33) 1248
Balkankriege (1912/13)
1315
Balkanpakt
– (1934) 148, 1204, 1208,
1248, 1252, 1323, 1325,
1334
– (1953) 1231, 1235, 1345
Ballesteros y Beretta, Antonio (1880–1949), span.
Historiker 692
Ballungsräume, städt. 3
Balodis, Jānis (1881–1965),
lett. Offizier u. Politiker
1118
Balta 1141
Baltatzis, Georgios
(1866–1922), griech. Politiker 1318
Baltendeutsche 9
Baltikum, Baltische Staaten
34 f., 79, 126, 336, 339,
485, 488, 505 f., 509,
1099, 1101, 1151, s. a.
Estland, Lettland, Litauen
Baltische Entente (1934)
148, 1076, 1126 ff.
Baltische Landeswehr 1114
Baltische Liga 1006, 1076
Banat 1137–1140, 1143,
1147, 1159, 1185, 1189 f.,
1213
Banater Schwaben 1139,
1159, 1213
Banca Commerciale 626
Banca di Sconto 626, 630
Bang, Nina (1866–1928),
dän. Politikerin u. Historikerin 776
Bangla Desh 435
Bank f. Internationalen
Zahlungsausgleich (Basel) 156, 174
Bank v. England 110, 377,
392
– v. Frankreich 29, 96,
442 f., 452 f., 466
– Polski 1003
– v. Spanien 658, 668, 690
Bankenkrise (1931), dt. 28,
31, 174, 542, 545 f.
Banque Belge de Travail
707

Bantu 437
Barák, Rudolf (geb. 1915),
tschechoslowak. Innenmin. (1953–61) 972
Baranja 1185, 1190
Barbanson, G.,
belg.-luxemburg. Industrieller 700
Barcelona 657, 661, 664,
669, 679, 685, 692
Bárdossy, László v.
(1890–1946), ungar.
Min.präs. (1941/42) 897,
899
Bäreninsel (Björnön) 789
Bârlâdeanu, Alexandru
(geb. 1911), rumän. Wirtschaftspolitiker 1176,
1181
Baroja y Nessi, Pío
(1872–1956), span.
Schriftsteller 692
Barrès, Maurice
(1862–1923), frz. Schriftsteller 71
Bartel, Kazimierz
(1882–1941), poln.
Min.präs. (1926,
1928/29, 1929/30) 611,
1008 ff.
Barth, Emil (1879–1941),
dt. Politiker, Mitglied d.
Rats d. Volksbeauftragten (1918/19) 526
– Karl (1886–1968),
schweizer. protestant.
Theologe 731
Barthou, Jean Louis
(1862–1934), frz.
Min.präs. (1913), Außenmin. (1934) 187, 454,
1203 f.
Bartók, Béla (1881–1945),
ungar. Komponist 901
Baskenland 93
Batet Mestres, Domingo
(1872–1936), span. General 679
Batschka 1185, 1190
Batum 1340
Baudouin (geb. 1930), Kg.
d. Belgier (seit 1951) 721
Bauer, Gustav (1870–1944),
dt. Reichskanzler
(1919/20) 42, 138
– Otto (1882–1938), österr.
Außenmin. (1918/19)

133f., 829f., 832f., 841, 847, 850, 854ff., 1120
- Riccardo (geb. 1896), ital. Schriftsteller 634
Bauernbefreiung 890
Bauernbewegungen 213
Bauernbund
- bulg. 1244ff., 1250, 1307
- schwed. (Bondeförbundet) 783ff.,
Bauernpartei
- norweg. 779f., 814
- »Piast«, poln. 997, 1001, 1004, 1009
- schwed. 815
- Stronnictwo Ludowe (SL) 1014, 1025, 1043f.
Bauernparteien 53, 76, 213, 1003, 1118, 1167
Bauernsowjets 35
Bauerntum 53f., 84
Baunsgaard, Hilmar T. (geb. 1920), dän. Min.präs. (1966–71) 807f.
Bayar, Mahmut Celâl (geb. 1884), türk. Min.präs. (1937–39), Staatspräs. (1950–60) 1343ff.
Bayerische Volkspartei 530f., 543, 553
Bayern 225, 530ff., 573, 590, s. a. Räterepublik, bayer.
Bayernpartei (BP) 573, 579, 997
Bayeux 471
Bayonne 456
Beamte, Beamtentum 38–41, 84, 208, 552
Beaverbrook, Lord, eigentl. William M. Aitken (1879–1964), brit. Politiker u. Zeitungsverleger, Lordsiegelbewahrer (1943–45) 354
Beck, Józef (1894–1944), poln. Oberst, Außenmin. (1932–39) 614, 1011, 1013, 1015f., 1019, 1150
- Ludwig v. (1880–1944), dt. Gen.oberst, Chef d. Gen.stabs (1935–38) 279, 553, 567
Becker, Richard (1884–1969), dt. Industrieller u. Politiker 600

Beckmann, Max (1884–1950), dt. Maler u. Graphiker 559
Befreiungskrieg, kolonialer 314
»Befriedungspakt« (1921) 629
Beistandspakt
- sowjet.-tschechoslowak. (1935) 188, 507, 931, 938
- poln.-tschechoslowak. (1947) 964
Bekennende Kirche 560
Belfast 749, 762, 767, 771
Belgien 699–724, 791
- Wirtschaft 21f., 24, 27, 707, 715, 722f.
- Außenpolitik 702
- Parteien 705–708, 721f.
- Kultur 707, 723
- Sprachenproblem 706, 721f.
Belgrad 1186, 1212, 1216, 1221, 1223, 1234
- Waffenstillstand (1918) 1138
- Konvention (1923) 1140, 1197
- Protokoll (1928) 1321
- Slawenkongreß (1946) 1227
- Erklärung (1955) 1234f.
- Konferenz blockfreier Staaten (1961) 1235
Belishova, Liri (geb. 1926), alban. Kommunistin 1288f., 1291f., 1294f.
Beloff, Max (geb. 1913), brit. Historiker 450
Ben Bella, Ahmed (geb. 1916), alger. Staatschef (1962–65) 476
Benediktsson, Bjarni (geb. 1908), isländ. Min.präs. (1963–65) 813
Benelux 705, 719f.
-Gerichtshof (1969) 720
Beneš, Edvard (1884–1948), tschechoslowak. Außenmin. (1918–35), Staatspräs. (1935–38, 1945–48) 9, 126, 212, 839, 865, 923ff., 927, 931f., 936–939, 941, 946, 949, 957ff., 961ff., 965f., 968, 993, 1006, 1198

Bengalen 419
Benjumea y Burín, Rafael, Conde de Gualdalhorce (1877–1952), span. Politiker 666f.
Bentinck, Lord William H. Cavendish (1774–1839), brit. Gen.gouverneur v. Indien (1833–35) 414
Berán, Rudolf (1887–1954), tschechoslowak. Min.präs. (1938/39) 946f., 950
Berchtesgaden, dt.-österr. Abkommen (1938) 866f.
Berenguer y Fusté, Dámaso (1873–1953), span. Min.präs. (1930/31) 671f.
Bereza Kartuska 1014, 1018, 1024
Bergarbeiterstreik (1926), brit., s. Generalstreik
Berge, Abraham (1851–1936), norweg. Min.präs. (1923/24) 779
Berger-Waldenegg, Egon [Frhr. v.] (1880–1960), österr. Außenmin. (1934–36) 860
Berija, Lawrentij P. (1899–1953), sowjet. stellv. Min.präs. (1946–53) 503, 511, 517, 1171
Berlin 4, 15, 580f.
- Frage 284, 343, 580
- Universität 861f.
- Kongreß (1878) 322
- Vertrag (1878) 159, 1152
- dt.-sowjet. Vertrag (1926) 158ff., 173, 180, 192, 504, 541, 1012
- Olympische Spiele (1936) 862f.
- Vereinbarung über Südtirol (1939) 9
- Vier-Mächte-Erklärung (1945) 570
- Viermächtestatus 282, 571, 573
- Krise (1948) 284, 340f., 346
- Blockade (1948/49) 339f., 471, 575, 581, 818, 1048, 1306
- Vier-Mächte-Konferenz

(1954) 582
- sowjet. Ultimatum (1958) 342, 519, 581
- Mauerbau (1961) 5, 342, 520, 581, 584, 1106
- Viermächteabkommen (1971) 347
Berling, Zygmunt (geb. 1896), poln. General 1031, 1039
Berling-Armee 1034f.
Berman, Jakób (1901–58), stellv. poln. Min.präs. (1954–56) 1052, 1054
Bermondt-Armee 1115
Bermondt-Avalov, russ. General 1068
Bermudas 267
Bernadotte, Folke Gf. (1895–1948), Präs. d. Schwed. Roten Kreuzes (1945–48) 798, 820
Bernanos, Georges (1888–1948), frz. Schriftsteller 448, 457
Bernaschek, Richard (1888–1945), österr. Schutzbundführer 854, 856
Bernatzik, Edmund (1854–1919), österr. Staatsrechtslehrer 834
Berner Jura 742
Bertram, Ernst (1884–1957), dt. Literaturwissenschaftler 559
Berufsbeamtentum, s. Beamte
Berufsverbände 232
Besant, Annie (1847–1933), engl. Frauenrechtlerin 415
Besatzungsmächte 572f., 577
Besatzungsstatut (1949) 577f.
Besatzungstruppen 367, 570
Besatzungszone
- amerik. 571
- brit. 571f.
- frz. 465, 571
- sowjet. 16, 81, 284, 339, 514, 571, 573–576
Besatzungszonen
- in Dld. 9, 275, 281f., 337, 340, 466, 570–575
- in Österr. 875f., 878

Beseler, Hans H. v. (1850–1921), dt. Generalgouverneur v. Polen (1915–18) 986f.
Bessarabien 265, 490, 509, 1135f., 1139ff., 1143, 1145f., 1151, 1156, 1158f., 1161f., 1252
Best, Werner (geb. 1903), nat.soz. Reichsbevollmächtigter in Dänemark (1942–45) 800
Besteiro Julián (1870–1940), span. Philosoph u. Politiker 659, 677
Bethlen, Gf. István (1874–1947), ungar. Min.präs. (1921–31) 179, 888, 892–896, 900
Betriebsräte 49
Betriebsverfassung 36
Bevan, Aneurin (1897–1960), brit. Gesundheitsmin. (1945–50), Arbeitsmin. (1951) 355, 389f., 393f., 398, 400
Beveridge, Lord William Henry (1879–1963), brit. Nationalökonom u. Wirtschaftspolitiker 47, 95
Beveridge-Report (1942) 47, 95, 387
Bevin, Ernest (1881–1951), brit. Außenmin. (1945–51) 355, 386, 388, 390, 427
Bevölkerung, agrar. 51, 54
Bevölkerungsaustausch 7, 9, 1252
Bevölkerungsbewegungen 1–18
Bevölkerungsverschiebungen 2f., 6, 10ff., 129, 141f.
Bewegung, europ. 319–334
Bewegung fortschrittlicher Katholiken 1049
Bewegungen
- antikolonialist. 303, 305f., 316, s. a. Antikolonialismus
- faschist. 84, 86, 636
- regionalist. 92, s. a. Regionalismus
- sozialist. 214
Bewegungskrieg 254

Beziehungen, internationale 143, 165, 341, 359, 373
Bezzi, Ergisto (1835–1920), ital. Politiker 627
Białystok 995, 1026, 1031
Biçaku, Ibrahim Bey (gest. 1944), Chef d. alban. prov. Regierung (1943) 1283
Bidault, Georges (geb. 1899), frz. Min.präs. (1946, 1949/50), Außenmin. (1944–46, 1947/48, 1953/54) 462, 465ff., 470, 596
Bienert, Richard (geb. 1881), Innenmin. d. Reichsprotektorats Böhmen-Mähren (1942–45) 952
Bieńkowski, Władysław (geb. 1906), poln. Unterrichtsmin. (1956–59) 1047
Bierut, Bolesław (1892–1956), poln. Staatspräs. (1947–52), Min.präs. (1952–54) 277, 1035f., 1041, 1044, 1047f., 1050ff., 1054
Bilbao 692
Bildungsbürgertum 42, 70, 208
Bipartite Control Office 574
Birkenfeld 597
Birkenhead, Frederick Edwin Smith, Earl of (1872–1930), brit. Politiker u. Jurist 363, 371
Birmingham 15
Bischoff, Norbert (1894–1960), österr. Diplomat 879
Bismarck, Otto Fürst v. (1815–98), preuß. Min.präs. (1862–90), dt. Reichskanzler (1871–90) 151, 302, 400, 541
Bissolati, Leonida (1857–1920), ital. Politiker 623
Bistras, Leonas (geb. 1890), litau. Min.präs. (1925/26) 1070
Bitburg 700
Bi-Zone 574

Björnsson, Sveinn
(1881–1952), isländ.
Staatspräs. (1944–52)
812f.
»Blaue Division« 266, 690
Blehr, Otto A. (1847–1927),
norweg. Min.präs.
(1902/03, 1921–23) 779
Blitzkrieg 184, 188, 253f.,
257f., 262, 278
Bloc national 440, 444
Block d. Demokratischen
Parteien 1164f.
Block d. Nationalen Minderheiten 1001, 1004
Blockade 20, 161, 385
Blockfreiheit 1235, 1239
Blockparteien 340
Blok, Alexander A.
(1880–1921), russ. Lyriker 220
Blomberg, Werner v.
(1878–1946), dt. Reichswehrmin. (1933–35),
Oberbefehlshaber d.
Wehrmacht u. Reichskriegsmin. (1935–38) 547,
553f., 557
Blücher, Franz
(1896–1959), dt. Politiker, Bundesmin. f. Europafragen u. Vizekanzler
(1949–57) 573
– Wassilij K. (1889–1938),
sowjet. Marschall 505
Blum, Léon (1872–1950),
frz. Min.präs. (1936/37,
1938, 1946/47) 29, 42, 76,
441, 443, 447, 452–455,
467, 473
Boborykin, Pjotr D.
(1836–1921), russ.
Schriftsteller 58
Boch, Alfred v., saarländ.
Industrieller, Mitglied d.
internat. Regierungskommission d. Saargebiets
(1920) 590
Böcklin, Arnold
(1827–1901), schweizer.
Maler 731
Bodnăraş, Emil (1904–76),
rumän. Kriegsmin.
(1947–57) 1162, 1165,
1169, 1181
Boerenbond 707
Boerner, Ignacy
(1875–1933), poln.
Oberst, Postmin.
(1929–33) 999
Bogomolov, Aleksander
(geb. 1900), sowjet. Diplomat 1220
Böhmen 26, 128, 144, 185,
211f., 257, 262, 828, 830,
833, 921, 924, 927, 935
Böhmen-Mähren 17, 963
– Reichsprotektorat
(1939–45) 562, 947,
949–952
Bohusz-Szyszko, Zygmunt,
(geb.1893), poln. General
1030
Bolivien 161
Bologna 628
Bolschewiki 45, 75, 77, 82,
206, 215, 483ff., 487ff.,
491, 497f., 887, 995, 999,
1082ff., 1272
Bolschewismus 83, 184ff.,
221, 255, 507, 512, 690,
891, 927, 996, 1114, 1138
Bolz, Lothar (geb. 1903),
Außenmin. d. DDR
(1953–65) 573
Bombenkrieg (1939–45), s.
Luft- u. Bombenkrieg
Bomholt, Laurits Julius
(geb. 1896), dän. Politiker
u. Publizist 806f.
Bonapartismus 85
Bonar Law, Andrew
(1858–1923), brit. Premiermin. (1922/23) 371,
375
Bondfield, Margaret G.
(1873–1953), brit. Arbeitsmin. (1929–31) 372
Bonhoeffer, Dietrich
(1906–45), dt. ev. Theologe, Widerstandskämpfer
560
Bonnet, Georges E.
(1889–1973), frz. Außenmin. (1938/39) 454
Bonomi, Ivanoe
(1873–1951), ital.
Min.präs. (1921/22,
1944/45) 629f., 639,
643ff.
Borden, Sir Robert L.
(1854–1937), kanad. Premiermin. (1911–20) 406f.
Bording, Kristen (geb.
1876), dän. Politiker 804
Borgese, Giuseppe Antonio
(1882–1952), ital. Schriftsteller u. Gelehrter 640
Boris III. (geb. 1894),
bulg. Zar (1918–43)
1203f., 1244f., 1247f.,
1251f., 1254f., 1257
Bornewasser, Franz Rudolf
(1866–1951), Bischof v.
Trier (1922–51) 593
Borten, Per (geb. 1913),
norweg. Min.präs.
(1965–71) 814, 819
Bortnowski, Władysław
(geb. 1891), poln. General 1023
Bosch, Carl (1874–1940),
dt. Chemiker u. Industrieller 364, 536
– Robert (1861–1942), dt.
Industrieller 553
Bosilkov, Eugeni (gest.
1952), bulg. kathol. Bischof 1265
Bosnien 1185, 1188,
1199ff., 1213, 1216
Bosporus, s. Meerengen
Botev, Christo (1848–76),
bulg. Dichter u. Revolutionär 1257
Bouvetinsel 789
Bovensiepen, Otto, Gestapochef in Dänemark 800
Bowman, Isaiah
(1878–1950), amerik.
Geograph 135
Bozbeyli, F., türk. Politiker
1349
Božilov, Dobri
(1884–1945), bulg.
Min.präs. (1943/44)
1255f., 1258
Bracher, Karl Dietrich
(geb. 1922), dt. Historiker
u. Politologe 82, 88, 477
Brandsch, Rudolf (geb.
1880), Volksgruppenführer d. Siebenbürger Sachsen 1150
Brandt, Willy (geb. 1913),
Regierender Bürgermeister v. Berlin (1957–66),
dt. Bundeskanzler
(1969–74) 1180, 1240
Branting, Karl Hjalmar
(1860–1925), schwed.

Min.präs. (1920,
1921–23, 1924/25), Friedensnobelpreis (1921)
45f., 783f., 790
Braque, Georges
(1882–1963), frz. Maler
447
Brasilien 791
Brasillach, Robert
(1909–45), frz. Schriftsteller 448
Brătianu, Constantin
(1866–1950), rumän. Finanzmin. (1933/34),
1144f., 1153, 1156, 1158,
1162f., 1167
– Gheorge (1898–1955), rumän. Politiker 1144
– Ion C. (1864–1927), rumän. Min.präs. (1909–11,
1914–18, 1918/19,
1922–26, 1927) 130,
1137–1141, 1144
– Vintilă (1867–1930), rumän. Min.präs. (1927/28)
1142
Bratteli, Trygve (geb. 1910),
norweg. Min.präs.
(1971/72, 1973–76) 814,
819
Brauchitsch, Walther v.
(1881–1948), dt. Generalfeldmarschall (1940),
Oberbefehlshaber d. Heeres (1938–41) 279
Bräuer, dt. Beauftragter in
Norwegen 795
Braun, Max, saarländ. Politiker u. Redakteur 593
– Otto (1872–1955), preuß.
Min.präs. (1920–33) 556
Brazzaville 461
– Konferenz (1944) 310,
468
Brecht, Arnold
(1884–1977), dt. Beamter
u. Politologe 208
– Bertolt (1898–1956), dt.
Schriftsteller u. Dichter
559
Breitner, Burkhard
(1884–1956), österr. Chirurg 877
Brenner 9, 127
Brentano, Heinrich v.
(1904–64), dt. Politiker,
Bundesaußenmin.

(1955–61) 880
Breschnew, Leonid I. (geb.
1906), Sekretär d. ZK d.
KPdSU (1952/53,
1956–60, 1963/64),
Gen.sekr. d. ZK (seit
1964), Staatspräs.
(1960–64, seit 1977) 80,
347, 520, 974, 1059
Breschnew-Doktrin 80, 975,
1180
Brest-Litowsk, Friede
(1918) 127, 254, 485, 488,
988, 1066, 1085f., 1113,
1115
Briand, Aristide
(1862–1932), mehrmaliger frz. Min.präs., Außenmin. (1915–17,
1921/22, 1925–32), Friedensnobelpreis (1926)
148, 153, 156, 164, 169,
171f., 175, 179, 323, 383,
440, 541, 591
– Europa-Memorandum
(1930) 171, 175, 323ff.
Briand-Kellogg-Pakt (1928)
164, 299, 505
Brindisi 641
British Broadcasting Corporation (BBC) 390f.
British Electricity Authority
111
British European Airways
Corporation 110
British-Guayana 267
British Overseas Airways
Corporation (BOAC)
110, 392
British Peace Handbook
135
British South Africa Company 434
British Transport Commission (1947) 392
Brockdorff-Rantzau, Ulrich Gf. v. (1869–1928),
dt. Staatssekr. d. Auswärt. (1918/19), Botschafter in Moskau
(1922–28) 118, 133, 181,
495, 832
Brody, Andreas, Min.präs.
d. Karpatho-Ukraine
(1938) 946
Bromberg 1024, 1037
Brooke, Sir Basil S., später

Lord Brookeborough
(1888–1973), nordir. Premiermin. (1943–63) 767,
770
Broszat, Martin (geb. 1926),
dt. Historiker 225
Browne, Nòel C. (geb.
1914), ir. Gesundheitsmin. (1948–51) 768
Broz, Josip, s. Tito
Bruce Lockhart, Sir Robert
H. (1887–1970), brit. Diplomat 488
Brüning, Heinrich
(1885–1970), dt. Zentrumspolitiker, Reichskanzler (1930–32) 28,
42f., 172–177, 180ff.,
195f., 209, 542ff., 546,
556, 702
Brünn 921f.
Brunner, Emil (1889–1966),
schweizer. protestant.
Theologe 731
Brüssel 15, 706, 720–723
– Fünf-Mächte-Vertrag
(1948) 326, 351, 768
Brussilov-Offensive (1916)
987
Bruttoverdienste 43f.
Bucard, Marcel
(1895–1946), frz. Politiker 448
Bucharin, Nikolai I.
(1888–1938), sowjet. Politiker u. Wirtschaftstheoretiker 220, 485, 499, 503
Buckingham Palace 747
Budaörs 893
Budapest 888, 890f., 893,
899, 901, 905, 916ff.,
1138, 1309
Budjonnyj (Budënnyj),
Semjon M. (1883–1973),
sowjet. Marschall 489,
511, 995
Buero Vallejo, Antonio
(geb. 1916), span. Dramatiker 693
Buhl, Vilhelm (1881–1954),
dän. Min.präs. (1942,
1945) 795, 799f., 817
Bukarest 1161f., 1181
– dt. Luftangriff (1944)
1161
– Frieden (1913) 128, 1252
– Frieden (1918) 117,

1135 ff.
Bukowina 1135, 1137, 1139, 1141, 1143, 1158, s. a. Nordbukowina
Bulganin, Nikolai A. (1895–1975), sowjet. Marschall, Verteidigungsmin. (1947–49, 1953–55), Min.präs. (1955–58) 517 ff., 1230, 1234, 1306, 1310
Bulgarien 35, 46, 128, 162, 512 f., 1135, 1137, 1188, 1191, 1197 f., 1203, 1208, 1216, 1227, 1229, 1235, 1241–1268, 1301–1304, 1311 f., 1315, 1320, 1326, 1331 f., 1343
– Wirtschaft 21, 1252, 1267
– Gesellschaft 1243
– Außenpolitik 1246 f., 1252, 1263
– Friedensvertrag (1947) 1260
– Parteien 1244, 1250, 1260 f.
– Kirchen 1265
– Armee 1243 f., 1246, 1250, 1258 ff.
– Minderheiten 1242, 1264 f.
Bull, Edvard (1881–1932), norweg. Außenmin. (1928) 779
Bullock, Lord Alan (geb. 1914), brit. Historiker 397, 400
Bülow, Bernhard Fürst v. (1849–1929), dt. Reichskanzler (1900–09) 196
Bumçi, Luigj, Bischof v. Alessio, alban. Regentschaftsratsmitglied (1920) 1274
Bund der Freiheitskämpfer 1124
Bund der Heimatvertriebenen u. Entrechteten (BHE) 579
Bund der Landwirte (BdL) 931, 1109
Bund des Landvolks 1091, 1093 f., 1096, 1106
Bundesländer, österr. 834 f., 876, 881
Bundesverfassungsgericht, 90, 578, s. a. Verfassungsgerichtsbarkeit
Bundesverfassungsgesetz über die Wiedervereinigung Österreichs mit dem Deutschen Reich (1938) 868
Bündnis
– frz.-russ. (1894) 141, 148, 540
– frz.-poln. (1921) 143 f., 148, 154, 1006, 1011
– tschechoslowak.-jugoslaw. (1920) 937, 1192
– tschechoslowak.-rumän. (1921) 937, 1140
– jugoslaw.-rumän. (1921) 937
– poln.-rumän. (1921) 1006, 1140, 1146, 1151
– estn.-lett. (1923) 1076
– frz.-tschechoslowak. (1924) 148, 937
– frz.-rumän. (1926) 148, 1140
– frz.-jugoslaw. (1927) 148, 1195, 1197, 1279
– frz.-sowjet. (1935) 188 f., 259, 454, 456 f., 507, 702
– sowjet.-tschechoslowak. (1943) 924, 958, 961, 965
– jugoslaw.-tschechoslowak. (1946) 965
Bündnissystem, frz. 148 f., 159, 162, 192, 458, 1012
Bund Oberland 531
Bundvad, Kaj (geb. 1904), dän. Politiker 807
Buonaiuti, Ernesto (1881–1946), ital. Theologe 640
Buozzi, Bruno (1881–1945), ital. Sozialist u. Gewerkschaftler 634
Bürckel, Josef (1895–1944), nat.soz. Reichskommissar f. das Saarland (1936), Reichsstatthalter in Österreich (1939/40) 594, 870–873
Burckhardt, Carl J. (1891–1974), schweizer. Historiker, Völkerbundskommissar in Danzig (1937–39), Präs. d. Internat. Roten Kreuzes (1944–48) 186, 606, 616, 618
– Jacob (1818–97), schweizer. Historiker 731
Buren 435
Burenkrieg (1899–1902) 406
Buresch, Karl (1878–1936), österr. Bundeskanzler (1931/32), Außenmin. (1932), Finanzmin. (1933–35) 847 f., 851
Burgenland 128, 832 f., 835, 859, 892
Bürgerkrieg 6
– russ. (1917–20) 487–490, 493, 926
– finn. (1918) 1085
– ir. (1922/23) 756, 764
– span. (1936–39) 17, 182, 193, 214, 261, 380 f., 448, 452, 455, 467, 507, 510, 669, 681–685, 687, 697, 791, 1306
– griech. (1944–49) 1315, 1330 f., 1333 f.
Bürgerlich-Demokratische Partei 905
Bürgerrechtsbewegung, nordir. 770
Bürgertum 73, 84
Burgos 682
Burma 308, 418
Bürokratie 42, 834, 912
Busch-Jensen, Niels (geb. 1886), dän. Politiker u. Jurist 800
Bussche-Ippenburg, Erich Frhr. v. d. (1878–1957), Chef d. dt. Heerespersonalamts (1930–33) 553
Byrnes, James F. (1879–1972), amerik. Außenmin. (1945–47) 268, 388, 574, 1303
Byrnes-Kompromiß (1945) 284
Byzanz 1325
Bzura, Schlacht an der (1939) 564, 1023 f.

Cabanellas Ferrer, Miguel (1872–1938), span. General 685
Cable and Wireless, Ltd. 110
Cadogan, Sir Alexander (1884–1968), brit. Diplomat, Unterstaatssekr. im

Foreign Office (1938–46) 398
Cadorna, Luigi Gf. (1850–1928), ital. Generalstabschef (1914–17) 643
– Raffaele Gf. (geb. 1899), ital. General 277
Caetano, Marcelo José Das Neves Alves (geb. 1906), portug. Min.präs. (1970–74), Außenmin. (1969/70) 697
Caillaux, Joseph (1863–1944), frz. Min.präs. (1911/12), mehrfacher Finanzmin. 443
Cajander, Aimo K. (1879–1943), finn. Min.präs. (1922, 1924, 1937–39) 1096 f.
Calamandrei, Piero (1889–1956), ital. Publizist 649
Călinescu, Armand (1893–1939), rumän. Min.präs. (1939) 1150 f.
Callaghan, James (geb. 1912), brit. Außenmin. (1974–76), Premiermin. (1976–79) 395, 397
Calvo Serer, Rafael (geb. 1916), span. Gelehrter 692
Calvo Sotelo, José (1893–1936), span. Finanzmin. (1925–30) 666, 668, 679 f.
Cambó y Battle, Francisco (1876–1947), katalan. Politiker 657 ff., 660 f.; 663, 672
Cambon, Jules (1845–1935), frz. Verwaltungsbeamter u. Diplomat 429
Cambridge 419
Cameron, Donald C. (1872–1948), brit. Kolonialbeamter 430
Canaris, Wilhelm (1887–1945), dt. Admiral, Widerstandskämpfer 567
Cankov (Zankoff), Alexander (1879–1959), bulg. Min.präs. (1923–26) 1245, 1247

Cannes, Konferenz (1922) 440
Cánovas del Castillo, Antonio (1828–97), span. Min.präs. (1874/75, 1875–79, 1879–81, 1884/85, 1890–92, 1895–97) 657
Caporetto, ital. Niederlage (1917) 639
Car, Stanisław (1882–1938), poln. Justizmin. (1929/30) 1011
Cârdu, Valeriu (1911–39), rumän. Dichter u. Politiker 1154
CARE (Cooperative for American Remittances to Europe) 572
Carl v. Dänemark, s. Haakon VII.
Carl XVI. Gustaf (geb. 1946), Kg. v. Schweden (seit 1973) 816
Carlton-Club 371
Carmona, António Oscar de Fragoso (1869–1951), portug. General u. Staatspräs. (1928–1951) 696
Carné, Marcel (geb. 1909), frz. Filmregisseur 447
Carnegie Corporation 436
Carol II. (1893–1953), Kg. v. Rumänien (1930–40) 233, 1135, 1142–1146, 1149–1154, 1252
Carson, Sir Edward H. (1854–1935), nordir. Politiker 747
Carta del Lavoro (1927) 232, 640
Cartel des Gauches (1924–26) 204, 442, 444, 446, 448
Casablanca, Konferenz (1943) 270
Casares Quiroga, Santiago (1884–1950), span. Min.präs. (1936) 680
Cäsarismus 85
Casement, Sir Roger (1864–1916), ir. Nationalist 750 f.
Caserta, Abkommen (1944) 1329
Cassa per il Mezzogiorno 646, 649

Cassibile, Waffenstillstand (1943) 641
Castberg, Johann (1863–1926), norweg. Politiker 778
Castelnau, Edouard Vicomte de Curières de (1851–1944), frz. General 457
Castro, Américo (1885–1972), span. Literaturhistoriker 692
Čatloš, Ferdinand (1895–1944), slowak. Kriegsmin. (1939–44) 953, 955 ff.
Catroux, Georges (1877–1969), frz. General, Gen.gouverneur v. Indochina (1939/40), Algerien (1956) 476
Cattaro 623
Cavalcanti y Albuquerque, José, span. General 664
Cavallotti, Felice (1842–98), ital. Schriftsteller u. Politiker 632
Cavour, Gf. Camillo Benso di (1810–61), ital. Min.präs. (1852–59, 1860/61) 622
CDU/CSU 574 f., 578
Ceaușescu, Nicolae (geb. 1918), Gen.sekr. d. ZK d. KP Rumäniens (seit 1965), Staatsoberhaupt (seit 1967) 80, 1171, 1177–1181
Cecil, Lord Edgar Algernon Robert (1864–1958), brit. Politiker u. Diplomat, Kanzler d. Hzgts. Lancaster (1924–27) 380
Cela, Camilo José (geb. 1916), span. Schriftsteller 693
Central Electricity Board (1927) 391
Centre National des Indépendants 478
Centrolew (1929) 1010
Čepička, Alexej (geb. 1910), tschechoslowak. stellv. Min.präs. (1953–56) 971 f.
Černik, Oldřich (geb. 1921),

tschechoslowak.
Min.präs. (1968–70) 974
Černius, Jonas (geb. 1898),
litau. Min.präs. (1939)
1077
Černý, Jan (1877–1959),
tschechoslowak.
Min.präs. (1920/21,
1926) 932
Cervantes Saavedra, Miguel de (1547–1616),
span. Dichter 1278
Červenkov, Vulko (geb.
1900), bulg. Min.präs.
(1950–56) 1258,
1264–1268, 1306f., 1311
Četniks 1217–1220, 1223
Ceuta 691
Ceylon (seit 1970: Sri Lanka) 308, 418
Čežmedžiev, Grigor, bulg.
sozialdem. Politiker 1256
Chamberlain, A. Neville
(1869–1940), brit. Premiermin. (1937–40) 36,
42, 190, 288, 371,
377–381, 383ff., 398,
1151
– Houston Stewart
(1855–1927), brit. Kulturphilosoph u. Schriftsteller 553
– Sir J. Austen
(1863–1937), brit. Außenmin. (1924–29), First
Lord of the Admiralty
(1931), Friedensnobelpreis (1926) 153, 172,
363, 371, 383, 635
Charkow 4, 16
Charlotte (geb. 1896),
Großherzogin v. Luxemburg (1919–64) 705
Chatham House 939
Chatzianestis, Georgios
(1863–1922), griech. General 1318
Chautemps, Camille
(1885–1963), frz.
Min.präs. (1930,
1933/34, 1937/38) 451,
454, 456
Chiappe, Jean (1878–1940),
Polizeipräfekt v. Paris
(1927–34) 451
China 80, 176, 303, 323,
411, 436, 495, 505, 514,
520, 741, 1270, 1293f.,
1311
Chisinevschi, Iosif
(1905–62), rumän. Politiker 1174
Cholm 988, 1021
Christian X. (geb. 1870),
Kg. v. Dänemark
(1912–47) 774
Christiansen, Chr., dän. Politiker 804, 806
– Friedrich Christian
(1879–1972), dt. General,
Befehlshaber in den Niederlanden (1940–44) 718
Christlich-Demokratische
Partei Litauens 1065,
1070
Christlich-Demokratische
Union (CDU) 72ff., 573,
578, 580, 602
Christlicher Gewerkschaftsbund (CGB) 580
Christliche Volkspartei
(CVP) 598, 602
Christliche Volkspartei
(norweg.) 814
Christlich-Historische Union (C.H.U.) 708
Christlich Nationale Partei
Rumäniens 1145f., 1152
Christlich-Soziale Partei
– dän. 774
– österr. 210, 828ff., 834,
836f., 839ff., 844–848,
850, 852, 874f.
– sudetendt. 931
Christlich-Soziale Union
(CSU) 72, 573f.
Chruschtschow, Nikita S.
(1894–1971), Erster Sekretär d. ZK d. KPdSU
(1953–64), sowjet.
Min.präs. (1958–64) 81,
223, 342, 504, 515,
517–521, 879, 914, 916,
918, 1052, 1173f., 1230,
1234f., 1266f., 1294,
1296, 1306, 1310f.
Churchill, Randolph S.
(1911–68), brit. Schriftsteller 354, 1220
– Sir Winston L.S.
(1874–1965), brit. Premiermin. (1940–45,
1951–55) 16, 42, 71,
268–273, 275, 282f., 325,
336f., 363, 369f., 374,
380–383, 385f., 387f.,
390, 398, 411, 425, 431,
459, 464, 741, 766, 874,
1029, 1100, 1161, 1220f.,
1243, 1287, 1300, 1330
Chust 961
Chvalkovský, František
(1875–1944), tschechoslowak. Außenmin.
(1938/39) 945ff.
Ciano, Galeazzo Gf.
(1903–44), ital. Außenmin. (1936–43) 193f.,
221, 640f., 643, 861,
1158, 1282f.
Cincar-Marković, Aleksander, jugoslaw. Außenmin. (1939–41) 1208
Ciołkosz, Adam (geb.
1901), poln. Publizist u.
Politiker 1010
Cione, Edmondo (geb.
1908), ital. Politiker u.
Philosoph 643
Ciriaci, Pietro (1885–1966),
Nuntius in der Tschechoslowakei (1928–34) 935
Císař, Čestmír (geb. 1920),
tschechoslowak. Erziehungsmin. (1963–65) 973
Citroën, André
(1878–1935), frz. Unternehmer 445
Clair, René (geb. 1898), frz.
Filmregisseur 447
Clann na Poblachta (1946)
767ff.
Clarke, Thomas James
(1858–1916), ir. Nationalist 750
Clark Kerr, Archibald
(1882–1951), brit. Diplomat 1041, 1163
Claudel, Paul (1868–1955),
frz. Dichter u. Diplomat
447
Clausenlinie 775
Clausewitz, Karl v.
(1780–1831), preuß. General u. Militärtheoretiker 189, 254, 278
Clay, Lucius D.
(1897–1978), amerik. General, Mitglied d. Kontrollrats in Deutschland
(1947–49) 284

Clemenceau, Georges
 (1841–1929), frz.
 Min.präs. (1906–09,
 1917–20) 117, 119–122,
 130, 133, 135, 203, 398,
 439–443, 446, 458, 472,
 926, 929
Clementis, Vlado
 (1902–52), tschecho-
 slowak. Außenmin.
 (1948–50) 962, 970, 973
Clynes, John Robert
 (1869–1949), brit. Ge-
 werkschaftler, Ernäh-
 rungsmin. (1918), Innen-
 min. (1929–31) 372
Coandă, Constantin
 (1857–1932), rumän.
 Min.präs. u. Außenmin.
 (1918) 1137
Code Civil 1280
Codreanu, Corneliu Z.,
 eigentl. Zelinski
 (1899–1938), rumän. Po-
 litiker, Führer d. Eisernen Garde 84, 1143,
 1145, 1148ff., 1155, 1160
Coimbra 695
Cole, G.D.H. (1889–1959),
 brit. Politiker u. Gelehrter 382, 394, 400
Collins, Michael
 (1890–1922), ir. Natio-
 nalist 753, 755f.
Colonial Laws Validity Act
 (1865) 409f.
Columbia-Universität 395
Combat, frz. Widerstands-
 gruppe 462
Combined Chiefs of Staff
 Committee 270
COMECON (Council for
 Mutual Economic As-
 sistance) 331, 346, 584,
 909, 971, 1168, 1174,
 1176f., 1180, 1234, 1239,
 1263, 1293ff., 1307
Comitato di Liberazione
 Nazionale (CLN) 641f.,
 644
Comité Français de Libéra-
 tion Nationale 462
Comité National (1941) 461
Comité de politique natio-
 nale 699
Comité du Salut public
 (1958) 476

Comité Regulador de la
 Producción Industrial
 (1926) 667
Commerzbank AG 579
Committee of Imperial De-
 fence 369
Commonwealth 10, 21f.,
 28, 142, 147, 273,
 307–315, 353–437, 468,
 756, 760, 762, 765f., 768
Commonwealth-Konferen-
 zen
– 1949 307, 418, 435
– 1971 309, 436
– 1973 436f.
– 1975 436
Communauté Française
 310f., 312f., 468
Compañia Arrendataria del
 Monopolio de Petróleo
 S.A. (Campsa) 667
Companys y Jover, Luis
 (1883–1940), katalan. Politiker 679
Compiègne, Waffenstill-
 stand (1918) 1137
– dt.-frz. Waffenstillstand
 (1940) 263
Končev, Conio, Präs. d.
 bulg. Nationalbank 1264
Confederación Española de
 Derechas Autónomas
 (C.E.D.A.) 677–682
Confederación Nacional
 del Trabajo (C.N.T.) 48,
 659, 662, 666
Confédération Française
 des Travailleurs Chré-
 tiens (CFTC) 441, 443,
 452, 467, 477
Confédération Générale du
 Travail (CGT) 48, 441f.,
 452, 454f., 466, 471, 477
Confédération Générale du
 Travail Unitaire (CGTU)
 48, 442, 452, 456
Confederazione Generale
 Italiano del Lavoro 48
Connolly, James
 (1868–1916), ir. Sozialist
 u. Nationalist 749ff.
Conrad, Joseph, eigentl.
 Korzeniowski
 (1857–1924), engl.
 Schriftsteller 412
Conseil National de la Ré-
 sistance, CNR (1943)

277, 461f., 465
Consejo de la Economía
 Nacional (1924) 667
Consejo Superior de Inves-
 tigaciones Científicas
 (1939) 692
Consejo de Trabajo (1924)
 666
Constantinescu, Miron
 (1917–74), rumän. Sozio-
 loge u. Historiker, Prof.
 d. Akad. d. Wissenschaf-
 ten 1170, 1172, 1174
Constantinescu-Claps, Ata
 (geb. 1896), rumän.
 Gen.oberst 1157
Constanza 1170
»Containment« 337, 340
Contarini, Salvatore
 (1867–1945), ital. Diplomat 181
Conurbation 4, 15
Cordon Sanitaire 130,
 141f., 339, 938, 1116,
 1140, 1192
Cornaggia, ital. Politiker
 634
Corpo Italiano di Libera-
 zione 277
Corradini, Enrico
 (1865–1931), ital. Schriftsteller u. Politiker 636
Cortes v. Cádiz 654
Cosgrave, Liam (geb. 1920),
 ir. Premiermin. (1973–77)
 769
– William T. (1880–1965),
 ir. Premiermin.
 (1922–32), Außenmin.
 (1954–57) 757–762, 764
Costa, Manuel de Oliveira
 Gomes da (1863–1929),
 portug. General 233, 696
Costello, John A.
 (1891–1976), ir. Premiermin. (1945–51, 1954–57)
 767f.
Cotton Industry Board 392
Coty, François
 (1874–1934), frz. Fabri-
 kant 449
– René (1882–1962), frz.
 Staatspräs. (1954–59) 476f.
Coudenhove-Kalergi, Ri-
 chard N. Gf.
 (1894–1972), österr.
 Schriftsteller, Begründer

d. Paneuropa-Bewegung
(1923) 324
Craig, Sir James, später
Lord Craigavon
(1871–1940), nordir. Premiermin. (1921–40) 747,
761, 767
Craiova, Vertrag (1940)
1135, 1153, 1252
Cretzianu, Alexander (geb.
1895), rumän. Diplomat
1158, 1160
Cripps, Sir R. Stafford
(1889–1952), brit. Min. f.
Flugzeugherstellung
(1942–45), Schatzkanzler
(1947–50) 388, 399, 417
Crispi, Francesco
(1819–1901), ital.
Min.präs. (1887–91,
1893–96) 632 f.
Cristea, Miron
(1868–1939), rumän.
Min.präs. (1938/39)
1142, 1146, 1149 ff.
»Critica Sociale« 224, 640
Croce, Benedetto
(1866–1952), ital. Historiker, Philosoph u. Politiker 221, 224, 236, 631 f.,
640, 643
Croix de Feu, s. Feuerkreuzler
Cumann na nGaedheal
759 f., 764
Cuno, Wilhelm
(1876–1933), dt. Reichskanzler (1922/23) 36, 42,
531
Curri, Bajram (1862–1925),
alban. Innenmin. (1921)
1276 f., 1281
Curtis, Lionel G.
(1872–1955), brit. Beamter u. Historiker 306, 369,
402, 412
Curtius, Julius (1877–1948),
Reichswirtschaftsmin.
(1926–29), Reichsaußenmin. (1929–31) 172,
175 f., 180, 542, 846
Curzon of Kedleston,
George Nathaniel
(1859–1925), Vizekg. v.
Indien (1898–1905), brit.
Außenmin. (1919–24)
371, 375, 385, 995, 999,

1340
Curzon-Linie (1920) 10,
127, 272, 339, 375, 489,
995 f., 999, 1031, 1033,
1041
Cuza, Alexandru C.
(1857–1940), rumän. Politiker 1159
Cvetković, Dragiša
(1893–1969), jugoslaw.
Min.präs. (1939–41)
1206, 1208 f., 1211
Cyrankiewicz, Józef (geb.
1911), poln. Min.präs.
(1947–52, 1954–70) 1043 f.,
1048 ff., 1055, 1058 f.
Cyrenaika 181
Czech, Ludwig
(1870–1942), tschechoslowak. Fürsorgemin.
(1929–34), Gesundheitsmin. (1935–38) 934
Czechowicz, Gabriel
(1876–1938), poln.
Fin.min. (1926–29) 1010
Czernin, Ottokar Gf.
(1872–1932), österr.-ungar. Außenmin.
(1916–18) 837
Czernowitz 1137, 1159

D'Abernon, Lord Edgar V.
(1857–1941), brit. Botschafter in Berlin
(1920–26) 153, 196, 371,
996
Dąbrowski, Józef
(1876–1926), poln. Historiker 1019
»Dagens Nyheter« 820
Dagö 1112
Dahlerus, Jean Birger
(1891–1957), schwed. Industrieller 798, 1022
Dahlgaard, Bertel (geb.
1887), dän. Politiker 802,
804, 806 f.
Dahomey 319
Dahrendorf, Gustav
(1901–54), dt. Genossenschaftspolitiker 573
– Ralf (geb. 1929), dt. Soziologe 329
Dáil Eireann 753 f.,
758 ff., 764 f., 767
»The Daily Telegraph« 358
Dakar 310

Daker 1136
Daladier, Edouard
(1884–1970), frz.
Min.präs. (1933/34,
1938–40), Bürgermeister
v. Avignon (1953–58)
451 f., 454 f., 459, 472,
957, 1151
Dalhousie, Lord James A.
(1812–60), brit. Gen.gouverneur v. Indien
(1848–56) 414
Dalmatien 623–626, 1185,
1190, 1194, 1200 f., 1302
Dálnok, Béla Miklós v.
(1890–1948), ungar.
Min.präs. (1944/45) 903
Dalton, Lord Hugh
(1887–1962), brit. Schatzkanzler (1945–47) 388,
390 ff.
Daluege, Kurt (1897–1946),
stellv. Reichsprotektor in
Böhmen u. Mähren
(1942/43) 952
Damão 698
Damaskinos (1891–1949),
Ebf. v. Athen, griech.
Regent (1945/46) 1330
Dan 491
Dänemark 773–777, 782,
789, 794, 799–812,
817 ff., 821 f., 1090, 1101
– Wirtschaft 53, 775 ff.,
807 f., 818
– Außenpolitik 787 f., 817 f.
– Sozialpolitik 776, 809
– Wahlrecht 805
– Parteien 76, 774,
802–806, 817 f.
– dt. Minderheit 775, 801,
803
– dt. Besetzung (1940–45)
262 f., 564, 795, 797, 812
Dannecker, Theodor (geb.
1913), Judenreferent d.
Gestapo in Paris u. Bulgarien (1943/44) 1255
D'Annunzio, Gabriele
(1863–1938), ital. Dichter
u. Politiker 84, 625 ff.,
635, 1190
Dansk Samling 800, 802 f.
Danzig, Freie Stadt 120 f.,
141, 179, 185, 605–618,
1005 f., 1012 f., 1017,
1027, 1041 f., 1072

– Völkerbundskommissar
121, 163, 606
– an Polen (1945) 283
Danzig-Frage 385
Danziger Gulden 610, 616, 618
Danziger Volkspartei 608
Danzig-Westpreußen 185
Darányi, Kálmán (1886–1939), ungar. Min.präs. (1936–38) 895
Dardanellen 368
Darlan, François (1881–1942), frz. Admiral, Marine-, Innen- u. Außenmin. (1941/42) 460, 462
Darmstädter u. Nationalbank 545
Darnand, Joseph (1897–1945), frz. Politiker 461
Darwin, Charles R. (1809–82), engl. Naturforscher 553
Daszyński, Ignacy (1866–1936), poln. Min.präs. (1918) 991, 1010
Dato e Iradier, Eduardo (1856–1921), span. Min.präs. (1913–15, 1917, 1920/21), Außenmin. (1918) 656 f., 660 f.
Davidescu, Gheorge, rumän. Diplomat 1152
Davidović, Ljubomir (1863–1940), jugoslaw. Min.präs. (1919/20, 1924) 1193, 1196
Davidson, J. C. C. (geb. 1889), Vors. d. brit. Konservativen Partei (1926–30) 375
Dawes, Charles G. (1865–1951), amerik. Bankier u. General, Vizepräs. d. USA (1925–29) 372
Dawes-Kommission 373
Dawes-Plan (1924) 155 ff., 209, 372, 532, 541
DDR, s. Deutsche Demokratische Republik
De Ambris, Alceste (1874–1934), ital. Politiker 626

Déat, Marcel (1894–1955), frz. Arbeits- u. Sicherheitsmin. (1944), Gründer d. Rassemblement National Populaire 441, 459
De Bono, Emilio (1866–1944), ital. Marschall 643
De Bosis, Lauro (1901–31), ital. Dichter 638
Debré, Michel (geb. 1912), frz. Min.präs. (1959–62), Außenmin. (1968/69), Verteidigungsmin. (1969–72) 472, 604
Debrecen 903
Declaration on Liberated Europe (1945) 275, 336
Dedijer, Vladimir (geb. 1914), jugoslaw. ZK-Mitglied (1952–54) 1236
Deficit spending 74, 453, 544
Deflationspolitik 21, 28, 452, 542, 544, 685, 709, 839, 935 f.
De Gasperi, Alcide (1881–1954), ital. Außenmin. (1944–46, 1951–53), Min.präs. (1945–53) 72, 325, 644 ff., 876
Degrelle, Léon (geb. 1906), belg. Politiker, Begründer d. Rexisten-Bewegung (1930) 706
Dehio, Ludwig (1888–1963), dt. Historiker 252
Dekolonisation 10, 304, 307 f., 309, 311, 314–317, 431, 468, 475, 477
Della Torre, ital. Senator 1187
Delp, Alfred (1907–45) kath. Theologe, Mitglied d. Kreisauer Kreises 560, 567
Delta-Werke 726
Delvino, Suleyman Bey, alban. Min.präs. (1920) 1274 f., 1278
Demertzis, Konstantinos (1876–1936), griech. Min.präs. (1935/36) 1324
Demirel, Süleyman (geb. 1924), türk. Min.präs.

(1965–71, 1975–77) 1346–1349
Democrazia Cristiana 72 f., 76, 643–646
Demokratie 83 f., 91, 202, 683
– direkte 51
– europ. 447
– parlamentar. 89, 202, 206, 211, 213, 526, 528, 548, 553, 574, 688, 759, 761, 881, 923 f., 963, 965, 1064, 1136, 1140, 1316, 1318, 1322, 1324, 1335 f.
Demokratische Bauernpartei Deutschlands (DBP) 573
Demokratische Bauernpartei (Rumäniens) 1165
Demokratische Fortschrittspartei 882
Demokratische Front (Albanien) 1288, 1301
Demokratische Partei (Jugoslawien) 1191
Demokratische Partei des Saarlandes (DPS) 598, 600, 602
Demokratische Partei (Slowakei) 1044
Demokratische Partei (Türkei) 1344 f.
Demokratischer Bauernbund 582
Demokratischer Block (Rumänien) 1044, 1162 ff., 1301
Demokratisches Zentrum 1118
Demokratische Vereinigung (DS) 1195, 1245
Demokratische Zentralisten 492
Demontage 284, 572, 583
Den Haag
– Friedenskonferenzen 322
– Landkriegsordnung (1899) 13, 137, 254
– Schiedsgericht, s. Internationaler Gerichtshof
– Abkommen (1949) 315
Denikin, Anton I. (1872–1947), russ. General 487 ff., 993, 999, 1115
Denis, Ernest (1849–1921), frz. Slawist u. Historiker
Denk, Wolfgang

(1882–1970), österr. Chirurg 880
Deportation 8, 11, 462 f., 1028, 1128 f., 1332, s. a. Zwangsarbeit
Dérer, Ivan (geb. 1884), tschechoslowak. Kultusmin. (1929–34), Justizmin. (1934–38) 935
Derwischorden 1341
Déry, Tibor (1894–1977), ungar. Schriftsteller 918 f.
De Stefani, Alberto (1879–1969), ital. Finanzmin. (1922–25) 635
Destrée, Jules (1863–1936), wallon. Politiker u. Schriftsteller 723
Détente, Entspannung 346
Deutsch, Julius (1884–1968), österr. Politiker, Begründer d. Republikan. Schutzbundes (1923) 217, 830, 836, 843, 854 f.
Deutsche Arbeiterpartei 837
Deutsche Arbeitsfront (DAF) 230, 561
Deutsche Bank AG 579
Deutsche Bauernpartei 830, 832, 837, 841
»Deutsche Christen« (DC) 559
Deutsche Demokratische Partei (DDP) 179, 208, 528, 531, 608
Deutsche Demokratische Republik (DDR) 3, 283, 339 f., 520, 576, 582–585, 1053, 1297
– Wirtschaft 39, 52, 572, 583 f.
– Vertriebene (nach 1945) 10, 16, 582
– Flüchtlinge 5 ff., 10, 578 f., 584
– Verhältnis zur Sowjetunion 80, 342, 582, 584
»Deutsche Front« 594
Deutsche Kampfgemeinschaft (1922) 933
Deutsche Partei 573, 575, 579
Deutsche Rechtspartei 573, 579
Deutscher Gewerkschaftsbund (DGB) 48 f., 64, 580
Deutscher Nationalverband 828
Deutscher (Ritter)Orden 1066, 1069, 1108, 1133
Deutscher Volkskongreß f. Einheit u. gerechten Frieden (1947) 576
Deutscher Zollverein 332, 700
Deutsche Sozialdemokratische Partei 600, 602
Deutsches Reich, s. Deutschland
Deutsche Volkspartei (DVP) 42, 76, 179, 530 f., 540, 543, 611
Deutschland 2 ff., 9, 14, 41, 45 f., 117, 120, 140, 332, 336, 522–585, 653, 678, 697, 699, 701, 703, 709, 716 ff., 730, 750, 775, 777, 780, 785, 787, 790, 795–798, 801, 804, 850, 855, 859, 861, 938, 985, 994, 1062, 1066, 1082, 1084, 1088 ff., 1097 f., 1100–1103, 1105, 1112 f., 1119, 1123, 1125 ff., 1144, 1162, 1204, 1207, 1241, 1252 f., 1256, 1323, 1325, 1344
– Außenpolitik 189, 191, 260, 379, 580, 865, 922 f., 1085 f.
– dt.-russ. Beziehungen 142, 150 ff., 157, 168, 504, 506
– Wirtschaft 5, 21–28, 39, 43 f., 53 f., 95, 534, 579, 863, 882
– Gesellschaft 40 f., 45
– Bundesrepublik 340 f., 575–582, 599, 818, 880, 1056, 1058 f., 1231, 1235, 1239, 1347
– Vertriebene 10, 16, 572, 579
– ausländ. Arbeitnehmer 5 f., 15
– Parteien 573, 578, s. a. Weimarer Republik
Deutschlandnote (1952), sowjet. 517
Deutschlandpolitik, alliierte 273
Deutschland-Problem 269
Deutschland-Vertrag (1952) 341, 577
Deutschkonservative Partei 529
Deutschnationale Volkspartei 71, 529 f., 533, 541, 545 f., 555, 591, 607 f., 611 ff., 616
Deutsch-Österreich 127, 828 ff., 839, 929
Deutsch-Österreichischer Volksbund 870
Deutsch-Schwäbische Volkspartei 1139
Deutsch-Sozialer Volksbund 864
Deutsch-Vlämische Arbeitsgemeinschaft (DeVlag) 714 f.
De Valera, Eamon, s. Valera
De Vlaamse Landsleiding (1944) 715
Devolution 397 f.
Devonshire, V.C.W. Cavendish, Herzog v. (1868–1938), brit. Kolonialmin. (1922–24) 430
Diaz, Armando (1861–1928), ital. Marschall, Kriegsmin. (1922–24) 630
»Dienst am Siege Polens« (SZP) 1025
Dienststelle Ribbentrop 183
Diktatur 87 f., 222, 234, 557, 683, 694, 696, 1324, 1335
Diktatur des Proletariats 75 f., 78, 81, 87, 97, 203, 222, 483 f., 677, 683, 841, 887, 918, 1112, 1261
Dilke, Sir Charles (1843–1911) brit. Schriftsteller u. Politiker 421
Dimitrov, Georgi M. (1882–1949), Gen.sekr. d. Komintern (1935–43), bulg. Min.präs. (1946–49) 1227, 1241, 1245 f., 1256, 1258–1264, 1266, 1303, 1306 f.
– G. M. = »Gemeto«, Gen.sekr. d. bulg. Bauernpartei 1259
Dinghofer, Franz (1873–1956), österr. Vizekanzler (1926/27), Justiz-

min. (1927/28) 828, 837
Dino, Fiqri, alban.
   Min.präs. (1944) 1284
Diplomatiegeschichte 165
Dismemberment 121, 136, 272, 275, 282, 388
Displaced Persons 12, s. a. Flüchtlinge
Disraeli, Benjamin, seit 1876 Lord Beaconsfield (1804–81), brit. Premiermin. (1868, 1874–80) 414
Dissidenten 38, 221
Distomo (1944) 1326
Dittmann, Wilhelm (1874–1954), dt. Politiker, Mitglied d. Rats d. Volksbeauftragten (1918) 526
Diu 698
Djilas, Milovan (geb. 1911), jugoslaw. Politiker u. Schriftsteller, stellv. Staatspräs. (1953/54) 300, 1218, 1229, 1232–1236, 1239, 1264, 1306
Dmowski, Roman (1864–1939), poln. Außenmin. (1923) 213, 985, 988, 990, 992f., 1009
Dneprostroj 499
Dnjestr 1141, 1156
Dobi, Istvan (1898–1968), ungar. Min.präs. (1948–52), Staatspräs. (1952–67) 1307
Dobrudscha 1135, 1139, 1153, 1159, 1242, 1246f., 1252f., 1259, 1267
Doda, Prenk Bib, alban. Politiker 1273
Dodekanes 1315, 1328f., 1333
Dolchstoßlegende 529, 554, 624
Dollar 22, 29
Dollfuß, Engelbert (1892–1934), österr. Bundeskanzler (1932–34) 193, 845, 848f., 850–857, 859, 861f.
Dominion-Ministerium 411
Dominions, brit. 117, 142, 146, 159, 163, 189, 307ff., 368, 378, 381, 402, 406–412, 414f., 421, 423, 428, 430, 433, 760
Donati, Donato (1880–1946), ital. Jurist 634
Donau 144
Donaubund 272
Donau-Schwarzmeer-Kanal 1170
Donezbecken 4
Dönitz, Karl (geb. 1891), dt. Großadmiral, Oberbefehlshaber d. Kriegsmarine (1943–45), Nachfolger Hitlers (1945) 568, 570, 799
Donkosaken 487
Dorgères, eigentl. Henri d'Haluin, frz. Journalist 446
Doriot, Jacques (1898–1945), frz. Politiker 442, 449, 459
Dorpat 1118
– russ.-estn. Friedensvertrag (1920) 489, 1115
– russ.-finn. Friedensvertrag (1920) 1090, 1100
– Universität 1119
Dorten, Hans A. (1880–1963), rhein. Separatistenführer (1919–23) 532
Dostojewski, Fjodor M. (1821–81), russ. Dichter 228
Douhet, Giulio (1869–1930), ital. General 254
Doumergue, Gaston (1863–1937), frz. Staatspräs. (1924–31), Min.präs. (1934) 451f.
Dowbór-Muśnicki, Józef (1867–1937), poln. General 992
Drăghici, Alexandru (geb. 1913), rumän. Innenmin. (1952–68) 1178
Dragoičeva, Cola (geb. 1900), bulg. Politikerin 1258
Dramaliev, Kiril (1892–1961), bulg. Politiker 1256
Drasković, jugoslaw. Innenmin. 1192
Dreiklassenwahlrecht, preuß. 590
Dreimächtepakt (1940) 192, 264f., 1155, 1207, 1209, 1211, 1253f., 1256
Dresdner Bank AG 579
Dreyfus-Affäre 58, 441, 455
Dreyfus-Prozeß 37
Drieu la Rochelle, Pierre (1893–1945), frz. Schriftsteller 448
Drobner, Bolesław (1883–1968), poln. Politiker 1039
Drôle de Guerre 262, 458
Drtina, Prokop (geb. 1900), tschechoslowak. Justizmin. (1945–48) 965f.
Drummond, Sir Eric (1876–1951), brit. Diplomat, Gen.sekr. d. Völkerbunds (1919–32) 323
Dschodsche, Koçi (gest. 1949), alban. Kommunist, alban. Innenmin. (1945–48) 1285, 1287–1292, 1295f.
Dubček, Alexander (geb. 1921), tschechoslowak. Politiker, Erster Sekr. d. ZK d. KPČ (1968/69) 346, 924, 973ff.
Dublin 749ff.
Duca, Ion (1879–1933), rumän. Min.präs. (1933), Außenmin. (1922–26) 1145
Duchet, Roger (geb. 1906), frz. Politiker 478
Duclos, Jacques (1896–1975), frz. Politiker, kommiss. Gen.sekr. d. KPF (1950–64) 442
Duero 691
Duesterberg, Theodor (1875–1950), dt. Politiker, Führer d. Stahlhelm (1924–33) 545
Duisberg, Carl F. (1861–1935), dt. Chemiker u. Industrieller 36, 536
Duisburg 150
Dula, Matuš, slowak. Politiker 928
Dulles, John Foster (1888–1959), amerik. Außenmin. (1953–59)

122, 396, 879
Duma, s. Reichsduma
Dumitrescu, Petre, rumän. Gen.oberst 1157
Dünkirchen, Rückzug bei (1940) 386
Düppel 801
Durazzo 1272f., 1279, 1282
Durčanský, Ferdinand (1906–74), stellv. Min.präs. d. Slowakei (1939–44) 955
Dürrenmatt, Friedrich (geb. 1921), schweizer. Dramatiker u. Erzähler 731, 742
Düsseldorf 150
Duttweiler, Gottlieb (1888–1962), schweizer. Unternehmer u. Politiker 732
Dzierzyński, Feliks E. (1877–1926), sowjet. Politiker, Leiter d. Tscheka u. GPU (1917–26) 484, 995

Ebert, Friedrich (1871–1925), dt. Reichspräs. (1919–25) 42, 526–529, 533, 540
– Fritz (geb. 1894), Oberbürgermeister v. Ost-Berlin (1948–67) 583
Ebner, Franz, österr. Abgeordneter 852
Eboué, Félix (1884–1944), frz. Gouverneur v. Tschad u. Frz.-Äquatorialafrika (1938–44) 461
Ebro 667
Ecevit, Bülent (geb. 1925), türk. Min.präs. (1974/75, seit 1978) 1349
Ecole Libre des Sciences Politiques 466
Ecole Nationale d'Administration 466
Ecole Normale Supérieure 42, 444
Eden, Sir R. Anthony, Earl of Avon (1897–1977), brit. Außenmin. (1935–38, 1940–45, 1951–55), Premiermin. (1955–57) 385, 388, 395, 412, 433, 507, 867, 1330
Edén, Nils G. (1871–1945),
schwed. Min.präs. (1917–20) 783
EDES 277, 1327, 1329f.
Edison 635
Eduard VIII. (1894–1972), Kg. v. England (1936), Herzog v. Windsor (seit 1937) 379
Eenpalu, Karl (1888–1942), estn. Min.präs. (1938–40) 1123
EFTA (European Free Trade Association) 331, 396, 741, 808, 814f., 818, 821f., 881, 1106
Ehrenburg, Ilja G. (1891–1967), sowjet. Schriftsteller 501
Eichmann, Adolf (1906–62), Leiter d. Judenreferats im Reichssicherheitshauptamt d. SS (1939–45) 898, 1159
Eidergrenze 803
Eidgenössische Technische Hochschule (ETH) 743
Eigentum 97, 229
Einaudi, Luigi (1874–1961), ital. Nationalökonom, Staatspräs. (1948–55) 74
– Verlag 649
Einheitspartei 85f., 98, 222f., 234, 501, 615, 682, 688, 696, 852, 893, 1123, 1150
Einheitsversicherung 47
Einparteienherrschaft 1007
– kommunist. 1299
– in Afrika 432, 434
Einparteienstaat 963
Einparteiensystem 502
Einstein, Albert (1879–1955), Physiker, Nobelpreis (1921) 560, 1203
Eire, s. Irland
Eisenbahnen 23f.
Eisenhower, Dwight D. (1890–1969), amerik. General, Präs. d. USA (1953–61) 274, 967, 1346
Eisenstadt 833
Eisenstein, Sergej M. (1898–1948), russ. Filmregisseur 494
Eiserne Garde (Garda de fier) 84, 233, 1145f.,
1148–1151, 1153, 1159
Eiserner Vorhang 337, 347
Eisner, Kurt (1867–1919), sozialist. Politiker, bayer. Min.präs. (1918/19) 218, 526
EKKA 1327f.
Ekman, Carl Gustav (1872–1945), schwed. Min.präs. (1926–28, 1930–32) 784, 791
El Alamein, Schlacht (1942) 253
ELAS 277, 1327–1330
Elbasani, Aqif Pascha, Präs. d. alban. Regentschaftsrates (1920) 1275
Elektrifizierung 23 f., 491, 499
Elektrizitätserzeugung 23 f.
Elektroindustrie 24
Elektronik 23
Elektrotechnik 38
Elfenbeinküste 319
Eliáš, Alois (1890–1942), Min.präs. d. Reichsprotektorats Böhmen-Mähren (1939–41) 950f.
Elias, Hendrik Jozef (geb. 1902), belg. Politiker 713
Elisabeth II. (geb. 1926), Kgn. v. England (seit 1952) 1165
Eliten 213, 305
Elmquist, Aage Ludvig Holberg (geb. 1888), dän. Politiker 800
Elsaß 263, 442
Elsaß-Lothringen 121, 154, 179, 196, 314, 439, 444, 459, 566
Eltz-Rübenach, Paul Frhr. v. (1875–1943), Reichspostmin. u. Reichsverkehrsmin. (1932–37) 547
Eluard, Paul (1895–1952), frz. Dichter 447
Emigranten 12
Emigration
– hugenott. 7
– frz. (nach 1789) 7
– russ. (nach 1917) 7, 12, 484
– dt. (nach 1933) 12, 280, 559f.
– jüd. (nach 1933) 11 f., 16
– österr. 873, 875

- span. (nach 1936) 17
- balt. (nach 1939) 1132
- poln. (nach 1939) 982f.
Eminescu, Mihail
  (1850–89), rumän. Dichter 1149
Empire, brit. 21, 142, 146, 306f., 309, 368, 386, 406, 409, 430, 756
Empire-Konferenzen
- 1911 406
- 1923 412
- 1926 307, 409, 430, 760
- 1937 189
Encyclopedia
- Britannica 353
- Italiana 221
Ender, Otto (1875–1960), österr. Bundeskanzler (1930/31) 846, 848, 853
»Endlösung« der Judenfrage 12f., 186, 226, 237, 278, 566, 900, s. a. Judenvernichtung
Engels, Friedrich (1820–95), dt. sozialist. Theoretiker u. Publizist 82, 222, 683, 829
England, s. Großbritannien
Engliš, Karel (1880–1961), tschechoslowak. Finanz.min. (1920, 1925–28) 932
Ente Nazionale Idrocarburi (ENI) 96, 649
Entente, brit-frz. 540
Entkolonialisierung, s. Dekolonisation
Entnationalisierungspolitik 636
Entnazifizierung 571f.
Entspannungspolitik, dt.-frz. 179
Entstalinisierung 517–520, 972, 1167, 1175, 1266, 1294, 1311f.
Entwicklung, technolog. 44f.
Entwicklungshilfe 317, 742f.
Entwicklungsländer 328
Enzyklika
- »Quadragesimo anno« (1931) 849, 860
- »Non abbiamo bisogno« (1931) 636
- »Mit brennender Sorge«

(1937) 560
Epirus 1317
Erdmann, Karl Dietrich (geb. 1910), dt. Historiker 216
Erdöl 23, 725
Erfüllungspolitik 149, 168, 183, 209, 539f.
Erhard, Ludwig (1897–1977), dt. Wirtschaftsmin. (1949–63), Bundeskanzler (1963–66) 74, 575, 578
Eriksen, Erik (1902–72), dän. Min.präs. (1950–53), Vorsitzender d. Venstre (1950–65) 800, 805f., 808
Erim, Nihat (geb. 1912), türk. Min.präs. (1971/72) 1349
Erkko, Eljas (geb. 1895), finn. Außenmin. (1938/39) 1099
Erlander, Tage (geb. 1901), schwed. Min.präs. (1946–69) 815
»Ermächtigungsgesetz« (1933) 555
Ermessensstaat 225
Ermland 610
Erneuerungsbewegungen, konservative 71
Erzberger, Matthias (1875–1921), dt. Zentrumspolitiker, Reichsfinanzmin. (1919/20) 209, 530, 609, 1066
Erzbergersche Finanzreform (1919) 528
»Esprit« 448
Esquerra 661
Estland 93, 126, 234, 485, 487, 505, 787, 923, 1063, 1089, 1107–1133
- Minderheiten 1118, 1120, 1124
- Gesellschaft 1117, 1123, 1131
- Parteien 1109, 1111, 1118, 1121
- Armee 1114, 1128
- Staatsstreich (1939) 1122f.
- Wirtschaft 1119, 1122, 1124, 1132
- Außenpolitik 1119, 1126
- sowjet. Annexion 260,

509, 1128
Ethridge, Mark, Beauftragter Präs. Trumans 1259
Eucken, Walter (1891–1950), dt. Nationalökonom 74
Eugen, Prinz v. Savoyen-Carignan (1663–1736), habsburg. Feldmarschall, Statthalter d. Österr. Niederlande (1714–24) 852
Eupen 566, 700, 723
Eupen-Malmedy 121, 126, 156, 180, 700, 702, 712
Euratom, s. Europäische Atomgemeinschaft
Eurokommunismus 81
Europa-Gedanke 325f.
Europäische Atomgemeinschaft (Euratom) 328f., 647, 720
Europäische Freihandelsassoziation, s. EFTA
Europäische Freihandelszone, s. EFTA
Europäische Gemeinschaft (EG, bis 1967: Europäische Wirtschaftsgemeinschaft, EWG) 327, 330ff., 345, 580, 769
Europäische Gemeinschaft f. Kohle u. Stahl, s. Montan-Union
Europäische Konvention zum Schutze d. Menschenrechte u. Grundfreiheiten (1950) 327
Europäischer Gerichtshof f. Menschenrechte 327f.
Europäischer Nationalitätenkongreß 180, 1197
Europäischer Rat 329
Europäisches Parlament 328ff.
Europäische Union 326, 330, 332, 602
Europäische Verteidigungsgemeinschaft (EVG) 327, 341, 472f., 600ff., 720
Europäisches Völkerrecht 321f.
Europäische Wirtschaftsgemeinschaft (EWG) 5, 15, 96, 327, 329, 331, 400, 475, 720, 741, 807, 814f., 818–821, 881, 1106, 1347
- Organe 328, 330

1371

- Agrarpolitik 53 ff., 328
- Außenhandelspolitik 331, 690
- Regionalpolitik 328
- Strukturpolitik 54
- Währungspolitik 328
- Wirtschaftspolitik 331, s. a. Europäische Gemeinschaft

Europäische Zahlungsunion (1950) 720
Europäisierung 8
Europa-Memorandum (1930), s. Briand, Aristide
Europarat 326 f., 345, 599–602, 741, 768, 819 f., 880, 1336, 1344
Europa-Union 325
Europoort 726
Euthanasie 560
Evangheli, Pandel (geb. 1859, gest. nach 1939), alban. Min.präs. (1921, 1922/23, 1930–35) 1276, 1280
EVG, s. Europäische Verteidigungsgemeinschaft
Evian 12, 16
- Abkommen (1962) 312
EWG, s. Europäische Wirtschaftsgemeinschaft
Existenzialismus 448
Expansion, sowjet. 325, 388
Extremismus der Mitte 207
Eyskens, Gaston (geb. 1905), belg. Min.präs. (1949/50, 1958–61, 1968–72) 721

Fabian Society, Fabier 362, 394, 400
Fabrikbesetzungen (1920), sozialist. 223
Fabricius, Wilhelm, dt. Gesandter in Bukarest (1936–41) 1152, 1155
Facta, Luigi (1861–1930), ital. Min.präs. (1922) 629
Fagerholm, Karl August (geb. 1901), finn. Min.präs. (1948–50, 1956/57, 1958) 1105 f.
»Faisceau« 448
Falange Española (1933) 85, 678, 684, 687 f.
Falange Española de las Juntas de Ofensiva Nacionalsindicalista (1934) 678
Falange Española Tradicionalista y de las JONS 85, 688 f.
Falk, Erling, norweg. Politiker 778
Falkenhausen, Alexander v. (1878–1966), dt. General, Befehlshaber in Belgien u. Frankreich (1940–44) 712 f.
Familienpolitik 2, 475
Fanfani, Amintore (geb. 1908), ital. Min.präs. (1954, 1958/59, 1960–63), Außenmin. (1965, 1966–68), Sekr. d. Democrazia Cristiana (1954–59, 1973–75) 648
Fanjul Goni, Joaquín (1880–1936), span. General 681
FAO (Food and Agricultural Organization) 741
Farinacci, Roberto (1892–1945), Gen.sekr. d. Faschist. Partei Italiens (1925/26) 630, 632, 643
Färöer 806, 810 f.
Faschismus 46, 82 f., 84, 86, 106, 145, 181, 193, 201–241, 380, 386, 449, 507, 678, 682, 687, 764, 900, 1007, 1011, s.a. Bewegungen, faschist.
- frz. 448
- ital. 72, 78, 82–86, 233, 448, 627–642, 644, 646, 709, 895, 1277, 1323, s.a. Partito Nazionale Fascista, Fasci di combattimento
--Theorien 86
Faschistische Partei Albaniens 1283
Faschistische Partei Italiens, s. Partito Nazionale Fascista
Faschistischer Großrat (Gran Consiglio del Fascismo) 194, 224, 232, 279, 631, 633, 639, 641, 643
Fasci di combattimento 82, 205, 217, 232, 627 f.
Faupel, Wilhelm v. (1873–1945), dt. General u. Diplomat 687
Faure, Edgar (geb. 1908), frz. Außenmin. (1955), Min.präs. (1952, 1955/56), Erziehungsmin. (1968/69) 471, 475
FDGB (Freier Deutscher Gewerkschaftsbund) 574, 582, 584
Februarrevolution (1917), russ. 926, 1082
Federación Anarquista Ibérica (1927) 666
Federación Universitaria Escolar 669
Federzoni, Luigi (1878–1967), mehrf. ital. Minister, Senatspräs. (1929–39) 640
Fehrenbach, Konstantin (1852–1926), dt. Reichskanzler (1920/21) 42
Feierabend, Ladislav (1891–1969), tschechoslowak. Landwirtschaftsmin. (1938–40) 951, 958
Feisal I. (geb. 1883), Kg. v. Irak (1924–33) 425
Feldherrnhalle (München) 84
Feltrinelli, Verlag 649
Fememorde 530
Fenian Brotherhood 748
Fennomanen 1091
Ferdinand I. (1861–1948), Fürst u. Zar v. Bulgarien (1887–1918) 1244, 1248
- I. (geb. 1865), Kg. v. Rumänien (1914–27) 1137 f., 1140, 1142
Fernöstliche Republik 490
Fernsehen 37
Ferrari, Ettore (1845–1929), ital. Politiker 634
Ferrero, Giacinto, ital. General 1273
Ferrocariles del Norte 658
Feuerkreuzler (Croix de Feu) 84, 448 f.
Fey, Emil (1886–1938), österr. Vizekanzler (1933/34) 843, 846, 850, 852, 854–857, 859
Feyzioğlu, T., türk. Politiker 1349
Fianna Fail 759–765, 767 ff.
Fiat 96, 622, 649

Fibiger, Vilhelm (geb. 1886), dän. Politiker 800
FIDES (Fonds d'Investissements pour le Développement Economique et Sociale) 468
Fierlinger, Zdeněk (1891–1976), tschechoslowak. Min.präs. (1945/46), stellv. Min.präs. (1946/47, 1948–53) 926, 954, 957, 962, 970f.
Figl, Leopold (1902–65), österr. Bundeskanzler (1945–53), Außenmin. (1953–59) 876, 878ff.
Film 447
Filov, Bogdan D. (1883–1945), bulg. Min.präs. (1940–43) 1251f., 1255, 1258
Fine Gael 764f., 767
Fink, Jodok (1853–1929), österr. Vizekanzler (1919/20) 828, 830, 835f.
Finnisches Schutzkorps 214
Finnland 142, 175, 211, 217, 276, 485, 489, 512, 514, 791, 797, 817f., 820 f., 1063, 1080–1106, 1114, 1126f., 1151
– Autonomie (vor 1917) 1081 f.
– Unabhängigkeit (1917) 126, 141, 211, 487, 773, 787, 1084, 1087, 1100
– schwed. Minderheit 1093
– Sprachenfrage 1091 ff., 1095, 1097
– Parteien 1091, 1093f., 1105f.
– Wirtschaft 1085
– Armee 1081, 1086
– Außenpolitik 1086, 1089 f., 1096f., 1105f., s.a. Winterkrieg, finn.-sowjet.
Finzi, Aldo, ital. Politiker 632
Fischer, Ernst (1899–1972), österr. Schriftsteller u. Politiker 878
Fisher, Herbert A.L. (1865–1940), brit. Historiker, Erziehungsmin. (1916–22) 376

Fiume 84, 117, 624 ff., 635, 1187f., 1190, 1196f., 1222, 1227
Flämische Akademie f. Wissenschaft, Literatur u. Kunst 707
Flämischer Kulturrat 707
Flämische Volksbewegung (VVB) 721
Flandern 704, 706, 714, 721 ff.
Flandin, Pierre-Etienne (1889–1958), frz. Min.präs. (1934/35), Außenmin. (1935/36, 1940/41) 452, 454, 457, 460
Flensburg 775
Flick, Friedrich (1883–1972), dt. Industrieller 536
Flotte
– amerik. 410
– brit. 146, 309, 359, 410f., 1089
– dt. 146, 367, 796
– frz. 265, 459, 668
– ital. 1281
Flottenabkommen
– Washington (1922) 146 f.
– London (1930) 146
– dt.-brit. (1935) 188, 258, 380, 860, 862
Flüchtlinge 5, 7, 12, 572, 801, 803, 1315, 1317 f.
Flüchtlingsfrage 12
Flüchtlingshilfe 162
Flugzeug 410
Flugzeugindustrie, dt. 566
Flugzeugträger 410
Flurbereinigung 54
Foch, Ferdinand (1851–1929), frz. Marschall, Oberbefehlshaber d. Alliierten in Frankreich (1918) 119f., 133, 439, 465, 488
Foch-Linie (1919) 993, 1068, 1072
Föderalismus, europ. 325
Födermayr, Florian (1877–1960), österr. Landwirtschaftsmin. (1929/30) 844
Foerster, Friedrich Wilhelm (1869–1966), dt. Erziehungswissenschaftler u.

Politiker 218
Fog, Mogens (geb. 1904), dän. Politiker u. Arzt 800
Fontainebleau-Denkschrift (1919) 125, 370, 383
Foot, Michael (geb. 1913), brit. Labourpolitiker 355, 398
Force de Frappe 344, 477
Forces Françaises de l'Intérieur (FFI) 277f., 462, 465
Foreningen Norden (1919) 787
Foriş, Ştefan (1892–1946), rumän. Politiker, Generalsekretär d. ZK d. KPR (1940–44) 1162
Formis, dt. Ingenieur 938
Forster, Albert (1902–48), Gauleiter v. Danzig (1930–39), Reichsstatthalter in Danzig-Westpreußen 613, 615f., 618, 1027
Fortschrittspartei
– alban. 1276
– finn. 1094
Fraenkel, Ernst (1898–1975), dt. Politologe 225
Frage
– dt. 92, 272, 274, 283, 337, 342, 346, 514, 520, 575, 879, 928
– ir. 360
– kroat. 1203, 1206
– mazedon. 1242, 1246, 1249, 1267
– poln. 151, 158, 272f., 278, 283ff., 337, 512, 984, 987, 1021
– slowak. 923, 928, 934
– tschech. 925f.
Franc, frz. 21, 29, 156, 204, 440, 443, 445, 452f.
Franchet d'Esperey, Louis (1856–1942), frz. Marschall, Befehlshaber d. alliierten Orientarmee (1918) 1243
Franco, Carmen Polo de (geb. 1900), Gem. Francisco Francos 681
Franco y Bahamonde, Francisco (1892–1975), span. Staats- u. Regie-

rungschef (1936–75) 85, 94, 193, 214, 233, 261, 265, 457, 467, 638, 659, 670, 679–685, 687–691, 697
- Ramón (1896–1938), span. Offizier 671
François-Poncet, André (1887–1978), frz. Botschafter in Berlin (1931–38) u. Rom (1938–40), frz. Hoher Kommissar f. Deutschland (1949–53), Botschafter in Bonn (1953–55) 196
Frank, Hans (1900–46), nat.soz. Gen.gouverneur v. Polen (1939–45) 851, 1027f., 1031
- Karl Hermann (1898–1946), nat.soz. sudetendt. Politiker 950ff.
Franke, Emil (1880–1939), tschechoslowak. Postmin. (1929–36) 934
Frankfurter Wirtschaftsrat 574
Frankokanadier 408
Frankreich 5, 12, 21, 28, 92, 125, 203, 340, 342, 429, 436, 438–480, 590ff., 594, 596, 599–603, 633, 639, 653, 697, 700, 704, 707, 712, 730, 734, 779, 788f., 821, 846f., 867, 985, 1086, 1090, 1098, 1101, 1113, 1144, 1273, 1339f.
- Bevölkerung 2, 5, 475, 479
- Gesellschaft 41f., 45, 447
- Wirtschaft 21–24, 27ff., 44, 53f., 143, 444ff., 465f., 474f.
- Wirtschaftspolitik 440, 446, 453, 466, 471f., 474
- Generalstreiks 28, 441, 452, 454
- Arbeitslosigkeit 442, 445ff., 449, 453, 471
- Nationalisierung 96, 452f., 458, 466, 475
- Sozialpolitik 29, 442, 466, 477
- Finanzpolitik 440, 442, 452
- Parteien 447, 472

- Volksfront 29, 45, 48, 76, 204, 451–458
- Außenpolitik 141f., 144, 147, 368, 423, 440, 454, 461, 465f., 477, 926, 1012, 1100, 1129
- Verhältnis zur NATO 344f., 472, 477, s.a. Force de Frappe
- Deutschlandpolitik (nach 1945) 465, 472, 574
- Europa-Politik 329f., 472
- Niederlage (1940) 386, 458f., 766, 951, 1152
- dt. Besetzung (1940–44) 12, 263, 457–465
- Wahlen 29, 72, 203, 440, 452, 476
Frankreich-Feldzug (1940) 385
Franz Ferdinand (1863–1914), österr.-ungar. Thronfolger 829, 865
Franz Joseph I. (geb. 1830), Kaiser v. Österreich (1848–1916), Kg. v. Ungarn (1867–1916) 888
Französisch-Kongo 319
Frashëri, Mehdi Bey (1872–1963), alban. Min.präs. (1935/36) 1281, 1283, 1289
- Midhat (1880–1949), alban. Min.präs. (1935) 1286
Frauenwahlrecht 202, 363, 645, 740, 830
Freie Berufe 38
Freie Demokratische Partei (F.D.P.) 74, 573, 575, 578
Freie Deutsche Jugend (FDJ) 574, 582
Freie Französische Streitkräfte 461ff.
Freie Gewerkschaften 49, 593
Freies Frankreich 462, 466, 468, 473
Freie Wirtschaftliche Vereinigung 607f.
Freihandel 20, 302, 377, 789
Freihandelslehre 361, 378
Freihandelspolitik 28
Freiheitliche Partei Österreichs (FPÖ) 880, 882
Freiheitsbund 861

Freiheitsrechte, liberale 202, 214, 234, 393, 501, 1150
Freikonservative 588
Freikorps
- dt. 84, 209, 217, 529, 1114f.
- österr. 842
Freisler, Roland (1893–1945), Präs. d. nat.soz. Volksgerichtshofs (1942–45) 567, 851
Freizügigkeit 5
Fremdarbeiter 12, 231
Freundschaftsabkommen
- ital.-jugoslaw. (1924) 635
- ital.-ungar. (1927) 181
Freundschafts- u. Beistandspakte 1045, 1058, 1105, 1166, 1227, 1231, 1291, 1302, 1305
Freundschaftsvertrag
- sowjet.-litau. (1924) 504, 1012
- frz.-rumän. (1926) 148
- griech.-ital. (1928) 1321
- jugosl.-ung. (1940) 1209
- ital.-äthiop. (1928) 181
- ital.-jugosl. (1937) 1208
- griech.-jugoslaw. (1929) 1321
- griech.-türk. (1930) 1322
- sowjet.-jugosl. (1945) 1302
- poln.-jugosl. (1946) 1302
- jugosl.-tschechosl. (1946) 1302
Frick, Wilhelm (1877–1946), Reichsinnenmin. (1933–43), Reichsprotektor v. Böhmen u. Mähren (1943–45) 547, 554, 952
Friedeburg, Hans G. v. (1895–1945), dt. Admiral 281, 799
Frieden
- litau.-russ. (1920) 126
- finn.-russ. (1920) 126
- finn.-sowjet. (1940) 797, 1101
- finn.-sowjet. (1947) 1104
- v. Versailles, s. Versailles
Friedensbewegung 322
Friedenskongreß
- Westfälischer (1645–48) 116

Personen- und Sachregister

- Utrecht (1712/13) 116
- Wien (1814/15) 116, 134
Friedenssicherung 140, 323, 331
- kollektive 120, 130, 134, 160f., 190
Friedensziele (1914–18) 119
Friedrich IX. (geb. 1899), Kg. v. Dänemark (1947–1972) 805f.
Friedrich, Carl J. (geb. 1901), dt.-amerik. Politologe 88, 219, 228
Friedrich Karl, Prinz v. Hessen (1868–1940), gewählter Kg. v. Finnland (1918) 1086
Frisch, Hartvig (geb. 1893), dän. Politiker u. Schriftsteller 802, 804
- Max (geb. 1911), schweizer. Dramatiker u. Erzähler 731, 742
Fritsch, Werner Frh. v. (1880–1939), dt. Gen.oberst, Oberbefehlshaber d. Heeres (1935–38) 557
Fritsch-Krise (1938) 279
Front, zweite 269ff., 512
Front der Pflüger 1162ff., 1169, 1175
Front der Sozialistischen Einheit 1178f.
Front der Unabhängigkeit (Ungarn) 1303
Front der Volksdemokratie 1171, 1178
Front des Francophones (FDF) 721
Fronte democratico popolare 645
Frontenbewegung, schweizer. 732
Frontkämpfer 627
Frontkämpfervereinigung 842
Front National, frz. Widerstandsgruppe 462
Frontpartei, fläm. 706
Frunse, Michail W. (1885–1925), sowjet. General 489
Fuero de los Españoles (1945) 688
Fuero de Trabajo (1938) 234, 689

Führerprinzip, faschist. 84, 688, 732, 843
Führung, kollektive 222, 517, 1167f., 1171, 1267
Führungseliten 33, 35, 41
Führungsstaat, autoritärer 93
Fuller, John Frederick (1878–1966), engl. Militärschriftsteller 254
Funder, Friedrich (1872–1959), österr. Publizist 830
Fünfjahrespläne
- alban. 1293, 1295
- bulg. 1266
- DDR 583
- frz. 96
- jugoslaw. 1228, 1304
- poln. 1056
- rumän. 1170, 1172f.
- sowjet. 4, 7f., 25, 35, 50f., 97, 187, 228, 498, 515, 907, 1308
- tschechoslowak. 971
- türk. 1348
- ungar. 907, 910
Fünfkirchen 1190
Fünfprozentklausel 578f.
Funk, Walther E. (1890–1960), Reichswirtschaftsmin. (1938–45) 1252

Gabrys, Juozas (1880–1951), litau. Nationalist 1065
Gabun 319
Gafencu, Grigore (1892–1957), rumän. Außenmin. (1938–40) 1151f.
Gagarin, Juri A. (1934–68), sowjet. Kosmonaut 519
Gajda, Radola (= Geidl, Rudolf) (1892–1948), tschech. General, Gründer d. tschech. faschist. Bewegung 926, 936, 950
Galatz 1174, 1176f.
Galen, Clemens A. Gf. v. (1878–1946), Bf. v. Münster (1933–46), Kardinal (1946) 560
Gälische Liga 747
Galizien 34, 212, 489, 509, 890, 981f., 986, 995, 997, 1003, 1031

Galvanauskas, Ernestas (1882–1967), litau. Min.präs. (1919/20, 1923/24) 1070
Gamelin, Maurice G. (1872–1958), frz. Gen.stabschef (1931–40), Oberbefehlshaber d. alliierten Truppen in Frankreich (1939/40) 455, 458
Gandhi, Mohandas K., gen. Mahatma (1869–1948), Führer d. ind. Unabhängigkeitsbewegung 305, 415, 417, 419
Gangesdelta 418
Garantiepakte (1919) 147
García Lorca, Federico (1898–1936), span. Dichter 693
García Prieto, Manuel (1859–1938), span. Min.präs. (1917/18, 1922/23) 656f., 660, 664
Gargalidis, Panajotis (1870–1948), griech. General 1316
Garibaldi, Giuseppe (1807–82), ital. Freiheitskämpfer 398, 625
Garmisch-Partenkirchen 862
Gas Council 111
Gastarbeiter 5f., 1348f.
GATT (General Agreement on Tariffs and Trade) 741
Gaueinteilung, nat.soz. 871f., 1027, s. a. Reichsgaue
Gaulle, Charles de (1890–1970), frz. General, Min.präs. (1944–46), Staatspräs. (1958–69) 71, 89, 273, 277f., 310, 312, 314, 329, 342, 396f., 433, 458, 460ff., 465ff., 469, 471, 473, 476f., 818, 958
Gaullismus, Gaullisten 71, 472, 474, 476
Gavrilović, jugoslaw. Gesandter 1212
Gdingen 609, 611ff., 615, 617, 1005f., 1015, 1059
Geburtenrate 444, 475
Geburtenüberschuß 2f.

Geddes, Sir Eric C.
(1875–1937), brit. Marinemin. (1917/18), Verkehrsmin. (1919–21) 36
Geer, Louis de
(1854–1935), schwed.
Min.präs. (1920/21) 783
Gegensatz, engl.-russ. 157
Geheimdiplomatie 120, 517
Geheime Staatspolizei, s.
Gestapo
Geheimpolizei 88, 219,
226 f., 238, 1051, 1233,
1238, 1292, 1307 f.
Gemeinsamer Markt f.
Kohle u. Stahl (1951), s.
Montan-Union
General Agreement on Tariffs and Trade, s. GATT
Generalgouvernement f. die
besetzten poln. Gebiete 9,
263, 949, 1027–1029,
1031 f., 1042
Generalkommission d. Gewerkschaften Deutschlands 48
Generalplan Ost 186
Generalstreik 28, 50, 366,
495, 529, 631, 659, 661,
679, 843, 854, 936, 1008,
1083 f.
– brit. (1926) 160, 204, 358,
374, 376, 1003, s. a.
Frankreich
Genf 741
– Abkommen (1922) 121
– Protokolle (1922) 839,
846, 848
– Protokoll (1924) 163 f.,
376, 791, 1320
– Protokoll (1929) 1321
– Internationale Abrüstungskonferenz
(1932/33) 146, 171 ff.,
176 ff., 380, 791
– Indochinakonferenz
(1954), s. Indochinakonferenz
Genossenschaften 667
Gent 706
Gentile, Giovanni
(1875–1944), ital. Unterrichtsmin. (1922–24) 221,
632, 635
Genua, Weltwirtschaftskonferenz (1922) 22,
143 f., 146, 150, 368, 440,
495, 540, 838, 937, 1196
Georg, Prinz v. Jugoslawien 1210
Georg II. (1890–1947), Kg.
v. Griechenland
(1922–24, 1935–47) 1314,
1316, 1324, 1327, 1331,
1333
– V. (geb. 1865) Kg. v. England (1910–36) 371, 379,
383, 410, 761, 1097
– VI. (geb. 1895), Kg. v.
England (1936–52) 380,
410
Georgescu, Teohari (geb.
1908), rumän. Innenmin.
(1947–50) 1163 f., 1169
Georgien 489 f., 497
Georgiev, Kimon
(1882–1969), bulg.
Min.präs. (1934/35,
1944–46) 1248, 1250 f.,
1253, 1256, 1258 ff., 1262
– Vasil (1881–1925), bulg.
General 1245
Gerechtigkeitspartei (Türkei) 1346 f., 1349
Gerhardsen, Einar (geb.
1897), norweg. Min.präs.
(1945–51, 1955–65)
813 f., 819
Gërmënj, Themistokli (gest.
1917), alban. Politiker
1273
Gerő, Ernő (geb. 1898), ungar. stellv. Min.präs.
(1952–56) 914 f..
– Joseph (1896–1954),
österr. Justizmin.
(1945–49, 1952–54) 878
Gerstenmaier, Eugen (geb.
1906), Theologe u. Politiker, Präs. d. dt. Bundestags (1954–69) 560, 567
Geschichtsauffassung, marxist. 501
Geschichtsschreibung
– alban. 1269, 1277, 1284
– amerik. 285, 408
– bulg. 1249, 1253, 1256
– frz. 451
– jugoslaw. 1183, 1226
– kanad. 413
– poln. 980, 1054
– rumän. 1135, 1148, 1166
– sowjet. 285
– tschech. 924, 926
– ungar. 883
Gesellschaft, klassenlose
87, 97 f., 222, 984
Gesetz zur Ordnung d. nationalen Arbeit (1934)
230 f.
Gesetz zur Sicherung d.
Einheit v. Partei u. Staat
(1933) 226
Gesetzlichkeit, sozialist. 98
Gestapo (Geheime Staatspolizei) 227, 299, 388,
461, 463, 558, 566, 898,
1131
Gewalt 87, 191, 222 f.
Gewaltenteilung 483, 1050,
1260
Gewerkschaften 47 ff., 202
– brit. 41, 45, 47 f., 75, 366,
370, 377, 392, 395, 397,
400
– dt. 45, 47 ff., 230, 527 f.,
530, 536 ff., 543, 547, 555,
561, 567, 580, 598 f.
– finn. 1095, 1105 f.
– frz. 48, 440 ff., 447, 453,
462, 474
– griech. 1325, 1329
– ir. 749
– ital. 48 f., 232
– jugoslaw. 50
– österr. 850
– poln. 51
– sowjet. 47 f., 50 f., 492
– span. 48, 659, 662 f., 666,
678 f., 684
– tschechoslowak. 51
– türk. 1347
– ungar. 891 f., 908, 910
– christl. 42, 48 f., 593 f.,
706, 845
– demokrat. 232, s. a. Freie
Gewerkschaften
– faschist. 232
– liberale 48
– sozialist. 48
Gewerkschaftsfunktionäre
36, 49
Gewerkschaftspolitik 50
Gex 730
Geyl, Pieter C. A.
(1887–1966), niederländ.
Historiker 704
Ghana 308, 431, 433 f.
Gheorghiu-Dej, Gheorghe
(1901–65), rumän.
Min.präs. (1952–55),

Präs. d. Staatsrats
(1961–65) 80, 1162–1178,
1312
Gibraltar 253, 265f., 308
Gide, André (1869–1951),
frz. Schriftsteller 447f.
Gierek, Edward (geb.
1913), poln. KP-Chef
(seit 1970) 1052, 1057,
1059ff.
Gigurtu, Ion (1886–1959),
rumän. Außenmin.
(1937/38) u. Min.präs.
(1940) 1152f.
Gijón 679
Gil Robles Quiñones, José
María (geb. 1898), span.
Kriegsmin. (1935) 677,
679, 681f.
Gilson, Etienne (geb. 1884),
frz. Philosoph 448
Giménez Fernández, Manuel (1896–1968), span.
Landwirtschaftsmin.
(1934/35) 679
Giolitti, Giovanni
(1842–1928), ital.
Min.präs. (1892/93,
1903–05, 1906–09,
1911–14, 1920/21) 74,
204, 623, 625f., 628–635,
649, 1274
Giordani, Giulio (gest.
1920), ital. Abgeordneter
628
»Il Giornale d'Italia« 624
Giovanna v. Savoyen (geb.
1907), Gem. d. bulg. Zaren Boris III. 1247, 1259
Giovine Europa 322
Giraud, Henri H.
(1879–1949), frz. General, Hoher Kommissar in
Frz.-Nordafrika
(1942–44) 462
Giraudoux, Jean
(1882–1944), frz. Dichter
447f.
Gironella, José María (geb.
1917), span. Schriftsteller
693
Giscard d'Estaing, Valéry
(geb. 1926), frz. Finanzu. Wirtschaftsmin.
(1962–66, 1969–74),
Staatspräs. (seit 1974) 72
Giustizia e Libertà (1929)

638, 641
Gjoni, Gjon Marka, Führer
des Mirditenstammes
1276
Gladstone, William E.
(1809–98), brit. Premiermin. (1868–74, 1880–85,
1886, 1892–94) 361
Glaise-Horstenau, Edmund
(v.) (1882–1946), österr.
Innenmin. (1936–38)
862f., 1215f., 1225
Glasgow 15
Glatz 964
Gleichgewicht, europ. 120,
125f., 160, 273
Gleichgewichtspolitik
158ff., 164, 259, 273
Gleichschaltung 226, 230,
558, 594, 616
»Gleichschaltungsgesetz«
(1933) 555
Gleißner, Heinrich (geb.
1893), Landeshauptmann
v. Oberösterreich
(1934–38, 1945–71) 877f.
Globocnik, Odilo
(1904–45), österr. nat.soz.
Politiker 865
Gloggnitz 874
Gnesen/Posen (Kirchenprovinz) 611
Goa 698
Gobetti, Piero (1901–26),
ital. Verleger u. Schriftsteller 631, 634, 638
Gobineau, J. Arthur Gf. de
(1816–82), frz. Schriftsteller u. Diplomat 553
Goded Llopis, Manuel
(1882–1936), span. General 680f.
Godesberger Programm
(1959) 77
Godthåb 809
Goebbels, Joseph
(1897–1945), Reichspropagandaleiter d. NSDAP
(1929–45), Reichsmin. f.
Volksaufklärung u. Propaganda (1933–45) 226,
554, 557, 559, 739
Goerdeler, Carl Friedrich
(1884–1945), Oberbürgermeister v. Leipzig
(1930–37), führend in der
dt. Widerstandsbewe-

gung 280, 567, 872ff.
Goes van Naters, Marinus
van der, niederländ. Politiker 601
Goga, Octavian
(1881–1938), rumän.
Schriftsteller, Min.präs.
(1937/38) 1145f., 1149,
1154, 1158f.
Goicoechea Cosculluela,
Antonio (1876–1953),
span. Politiker 678
Gökalp, Ziya (1875–1924),
türk. Schriftsteller 1342
Gokhale, Gopal Krishna
(1866–1915), ind. Nationalist 414
Goldblock 21
Goldküste 431ff., s. a. Ghana
Goldstandard 21, 374, 378,
445, 784
Goldwährung 21, 445
Golian, Ján (1906–45), slowak. General 956f.
Goll, Jaroslav (1846–1929),
tschechoslowak. Historiker u. Dichter 945
Goltz, Rüdiger Gf. v. d.
(1865–1946), dt. Offizier
1114f.
Gömbös v. Jákfa, Gyula
(1886–1936), ungar.
Min.präs. (1932–36) 179,
893ff.
Gomułka, Władysław (geb.
1905), poln. KP-Chef
(1956–70) 519, 916,
980f., 1032, 1035f., 1043f.,
1047f., 1052–1059, 1234
Gonatas, Stilianos
(1876–1966), griech. General, Min.präs.
(1922/24) 1314, 1321
Gorbach, Alfons
(1898–1972), österr. Bundeskanzler (1961–64)
881f.,
Göring, Hermann
(1893–1946), nat.soz.
Min.präs. v. Preußen
(1933–45), Oberbefehlshaber d. Luftwaffe
(1935–45), Stellvertreter
Hitlers 183, 226, 230f.,
237, 279, 296, 547, 553f.,
557, 612, 798, 845, 865,

867f.
Gorki 4
– Maxim (1868–1936), russ. Schriftsteller 220, 494, 501
Görlitzer Programm (1921) 149, 179
Göteborg 816
Gottwald, Klement (1896–1953), tschechoslowak. Min.präs. (1946–48), Staatspräs. (1948–53) 936, 958, 962f., 965f., 969–973
Gough, Sir Hubert de la Poer, brit. General 1115
Gounaris, Dimitrios (1867–1922), Chef d. griech. Volkspartei, Min.präs. (1915, 1921/22) 1318
GPU (Gossudarstwennoje polititscheskoje uprawlenije) 227, 491, 502f., 507
Grabski, Władysław (1874–1938), poln. Min.präs. (1920, 1923–25) 988, 995f., 1002f., 1006
Gram, Victor, dän. Verteidigungsmin. 807
Graml, Hermann (geb. 1928), dt. Historiker 165
Gramsci, Antonio (1891–1937), ital. Journalist u. Politiker 627, 649
Gran-Chaco-Konflikt 161
Grandi di Mordano, Dino Gf. (geb. 1895), ital. Außenmin. (1929–32), Justizmin. (1939–43) 173, 177, 195, 639
Grandval, Gilbert, eigentl. G. Hirsch (geb. 1904), frz. Militärgouverneur im Saargebiet (1945–48), dort Hoher Kommissar (1948–53) u. Botschafter (1952–55) 596, 598ff., 604
Grass, Günter (geb. 1927), dt. Schriftsteller 610
Graubünden 743
Graves, Robert [v. Ranke] (geb. 1895), brit. Schriftsteller 380
Gravina, Manfredo Gf. (1883–1932), Völkerbundskommissar in Danzig (1929–32) 606
Graz 836
Grażyński, Michał (geb. 1890), Wojewode v. »Schlesien« (1926–39) 1002, 1020, 1023
Greenwood, Arthur (1880–1954), brit. Gesundheitsmin. (1929–31), Mitgl. d. Kriegskabinetts (1940–42) 372
Greiser, Arthur K. (1897–1946), nat.soz. Senatspräs. v. Danzig (1934–39), Reichsstatthalter im Gau Wartheland (1939–45) 606, 614f., 618
Grenz- u. Beistandsvertrag (1939), sowjet.-litau. 1077
Grenz- u. Freundschaftsvertrag (1939), dt.-sowjet. 260
Grenzabkommen (1925), brit.-ir. 761f.
Grenzfrage, ir. 759
Grenzkommission, brit.-ir. (1924/25) 759
Griechenland 9, 128, 162, 195, 346, 384, 428, 514, 790, 818, 1198, 1231, 1236, 1246f., 1253, 1270, 1272f., 1282, 1313–1338, 1340, 1343, 1345, 1347
– Wirtschaft 1317f., 1322, 1334, 1336
– Sozialpolitik 1321, 1325
– Parteien 1316, 1319f., 1322, 1324, 1328, 1330, 1335ff.
– Außenpolitik 326, 329, 346, 351, 1315, 1317, 1321, 1323, 1325f., 1334
– Diktatur 1320, 1324f., 1335, 1337
– Militärputsche 648, 1315, 1319, 1323, 1335
– Republik 1316, 1336f.
– Volksentscheid (1946) 1331
– Armee 1329ff.
– Arbeiter 5f.
– dt. Angriff (1941) 265, 639, 1326f.
Griffith, Arthur (1871–1922), Präs. d. ir. Nationalversammlung (1922), Außenmin. (1922) 748, 752, 755f.
Grinius, Kazys (1866–1950), litau. Min.präs. (1920–23), Staatspräs. (1926) 1071, 1074
Grivas, Georgios (1898–1974), Führer d. zypriot. Untergrundbewegung EOKA (1955–59), Oberbefehlshaber (1964–67) 1330, 1347
Grodecki, Roman (geb. 1889), poln. Historiker 1019
Groener, Wilhelm (1867–1939), dt. General, Reichswehrmin. (1928–32), Reichsinnenmin. (1931/32) 208, 527
Groes, Anne Lisbeth (Lis) (geb. 1910), dän. Politikerin 806
Grohé, Josef (geb. 1902), nat.soz. Gauleiter v. Köln-Aachen (1931–45) 713
Gromyko, Andrej (geb. 1909), sowjet. Diplomat, Außenmin. (seit 1957) 1235
Gronchi, Giovanni (1887–1978), ital. Staatspräs. (1955–62) 634, 647
Groningen 725
Grönland 268, 789, 806f., 809f., 817
Gropius, Walter (1883–1969), dt.-amerik. Architekt 559
Grősz, Joseph (1887–1961), röm.-kath. Ebf. v. Kalocsa 911, 1309
Großbanken 535, 572, 579
Großbetriebe, industrielle 36f., 364
Großbritannien 2ff., 203, 257, 353–437, 562, 564, 596f., 600, 608, 701, 717, 720, 746–749, 753f., 759, 763–770, 777, 784, 788f., 798, 801, 803, 818f., 821, 894, 896f., 1045, 1086f.,

Personen- und Sachregister

1090, 1097f., 1100, 1113, 1119, 1144, 1157, 1218, 1287, 1322, 1329, 1331, 1336, 1339f., 1343f., 1345
- Parlamentarismus 28, 361, 363, 398, 409
- Wahlrecht 45, 74 f., 204, 363, 398
- Parteien 28, 45, 203f., 361, 363
- Gesellschaft 39ff., 365
- Sozialpolitik 362, 365, 367, 370, 387, 393, 395, 770
- Auswanderung 10, 365
- Arbeitslosigkeit 27, 365f., 379, 389, 450
- Arbeitslosenunterstützung 28, 366, 378, 450
- Wohlfahrtsstaat 94, 367, 379, 384–401
- Wirtschaft 20–22, 26ff., 44, 54, 143f., 189, 364ff., 378f., 387, 389–392, 394, 397, 400
- Verstaatlichung 96f., 362, 365f., 391–394
- Verhältnis zur EG 309, 327, 329, 396f., 436
- Regionalismus 92, 397
- Erziehungswesen 372, 387
- Gesundheitsdienst 47, 95, 387, 393f.
- weltpol. Stellung 141, 190, 273, 364, 395
- Außenpolitik 146f., 149f., 172, 189f., 344, 354, 359, 367f., 372f., 380f., 384, 386, 397, 418, 985, 1103, 1127, 1129
- Wahlen (1918) 122, 140, 203, 363, (1922) 375, (1923) 372, (1924) 373, (1929) 376f., (1931) 377f., (1935) 381, (1945) 71, 387f., (1950) 393, (1951) 394, (1959) 433, (1974) 397
Großbürgertum 38, 41f., 630
Großdeutsche Vereinigung 837
Großdeutsche Volkspartei 830, 837–841, 844, 846ff., 850, 857
»Großdeutschland« 562

Große Koalition 42, 76, 172, 543
Großer Litauischer Landtag (1905) 1065
Großer Vaterländischer Krieg 511–513
Großgrundbesitz 51, 53, 70, 1300
- Albanien 1271, 1280
- balt. Staaten 34, 1063, 1071
- Deutschland 33
- Jugoslawien 1199
- Ostmitteleuropa 34f., 51, 890
- Polen 991, 995, 1003f.
- Rumänien 1141
- Rußland 35, 51f.
- Spanien 655, 676
Großreiche, multinationale 8
Großwardein 1137
Grotewohl, Otto (1894–1964), Min.präs. d. DDR (1949–64) 573, 576, 583
Groza, Petru (1884–1958), rumän. Min.präs. (1945–52), Staatspräs. (1952–58) 1162ff., 1165ff., 1169, 1171ff., 1307
Gruber, Karl (geb. 1909), österr. Außenmin. (1945–53) 876, 878
Gruber-De Gasperi-Abkommen (1946) 646, 876f.,
Grünbaum, Henry, dän. Wirtschafts- u. Finanzmin. 808
Grundgesetz, Bonner, s. Verfassungen
Grundrechte 94, 202, s. a. Menschenrechte
Grundvertrag (1972) 347
Grüner Plan 54
Guadalajara 685
Guadeloupe 468
Guardia de Asalto 677, 680
Guardia Civil 661, 672, 680
Guderian, Heinz (1888–1954), dt. Gen.oberst, Chef d. Gen.stabs d. Heeres (1944/45) 254, 565
Guerillakrieg 432, 473,

1330, 1332
Guesde, Jules (1845–1922), frz. Sozialist 45
Gueye, Lamine (geb. 1891), senegales. Jurist u. Politiker 468
Guillén, Jorge (geb. 1893), span. Dichter 693
Guinea 313, 316
Guinea-Bissao 315
Guisan, Henri (1874–1960), schweizer. General 733 f.,
Gulden, niederländ. 709
Gümrü, Frieden v. (1920) 1340
Günther, Christian (1886–1966), schwed. Außenmin. (1939–45) 797
Gurakuqi, Luigj (1879–1925), alban. Politiker 1273
Gürsel, Cemal (1895–1966), türk. Min.präs. u. Verteidigungsmin. (1960/61), Staatspräs. (1961–66) 1345f., 1348
Gürtler, Alfred (1875–1933), österr. Fin.min. (1921/22) 832, 838
Gustav V. Adolf (geb. 1858), Kg. v. Schweden (1907–50) 798, 815
- VI. Adolf (geb. 1882), Kg. v. Schweden (1950–73) 815
Gustloff, Wilhelm (1895–1936), Leiter d. Landesgruppe Schweiz d. NSDAP (1932–36) 732
Gutehoffnungshütte 536
Guyana 308, 319, 468

Haag, s. Den Haag
Haakon VII., früher: Carl v. Dänemark (geb. 1872), Kg. v. Norwegen (1905–57) 778, 796f., 813f.
Haase, Hugo (1863–1919), dt. Politiker, Mitglied d. Rats d. Volksbeauftragten (1918) 526
Haavara-Abkommen (1933) 16f.
Habicht, Theo

1379

(1898–1943?), Landesinspekteur d. NSDAP in Österreich 853, 856
Habsburg-Lothringen, Otto (geb. 1912), Schriftsteller 865, 881 f.
– Robert (geb. 1915), Sohn Kaiser Karls I. v. Österreich 874
Habsburger, Haus Habsburg 211, 865, 887, 893, 921, 937, 1192
Habsburgergesetze (1919) 831
Habsburgische Monarchie 126, 1187, 1242, 1298
Hácha, Emil (1872–1945), tschechoslowak. Staatspräs. (1938/39) 946 f., 949 f., 953
Hacker, Gustav (geb. 1900), sudetendt. Politiker 936
Hadow-Report (1926) 372
Haekkerup, Hans E. (geb. 1907), dän. Politiker 806
– Per (1915–79), dän. Außenmin. (1962–66) 807 f.
Haifa 427
Haile Selassie I. (geb. 1892), äthiop. Kaiser (1930–75) 638
Hailey, Lord William M. (1872–1969), brit. Beamter u. Gelehrter 431
Hainisch, Marianne (1839–1936), österr. Frauenrechtlerin 838
– Michael (1858–1940), österr. Bundespräs. (1920–28), Handelsmin. (1929/30) 838, 844
Hainzl, Josef (1888–1960), österr. Abgeordneter 852
Haiphong 473
Hájek, Jiří (geb. 1913), tschechoslowak. Außenmin. (1968) 974
Haking, Sir Richard C. B. (1862–1945), Völkerbundskommissar in Danzig (1921–23) 606 f.
Haldane of Cloan, Richard Burdon Viscount (1856–1928), brit. Kriegsmin. (1905–12), Lordkanzler (1912–15, 1924) 372

Halder, Franz (1884–1972), dt. Gen.oberst, Chef d. Gen.stabs d. Heeres (1938–42) 279
Halévy, Daniel (1872–1962), frz. Historiker u. Essayist 446
Halifax, Edward Wood Viscount (1881–1959), brit. Außenmin. (1938–40), Botschafter in Washington (1940–46) 287, 385, 398, 411, 416, 1127, 1209
Haller, Józef (1873–1960), poln. Oberst u. Politiker 988, 1014
Haller-Armee 609, 988, 993
Hallstein, Walter (geb. 1901), dt. Staatssekretär, Präs. d. EWG-Kommission (1958–1967), Präs. d. Europabewegung (seit 1968) 329 f.
Halvorsen, Otto B. (1872–1923), norweg. Min.präs. (1920/21, 1923) 779
Hambro, Carl Joachim (1885–1964), norweg. Politiker 789
Hamburg 530, 611
Hamel, Joost A. van (1880–1964), Völkerbundskommissar in Danzig (1926–29) 606
Hamina, Frieden (1809) 1081
Hammarskjöld, Dag (1905–61), schwed. Politiker, Gen.sekretär d. UNO (1953–61) 820
– Hjalmar (1862–1953), schwed. Min.präs. (1914–17) 783
Hammerstein-Equord, Kurt Frhr. v. (1878–1943), dt. Gen.oberst, Chef d. Heeresleitung (1930–34) 553
Hampl, Antonín (1875–1942), tschechoslowak. Min. f. öffentl. Arbeiten (1919/20) 947
Hamrin, Felix T. (1875–1937), schwed. Min.präs. (1932) 784

Handelsflotte
– brit. 364
– norweg. 781, 796, 814
– schwed. 786, 798
Handelskrieg, brit.-ir. 763
Handelsvertrag
– brit.-russ. (1921) 143
– brit.-russ. (1924) 373
– brit.-schwed. (1933) 785
– brit.-ir. (1938) 765
– brit.-ir. (1948) 767 f.
– dt.-sowjet. (1940) 264
Handwerk 38 f.
Hangö 509
Hankey, Sir Maurice (1877–1963), brit. Beamter, Mitglied d. Kriegskabinetts (1939/40) 369
Hanko 1099, 1101 f.
Hanneken, von, dt. General 800
Hanoi 473
Hanse 1133
Hansen, A. M., dän. Politiker 800
– Hans Christian (1906–60), dän. Außenmin. (1953–58), Min.präs. (1955–60) 799, 804, 806
– Poul, dän. Finanzmin. 807 f.
– Rasmus, dän. Politiker 804
Hanssen, Hans Peter (1862–1936), Abg. im Dt. Reichstag (1906–18), Abg. im dän. Folketing (1924–26) 775
Hansson, Per Albin (1885–1946), schwed. Verteidigungsmin. (1920–25), Min.präs. (1932–46) 783 ff., 797, 815
Hanusch, Ferdinand (1866–1923), österr. Staatssekr. f. soziale Verwaltung (1918–20) 831
Harald (geb. 1937), Kronprinz v. Norwegen 814
Harington, Sir Charles (1872–1940), brit. General 368, 1340
Harriman, William Averell (geb. 1891), amerik. Politiker u. Diplomat 1041,

1163
Harstad 796
Hartleb, Karl (1886–1965), österr. Vizekanzler (1927–29) 843
Hartling, Poul (geb. 1914), dän. Politiker 808
Hartmann, Ludo Moritz (1865–1924), österr. Historiker u. Politiker 832
– Moritz (1821–72), österr. Schriftsteller u. Politiker 832
Harzburger Front (1931) 156, 545, 547
Hasselblatt, Werner (1890–1958), dt. Parlamentsabgeordn. in Estland 1119
Hassell, Ulrich v. (1881–1944), dt. Botschafter in Rom (1932–38), Widerstandskämpfer 567
Hatay-Streitfall (1939) 1343
Haţieganu, Emil (geb. 1878), rumän. Politiker, Min. (1946) 1164
Hauch, Hendrik (geb. 1876), dän. Politiker 805
Haushofer, Karl (1869–1946), dt. Geopolitiker 183
Hawkesworth, Sir John L. (1893–1945), brit. General 1330
Hay, Julius [Gyuala] (geb. 1900), ungar. Schriftsteller 918 f.
Hayek, Friedrich A. v. (geb. 1899), österr. Nationalökonom, Nobelpreis (1974) 74
Health Act (1967), ir. 768
Heath, D. R., amerik. Gesandter in Bulgarien 1264
– Edward R. G. (geb. 1916), brit. Premiermin. (1970–74), kons. Parteiführer (1965–75) 395 ff., 436
Hebrang, Andrija, jugoslaw. Industriemin. (1945/46) 1229
Hecht, Robert (1881–1938), österr. Beamter 849 f.
Hector, Edgar (geb. 1911), saarländ. Innenmin. (1951–55) 597
– Jakob, frz. Kommunalpolitiker, Mitgl. d. internat. Regierungskommission d. Saargebiets (1920–23) 590
Hedilla, Manuel (1898–1970), span. Politiker 688
Hedtoft-Hansen, Hans (1903–55), dän. Min.präs. (1947–50, 1953–55) 799, 802, 804 ff., 818
Hegedűs, András (geb. 1922), ungar. Min.präs. (1955/56) 913
Hegel, Georg Wilhelm Friedrich (1770–1831), dt. Philosoph 86, 222
Hegemonialpolitik 120
– frz. 147, 149 f., 373
Heidegger, Martin (1889–1976), dt. Philosoph 559
Heilige Allianz (1815) 164
Heiliger Stuhl, s. Vatikan
Heimatblock, österr. 846, 848
Heimatvertriebene 579, 582, s.a. Vertreibung
Heimwehrbewegung, österr. 210, 217, 842–846, 854, 861, 864
Heines, Edmund (1897–1934), nat.soz. Politiker 553
Helena, montenegrin. Königin 1225
Helene, Prinzessin v. Griechenland (geb. 1896), Gem. Kg. Carols II. v. Rumänien 1142
Helferich, Präs. d. Dt. Zentralgenossenschaftskasse 617 f.
Helfferich, Karl (1872–1924), dt. Bankier, Staatssekretär d. Reichsamts d. Inneren (1916/17) 532
Helmer, Oskar (1887–1963), österr. Innenmin. (1945–59) 877
Helsingforsabkommen (1962) 821
Helsinki 347
– Universität 1092 f., 1105
Hempel, Eduard, dt. Diplomat 766
Hendaye, Treffen (1940) 265
Henderson, Arthur (1863–1935), brit. Unterrichtsmin. (1915/16), Innenmin. (1924), Außenmin. (1929–31) 45, 172, 190, 362, 372 f., 382, 1211
Hendrych, Jiří (1913–79), komm. Politiker, Mitglied d. tschechoslowak. Politbüros 973 f.
Henlein, Konrad (1898–1945), Reichsstatthalter im Sudetenland (1939–45) 934, 939 f., 962
Henlein-Bewegung 923
Hermannstadt 1181
Hermes, Andreas (1878–1964), Reichsfinanzmin. (1922/23), Präs. d. Dt. Bauernverbandes (1948–54) u. d. Dt. Raiffeisenverbandes 573
Herrenchiemsee, Verfassungskonvent (1948) 575
Herrera y Oria, Angel (1886–1968), span. Publizist, Kardinal 677
Herriot, Edouard (1872–1957), frz. Min.präs. (1924/25, 1926, 1932), Präs. d. Nationalversammlung (1947–54) 42, 177, 196, 372 f., 442, 459, 472
Herrschaft, totalitäre 88, 90
Herţa 1152
Hertzog, James B. M. (1866–1942), südafrikan. General, Premiermin. (1924–39) 409 f.
Herzegowina 1185, 1213, 1216
Heß, Rudolf (geb. 1894), Hitlers Privatsekr. (1925–32), Stellvertreter Hitlers (1933–41) 183, 237, 278 f., 853
Heuss, Theodor (1884–1963), dt. Bundespräs. (1949–59) 571, 573,

1381

575
Heydrich, Reinhard
(1904–42), Chef d. Gestapo (1934), stellv. Reichsprotektor in Böhmen u. Mähren (1941/42) 227, 553, 558, 566, 924, 949–952, 958
Heymans, Korneel J. F. (1892–1968), fläm. Physiologe, Nobelpreis (1938) 707
Hilferding, Rudolf (1877–1941), dt. Reichsfinanzmin. (1923, 1928/29) 532
Hilfsdienstpflichtgesetz (1916), dt. 45
Hillgruber, Andreas (geb. 1925), dt. Historiker 185
Himmler, Heinrich (1900–45), Reichsführer d. SS (1929–45), Chef d. Gestapo (1934–45) u. d. dt. Polizei (1936–45), Reichsinnenmin. (1943–45) 13, 226, 279, 297, 557f., 566, 713, 796, 798, 865, 1027f.
Hindemith, Paul (1895–1963), dt. Komponist 559
Hindenburg, Oskar v. (1883–1960), dt. Oberst 543, 546
– Paul v. (1847–1934), preuß. General, dt. Reichspräs. (1925–34) 206, 208, 279, 529, 533, 537, 543–547, 554, 556
Hindi 416
Hindsgavl 787
Hinduismus 416
Hirtenberger Waffenaffäre (1933) 849
Hitler, Adolf (1889–1945), dt. Reichskanzler (1933–45), Führer d. NSDAP (1921–45) 16, 82, 85f., 149, 151, 155, 177, 182, 184, 188ff., 195, 197ff., 219ff., 225, 229f., 252–265, 271f., 276, 278ff., 285–288, 293, 297, 336, 380, 384ff., 427, 454f., 459f., 506–511, 513, 530, 532, 545ff., 552,
554–558, 561, 563–568, 573, 592ff., 606, 614–618, 638f., 641f., 683, 702, 712f., 717, 788, 791, 794, 851f., 858f., 862f., 865–870, 872, 874, 895–900, 922, 924, 938, 940, 947, 950–953, 955, 957, 1012f., 1016f., 1021, 1023f., 1027, 1035, 1097, 1102f., 1126f., 1130, 1150, 1152f., 1155–1158, 1160f., 1204, 1208f., 1212, 1215, 1236, 1252f., 1255, 1257, 1284, 1326, 1343
– außenpol. Programm 184–187, 192f., 292, 553, 561
– »Mein Kampf« 182ff., 186, 221, 554
– »Zweites Buch« (1928) 149, 183f., 554
Hitler-Jugend (HJ) 559, 871
Hitler-Putsch (1923) 209, 532, 556
Hitler-Stalin-Pakt, s. Vertrag, dt.-sowjet.
Hlinka, Andrej (1864–1938), slowak. Politiker 923, 929, 934f., 939f., 946, 1016
Hlond, Augustin (1881–1948), poln. Kardinal, Ebf. v. Posen-Gnesen 1046
Hoare, Samuel J., Viscount Templewood of Chelsea (1880–1959), brit. Außenmin. (1935), Innenmin. (1937–39) 190, 383
Hobbes, Thomas (1588–1679), engl. Philosoph u. Staatstheoretiker 418
Hobson, John Atkinson (1858–1940), engl. Nationalökonom 306
Hochhuth, Rolf (geb. 1931), dt. Dramatiker 1039
Ho Chi Minh (1890–1969), Führer d. Vietminh (1941–54), Staatspräs. v. Nordvietnam (1954–69) 473
Hochkommissare 410
Hochsavoyen 730

Hodler, Ferdinand (1853–1918), schweizer. Maler 731
Hodscha, Enver (geb. 1908), alban. Min.präs. (1944–54), KP-Chef (seit 1954) 1271f., 1285–1296, 1299
Hodža, Milan (1878–1944), tschechoslowak. Min.Präs. (1935–38) 865, 928, 932f., 939f., 957
Hoffmann, Johannes (1890–1967), saarländ. Min.präs. (1947–55) 593, 597–602, 604
Hofmannsthal, Hugo v. (1874–1929), österr. Dichter 71
Holland, s. Niederlande
Holm 610
Holstein 803
Holsti, Rudolf (1881–1945), finn. Außenmin. (1918/19, 1936–38) 1089f., 1096f.
Holtzendorff, Franz v. (1829–89), dt. Rechtsgelehrter 321
Home Rule 747f., 751, 754
Honegger, Arthur (1892–1955), schweizer. Komponist 731
Hongkong 421
Hoogovens 726
Hoover, Herbert C. (1874–1964), Präs. d. USA (1929–33) 174, 491
Hoover-Moratorium (1931) 174, 545
Hopkins, Harry L. (1890–1946), amerik. Handelsmin. (1938–40), Berater v. Präs. Roosevelt (1940–45) 268, 337, 1041
Hornbostel, Theodor (1889–1973), österr. Beamter 862
Hornsrud, Christopher (1859–1960), norweg. Min.präs. (1928) 779
Horthy v. Nagybánya, Miklos (1868–1957), Admiral, ungar. Reichsverweser (1920–44) 94, 211, 883, 888f., 892–901, 1188
Hoßbach-Protokoll (1937)

184, 865
House, Edward M. (1858–1938), amerik. Oberst u. Politiker 122, 125, 131, 135, 988
Hrasnica, Halidbeg (1874–1942), Führer d. bosn. Muselmanen 1202
Huber, Max (1874–1960), schweizer. Völkerrechtler, Präs. d. Ständ. Internat. Gerichtshofes (1925–27) 730
Hueber, Franz (geb. 1894), österr. Justizmin. (1930, 1938/39) 845
Hugenberg, Alfred (1865–1951), dt. Industrieller, Vors. d. DNVP (1928–33), Reichswirtschaftsmin. (1933) 230, 545
Hugo, Victor (1802–85), frz. Dichter 322
Huizinga, Johan (1872–1945), niederländ. Historiker 704, 710
Hülgerth, Ludwig (1875–1939), österr. Vizekanzler (1936–38) 864
Hull, Cordell (1871–1955), amerik. Außenmin. (1933–44), Friedensnobelpreis (1945) 1102
Hultschiner Ländchen 922, 929
»L'Humanité« 441, 455
Hundseid, Jens (geb. 1883), norweg. Min.präs. (1932/33) 780
Hungersnot, russ. (1920/21) 491, 493, 501
– (1932/33) 498
Hurdes, Felix (1901–74), österr. Unterrichtsmin. (1945–52), Mitbegründer d. ÖVP 874f.
Hurst, Sir Cecil (1870–1963), brit. Jurist 131
Husák, Gustav (geb. 1913), Gen.sekr. d. KPČ (seit 1969), tschechoslowak. Staatspräs. (seit 1975) 956, 970f., 973ff.
Hussein ibn Ali (1856–1931), Scherif v. Mekka (1908–24), Kg. v. Hedschas (1916–24) 425
Husseini, Amin el- (1895–1974), Groß-Mufti v. Jerusalem (seit 1926) 427
Hussitismus 945
Hymans, Paul (1865–1941), belg. Außenmin. (1918–20, 1924/25, 1927–34, 1934/35), Vertreter beim Völkerbund (1920–25) 699ff.

Ibarruri Gomez, Dolores, »La Pasionaria« (geb. 1895), span. Politikerin 673, 683
Iberische Union 697
Ibsen, Henrik (1828–1906), norweg. Dichter 1278
ICI, s. Imperial Chemical Industries
I.G. Farbenindustrie 36, 230, 364, 370, 536, 1124
Iglesias Posse, Pablo (1850–1925), span. Politiker 657, 659
Ikonomou, Dimitrios, griech. Konteradmiral 1324
Ilva 622, 630
Imperial Chemical Industries (ICI) 36, 364, 374
Imperial War Cabinet (1917) 406, 423
Imperialismus 73, 84, 86, 301f., 402, 422, 562, 623f.
– brit. 368
– europ. 129, 303
– japan. 505
– portug. 698
Imrédy, Béla (1891–1946), ungar. Min.präs. (1938/39) 895f., 899
IMRO (Innere Mazedonische Revolutionäre Organisation) 1194, 1197, 1203f., 1245ff., 1249f., 1320
Independent Labour Party 362
Indian Independence Act (1947) 307, 417
Indien 10, 117, 142, 303, 307–310, 405f., 414–419, 424, 432, 435, 519f.
Indien-Gesetze (1919, 1935) 415, 417
Indirect Rule 306f., 315, 422, 430
Indischer Nationalkongreß (1885) 414ff.
Indochina 310f., 314, 468, 473f., 476
Indochinafrage 473
Indochinakonferenz, Genfer (1954) 312, 473
Indochinakrieg (1946–54) 471ff., 476
Indonesien 10, 314, 704, 725
Industrialisierung 2f., 23, 39, 228
Industrie, chem. 24, 36
Industriegesellschaft 4, 6, 33, 35, 38f., 42, 51
Industriestädte 3
Industriewirtschaft 36, 39, 83, 302, 317
Inflation 75
– Deutschland 27, 367, 530ff., 535–538
– Dänemark 776
– Frankreich 21, 466, 471, 474
– Großbritannien 395
– Österreich 838f.
– Polen 1003
– Ungarn 894, 905f.
Ingermanland 485
Inglin, Meinrad (1893–1971), schweizer. Schriftsteller 731
Innere Mazedonische Revolutionäre Organisation, s. IMRO
Innitzer, Theodor (1875–1955), Kardinal, österr. Soz.min. (1929/30), Ebf. v. Wien (seit 1932) 845, 869ff., 873
Innovationen, technolog. 22
Innozenz III., eigentl. Lothar v. Segni (geb. 1160/61), Papst (1198–1216) 321
Innsbruck 850
Inönü, eigentl. Mustafa Ismet Pascha (1884–1973), türk. Außenmin.

(1923/24), Min.präs.
(1923/24, 1925–37,
1961–65), Staatspräs.
(1938–50) 1340,
1342–1347, 1349
Institut d. Roten Professur
493
Institute of Commonwealth
Affairs 401
Instituto Nacional de Industria (1941) 690
Integration, europ. 73, 273,
327, 342, 477, 601
Intellektuelle 37, 84
Intelligentsia 37 f., 502
Intelligenz 37, 57 f., 220
Interalliierte Kontrollkommission 124
Interessenverbände 48, 53,
537
Intergovernmental Committee on Refugees (ICR)
12
Internationale, III. (1919),
s. Komintern
Internationale Arbeitsorganisation (ILO) 46
Internationale Donaukommission 166
Internationale Kontrollkommission f. Albanien
1272
Internationale Ruhrbehörde (1949) 327
Internationaler Gerichtshof
(Den Haag) 131, 146,
154, 175, 317, 373, 542,
789, 846
Internationaler Gewerkschaftsbund 49
Internationales Arbeitsamt
162, 442
Internationales Komitee d.
Europ. Bewegung 326
Internationales Militärtribunal (IMT) 299, 571
Internationales Rotes
Kreuz 1031, 1326
Internationalismus 164,
322, 325
- marxist. 497
- pazifist. 454
- proletar. 79
International Peace Society
380
International Refugee Organization (IRO) 12

Interparlamentarische Union (IPU) 790
Intervention, staatl. 46
Interventionismus
- ital. (1915) 205
- wirtschaftl. 28, 302
Interventionsarmeen
(1917–20), alliierte 117,
143, 488
Interventionskriege, alliierte (in Sowjetrußland) 7,
145, 488, 1115 f.
Invasion (1944), alliierte
254, 270, 274, 512, 565 f.
Ioannidis, Dimitrios, Chef
d. griech. Militärpolizei z.
Zt. d. Diktatur 1336
- Ioannis (geb. 1901),
griech. kommunist. Politiker 1332
Iorga, Nicolae (1871–1940),
rumän. Min.präs.
(1931/32) 1143 f., 1148,
1150, 1152, 1160
I.R.A., s. Irish Republican
Army
Irak 129, 165, 303 f., 424 f.,
427, 1030, 1343, 1345
Iran 404, 424, 495, 505, 514,
1030, 1343, 1345
Iren, amerik. 748
Irische Parlamentspartei
747 f., 751 ff.
Irischer Freistaat, s. Irland
Irish Citizen Army (1913)
749, 751
Irish Convention (1917)
751
Irish Republican Army
(I.R.A.) 749, 753 f., 756,
758, 761–771
Irish Republican Brotherhood (I.R.B.) 748–753,
756, 762
Irish Volunteers (1913)
747–750, 752 f.
Irkutsk 489
Irland, Eire 3, 141, 307 f.,
360 f., 412, 746–771, 1042
- Wirtschaft 747, 760, 763,
766, 768 f.
- Parteien 758, 760, 765
- Sprache 746 f., 750, 760,
764
- Sozialpolitik 760
- Außenpolitik 331, 760,
768 ff., s.a. Nordirland

Irland-Gesetze (1921, 1949)
754, 761, 768
Iron and Steel Board (1953)
394
Iron and Steel Corporation
of Great Britain 111
Irredentismus, ungar. 211,
892
Irun 685
Islam 1270, 1341 f.
Island 267, 773, 811–813,
819, 822
Ismay, Hastings Lionel
(1887–1965), brit. General, Gen.sekr. d. NATO
(1952–57) 384
Ismet Pascha, s. Inönü
Isonzofront 254
Israel 425, 974, 1056,
1178 f., 1239, 1265
Istanbul 1315, 1341, 1348
- Universität 1342
Istituto Nazionale Fascista
di Cultura 222
Istituto per la Ricostruzione Industriale (IRI) 233,
637
Istrien 1185, 1187, 1189,
1196, 1222, 1227, 1302
Italien 9, 17, 89, 143, 204 f.,
215, 221, 227, 276, 340,
564, 619–650, 682, 730,
734, 780, 788, 790, 829,
833, 850, 852, 855, 879,
894, 896, 1088, 1188,
1190 f., 1196, 1198, 1204,
1207, 1213 ff., 1232, 1270,
1274, 1278, 1281, 1302,
1315, 1325 f., 1339, 1343
- Wirtschaft 21 f., 27, 622,
635, 637, 648 f.
- Gesellschaft 224, 231 f.,
623, 628, 646
- Auswanderung 5 f., 17
- Regionalismus 92
- Parteien 72 f., 76, 623, 647
- Außenpolitik 181, 191 ff.,
261 f., 426, 624, 635 f.,
639, 859–862, 1273
- Armee 1282
- Konkordat (1929), s. Lateranverträge
- Wahlen 645–648, s.a. Antifaschismus, Faschismus
Izmir, s. Smyrna

Jackson, Robert H. (1892–1954), amerik. Hauptankläger in Nürnberg (1945/46) 298
Jacomoni, Francesco di San Severino (geb. 1893), ital. Vizekönig in Albanien (1939–43) 1283
Jaffa 427
Jägerbewegung, finn. 1085, 1089, 1094
Jagoda, Genrich G. (1891–1938), sowjet. Volkskommissar f. Staatssicherheit (1934–36) 220, 503
Jajce 1219
Jakoncig, Guido (1895–1977), österr. Handelsmin. (1932/33) 848
Jakova, Tuk (geb. 1914), alban. ZK-Mitgl. 1293
Jaksch, Wenzel (1896–1966), sudetendt. Politiker, Präs. d. Bundes d. Vertriebenen (1964–66) 939, 958
Jalta, Konferenz (1945) 274 ff., 513 f., 1041, 1163, 1221 f., 1259, 1287
– Erklärung (1945) 275, 1164
Jamaika 308, 434 ff.
Jankowski, Jan (1882–1953), poln. Politiker 1034
Jan Mayen (Insel) 789
Japan 129, 161, 165, 187, 191, 194, 304, 323, 410, 506, 513, 817
– im II. Weltkrieg 253, 268, 274
Jarlsberg, Wedel, schwed. Diplomat 789
Jaroński, Wiktor (1870–1931), poln. Duma-Abgeordneter (1906–17) 989
Jaros 1335
Jaroszewicz, Piotr (geb. 1909), poln. Min.präs. (seit 1970) 1059
Jartsev, Boris, sowjet. Diplomat 1098
Jaspers, Karl (1883–1969), dt. Philosoph 336
Jassy (Jași) 1143, 1159, 1161
Jászi, Oskár (1875–1957), ungar. Politiker 1138
Jaunde, Verträge (1963, 1969) 328
Jaurès, Jean (1859–1914), frz. Sozialistenführer 441
Jeanneney, Jules (1864–1957), frz. Politiker 459
Jędrychowski, Stefan (geb. 1910), stellv. poln. Min.präs. (1947–56), Außenmin. (1968–71) 1039, 1047
Jekaterinburg (Swerdlowsk) 487
Jellinek, Georg (1851–1911), dt. Staatsrechtslehrer 1072
Jenkins, Roy (geb. 1920), brit. Innenmin. (1974–76), Präs. d. EG-Kommission (seit 1977) 397
Jensen, Alfred (geb. 1903), dän. Politiker 800
– Lars P. (geb. 1909), dän. Politiker 807
Jerusalem 426 f.
Jeshow, Nikolai I. (1895–1939), sowjet. Politiker, Chef d. NKWD (1936–38) 503
Jevtić, Bogoljub (1886–1960), jugoslaw. Min.präs. (1934/35), Außenmin. (1932–35) 1204 f., 1207
Jewelowski, Julius, Danziger Wirtschaftssenator 611
Jewish Agency 426
Jilava 1160
Jiménez, Juan Ramón (1881–1958), span. Lyriker 693
Jinnah, Mohammed Ali (1876–1948), Präs. d. Moslem-Liga (1916–48), Gen.gouverneur v. Pakistan (1947/48) 416, 419
Jodko-Narkiewicz, Witold (1864–1924), Beauftragter Piłsudskis 989
Jodl, Alfred (1890–1946), dt. Gen.oberst, Chef d. Wehrmachtsführungsamts (1939–45) 258, 281, 734
Johannes XXIII., eigentl. Angelo Guiseppe Roncalli (geb. 1881), Papst (1958–63) 648
Johnson, Eyvind (geb. 1900), schwed. Schriftsteller 798
– Lyndon B. (1908–73), Präs. d. USA (1963–69) 1347
Jonas, Franz (1899–1974), Bürgermeister v. Wien (1951–65), österr. Bundespräs. (1965–74) 881 f.
Jonasson, Emil (geb. 1902), isländ. Min.präs. (1958/59) 813
Jónasson, Hermann (geb. 1896), isländ. Min.präs. (1934–42, 1956–58) 812 f.
Jónsson, Jónas, isländ. Politiker 812
Jordanien 304
Jørgensen, Jørgen (geb. 1888), dän. Politiker 804, 807
Jouhaux, Léon (1879–1954), frz. Gewerkschaftsführer 442, 455
Jouvet, Louis (1887–1951), frz. Schauspieler u. Regisseur 447
Jovanović, Dragi (1895–1946), Chef d. Serb. Staatswache, Bürgermeister v. Belgrad 1217 f., 1223
– Slobodan (1869–1958), Min.präs. d. jugoslaw. Exilreg. (1942/43) 1218
József, Attila (1905–37), ungar. Dichter 901
Jóźwiak-Witołd, Franciszek (geb. 1895), poln. Min. f. Staatskontrolle (1952–55) 1047
Juan de Borbon, Gf. v. Barcelona (geb. 1913), span. Thronprätendent 689
Juan Carlos I. (geb. 1938), Kg. v. Spanien (seit 1975) 689
Juden, europ. 13, 16, 428,

560
- bulg. 1255, 1265
- dän. 795
- dt. 11, 16, 227
- estn. 1120, 1131
- griech. 1333
- litau. 1070, 1131
- niederländ. 13, 717, 719
- norweg. 796
- österr. 11, 17
- Palästina 427
- poln. 14, 16, 954, 981 ff., 1001, 1004, 1014, 1017, 1032, 1056, 1058
- rumän. 13, 1158 ff.
- russ. 13
- tschechoslowak. 947, 954
- ungar. 13, 888, 890 ff., 895 f., 898 ff.
Judenfrage 13
Judenitsch, Nikolai N. (1862–1933), russ. General 488, 1087, 1115
Judentum 221, 2 425 f., 428, 554, 566
Judenverfolgung 11, 226, 460, 891, 954
Judenvernichtung 7, 11 ff., 86, 255, 566 f., 1032
Jugoslawien 9, 14, 35, 141, 192, 276, 513, 623, 645, 833, 859, 897, 900, 909, 1135 f., 1140, 1155, 1183–1240, 1242, 1246 f., 1254, 1263, 1270 f., 1274, 1279, 1282, 1288 f., 1291, 1293 f., 1298–1302, 1320, 1323, 1327, 1331 f., 1343, 1345
- Wirtschaft 52, 98, 228, 331, 1206 ff., 1227 f., 1232
- Arbeiter 5 f.
- Arbeiterselbstverwaltung 50, 98
- Gesellschaft 1193
- Minderheiten 1226
- Kirchen 1206, 1229
- Parteien 1188, 1191–1196, 1201, 1205, 1222, 1239
- Außenpolitik 159, 346, 646, 877, 940, 1192, 1195 ff., 1204, 1207 ff., 1212, 1231, 1234 f., 1239
- dt. Angriff (1941) 265, 510
Jugoslawische Nationalpartei 1202, 1205

Jugoslawisches Komitee 1186
Jugoslawisch-Radikale Union 1205
Jugoslawismus 1201 f.
Jugov, Anton Tanev (geb. 1904), bulg. Min.präs. (1956–62) 1258, 1266
Juin, Alphonse (1888–1967), frz. Marschall 463
Juliabkommen (1936), dt.-österr. 862–866
Jungclaus, Richard (1905–45), SS-Gruppenführer 713
Juni-Aufstand, s. Aufstand, DDR
Junkers-Flugzeugwerke 168
Junta Central de la Unión de Funcionarios Civiles 656
Junta de Defensa Nacional (1936) 687
Juntas de Defensa 655 ff., 659 f.
Juntas de Ofensiva Nacional Sindicalista (JONS) 86, 678
Junta Política 688
Junta Técnica del Estado (1936) 688
Jus publicum Europaeum, s. Europäisches Völkerrecht

Kaaden (1919) 929
Kádár, János (geb. 1912), ungar. Innenmin. (1948–50), Erster Sekretär d. KP Ungarns (seit 1956), Min.präs. (1956–58, 1961–68) 519, 909 f., 914–919, 1172, 1312
Kaderpartei 516, 582
Kahr, Gustav Ritter v. (1862–1934), bayer. Min.präs. (1920/21), 530 ff., 556
Kairo, Konferenz (1943) 271
Kaiser, Jakob (1888–1961), dt. Politiker, Bundesmin. f. Gesamtdt. Fragen (1949–57) 573, 872 ff.
Kakowski, Aleksander

(1862–1938), Erzbischof v. Warschau 988
Kalafatović, Danilo (geb. 1875), jugoslaw. General 1213 f.
Kalavrita 1326
Kalifat 1341
Kalinin, Michail I. (1875–1946), sowjet. Staatsoberhaupt (1919–23, 1938–46) 492
Kállay, Miklós v. (1887–1967), ungar. Min.präs. (1942–44), Außenmin. (1942/43) 897 f.
Kallio, Kyösti (1873–1940), finn. Min.präs. (1922/23, 1925/26, 1929/30, 1936/37), Staatspräs. (1937–40) 1092, 1095 f., 1101
Kalmücken 8
Kaltenbrunner, Ernst (1903–46), nat.soz. Politiker, Chef d. Sicherheitspolizei (1943–45) 873
Kalter Krieg 268, 272, 284, 334–352, 388, 394, 514, 645, 810, 876, 1237
Kamenew, eigentl. Leo B. Rosenfeld (1883–1936), sowjet. Politiker, Volkskommissar f. Außen- und Binnenhandel (1926/27) 220, 497 ff., 503
Kamerun 311
Kamitz, Reinhard (geb. 1907), österr. Finanzmin. (1949–60) 878
Kampmann, Viggo (geb. 1910), dän. Min.präs. (1960–62) 806 f.
Kanada 307 f., 406, 408 f., 412 f., 418, 805, 1132
- Wirtschaft 27, 52, 411, 435, 760
- Außenpolitik 368, 397, 407
Kanellopoulos, Panajotis (geb. 1902), griech. Historiker, Min.präs. (1945, 1967) 1329, 1335
Kant, Immanuel (1724–1804), dt. Philosoph 130, 322, 939
Kánya, Kálmán Kania v. (1869–1945), ungar. Au-

ßenmin. (1933–38) 939
Kapitalismus 29, 84, 207, 214, 343, 348, 552
- staatsmonopolist. 32, 87
Kapitulation
- bedingungslose 270f., 280, 566, 570
- Deutschlands (1945) 275, 281, 296, 568, 570, 735
- Italiens (1943) 1216, 1219, 1282f., 1286, 1327
- Japans (1945) 473
Kapkolonie 406
Kapo, Hysni (geb. 1915), Mitgl. d. alban. Politbüros 1292, 1294
Kapp-Putsch (1920) 50, 208, 529f., 537, 836
Kapstadt 433
Kapsukas-Mickevičius, Vincas (1880–1935), litau. Politiker 1067f., 1071
Karadjordjević, serb. Herrscherdynastie (1903–41) 1186
Karamanlis, Konstantinos (geb. 1907), griech. Min.präs. (1955–63 u. seit 1974) 1334–1337
Karaszewicz-Tokarzewski, Michał, poln. General 1025
Kardelj, Edvard (1910–79), jugoslaw. Außenmin. (1948–53) 1218, 1221, 1229, 1232f., 1236, 1238, 1290, 1306
Karelien 10, 509, 1086f., 1089, 1093, 1097, 1099, 1102f.
Karl, Gf. v. Flandern, belg. Regent (1944–50) 721
- I. (1887–1922), Kaiser v. Österreich u. Kg. v. Ungarn als Karl IV. (1916–18) 828f., 831, 874, 887, 889, 892f., 927, 937, 990, 1137, 1140, 1187
- V. (1500–58), dt. König u. Kaiser (1519–56) 321
Karlisten 680
Karlsburg 1138
- Beschlüsse (1918) 1141
Kärnten 126ff., 831ff., 842, 858f., 877, 1189, 1222

Károlyi, Gf. Gyula (1871–1947), ungar. Außenmin. (1930/31), Min.präs. (1931/32) 888, 894
- Gf. Mihály (1875–1955), ungar. Min.präs. (1918/19), Staatspräs. (1919) 887f., 909, 1138
Karpatenukraine 212, 507, 896, 922, 930, 946ff., 953, 961, 963
Karpatho-Ruthenien 930f.
Kartelle 536, 572
Kartellgesetz (1957), dt. 579
Karwinsky, Carl (1888–1958), Staatssekr. im österr. Bundeskanzleramt (1933/34) 857
Kasachstan 519
Kasan 487
Kaschau 946, 962f.
Kasche, Siegfried (geb. 1903), dt. Gesandter in Kroatien (1941–44) 1215
Kaschmir 419
Kasprzycki, Tadeusz (geb. 1891), poln. Kriegsmin. (1935–39) 990
Katalanisches Statut (1932) 677
Katalonien 93, 657f., 661, 669, 677, 679, 686, 697
Katanga 315
Katholiek Vlaamsche Volkspartij (KVV) 707
Katholische Aktion 636, 706
Katholizismus
- dt. 72, 593
- niederländ. 727
Katyn 958, 1030f.
Kauffmann-Vertrag (1941) 810, 817
Kaukasus 487, 489, 565
Kautsky, Karl (1854–1938), sozialist. Theoretiker 76, 832, 1082, 1091, 1095
Kaziken 654
Keflavik 812f., 819
Keitel, Wilhelm (1882–1946), dt. Gen.feldmarschall, Chef d. OKW (1938–45) 281, 558
Kekkonen, Urho K. (geb. 1900), finn. Außenmin.

(1954), Min.präs. (1950–53, 1954–56), Staatspräs. (seit 1956) 1106
Keller, Gottfried (1819–90), schweizer. Dichter 731, 742
Kellogg, Frank B. (1856–1937), amerik. Außenmin. (1925–29), Friedensnobelpreis (1929) 164
Kelmendi, Ali (1900–39), alban. Kominternagent 1285
Kelsen, Hans (1881–1973), österr.-amerik. Staats- u. Völkerrechtler 108, 834, 837
Kemal Pascha, Mustafa, seit 1935: Kemal Atatürk (1881–1938), türk. Offizier u. Politiker, Staatspräs. (1923–38) 129, 133, 203, 368, 1339–1343, 1348
Kenia 308, 421, 429f., 432, 433
Kennan, George F. (geb. 1904), amerik. Diplomat u. Historiker 337, 348
Kennedy, John F. (1917–63), Präs. d. USA (1961–63) 343, 520
Kenyatta, Jomo (1891–1978), Führer d. kenian. Unabhängigkeitsbewegung, Min.präs. (1963), Staatspräs. (1964–78) 432, 437
Keppler, Wilhelm (1882–1960), nat.soz. Wirtschaftsberater, Staatssekretär (1938–45) 865f.
Kerenedschi, Nasti, alb. komm. Politiker 1296
Kerillis, Henri de, frz. Politiker u. Publizist 457
Kerr, Philip H., Lord Lothian (1882–1940), brit. Journalist u. Politiker 288, 306, 369, 402, 423
Kerrl, Hans (1887–1941), Präs. d. preuß. Landtags (1932), preuß. Justizmin. (1933/34), Reichsmin. f.

kirchl. Angelegenheiten (1935–41) 581
Kessler, Harry Gf. (1868–1937), dt. Schriftsteller, Gesandter in Polen (1918–21) 991, 998
Kexholm 509
Keynes, John Maynard (1883–1946), brit. Wirtschaftswissenschaftler 28, 74, 118, 122, 370, 379, 391, 544
Keynesianismus 74
Khakiwahlen (1918), s. Großbritannien, Wahlen
Kidrić, Boris (1912–53), Präs. d. jugoslaw. Wirtschaftsrats (1950–53) 1228f.
Kiernik, Władysław (geb. 1879), poln. Innenmin. (1923) 1010, 1043
Kiew 4, 489, 995
Kikuyu 433, 437
Killinger, Manfred Frhr. v. (1886–1944), dt. Gesandter in Preßburg (1940) u. Bukarest (1941–44) 955, 1155, 1160
King, William L. Mackenzie (1874–1950), kanad. Premiermin. (1921–30, 1935–48), Präs. d. Völkerbundsversammlung (1928, 1938) 411
Kingisepp, Viktor (1888–1922), estn. Politiker 1118
Kioseivanov, Georgi (1884–1960), bulg. Min.präs. u. Außenmin. (1935–40) 1251
Kirche
– evangel. 559, 1309
– röm.-kath. 321, 460, 553, 560, 644f., 676, 682, 690, 697, 749, 760, 768, 869ff., 904, 908, 982, 1046, 1309
– russ. 512, 1202
Kirchen, christl. 559
Kirchenkampf 559
Kirdorf, Emil (1847–1938), dt. Industrieller 536
Kirov, S., bulg. Außenmin. (1943) 1255
Kirow, Sergei M., eigentl. S.M. Kostrikow

(1886–1934), sowjet. Politiker, Parteisekr. v. Leningrad (1926–34) 497, 500, 502
Kissinger, Henry A. (geb. 1923), Sicherheitsberater d. amerik. Präsidenten (1968–74), Außenmin. (1973–77) 343
Kivimäki, Toivo M. (1886–1968), finn. Min.präs. (1932–36) 1096
Kjaerbøl, Johan (geb. 1885), dän. Politiker u. Gewerkschafter 801
Klagenfurt 1189
Klassenkampf 50, 86f., 186, 207, 231, 374, 499, 1028, 1047, 1170
Klaus, Josef (geb. 1910), österr. Finanzmin. (1961–63), Bundeskanzler (1964–70) 881f.
Klausenburg 1150, 1181
Kleeberg, Franciszek (1888–1941), poln. General 1024
Klein, Albert (geb. 1910), Bischof d. Siebenbürger Sachsen (seit 1969) 1181
– Franz (1854–1926), österr. Justizmin. (1905–08, 1916) 834
Kleine Entente (1921–38) 145, 148f., 159, 175, 192, 495, 505, 846f., 849, 855, 859f., 863, 865, 892, 894, 923, 937f., 940, 1006, 1135f., 1140, 1144, 1150, 1192, 1196, 1198, 1204, 1208, 1323
Kleinlandwirtepartei 889, 892, 902, 904–907, 909, 1044, 1164, 1301, 1303, 1307
Klemperer, Otto (1885–1973), dt. Dirigent 560
– Viktor (1881–1960), dt. Romanist 560
Klisoura 1326
Kliszko, Zenon (geb. 1908), poln. Politiker u. Publizist 1047f., 1052, 1057, 1059
Klöti, Emil (1877–1963), schweizer. Kommunal-

politiker 737
Klotz, Louis L. (1868–1930), frz. Finanzmin. (1917–20) 122
Kmetko, Karol (1875–1948), slowak. Geistlicher, Ebf. v. Neutra 954
Knox, Sir Geoffrey G. (1884–1958), Präs. d. Saar-Regierungskommission (1932–35) 593
Knud, Prinz v. Dänemark 806
Knudsen, Gunnar (1848–1928), norweg. Min.präs. (1913–20) 778f., 789
Koalitionsfreiheit 48
Koalitionspolitik 76
Koalitionsregierung 45f., 81, 374
Koc, Adam (geb. 1891), poln. Politiker 1014
Koch, Erich (1896–1959), Gauleiter v. Ostpreußen (1928–45), Reichskommissar f. die Ukraine (1941–44) 264, 1027, 1031
Koestler, Arthur (geb. 1905), brit.-ungar. Journalist u. Schriftsteller 508
Koexistenz, friedl. 518ff., 1235
Koffler, Remus (gest. 1954), rumän. Politiker 1171
Koht, Halvdan (1873–1965), norweg. Außenmin. (1935–40) 780, 796
Kołakowski, Leszek (geb. 1927), poln. Philosoph 1056f.
Kolarov, Vasil P. (1877–1950), bulg. Min.präs. (1949/50), Staatsoberhaupt (1946/47) 1245, 1256, 1258f., 1263f., 1306
Kolchos 47, 51, 229, 498, 515
Koleka, Spiro (geb. 1908), alban. Kommunist 1292
Kollaborateure 963, 1223, 1300, 1302, 1330

Kollektivierung 50, 213,
  583, 910, 971, 1028, 1049,
  1051, 1055, 1078, 1131,
  1168, 1170, 1172 ff., 1227,
  1232, 1264, 1288, 1294,
  1300, 1308
- d. Landwirtschaft
  (UdSSR) 7, 25, 51 f., 97,
  187, 228, 498
Kollektivismus 74
Köln 367
Kolonialherrschaft, europ.
  163
Kolonialismus 300–319,
  402
Kolonialkrieg 314 f., 323
Kolonialländer 303
Kolonialmächte, europ. 305
Kolonialpolitik 303, 306
- belg. 314 f.
- brit. 306, 309, 422 f., 431 f.
- frz. 309–313, 429, 468
- holländ. 314
- portug. 305, 315 f.
- span. 315
Kolonialreich
- brit. 419–437
- frz. 309, 311 ff., 468
- portug. 697
- span. 315
Kolonialreiche, europ. 142,
  316
Kolonialtruppen 310
Kolonialverwaltung, brit.
  429 ff.
Kolonien
- belg. 315
- dt. 142, 146, 163, 165,
  180, 303 f., 368, 421 ff.,
  429, 529
- frz. 310, 468
- holländ. 315
- ital. 513
- portug. 316, 434
Kolstad, Peter L.
  (1878–1932), norweg.
  Min.präs. (1931/32) 780
Koltschak, Alexander W.
  (1873–1920), russ. Admiral 487 ff., 1087, 1115
Kominform (Kommunist.
  Informationsbüro,
  1947–56) 52, 79, 338,
  1047, 1166, 1227, 1229,
  1289, 1304
Kominformkonflikt (1948)
  970, 1048, 1168, 1183,
  1186, 1228, 1236 f., 1263,
  1270, 1291, 1303, 1305 f.,
  1332
Komintern (Kommunist.
  Internationale, 1919–43)
  78 ff., 87, 102, 152, 157,
  159, 191, 441, 449, 494,
  499, 505, 510, 512, 663,
  731, 898, 1047, 1091,
  1118, 1218, 1246, 1285
Kominternkongresse 497,
  507
Kommunismus 37, 47, 50,
  75, 77, 79–83, 87, 112,
  186, 223, 338, 342 f., 375,
  455, 516, 572, 662, 892,
  902, 914, 916, 919, 924,
  972, 974, 1095, 1184,
  1246, 1270
- dt. 80, 583
- jugoslaw. 98
- sowjet. 317
- westeurop. 82
Kommunistische Internationale, s. Komintern
Kommunistische Parteien
  75, 78–82, 85, 329, 510,
  514, 1168, 1295, 1299 f.,
  1302, 1304, 1306
- Albanien 1271 f., 1282,
  1284 ff., 1289, 1291 ff.,
  1295
- Bulgarien 1241,
  1243–1246, 1259–1263
- Dänemark 774, 802, 804
- Deutschland 78 f., 495,
  527, 530 f., 544, 553 ff.,
  567, 573, 578, 582, 593,
  598, 600, 608, 612
- Estland 1118, 1128
- Finnland 1089, 1091 f.,
  1095, 1097, 1104 ff.
- Frankreich 78–82, 441 f.,
  452 f., 455, 462, 465 ff.,
  471, 473
- Griechenland 1304,
  1324 f., 1327 f., 1330 f.,
  1337 f.
- Großbritannien 159, 363,
  373, 376, 390, 398
- Italien 73, 76–81, 626 ff.,
  631, 638, 642, 645–649
- Jugoslawien 79, 1184,
  1218, 1222, 1229, 1232 f.,
  1235, 1238 f., 1305
- Lettland 1118, 1128
- Litauen 1067, 1069, 1071
- Niederlande 709
- Norwegen 779
- Österreich 829, 875–878,
  880
- Polen 79 f., 996, 1014,
  1029, 1032, 1035, 1043 f.,
  1047 f., 1050 f., 1056 f.,
  1059
- Rumänien 79 f., 1136,
  1140, 1145, 1148, 1158,
  1162, 1164–1181
- Schweden 784, 798, 815
- Schweiz 731, 735
- Sowjetunion 8, 50, 77,
  79 ff., 97 f., 112, 222, 494,
  501, 519, 582, 970, 975,
  1036, 1048 f., 1132, 1174,
  1184, 1229, 1262 f., 1295,
  1304 f., 1310, 1337, s.a.
  Partei, bolschewist.
- -Parteitag
  X. (1921) 491
  XIV. (1925) 497
  XV. (1927) 498
  XVI. (1930) 499
  XVII. (1934) 500
  XVIII. (1939) 508, 516
  XIX. (1952) 516
  XX. (1956) 504, 517,
    914, 972, 1047, 1052,
    1167, 1172, 1234, 1262,
    1266, 1291, 1293, 1310
  XXI. (1959) 1263
  XXII. (1961) 504, 519,
    1174, 1266, 1295, 1309 f.
- Spanien 78, 663, 679 f.,
  683
- Tschechoslowakei 79,
  213, 924 f., 932, 936, 947,
  956, 958 f., 962 ff., 966,
  969–975, 1059
- Ungarn 79, 887, 897 f.,
  901–916, 1303
Komorowski, Tadeusz
  (1895–1966), poln. General, Min.präs. d. Exilreg.
  (1947–49) 1034 f.
Kompromiß, histor. 73, 81
Komsomol (Kommunistitscheski Sojus Molodjoschi) 501
Kon, Feliks (1864–1941),
  poln. Politiker 995
Kondilis, Georgios
  (1878–1936), griech.
  Reichsverweser (1935),
  Min.präs. (1926, 1935)

Personen- und Sachregister

1320, 1323 f.
Konferenz über Sicherheit u. Zusammenarbeit in Europa (KSZE) 332, 347 f.
Konfessionspartei 724
Konflikt
- griech.-ital. (1923) 161, 1321
- sowjet.-jugoslaw. 646
- sowjet.-chin. 80, 1174, 1177, 1230, 1291
Kongo 770, 820
Kongo-Kolonie 315 f.
Kongreßpartei, s. Indischer Nationalkongreß
Kongreßpolen 987, 991, 995
Konica, Mehmed Bey, alban. Außenmin. (1920) 1274
Königinhofer Handschrift 925
Königsberg 272, 283, 571
Königsdiktatur 233, 1135 f., 1186, 1193, 1201 f., 1204, 1250 f.
Konjew, Iwan S. (1897–1973), sowjet. General 274
Konjunkturpolitik 27, 379
Konkurse 26
Konservative Partei
- brit. 41, 70, 150, 203, 361, 363, 371 f., 374 f., 376, 381, 385, 387, 390, 392 f., 397, 399, 432, 747
- schwed. 784
Konservative Volkspartei
- dän. 774 ff., 795, 802 ff., 808
- dt. 71
Konservativismus 71 ff.
Konstantin I. (1868–1923), Kg. v. Griechenland (1913–17, 1920–22) 1314, 1316, 1337
- II. (geb. 1940), Kg. v. Griechenland (1964–73 bzw. 1974) 1335, 1338
Konstantinopel 128, 489
Konstituierende Nationalversammlung (österr.) 831, 836 f.
Kontinentalhegemonie, frz. 140, 146
Kontrollrat, alliierter 282 f.,

337, 570 ff., 575
Konventionen (1950 u. 1953), frz.-saarländ. 599
Konvertibilität 389
Konya 1341
Konzentrationslager 11 f., 231, 555, 558, 560, 571, 718, 795 f., 872, 898
- Auschwitz 13, 427, 567
- Buchenwald 558
- Dachau 558, 870
- Maidanek 567
- Oranienburg 790
- Ravensbrück 558
- Sachsenhausen 558
- Treblinka 567
Konzentrationsprozeß, industrieller 23, 38, 445, 635, 786
Konzerne 36, 572
Konzert d. europ. Mächte 322
Kopański, Stanisław (geb. 1895), poln. General 1030
Kopecký, Václav (1897–1961), tschechoslowak. Informationsmin. (1946–48) 966
Kopenhagen 15, 777, 787, 808 f.
Kopřiva, Ladislav (geb. 1897), tschechoslowak. Min. f. Staatssicherheit. (1950–52) 973
Kordt, Erich (1903–70), dt. Diplomat 567
Korea 341, 820
Koreakrieg (1950–53) 341 f., 346, 394, 473, 514, 691, 741, 1345
Korfanty, Wojciech (1873–1939), poln. Min.präs. (1922), Abstimmungskommissar f. Oberschlesien (1919–21) 992, 1002 f., 1010 f., 1014, 1017
Korfu 161, 181, 636, 1317
- Pakt (1917) 1186, 1188, 1190
Korherr-Bericht (1943) 13
Koritza 1272 f., 1283
Korizis, Alexandros (1885–1941), griech. Min.präs. (1941) 1326
Körner, Theodor

(1873–1957), österr. Offizier u. sozialist. Politiker, Bundespräsident (1951–57) 875, 877 f., 880
Korneuburger Gelöbnis (1930) 845
Korošec, Ante (1872–1940), jugoslaw. Min.präs. (1928/29) 1187 f., 1193, 1196, 1201 f., 1205
Korporationen 232 f., 561
Korporativismus 632, 635, 639, 860
Korridor, poln. 158, 179, 185
Korsika 194, 476
Korutürk, Fahri S. (geb. 1903), türk. Staatspräs. (seit 1973) 1349
Kościuszko, Tadeusz (1746–1817), poln. Freiheitskämpfer 991
Kościuszko-Division 1034, 1051
Kosovo-Gebiet 1278, 1283 f., 1289, 1302
Koßmann, Bartholomäus, saarländ. Politiker 595
Kossuth, Lajos (1802–94), ungar. Staatsmann 889
Kossygin, Alexej N. (geb. 1904), stellv. Vorsitzender d. sowjet. Ministerrats (1953–56, 1957–64), Vorsitzender d. Ministerrats (seit 1964) 520, 1347
Kostov, Trajčo (1897–1949), bulg. Politiker 1048, 1231, 1258, 1262 ff., 1266, 1268, 1306
Kot, Stanisław (1885–1975), poln. Historiker u. Diplomat 1030, 1038
Kota, Koço (1889–1949?), alban. Min.präs. (1928–30, 1936–39) 1280
Koucký, Vladimir (geb. 1920), tschechoslowak. Politiker 973 f.
Kovačević (ermordet 1927), jugoslaw. General 1198, 1247
Kovács, Béla (1908–59), ungar. Politiker 1303
Kowno (Kaunas) 1065, 1068, 1073

Kraft, Ole Bjørn (geb. 1893), dän. Verteidigungsmin., Außenmin. (1950–53) 800, 803, 805
– Waldemar (1898–1977), dt. Politiker 579
Krag, Jens Otto (1914–78), dän. Außenmin. (1958–62, 1966/67), Min.präs. (1962–68, 1971/72) 804, 806 f.
– Oluf (1870–1942), dän. Politiker 777
Krain 1185
Krajowa Rada Naradowa (KRN) 1035 f.
Krakau 163, 956, 986, 1003, 1043, 1051, 1176
Kral, August, österr. Gen.konsul in Albanien 1273
Kramář, Karel (1860–1937), tschechoslowak. Min.präs. (1918/19) 925, 927, 929, 932, 934, 936, 938
Krasnow, P.N. (1869–1947), russ. General 487
Krastkalns, Andrejs (1869–1939), lett. Politiker 1111
Kreibich, Karl (1883–1966), sudetendt. Politiker 936
Kreisauer Kreis 567
Kreischgebiet 1137, 1139
Kreisky, Bruno (geb. 1911), österr. Außenmin. (1959–66), Bundeskanzler (seit 1970) 878 f., 881 f.
Krejčí, Jaroslav (geb. 1892), Min.präs. im Reichsprotektorat Böhmen-Mähren (1942–45) 951
Kreml 486, 496
Krestinski, Nikolai N. (1883–1938), sowjet. Volkskommissar f. Finanzen (1918–22), Botschafter in Berlin (1922–30) 503
Kreta 253, 266, 1325 f.
Kreuger, Ivar (1880–1932), schwed. Industrieller 784, 798
– Torsten (geb. 1884),

schwed. Ingenieur u. Finanzmann 798
Krėvé-Mickevičius, Vincas (1882–1954), litau. Schriftsteller, Außenmin. (1940) 1078, 1129
Krieg 94, 412
– totaler 255 f.
– span.-amerik. (1898) 655
– türk.-armen. (1920) 1340
– poln.-russ. (1920) 143, 489, 609, 995 f., 1071
– ital.-abessin., s. Abessinienkrieg
– dt.-poln. (1939) 130, 255, 257, 262, 563, 639, 794, 954, 1022 f.
– finn.-sowjet., s. Winterkrieg
– dt.-sowjet. (1941–45) 227, 253, 255, 258, 265 f., 511 ff., 565, 797, 898, 1135, 1156, s.a. Unternehmen Barbarossa
– amerik.-japan. (1941–45) 513
Kriegsausbruch (1914) 563
Kriegsfinanzierung, nat.soz. 572
Kriegsgefangene 12 f., 18, 255, 877
Kriegskommunismus 20, 228 f., 488, 494
Kriegsopfer u. Gefallene 13 f.
Kriegsrecht 13, 163, 255
Kriegsschäden (1914–18) 123
Kriegsschuldfrage (1914) 257
Kriegsschuldparagraph, s. Versailles, Friedensvertrag, Art. 231
Kriegsverbrecher 13, 299
Kriegsverluste 14
Kriegswirtschaft 40, 229, 362, 566
Kriegswirtschaftliches Ermächtigungsgesetz (1917) 849, 856
Kriegsziele (1914–18) 133, 146, 303
Krim 485, 489, 955, 1157
Krimtataren 8
Kristensen, Knud (geb. 1895), dän. Min.präs. (1945–47) 799 f., 802 ff.,

807
– Thorkil (geb. 1899), dän. Finanzmin. (1945–49, 1950–53) 805
Kristo, Pandi, alban. Kommunist 1291 f.
Kriwoj Rog 4, 1177
Kroatien, Kroaten 93 f., 233, 276, 624, 900, 1185, 1188, 1194, 1201, 1203, 1206 f., 1212–1216, 1223, 1237
Kroatische Bauernpartei 1187 f., 1191 ff., 1194, 1196 f., 1201 f., 1214, 1222
Kroatischer Block 1194
Krofta, Kamil (1876–1945), tschechoslowak. Außenmin. (1936–38) 939
Kronenburg 700
Kronkolonien 421
Kronstadt, Aufstand (1921) 491
Kronstadt (Brașov) 1309
Krupp, Alfred (1812–87), dt. Industrieller 35
Krupp v. Bohlen u. Halbach, Gustav (1870–1950), dt. Industrieller 553
Krupskaja, Nadeshda (1869–1939), sowjet. Politikerin, Gem. Lenins 493
Kryeziu, Ceno Bey (ermordet 1927), alban. Gesandter 1281
Kuba 344, 346, 1239
Kubakrise (1962) 344, 346, 520
Kubsz, poln. Priester, Mitbegründer des Verbandes Polnischer Patrioten 1039
Kucharzewski, Jan (1876–1952), poln. Min.präs. (1917/18) 988
Kuczynski, Jürgen (geb. 1904), dt. Historiker 43, 62
Kujbyschew 4, 487, 516
Kukiel, Marian (1885–1973), poln. Historiker u. General, Kriegsmin. d. Exilreg. (1943/44) 1031, 1039
Kulaken (russ. Großbau-

1391

ern) 8, 16, 51, 498
Kuliscioff, Anna M.
   (1857–1925), russ. Anar-
   chistin u. ital. Sozialistin
   633
Kulm 610
Kulturabkommen (1948),
   frz.-saarländ. 598
Kulturbund z. demokrat.
   Erneuerung Deutsch-
   lands 582
Kulturkampf 73
Külz, Wilhelm
   (1875–1948), dt. Politiker, Reichsinnenmin.
   (1926) 573, 576
Kun, Béla (1886–1939), ungar. Revolutionär, Organisator der KP Ungarns
   119, 210, 215, 887 f., 891
Kunschak, Leopold
   (1871–1953), Mitglied d.
   österr. Nationalrats
   (1919–34), Präs. d. Nationalrats (1945–53) 837,
   854, 875
Kunstfasern 24 f.
Kuomintang-Partei 505
Kupi, Abbas, alban. Politiker 1285, 1287, 1289 f.
Kurie, s. Vatikan
Kurland 485, 1108 f., 1114
Kursk 488
Kusel 597
Küstenrepublik 490
Kutrzeba, Tadeusz
   (1886–1947), poln. General 1023
Kuusinen, Otto W.
   (1881–1964), finn.-so-
   wjet. Politiker, Gründer
   d. KP Finnlands, Mit-
   glied d. Zk d. KPdSU
   (1940–64) 1091, 1100
Kuyper, Abraham
   (1837–1920), niederländ.
   Min.präs. (1901–05) 708
Kvaternik, Eugen, Chef der
   kroat. Polizei 1215 f.
– Slavko (1887–1946), kro-
   at. Kriegsmin. (1941/42),
   Marschall 1214 ff., 1224
Kwiatkowski, Eugeniusz
   (geb. 1888), poln.
   Fin.min. (1935–39) 1015
Kyrill (1895–1945), bulg.
   Prinz, Regent (1943/44)
   1248, 1255, 1258
Kyrill (geb. 1901), Metropolit v. Plovdiv, Pa-
   triarch d. bulg. Orthod.
   Kirche (1953) 1265

Labour Party
– brit. 28, 35 f., 41, 45 ff., 70,
   75, 96, 149, 203, 329, 357,
   361 ff., 366, 369, 371 ff.,
   375 f., 379–382, 387–391,
   394 f., 397, 399 f., 430 f.,
   443, 467
– ir. 758, 763, 767
Laforet, Carmen (geb.
   1921), span. Schriftstellerin 693
Lager der Nationalen Einigung (OZN) 1014
Laidoner, Johan
   (1884–1953), estn. General 1114, 1118, 1122,
   1129
Laín Entralgo, Pedro (geb.
   1908), span. Historiker
   692
Laïzismus 1341, 1344
Lakatos, Géza v.
   (1890–1967), ungar.
   Min.präs. (1944) 898
Lambrakis, Grigorios (gest.
   1963), griech. EDA-Ab-
   geordneter 1335
Lammasch, Heinrich
   (1853–1920), österr. Völkerrechtler, Min.präs.
   (1918) 828, 832
Lampe, Alfred (1900–43),
   poln. Politiker u. Publizist 1039
Lana (Lány), österr.-
   tschech. Vertrag (1921)
   838
Landbund f. Österreich
   830, 837, 840 ff., 844,
   846 f., 857
Länder, dt. 574
Länderrat 574
Landflucht 52
Land Oberost 986, 988,
   1065
Landpächter, ir. 746, 749
Landwirtschaft 52 f.
Landwirtschaftliche Pro-
   duktionsgenossenschaft
   (LPG) 52, 572, 583
Lange, Christian L.
   (1869–1939), norweg. Politiker, Gen.sekr. d. Inter-
   parlament. Union
   (1909–33), Friedensno-
   belpreis (1921) 789
– Gunnar (gest. 1976),
   schwed. Handelsmin. 821
– Halvard (1902–70), nor-
   weg. Außenmin.
   (1946–65) 818
Lansbury, George
   (1859–1940), brit. Ar-
   beitsmin. (1929–31) 383
Lansing, Robert
   (1864–1928), amerik. Außenmin. (1915–20) 132
Lappland 1102, 1104
Lappobewegung, finn. 217
Lapua-Bewegung (IKL)
   1092, 1095 f., 1122
Largo Caballero, Francisco
   (1869–1946), span. Ge-
   werkschaftsführer,
   Min.präs. (1936/37) 507,
   659, 666, 676 f., 679, 683
Larkin, James (1876–1947),
   ir. Arbeiterführer 749
La Rocque, François de
   (1886–1946), frz. Oberst,
   Vorsitzender d. Croix de
   Feu (1931–36) 448
Larsen, Aksel (gest. 1972),
   dän. Politiker 803, 807
Laski, Harold J.
   (1893–1950), brit. Polito-
   loge, Vors. d. Labour
   Party (1945/46) 382, 390,
   399 f.
Lassalle, Ferdinand
   (1825–64), dt. Politiker,
   Gründer d. Allg. Dt. Ar-
   beitervereins 829
Lateinamerika 3, 17, 303
Lateranverträge (1929)
   635 f., 646
Lattre de Tassigny, Jean de
   (1889–1952), frz. Mar-
   schall (1952) 463
Laun, Rudolf v.
   (1882–1975), österr.
   Staats- u. Völkerrechtler
   834
Laurier, Sir Wilfrid
   (1841–1919), kanad. Premiermin. (1896–1911)
   412
Lausanne

– Frieden (1923) 129, 368, 1315, 1340
– Konvention (1923) 9
– Reparationskonferenz (1932) 546
– Abkommen (1932) 174
– Anleihe (1932) 848 ff.
Lautenbach, Wilhelm (1891–1948), dt. Nationalökonom 544
Laval, Pierre (1883–1945), frz. Min.präs. (1931/32, 1935/36, 1942–44), Außenmin. (1932) 190, 193, 451 f., 454, 459 f., 469, 507, 640
Lavisse, Ernest (1842–1922), frz. Historiker 135
Lawrence, Thomas E. (1888–1935), brit. Forscher u. Schriftsteller 425
Lazić, Zika, Chef d. jugoslaw. Sicherheitsdienstes 1198
Lazzari, Constantino (1857–1927), ital. Publizist u. Politiker 625
Lebensraum 182, 184, 257, 259, 553, 562
Lebensstandard 24 f., 44, 365
Leber, Julius (1891–1945), dt. Politiker, Widerstandskämpfer 556
Lebrun, Albert F. (1871–1950), frz. Staatspräs. (1932–40) 459
Leclerc, Jacques (1902–47), frz. General u. Marschall (postum 1952) 463
Le Corbusier, eigentl. Charles Edouard Jeanneret-Gris (1887–1965), schweizer. Architekt 731
Ledesma Ramos, Ramiro (1905–36), span. Politiker 678
Leeds 15
Left Book Club 399
Legge Acerbo (1923) 631
Leggi fascistissime (1925/26) 223 f., 632 f.
Legien, Carl (1861–1920), Vors. d. Gen.kommission d. Gewerkschaften Deutschlands (1890–1919), Vors. d. ADGB (1919/20) 527
Legion
– norweg. 796
– span. 655, 679
– tschech. 214, 487, 926
Legitimitätsprinzip 35
Lehr-Spławiński, Tadeusz (1891–1965), poln. Linguist 1019
Lei orgânica do Ultramar Português (1953) 697
Lemass, Seán (1899–1971), ir. Premiermin. (1959–66) 769 f.
Lemberg 991, 1033
Lenard, Philipp (1862–1947), dt. Physiker 559
Lenárt, Josef (geb. 1923), tschechoslowak. Min.präs. (1963–68) 973
Lend Lease Act (1941) 267, 389, 512
Lend-Lease-Programm 268, 387
Lenin, eigentl. Wladimir Iljitsch Uljanow (1870–1924), Vors. d. Rats d. Volkskommissare (1917–24) 50, 87 f., 97, 143, 150, 159, 215, 220, 222, 228, 338, 363, 405, 441, 486 ff., 491–498, 504, 505, 516 ff., 622 f., 625, 661, 841, 994, 1084, 1087, 1091, 1109, 1111, 1115, 1132, 1170, 1176, 1263, 1340
Leningrad 4, 496, 1102, 1132
Leninismus 220, 497, 512, 516, 518, 975
Lenin-Mausoleum 519
Lenino (1943) 1034
Leo, Juliusz (1862–1918), poln. Politiker 986
Leonardopoulos, Georgios (1879–1936), griech. General 1316
Leopold III. (geb. 1901), Kg. d. Belgier (1934–44, 1950/51) 702, 712, 721
– Josef (1889–1941), nat. soz. Gauleiter v. Niederösterreich 864 f.
Léopoldville 315

Leros 1335
Lerroux y García, Alejandro (1864–1949), span. Min.präs. (1933/34, 1934/35) 656 f., 678, 682
Lesotho 308
Lester, Seán (1889–1959), Völkerbundskommissar in Danzig (1933–36) 606, 616
Lettgallen 1115
Lettische Sozialdemokratische Partei (LSD), s. Sozialdemokratische Partei Lettlands
Lettland 489, 505, 787, 1063, 1089, 1107–1133
– Unabhängigkeit 126, 1113, 1125
– Gesellschaft 1117, 1123, 1125
– Wirtschaft 1119, 1122 ff., 1132
– Parteien 1109, 1118, 1121 f.
– nat. Minderheiten 1118, 1120, 1123
– Armee 1115, 1128
– Außenpolitik 1126
– Staatsstreich (1939) 1122 f.
– sowjet. Annexion 260, 509, 1128
Lettrich, slowak. Politiker 956
Leuschner, Wilhelm (1890–1944), dt. Politiker, hess. Innenmin. (1928–33), Mitglied d. Widerstandsbewegung 872 ff.
Leuthner, Karl (1869–1947), österr. Abgeordneter 837
Lex Thagaard (1947) 814
Ley Orgánica del Estado (1966) 688
Ležáky (1942) 949, 952
Libanon 165, 303 f., 423 f.
Libanon-Charta (1944) 1328
Libanonkonferenz (1944) 1328
Libauer Putsch (1919) 1114
Liberaldemokratische Partei (LDP) 573
Liberale Parteien u. Bewe-

gungen
- Deutschland 73 f.
- Großbritannien 41, 70, 73 f., 203, 361 ff., 372 f., 375, 377, 380, 391 f., 747
- Österreich 838
- Rumänien 1142, 1145 f., 1165, 1303
Liberalismus 73 f., 94, 302, 306, 361, 372, 553, 559, 654, 689
Libohova, Myfit Bey (1876–1927), alban. Außen- u. Finanzmin. (1925–27) 1279
Libyen 181
Lichterfelde 24
Liddell Hart, Sir Basil H. (1895–1970), brit. Militärschriftsteller 254
Lidice (1942) 924, 949, 952
Lie, Trygve H. (1896–1968), norweg. Außenmin. (1941–46), Gen.sekr. d. UNO (1946–53) 780, 796, 819
Liebermann, Hermann (1870–1941), poln. Politiker 1010
Liechtenstein 730
Liehm, J., tschech. Schriftsteller 974
Ligue des Droits de l'Homme 442, 452
Ligue Française 704
Limburg 700, 703
Lincoln, Abraham (1809–65), Präs. d. USA (1861–65) 201
Lindmann, Arvid (1862–1936), schwed. Min.präs. (1906–11, 1928–30) 784
Link, Werner (geb. 1934), dt. Historiker 166
Linkomies, Edwin (1894–1963), finn. Min.präs. (1943/44) 1103, 1105
Linksfaschismus 82, 224
Linz 868
Liparische Inseln 638
Lippmann, Walter (1889–1974), amerik. Publizist 135, 348
Lipski, Józef (1894–1958), poln. Botschafter in Ber-

lin (1933–39), Mitglied d. poln. Exilreg. 618, 1020
Lissabon 15, 695, 698
Listenwahl 578
Litauen 126, 485, 489, 505, 509, 787, 925, 993, 995 ff., 1012, 1028, 1062–1079, 1089, 1126 f.
- Unabhängigkeit 1062, 1066
- Wirtschaft 1064, 1070 f.
- Armee 1066, 1068, 1076
- Außenpolitik 1016, 1063, 1075 f.
- Parteien 1064 f., 1069, 1073
- kath. Kirche 1063, 1079
- sowjet. Annexion 260, 509, 1077
Litauische Demokratische Partei 1065
Litauischer Bauernbund 1065
Litauischer Nationalrat (1917) 1065
Litauische Sozialdemokratische Partei 1065
Litauisches Zentrum (1914) 1065
Litauische Volkssozialistische Demokratische Partei 1065
»Literární Noviny« 974
Litwinow, eigentl. Maxim M. Wallach (1876–1951), sowjet. Volkskommissar d. Äußeren (1930–39), Botschafter in Washington (1941–43) 173, 187, 506, 508, 1012, 1126
Litwinow-Protokoll (1929) 505
Liverpool 15
Livland 485, 1111, 1113, 1115
Livorno 628
Ljapčev, Andrej (1866–1933), bulg. Min.präs. (1926–31) 1245, 1247, 1253
Ljotić, Dimitrije, serb. Politiker 1217
Lliga Regionalista (1901) 657, 659, 661
Lloyd George, David (1863–1945), brit. Premierminist. (1916–22), Vor-

sitzender d. Liberalen Partei (1926–31) 42, 46, 74, 117, 119 ff., 123 f., 130, 134, 143 f., 149 f., 167, 203, 354, 360–369, 371, 375 ff., 383, 398, 406 f., 422, 424, 439, 607, 751, 754 f., 999, 1340
Löbe, Paul (1875–1967), dt. Politiker, Reichstagspräs. (1920–32), Alterspräs. d. dt. Bundestages (1949–53) 43, 870
Locarno
- Konferenz (1925) 145
- Verträge (1925) 147, 153 ff., 159 f., 178 f., 187, 209, 380 f., 407, 540 f., 609, 700, 702 f., 1062
Locarno-Politik 155
Lodgman v. Auen, Rudolf (1877–1962), sudetendt. Politiker 933
Lodz 212
Logothetis, K., griech. Min.präs. (1942/43) 1326
Lohse, Hinrich (1896–1964), Gauleiter v. Schleswig-Holstein, Reichskommissar »Ostland« (1941–44) 1031
Loi Barangé (1951) 472
Loi Cadre (1956) 313
Lomé, Verträge (1975) 328
London 4, 15, 22, 365
- School of Economics and Political Science 379
- Botschafterkonferenz (1913) 1270
- Vertrag (1915) 128, 133, 624, 1187, 1189, 1272 f.
- Deklaration 730, 735
- Ultimatum (1921) 150, 367, 530, 532
- Reparationskonferenzen (1922, 1924) 372 f., 839
- Flottenabkommen (1930) 146
- Passenger Transport Bill (1931) 391
- Weltwirtschaftskonferenzen (1927, 1932/33) 162
- Vereinbarungen (1944) 281, 571
- Abkommen (1945) 298
- Abkommen (1954) 646
- Vertrag (1959) 1334, 1345,

1347
London, Artur, tschechoslowak. stellv. Außenmin. 970
Londonderry 771
Longo, Luigi (geb. 1900), Gen.sekretär d. KP Italiens 643
Longuet, Jean (1876–1938), frz. Sozialist 832
Longwy 458
López Ibor, Juan José (geb. 1906), span. Psychiater 692
Lorković, Mladen, kroat. Außenmin. (1941–43) 1216
Lossow, Otto v. (1863–1938), dt. General 531 f.
Lothian, Lord, s. Kerr, Philip
Lothringen 21, 263
Löwen (Louvain) 723
Lubbe, Marinus van der (1909–34), niederländ. Kommunist 555
Lübeck 608
Lublin
– Komitee (1944) 103, 1021, 1035 f., 1039, 1043, 1046, 1049
– Manifest (1944) 1036
Luca, Vasile (eigentl. Lukácz, László) (1898–1952), rumän. Politiker 1162, 1164 f., 1167, 1169, 1174
Ludendorff, Erich (1865–1937), preuß. General 527, 529
Ludin, Hanns E. (1905–47), dt. Gesandter in der Slowakei (1941–44) 960
Ludwig XIV. (geb. 1638), Kg. v. Frankreich (1643–1715) 147, 717
Lufft, Hans (1495–1584), dt. Buchdrucker 1110
Luftbrücke 339 f., 575
Luft- u. Bombenkrieg (1939–45) 13, 254 ff., 270, 281, 360, 566 f., 872 f., 879
Luftstreitkräfte, amerik. 566
Luftverkehr 24, 375

Luftwaffe 189, 254 f., 381, 385, 458, 821
– brit. 718
– dt. 264, 381, 563 f., 1158
Lugard, Frederick D. (1858–1945), engl. Kolonialpolitiker, Gouverneur v. Nigeria (1912–19) 304, 306, 422 ff., 428, 430
Lukács, Georg (1885–1971), ungar. marxist. Soziologe, Erziehungs- u. Kulturmin. (1956) 886
Lulčev, Kosta, bulg. Politiker 1259 f.
Lunatscharski, Anatoli W. (1875–1933), sowjet. Politiker u. Schriftsteller 493
Lupescu, Helene (geb. 1902), Geliebte Carols II. v. Rumänien 1142 f., 1148, 1153
Lusitanischer Integralismus 696
Luther, Hans (1879–1962), dt. Reichskanzler (1925/26), Reichsbankpräs. (1930–33) 42, 532
– Martin (1483–1546), dt. Reformator 560
Luthertum 1108
Lüttwitz, Walther Frhr. v. (1859–1942), dt. General 529
Luxemburg 3, 6, 588, 699–705, 711, 719, 727 f., 791
– Wirtschaft 24, 71
– dt. Besetzung (1940–45) 263
– Saarvertrag (1956) 603
Luxemburg, Rosa (1870–1919), dt.-poln. Sozialistin, Mitbegründerin d. Spartakus-Bundes (1917) u. der KPD (1918) 218
Lwow (L'vov), Fürst Georgi J. (1861–1925), russ. Min.präs. (1917) 987
Lykke, Ivar (1872–1949), norweg. Min.präs. u. Außenmin. (1926–28) 779
Lyng, John D. (geb. 1905), norweg. Min.präs.

(1963), Außenmin. (1965–70) 814
Lyon 15, 462, 467
Lysenko, Trofim D. (1898–1976), sowjet. Biologe 515
Lyttelton, Oliver, Lord Chandos (1893–1972), brit. Kolonialmin. (1951–54) 432

Maapäev 1111 ff.
Macaulay, Thomas B. (1800–59), engl. Historiker u. Politiker 414
MacBride, Seán (geb. 1904), ir. Außenmin. (1948–51), Friedensnobelpreis (1974) 767
MacCurtain, Tomás (1884–1920), ir. Nationalist 753
MacDermott, Seán (1884–1916), ir. Nationalist 750
MacDonald, Malcolm J. (geb. 1901), brit. Kolonialmin. (1935–40), Gesundheitsmin. (1940/41) 430
– James Ramsay (1866–1937), brit. Premiermin. (1924, 1929–35), Außenmin. (1924) 28, 42, 45, 75, 156, 172, 177, 190, 354, 362, 372 f., 377 f., 382, 390, 410, 426, 504, 1319
MacDonnell, Mervyn S. (1880–1949), Völkerbundskommissar in Danzig (1923–25) 606, 610
Maček, Vladimir (1897–1964), Führer d. kroat. Bauernpartei (seit 1928), stellv. jugoslaw. Min.präs. (1939–41) 1194, 1196, 1202, 1205 f., 1211 f., 1215, 1222, 1224 f.
Mach, Sano (geb. 1902), slowak. Propagandaleiter (1939), Innenmin. (1940–45) 954
Machado, Antonio (1875–1939), span. Dich-

ter 692 f.
Machtergreifung
- nat.soz. (1933) 11, 45, 181 f., 219, 554 f., 592, 678, 850, 1204
- faschist. 223
Machtpolitik 178, 195, 260, 556
Machtstaat, totalitärer 93
Mackenroth, Gerhard (1903–55), dt. Sozialwissenschaftler 2
Mackensen, August v. (1849–1945), preuß. Gen.feldmarschall 1137 f.
McMahon, Sir Henry (1862–1949), brit. Hochkommissar in Ägypten (1914–16) 425
MacMillan, Harold M. (geb. 1894), brit. Außenmin. (1955), Führer d. Konservativen Partei (1957–63), Premiermin. (1957–63) 396 f., 431, 433, 879, 1330
MacNeill, Eoin (1867–1945), ir. Historiker u. Nationalist 750
MacSweeney, Terence (1879–1920), ir. Politiker 753
Madagaskar 16, 311, 313, 319, 468, 471
Madariaga y Rojo, Salvador de (1886–1978), span. Schriftsteller u. Diplomat 664, 676, 692
Madeira 893
Madrid 659, 669, 675, 685, 692
- Universidad Autónoma 692
- Ciudad Universitaria 692
- amerik.-span. Vertrag (1953) 691
Magdalen College, Oxford 382
Mägi, A., estn. Staatsrechtler 1121
Maginot, André (1877–1932), frz. Kriegsmin. (1922–24, 1929–32) 385
Maginot-Linie 147, 259, 385, 458
Magyaren 128, 964, 1136,

1139 f., 1146
Mähren 185, 211 f., 257, 262, 828, 830, 833, 890, 921, 924, 927, 934
Maier, Reinhold (1889–1971), dt. Politiker, Min.präs. v. Württemberg-Baden (1945–52) und Baden-Württemberg (1952/53) 573
Mailand 627, 644
Maiskij, Ivan Mihajlovič (1884–1975), sowjet. Diplomat u. Historiker 1029
Majakowski, Wladimir W. (1893–1930), sowjet. Lyriker u. Dramatiker 220, 494
Makarios III. (1913–77), Erzbischof v. Zypern (1950–77), Staatspräs. v. Zypern (1959–77)1336, 1347
Makedonski, Vlado (gest. 1934), Mörder Kg. Alexanders v. Jugoslawien, Pseudonyme: Veliks Kerin, Vlado Georgiev 1249
Malatesta, Errico (1853–1932), ital. Anarchist 626
Malawi 434
Malaya 411
Malaysia 308, 433
Malefakis, Edward E., amerik. Historiker 684
Malenkow, Georgi M. (geb. 1902), Sekretär d. ZK d. KPdSU (1939–41, 1946–53), sowjet. Min.präs. (1953–55) 511, 516 ff., 913
Mali 313, 319
Malinov, Alexander (1867–1938), bulg. Min.präs. (1908–11, 1918, 1931) 1244 f.
Malinowski (Malinovskij), Rodion J. (1898–1967), sowjet. Marschall 1163
Malmedy 566, 700, 723
Malmö 816
Malraux, André (1901–76), frz. Schriftsteller, Staatsmin. f. kulturelle Angelegenheiten (1958–69) 448

Malta 253, 266, 308, 421, 1340
- Konferenz (1945) 274
Maltzan, Adolf G. O. Frhr. v. (1877–1927), dt. Diplomat 540
Man, Hendrik de (1885–1953), belg. Politiker u. Sozialphilosoph 447, 706
Manager 36 f.
Manchester 15
»The Manchester Guardian« 168, 358
Manchesterliberalismus 46
Mandat, imperatives 390
Mandel, Georges (1885–1944), frz. Innenmin. (1940) 454, 457 ff.
Mandschukuo 260, 817
Mandschurei 176, 187, 505
Mandschurei-Konflikt 161, 323
Manescu, Corneliu (geb. 1915), rumän. Außenmin. (1961–72) 1180
Maniadakis, Konstantinos (geb. 1893), Chef d. griech. Sicherheitsdienstes (1936–41) 1325
Maniu, Iuliu (1873–1955), rumän. Min.präs. (1928–30, 1932/33, 1944) 1137–1140, 1142 f., 1146, 1149, 1153, 1156, 1158, 1161 ff., 1165, 1167, 1303
Mann, Heinrich (1871–1950), dt. Schriftsteller 559, 1203
- Thomas (1875–1955), dt. Schriftsteller, Nobelpreis (1929) 559, 738
Mannerheim, Carl Gustaf Frhr. v. (1867–1951), finn. Reichsverweser (1918/19), Oberbefehlshaber (1939–44), Staatspräs. (1944–46) 1084, 1086 f., 1094, 1096, 1099, 1102 ff.
Mannerheimlinie 509, 1100
Mannheim, Karl (1893–1947), dt. Philosoph u. Soziologe 37
Mannlicher, Egbert (1882–1973), österr. Jurist 862

Manoilescu, Mihail (1891-1950), rumän. Außenmin. (1940) 1152f.
Mansholt-Plan (1968) 54
Manstein, Fritz Erich v. (1887-1973), dt. Gen.feldmarschall 564f.
Mäntsälä 1096
Mao Tse-tung (1893-1976), chin. Staatspräs. (1954-59), Vors. d. Politbüros (1935-76) 473, 506, 519f.
Marañón y Posadillo, Gregorio (1887-1960), span. Schriftsteller 671, 675, 692
Marcel, Gabriel (1889-1973), frz. Schriftsteller u. Philosoph 448
Marchais, Georges (geb. 1920), Gen.sekretär d. KP Frankreichs (seit 1972) 81
Marchlewski, Julian (1866-1925), poln. Publizist u. Nationalökonom 995, 999
Marghiloman, Alexandru (1854-1925), rumän. Min.präs. (1918) 1137
Margrethe II. (geb. 1940), Kgn. v. Dänemark (seit 1972) 806
Maria Adelheid (1894-1924), Großherzogin v. Luxemburg (1912-19) 700, 705
Marienwerder 126, 539
Marin, Louis (1871-1960), frz. Gesundheitsmin. (1934), Staatsmin. (1934-36, 1940) 457, 462
Marinelli, Giovanni (gest. 1944), ital. Faschist 643
Marinov, Ivan (geb. 1896), bulg. Kriegsmin. (1944) 1258
Marinković, Vojislav (1876-1935), jugoslaw. Min.präs. (1932), Außenmin. (1924, 1927-32) 1201f.
Maritain, Jacques (1882-1973), frz. Philosoph 448, 457
Markezinis, Spiros (geb. 1909), griech. Min.präs. (1973) 1336
Marković, Borivoje (1907-41), jugoslaw. General 1211
Marktwirtschaft 575, 579
– soz. 72, 75, 95, 579
Marmaros 1139
Marokko 310, 312, 315, 459, 468, 475, 565, 655, 662, 668f., 679, 681, 685, 691
Marokkokrieg (1909-27) 668ff.
Márquez, Benito, span. Oberst 656, 658
Marr, Nikolai J. (1865-1934), sowjet. Sprachwissenschaftler 516
Marsch auf Rom (1922) 223, 232, 626-630
Marshall, George C. (1880-1959), amerik. Gen.stabschef (1939-45), Außenmin. (1947-49), Verteidigungsmin. (1950/51) 325, 337
Marshall-Plan (1947) 54, 326, 331, 338, 340, 722, 725, 768, 819f., 965, 1166, 1304, 1344
Marshall-Plan-Hilfe 475, 575, 579, 583, 645, 690, 819, 877f., 1105, 1301
Martin, Frank (1890-1974), schweizer. Komponist 731
Martinique 468
Martow, eigentl. Juli O. Zederbaum (1873-1923), russ. Sozialist 491
Marty, André (1886-1956), Mitglied d. ZK d. KPF (1925-52) 442, 471
Marx, Karl (1818-83), Philosoph u. Schriftsteller 38, 42, 62, 76, 82, 106, 222, 399, 646, 683, 829, 1239
– Wilhelm (1863-1946), dt. Reichskanzler (1923-25, 1926/27) 532
Marxismus 37, 45, 77, 87, 112, 220, 222, 399, 441, 447, 483, 559, 678, 764, 852, 1170, s. a. Sozialismus
Märzrevolution (1917), russ. 1109, 1111
Masaryk, Jan (1886-1948), tschechoslowak. Außenmin. (1945-48) 924, 958, 962, 966, 969f., 974, 1210
– Tomáš G. (1850-1937), tschech. Soziologe, Staatspräs. (1918-35) 91, 125, 142, 201, 211ff., 839, 923, 926-931, 936ff.
Maslarić, Božidar (1895-1963), jugoslaw. General, Verkehrsmin. (1948-51) 1230, 1304
Massendemokratie 626
Massengesellschaft 447
Massenkonsum 24
Massenpartei 470, 516, 582, 625, 630, 644, 828
Massentourismus 46
Massenvernichtung 226
Massu, Jacques (geb. 1908), frz. General 476
Masuren 996
Mataja, Heinrich (1877-1936), österr. Außenmin. (1924-26) 840
Mateev, Ivan, bulg. Finanzmin. 1264
Materialismus, histor. 87
Matica Slovenská 935
Matisse, Henri (1869-1954), frz. Maler 447
Matsuoka, Yosuke (1880-1946), japan. Außenmin. (1940/41) 192, 266
Mattei, Enrico (1906-62), ital. Industrieller 649
Matteotti, Giacomo (1885-1924), ital. Politiker 629, 631f., 634, 643
Matteotti-Krise (1924) 223, 635, 639
Mau-Mau 432f.
Maura y Gamazo, Miguel (geb. 1887), span. Innenmin. (1931) 676, 683
Maura y Montaner, Antonio (1853-1925), span. Min.präs. (1903/04, 1907-09, 1918) 657, 660f., 664
Maurer, Ion Gheorghe

(geb. 1902), rumän.
Min.präs. (1961–74),
Staatspräs. (1958–61)
1162, 1173, 1181
Mauretanien 319
Mauriac, François
(1885–1970), frz. Romancier 448, 457
Maurras, Charles
(1868–1952), frz. Politiker u. Schriftsteller 71,
455, 459 f., 696
Max, Prinz v. Baden
(1867–1929), dt. Reichskanzler (1918) 991, 1067
Maximos, Dimitrios
(1873–1955), griech. Außenmin. (1933–35),
Min.präs. (1947) 1323
Mayer, Daniel (geb. 1909),
frz. Arbeits- und Sozialmin. (1946–49) 467
– René (1895–1972), frz.
Min.präs. (1953), Präs. d.
Hohen Behörde d. Montanunion (1955–57) 471
Mayr, Michael
(1864–1922), österr. Bundeskanzler u. Außenmin.
(1920/21) 837 f.
Mayr-Harting, Robert
(1874–1948), tschechoslowak. Justizmin.
(1926–29) 933
Mazedonien, Mazedonier
1184 f., 1197, 1213, 1216,
1227 f., 1246 f., 1254 f.,
1257, 1263, 1283, 1332
Mazzini, Giuseppe
(1805–72), ital. Politiker
u. Schriftsteller 322
Mecklenburg 282, 571
Medborgerlig Samling 815
Meerengen, türk. 128, 368,
510, 1344
Meerengenabkommen
(1923) 1341
Meerengenfrage 1345
Mefo-Wechsel 561
Mehmed VI. Vahideddin
(1861–1926), türk. Sultan
(1918–22) 1340
Mehrheitssozialdemokratie
526
Mehrheitswahlrecht 361,
398, 578, 828, 830, 1321
Mehrparteiensystem 89, 91,
731, 902, 909, 916 ff.
Meißner, Alfred
(1871–1952), tschechoslowak. Justizmin.
(1932–34), Fürsorgemin.
(1934/35) 934
– Otto (1880–1953), Staatssekr. im Reichspräsidialamt (1923–45) 543, 546
Meistbegünstigung 495
Melchior, Carl
(1871–1933), dt. Bankier
118
Melen, Ferit (geb. 1906),
türk. Min.präs. (1972–74)
1349
Meligala (1944) 1329
Melilla 691
Mello Franco, Afranio de,
brasilian. Diplomat 165
Memel 1063 f., 1073
Memelfrage 1063 f., 1071 f.,
1075 f., 1126
Memelgebiet 121 f., 180,
272, 562, 788, 1063, 1068,
1070, 1072 f., 1075, 1077
Memelkonvention (1924)
1073
Memelstatut (1923) 121,
165, 1072, 1075
Memorandum v. Jalta
(1964) 81, s. a. Togliatti,
Palmiro
Memoriale Rossi (1924) 632
Menderes, Adnan
(1899–1961), türk.
Min.präs. (1950–60)
1344 ff., 1348
Mendès-France, Pierre
(geb. 1907), frz. Wirtschaftsmin. (1944/45),
Min.präs. u. Außenmin.
(1954/55) 312, 459, 466,
473, 602
Menéndez Pidal, Ramón
(1869–1968), span. Literaturhistoriker 692
Menschenrechte 73, 89,
305, 310, 347, 964
Menschewiki 484, 491,
1083, 1109
Menzies, Sir Robert G.
(geb. 1894), austral. Premiermin. (1939–41,
1949–66) 413
Mercier, Désiré
(1851–1926), Ebf. v. Mecheln 706
Merkys, Antanas
(1887–1955), litau.
Min.präs. (1939/40)
1077 f.
Mers-el-Kébir (1940) 459
Mesopotamien 128, 424 f.
»Il Messaggero« 622
Messina-Resolution (1955)
396
Metaxas, Ioannis
(1871–1941), griech. General, Min.präs. u. Diktator (1936–41) 214,
1315, 1319 f., 1323–1327,
1330, 1336
Meyer, Arnoldus J.
(1905–65), niederländ.
Politiker 710
– Conrad Ferdinand
(1825–98), schweizer.
Dichter 731
– Karl (1885–1950), schweizer. Historiker 733
Meyerhold, Wsewolod
(1874–1940), russ. Schauspieler u. Regisseur 494
Mezzogiorno 205
Michael I. (geb. 1921), Kg.
v. Rumänien (1927–30,
1940–47) 1142 f., 1153,
1158, 1161, 1163, 1165
Michajlov, Ivan (geb. 1897,
Sterbedatum unbek.),
Führer d. bulg. Geheimorganisation IMRO
1210, 1247, 1249 f.
Michalakopoulos, Andreas
(1873–1938), griech.
Min.präs. (1924), Außenmin. (1925, 1926–28,
1929–32, 1933) 1317
Michov, Nikola
(1891–1945), bulg.
Kriegsmin. (1942/43)
1255, 1258
Mickiewicz, Adam
(1798–1855), poln. Dichter 1058
Middle East Supply Center
427
Midway-Inseln, Seeschlacht (1942) 411
Mihajlov, Mihajlo (geb.
1934), jugoslaw. Literaturwissenschaftler 1239
Mihajlović, Draža

(1893–1946), Führer d.
Četnik-Verbände, Kriegs-
min. d. jugoslaw. Exil-
reg. (1942–44) 276,
1187, 1217–1220, 1223,
1253, 1290, 1300
Mihalache, Ion
(1883–1964?), rumän.
Politiker 1140, 1143,
1146, 1165, 1303
Miklas, Wilhelm
(1872–1953), österr. Bun-
despräs. (1928–38) 844,
846 f., 850, 854, 858,
866 ff.
Mikojan, Anastas I.
(1895–1978), sowjet.
Volkskommissar f. Han-
del (1938–49), stellv.
Min.präs. (1953–64),
Vorsitzender d. Obersten
Sowjet (1964/65) 914 f.
Mikołajczyk, Stanisław
(1901–66), Min.präs. d.
poln. Exilreg. (1943/44)
1014, 1025, 1031, 1033,
1042–1045
Militärallianz, frz.-belg.
(1920) 700 ff., 705
Militarismus 124
Miliza Volontaria al Servi-
zio della Nazione 631,
633
Millán Astray, José
(1879–1954), span. Gene-
ral 655
Miller, David Hunter
(1875–1932), amerik. Ju-
rist u. Historiker 131, 135
Millerand, Alexandre
(1859–1943), frz. Han-
delsmin. (1899–1902),
Min.präs. (1920), Staats-
präs. (1920–24) 76, 440 ff.
Millionenstädte 3 f., 15
Milner, Lord Alfred
(1854–1925), Gouverneur
d. Kapkolonie
(1897–1905), brit. Kolo-
nialmin. (1919–21) 306,
407, 421, 423 f., 435
Minc, Hilary (geb. 1905),
stellv. poln. Min.präs.
(1947–56) 1036, 1044,
1047, 1049
Mindaugas (Mindowe I.)
(gest. 1263), Kg. v. Litau-
en 1066, 1069
Minderheiten, nationale
7 f., 91 f., 129, 165, 180,
803, 889, 891, 982 f.,
1191, 1242
Minderheitenfrage 91, 162
Minderheitenkonflikte 130
Minderheitenprobleme 92
Minderheitenrecht 162 f.,
1190 f.
Minderheitenschutz 129,
163, 304
Minderheitenschutzverträ-
ge (1919) 91, 130 f., 137,
162, 165, 930, 994, 999,
1020, 1138 f., 1191
Mindszenty, Joseph Kardi-
nal (1892–1975), Fürst-
primas v. Ungarn
(1945–74) 908, 911,
916 f., 1309
Minger, Rudolf
(1881–1955), schweizer.
Bundesrat (1929–40) 732
Ministry of Reconstruction
365
Minsk 4, 993, 996
Mirbach (-Harff), Wilhelm
Gf. v. (1871–1918), dt.
Diplomat 488
Mirditen, alban. Volks-
stamm 1276
Miró, Juan (geb. 1893),
span. Maler 693
Mironas, Vladas
(1880–1954), litau.
Min.präs. (1938/39)
1076 f.
Mironescu, Georghe
(1874–1949), rumän.
Min.präs. (1930/31), Au-
ßenmin. (1928–31) 1143
Miskolc 956
Missionsideen 306
Mißtrauensvotum, kon-
struktives 89, 578
Mișu, rumän. Außenmin.
(1919) 1138
Mitbestimmung
– betriebl. 36, 49, 95, 397,
466
– parität. 580
Mitbestimmungsgesetz
(1951) 580
Mitchell, William
(1879–1936), amerik. Ge-
neral 254
Mitrovica, Redschep, al-
ban. Min.präs. (1943/44)
1284
Mitschurin, Iwan W.
(1855–1935), sowjet. Bio-
loge 515
Mittelamerika 3
Mittelklasse 38, 44
Mittelschichten 33, 38 f.,
41 f., 44, 207, 213, 537
Mittelstand 38, 39 f., 84,
207
Moberg, Vilhelm
(1898–1973), schwed.
Schriftsteller 798
Moçambique 315 f., 698
Moch, Jules (geb. 1893),
frz. Innenmin. (1947–50,
1958), Verteidigungsmin.
(1950/51) 471
Moczar, Mieczysław (geb.
1913), poln. Innenmin.
(1964–68), ZK-Sekretär
(1968–71) 1057, 1059
Modigliani, Giuseppe E.
(1872–1947), ital. Sozia-
list 633
Modzelewski, Zygmunt
(1900–54), poln. Außen-
min. (1947–51) 1044
Moellendorff, Wichard G.
v. (1871–1937), dt. Politiker 528
Mola Vidal, Emilio
(1887–1937), span. Gene-
ral 680, 682, 685
Moldauische Sowjetrepu-
blik 509, 1152
Møller, Aksel (geb. 1906),
dän. Politiker 805
Möller, Christmas
(1894–1948), dän. Au-
ßenmin. (1945) 800,
802 ff.
– Fritz Gustav (geb. 1884),
schwed. Politiker 783,
785
Mollet, Guy (1905–75), frz.
Min.präs. (1956/57),
Gen.sekr. d. Sozialist.
Partei (1946–69) 467, 476
Molotow, Wjatscheslaw M.
(geb. 1890), sowjet.
Volkskommissar d. Äu-
ßeren (1939–49), Außen-
min. (1953–56) 261, 265,
499, 508, 510 f., 517 f.,

735, 878f., 1041, 1079, 1101f., 1126, 1129, 1152, 1243, 1253
Moltke, Helmuth James Gf. (1907–45), Mitglied d. Kreisauer Kreises 567
Monarchie 35, 70, 88, 204, 225, 233, 657, 671, 1299, 1301
– bulg. 1250f., 1258f.
– dän. 774
– dt. 205, 829
– finn. 1086
– griech. 88, 1316, 1323f., 1331, 1337
– ital. 204, 279, 643
– jugoslaw. 88, 1220
– norweg. 778, 814
– österr. 828, 865
– portug. 88, 695f.
– rumän. 1142, 1165
– schwed. 782
– span. 88, 173, 654, 656f., 659, 663, 671f., 678, 680, 688
Mond, Alfred M., Lord Melchett (1868–1930), brit. Industrieller, Gesundheitsmin. (1921/22) 374
Mongolische Volksrepublik 346
Monnet, Jean (1888–1979), frz. Politiker, stellv. Gen.sekr. d. Völkerbunds (1919–23), Präs. d. Hohen Behörde d. Montanunion (1952–55) 325, 464, 466
Monroe-Doktrin (1823) 322
Montagu, Edwin Samuel (1879–1924), brit. Indienmin. (1917–22) 415, 418, 423
Montagu-Chelmsford Report (1918) 415
Montanunion (1952), Europ. Gemeinschaft f. Kohle u. Stahl 73, 327, 329, 580, 599f., 720, 727
Monte Cassino (1944) 1034
Montecatini 635, 649
Montenegro 126, 1185, 1187f., 1191, 1199ff., 1213f., 1216–1219, 1228, 1272
Montesi-Skandal (1954) 649
Montesquieu, Charles de Secondat (1689–1755), frz. Schriftsteller u. Staatstheoretiker 1011
Montgomery, Bernard L., Viscount M. of Alamein and Hindhead (1887–1976), brit. Feldmarschall, Oberbefehlshaber d. brit. Besatzungstruppen in Deutschland (1945/46), stellv. Oberbefehlshaber d. NATO (1951–58) 799
Montherlant, Henry de (1896–1972), frz. Schriftsteller 448
Montoire, Treffen (1940) 265, 460
Montreux, Vertrag (1936) 1343
Moon 1112
Moraczewski, Jędrzej (1870–1944), poln. Min.präs. (1918/19) 991 f.
Morgenthau, Henry (1891–1967), amerik. Finanzmin. (1934–45) 274, 337
Morgenthau-Plan (1944) 274
Morley, John, Viscount of Blackburn (1838–1923), brit. Indienmin. (1905–10), Lordpräs. (1910–14) 414
Moro, Aldo (1916–78), ital. Min.präs. (1963–68, 1974–76), Außenmin. (1964–66, 1969–72, 1973/74) 648ff.
Morrison, Herbert S. (1888–1965), brit. Außenmin. (1951), Innenmin. (1945–51) 387f., 390ff., 394, 431
Mosca, Gaetano (1858–1941), ital. Staatsrechtler 206
Moscardó Ituarte, José (1878–1956), span. Oberst 685
Mościcki, Ignacy (1867–1946), poln. Staatspräs. (1926–39) 1009, 1011, 1013ff., 1025, 1151
Moselkanalisierung 603
Moskau 4, 15, 253, 484, 488, 517
– Kriegsächtungsprotokoll (1929) 1012
– Frieden (1940) 509, 1101, 1103
– Dreimächte-Erklärung (1943) 298, 872f.
– sowjet.-poln. Grenzvertrag (1945) 10
– Konferenz (1945) 1163
– Memorandum (1955) 879
– sowjet.-jugoslaw. Deklaration (1956) 1234
– dt.-sowjet. Vertrag (1970) 347
Moskau-Wolga-Kanal 228
Moslem-Liga (1906) 414ff.
Mosley, Sir Oswald E. (geb. 1896), Führer d. British Union of Fascists (1932–40) 377, 382
Mossul 150, 168
Mossulgebiet 1343
Motorisierung 24, 52ff., 375
Motta, Giuseppe (1871–1940), schweizer. Bundesrat (1911–40), Präs. d. Völkerbundsversammlung (1924) 730, 732, 734
Moulin, Jean (1899–1943), Mitglied d. frz. Résistance 461
Mounier, Emmanuel (1905–50), frz. Philosoph u. Schriftsteller 448, 457
Mountbatten of Burma, Louis Earl (1900–79), brit. Admiral, alliierter Oberbefehlshaber in Südostasien (1943–46), Vizekg. u. Gen.gouv. v. Indien (1947/48), Erster Seelord (1955–59) 417
Moutet, Marius (1876–1968), frz. Kolonialmin. (1936–38) 16
Mouvement populaire Wallon 721
Mouvement pour la Libération de la Sarre 597
Mouvement pour le Ratta-

chement de la Sarre à la France (1946) 597, 604
Mouvement Républicain Populaire (MRP) 73, 467, 470, 472
Movimento Popular de Libertaçao de Angola (MPLA) 316
Movimento Sociale Italiano (MSI) 85, 646, s. a. Neofaschisten
Mowinckel, Johan Ludvig (1870–1943), norweg. Min.präs. (1924–26, 1928–31, 1933–35), Außenmin. (1922/23, 1924–26, 1928–31, 1933–35) 779 f., 789
Mudanya, Waffenstillstand (1922) 1340
Muff, Wolfgang, dt. Militärattaché 862
Mugoša, Dušan (geb. 1914), alban. Politiker 1285 f.
Mukačevo 961
Müller, Friedrich (1884–1969), Bischof d. Siebenbürger Sachsen (1945–69) 1175, 1181
– Josef (1898–1979), bayer. Justizmin. (1947–52), Landesvors. d. CSU (1945–49) 573
Müller-Armack, Alfred (1901–78), dt. Nationalökonom 575, 579
Müller(-Franken), Hermann (1876–1931), dt. Reichsaußenmin. (1919/20), Reichskanzler (1920, 1928–30) 42, 172, 175, 543
Multilaterale Atomstreitmacht (MLF) 344
Muna, Alois (1886–1943), tschech. Politiker 926, 932
Munch, Peter R. (1870–1948), dän. Außenmin. (1929–40) 787 f., 804
München
– Konferenz (1938) 190, 260, 507, 639
– Abkommen (1938) 258, 381, 455, 733, 871, 895, 923, 940 f., 945, 950,

957 f., 1016
Münichreiter, Karl (1891–1934), österr. Schutzbundführer 855
Munk, Kai (1898–1944), dän. Dichter 795
Muñoz Cobo, Diego, span. General 664
Muñoz Grandes, Agustín (1896–1970), span. General, Chef d. Gen.stabs (1958–70) 256, 682
Munters, Vilhelms (1898–1967), lett. Außenmin. 1126, 1129
Muraviev, Konstantin (1893–1965), bulg. Min.präs. (1944) 1256, 1258
Murmansk 488
Murmansk-Bahn 1103
Murphy, Robert D. (geb. 1894), amerik. Konsul 460
Murray, Gilbert (1866–1957), brit. Gräzist 373
Mušanov, Nikola (1872–1951), bulg. Min.präs. (1931–34) 1245 f., 1250, 1254, 1256
Mussert, Anton A. (1894–1945), Gründer d. niederländ. Nationaal Socialistische Beweging (1933) 263, 709 f., 718
Mussert-Bewegung 718
Mussolini, Benito (1883–1945), ital. Diktator (1922–43), Min.präs. d. Repubblica Sociale Italiana (1943–45) 45, 82, 85, 173, 181, 188 ff., 192–195, 199, 221, 224, 261, 266, 276, 279, 336, 454, 623, 627–644, 648, 730, 844, 852–855, 858–863, 867 ff., 894, 898, 1193, 1195 ff., 1215, 1278, 1281 f., 1317, 1343
MWD (Ministerstwo Wnutrennich Del) 502
Myers, E.C.W., brit. Oberst 1327
Myrdal, Gunnar (geb. 1898), schwed. Nationalökonom, Handelsmin.

(1945–47) 820

»Nação Portuguesa« 696
»La Nación« 666
Nadolny, Rudolf (1873–1953), dt. Botschafter in Ankara (1924–32) 177
Nagy, Ferenc (1903–79), ungar. Min.präs. (1946/47) 905, 907, 1303
– Imre (1896–1958), ungar. Innenmin. (1945/46), Min.präs. (1953–1965, 1956) 346, 519, 883, 905 f., 910, 913–919, 1234
Naher Osten 150, 163, 423 f., 427 ff., 770
Nahostkonflikt 1179
Namibia 315
Namsos 796
Nansen, Fridtjof (1861–1930), norweg. Polarforscher u. Diplomat, Völkerbundskommissar f. Flüchtlingsfragen (1921–30), Friedensnobelpreis (1922) 491, 780, 789 f.
Nansenkontor 790
Nansenmission (1922/23) 790
Nansenpaß (1922) 7, 790
Nanu, Frederic, rumän. Diplomat 1158, 1161
Napoleon I. Bonaparte (1769–1821), Kaiser d. Franzosen (1804–14/15) 85, 264, 281, 298, 321, 344, 565, 607, 985, 1278
– III. (1808–73), Kaiser d. Franzosen (1852–70) 106, 701
Národní Výbor 951
Narutowicz, Gabryel (1865–1922), poln. Staatspräs. (1922) 1001
Narvik 795
– Kämpfe um (1940) 262, 564, 1026
Narwa 212
Nasjonal Samling 263, 780, 796
Nasser, Gamal Abd el (1918–70), ägypt. Staatspräs. (1954–70) 412, 1235, 1239

Natal 406
Nationaal Socialistische
 Nederlandsche Arbeiders
 Partij (N.S.N.A.P.) 709
Nationaal Socialistische
 Beweging (N.S.B.) 263 f.,
 709 f.
National Assistance Act
 (1948) 393
Nationalbewegung
- afrikan. 316, 431
- arab. 305
- ind. 305, 415, 419
- litau. 1065
Nationalbolschewismus 512
National Coal Board (1946)
 110, 392
Nationaldemokraten
- poln. 988, 991, 994, 997,
 1001, 1009, 1011, 1015
- tschech. 931, 936, 938
Nationaldemokratische
 Partei
- DDR 573
- Polen 178, 990
Nationaldemokratischer
 Block 1158, 1161 f.
Nationale Bauernpartei
 904 ff., 909
Nationale Befreiungsar-
 mee, s. ELAS
Nationale Befreiungsfront
 (EAM) 1327 ff., 1334
Nationale Demokratische
 Griechische Vereinigung,
 s. EDES
Nationale Fortschrittspartei
 1091, 1094
Nationale Front (BK) 1286
Nationale Partei (SN) 1025
Nationaler Block (Naroden
 blok) 1245, 1250
Nationale Sammlungspar-
 tei 1091, 1094, 1096
Nationale Verteidigungs-
 organisation (NOW)
 1032
Nationale Volksarmee
 (NVA) 584
Nationale Volkspartei 1140
Nationalfaschismus 638
Nationalgedanke 433
National Guard (1932) 764
National Industry Confer-
 ence (1919) 365
National Insurance Law
 (1946) 393

Nationalisierung 96, 362,
 390-393, 399, 466, 475
Nationalismus 11, 34, 73,
 91, 119, 143, 165, 305,
 310, 325, 627, 638, 1093,
 1123 f.
- ägypt. 424
- afrikan. 305
- alban. 1278
- alger. 475
- arab. 128
- bürgerl. 182, 184
- dt. 124, 209, 342, 703
- fläm. 706
- frz. 133, 449
- ir. 746 ff., 753, 769
- ital. 133
- katalan. 661
- lett. 1109
- litau. 1063, 1065
- militanter 552, 554
- poln. 609, 1057
- radikaler 29
- revisionist. 183
- revolut. 530, 532, 545
- rumän. 1168
- span. 669
- südafrikan. 411, 435
- türk. 129
Nationalitäten 202, 213,
 233, 310, 1120
Nationalitätenfrage, sowjet.
 Dekret (1917) 487
Nationalitätenproblem,
 österr.-ungar. 210, 889 f.
Nationalitätsidee 322
Nationalitätsprinzip 7 f.,
 11, 120, 126, 127, 129 f.,
 134, 324
Nationalkomitee (Naczelny
 Komitet Narodowy,
 NKN) 986
Nationalkomitee d. Freien
 Franzosen 277
Nationalkomitee zur Be-
 freiung Jugoslawiens
 (NKOJ) 1219, 1221
Nationalkommunismus 80,
 1167
Nationalliberale Partei 530,
 588
Nationalpartei
- rumän. 1137
- schott. (SNP) 397
- türk. 1344 f.
Nationalpolitische Erzie-
 hungsanstalten (Napola)

221, 559
Nationalradikale Union
 (ERE) 1324, 1334 f., 1338
Nationalradikales Lager
 (ONR) 1014
Nationalsozialismus 71,
 82 f., 86, 145, 219 ff., 223,
 226, 229, 380, 386, 506,
 559, 571 f., 592, 594, 598,
 603, 614, 687, 714, 717 f.,
 852, 862 f., 895-898,
 1011, 1077, 1092, 1123,
 1127
- Aufstieg 29, 41, 78, 554
- Anhängerschaft 45, 53,
 207, 229, 537, 553, 571
- Ideologie 86, 183 ff., 222,
 553 f., 559 f.
- Rassenpolitik 7, 11 f.,
 184 f., 426, 560, 704
- Gesellschaftspolitik 560,
 870
- Wirtschaftspolitik 28,
 229, 231, 561
- Regime 11, 187, 871
Nationalsozialisten
- österr. 837, 843 f., 846 f.,
 850 f., 853, 856 f., 859 f.,
 865 ff., 871, 877
- saarländ. 591, 593
- sudetendt. 932, 934
Nationalsozialistische
 Deutsche Arbeiterpartei,
 s. NSDAP
Nationalstaat 8, 91 f., 324
Nationalstaatsidee 92, 130
Nationalständische Front
 (1933) 852 f.
Nationalsyndikalismus,
 span. 678
Nationalţaranisten (Nationale Bauernpartei) 1140,
 1143 ff., 1148, 1158,
 1162 ff., 1165, 1301, 1303
Nationalversammlung
- ungar. 889
- Weimarer 133, 205,
 526-529
National Volunteers 749
»National-Zeitung« 863
Nation-building 303, 408
NATO (North Atlantic
 Treaty Organisation)
 326, 331 f., 341 f., 344 ff.,
 519, 578, 580, 584, 602,
 646, 697, 720, 768, 805,
 810, 818-820, 822, 878 f.,

1048, 1231, 1240, 1334, 1336f., 1345
Naumann, Friedrich (1860–1919), dt. Theologe u. Politiker 74, 180
Nauru 308
Navarra 685
Nazareth 427
Ndu, B., alban. Parlamentspräs. 1292
Neapel 629
Nea Smyrni 1319
Nederlandse Volksunie 717
Nedić, Milan (1882–1946), serb. Min.präs. (1941–44) 1213, 1217ff.
Neergaard, Niels T. (1854–1936), dän. Min.präs. (1920–24) 775 f., 787
Négritude 305
Nehru, Jawaharlal (1889–1964), ind. Min.präs. u. Außenmin. (1947–64) 418f., 1235
– Pandit Motilal (1861–1931), Präs. d. ind. Nationalkongresses (1919, 1928) 415, 419
Nehru-Bericht (1928) 416
Neiße 283
Nejčev Minčo (1897–1956), bulg. Justizmin. (1944) 1258
Nejedlý, Zdeněk (1878–1962), tschechoslowak. Unterrichtsmin. (1945/46, 1948–53) 962
Němec, František, tschechoslowak. Politiker 961
Nenni, Pietro (geb. 1891), ital. Politiker, stellv. Min.präs. (1945/46, 1963–68), Außenmin. (1946/47, 1968/69) 634, 644, 646ff.
Neodarwinismus 896
Neofaschisten, ital. 85, 648
Neo-Imperialismus 181, 191
Neokolonialismus 317
Neoliberalismus 72, 74
NEP, s. Neue Ökonomische Politik
Nepal 741
Nettuno-Konventionen (1925) 1195ff., 1206

Neubacher, Hermann (1893–1960), Bürgermeister v. Wien (1938–40), dt. Sonderbeauftragter f. Wirtschaftsfragen in Südosteuropa (1941–44) 870, 1160, 1283
»Neue Freie Presse« 829, 845, 863
Neue Ökonomische Politik (NEP) 7, 25, 228, 491, 495
Neufundland 267, 269, 307, 406, 412
Neumann, Ernst, dt. memelländ. Politiker 1077
Neurath, Konstantin Frh. v. (1873–1956), dt. Botschafter in Rom (1922–30) u. London (1930–32), Reichsaußenmin. (1932–38), Reichsprotektor in Böhmen u. Mähren (1939–41) 182, 547, 615, 617, 863, 949–952, 1020, 1208, 1254
Neuseeland 3, 307, 397, 406ff., 410f., 413, 418, 423
Neusohl 956f., 961
Neuthomismus 448
Neutral-Moresnet 700
Neutralität 343
– belg. 564, 700
– bulg. 1252
– dän. 787
– finn. 822, 1102, 1105
– ir. 764ff.
– luxemburg. 704
– niederländ. 564, 703
– norweg. 795
– österr. 879f.
– schwed. 785, 797, 820, 822, 1097
– schweizer. 729f., 733f., 741, 820, 879f.
Neutralitätsvertrag (1941), sowjet.-japan. 192, 266, 510
Newcastle 15
New Deal (1933) 28, 453
New Mexico 285
New School for Social Research (New York) 12
»The New York Times« 1233

Ney, Hubert (geb. 1892), Min.präs. d. Saarlandes (1956/57) 603
Nichtangriffsverträge 159, 173, 505f., 1127
– litau.-sowjet. (1926) 1074
– poln.-sowjet. (1932) 1012f.
– finn.-sowjet. (1932) 505, 1090
– sowjet.-estn. (1932) 1126
– sowjet.-lett. (1932) 1126
– frz.-sowjet. (1932) 505
– ital.-sowjet. (1933) 505
– dt.-poln. (1934) 185, 506, 509, 615, 617, 1013, 1017
– bulg.-jugoslaw. (1937) 1251
– dt.-dän. (1939) 788, 791, 794
– dt.-sowjet. (1939), s. Vertrag, dt.-sowjet.
– dt.-lett. (1939) 1127
– dt.-estn. (1939) 1127
Nicolson, Sir Harold G. (1886–1968), brit. Diplomat u. Schriftsteller 117
Niederlande 699–727, 791
– Wirtschaft 21, 24, 27, 53, 709, 725f.
– Gesellschaft 727
– Parteien 708f., 724
– Kultur 710
– Außenpolitik 703f.
Niederösterreich 833
Niedersachsen 573
Niedersächsische Landespartei 573
Niedra, Andreas (1871–1942), lett. Min.präs. (1919) 1114
Niessel, A., frz. General 1115
Nietzsche, Friedrich (1844–1900), dt. Philosoph 86, 221, 640
Niger 319
Nigeria 306, 308, 421f., 430f., 433f.
Nihilismus 71, 86
Nikolaj Nikolaevič (1856–1929), russ. Großfürst, Oberbefehlshaber d. russ. Armee (1914/15) 984, 989, 1065
Nikolaus (Nicolae) (geb. 1903), Prinz v. Rumänien 1142

1403

- II. (1868–1918), russ. Zar (1894–1917) 1081, 1085
Ninčić, Momčilo (1876–1949), jugoslaw. Außenmin. (1922–26, 1941) 1193, 1195 f., 1198, 1211
Nishani, Omer, alban. Staatspräs. (1946–53) 1286, 1288
Nitsch, Kazimierz (1894–1958), poln. Linguist 1019
Nitti, Francesco S. (1868–1953), ital. Finanzmin. (1917–19), Min.präs. (1919/20) 625 f., 634
Nixon, Richard M. (geb. 1913), amerik. Vizepräs. (1953–60), Präs. (1969–74) 338, 343
Nkrumah, Kwame (1909–72), Premiermin. d. Goldküste, seit 1957: Ghana (1951–66), Staatspräs. v. Ghana (1960–66) 432 ff., 437
NKWD (Narodny Komissariat Wnutrennich Del) 227, 238, 502, 1128, 1131
Nobs, Ernst (1886–1957), schweizer. Bundesrat (1943–51) 735
Noli, Fan, eigentl. Stilian Mavromati (1883–1965), alban. Staats- u. Min.präs. (1924) 1277 f., 1281
Nolte, Ernst (geb. 1923), dt. Historiker 82, 231
Nonkonformisten, s. Dissidenten
Nordafrika 460, 512, 565, 639, 1030
- alliierte Landung (1942) 462, 565
Nordamerika 3, 310
Nordatlantikpakt, s. NATO
Nordbukowina 265, 509, 1135, 1152, 1156, 1162
Nordirland 3, 365, 754 f., 759, 761 f., 764–771
Nordischer Kulturfonds 821
Nordischer Rat 820 f.
Nordische Vereinigung f. den Völkerbund (1918) 789
Nordschleswig 121, 126, 539, 566, 773, 800, 803 f.
Nordschleswigproblem (nach 1918) 775
Norges Bondelag (1922) 778
Normandie, s. Invasion
Normenstaat 225
Norsk Landmansforbund 778
North of Scotland Hydro-Electric Board 110
Northern Ireland Civil Rights Association (1967) 770
Norwegen 718, 773, 778–781, 788, 796, 813 ff., 818 f., 822, 1090, 1101 f.
- Wirtschaft 781, 814
- Gesellschaft 780
- Sozialpolitik 780
- Parteien 76, 778, 780, 796, 814
- dt. Besetzung (1940–45) 262, 796 f.
- Außenpolitik 330, 789 f., 819 f.
Norwegen-Feldzug (1940) 263, 385, 564
Nosek, Václav (1893–1955), tschechoslowak. Innenmin. (1945–53) 966
Noske, Gustav (1868–1946), dt. Reichswehrmin. (1919/20) 526, 529
Notverordnungen 174, 543, 555
Notverordnungsrecht 206, 849
Novemberputsch, s. Hitler-Putsch
Novemberrevolution (1918), dt. 151, 218, 783, s. a. Revolution, dt.
Novomeský, Ladislav (1904–76), slowak. Schriftsteller u. Politiker 956, 970, 973
Novotný, Antonín (1904–75), tschechoslowak. Staatspräs. (1957–68) 924, 972 ff.
Nowa Huta 1051, 1176
»Nowa Kultura« 1051
Nowotko, Marceli (1893–1942), poln. Politiker 1032
NS-Beamtenbund 561
NSDAP (Nationalsozialistische Deutsche Arbeiter-Partei) 28, 71, 85, 182, 209, 225, 229, 283, 299, 530, 532, 541, 543–547, 552, 554 f., 557, 561, 567, 594, 611–616, 717, 719, 837, 850, 865, 876, 932, 934, 1150, 1160
NS-Ordensburgen 221
Nuffield College, Oxford 356, 398
Nürnberg
- Gesetze (1935) 11, 227, 560
- Internationaler Militärgerichtshof (1945–47) 164
- Prozesse (1945/46) 13, 200, 298 f.
Nuschke, Otto (1883–1957), Vorsitzender d. CDU d. Sowjetzone (1948–57), stellv. DDR-Min.präs. (1949–57) 576
Nyassaland 432, 434
Nyerere, Julius K. (geb. 1922), Min.präs. (1960–62) u. Staatspräs. (seit 1962) v. Tanganjika/Tansania 432, 435, 437
Nygaardsvold, Johan (1879–1952), norweg. Min.präs. (1935–40/45) 779 f., 796, 813
Nylon 24 f.

Obbov, A., Mitgl. d. bulg. Bauernpartei 1262
Oberhaus (House of Lords) 392
Oberkommando d. Heeres (OKH) 226
Oberkommando d. Wehrmacht (OKW) 226, 299, 558, 564, 898
Obersalzberg 865
Oberschlesien 21, 118–121, 126 f., 144, 158, 179, 212, 367, 530, 539, 566, 993, 1002 f., 1006, 1020, 1027
Oberschlesienfrage 997,

Ober-Volta 319
Oberste Heeresleitung (OHL) 527
Obrana Národa 951
Ochab, Edward (geb. 1906), poln. Staatspräs. (1964–68) 1052, 1057, 1059
O'Connor, Frank (1903–66), ir. Schriftsteller 760
Ödenburg 126, 128, 833, 838
Oder-Neiße-Linie 10, 571, 1036, 1041, 1058, 1235
Odessa 1156
Odry, frz. General, Oberkomm. im Memelland (1920–22) 1072
O'Duffy, Eoin (1892–1944), ir. General u. Politiker 764
OECD (Organization for Economic Cooperation and Development) 333
OEEC (Organization for European Economic Cooperation) 331, 333, 741, 805, 808, 819 f., 1344
Oertzen, F. v., dt. Schriftsteller 1013
– Peter v. (geb. 1924), dt. Politologe 216
O'Faoláin, Seán (geb. 1900), ir. Schriftsteller 760
Oktoberaufstand (1923) 157, 495
Oktobermanifest des Zaren 1109
Oktoberrevolution (1917), russ. 7, 25, 45, 75, 77, 82 f., 91, 119, 134, 151, 214, 218, 223, 363, 441, 483, 497, 518 f., 527, 654, 662, 683, 778, 1083, 1112, 1263
Okyar, Fethi (1880–1943), türk. Min.präs. (1923, 1924/25) 1343
Olah, Franz (geb. 1910), Präs. d. österr. Gewerkschaftsbundes (1959–63), Innenmin. (1963/64) 882
Olav V. (geb. 1903), Kg. v. Norwegen (seit 1957) 796, 813 f.
Oldenburg-Januschau, Elard v. (1855–1937), Reichstagsabgeordneter (1902–12, 1930–33) 543
Olivetti 96
Ollenhauer, Erich (1901–63), dt. Politiker, Fraktions- u. Parteivors. d. SPD (1952–63), Präs. d. Sozialist. Internationale (1963) 578
Olmütz 921
Olsagebiet 941, 946, 964, 1045
Olympische Spiele, s. Berlin u. Garmisch-Partenkirchen
Omsk 487, 489
Onar, Rektor d. Univ. Istanbul 1346
O'Neill, Terence (geb. 1914), nordir. Premiermin. (1963–69) 770 f.
Operation Overlord 270 f.
Oppenheimer, Franz (1864–1943), dt. Sozialwissenschaftler 560
Opposition, nationale 71, 545
Optionsrecht 8 f., 16
Opus Dei 692
Oradour-sur-Glane, Zerstörung (1944) 277
Oran 265
Oranienorden 747, 762, 770
Oranjefreistaat 406
Orbeli, Leon A. (1882–1958), sowjet. Physiologe 515
Ordensburgen 559
»Ordine Nuovo« 627
Ordshonikidze, Grigorij K. »Sergo« (1886–1937), sowjet. Politiker 503
Oreb, Petar, kroat. Attentäter 1203
Orel 488
Organisation
– Escherich (Orgesch) 531, 842
– Kanzler 842
Organisationspakt d. Kleinen Entente (1933) 148
Organization for Economic Cooperation and Development, s. OECD
Organization for European Economic Cooperation, s. OEEC
Organization of African Unity (OAU) 308
O'Rourke, Gf. Edward (geb. 1876), Bischof v. Danzig (1926) 611
Orlando, Vittorio Emanuele (1860–1952), ital. Min.präs. (1917–19) 74, 117, 120, 624 f., 631 f., 640
Ortega y Gasset, José (1883–1955), span. Philosoph 660, 665, 669, 671, 675, 677 f., 692
Orwell, George, eigentl. Eric Arthur Blair (1903–50), engl. Schriftsteller 508
Ösel 1112
Oskar v. Preußen (1888–1958), Oberst 1086
Oslokonvention (1930) 789, 791
Osmanisches Reich, s. Türkei
Osóbka-Morawski, Edward (geb. 1909), poln. Min.präs. (1945–47) 1035 f., 1043
Ossietzky, Carl v. (1889–1938), dt. Publizist u. Pazifist, Friedensnobelpreis (1936) 790
Ostafrika, dt. Kolonie 368, 423
Ostara 842
Ostasien 380, 505
Ostblock 331, 346, 514, 519
Oster, Hans (1888–1945), dt. General, Widerstandskämpfer 567
Osteraufstand (1916), ir. 748–751
Österreich 3, 12, 33, 45, 128, 142, 193, 210 f., 233, 513, 622, 624, 627, 733, 788, 818, 823–882, 907, 925, 929, 1188, 1231, 1302, 1305
– Unabhängigkeit 128, 839, 859 f., 862, 867, 872, 874, 878
– Staatsform 829, 831, 834
– Wirtschaft 21, 24, 27,

839 f., 846, 859 f., 878
- Sozialpolitik 831
- Heer 836, 842, 880
- Anschlußfrage 127, 133,
  175, 179, 730, 828 f.,
  832 ff., 838, 938
- Anschluß (1938) 185 f.,
  190, 194, 261, 557, 562,
  867 ff., 870, 872, 895, 900,
  940, 1015, 1135, 1144,
  1207 f.
- Parteien 210, 828, 834,
  836 f., 874 f.
- Große Koalition 847,
  877 f., 880 f.
- Wahlen 210, 830, 837,
  839 ff., 846, 876 ff., 880,
  882
- Außenpolitik 838 f., 845,
  860, 862 f., 865, 880 f.,
  923
Österreichisch-Deutscher
  Volksbund 870
Österreichische Creditanstalt 175, 545, 845 f., 849,
  851
Österreichische Legion 851,
  858
Österreichischer Staatsvertrag (1955) 347, 519, 876,
  878–881, 913, 1310
Österreichische Volkspartei
  (ÖVP) 73, 874,
  (874–878), 880 ff.
Österreichisch-Schlesien
  828, 833
Österreich-Ungarn 128,
  140, 150, 828, 834, 887,
  985, 1184, 1302
Osteuropa 9, 34, 129, 471,
  513
Ostfront, dt. 565 f.
Ostgebiete, dt. (nach 1945)
  9 f.
Ostgrenze, dt. 388
»Osthilfe« 34, 544, 546
Ostindische Handelskompagnie 302, 414
Ostkarelien, s. Karelien
Ostkirche 321
Ostlocarno 145, 154, 179,
  187, 506, 1012
Ostmarkgesetz (1939) 872
Ostmitteleuropa 25, 513
Ostpreußen 263, 512, 514,
  564, 571, 986, 993 f., 996,
  1022, 1027, 1045

Ost-West-Beziehungen
  (nach 1945) 347, 514,
  1306
Ottawa
- Reichswirtschaftskonferenz (1932) 378, 396, 410
- Verträge (1932) 307 f.,
  378 f.
Otto, Chef d. dt. Heeresmission in der Slowakei 960
Oviedo 679
Oxford 401

Paasikivi, Juho Kusti
  (1870–1956), finn.
  Min.präs. (1918,
  1944–46), Staatspräs.
  (1946–56) 1086, 1099,
  1101, 1103 ff.
Pabst, Waldemar
  (1880–1970), Stabschef d.
  österr. Heimwehren
  (1927–29) 845
Pacht- u. Leihvertrag, amerik.-sowjet., s. Lend
  Lease Act
Paderewski, Ignacy Jan
  (1860–1941), poln.
  Min.präs. u. Außenmin.
  (1919) 987 f., 992, 1014,
  1020, 1025
Paes, Sidonio Bernardino
  Cardoso da Silva
  (1858–1918), portug.
  Min.präs. (1917/18),
  Staatspräs. (1918) 695
Pakistan 11, 307 f., 417 f.,
  435, 1345
Palästina 16, 128, 303 f.,
  405, 424–429, 1030, 1159
Palazzo d'Accursio 628
Palazzo Chigi 631
Palazzo Venezia 637
Paleckis, Justas (geb. 1899),
  litau. Min.präs. (1940/41,
  1944–46) 1078
Palme, Sven Oluf (geb.
  1927), schwed. Min.präs.
  (1969–76) 815
Palmstierna, Erik Kule
  (geb. 1877), schwed. Außenmin. (1920) 783
Pamplona 692
Panafrikanismus 437
Pan American Union 323
Pancke, dt. Polizeigeneral
  in Dänemark 800

Paneuropa-Union 324
Pangalos, Theodoros
  (1878–1952), griech.
  Staatspräs. (1926) 1198,
  1319 f., 1325
Panslawischer Kongreß
  (1946) 1304
Panslawismus 925
Panzerwaffe 254, 564
Papadopoulos, Georgios
  (geb. 1919), griech.
  Oberst, Min.präs.
  (1967–73), Staatspräs.
  (1973) 1335 ff.
Papagos, Alexandros
  (1883–1955), griech.
  Marschall, Min.präs.
  (1952–55) 1324, 1332,
  1334
Papanastasiou, Alexandros
  (1878–1936), griech.
  Min.präs. (1924, 1932),
  Chef der Griechischen
  Sammlung 1316, 1319
Papandreou, Georgios A.
  (1888–1968), griech.
  Min.präs. (1944–46,
  1963–65) 1328 f., 1334 f.,
  1337
- Andreas, Sohn des Georgios 1335, 1338
Papen, Franz v.
  (1879–1969), dt. Reichskanzler (1932), Botschafter in Wien (1934–39) u.
  Ankara (1939–44) 42,
  174, 177, 546 f., 561, 592,
  613, 849, 858, 862 f., 865,
  869, 1012
Papsttum 321
Paraguay 161
Pardo, Lorenzo, span. Ingenieur 667
Pareto, Vilfredo
  (1848–1932), ital. Wirtschaftswissenschaftler u.
  Soziologe 206
Parhon, Constantin I.
  (1874–1969), Endokrinologe, rumän. Staatspräs.
  (1947–52) 1169, 1174
Paris 4, 12, 15
- Friedenskongreß (1849)
  322
- Friedenskonferenz (1919)
  113–138, 165, 322, 423,
  606, 624, 699, 753, 929,

Personen- und Sachregister

931, 992f., 1067, 1087, 1115, 1138, 1189, 1274, s.a. Reparationen, Völkerbund
-- Oberster Rat 118, 127, 488, 699, 730, 930, 993, 995, 1138, 1140
-- Rat d. Zehn 118
-- Rat d. Vier 118, 130, 607
-- Rat d. Drei 118
- Delegationen
-- brit. 369, 407
-- bulg. 119
-- dt. 118
-- österr. 119, 832f.
-- ungar. 119
- Kommissionen 118, 130
- poln. Gebietsforderungen 121
- Friedensbedingungen f. Deutschland 118 f.
- dt. Gebietsverluste 121
- Vorortverträge (1919/20) 8, 126 f., 133 f., 142 f., 145 f., 172, 176, 894
-- Neuilly (Bulgarien) 128, 1139, 1190 f., 1242 ff., 1246 f., 1249, 1252
-- Sèvres (Türkei) 128, 1140, 1340
-- St. Germain (Österreich) 127, 730, 832–836, 849, 864, 930, 1137, 1189 f., 1222
-- Trianon (Ungarn) 128, 178, 889, 892, 894, 930 f., 1139 f., 1191
-- Versailles (Deutschland), s. Versailles, Friedensvertrag
- Donaukonvention (1921) 166
- Protokolle (1941) 460
- rumän. Friedensvertrag (1947) 1164
- Verträge (1955) 341, 342
- Gipfelkonferenz (1960) 519
Parlamentarischer Rat 575
Parlamentarismus 28, 85, 88, 142, 379, 472, 555, 732, 1201
Parmoor, Charles Alfred Cripps, Lord (1852–1941), brit. Jurist u. Politiker 373
Parnell, Charles Stewart

(1846–91), ir. Politiker 747
Parri, Ferruccio (geb. 1890), ital. Journalist, Min.präs. (1945) 634, 643 f.
Partei, bolschewist. 484, 487, 493
Partei d. Arbeit (Stronnictwo Pracy) 1014 f., 1025, 1043 f.
Partei d. Kleinen Landwirte, s. Kleinlandwirtepartei
Partei der Nationalen Einheit 947
Partei d. Ungarischen Werktätigen (PUW), s. Kommunistische Partei Ungarns
Parteien
- christl. 72 f.
- faschist. 84 f., s.a. Partito Nazionale Fascista, NSDAP
- kommunist., s. Kommunistische Parteien
- konservative 70 f.
- liberale, s. Liberale Parteien u. Bewegungen
- polit. 90 f.
- sozialist., s. Arbeiterparteien
Parteienpluralismus 88 f., 214
Parteienstaat 446
Parteigaue, nat.soz. 225
Parteiloser Block zur Zusammenarbeit mit der Regierung (BBWR) 85, 1009 ff., 1013 f., 1017
Parteischulen
- faschist. 221
- sowjet. 220
Parteistaat 226
Parti catholique social (PCS) 707
Parti Démocrate Populaire 467
Partido Centralista 694
Partido Democrático 694 f.
Partido Evolucionista 694
Partido Socialista Obrero Español 663, 675, 677, 679, 683
Partido Unionista 694
Parti Populaire Français 449

Partisanen 1213, 1215, 1271, 1283, 1298, 1300, 1328 f.
Partisanenkrieg (1939–45) 256, 276, 281
- Balkan 256 f., 1216, 1218 ff., 1284, 1327, 1329
- Rußland 512
- Polen 1032 ff.
- Frankreich 462 f.
- Italien 643 f.
- Österreich 873
- Slowakei 956 f.
Partito d'azione 643 f.
Partito Nazionale Fascista (PNF) 82, 86, 173, 224 f., 232 f., 237, 629, 632
Partito Operaio 625
Partito Popolare Italiano (PPI) 72 f., 204, 623, 625, 628, 630 f., 634, 643
Partito Socialista dei Lavoratori Italiani (PSLI) 646
Partito Socialista Democratico Italiano (PSDI) 647 f.
Partito Socialista Italiano (PSI) 78, 81, 625–629, 642 f., 645, 647 f.
Partito Socialista di Unità Proletaria (PSIUP) 648
Partito Socialista Unitario (PSU) 631, 648
Pârvulescu, Constantin (geb. 1881), rumän. Politiker 1175
Pašić, Nikola (1846–1926), jugoslaw. Min.präs. (1918, 1921–26) 1186 ff., 1189, 1192 ff., 1195, 1197, 1200, 1205
- Rade, Sohn v. Nikola Pašić 1195
Passfield, Lord, s. Webb, Sidney
Pasternak, Boris L. (1890–1960), russ. Schriftsteller, Literaturnobelpreis (1958) 501
Pătrăşcanu, Lucretiu (1900–54), rumän. Politiker 1158, 1162 f., 1165 ff., 1169, 1171, 1178
Patriotische Union 1162
Päts, Konstantin

(1874–1956?), estn.
Staatschef (1918/19),
Min.präs. (1923/24,
1931/32, 1932/33,
1933–38), Staatspräs.
(1938–40) 213 f., 234,
1113 f., 1118, 1122 ff.,
1127 ff.
Patton, George Smith
(1885–1945), amerik. General 962
Pauker, Ana (1893–1960),
rumän. Außenmin.
(1947–52), stellv.
Min.präs. (1949–52)
1162, 1164 ff., 1167, 1169,
1174 f., 1306, 1311
Paul I. (geb. 1901), Kg. v.
Griechenland (1947–64)
1334 f.
– V. Karadjordjević
(1893–1976), jugoslaw.
Prinzregent (1934–41)
1204, 1207, 1209–1211
Paul-Boncour, Joseph
(1873–1972), frz.
Min.präs. (1932/33), Außenmin. (1932–34) 187,
447
Pavelić, Ante (1889–1959),
Ustaša-Führer, kroat.
Staatschef (1941–45)
1203, 1212, 1214 ff., 1224
– Ante (1869–1939), jugoslaw. Politiker 1187
Pavolini, Alessandro
(1903–45), ital. faschist.
Politiker 643
Pawlow, Iwan P.
(1849–1936), sowjet. Physiologe 515
Pazifismus 140, 164, 373,
380, 554
Peace Ballot (1935) 380
Pearl Harbor, Überfall auf
(1941) 266, 410, 1255
Pearse, Patrick H.
(1879–1916), ir. Nationalist u. Dichter 750
Pečanac, Kosta
(1871–1944), Präs. d. Četnik-Organisation 1217 ff.
Pedersen, Helga (geb.
1911), dän. Justizmin.
(1950–53) 805
Péguy, Charles
(1873–1914), frz. Dichter

448
Pehrsson-Bramstorp, Axel
(1883–1954), schwed.
Min.präs. (1936) 785
Pekař, Josef (1870–1937),
tschech. Historiker 939
Pella, Giuseppe (geb. 1902),
ital. Min.präs. (1953/54),
Außenmin. (1957–60)
647
Pendler 55
Pentarchie 321
Perčec, Gustav, jugoslaw.
Politiker 1203, 1210
Pérez de Ayala, Ramón
(1881–1962), span.
Schriftsteller u. Diplomat
671
Perović, Ivo, Mitgl. d. jugoslaw. Regentschaftsrates (1934–41) 1204
Persien, s. Iran
Persischer Golf 368
Personenkult 520, 912 f.,
972, 1178, 1266, 1293
Peseta, span. 668
»Pester Lloyd« 883
Petacci, Claretta (1912–45),
ital. Schauspielerin 644
Pétain, H. Philippe
(1856–1951), frz. Oberbefehlshaber (1917/18),
Marschall (1918), Staatschef (1940–44) 265,
458–462, 464, 466, 469
Peter I. d. Gr. (geb. 1672),
russ. Zar (1689–1725)
1101, 1294
Peter I.–Insel 789
– I. Karadjordjević (geb.
1844), Kg. v. Serbien
(1903–18) u. Jugoslawien
(1918–21) 1192, 1210
– II. Karadjordjević
(1923–70), Kg. v. Jugoslawien (1934–41) 1203 f.,
1211, 1214, 1217 f.,
1220 f., 1226
Petersen, Carl (geb. 1894),
dän. Politiker 799, 804
– Harald (geb. 1895), dän.
Justizmin. (1940/41) 805
– K. Helveg, dän. Unterrichtsmin. (1961) 807
Petisné, frz. General,
Oberkomm. im Memelland (1922/23) 1072

Petitpierre, Max E. (geb.
1899), schweizer. Bundesrat (1944–61) 741
Pětka 931 f.
Petkov, Nikola D.
(1889–1947), bulg. stellv.
Min.präs. (1944/45)
1256, 1259 f., 1303
Petljura, Šymon W.
(1879–1926), ukrain. Ataman 995 f., 999
Petőfi, Sándor (1823–49),
ungar. Dichter 1149,
1257
Petrescu, Titel (1888–1957),
rumän. Politiker, Sekretär (1927–38) u. Vorsitzender (1944–46) d. Sozialdem. Partei 1158,
1162, 1164
Petrič 1320
Petrograd 484, 486 ff., 491,
496
Petrovicescu, Ion, rumän.
Innenmin. (1940/41)
1155
Petrulis, Vytautas
(1890–1942), litau.
Min.präs. (1925) 1070
Petsamo 1087
Petterson, Jakob (geb.
1866), schwed. Politiker
u. Jurist 784
Peyer, Károly (1881–1956),
ungar. Politiker 893
Peyra, Gustavo, span. Abgeordneter 660
Pfalz, bayer. 588
Pfälzische Republik 532
Pfeilkreuzler 86, 93, 276,
895, 899, 901 f.
Pflichtversicherung 46
Pflimlin, Pierre (geb. 1907),
frz. Min.präs. (1958),
Bürgermeister v. Straßburg 476
Pfrimer, Walter
(1881–1968), Führer d.
Steirischen Heimatschutzes 843, 847
Pfund, brit. 21, 374, 389,
443, 610, 618
Pfundabwertung 378, 389,
1122
Philip, André (1902–70),
frz. Finanzmin.
(1946/47) 467

Personen- und Sachregister

- Kjeld (geb. 1912), dän. Politiker, Prof. f. Sozialpolitik u. Finanzwiss. 806 f.
Philipp, Prinz v. Hessen (geb. 1896), nat.soz. Politiker, preuß. Staatsrat 867
Philips-Konzern 726
Phillimore, Sir Walter (1845–1929), brit. Jurist 131
Phony war 385
Piasecki, Bolesław (1915–78), poln. Publizist 1049
Piast 213
Picasso, Pablo (1881–1973), span. Maler u. Graphiker 447, 693
Picot, Georges, frz. Diplomat 425
Pieck, Wilhelm (1876–1960), Mitbegründer d. KPD (1919) u. SED (1946), Staatspräs. d. DDR (1949–60) 573, 576, 583
Piemont 948, 1187
Pieracki, Bronisław (1895–1934), poln. Innenmin. (1931–34) 1014
Pierlot, Hubert Gf. (1883–1963), belg. Min.präs. (1939–45) 715
Piétri, François (geb. 1882), frz. Marinemin. (1934–36) 457
Pijade, Moše (1890–1957), Mitbegr. d. KP Jugoslawiens, Vizepräs. 1218, 1233, 1238, 1266
Pilet-Golaz, Marcel (1889–1958), schweizer. Bundesrat (1928–44) 734 f.
Piłsudski, Józef K. (1867–1935), poln. Marschall, Staatschef (1918–22), Min.präs. (1926–28, 1930), Kriegsmin. (1926–35) 84 f., 94, 212 f., 234, 489, 506, 610, 613, 615, 964, 980 f., 985 ff., 989–993, 995–998, 1000 f., 1003, 1005, 1007–1013, 1016,

1018 ff., 1022, 1039, 1053, 1063, 1068, 1075
Pimenta de Castro, Joaquim Pereira (1846–1918), portug. Diktator (1915) 694
Pinay, Antoine (geb. 1891), frz. Min.präs. (1952), Außenmin. (1955/56), Finanz- u. Wirtschaftsmin. (1958–60) 472, 476, 478, 879
Piräus 1317
Pitt, William, d.J. (1759–1806), brit. Premiermin. (1783–1801, 1804–06) 322
Pittaluga, Vittorio E., ital. General 625
Pittermann, Bruno (geb. 1905), österr. Vizekanzler (1957–66) 881
Pittsburger Vertrag (1918) 928, 940
Pius XI., eigentl. Achille Ratti (geb. 1857), Papst (1922–39) 448, 560, 636
– XII., eigentl. Eugenio Pacelli (geb. 1876), Papst (1939–58) 648, 954, 960
Pjatakow, Juri L. (1890–1937), sowjet. Politiker 503
Placentia Bay 269
Pladne (Bauernpartei) 1256, 1258–1261
Plan Nacional de Construcciones Escolares (1957) 693
Planification 96 f.
Planung, s. Wirtschaftsplanung
Planungsamt, sowjet. (Gosplan) 491
Planwirtschaft 454, 561, 910 f., 973, 1049, 1304
– sowjet. 36, 50, 97, 229, 484
Plastiras, Nikolaos (1883–1953), griech. Min.präs. (1945, 1950–52) 1314, 1318, 1320 ff., 1330, 1334, 1337
Plebiszit 126, 557
Plechavičius, Povilas (1890–1973), litau. General 1074, 1079

Pleskau (Pskow) 485
Pleven, René (geb. 1901), frz. Min.präs. (1950/51, 1951/52), Außenmin. (1958), Justizmin. (1969–73) 472
Plojhar, Josef (geb. 1902), kath. Geistlicher, tschechoslowak. Gesundheitsmin. (1948) 966
Plunkett, Joseph Mary (1887–1916), ir. Nationalist 750
Podgorny, Nikolai W. (geb. 1903), sowjet. Staatsoberhaupt (1965–77) 520
Podvoiski, N. I., sowjet. Volkskommissar 1084
Poensgen, Ernst (1871–1949), dt. Industrieller 536, 545
Pogaćnik, Josef, Chef d. slowen. Landesreg. (1918) 1187
Pogrome 11, 16
Poincaré, Raymond (1860–1934), frz. Staatspräs. (1913–20), Min.präs. (1912/13, 1922–24, 1926–29) 21, 148, 150, 156, 172, 204, 440, 442 f., 926, 988
Pokrowski, Michail N. (1868–1932), sowjet. Historiker 493, 500, 516
Polatkan (gest. 1961), türk. Finanzmin., 1346
Polen, 3, 9, 93, 117, 126, 149, 154, 211 f., 275, 485, 513, 571, 606–609, 612–616, 787, 791, 896, 919, 922, 925, 929, 937, 978–1064, 1066, 1089, 1108, 1115, 1126 f., 1140, 1151
– Wirtschaft 21, 26 f., 52, 55, 144 f., 1003, 1005 f., 1008, 1015, 1017, 1049 f., 1056, 1297
– Gesellschaft 981 ff., 1056
– Minderheiten 982, 992, 994, 1001 f., 1004 f., 1009, 1017, 1024
– Parteien 981, 997 f., 1000 f., 1003, 1010, 1015, 1025, 1043 f.
– Kirche 1047, 1049,

1409

1052 f., 1056, 1058
- Außenpolitik 145, 505, 923, 946, 1006, 1011 ff., 1015 ff., 1045, 1053, 1055, 1058, 1090
- brit. Garantie (1939) 154, 257, 259, 384, 1017
- Krieg u. Besetzung (1939–45) 14, 512, 563, 1021–1040
- Armee 987 f., 991, 996, 1009, 1022, 1024, 1026, 1029 ff., 1048
- piast. Idee 127
- Grenzen 9 f., 118, 149, 178, 275, 283, 489, 541, 571, 964, 993, 996, 1005, 1030, 1033, 1036, 1041 f., 1045
- Westverschiebung 10, 272, 336, 388, 980, 1040, 1042
- Aufstand (1956) 80, 519, 914, 924, 1052, 1054, 1172, 1266
Polenfeldzug (1939), s. Krieg, dt.-poln.
Polichronopoulos, Ioannis, Chef d. griech. Sicherheitspolizei (1933) 1323
Polizei, polit. 227
Pollak, Oscar (1893–1963), österr. Publizist 880
Polnische Bauernpartei (PSL) 1043 f., 1301
Polnische Partei (in Danzig) 607 f., 611
Polnisches Komitee f. die Nationale Befreiung (PKWN), s. Lubliner Komitee
Polnisches Nationalkomitee (PKN) 988 f., 992
Polnische Vereinigte Arbeiterpartei (PZPR), s. Kommunistische Partei Polens
Polska Organizacja Wojskowa (POW) 987, 991 f., 998
Polska Partia Socjalistyczna (PPS) 1001, 1008 f., 1014, 1025, 1029, 1043 f., 1047 f.
Polykratie, nat.soz. 197, 871
Polynesien 304
Pommerellen 34, 1022, 1027

Pompidou, Georges (1911–74), frz. Min.präs. (1962–68), Staatspräs. (1969–74) 72, 330
Popescu, I. Dimitrie, rumän. General u. Innenmin. (1941–43) 1155
Popiel, Karol (geb. 1887), poln. Politiker 1043 f.
Popławski, Jan Ludwik (1854–1908), poln. Politiker 985
Popolari, s. Partito Popolare Italiano
»Il Popolo d'Italia« 627
Popov, sowjet. Oberst 1328, 1330
- Ivan (geb. 1890), bulg. Außenmin. (1940–42) 1252
Popović, Miladin (1910–45), Mitbegr. d. alban. KP 1285
Porkkala 519, 1103, 1105
Porto 15, 695
Portugal 83, 93, 693–698, 779, 818
- Wirtschaft 698
- Parteien 694, 696
- Armee 694 ff.
- Außenpolitik 329, 697
- Militärputsch (1974) 316
Porvoo 1081
Posen 34, 121, 519, 566, 614, 992, 994, 1022
- Aufstand (1956), s. Polen
Poska, Jaan (Iwan) (1866–1920), estn. Politiker 1111
Postyschew, Pawel P. (1888–1940), sowjet. Parteifunktionär 503
Potsdam
- Konferenz (1945) 9, 282–285, 388, 390, 514, 571, 574, 906, 1045, 1344
- Abkommen (1945) 10, 282 f., 336, 1043
Poujade, Pierre (geb. 1920), frz. Politiker 473
Poujadismus 473 f.
POW, s. Polska Organizacja Wojskowa
PPS, s. Polska Partia Socjalistyczna
Präferenzzölle 28, 307 f.
Prag 12, 921 f., 952, 963

- dt. Besetzung (1939) 384, 508, 896
- Aufstand (1944) 924, 962
- kommunist. Putsch (1948) 471, 645, 920, 966
Prager Frühling (1968) 51, 81, 93, 920, 924, 972–975, 1167, 1178, 1240, 1267
Pragier, Adam (geb. 1886), poln. Politiker 1010
Pragmatische Sanktion (1713) 830
Präsidialkabinette 28, 172, 543, 578
Präsidialregierung 543 f., 849
Präventivkrieg 1012, 1019
»Praxis« 1239
Preßburg 921, 934, 956, 975
Pressefreiheit 554, 923, 1018, 1201
Preuß, Hugo (1860–1925), dt. Staatssekr. d. Inneren (1918/19), Reichsinnenmin. (1919) 74
Preußen 4, 35, 41, 124, 151, 185, 208, 272, 281, 546, 590, 849, 985, 994, 1078
Preußisch-Litauer 1064
Preziosi, Giovanni (1881–1945), ital. Theologe u. Publizist 643
Pribićević, Svetozar (1875–1936), jugoslaw. Innenmin. (1918/19), Unterrichtsmin. (1924) 1187 f., 1193 ff., 1201, 1210
Prieto y Tuero, Indalecio (1883–1962), span. Kriegsmin. (1937/38) 683
Primo de Rivera, José Antonio (1903–36), Begründer d. span. Falange 86, 202, 657, 666, 678, 682
- Miguel (1870–1930), span. General u. Diktator (1923–30) 173, 214, 656, 664–672
Principios del Movimento Nacional (1958) 688
Prinzeninseln 117
Prinzip, monarch. 88
Privateigentum 96 f., 1300
Privatwirtschaft 96, 561, 732
Prizren 1276, 1284

Produktion, industrielle 27
»Pro Helvetia« 741
Proletariat 38, 41 f., 87
Proletarische Hundertschaften 531
Proporzregierung 837
Proporzwahlrecht, s. Verhältniswahlrecht
»Pro Prostu« 1054, 1056
Protektionismus, wirtschaftl. 20, 28, 53, 302, 445, 475, 760
Protektorate
– brit. 421, 424, 433
– frz. 310ff., 468
Protestantismus 573
Protić, Jeremija, serb. Politiker 1217
– Stojan (1857–1923), jugoslaw. Min.präs. (1918/19, 1920) 1188, 1193
Protogerov, Alexander (1867–1928), Führer d. bulg. Geheimorg. IMRO (1926–28) 1247
Protopapadakis, Petros (1860–1922), griech. Politiker 1318
Proudhon, Pierre-Joseph (1809–65), frz. Sozialist 322
Provisorische Nationalversammlung (österr.) 828–831, 837, 929
»Przegląd Wszechpolski« 990
Public Corporation 391, 393
Public School 414
Pudowkin, Wsewolod (1893–1953), sowjet. Filmregisseur 494
Pünder, Hermann J.M. (1888–1976), Chef d. Reichskanzlei (1925–32), Mitgl. d. dt. Bundestages (1949–57) 574

Quebec 408
– Konferenzen (1943/44) 270, 273
Queipo de Llano y Serra, Gonzalo (1875–1951), span. General 685
Quisling, Vidkun (1887–1945), norweg. faschist. Politiker, Min.präs. (1942–45) 263, 780, 795 ff., 813

Raab, Julius (1891–1964), österr. Bundeskanzler (1953–61) 846, 877–881
Račić, Puniša (gest. 1944), jugoslaw. Abgeordneter, Mörder von St. Radić 1196, 1200
Raczkiewicz, Władysław (1885–1947), poln. Staatspräs. im Exil (1939–47) 1025
Radek, Karl, eigentl. Karl Sobelssohn (1885–1939), sowjet. Volkskommissar d. Äußeren (1918) 152, 220, 495, 503
Radescu, Nicolae (1874–1953), rumän. Min.präs. (1944/45) 1163
Radić, Pavle (1880–1928), jugoslaw. Min. f. Agrarreform (1925/26) 1195 f.
– Stjepan (1871–1928), kroat. Bauernführer, jugoslaw. Erziehungsmin. (1925/26) 213, 1187 f., 1193 f., 1196, 1202
Radikale Venstre 774, 776 f., 799 f., 802
Radikale Volkspartei (serb.) 1191
Radikalismus, polit. 471
Radikalsozialisten, frz. 74, 76, 204, 440–444, 447, 450–455, 457, 467, 471, 473
Radkiewicz, Stanisław (geb. 1903), poln. Sicherheitsmin. (1945–54) 1036, 1044, 1047, 1051 f., 1058
Radomir 1244
Radoslavov, Vasil (1854–1929), bulg. Min.präs. (1886/87, 1913–18) 1244
Radović, Andrija (1872–1947), montenegrin. Politiker 1187
Radviliškis, Schlacht (1919) 1068
Radziwiłł, Janusz K. Fürst (1880–1967), poln. konserv. Politiker 1009

Ragaz, Leonhard (1868–1945), schweizer. protestant. Theologe 731
Rainer, Friedrich (1903–47) österr. nat.soz. Politiker 865
Rajk, László, eigentl. Ladislaus Reich (1909–49), ungar. Innenmin. (1946–48), Außenmin. (1948/49) 906, 909 f., 913 f., 919, 1048, 1231, 1236, 1306, 1311
Rákosi, Mátyás (1892–1970), ungar. Politiker, Sekretär d. Komintern (1921–24), stellv. Min.präs. (1945–52), Min.präs. (1952/53), Erster Sekr. d. KP Ungarns (1945–56) 901 f., 904 ff., 909, 911–915, 918 f., 1303, 1306 f.
Rallis, Joannis, griech. Min.präs. (1943/44) 1326
Ramadier, Paul (1888–1961), frz. Min.präs. (1947) 471
Ramek, Rudolf (1881–1941), österr. Bundeskanzler (1924–26), Außenmin. (1926) 840, 850
Ramel, Fredrik Frhr. v. (1871–1947), schwed. Außenmin. (1930–32), 791
Randstaaten 505
Ranković, Alexander (geb. 1909), jugoslaw. Innenmin. (1946–53), Vizepräs. (1963–66) 1229, 1232 f., 1236–1239, 1264, 1306
Rapacki, Adam (1909–70), poln. Außenmin. (1956–68) 1048, 1055, 1060
Rapacki-Plan (1957/58) 343, 1060
Rapallo
– ital.-jugoslaw. Vertrag (1920) 626, 1190, 1192, 1196, 1222
– dt.-russ. Vertrag (1922) 144, 152, 157 f., 173, 191, 495, 540, 1089
Rapallo-Politik 157, 504,

1411

540
Rascanu, Vasile, rumän. General u. Kriegsmin. (1944) 1162
Rašín, Alois (1867–1923), tschechoslowak. Fin.min. (1918/19, 1922/23) 927, 929, 936
Rasmussen, Gustav (1895–1953), dän. Außenmin. (1945–50) 787, 804, 817 f.
Rassedenken 221
Rassemblement du Peuple Français (RPF) 72, 471 f., 474
Rassemblement Populaire 451
Rassemblement Wallon 722
Rassenideologie 11, 183, 641, s. a. Nationalsozialismus
Rassismus 309
Raštikis, Stasys (geb. 1896), litau. General 1079
Rat
– f. gegenseitige Wirtschaftshilfe (RGW), s. COMECON
– d. Volksbeauftragten (1918/19) 42, 205, 526 ff., 991
– d. Volkskommissare 484, 497, 510
Rataj, Maciej (1884–1940), poln. Parlamentspräs. (1922–28) 1008
Ratajski, Cyril (1875–1942), poln. Innenmin. (1924/25) 1029
Rätebewegung, dt. 215 f., 218
Rätedemokratie 202, 1112
Rätediktatur 526
Räterepublik
– bayer. 215, 831, 842
– ungar. 831, 833, 887, 899
Rätesystem 206, 223, 910, 1171, 1178
Rath, Ernst vom (1909–38), dt. Botschaftssekretär 871
Rathenau, Walther (1867–1922), dt. Industrieller, Reichsaußenmin. (1922) 36, 132, 168, 209, 495, 530, 539 f.
Rationalisierung 535

Rätoromanisch 733
Rault, Viktor, frz. Präs. d. internat. Regierungskommission d. Saargebiets (1920–26) 590 f.
Raumfahrt 519
Rauschning, Hermann (geb. 1887), nat.soz. Senatspräs. v. Danzig (1933/34) 86, 184, 606, 613, 615–618, 1013
Ravenna 619
Realeinkommen 43 f.
Rechtsradikalismus 591
Rechtsstaat 73, 90, 94, 554, 567, 601, 1335
Redlich, Fritz (1892–1978), dt. Wirtschaftshistoriker 36
– Josef (1869–1936), österr. Fin.min. (1918, 1931) 828, 851
Redmond, John Edward (1856–1918), ir. Politiker 747 ff., 751 f.
Redondo y Ortega, Onésimo (1905–36), span. Politiker 678
»Réduit« 734
Ree, Knud (geb. 1895), dän. Politiker u. Journalist 805
Reeder, Eggert (1894–1959), Chef d. dt. Militärverwaltung in Belgien/Nordfrankreich (1940–44) 712 f.
Referendum (1975), brit. 397
Refet Pascha, Bele (1885–1963), türk. General 1340
Reformismus 78, 399
Reformkommunismus 50, 98
Reformpolitik 46
Refugee Settlement Commission (RSC) 1317, 1319
Reggio di Calabria 641
Régie des Mines de la Sarre 596 f.
Regionalismus 93, 669
Reichsbahn, dt. 155
Reichsbahnobligationen 155
Reichsbank, dt. 531, 541, 545

Reichsduma, russ. 988, 1065, 1109
Reichsgaue 185, 225, 263, 1027
Reichsgericht 227
Reichsinstitut f. Geschichte d. neuen Deutschland 862
Reichskommissariate 263, 1031, 1079
Reichskonferenzen, s. Empire-Konferenzen
Reichskonkordat (1933) 559, 593
»Reichskristallnacht« (1938) 227, 560, 871
Reichsmark 21 f.
Reichsnährstand 230 f., 561
»Reichspost« 830, 836
Reichspräsident, dt. 528, 543, 545 f.
Reichsschrifttumskammer 561
Reichssicherheitshauptamt 227
Reichssiedlungsgesetz (1919) 51
»Reichsstatthaltergesetz« (1933) 555
Reichstagsbrand (1933) 554 f.
Reichstagswahlen, Weim. Republik 28, 71, 174, 530, 543, 546, 555, 846, 1012
Reichsverband d. dt. Industrie 543
Reichsverband der Landwirte (schwed.) 783
Reichsversicherungsordnung 46
Reichswehr, dt. 124, 181, 208, 217, 230, 529, 531, 546 f., 555 f., 1215
– Aufrüstung 125, 151, 177
– Verhältnis zur Sowjetunion 125, 152, 186, 259, 495, 540
– Verhältnis zum Staat 208 f., 279, 530
Reichwein, Adolf (1898–1944), dt. Kulturpolitiker, Widerstandskämpfer 567
Reid, Sir Charles Carlow (1879–1961), brit. Bergingenieur 392

Reinhardt, Max
(1873–1943), österr. Regisseur 560
Reitlinger, Gerald R. (geb. 1900), brit. Historiker 13
Relander, Lauri K. (1883–1942), finn. Staatspräs. (1925–31) 1090, 1094 ff.
Remarque, Erich Maria (1898–1970), dt. Schriftsteller 380
Rembrandt, eigentl. R. Harmensz van Rijn (1606–69), holländ. Maler 717
Renault-Werke 96, 466
Renner, Karl (1870–1950), österr. Staatskanzler (1918–20), Bundeskanzler (1945), Bundespräs. (1945–50) 119, 829–833, 835–838, 846 f., 849, 870, 874–877, 879, 1120
Renoir, Jean (1894–1979), frz. Filmregisseur 447 f.
Renovación Española (1933) 678
Rente, dynam. 43
Renteln, Adrian v. (geb. 1897), dt. Gen.kommissar f. Litauen (1941–44) 1079
Rentenmark 532
Renvall, Heikki (1872–1955), finn. Senator 1084
Reparationen 25, 31, 143 f., 149, 155, 174 f., 179 f., 182, 367, 439 f., 443, 529, 531, 589, 834, s. a. Dawes- u. Young-Plan
Reparationsagent 155, 372, 541
Reparationsfrage 21, 28, 118, 123 f., 144 f., 150, 152, 155 ff., 173 ff., 179, 182, 209, 283, 367, 372, 448, 528, 532, 541
Reparationskommission 123, 147
Reparationskonferenzen 146, 546
Reparationslasten, dt. 21, 26, 28, 174, 539, 545
Reparationspolitik 147, 160, 171, 173, 180
Reparationsverpflichtung,

dt. 122 ff., 144, 541
Report on Social Insurance and Allied Services (1942), s. Beveridge-Report
Reppas, Georgios (geb. 1891), griech. General 1324
Representation of the People Acts (1918, 1948) 204, 399
Repubblica Sociale Italiana (RSI) 224, 642
Republic of Ireland Act (1949) 768
Republikanische Bauernpartei 1188
Republikanische Nationalpartei (Türkei) 1345
Republikanische Union 1316, 1320
Republikanischer Schutzbund (1924) 210, 850, 854 f.
Republikanismus, ir. 748 f., 758 ff.
Republik von Salò (1943–45) 86
Republikschutzgesetz, span. (1931) 677
Requetés 85, 685, 688
Résistance 73, 79, 81, 256, 273, 277, 455, 457–467, 469, 475
Responsible Government 307
Restauration 89, 108, 863, 865
Retsforbund 806 f.
Réunion 468
Reusch, Paul (1868–1956), dt. Industrieller 536
Reval 1131 f.
– Putsch (1924) 505, 1118
Revisionismus 77, 145 f., 148 f., 151, 173, 178 f., 188, 257, 261
– bulg. 1135, 1244
– dt. 133, 145, 148 f., 154, 179 f., 192, 209
– poln. 134, 179
– ungar. 128, 133, 145, 179, 859, 894, 896, 900, 1135 ff., 1140
Revisionspolitik
– dt. 153 f., 176, 179, 183, 185, 539 ff.

– ungar. 148
– bulg. 1253
Revolution 219 f.
– bolschewist., s. Oktoberrevolution
– chin. (1911) 448
– dt. (1918/19) 206, 215 f., 218, 1113, s. a. Novemberrevolution
– frz. (1789) 91, 220, 468, 717, 871
– frz. (1848) 468
– industrielle 23, 33, 35, 51, 359
– konservative 71 f.
– nationale 202
– nat.soz. 183, 186
– nat.türk. 129
– portug. 694
Rex-Bewegung 706
Reynaud, Paul (1878–1966), frz. Min.präs. (1940), stellv. Min.präs. (1953/54) 452, 454 f., 457 ff., 461, 472
Reza Pahlevi (1878–1944), Schah v. Iran (1925–41) 1343
RGW (Rat für Gegenseitige Wirtschaftshilfe), s. COMECON
Rheinfrage 147
Rheingrenze 154, 439
Rheinische Republik 532
Rheinland 25, 122, 136, 147, 152, 465
– separatist. Bewegungen (nach 1918) 125, 147
– Entmilitarisierung u. Besetzung 121, 123 f., 147, 149, 154, 179, 345, 439, 541, 701
– Räumung (1930) 156, 175
– dt. Besetzung (1936) 155, 178, 185, 188, 190, 193, 381, 455, 702, 732
– Remilitarisierung 791, 862
Rheinpakt (1925) 153 ff., 188, s. a. Locarno, Verträge
Rheinpolitik, frz. 119, 123 f., 153, 155, 310, 466
Rheinprovinz, preuß. 588
Rhodes, Cecil J. (1853–1902), engl. Kolonialpolitiker, Premier-

1413

min. d. Kapkolonie
(1890-96) 435
Rhodesien 315, 421, 429,
432, 434
Rhodes-Stiftung 436
Ribar, Ivan (1881-1968),
jugoslaw. Politiker 1219
Ribbentrop, Joachim v.
(1893-1946), nat.soz. Politiker, Reichsaußenmin.
(1938-45) 183, 195, 260,
385, 557, 947, 955, 959,
1077, 1103, 1160
Ribbentrop-Molotow-Pakt,
s. Vertrag, dt.-sowjet.
Richelieu, Armand Jean du
Plessis, Herzog v.
(1585-1642), frz. Kardinal (1622), Minister
(1624-42) 147
Richtungsgewerkschaften
48, 230, 580
Riehl, Walter (1881-1955),
österr. Nationalsozialist
841
Rieth, Kurt, dt. Diplomat
858
Riga 212, 996, 1112, 1114f.,
1119, 1131
– russ.-poln. Frieden (1921)
127, 489, 994, 996f.,
1002, 1034
»Rinascita« 649
Ringstadt Holland 718, 726
Rintelen, Anton
(1876-1946), österr. Unterrichtsmin. (1926,
1932/33) 857
Risorgimento 73, 224, 625,
631, 644
Ritavuori, Heikki
(1880-1922), finn. Innenmin. 1089
Ritter, Gerhard
(1888-1967), dt. Historiker 559
Rjutin, M.N., sowjet. Parteifunktionär 500
Rocco, Alfredo
(1875-1935), ital. Justizmin. (1925-32) 632, 640
Röchling, Hermann
(1872-1955), dt. Industrieller 594
Rode, Ove (1867-1933),
dän. Politiker u. Journalist 776, 788

Roemeris, Mykolas
(1880-1946), litau. Jurist
1068
Roey, Ernest-Joseph van
(1874-1961), Kardinal,
Ebf. v. Mecheln 714
Röhm, Ernst J.
(1887-1934), Stabschef d.
SA (1931-34) 220, 553,
555f.
Röhm-Putsch (1934) 220,
226, 857, 862
Rokossowski, Konstantin
K. (1896-1968), sowjet.
General u. Marschall
274, 1034, 1047f., 1052,
1055
Rola-Żymierski, eigentl.
Michał Łyżwiński (geb.
1890), poln. General,
Kriegsmin. (1945-49)
964, 1035, 1048, 1053
Rom 638, 642f.
– Abkommen (1924) 1190
– Protokolle (1934) 192,
855, 859
– Verträge (1957) 327f.,
828f., 342
Romanones, Alvaro de Figueroa y Torres, Gf. v.
(1863-1950), span.
Min.präs. (1912/13,
1915-17, 1918/19) 656f.,
661, 665, 671
Romer, Tadeusz
(1894-1978), poln. Diplomat, Außenmin. d.
poln. Exilregierung
(1941-44) 1030, 1039
Römisch-Katholische
Staatspartei (R.K.S.P.)
708
Rommel, Erwin
(1891-1944), dt.
Gen.feldmarschall, Befehlshaber d. dt. Afrikakorps (1941-43) 565
Romniceanu, M., rumän.
Politiker 1164
Roosevelt, Franklin D.
(1882-1945), Präs. d.
USA (1933-45) 257,
267-274, 282, 337, 343,
386, 459, 461, 505, 512,
958, 1033, 1127
Röpke, Wilhelm
(1899-1966), dt. Natio-

nalökonom u. Soziologe
74, 575
Rosen, Friedrich
(1856-1935), dt. Diplomat, Außenmin. (1921)
118
Rosenberg, Alfred
(1893-1946), Leiter d.
Außenpolit. Amts d.
NSDAP (1933-45),
Reichsmin. f. die besetzten Ostgebiete (1941-45)
183, 221, 1133
Rosselli, Carlo
(1899-1937), ital. Journalist u. Politiker 634, 638,
640
– Nello (1900-1937), ital.
Historiker u. Politiker
640
Rossi, Cesare (1887-1967),
ital. Politiker 632
Rossoni, Edmondo (geb.
1884), ital. Politiker 232
Rosting, Helmer
(1893-1945), Völkerbundskommissar in
Danzig (1932/33) 606,
613
Rostow, Walt W. (geb.
1916), amerik. Nationalökonom u. Politiker 20
Rote Armee 8, 79, 151, 227,
259, 273, 488f., 495, 503,
509, 512, 540, 565, 606,
873, 887, 899, 901ff., 905,
926, 956f., 959, 961, 963,
983, 995f., 1004, 1017,
1023, 1033-1036, 1041,
1048, 1067f., 1071, 1077,
1079, 1113, 1127, 1135f.,
1151, 1156-1159, 1161f.,
1218, 1220f., 1229, 1256,
1258f., 1298, 1301, 1305,
1309
Rote Garden 1083ff.
Rotes Kreuz, s. Internationales Rotes Kreuz
Rotterdam 15, 255, 726
Rougier, Louis, frz. Nationalökonom 465
Rowecki, Stefan
(1895-1944), poln. General 1029, 1034
Royal Dutch/Shell 726
Royal Institute of International Affairs 436

Royal Irish Constabulary 753
Rozwadowski, Tadeusz (1866–1928), poln. Gen.stabschef (1920) 996, 1000
Rubinstein, Nikolai (1897–1963), sowjet. Historiker 515
Rublee, George, amerik. Rechtsanwalt 16
Rückversicherungsvertrag (1887) 158
Ruge, norweg. Oberst 796
Ruhraufstand (1920) 530, 836
Ruhrbesetzung, frz. 147, 150, 155, 440, 531, 1072
Ruhrfrage 152
Ruhrgebiet 373, 389, 530 f., 533, 572, 574, 577
Ruhrort 150
Ruhrpolitik, frz. 124, 147, 155, 179, 367, 442, 466, 591
Rumänien 3, 9, 35, 79 f., 93, 117, 126, 141, 159, 234, 263, 265, 276, 340, 384, 509, 512 f., 896, 900, 918, 922, 925, 1105, 1126, 1134–1182, 1188, 1198, 1242, 1252, 1300 f., 1303, 1305, 1309, 1323, 1343
– Wirtschaft 331, 1141, 1143 ff., 1151, 1164, 1170–1173, 1176 f.
– Gesellschaft 1136, 1141
– Minderheiten 1139, 1146, 1158, 1173, 1179, 1181
– Wahlgesetz (1925) 1142 f.
– Parteien 1139, 1142, 1145, 1150, 1169
– Armee 1156 f.
– Verteidigungspolitik 344
– Außenpolitik 940, 1135 f., 1140, 1144 f., 1150–1153, 1156, 1166, 1177 f.
– Friedensvertrag (1947) 1164
Rumänische Front 1148
Rumänische Nationalpartei 1137, 1139
Rumänischer Nationalrat 1137 f.
Rumänische Volkspartei 1139
Runciman-Mission (1938)

940
Rundfunk 25, 37, 375, 408, 559
Rundstedt-Offensive (1944) 715, 719
Rusk, Dean (geb. 1909), amerik. Außenmin. (1961–69) 1240
Rußland
– vor 1917 4, 6, 151, 425, 926, 985 f., 1062, 1081 f., 1108 f., 1112 f.
– 1917–22 141 f., 146, 149, 203, 528, 626, 654, 773, 776, 787, 993, 1083–1089, 1113, 1115 f., 1125, 1315, 1341
– u. Pariser Friedenskonferenz 117 f., 127, 134 f.
Rustem, Avni (ermordet 1924), alban. Parlamentsabgeordneter u. Attentäter 1275, 1277
Rüstow, Alexander (1885–1963), dt. Nationalökonom u. Soziologe 74
Rüstung 26, 145
Rüstungsaufwendungen, dt. 229
Rüstungsbeschränkungen (nach 1919) 125
Rüstungsfrage 173, 176, 209, 785
Rüstungsindustrie, dt. 572
Rüstungsproduktion
– sowjet. 229
– dt. 231, 254
Rydz-Śmigły, Edward (1886–1941), poln. Generalstabschef, Marschall (1936) 991, 998, 1013–1017, 1022 f., 1025
Rykow, Alexei I. (1881–1938), sowjet. Min.präs. (1924–30) 220, 497, 499, 503
Ryti, Risto (1889–1956), finn. Min.präs. (1939/40), Staatspräs. (1940–44) 1094, 1100–1103, 1105
Rytter, Aage L., dän. Politiker 805

SA (Sturmabteilung) 84 f., 225, 230, 546, 554 ff., 558,

857 f., 876, 934, s. a. Röhm-Putsch
Saadabad, Pakt (1937) 1343
Saarbrücken 593, 598, 601
»Saarbrücker Landszeitung« 597
Saarburg 596 f.
Saarfrage 120, 156, 596, 599–603
Saargebiet, -land 21, 121, 126, 144, 163, 179, 367, 439, 575, 586–605, 860
Saarlouis 590
Saarpolitik, frz. 466, 596 ff., 600 f., 604
Saarproblem 596
Saarstatut
– (1919) 589
– (1954) 601 ff.
Saarverhandlungen (1929/30), dt.-frz. 591 f.
Sachsen 282, 531, 571
Sahm, Heinrich (1877–1939), Senatspräs. v. Danzig (1920–31) 605, 607–610, 612
Saint-Exupéry, Antoine de (1900–44), frz. Dichter u. Flieger 448
St. Germain, s. Paris, Vorortverträge
Säkularisierung 73
Salamanca 669
Salan, Raoul (geb. 1899), frz. Oberbefehlshaber in Tongking (1952/53) u. Algerien (1956–58) 476
Salandra, Antonio (1853–1931), ital. Min.präs. (1914–16) 74, 629, 631 f.
Salazar, António de Oliveira (1889–1970), portug. Min.präs. u. Staatschef (1932–68) 85, 94, 233, 696 ff.
Salengro, Roger (1890–1936), frz. Innenmin. (1936) 453
Salerno, alliierte Landung (1943) 641
Salin, Edgar (1892–1974), dt. Nationalökonom 36
Salisbury, Robert Arthur James Gascoyne-Cecil, 5. Marquess of (1893–1972), Mitglied d.

1415

brit. Kriegskabinetts (1940–45), Führer d. Oberhauses (1952–57) 392
Saló, Republik v. 224, 642 f.
Saloniki 1198, 1203, 1209, 1317, 1320 f., 1326
– Abkommen (1923) 1198
SALT-Abkommen (1972) 346
Salvemini Gaetano (1873–1957), ital. Historiker u. Politiker 623, 631, 634 f., 638
Salzburg 838, 871
Samara (Kujbyschew) 487
Sambia 308, 434
Săěscu, Constantin (1884–1947), rumän. Min.präs. (1944) 1158, 1161 f.
Sánchez Albornoz, Claudio (geb. 1893), span. Historiker 692
Sánchez Ferlosio, Rafael (geb. 1927), span. Schriftsteller 693
Sandler, Rickard (1884–1964), schwed. Min.präs. (1925/26), Außenmin. (1932–39) 783 f., 791, 797, 1097
Sandschak v. Alexandrette 1343
San Francisco 411, 1041, 1344
Sangnier, Marc (1873–1950), frz. Publizist u. Politiker 448
Sanjurjo Sacanell, José (1872–1936), span. General 672, 677
Sankey, Sir John (1866–1949), brit. Richter, Lordkanzler (1929–35) 365 f.
Sankey-Kommission (1919) 365
Sanktionen 131, 152 f., 161 f., 164, 225, 315, 373, 541
Sanktionskrieg 164
Sanktionspolitik, frz. 144, 150, 153
St. Margherita, Konventionen (1922) 1196
St. Petersburg 15
San Sebastián, Pakt (1930) 671, 675
Sansibar 308, 432 f.
Saor Eire 761
Sarafis, griech. Guerillaführer 1329
Saragat, Giuseppe (geb. 1898), ital. Politiker, stellv. Min.präs. (1947–49, 1954–57), Außenmin. (1963/64), Staatspräs. (1964–71) 634, 645, 647, 649
Saragossa 670, 684 f.
Sarajevo 1186, 1213
Sardinha, Antonio (1888–1925), portug. Publizist u. Historiker 696
Sarrail, Maurice (1856–1929), frz. General 1273
Sass, Theodor Frh. v., dt.-memelländ. Politiker 1077
Sasseno 1272, 1274, 1293, 1295
Sathmar 1137, 1139, 1159
Säuberung (Tschistka, 1936–38) 8, 191, 220 f., 228, 260, 503 f., 517, 1097, 1116
Säuberungsprozesse 6
Sauckel, Fritz (1894–1946), nat.soz. Politiker 231, 263, 464
Saudi-Arabien 404
Šaulis, Jurgis (1879–1948), litau. Diplomat u. Politiker 1069
Sawatzki, Franz (1874–1934), Senator v. Danzig (1933) 614
Sawinkow, Boris W. (1879–1925), russ. Sozialrevolutionär u. Schriftsteller 488
Sazonow, Sergei D. (1861–1927), russ. Außenminister (1910–16) 1087
Scandinavian Airlines System (SAS) 822
Scapa Flow (1919) 367
Scavenius, Erik (1877–1962), dän. Min.präs. (1942/43), Außenmin. (1940–43) 795, 799
Scelba, Mario (geb. 1901), ital. Min.präs. (1954/55), Präs. d. Europ. Parlaments (1969–71) 647
Schacht, Hjalmar (1877–1970), Reichsbankpräs. (1923–30, 1933–39), Reichswirtschaftsmin. (1935–37) 16, 169, 230, 532, 545, 553, 561, 1207
Schachty-Prozeß (1928) 499
Schaepman, H.I.A.M. (1844–1903), niederländ. Geistlicher u. Politiker 708
Schaff, Adam (geb. 1913), poln. Philosoph 1057
Schäffer, Fritz (1888–1967), Bundesfinanzmin. (1949–57), Bundesjustizmin. (1957–61) 573
– Hans (1886–1967), Staatssekr. im Reichsfinanzmin. (1929–32) 208
Schaffhausen 735
Schaffner, Jakob (1875–1944), schweizer. Schriftsteller 734
Schanzer, Carlo (1865–1953), ital. Außenmin. (1922) 839
Schärf, Adolf (1890–1965), österr. Vizekanzler (1945–57), Bundespräs. (1957–65) 874 ff., 878–881
Scharf, Erwin (geb. 1914), Zentralsekr. d. KPÖ 877
Schattendorf 843
Schauprozesse 8, 228, 502, 507, 907, 909, 911, 1048, 1264 f., 1288, 1306 ff.
Schdanow (Ždanov), Andrej A. (1896–1948), sowjet. Politiker 338, 515, 517, 1097, 1104, 1229, 1298, 1301, 1304
Scheidemann, Philipp (1865–1939), dt. Reichsmin.präs. (1919), Oberbürgermeister v. Kassel 42, 133, 168, 526
Schelde 712
Schelsky, Helmut (geb. 1912), dt. Soziologe 37
Scheltow, Alexej S. (geb.

1416

1904), sowjet. Gen.oberst
874
Schiedsgerichtsbarkeit 131,
160, 176, 373
Schiedsverträge 153 ff., 322
Schiele, Martin
(1870–1939), Reichsin-
nenmin. (1925), Reichser-
nährungsmin. (1927/28,
1930–32) 537, 543
Schiemann, Paul
(1876–1944), Vors. d. dt.
Fraktion im lett. Parla-
ment (1919–33) 181,
1119, 1123
Schirach, Baldur v.
(1907–74), nat.soz.
Reichsjugendführer
(1931–40), Gauleiter u.
Reichsstatthalter in Wien
(1940–45) 872
Schisma, Großes (1378) 321
Schlacht um England
(1940) 256, 265, 386, 564
Schlachta 212
Schlageter, Albert L.
(1894–1923), preuß.
Leutnant, Freikorps-
kämpfer 152
Schlange-Schöningen,
Hans (1886–1960), dt.
Politiker u. Diplomat 573
Schleicher, Kurt v.
(1882–1934), dt. General,
Reichskanzler (1932/33)
42, 196, 209, 546 f., 556,
561
Schleiden 700
Schlesien 927, 933, 1027,
1045
Schlesisch-Ostrau 930
»Schleswig-Holstein«, dt.
Schulschiff 612
Schleswigsche Partei 802
Schlieffen, Alfred Gf. v.
(1833–1913), preuß.
Gen.stabschef
(1891–1905), Gen.feld-
marschall (1911) 564
Schlieffen-Plan 712
Schmid, Carlo (geb. 1896),
dt. Politiker, Bundesrats-
min. (1966–69) 578
Schmidt, Guido (1901–57),
österr. Staatssekr. f.
ausw. Angelegenheiten
(1936) 862 f., 865

Schmitt, Carl (geb. 1888),
dt. Staatsrechtslehrer 206
Schmitz, Richard
(1885–1954), österr.
Soz.min. (1922–24), Un-
terrichtsmin. (1926–29),
Vizekanzler (1930) 855
Schmölders, Günter (geb.
1903), dt. Wirtschaftswissenschaftler 567
Schneider, Heinrich (geb.
1907), saarländ. Wirt-
schaftsmin. (1957–59)
600
Schober, Johann
(1874–1932), österr. Bun-
deskanzler (1921/22,
1929/30), Außenmin.
(1921/22, 1929/30,
1930–32) 175, 831,
836 ff., 843–849, 861
Schober-Block (1930) 846
Schoeck, Othmar
(1886–1957), schweizer.
Komponist 731
Scholochow, Michail A.
(geb. 1905), russ. Schriftsteller 501
Schönbauer, Ernst
(1886–1966), österr. Ab-
geordneter 832
Schönburg-Hartenstein,
Aloys (1858–1944),
österr. Verteidigungsmin.
(1934) 853
Schostakowitsch, Dmitri D.
(1906–75), sowjet. Kom-
ponist 515
Schottland 3 f., 92, 365, 397
Schriftstellerverband,
sowjet. 221
Schubert, Carl v.
(1882–1947), Staatssekr.
im Ausw. Amt (1924–30)
196
Schukow, Georgi K.
(1896–1974), sowjet. Ge-
neral, Marschall (1944),
Verteidigungsmin.
(1955–57) 274, 511, 519
Schuldenabkommen
– brit.-amerik. (1923) 143
– frz.-amerik. (1926) 143
Schulenburg, Friedrich W.
Gf. v. d. (1875–1944), dt.
Botschafter in Moskau
(1934–41), Mitgl. d. Wi-

derstands 511, 567
Schulthess, Edmund
(1868–1944), schweizer.
Bundesrat (1912–35) 736
Schumacher, Kurt
(1895–1952), Vors. d.
SPD (1946–52) 556, 573,
578
Schuman, Robert
(1886–1963), frz. Außen-
min. (1948–53),
Min.präs. (1947/48),
Präs. d. Europ. Parla-
ments (1958–60) 73, 325,
472, 599 ff.
Schuman-Plan (1951) 472
Schumpeter, Josef A.
(1883–1950), österr. Na-
tionalökonom 831
Schumy, Vinzenz (geb.
1878), österr. Vizekanzler
(1929), Innenmin.
(1929/30, 1933) 844, 875
Schürff, Hans (1875–1939),
österr. Handelsmin.
(1923–29), Justizmin.
(1931/32) 848
Schuschnigg, Kurt Edler v.
(1897–1978), österr. Bun-
deskanzler (1934–38),
Außenmin. (1936–38)
193 f., 233 f., 848, 852 f.,
857–867
Schütz, Hans (geb. 1901),
sudetendt. Politiker 939
Schutzvertrag (1939), dt.-
slowak. 953
Schutzzoll 28, 371 f., s. a.
Protektionismus
Schwarze Fahne 53
Schwarzhandel 572
Schweden 572, 773, 778,
781–786, 795–798, 801,
814–818, 822, 1081, 1090,
1093, 1097 f., 1100 f.,
1108, 1119, 1132, 1348
– Wirtschaft 24, 44, 61, 783,
785 f., 797, 816
– Gesellschaft 40, 786
– Sozialpolitik 785
– Parteien 76, 782, 784, 798,
815
– Wohlfahrtsstaat 95, 285,
815
– Wohlfahrtsstaat 95, 285,
815
– Außenpolitik 790 f.,

1417

820 f., 1087
Schwedische Volkspartei 1091, 1093–1096
Schweiz 6, 40, 572, 729–745, 788, 818, 834
- Wirtschaft 21 ff., 731, 734, 741, 743
- Gesellschaft 40, 743
- Sozialpolitik 740
- Kultur 731, 735
- Parteien 730 ff., 742, 744
- Heer 732 f.
- Außenpolitik 730, 733, 735, 741
Schweizerisches Hilfswerk f. außereurop. Gebiete (SHAG) 741
Schwerin v. Krosigk, Johann Lutz Gf. (1887–1977), dt. Reichsfinanzmin. (1932–45), Leiter d. Geschäftsführenden Reichsreg. (1945) 547
Schwering, Leo (1883–1962), Mitbegründer d. CDU 573
Scobie, Sir Ronald M. (1893–1969), brit. General 1329 f., 1333
Seanad Eireann 765
Sechstagekrieg (1967), israel.-arab. 974, 1058, 1239
Sécurité Sociale 47
SED (Sozialistische Einheitspartei Deutschlands) 339, 573, 576, 578, 582 f.
Sedan 458, 712
Seeckt, Hans v. (1866–1936), dt. Gen.oberst, Chef d. Heeresleitung (1920–26) 149, 151, 181, 208, 530, 532, 540
Seekrieg 564
Segerstedt, Torgny (1876–1945), schwed. Religionshist. u. Publizist 798
Segni, Antonio (1891–1972), ital. Min.präs. (1959/60), Außenmin. (1960–62), Staatspräs. (1962–64) 647, 649
Seipel, Ignaz (1876–1932), österr. Bundeskanzler (1922–24, 1926–29) 829,

838–841, 843–849, 858, 862
Seitz, Karl (1869–1950), österr. Bundespräs. (1919/20), Bürgermeister v. Wien (1923–34) 828, 843
Selbstbestimmung, nationale 91, 203, 303 f., 422, 588 f., 592, 800, 928, 957, 1066, 1112, 1137
Selbstbestimmungsprinzip, nationales 127, 607
Selbstbestimmungsrecht, nationales 119 f., 126, 132, 137, 141, 185, 190, 202, 211, 381, 487, 495, 589, 594, 599, 624, 700, 705, 828, 832 f., 892, 929, 931, 1138, 1188 f.
Selbstschutzorganisationen, faschistoide 446
Selbstverwaltung, lokale 40
Seliger, Josef (1870–1920), sudetendt. sozialdem. Politiker 929, 933
Selter, Karl (1898–1958) estn. Außenmin. 1129
Selucký, Radoslav, tschechoslowak. Ökonom 973
Sembat, Marcel (1862–1922), frz. Min. f. öffentl. Arbeiten (1914–16) 45
Senegal 310, 313, 319, 468
Senghor, Léopold Sédar (geb. 1906), Abg. in d. frz. Nationalvers., Präs. d. Senegal (seit 1960) 305, 314
Separatismus, katalan. 653, 658
Separatisten, rhein. 532
Septemberwahlen (1930), s. Reichstagswahlen
Serbanesco, rumän. Politiker 1167
Serbien 126, 1138, 1183, 1185, 1187, 1191, 1198, 1213, 1216, 1219 f., 1270, 1272 f.
Serbische Bauernpartei 1191, 1195
Serbische Staatswache (SDS) 1217
Serbisches Freiwilligenkorps (SDK) 1217

Sernec, Banus d. Drau-Banates 1201
Serov, stellv. sowjet. Volkskomm. f. Staatssicherheit 1078
Serrati, Giacinto Menotti (1876–1926), ital. Sozialist 626
Sert Badía, José (1876–1945), katalan. Maler 693
Servicio Nacional de Crédito Agricola (1925) 667
Sétif, Unruhen (1945) 471
Seton-Watson, Robert William (1879–1951), brit. Historiker 925, 1187
Severen, Joris van (1894–1940), belg. Politiker 707
Sevilla 677, 685
Sèvres, s. Paris, Vorortverträge
Seyß-Inquart, Arthur (1892–1946), nat.soz. österr. Politiker, Bundeskanzler (1938), Reichskommissar f. die besetzten Niederlande (1940–45) 717, 863, 865 ff., 870 f.
SFIO (Section Française de l'Internationale Ouvrière) 442 f., 452, 455, 467
Sforza, Carlo Gf. (1872–1952), ital. Außenmin. (1947–51) 634
Shakespeare, William (1564–1616), engl. Dichter u. Dramatiker 1278
Shehu, Abediu, alban. Min. f. Öffentl. Arbeiten 1292
- Mehmet (geb. 1913), alban. Min.präs. (seit 1954) 1286, 1289–1293, 1296
Sherriff, Robert C. (1896–1975), engl. Schriftsteller 380
Shinwell, Emanuel Lord (geb. 1884), brit. Energiemin. (1924, 1930/31), Verteidigungsmin. (1947–51) 372, 392
Shotwell, James T. (1874–1965), amerik. Historiker 135
Siantos, Georgios

(1890–1947), griech. Politiker 1329
Sibirien 16, 487, 489, 499, 515
Sicherheit, kollektive 125f., 131f., 160f., 164f., 173, 187, 440, 506ff., 860
Sicherheitsdienst (SD) 557f., 566
Sicherheitspakte, regionale 323
Sicherheitspolitik 191
– frz. 21, 121, 125, 145, 147f., 252, 259, 367, 439, 589
– kollektive 177, 187f., 260, 380
Sicherheitspolizei 566
Sicherheitssystem, kollektives 155
Sidor, Karol (1901–53), slowak. Min.präs. (1939) 947, 953, 955, 959
Siebenbürgen 130, 887, 896, 1135–1139, 1141, 1143, 1153, 1157, 1159, 1162ff., 1167, 1179f., 1302
Siebenbürger Sachsen 130, 1138, 1141, 1159, 1181
Siedlungskolonien 322
Siedlungspolitik 51
Siegfried, André (1875–1959), frz. Soziologe u. Politologe 460, 472
Siemens, Werner v. (1816–92), dt. Unternehmer 35
Sierra Leone 433
Šik, Ota (geb. 1919), tschechoslowak. Politiker u. Nationalökonom 973f.
Sikorski, Władysław (1881–1943), poln. General, Min.präs. (1923, 1939–43) 958, 986, 1001, 1005, 1020f., 1025f., 1029ff., 1034, 1038f.
Silović, Banus d. Save-Banates 1201
Silvestri, Carlo, ital. Politiker 643
Sima, Horia (geb. 1906), rumän. Min.präs. (1944/45) 1155, 1157
Simeon II. (geb. 1937), Zar v. Bulgarien (1943–46) 1255, 1259

Simon, Gustav (1900–45), nat.soz. Gauleiter 719
– Sir John A. (1873–1954), brit. Außenmin. (1931–35), Schatzkanzler (1937–40), Lordkanzler (1940–45) 172, 416
Simon-Bericht (1930) 416
Simović, Dušan (1882–1962), jugoslaw. General, Min.präs. (1941/42) 1211f., 1214, 1218, 1224
Singapur 411
Sinn Fein 748f., 751–754, 756, 758f., 762
Sinowjew, Grigorij J. (1883–1936), sowjet. Politiker, Gen.sekr. d. Komintern (1919–26) 159, 220, 373, 497ff.
Sinowjew-Brief (1924) 159, 376, 504
Sirk, Artur (1900–37), estn. Politiker 1122
Široký, Viliam (1902–71), tschechoslow. Min.präs. (1953–63) 962, 970, 972f.
Sizilien, alliierte Landung (1943) 270, 276, 639
Sjöstad, Sverre, norweg. Politiker 779
Skanderbeg, eigentl. Gjergj Kastrioti (1403–68), alban. Nationalheld 1278, 1282f.
Skandinavische Staaten 21f., 45f., 76, 772–822
Skirmunt, Konstantin (1866–1951), poln. Außenmin. (1920–22) 1006
Sklavenhandel 162
Škoda-Werke 148
Skotschau 930
Skrzeszewski, Stanisław (geb. 1901), poln. Außenmin. (1951–56) 1036, 1039, 1044
Skrzyński, Aleksander Gf. (1882–1931), poln. Min.präs. (1925/26), Außenmin. (1922/23, 1924–26) 1008
Skujenieks, Margers (1886–1941), lett. Min.präs. 1129
Skulski, Leopold (geb.

1878), poln. Min.präs. (1919/20) 995
Skupschtina, Skupština 233, 1191, 1193ff., 1197f., 1201ff., 1205f., 1232f.
Skutari 1272ff.
Skwarczyński, Stanisław (geb. 1888), poln. General 1014
Skytte, Karl, dän. Politiker 807
Slama, Franz (1885–1938), österr. Justizmin. (1928–30) 844
Slánský, Rudolf (1901–52), Gen.sekr. d. KPČ (1945–51) 924, 970, 973, 976
Slatin-Pascha, Rudolf K. Frhr. v. (1857–1932), brit. General 832
Sławek, Walery (1879–1939), poln. Min.präs. (1930/31, 1935) 1009ff., 1013, 1017
Slawen 1136
Sławoj-Składkowski, Felicjian (1885–1962), poln. Innenmin. (1926–33, 1936–39) 1014, 1023, 1025, 1151
Slawonien 1185, 1201
Sleževičius, Mykolas (1882–1939), litau. Min.präs. (1918/19, 1926) 1067, 1074f.
Śliwiński, Artur (1877–1952), poln. Min.präs. (1922) 1002
Slowakei, Slowaken 128, 212, 256, 263, 900, 920ff., 924, 927f., 931–934, 940, 946–949, 952–957, 962ff., 1044f., 1214
– Armee 954ff.
– Parteien 946, 956
Slowakische Demokratische Partei 962, 964ff., 970
Slowakische Front (1938) 946f.
Slowakische Liga 928
Slowakische Nationalpartei 928, 931, 946, 973
Slowakischer Nationalrat 928, 956
Slowakische Volkspartei

923, 929, 931, 933 ff.,
939 f., 946, 959, 962, 966,
970
Slowenien 1187, 1200,
1207, 1213
Slowenische Volkspartei
1188, 1196, 1205
Šmeral, Bohumil, tschechoslowak. Politiker 936
Smetona, Antanas
(1874–1944), litau.
Staatspräs. (1919/20,
1926–40) 1066, 1068 f.,
1074, 1076 f.
Šmidke, Karol
(1897–1952), slowak. Po-
litiker 971
Smrkovský, Josef
(1911–74), tschecho-
slowak. Politiker, Präs. d.
Nat.vers. (1968/69) 967,
971
Smuts, Jan Christiaan
(1870–1950), südafrikan.
Min.präs. (1919–24,
1939–48), Außen- u. Ver-
teidigungsmin. (1939–48)
123, 131, 304, 307, 383,
406, 409 ff., 423, 436
Smyrna (Izmir) 128, 368,
1340, 1342
Snia Viscosa 635, 649
Snjarić, jugoslaw. General
1187
Snowden, Philip
(1864–1937), brit. Schatzkanzler (1924, 1929–31)
372, 377
Sobieski, Wacław
(1872–1935), poln. Histo-
riker 1019
Solidarité Française 449
Somaliland
– frz. 313
– ital. 304
Somme 254
Sondergerichte 227
Sönderup, Jens (geb. 1894),
dän. Politiker 805
Sonnino, Sidney Baron
(1847–1922), ital.
Min.präs. (1906,
1909/10), Außenmin.
(1914–19) 117, 120,
624 f., 627, 1273
Sorel, Georges
(1847–1922), frz. Soziolo-

ge 86, 221
Sørensen, Arne (geb. 1906),
dän. Politiker u. Schrift-
steller 800
– Poul, dän. Politiker 805
Soschtschenko, Michail M.
(1895–1958), russ.
Schriftsteller u. Satiriker
501
Sosnkowski, Kazimierz
(1885–1969), poln.
Kriegsmin. (1920–24),
Mitglied d. Exilregierung
987, 1025, 1030, 1039
Sostituzione 85, 209, 226,
s.a. Parteien, faschist.
Soustelle, Jacques (geb.
1912), frz. Gen.gouver-
neur v. Algerien
(1955/56), Informations-
min. (1945, 1958/59) 472
Souveränität 344
Souveränitätsbegriff 321
Sowchose 51, 229
Sowjetisierung 514, 1131 f.,
1305
Sowjetkongresse, Allruss.
484 f., 492, 507
Sowjetpatriotismus 500 f.,
512
Sowjetrepublik (RSFSR),
großruss. 492
Sowjetunion, s. UdSSR
Sowjetzone, s. Deutsche
Demokratische Republik
Sozialdemokratie 506
– dt. 43, 46, 75 ff., 151, 215,
374
– russ. 78
Sozialdemokratische Arbei-
terpartei (S.D.A.P.) 708
Sozialdemokratische Partei
– Bulgariens 1258, 1260
– Dänemarks 774–787, 799,
802 f., 806 ff.
– Deutschlands (SPD) 45,
48, 208, 395, 526–531,
540, 543, 553 ff., 557, 567,
573, 578, 580, 588, 591 f.,
607 f., 611 f., 616
– Estlands 1109, 1121 f.
– Finnlands 1082 ff., 1091,
1095 f., 1105 f.
– Lettlands (LSD) 1109,
1112, 1118
– Norwegens 779
– Österreichs 828–834, 836 f.,

840 ff., 844, 846 f., 850,
855, 870, 874
– d. Königreichs Polen u.
Litauens (SDKPiL) 996
– Rumäniens 1137, 1158,
1164 f., 1170, 1175
– Rußlands 1109
– d. Saarlandes (SPS) 598 f.
– Schwedens 783 ff., 798,
815
– d. Tschechoslowakei
931 f., 936, 962, 964 f.,
970
– Ungarns 888 f., 891, 893,
902, 905 f., 908, 910
Sozialdemokratismus 76
Soziale Arbeitsgemein-
schaft (SAG) 864
Sozialgesetzgebung, fa-
schist. 640
Sozialisierung 88, 96, 215,
362, 365, 391, 527 f., 536,
783, 802, 804, 919, 963,
1300, s. a. Verstaatli-
chung, Nationalisierung
Sozialismus 37, 45, 75, 84,
86 f., 97, 229, 231, 306,
362, 372, 377, 387, 391,
552, 554, 582, 623, 628,
644, 666, 682 f., 706, 924,
972, 980, 1136, 1168,
1229, 1239, 1298
Sozialisten
– finn. 1083, 1085
– frz. 78, 440 ff., 446, 450 ff.,
454, 457, 460, 466 f., 470,
472
– ital., s. Partito Socialista
Italiano
Sozialistische Arbeiterpartei Spaniens, s. Partido
Socialista Obrero
Español
Sozialistische Partei Österreichs (SPÖ) 874–878,
880 ff.
Sozialistische Partei Un-
garns 887 f.
Sozialistische Reichspartei
(SRP) 579, 600
Sozialistischer Realismus
494
Soziallehre, kathol. 234,
682
Sozialpolitik 45, 95, 501
Sozialrevolutionäre, russ.
484, 487, 491

Sozialstaat 95 f.
Sozialversicherung 469
- brit. 46 f., 362, 387, 393
- dän. 47
- dt. 46, 94, 538
- finn. 47
- frz. 47, 442, 466, 474, 477
- griech. 1321, 1325
- kommunist. Staaten 47, 50
- niederländ. 725
- norweg. 47
- schwed. 47
- span. 684, 689
Spa, Konferenz (1920) 367, 995
Spaak, Paul-Henri (1899–1972), belg. Außenmin. (1936–39, 1944–49, 1954–57, 1961–66), Min.präs. (1938/39, 1946, 1947–49), Präs. d. Beratenden Versammlung d. Europarats (1949–51), Präs. d. Parlaments d. Montanunion (1952–54), Gen.sekretär d. NATO (1957–61) 325, 702, 706
Spahiu, Bedri (geb. 1906), alban. ZK-Mitgl. 1293
Spaho, Mehmed (1883–1940), Führer der bosn. Muselmanen 1202, 1205
Spanien 3, 5, 83, 507, 639, 651–693, 779, 791, 1042
- Wirtschaft 658, 661, 666 ff., 684 f., 690 f.
- Arbeiter 6, 658, 660
- Gesellschaft 654 f., 660, 668
- Sozialpolitik 662, 666, 676, 689
- Kultur 692 f.
- Armee 654–657, 660, 670 f., 675, 680, 682
- Parteien 670 f., s. a. Bürgerkrieg, span.
Spartakusbund (1917) 526 f.
Speck-Revolte (1922) 1089
Spedizioni punitive 223
Speer, Albert (geb. 1905), dt. Architekt, Reichsmin. f. Bewaffnung u. Kriegsproduktion (1942–45) 230 f., 281, 464

Spiecker, Carl (1888–1959), dt. Politiker 573
Spina, Franz (1868–1938), tschechoslowak. Arbeitsmin. (1926–29) 933 f.
Spionage 557
Spiridonowa, Maria A. (1884–1941), russ. Sozialrevolutionärin 488
Spiru, Nako (gest. 1947), alban. Wirtschaftsmin. 1285, 1288 f., 1291 f.
Spitteler, Carl (1845–1924), schweizer. Dichter 731, 742
Spitzbergen 789, 819
Spitzmüller, Alexander B. v. (1862–1953), österr.-ung. Finanzmin. (1916–18) 851
Sporazum (1939) 1206 f.
Sprecher von Bernegg, Theophil (1850–1927), schweizer. Gen.stabschef (1914–18) 730
Sputnik, russ. (1957)
Spychalski, Marian (geb. 1906), poln. Verteidigungsmin. (1956–68), Staatspräs. (1968–70) 1032, 1047 f., 1052, 1055, 1057, 1059
Squadren (squadre d'azione) 217, 628, 631
Squadrismus 631–634
Šrámek, Jan (1870–1955), Min.präs. d. tschechoslowak. Exilreg. (1940–45) 932, 951, 958, 961
Srbik, Heinrich Ritter v. (1878–1951), österr. Historiker, Unterrichtsmin. (1929/30) 845, 861 f.
Šrobár, Vávro (1867–1950), tschech. Min. f. d. Slowakei (1918–20) 929
Srškić, Milan (geb. 1880), jugoslaw. Min.präs. (1932–34) 1202
SS (Schutzstaffel) 85, 221, 228, 299, 546, 857, 864 f., 876, 1159
- als Machtinstrument d. NS-Herrschaft 227, 263, 554 ff., 558
- im besetzten Ausland 277,

461, 566, 712 ff., 898, 1032, 1215, s. a. Waffen-SS
SS-Junkerschulen 221
SS-Staat 226
Staat
- autoritärer 201–241, 678
- faschist. 85 f., 97, 224
- kommunist. 85, 201–241
- liberaler 83 f., 91, 94, 98, 201–241
- sozialist. 96 ff.
- totalitärer 11, 91
Staatsbegriff, marxist. 223, 501
Staatsbürokratie 41
Staatseigentum 41
Staatsinterventionismus 229
Staatskapitalismus 32
Staatsmonopolkapitalismus, s. Kapitalismus, staatsmonopolist.
Staatspartei 85, 93, 220, 222 f., 557, 582, 918, 1151, 1287
Staatsschutzgesetz, ital. (1926) 633
Staatssozialismus 1346
Staatsterror 226 ff.
Staatswirtschaft 228, 441
Stachanov, Alexej G. (1906–71), sowjet. Grubenarbeiter 499
Stadtregionen 55
Ståhlberg, Kaarlo Juho (1865–1952), finn. Staatspräs. (1919–25) 1084, 1087, 1089 f., 1094, 1096
»Der Stahlhelm«, Bund d. Frontsoldaten 545
Stahlindustrie 24, 392, 394
Stahlpakt (1939) 194, 261, 639, 641, 643
Stajnov, Petko S. (geb. 1890), bulg. Außenmin. (1944–46) 1258
Stalin, Josef, eigentl. Jossif Wissarionowitsch Dschugaschwili (1879–1953), Gen.sekr. d. KPdSU (1922–53), sowjet. Min.präs. (1946–53), 8, 16, 50, 79 ff., 151, 187, 218 ff., 223, 260 f., 268, 271 f., 274–276, 282 ff., 293, 300, 337 ff., 385, 388,

405, 452, 456, 492, 496–500, 502f., 505–520, 740, 874, 877ff., 909, 911f., 915, 919, 958, 965, 972, 981, 983, 995, 1030, 1033, 1036, 1041, 1047f., 1051f., 1058, 1084, 1097, 1099f., 1103, 1105, 1116, 1127, 1133, 1167, 1169, 1171, 1174f., 1221, 1226, 1229f., 1233, 1243, 1262ff., 1266, 1270f., 1288, 1290, 1293, 1296, 1301, 1305, 1309ff., 1330, 1332, 1340, 1345
Stalingrad 516, 1157, 1255, 1343
– Schlacht (1942/43) 253, 511, 565f., 798, 872, 955, 958, 1103
Stalinisierung 1305
Stalinismus 501, 512, 518, 913, 972f., 1047, 1053, 1233, 1271, 1291, 1293f., 1312
Stambolić, Petar (geb. 1912), jugoslaw. Min.präs. (1963–67) 1238
Stambolijski, Alexander (1879–1923), bulg. Min.präs. (1919–23) 213, 1197, 1244ff.
Stamp, Sir Josiah C. (1880–1941), brit. Beamter 372
»La Stampa« 625
Stánczyk, Jan (geb. 1886), poln. sozialist. Politiker, Arbeitsmin. (1945–47) 1042
Standard Oil Company 1276
Ständestaat 225, 852–869
Stanislawski, Konstantin S. (1863–1938), russ. Regisseur 494
Stanković, Radenko (1880–1960), Mitgl. d. jugoslaw. Regentschaftsrates (1934–41) 1204
Starhemberg, Ernst Rüdiger Fürst (1899–1956), österr. Politiker, Führer d. Heimwehr (1930–36), Vizekanzler (1934–36) 843, 845ff., 850, 852f., 855ff., 859ff., 864

State-building 303
Statocracia 224
Stauffenberg, Claus Gf. Schenk v. (1907–44), dt. Gen.stabsoffizier, Widerstandskämpfer 567
Stauning, Thorwald (1873–1942), dän. Min.präs. (1924–26, 1929–42) 45, 776f., 788, 795, 802, 804
Stauß, Emil Georg v. (1877–1942), dt. Industrieller u. Bankier 545, 553
Stavisky, Serge Alexandre (1886–1934), frz. Finanzspekulant 456
Stavisky-Affäre (1933/34) 451
Steed, Henry Wickham (1871–1956), brit. Journalist 925, 1187
Ştefanescu-Goânga, rumän. Wissenschaftler 1150
Štefánik, Milan R. (1880–1919), tschechoslowak. Kriegsmin. (1918/19) 926f., 934
Stefanopoulos, Stefanos (geb. 1898), griech. Min.präs. (1965/66) 1335
Stefansson, Jóhann (geb. 1894), isländ. Min.präs. (1947–49) 812
Steidle, Richard (1881–1940), Tiroler Heimwehrführer 843
Steiermark 838, 858, 1223
Steinkohle 23
Steirischer Heimatschutz 850
Stejić, jugoslaw. Attentäter 1192
Stellungskrieg 254, 565
Stellvertreterkrieg 341
Stepinač, Alojzije (1898–1960), Ebf. v. Zagreb, Kardinal (seit 1953) 1224, 1232
Sterling-Block 21
Stettin 1045, 1051, 1059
Stimson, Henry L. (1867–1950), amerik. Außenmin. (1929–33), Kriegsmin. (1911–13, 1940–45) 177, 274, 337

Stinnes, Hugo (1870–1924), dt. Industrieller 36f., 527
Stirbei, Barbu Prinz (1870–1946), rumän. Min.präs. (1927) 1158
Stockholm 15, 816, 1097
– Konferenz d. Sozialist. Parteien 369
– Abmachungen (1959) 396
– EFTA-Vertrag (1960) 331f.
Stoica, Chiru (1908–75), rumän. Min.präs. (1955–61), Vors. d. Staatsrats (1965–67) 1172, 1177f., 1181
Stojadinović, Milan (1888–1961), jugoslaw. Min.präs. (1935–39) 1205f., 1208
Stomma, Stanisław (geb. 1908), poln. kath. Publizist 1058
Strafella, Franz (1891–1968), Gen.direktor d. österr. Bundesbahnen 845f.
Straffner, Sepp, Tiroler Abgeordneter 850
Straflager 228, 519
Strasburger, Henryk L. (1887–1951), poln. Generalkommissar in Danzig (1924–32) 612
Straßburg 601
Strasser, Gregor (1892–1934), nat.soz. Politiker 229, 547, 556
– Otto (1897–1974), dt. Politiker u. Publizist 938
Strategie, atomare 343
Stratos, Nikolaos (1872–1922), griech. Min.präs. (1922) 1318
Streeruwitz, Ernst (1874–1952), österr. Bundeskanzler u. Außenmin. (1929) 844
Streik 48, 96, 366, 538, s. a. Generalstreik
Streikrecht 50, 229, 561, 1325, 1347
Streitschlichtung, internat. 162f.
Stresa, Konferenz (1935) 188, 258, 640, 859
Stresa-Front 145, 860

Stresa-Politik 189, 454
Stresemann, Gustav
　(1878–1929), dt. Reichs-
　kanzler (1923), Reichs-
　außenmin. (1923–29),
　Friedensnobelpreis
　(1926) 36, 42f., 74, 149,
　152–159, 172, 179, 183,
　185, 196, 209, 373, 531f.,
　540f., 543, 591, 609, 1097
Stříbrný, Jiří (1880–1955),
　tschechoslowak. Verteidi-
　gungsmin. (1925/26) 936
Ström, Johan, dän. Sozial-
　min. 804, 806
Štrougal, Lubomír (geb.
　1924), tschechoslowak.
　Innenmin. (1961–65),
　Min.präs. (seit 1970)
Strutt, Edward Lisle
　(1874–1948), schott.
　Oberstleutnant 831
»Studi Storici« 649
Studnicki, Władysław
　(1865–1953), poln. Publi-
　zist 987
Stulginskis, Aleksandras
　(1885–1946), litau.
　Staatspräs. (1922–26)
　1070, 1078
Stumm-Halberg, Carl Fer-
　dinand Frhr. v.
　(1836–1901), saarländ.
　Industrieller u. Politiker
　588
Stumpff, Hans-J.
　(1889–1968), dt.
　Gen.oberst 281
Stürgkh, Karl Gf.
　(1859–1916), österr.
　Min.präs. (1911–16) 829
Sturzo, Don Luigi, eigentl.
　L. Boscarelli
　(1871–1959), ital. Geistli-
　cher u. Politiker 72, 204,
　623, 629, 634
Stutschka, Pēteris J.
　(1865–1932), lett.
　Min.präs. (1918/19) 1114
Šubašić, Ivan (1892–1955),
　jugoslaw. Min.präs.
　(1944/45) 1207, 1220ff.
Suchdienst d. Dt. Roten
　Kreuzes 14
Südafrika, Südafrikan.
　Union 3, 304f., 307, 315,
　317, 368, 406–411, 413,
　415, 418, 423, 433, 435,
　437, 760
Südamerika 3, 20
Sudan 308, 404
– frz. 313, 319
Südepirus 1283
Sudetendeutsche 455, 838,
　920, 922ff., 928f., 937,
　939, 958, 963, 968
Sudetendeutsche Heimat-
　front (1933) 934
Sudetendeutsche Partei
　(SdP) 932, 934f., 939f.
Sudetenfrage 381
Sudetenkrise (1938) 185,
　194, 563, 567, 922f., 940,
　1150, 1208
Sudetenland 562, 832
Süditalien 3, 328
Südschleswig 804
Südtirol, Südtiroler 9, 16,
　128, 178, 192, 261, 624,
　642, 645f., 832f., 844,
　860, 869, 876f., 881f.
Südwestafrika (Namibia)
　304, 315, 317, 368, 423f.
Suez-Kanal 164, 190, 368,
　412, 423f.
Suezkrise (1956) 433, 519,
　916
Sulyok, Dezső (1897–1965),
　ungar. Politiker 906
Sunay, Cevdet (geb. 1900),
　türk. General, Staatspräs.
　(1966–73) 1348f.
Sun Yat-sen (1866–1925),
　chin. Arzt, Präs. d. Repu-
　blik (1911/12, 1921–25),
　Begründer d. Kuomin-
　tang (1912) 495, 505
Surinam 319
Surrealismus 447
Suslow, Michail A. (geb.
　1902), sowjet. Politiker,
　Mitgl. d. Politbüros d.
　ZK d. KPdSU (seit 1955)
　915
Suvich, Fulvio (geb. 1887),
　ital. Staatssekr. d. Äuße-
　ren 854f., 861
Suwałki 997, 1027, 1067,
　1071f.
Svalbard, s. Spitzbergen
Švehla, Antonín
　(1873–1933), tschecho-
　slowak. Min.präs.
　(1922–29) 927, 932f., 935
Svenningsen, Nils, dän.
　Staatssekr. 795
Svinhufvud, Pehr Eyvind
　(1861–1944), finn.
　Reichsverweser
　(1917/18), Min.präs.
　(1930/31), Staatspräs.
　(1931–37) 1084, 1086,
　1094–1097
Svoboda, Ludvík
　(1895–1979), tschecho-
　slowak. Staatspräs.
　(1968–75) 955, 959, 962,
　966, 971, 974f., 1053
Svolos, Alexandros
　(1892–1956), griech. Ver-
　fassungsjurist u. Politiker
　1328
Swaraj 414
Swaziland 308
Swerdlowsk 4
Świątkowski, Henryk
　(1896–1970), poln. sozial.
　Politiker, Justizmin.
　(1947–56) 1048
Światło, Józef (geb. 1905),
　poln. Oberstleut-
　nant 1051
Świerczewski, Karol; Pseud.
　Walter (1897–1947),
　poln. General 1043
Świerzyński, poln.
　Min.präs. (1918) 991
Swinemünde 283
Swiss Idea 211
Sydow, Oscar F. v.
　(1873–1936), schwed.
　Min.präs. (1921) 783
Sykes, Sir Mark
　(1879–1919), brit. Soldat
　u. Politiker 425
Sykes-Picot-Abkommen
　(1916) 128, 425
Syndikalismus, Syndikali-
　sten 231, 322
Syndikate 232
Syrien 129, 165, 303f.,
　423f.
Syrový, Jan (1888–1971),
　General, tschechoslowak.
　Min.präs. (1938) 926,
　941, 945ff.
System
– europ. 125, 142, 145, 157,
　160, 321, 332
– faschist. 85f., 224
– kommunist. 284

- parlament. 73, 80, 88f., 202, 206, 214, 477, 687
- sozialist. 273
Szálasi, Ferenc (1897–1946), Führer d. ungar. Pfeilkreuzler, Min.präs. (1944), Staatspräs. (1944/45) 895, 899, 902
Szeged 888, 893, 901f., 905, 914
Székler, Széklergebiet 130, 1179
Szent-Györgyi, Albert v. (geb. 1893), ungar.-amerik. Biochemiker 901
Sztójay, Dőme v. (1883–1946), ungar. Min.präs. (1944) 898f.
Szyr, Eugeniusz (geb. 1915), stellv. poln. Min.präs. (1959–61) 1057

Tağmac, M., türk. Generalstabschef 1349
Taittinger, Pierre (1887–1965), frz. Politiker 448
Tajo 691
Talleyrand-Périgord, Charles Maurice, Hzg. v. (1754–1838), frz. Außenmin. (1797–1807, 1814/15) 117
Talu, Naim, türk. Min.präs. (1973) 1349
Tampere 1085
Tanganjika, s. Tansania
Tanner, Väinö (1881–1966), finn. Min.präs. (1926/27), Außenmin. (1939/40) 1091, 1095, 1099ff., 1105
Tansania 308, 432f.
Tardieu, André (1876–1945), frz. Min.präs. (1929/30, 1932), Kriegsmin. u. Außenmin. (1932) 177, 196, 446, 700
Tarifautonomie 230, 538
Tarifhoheit 50
Tarifverträge 527, 537
Tartu, s. Dorpat
Taryba (litau. Landesrat) 1066, 1068
Tasca, Angelo (1892–1960) ital. Schriftsteller u. Politiker 627
Taschkent, Abkommen (1942) 1030
Tashko, Koço (gest. 1961), alban. Kominternagent 1285, 1294f.
Tătărescu, Gheorghe (1886–1961), rumän. Min.präs. (1934–37, 1939/40), Außenmin. (1938, 1945–47) 1145f., 1162f., 1165
Tautininkai 1069, 1074ff.
Tavs, Leopold (geb. 1898), österr. Nationalsozialist 865
Tavs-Plan (1938) 865
Teheran, Konferenz (1943) 10, 269, 271f., 276, 388, 512ff., 1033, 1041, 1219
Teilung
- Deutschlands 92, 275, 340ff., 514, 570–577, 581, s. a. Dismemberment
- Europas 275, 285, 325, 332, 340
- Irlands 747, 754, 761f., 764, 766, 768f.
- Polens (1939) 152, 185, 385, 509
Teitgen, Pierre-Henri (geb. 1908), frz. stellv. Min.präs. (1947, 1948, 1953/54) 601
Tel Aviv 427
Teleki, Gf. Pál (1879–1941), ungar. Min.präs. (1920/21, 1939–41) 888, 892, 894, 896f., 1153, 1212
Tellini (gest. 1923), ital. General 1317
Temeschburg (Temesvár) 1138, 1190
Temple, William (1881–1944), Ebf. v. Canterbury (1942–44) 110
»Il Tempo« 625
Teodorov, Todor (1858–1924), bulg. Min.präs. (1918/19) 1244
Terboven, Josef (1898–1945), nat.soz. Reichskommissar f. Norwegen (1940–45) 796
Terracini, Umberto (geb. 1895), ital. Politiker 627
Terror 6, 215, 223, 226ff., 234, 237, 463, 484, 493, 500, 555f., 558, 593, 616, 631, 685, 851, 853, 857, 888f., 911, 914, 918f., 1163, 1215f., 1245ff., 1312, 1330
Terrorismus 220, 900
Teruel 685
Teschen 127, 144, 148, 930f., 964, 991, 993, 996f., 1006, 1016
Teschener Frage 922, 930, 937
Tessin 194, 262, 730, 733, 743
Tetuán 691
Textilindustrie 24
Thalheimer, August (1884–1948), dt. sozialist. Theoretiker 106
Thälmann, Ernst (1886–1944), Vors. d. KPD (1925–33) 556
Thaon di Revel, Paolo (1859–1948), ital. Admiral 630
Theotokis, Nikolaos (1878–1922), griech. Politiker 1318
Thoiry 156, 541
Thomas, Albert (1878–1932), frz. Bewaffnungsmin. (1916/17) 45
- James H. (1874–1949), brit. Gewerkschaftsführer, Kolonialmin. (1924, 1931, 1935/36) 372
Thorez, Maurice (1900–64), Gen.sekr. d. KPF (1930–39, 1945–64), stellv. Min.präs. (1946/1947) 78, 81, 442, 465, 477
Thors, Ólafur (1892–1964), isländ. Min.präs. (1942–46, 1949/50, 1953–56, 1959–63) 812f.
Thorshallsson, Tryggvi, isländ. Politiker 812
Thorsson, Fredrik Vilhelm (1865–1925), schwed. Politiker 783
Thrazien 1246, 1253f., 1257, 1326
Thüringen 282, 531, 571

Thule 810
Thyssen, August
  (1842–1926), dt. Industrieller 36
– Fritz (1873–1951), dt. Industrieller 536, 545, 553
Thyssen AG 728
Ticaniya-Orden 1344 f.
Tilak, Bal Gangadhar
  (1856–1920), ind. Politiker 415
Tildy, Zoltán (1889–1961), ungar. Min.präs.
  (1945/46); Staatspräs.
  (1946–48) 905
Tillon, Charles (geb. 1897), frz. Luftfahrtmin.
  (1944/45), Mitgl. d. ZK d. KPF (1932–55) 471
Tilsit, Frieden (1807) 124, 132
»The Times« 358
Timoschenko, Semjon K.
  (1895–1970), sowjet. Marschall 511
Tindemans, Leo (geb. 1922), belg. Min.präs.
  (1974–78) 722
Tingsten, Herbert Lars Gustav (geb. 1896), schwed. Staatswissensch. u. Publizist 820
Tirana 1269, 1273 f.
Tirana-Pakte 1278, 1289
– (1926) 1195, 1197, 1271, 1279
– (1927) 1195, 1279
Tirol 178, 838, 876
Tiso, Josef (1887–1947), slowak. Staatspräs.
  (1939–45), Min.präs.
  (1938/39) 933, 946 f., 953 ff., 957, 960, 965
– Stefan, slowak. Min.präs.
  (1944/45) 957
Tisza, Gf. István
  (1861–1918), ungar. Min.präs. (1903–05, 1913–17) 887
Tito, eigentl. Josip Broz (geb. 1892), jugoslaw. Marschall (1943), Min.präs. (1945–53), Staatspräs. (seit 1953) 276, 300, 514, 519, 877, 909, 913, 919, 1047, 1184, 1216–1224, 1226 f.,

1229–1240, 1263 f., 1285 f., 1290, 1299, 1306, 1332
Titoismus 1231, 1291, 1306, 1310
Tittoni, Tommaso
  (1855–1931), ital. Außenmin. (1903–05, 1906–09, 1919) 625
Titulescu, Nicolae
  (1883–1941), rumän. Außenmin. (1927/28, 1932–36) 1143, 1145 f.
Tobago 435
Todorov-Gorunja, Ivan
  (gest. 1965), bulg. Politiker 1262
Todt, Fritz (1891–1942), Gründer d. Organisation Todt (1938), Reichsmin. f. Bewaffnung u. Munition (1940–42) 231
Togliatti, Palmiro
  (1893–1964), Gen.sekr. d. KP Italiens (1944–64), stellv. Min.präs.
  (1944/45) 81, 627, 641, 644 ff.
Togo 311, 431
Tokarzewski-Karaszewicz, Michał (1893–1964), poln. General 1029
Tokoi, Oskar (1873–1963), finn. Min.präs. (1917/18) 1082
Tolbuchin, Fjodor I.
  (1894–1949), sowjet. Marschall 875, 1258
Toledo 685
Tolstoi, Alexej Gf.
  (1882–1945), sowjet. Schriftsteller 501
Tomislav II., s. Aimone
Tomski, Michail
  (1880–1936), sowjet. Gewerkschaftsführer 499
Tondern 775
Tongking 473
Tõnisson, Jaan
  (1868–1941), estn. Min.präs. (1919/20, 1927, 1933) 1118, 1128 f.
Toptani, Essad Pascha (um 1875–1920), alban. Politiker 1272 f., 1277
Torp, Oskar (1893–1958), norweg. Min.präs.

(1951–55) 814
Tory-Demokratie 70
Totalitarismus 86, 95, 218, 223, 226, 234
Totalitarismus-Begriff 86, 218, 338
»Totenkopf«-Verbände 558
Tourismus 1270, 1349
Tower, Sir Reginald
  (1860–1939), Völkerbundskommissar in Danzig (1919/20) 606 f.
Toynbee, Arnold J.
  (1889–1975), brit. Kulturhistoriker 175
Trades Union Congress (TUC), 48, 370, 386, 395, 400
Trade Unions, s. Gewerkschaften, brit.
Tranmael, Martin Olsen
  (1879–1967), norw. Politiker u. Journalist 780
Transbaikalgebiet 490
Transjordanien 424, 427
Transjordanische Legion 427
Transnistrien 1135, 1156, 1159
Transvaal 406
Trapl, Karel (1881–1940), tschechoslowak. Fin.min. (1931–36) 934
Trasformismo 73
Treaty on Non-Proliferation of Nuclear Weapons (1970) 346
Tresckow, Henning v.
  (1901–44), dt. Gen.major, Widerstandskämpfer 567
Treuhandverwaltung, Trusteeship 304, 306, 423, 431 f.
Trevelyan, Sir Charles P.
  (1870–1958), brit. Unterrichtsmin. (1924, 1929–31) 372, 377, 382
Treves, Claudio
  (1869–1933), ital. Politiker 629, 634
Treviranus, Gottfried R.
  (1891–1971), dt. Reichsverkehrsmin. (1931/32) 180, 543, 1012
Trevor-Roper, Hugh R.
  (geb. 1914), brit. Histori-

1425

ker 186
Trianon, s. Paris, Vorortverträge
»Tribune« 395
Trier 593, 596
Triest 284, 332, 624, 628, 645f., 1197, 1222, 1227
Triester Frage 878, 1231
Triest-Konflikt 1222, 1227
Trinidad 435
Tripartisme 73, 470f.
Troppau 934
Trott zu Solz, Adam v. (1909–44), dt. Legationsrat, Mitgl. d. Kreisauer Kreises 288, 567
Trotzki, Lew D., eigentl. Leib Bronstein (1879–1940), sowjet. Volkskommissar d. Äußeren (1917/18) u.f. Landesverteidigung (1918–24) 225, 484f., 488, 491f., 496, 498ff., 505, 887, 1084, 1111
Truman, Harry S. (1884–1972), Präs. d. USA (1945–52) 282, 284f., 337, 388, 1041, 1259, 1331
Truman-Doktrin (1947) 337, 341, 428, 1304, 1331
Trumbić, Ante (1864–1938), jugoslaw. Außenmin. (1918–20) 1186–1189, 1210
Trusteeship, s. Treuhandverwaltung
Trygger, Ernst (1857–1943), schwed. Min.präs. (1923/24), Außenmin. (1928–30) 784
Tsaldaris, Konstantinos (geb. 1884), griech. Min.präs. (1946/47) 1331
– Panajotis (1868–1936), griech. Min.präs. (1932/33, 1933–35) 1320, 1322ff.
Tschad 319, 461
Tschanak 368
Tschanak-Krise (1922) 371, 407
Tschechischer Nationalverband 928
Tschechische Sozialistische Partei 962, 964ff., 970

Tschechoslowakei 7, 12, 33, 79, 93, 117, 126, 154, 190, 211, 213, 340, 507, 513, 788, 830, 833, 863, 866, 895, 907, 920–977, 1045, 1150, 1297, 1304
– Wirtschaft 26f., 935f., 950, 971
– Gesellschaft 141
– Kirchen 971
– Minderheiten 9, 571, 922f., 929, 941, 953, 963f.
– Sprachenfrage 928, 933, 946
– Parteien 213, 927, 931f., 934, 959, 962, 965, 968, 970
– dt. Besetzung (1938–45) 185, 949–961, 1151
– Außenpolitik 159, 188, 505, 922f., 937f., 940, 945, 965
– Armee 926, 940, 959, 961, 966
– sowjet. Intervention (1968) 80f., 344, 346, 924f., 975, 1057, 1059, 1167, 1179f., 1240, 1295
Tschechoslowakischer Nationalrat (1916) 926
Tscheka 227, 484f., 491, 502
Tschenstochau 1052
Tscherniakowski, Iwan D., sowjet. General 274
Tschernow, W.M. (1873–1952), russ. Sozialrevolutionär 485, 491
Tschiang Kai-schek (1887–1975), chin. General u. Staatspräs. (1918–31, 1943–49), Staatspräs. d. Rep. China/Taiwan (1950–75) 271, 505
Tschistka, s. Säuberung
Tschitscherin (Čičerin), Georgi W. (1872–1936), sowjet. Volkskommissar d. Äußeren (1918–30) 157, 173, 488, 495, 506, 994, 1012
Tschou en Lai (1898–1976), chin. Min.präs. (1949–76), Außenmin. (1949–58) 1295

Tsolakoglou, G., griech. Min.präs. (1941/42) 1326
Tsouderos, Emmanouil (1882–1956), griech. Min.präs. (1941–44) 1328, 1337
Tubelis, Juozas (1882–1939), litau. Min.präs. (1929–38) 1074, 1076
Tuchatschewski (Tuchačevskij), Michail N. (1893–1937), sowjet. Marschall 220, 227, 489, 491, 503, 995
»Tudor Vladimirescu« 1162
Tuka, Vojtěch (1880–1946), slowak. Min.präs. (1939–44) 935
Tula 488
Tunesien, Tunis 194, 271, 310ff., 468, 475, 741
Tuominen, Arvo (geb. 1894), finn. Politiker 1091, 1100
Tural, Cemal, türk. Generalstabschef 1348
Turati, Filippo (1857–1932), ital. sozialist. Politiker 629, 634, 645
Turhan Pascha, alban. Staatspräs. (1918–24) 1274
Turjanica 961
Türkei 9, 119, 126, 128f., 133, 303, 322, 337, 346, 368, 404, 407, 416, 428, 490, 495, 790, 818, 1267, 1271f., 1315, 1319, 1322f., 1336, 1339–1351
– Wirtschaft 1342f., 1345–1349
– Bodenreform 1349
– Europäisierung 1341f., 1346
– Schrift- u. Sprachreform 1341f.
– Armee 1340, 1348
– Militärputsche 1345, 1347
– Arbeiter 5f.
– Außenpolitik 1340, 1343ff.
– Parteien 1344, 1346f., 1349
Türkenkriege 890

Turksib 499
Turku 1093
Turmenas, Antanas, litau. Min.präs. (1924/25) 1070
Turnu Severin 1153
Tusar, Vlastimil (1880–1924), tschechoslowak. Min.präs. (1919/20) 932

Überbeschäftigung 6
Übereinkunft, anglo-ir. (1938) 764 f.
Überproduktion, landwirtschaftl. 53 f.
U-Bootkrieg, dt.
– 1914–18 654, 658
– 1940–45 266, 766
Udržal, František (1866–1938), tschechoslowak. Min.präs. (1929–32) 934
UdSSR (Union d. Sozialistischen Sowjetrepubliken) 3 f., 7, 10, 14, 79, 87, 97 f., 140, 273, 405, 411 f., 481–521, 571, 596, 639 ff., 645, 683, 690, 730, 735 f., 789 ff., 817, 819 f., 901 f., 909, 916 f., 919, 922, 938, 1031, 1041, 1049, 1077, 1090, 1095, 1099, 1102 f., 1105 f., 1118 f., 1123, 1126, 1128, 1133, 1141, 1145, 1166, 1177, 1209, 1212, 1219 f., 1227, 1239, 1287 f., 1291 f., 1294, 1302, 1305, 1310, 1326, 1339, 1343 ff., 1347
– Wirtschaft 20, 25, 36, 228, 331, 484, 491, 515
– Landwirtschaft 8, 25, 51 f., 515, 519
– Agrarpolitik 35, 51 f., 491
– Wirtschaftsverwaltungsreform (1957) 229
– Industrialisierung 4, 8, 25, 228, 498 f.
– Gesellschaft 37 f., 500 ff., 1131
– Kulturpolitik 493 f., 501, 515 f.
– Religion 484
– Verhältnis zum Völkerbund 145 f., 157, 161, 187, 506
– Kriegsverluste (1941–45) 14, 513 f.
– Außenpolitik 150 f., 157, 173, 187 f., 339 ff., 347, 471, 494 ff., 504 ff., 508, 519 f., 878, 954, 1127, 1129
– Deutschlandpolitik (nach 1945) 339, 342 f., 517, 574, 582, 1306
Uganda 308, 421, 432 f.
Ukraine, Ukrainer 15, 127 f., 263, 485, 487 ff., 499, 503, 509, 515, 961 f., 982, 984, 995 f., 1004 f., 1010, 1017, 1023, 1028, 1031, 1042, 1084, 1137, 1146, 1309
Ukrainische Nationale Vereinigung 947
Ukrainische Sowjetrepublik 1152
Ukrainische Volksrepublik 995
Ulbricht, Walter (1893–1973), Gen.sekr. (1950–53) u. Erster Sekr. d. ZK d. SED (1953–71), Vors. d. Staatsrats d. DDR (1960–73) 520, 573, 583, 1174
Uljanowsk 496
Ulmanis, Kārlis (1877–1941?), lett. Staatspräs. (1918/19, 1936–40), Min.präs. (1918/19, 1925/26, 1931, 1934–40) 213 f., 1113 ff., 1118, 1122 ff., 1128 f.
Ulster 747 ff., 753, 756, 762, 769
Ulster Volunteers (1913) 747
Umberto II. (geb. 1904), Kg. v. Italien (1946) 643
Umsiedlung 9
Umsiedlungsvertrag
– dt.-rumän. (1940) 1159
– dt.-sowjet. (1940) 1159
– dt.-litau. (1941) 1078
Unabhängige Arbeiterpartei 1194
Unabhängigkeitsbewegungen, nationale 311
Unabhängigkeitskrieg (1821–30), griech. 1314
Unamuno y Jugo, Miguel de (1864–1936), span. Schriftsteller u. Gelehrter 654, 692
Undén, Östen (1886–1974), schwed. Außenmin. (1924–26, 1945–62) 791, 815, 821
Unemployment Act (1934), brit. 379
UNESCO (United Nations Educational, Scientific and Cultural Organization) 691, 741
Unfallversicherung, s. Sozialversicherung
Ungarischer Nationalrat 1138
Ungarische Sozialistische Arbeiterpartei, s. Kommunistische Partei Ungarns
Ungarn 33, 124, 126, 133, 210, 234, 340, 512 f., 830, 833, 855, 883–919, 921 f., 925, 929, 931, 937, 939, 946, 953, 1105, 1135, 1137, 1139, 1162, 1185, 1188, 1190, 1196, 1301, 1303, 1310 f.
– Wirtschaft 21, 891, 893 f., 900, 904, 906, 908, 910 f., 913
– Landwirtschaft 892, 904, 908, 910, 919
– Gesellschaft 890 f.
– Deutsche 9, 571, 906
– Sozialpolitik 901
– Kultur 901
– Sprache 921
– Wahlrecht 893
– Parteien 903, 905, 907
– Armee 892, 895, 898, 916
– Außenpolitik 892, 894 f., 923
– Friedensvertrag (1947) 907
– Aufstand (1956) 80 f., 343, 346, 519, 649, 880, 883, 912 f., 915–918, 924, 1167 f., 1172, 1234, 1266, 1291, 1311 f.
– Flüchtlinge (nach 1956) 7, 880, 917,
s.a. Räterepublik, Magyaren
União Nacional 85, 234, 696
Unilever-Konzern 726

Union
- europ. 98
- poln.-litau. (1385-1795) 1063
Union des Démocrates pour la République (UDR) 72
Unione Sindicata Italiana 48
Union Européenne des Fédéralistes 326
Union française 311 f., 468
Unión General de Trabajadores (U.G.T.) 663, 666
Unionismus 752
- brit. 311
Unionistische Partei 752, 754, 761 f., 767, 770 f.
Unionistischer Rat 747
Unión Militar Republicana Antifascista (1936) 681
Union nationale 454
Unión Patriótica 670
Union polnischer Patrioten 277
Unité nationale 443
United Nations (UN) 12, 164, 269, 274, 305, 309, 314, 317, 345, 411, 428, 513, 690 f., 697 f., 720, 741, 817, 819 ff., 880, 914, 1041, 1105, 1168, 1173, 1288, 1331
- Charta 162, 304, 431, 741, Art. 51: 163, 326, 346
- Sicherheitsrat 345, 465, 1231, 1288
United Nations Economic Commission for Europe 22
United Nations Relief and Rehabilitations Administration (UNRRA) 12
Universidades Laborables 693
UNO, s. United Nations
UNO-Truppen 316
Unszlicht, litau. Politiker 1068
Unternehmen Barbarossa (1941) 258, 264 f., 511, 1102
Unternehmenskonzentration 36, 536, 579
Unternehmer 36
Untersteiermark 833, 1189
Ural 499, 515

Urbanisierung, s. Verstädterung
Urbšys, litau. Außenmin. (1938/39) 1077 f.
Urdareanu, Ernest (geb. 1897), rumän. Hofmin. (1938-40) 1149
Urdu 419
Ürgüplü, Suat Hayri, türk. Min.präs. (1965) 1346 f.
Ursíny, Ján (1896-1972), tschechoslowak. stellv. Min.präs. (1945-47) 956, 965
USA (United States of America) 6, 28, 52, 55, 125, 143, 150, 405, 411, 439, 590, 596 f., 600, 697, 751, 753, 766, 785, 789, 798, 805, 810, 818, 916 f., 1086, 1103, 1132, 1157 f., 1235, 1322, 1330 ff., 1334, 1336 ff., 1345
- Wirtschaft 20-22, 25 ff., 44
- Einwanderung 4, 12, 426
- Armee 14
- Außenpolitik 161, 166, 285, 316, 322, 337 f., 341, 343, 691, 1129
- Verhältnis zu Europa 144 f., 155, 159, 164, 174, 326, 336 f., 439
- im II. Weltkrieg 253, 266 f., 273
USPD (Unabhängige Sozialdemokratische Partei Deutschlands) 77, 526 f., 530, 607 f.
Ustascha-Bewegung 86, 93, 859, 1203, 1207, 1215 f., 1218, 1223 ff.
Utrecht, s. Friedenskongreß (1712/13)
Uyl, Joop den (geb. 1919), niederländ. Min.präs. (1973-77) 725
Uzunović, Nikola (1873-1954), jugoslaw. Min.präs. (1926/27, 1934) 1193, 1195, 1201 f., 1205

Vaculík, Ludvík (geb. 1926), tschechoslowak. Schriftsteller 974
Vafiadis, Markos (geb.
1906), griech. General, kommunist. Guerillaführer (1941-49) 1331 f.
Vaida-Voevod, Alexandru (1872-1950), rumän. Min.präs. (1919/20, 1932, 1933) 1137, 1139, 1143, 1145, 1148
Văitoianu, Arthur (geb. 1864), rumän. General, Min.präs. (1919) 1139
Valencia 659
Valera, Eamon de (1882-1975), ir. Premiermin. (1932-48, 1951-54, 1957-59), Staatspräs. (1959-73) 751-756, 759-766, 768 f.
Valéry, Paul (1871-1945), frz. Dichter 447
Valev, E.B. sowjet. Nationalökonom 1177
Valiani, Leo (geb. 1909), ital. Politiker 643
Valladolid 678
Valois, Georges (1880-1944), frz. Philosoph u. Schriftsteller 448
Valona 1272 ff., 1279, 1295
Vandervelde, Emile (1866-1938), belg. Außenmin. (1925-27) 700
Vansittart, Lord Robert G. (1881-1957), brit. Diplomat, Berater d. Reg. (1938-41) 381
Varadzin 858
Varga, Jenő S. (1879-1964), ungar. Volkskommissar f. Finanzen (1919), Wirtschaftsberater Stalins (1927-47) 32, 515
Varkiza 1330
Vaterländische Front
- österr. 852 f., 856, 859 f., 863 f., 866 f.
- bulg. 1253, 1256-1261, 1264, 1301
Vaterländischer Schutzbund 842
Vaterländische Volksbewegung (IKL) 1092 f., 1096, 1104
Vatikan 72, 441, 598, 610 f., 623, 629, 631, 635, 639, 646 f., 690, 856, 971, 1002 f., 1042, 1045, 1063,

1074f., 1232, 1265
Vatikanisches Konzil, Zweites Vatikanum (1962–65) 648, 1058
Vaugoin, Carl (1873–1949), österr. Bundeskanzler (1930), Heeresmin. (1920–33) 838, 842, 844ff., 849, 853
Vázquez Díaz, Daniel (1882–1969), span. Maler 693
Velčev, Damjan (1883–1954), bulg. Kriegsmin. (1944–46) 1250f., 1253, 1258f.
Velouchiotis, Aris (= Klaras, Athanasios) (1905–1945), griech. Guerillaführer (1941–45) 1328, 1330
Venedig 624
– Protokoll (1921) 833, 838
Venetien 642
Venizelos, Eleftherios K. (1864–1936), griech. Min.präs. (1910–15, 1917–20, 1924, 1928–32, 1933) 1198, 1315f., 1318, 1320–1324
– Sofoklis (1894–1964), griech. Min.präs. (1944, 1950/51) 1294, 1324, 1328, 1334, 1337, 1343
Venstre 774–777, 787, 795, 802, 804f., 808
Verband f. bewaffneten Kampf (ZWZ) 1029
Verband d. Freiheitskämpfer (»Vapsen«) 1122
Verband Polnischer Patrioten (ZPP) 1031, 1034
Verbond van Dietsche Nationaal Solidaristen (Verdinaso) 707
Verdier, L. Abel, frz. Diplomat 604
Verdun 254, 987
Vereinigte Bauernpartei (ZSL) 1050
Vereinigte Staaten v. Amerika, s. USA
Vereinigte Staaten v. Europa 322
Vereinigte Staaten v. Indonesien, s. Indonesien
Vereinigte Stahlwerke AG 36, 536
Vereinigtes Wirtschaftsgebiet (Bi-Zone) 574
Vereinte Nationen, s. United Nations
Verfassungen 202
– alban.
 1925 1277
 1928 1280, 1283
 1939 1283
 1946 1288
 1950 1292, 1307
– bulg.
 1879 1250f., 1256, 1258f.
 1947 1260f., 1303
– dän.
 1918 774
 1953 806, 810, 817
– Danzig
 1922 608
– dt.
 1919 33, 74f., 88f., 94, 206f., 208, 528, 538, 554, 578, 607, 676, 844f., 1118; Art. 48: 206, 528, 531, 543, 555, 1322
 1949 89ff., 94f., 340, 575, 578
– DDR
 1949 340, 576
 1974 98
– engl. 375
– estn. 1118, 1122, 1128
 1933 1122
 1937 1123
– finn.
 1869 1081
 1917 1083f.
 1919 1094
– frz.
 1875 466, 468
 1946 89f., 94f., 311, 468
 1958 89f., 312
– griech.
 1911 1324
 1927 1320
 1968 1336
– ir.
 1922 758
 1937 764f.
– island.
 1944 812
– ital. 90f., 94
– jugoslaw.
 1921 33, 1192f.
 1931 1202, 1204
 1946 1222, 1233, 1288
 1963 93, 1230, 1237f.
 1974 93
– lett. 1118, 1122, 1128
– litau.
 1918 1066f.
 1919 1068f.
 1920 1069
 1922 1070
 1928 1074
 1938 1075
– österr.
 1920 74, 90, 210, 836ff., 875f.
 1929 845, 847, 875, 877
 1934 234, 856, 860
 1946 90
– poln.
 1791 1002
 1919 992, 1000
 1921 211, 984, 997f., 1000, 1004, 1046
 1935 234, 1011, 1025, 1046
 1947 1044f., 1047
 1952 1050
– portug.
 1933 234, 697
– rumän.
 1866 1141
 1923 1141, 1149, 1164
 1938 1149f.
 1948 284, 1165, 1169, 1303
 1952 1168, 1171, 1173, 1307
 1965 1177
– Saarland
 1947 598
– schweizer. 732, 1118
– slowak.
 1939 954
– sowjet.
 1918 501
 1924 223, 492, 501
 1936 97f., 112, 501, 909, 966, 1222, 1260f., 1292
– span.
 1876 660, 669ff.
 1931 675f.
 1945 688
– tschechoslowak.
 1920 211, 927, 929
 1948 284, 340, 966
 1960 972
 1968 93

- türk. 1341, 1346
- ungar.
  1949 284, 909, 911, 1303
Verfassungsgerichte 90
Verfassungsgerichtsbarkeit 90 f.
Verfassungsgerichtshof, österr. 850
Verfassungsstaat 88 ff.
Verfassungswidrigkeit 90
Vergesellschaftung 97 f., 228
Verhältniswahlrecht 88, 204, 213, 398, 578, 708, 830, 1070, 1118, 1192
Verlaçi, Shefqet Bey, alban. Min.präs. (1924, 1939–41) 1277, 1281, 1283
Vernichtungskrieg 253, 255
Vernichtungslager 11, 13
Verona 643
Versailles
- Friedenskonferenz (1919), s. Paris, Friedenskonferenz
- Friedensvertrag (1919) 21, 147 f., 151, 153, 173, 179 f., 188, 190, 307, 407, 439, 528, 539 f., 588, 591, 611, 775, 860, 933 f., 1068
-- Art. 116 143, 166
-- Art. 231 123, 133, 529
-- Art. 213 124
-- Art. 100–108 607
-- Art. 435 730
-- dt. Rüstungsbeschränkungen 124, 562
Versicherungswesen 95
Verstaatlichung 88, 96 f., 228, 231, 366, 452, 491, 583, 648 f., 704, 905 f., 908, 910 f., 963, 971, 991, 1128, 1170 f., 1223, 1228, 1287, 1308, s.a. Sozialisierung, Nationalisierung, Vergesellschaftung
Verstädterung 2, 4, 51, 55, 375, 1056, 1348
Verständigungspolitik, dt.-frz. 175, 589, 591, 600
Verteidigungsbündnis, nord. 788, 817 f.
Verteidigungsordnung (1936), schwed. 797
Vertrag
- anglo-ir. (1921) 752,

755 f., 759, 763 f.
- dän.-norweg. (1924) 810
- dt.-sowjet. (1939) 79, 192, 257, 260, 385, 466, 508–511, 565, 957, 1064, 1077, 1098, 1127, 1151, 1252
- litau.-sowjet. (1939) 1028
Vertreibung, Vertriebene (nach 1945) 6 f., 10, 14, 16, 283, 922, 983, 1041 f.
Vesnić, Milenko (1862–1921), jugoslaw. Min.präs. (1920) 1189, 1191, 1193
Veto, suspensives 392, 758, 765, 998, 1070
Vicens Vives, Jaime (1910–60), span. Historiker 684
Vichy 263, 455, 457, 459 f., 462, 467
Vierbund (1815) 333
Vierjahresplan (1936), nat.soz. 29, 230 f., 561, 1015
Vierzehn Punkte Wilsons (1918) 119 f., 128, 142, 176, 270, 303, 422, 607, 926, 928, 988, 991
Vierzigstundenwoche 453 f., 457
Viest, Rudolf (1890–1945), slowak. General 957
Viet Minh 473
Vietnam 473, 1239
Viipuri 1101, 1103
Viktor Emanuel III. (1869–1947), Kg. v. Italien (1900–46) u. Albanien (1939–43), Kaiser v. Abessinien (1936–41) 641, 643, 1215, 1247, 1283
Vincani, N., alban. Gen.stabschef 1292
Vittorio Veneto, Schlacht (1918) 630
Vlaamsch Nationaal Verbond (VNV) 707, 713 f.
Vögler, Albert (1877–1945), dt. Industrieller 536, 553
Voitec, Ştefan (geb. 1900), rumän. Politiker, Sekretär (1939–44) u. Generalsekretär (1944–46) d. Sozialdem. Partei 1173

Vojkov, Petr Lazarevič (1888–1927), sowjet. Diplomat 1012
Vojvodina 1199 f., 1232, 1238
Vokić, kroat. Kriegsmin. (1944) 1216
Völckers, dt. Diplomat 684
Voldemaras, Augustinas (1883–1944?), litau. Min.präs. (1918, 1926–29) 126, 1066 f., 1069, 1074 f., 1078
Völkerbund (League of Nations) 119, 121, 130 f., 135, 142 f., 145, 162, 172, 176, 179, 321 ff., 380 f., 383, 422 ff., 428, 439 f., 452, 454, 588–593, 606, 608, 611, 615, 616 f., 623, 637, 639, 696, 702 f., 730, 732, 760, 787, 789 f., 839, 894, 896, 994, 1012 f., 1087–1090, 1100, 1126, 1152, 1208, 1274, 1276, 1283, 1317, 1320, 1343
- Entwürfe 130 f., 422
- Gründung 160 f., 407
- Satzung 131 f., 160, 164
-- Art. 15 160
-- Art. 16 138, 153, 157 f., 161 ff., 541
-- Art. 19 150
-- Art. 21 322
-- Art. 22 163, 303, 422, 428
- Rat 124, 154, 160–163, 323, 590, 594, 609 f., 613, 616, 791, 1205, 1276
- Mitglieder 161 f., 170, 323, 506, 730, 1116, 1140
- Kommissar 163, 606 f.
- Mandate 129, 142, 165, 303 f., 311, 406, 421–429
- Mandatsgedanke 131, 303 f., 422 ff.
- Mandatskommission 163, 304, 424, 426
- Mandatssystem 163, 165, 406, 428
- Sanktionen 131, 161–164, 190, 193, 225, 261, 638, 788, 790 f., 1208
Völkermanifest Kaiser Karls I. (1918) 828, 927, 990, 1137, 1187
Völkerrecht 94, 165, 254,

299, 304, 321
Volksbefragung (1938), österr. 866 f.
Volksdemokratien, osteurop. 52, 83, 340, 582, 1045, 1136, 1163, 1165, 1221, 1223, 1229, 1287, 1299, 1308
Volksdeutsche Bewegung (VDB) 719
Volksfront 81, 506 ff., 867
– frz. 29, 46, 79, 702
– ital. 638
– span. 679, 681, 683
Volksgerichtshof, nat.soz. 227, 567, 951
Volkskammer (DDR) 576, 582
Volkspartei 73, 77, 578, 841
– alban. 1276 f., 1280
– türk. 1346, 1348 f.
Volksparteien, christl. 72 f.
Volkspension 780, 809, 815
Volkspensionsgesetz (1935), schwed. 785
Volkspolizei 584
Volksräte 1307
Volksrepublik 887, 924, 1043, 1165, 1257, 1260, 1302
Volkssouveränität 35, 91
Volkssturm 567
Volkstumspolitik 714
Volksversicherung 47
Volkswehr, österr. 836, 842
Volkswirtschaftsräte, sowjet. 229
Vollbeschäftigung 5, 27, 367, 389, 579
Vollbeschäftigungspolitik 387, 816
Vološin, Augustin (1874–1945), Min.präs. d. Karpatho-Ukraine (1938/39) 930, 946 f.
Vorarlberg 730, 834
Vorderer Orient, s. Naher Osten
Vorkriegsschulden, russ. 25, 143, 150, 440, 485
Vrioni, Elias Bey (gest. 1932), alban. Min.präs. (1920/21, 1924) 1275 ff.
Vukičević, Velja (1871–1930), jugoslaw. Min.präs. (1927/28) 1193, 1195

Vukmanović-Tempo, Svetozar (geb. 1912), jugoslaw. Politiker 1218, 1286

Waber, Leopold (1875–1945), österr. Innenmin. (1921/22), Vizekanzler (1924–26) 838
Wachstum, wirtschaftl. 20
Wadern 596
Waffen-SS 256, 263, 566, 1159
Waffenstillstandsvertrag (1944), finn.-sowjet. 1103 f.
Wagemann, Ernst (1884–1956), dt. Nationalökonom, Präs. d. Statist. Reichsamts (1923–33) 544
Wagner, Josef (1899–1945), Gauleiter v. Schlesien (1934–40) 1027
Wahlen, Friedrich Traugott (geb. 1899), schweizer. Bundesrat (1958–65) 734
Wahlpflicht 1142
Wahlrecht, allgemeines 202, 705, 708, 711, 741, 782 f., 964, 1001, 1082, 1137, 1191, 1275
Währungskrisen 328
Währungsreform, dt.
– (1923) 535 f.
– (1948) 340, 575, 579
Währungssystem, internationales 21 f., 26
Währungsunion, europ. 328
Walachei 1159
Waldeck-Rousseau, Pierre Marie (1846–1904), frz. Innenmin. (1881/82, 1883–85), Min.präs. (1899–1902) 76
Waldheim, Kurt (geb. 1918), österr. Außenmin. (1968–70), Gen.sekr. d. UNO (seit 1972) 882
Wales 3, 92, 365
Wallenberg, Raoul (1912–vermutl. 1945), schwed. Diplomat u. Geschäftsmann 820
Wallis 743
Wallisch, Koloman (1889–1934), Steirischer Schutzbundführer 855

Wallonien 706, 715, 721 ff.
Walser, Robert (1878–1956), schweizer. Schriftsteller 742
Walter, Beqir, alban. Attentäter 1277
– Bruno (1876–1962), dt. Dirigent 560
Wannseekonferenz (1942) 227, 278
Warburg, Max (1867–1946), dt. Bankier 118
Warndtpachtverträge 592
Warschau 255, 489, 989, 995, 1008, 1024 f., 1035, 1041
– Universität 986
– Schlacht bei (1920) 996
– Aufstand (1944) 256, 277, 512, 983, 1033 ff.
– Pakt (1955) 80, 332, 342, 344 ff., 519, 584, 913, 916, 924, 975, 1053, 1136, 1176, 1179 f., 1234, 1263, 1293, 1295, 1305, 1310
– dt.-poln. Vertrag (1970) 347, 1059
Wartheland 185, 1032
Washington
– Konferenz u. Flottenabkommen (1921/22) 146 f., 150, 176, 189
– Kriegskonferenz (1941/42) 269
– Kriegskonferenz (1943) 270
– Abkommen (1946) 740
Wasilewska, Wanda (1905–64), poln. Schriftstellerin 1031, 1039
Wasilewski, Stanisław, Mitarbeiter Piłsudskis 1039
Waugh, Richard D., kanad. Mitgl. d. internat. Regierungskommission d. Saargebiets (1920–23) 590 f.
Ważyk, Adam (geb. 1905), poln. Schriftsteller 1051, 1057
Webb, Sidney J. (1859–1947), seit 1929 Lord Passfield, engl. Sozialist u. Nationalökonom 362, 369, 426, 430
Weber, Alfred (1868–1958),

dt. Volkswirtschaftler u. Soziologe 37
- Max (1864–1920), dt. Soziologe 83, 88, 655
Wedgwood, Josiah C. (1872–1943), brit. Labourpolitiker 429
Wehr, Matthias (1892–1967), Bischof v. Trier (1951–67) 601
Wehrmacht, dt. 14, 18, 555, 557f., 562f., 565, 567, 953
Wehrpflicht, allg. 124f., 178, 188, 258, 580, 752, 788, 864, 872, 896
Wehrsteuer 733
Wehrverbände 842
Weikop, Ove (geb. 1897), dän. Politiker 805
Weimar 527f.
Weimarer Koalition 207, 528ff., 536, 543, 545, 554
Weimarer Republik 33, 37, 42, 206ff., 440, 523–548, 578, 589–592
- polit. System 89, 142, 206, 208, 210, 215, 472
- Wirtschaft 535ff., 543f.
- Sozialpolitik 527
- Außenpolitik 149f., 152ff., 156, 181, 539–542
- Verhältnis zum Völkerbund 146, 154, 156ff., 161, 169, 178, 180, 323, 541, 557, 788, 1013
- Verhältnis zu Rußland 130, 141f., 149ff., 495, 539f.
Weinberger, Alois (1902–61), österr. Politiker 874
Weiße Garden 1083
Weissel, Georg (1899–1934), Wiener Schutzbundführer 855
Weißmeerkanal 228, 499
Weißrußland (Weißruthenien) 127, 263, 487, 489, 993, 996, 1028, 1067
Weißruthenen 982, 984, 995, 1004f., 1023, 1042, 1064, 1066
Weizmann, Chaim (1874–1952), Präs. d. Zionist. Weltorganisation (1920–31, 1935–46) 405, 425f.

Wels, Otto (1873–1939), Vorsitzender d. SPD (1931–39) 556
Weltbevölkerung 2f.
Weltfrieden 302, 322
Welthandel 20, 22, 173, 364, 396
Weltkrieg
- I. 20, 25f., 70, 77, 83, 116, 140, 144, 164, 252, 303, 367, 421, 666
- II. 2, 7, 9, 13ff., 146, 240–285, 307, 310, 405f., 513, 516, 606, 612, 690, 733, 740, 765ff., 791–799, 821, 872ff.
Weltmächte 304
Weltpolitik 74, 305, 322, 341, 346f., 405
Weltrevolution 75, 80, 215, 273, 483, 495
Weltstaat 130
Weltstellung, europ. 53
Weltwirtschaft 20, 25f., 53, 144, 174, 302, 378, 707
Weltwirtschaftskonferenz (1922), s. Genua
Weltwirtschaftskrise (1929) 3, 5, 20f., 26–29, 34, 43, 51f., 124, 145, 156, 171ff., 207, 324, 377f., 426, 445ff., 538, 542–548, 554, 592, 612, 637, 668, 684, 696, 704, 709, 732, 760, 776, 780, 784, 812, 846, 853, 855, 859, 894, 931, 934f., 1121f., 1143f., 1194, 1280, 1315, 1317, 1322
Wenden, Schlacht (1919) 1115
Wennerström, schwed. Oberst 820
»Werwolf« 256
Westafrika 430, 432f.
Westerplatte 610, 612f., 1012
Westerplattenaffäre (1933) 613f., 1012
Westeuropäische Union (WEU) 326, 345, 351, 602, s.a. Brüssel, Fünf-Mächte-Vertrag
Westfälische Friedensschlüsse (1648) 132
Westfeldzug (1940), dt. 564, 712
Westindien 10, 310ff.

Westindische Föderation (1958) 434
Westmächte 572, 574f., 578, 702
Westminster-Statut (1931) 307, 310, 409, 760
West-Ost-Konflikt, s. Ost-West-Beziehungen
Westpreußen 121, 539, 566, 994, 996, 1027
Westthrazien 1315, 1340
Wettbewerbskontrolle 328
Weygand, Maxime (1867–1965), frz. General, Oberbefehlshaber u. Verteidigungsmin. (1940) 458ff., 1000
Wiburg 509
»Wicher«, poln. Zerstörer 613, 1012
Widerstand 279
- gewaltloser 305
- passiver 21, 152, 531f., 917f.
Widerstandsaktion »Walküre« (1944) 872f.
Widerstandsbewegungen (1939–45) 276, 325
- alban. 1283, 1286
- dän. 795, 802
- dt. 71, 270, 278, 280f., 567, 713, 872
- frz., s. Résistance
- griech. 277, 1327f., 1334
- ital. 79, 224, 277, 641
- jugoslaw. 79, 277, 1217f.
- niederländ. 717f.
- norweg. 796
- österr. 872ff., 876
- poln. 277, 1029, 1032, 1034
- tschech. 951
- ungar. 897f.
Wiederaufbau
- nach 1918 22, 144, 444
- nach 1945 325, 340, 465
Wiederaufrüstung, dt.
- nach 1933 380
- nach 1949 341, 344, 472, 580, 878f.
Wiedervereinigung, dt. 341f., 580f.
Wiele, Jef van de (geb. 1903), fläm. Politiker 715
Wien 15, 210, 830, 835f., 843, 847, 850, 852, 854, 869, 871–875, 879

Personen- und Sachregister

- Heldenplatz 863, 869, 871
- Ringstraße 863, 879
- Staatsoper 879
- Märzrevolution (1848) 835
- Brand d. Justizpalastes (1927) 210, 843
- nat.soz. Putsch (1934) 857 ff.
- Schiedssprüche (1938, 1940) 265, 895 ff., 946, 1135, 1153, 1157, 1159, 1162
- Botschafterkonferenz (1955) 879

Wieniawa-Długoszowski, Bolesław (geb. 1881), poln. General u. Diplomat 1025

Wiercinski-Keiser, Willibald (geb. 1888), Justizsenator v. Danzig (1933–39) 614

Wikborg, Erling (geb. 1894), norweg. Außenmin. (1963) 814

Wilfan, Josip, Führer d. slowen. Minderheit in Italien 1197

Wilhelm, Hzg. v. Urach (1864–1928), erwählter Kg. v. Litauen (1918) 1066 f.
- I., Prinz zu Wied (1876–1945), Fürst v. Albanien (1914) 1272 f.
- I. (geb. 1797), Kg. v. Preußen (1861–88), dt. Kaiser (1871–88) 671
- II. (1859–1941), dt. Kaiser u. Kg. v. Preußen (1888–1918) 133, 136, 201, 298, 703, 1086

Wilhelmina (1880–1962), Kgn. d. Niederlande (1890–1948) 702

Wille, Ulrich (1848–1925), schweizer. General 730

Williams, Robert (1881–1936), brit. Gewerkschaftler u. Politiker 374

Wilna 127, 148, 178, 489, 993, 995, 997, 1003, 1063–1068, 1070 ff., 1077

Wilna-Frage 127, 997, 1000, 1006, 1012, 1063 f., 1071, 1075 f., 1126

Wilson, Sir Harold (geb. 1916), brit. Handelsmin. (1947–51), Premiermin. (1964–70, 1974–76) 75, 395, 397
- Henry Maitland (1881–1964), brit. Feldmarschall, alliierter Oberbefehlshaber im Mittelmeer (1944) 1329
- Sir Horace J. (1882–1972), brit. Diplomat 288
- Thomas Woodrow (1856–1924), Präs. d. USA (1913–21) 91, 116–123, 127, 130 ff., 134–137, 160 f., 176 ff., 202, 214, 270, 273 f., 303 f., 322, 338, 369, 422, 439, 589, 607, 624, 705, 730, 828, 926 ff., 987 f.
-- Kongreßbotschaft (11. II. 1918) 122

Wilson-Programm 119 f., 125, 142, 202, 267, 988, 991

Winkler, Franz (1890–1945), österr. Innenmin. (1930–32), Vizekanzler (1932/33) 846, 848, 852 f.

Winnig, August (1878–1956), dt. Politiker, Oberpräs. v. Ostpreußen (1919/20) 113 f.

Winter, Ernst Karl (1894–1959), Vizebürgermeister v. Wien (1934/35) 855

Winterkrieg (1939–40), finn.-sowjet. 10, 260, 509, 1099 f.

Wirth, Joseph (1879–1956), dt. Reichskanzler (1921/22), Reichsinnenmin. (1930/31) 42, 149, 539 f., 839

Wirtschaftslenkung 229

Wirtschaftsplanung 228, 231 f.

Wirtschaftspolitik, totalitäre 74

Wirtschaftssystem
- internationales 22
- nat.soz. 229 ff.
- sozialist. 1055

Wirtschaftswunder, dt. 579

Wissell, Rudolf (1869–1962), dt. Reichsarbeitsmin. (1928–30) 528

Witos, Wincenty (1874–1945), poln. Min.präs. (1920/21, 1923, 1926) 213, 991, 995, 1001 f., 1006, 1008–1011, 1020, 1025, 1039, 1042

Wlassow, Andrej A. (1901–46), sowjet. General 256

Wohlfahrtsstaat 47 f., 71, 77, 83, 94–97, 384–401, 740, 743

Wohlthat, Helmuth (geb. 1893), dt. Staatsrat u. Wirtschaftsberater 16, 288

Wohnungsbau 23, 580

Wojciechowski, Stanisław (1869–1953), poln. Staatspräs. (1922–26) 1001, 1008

Wölfflin, Heinrich (1864–1945), schweizer. Kunsthistoriker 731

Wolgadeutsche 8

Wolhynien 489, 963, 984, 1005, 1034

»Wolna Polska« 1031

Woolton, Frederick James Lord (1883–1964), brit. Ernährungsmin. (1940–43), Wiederaufbaumin. (1943–45), Vors. d. Konservativen Partei (1946–55) 387, 393, 398

Workmen's Compensation Act (1897) 46

Woroschilow, Kliment J. (1881–1969), sowjet. Marschall (1935), Staatsoberhaupt (1953–60) 487, 511, 1301

Wrangell, Pjotr N. Baron v. (1878–1928), russ. General 489

Wyschinski (Vyšinskij), Andrej J. (1883–1954), sowjet. Gen.staatsanwalt, Außenmin. (1949–53) 227, 503, 1163

Wyszyński, Stefan (geb.

1433

1901), Kardinal, Primas
  v. Polen 984, 1052 f.
Yčas, Martynas
  (1880–1931), litau. Politiker 1065, 1067
Yorck v. Wartenburg, Peter Gf. (1904–44), Mitglied d. Kreisauer Kreises 567
Young-Plan (1929) 156, 171, 174, 532, 541 f.
Ypi (Kosturi), Dschafer (gest. 1940), alban. Min.präs. (1921) 1276

Zachariadis, Nikos (geb. 1902), griech. KP-Chef 1331 f.
Zagreb (Agram) 1188, 1213, 1216
Zahle, Carl Theodor (1866–1946), dän. Min.präs. (1909/10, 1913–20) 774 f.
Zaimis, Alexandros (1855–1936), griech. Min.präs. (1922, 1927/28), Staatspräs. (1929–35) 1323
Zajiček, Erwin (geb. 1890), sudentendt. Politiker 934
Zaleski, August (1883–1972), poln. Außenmin. (1926–32) 614, 1012, 1025 f., 1030
Zamboni, Anteo (1911–26), ital. Attentäter 633
Zambrowski, Roman (geb. 1909), poln. Politbüromitglied 1048, 1057
Zamość 1032
Zaniboni, Tito (1883–1961), ital. Politiker 632
Zápotocký, Antonín (1884–1957), tschechoslowak. Min.präs. (1948–53), Staatspräs. (1953–57) 936, 966, 972 f.
Zarizyn (Stalingrad) 487
Žatkovič, ruthen. Politiker 930 f.
Zawadzki, Aleksander (1899–1964), poln. Staatspräs. (1952–64) 1048, 1050, 1057
Zborów (1917) 926

Zdziechowski, Marian (1861–1938), poln. Kulturhistoriker 1019
Zeeland, Paul van (1893–1973), belg. Min.präs. (1935–37), Außenmin. (1935/36, 1949–54) 325, 707
Żeligowski, Lucjan (1865–1946), poln. Kriegsmin. (1925/26) 997, 1008, 1072
Zenkl, Petr (geb. 1884), tschechoslowak. stellv. Min.präs. (1946–48) 965
Zensur 220, 1058, 1325
Zentralafrika 429, 432 ff.
Zentralafrikanische Republik 319
Zentralarbeitsgemeinschaft d. industriellen u. gewerbl. Arbeitgeber u. Arbeitnehmer Deutschlands 49
Zentralismus
– bürokrat. 50, 492
– demokrat. 50, 78, 491
Zentralverwaltungswirtschaft 37, 219, 228, 331, 583
Zentrumspartei
– dt. 72, 208, 467, 528, 530 f., 543, 553, 555, 573, 579, 588, 591–594, 597, 607 f., 611 ff., 616
– norweg. 814
Zentrumsunion (EK) 1335
Zernatto, Guido (1903–43), österr. Dichter u. Politiker 864
Zervas, Napoleon (1891–1957), griech. Offizier, Chef d. Widerstandsbewegung EDES 1327
Zevgos, G., griech. Politiker 1333
Ziehm, Ernst (1867–1962), Senatspräs. v. Danzig (1931–33) 608, 612 ff.
Zigeuner 11
Zimmermann, Alfred (1869–1939), Gen.kommissar d. Völkerbundes in Österreich (1922–26) 840
Zionismus 353, 405, 425 ff., 1265
Zips 921, 930, 946, 954
Živkov, Todor (geb. 1911), bulg. Min.präs. (1962–71), Erster Sekr. d. KPB (seit 1954), Staatsratsvors. (seit 1971) 1263, 1266 f.
Živković, Petar (1879–1947), jugoslaw. Min.präs. (1929–32) 1196, 1201 f., 1205
Złoty 1003
Zogolli, Dschemal Pascha (gest. 1911), alban. Häuptling 1278
Zogu, Ahmed Bey (1893–1961), alban. Staatspräs. (1925–28), als Zogu I. Kg. v. Albanien (1928–39) 1271 f., 1274–1284, 1291
Žolger, Ivan (1867–1925), jugoslaw. Politiker 1189
Zollinger, Albin (1895–1941), schweizer. Schriftsteller 731
Zollunion 330, 332
– belg.-luxemburg. 701, 705
Zollunionsplan (1931), dt.-österr. 172, 175 f., 180, 542, 846 ff.
Zorlu (gest. 1961), türk. Außenminister 1346
Zuiderzee 726
Žujović, Sreten (geb. 1899), jugoslaw. Fin.min. (1946–48) 1229
Zürich, Rede Churchills in (1946) 325, 741
Zusammenarbeit, nord. 787, 791, 821 f.
Zveno (1927) 1250, 1253, 1256, 1258–1261
Zwangsarbeit, Zwangsarbeiter 8, 11, 228, 231, 462, 900, 1165, 1258, 1288, 1300
Zwangsarbeitslager 227
Zwangsaussiedlung 1242
Zwangskollektivierung 8, 35, 52, 228, 498 ff.
Zwangsumsiedlung 7, 11
Zwangsverwahrung 11
Zwangswirtschaft 575
Zweifrontenkrieg 1016, 1022

Zweiparteiensystem 28, 203, 361, 363, 371, 446
Zweites Kontrollabkommen (1946) 876

Żymierski, Michał, s. Rola-Żymierski
Zypern 308, 770, 820, 1315, 1334, 1336

Zypernfrage 346
Zypernkonflikt 1337, 1345, 1347

Register: Dr. Peter Alter unter Mitarbeit von Renate Alter, Gertrud Bethge, Jane Heller, Renate Warttmann, Heinz W. Alter, Heinz Biganski und Dr. Hanspeter Fink.